LE ROBERT & COLLINS

«poche»

FRANÇAIS-ESPAGNOL
ESPAGNOL-FRANÇAIS

ban [bɑ̃] *nm*: **ouvrir/fermer le ~** abrir/cerrar una ceremonia militar con un toque; **~s** *nmpl* (*de mariage*) amonestaciones *fpl* matrimoniales; **être/mettre au ~ de** estar/poner al margen de; **le ~ et l'arrière-~ de sa famille** todos los miembros de su familia.

banal, e [banal] *adj* trivial; **four ~** (HIST) molino comunal.

banane [banan] *nf* plátano, banana (*esp AM*).

banc [bɑ̃] *nm* banco; **banc d'essai** (*fig*) banco de prueba; **banc de sable** banco de arena; **banc des accusés/témoins** banquillo de los acusados/testigos.

bancaire [bɑ̃kɛʀ] *adj* bancario(-a).

bancal, e [bɑ̃kal] *adj* cojo(-a); (*fig*) defectuoso(-a).

bandage [bɑ̃daʒ] *nm* vendaje *m*.

bande [bɑ̃d] *nf* banda; (*de tissu*) faja; (*pour panser*) venda; (INFORM) cinta; (*motif, dessin*) banda, franja; **une ~ de ...** (*copains, voyous*) una pandilla de ...; **donner de la ~** (NAUT) dar a la banda, escorar; **par la ~** (*fig*) indirectamente; **faire ~ à part** hacer rancho aparte; **bande de roulement** banda de rodadura; **bande de terre** faja de tierra; **bande dessinée** (*dans un journal*) tira cómica, historieta; (*livre*) cómic *m*; **bande magnétique** cinta magnética; **bande perforée** banda perforada; **bande sonore** banda sonora; **bande Velpeau** ® venda; **bande vidéo** cinta de vídeo.

bandeau [bɑ̃do] *nm* venda; (*autour du front*) cinta, venda, vincha (*AND, CSUR*).

bander [bɑ̃de] *vt* (*blessure*) vendar; (*muscle, arc*) tensar ♦ *vi* (*fam!*) empalmarse (*fam!*); **~ les yeux à qn** vendar los ojos a algn.

banderole [bɑ̃dʀɔl] *nf* banderola.

bandit [bɑ̃di] *nm* bandido; (*fig*) estafador *m*.

bandoulière [bɑ̃duljɛʀ] *nf*: **en ~** en bandolera.

banlieue [bɑ̃ljø] *nf* suburbio; **quartier de ~** barrio suburbano; **lignes/trains de ~** líneas *fpl*/trenes *mpl* de cercanías.

banlieusard, e [bɑ̃ljøzaʀ, aʀd] *nm/f* habitante *m/f* de los suburbios.

bannière [banjɛʀ] *nf* estandarte *m*.

bannir [baniʀ] *vt* desterrar.

banque [bɑ̃k] *nf* banco; (*activités*) banca; **banque d'affaires** banco de negocios; **banque de dépôt** banco de depósito; **banque de données** (INFORM) banco de datos; **banque d'émission** banca central; **banque des yeux/du sang** banco de ojos/de sangre.

banqueroute [bɑ̃kʀut] *nf* bancarrota.

banquet [bɑ̃kɛ] *nm* banquete *m*.

banquette [bɑ̃kɛt] *nf* banqueta; (*d'auto*) asiento corrido.

banquier [bɑ̃kje] *nm* banquero.

banquise [bɑ̃kiz] *nf* banco de hielo, banquisa.

baptême [batɛm] *nm* (*sacrement*) bautismo; (*cérémonie*) bautizo; **baptême de l'air** bautismo del aire.

baptiser [batize] *vt* bautizar.

baquet [bakɛ] *nm* cubeta.

bar [baʀ] *nm* bar *m*, cantina (*esp AM*); (*comptoir*) barra, mostrador *m*; (*poisson*) lubina.

baraque [baʀak] *nf* barraca; (*cabane, hutte*) caseta; (*fam*) casucha; **baraque foraine** barraca de feria.

baraqué, e [baʀake] (*fam*) *adj* plantado(-a).

baraquements [baʀakmɑ̃] *nmpl* campamento de barracas.

baratin [baʀatɛ̃] (*fam*) *nm* camelo.

baratiner [baʀatine] (*fam*) *vt* camelar.

barbare [baʀbaʀ] *adj, nm/f* bárbaro(-a).

barbe [baʀb] *nf* barba; **au nez et à la ~ de qn** en las barbas de algn; **quelle ~!** (*fam*) ¡qué lata!; **barbe à papa** algodón *m* de azúcar.

barbelé [baʀbəle] *nm* alambrada.

barboter [baʀbɔte] *vi* chapotear ♦ *vt* (*voler*) birlar, mangar.

barboteuse [baʀbɔtøz] *nf* pelele *m*.

barbouiller [baʀbuje] *vt* (*couvrir, salir*) embadurnar; (*péj: mur, toile*) pintarrajear; (*: écrire, dessiner*) emborronar; **avoir l'estomac barbouillé** tener el estómago revuelto.

barbu, e [baʀby] *adj* barbudo(-a).

Barcelone [baʀsəlɔn] *n* Barcelona.

barda [baʀda] (*fam*) *nm* bártulos *mpl*.

bardé, e [baʀde] *adj*: **~ de médailles** abarrotado(-a) de medallas.

barder [baʀde] *vi* (*fam*): **ça va ~** se va a armar la gorda ♦ *vt* enalbardar.

barème [baʀɛm] *nm* (*des prix, des tarifs*) baremo, tabla; (*cotisations, notes*) baremo; **barème des salaires** tabla de salarios.

baril [baʀi(l)] *nm* barril *m*.

bariolé, e [baʀjɔle] *adj* abigarrado(-a).

baromètre [baʀɔmɛtʀ] *nm* barómetro; **baromètre anéroïde** barómetro aneroide.

baron [baʀɔ̃] *nm* barón *m*; (*fig*) magnate *m*.

baronne [baʀɔn] *nf* baronesa.

baroque [baʀɔk] *adj* (ART) barroco(-a); (*fig*) estrambótico(-a).

barque [baʀk] *nf* barca.

barquette [baʀkɛt] *nf* (*tartelette*) (tipo de) pasta de té; (*en aluminium*) envase *m*; (*en bois*) caja.

barrage [baʀaʒ] *nm* pantano, embalse *m*; (*sur route*) barrera; **barrage de police** cordón *m* policial, retén *m* (*AM*).

barre [baʀ] *nf* barra; (*NAUT*) timón *m*; (*écrite*) raya; **comparaître à la ~** comparecer ante el juez; **être à** *ou* **tenir la ~** llevar el timón; **barre à mine** barrena; **barre de mesure** (*MUS*) barra de compás; **barre fixe** (*GYMNASTIQUE*) barra fija; **barres parallèles** barras paralelas.

barreau, x [baʀo] *nm* barrote *m*; (*JUR*): **le ~** el foro, la abogacía.

barrer [baʀe] *vt* (*route*) obstruir; (*mot*) tachar; (*chèque*) cruzar; (*NAUT*) timonear; **se barrer** (*fam*) *vpr* largarse, pirarse; **~ le passage** *ou* **la route à qn** cortar el paso a algn.

barrette [baʀɛt] *nf* (*pour les cheveux*) prendedor *m*; (*REL*) birrete *m*; (*broche*) broche *m*.

barricader [baʀikade] *vt* (*rue*) levantar barricadas en; (*porte, fenêtre*) atrancar; **se ~ chez soi** (*fig*) encerrarse en su casa.

barrière [baʀjɛʀ] *nf* barrera; **barrière de dégel** (*ADMIN, AUTO*) *circulación de vehículos pesados prohibida a causa del deshielo*; **barrières douanières** barreras *fpl* aduaneras.

barrique [baʀik] *nf* barrica, tonel *m*.

bas, basse [bɑ, bɑs] *adj* bajo(-a); (*vue*) corto(-a); (*action*) bajo(-a), vil ♦ *nm* (*chaussette*) calcetín *m*; (*de femme*) media; (*partie inférieure*): **le ~ de ...** la parte de abajo de... ♦ *adv* bajo; **plus ~** más bajo, más abajo; **parler plus ~** hablar más bajo; **la tête ~se** cabizbajo; **avoir la vue ~se** ser corto(-a) de vista; **au ~ mot** por lo menos, por lo bajo; **enfant en ~ âge** niño de corta edad; **en ~** abajo; **en ~ de** debajo de, en la parte baja de; **de ~ en haut** de abajo arriba; **des hauts et des ~** altibajos *mpl*; **un ~ de laine** (*fam*) ahorrillos *mpl*; **mettre ~** parir; **"à ~ la dictature/l'école!"** "¡abajo la dictadura/la escuela!"; **bas morceaux** despojos *mpl*.

basané, e [bazane] *adj* curtido(-a); (*immigré*) moro(-a).

bas-côté [bakote] (*pl* **~-~s**) *nm* (*de route*) arcén *m*; (*d'église*) nave *f* lateral.

bascule [baskyl] *nf*: **(jeu de) ~** subibaja *m*; **(balance à) ~** báscula; **fauteuil à ~** mecedora.

basculer [baskyle] *vi* (*tomber*) volcar; (*benne*) bascular ♦ *vt* (*gén*: *faire basculer*) volcar.

base [bɑz] *nf* base *f*; (*POL*): **la ~** la(s) base(s); **jeter les ~s de** sentar las bases de; **à la ~ de** (*fig*) en el origen de; **sur la ~ de** (*fig*) tomando como base; **principe/produit de ~** principio/producto de base; **à ~ de café** a base de café; **base de données** (*INFORM*) base de datos; **base de lancement** base de lanzamiento.

baser [bɑze] *vt*: **~ qch sur** basar algo en; **se ~ sur** basarse en; **basé à/dans** (*MIL*) con base en.

basilique [bazilik] *nf* basílica.

basket-ball [baskɛtbol] (*pl* **~-~s**) *nm* baloncesto.

baskets [baskɛt] *nfpl* (*chaussures*) playeras *fpl*, zapatillas *fpl* de deporte.

basque [bask] *adj, nm/f* vasco(-a) ♦ *nm* (*LING*) vasco, vascuence *m*; **le Pays ~** el País vasco.

basse [bɑs] *adj f voir* **bas** ♦ *nf* bajo.

basse-cour [bɑskuʀ] (*pl* **~s-~s**) *nf* (*cour*) corral *m*; (*animaux*) aves *fpl* de corral.

bassin [basɛ̃] *nm* (*cuvette*) palangana, cubeta; (*pièce d'eau*) estanque *m*; (*de fontaine*) pila; (*GÉO*) cuenca; (*ANAT*) pelvis *f*; (*portuaire*) dársena; **bassin houiller** cuenca hullera.

bassine [basin] *nf* balde *m*.

bassiste [bɑsist] *nm/f* bajista *m/f*, bajo.

basson [bɑsɔ̃] *nm* (*instrument*) fagot *m*; (*musicien*) fagotista *m/f*, fagot *m*.

bas-ventre [bɑvɑ̃tʀ] (*pl* **~-~s**) *nm* bajovientre *m*.

bât [bɑ] *nm* albarda.

bataille [batɑj] *nf* batalla; **en ~** (*en désordre*) desordenado(-a), desgreñado(-a); **bataille rangée** batalla campal.

bâtard, e [bɑtaʀ, aʀd] *adj* (*solution*) espurio(-a); (*fig*) híbrido(-a) ♦ *nm/f* (*enfant*) bastardo(-a) ♦ *nm* (*boulangerie*) barra; **chien ~** perro bastardo.

bateau, x [bato] *nm* barco; (*grand*) navío, buque *m*; (*abaissement du trottoir*) vado ♦ *adj* (*banal, rebattu*) típico(-a); **bateau à moteur/de pêche** barco de motor/de pesca.

bateau-mouche [batomuʃ] (*pl* **~x-~s**) *nm* golondrina.

bâti, e [bɑti] *adj* (*terrain*) edificado(-a) ♦ *nm* (*armature*) armazón *m*; (*COUTURE*) hilván *m*; **bien ~** (*personne*) bien hecho(-a), fornido(-a).

batifoler [batifɔle] *vi* retozar.

bâtiment [bɑtimɑ̃] *nm* edificio; (*NAUT*) navío; **le ~** (*industrie*) la construcción.

bâtir [bɑtiʀ] *vt* edificar, construir; (*fig*) edificar; (*COUTURE*) hilvanar; **fil à ~** (*COUTURE*) hilo de hilvanar.

bâtisse [bɑtis] *nf* construcción *f*.

bâton [bɑtɔ̃] *nm* palo, vara; (*d'agent de*

police) porra; **mettre des ~s dans les roues à qn** poner trabas a algn; **à ~s rompus** sin orden ni concierto; **bâton de rouge (à lèvres)** barra (de labios); **bâton de ski** bastón *m* de esquiar.

battage [bataʒ] *nm* propaganda exagerada.

battant, e [batɑ̃, ɑ̃t] *vb voir* **battre** ♦ *adj*: **pluie ~e** aguacero, lluvia recia ♦ *nm* (*de cloche*) badajo; (*de volet, de porte*) hoja, batiente *m*; (*personne*) persona combativa; **porte à double ~** puerta de doble batiente; **tambour ~** (*fig*) con firmeza.

battement [batmɑ̃] *nm* (*de cœur*) latido, palpitación *f*; (*intervalle*) intervalo; **10 minutes de ~** 10 minutos de intervalo; **battement de paupières** parpadeo.

batterie [batʀi] *nf* batería; **~ de tests** batería de tests; **batterie de cuisine** batería de cocina.

batteur [batœʀ] *nm* (*MUS*) batería *m/f*; (*appareil*) batidora.

batteuse [batøz] *nf* trilladora.

battre [batʀ] *vt* golpear; (*suj*: *pluie, vagues*) golpear, azotar; (*vaincre*) vencer, derrotar; (*œufs etc*) batir; (*blé*) trillar; (*tapis*) sacudir; (*cartes*) barajar; (*passer au peigne fin*) rastrear ♦ *vi* (*cœur*) latir; (*volets etc*) golpear; **se battre** *vpr* pelearse, luchar; (*fig*) esforzarse; **~ de**: **~ des mains** aplaudir; **~ de l'aile** (*fig*) estar alicaído(-a); **~ des ailes** aletear; **~ froid à qn** tratar a algn con frialdad; **~ la mesure** llevar el compás; **~ en brèche** (*aussi fig*) batir en brecha; **~ son plein** estar en su apogeo; **~ pavillon espagnol** enarbolar bandera española; **~ la semelle** zapatear (para calentarse); **~ en retraite** batirse en retirada.

battue [baty] *nf* batida.

baume [bom] *nm* bálsamo; (*fig*) bálsamo, consuelo.

bavard, e [bavaʀ, aʀd] *adj* parlanchín(-ina).

bavarder [bavaʀde] *vi* charlar, platicar (*MEX*); (*indiscrètement*) charlatanear, irse de la lengua.

bave [bav] *nf* baba.

baver [bave] *vi* babear; (*encre, couleur*) correrse; **en ~** (*fam*) pasar las de Caín, pasarlas negras.

bavette [bavɛt] *nf* (*de bébé*) babero; (*de tablier, salopette*) peto.

baveux, -euse [bavø, øz] *adj* baboso(-a); **omelette baveuse** tortilla babosa.

bavure [bavyʀ] *nf* rebaba, mancha; (*fig*) error *m*.

bazar [bazaʀ] *nm* bazar *m*; (*fam*) leonera.

BCBG [besebeʒe] *sigle adj* (= *bon chic bon genre*): **une fille ~** ≈ una chica bien vestida.

BCG [beseʒe] *sigle m* (= *bacille Calmette-Guérin*) *vacuna de la tuberculosis*.

BD *sigle f* (= *bande dessinée*) *voir* **bande**; (= *base de données*) base *f* de datos.

bd *abr* (= *boulevard*) Blvr. (= *bulevar*).

béant, e [beɑ̃, ɑ̃t] *adj* abierto(-a).

béat, e [bea, at] *adj* beato(-a); (*sourire etc*) plácido(-a).

beau (bel), belle, beaux [bo, bɛl] *adj* (*gén*) bonito(-a); (*plus formel*) hermoso(-a), bello(-a), lindo(-a) (*fam*: *esp AM*); (*personne*) guapo(-a) ♦ *nm*: **avoir le sens du beau** tener sentido estético ♦ *adv*: **il fait beau** hace buen tiempo; **le temps est au beau** el tiempo se anuncia bueno; **un beau geste** un gesto noble; **un beau salaire** un buen salario; **un beau gâchis/rhume** (*iro*) un buen despilfarro/resfriado; **en faire/dire de belles** hacerlas/decirlas buenas; **le beau monde** la buena sociedad; **un beau jour ...** un buen día ...; **de plus belle** más y mejor; **bel et bien** de verdad; **le plus beau c'est que ...** lo mejor es que ...; **"c'est du beau!"** "¡qué bonito!"; **on a beau essayer ...** por más que se intente ...; **il a beau jeu de protester** *etc* le es fácil protestar *etc*; **faire le beau** (*chien*) ponerse en dos patas; **beau parleur** hombre *m* de labia.

beaucoup [boku] *adv* mucho; **il boit ~** bebe mucho; **il ne rit pas ~** no ríe mucho; **il est ~ plus grand** es mucho más grande; **il en a ~** tiene mucho(s)(-a(s)); **~ trop de** demasiado(s)(-a(s)); **(pas) ~ de** (no) mucho(s)(-a(s)); **~ d'étudiants/de touristes** muchos estudiantes/turistas; **~ de courage** mucho valor; **il n'a pas ~ d'argent** no tiene mucho dinero; **de ~** *adv* con mucho; **~ le savent** (*emploi nominal*) muchos lo saben.

beau-fils [bofis] (*pl* **~x-~**) *nm* yerno; (*remariage*) hijastro.

beau-frère [bofʀɛʀ] (*pl* **~x-~s**) *nm* cuñado.

beau-père [bopɛʀ] (*pl* **~x-~s**) *nm* suegro; (*remariage*) padrastro.

beauté [bote] *nf* belleza; **de toute ~** de gran belleza; **en ~**: **finir en ~** terminar brillantemente.

beaux-arts [bozaʀ] *nmpl* bellas artes *fpl*.

beaux-parents [boparɑ̃] *nmpl* suegros *mpl*.

bébé [bebe] *nm* bebé *m*.

bec [bɛk] *nm* pico; (*de plume*) punta; (*d'une clarinette etc*) boquilla; **clouer le ~ à qn** (*fam*) cerrar el pico a algn; (*fam*) abrir el pico; **bec de gaz** farola; **bec**

verseur pico.
bécane [bekan] (*fam*) *nf* bici *f*.
bêche [bɛʃ] *nf* pala.
bêcher [beʃe] *vt* (*terre*) cavar; (*snober*) despreciar.
bécoter [bekɔte]: **se ~** *vpr* besuquearse.
becqueter [bɛkte] (*fam*) *vi* papear.
bedaine [bədɛn] *nf* barriga.
bedonnant, e [bədɔnɑ̃, ɑ̃t] *adj* barrigudo(-a).
bée [be] *adj*: **bouche ~** boquiabierto(-a).
beffroi [befʀwa] *nm* campanario.
bégayer [begeje] *vi, vt* tartamudear.
bègue [bɛg] *nm/f* tartamudo(-a).
béguin [begɛ̃] *nm*: **avoir le ~ pour** estar encaprichado(-a) con.
beige [bɛʒ] *adj* beige.
beignet [bɛɲɛ] *nm* buñuelo.
bel [bɛl] *adj m voir* **beau**.
bêler [bele] *vi* balar; (*fig*) gemir.
belette [bəlɛt] *nf* comadreja.
belge [bɛlʒ] *adj* belga ♦ *nm/f*: **B~** belga *m/f*.
Belgique [bɛlʒik] *nf* Bélgica.
bélier [belje] *nm* (ZOOL) carnero; (*engin*) ariete *m*; (ASTROL): **le B~** Aries *m*; **être (du) B~** ser Aries.
belle [bɛl] *adj f voir* **beau** ♦ *nf* (SPORT): **la ~** el desempate.
belle-famille [bɛlfamij] (*pl* **~s-~s** *fam*) *nf* familia política.
belle-fille [bɛlfij] (*pl* **~s-~s**) *nf* nuera; (*remariage*) hijastra.
belle-mère [bɛlmɛʀ] (*pl* **~s-~s**) *nf* suegra; (*remariage*) madrastra.
belle-sœur [bɛlsœʀ] (*pl* **~s-~s**) *nf* cuñada.
belliqueux, -euse [belikø, øz] *adj* belicoso(-a).
bémol [bemɔl] *nm* bemol *m*.
bénédiction [benediksjɔ̃] *nf* bendición *f*.
bénéfice [benefis] *nm* (COMM) beneficio; (*avantage*) beneficio, provecho; **au ~ de** a favor de.
bénéficiaire [benefisjɛʀ] *nm* beneficiario(-a).
bénéficier [benefisje] *vi*: **~ de** (*jouir de, avoir, obtenir*) disfrutar de; (*tirer profit de*) beneficiarse de, aprovecharse de.
bénévole [benevɔl] *adj* (*personne*) benévolo(-a); (*aide etc*) voluntario(-a).
bénin, -igne [benɛ̃, iɲ] *adj* benigno(-a).
bénir [beniʀ] *vt* bendecir.
bénit, e [beni, it] *adj* bendito(-a); **eau ~e** agua bendita.
bénitier [benitje] *nm* pila de agua bendita.
benjamin, e [bɛ̃ʒamɛ̃, in] *nm/f* benjamín(-ina); (SPORT) alevín *m/f*.
benne [bɛn] *nf* (*de camion*) volquete *m*; (*de téléphérique*) cabina; **benne basculante** volquete.
BEPC [beəpese] *sigle m* (= *brevet d'études du premier cycle*) ≈ Graduado Escolar.
béquille [bekij] *nf* muleta; (*de bicyclette*) soporte *m*.
berbère [bɛʀbɛʀ] *adj* berberisco(-a) ♦ *nm* (LING) bereber *m* ♦ *nm/f*: **B~** bereber *m/f*.
bercail [bɛʀkaj] *nm* redil *m*.
berceau, x [bɛʀso] *nm* (*aussi fig*) cuna.
bercer [bɛʀse] *vt* acunar, mecer; (*suj: musique*) mecer; **~ qn de** ilusionar a algn con.
berceuse [bɛʀsøz] *nf* (*chanson*) canción *f* de cuna, nana.
béret (basque) [berɛ (bask(ə))] *nm* boina.
berge [bɛʀʒ] *nf* (*d'un cours d'eau*) ribera; (*d'un chemin, fossé*) orilla; (*fam: an*) taco (*fam*).
berger, -ère [bɛʀʒe, ʒɛʀ] *nm/f* pastor(a); **berger allemand** pastor *m* alemán.
berlingot [bɛʀlɛ̃go] *nm* (*emballage*) envase *m* de cartón; (*bonbon*) *caramelo con forma de rombo*.
berlue [bɛʀly] *nf*: **avoir la ~** ver visiones.
bermuda [bɛʀmyda] *nm* bermudas *mpl o fpl*.
Berne [bɛʀn] *nf* Berna.
berner [bɛʀne] *vt* estafar.
besogne [bəzɔɲ] *nf* tarea, faena.
besoin [bəzwɛ̃] *nm* necesidad *f*; (*pauvreté*): **le ~** la necesidad, la estrechez ♦ *adv*: **au ~** si es menester; **il n'y a pas ~ de (faire)** no hay necesidad de (hacer); **le ~ d'argent/de gloire** la necesidad de dinero/de gloria; **les ~s (naturels)** las necesidades; **faire ses ~s** hacer sus necesidades; **avoir ~ de qch/de faire qch** tener necesidad de algo/de hacer algo; **pour les ~s de la cause** por exigencias del objetivo.
bestiaux [bɛstjo] *nmpl* ganado, reses *fpl*.
bestiole [bɛstjɔl] *nf* bicho.
bétail [betaj] *nm* ganado.
bête [bɛt] *nf* (*gén*) animal *m*; (*insecte, bestiole*) bicho ♦ *adj* (*stupide*) tonto(-a), bobo(-a); **chercher la petite ~** ser un chinche; **les ~s** (*bétail*) el ganado; **bête de somme** bestia de carga; **bête noire** pesadilla, bestia negra; **bêtes sauvages** fieras *fpl*, animales *mpl* salvajes.
bêtise [betiz] *nf* (*défaut d'intelligence*) estupidez *f*, tontería; (*action, remarque*) tontería; (*bonbon*) caramelo de menta; **faire/dire une ~** hacer/decir una tontería.
béton [betɔ̃] *nm* hormigón *m*; **en ~** (*alibi,*

argument) sólido(-a); **béton armé/précontraint** hormigón armado/pretensado.

betterave [bɛtʀav] *nf* remolacha, betarraga (*CHI*); **betterave fourragère/sucrière** remolacha forrajera/azucarera.

beugler [bøgle] *vi* (*bovin*) mugir, bramar; (*personne, radio*) berrear ♦ *vt* (*péj: chanson*) berrear.

Beur [bœʀ] *nm/f joven árabe nacido en Francia de padres emigrantes.*

beurre [bœʀ] *nm* mantequilla, manteca (*AM*); **mettre du ~ dans les épinards** (*fig*) hacer el agosto; **beurre de cacao** manteca de cacao; **beurre noir** mantequilla requemada.

beurrer [bœʀe] *vt* untar con mantequilla.

beurrier [bœʀje] *nm* mantequera.

bévue [bevy] *nf* patinazo.

bi- [bi] *préf* bi-.

biais [bjɛ] *nm* (*d'un tissu*) sesgo; (*bande de tissu*) bies *m*; (*moyen*) rodeo, vuelta; **en ~, de ~** (*obliquement*) al sesgo; (*fig*) con rodeos.

biaiser [bjeze] *vi* andarse con rodeos.

bibelot [biblo] *nm* chuchería.

biberon [bibʀɔ̃] *nm* biberón *m*; **nourrir au ~** alimentar con biberón.

bible [bibl] *nf* biblia.

biblio... [biblijɔ] *préf* biblio... .

bibliobus [biblijobys] *nm* biblioteca ambulante, bibliobús *m*.

bibliophile [biblijɔfil] *nm/f* bibliófilo(-a).

bibliothécaire [biblijɔtekɛʀ] *nm/f* bibliotecario(-a).

bibliothèque [biblijɔtɛk] *nf* biblioteca; **bibliothèque municipale** biblioteca municipal.

bicarbonate [bikaʀbɔnat] *nm*: **~ (de soude)** bicarbonato (sódico).

biceps [bisɛps] *nm* bíceps *m inv*.

biche [biʃ] *nf* cierva.

bichonner [biʃɔne] *vt* acicalar; (*personne*) mimar.

bicolore [bikɔlɔʀ] *adj* bicolor.

bicoque [bikɔk] (*péj*) *nf* casucha.

bicyclette [bisiklɛt] *nf* bicicleta.

bide [bid] *nm* (*fam: ventre*) panza; (: *THÉÂTRE*) fracaso.

bidet [bidɛ] *nm* bidé *m*.

bidon [bidɔ̃] *nm* (*récipient*) bidón *m* ♦ *adj inv* (*fam*) amañado(-a).

bidonville [bidɔ̃vil] *nm* chabolas *fpl*.

bidule [bidyl] *nm* trasto, chisme *m*.

bielle [bjɛl] *nf* biela.

MOT-CLÉ

bien [bjɛ̃] *nm* **1** (*avantage, profit, moral*) bien *m*; **faire du bien à qn** hacer bien a algn; **faire le bien** hacer el bien; **dire du bien de qn/qch** hablar bien de algn/algo; **c'est pour son bien** es por su bien; **changer en bien** cambiar para bien; **mener à bien** llevar a buen término; **je te veux du bien** te quiero bien; **le bien public** el bien público

2 (*possession, patrimoine*) bien; **son bien le plus précieux** su bien más preciado; **avoir du bien** tener fortuna; **biens de consommation** bienes *mpl* de consumo

♦ *adv* **1** (*de façon satisfaisante*) bien; **elle travaille/mange bien** trabaja/come bien; **vite fait, bien fait** pronto y bien; **croyant bien faire, je ...** creyendo hacer bien, yo ...

2 (*valeur intensive*) muy, mucho; **bien jeune** muy joven; **j'en ai bien assez** tengo más que suficiente; **bien mieux** mucho mejor; **bien souvent** muy a menudo; **c'est bien fait!** (*tu le mérites*) ¡te está bien empleado!; **j'espère bien y aller** sí espero poder ir; **je veux bien le faire** (*concession*) me parece bien hacerlo; **il faut bien le faire** hay que hacerlo; **il faut bien l'admettre** hay que admitirlo; **il y a bien 2 ans** hace 2 años largos; **Paul est bien venu, n'est-ce pas?** Paul sí ha venido, ¿verdad?; **tu as eu bien raison de dire cela** hiciste muy bien en decir eso; **j'ai bien téléphoné** sí llamé por teléfono; **se donner bien du mal** molestarse mucho; **où peut-il bien être passé?** ¿dónde se habrá metido?; **on verra bien** ya veremos

3 (*beaucoup*): **bien du temps/des gens** mucho tiempo/mucha gente

♦ *excl*: **eh bien?** bueno, ¿qué?

♦ *adj inv* **1** (*en bonne forme, à l'aise*): **être/se sentir bien** estar/sentirse bien; **je ne me sens pas bien** no me siento bien; **on est bien dans ce fauteuil** se está bien en este sillón

2 (*joli, beau*) bien; **tu es bien dans cette robe** estás bien con este vestido; **elle est bien, cette femme** está bien esa mujer

3 (*satisfaisant, adéquat*) bien; **elle est bien, cette maison** está bien esta casa; **elle est bien, cette secrétaire** es buena esta secretaria; **c'est bien?** ¿está bien?; **mais non, c'est très bien** que no, está muy bien; **c'est très bien (comme ça)** está muy bien (así)

4 (*juste, moral, respectable*) bien *inv*; **ce n'est pas bien de ...** no está bien ...; **des gens biens** gente bien

5 (*en bons termes*): **être bien avec qn** estar a bien con algn; **si bien que** (*résultat*) de tal manera que; **tant bien que mal**

así, así
6: **bien que** *conj* aunque
7: **bien sûr** *adv* desde luego
♦ *préf*: **bien-aimé, e** *adj, nm/f* bienamado(-a).

bien-être [bjɛ̃nɛtʀ] *nm* bienestar *m*.
bienfaisant, e [bjɛ̃fəzɑ̃, ɑ̃t] *adj* beneficioso(-a).
bienfait [bjɛ̃fɛ] *nm* favor *m*; (*de la science*) beneficio.
bienfaiteur, -trice [bjɛ̃fɛtœʀ, tʀis] *nm/f* bienhechor(a).
bien-fondé [bjɛ̃fɔ̃de] *nm* legitimidad *f*.
bienheureux, -euse [bjɛ̃nœʀø, øz] *adj* bienaventurado(-a).
bien-pensant, e [bjɛ̃pɑ̃sɑ̃, ɑ̃t] (*pl* **~-~s, es**; *péj*) *adj* bien pensante ♦ *nm/f*: **les ~-~s** la gente de orden.
bienséance [bjɛ̃seɑ̃s] *nf* decoro, decencia; **~s** *nfpl* (*convenances*) conveniencias *fpl*.
bientôt [bjɛ̃to] *adv* pronto, luego; **à ~** hasta luego.
bienveillant, e [bjɛ̃vɛjɑ̃, ɑ̃t] *adj* benévolo(-a).
bienvenu, e [bjɛ̃vny] *adj* bienvenido(-a) ♦ *nm/f*: **être le ~/la ~e** ser bienvenido/bienvenida.
bienvenue [bjɛ̃vny] *nf*: **souhaiter la ~ à** desear la bienvenida a; **~ à** bienvenida a.
bière [bjɛʀ] *nf* cerveza; (*cercueil*) ataúd *m*; **bière blonde/brune** cerveza dorada/negra; **bière (à la) pression** cerveza de barril.
bifteck [biftɛk] *nm* bistec *m*, bisté *m*, bife *m* (*ARG*).
bifurquer [bifyʀke] *vi* (*route*) bifurcarse; (*véhicule, aussi fig*) desviarse.
bigarré, e [bigaʀe] *adj* (*bariolé*) abigarrado(-a); (*disparate*) heterogéneo(-a).
bigleux, -euse [biglø, øz] *adj* bizco(-a).
bigorneau, x [bigɔʀno] *nm* bígaro.
bigot, e [bigo, ɔt] (*péj*) *adj* santurrón(-ona), beato(-a) ♦ *nm/f* beato(-a).
bigoudi [bigudi] *nm* bigudí *m*.
bijou, x [biʒu] *nm* joya, alhaja.
bijouterie [biʒutʀi] *nf* (*bijoux*) joyas *fpl*; (*magasin*) joyería.
bijoutier, -ière [biʒutje, jɛʀ] *nm/f* joyero(-a).
bikini [bikini] *nm* biquini *m*.
bilan [bilɑ̃] *nm* balance *m*; **faire le ~ de** hacer el balance de; **déposer son ~** declararse en quiebra; **bilan de santé** chequeo.
bile [bil] *nf* bilis *f*; **se faire de la ~** (*fam*) hacerse mala sangre.
bilieux, -euse [biljø, jøz] *adj* bilioso(-a); (*fig*) bilioso(-a), colérico(-a).
bilingue [bilɛ̃g] *adj* bilingüe.
billard [bijaʀ] *nm* billar *m*; **c'est du ~** (*fam*) está tirado, es pan comido; **passer sur le ~** pasar por el quirófano; **billard électrique** billar automático.
bille [bij] *nf* bola; (*du jeu de billes*) canica; **jouer aux ~s** jugar a las canicas.
billet [bijɛ] *nm* billete *m*; (*de cinéma*) entrada; (*courte lettre*) billete, esquela; **billet à ordre** pagaré *m*; **billet aller retour** billete de ida y vuelta; **billet d'avion** billete de avión; **billet de commerce** letra de cambio; **billet de faveur** pase *m* de favor; **billet de loterie** billete de lotería; **billet de train** billete de tren; **billet doux** carta de amor.
billetterie [bijɛtʀi] *nf* emisión *f* y venta de billetes; (*distributeur*) taquilla; (*BANQUE*) cajero (automático).
billion [biljɔ̃] *nm* billón *m*.
billot [bijo] *nm* tajo.
bimensuel, le [bimɑ̃sɥɛl] *adj* bimensual, quincenal.
bimoteur [bimɔtœʀ] *adj* bimotor.
binette [binɛt] *nf* azada.
bio... [bjɔ] *préf* bio... .
biodégradable [bjodegʀadabl] *adj* biodegradable.
biographie [bjɔgʀafi] *nf* biografía.
biologie [bjɔlɔʒi] *nf* biología.
biologique [bjɔlɔʒik] *adj* biológico(-a).
biosphère [bjɔsfɛʀ] *nf* biosfera.
bipède [bipɛd] *nm* bípedo.
Birmanie [biʀmani] *nf* Birmania.
bis[1], e [bi, biz] *adj* pardo(-a).
bis[2] [bis] *adv*: **12 ~** 12 bis ♦ *excl* ¡otra! ♦ *nm* bis *m*.
biscornu, e [biskɔʀny] *adj* deforme; (*bizarre, aussi péj*) estrafalario(-a).
biscotte [biskɔt] *nf* biscote *m*.
biscuit [biskɥi] *nm* (*gâteau sec*) galleta; (*gâteau, porcelaine*) bizcocho; **biscuit à la cuiller** bizcocho.
bise [biz] *adj f voir* **bis[1]** ♦ *nf* (*baiser*) beso; (*vent*) cierzo.
bisou [bizu] (*fam*) *nm* besito.
bissextile [bisɛkstil] *adj*: **année ~** año bisiesto.
bistouri [bistuʀi] *nm* bisturí *m*.
bistro(t) [bistʀo] *nm* bar *m*, café *m*, cantina (*esp AM*).
bitume [bitym] *nm* asfalto.
bivouac [bivwak] *nm* vivac *m*, vivaque *m*.
bizarre [bizaʀ] *adj* raro(-a).
blafard, e [blafaʀ, aʀd] *adj* pálido(-a).
blague [blag] *nf* (*propos*) chiste *m*; (*farce*)

broma; **"sans ~!"** (*fam*) "¡no me digas!"; **blague à tabac** petaca.
blaguer [blage] *vi* bromear ♦ *vt* embromar.
blaireau, x [blɛʀo] *nm* (*ZOOL*) tejón *m*; (*brosse*) brocha de afeitar.
blairer [bleʀe] *vt*: **je ne peux pas le ~** no lo trago.
blâme [blɑm] *nm* (*jugement*) reprobación *f*; (*sanction*) sanción *f*.
blâmer [blɑme] *vt* (*réprouver*) reprobar; (*réprimander*) sancionar.
blanc, blanche [blɑ̃, blɑ̃ʃ] *adj* blanco(-a); (*innocent*) puro(-a) ♦ *nm/f* blanco(-a) ♦ *nm* blanco; (*linge*): **le ~** la ropa blanca; (*aussi*: **~ d'œuf**) clara; (*aussi*: **~ de poulet**) pechuga; **à ~** (*chauffer*) al rojo vivo; (*tirer, charger*) con munición de fogueo; **d'une voix blanche** con una voz opaca; **aux cheveux ~s** de pelo blanco; **le ~ de l'œil** el blanco del ojo; **laisser en ~** dejar en blanco; **chèque en ~** cheque *m* en blanco; **saigner à ~** desangrar; **~ cassé** color *m* hueso.
blanc-bec [blɑ̃bɛk] (*pl* **~s-~s**) *nm* mocoso.
blanche [blɑ̃ʃ] *adj f voir* **blanc** ♦ *nf* (*MUS*) blanca.
blancheur [blɑ̃ʃœʀ] *nf* blancura.
blanchir [blɑ̃ʃiʀ] *vt* (*gén, argent*) blanquear; (*linge*) lavar; (*CULIN*) escaldar; (*disculper*) rehabilitar ♦ *vi* blanquear; (*cheveux*) blanquear, encanecer; **blanchi à la chaux** encalado.
blanchisserie [blɑ̃ʃisʀi] *nf* lavandería.
blasé, e [blɑze] *adj* hastiado(-a).
blason [blɑzɔ̃] *nm* blasón *m*.
blasphème [blasfɛm] *nm* blasfemia.
blazer [blazɛʀ] *nm* blázer *m*.
blé [ble] *nm* trigo; **blé en herbe** trigo en ciernes; **blé noir** trigo sarraceno.
bled [blɛd] *nm* (*péj*) poblacho; (*en Afrique du nord*): **le ~** el interior.
blême [blɛm] *adj* pálido(-a).
blessé, e [blese] *adj* herido(-a); (*offensé*) ofendido(-a) ♦ *nm/f* herido(-a); **un ~ grave, un grand ~** un herido grave.
blesser [blese] *vt* herir; (*suj*: *souliers*) hacer daño a; (*offenser*) ofender; **se blesser** *vpr* herirse; **se ~ au pied** *etc* lastimarse el pie *etc*.
blessure [blesyʀ] *nf* herida; (*fig*) herida, ofensa.
bleu, e [blø] *adj* azul; (*bifteck*) poco hecho ♦ *nm* azul *m*; (*novice*) bisoño; (*contusion*) cardenal *m*; (*vêtement*: *aussi*: **~s**) mono, overol *m* (*AM*); (*CULIN*): **au ~** *forma de cocer el pescado*; **une peur ~e** un miedo cerval; **zone ~e** zona azul; **fromage ~** queso estilo Roquefort; **bleu (de lessive)** azulete *m*; **bleu de méthylène** azul de metileno; **bleu marine** azul marino; **bleu nuit** azul oscuro; **bleu roi** azulón.
bleuet [bløɛ] *nm* aciano.
bleuté, e [bløte] *adj* azulado(-a).
blinder [blɛ̃de] *vt* blindar; (*fig*) inmunizar.
bloc [blɔk] *nm* bloque *m*; (*de papier à lettres*) bloc *m*; (*ensemble*) montón *m*; **serré à ~** apretado a fondo; **en ~** en bloque; **faire ~** aliarse; **bloc opératoire** quirófano.
blocage [blɔkaʒ] *nm* (*aussi PSYCH*) bloqueo.
bloc-moteur [blɔkmɔtœʀ] (*pl* **~s-~s**) *nm* bloque *m* del motor.
bloc-notes [blɔknɔt] (*pl* **~s-~**) *nm* bloc *m* de notas.
blocus [blɔkys] *nm* bloqueo.
blond, e [blɔ̃, blɔ̃d] *adj* rubio(-a); (*sable, blés*) dorado(-a) ♦ *nm/f* rubio(-a); **~ cendré** rubio ceniciento.
blondeur [blɔ̃dœʀ] *nf* color *m* rubio.
bloquer [blɔke] *vt* bloquear; (*jours de congé*) agrupar; **~ les freins** frenar bruscamente.
blottir [blɔtiʀ] *vt* resguardar; **se blottir** *vpr* acurrucarse.
blouse [bluz] *nf* bata.
blouson [bluzɔ̃] *nm* cazadora; **blouson noir** (*fig*) gamberro.
blue-jean(s) [bludʒin(s)] *nm* vaqueros *mpl*, blue-jean(s) *m(pl)* (*esp AM*).
bluff [blœf] *nm* exageración *f*, farol *m*.
bluffer [blœfe] *vi* exagerar, farolear ♦ *vt* engañar.
bobard [bɔbaʀ] (*fam*) *nm* patraña.
bobine [bɔbin] *nf* (*de fil*) carrete *m*; (*de film*) carrete, rollo; (*de machine à coudre*) canilla; (*ÉLEC*) bobina; **bobine (d'allumage)** bobina (de encendido); **bobine de pellicule** carrete de película.
bocal, -aux [bɔkal, o] *nm* tarro (de vidrio).
bœuf [bœf] *nm* buey *m*; (*CULIN*) carne *f* de vaca.
bof! [bɔf] (*fam*) *excl* ¡bah!
Bogota [bɔgɔta] *n* Bogotá.
bohémien, ne [bɔemjɛ̃, jɛn] *nm/f* bohemio(-a).
boire [bwaʀ] *vt* beber, tomar (*AM*); (*s'imprégner de*) chupar ♦ *vi* beber; **~ un coup** echar un trago.
bois[1] [bwɑ] *vb voir* **boire**.
bois[2] [bwɑ] *nm* (*substance*) madera; (*forêt*) bosque *m*; **les ~** (*MUS*) la madera; **de ~, en ~** de madera; **bois de lit** armazón *m* de la cama; **bois mort/vert** leña seca/verde.
boisé, e [bwɑze] *adj* arbolado(-a).

boisson [bwasɔ̃] *nf* bebida; **pris de ~** (*ivre*) bebido; **boissons alcoolisées/gazeuses** bebidas *fpl* alcohólicas/gaseosas.

boîte [bwat] *nf* caja; (*de fer*) lata; **il a quitté sa ~** (*fam: entreprise*) ha dejado el curro (*fam*); **aliments en ~** alimentos *mpl* en lata; **mettre qn en ~** (*fam*) tomar el pelo a algn; **boîte à gants** guantera; **boîte à musique** caja de música; **boîte à ordures** cubo de basura; **boîte aux lettres** buzón *m*; **boîte crânienne** caja craneana; **boîte d'allumettes** caja de cerillas; **boîte de conserves** lata de conservas; **boîte (de nuit)** discoteca; **boîte de petits pois/de sardines** lata de guisantes/de sardinas; **boîte de vitesses** caja de cambios; **boîte noire** caja negra; **boîte postale** apartado de correos.

boiter [bwate] *vi* cojear, renguear (*AM*).

boîtier [bwatje] *nm* (*d'appareil-photo*) cuerpo; **boîtier de montre** caja de reloj.

bol [bɔl] *nm* tazón *m*; (*contenu*): **un ~ de café** un tazón de café; **un ~ d'air** una bocanada de aire; **en avoir ras le ~** (*fam*) estar hasta la coronilla.

bolide [bɔlid] *nm* bólido; **comme un ~** como un bólido.

Bolivie [bɔlivi] *nf* Bolivia.

bolivien, ne [bɔlivjɛ̃, jɛn] *adj* boliviano(-a) ♦ *nm/f*: **B~, ne** boliviano(-a).

bombardement [bɔ̃baʀdəmɑ̃] *nm* bombardeo.

bombarder [bɔ̃baʀde] *vt* (*MIL*) bombardear; **~ qn de** bombardear a algn con, acosar a algn con; **~ qn directeur** *etc* nombrar a algn director *etc* de sopetón.

bombe [bɔ̃b] *nf* bomba; (*atomiseur*) atomizador *m*; (*ÉQUITATION*) visera; **faire la ~** (*fam*) ir de juerga; **bombe à retardement** bomba de efecto retardado; **bombe atomique** bomba atómica.

bomber [bɔ̃be] *vi* pandearse, curvarse ♦ *vt* (*couvrir de graffiti*) hacer pintadas en; **~ le torse** sacar el pecho.

MOT-CLÉ

bon, bonne [bɔ̃, bɔn] *adj* **1** (*agréable, satisfaisant*) bueno(-a); (*avant un nom masculin*) buen; **un bon repas/restaurant** una buena comida/un buen restaurante; **vous êtes trop bon** es usted demasiado bueno; **avoir bon goût** tener buen gusto; **elle est bonne en maths** se le dan bien las matemáticas

2 (*bienveillant, charitable*): **être bon (envers)** ser bueno (con)

3 (*correct*) correcto(-a); **le bon numéro** el número correcto; **le bon moment** el momento oportuno

4 (*souhaits*): **bon anniversaire!** ¡feliz cumpleaños!; **bon voyage!** ¡buen viaje!; **bonne chance!** ¡(buena) suerte!; **bonne année!** ¡feliz año nuevo!; **bonne nuit!** ¡buenas noches!

5 (*approprié, apte*): **bon à/pour** bueno(-a) para; **ces chaussures sont bonnes à jeter** estos zapatos están para tirarlos; **c'est bon à savoir** está bien saberlo; **bon à tirer** listo para imprimir

6: **bon enfant** bonachón(-ona); **de bonne heure** temprano; **bon marché** barato(-a); **bon sens** sentido común; **c'est un bon vivant** le gusta la buena vida

7 (*valeur intensive*) largo(-a); **ça m'a pris deux bonnes heures** me llevó dos horas largas

♦ *nm* **1** (*billet*) bono, vale *m*; (*aussi*: **bon cadeau**) vale regalo; **bon à rien** inútil *m/f*; **bon d'essence** vale de gasolina; **bon de caisse/de Trésor** bono de caja/del tesoro; **bon mot** ocurrencia

2: **avoir du bon** tener ventajas; **pour de bon** de verdad, en serio; **il y a du bon dans ce qu'il dit** lo que dice tiene sentido

♦ *adv*: **il fait bon** hace bueno; **sentir bon** oler bien; **tenir bon** resistir; **à quoi bon?** ¿para qué?; **juger bon de faire ...** juzgar oportuno hacer ...; **pour faire bon poids** para compensar; **le bus/ton frère a bon dos** (*fig*) siempre es el autobús/tu hermano

♦ *excl*: **bon!** ¡bueno!; **ah bon?** ¿ah, sí?; **bon, je reste** bueno, me quedo; *voir aussi* **bonne**.

bonbon [bɔ̃bɔ̃] *nm* caramelo.

bonbonne [bɔ̃bɔn] *nf* bombona, damajuana.

bond [bɔ̃] *nm* (*saut*) salto; (*d'une balle*) bote *m*; (*fig*) salto, avance *m*; **faire un ~** dar un salto; **d'un seul ~** de un salto; **~ en avant** (*fig*) salto hacia delante.

bonde [bɔ̃d] *nf* (*d'évier*) tapón *m*; (*trou*) desagüe *m*; (*de tonneau*) piquera, canillero.

bondé, e [bɔ̃de] *adj* abarrotado(-a).

bondir [bɔ̃diʀ] *vi* saltar, brincar; **~ de joie** (*fig*) saltar de alegría; **~ de colère** (*fig*) montar en cólera.

bonheur [bɔnœʀ] *nm* felicidad *f*; **avoir le ~ de** tener el placer de; **porter ~ (à qn)** dar buena suerte (a algn); **au petit ~** a la buena de Dios; **par ~** por fortuna.

bonhomme [bɔnɔm] (*pl* **bonshommes**) *nm* hombre *m* ♦ *adj* bonachón(-ona); **un vieux ~** un viejo; **aller son ~ de chemin**

ir paso a paso; **bonhomme de neige** muñeco de nieve.

bonifier [bɔnifje] *vt* bonificar; **se bonifier** *vpr* mejorar.

boniment [bɔnimɑ̃] *nm* cameleo, charlatanería.

bonjour [bɔ̃ʒuʀ] *excl, nm* buenos días *mpl*; **donner** *ou* **souhaiter le ~ à qn** dar los buenos días a algn; **~ Monsieur** buenos días, señor; **dire ~ à qn** saludar a algn.

bonne [bɔn] *adj f voir* **bon** ♦ *nf* criada, mucama (*CSUR*), recamarera (*MEX*).

bonnet [bɔnɛ] *nm* gorro; (*de soutien-gorge*) copa; **bonnet d'âne** ≈ orejas *fpl* de burro; **bonnet de bain** gorro de baño.

bonneterie [bɔnɛtʀi] *nf* tienda de artículos de punto.

bonsoir [bɔ̃swaʀ] *excl, nm* buenas tardes; (*plus tard*) buenas noches; *voir aussi* **bonjour**.

bonté [bɔ̃te] *nf* bondad *f*; (*gén pl*: *attention, gentillesse*) bondad, amabilidad *f*; **avoir la ~ de ...** tener la bondad de ... .

bonus [bɔnys] *nm inv* (*ASSURANCE*) *descuento en la prima por poca siniestralidad.*

bord [bɔʀ] *nm* (*de table, verre, falaise*) borde *m*; (*de lac, route*) orilla, borde; (*de vêtement*) ribete *m*; (*de chapeau*) ala; (*NAUT*): **à ~** a bordo; **monter à ~** subir a bordo; **jeter par-dessus ~** arrojar por la borda; **le commandant/les hommes du ~** el comandante/los hombres de a bordo; **du même ~** (*fig*) de la misma opinión; **au ~ de la mer/de la route** a orillas del mar/de la carretera; **être au ~ des larmes** (*fig*) estar a punto de llorar; **sur les ~s** (*fam, fig*) un poco, ligeramente; **de tous ~s** de todas clases; **le ~ du trottoir** el bordillo.

bordeaux [bɔʀdo] *nm inv* (*vin*) burdeos *m inv* ♦ *adj inv* (*couleur*) burdeos *inv*, rojo violáceo *inv*.

bordel [bɔʀdɛl] (*fam*) *nm* burdel *m*; (*fig*) follón *m* ♦ *excl* ¡joder! (*fam!*); **mettre le ~** (*dans une chambre*) crear un desbarajuste; (*dans un lieu public*) montar un follón.

border [bɔʀde] *vt* (*être le long de*) orillar, bordear; (*personne, lit*) arropar; **~ qch de** (*garnir*) ribetear algo de.

bordereau, x [bɔʀdəʀo] *nm* (*formulaire*) impreso; (*relevé*) lista; (*facture*) factura.

bordure [bɔʀdyʀ] *nf* borde *m*; (*sur un vêtement*) ribete *m*; **en ~ de** a orillas de; **~ de trottoir** bordillo.

borgne [bɔʀɲ] *adj* tuerto(-a); (*fenêtre*) tragaluz *m*; **hôtel ~** hotel *m* de mala fama.

borne [bɔʀn] *nf* (*pour délimiter*) mojón *m*; (*gén*: *borne kilométrique*) mojón; **~s** *nfpl* (*fig*) límites *mpl*; **dépasser les ~s** pasarse de la raya; **sans ~(s)** sin límites.

borné, e [bɔʀne] *adj* limitado(-a).

borner [bɔʀne] *vt* (*horizon, aussi fig*) limitar; (*terrain*) acotar; **se ~ à faire** limitarse a hacer.

Bosnie [bɔsni] *nf* Bosnia.

bosquet [bɔskɛ] *nm* bosquecillo.

bosse [bɔs] *nf* (*de terrain*) montículo; (*sur un objet*) protuberancia; (*enflure*) bulto; (*du bossu, du chameau*) joroba; **avoir la ~ des maths** ser ducho(-a) en matemáticas; **rouler sa ~** ver mundo.

bosser [bɔse] (*fam*) *vt* empollar.

bossu, e [bɔsy] *adj, nm/f* jorobado(-a).

bot [bo] *adj m*: **pied ~** pie *m* zopo.

botanique [bɔtanik] *nf*: **la ~** la botánica ♦ *adj* botánico(-a).

botte [bɔt] *nf* bota; (*ESCRIME*) estocada; **~ de paille** haz *m* de paja; **botte d'asperges** manojo de espárragos; **botte de radis** manojo de rábanos; **bottes de caoutchouc** botas *fpl* de goma.

botter [bɔte] *vt* (*chausser de bottes*) poner las botas a; (*donner un coup de pied à*) dar un puntapié a; **ça me botte** (*fam*) eso me chifla.

bottin [bɔtɛ̃] *nm* anuario del comercio.

bottine [bɔtin] *nf* botina.

bouc [buk] *nm* (*animal*) macho cabrío; (*barbe*) perilla; **bouc émissaire** cabeza de turco, chivo expiatorio.

boucan [bukɑ̃] *nm* jaleo.

bouche [buʃ] *nf* boca; **les ~s inutiles** los holgazanes; **une ~ à nourrir** una boca que mantener; **de ~ à oreille** confidencialmente; **pour la bonne ~** para el final; **faire du ~-à-~ à qn** hacer el boca a boca a algn; **faire venir l'eau à la ~** hacérsele a algn la boca agua; **"~ cousue!"** "¡punto en boca!"; **bouche d'aération** respiradero; **bouche de chaleur** entrada de aire caliente; **bouche d'égout** sumidero, alcantarilla; **bouche de métro/d'incendie** boca de metro/de incendios.

bouché, e [buʃe] *adj* (*flacon*) tapado(-a); (*vin, cidre*) embotellado(-a); (*temps, ciel*) encapotado(-a); (*personne, carrière*) cerrado(-a); (*trompette*) con sordina; **avoir le nez ~** tener la nariz tapada.

bouchée [buʃe] *nf* bocado; **ne faire qu'une ~ de qn** hacer picadillo a algn; **pour une ~ de pain** por una bicoca; **bouchée à la reine** *pastel de hojaldre de pollo.*

boucher [buʃe] *nm* carnicero ♦ *vt* (*mettre un bouchon*) taponar; (*colmater*) rellenar;

(*passage*) cerrar; (*porte*) obstruir; **se boucher** *vpr* (*tuyau*) taponarse; **se ~ le nez** taparse la nariz.
bouchère [buʃɛʀ] *nf* carnicera.
boucherie [buʃʀi] *nf* carnicería.
bouche-trou [buʃtʀu] (*pl* **~-~s**) *nm* comodín *m*.
bouchon [buʃɔ̃] *nm* (*en liège*) corcho; (*autre matière*) tapón *m*; (*embouteillage*) atasco; (*PÊCHE*) flotador *m*; **bouchon doseur** tapón dosificador.
boucle [bukl] *nf* curva; (*d'un fleuve*) meandro; (*INFORM*) bucle *m*; (*objet*) argolla; (*de ceinture*) hebilla; **boucle (de cheveux)** bucle; **boucles d'oreilles** pendientes *mpl*, aretes *mpl* (*esp AM*).
bouclé, e [bukle] *adj* (*cheveux, personne*) ensortijado(-a); (*tapis*) rizado(-a).
boucler [bukle] *vt* (*ceinture etc*) cerrar, ajustar; (*magasin, circuit*) cerrar; (*affaire*) concluir; (*budget*) equilibrar; (*enfermer*) encerrar; (*condamné*) meter en chirona; (*quartier*) acordonar ♦ *vi*: **faire ~** rizar; **~ la boucle** (*AVIAT*) rizar el rizo; **arriver à ~ ses fins de mois** llegar a fin de mes.
bouclier [buklije] *nm* escudo.
bouddhiste [budist] *nm/f* budista *m/f*.
bouder [bude] *vi* enojarse ♦ *vt* (*suj*: *personne*: *cadeaux, chose*) poner mala cara a.
boudin [budɛ̃] *nm* (*CULIN*) morcilla; (*TECH*) pestaña; **boudin blanc** morcilla blanca.
boue [bu] *nf* barro, fango; **boues industrielles** vertidos *mpl* industriales.
bouée [bwe] *nf* (*balise*) boya; (*de baigneur*) flotador *m*; **bouée (de sauvetage)** salvavidas *m inv*.
boueux, -euse [bwø, øz] *adj* fangoso(-a) ♦ *nm* basurero.
bouffe [buf] (*fam*) *nf* comilona.
bouffée [bufe] *nf* bocanada; **bouffée de chaleur** sofoco; **bouffée de fièvre** calenturón *m* breve; **bouffée de honte** sofoco; **bouffée d'orgueil** arranque *m* de orgullo.
bouffer [bufe] *vi* (*fam*) jalar; (*COUTURE*) abullonar ♦ *vt* (*fam*) jalar.
bouffi, e [bufi] *adj* hinchado(-a).
bougeoir [buʒwaʀ] *nm* palmatoria.
bouger [buʒe] *vi* moverse; (*changer*) alterarse; (*agir*) agitarse ♦ *vt* mover; **se bouger** *vpr* (*fam*) moverse, menearse.
bougie [buʒi] *nf* vela; (*AUTO*) bujía.
bougonner [bugɔne] *vi* refunfuñar, gruñir.
bouillabaisse [bujabɛs] *nf* sopa de pescado.
bouillant, e [bujɑ̃, ɑ̃t] *adj* hirviendo; (*fig*) ardiente; **~ de colère** *etc* lleno(-a) de cólera *etc*.
bouillie [buji] *nf* gachas *fpl*; (*de bébé*) papilla; **en ~** (*fig*) en papilla.
bouillir [bujiʀ] *vi* hervir; (*fig*) hervir, arder ♦ *vt* (*gén*: *faire bouillir*) hervir; **~ de colère** *etc* arder de cólera *etc*.
bouilloire [bujwaʀ] *nf* hervidor *m*.
bouillon [bujɔ̃] *nm* (*CULIN*) caldo; (*bulles, écume*) borbotón *m*, burbuja; **bouillon de culture** caldo de cultivo.
bouillonner [bujɔne] *vi* borbotear; (*fig*) arder.
bouillotte [bujɔt] *nf* calentador *m*, bolsa de agua caliente.
boulanger, -ère [bulɑ̃ʒe, ʒɛʀ] *nm/f* panadero(-a).
boulangerie [bulɑ̃ʒʀi] *nf* panadería.
boule [bul] *nf* bola; (*pour jouer*) bolo; **roulé en ~** hecho un ovillo; **se mettre en ~** cabrearse; **perdre la ~** (*fam*) perder la chaveta; **faire ~ de neige** (*nouvelle, information*) aumentar como una bola de nieve; **boule de gomme** gominola; **boule de neige** bola de nieve.
bouleau, x [bulo] *nm* abedul *m*.
bouler [bule] *vt*: **envoyer ~ qn** mandar a algn a paseo.
boulet [bulɛ] *nm* (*aussi*: **~ de canon**) bala de cañón; (*de bagnard*) bola de hierro; (*charbon*) bola.
boulevard [bulvaʀ] *nm* bulevar *m*.
bouleversant, e [bulvɛʀsɑ̃, ɑ̃t] *adj* (*affligeant*) afectado(-a); (*émouvant*) conmovedor(a).
bouleversement [bulvɛʀsəmɑ̃] *nm* trastorno.
bouleverser [bulvɛʀse] *vt* (*changer*) trastornar; (*émouvoir*) conmover; (*causer du chagrin à*) afectar; (*papiers, objets*) revolver.
boulon [bulɔ̃] *nm* perno.
boulot, te [bulo, ɔt] (*fam*) *adj* rechoncho(-a) ♦ *nm* trabajo, curro.
boum [bum] *nm* bum *m* ♦ *nf* fiesta.
bouquet [bukɛ] *nm* (*de fleurs*) ramo, ramillete *m*; (*de persil*) manojo; (*parfum*) aroma *m*; **"c'est le ~!"** (*fig*) "¡es el colmo!"; **bouquet garni** hierbas *fpl* finas.
bouquin [bukɛ̃] (*fam*) *nm* libro.
bouquiniste [bukinist] *nm/f* librero de viejo.
bourde [buʀd] *nf* (*erreur*) fallo; (*gaffe*) metedura de pata.
bourdon [buʀdɔ̃] *nm* abejorro; **avoir le ~** (*fam*) tener morriña.
bourdonner [buʀdɔne] *vi* zumbar.
bourg [buʀ] *nm* burgo.
bourgeois, e [buʀʒwa, waz] *adj* (*souvent péj*) burgués(-esa); (*maison etc*) acomodado(-a) ♦ *nm/f* burgués(-esa).

bourgeoisie [burʒwazi] *nf* burguesía; **petite ~** pequeña burguesía.
bourgeon [burʒɔ̃] *nm* brote *m*, yema.
Bourgogne [burgɔɲ] *nf* Borgoña ♦ *nm*: **b~** (*vin*) vino de borgoña.
bourguignon, ne [burgiɲɔ̃, ɔn] *adj, nm/f* borgoñón(-ona); **(bœuf) ~** encebollado de vaca.
bourrade [burad] *nf* empellón *m*.
bourrage [buraʒ] *nm* (*papier*) relleno; **bourrage de crâne** lavado de cerebro; (*SCOL*) empolle *m*.
bourrasque [burask] *nf* borrasca.
bourratif, -ive [buratif, iv] *adj* pesado(-a).
bourré, e [bure] *adj* (*fam*) trompa *inv*; **~ de** (*rempli*) cargado(-a) de.
bourreau [buro] *nm* verdugo; **bourreau de travail** fiera para el trabajo.
bourrelet [burlɛ] *nm* (*isolant*) burlete *m*; (*de peau*) papada.
bourrer [bure] *vt* (*pipe*) cargar; (*valise, poêle*) rellenar; **~ de** (*de nourriture*) atiborrar de; **~ qn de coups** moler a golpes a algn; **~ le crâne à qn** calentar la cabeza a algn; (*endoctriner*) lavar el cerebro a algn.
bourrique [burik] *nf* borrico.
bourru, e [bury] *adj* rudo(-a).
bourse [burs] *nf* (*subvention*) beca; (*porte-monnaie*) bolsa; **la B~** la Bolsa; **sans ~ délier** sin soltar un céntimo; **Bourse du travail** bolsa del trabajo.
boursouflé, e [bursufle] *adj* (*visage*) abotargado(-a); (*style*) ampuloso(-a).
boursoufler [bursufle] *vt* hinchar; **se boursoufler** *vpr* (*visage*) abotargarse; (*peinture*) ampollarse.
bousculade [buskylad] *nf* (*précipitation*) atropello; (*mouvements de foule*) aglomeración *f*.
bousculer [buskyle] *vt* empujar; (*presser*) meter prisa a.
bouse [buz] *nf*: **~ (de vache)** boñiga (de vaca).
boussole [busɔl] *nf* brújula.
bout[1] [bu] *vb voir* **bouillir**.
bout[2] [bu] *nm* (*morceau*) trozo; (*extrémité*) punta; (*de table*) extremo; (*fin, rue*) final *m*; **au ~ de** (*après*) al cabo de, al final de; **au ~ du compte** a fin de cuentas; **être à ~** no poder más; **pousser qn à ~** poner a algn al límite; **venir à ~ de qch** terminar algo; **venir à ~ de qn** poder con algn; **~ à ~** uno tras otro; **à tout ~ de champ** a cada paso; **d'un ~ à l'autre, de ~ en ~** de cabo a rabo; **à ~ portant** a quemarropa; **un ~ de chou** (*enfant*) un angelito; **bout filtre** emboquillado.
boute-en-train [butɑ̃trɛ̃] *nm inv* animador(a).
bouteille [butɛj] *nf* botella; (*de gaz*) bombona; **prendre de la ~** entrar en años.
boutique [butik] *nf* tienda; (*de mode, de grand couturier*) tienda, boutique *f*.
bouton [butɔ̃] *nm* botón *m*; (*sur la peau*) grano; (*de porte*) pomo; **bouton de manchette** gemelo; **bouton d'or** (*BOT*) botón de oro.
boutonner [butɔne] *vt* abotonar; **se boutonner** *vpr* abotonarse.
boutonnière [butɔnjɛr] *nf* ojal *m*.
bouton-pression [butɔ̃prɛsjɔ̃] (*pl* **~s-~s**) *nm* automático.
bouture [butyr] *nf* esqueje *m*; **faire des ~s** desquejar.
bovin, e [bɔvɛ̃, in] *adj* bovino(-a); **~s** *nmpl* ganado *msg* bovino.
bowling [buliŋ] *nm* juego de bolos; (*salle*) bolera.
box [bɔks] *nm* (*de garage*) plaza de garaje; (*de salle, dortoir*) compartimento; (*d'écurie*) box *m*; **le ~ des accusés** el banquillo de los acusados.
boxe [bɔks] *nf* boxeo, box *m* (*AM*).
boxeur, -euse [bɔksœr, øz] *nm/f* boxeador(a).
boyau, x [bwajo] *nm* (*corde de raquette*) cuerda de tripa; (*galerie*) pasadizo; (*pneu de bicyclette*) tubular *m*; **~x** *nmpl* (*viscères*) tripas *fpl*.
BP [bepe] *sigle f* (= *boîte postale*) Apdo. (= *Apartado de correos*), C.P. *f* (*AM*) (= *Casilla Postal*).
bracelet [braslɛ] *nm* pulsera.
bracelet-montre [braslɛmɔ̃tr] (*pl* **~s-~s**) *nm* reloj *m* de pulsera.
braconnier [brakɔnje] *nm* cazador *m*/pescador *m* furtivo.
brader [brade] *vt* vender a precio de saldo.
braguette [bragɛt] *nf* bragueta.
brailler [brɑje] *vi, vt* gritar, chillar.
braire [brɛr] *vi* rebuznar.
braise [brɛz] *nf* brasas *fpl*.
brancard [brɑ̃kar] *nm* (*civière*) camilla; (*bras, perche*) varal *m*.
branchages [brɑ̃ʃaʒ] *nmpl* ramajes *mpl*.
branche [brɑ̃ʃ] *nf* rama; (*de lunettes*) patilla.
branché, e [brɑ̃ʃe] (*fam*) *adj* (*personne*) a la última; (*boîte de nuit*) de moda; **un mec ~** un chico que va a la última.
branchement [brɑ̃ʃmɑ̃] *nm* empalme *m*.
brancher [brɑ̃ʃe] *vt* enchufar; (*téléphone etc*) conectar; **~ qn/qch sur** (*fig*) orientar algo/a algn hacia.
branle [brɑ̃l] *nm*: **mettre en ~** poner en

movimiento; **donner le ~ à** poner en marcha.
branle-bas [bʀɑ̃lbɑ] *nm inv* zafarrancho.
branler [bʀɑ̃le] *vi* moverse ♦ *vt*: **~ la tête** menear la cabeza.
braquage [bʀakaʒ] *nm* (*fam*) atraco (a mano armada); **rayon de ~** (*AUTO*) ángulo de giro.
braquer [bʀake] *vi* (*AUTO*) girar ♦ *vt* (*regard*) clavar; **~ qch sur qn** (*revolver*) apuntar a algn con algo; **se braquer** *vpr* cerrarse en banda; **~ qn** enfurecer a algn; **se ~ (contre)** rebelarse (contra).
bras [bʀɑ] *nm* brazo ♦ *nmpl* (*travailleurs*) brazos *mpl*; **~ dessus ~ dessous** cogidos(-as) del brazo; **avoir le ~ long** tener mucha influencia; **à ~ raccourcis** a brazo partido; **à tour de ~** con toda la fuerza; **baisser les ~** tirar la toalla; **une partie de ~ de fer** una prueba de fuerza; **bras de fer** brazo de hierro; **bras de levier/de mer** brazo de palanca/de mar; **bras droit** (*fig*) brazo derecho.
brasier [bʀɑzje] *nm* hoguera.
bras-le-corps [bʀalkɔʀ] *adv*: **à ~-~-~** por la cintura.
brassard [bʀasaʀ] *nm* brazalete *m*.
brasse [bʀas] *nf* braza; **brasse papillon** braza mariposa.
brasser [bʀase] *vt* (*bière*) fabricar; (*remuer*) mezclar; **~ de l'argent/des affaires** manejar dinero/negocios.
brasserie [bʀasʀi] *nf* (*restaurant*) cervecería; (*usine*) fábrica de cerveza.
brave [bʀav] *adj* (*courageux, aussi péj*) valiente; (*bon, gentil*) bueno(-a).
braver [bʀave] *vt* (*ordre*) desafiar; (*danger*) afrontar.
bravo [bʀavo] *excl, nm* bravo.
bravoure [bʀavuʀ] *nf* bravura.
break [bʀɛk] *nm* (*AUTO*) ranchera.
brebis [bʀəbi] *nf* oveja; **brebis galeuse** oveja negra.
brèche [bʀɛʃ] *nf* brecha; **être sur la ~** (*fig*) estar en la brecha; **battre en ~** batir en brecha.
bredouille [bʀəduj] *adj*: **revenir ~** volver con las manos vacías.
bredouiller [bʀəduje] *vi, vt* farfullar.
bref, brève [bʀɛf, ɛv] *adj* breve ♦ *adv* total; **d'un ton ~** con un tono tajante; **en ~** en resumen; **à ~ délai** en breve plazo.
Brésil [bʀezil] *nm* Brasil *m*.
brésilien, ne [bʀeziljɛ̃, jɛn] *adj* brasileño(-a) ♦ *nm/f*: **B~, ne** brasileño(-a).
Bretagne [bʀətaɲ] *nf* Bretaña.
bretelle [bʀətɛl] *nf* (*de fusil*) correa; (*de vêtement*) tirante *m*; (*d'autoroute*) enlace *m*; **~s** *nfpl* (*pour pantalons*) tirantes *mpl*, suspensores *mpl* (*AM*); **bretelle de contournement** carretera de circunvalación; **bretelle de raccordement** carretera *ou* vía de acceso.
breton, ne [bʀətɔ̃, ɔn] *adj* bretón(-ona) ♦ *nm* (*LING*) bretón *m* ♦ *nm/f*: **B~, ne** bretón(-ona).
breuvage [bʀœvaʒ] *nm* brebaje *m*.
brève [bʀɛv] *adj f voir* **bref** ♦ *nf* (*nouvelle*) breve *f*; **(voyelle) ~** vocal *f* breve.
brevet [bʀəvɛ] *nm* certificado; **brevet (d'invention)** patente *f*; **brevet d'apprentissage** certificado de idoneidad; **brevet (des collèges)** ≈ Graduado Escolar; **brevet d'études du premier cycle** bachillerato elemental.
breveté, e [bʀəv(ə)te] *adj* (*invention*) patentado(-a); (*diplômé*) cualificado(-a).
bribes [bʀib] *nfpl* (*de conversation*) fragmentos *mpl*; **par ~** por retazos.
bricolage [bʀikɔlaʒ] *nm* bricolaje *m*; (*péj*) chapuza.
bricole [bʀikɔl] *nf* (*babiole*) menudencia; (*chose insignifiante*) nadería; (*petit travail*) chapuza.
bricoler [bʀikɔle] *vi* hacer chapuzas; (*passe-temps*) hacer bricolaje ♦ *vt* (*réparer*) arreglar; (*mal réparer*) hacer una chapuza con; (*trafiquer*) amañar.
bricoleur, -euse [bʀikɔlœʀ, øz] *nm/f* mañoso(-a), manitas *m/f inv* ♦ *adj* mañoso(-a).
bride [bʀid] *nf* brida; (*d'un bonnet*) cinta; **à ~ abattue** a rienda suelta; **tenir en ~** sujetar; **lâcher la ~ à, laisser la ~ sur le cou à** dar rienda suelta a.
bridé, e [bʀide] *adj*: **yeux ~s** ojos *mpl* oblicuos.
bridge [bʀidʒ] *nm* (*jeu*) bridge *m*; (*dentaire*) puente *m*.
brièvement [bʀijɛvmɑ̃] *adv* brevemente.
brigade [bʀigad] *nf* (*gén*) cuadrilla; (*POLICE, MIL*) brigada.
brigadier [bʀigadje] *nm* (*MIL*) cabo; (*POLICE*) jefe *m*.
brigand [bʀigɑ̃] *nm* salteador *m*, bandolero.
brillamment [bʀijamɑ̃] *adv* estupendamente.
brillant, e [bʀijɑ̃, ɑ̃t] *adj* brillante; (*luisant*) reluciente ♦ *nm* brillante *m*.
briller [bʀije] *vi* brillar.
brimade [bʀimad] *nf* (*vexation*) incordio.
brin [bʀɛ̃] *nm* hebra; **un ~ de** (*fig*) una pizca de; **un ~ mystérieux** *etc* (*fam*) un poquito misterioso *etc*; **brin d'herbe** brizna de hierba; **brin de muguet** ramita de muguete; **brin de paille** brizna de paja.
brindille [bʀɛ̃dij] *nf* ramita.

brio [bʀijo] *nm* brío; **avec ~** con brío.
brioche [bʀijɔʃ] *nf* bollo, queque *m* (*AM*); (*fam: ventre*) buche *m*.
brique [bʀik] *nf* ladrillo ♦ *adj inv* (*couleur*) de color teja.
briquet [bʀikɛ] *nm* mechero, encendedor *m*.
bris [bʀi] *nm*: **~ de clôture** (*JUR*) allanamiento; **bris de glaces** (*AUTO*) rotura de cristales.
brise [bʀiz] *nf* brisa.
briser [bʀize] *vt* (*casser*) romper; (*fig*) arruinar, destrozar; (*volonté*) quebrantar; (*grève*) romper; (*résistance*) vencer; (*personne*) destrozar; (*fatiguer*) moler; **se briser** *vpr* romperse; (*fig*) venirse abajo.
britannique [bʀitanik] *adj* británico(-a) ♦ *nm/f*: **B~** británico(-a); **les B~s** los británicos.
brocante [bʀɔkɑ̃t] *nf* (*objets*) baratillo; (*commerce*) chamarileo.
brocanteur, -euse [bʀɔkɑ̃tœʀ, øz] *nm/f* chamarilero(-a).
broche [bʀɔʃ] *nf* (*bijou*) broche *m*; (*CULIN*) espetón *m*; (*fiche*) clavija; (*MÉD*) alambre *m*; **à la ~** (*CULIN*) al asador.
broché, e [bʀɔʃe] *adj* (*livre*) en rústica; (*tissu*) brochado(-a), briscado(-a).
brochet [bʀɔʃɛ] *nm* lucio.
brochette [bʀɔʃɛt] *nf* pincho, brocheta; **brochette de décorations** sarta de condecoraciones.
brochure [bʀɔʃyʀ] *nf* folleto.
broder [bʀɔde] *vt* bordar ♦ *vi*: **~ (sur des faits/une histoire)** adornar (hechos/una historia).
broderie [bʀɔdʀi] *nf* bordado.
broncher [bʀɔ̃ʃe] *vi*: **sans ~** sin protestar.
bronches [bʀɔ̃ʃ] *nfpl* bronquios *mpl*.
bronchite [bʀɔ̃ʃit] *nf* bronquitis *f inv*.
bronzage [bʀɔ̃zaʒ] *nm* bronceado.
bronze [bʀɔ̃z] *nm* bronce *m*.
bronzer [bʀɔ̃ze] *vt* (*peau*) broncear; (*métal*) pavonar ♦ *vi* broncearse; **se bronzer** *vpr* broncearse.
brosse [bʀɔs] *nf* cepillo, escobilla (*AM*); **donner un coup de ~ à qch** cepillar algo; **coiffé en ~** peinado al cepillo; **brosse à cheveux** cepillo para el pelo; **brosse à dents/à habits** cepillo de dientes/de (la) ropa.
brosser [bʀɔse] *vt* (*nettoyer*) cepillar; (*fig*) bosquejar; **se brosser** *vpr* cepillarse; **se ~ les dents** cepillarse los dientes; **"tu peux te ~!"** (*fam*) "¡espérate sentado!".
brouette [bʀuɛt] *nf* carretilla.
brouhaha [bʀuaa] *nm* alboroto.
brouillard [bʀujaʀ] *nm* niebla; **être dans le ~** (*fig*) no enterarse.
brouillé, e [bʀuje] *adj*: **il est ~ avec ses parents** está reñido con sus padres; (*teint*) alterado(-a).
brouiller [bʀuje] *vt* mezclar; (*embrouiller*) embarullar, enredar; (*RADIO*) interferir; (*rendre trouble, confus*) enturbiar; (*amis*) enemistar; **se brouiller** *vpr* (*ciel, temps*) cubrirse, nublarse; (*vue*) nublarse; (*détails*) confundirse; **se ~ (avec)** enfadarse (con); **~ les pistes** (*fig*) borrar el rastro.
brouillon, ne [bʀujɔ̃, ɔn] *adj* desordenado(-a) ♦ *nm* (*écrit*) borrador *m*, copia en sucio; **cahier de ~** cuaderno para trabajos en sucio.
broussailles [bʀusɑj] *nfpl* maleza *fsg*.
brousse [bʀus] *nf* monte *m* bajo.
brouter [bʀute] *vt* pacer ♦ *vi* vibrar.
broyer [bʀwaje] *vt* triturar; **~ du noir** verlo todo negro.
bru [bʀy] *nf* nuera.
brugnon [bʀyɲɔ̃] *nm* nectarina.
bruine [bʀɥin] *nf* llovizna, garúa (*AM*).
bruiner [bʀɥine] *vi*: **il bruine** llovizna.
bruissement [bʀɥismɑ̃] *nm* (*eau*) murmullo; (*feuilles, étoffe*) crujido.
bruit [bʀɥi] *nm* ruido; (*rumeur*) rumor *m*; **pas/trop de ~** nada/demasiado ruido; **sans ~** sin ruido; **faire du ~** hacer ruido; **faire grand ~ de** hablar mucho de; **bruit de fond** ruido de fondo.
bruitage [bʀɥitaʒ] *nm* efectos *mpl* sonoros.
brûlant, e [bʀylɑ̃, ɑ̃t] *adj* ardiente; (*liquide*) hirviendo; (*fiévreux*) caliente; (*sujet*) candente.
brûlé, e [bʀyle] *adj* (*démasqué*) descubierto(-a); (*homme politique etc*) acabado(-a) ♦ *nm*: **odeur de ~** olor *m* a quemado; **les grands ~s** los grandes quemados.
brûle-pourpoint [bʀylpuʀpwɛ̃] *adv*: **à ~-~** a quemarropa.
brûler [bʀyle] *vt* quemar; (*consumer, consommer*) consumir; (*suj: eau bouillante*) escaldar; (*enfiévrer*) arder; (*feu rouge, signal*) saltarse ♦ *vi* (*se consumer*) consumirse; (*feu*) arder; (*lampe, bougie*) lucir; (*être brûlant, ardent*) estar caliente; (*jeu*): **tu brûles** caliente-caliente; **se brûler** *vpr* (*accidentellement*) quemarse; **se ~ la cervelle** pegarse un tiro; **~ les étapes** quemar etapas; **~ (d'impatience) de faire qch** consumirse (de impaciencia) por hacer algo.
brûlure [bʀylyʀ] *nf* (*lésion*) quemadura; (*sensation*) ardor *m*; **brûlures d'estomac** ardores *mpl* de estómago.
brume [bʀym] *nf* bruma.
brun, e [bʀœ̃, bʀyn] *adj* moreno(-a) ♦ *nm* pardo.

brunir [bʀyniʀ] *vi* ponerse moreno ♦ *vt* tostar.
brusque [bʀysk] *adj* (*soudain*) repentino(-a); (*rude*) brusco(-a).
brusquer [bʀyske] *vt* (*personne*) apremiar; (*événements, affaire*) precipitar; **ne rien ~** no precipitarse.
brut, e [bʀyt] *adj* bruto(-a); (*diamant*) en bruto ♦ *nm*: **(champagne) ~** champán *m ou* cava *m* seco; **(pétrole) ~** crudo.
brutal, e, -aux [bʀytal, o] *adj* brutal; (*franchise*) rudo(-a).
brutaliser [bʀytalize] *vt* maltratar.
brute [bʀyt] *adj f voir* **brut** ♦ *nf* bruto.
Bruxelles [bʀysɛl] *n* Bruselas.
bruyant, e [bʀɥjɑ̃, ɑ̃t] *adj* ruidoso(-a).
bruyère [bʀyjɛʀ] *nf* brezo.
BTS [beteɛs] *sigle m* (= *brevet de technicien supérieur*) *diploma de enseñanza técnica*.
bu, e [by] *pp de* **boire**.
buccal, e, -aux [bykal, o] *adj*: **par voie ~e** por vía oral.
bûche [byʃ] *nf* leño; **prendre une ~** (*fig*) caerse; **bûche de Noël** bizcocho de navidad.
bûcher [byʃe] *nm* hoguera ♦ *vi, vt* (*fam*) empollar.
bûcheron [byʃʀɔ̃] *nm* leñador(a).
budget [bydʒɛ] *nm* presupuesto.
buée [bɥe] *nf* vaho.
Buenos Aires [bwenɔzɛʀ] *n* Buenos Aires.
buffet [byfɛ] *nm* (*meuble*) aparador *m*; (*de réception*) buffet *m*; **buffet (de gare)** cantina (de estación).
buffle [byfl] *nm* búfalo.
buis [bɥi] *nm* boj *m*.
buisson [bɥisɔ̃] *nm* matorral *m*.
bulbe [bylb] *nm* bulbo.
Bulgarie [bylgaʀi] *nf* Bulgaria.
bulle [byl] *adj, nm*: **(papier) ~** papel *m* en estraza ♦ *nf* burbuja; (*de bande dessinée*) bocadillo; (*papale*) bula; **bulle de savon** pompa de jabón.
bulletin [byltɛ̃] *nm* boletín *m*; (*papier*) folleto; (*de bagages*) recibo; **bulletin d'informations** boletín informativo; **bulletin de naissance** partida de nacimiento; **bulletin de salaire** nómina; **bulletin de santé** parte médico; **bulletin (de vote)** papeleta; **bulletin météorologique** boletín *ou* parte *m* meteorológico; **bulletin réponse** bono de respuesta.
bureau, x [byʀo] *nm* (*meuble*) escritorio; (*pièce*) despacho; (*gén pl*: *d'une entreprise*) oficinas *fpl*; **bureau de change/de poste** oficina de cambio/de correos; **bureau d'embauche/de placement** oficina de empleo/de colocación; **bureau de location** agencia de alquiler; **bureau de tabac** estanco; **bureau de vote** colegio electoral.
bureaucratie [byʀokʀasi] *nf* burocracia.
burin [byʀɛ̃] *nm* escoplo; (*ART*) buril *m*.
burlesque [byʀlɛsk] *adj* burlesco(-a).
bus [bys] *vb voir* **boire** ♦ *nm* autobús *m*, bus *m* (*esp AM*), camión *m* (*MEX*); (*INFORM*) bus *m*.
buste [byst] *nm* busto; (*de femme*) pecho.
but[1] [by] *vb voir* **boire**.
but[2] [byt] *nm* (*cible*) meta; (*d'un voyage*) destino; (*d'une entreprise, d'une action*) objetivo; (*FOOTBALL*: *limites*) portería, arco (*AM*); (: *point*) gol *m*, tanto; **de ~ en blanc** de buenas a primeras; **avoir pour ~ de faire** tener como objetivo hacer; **dans le ~ de** con el propósito de; **gagner par 3 ~s à 2** ganar por 3 tantos a 2.
butane [bytan] *nm* butano; (*domestique*) gas *m* butano.
buté, e [byte] *adj* terco(-a).
buter [byte] *vi*: **~ contre** *ou* **sur qch** tropezar con algo ♦ *vt* (*mur etc*) apuntalar; (*fam*: *personne*) cargarse a; **se buter** *vpr* obstinarse.
butin [bytɛ̃] *nm* botín *m*.
butte [byt] *nf* (*éminence*) loma; **être en ~ à** estar expuesto(-a) a.
buvais *etc* [byvɛ] *vb voir* **boire**.
buvard [byvaʀ] *nm* secante *m*.
buvette [byvɛt] *nf* puesto de bebidas.
buveur, -euse [byvœʀ, øz] *nm/f* (*péj*) borracho(-a); (*consommateur*) bebedor(a); **buveur de cidre/de vin** bebedor(a) de sidra/de vino.
buvons [byvɔ̃] *vb voir* **boire**.

C, c

c' [s] *dét voir* **ce**.
ça [sa] *pron* (*proche*) esto; (*pour désigner*) eso; (*plus loin*) aquello; **ça m'étonne que** me sorprende que; **ça va?** ¿qué tal?; (*d'accord?*) ¿vale?; **ça alors!** (*désapprobation*) ¡pero bueno!; (*étonnement*) ¡y entonces!; **c'est ça** eso es; **ça fait une heure que j'attends** hace una hora que espero.
çà [sa] *adv*: **~ et là** aquí y allá.
cabane [kaban] *nf* cabaña; (*de skieurs, de montagne*) cabaña, refugio.
cabanon [kabanɔ̃] *nm* cabañuela; (*en Provence*) casita de campo; (*remise*) cobertizo.
cabaret [kabaʀɛ] *nm* cabaret *m*.
cabillaud [kabijo] *nm* bacalao fresco.
cabine [kabin] *nf* cabina; (*de bateau*) ca-

marote *m*; (*de plage*) caseta; (*de piscine etc*) cabina, vestuario; **cabine (d'ascenseur)** caja (de ascensor); **cabine d'essayage** probador *m*; **cabine de projection** cabina de proyección; **cabine spatiale** cabina de nave espacial; **cabine (téléphonique)** cabina (telefónica), locutorio.
cabinet [kabinɛ] *nm* (*aussi* POL) gabinete *m*; (*de médecin*) gabinete, consulta; (*d'avocat, de notaire*) gabinete, despacho; (*clientèle*) clientela; **~s** *nmpl* servicios *mpl*; **cabinet d'affaires** gestoría; **cabinet de toilette** cuarto de aseo; **cabinet de travail** gabinete de trabajo, despacho.
câble [kɑbl] *nm* cable *m*; (*télégramme*) cable, cablegrama *m*.
cabosser [kabɔse] *vt* abollar.
cabrer [kɑbʀe] *vt* encabritar; **se cabrer** *vpr* encabritarse.
cabri [kabʀi] *nm* cabrito.
cabriole [kabʀijɔl] *nf* (*d'un enfant*) cabriola; (*d'un clown, gymnaste*) voltereta, cabriola.
cabriolet [kabʀijɔlɛ] *nm* (*aussi*: **voiture ~**) descapotable *m*.
CAC [kak] *sigle f* = *Compagnie des agents de change*; **indice ~** ≈ índice *m* de valores.
caca [kaka] *nm* caca; **faire ~** hacer caca; **caca d'oie** (*couleur*) de color verdoso.
cacahuète [kakaɥɛt] *nf* cacahuete *m*, maní *m* (*AM*), cacahuate *m* (*AM*).
cacao [kakao] *nm* cacao.
cache [kaʃ] *nm* (*pour texte, photo, diapositive*) ocultador *m*; (*pour protéger l'objectif*) tapa ♦ *nf* (*cachette*) escondite *m*.
cache-cache [kaʃkaʃ] *nm inv*: **jouer à ~-~** jugar al escondite.
cache-col [kaʃkɔl] *nm inv* bufanda.
cachemire [kaʃmiʀ] *nm* cachemira, cachemir *m* ♦ *adj* de cachemira; **C~** Cachemira.
cache-nez [kaʃne] *nm inv* bufanda.
cache-pot [kaʃpo] *nm inv* macetero.
cacher [kaʃe] *vt* ocultar, esconder; **se cacher** *vpr* esconderse, ocultarse; **~ qch à qn** ocultar algo a algn; **je ne vous cache pas que** no le oculto que; **~ son jeu** *ou* **ses cartes** ocultar sus intenciones; **il se cache d'elle pour fumer** fuma a escondidas de ella; **il ne s'en cache pas** no lo oculta.
cachet [kaʃɛ] *nm* (MÉD) pastilla; (*sceau*) sello; (*rétribution*) caché *m*; (*caractère*) carácter *m*.
cacheter [kaʃte] *vt* cerrar, sellar; **vin cacheté** vino en botellas lacradas.
cachette [kaʃɛt] *nf* escondite *m*; **en ~** a escondidas.
cachot [kaʃo] *nm* calabozo.
cachotterie [kaʃɔtʀi] *nf* (*gén pl*) misterio; **faire des ~s** andar con misterios.
cactus [kaktys] *nm inv* cactus *m inv*.
cadavre [kadɑvʀ] *nm* cadáver *m*.
caddie [kadi] *nm* (*au supermarché*) carrito.
cadeau, x [kado] *nm* regalo; **faire un ~ à qn** hacer un regalo a algn; **ne pas faire de ~ à qn** (*fig*) no ponérselo fácil a algn; **faire ~ de qch à qn** regalar algo a algn.
cadenas [kadnɑ] *nm* candado.
cadence [kadɑ̃s] *nf* cadencia; (*rythme*) compás *m*; (*de travail*) ritmo; **en ~** (*régulièrement*) rítmicamente; (*ensemble, en mesure*) al compás; **à la ~ de 10 par jour** a un ritmo de 10 diarios.
cadet, te [kadɛ, ɛt] *adj* (*plus jeune*) menor; (*le plus jeune*) menor, más pequeño(-a) ♦ *nm/f* (*de la famille*) benjamín(-ina); **le ~/la ~te** el/la menor; **il est mon ~ (de deux ans)** (*rapports non familiaux*) él es (dos años) menor que yo; **les ~s** (SPORT) los juveniles; **le ~ de mes soucis** lo que menos me preocupa.
cadran [kadʀɑ̃] *nm* (*de pendule, montre*) esfera; (*du téléphone*) disco; **cadran solaire** reloj *m* de sol.
cadre [kɑdʀ] *nm* marco; (*de vélo*) cuadro; (*sur formulaire*) recuadro; (*limites*) límite *m* ♦ *nm/f* (ADMIN) ejecutivo(-a), cuadro ♦ *adj*: **loi ~** ley *f* marco; **rayer qn des ~s** (MIL, ADMIN) dar de baja a algn; **dans le ~ de** (*fig*) en el marco de; **cadre moyen/supérieur** (ADMIN) cuadro medio/superior.
cadrer [kɑdʀe] *vi*: **~ avec qch** cuadrar con algo ♦ *vt* encuadrar.
cafard [kafaʀ] *nm* cucaracha; **avoir le ~** estar melancólico(-a).
café [kafe] *nm* café *m* ♦ *adj* café; **café au lait** café con leche; **café crème** café cortado; **café en grains/en poudre** café en grano/molido; **café liégeois** helado de café con nata; **café noir** café solo; **café tabac** café-estanco.
cafetière [kaftjɛʀ] *nf* cafetera.
cafouiller [kafuje] *vi* (*dans ses paroles*) farfullar; (*dans ses actions*) no dar pie con bola; (*appareil, projet*) fallar.
cage [kaʒ] *nf* jaula; **en ~** enjaulado(-a); **cage d'ascenseur** caja del ascensor; **cage (des buts)** portería; **cage (d'escalier)** caja de la escalera; **cage thoracique** caja torácica.
cageot [kaʒo] *nm* caja.
cagnotte [kaɲɔt] *nf* hucha; (*argent*) dinerillo ahorrado.
cagoule [kagul] *nf* (*de moine*) capucha; (*de bandit*) pasa montañas *m inv*; (*ski etc*)

gorro; (*d'enfant*) verdugo.
cahier [kaje] *nm* (*de classe*) cuaderno, libreta; (*TYPO*) cuadernillo, pliego; ~s (*revue*) cuadernos *mpl*; **cahier d'exercices** cuaderno de ejercicios; **cahier de brouillon** cuaderno de sucio; **cahier de doléances** libro de quejas; **cahier de revendications** pliego de reivindicaciones; **cahier des charges** pliego de condiciones.
cahot [kao] *nm* traqueteo.
caille [kaj] *nf* codorniz *f*.
cailler [kaje] *vi* (*lait*) cuajar; (*sang*) coagular; (*fam: faire froid*) hacer pelete; (: *avoir froid*) tener pelete.
caillot [kajo] *nm* coágulo.
caillou, x [kaju] *nm* guijarro, piedra.
caisse [kɛs] *nf* caja; (*recettes*) caja, recaudación *f*; **faire sa ~** (*COMM*) hacer caja; **caisse claire** tambor *m* pequeño; **caisse d'épargne/de retraite** caja de ahorros/de jubilaciones; **caisse enregistreuse** caja registradora; **caisse noire** caja negra.
caissier, -ière [kesje, jɛʀ] *nm/f* cajero(-a).
cajoler [kaʒɔle] *vt* mimar.
cake [kɛk] *nm* plum-cake *m*.
calamité [kalamite] *nf* calamidad *f*.
calandre [kalɑ̃dʀ] *nf* (*AUTO*) rejilla del radiador, calandra; (*machine*) calandria.
calanque [kalɑ̃k] *nf* cala.
calcaire [kalkɛʀ] *nm* caliza ♦ *adj* calcáreo(-a); (*GÉO*) calcáreo(-a), calizo(-a).
calciné, e [kalsine] *adj* calcinado(-a).
calcium [kalsjɔm] *nm* calcio.
calcul [kalkyl] *nm* (*aussi fig*) cálculo; **le ~** el cálculo; **d'après mes ~s** según mis cálculos; **calcul (biliaire)** cálculo (biliar); **calcul différentiel/intégral/mental** cálculo diferencial/integral/mental; **calcul rénal** (*MÉD*) cálculo renal.
calculatrice [kalkylatʀis] *nf* calculadora.
calculer [kalkyle] *vt* calcular ♦ *vi* calcular; (*péj: combiner*) maquinar; **~ qch de tête** calcular algo de memoria.
calculette [kalkylɛt] *nf* calculadora de bolsillo.
cale [kal] *nf* (*de bateau*) bodega; (*en bois*) cuña; **cale de construction** grada; **cale de radoub** dique *m* de carena; **cale sèche** dique seco.
calé, e [kale] *adj* (*fixé*) fijo(-a); (*voiture*) calado(-a); (*fam: personne*) empollado(-a); (: *problème*) difícil.
caleçon [kalsɔ̃] *nm* calzoncillos *mpl*.
calendrier [kalɑ̃dʀije] *nm* calendario; (*programme*) calendario, programa *m*.
calepin [kalpɛ̃] *nm* agenda.
caler [kale] *vt* (*fixer*) calzar, fijar; (*malade*) acomodar; (*avec une pile de livres etc*) arrellanar ♦ *vi* (*fig: ne plus pouvoir continuer*) rendirse; **se caler** *vpr*: **se ~ dans un fauteuil** arrellanarse en un sillón; **~ (son moteur/véhicule)** calar (el motor/vehículo).
calfeutrer [kalføtʀe] *vt* tapar con burletes; **se calfeutrer** *vpr* encerrarse en casa.
calibre [kalibʀ] *nm* (*d'un fruit*) diámetro; (*d'une arme*) calibre *m*; (*fig*) calibre, envergadura.
califourchon [kalifuʀʃɔ̃]: **à ~** *adv* a horcajadas; **à ~ sur** a horcajadas en *ou* sobre.
câlin, e [kɑlɛ̃, in] *adj* mimoso(-a).
câliner [kɑline] *vt* mimar.
calmant, e [kalmɑ̃, ɑ̃t] *adj, nm* calmante *m*.
calmar [kalmaʀ] *nm* calamar *m*.
calme [kalm] *adj* tranquilo(-a); (*ville, mer, endroit*) tranquilo(-a), apacible ♦ *nm* (*d'un lieu*) tranquilidad *f*; (*d'une personne*) tranquilidad, calma; **sans perdre son ~** sin perder la calma; **calme plat** (*NAUT*) calma chicha.
calmer [kalme] *vt* tranquilizar, calmar; (*douleur, colère*) calmar, sosegar; **se calmer** *vpr* calmarse; (*personne*) calmarse, tranquilizarse.
calomnie [kalɔmni] *nf* calumnia.
calorie [kalɔʀi] *nf* caloría.
calotte [kalɔt] *nf* (*coiffure*) birreta; (*gifle*) bofetada; **la ~** (*péj: clergé*) los curas, el clero; **calotte glaciaire** casquete *m* glaciar.
calque [kalk] *nm* (*aussi: **papier ~***) calco, papel *m* de calco; (*dessin*) calco.
calquer [kalke] *vt* calcar.
calvaire [kalvɛʀ] *nm* calvario.
calvitie [kalvisi] *nf* calvicie *f*.
camarade [kamaʀad] *nm/f* compañero(-a), amigo(-a); (*POL, SYNDICATS*) camarada *m/f*; **camarade d'école/de jeu** compañero(-a) de escuela/de juegos.
camaraderie [kamaʀadʀi] *nf* amistad *f*, camaradería.
Camargue [kamaʀg] *nf* Camarga.
cambouis [kɑ̃bwi] *nm* grasa (sucia).
cambrer [kɑ̃bʀe] *vt* combar; **se cambrer** *vpr* arquearse; **~ la taille** *ou* **les reins** arquear la espalda.
cambriolage [kɑ̃bʀijɔlaʒ] *nm* robo (con efracción).
cambrioler [kɑ̃bʀijɔle] *vt* robar (con efracción).
cambrioleur, -euse [kɑ̃bʀijɔlœʀ, øz] *nm/f* atracador(a), ladrón(-ona).
came [kam] *nf* (*fam: drogue*) droga; **arbre à ~s (en tête)** árbol *m* de levas (en cabeza).

camelote [kamlɔt] *nf* baratija.
caméra [kameʀa] *nf* cámara.
caméscope [kameskɔp] *nm* cámara de vídeo.
camion [kamjɔ̃] *nm* camión *m*; ~ **de sable/cailloux** (*charge*) camión de arena/de grava.
camionnette [kamjɔnɛt] *nf* camioneta.
camisole [kamizɔl] *nf*: ~ **(de force)** camisa (de fuerza).
camomille [kamɔmij] *nf* manzanilla.
camoufler [kamufle] *vt* camuflar; (*fig*) camuflar, disimular.
camp [kɑ̃] *nm* (*militaire, d'expédition*) campo, campamento; (*réfugiés, prisonniers*) campamento; (*fig*) campo; **camp de concentration** campo de concentración; **camp de nudistes/de vacances** colonia nudista/de vacaciones.
campagnard, e [kɑ̃paɲaʀ, aʀd] *adj, nm/f* campesino(-a).
campagne [kɑ̃paɲ] *nf* campo; (*MIL, POL, COMM*) campaña; **en** ~ (*MIL*) de campaña; **à la** ~ en el campo; **faire** ~ **pour** hacer campaña por; **campagne de publicité** campaña de publicidad; **campagne électorale** campaña electoral.
campé, e [kɑ̃pe] *adj*: **bien** ~ (*fig: personnage, tableau*) bien logrado(-a).
campement [kɑ̃pmɑ̃] *nm* campamento.
camper [kɑ̃pe] *vi* acampar ♦ *vt* (*chapeau, casquette*) plantarse; (*dessin, tableau, personnage*) representar; **se camper** *vpr*: **se** ~ **devant qn/qch** plantarse delante de algn/algo.
campeur, -euse [kɑ̃pœʀ, øz] *nm/f* campista *m/f*.
camphré, e [kɑ̃fʀe] *adj* alcanforado(-a).
camping [kɑ̃piŋ] *nm* camping *m*; **(terrain de)** ~ (terreno de) camping; **faire du** ~ hacer camping; **faire du** ~ **sauvage** hacer camping salvaje.
Canada [kanada] *nm* Canadá *m*.
canadien, ne [kanadjɛ̃, jɛn] *adj* canadiense ♦ *nm/f*: **C~, ne** canadiense *m/f*.
canadienne [kanadjɛn] *nf* (*veste*) cazadora.
canaille [kanɑj] *nf* (*crapule*) canalla *m* ♦ *adj* (*air, sourire*) picarón(-ona), pillín(-ina).
canal, -aux [kanal, o] *nm* (*rivière*) canal *m*; (*ANAT*) conducto; **par le** ~ **de** (*ADMIN*) por medio de; **canal de distribution** canal de distribución; **canal de Panama/de Suez** canal de Panamá/de Suez; **canal de télévision** canal de televisión.
canalisation [kanalizasjɔ̃] *nf* (*d'un cours d'eau*) canalización *f*; (*tuyau*) canalización, cañería.
canapé [kanape] *nm* (*fauteuil*) canapé *m*, sofá *m*; (*CULIN*) canapé.
canapé-lit [kanapeli] (*pl* **~s-~s**) *nm* sofá-cama *m*.
canard [kanaʀ] *nm* pato; (*fam: journal*) periódico.
canari [kanaʀi] *nm* canario.
Canaries [kanaʀi] *nfpl*: **les (îles)** ~ las (islas) Canarias.
cancans [kɑ̃kɑ̃] *nmpl* chismes *mpl*.
cancer [kɑ̃sɛʀ] *nm* (*aussi fig*) cáncer *m*; (*ASTROL*): **le C~** Cáncer *m*; **il a un** ~ tiene un cáncer; **être (du) C~** ser Cáncer.
cancre [kɑ̃kʀ] *nm* holgazán *m/f*.
candidat, e [kɑ̃dida, at] *nm/f* (*examen, POL*) candidato(-a); (*à un poste*) candidato(-a), aspirante *m/f*; **être** ~ **à** ser candidato(-a) a.
candidature [kɑ̃didatyʀ] *nf* candidatura; **poser sa** ~ presentar su candidatura.
candide [kɑ̃did] *adj* cándido(-a).
cane [kan] *nf* pata.
caneton [kantɔ̃] *nm* patito.
canette [kanɛt] *nf* (*de bière*) botellín *m*; (*de machine à coudre*) canilla.
canevas [kanvɑ] *nm* (*COUTURE*) cañamazo; (*d'un texte, récit*) bosquejo.
caniche [kaniʃ] *nm* caniche *m*.
canicule [kanikyl] *nf* canícula.
canif [kanif] *nm* navaja.
canine [kanin] *nf* canino.
caniveau [kanivo] *nm* cuneta.
canne [kan] *nf* bastón *m*; **canne à pêche** caña de pescar; **canne à sucre** caña de azúcar.
cannelle [kanɛl] *nf* canela.
cannibale [kanibal] *adj, nm/f* caníbal *m/f*.
canoë [kanɔe] *nm* canoa; **canoë (kayak)** (*SPORT*) piragüismo.
canon [kanɔ̃] *nm* cañón *m*; (*MUS*) canon *m*; (*fam: de vin*) chato ♦ *adj*: **droit** ~ derecho canónico; **canon rayé** cañón rayado.
cañon [kaɲɔ̃] *nm* cañón *m*.
canot [kano] *nm* (*bateau*) bote *m*, lancha; **canot de sauvetage** bote salvavidas; **canot pneumatique** bote neumático.
cantatrice [kɑ̃tatʀis] *nf* cantante *f*.
cantine [kɑ̃tin] *nf* (*malle*) baúl *m*; (*réfectoire*) cantina; **manger à la** ~ comer en la cantina.
cantique [kɑ̃tik] *nm* cántico.
canton [kɑ̃tɔ̃] *nm* (*en France*) distrito; (*en Suisse*) cantón *m*.
cantonal, e, -aux [kɑ̃tɔnal, o] *adj* (*en Suisse*) cantonal; (*en France: élections*) por distritos.
cantonner [kɑ̃tɔne] *vt* (*MIL*) acantonar; **se cantonner dans** *vpr* (*maison, attitude*)

encerrarse en; (*études*) aislarse en.
canular [kanylaʀ] *nm* inocentada.
CAO [seao] *sigle f* (= *conception assistée par ordinateur*) CAO *f* (= *concepción asistida por ordenador*).
caoutchouc [kautʃu] *nm* caucho; (*bande élastique*) goma; **en ~** de goma, de caucho; **caoutchouc mousse** ® gomaespuma.
CAP [seape] *sigle m* (= *certificat d'aptitude professionnelle*) ≈ título de FP1.
cap [kap] *nm* (*GÉO*) cabo; **changer de ~** (*NAUT*) cambiar de rumbo; **doubler** *ou* **passer le ~** (*fig*) superar *ou* pasar el obstáculo; (: *limite*) superar *ou* pasar el límite; **mettre le ~ sur** poner rumbo a; **le C~** el Cabo; **le C~ de Bonne Espérance** el Cabo de Buena Esperanza; **le C~ Horn** el cabo de Hornos.
capable [kapabl] *adj* (*compétent*) competente; **~ de faire** capaz de hacer; **~ de dévouement/d'un effort** capaz de dedicación/de un esfuerzo; **il est ~ d'oublier** es capaz de olvidar; **spectacle/livre ~ d'intéresser** espectáculo/libro susceptible de interesar.
capacité [kapasite] *nf* capacidad *f*; **capacité (en droit)** capacitación *f* (en derecho).
cape [kap] *nf* capa; **rire sous ~** reír para sus adentros.
capeline [kaplin] *nf* capelina.
CAPES [kapes] *sigle m* (= *certificat d'aptitude au professorat de l'enseignement du second degré*) *título de profesor de enseñanza secundaria*.
capillaire [kapilɛʀ] *adj* capilar ♦ *nm* culantrillo.
capitaine [kapitɛn] *nm* capitán *m*; **capitaine au long cours** capitán de altura.
capital, e, -aux [kapital, o] *adj, nm* capital *m*; **capitaux** *nmpl* (*fonds*) capitales *mpl*; **les sept péchés capitaux** los siete pecados capitales; **exécution/peine ~e** ejecución *f*/pena capital; **capital d'exploitation** capital de explotación; **capital (social)** capital social.
capitale [kapital] *nf* (*ville*) capital *f*; (*lettre*) mayúscula.
capitalisme [kapitalism] *nm* capitalismo.
capitaliste [kapitalist] *adj, nm/f* capitalista *m/f*.
capitonné, e [kapitɔne] *adj* acolchado(-a).
capituler [kapityle] *vi* capitular.
caporal, -aux [kapɔʀal, o] *nm* cabo.
capot [kapo] *nm* capó ♦ *adj inv* (*CARTES*): **être ~** quedarse zapatero(-a).
capote [kapɔt] *nf* (*de voiture*) capota; (*de soldat*) capote *m*; **capote anglaise** (*fam*) condón *m*.
capoter [kapɔte] *vi* (*voiture*) volcar; (*négociations*) fracasar.
câpre [kɑpʀ] *nf* alcaparra.
caprice [kapʀis] *nm* capricho, antojo; (*toquade amoureuse*) capricho; **~s** *nmpl* (*de la mode etc*) caprichos *mpl*; **faire un ~** coger una rabieta; **faire des ~s** tener caprichos.
capricieux, -euse [kapʀisjø, jøz] *adj* caprichoso(-a).
Capricorne [kapʀikɔʀn] *nm* (*ASTROL*) Capricornio; **être (du) ~** ser Capricornio.
capsule [kapsyl] *nf* cápsula; (*de bouteille*) cápsula, chapa.
capter [kapte] *vt* captar.
captif, -ive [kaptif, iv] *adj, nm/f* cautivo(-a).
captivant, e [kaptivɑ̃, ɑ̃t] *adj* cautivador(-a).
captiver [kaptive] *vt* cautivar.
captivité [kaptivite] *nf* cautiverio; **en ~** en cautiverio.
capturer [kaptyʀe] *vt* capturar, apresar.
capuche [kapyʃ] *nf* capucha.
capuchon [kapyʃɔ̃] *nm* (*de vêtement*) capucha, capuchón *m*; (*de stylo*) capuchón.
caquet [kakɛ] *nm*: **rabattre le ~ à qn** bajar los humos a algn.
caqueter [kakte] *vi* cacarear.
car [kaʀ] *nm* autocar *m* ♦ *conj* pues, porque; **car de police/de reportage** furgoneta de policía/de reportaje.
carabine [kaʀabin] *nf* carabina; **carabine à air comprimé** carabina de aire comprimido.
Caracas [kaʀakas] *n* Caracas.
caracoler [kaʀakɔle] *vi* (*cheval*) caracolear; (*gambader*) cabriolar.
caractère [kaʀaktɛʀ] *nm* (*humeur, tempérament*) carácter *m*; (*de choses*) naturaleza; (*cachet*) carácter, personalidad *f*; **avoir bon/mauvais ~** tener buen/mal carácter; **~s/seconde** pulsaciones *fpl*/segundo; **en ~s gras** en negrita; **en petits ~s** en minúsculas; **en ~s d'imprimerie** en letras mayúsculas; **avoir du ~** tener carácter.
caractériel, le [kaʀakteʀjɛl] *adj, nm/f* inadaptado(-a); **troubles ~s** trastornos *mpl* de carácter.
caractérisé, e [kaʀakteʀize] *adj*: **c'est une grippe ~e** es una gripe característica; **c'est de l'insubordination ~e** es una clara insubordinación.
caractériser [kaʀakteʀize] *vt* caracterizar; **se caractériser par** *vpr* caracterizarse por.

caractéristique [kaʀakteʀistik] *adj* característico(-a) ♦ *nf* característica.
carafe [kaʀaf] *nf* (*pot*) jarra, garrafa; (*d'eau, de vin*) jarra.
caraïbe [kaʀaib] *adj* caribeño(-a); **les C~s** *nfpl* el Caribe; **la mer des C~s** el mar (del) Caribe.
carambolage [kaʀɑ̃bɔlaʒ] *nm* colisiones *fpl* en serie.
caramel [kaʀamɛl] *nm* caramelo; (*bonbon*) caramelo blando ♦ *adj inv* caramelo *inv*.
carapace [kaʀapas] *nf* (*d'animal, fig*) caparazón *m*; (*de crabe etc*) concha.
carat [kaʀa] *nm* quilate *m*; **or à 18 ~s** oro de 18 quilates; **pierre de 12 ~s** piedra de 12 quilates.
caravane [kaʀavan] *nf* caravana.
carbone [kaʀbɔn] *nm* carbono; (*aussi*: **papier ~**) papel *m* carbón; (*document*) copia.
carbonique [kaʀbɔnik] *adj* carbónico(-a); **gaz ~** gas *m* carbónico; **neige ~** nieve *f* carbónica.
carbonisé, e [kaʀbɔnize] *adj* carbonizado(-a); **mourir ~** morir carbonizado(-a).
carboniser [kaʀbɔnize] *vt* carbonizar.
carburant [kaʀbyʀɑ̃] *nm* carburante *m*.
carburateur [kaʀbyʀatœʀ] *nm* carburador *m*.
carcan [kaʀkɑ̃] *nm* (*fig*) yugo.
carcasse [kaʀkas] *nf* (*d'animal*) caparazón *m*; (*de voiture*) chasis *m inv*.
cardiaque [kaʀdjak] *adj, nm/f* cardíaco(-a); **être ~** estar cardíaco(-a).
cardigan [kaʀdigɑ̃] *nm* rebeca.
cardinal, e, -aux [kaʀdinal, o] *adj* cardinal ♦ *nm* cardenal *m*.
cardiologue [kaʀdjɔlɔg] *nm/f* cardiólogo(-a).
carême [kaʀɛm] *nm*: **le C~** Cuaresma.
carence [kaʀɑ̃s] *nf* ineptitud *f*; (*manque*) carencia; (*fig*) insuficiencia; **carence vitaminique** carencia vitamínica.
caresse [kaʀɛs] *nf* caricia.
caresser [kaʀese] *vt* acariciar; (*espoir*) abrigar.
cargaison [kaʀgɛzɔ̃] *nf* carga, cargamento.
cargo [kaʀgo] *nm* carguero, buque *m* de carga; **cargo mixte** carguero mixto.
caricature [kaʀikatyʀ] *nf* caricatura.
caricaturer [kaʀikatyʀe] *vt* caricaturizar.
carie [kaʀi] *nf* caries *f inv*; **la ~ (dentaire)** la caries (dental).
carié, e [kaʀje] *adj*: **dent ~e** diente *m* cariado.
carillon [kaʀijɔ̃] *nm* (*d'église*) carillón *m*; (*pendule*) reloj *m* de pared con carillón; **~ (électrique)** timbre *m*.
carnage [kaʀnaʒ] *nm* carnicería.
carnassier, -ière [kaʀnasje, jɛʀ] *adj* carnicero(-a) ♦ *nm* carnicero.
carnaval [kaʀnaval] *nm* carnaval *m*.
carnet [kaʀnɛ] *nm* libreta; (*de loterie etc*) taco; (*de timbres*) cuadernillo; (*journal intime*) diario; **carnet à souches** taco de matrices; **carnet d'adresses** agenda de direcciones; **carnet de chèques** talonario de cheques; **carnet de commandes** talonario *ou* libreta de pedidos; **carnet de notes** boletín *m* de notas.
carnivore [kaʀnivɔʀ] *adj* carnívoro(-a) ♦ *nm* carnívoro.
carotte [kaʀɔt] *nf* zanahoria.
carpe [kaʀp] *nf* carpa.
carpette [kaʀpɛt] *nf* alfombrilla.
carré, e [kaʀe] *adj* cuadrado(-a); (*franc*) directo(-a) ♦ *nm* (*GÉOM*) cuadrado; (*de jardin*) cuadro; (*NAUT*) cámara de oficiales; **~ de soie** pañuelo de seda; **~ d'agneau** brazuelo de cordero; **le ~ (d'un nombre)** el cuadrado (de un número); **élever un nombre au ~** elevar un número al cuadrado; **mètre/kilomètre ~** metro/ kilómetro cuadrado; **carré d'as/de rois** (*CARTES*) póker *m* de ases/de reyes.
carreau, x [kaʀo] *nm* (*par terre*) baldosa; (*au mur*) azulejo; (*de fenêtre*) cristal *m*; (*dessin*) cuadro; (*CARTES*: *couleur*) diamante *mpl*; (: *carte*) diamante *m*; **papier/tissu à ~x** papel *m*/tela de cuadros.
carrefour [kaʀfuʀ] *nm* encrucijada.
carrelage [kaʀlaʒ] *nm* (*sol*) embaldosado; (*mur*) alicatado.
carrément [kaʀemɑ̃] *adv* (*franchement*) francamente; (*sans détours, sans hésiter*) directamente; (*nettement*) verdaderamente; **il l'a ~ mis à la porte** lo puso directamente de patitas en la calle.
carrière [kaʀjɛʀ] *nf* (*de craie, sable*) cantera; (*métier*) carrera; **militaire de ~** militar *m* de carrera; **faire ~ dans** hacer carrera en.
carriole [kaʀjɔl] *nf* (*charrette*) carreta; (*péj*) cacharro.
carrosse [kaʀɔs] *nm* carroza.
carrosserie [kaʀɔsʀi] *nf* carrocería; **atelier de ~** taller *m* de carrocería.
carrure [kaʀyʀ] *nf* (*d'une personne*) anchura de espalda; (*d'un vêtement*) espalda; (*fig*) clase *f*; **de ~ athlétique** de complexión atlética.
cartable [kaʀtabl] *nm* cartera.
carte [kaʀt] *nf* mapa *m*; (*GÉO, au restaurant*) carta; (*de fichier*) ficha; (*CARTES*) carta, naipe *m*; (*de parti*) carnet *m*; (*d'électeur*) tarjeta; (*d'abonnement etc*) abo-

no; (*aussi*: ~ **postale**) postal *f*; (*aussi*: ~ **de visite**) tarjeta; **avoir/ donner ~ blanche** tener/dar carta blanca; **jouer aux ~s** jugar a las cartas; **jouer ~s sur table** (*fig*) poner las cartas boca arriba; **tirer les ~s à qn** echar las cartas a algn; **à la ~** a la carta; **carte à puce** tarjeta magnética; **carte bancaire/de crédit** tarjeta bancaria/de crédito; **carte de séjour** permiso de residencia; **carte des vins** carta de vinos; **carte d'état-major** mapa de Estado Mayor; **carte d'identité** carnet de identidad, documento nacional de identidad, cédula (de identidad) (*AM*); **carte grise** documentación *f* de un automóvil; **carte orange** *abono de transporte de París*; **carte perforée** ficha perforada; **carte routière** mapa de carreteras; **carte vermeil** abono de transporte para jubilados; **carte verte** (*AUTO*) carta verde.

carter [kaʀtɛʀ] *nm* cárter *m*.

cartilage [kaʀtilaʒ] *nm* cartílago.

carton [kaʀtɔ̃] *nm* (*matériau, ART*) cartón *m*; (*boîte*) caja (de cartón); (*d'invitation*) tarjeta; **en ~** de cartón; **faire un ~** (*au tir*) tirar al blanco; **carton (à dessin)** cartapacio.

cartonné, e [kaʀtɔne] *adj* de tapa dura.

carton-pâte [kaʀtɔ̃pɑt] (*pl* **~s-~s**) *nm* cartón piedra *m*; **de ~-~** (*fig*) de cartón piedra.

cartouche [kaʀtuʃ] *nf* (*de fusil*) cartucho; (*de stylo*) cartucho, recambio; (*de cigarettes*) cartón *m*; (*de film, de ruban encreur*) carrete *m*.

cas [kɑ] *nm* caso; **faire peu de ~/grand ~ de** hacer poco/mucho caso a; **le ~ échéant** llegado el caso; **en aucun ~** en ningún caso, bajo ningún concepto; **au ~ où** en caso de que, por si acaso; **dans** *ou* **en ce ~** en ese caso; **en ~ de** en caso de; **en ~ de besoin** en caso de necesidad; **en ~ d'urgence** en caso de urgencia; **en tout ~** de todas maneras; **cas de conscience** caso de conciencia; **cas de force majeure** caso de fuerza mayor; **cas limite** caso extremo; **cas social** caso social.

casanier, -ière [kazanje, jɛʀ] *adj* hogareño(-a).

cascade [kaskad] *nf* cascada; (*fig*) lluvia.

cascadeur, -euse [kaskadœʀ, øz] *nm/f* (*CINÉ*) doble *m/f*.

case [kɑz] *nf* casilla; (*hutte*) choza; (*pour le courrier*) casillero; **cochez la ~ réservée à cet effet** marque la casilla que corresponda.

caser [kɑze] *vt* colocar; **se caser** *vpr* (*personne*) colocarse; (*péj*) conseguir casarse.

caserne [kazɛʀn] *nf* cuartel *m*.

cash [kaʃ] *adv*: **payer ~** pagar al contado.

casier [kɑzje] *nm* casillero; (*à journaux*) revistero; (*de bureau*) fichero; (: *à clef*) taquilla; (*PÊCHE*) nasa; **casier à bouteilles** botellero; **casier judiciaire** antecedentes *mpl* penales.

casino [kazino] *nm* casino.

casque [kask] *nm* casco; (*chez le coiffeur*) secador *m*; (*pour audition*) casco, auricular *m*; **les C~s bleus** los cascos azules.

casquette [kaskɛt] *nf* gorra.

cassant, e [kɑsɑ̃, ɑ̃t] *adj* quebradizo(-a); (*personne, voix*) áspero(-a).

cassation [kɑsasjɔ̃] *nf*: **se pourvoir en ~** apelar al Tribunal Supremo; **recours en ~** recurso de casación; **cour de ~** Tribunal Supremo.

casse [kɑs] *nf*: **mettre à la ~** dar *ou* vender como chatarra; (*dégâts*): **il y a eu de la ~** hubo unos destrozos; **haut/bas de ~** (*TYPO*) caja alta/baja.

cassé, e [kɑse] *adj* (*voix*) cascado(-a); (*vieillard*) achacoso(-a); **blanc ~** color hueso *inv*.

casse-cou [kɑsku] *nm inv* (*personne*) cabeza loca.

casse-croûte [kɑskʀut] *nm inv* tentempié *m*.

casse-noisette(s) [kɑsnwazɛt], **casse-noix** [kɑsnwa] *nm inv* cascanueces *m inv*.

casse-pieds [kɑspje] (*fam*) *adj, nm/f inv* pesado(-a).

casser [kɑse] *vt* (*verre etc*) romper; (*montre, moteur*) estropear; (*gradé*) cesar; (*JUR*) anular ♦ *vi* (*corde etc*) romperse; **se casser** *vpr* romperse; (*fam*) largarse; (*être fragile*) romperse, quebrarse; **se ~ la jambe** romperse la pierna; **~ les prix** romper los precios; **à tout ~** (*extraordinaire*) fenomenal, formidable; (*tout au plus*) a lo más; **se ~ net** romperse de un golpe.

casserole [kasʀɔl] *nf* cacerola, cazuela; **à la ~** a la cazuela.

casse-tête [kɑstɛt] *nm inv* (*fig*) quebradero de cabeza; (*jeu*) rompecabezas *m inv*.

cassette [kasɛt] *nf* (*bande magnétique*) cassette *f*, casete *f*; (*coffret*) joyero.

cassis [kasis] *nm* grosellero negro, casis *m*; (*liqueur*) licor *m* de grosella negra; (*de la route*) badén *m*.

cassoulet [kasulɛ] *nm* guiso de alubias.

castagnettes [kastaɲɛt] *nfpl* castañuelas *fpl*.

caste [kast] *nf* casta.

castillan, e [kastijɑ̃, an] *adj* castellano(-a) ♦ *nm* (*LING*) castellano ♦ *nm/f*: **C~, e** castellano(-a).

Castille [kastij] *nf* Castilla.
castor [kastɔʀ] *nm* castor *m*.
castrer [kastʀe] *vt* (*animal mâle, homme*) castrar, capar; (*femelle*) castrar.
catalan, e [katalɑ̃, an] *adj* catalán(-ana) ♦ *nm* (LING) catalán *m* ♦ *nm/f*: **C~, e** catalán(-ana).
Catalogne [katalɔɲ] *nf* Cataluña.
catalogue [katalɔg] *nm* catálogo.
cataloguer [katalɔge] *vt* catalogar; **~ qn** (*péj*) tener fichado a algn.
catamaran [katamaʀɑ̃] *nm* catamarán *m*.
cataplasme [kataplasm] *nm* cataplasma.
cataracte [kataʀakt] *nf* catarata; **opérer qn de la ~** operar a algn de cataratas.
catastrophe [katastʀɔf] *nf* catástrofe *f*; **atterrir en ~** aterrizar por emergencia; **partir en ~** salir a escape.
catastrophique [katastʀɔfik] *adj* catastrófico(-a).
catch [katʃ] *nm* (SPORT) lucha libre, catch *m*.
catcheur, -euse [katʃœʀ, øz] *nm/f* luchador(a) de catch.
catéchisme [kateʃism] *nm* catecismo.
catégorie [kategɔʀi] *nf* categoría; (BOUCHERIE): **morceaux de première/deuxième ~** trozos de primera/segunda categoría.
catégorique [kategɔʀik] *adj* categórico(-a), tajante.
cathédrale [katedʀal] *nf* catedral *f*.
catholique [katɔlik] *adj, nm/f* católico(-a); **pas très ~** (*fig*) no muy católico(-a).
catimini [katimini]: **en ~** *adv* a escondidas.
cauchemar [koʃmaʀ] *nm* pesadilla.
causant, e [kozɑ̃, ɑ̃t] (*fam*) *adj* hablador(a).
cause [koz] *nf* causa; (*accident*) causa, motivo; (JUR) caso; (*intérêts*) causa; **faire ~ commune avec qn** hacer causa común con algn; **être ~ de** ser causa de; **à ~ de** (*gén*) debido a; (*par la faute de*) por culpa de; **pour ~ de** por causa de, por; **(et) pour ~** claro está; **être en ~** (*personne*) tener parte de culpa; (*qualité, intérêts etc*) estar en juego; **mettre en ~** culpar; **remettre en ~** poner en tela de juicio; **être hors de ~** quedar fuera de sospecha; **en tout état de ~** de todas formas.
causer [koze] *vt* causar ♦ *vi* charlar; (*jaser*) chismorrear.
caution [kosjɔ̃] *nf* (*argent,* JUR) fianza; (*fig*) garantía, aval *m*; **payer la ~ de qn** pagar la fianza de algn; **se porter ~ pour qn** ser aval de algn; **libéré sous ~** libre bajo fianza; **sujet à ~** en tela de juicio.
cautionner [kosjɔne] *vt* (*moralement*) responder por; (*financièrement*) ser aval de; (*fig*) apoyar.
cavalcade [kavalkad] *nf* (*fig*) correteo.
cavalier, -ière [kavalje, jɛʀ] *adj* brusco(-a) ♦ *nm/f* (*à cheval*) jinete *m/f*; (*au bal*) pareja ♦ *nm* (ÉCHECS) caballo; **faire ~ seul** hacer rancho aparte; **allée** *ou* **piste cavalière** camino de herradura.
cave [kav] *nf* sótano; (*réserve de vins*) bodega; (*cabaret*) cabaret *m* ♦ *adj*: **yeux ~s** ojos *mpl* hundidos; **joues ~s** mejillas *fpl* chupadas.
caveau, x [kavo] *nm* cripta.
caverne [kavɛʀn] *nf* caverna.
caviar [kavjaʀ] *nm* caviar *m*.
cavité [kavite] *nf* cavidad *f*.
CCI [sesei] *sigle f* (= *Chambre de commerce et d'industrie*) *voir* **chambre**; (= *Chambre de commerce international*) CCI *f* (= *Cámara de Comercio Internacional*).
CCP [sesepe] *sigle m* (= *compte chèque postal*) *voir* **compte**.
CD [sede] *sigle m* (= *compact disc*) CD *m*; (= *corps diplomatique*) CD *m*.
CD-Rom [sedeʀɔm] *sigle m* CD-Rom.
CE [seə] *sigle f* (= *Communauté européenne*) CE *f* ♦ *sigle m* (= *comité d'entreprise*) *voir* **comité**; (= *cours élémentaire*) *voir* **cours**.

MOT-CLÉ

ce, c', cette [sə, sɛt] (*devant nm commençant par voyelle ou h aspiré* **cet**) (*pl* **ces**) *dét* (*proche*) este(esta); (*intermédiaire*) ese(esa); (*éloigné: plus loin*) aquel(la); **cette maison(-ci/là)** esta casa/esa *ou* aquella casa; **cette nuit** esta noche
♦ *pron* **1**: **c'est** es; **c'est un peintre/ce sont des peintres** (*métier*) es un pintor/son pintores; (*en désignant*) es un pintor/son unos pintores; **c'est le facteur** (*à la porte*) es el cartero; **qui est-ce?** ¿quién es?; **qu'est-ce?** ¿sí?; **c'est toi qui le dis** lo dices tú; **c'est toi qui lui as parlé** eres tú quien le hablaste; **sur ce** tras esto; **c'est qu'il est lent/a faim** es que es lento/tiene hambre; **c'est petit/grand** es pequeño/grande
2: **ce qui, ce que** lo que; (*chose qui*): **il est bête, ce qui me chagrine** es tonto, lo cual me apena; **tout ce qui bouge** todo lo que se mueve; **tout ce que je sais** todo lo que sé; **ce dont j'ai parlé** eso de lo que hablé; **ce que c'est grand!** ¡qué grande es!; **veiller à ce que ...** procurar que ...; *voir aussi* **-ci**; **est-ce que**; **n'est-ce pas**; **c'est-à-dire**.

ceci [səsi] *pron* esto.

cécité [sesite] *nf* ceguera.
céder [sede] *vt* (*maison, droit*) ceder, traspasar ♦ *vi* ceder; ~ **à** (*tentation etc*) ceder a; ~ **à qn** (*se soumettre*) someterse a algn.
CEDEX [sedɛks] *sigle m* (= *courrier d'entreprise à distribution exceptionnelle*) *correo especial para empresas.*
cédille [sedij] *nf* cedilla.
CEE [seəə] *sigle f* (= *Communauté économique européenne*) CEE *f* (= *Comunidad Económica Europea*).
CEI [seəi] *sigle f* (= *Communauté des États indépendants*) CEI *f* (= *Comunidad de los Estados Independientes*).
ceinture [sɛ̃tyʀ] *nf* cinturón *m*; (*taille*) cintura; (*d'un pantalon, d'une jupe*) cintura, cinturilla; **ceinture de sauvetage** cinturón salvavidas; **ceinture de sécurité** cinturón de seguridad; **ceinture (de sécurité) à enrouleur** cinturón (de seguridad) de enrollar; **ceinture noire** (*JUDO*) cinturón negro; **ceinture verte** cinturón verde.
ceinturer [sɛ̃tyʀe] *vt* (*saisir*) agarrar por la cintura a; (*entourer*) rodear.
ceinturon [sɛ̃tyʀɔ̃] *nm* cinto, cinturón *m.*
cela [s(ə)la] *pron* eso; (*plus loin*) aquello; ~ **m'étonne que** me extraña que; **quand ~?** ¿cuándo?
célèbre [selɛbʀ] *adj* famoso(-a), célebre.
célébrer [selebʀe] *vt* celebrar; (*louer*) celebrar, encomiar.
célébrité [selebʀite] *nf* (*gloire, star*) celebridad *f.*
céleri [sɛlʀi] *nm*: **~(-rave)** apio (nabo); **céleri en branche** apio.
céleste [selɛst] *adj* celeste.
célibat [seliba] *nm* (*prêtre*) celibato; (*d'homme, de femme*) soltería.
célibataire [selibatɛʀ] *adj* soltero(-a) ♦ *nm/f* soltero(-a); **mère** ~ madre *f* soltera.
celle, celles [sɛl] *pron voir* **celui.**
cellier [selje] *nm* bodega.
cellulaire [selylɛʀ] *adj* celular; **voiture** *ou* **fourgon** ~ coche *m ou* furgón *m* celular; **régime** ~ régimen *m* celular.
cellule [selyl] *nf* (*aussi fig*) célula; (*de prisonnier, moine*) celda; **cellule (photoélectrique)** célula (fotoeléctrica).
cellulite [selylit] *nf* celulitis *f inv.*
celui, celle [səlɥi, sɛl] (*pl* **ceux,** *f* **celles**) *pron*: **~-ci** éste/ése; **celle-ci** ésta/ésa; **~-là/celle-là** aquél/aquélla; **ceux-ci/celles-ci** éstos/éstas; **ceux-là/celles-là** ésos *ou* aquéllos/ésas *ou* aquéllas; ~ **de mon frère** el de mi hermano; ~ **du salon/du dessous** el del salón/de abajo; ~ **qui bouge** (*pour désigner*) el que se mueve; ~ **que je vois** el que veo; ~ **dont je parle** (*personne*) ése del que hablo; (*chose*) eso de lo que hablo; ~ **qui veut** (*valeur indéfinie*) el que quiera.
cendre [sɑ̃dʀ] *nf* ceniza; **~s** *nfpl* cenizas *fpl*; **sous la** ~ (*CULIN*) en las cenizas.
cendrier [sɑ̃dʀije] *nm* cenicero.
censé, e [sɑ̃se] *adj*: **je suis ~ faire 7 h par jour** se supone que hago 7 horas diarias.
censeur [sɑ̃sœʀ] *nm* (*du lycée*) subdirector *m*; (*POL, PRESSE, CINÉ*) censor *m.*
censure [sɑ̃syʀ] *nf* censura.
censurer [sɑ̃syʀe] *vt* censurar.
cent [sɑ̃] *adj* (*avant un nombre*) ciento; (*avant un substantif*) cien ♦ *nm* ciento; (*MATH*) cien *m inv*; ~ **cinquante** ciento cincuenta; ~ **francs** cien francos; **pour** ~ por ciento; **un ~ de** un centenar de; **faire les ~ pas** ir y venir, ir de un lado para otro.
centaine [sɑ̃tɛn] *nf* centena; **une ~ (de)** un centenar (de); **plusieurs ~s (de)** varios centenares (de); **des ~s (de)** centenares (de).
centenaire [sɑ̃t(ə)nɛʀ] *adj, nm/f* centenario(-a) ♦ *nm* (*anniversaire*) centenario.
centième [sɑ̃tjɛm] *adj, nm/f* centésimo(-a); **un ~ de seconde** una centésima de segundo; *voir aussi* **cinquantième.**
centigrade [sɑ̃tigʀad] *nm* centígrado.
centigramme [sɑ̃tigʀam] *nm* centigramo.
centilitre [sɑ̃tilitʀ] *nm* centilitro.
centime [sɑ̃tim] *nm* céntimo.
centimètre [sɑ̃timɛtʀ] *nm* centímetro; (*ruban*) cinta métrica.
central, e, -aux [sɑ̃tʀal, o] *adj* central ♦ *nm*: ~ **(téléphonique)** central *f* (telefónica) ♦ *nf*: **~e nucléaire** central *f* nuclear.
centre [sɑ̃tʀ] *nm* centro; (*FOOTBALL: joueur*) centro(campista); **le** ~ (*POL*) el centro; **centre aéré** *campamento de verano para niños*; **centre commercial/culturel** centro comercial/cultural; **centre d'apprentissage** centro de formación profesional; **centre d'attractions** parque *m* de atracciones; **centre d'éducation surveillée** centro de enseñanza vigilada; **centre de détention** centro penitenciario; **centre de gravité** centro de gravedad; **centre de semi-liberté** centro de reclusión en régimen abierto; **centre de tri** centro de correos; **centre hospitalier/sportif** centro hospitalario/deportivo; **centres nerveux** (*ANAT*) centros *mpl* nerviosos.
centre-ville [sɑ̃tʀəvil] (*pl* **~s-~s**) *nm* cen-

tro de la ciudad.

centrifuge [sɑ̃tʀifyʒ] *adj*: **force ~** fuerza centrífuga.

centuple [sɑ̃typl] *nm*: **le ~ de qch** el céntuplo de algo; **au ~** con creces.

cep [sɛp] *nm* cepa.

cèpe [sɛp] *nm* seta.

cependant [s(ə)pɑ̃dɑ̃] *conj* sin embargo, no obstante.

céramique [seʀamik] *nf* cerámica.

cercle [sɛʀkl] *nm* (*GÉOM*) círculo; (*objet circulaire*) círculo, aro; (*de jeu, bridge*) club *m*; **décrire un ~** describir un círculo; **cercle d'amis** círculo de amigos; **cercle de famille** entorno familiar; **cercle vicieux** círculo vicioso.

cercueil [sɛʀkœj] *nm* ataúd *m*, féretro.

céréale [seʀeal] *nf* cereal *m*.

cérébral, e, -aux [seʀebʀal, o] *adj* cerebral; (*fig*) cerebral, analizador(a).

cérémonie [seʀemɔni] *nf* ceremonia; **~s** *nfpl* (*péj*: *façons, chichis*) formalidades *fpl*.

cerf [sɛʀ] *nm* ciervo.

cerfeuil [sɛʀfœj] *nm* perifollo.

cerf-volant [sɛʀvɔlɑ̃] (*pl* **~s-~s**) *nm* cometa; **jouer au ~-~** jugar a la cometa.

cerise [s(ə)ʀiz] *nf, adj inv* cereza.

cerisier [s(ə)ʀizje] *nm* cerezo.

cerné, e [sɛʀne] *adj* (*ville, armée*) cercado(-a); (*yeux*) ojeroso(-a).

cerner [sɛʀne] *vt* (*armée, ville*) cercar; (*problème*) delimitar; (*être autour*) rodear.

certain, e [sɛʀtɛ̃, ɛn] *adj* (*indéniable*) cierto(-a), seguro(-a); (*personne*): **~ (de/que)** seguro(-a) (de/de que), convencido(-a) (de/de que) ♦ *dét*: **un ~ Georges** un tal Georges; **un ~ courage** (*non négligeable*) mucho valor; **~s cas** algunos casos; **d'un ~ âge** de cierta edad; **un ~ temps** cierto tiempo; **sûr et ~** completamente seguro.

certainement [sɛʀtɛnmɑ̃] *adv* (*probablement*) probablemente; (*bien sûr*) sin duda, por supuesto.

certains [sɛʀtɛ̃] *pron pl* algunos.

certes [sɛʀt] *adv* (*bien sûr*) por supuesto; (*sans doute*) sin duda alguna; (*en réponse*) ciertamente.

certificat [sɛʀtifika] *nm* certificado; **certificat de fin d'études secondaires** *certificado de fin de estudios secundarios*; **certificat médical/de vaccination** certificado médico/de vacunación.

certitude [sɛʀtityd] *nf* certeza.

cerveau, x [sɛʀvo] *nm* cerebro.

cervelle [sɛʀvɛl] *nf* (*ANAT*) cerebro; (*CULIN*) sesos *mpl*; **se creuser la ~** romperse la cabeza, devanarse los sesos.

CES [seəɛs] *sigle m* (= *collège d'enseignement secondaire*) ≈ Instituto de Enseñanza Media.

ces [se] *dét voir* **ce**.

césarienne [sezaʀjɛn] *nf* cesárea.

cesse [sɛs]: **sans ~** *adv* sin parar; **n'avoir de ~ que** no descansar hasta que.

cesser [sese] *vt* detener ♦ *vi* parar, cesar; **~ de faire** dejar de hacer; **faire ~** (*bruit, scandale*) acabar con.

cessez-le-feu [sesel(ə)fø] *nm inv* alto el fuego.

c'est-à-dire [sɛtadiʀ] *adv* es decir; **~-~-~?** (*demander de préciser*) ¿es decir?, ¿y?; **~-~-~ que** (*en conséquence*) es decir que, o sea que; (*manière d'excuse*) es decir que.

cet [sɛt], **cette** [sɛt] *dét voir* **ce**.

ceux [sø] *pron voir* **celui**.

CFAO [seɛfao] *sigle f* = *conception et fabrication assistées par ordinateur*.

CFC [seɛfse] *sigle m* (= *chlorofluorocarbone*) CFC *m*.

CFDT [seɛfdete] *sigle f* (= *Conféderation française et démocratique du travail*) *sindicato obrero*.

CFP [seɛfpe] *sigle m* (= *Centre de formation professionnelle*) ≈ centro de formación profesional para adultos.

CGT [seʒete] *sigle f* (= *Confédération générale du travail*) *sindicato obrero*.

chacun, e [ʃakœ̃, yn] *pron* cada uno(-a); (*indéfini*) todos(-as).

chagrin, e [ʃagʀɛ̃, in] *adj* triste, taciturno(-a) ♦ *nm* pena; **avoir du ~** sentir pena.

chagriner [ʃagʀine] *vt* apenar; (*contrarier*) enojar.

chahut [ʃay] *nm* jaleo; (*SCOL*) alboroto.

chaîne [ʃɛn] *nf* cadena; (*TV*) cadena, canal *m*; **~s** *nfpl* (*liens, asservissement*) lazos *mpl*; (*pour pneus*) cadenas *fpl*; **travail à la ~** trabajo en cadena; **réactions en ~** reacciones *fpl* en cadena; **faire la ~** hacer una cadena; **chaîne audio** equipo *ou* cadena audio; **chaîne (de fabrication)/(de montage)** cadena (de fabricación)/(de montaje); **chaîne (de montagnes)** cadena (de montañas), cordillera; **chaîne (hi-fi)** cadena (hi-fi) *ou* equipo de música; **chaîne stéréo** cadena *ou* equipo estéreo.

chair [ʃɛʀ] *nf* carne *f* ♦ *adj inv*: **(couleur) ~** (color) carne *inv*; **la ~** (*REL*) la carne; **avoir la ~ de poule** tener la carne *ou* piel de gallina; **être bien en ~** estar entrado(-a) en carnes; **en ~ et en os** de carne y hueso; **chair à saucisses** carne picada.

chaire [ʃɛʀ] *nf* (*d'église*) púlpito; (*UNIV*) cátedra.

chaise [ʃɛz] *nf* silla; **chaise de bébé** silla de bebé; **chaise électrique** silla eléctrica; **chaise longue** tumbona, hamaca.

châle [ʃɑl] *nm* chal *m*.
chalet [ʃalɛ] *nm* chalet *m*, chalé *m*.
chaleur [ʃalœʀ] *nf* calor *m*; (*ardeur, emportement*) ardor *m*; **en ~** en celo.
chaleureux, -euse [ʃalœʀø, øz] *adj* (*accueil, gens*) caluroso(-a).
chaloupe [ʃalup] *nf* (*de sauvetage*) bote *m* salvavidas.
chalumeau, x [ʃalymo] *nm* soplete *m*.
chalutier [ʃalytje] *nm* trainera; (*pêcheur*) pescador *m*.
chamailler [ʃamɑje]: **se ~** (*fam*) *vpr* reñir.
chambouler [ʃɑ̃bule] *vt* (*fam: objets*) revolver; (*projets*) cambiar.
chambre [ʃɑ̃bʀ] *nf* (*d'un logement*) habitación *f*, cuarto; (*TECH, POL, COMM*) cámara; (*JUR*) sala; **faire ~ à part** dormir en habitaciones separadas; **stratège/alpiniste en ~** estratega *m/f*/alpinista *m/f* de tres al cuarto; **chambre à air** cámara de aire; **chambre à coucher** dormitorio; **chambre à gaz** cámara de gas; **chambre à un lit/deux lits** (*à l'hôtel*) habitación individual/doble; **chambre d'accusation** sala de acusación; **chambre d'agriculture** cámara agrícola; **chambre d'amis** cuarto de invitados; **chambre de combustion** cámara de combustión; **Chambre de commerce et d'industrie** cámara de comercio y de industria; **Chambre des députés** Cámara de los diputados; **chambre des machines** sala de máquinas; **Chambre des métiers** Cámara de oficios; **chambre d'hôte** habitación de huéspedes; **chambre forte** cámara acorazada; **chambre frigorifique** *ou* **froide** cámara frigorífica; **chambre meublée** habitación amueblada; **chambre noire** (*PHOTO*) cámara oscura; **chambre pour une/deux personne(s)** habitación para una/dos persona(s).
chameau, x [ʃamo] *nm* camello.
chamois [ʃamwa] *nm* gamuza ♦ *adj inv*: **(couleur) ~** (color) gamuza.
champ [ʃɑ̃] *nm* campo; **les ~s** *nmpl* (*la campagne*) el campo; **dans le ~** (*PHOTO*) en el campo visual; **prendre du ~** alejarse, tomar distancia; **laisser le ~ libre à qn** dejar el campo libre a algn; **champ d'action** campo de acción; **champ de bataille** campo de batalla; **champ de courses** hipódromo; **champ de manœuvre/de mines/de tir** campo de maniobras/de minas/de tiro; **champ d'honneur** campo de honor; **champ visuel** campo visual.
Champagne [ʃɑ̃paɲ] *nf* Champaña.
champagne [ʃɑ̃paɲ] *nm* champán *m*; **fine ~** coñac *m*.
champêtre [ʃɑ̃pɛtʀ] *adj* campestre.
champignon [ʃɑ̃piɲɔ̃] *nm* seta; (*BOT*) hongo; (*fam: accélérateur*) acelerador *m*; **champignon de couche** *ou* **de Paris** champiñón; **champignon vénéneux** seta venenosa.
champion, ne [ʃɑ̃pjɔ̃, jɔn] *adj* campeón(-ona) ♦ *nm/f* (*SPORT*) campeón(-ona); (*d'une cause*) adalid *m/f*; **champion du monde** campeón del mundo.
championnat [ʃɑ̃pjɔna] *nm* campeonato.
chance [ʃɑ̃s] *nf* suerte *f*; (*occasion*) oportunidad *f*; **~s** *nfpl* (*probabilités*) posibilidades *fpl*; **il y a de fortes ~s pour que Paul soit malade** es muy posible que Paul esté enfermo; **bonne ~!** ¡buena suerte!; **avoir de la ~** tener suerte; **il a des ~s de gagner** tiene posibilidades de ganar; **je n'ai pas de ~** no tengo suerte; **encore une ~ que tu viennes!** ¡qué suerte *ou* bien que vengas!; **donner sa ~ à qn** dar una oportunidad a algn.
chanceler [ʃɑ̃s(ə)le] *vi* tambalearse.
chancelier [ʃɑ̃səlje] *nm* canciller *m*.
chanceux, -euse [ʃɑ̃sø, øz] *adj* afortunado(-a).
chandail [ʃɑ̃daj] *nm* jersey *m*.
chandelier [ʃɑ̃dəlje] *nm* candelabro.
chandelle [ʃɑ̃dɛl] *nf* vela; **faire une ~** (*SPORT*) hacer un voleo; **monter en ~** (*AVIAT*) elevarse verticalmente; **dîner aux ~s** cenar a la luz de las velas; **tenir la ~** llevar el cesto, ir de carabina.
change [ʃɑ̃ʒ] *nm* cambio; **opérations de ~** operaciones *fpl* de cambio; **le contrôle des ~s** el control de cambio; **gagner/perdre au ~** ganar/perder en *ou* con el cambio; **donner le ~ à qn** (*fig*) dar gato por liebre a algn.
changeant, e [ʃɑ̃ʒɑ̃, ɑ̃t] *adj* variable.
changement [ʃɑ̃ʒmɑ̃] *nm* cambio; **changement de vitesse** cambio de velocidades *ou* marchas.
changer [ʃɑ̃ʒe] *vt* cambiar ♦ *vi* cambiar; **se changer** *vpr* cambiarse; **~ de** cambiar de; **~ d'air** cambiar de aires; **~ de vêtements** cambiarse de ropa; **~ de place avec qn** cambiar de sitio con algn; **~ de vitesse** (*AUTO*) cambiar de velocidad *ou* de marcha; **~ qn/qch de place** cambiar a algo/algn de lugar; **~ qch en** convertir algo en; **il faut ~ à Lyon** hay que cambiar en Lyon; **cela me change** esto es un cambio para mí.
chanson [ʃɑ̃sɔ̃] *nf* canción *f*.
chant [ʃɑ̃] *nm* canto; **posé de** *ou* **sur ~** (*TECH*) colocado de canto; **chant de Noël**

villancico.
chantage [ʃɑ̃taʒ] *nm* chantaje *m*; **faire du ~** chantajear *ou* hacer chantaje.
chantant, e [ʃɑ̃tɑ̃, ɑ̃t] *adj* melodioso(-a).
chanter [ʃɑ̃te] *vt* cantar; (*louer*) alabar ♦ *vi* cantar; **~ juste** cantar sin desafinar; **~ faux** desafinar; **si cela lui chante** (*fam*) si le apetece.
chanteur, -euse [ʃɑ̃tœʀ, øz] *nm/f* cantante *m/f*; **chanteur de charme** cantante de melodías sentimentales.
chantier [ʃɑ̃tje] *nm* obra; **être/mettre en ~** estar/poner en obras; **chantier naval** astillero.
chantilly [ʃɑ̃tiji] *nf voir* **crème**.
chantonner [ʃɑ̃tɔne] *vi, vt* canturrear.
chanvre [ʃɑ̃vʀ] *nm* cáñamo.
chaos [kao] *nm* caos *m inv*.
chaparder [ʃapaʀde] *vt* sisar, hurtar.
chapeau, x [ʃapo] *nm* sombrero; (*PRESSE*) entradilla; **~!** *excl* ¡bravo!; **partir sur les ~x de roues** arrancar a toda velocidad; **chapeau melon** bombín *m*; **chapeau mou** sombrero flexible.
chapelet [ʃaplɛ] *nm* (*REL, fig*) rosario; (*d'ail*) ristra; **dire son ~** rezar el rosario.
chapelle [ʃapɛl] *nf* capilla; **chapelle ardente** capilla ardiente.
chapelure [ʃaplyʀ] *nf* pan rallado.
chaperonner [ʃapʀɔne] *vt* hacer de carabina, acompañar.
chapiteau, x [ʃapito] *nm* (*ARCHIT*) capitel *m*; (*de cirque*) carpa.
chapitre [ʃapitʀ] *nm* capítulo; (*sujet*) tema; (*REL*) cabildo; **avoir voix au ~** tener voz y voto.
chaque [ʃak] *dét* cada; **c'est cinq francs ~** son cinco francos cada uno(-a).
char [ʃaʀ] *nm* carro; (*MIL*: *aussi*: **~ d'assaut**) carro de combate; (*de carnaval*) carroza.
charabia [ʃaʀabja] (*péj*) *nm* galimatías *msg*.
charade [ʃaʀad] *nf* charada.
charbon [ʃaʀbɔ̃] *nm* carbón *m*; **charbon de bois** carbón de leña.
charcuterie [ʃaʀkytʀi] *nf* (*magasin*) charcutería; (*produits*) embutidos *mpl*.
charcutier, -ière [ʃaʀkytje, jɛʀ] *nm/f* chacinero(-a).
chardon [ʃaʀdɔ̃] *nm* cardo.
Charentes [ʃaʀɑ̃t] *nfpl* Charentes *mpl*.
charge [ʃaʀʒ] *nf* carga; (*rôle, mission*) misión *f*; (*MIL*) ataque *m*; (*JUR*) cargo; **~s** *nfpl* (*du loyer*) facturas *fpl*; (*d'un commerçant*) gastos *mpl*; **à la ~ de** a cargo de; **prise en ~ (par la Sécurité Sociale)** gastos cubiertos por la Seguridad Social; **à ~ de revanche** en desquite; **prendre en ~** hacerse cargo de; **revenir à la ~** volver a la carga; **charges sociales** cargas sociales; **charge utile** carga máxima; (*COMM*) carga rentable.
chargé, e [ʃaʀʒe] *adj* cargado(-a); (*journée*) ocupado(-a); (*estomac*) pesado(-a); **~ de** encargado(-a) de; **chargé d'affaires** *nm* encargado de negocios; **chargé de cours** *nm* (*UNIV*) encargado de curso.
chargement [ʃaʀʒəmɑ̃] *nm* (*action*) carga; (*marchandises*) cargamento.
charger [ʃaʀʒe] *vt* cargar; (*JUR*) declarar en contra de; (*un portrait, une description*) recargar ♦ *vi* cargar; **~ qn de qch/faire qch** (*fig*) encargar a algn de algo/que haga algo; **se ~ de** encargarse de; **se ~ de faire qch** encargarse de hacer algo.
chariot [ʃaʀjo] *nm* carretilla; (*à bagages, provisions*) carro; (*charrette*) carreta; (*de machine à écrire*) rodillo; **chariot élévateur** carretilla elevadora.
charité [ʃaʀite] *nf* caridad *f*; (*aumône*) limosna; **faire la ~ à** dar limosna a; **fête/vente de ~** fiesta/venta benéfica.
charlatan [ʃaʀlatɑ̃] *nm* charlatán *m*.
charmant, e [ʃaʀmɑ̃, ɑ̃t] *adj* encantador(a).
charme [ʃaʀm] *nm* encanto; (*BOT*) carpe *m*; (*envoûtement*) encanto, hechizo; **~s** *nmpl* (*appas*) encanto *msg*; **c'est ce qui en fait le ~** es lo que le da el encanto; **faire du ~** coquetear; **aller** *ou* **se porter comme un ~** estar más sano que una manzana.
charmer [ʃaʀme] *vt* (*plaire*) fascinar; (*envoûter*) encantar, hechizar; **je suis charmé de** (*enchanté*) estoy encantado de.
charmeur, -euse [ʃaʀmœʀ, øz] *adj, nm/f* seductor(a); **charmeur de serpents** encantador *m* de serpientes.
charnière [ʃaʀnjɛʀ] *nf* (*de porte*) bisagra, gozne *m*; (*fig*: *du siècle*) punto decisivo; (: *du texte*) punto de inflexión.
charnu, e [ʃaʀny] *adj* carnoso(-a).
charpente [ʃaʀpɑ̃t] *nf* (*d'un bâtiment*) esqueleto; (*fig*) estructura; (*carrure*) estructura, constitución *f*.
charpentier [ʃaʀpɑ̃tje] *nm* albañil *m*.
charrette [ʃaʀɛt] *nf* carreta.
charrier [ʃaʀje] *vt* transportar; (*fleuve*) arrastrar ♦ *vi* (*fam*) pasarse de la raya.
charrue [ʃaʀy] *nf* arado.
charte [ʃaʀt] *nf* carta.
chasse [ʃas] *nf* caza; (*aussi*: **~ d'eau**) cisterna; **la ~ est ouverte/fermée** la veda está levantada/cerrada; **aller à la ~** ir de caza; **prendre en ~** perseguir, dar caza a; **donner la ~ à** (*fugitif*) dar caza a; **tirer la ~ (d'eau)** tirar de la cadena; **chasse à courre** caza a caballo; **chasse à l'homme**

cacería humana; **chasse aérienne** caza aérea; **chasse gardée** (*aussi fig*) coto vedado; **chasse sous-marine** caza submarina.

chassé-croisé [ʃasekʀwaze] (*pl* **~s-~s**) *nm* (*DANSE*) cruzado; (*fig*) cruce *m*.

chasse-neige [ʃasnɛʒ] *nm inv* quitanieves *m inv*.

chasser [ʃase] *vt* cazar; (*expulser*) echar; (*idée*) desechar; (*dissiper*) disipar ♦ *vi* cazar; (*AUTO*) patinar, derrapar.

chasseur, -euse [ʃasœʀ, øz] *nm/f* (*de gibier*) cazador(a) ♦ *nm* (*avion*) (avión de) caza *m*; (*domestique*) botones *m inv*; **chasseur de son** aficionado en busca de sonidos extraordinarios; **chasseur de têtes** (*fig*) cazatalentos *m inv*; **chasseur d'images** fotógrafo en busca de imágenes insólitas; **chasseurs alpins** (*MIL*) *cazadores de montaña del ejército francés*.

châssis [ʃɑsi] *nm* (*de voiture*) chasis *m inv*; (*cadre*: *en bois, métal*) bastidor *m*; (*de jardin*) vivero.

chaste [ʃast] *adj* casto(-a).

chat [ʃa] *nm* gato; **avoir un ~ dans la gorge** tener carraspera; **avoir d'autres ~s à fouetter** tener cosas más importantes; **chat sauvage** gato montés.

châtaigne [ʃɑtɛɲ] *nf* castaña.

châtain [ʃɑtɛ̃] *adj inv* castaño(-a).

château, x [ʃɑto] *nm* castillo; **château d'eau** arca de agua; **château de sable** castillo de arena; **château fort** fortaleza, alcázar *m*.

châtier [ʃɑtje] *vt* castigar; (*style, langage*) pulir.

châtiment [ʃɑtimɑ̃] *nm* castigo; **châtiment corporel** castigo corporal.

chaton [ʃatɔ̃] *nm* (*ZOOL*) gatito; (*BOT*) candelilla; (*de bague*) engaste *m*.

chatouiller [ʃatuje] *vt* hacer cosquillas; **~ l'odorat** abrir el olfato; **~ le palais** estimular el paladar; **ça chatouille!** ¡qué cosquillas!

chatouilleux, -euse [ʃatujø, øz] *adj* cosquilloso(-a).

chatoyant, e [ʃatwajɑ̃, ɑ̃t] *adj* tornasolado(-a).

châtrer [ʃɑtʀe] *vt* castrar, capar.

chatte [ʃat] *nf* gata.

chaud, e [ʃo, ʃod] *adj* caliente; (*très chaud*) ardiente; (*vêtement*) abrigado(-a); (*couleur*) cálido(-a); (*félicitations*) ardiente, cálido(-a); (*discussion*) acalorado(-a) ♦ *nm* calor *m*; **il fait ~** hace calor; **manger/boire ~** comer/beber caliente; **avoir ~** tener calor; **tenir ~** abrigar; **tenir au ~** mantener caliente; **ça me tient ~** eso me abriga; (*trop chaud*) eso me da calor; **rester au ~** permanecer abrigado(-a); **chaud et froid** *nm* (*MÉD*) enfriamiento.

chaudière [ʃodjɛʀ] *nf* caldera.

chaudron [ʃodʀɔ̃] *nm* caldero.

chauffage [ʃofaʒ] *nm* calentamiento, calefacción *f*; (*appareils*) calefacción; **arrêter le ~** apagar la calefacción; **chauffage à l'électricité** calefacción eléctrica; **chauffage au charbon/au gaz** calefacción de carbón/de gas; **chauffage central** calefacción central; **chauffage par le sol** calefacción por suelo.

chauffant, e [ʃofɑ̃, ɑ̃t] *adj*: **couverture/plaque ~e** manta/placa térmica.

chauffard [ʃofaʀ] (*péj*) *nm* loco(-a) del volante.

chauffe-eau [ʃofo] *nm inv* calentador *m* de agua.

chauffer [ʃofe] *vt* calentar ♦ *vi* calentar; (*trop chauffer*) recalentar; **se chauffer** *vpr* (*aussi fig*) calentarse.

chaufferie [ʃofʀi] *nf* sala de máquinas.

chauffeur, -euse [ʃofœʀ, øz] *nm/f* chófer *m*, chofer *m* (*AM*); **voiture avec/sans ~** coche *m* con/sin conductor.

chaume [ʃom] *nm* (*du toit*) paja; (*tiges*) caña.

chaumière [ʃomjɛʀ] *nf* choza.

chaussée [ʃose] *nf* calzada; (*digue*) terraplén *m*.

chausse-pied [ʃospje] (*pl* **~-~s**) *nm* calzador *m*.

chausser [ʃose] *vt* calzar; **se chausser** *vpr* calzarse; **~ du 38/42** calzar el 38/42; **~ grand/bien** (*suj*: *soulier*) quedar grande/bien.

chaussette [ʃosɛt] *nf* calcetín *m*, media (*AM*).

chausson [ʃosɔ̃] *nm* zapatilla; (*de bébé*) patuco; **chausson (aux pommes)** pastel *m* de manzana.

chaussure [ʃosyʀ] *nf* zapato; **la ~** (*COMM*) el calzado; **chaussures basses** zapatos *mpl* bajos; **chaussures de ski** botas *fpl* de esquí; **chaussures montantes** botas.

chauve [ʃov] *adj* calvo(-a).

chauve-souris [ʃovsuʀi] (*pl* **~s-~**) *nf* murciélago.

chauvin, e [ʃovɛ̃, in] *adj, nm/f* patriotero(-a).

chaux [ʃo] *nf* cal *f*; **blanchi à la ~** encalado.

chavirer [ʃaviʀe] *vi* zozobrar.

chef [ʃɛf] *nm* jefe *m*; **au premier ~** ante todo; **coupable au premier ~** culpable en el más alto grado; **de son propre ~** por su propia iniciativa; **général/commandant en ~** general *m*/

comandante *m* en jefe; **chef d'accusation** base *f* de acusación; **chef d'atelier** jefe de taller; **chef d'entreprise** empresario; **chef d'équipe** jefe de equipo; **chef d'État** jefe de estado; **chef d'orchestre** director *m* de orquesta; **chef de bureau** jefe de oficina; **chef de clinique** director de clínica; **chef de famille** cabeza de familia; **chef de file** (*de parti etc*) cabeza de fila; **chef de gare** jefe de estación; **chef de rayon/de service** jefe de sección/de servicio.

chef-d'œuvre [ʃɛdœvʀ] (*pl* **~s-~**) *nm* obra maestra.

chef-lieu [ʃɛfljø] (*pl* **~s-~x**) *nm* cabeza de distrito.

chemin [ʃ(ə)mɛ̃] *nm* camino, sendero; (*itinéraire*) camino; (*trajet*) trayecto, camino; **en ~** por el camino; **~ faisant** de camino; **les ~s de fer** (*organisation*) los ferrocarriles *mpl*; **chemin de terre** camino de tierra.

cheminée [ʃ(ə)mine] *nf* chimenea.

cheminer [ʃ(ə)mine] *vi* caminar; (*fig*) evolucionar, progresar.

cheminot [ʃ(ə)mino] *nm* ferroviario.

chemise [ʃ(ə)miz] *nf* (*vêtement*) camisa; (*dossier*) carpeta; **chemise de nuit** camisón *m*.

chemisette [ʃ(ə)mizɛt] *nf* camiseta.

chemisier [ʃ(ə)mizje] *nm* blusa.

chenapan [ʃ(ə)napɑ̃] *nm* (*garnement*) pillín *m*; (*péj*: *vaurien*) granuja *m*.

chêne [ʃɛn] *nm* castaño.

chenil [ʃ(ə)nil] *nm* perrera; (*élevage*) criadero de perros.

chenille [ʃ(ə)nij] *nf* oruga; **véhicule à ~s** coche *m* oruga.

chèque [ʃɛk] *nm* cheque *m*, talón *m*; **faire/toucher un ~** extender/cobrar un cheque; **par ~** con cheque; **chèque au porteur** cheque al portador; **chèque barré** cheque cruzado; **chèque de voyage** cheque de viaje; **chèque en blanc** cheque en blanco; **chèque postal** cheque postal; **chèque sans provision** cheque sin fondos.

chèque-restaurant [ʃɛkʀɛstɔʀɑ̃] (*pl* **~s-~**) *nm* cheque *m* de comida.

chéquier [ʃekje] *nm* talonario de cheques.

cher, chère [ʃɛʀ] *adj* (*aimé*) querido(-a); (*coûteux*) caro(-a) ♦ *adv*: **coûter ~** costar caro; **payer ~** pagar mucho dinero; **mon ~, ma chère** querido(-a); **cela coûte ~** esto cuesta caro.

chercher [ʃɛʀʃe] *vt* buscar; **~ des ennuis** buscarse problemas; **~ la bagarre** buscar pelea; **aller ~** ir a buscar; **~ à faire** tratar de hacer.

chercheur, -euse [ʃɛʀʃœʀ, øz] *nm/f* investigador(a); **chercheur d'or** buscador(a) de oro.

chère [ʃɛʀ] *nf*: **la bonne ~** la buena mesa; *voir aussi* **cher**.

chéri, e [ʃeʀi] *adj* querido(-a); **(mon) ~** querido (mío).

chérir [ʃeʀiʀ] *vt* querer.

chétif, -ive [ʃetif, iv] *adj* enclenque.

cheval, -aux [ʃ(ə)val, o] *nm* caballo; **~ vapeur** caballo de vapor; **10 chevaux** 10 caballos; **faire du ~** practicar equitación; **à ~** a caballo; **à ~ sur** (*mur etc*) a horcajadas en *ou* sobre; (*périodes*) a caballo entre; **être à ~ sur** (*domaines*) emanar de; **monter sur ses grands chevaux** subirse a la parra; **cheval à bascule** caballito de balancín; **cheval d'arçons** potro; **cheval de bataille** (*fig*) caballo de batalla; **cheval de course** caballo de carreras; **chevaux de bois** (*des manèges*) caballitos *mpl*; (*manège*) tiovivo; **chevaux de frise** alambradas *fpl*.

chevalet [ʃ(ə)valɛ] *nm* caballete *m*.

chevalier [ʃ(ə)valje] *nm* caballero; **chevalier servant** galán *m*.

chevalière [ʃ(ə)valjɛʀ] *nf* (sortija de) sello.

chevalin, e [ʃ(ə)valɛ̃, in] *adj* (*air, profil*) caballuno(-a); (*race*) caballar; **boucherie ~e** carnicería de carne de caballo.

chevaucher [ʃ(ə)voʃe] *vi* (*aussi*: **se ~**) montar ♦ *vt* montar.

chevaux [ʃəvo] *nmpl voir* **cheval**.

chevelure [ʃəv(ə)lyʀ] *nf* cabello.

chevet [ʃ(ə)vɛ] *nm* presbiterio; **au ~ de qn** al lecho de algn; **lampe de ~** lámpara de noche; **livre de ~** libro que se lee antes de dormir; **table de ~** mesilla de noche.

cheveu, x [ʃ(ə)vø] *nm* cabello, pelo; **~x** *nmpl* pelo *msg*; **se faire couper les ~x** cortarse el pelo; **avoir les ~x courts/en brosse** tener el pelo corto/de punta; **tiré par les ~x** (*histoire*) inverosímil; **cheveux d'ange** (*vermicelle*) cabello *msg* de ángel; (*décoration*) *pelusa plateada para árboles de Navidad*.

cheville [ʃ(ə)vij] *nf* (ANAT) tobillo; (*de bois*) clavija, tarugo; (*pour enfoncer une vis*) clavija; **être en ~ avec qn** tener relación con algn; **cheville ouvrière** (AUTO) clavija maestra; (*fig*) alma.

chèvre [ʃɛvʀ] *nf* cabra ♦ *nm* queso de cabra; **ménager la ~ et le chou** saber nadar y guardar la ropa.

chevreau, x [ʃəvʀo] *nm* (ZOOL) cabrito, chivo; (*peau*) cabritilla.

chèvrefeuille [ʃɛvʀəfœj] *nm* madreselva.

chevreuil [ʃəvʀœj] *nm* corzo.

chevron [ʃəvʀɔ̃] *nm* (*poutre*) cabrio; (*galon*) galón *m*; (*motif*) espiga, espiguilla; **à ~s** de espiguilla.

chevronné, e [ʃəvʀɔne] *adj* veterano(-a).

chevrotant, e [ʃəvʀɔtɑ̃, ɑ̃t] *adj* trémulo(-a).

chewing-gum [ʃwiŋgɔm] (*pl* **~-~s**) *nm* chicle *m*.

chez [ʃe] *prép* (*à la demeure de*) en casa de; (*: direction*) a casa de; (*auprès de, parmi*) entre ♦ *nm inv*: **~-moi/chez-soi/chez-toi** casa; **~ qn** en casa de algn; **~ moi** (*à la maison*) en mi casa; (*direction*) a mi casa; **~ Racine** en Racine; **~ ce poète** en este poeta; **~ les Français/les renards** entre los franceses/los zorros; **~ lui c'est un devoir** es un deber en él; **aller ~ le boulanger/le dentiste** ir a la panadería/al dentista; **il travaille ~ Renault** trabaja en la Renault.

chic [ʃik] *adj inv* (*élégant*) elegante; (*de la bonne société*) distinguido(-a); (*généreux*) amable ♦ *nm* (*élégance*) elegancia; **avoir le ~ pour** tener el don de; **faire qch de ~** ser generoso(-a) al hacer algo; **c'était ~ de sa part** ha sido muy amable de su parte; **~!** ¡estupendo!

chiche[1] [ʃiʃ] *adj* tacaño(-a).

chiche[2] [ʃiʃ] *excl* (*en réponse à un défi*) ¡a que sí!; **tu n'es pas ~ de lui parler!** ¡a que no te atreves a hablarle!

chichis [ʃiʃi] *nmpl*: **faire des ~** hacer cursilerías.

chicorée [ʃikɔʀe] *nf* achicoria; **chicorée frisée** escarola.

chien [ʃjɛ̃] *nm* perro; (*de pistolet*) gatillo; **temps de ~** tiempo de perros; **vie de ~** vida perra; **en ~ de fusil** hecho(-a) un ovillo; **entre ~ et loup** entre dos luces; **chien d'aveugle** perro lazarillo; **chien de chasse/de garde** perro de caza/guardián; **chien de traîneau** perro esquimal; **chien policier** perro policía.

chienne [ʃjɛn] *nf* perra.

chier [ʃje] (*fam!*) *vi* cagar (*fam!*); **faire ~ qn** (*importuner*) dar el coñazo a algn (*fam!*); (*causer des ennuis à*) joder a algn (*fam!*); **se faire ~** (*s'ennuyer*) amuermarse.

chiffon [ʃifɔ̃] *nm* trapo.

chiffonner [ʃifɔne] *vt* arrugar; (*tracasser*) inquietar.

chiffre [ʃifʀ] *nm* cifra, número; (*montant, total*) importe *m*; (*d'un code*) clave *f*; **en ~s ronds** en números redondos; **écrire un nombre en ~s** escribir un número en cifras; **chiffres arabes/romains** números *mpl* arábigos/romanos; **chiffre d'affaires** volumen *m* de negocios; **chiffre de ventes** volumen de ventas.

chignon [ʃiɲɔ̃] *nm* moño.

Chili [ʃili] *nm* Chile *m*.

chilien, ne [ʃiljɛ̃, jɛn] *adj* chileno(-a) ♦ *nm/f*: **C~, ne** chileno(-a).

chimie [ʃimi] *nf* química.

chimique [ʃimik] *adj* químico(-a); **produits ~s** productos *mpl* químicos.

chimiste [ʃimist] *nm/f* químico(-a).

chimpanzé [ʃɛ̃pɑ̃ze] *nm* chimpancé *m*.

Chine [ʃin] *nf* China; **la ~ libre** China libre; **la république de ~** la república de China.

chinois, e [ʃinwa, waz] *adj* chino(-a) ♦ *nm* (*LING*) chino ♦ *nm/f*: **C~, e** chino(-a).

chiot [ʃjo] *nm* cachorro (de perro).

chiper [ʃipe] (*fam*) *vt* birlar, mangar.

chipie [ʃipi] *nf* bruja.

chips [ʃips] *nfpl* (*aussi*: **pommes ~**) patatas *fpl* fritas.

chirurgical, e, -aux [ʃiʀyʀʒikal, o] *adj* quirúrgico(-a).

chirurgie [ʃiʀyʀʒi] *nf* cirugía; **chirurgie esthétique** cirugía estética.

chirurgien, ne [ʃiʀyʀʒjɛ̃, jɛn] *nm/f* cirujano(-a); **chirurgien dentiste** dentista *m/f*, odontólogo(-a).

chlore [klɔʀ] *nm* cloro.

choc [ʃɔk] *nm* choque *m*; (*moral*) impacto; (*affrontement*) enfrentamiento ♦ *adj*: **prix ~** precio de ganga; **de ~** de choque; **choc en retour** (*fig*) choque de rechazo; **choc nerveux** ataque *m* de nervios; **choc opératoire** choque operatorio.

chocolat [ʃɔkɔla] *nm* chocolate *m*; (*bonbon*) bombón *m*; **chocolat à croquer** chocolate para crudo; **chocolat à cuire** chocolate a la taza; **chocolat au lait** chocolate con leche; **chocolat en poudre** chocolate en polvo.

chocolaté, e [ʃɔkɔlate] *adj* con chocolate.

chœur [kœʀ] *nm* coro; **en ~** a coro.

choisir [ʃwaziʀ] *vt* escoger, elegir; (*candidat*) elegir; **~ de faire qch** elegir hacer algo.

choix [ʃwa] *nm* elección *f*; (*assortiment*) selección *f*, surtido; **avoir le ~ de/entre** tener la opción de/entre; **de premier ~** (*COMM*) de primera calidad; **je n'avais pas le ~** no tenía opción; **de ~** escogido(-a), de calidad; **au ~** a escoger; **de mon/son ~** por mi/su gusto; **tu peux partir ou rester, tu as le ~** te vas o te quedas, tú eliges.

chômage [ʃomaʒ] *nm* paro, cesantía (*AM*); **mettre au ~** dejar en el paro; **être**

au ~ estar en paro; **chômage partiel/structurel/technique** paro parcial/estructural/técnico.
chômeur, -euse [ʃomœʀ, øz] *nm/f* parado(-a).
chope [ʃɔp] *nf* jarra.
choquer [ʃɔke] *vt* chocar; (*commotionner*) conmocionar.
chorale [kɔʀal] *nf* coral *f*.
choriste [kɔʀist] *nm/f* corista *m/f*.
chorus [kɔʀys] *nm*: **faire ~ (avec)** hacer coro (con).
chose [ʃoz] *nf* cosa ♦ *nm* (*fam: machin*) cosa; **~s** *nfpl* (*situation*) cosas *fpl* ♦ *adj inv*: **être/se sentir tout ~** (*bizarre*) estar/sentirse raro(-a); (*malade*) estar/sentirse mal; **dire bien des ~s à qn** dar muchos recuerdos a algn; **faire bien les ~s** hacer las cosas bien; **parler de ~s et d'autres** hablar un poco de todo; **c'est peu de ~** es poca cosa.
chou, x [ʃu] *nm* col *f*, berza ♦ *adj inv* mono(-a), encantador(a); **mon petit ~** tesoro mío, amor mío, mi negro (*AM*); **faire ~ blanc** fracasar; **bout de ~** niñito(-a); **feuille de ~** (*fig*) periodicucho; **chou (à la crème)** pastelillo (de crema); **chou de Bruxelles** col de Bruselas.
chouchou, te [ʃuʃu, ut] (*fam*) *nm/f* preferido(-a).
choucroute [ʃukʀut] *nf* chucrut *m*.
chouette [ʃwɛt] *nf* lechuza ♦ *adj* (*fam*) estupendo(-a), formidable; ~! ¡qué guay!
chou-fleur [ʃuflœʀ] (*pl* **~x-~s**) *nm* coliflor *f*.
choyer [ʃwaje] *vt* mimar.
chrétien, ne [kʀetjɛ̃, jɛn] *adj, nm/f* cristiano(-a).
Christ [kʀist] *nm*: **le ~** el Cristo; **un c~** (*crucifix, peinture*) un cristo; **Jésus ~** Jesucristo.
christianisme [kʀistjanism] *nm* cristianismo.
chrome [kʀom] *nm* cromo.
chromosome [kʀomozom] *nm* cromosoma *m*.
chronique [kʀɔnik] *adj* crónico(-a) ♦ *nf* crónica; **la ~ sportive/théâtrale** la crónica deportiva/teatral; **la ~ locale** la crónica local.
chronologie [kʀɔnɔlɔʒi] *nf* cronología.
chrono(mètre) [kʀɔnɔ(mɛtʀ)] *nm* cronómetro.
chronométrer [kʀɔnɔmetʀe] *vt* cronometrar.
CHU [seaʃy] *sigle m* (= *centre hospitalo-universitaire*) *hospital universitario*.
chuchoter [ʃyʃɔte] *vt, vi* cuchichear.
chut [ʃyt] *excl* ¡chitón!
chute [ʃyt] *nf* (*aussi fig*) caída; (*de température, pression*) descenso; (*déchet*) recorte *m*; **la ~ des cheveux** la caída del cabello; **faire une ~ (de 10 m)** caerse (10 metros); **chute (d'eau)** salto de agua; **chute des reins** rabadilla; **chute libre** caída libre; **chutes de neige** nevadas *fpl*; **chutes de pluie** chaparrones *mpl*.
Chypre [ʃipʀ] *n* Chipre *f*.
ci-, -ci [si] *adv voir* **par; comme; ci-contre** *etc* ♦ *dét*: **ce garçon/cet homme-ci** este chico/este hombre; **ces hommes/femmes-ci** estos hombres/estas mujeres.
ci-après [siapʀɛ] *adv* a continuación.
cible [sibl] *nf* blanco; (*fig*) blanco, objetivo.
ciboulette [sibulɛt] *nf* cebolleta.
cicatrice [sikatʀis] *nf* cicatriz *f*.
ci-contre [sikɔ̃tʀ] *adv* al lado.
ci-dessous [sidəsu] *adv* más abajo.
ci-dessus [sidəsy] *adv* arriba.
cidre [sidʀ] *nm* sidra.
Cie *abr* (= *compagnie*) Cía (= *compañía*).
ciel [sjɛl] (*pl* **~s** *ou (litt)* **cieux**) *nm* cielo; **cieux** *nmpl* cielos *mpl*; **à ~ ouvert** a cielo abierto; **tomber du ~** (*arriver à l'improviste*) venir como caído del cielo; (*être stupéfait*) caer de las nubes; ~! ¡cielos!; **ciel de lit** dosel *m*.
cierge [sjɛʀʒ] *nm* cirio; **cierge pascal** cirio pascual.
cieux [sjø] *nmpl voir* **ciel**.
cigale [sigal] *nf* cigarra.
cigare [sigaʀ] *nm* cigarro, puro.
cigarette [sigaʀɛt] *nf* cigarrillo, pitillo; **cigarette (à) bout filtre** cigarrillo con filtro.
ci-gît [siʒi] *adv +vb* aquí yace.
cigogne [sigɔɲ] *nf* cigüeña.
ci-inclus, e [siɛ̃kly, yz] *adj* incluso(-a) ♦ *adv* incluso.
ci-joint, e [siʒwɛ̃, ɛ̃t] *adj* adjunto(-a) ♦ *adv* adjunto; **veuillez trouver ~-~ ...** encontrará adjunto ...
cil [sil] *nm* pestaña.
cime [sim] *nf* cima.
ciment [simɑ̃] *nm* cemento; **ciment armé** cemento armado.
cimetière [simtjɛʀ] *nm* cementerio, camposanto; **cimetière de voitures** cementerio de coches.
cinéaste [sineast] *nm/f* cineasta *m/f*.
cinéma [sinema] *nm* cine *m*; **aller au ~** ir al cine; **cinéma d'animation** cine de dibujos animados.
cinéphile [sinefil] *nm/f* cinéfilo(-a).
cinglant, e [sɛ̃glɑ̃, ɑ̃t] *adj* (*froid, vent*) azotador(a); (*propos, ironie*) mordaz; (*échec*) estrepitoso(-a).

cinglé, e [sɛ̃gle] (*fam*) *adj* chiflado(-a).
cinq [sɛ̃k] *adj inv, nm inv* cinco *inv*; **avoir ~ ans** tener cinco años; **le ~ décembre** el cinco de diciembre; **à ~ heures** a las cinco; **nous sommes ~** somos cinco; **Henri V (cinq)** Enrique V (quinto).
cinquantaine [sɛ̃kɑ̃tɛn] *nf*: **une ~ (de)** una cincuentena (de); **avoir la ~** estar en la cincuentena.
cinquante [sɛ̃kɑ̃t] *adj inv, nm inv* cincuenta *inv*; *voir aussi* **cinq**.
cinquantenaire [sɛ̃kɑ̃tnɛʀ] *adj* (*institution*) cincuentenario(-a); (*personne*) cincuentón(-ona) ♦ *nm/f* cincuentón(-ona).
cinquième [sɛ̃kjɛm] *adj, nm/f* quinto(-a) ♦ *nm* (*partitif*) quinto ♦ *nf* (*AUTO*) quinta; (*SCOL*) *segundo año de educación secundaria en el sistema francés*; **un ~ de la population** un quinto de la población; **trois ~s** tres quintos.
cintre [sɛ̃tʀ] *nm* percha; **plein ~** (*ARCHIT*) medio punto.
cintré, e [sɛ̃tʀe] *adj* (*chemise*) entallado(-a); (*porte, fenêtre*) con cimbra.
cirage [siʀaʒ] *nm* betún *m*.
circonférence [siʀkɔ̃feʀɑ̃s] *nf* circunferencia.
circonflexe [siʀkɔ̃flɛks] *adj*: **accent ~** acento circunflejo.
circonscription [siʀkɔ̃skʀipsjɔ̃] *nf*: **~ électorale** circunscripción *f* electoral.
circonscrire [siʀkɔ̃skʀiʀ] *vt* (*incendie*) circunscribir; (*propriété*) delimitar.
circonstance [siʀkɔ̃stɑ̃s] *nf* circunstancia; **œuvre/air/tête de ~** obra/aspecto/cara de circunstancias; **circonstances atténuantes** circunstancias *fpl* atenuantes.
circuit [siʀkɥi] *nm* circuito; **circuit automobile** circuito automovilístico; **circuit de distribution** circuito de distribución; **circuit fermé/intégré** circuito cerrado/integrado.
circulaire [siʀkylɛʀ] *adj, nf* circular *f*.
circulation [siʀkylasjɔ̃] *nf* circulación *f*; **bonne/mauvaise ~** (*du sang*) buena/mala circulación; **la ~** (*AUTO*) la circulación, el tráfico; **il y a beaucoup de ~** hay mucho tráfico; **mettre en ~** poner en circulación.
circuler [siʀkyle] *vi* (*aussi fig*) circular; **faire ~** hacer circular.
cire [siʀ] *nf* cera; **cire à cacheter** lacre *m*.
ciré, e [siʀe] *adj* encerado(-a) ♦ *nm* impermeable *m*.
cirque [siʀk] *nm* circo; (*désordre*) desbarajuste *m*.
cirrhose [siʀoz] *nf*: **~ du foie** cirrosis *f* (hepática).
cisailler [sizɑje] *vt* cizallar.
cisaille(s) [sizɑj] *nf(pl)* cizalla.
ciseau, x [sizo] *nm*: **~ (à bois)** escoplo; **~x** *nmpl* (*gén, de tailleur*) tijeras *fpl*; **saut en ~x** salto de tijeras.
ciseler [siz(ə)le] *vt* cincelar.
citadelle [sitadɛl] *nf* ciudadela.
citadin, e [sitadɛ̃, in] *nm/f, adj* ciudadano(-a).
citation [sitasjɔ̃] *nf* (*d'auteur*) cita; (*JUR*) citación *f*; (*MIL*) mención *f*.
cité [site] *nf* ciudad *f*; **cité ouvrière** ciudad obrera; **cité universitaire** ciudad universitaria.
cité-dortoir [sitedɔʀtwaʀ] (*pl* **~s-~s**) *nf* ciudad *f* dormitorio.
citer [site] *vt* citar; (*nommer*) citar, mencionar; **~ (en exemple)** (*personne*) poner como ejemplo; **je ne veux ~ personne** no quiero nombrar a nadie.
citerne [sitɛʀn] *nf* cisterna.
citoyen, ne [sitwajɛ̃, jɛn] *nm/f* ciudadano(-a).
citron [sitʀɔ̃] *nm* limón *m*; **citron pressé** (*boisson*) zumo natural de limón; **citron vert** limón verde.
citronnade [sitʀɔnad] *nf* limonada.
citrouille [sitʀuj] *nf* calabaza.
civet [sivɛ] *nm* encebollado; **~ de lièvre** encebollado de liebre.
civière [sivjɛʀ] *nf* camilla.
civil, e [sivil] *adj* civil; (*poli*) cortés ♦ *nm* civil *m*; **habillé en ~** vestido de paisano *ou* de civil; **dans le ~** en la vida civil; **mariage/enterrement ~** matrimonio/entierro civil.
civilisation [sivilizasjɔ̃] *nf* civilización *f*.
civique [sivik] *adj* cívico(-a); **instruction ~** educación *f* cívica.
clafoutis [klafuti] *nm* pastel *m* de cerezas.
clair, e [klɛʀ] *adj* (*aussi fig*) claro(-a); (*sauce, soupe*) flojo(-a) ♦ *adv*: **voir ~** ver claro ♦ *nm*: **~ de lune** claro de luna; **pour être ~** para ser claro(-a); **y voir ~** (*comprendre*) verlo claro; **bleu/rouge ~** azul/rojo claro; **par temps ~** en un día claro; **tirer qch au ~** sacar algo en claro; **il ne voit plus très ~** ya no ve con mucha claridad; **mettre au ~** (*notes etc*) poner en limpio, pasar a limpio; **le plus ~ de son temps/argent** la mayor parte de su tiempo/dinero; **en ~** (*non codé*) no cifrado(-a); (*c'est-à-dire*) claramente, es decir.
clairement [klɛʀmɑ̃] *adv* claramente.
clairière [klɛʀjɛʀ] *nf* claro, calvero.
clairon [klɛʀɔ̃] *nm* clarín *m*.
claironner [klɛʀɔne] *vt* (*fig*) pregonar, vocear.
clairsemé, e [klɛʀsəme] *adj* escaso(-a);

(*cheveux, herbe*) ralo(-a), escaso(-a); (*maisons*) esparcido(-a).
clairvoyant, e [klɛʀvwajɑ̃, ɑ̃t] *adj* (*perspicace*) clarividente; (*doué de vision*) vidente.
clamer [klɑme] *vt* clamar.
clan [klɑ̃] *nm* clan *m*.
clandestin, e [klɑ̃dɛstɛ̃, in] *adj* clandestino(-a); **passager ~** polizón *m*; **immigration ~e** inmigración *f* clandestina.
clapier [klapje] *nm* conejera, madriguera.
clapotis [klapɔti] *nm* chapoteo.
claque [klak] *nf* bofetada ♦ *nm* (*chapeau*) clac *m*; **la ~** (*THÉÂTRE*) la claque.
claquer [klake] *vi* (*coup de feu*) sonar; (*porte*) golpear ♦ *vt* (*doigts*) castañetear; (*gifler*) abofetear; **~ la porte** dar un portazo; **elle claquait des dents** le castañeteaban los dientes; **se ~ un muscle** distenderse un músculo.
claquettes [klakɛt] *nfpl* claquetas *fpl*.
clarifier [klaʀifje] *vt* (*fig*) aclarar.
clarinette [klaʀinɛt] *nf* clarinete *m*.
clarté [klaʀte] *nf* claridad *f*.
classe [klɑs] *nf* (*aussi fig*) clase *f*; (*local*) clase, aula; **un (soldat de) deuxième ~** un soldado raso; **1ère/2ème ~** 1ª/2ª clase; **de ~** (*de qualité*) de clase, de calidad; **faire la ~** dar clase; **aller en ~** ir a clase; **faire ses ~s** (*MIL*) hacer la instrucción; **aller en ~ verte/de neige/de mer** ir al campo/a la nieve/a la playa con el colegio; **classe dirigeante** clase dirigente; **classe grammaticale** clase *ou* categoría gramatical; **classe ouvrière/sociale/touriste** clase obrera/social/turista.
classement [klɑsmɑ̃] *nm* clasificación *f*; **premier au ~ général** primero en la clasificación general.
classer [klɑse] *vt* clasificar; (*personne: péj*) encasillar; (*JUR*) archivar, cerrar; **se ~ premier/dernier** clasificarse el primero/el último.
classeur [klɑsœʀ] *nm* (*cahier*) clasificador *m*; (*meuble*) archivador *m*; **classeur (à feuillets mobiles)** carpeta (de anillas).
classique [klasik] *adj* clásico(-a); (*habituel*) típico(-a) ♦ *nm* (*œuvre, auteur*) clásico; **études ~s** estudios *mpl* clásicos.
claudication [klodikasjɔ̃] *nf* claudicación *f*.
clause [kloz] *nf* cláusula.
clavicule [klavikyl] *nf* clavícula.
clavier [klavje] *nm* teclado.
clé [kle] *nf* = **clef**.
clef [kle] *nf* llave *f*; (*de boîte de conserves*) abrelatas *m inv*, abridor *m*; (*fig*) clave *f* ♦ *adj*: **problème/position ~** problema *m*/posición *f* clave; **mettre sous ~** poner bajo llave; **prendre la ~ des champs** tomar las de Villadiego; **prix ~s en main** precio llave en mano; **roman à ~** *novela en la que personas reales aparecen como personajes de ficción*; **à la ~** (*à la fin*) al final; **clef à molette** *ou* **clef anglaise** llave inglesa; **clef d'ut/de fa/de sol** clave de do/de fa/de sol; **clef de contact** llave de contacto; **clef de voûte** piedra angular.
clément, e [klemɑ̃, ɑ̃t] *adj* (*temps*) suave; (*indulgent*) clemente.
clémentine [klemɑ̃tin] *nf* clementina.
clerc [klɛʀ] *nm*: **~ de notaire** *ou* **d'avoué** pasante *m/f* de notario *ou* de abogado.
clergé [klɛʀʒe] *nm* clero.
cliché [kliʃe] *nm* cliché *m*; (*LING*) tópico, cliché.
client, e [klijɑ̃, klijɑ̃t] *nm/f* cliente(-a).
clientèle [klijɑ̃tɛl] *nf* clientela; **accorder/retirer sa ~ à** hacerse/dejar de ser cliente(-a) de.
cligner [kliɲe] *vi*: **~ des yeux** (*rapidement*) parpadear; (*fermer à demi*) entornar los ojos; **~ de l'œil** guiñar (el ojo).
clignotant, e [kliɲɔtɑ̃, ɑ̃t] *adj* intermitente ♦ *nm* (*AUTO*) intermitente *m*, direccional *m* (*AM*); (*indice de danger*) señal *f* de peligro.
clignoter [kliɲɔte] *vi* parpadear; (*yeux*) parpadear, pestañear.
climat [klima] *nm* clima *m*; (*fig*) clima, ambiente *m*.
climatisation [klimatizasjɔ̃] *nf* climatización *f*.
climatisé, e [klimatize] *adj* climatizado(-a).
clin d'œil [klɛ̃dœj] *nm* guiño; **en un ~ ~** en un abrir y cerrar de ojos.
clinique [klinik] *adj* clínico(-a) ♦ *nf* clínica.
clochard, e [klɔʃaʀ, aʀd] *nm/f* mendigo(-a).
cloche [klɔʃ] *nf* (*d'église*) campana; (*fam: niais*) tonto(-a); (*: les clochards*) los mendigos; (*chapeau*) sombrero de campana; **se faire sonner les ~s** (*fam*) recibir un rapapolvo; **cloche à fromage** quesera.
cloche-pied [klɔʃpje]: **à ~-~** *adv* a la pata coja.
clocher [klɔʃe] *nm* campanario ♦ *vi* (*fam*) fallar, no andar bien; **de ~** (*péj*) de pueblo.
cloison [klwazɔ̃] *nf* tabique *m*; (*fig*) separación *f*, barrera; **cloison étanche** (*fig*) compartimento estanco.
cloître [klwatʀ] *nm* claustro.
cloîtrer [klwatʀe] *vt*: **se ~** (*aussi REL*) enclaustrarse.

cloque [klɔk] *nf* ampolla.
clore [klɔʀ] *vt* (*séance, inscriptions*) cerrar, clausurar; ~ **une session** (*INFORM*) cerrar una sesión; **la séance est close** se cierra la sesión.
clôture [klotyʀ] *nf* (*des débats, d'un festival*) clausura; (*des portes*) cierre *m*; (*des inscriptions*) cierre del plazo; (*d'une manifestation*) cierre, final *m*; (*barrière*) cercado, valla.
clôturer [klotyʀe] *vt* (*terrain*) cercar; (*festival, débats*) clausurar.
clou [klu] *nm* clavo; (*MÉD*) divieso; ~**s** *nmpl* (= *passage clouté*) *voir* **passage**; **pneus à ~s** neumáticos *mpl* para nieve *ou* montaña; **le ~ du spectacle** (*fig*) la principal atracción del espectáculo; **clou de girofle** clavo de especia.
clouer [klue] *vt* clavar; (*de surprise*) dejar clavado(-a); (*suj*: *coup, maladie*) inmovilizar.
clown [klun] *nm* payaso, clown *m*; **faire le ~** hacer el payaso *ou* el tonto.
club [klœb] *nm* club *m*.
CNRS [seɛnɛʀɛs] *sigle m* (= *Centre national de la recherche scientifique*) ≈ CSIC *m* (= *Consejo Superior de Investigaciones Científicas*).
coaguler [kɔagyle] *vi* (*aussi*: **se ~**) coagularse.
coalition [kɔalisjɔ̃] *nf* coalición *f*.
cobaye [kɔbaj] *nm* cobaya *m ou f*, conejillo de Indias; (*fig*) cobaya.
cocaïne [kɔkain] *nf* cocaína.
coccinelle [kɔksinɛl] *nf* mariquita.
cocher [kɔʃe] *nm* cochero ♦ *vt* marcar (*con una cruz*).
cochère [kɔʃɛʀ] *adj f*: **porte ~** puerta cochera.
cochon [kɔʃɔ̃] *nm* cerdo, cancho (*AM*) ♦ *nm/f* (*péj*) cerdo(-a) ♦ *adj* (*fam*: *livre, histoire, propos*) verde; **cochon d'Inde** conejillo de Indias, cobaya *m ou f*; **cochon de lait** cochinillo, lechón *m*.
cocktail [kɔktɛl] *nm* cóctel *m*, highball *ou* jaibol *m* (*AM*), daiquiri *ou* daiquirí *m* (*AM*).
coco [koko] *nm voir* **noix**; (*fam*) tipo ♦ *nf* (*fam*: *cocaïne*) coca.
cocorico [kɔkɔʀiko] *excl* ¡quiquiriquí! ♦ *nm* quiquiriquí *m*.
cocotier [kɔkɔtje] *nm* cocotero.
cocotte [kɔkɔt] *nf* olla, cacerola; **ma ~** (*fam*) guapa; **cocotte en papier** pajarita de papel; **cocotte (minute)** ® olla a presión.
cocu, e [kɔky] (*fam*) *adj* cornudo(-a) ♦ *nm* cornudo.
code [kɔd] *nm* código; (*conventions*) reglas *fpl*; **se mettre en ~(s)** (*AUTO*) poner las luces de cruce; **éclairage** *ou* **phares ~(s)** luz *f* de cruce; **code à barres** código de barras; **code civil** código civil; **code de caractère** código de carácter; **code de la route** código de la circulación; **code machine** código máquina; **code pénal** código penal; **code postal** código postal; **code secret** código secreto.
coder [kɔde] *vt* codificar.
coefficient [kɔefisjɑ̃] *nm* coeficiente *m*; **coefficient d'erreur** coeficiente de error.
cœur [kœʀ] *nm* corazón *m*; (*CARTES*: *couleur*) corazones *mpl*; (: *carte*) corazón; **affaire de ~** asunto del corazón, asunto sentimental; **avoir bon/du ~** tener buen corazón; **avoir mal au ~** tener náuseas; **contre son ~** contra su pecho; **opérer qn à ~ ouvert** operar a algn a corazón abierto; **recevoir qn à ~ ouvert** recibir a algn con las manos llenas; **parler à ~ ouvert** hablar con el corazón en la mano; **de tout son ~** de todo corazón; **avoir le ~ gros** *ou* **serré** estar acongojado; **en avoir le ~ net** saber a qué atenerse; **avoir le ~ sur la main** ser muy generoso; **par ~** de memoria; **de bon/grand ~** con toda el alma; **avoir à ~ de faire** empeñarse en hacer; **cela lui tient à ~** esto le apasiona; **prendre les choses à ~** tomar las cosas a pecho; **s'en donner à ~ joie** gozar; **être de (tout) ~ avec qn** apoyar a algn, estar (moralmente) con algn; **cœur d'artichaut** corazón de alcachofa; **cœur de la forêt** corazón del bosque; **cœur de laitue** cogollo de lechuga; **cœur de l'été** pleno verano; **cœur du débat** (*fig*) centro del debate, meollo del debate.
coffre [kɔfʀ] *nm* (*meuble*) arca; (*coffre-fort*) cofre *m*; (*d'auto*) maletero, baúl *m* (*AM*), maletera (*AND, CSUR*); **avoir du ~** (*fam*) tener mucho fuelle.
coffre-fort [kɔfʀəfɔʀ] (*pl* **~s-~es**) *nm* caja fuerte.
coffret [kɔfʀɛ] *nm* cofrecito; **coffret à bijoux** joyero.
cognac [kɔɲak] *nm* coñac *m*.
cogner [kɔɲe] *vt, vi* golpear; **se cogner** *vpr* darse un golpe; **~ sur/contre** golpear en/contra; **~ à la porte/fenêtre** golpear a la puerta/ventana.
cohérent, e [kɔeʀɑ̃, ɑ̃t] *adj* coherente.
cohue [kɔy] *nf* tropel *m*.
coiffé, e [kwafe] *adj*: **bien/mal ~** bien/mal peinado(-a); **~ d'un béret** cubierto(-a) con una boina; **~ d'un chapeau** cubierto(-a) con un sombrero; **~ en arrière** peinado(-a) hacia atrás; **~ en brosse** peinado(-a) con el cepillo.

coiffer [kwafe] *vt* peinar; (*colline, sommet*) coronar; (*ADMIN*) estar al frente de; (*dépasser*) ganar, sobrepasar; **se coiffer** *vpr* peinarse; (*se couvrir*) tocarse; ~ **qn d'un béret** cubrir la cabeza de algn con una boina.

coiffeur, -euse [kwafœʀ, øz] *nm/f* peluquero(-a).

coiffure [kwafyʀ] *nf* (*cheveux*) peinado; (*chapeau*) tocado; **la** ~ la peluquería.

coin [kwɛ̃] *nm* (*gén*) esquina; (*pour caler*) calzo; (*pour fendre le bois*) cuña; (*d'une table etc*) rincón *m*; (*poinçon*) troquel *m*; **l'épicerie du** ~ el ultramarinos de la esquina; **dans le** ~ por aquí; **au** ~ **du feu** al amor de la lumbre; **du** ~ **de l'œil** de reojo; **regard/sourire en** ~ mirada/sonrisa de soslayo.

coincé, e [kwɛ̃se] *adj* (*tiroir, pièce mobile*) atascado(-a); (*fig*) corto(-a).

coincer [kwɛ̃se] *vt* calzar; (*fam: par une question, une manœuvre*) pillar; **se coincer** *vpr* atascarse.

coïncidence [kɔɛ̃sidɑ̃s] *nf* coincidencia.

col[1] [kɔl] *nm* cuello; (*de montagne*) puerto; **col de l'utérus** cuello del útero; **col du fémur** cuello del fémur; **col roulé** cuello vuelto.

col[2] [kɔl] *abr* (= *colonne*) col., col.ª (= *columna*).

colère [kɔlɛʀ] *nf* ira, cólera, enojo (*esp AM*); **être en** ~ **(contre qn)** estar enfadado(-a) *ou* enojado(-a) (*esp AM*) (con algn); **mettre qn en** ~ hacer enfadar a algn, enojar a algn (*esp AM*); **se mettre en** ~ enfadarse, enojarse (*esp AM*); **piquer une** ~ (*fam*) ponerse hecho una furia.

coléreux, -euse [kɔleʀø, øz] *adj* colérico(-a).

colimaçon [kɔlimasɔ̃] *nm* caracol *m*; **escalier en** ~ escalera de caracol.

colin [kɔlɛ̃] *nm* merluza.

colique [kɔlik] *nf* cólico; (*fig*) tostón *m*; **colique néphrétique** cólico nefrítico.

colis [kɔli] *nm* paquete *m*; **par** ~ **postal** por paquete postal.

collaborateur, -trice [kɔ(l)labɔʀatœʀ, tʀis] *nm/f* colaborador(a); (*POL*) colaboracionista *m/f*.

collaborer [kɔ(l)labɔʀe] *vi* (*aussi POL*) colaborar; ~ **à** colaborar en.

collant, e [kɔlɑ̃, ɑ̃t] *adj* adherente; (*robe*) ajustado(-a); (*péj: personne*) pegajoso(-a) ♦ *nm* (*bas*) pantis *mpl*; (*de danseur*) malla.

colle [kɔl] *nf* (*à papier*) pegamento; (*à papiers peints*) cola; (*devinette*) pega; **avoir une** ~ (*SCOL*) quedarse castigado; **colle de bureau** goma de pegar; **colle forte** cola fuerte.

collecte [kɔlɛkt] *nf* colecta; **faire une** ~ hacer una colecta.

collectif, -ive [kɔlɛktif, iv] *adj* colectivo(-a) ♦ *nm* colectivo; **immeuble** ~ edificio social; **collectif budgétaire** ley *f* de presupuestos adicional.

collection [kɔlɛksjɔ̃] *nf* colección *f*; (*COMM*) muestrario; **pièce de** ~ pieza de colección; **faire (la)** ~ **de** coleccionar, hacer (una) colección de; **(toute) une** ~ **de** (*fig*) (toda) una colección de; **collection (de mode)** colección (de moda).

collectionner [kɔlɛksjɔne] *vt* coleccionar.

collectionneur, -euse [kɔlɛksjɔnœʀ, øz] *nm/f* coleccionista *m/f*.

collectivité [kɔlɛktivite] *nf* colectivo; **la** ~ la colectividad; **collectivités locales** administraciones *fpl* locales.

collège [kɔlɛʒ] *nm* colegio; **collège d'enseignement secondaire** colegio de enseñanza media; **collège électoral** colegio electoral.

collégien, ne [kɔleʒjɛ̃, jɛn] *nm/f* colegial *m/f*.

collègue [kɔ(l)lɛg] *nm/f* colega *m/f*.

coller [kɔle] *vt* pegar; (*papier peint*) encolar; (*fam: mettre*) meter; (*par une devinette*) pillar; (*SCOL: fam*) catear ♦ *vi* (*être collant*) pegarse; (*adhérer*) pegar; ~ **son front à la vitre** pegar la frente contra el cristal; ~ **qch sur** pegar algo en; ~ **à** adherir a; (*fig*) cuadrar con.

collier [kɔlje] *nm* collar *m*; (*TECH*) collar *m*, abrazadera; ~ **(de barbe), barbe en** ~ sotabarba; **collier de serrage** brida de apriete.

collimateur [kɔlimatœʀ] *nm*: **être dans le** ~ (*fig*) ser el punto de mira; **avoir qn/qch dans le** ~ (*fig*) tener a algn/a algo en el punto de mira.

colline [kɔlin] *nf* colina.

collision [kɔlizjɔ̃] *nf* colisión *f*; (*fig*) choque *m*; **entrer en** ~ **(avec)** chocar (con).

colmater [kɔlmate] *vt* taponar.

colombe [kɔlɔ̃b] *nf* paloma.

Colombie [kɔlɔ̃bi] *nf* Colombia.

colombien, ne [kɔlɔ̃bjɛ̃, jɛn] *adj* colombiano(-a) ♦ *nm/f*: **C~, ne** colombiano(-a).

colon [kɔlɔ̃] *nm* colono; (*enfant*) *niño de una colonia de vacaciones*.

colonel [kɔlɔnɛl] *nm* coronel *m*.

colonie [kɔlɔni] *nf* colonia; **colonie (de vacances)** colonia (de vacaciones).

coloniser [kɔlɔnize] *vt* colonizar.

colonne [kɔlɔn] *nf* columna; **se mettre en** ~ **par deux/quatre** formar columna de a dos/cuatro; **en** ~ **par deux** en columna de a dos; **colonne de secours** columna

de socorro; **colonne (vertébrale)** columna vertebral.
colorant, e [kɔlɔʀɑ̃, ɑ̃t] *adj* colorante ♦ *nm* colorante *m*.
colorer [kɔlɔʀe] *vt* colorear; **se colorer** *vpr* (*ciel*) colorearse; (*joues*) sonrojarse; (*tomates, raisins*) coger color.
colorier [kɔlɔʀje] *vt* colorear, pintar; **album à ~** álbum *m* de colorear.
coloris [kɔlɔʀi] *nm* colorido.
colossal, e, -aux [kɔlɔsal, o] *adj* colosal.
colporter [kɔlpɔʀte] *vt* (*marchandises*) vender de forma ambulante; (*nouvelle*) propagar.
coma [kɔma] *nm* coma *m*; **être dans le ~** estar en coma.
combat [kɔ̃ba] *vb voir* **combattre** ♦ *nm* (*MIL*) combate *m*; (*fig*) lucha; **combat de boxe** combate de boxeo; **combat de rues** pelea callejera.
combattant, e [kɔ̃batɑ̃, ɑ̃t] *vb voir* **combattre** ♦ *adj* combatiente ♦ *nm* combatiente *m*; (*d'une rixe*) contendiente *m*; **ancien ~** antiguo combatiente.
combattre [kɔ̃batʀ] *vt, vi* combatir.
combien [kɔ̃bjɛ̃] *adv* (*interrogatif*) cuánto(-a); (*nombre*) cuántos(-as); (*exclamatif: comme, que*) cómo, qué; **~ de** cuántos(-as); **~ de temps** cuánto tiempo; **~ coûte/pèse ceci?** ¿cuánto cuesta/pesa esto?; **vous mesurez ~?** ¿cuánto mide usted?; **ça fait ~?** ¿cuánto es?; **ça fait ~ en largeur?** ¿cuánto mide de ancho?
combinaison [kɔ̃binɛzɔ̃] *nf* combinación *f*; (*astuce*) plan *m*; (*vestido, SPORT*) traje *m*; (*bleu de travail*) mono, overol *m* (*AM*).
combiné [kɔ̃bine] *nm* (*aussi*: **~ téléphonique**) auricular *m*; (*SKI*) prueba mixta; (*vêtement*) conjunto (de lencería).
combiner [kɔ̃bine] *vt* combinar; (*organiser*) organizar.
comble [kɔ̃bl] *adj* abarrotado(-a) ♦ *nm* (*du bonheur, plaisir*) colmo; **~s** *nmpl* (*CONSTR*) armazón *msg* del tejado; **de fond en ~** de arriba abajo; **pour ~ de malchance** para colmo de desgracia; **c'est le ~!** ¡es el colmo!; **sous les ~s** en el desván.
combler [kɔ̃ble] *vt* (*trou*) llenar; (*fig*) llenar, cubrir; (*satisfaire*) colmar; **~ qn de joie/d'honneurs** colmar a algn de alegría/de honores.
combustible [kɔ̃bystibl] *adj, nm* combustible *m*.
comédie [kɔmedi] *nf* comedia; **jouer la ~** (*fig*) hacer la comedia; **comédie musicale** comedia musical.
comédien, ne [kɔmedjɛ̃, jɛn] *nm/f* (*THÉÂTRE, fig*) comediante(-a); (*comique*) cómico(-a).
comestible [kɔmɛstibl] *adj* comestible; **~s** *nmpl* comestibles *mpl*.
comète [kɔmɛt] *nf* cometa *m*.
comique [kɔmik] *adj* cómico(-a) ♦ *nm* cómico(-a); **le ~ de qch** lo gracioso de algo.
comité [kɔmite] *nm* comité *m*; **petit ~** reunión *f* íntima; **comité d'entreprise** comité de empresa; **comité des fêtes** comité de las fiestas; **comité directeur** junta directiva.
commandant [kɔmɑ̃dɑ̃] *nm* comandante *m*; **commandant (de bord)** comandante (de a bordo).
commande [kɔmɑ̃d] *nf* (*COMM*) pedido; (*INFORM*) mando; **~s** *nfpl* mandos *mpl*; **passer une ~ (de)** cursar un pedido (de); **sur ~** de encargo; **véhicule à double ~** vehículo de doble mando; **commande à distance** mando a distancia.
commandement [kɔmɑ̃dmɑ̃] *nm* (*d'une armée*) mando; (*ordre*) mandato; (*REL*) mandamiento.
commander [kɔmɑ̃de] *vt* (*COMM*) encargar, pedir; (*diriger, ordonner*) mandar; (*contrôler*) regular, controlar; (*imposer*) exigir; **~ à** (*MIL*) mandar a; (*fig*) dominar a; **~ à qn de faire qch** ordenar a algn que haga algo.
commando [kɔmɑ̃do] *nm* comando.

MOT-CLÉ

comme [kɔm] *prép* **1** (*comparaison*) como; **tout comme son père** igual que su padre; **fort comme un bœuf** fuerte como un toro; **il est petit comme tout** es muy pequeño; **il est rond comme une bille** (*fam*) está como una cuba; **comme c'est pas permis** (*fam*) como él(ella) solo(-a)
2 (*manière*) **comme ça** así; **comment ça va? – comme ça** ¿qué tal? – así, así; **comme ci, comme ça** así, así; **faites comme cela** hágalo así; **on ne parle pas comme ça à ...** no se habla así a ...
3 (*en tant que*): **donner comme prix/heure** dar como precio/hora; **travailler comme secrétaire** trabajar de secretaria
♦ *conj* **1** (*ainsi que*) como; **elle écrit comme elle parle** escribe como habla; **comme on dit** como se dice; **comme si** como si; **comme quoi ...** (*disant que*) en el/la/los/las que dice *etc* que ...; (*d'où il s'ensuit que*) lo que demuestra que; **comme de juste** como es natural; **comme il faut** como es debido
2 (*au moment où, alors que*) cuando; **il est parti comme j'arrivais** se marchó cuando yo llegaba

3 (*parce que, puisque*) como; **comme il était en retard, ...** como se retrasaba, ... ♦ *adv* (*exclamation*): **comme c'est bon/il est fort!** ¡qué bueno está!/¡qué fuerte es!

commémorer [kɔmemɔʀe] *vt* conmemorar.

commencement [kɔmɑ̃smɑ̃] *nm* comienzo; ~s comienzos *mpl*.

commencer [kɔmɑ̃se] *vt, vi* comenzar, empezar; (*être placé au début de*) iniciar; ~ **à** *ou* **de faire** comenzar *ou* empezar a hacer; ~ **par qch** comenzar *ou* empezar por algo; ~ **par faire qch** comenzar *ou* empezar por hacer algo.

comment [kɔmɑ̃] *adv* (*interrogatif*) cómo; ~? ¿cómo?, ¿mande (usted)?; ~! (*affirmatif: de quelle façon*) ¡claro!; **et** ~! ¡pero cómo!; ~ **donc!** (*bien sûr*) ¡por supuesto!, ¡pues claro!; ~ **aurais-tu fait?** ¿cómo habrías hecho?; ~ **tu t'y serais pris?** ¿qué habrías hecho tú?; ~ **faire?** ¿cómo hacemos?; ~ **se fait-il que?** ¿cómo es que ... ?; ~ **est-ce que ça s'appelle?** ¿cómo se llama eso?; ~ **est-ce qu'on ...?** ¿cómo se ...?; **le** ~ **et le pourquoi** el cómo y el por qué.

commentaire [kɔmɑ̃tɛʀ] *nm* (*gén pl*) comentario; **commentaire (de texte)** comentario (de textos); **commentaire sur image** comentario con soporte gráfico.

commentateur, -trice [kɔmɑ̃tatœʀ, tʀis] *nm/f* comentarista *m/f*.

commenter [kɔmɑ̃te] *vt* comentar.

commerçant, e [kɔmɛʀsɑ̃, ɑ̃t] *adj* (*rue, ville*) comercial; (*personne*) comerciante ♦ *nm/f* comerciante *m/f*.

commerce [kɔmɛʀs] *nm* (*activité*) comercio, negocio; (*boutique*) comercio, tienda; (*fig: rapports*) trato; **le petit** ~ el pequeño comercio; **faire** ~ **de** comerciar *ou* negociar en; (*fig: péj*) comerciar en; **chambre de** ~ cámara de comercio; **livres de** ~ libros de comercio; **vendu dans le** ~ de venta en comercios; **vendu hors-**~ de venta fuera de comercio; **commerce en** *ou* **de gros** comercio al por mayor; **commerce extérieur** comercio exterior; **commerce intérieur** comercio interior.

commercial, e, -aux [kɔmɛʀsjal, jo] *adj* (*aussi péj*) comercial ♦ *nm*: **les commerciaux** los representantes.

commercialiser [kɔmɛʀsjalize] *vt* comercializar.

commère [kɔmɛʀ] *nf* comadre *f*.

commettre [kɔmɛtʀ] *vt* cometer; **se commettre** *vpr* comprometerse; **avocat commis d'office** abogado (nombrado) de oficio.

commis [kɔmi] *vb voir* **commettre** ♦ *nm* empleado; **commis voyageur** viajante *m*.

commissaire [kɔmisɛʀ] *nm* comisario; **commissaire aux comptes** interventor *m* *ou* censor *m* de cuentas; **commissaire du bord** sobrecargo.

commissaire-priseur [kɔmisɛʀpʀizœʀ] (*pl* **~s-~s**) *nm* perito tasador.

commissariat [kɔmisaʀja] *nm* comisaría; (*ADMIN*) administración *f*.

commission [kɔmisjɔ̃] *nf* comisión *f*; (*message*) recado; (*course*) encargo, recado; ~s *nfpl* compras *fpl*; **commission d'examen** comisión de examen, tribunal *m*.

commissure [kɔmisyʀ] *nf*: **la** ~ **des lèvres** la comisura de los labios.

commode [kɔmɔd] *adj* cómodo(-a); (*air, personne*) amable; (*personne*): **pas** ~ difícil ♦ *nf* cómoda.

commun, e [kɔmœ̃, yn] *adj* común, colectivo(-a) ♦ *nm*: **cela sort du** ~ eso sale de lo común; ~s *nmpl* dependencias *fpl*; **le** ~ **des mortels** el común de las gentes; **sans ~e mesure** sin comparación; **bien** ~ bien *m* común; **être** ~ **à** ser propio de; **en** ~ en común; **peu** ~ poco común; **d'un** ~ **accord** de común acuerdo.

communauté [kɔmynote] *nf* comunidad *f*; (*JUR*): **régime de la** ~ régimen *m* de la comunidad.

commune [kɔmyn] *adj f voir* **commun** ♦ *nf* municipio.

communiant, e [kɔmynjɑ̃, jɑ̃t] *nm/f* comulgante *m/f*; **premier** ~ *niño que hace la Primera Comunión*.

communicatif, -ive [kɔmynikatif, iv] *adj* (*personne*) comunicativo(-a); (*rire*) contagioso(-a).

communication [kɔmynikasjɔ̃] *nf* comunicación *f*; ~s *nfpl* comunicaciones *fpl*; **vous avez la** ~ ya tiene la llamada; **donnez-moi la** ~ **avec** páseme la llamada con; **avoir la** ~ **(avec)** recibir la llamada (de); **mettre qn en** ~ **avec qn** (*en contact*) poner a algn en contacto con algn; (*au téléphone*) poner a algn en comunicación con; **communication avec préavis** aviso de conferencia; **communication interurbaine** llamada interurbana.

communier [kɔmynje] *vi* comulgar.

communion [kɔmynjɔ̃] *nf* comunión *f*; **première** ~ primera comunión; **communion solennelle** comunión solemne.

communiqué [kɔmynike] *nm* comunicado; **communiqué de presse** comunicado de prensa.

communiquer [kɔmynike] *vt* comunicar; (*demande, dossier*) presentar; (*maladie, chaleur*) transmitir ♦ *vi* comunicarse;

se communiquer à *vpr* tra(n)smitirse a; ~ **avec** comunicar con.

communisme [kɔmynism] *nm* comunismo.

communiste [kɔmynist] *adj, nm/f* comunista *m/f*.

commutateur [kɔmytatœʀ] *nm* conmutador *m*.

compact, e [kɔ̃pakt] *adj* compacto(-a); (*foule*) denso(-a).

compagne [kɔ̃paɲ] *nf* compañera.

compagnie [kɔ̃paɲi] *nf* compañía; **la ~ de qn** la compañía de algn; **homme/femme de ~** hombre *m*/mujer *f* de compañía; **tenir ~ à qn** hacer compañía a algn; **fausser ~ à qn** plantar a algn; **en ~ de** en compañía de; **Dupont et ~, Dupont et Cie** Dupont y compañía, Dupont y Cía; **compagnie aérienne** compañía aérea.

compagnon [kɔ̃paɲɔ̃] *nm* compañero; (*autrefois: ouvrier*) obrero.

comparable [kɔ̃paʀabl] *adj*: ~ **(à)** comparable (a).

comparaison [kɔ̃paʀɛzɔ̃] *nf* comparación *f*; **en ~ (de)** en comparación (con); **par ~ (à)** comparado(-a) (a); **sans ~** (*indubitablement*) sin comparación.

comparaître [kɔ̃paʀɛtʀ] *vi*: ~ **(devant)** comparecer (ante).

comparer [kɔ̃paʀe] *vt* comparar; ~ **qch/qn à** *ou* **et** comparar algo/algn a *ou* con.

compartiment [kɔ̃paʀtimɑ̃] *nm* (*de train*) compartim(i)ento; (*case*) casilla.

compas [kɔ̃pɑ] *nm* compás *m*.

compassion [kɔ̃pasjɔ̃] *nf* compasión *f*.

compatible [kɔ̃patibl] *adj*: ~ **(avec)** compatible (con).

compatir [kɔ̃patiʀ] *vi*: ~ **(à)** compadecerse (de).

compatriote [kɔ̃patʀijɔt] *nm/f* compatriota *m/f*.

compensation [kɔ̃pɑ̃sasjɔ̃] *nf* (*dédommagement*) compensación *f*; **en ~** en compensación.

compenser [kɔ̃pɑ̃se] *vt* compensar.

compétence [kɔ̃petɑ̃s] *nf* (*aussi* JUR) competencia.

compétent, e [kɔ̃petɑ̃, ɑ̃t] *adj* competente.

compétitif, -ive [kɔ̃petitif, iv] *adj* (COMM) competitivo(-a).

compétition [kɔ̃petisjɔ̃] *nf* competencia; (SPORT) competición *f*; **la ~** la competición; **être en ~ avec** estar en competencia con; **compétition automobile** competición automovilística.

complaisance [kɔ̃plɛzɑ̃s] *nf* (*amabilité*) amabilidad *f*; (*péj*) suficiencia; **attestation de ~** certificado expedido con benevolencia; **pavillon de ~** pabellón *m* de conveniencia.

complaisant, e [kɔ̃plɛzɑ̃, ɑ̃t] *vb voir* **complaire** ♦ *adj* (*aimable*) complaciente; (*péj*) suficiente.

complément [kɔ̃plemɑ̃] *nm* (*gén, aussi* LING) complemento; (*reste*) resto; **complément (circonstanciel) de lieu** complemento (circunstancial) de lugar; **complément d'agent** complemento agente; **complément d'information** (ADMIN) suplemento (informativo); **complément (d'objet) direct/indirect** complemento directo/indirecto; **complément de nom** complemento del nombre.

complémentaire [kɔ̃plemɑ̃tɛʀ] *adj* complementario(-a).

complet, -ète [kɔ̃plɛ, ɛt] *adj* completo(-a) ♦ *nm* (*aussi*: **~-veston**) traje *m*; **au (grand) ~** en pleno.

complètement [kɔ̃plɛtmɑ̃] *adv* completamente; (*étudier*) a fondo; **~ nu** completamente desnudo.

compléter [kɔ̃plete] *vt* completar; **se compléter** *vpr* complementarse.

complexe [kɔ̃plɛks] *adj* complejo(-a) ♦ *nm* complejo; ~ **industriel/portuaire/hospitalier** complejo industrial/portuario/hospitalario.

complexé, e [kɔ̃plɛkse] *adj* acomplejado(-a).

complication [kɔ̃plikasjɔ̃] *nf* complicación *f*; **~s** *nfpl* (MÉD) complicaciones *fpl*.

complice [kɔ̃plis] *nm/f* cómplice *m/f*.

compliment [kɔ̃plimɑ̃] *nm* cumplido; **~s** *nmpl* (*félicitations*) enhorabuena *fsg*.

compliqué, e [kɔ̃plike] *adj* complicado(-a).

compliquer [kɔ̃plike] *vt* complicar; **se compliquer** *vpr* complicarse; **se ~ la vie** complicarse la vida.

complot [kɔ̃plo] *nm* complot *m*.

comportement [kɔ̃pɔʀtəmɑ̃] *nm* comportamiento.

comporter [kɔ̃pɔʀte] *vt* constar de; (*impliquer*) conllevar; **se comporter** *vpr* comportarse.

composant [kɔ̃pozɑ̃] *nm*, **composante** [kɔ̃pozɑ̃t] *nf* componente *m*.

composé, e [kɔ̃poze] *adj* compuesto(-a); (*visage, air*) de circunstancia ♦ *nm* (CHIM) compuesto; (LING) nombre *m* compuesto; **~ de** compuesto(-a) por.

composer [kɔ̃poze] *vt* componer ♦ *vi* (SCOL) redactar; (*transiger*) transigir; **se ~ de** componerse de; ~ **un numéro** marcar *ou* discar (*AM*) un número.

compositeur, -trice [kɔ̃pozitœʀ, tʀis]

nm/f (*MUS*) compositor(a).
composition [kɔ̃pozisjɔ̃] *nf* composición *f*; (*SCOL*: *d'histoire, de math*) prueba; **de bonne ~** acomodadizo(-a); **composition française** redacción *f* de francés.
composter [kɔ̃pɔste] *vt* (*dater*) fechar; (*poinçonner*) picar, perforar.
compote [kɔ̃pɔt] *nf* compota; **~ de pommes** compota de manzana.
compréhensible [kɔ̃pʀeɑ̃sibl] *adj* (*aussi fig*) comprensible.
compréhensif, -ive [kɔ̃pʀeɑ̃sif, iv] *adj* comprensivo(-a).
compréhension [kɔ̃pʀeɑ̃sjɔ̃] *nf* comprensión *f*.
comprendre [kɔ̃pʀɑ̃dʀ] *vt* (*se composer de, être muni de*) comprender, constar de; (*sens, problème*) comprender, entender; (*sympathiser avec*) comprender; (*point de vue*) entender; **se faire ~** hacerse entender; **je me fais ~?** ¿me explico?
compresse [kɔ̃pʀɛs] *nf* compresa.
compression [kɔ̃pʀesjɔ̃] *nf* (*d'un gaz*) compresión *f*; (*d'un crédit, des effectifs*) reducción *f*.
comprimé, e [kɔ̃pʀime] *adj*: **air ~** aire *m* comprimido ♦ *nm* comprimido, pastilla.
comprimer [kɔ̃pʀime] *vt* (*substance, air*) comprimir; (*crédit, effectifs*) reducir; (*larmes, colère*) reprimir.
compris, e [kɔ̃pʀi, iz] *pp de* **comprendre** ♦ *adj* (*inclus*) incluido(-a); **~ entre ...** (*situé*) situado(-a) entre ...; **~?** ¿entendido?; **la maison ~e/non ~e** incluida la casa/sin incluir la casa; **y/non ~ la maison** inclusive la casa/sin incluir la casa; **service ~** servicio incluido; **100 F tout ~** 100 francos con todo incluido.
compromettre [kɔ̃pʀɔmɛtʀ] *vt* comprometer.
compromis [kɔ̃pʀɔmi] *vb voir* **compromettre** ♦ *nm* arreglo.
comptabilité [kɔ̃tabilite] *nf* contabilidad *f*; **comptabilité en partie double** contabilidad por partida doble.
comptable [kɔ̃tabl] *nm/f, adj* contable *m/f*, contador *m* (*AM*); **~ de** responsable de.
comptant [kɔ̃tɑ̃] *adv*: **payer/acheter ~** pagar/comprar al contado.
compte [kɔ̃t] *nm* cuenta; **~s** *nmpl* (*comptabilité*) cuentas *fpl*; **ouvrir un ~** abrir una cuenta; **rendre des ~s à qn** (*fig*) dar cuentas a algn; **faire le ~ de** hacer la cuenta de; **tout ~ fait, au bout du ~** después de todo; **à ce ~-là** (*dans ce cas*) en este caso; (*à ce train-là*) a este paso; **en fin de ~** (*fig*) a fin de cuentas; **à bon ~** a buen precio; **avoir son ~** (*fig*: *fam*) tener su merecido; **pour le ~ de qn** por cuenta de algn; **pour son propre ~** por su propia cuenta; **sur le ~ de qn** (*à son sujet*) acerca de algn; **travailler à son ~** trabajar por su cuenta; **mettre qch sur le ~ de qn** echar la culpa de algo a algn; **prendre qch à son ~** hacerse cargo de algo; **trouver son ~ à** sacar provecho a, tener interés en; **régler un ~** ajustar cuentas; **rendre ~ (à qn) de qch** dar cuenta de algo (a algn); **tenir ~ de qch/que** tener en cuenta algo/que; **~ tenu de** teniendo en cuenta, habida cuenta de; **il a fait cela sans avoir tenu ~ de ...** hizo eso sin haber tenido en cuenta ...; **compte à rebours** cuenta atrás; **compte chèque postal, compte chèques postaux** cuenta de cheques postales; **compte chèques** cuenta corriente con cheques; **compte client** cuentas por cobrar; **compte courant** cuenta corriente; **compte de dépôt/d'exploitation** cuenta de depósito/de explotación; **compte fournisseur** cuentas por pagar; **compte rendu** informe *m*; (*de film, livre*) reseña.
compte-gouttes [kɔ̃tgut] *nm inv* cuentagotas *m inv*.
compter [kɔ̃te] *vt* contar; (*facturer*) cobrar; (*comporter*) constar de ♦ *vi* contar; (*être économe*) hacer números; **~ pour** (*valoir*) servir para, contar para; **~ parmi** figurar entre; **~ réussir/revenir** esperar aprobar/volver; **~ sur** (*se fier à*) contar con; **~ avec/sans qch/qn** contar con/sin algo/algn; **sans ~ que** sin contar con que; **à ~ du 10 janvier** a partir del 10 de enero; **ça compte beaucoup pour moi** esto tiene mucha importancia para mí; **je compte bien que** espero que.
compteur [kɔ̃tœʀ] *nm* (*d'auto*) cuentakilómetros *m inv*; (*à gaz, électrique*) contador *m*; **compteur de vitesse** velocímetro.
comptine [kɔ̃tin] *nf* canción *f* infantil.
comptoir [kɔ̃twaʀ] *nm* (*de magasin*) mostrador *m*; (*de café*) barra; (*ville coloniale*) factoría.
comte, comtesse [kɔ̃t, kɔ̃tɛs] *nm/f* conde(condesa).
con, ne [kɔ̃, kɔn] (*fam!*) *adj, nm/f* gilipollas *m/f inv* (*fam!*).
concéder [kɔ̃sede] *vt* (*défaite, point*) reconocer, admitir; (*avantage, droit*) conceder; **~ que** admitir que.
concentration [kɔ̃sɑ̃tʀasjɔ̃] *nf* concentración *f*.
concentré, e [kɔ̃sɑ̃tʀe] *adj* concentrado(-a) ♦ *nm* concentrado.
concentrer [kɔ̃sɑ̃tʀe] *vt* concentrar; **se concentrer** *vpr* concentrarse.

concept [kɔ̃sɛpt] *nm* concepto.
conception [kɔ̃sɛpsjɔ̃] *nf* (*d'un projet, d'un enfant*) concepción *f*; (*d'une machine etc*) diseño.
concerner [kɔ̃sɛʀne] *vt* concernir a; **en ce qui me concerne** en lo que a mí respecta; **en ce qui concerne ceci** en lo que concierne a esto, en lo referente a esto.
concert [kɔ̃sɛʀ] *nm* (*MUS*) concierto; (*fig*) coro; **de ~** de concierto.
concerter [kɔ̃sɛʀte] *vt* concertar; **se concerter** *vpr* ponerse de acuerdo, concertarse.
concerto [kɔ̃sɛʀto] *nm* concierto.
concession [kɔ̃sesjɔ̃] *nf* concesión *f*.
concessionnaire [kɔ̃sesjɔnɛʀ] *nm/f* concesionario(-a).
concevoir [kɔ̃s(ə)vwaʀ] *vt* concebir; (*décoration etc*) imaginar; (*machine*) diseñar; (*éprouver*) sentir; (*comprendre, saisir*) comprender; **appartement bien/mal conçu** piso bien/mal diseñado.
concierge [kɔ̃sjɛʀʒ] *nm/f* portero(-a); (*d'hôtel*) conserje *m*.
conciliant, e [kɔ̃siljɑ̃, jɑ̃t] *adj* conciliador(a).
concilier [kɔ̃silje] *vt* conciliar; **se ~ qn/l'appui de qn** ganarse a algn/el apoyo de algn.
concis, e [kɔ̃si, iz] *adj* conciso(-a).
concitoyen, ne [kɔ̃sitwajɛ̃, jɛn] *nm/f* conciudadano(-a).
concluant, e [kɔ̃klyɑ̃, ɑ̃t] *vb voir* **conclure** ♦ *adj* concluyente.
conclure [kɔ̃klyʀ] *vt* (*accord, pacte*) firmar; (*terminer*) concluir, terminar; **~ qch de qch** deducir algo de algo; **~ à** (*JUR, gén*): **~ au suicide** decidirse *ou* pronunciarse por un suicidio; **~ à l'acquittement** pronunciarse por la absolución, dictar la libre absolución; **~ un marché** cerrar un trato; **j'en conclus que** deduzco que.
conclusion [kɔ̃klyzjɔ̃] *nf* conclusión *f*; **~s** *nfpl* (*JUR*) conclusiones *fpl*; **en ~** en conclusión.
concombre [kɔ̃kɔ̃bʀ] *nm* pepino.
concorder [kɔ̃kɔʀde] *vi* concordar.
concourir [kɔ̃kuʀiʀ] *vi* (*en sport*) competir; **~ à** contribuir a.
concours [kɔ̃kuʀ] *vb voir* **concourir** ♦ *nm* concurso; (*SCOL*) examen *m* eliminatorio; **recrutement par voie de ~** (*ADMIN*) incorporación *f* mediante oposición; (*SCOL*) incorporación mediante examen eliminatorio; **apporter son ~ à** ayudar a; **concours de circonstances** cúmulo de circunstancias; **concours hippique** concurso hípico.
concret, -ète [kɔ̃kʀɛ, ɛt] *adj* concreto(-a); **musique concrète** música concreta.
concrétiser [kɔ̃kʀetize] *vt* concretar; **se concrétiser** *vpr* concretarse.
conçu, e [kɔ̃sy] *pp de* **concevoir**.
concubin, e [kɔ̃kybɛ̃, in] *nm/f* (*JUR*) compañero(-a).
concubinage [kɔ̃kybinaʒ] *nm* concubinato.
concurrence [kɔ̃kyʀɑ̃s] *nf* competencia; **en ~ avec** en competencia con; **jusqu'à ~ de** hasta un total de; **concurrence déloyale** competencia desleal.
concurrent, e [kɔ̃kyʀɑ̃, ɑ̃t] *adj* (*société*) competidor(a); (*parti*) opositor(a) ♦ *nm/f* (*SPORT, ÉCON*) competidor(a); (*SCOL*) candidato(-a).
condamnation [kɔ̃dɑnasjɔ̃] *nf* condena; **condamnation à mort** condena de muerte.
condamné, e [kɔ̃dɑne] *nm/f* condenado(-a).
condamner [kɔ̃dɑne] *vt* condenar; (*malade*) desahuciar; (*fig*) invalidar; **~ qn à qch/à faire** (*obliger*) condenar a algn a algo/a hacer; **~ qn à 2 ans de prison** condenar a algn a 2 años de prisión; **~ qn à une amende** imponer una multa a algn.
condensation [kɔ̃dɑ̃sasjɔ̃] *nf* condensación *f*.
condenser [kɔ̃dɑ̃se] *vt* (*texte*) resumir, condensar; (*gaz*) condensar; **se condenser** *vpr* (*matière*) condensarse.
condisciple [kɔ̃disipl] *nm/f* condiscípulo(-a).
condition [kɔ̃disjɔ̃] *nf* condición *f*; (*rang social*) condición, clase *f*; (*ouvrière etc*) clase; **~s** *nfpl* (*tarif, prix, circonstances*) condiciones *fpl*; **sans ~** *adj* sin condición ♦ *adv* incondicionalmente; **à/sous ~ de/que** a/con la condición de/de que; **en bonne ~** (*aliments, envoi*) en buen estado; **mettre en ~** (*SPORT*) entrenar; (*PSYCH*) condicionar; **conditions atmosphériques** condiciones atmosféricas; **conditions de vie** condiciones de vida.
conditionnel, le [kɔ̃disjɔnɛl] *adj* condicional ♦ *nm* (*LING*) condicional *m*.
conditionnement [kɔ̃disjɔnmɑ̃] *nm* acondicionamiento; (*emballage*) embalaje *m*, envasado; (*fig*) condicionamiento.
conditionner [kɔ̃disjɔne] *vt* condicionar; (*produit*) envasar, acondicionar.
condoléances [kɔ̃dɔleɑ̃s] *nfpl* pésame *m*.
conducteur, -trice [kɔ̃dyktœʀ, tʀis] *adj* conductor(a) ♦ *nm* (*ÉLEC*) conductor *m*

♦ *nm/f* conductor(a).
conduire [kɔ̃dɥiʀ] *vt* conducir; (*passager*) llevar; (*diriger*) dirigir; **se conduire** *vpr* comportarse, portarse; ~ **vers/à** (*suj: route*) conducir a, llevar hacia/a; ~ **à** (*suj: attitude, erreur*) llevar a; ~ **qn quelque part** llevar a algn a algún sitio; **se ~ bien/mal** portarse bien/mal.
conduit [kɔ̃dɥi] *pp de* **conduire** ♦ *nm* conducto.
conduite [kɔ̃dɥit] *nf* (*en auto*) conducción *f*, manejo (*AM*); (*comportement*) conducta; (*d'eau, gaz*) conducto; **sous la ~ de** bajo la dirección de; **conduite à gauche** volante *m* a la izquierda; **conduite forcée** tubería *ou* conducción *f* forzada; **conduite intérieure** coche *m* cerrado, limusina.
cône [kon] *nm* cono; **en forme de ~** en forma de cono; **cône d'avalanche** cono de avalancha; **cône de déjection** cono de deyección.
confection [kɔ̃fɛksjɔ̃] *nf* confección *f*; **la ~** (*COUTURE*) la confección; **vêtement de ~** ropa de confección.
confectionner [kɔ̃fɛksjɔne] *vt* confeccionar.
conférence [kɔ̃feʀɑ̃s] *nf* conferencia; **conférence au sommet** conferencia cumbre; **conférence de presse** conferencia de prensa.
confesser [kɔ̃fese] *vt* confesar; **se confesser** *vpr* confesarse.
confession [kɔ̃fesjɔ̃] *nf* confesión *f*.
confetti [kɔ̃feti] *nm* confetis *mpl*.
confiance [kɔ̃fjɑ̃s] *nf* confianza; **avoir ~ en** tener confianza en; **faire ~ à** confiar en; **en toute ~** con toda confianza; **mettre qn en ~** dar confianza a algn; **de ~** de confianza; **question/vote de ~** moción *f*/ voto de confianza; **inspirer ~ à** inspirar confianza a; **digne de ~** digno de confianza; **confiance en soi** confianza en sí mismo.
confiant, e [kɔ̃fjɑ̃, jɑ̃t] *adj* confiado(-a).
confidence [kɔ̃fidɑ̃s] *nf* confidencia.
confidentiel, le [kɔ̃fidɑ̃sjɛl] *adj* confidencial.
confier [kɔ̃fje] *vt* confiar; ~ **à qn** (*en dépôt, garde*) confiar a algn; **se ~ à qn** confiarse a algn.
confins [kɔ̃fɛ̃] *nmpl*: **aux ~ de** en los confines de.
confirmation [kɔ̃fiʀmasjɔ̃] *nf* confirmación *f*.
confirmer [kɔ̃fiʀme] *vt* confirmar; ~ **qn dans une croyance** reafirmar a algn en sus creencias; ~ **qn dans ses fonctions** ratificar a algn en sus funciones; ~ **qch à qn** confirmar algo a algn.
confiserie [kɔ̃fizʀi] *nf* confitería; ~**s** *nfpl* golosinas *fpl*.
confisquer [kɔ̃fiske] *vt* (*JUR*) confiscar; (*à un enfant*) quitar.
confit, e [kɔ̃fi, it] *adj*: **fruits ~s** frutas *fpl* confitadas; **confit d'oie** *nm* conserva de oca en su grasa.
confiture [kɔ̃fityʀ] *nf* confitura, mermelada; **confiture d'oranges** confitura de naranja.
conflit [kɔ̃fli] *nm* conflicto; (*fig*) choque *m*, conflicto; **conflit armé** conflicto armado.
confondre [kɔ̃fɔ̃dʀ] *vt* confundir; **se confondre** *vpr* confundirse; **se ~ en excuses/remerciements** deshacerse en disculpas/agradecimientos; ~ **qch/qn avec qch/qn d'autre** confundir algo/a algn con algo/con algn.
conforme [kɔ̃fɔʀm] *adj*: ~ **à** conforme a; **copie certifiée ~ (à l'original)** copia compulsada; ~ **à la commande** según el pedido, conforme con el pedido.
conformément [kɔ̃fɔʀmemɑ̃] *adv*: ~ **à** conforme a, según.
conformer [kɔ̃fɔʀme] *vt*: ~ **qch à** adecuar algo a; **se conformer à** *vpr* adecuarse a, adaptarse a.
conformité [kɔ̃fɔʀmite] *nf* conformidad *f*; **en ~ avec** (*un modèle, une règle*) en conformidad con; (*idées*) de acuerdo con.
confort [kɔ̃fɔʀ] *nm* confort *m*; **tout ~** con todas las comodidades.
confortable [kɔ̃fɔʀtabl] *adj* confortable, cómodo(-a); (*avance*) considerable.
confrère [kɔ̃fʀɛʀ] *nm* colega *m*.
confronter [kɔ̃fʀɔ̃te] *vt* confrontar; (*textes*) cotejar, confrontar; (*JUR*) confrontar, hacer un careo entre.
confus, e [kɔ̃fy, yz] *adj* confuso(-a).
confusion [kɔ̃fyzjɔ̃] *nf* confusión *f*; **confusion des peines** confusión de las penas.
congé [kɔ̃ʒe] *nm* (*vacances*) vacaciones *fpl*; (*arrêt de travail*) descanso; (*MIL*) permiso; (*avis de départ*) baja; **en ~** de vacaciones; (*en arrêt de travail*) de descanso; (*soldat*) de licencia; **semaine/jour de ~** semana/día *m* de vacaciones; **prendre ~ de qn** despedirse de algn; **donner son ~ à** despedir a; **congé de maladie** baja por enfermedad; **congé de maternité** baja maternal; **congés payés** vacaciones pagadas.
congédier [kɔ̃ʒedje] *vt* despedir.
congélateur [kɔ̃ʒelatœʀ] *nm* congelador *m*.
congeler [kɔ̃ʒ(ə)le] *vt* congelar.
congestion [kɔ̃ʒɛstjɔ̃] *nf* (*routière, posta-*

le) congestión *f*; **congestion cérébrale** derrame *m* cerebral; **congestion pulmonaire** congestión pulmonar.

congrégation [kɔ̃gʀegasjɔ̃] *nf* congregación *f*.

congrès [kɔ̃gʀɛ] *nm* congreso.

conifère [kɔnifɛʀ] *nm* conífera.

conique [kɔnik] *adj* cónico(-a).

conjoint, e [kɔ̃ʒwɛ̃, wɛ̃t] *adj* conjunto(-a) ♦ *nm/f* (*époux*) cónyuge *m/f*.

conjonction [kɔ̃ʒɔ̃ksjɔ̃] *nf* conjunción *f*.

conjonctivite [kɔ̃ʒɔ̃ktivit] *nf* conjuntivitis *f inv*.

conjoncture [kɔ̃ʒɔ̃ktyʀ] *nf* coyuntura; **la conjoncture économique** la coyuntura económica.

conjugaison [kɔ̃ʒygɛzɔ̃] *nf* conjugación *f*.

conjugal, e, -aux [kɔ̃ʒygal, o] *adj* conyugal.

conjuguer [kɔ̃ʒyge] *vt* (*LING*) conjugar; (*efforts*) conjugar, aunar.

conjurer [kɔ̃ʒyʀe] *vt* conjurar; ~ **qn de faire qch** (*supplier*) rogar *ou* suplicar a algn que haga algo.

connaissance [kɔnɛsɑ̃s] *nf* (*savoir*) conocimiento; (*personne connue*) conocido(-a); (*conscience, perception*) conocimiento, sentido; **~s** *nfpl* (*savoir*) conocimientos *mpl*; **être sans** ~ (*MÉD*) estar sin conocimiento; **perdre/reprendre** ~ perder/recobrar el conocimiento; **à ma/sa** ~ por lo que sé/sabe; **faire** ~ **avec qn** *ou* **la** ~ **de qn** (*rencontrer*) conocer a algn; (*apprendre à connaître*) llegar a conocer a algn; **avoir** ~ **de** (*document, fait*) tener conocimiento de; **j'ai pris** ~ **de ...** ha llegado a mi conocimiento ...; **en** ~ **de cause** con conocimiento de causa; **de** ~ conocido(-a).

connaître [kɔnɛtʀ] *vt* conocer; (*adresse*) conocer, saber; **se connaître** *vpr* conocerse; (*se rencontrer*) conocerse, encontrarse; ~ **qn de nom/vue** conocer a algn de nombre/vista; **ils se sont connus à Genève** se conocieron en Ginebra; **s'y** ~ **en qch** entender mucho de algo.

connecter [kɔnɛkte] *vt* conectar.

connerie [kɔnʀi] (*fam!*) *nf* gilipollez *f*.

connu, e [kɔny] *pp de* **connaître** ♦ *adj* conocido(-a).

conquérant, e [kɔ̃keʀɑ̃, ɑ̃t] *adj* conquistador(a).

conquérir [kɔ̃keʀiʀ] *vt* (*en luttant*) conquistar; (*en séduisant*) conquistar, cautivar.

conquête [kɔ̃kɛt] *nf* conquista.

consacrer [kɔ̃sakʀe] *vt* consagrar; ~ **qch à** (*employer*) dedicar algo a; **se consacrer** *vpr*: **se** ~ **à qch/à faire** dedicarse a algo/a hacer; ~ **son temps/argent à faire** dedicar su tiempo/dinero a hacer.

conscience [kɔ̃sjɑ̃s] *nf* conciencia; **avoir** ~ **de** ser consciente de, tomar conciencia de; **prendre** ~ **de** (*présence, situation*) darse cuenta de; (*responsabilité*) tomar conciencia de; **avoir qch sur la** ~ tener el peso de algo en la conciencia; **perdre/reprendre** ~ perder/recuperar el conocimiento; **avoir bonne/mauvaise** ~ tener buena/mala conciencia; **en (toute)** ~ en conciencia; **conscience professionnelle** conciencia profesional.

consciencieux, -euse [kɔ̃sjɑ̃sjø, jøz] *adj* concienzudo(-a).

consécutif, -ive [kɔ̃sekytif, iv] *adj* consecutivo(-a); ~ **à** debido(-a) a.

conseil [kɔ̃sɛj] *nm* consejo ♦ *adj*: **ingénieur-~** ingeniero consultor; ~ **en recrutement** (*expert*) asesor *m* de contratación; **tenir** ~ celebrar consejo; **je n'ai pas de** ~ **à recevoir de vous** no necesito recibir consejo de usted; **donner un ~/des ~s à qn** dar un consejo/consejos a algn; **demander** ~ **à qn** pedir consejo a algn; **prendre** ~ **(auprès de qn)** consultar (a algn); **conseil d'administration** consejo de administración; **conseil de classe/de discipline** (*SCOL*) consejo escolar/disciplinario; **conseil de guerre** consejo de guerra; **conseil de révision** junta de clasificación *ou* de revisión; **conseil des ministres** consejo de ministros; **conseil général** consejo general; **conseil municipal** concejo, pleno municipal; **conseil régional** consejo regional.

conseiller[1] [kɔ̃seje] *vt* aconsejar a; ~ **qch à qn** aconsejar algo a algn; ~ **à qn de faire qch** aconsejar a algn hacer algo.

conseiller[2]**, -ère** [kɔ̃seje, ɛʀ] *nm/f* consejero(-a); **conseiller matrimonial** asesor *m* matrimonial; **conseiller municipal** concejal *m*.

consentement [kɔ̃sɑ̃tmɑ̃] *nm* consentimiento.

consentir [kɔ̃sɑ̃tiʀ] *vt*: ~ **(à qch/à faire)** consentir (en algo/en hacer); ~ **qch à qn** consentir algo a algn.

conséquence [kɔ̃sekɑ̃s] *nf* consecuencia; **~s** *nfpl* (*effet, répercussion*) consecuencias *fpl*; **en** ~ (*donc*) en consecuencia, por consiguiente; (*de façon appropriée*) en consecuencia; **ne pas tirer à** ~ no traer consecuencias; **sans** ~ sin consecuencia; **lourd de** ~ lleno de consecuencias.

conséquent, e [kɔ̃sekɑ̃, ɑ̃t] *adj* (*personne, attitude*) consecuente; (*fam: important*) importante; **par** ~ por consiguiente.

conservateur, -trice [kɔ̃sɛʀvatœʀ, tʀis] *adj* conservador(a) ♦ *nm/f* conservador(a) ♦ *nm* (*BIOL, CHIM: produit*) conservante *m*.
conservatoire [kɔ̃sɛʀvatwaʀ] *nm* (*de musique*) conservatorio; (*de comédiens*) escuela de arte dramático.
conserve [kɔ̃sɛʀv] *nf* (*gén pl: aliments*) conserva; **en ~** en conserva; **de ~** (*ensemble*) juntos(-as); (*naviguer*) en conserva; **conserves de poisson** conservas de pescado.
conserver [kɔ̃sɛʀve] *vt* conservar; (*habitude*) mantener, conservar; **se conserver** *vpr* conservarse; **"~ au frais"** "conservar en frío".
considérable [kɔ̃sideʀabl] *adj* considerable.
considération [kɔ̃sideʀasjɔ̃] *nf* consideración *f*; (*raison*) razonamiento, consideración; **~s** *nfpl* (*remarques, réflexions*) consideraciones *fpl*; **prendre en ~** tomar en consideración; **ceci mérite ~** esto merece ser considerado; **en ~ de** en consideración a.
considérer [kɔ̃sideʀe] *vt* considerar; (*regarder*) examinar; **~ que** considerar que; **~ qch comme** considerar algo como.
consigne [kɔ̃siɲ] *nf* (*de bouteilles*) importe *m* (del envase); (*retenue*) castigo; (*MIL*) arresto; (*ordre, instruction, de gare*) consigna; **consigne automatique** consigna automática; **consignes de sécurité** consignas de seguridad.
consigner [kɔ̃siɲe] *vt* (*note, pensée*) consignar, anotar; (*marchandises*) consignar; (*MIL*) arrestar; (*élève*) castigar; (*emballage*) cobrar el envase.
consistant, e [kɔ̃sistɑ̃, ɑ̃t] *adj* consistente; (*argument*) consistente, de peso.
consister [kɔ̃siste] *vi*: **~ en** *ou* **dans** consistir en; **~ à faire** consistir en hacer.
console [kɔ̃sɔl] *nf* (*table*) consola; (*CONSTR*) ménsula; (*INFORM*) tablero; (*d'enregistrement*) mesa de grabación; **console de visualisation** consola de visualización; **console graphique** mesa de trazador.
consoler [kɔ̃sɔle] *vt* consolar; **se ~ (de qch)** consolarse (de algo).
consolider [kɔ̃sɔlide] *vt* consolidar; (*meuble*) reforzar; **bilan consolidé** balance *m* consolidado.
consommateur, -trice [kɔ̃sɔmatœʀ, tʀis] *nm/f* (*ÉCON*) consumidor(a); (*dans un café*) cliente *m/f*.
consommation [kɔ̃sɔmasjɔ̃] *nf* consumición *f*; **la ~** (*ÉCON*) el consumo; **de ~** (*biens*) de consumo; **~ aux 100 km** (*AUTO*) consumo cada 100 km.
consommer [kɔ̃sɔme] *vt* consumir; (*mariage*) consumar ♦ *vi* (*dans un café*) consumir, tomar.
consonance [kɔ̃sɔnɑ̃s] *nf* consonancia; **nom à ~ étrangère** nombre *m* que suena extranjero.
consonne [kɔ̃sɔn] *nf* consonante *f*.
conspirer [kɔ̃spiʀe] *vi* conspirar; **~ à** (*tendre à*) contribuir a; (*qch de négatif*) conspirar a.
constamment [kɔ̃stamɑ̃] *adv* constantemente.
constant, e [kɔ̃stɑ̃, ɑ̃t] *adj* constante.
constat [kɔ̃sta] *nm* (*d'huissier*) acta; (*après un accident*) atestado; **faire un ~ démoralisant** llegar a una conclusión desmoralizante; **faire un ~ d'échec** reconocer su *etc* fracaso; **constat (à l'amiable)** (*AUTO*) parte *m* amistoso.
constatation [kɔ̃statasjɔ̃] *nf* (*d'un fait*) constatación *f*; (*remarque*) constatación, observación *f*.
constater [kɔ̃state] *vt* (*remarquer*) advertir, observar; (*ADMIN, JUR*) testificar; (*dégâts*) constatar; **~ que** (*remarquer*) notar que; (*faire observer, dire*) advertir que.
consternant, e [kɔ̃stɛʀnɑ̃, ɑ̃t] *adj* desolador(a).
consterner [kɔ̃stɛʀne] *vt* consternar.
constipé, e [kɔ̃stipe] *adj* estreñido(-a); (*fig*) crispado(-a).
constitué, e [kɔ̃stitɥe] *adj*: **~ de** constituido(-a) por, integrado(-a) por; **bien/mal ~** bien/mal constituido(-a) *ou* formado(-a).
constituer [kɔ̃stitɥe] *vt* constituir; (*équipe*) crear; (*dossier*) elaborar; (*collection*) reunir; **se ~ partie civile** constituirse en parte civil; **se ~ prisonnier** entregarse a la justicia.
constitution [kɔ̃stitysjɔ̃] *nf* constitución *f*; (*d'une équipe*) creación *f*; (*d'un dossier*) elaboración *f*; (*composition*) composición *f*.
constructeur [kɔ̃stʀyktœʀ] *nm* constructor *m*; **constructeur automobile** fabricante *m* de coches.
construction [kɔ̃stʀyksjɔ̃] *nf* construcción *f*.
construire [kɔ̃stʀɥiʀ] *vt* construir; **se construire** *vpr*: **ça s'est beaucoup construit dans la région** se edificó mucho en la región.
consul [kɔ̃syl] *nm* cónsul *m*.
consulat [kɔ̃syla] *nm* consulado.
consultant, e [kɔ̃syltɑ̃, ɑ̃t] *adj* consultor(a).
consultation [kɔ̃syltasjɔ̃] *nf* consulta; **~s**

nfpl (*pourparlers*) deliberaciones *fpl*; **être en ~** (*délibération*) estar en deliberación; (*MÉD*) estar pasando consulta; **aller à la ~** (*MÉD*) ir a la consulta; **heures de ~** (*MÉD*) horas *fpl* de consulta.

consulter [kɔ̃sylte] *vt* consultar ♦ *vi* (*médecin*) examinar; **se consulter** *vt* consultarse.

consumer [kɔ̃syme] *vt* consumir; **se consumer** *vpr* consumirse; **se ~ de chagrin/douleur** consumirse de pena/dolor.

contact [kɔ̃takt] *nm* contacto; **au ~ de** al contacto con; **mettre/couper le ~** (*AUTO*) encender *ou* poner/apagar *ou* quitar el contacto; **entrer en ~** (*fils, objets*) hacer contacto; **se mettre en ~ avec qn** (*RADIO*) ponerse en contacto con algn; **prendre ~ avec** ponerse en contacto con.

contacter [kɔ̃takte] *vt* contactar con.

contagieux, -euse [kɔ̃taʒjø, jøz] *adj* contagioso(-a).

contaminer [kɔ̃tamine] *vt* contaminar.

conte [kɔ̃t] *nm* cuento; **conte de fées** cuento de hadas.

contempler [kɔ̃tɑ̃ple] *vt* contemplar.

contemporain, e [kɔ̃tɑ̃pɔʀɛ̃, ɛn] *adj, nm/f* contemporáneo(-a).

contenance [kɔ̃t(ə)nɑ̃s] *nf* (*d'un récipient*) capacidad *f*, cabida; (*attitude*) compostura, actitud *f*; **perdre ~** (*se mettre en colère*) perder los estribos; (*être embarrassé*) perder el aplomo; **se donner une ~** fingir serenidad, disimular; **faire bonne ~ devant** mostrar aplomo ante.

conteneur [kɔ̃t(ə)nœʀ] *nm* contenedor *m*.

contenir [kɔ̃t(ə)niʀ] *vt* (*aussi fig*) contener; (*local*) tener una capacidad de *ou* para; **se contenir** *vpr* contenerse.

content, e [kɔ̃tɑ̃, ɑ̃t] *adj* contento(-a); **~ de qn/qch** contento(-a) con algn/algo; **~ de soi** contento(-a) de sí mismo(-a), satisfecho(-a) de sí mismo(-a); **je serais ~ que tu ...** me alegraría que tú ... .

contenter [kɔ̃tɑ̃te] *vt* (*personne*) contentar; (*envie, caprice*) satisfacer; **se contenter de** *vpr* contentarse con.

contentieux [kɔ̃tɑ̃sjø] *nm* (*litiges*) contencioso; **le ~** (*service*) lo contencioso.

contenu, e [kɔ̃t(ə)ny] *pp de* **contenir** ♦ *adj* (*colère, sentiments*) contenido(-a) ♦ *nm* contenido.

conter [kɔ̃te] *vt* contar, relatar; **il m'en a conté de belles!** ¡lo que me ha contado!

contestable [kɔ̃tɛstabl] *adj* discutible.

contestation [kɔ̃tɛstasjɔ̃] *nf* (*d'un résultat*) cuestionamiento; (*discussion*) polémica; **la ~** (*POL*) la oposición.

contester [kɔ̃tɛste] *vt* discutir, cuestionar ♦ *vi* discutir.

contexte [kɔ̃tɛkst] *nm* contexto.

contigu, -uë [kɔ̃tigy] *adj* (*choses*) contiguo(-a); (*domaines*) afín; **~ à** contiguo(-a) a.

continent [kɔ̃tinɑ̃] *nm* continente *m*.

contingenter [kɔ̃tɛ̃ʒɑ̃te] *vt* (*COMM*) contingentar, fijar un contingente sobre.

continu, e [kɔ̃tiny] *adj* continuo(-a); **(courant) ~** (corriente *f*) continua.

continuel, e [kɔ̃tinɥɛl] *adj* (*qui se répète*) constante; (*continu: pluie etc*) continuo(-a).

continuer [kɔ̃tinɥe] *vt* continuar; (*voyage, études etc*) continuar, proseguir; (*suj: allée, rue*) seguir a continuación de ♦ *vi* continuar; (*voyageur*) continuar, seguir; **se continuer** *vpr* continuar; **vous continuez tout droit** siga todo derecho; **~ à** *ou* **de faire** seguir haciendo.

contorsionner [kɔ̃tɔʀsjɔne]: **se ~** *vpr* contorsionarse.

contour [kɔ̃tuʀ] *nm* (*d'un objet*) contorno; (*d'un visage*) perfil *m*; **~s** *nmpl* (*d'une rivière etc*) meandros *mpl*.

contourner [kɔ̃tuʀne] *vt* rodear, evitar.

contraceptif, -ive [kɔ̃tʀasɛptif, iv] *adj* anticonceptivo(-a) ♦ *nm* anticonceptivo.

contraception [kɔ̃tʀasɛpsjɔ̃] *nf* contracepción *f*.

contracter [kɔ̃tʀakte] *vt* contraer; (*assurance*) contratar; **se contracter** *vpr* (*métal, muscles*) contraerse; (*fig: personne*) crisparse.

contraction [kɔ̃tʀaksjɔ̃] *nf* contracción *f*; **~s** *nfpl* (*de l'accouchement*) contracciones *fpl*.

contractuel, le [kɔ̃tʀaktɥɛl] *adj* contractual ♦ *nm/f* (*agent*) controlador(a) del estacionamiento; (*employé*) empleado(-a) eventual del estado.

contradiction [kɔ̃tʀadiksjɔ̃] *nf* contradicción *f*; **en ~ avec** en contradicción con.

contraignant, e [kɔ̃tʀɛɲɑ̃, ɑ̃t] *vb voir* **contraindre** ♦ *adj* apremiante.

contraindre [kɔ̃tʀɛ̃dʀ] *vt*: **~ qn à qch/à faire qch** forzar a algn a algo/a hacer algo.

contraint, e [kɔ̃tʀɛ̃, ɛ̃t] *pp de* **contraindre** ♦ *adj* (*air*) afectado(-a); (*geste, sourire, mine*) forzado(-a).

contrainte [kɔ̃tʀɛ̃t] *nf* coacción *f*; **sans ~** sin coacción.

contraire [kɔ̃tʀɛʀ] *adj* contrario(-a), opuesto(-a) ♦ *nm* contrario; **~ à** con-

trario(-a) a, opuesto(-a) a; **au ~** al contrario; **je ne peux pas dire le ~** no puedo decir lo contrario; **le ~ de** lo contrario de.
contrariant, e [kɔ̃tʀaʀjɑ̃, jɑ̃t] *adj*: être ~ (*personne*) llevar siempre la contraria; (*incident*) ser una contrariedad.
contrarier [kɔ̃tʀaʀje] *vt* (*irriter*) contrariar; (*mouvement, action*) dificultar.
contrariété [kɔ̃tʀaʀjete] *nf* contrariedad *f*.
contraste [kɔ̃tʀast] *nm* contraste *m*.
contrat [kɔ̃tʀa] *nm* contrato; (*accord*) acuerdo; **contrat de mariage/travail** contrato de matrimonio/trabajo.
contravention [kɔ̃tʀavɑ̃sjɔ̃] *nf* (*infraction*) contravención *f*; (*amende*) multa; **dresser ~ à** poner una multa a.
contre [kɔ̃tʀ] *prép* contra; (*en échange*) por; **par ~** en cambio.
contre-attaque [kɔ̃tʀatak] (*pl* **~-~s**) *nf* contraataque *m*.
contrebande [kɔ̃tʀəbɑ̃d] *nf* contrabando; **faire la ~ de** hacer contrabando de.
contrebas [kɔ̃tʀəba]: **en ~** *adv* más abajo.
contrebasse [kɔ̃tʀəbas] *nf* contrabajo.
contrecarrer [kɔ̃tʀəkaʀe] *vt* oponerse a.
contrecœur [kɔ̃tʀəkœʀ]: **à ~** *adv* de mala gana, a regañadientes.
contrecoup [kɔ̃tʀəku] *nm* rebote *m*; **par ~** de rebote.
contredire [kɔ̃tʀədiʀ] *vt* contradecir; **se contredire** *vpr* contradecirse.
contrée [kɔ̃tʀe] *nf* comarca.
contre-enquête [kɔ̃tʀɑ̃kɛt] (*pl* **~-~s**) *nf* investigación *f* de comprobación.
contre-expertise [kɔ̃tʀɛkspɛʀtiz] (*pl* **~-~s**) *nf* peritaje *m* de comprobación.
contrefaçon [kɔ̃tʀəfasɔ̃] *nf* falsificación *f*; **contrefaçon de brevet** falsificación de la patente.
contrefaire [kɔ̃tʀəfɛʀ] *vt* (*document*) falsificar; (*personne, démarche*) imitar; (*sa voix, son écriture*) desfigurar.
contre-indication [kɔ̃tʀɛ̃dikasjɔ̃] (*pl* **~-~s**) *nf* contraindicación *f*.
contre-jour [kɔ̃tʀəʒuʀ]: **à ~-~** *adv* a contraluz.
contremaître [kɔ̃tʀəmɛtʀ] *nm* contramaestre *m*, capataz *m*.
contrepartie [kɔ̃tʀəpaʀti] *nf* (*compensation*) contrapartida; **en ~** como contrapartida.
contre-plaqué [kɔ̃tʀəplake] (*pl* **~-~s**) *nm* contrachapado.
contrer [kɔ̃tʀe] *vt* (*SPORT*) parar; (*adversaire, gén*) oponerse a.
contresens [kɔ̃tʀəsɑ̃s] *nm* contrasentido; **à ~** en sentido contrario.
contretemps [kɔ̃tʀətɑ̃] *nm* contratiempo; **à ~** (*MUS*) a contratiempo; (*fig*) a destiempo.
contribuable [kɔ̃tʀibɥabl] *nm/f* contribuyente *m/f*.
contribuer [kɔ̃tʀibɥe]: **~ à** *vt ind* contribuir a.
contribution [kɔ̃tʀibysjɔ̃] *nf* contribución *f*; **les ~s** (*ADMIN*) la oficina de recaudación; **mettre à ~** utilizar los servicios de; **contributions directes/indirectes** impuestos *mpl* directos/indirectos.
contrôle [kɔ̃tʀol] *nm* (*SCOL, d'un véhicule, gén*) control *m*; (*vérification*) control, comprobación *f*; (*maîtrise: de soi*) control, dominio; **contrôle continu** (*SCOL*) evaluación *f* continua; **contrôle d'identité** control de identidad; **contrôle des changes/des prix** control de cambios/de precios; **contrôle des naissances** control de natalidad; **contrôle judiciaire** control judicial.
contrôler [kɔ̃tʀole] *vt* controlar; (*vérifier*) comprobar; (*maîtriser*) dominar, controlar; **se contrôler** *vpr* (*personne*) controlarse, dominarse.
contrôleur, -euse [kɔ̃tʀolœʀ, øz] *nm/f* revisor(a), inspector(a) de boletos (*AM*); **contrôleur aérien** controlador *m* aéreo; **contrôleur de la navigation aérienne** controlador del tráfico aéreo; **contrôleur des postes** inspector *m* de correos; **contrôleur financier** interventor *m*.
contrordre [kɔ̃tʀɔʀdʀ] *nm* contraorden *f*; **sauf ~** salvo contraorden.
controverse [kɔ̃tʀɔvɛʀs] *nf* controversia.
contusion [kɔ̃tyzjɔ̃] *nf* contusión *f*.
convaincant, e [kɔ̃vɛ̃kɑ̃, ɑ̃t] *vb voir* **convaincre** ♦ *adj* convincente.
convaincre [kɔ̃vɛ̃kʀ] *vt*: **~ qn (de qch/de faire)** convencer a algn (de algo/para que haga); **~ qn de** (*JUR*) inculpar a algn de.
convalescence [kɔ̃valesɑ̃s] *nf* convalecencia; **maison de ~** casa de reposo.
convecteur [kɔ̃vɛktœʀ] *nm* convector *m*.
convenable [kɔ̃vnabl] *adj* (*personne, manières*) decoroso(-a), correcto(-a); (*moment, endroit*) adecuado(-a); (*salaire, travail*) aceptable.
convenance [kɔ̃vnɑ̃s] *nf*: **à ma/votre ~** a mi/su conveniencia; **~s** *nfpl* (*bienséance*) conveniencias *fpl*; **pour ~s personnelles** por motivos personales.
convenir [kɔ̃vniʀ] *vi* convenir; **~ à** (*être approprié à*) ser apropiado(-a) para; (*être utile à*) venir bien a; (*arranger, plaire à*) convenir a; **il convient de** (*bienséant*) es

conveniente; ~ **de** (*admettre*) admitir, reconocer; (*fixer*) convenir, acordar; ~ **que** (*admettre*) admitir que; ~ **de faire qch** acordar hacer algo; **il a été convenu que/de faire ...** se ha acordado que/hacer ...; **comme convenu** como estaba acordado.

convention [kɔ̃vɑ̃sjɔ̃] *nf* (*accord*) convenio; (*ART, THÉÂTRE*) reglas *fpl*; (*POL*) convención *f*; **~s** *nfpl* (*règles, convenances*) convenciones *fpl*; **de** ~ convencional; (*péj*) de cumplido; **convention collective** convenio colectivo.

conventionné, e [kɔ̃vɑ̃sjɔne] *adj* (*clinique*) concertado(-a); (*médecin, pharmacie*) *que tiene un acuerdo con la Seguridad Social.*

conventionnel, le [kɔ̃vɑ̃sjɔnɛl] *adj* convencional.

convenu, e [kɔ̃vny] *pp, adj* (*heure*) acordado(-a).

conversation [kɔ̃vɛʀsasjɔ̃] *nf* conversación *f*; **avoir de la** ~ tener conversación.

conversion [kɔ̃vɛʀsjɔ̃] *nf* conversión *f*; (*SKI*) viraje *m*.

convertible [kɔ̃vɛʀtibl] *adj* (*ÉCON*) canjeable ♦ *nm* (*aussi*: **canapé** ~) sofá cama *m*.

convertir [kɔ̃vɛʀtiʀ] *vt*: **se** ~ **(à)** *vpr* convertirse (a); ~ **qn (à)** convertir a algn (a); ~ **qch en** transformar algo en, convertir algo en.

conviction [kɔ̃viksjɔ̃] *nf* convicción *f*; **sans** ~ sin convicción.

convienne *etc* [kɔ̃vjɛn] *vb voir* **convenir**.

convier [kɔ̃vje] *vt*: ~ **qn à** invitar a algn a.

convive [kɔ̃viv] *nm/f* convidado(-a).

convivial, e [kɔ̃vivjal, jo] *adj* sociable; (*INFORM*) fácil de usar.

convocation [kɔ̃vɔkasjɔ̃] *nf* convocatoria.

convoi [kɔ̃vwa] *nm* convoy *m*; ~ **(funèbre)** cortejo (fúnebre).

convoiter [kɔ̃vwate] *vt* codiciar.

convoquer [kɔ̃vɔke] *vt* (*assemblée, candidat*) convocar; (*subordonné, témoin*) convocar, citar; (*patient*) citar; ~ **qn (à)** convocar a algn (a).

convoyeur [kɔ̃vwajœʀ] *nm* (*NAUT*) buque *m* de escolta; (*bande de transport*) cinta transportadora; **convoyeur de fonds** guarda jurado.

convulsions [kɔ̃vylsjɔ̃] *nfpl* (*MÉD*) convulsiones *fpl*.

coopération [kɔɔpeʀasjɔ̃] *nf* cooperación *f*; **la C~ militaire/technique** la cooperación militar/técnica.

coopérative [kɔɔpeʀativ] *nf* cooperativa.

coopérer [kɔɔpeʀe] *vi*: ~ **(à)** cooperar (en).

coordonnée [kɔɔʀdɔne] *nf* (*LING*) oración *f* coordinada; **~s** *nfpl* (*MATH, gén*) coordenadas *fpl*; (*détails personnels*) complementos *mpl*.

coordonner [kɔɔʀdɔne] *vt* coordinar.

copain, copine [kɔpɛ̃, kɔpin] *nm/f* (*ami*) amigo(-a); (*de classe, de régiment*) compañero(-a) ♦ *adj*: **être** ~ **avec** ser amigo(-a) de.

copeau, x [kɔpo] *nm* viruta.

copie [kɔpi] *nf* copia; (*feuille d'examen*) hoja de examen; (*devoir*) examen *m*; (*JOURNALISME*) ejemplar *m*; **copie certifiée conforme** copia compulsada; **copie papier** copia impresa.

copier [kɔpje] *vt* copiar ♦ *vi* (*tricher*) copiar; ~ **sur** copiar a.

copieur [kɔpjœʀ] *nm* copiadora.

copieux, -euse [kɔpjø, jøz] *adj* (*repas*) copioso(-a), abundante; (*portion, notes, exemples*) abundante.

copine [kɔpin] *nf voir* **copain**.

copropriétaire [kopʀɔpʀijetɛʀ] *nm/f* copropietario(-a).

copropriété [kopʀɔpʀijete] *nf* copropiedad *f*; **acheter un appartement en** ~ comprar un apartamento en copropiedad.

copuler [kɔpyle] *vi* copular.

coq [kɔk] *nm* gallo ♦ *adj inv*: **poids** ~ (*BOXE*) peso gallo; **coq au vin** pollo al vino; **coq de bruyère** urogallo; **le coq du village** (*fig, péj*) el Don Juan del pueblo.

coq-à-l'âne [kɔkalɑn] *nm inv*: **passer du ~-~-~** saltar de una cosa a otra.

coque [kɔk] *nf* (*de noix*) cáscara; (*de bateau, d'avion*) casco; (*mollusque*) berberecho; **à la** ~ (*CULIN*) pasado por agua.

coquelicot [kɔkliko] *nm* amapola.

coqueluche [kɔklyʃ] *nf* (*MÉD*) tos *f* ferina; **être la** ~ **de** (*fig*) ser el(la) preferido(-a) de.

coquet, te [kɔkɛ, ɛt] *adj* (*qui veut plaire*) coqueto(-a); (*bien habillé*) elegante; (*robe, appartement*) coquetón(-ona); (*salaire*) considerable; (*somme*) bonito(-a).

coquetier [kɔk(ə)tje] *nm* huevera.

coquillage [kɔkijaʒ] *nm* (*mollusque*) marisco; (*coquille*) concha.

coquille [kɔkij] *nf* (*de mollusque*) concha; (*de noix, d'œuf*) cáscara; (*TYPO*) errata; **coquille de noix** (*NAUT*) barquita; **coquille d'œuf** *adj inv* (*couleur*) blanquecino(-a); **coquille St Jacques** vieira.

coquin, e [kɔkɛ̃, in] *adj* (*enfant, sourire, regard*) pícaro(-a); (*histoire*) picarón(-ona) ♦ *nm/f* pícaro(-a).

cor [kɔʀ] *nm* (*MUS*) trompa; (*au pied*) callo; **réclamer à ~ et à cri** reclamar a grito pelado; **cor anglais** corno inglés; **cor de chasse** cuerno de caza.
corail, -aux [kɔʀaj, o] *nm* coral *m*.
Coran [kɔʀɑ̃] *nm*: **le ~** el Corán.
corbeau, x [kɔʀbo] *nm* cuervo.
corbeille [kɔʀbɛj] *nf* cesta; (*THÉÂTRE*) piso principal; **la ~** (*à la Bourse*) el corro; **corbeille à ouvrage** costurero; **corbeille à pain** cesta del pan; **corbeille à papiers** cesto de los papeles; **corbeille de mariage** regalos *mpl* de boda.
corbillard [kɔʀbijaʀ] *nm* coche *m* fúnebre.
corde [kɔʀd] *nf* (*gén*) cuerda; (*de violon, raquette*) cuerda; **la ~** (*trame de tissu*) la trama; (*ATHLÉTISME, AUTO*) la cuerda; **les ~s** (*BOXE*) las cuerdas; **la ~ sensible** la vena sensible; **les (instruments à) ~s** los instrumentos de cuerda; **tapis/semelles de ~** alfombra/suelas *fpl* de esparto; **tenir la ~** (*ATHLÉTISME, AUTO*) llevar la cuerda; **tomber des ~s** llover a cántaros; **tirer sur la ~** tirar de la cuerda; **usé jusqu'à la ~** raído; **corde à linge** tendedero; **corde à nœuds** cuerda de nudos; **corde à sauter** comba; **corde lisse/raide** cuerda lisa/floja; **cordes vocales** cuerdas *fpl* vocales.
cordial, e, -aux [kɔʀdjal, jo] *adj, nm* cordial *m*.
cordillère [kɔʀdijɛʀ] *nf*: **la ~ des Andes** la cordillera de los Andes.
cordon [kɔʀdɔ̃] *nm* cordón *m*; **cordon littoral** cordón litoral; **cordon ombilical** cordón umbilical; **cordon sanitaire/de police** cordón sanitario/policial.
cordon-bleu [kɔʀdɔ̃blø] (*pl* **~s-~s**) *nm* gran cocinero(-a).
cordonnerie [kɔʀdɔnʀi] *nf* zapatería.
cordonnier [kɔʀdɔnje] *nm* zapatero.
Cordoue [kɔʀdu] *n* Córdoba.
coriace [kɔʀjas] *adj* correoso(-a).
corne [kɔʀn] *nf* cuerno; **corne d'abondance** cuerno de la abundancia; **corne de brume** sirena de bruma.
corneille [kɔʀnɛj] *nf* corneja.
cornemuse [kɔʀnəmyz] *nf* cornamusa, gaita; **joueur de ~** gaitero.
corner[1] [kɔʀnɛʀ] *nm* (*FOOTBALL*) córner *m*, saque *m* de banda.
corner[2] [kɔʀne] *vt* (*pages*) doblar la esquina de ♦ *vi* (*klaxonner*) tocar la bocina.
cornet [kɔʀnɛ] *nm* cucurucho; **cornet à piston** cornetín *m*.
corniaud [kɔʀnjo] *nm* (*chien*) perro de cruce; (*péj*) gilipollas *m inv* (*fam!*).
corniche [kɔʀniʃ] *nf* (*d'armoire*) cornisa; (*route*) carretera de cornisa.
cornichon [kɔʀniʃɔ̃] *nm* pepinillo.
corporel, le [kɔʀpɔʀɛl] *adj* corporal; **soins ~s** cuidados *mpl* corporales.
corps [kɔʀ] *nm* cuerpo; **à son ~ défendant** a pesar suyo; **à ~ perdu** en cuerpo y alma; **le ~ diplomatique** el cuerpo diplomático; **perdu ~ et biens** (*NAUT*) perdido con toda su carga; **prendre ~** tomar cuerpo; **faire ~ avec** formar cuerpo con, confundirse con; **~ et âme** cuerpo y alma; **corps à corps** *nm, adv* cuerpo a cuerpo; **corps constitués** (*POL*) instituciones *fpl*; **corps consulaire/législatif** cuerpo consular/legal; **corps de ballet/de garde** cuerpo de ballet/de guardia; **corps du délit** (*JUR*) cuerpo del delito; **corps électoral** censo electoral; **corps enseignant** cuerpo docente; **corps étranger** (*MÉD, BIOL*) cuerpo extraño; **corps expéditionnaire/d'armée** cuerpo expedicionario/de ejército; **corps médical** clase *f* médica.
corpulent, e [kɔʀpylɑ̃, ɑ̃t] *adj* corpulento(-a).
correct, e [kɔʀɛkt] *adj* (*exact, bienséant*) correcto(-a); (*honnête*) justo(-a); (*passable*) correcto(-a), pasable.
correction [kɔʀɛksjɔ̃] *nf* corrección *f*; (*idée, trajectoire*) modificación *f*; (*coups*) paliza, golpiza (*AM*); **correction (des épreuves)** corrección (de pruebas); **correction sur écran** corrección en pantalla.
correctionnel, le [kɔʀɛksjɔnɛl] *adj*: **tribunal ~** tribunal *m* correccional.
correspondance [kɔʀɛspɔ̃dɑ̃s] *nf* correspondencia; (*de train, d'avion*) empalme *m*; **ce train assure la ~ avec l'avion de 10 heures** este tren enlaza con el vuelo de las 10; **cours par ~** curso por correspondencia; **vente par ~** venta por correo.
correspondant, e [kɔʀɛspɔ̃dɑ̃, ɑ̃t] *adj* correspondiente ♦ *nm/f* corresponsal *m/f*; (*au téléphone*) interlocutor(a).
correspondre [kɔʀɛspɔ̃dʀ] *vi* corresponder; (*chambres*) corresponderse; **~ à** corresponder a; (*se rapporter à*) corresponderse con; **~ avec qn** cartearse con algn.
corrida [kɔʀida] *nf* corrida.
corridor [kɔʀidɔʀ] *nm* pasillo.
corriger [kɔʀiʒe] *vt* (*aussi MÉD*) corregir; (*idée, trajectoire*) rectificar; (*punir*) castigar; **~ qn de qch** (*défaut*) corregir (algo) a algn; **il l'a corrigé** le dio una paliza; **se ~ de** corregirse de.
corrompre [kɔʀɔ̃pʀ] *vt* corromper.
corruption [kɔʀypsjɔ̃] *nf* corrupción *f*.
corsage [kɔʀsaʒ] *nm* (*d'une robe*) cuerpo; (*chemisier*) blusa.

corse [kɔʀs] *adj* corso(-a) ♦ *nf*: **C~** Córcega ♦ *nm/f*: **C~** corso(-a).
corsé, e [kɔʀse] *adj* (*café etc*) fuerte; (*problème*) arduo(-a); (*histoire*) escabroso(-a).
corset [kɔʀsɛ] *nm* corsé *m*; (*d'une robe*) corpiño; **corset orthopédique** corsé ortopédico.
cortège [kɔʀtɛʒ] *nm* (*funèbre*) comitiva; (*de manifestants*) desfile *m*.
corvée [kɔʀve] *nf* faena.
cosmétique [kɔsmetik] *nm* (*pour les cheveux*) fijador *m*; (*produit de beauté*) cosmético.
cosmonaute [kɔsmɔnot] *nm/f* cosmonauta *mf*.
cosmopolite [kɔsmɔpɔlit] *adj* cosmopolita.
cosse [kɔs] *nf* (*BOT*) vaina; (*ÉLEC*) guardacabos *m inv*.
Costa Rica [kɔstaʀika] *nm* Costa Rica.
costaricien, ne [kɔstaʀisjɛ̃, jɛn] *adj* costarricense, costarriqueño(-a) ♦ *nm/f*: **C~, ne** costarricense *m/f*, costarriqueño(-a).
costaud, e [kɔsto, od] *adj* robusto(-a).
costume [kɔstym] *nm* traje *m*; (*de théâtre*) vestuario.
costumé, e [kɔstyme] *adj* disfrazado(-a).
costumer [kɔstyme] *vt* vestir; **se costumer** *vpr* disfrazarse; (*acteur*) vestirse; **se ~ en qn/qch** disfrazarse de algn/algo.
cote [kɔt] *nf* (*d'une valeur boursière*) cotización *f*; (*d'une voiture, d'un timbre*) valoración *f*; (*d'un cheval*): **la ~ de** la clasificación de; (*d'un candidat etc*) popularidad *f*; (*mesure*) cota; (*de classement, d'un document*) signatura; **avoir la ~** estar muy cotizado(-a); **inscrit à la ~** registrado; **cote d'alerte** nivel *m* de alarma; **cote de popularité** cota de popularidad; **cote mal taillée** (*fig*) cuenta aproximada.
côte [kot] *nf* (*rivage*) costa; (*pente*) cuesta; (*ANAT, BOUCHERIE*) costilla; (*d'un tricot, tissu*) canalé *m*; **point de ~s** (*TRICOT*) punto de canalé; **~ à ~** uno al lado de otro; **la côte (d'Azur)** la costa Azul; **la Côte d'Ivoire** la costa de Marfil.
côté [kote] *nm* (*gén, GÉOM*) lado; (*du corps*) costado; (*feuille*) cara; (*de la rivière*) orilla; **de 10 m de ~** de 10 m. de lado; **des deux ~s de la route/frontière** en ambos lados de la carretera/frontera; **de tous les ~s** por todos lados, por todas partes; **de quel ~ est-il parti?** ¿en qué dirección salió?; **de ce/de l'autre ~** de este/del otro lado; **d'un ~ ... de l'autre ~** por una parte ... por otra; **du ~ de** (*provenance*) por el lado de; (*direction*) en dirección a; **du ~ de Lyon** (*proximité*) por Lyon; **de ~** (*marcher, regarder*) de lado; (*être, se tenir*) a un lado; **laisser de ~** dejar de lado; **mettre de ~** poner a un lado; **sur le ~ de** por el lado de; **de chaque ~ (de)** a cada lado (de), a ambos lados (de); **du ~ gauche** por la izquierda; **de mon ~** por mi parte; **regarder de ~** mirar de soslayo; **à ~** al lado; **à ~ de** al lado de; **à ~ (de la cible)** cerca (de la diana); **être aux ~s de** estar al/del lado de.
coté, e [kɔte] *adj*: **être ~ en Bourse** cotizarse en Bolsa; **être bien/mal ~** estar bien/mal considerado(-a).
côtelette [kotlɛt] *nf* chuleta.
côtier, -ière [kotje, jɛʀ] *adj* costero(-a).
cotisation [kɔtizasjɔ̃] *nf* (*à un club, syndicat*) cuota; (*pour une pension, sécurité sociale*) cotización *f*.
cotiser [kɔtize] *vi* (*à une assurance etc*): **~ (à)** cotizar; (*à une association*) pagar la cuota (de); **se cotiser** *vpr* pagar a escote.
coton [kɔtɔ̃] *nm* algodón *m*; **drap/robe de ~** sábana/vestido de algodón; **coton hydrophile** algodón hidrófilo.
Coton-Tige ® [kɔtɔ̃tiʒ] (*pl* **~s-~s**) *nm* bastoncillo.
côtoyer [kotwaje] *vt* (*rencontrer*) codearse con; (*précipice, rivière*) bordear; (*fig*) rayar en.
cou [ku] *nm* cuello.
couchant [kuʃɑ̃] *adj*: **soleil ~** sol *m* poniente.
couche [kuʃ] *nf* (*de bébé*) pañal *m*; (*gén, GÉOLOGIE*) capa; **~s** *nfpl* (*MÉD*) parto *m*; **couches sociales** capas *fpl* sociales.
couché, e [kuʃe] *adj* tumbado(-a), tendido(-a); (*au lit*) acostado(-a).
couche-culotte [kuʃkylɔt] (*pl* **~s-~s**) *nf* pañal braguita *m*.
coucher [kuʃe] *nm* (*du soleil*) puesta (de sol) ♦ *vt* (*mettre au lit*) acostar; (*étendre*) tumbar, tender; (*loger*) alojar; (*idées*) anotar ♦ *vi* dormir; (*fam*): **~ avec qn** acostarse con algn; **se coucher** *vpr* (*pour dormir*) acostarse; (*pour se reposer*) tumbarse, acostarse; (*se pencher*) inclinarse; (*soleil*) ponerse; **à prendre avant le ~** (*MÉD*) tomar antes de acostarse; **coucher de soleil** puesta de sol.
couchette [kuʃɛt] *nf* litera.
coucou [kuku] *nm* cuclillo ♦ *excl* ¡hola!
coude [kud] *nm* codo; (*de la route*) recodo; **~ à ~** codo a codo.
coudre [kudʀ] *vt, vi* coser.
couette [kwɛt] *nf* (*édredon*) edredón *m*; **~s** *nfpl* (*cheveux*) coletas *fpl*.
couffin [kufɛ̃] *nm* (*de bébé*) moisés *m*.
coulant, e [kulɑ̃, ɑ̃t] *adj* (*indulgent*) tolerante; (*fromage etc*) derretido(-a); (*style*) fluido(-a).

couler [kule] *vi* (*fleuve*) fluir; (*liquide, sang*) correr; (*stylo*) perder tinta; (*récipient*) gotear; (*nez*) moquear; (*bateau*) hundirse ♦ *vt* colar; (*bateau*) hundir; (*entreprise*) hundir, arruinar; **se couler dans** *vpr* colarse en; ~ **une vie heureuse** llevar una vida feliz; **faire** *ou* **laisser** ~ dejar correr; **faire** ~ **un bain** preparar un baño; ~ **une bielle** (*AUTO*) fundir una biela; ~ **de source** caer por su peso; ~ **à pic** irse a pique.

couleur [kulœʀ] *nf* color *m*; (*CARTES*) palo; ~**s** *nfpl* (*du teint, dans un tableau*) colores *mpl*, colorido; (*MIL*) bandera; **film/télévision en** ~**s** película/televisión *f* en color; **de** ~ de color; **sous** ~ **de faire** con el pretexto de hacer.

couleuvre [kulœvʀ] *nf* culebra.

coulisse [kulis] *nf* (*TECH*) ranura; ~**s** *nfpl* (*THÉÂTRE*) bastidores *mpl*; (*fig*): **dans les** ~**s** entre bastidores; **porte à** ~ puerta de corredera.

couloir [kulwaʀ] *nm* pasillo; (*SPORT, route*) calle *f*; (*ravin*) garganta; **couloir aérien** pasillo aéreo; **couloir d'avalanche** corredor *m* de aludes; **couloir de navigation** ruta de navegación.

coup [ku] *nm* golpe *m*; (*avec arme à feu*) disparo; (*frappé par une horloge*) campanada; (*fam: fois*) vez *f*; (*SPORT: geste*) jugada; (*ÉCHECS*) movimiento; **à** ~**s de hache** a hachazos; **à** ~**s de marteau** a martillazos; **être sur un** ~ tener un asuntillo entre manos; **en** ~ **de vent** como un rayo; **donner un** ~ **de corne à qn** dar una cornada a algn; **donner** *ou* **passer un** ~ **de balai (dans)** dar un barrido (a), pasar la escoba (por); **boire un** ~ echar un trago; **à tous les** ~**s** todas las veces; **à tous les** ~**s il a oublié** seguro que se le ha olvidado; **être dans le/hors du** ~ estar/no estar en el ajo; **il a raté son** ~ le falló la jugada; **du** ~ así que; **pour le** ~ por una vez; **d'un seul** ~ (*subitement*) de repente; (*à la fois*) de un solo golpe; **du premier** ~ al primer intento; **faire un** ~ **bas à qn** dar un golpe bajo a algn; **du même** ~ al mismo tiempo; **à** ~ **sûr ...** seguro que ...; **après** ~ después; ~ **sur** ~ uno(-a) tras otro(-a); **sur le** ~ en el acto; **sous le** ~ **de** (*surprise etc*) afectado(-a) por; **tomber sous la** ~ **de la loi** (*JUR*) caer bajo el peso de la ley; **coup d'éclat** proeza; **coup d'envoi** saque *m* de centro; **coup d'essai** ensayo; **coup d'État** golpe de estado; **coup d'œil** vistazo, ojeada; **coup de chance** golpe de suerte; **coup de chapeau** sombrerazo; **coup de coude** codazo; **coup de couteau** cuchillada; **coup de crayon** trazo; **coup de feu** disparo; **coup de fil** (*fam*) llamada; **coup de filet** redada; **coup de foudre** flechazo; **coup de fouet** latigazo; **coup de frein** (*AUTO*) frenazo; **coup de fusil** clavada; **coup de genou** rodillazo; **coup de grâce** golpe de suerte; **coup de main**: **donner un** ~ **de main à qn** echar una mano a algn; **coup de maître** acción *f* magistral; **coup de pied** patada; **coup de pinceau** pincelada; **coup de poing** puñetazo; **coup de soleil** insolación *f*; **coup de sonnette** timbrazo; **coup de téléphone** telefonazo, llamado (*AM*); **coup de tête** (*fig*) cabezonada; **coup de théâtre** (*fig*) hecho imprevisto; **coup de tonnerre** trueno; **coup de vent** ráfaga de viento; **coup du lapin** (*AUTO*) golpe en la nuca; **coup dur** golpe duro; **coup fourré** mala jugada; **coup franc** golpe franco; **coup sec** golpe seco.

coupable [kupabl] *adj, nm/f* culpable *m/f*.

coupe [kup] *nf* corte *f*; (*verre, SPORT*) copa; (*à fruits*) frutero; **vue en** ~ corte transversal; **être sous la** ~ **de** estar bajo la férula de; **faire des** ~**s sombres dans** hacer un recorte drástico en.

coupé, e [kupe] *adj* cortado(-a); (*vêtement*): **bien/mal** ~ bien/mal cortado(-a) ♦ *nm* (*AUTO*) cupé *m*.

coupe-feu [kupfø] *nm inv* cortafuego.

coupe-gorge [kupgɔʀʒ] *nm inv* sitio peligroso.

coupe-papier [kuppapje] *nm inv* cortapapeles *m inv*.

couper [kupe] *vt* cortar; (*retrancher*) suprimir; (*eau, courant*) cortar, quitar; (*appétit, fièvre*) quitar; (*vin, liquide*) aguar; (*TENNIS etc*) volear ♦ *vi* cortar; (*prendre un raccourci*) atajar; (*CARTES*) cortar; (: *avec l'atout*) cortar triunfo; **se couper** *vpr* cortarse; (*en témoignant etc*) contradecirse; **se faire** ~ **les cheveux** cortarse el pelo; ~ **l'appétit à qn** quitar el apetito a algn; ~ **la parole à qn** quitar la palabra a algn, interrumpir a algn; ~ **les vivres à qn** suprimir los subsidios a algn; ~ **le contact** *ou* **l'allumage** (*AUTO*) quitar el contacto *ou* el encendido; ~ **les ponts (avec qn)** cortar el contacto (con algn).

couperet [kupʀɛ] *nm* machete *m*.

couple [kupl] *nm* pareja; ~ **de torsion** par *m* de torsión.

couplet [kuplɛ] *nm* (*MUS*) copla, estrofa; (*péj*) cantilena.

coupole [kupɔl] *nf* cúpula.

coupon [kupɔ̃] *nm* (*ticket*) cupón *m*, bono; (*tissu: rouleau*) pieza; (: *reste*) retal *m*.

coupure [kupyʀ] *nf* corte *m*; (*billet de*

banque) billete *m* de banco; (*de presse*) recorte *m*; **coupure de courant/d'eau** corte de corriente/de agua.

cour [kuʀ] *nf* (*de ferme*) corral *m*; (*jardin, immeuble*) patio; (*JUR*) tribunal *m*; (*royale*) corte *f*; **faire la ~ à qn** hacer la corte a algn; **cour d'appel** ≈ tribunal de apelación; **cour d'assises** ≈ Audiencia; **cour de cassation** ≈ tribunal supremo; **cour de récréation** patio; **cour des comptes** (*ADMIN*) tribunal de cuentas; **cour martiale** tribunal militar.

courage [kuʀaʒ] *nm* valor *m*; (*ardeur, énergie*) coraje *m*; **un peu de ~** ánimo; **bon ~!** ¡ánimo!

courageux, -euse [kuʀaʒø, øz] *adj* valiente, valeroso(-a).

couramment [kuʀamɑ̃] *adv* (*souvent*) frecuentemente; (*parler*) con soltura.

courant, e [kuʀɑ̃, ɑ̃t] *adj* (*fréquent*) corriente, común; (*gén, COMM*) corriente; (*en cours*) en curso ♦ *nm* (*aussi fig*) corriente *f*; **être au ~ (de)** estar al corriente (de); **mettre qn au ~ (de)** poner a algn al corriente (de); **se tenir au ~ (de)** mantenerse al corriente (de); **dans le ~ de** durante; **~ octobre** a lo largo de octubre; **le 10 ~** el 10 del corriente; **courant d'air** corriente de aire; **courant électrique** corriente eléctrica.

courbature [kuʀbatyʀ] *nf* agotamiento; (*SPORT*) agujetas *fpl*.

courbe [kuʀb] *adj* curvo(-a) ♦ *nf* curva; **courbe de niveau** curva de nivel.

courber [kuʀbe] *vt* doblar; **se courber** *vpr* (*branche etc*) doblarse; (*personne*) inclinarse; **~ la tête** inclinar la cabeza.

coureur, -euse [kuʀœʀ, øz] *nm/f* corredor(a) ♦ *adj m, nm* (*péj*) mujeriego ♦ *adj f, nf* (*péj*) pendón *m*; **coureur automobile** corredor automovilístico; **coureur cycliste** ciclista *m*.

courge [kuʀʒ] *nf* calabaza.

courgette [kuʀʒɛt] *nf* calabacín *m*.

courir [kuʀiʀ] *vi* correr ♦ *vt* (*SPORT*) disputar; (*danger, risque*) correr; **~ les cafés/bals** frecuentar los cafés/bailes; **~ les magasins** ir de compras, ir de tiendas; **le bruit court que ...** corre la voz de que ...; **par les temps qui courent** en los tiempos que corren, en estos tiempos; **~ après qn** correr detrás de algn; (*péj*) andar detrás de algn; **laisser ~ qch/qn** dejar en paz algo/a algn; **faire ~ qn** llevar a algn al retortero; **tu peux (toujours) ~!** ¡espera sentado!

couronne [kuʀɔn] *nf* (*aussi fig*) corona; **~ (funéraire** *ou* **mortuaire)** corona (mortuoria).

couronner [kuʀɔne] *vt* (*roi*) coronar; (*lauréat, livre, ouvrage*) galardonar; (*carrière, efforts*) coronar.

courrier [kuʀje] *nm* correo; (*rubrique*) prensa; **qualité ~** calidad *f* de correspondencia; **long/moyen ~** (*AVIAT*) avión *m* de distancias largas/medias; **courrier du cœur** prensa del corazón; **courrier électronique** correo electrónico.

courroie [kuʀwa] *nf* correa; **courroie de transmission/de ventilateur** correa de transmisión/del ventilador.

cours [kuʀ] *vb voir* **courir** ♦ *nm* clase *f*; (*série de leçons*) clases *fpl*, curso; (*établissement*) academia; (*des événements, d'une rivière*) curso; (*avenue*) avenida, paseo; (*COMM*) valor *m*, precio; (*BOURSE*) cotización *f*; (*des matières premières*) valor; (*déroulement*) transcurso; **donner libre ~ à** dar rienda suelta a; **avoir ~** (*monnaie*) estar en circulación; (*fig*) estilarse; (*SCOL*) tener clase; **en ~** (*année*) en curso; (*travaux*) en curso, pendiente; **en ~ de route** en el camino; **au ~ de** durante, en el transcurso de; **le ~ du change** el cambio; **cours d'eau** río; **cours du soir** (*SCOL*) clase nocturna; **cours élémentaire** (*SCOL*) *ciclo inicial de educación primaria en el sistema francés*; **cours moyen** (*SCOL*) *ciclo medio de educación primaria en el sistema francés*; **cours préparatoire** (*SCOL*) *año preparatorio de educación primaria en el sistema francés*.

course [kuʀs] *nf* (*gén, d'un taxi, du soleil*) carrera; (*d'un projectile*) trayectoria; (*d'une pièce mécanique*) recorrido; (*excursion en montagne*) marcha, excursión *f*; (*autocar*) recorrido; (*petite mission*) recado; **~s** *nfpl* compras *fpl*; (*HIPPISME*) carreras *fpl* hípicas; **faire les** *ou* **ses ~s** ir de compras; **jouer aux ~s** apostar en las carreras; **à bout de ~** reventado(-a); **course à pied/automobile** carrera a pie/automovilística; **course de côte** (*AUTO*) carrera de ascensión; **courses de chevaux** carreras de caballos; **course d'obstacles/de vitesse/par étapes** carrera de obstáculos/de velocidad/por etapas.

coursier, -ière [kuʀsje, jɛʀ] *nm/f* recadero(-a).

court, e [kuʀ, kuʀt] *adj* (*temps*) corto(-a), breve; (*en longueur, distance*) corto(-a); (*en hauteur*) bajo(-a) ♦ *adv* corto ♦ *nm* (*de tennis*) pista, cancha; **tourner ~** cambiar completamente; **couper ~ à ...** acabar con ...; **à ~ de** escaso de; **prendre qn de ~** pillar a algn de imprevisto; **ça fait ~** es un poco escaso; **pour faire ~** para abreviar;

avoir le souffle ~ quedarse en seguida sin aliento; **tirer à la ~e paille** echar pajas; **faire la ~e échelle à qn** aupar a algn; **court métrage** (*CINÉ*) cortometraje *m*.

court-circuit [kuʀsiʀkɥi] (*pl* **~s-~s**) *nm* cortocircuito.

courtiser [kuʀtize] *vt* cortejar.

courtois, e [kuʀtwa, waz] *adj* cortés.

couru [kuʀy] *pp de* **courir** ♦ *adj* (*spectacle*) concurrido(-a); **c'est ~ (d'avance)!** (*fam*) ¡está claro!

couscous [kuskus] *nm* cuscús *m*, alcuzcuz *m*.

cousin, e [kuzɛ̃, in] *nm/f* primo(-a); (*ZOOL*) mosquito; **cousin germain** primo carnal; **cousin issu de germain** primo segundo.

coussin [kusɛ̃] *nm* cojín *m*; (*TECH*) almohadilla; **coussin d'air** (*TECH*) almohadilla neumática.

cousu, e [kuzy] *pp de* **coudre** ♦ *adj*: **~ d'or** forrado(-a) de dinero.

coût [ku] *nm* (*d'un travail, objet*) coste *m*, precio; **le ~ de la vie** el coste de la vida.

coûtant [kutɑ̃] *adj m*: **au prix ~** a precio de coste.

couteau, x [kuto] *nm* cuchillo; **couteau à cran d'arrêt** navaja de resorte; **couteau à pain/de cuisine** cuchillo del pan/de cocina; **couteau de poche** navaja de bolsillo.

coûter [kute] *vt* costar ♦ *vi*: **~ à qn** costarle a algn; **~ cher** costar caro; **ça va lui ~ cher** (*fig*) va a pagarlo caro; **combien ça coûte?** ¿cuánto cuesta?, ¿cuánto vale?; **coûte que coûte** a toda costa.

coutume [kutym] *nf* costumbre *f*; (*JUR*): **la ~** el derecho consuetudinario; **de ~** de costumbre, de ordinario.

couture [kutyʀ] *nf* costura.

couturier [kutyʀje] *nm* modisto.

couturière [kutyʀjɛʀ] *nf* modista.

couvent [kuvɑ̃] *nm* convento.

couver [kuve] *vt* (*œufs, maladie*) incubar; (*personne*) mimar ♦ *vi* (*feu*) mantenerse; (*révolte*) incubarse, prepararse; **~ qch/qn des yeux** no quitar los ojos de algo/de algn; (*convoiter*) comerse con los ojos algo/a algn.

couvercle [kuvɛʀkl] *nm* tapa.

couvert, e [kuvɛʀ, ɛʀt] *pp de* **couvrir** ♦ *adj* (*ciel, coiffé d'un chapeau*) cubierto(-a); (*protégé*) protegido(-a), resguardado(-a) ♦ *nm* cubierto; **~s** *nmpl* cubiertos *mpl*; **~ de** cubierto(-a) por; **bien ~** bien abrigado(-a); **mettre le ~** poner la mesa; **service de 12 ~s en argent** juego de 12 cubiertos de plata; **à ~** a cubierto, a resguardo; **sous le ~ de** bajo la apariencia de.

couverture [kuvɛʀtyʀ] *nf* (*de lit*) manta, frazada (*AM*), cobija (*AM*); (*de bâtiment*) cubierta; (*de livre, cahier*) forro; (*d'un espion*) máscara; (*ASSURANCE, PRESSE*) cobertura; **de ~** (*lettre etc*) de garantía; **couverture chauffante** manta térmica.

couvre [kuvʀ] *vb voir* **couvrir**.

couvre-chef [kuvʀəʃɛf] (*pl* **~-~s**) *nm* sombrero.

couvre-feu [kuvʀəfø] (*pl* **~-~x**) *nm* toque *m* de queda.

couvre-lit [kuvʀəli] (*pl* **~-~s**) *nm* colcha.

couvre-pieds [kuvʀəpje] *nm inv* cubrepiés *m inv*.

couvrir [kuvʀiʀ] *vt* cubrir; (*d'ornements, d'éloges*): **~ qch/qn de** cubrir a algo/algn de; (*supérieur hiérarchique*) proteger; (*voix, pas*) cubrir, tapar; (*erreur*) ocultar; (*distance*) recorrer; (*ZOOL*) cubrir; **se couvrir** *vpr* cubrirse; **se ~ de** (*fleurs, boutons*) llenarse de.

crabe [kʀɑb] *nm* cangrejo (de mar).

cracher [kʀaʃe] *vi, vt* escupir; (*lave, injures*) escupir, arrojar; **~ du sang** escupir sangre.

craie [kʀɛ] *nf* (*substance*) greda; (*morceau*) tiza, gis *m* (*MEX*).

craindre [kʀɛ̃dʀ] *vt* temer; (*être sensible à*) no tolerar; **je crains que vous (ne) fassiez erreur** (me) temo que se equivoca; **~ de/que** temer/temer que; **crains-tu de ...?** ¿temes ...?

crainte [kʀɛ̃t] *nf* temor *m*; **soyez sans ~** no tema nada; **(de) ~ de/que** por temor a/a que.

cramer [kʀame] (*fam*) *vi* chamuscarse.

cramoisi, e [kʀamwazi] *adj* carmesí.

crampe [kʀɑ̃p] *nf* calambre *m*; **crampe d'estomac** cólico de estómago.

crampon [kʀɑ̃pɔ̃] *nm* (*de semelle*) taco; (*ALPINISME*) crampón *m*.

cramponner [kʀɑ̃pɔne] *vb*: **se ~ (à)** agarrarse (a).

cran [kʀɑ̃] *nm* (*entaille, trou*) muesca; (*de courroie*) ojete *m*; (*courage*) agallas *fpl*; **être à ~** estar que se lo llevan los demonios; **cran de sûreté** seguro.

crâne [kʀɑn] *nm* cráneo.

crâner [kʀɑne] (*fam*) *vi* farolear, fanfarronear.

crapaud [kʀapo] *nm* sapo.

crapule [kʀapyl] *nf* depravado(-a).

craquement [kʀakmɑ̃] *nm* crujido.

craquer [kʀake] *vi* (*bois, plancher*) crujir; (*fil, branche*) romperse; (*couture*) estallar; (*s'effondrer*) derrumbarse ♦ *vt*: **~ une allumette** frotar una cerilla; **je craque** (*enthousiasmé*) me vuelvo loco(-a).

crasse [kʀas] *nf* mugre *f* ♦ *adj* (*ignorance*) craso(-a).
cravache [kʀavaʃ] *nf* fusta.
cravate [kʀavat] *nf* corbata.
crawl [kʀol] *nm* crol *m*.
crayon [kʀɛjɔ̃] *nm* lápiz *m*; (*de rouge à lèvres etc*) perfilador *m*, lápiz; **écrire au ~** escribir con lápiz; **crayon à bille** bolígrafo; **crayon de couleur** lápiz de color; **crayon optique** lápiz óptico.
crayon-feutre [kʀɛjɔ̃føtʀ] (*pl* **~s-~s**) *nm* rotulador *m*.
créance [kʀeɑ̃s] *nf* (*COMM*) crédito; **donner ~ à qch** dar crédito a algo.
créancier, -ière [kʀeɑ̃sje, jɛʀ] *nm/f* acreedor(a).
créateur, -trice [kʀeatœʀ, tʀis] *adj* creador(a) ♦ *nm/f* (*gén*) creador(a); (*de mode etc*) diseñador(a); **le C~** (*REL*) el Creador.
création [kʀeasjɔ̃] *nf* creación *f*; (*nouvelle robe, voiture etc*) creación, diseño.
créature [kʀeatyʀ] *nf* criatura.
crèche [kʀɛʃ] *nf* (*de Noël*) nacimiento, belén *m*; (*garderie*) guardería.
crédible [kʀedibl] *adj* creíble.
crédit [kʀedi] *nm* (*confiance, autorité, ÉCON*) crédito; (*d'un compte bancaire*) crédito, haber *m*; **~s** *nmpl* fondos *mpl*; **payer/acheter à ~** pagar/comprar a plazos; **faire ~ à qn** tener confianza en algn.
crédit-bail [kʀedibɑj] (*pl* **~s-~s**) *nm* arrendamiento financiero, leasing *m*.
crédule [kʀedyl] *adj* crédulo(-a).
créer [kʀee] *vt* crear; (*spectacle*) montar; (*rôle*) crear.
crémaillère [kʀemajɛʀ] *nf* cremallera; **direction à ~** (*AUTO*) dirección *f* de cremallera; **pendre la ~** festejar el estreno de una casa.
crématoire [kʀematwaʀ] *adj*: **four ~** horno crematorio.
crème [kʀɛm] *nf* crema; (*du lait*) nata, crema; (*PHARMACIE*) crema, pomada ♦ *adj inv* crema; **un (café) ~** un café con leche; **crème à raser** crema de afeitar; **crème Chantilly** nata Chantilly; **crème fouettée** nata batida; **crème glacée** helado.
crémerie [kʀɛmʀi] *nf* lechería.
crémier, -ière [kʀemje, jɛʀ] *nm/f* lechero(-a).
créneau, x [kʀeno] *nm* (*de fortification*) almena; (*fig*) hueco; (*COMM*) segmento de mercado; **faire un ~** (*AUTO*) aparcar hacia atrás.
créole [kʀeɔl] *adj* criollo(-a) ♦ *nm* (*LING*) criollo ♦ *nm/f*: **C~** criollo(-a).
crêpe [kʀɛp] *nf* crêpe *f*, panqueque *m* (*AM*) ♦ *nm* (*tissu*) crespón *m*; (*de deuil*) crespón, gasa negra; **semelle (de) ~** suela de crepé; **crêpe de Chine** crespón de China.
crêperie [kʀɛpʀi] *nf* crepería.
crépi [kʀepi] *nm* enlucido.
crépitement [kʀepitmɑ̃] *nm* (*du feu*) chasquido; (*d'une mitrailleuse*) tableteo.
crépiter [kʀepite] *vi* crepitar; (*mitrailleuse*) tabletear.
crépu, e [kʀepy] *adj* crespo(-a).
crépuscule [kʀepyskyl] *nm* crepúsculo.
cresson [kʀesɔ̃] *nm* berro.
crête [kʀɛt] *nf* cresta; (*montagne*) cumbre *f*, cresta.
crétin, e [kʀetɛ̃, in] *nm/f* cretino(-a).
creuser [kʀøze] *vt* cavar; (*bois*) vaciar; (*problème, idée*) cavilar; **ça creuse** (*l'estomac*) eso abre el apetito; **se ~ la cervelle** *ou* **la tête** romperse la cabeza.
creux, -euse [kʀø, kʀøz] *adj* hueco(-a) ♦ *nm* hueco; (*fig*) vacío; **heures creuses** (*transports*) horas *fpl* de menos tráfico; (*travail*) horas muertas; (*pour électricité, téléphone*) horas de tarifa baja; **mois/jours ~** meses *mpl*/días *mpl* muertos; **le ~ de l'estomac** la boca del estómago.
crevaison [kʀəvɛzɔ̃] *nf* pinchazo.
crevasse [kʀəvas] *nf* grieta.
crevé, e [kʀəve] *adj* (*pneu*) pinchado(-a); (*fam*): **je suis ~** estoy reventado(-a).
crever [kʀəve] *vt* estallar, explotar ♦ *vi* (*pneu, automobiliste*) pinchar; (*abcès, outre*) reventar; (*nuage*) descargar; (*fam: mourir*) palmarla; **~ d'envie/de peur** morirse de ganas/de miedo; **~ de faim/de soif/de froid** morirse de hambre/de sed/de frío; **~ l'écran** barrer; **cela lui a crevé un œil** esto le dejó tuerto.
crevette [kʀəvɛt] *nf*: **~ rose** gamba; **~ grise** quisquilla, camarón *m*.
cri [kʀi] *nm* grito; **à grands ~s** a grito pelado; **~s d'enthousiasme** gritos *mpl* de entusiasmo; **c'est le dernier ~** es el último grito; **~s de protestation** gritos de protesta.
criard, e [kʀijaʀ, kʀijaʀd] *adj* (*couleur*) chillón(-ona).
criblé, e [kʀible] *adj*: **~ de** acribillado(-a) de.
cric [kʀik] *nm* (*AUTO*) gato.
crier [kʀije] *vi* gritar; (*grincer*) chirriar ♦ *vt* (*ordre*) dar a gritos; (*injure*) lanzar; **sans ~ gare** sin avisar; **~ au secours** pedir socorro; **~ famine** quejarse de hambre; **~ grâce** pedir merced; **~ au scandale** poner el grito en el cielo; **~ au meurtre** clamar contra el asesinato.
crime [kʀim] *nm* crimen *m*.
criminel, le [kʀiminɛl] *adj* (*acte*) crimi-

nal; (*poursuites, droit*) penal; (*fig*) abominable ♦ *nm/f* criminal *m/f*; **criminel de guerre** criminal de guerra.
crin [kʀɛ̃] *nm* crin *f*; (*comme fibre*) crin, cerda; **à tous ~s, à tout ~** de tomo y lomo.
crinière [kʀinjɛʀ] *nf* (*de cheval*) crines *fpl*; (*lion*) melena.
crique [kʀik] *nf* cala.
criquet [kʀikɛ] *nm* langosta.
crise [kʀiz] *nf* crisis *f inv*; **crise cardiaque** ataque *m* cardíaco; **crise de foie** cólico biliar; **crise de la foi** crisis de (la) fe; **crise de nerfs** ataque de nervios, crisis nerviosa.
crispé, e [kʀispe] *adj* crispado(-a).
crisper [kʀispe] *vt* crispar; **se crisper** *vpr* crisparse.
crissement [kʀismɑ̃] *nm* (*des pneus*) rechinamiento.
crisser [kʀise] *vi* crujir; (*pneu*) rechinar.
cristal, -aux [kʀistal, o] *nm* cristal *m*; (*neige*) cristal, copo; **cristaux** *nmpl* (*objets de verre*) cristalería *fsg*; **cristal de plomb** vidrio de plomo, cristal de plomo; **cristal de roche** cristal de roca; **cristaux de soude** sosa *fsg* en polvo.
cristallin, e [kʀistalɛ̃, in] *adj* cristalino(-a) ♦ *nm* (*ANAT*) cristalino.
critère [kʀitɛʀ] *nm* criterio.
critique [kʀitik] *adj* crítico(-a) ♦ *nf* crítica ♦ *nm* crítico; **la ~** (*activité, personnes*) la crítica.
critiquer [kʀitike] *vt* criticar.
croasser [kʀɔase] *vi* graznar.
Croatie [kʀɔasi] *nf* Croacia.
croc [kʀo] *nm* (*dent*) colmillo; (*de boucher*) gancho.
croc-en-jambe [kʀɔkɑ̃ʒɑ̃b] (*pl* **~s-~-~**) *nm*: **faire un ~-~-~ à qn** poner *ou* echar una zancadilla a algn.
croche [kʀɔʃ] *nf* corchea; **double ~** semicorchea; **triple ~** fusa.
croche-pied [kʀɔʃpje] (*pl* **~-~s**) *nm* = **croc-en-jambe**.
crochet [kʀɔʃɛ] *nm* gancho; (*tige, clef*) ganzúa; (*détour*) desvío, rodeo; (*TRICOT*) ganchillo; (*BOXE*): **~ du gauche** gancho de izquierda; **~s** *nmpl* (*TYPO*) corchetes *mpl*; **vivre aux ~s de qn** vivir a expensas de algn.
crochu, e [kʀɔʃy] *adj* corvo(-a); (*mains, doigts*) ganchudo(-a).
crocodile [kʀɔkɔdil] *nm* cocodrilo.
crocus [kʀɔkys] *nm* croco.
croire [kʀwaʀ] *vt* creer; **~ qn honnête** creer en la honestidad de algn; **se ~ fort** considerarse fuerte; **~ que** creer que; **j'aurais cru que si** hubiera creido que sí; **je n'aurais pas cru cela (de lui)** nunca lo hubiera pensado (de él); **vous croyez?** ¿lo cree usted?, ¿lo piensa usted?; **vous ne croyez pas?** ¿no lo cree así?; **~ à** *ou* **en** creer en; **~ (en Dieu)** creer (en Dios).
croisade [kʀwazad] *nf* cruzada.
croisement [kʀwazmɑ̃] *nm* (*carrefour, BIOL*) cruce *m*.
croiser [kʀwaze] *vt* cruzar; (*personne, voiture*) cruzarse con, encontrar ♦ *vi* navegar; **se croiser** *vpr* cruzarse; **~ les jambes/les bras** cruzar las piernas/los brazos; **se ~ les bras** (*fig*) cruzarse de brazos.
croiseur [kʀwazœʀ] *nm* crucero.
croisière [kʀwazjɛʀ] *nf* crucero; **vitesse de ~** velocidad *f* de crucero.
croissance [kʀwasɑ̃s] *nf* desarrollo, crecimiento; **troubles de la/maladie de ~** trastornos *mpl*/enfermedad *f* del crecimiento; **croissance économique** desarrollo económico.
croissant, e [kʀwasɑ̃, ɑ̃t] *vb voir* **croître** ♦ *adj* creciente ♦ *nm* (*gâteau*) croissant *m*; (*motif*) media luna; **croissant de lune** media luna.
croître [kʀwatʀ] *vi* crecer.
croix [kʀwa] *nf* cruz *f*; **en ~** *adj* en cruz ♦ *adv* en forma de cruz, en cruz; **la Croix Rouge** la Cruz Roja.
croque-monsieur [kʀɔkməsjø] *nm inv* *sandwich de jamón y queso (tostado).*
croquer [kʀɔke] *vt* (*manger, fruit*) comer; (*dessiner*) bosquejar ♦ *vi* crujir; **chocolat à ~** chocolate *m* para comer.
croquette [kʀɔkɛt] *nf* croqueta.
croquis [kʀɔki] *nm* croquis *m inv*, boceto; (*description*) bosquejo.
crosse [kʀɔs] *nf* (*d'arme à feu*) culata; (*d'évêque*) báculo; (*de hockey*) palo.
crotte [kʀɔt] *nf* caca; **~!** (*fam*) ¡córcholis!, ¡concho!
crotté, e [kʀɔte] *adj* (*sale*) embarrado(-a).
crottin [kʀɔtɛ̃] *nm*: **~ (de cheval)** excremento (de caballo); (*petit fromage de chèvre*) *quesito redondo de cabra.*
crouler [kʀule] *vi* (*s'effondrer*) derrumbarse; (*être délabré*) venirse abajo, hundirse; **~ sous (le poids de) qch** hundirse bajo (el peso de) algo.
croupe [kʀup] *nf* grupa; **en ~** a la grupa.
croupir [kʀupiʀ] *vi* (*eau*) estancarse; (*personne*) pudrirse.
croustillant, e [kʀustijɑ̃, ɑ̃t] *adj* crujiente; (*histoire*) picante.
croûte [kʀut] *nf* (*du fromage, pain*) corteza; (*de vol-au-vent*) hojaldre *m*; (*de glace*) capa; (*MÉD*) costra, postilla; (*de tartre,*

peinture) costra; (*péj*: *peinture*) mamarracho; **en** ~ (*CULIN*) en pastel; **croûte au fromage/aux champignons** rebanada de pan tostado con queso/con champiñones; **croûte de pain** (*morceau*) mendrugo; **croûte terrestre** corteza terrestre.

croûton [kʀutɔ̃] *nm* (*CULIN*) picatoste *m*; (*extrémité*: *du pain*) cuscurro.

croyais [kʀwajɛ] *vb voir* **croire**.

croyance [kʀwajɑ̃s] *nf* creencia.

croyant, e [kʀwajɑ̃, ɑ̃t] *vb voir* **croire** ♦ *adj* (*REL*): **être/ne pas être** ~ ser/no ser creyente ♦ *nm/f* (*REL*) creyente *m/f*.

CRS [seɛʀɛs] *sigle fpl* = *Compagnies républicaines de sécurité*.

cru, e [kʀy] *pp de* **croire** ♦ *adj* (*non cuit*) crudo(-a); (*lumière, couleur*) fuerte, vivo(-a); (*description, langage*) crudo(-a); (*grossier*) grosero(-a) ♦ *nm* (*vignoble*) viñedo; (*vin*) caldo; **monter à** ~ (*cheval*) montar a pelo; **de son (propre)** ~ (*fig*) de su (propia) cosecha; **du** ~ de la región.

crû [kʀy] *pp de* **croître**.

cruauté [kʀyote] *nf* crueldad *f*.

cruche [kʀyʃ] *nf* cántaro.

crucifier [kʀysifje] *vt* crucificar.

crucifix [kʀysifi] *nm* crucifijo.

crucifixion [kʀysifiksjɔ̃] *nf* crucifixión *f*.

crudité [kʀydite] *nf* (*d'un éclairage, d'une couleur*) viveza; ~**s** *nfpl* (*CULIN*) verduras *fpl* y hortalizas crudas.

crue [kʀy] *adj f voir* **cru** ♦ *nf* crecida; **en** ~ con crecida.

cruel, le [kʀyɛl] *adj* (*personne, sort*) cruel; (*froid*) despiadado(-a).

crus *etc* [kʀy] *vb voir* **croire**.

crûs *etc* [kʀy] *vb voir* **croître**.

crustacés [kʀystase] *nmpl* crustáceos *mpl*.

crypté, e [kʀipte] *adj* codificado(-a).

Cuba [kyba] *nm* Cuba.

cubain, e [kybɛ̃, ɛn] *adj* cubano(-a) ♦ *nm/f*: **C~, e** cubano(-a).

cube [kyb] *nm* cubo; (*MATH*): **2 au ~ = 8** 2 al cubo = 8; **gros** ~ cubo grande; **mètre** ~ metro cúbico; **élever au** ~ (*MATH*) elevar al cubo.

cueillette [kœjɛt] *nf* recolección *f*, cosecha.

cueillir [kœjiʀ] *vt* recoger; (*attraper*) pillar.

cuiller, cuillère [kɥijɛʀ] *nf* cuchara; **cuiller à café** cucharilla; **cuiller à soupe** cuchara sopera.

cuir [kɥiʀ] *nm* cuero.

cuirasse [kɥiʀas] *nf* coraza.

cuire [kɥiʀ] *vt* (*aliments, poterie*) cocer; (*au four*) asar ♦ *vi* cocerse; (*picoter*) escocer; **bien cuit** (*viande*) bien hecho *ou* pasado; **trop cuit** demasiado hecho *ou* pasado; **pas assez cuit** no muy hecho *ou* pasado; **cuit à point** hecho en su punto.

cuisine [kɥizin] *nf* cocina; (*nourriture*) comida; **faire la** ~ preparar la comida.

cuisiné, e [kɥizine] *adj*: **plat** ~ plato cocinado.

cuisiner [kɥizine] *vt* cocinar; (*fam*) acribillar a preguntas a ♦ *vi* cocinar.

cuisinier, -ière [kɥizinje, jɛʀ] *nm/f* cocinero(-a).

cuisinière [kɥizinjɛʀ] *nf* (*poêle*) cocina.

cuisse [kɥis] *nf* (*ANAT*) muslo; (*de poulet*) muslo; (*de mouton*) pierna.

cuisson [kɥisɔ̃] *nf* cocción *f*.

cuivre [kɥivʀ] *nm* cobre *m*; **les ~s** (*MUS*) los cobres; **cuivre jaune** latón *m*; **cuivre (rouge)** cobre (rojizo).

cul [ky] (*fam!*) *nm* culo (*fam!*); **cul de bouteille** culo de botella.

culbuter [kylbyte] *vi* darse un batacazo.

cul-de-sac [kydsak] (*pl* **~s-~-~**) *nm* callejón *m* sin salida.

culminant [kylminɑ̃] *adj*: **point** ~ punto culminante.

culminer [kylmine] *vi*: ~ **(à)** culminar (en).

culot [kylo] *nm* (*d'ampoule*) casquillo; (*effronterie*) desfachatez *f*, descaro; **il a du** ~ tiene cara.

culotte [kylɔt] *nf* (*pantalon*) pantalón *m* corto; (*d'homme*) calzoncillos *mpl*, calzones *mpl* (*AM*); (*de femme*): **(petite)** ~ bragas *fpl*, calzones *mpl* (*AM*); **culotte de cheval** pantalón de montar; (*chez les femmes*) celulitis *f inv*.

culpabilité [kylpabilite] *nf* culpabilidad *f*.

culte [kylt] *nm* culto.

cultivateur, -trice [kyltivatœʀ, tʀis] *nm/f* cultivador(a).

cultivé, e [kyltive] *adj* (*terre*) cultivado(-a); (*personne*) culto(-a).

cultiver [kyltive] *vt* cultivar.

culture [kyltyʀ] *nf* cultivo; (*connaissances*) cultura; ~**s** cultivos *mpl*; **champs de ~s** campos *mpl* de cultivo; **culture physique** culturismo.

culturel, le [kyltyʀɛl] *adj* cultural.

cumin [kymɛ̃] *nm* comino.

cumul [kymyl] *nm* cúmulo, acumulación *f*; **cumul de peines** acumulación de penas.

cumuler [kymyle] *vt* acumular.

cupide [kypid] *adj* codicioso(-a).

cure [kyʀ] *nf* (*MÉD*) cura; (*REL*: *fonction*) curato; (: *maison*) casa del cura; **faire une ~ de fruits** hacer una cura de frutas; **n'avoir ~ de** traerle a uno sin cuidado;

faire une ~ thermale hacer una cura de aguas termales; **cure d'amaigrissement** régimen *m* de adelgazamiento; **cure de repos** cura de reposo; **cure de sommeil** cura de sueño.
curé [kyʀe] *nm* cura *m*, párroco; **M. le ~** el Señor cura.
cure-dent [kyʀdɑ̃] (*pl* **~-~s**) *nm* palillo, mondadientes *m inv*.
curieux, -euse [kyʀjø, jøz] *adj* curioso(-a) ♦ *nmpl* curiosos *mpl*, mirones *mpl*.
curiosité [kyʀjozite] *nf* curiosidad *f*; (*objet, site*) singularidad *f*.
curriculum vitae [kyʀikylɔmvite] *nm inv* curriculum vitae *m*.
curseur [kyʀsœʀ] *nm* cursor *m*.
cutané, e [kytane] *adj* cutáneo(-a).
cuve [kyv] *nf* cuba; (*à mazout etc*) depósito, tanque *m*.
cuvée [kyve] *nf* cuba, cosecha.
cuvette [kyvɛt] *nf* (*récipient*) palangana; (*du lavabo*) pila; (*des w-c*) taza; (*GÉO*) hondonada.
CV [seve] *sigle m* (= *cheval vapeur*) C.V. (= *caballos de vapor*); = *curriculum vitae*.
cyanure [sjanyʀ] *nm* cianuro.
cyclable [siklabl] *adj*: **piste ~** pista para ciclistas.
cycle [sikl] *nm* (*vélo*) velocípedo; (*naturel, biologique*) ciclo; **1er ~** (*SCOL*) ≈ segunda etapa de educación primaria; **2ème ~** ≈ educación secundaria.
cyclisme [siklism] *nm* ciclismo.
cycliste [siklist] *nm/f* ciclista *m/f* ♦ *adj*: **coureur ~** corredor *m* ciclista.
cyclomoteur [siklomɔtœʀ] *nm* ciclomotor *m*.
cyclone [siklon] *nm* ciclón *m*.
cyclotourisme [sikloturism(ə)] *nm* cicloturismo.
cygne [siɲ] *nm* cisne *m*.
cylindre [silɛ̃dʀ] *nm* cilindro; **moteur à 4 ~s en ligne** motor *m* de 4 cilindros en línea.
cylindrée [silɛ̃dʀe] *nf* cilindrada; **une (voiture de) grosse ~** un coche de gran cilindrada.
cymbale [sɛ̃bal] *nf* platillo.
cynique [sinik] *adj* cínico(-a).
cyprès [sipʀɛ] *nm* ciprés *m*.
cystite [sistit] *nf* cistitis *f*.

D, d

d' [d] *prép voir* **de**.
dactylo [daktilo] *nf* (*aussi*: **dactylographe**) mecanógrafa; (*aussi*: **dactylographie**) mecanografía.
dada [dada] *nm* tema *m* de siempre.
daigner [deɲe] *vt* dignarse.
daim [dɛ̃] *nm* (*ZOOL*) gamo; (*peau*) ante *m*; (*imitation*) piel *f* vuelta.
dalle [dal] *nf* losa.
daltonien, ne [daltɔnjɛ̃, jɛn] *adj, nm/f* daltónico(-a).
dam [dɑ̃] *nm*: **au grand ~ de** con gran perjuicio de.
dame [dam] *nf* señora; (*femme du monde*) dama; (*CARTES, ÉCHECS*) reina; **~s** *nfpl* (*jeu*) damas *nfpl*; **les (toilettes des) ~s** los servicios de señoras; **dame de charité** dama de la caridad; **dame de compagnie** señora de compañía.
damier [damje] *nm* (*échiquier*) damero; (*dessin*) de cuadros; **en ~** de cuadros.
damner [dɑne] *vt* condenar.
dandiner [dɑ̃dine]: **se ~** *vpr* bambolearse; (*en marchant*) contonearse.
Danemark [danmaʀk] *nm* Dinamarca.
danger [dɑ̃ʒe] *nm*: **le ~** el peligro; **un ~** un peligro; **être/mettre en ~** estar/poner en peligro; **être en ~ de mort** estar en peligro de muerte; **être hors de ~** estar fuera de peligro.
dangereux, -euse [dɑ̃ʒʀø, øz] *adj* peligroso(-a).
danois, e [danwa, waz] *adj* danés(-esa) ♦ *nm* (*LING, chien*) danés *msg* ♦ *nm/f*: **D~, e** danés(-esa).

MOT-CLÉ

dans [dɑ̃] *prép* **1** (*position*) en; **dans le tiroir/le salon** en el cajón/el salón; **marcher dans la ville** andar por la ciudad; **je l'ai lu dans un journal** lo leí en un periódico; **monter dans une voiture/le bus** subir en un coche/el autobús; **dans la rue** en la calle; **être dans les premiers** ser de los primeros
2 (*direction*) a; **elle a couru dans le salon** corrió al salón
3 (*provenance*) de; **je l'ai pris dans le tiroir/salon** lo saqué del cajón/salón; **boire dans un verre** beber en un vaso
4 (*temps*) dentro de; **dans 2 mois** dentro de dos meses; **dans quelques instants** dentro de unos momentos; **dans quelques jours** dentro de unos días; **il part dans quinze jours** se marcha dentro de quince días; **je serai là dans la matinée** estaré allí por la mañana
5 (*approximation*) alrededor de; **dans les 20F/4 mois** alrededor de 20 francos/4 meses
6 (*intention*) con; **dans le but de faire qch** con objeto de hacer algo.

danse [dɑ̃s] *nf* danza; **une ~** un baile; **danse du ventre** danza del vientre; **danse moderne** danza moderna.

danser [dɑ̃se] *vt, vi* bailar, danzar.

danseur, -euse [dɑ̃sœʀ, øz] *nm/f* (*de ballet*) bailarín(-ina); (*cavalier*) pareja; **en danseuse** (*cyclisme*) de pie sobre los pedales; **danseur de claquettes** bailarín(-ina) de claqué.

DAO [deao] *sigle m* (= *dessin assisté par ordinateur*) diseño asistido por ordenador.

dard [daʀ] *nm* aguijón *m*.

date [dat] *nf* (*jour*) fecha; **de longue** *ou* **vieille ~** (*amitié*) viejo(-a); **de fraîche ~** reciente; **premier/dernier en ~** más antiguo/reciente; **prendre ~ (avec qn)** fijar fecha (con algn); **faire ~** hacer época; **date limite** fecha límite; (*d'un aliment*: *aussi*: **~ limite de vente**) fecha de caducidad; **date de naissance** fecha de nacimiento.

dater [date] *vt* fechar ♦ *vi* estar anticuado(-a); **~ de** (*remonter à*) datar de; **à ~ de** a partir de.

datte [dat] *nf* dátil *m*.

dauphin [dofɛ̃] *nm* delfín *m*.

davantage [davɑ̃taʒ] *adv* más; (*plus longtemps*) más tiempo; **~ de** más; **~ que** más que.

MOT-CLÉ

de, d' [də] (*de + le* = **du**, *de + les* = **des**) *prép* **1** (*appartenance*) de; **le toit de la maison** el tejado de la casa; **la voiture d'Élisabeth/de mes parents** el coche de Elisabeth/de mis padres

2 (*moyen*) con; **suivre des yeux** seguir con la mirada; **nier de la tête** negar con la cabeza; **estimé de ses collègues** estimado por sus colegas

3 (*provenance*) de; **il vient de Londres** viene de Londres; **elle est sortie du cinéma** salió del cine

4 (*caractérisation, mesure*): **un mur de brique** un muro de ladrillo; **un verre d'eau** un vaso de agua; **un billet de 50F** un billete de 50 francos; **une pièce de 2m de large** *ou* **large de 2m** una habitación de 2m de ancho; **un bébé de 10 mois** un bebé de 10 meses; **12 mois de crédit/travail** 12 meses de crédito/trabajo; **augmenter** *etc* **de 10F** aumentar *etc* 10 francos; **3 jours de libres** 3 días libres; **de nos jours** en nuestros días; **être payé 20F de l'heure** cobrar 20 francos por hora

5 (*rapport*): **de 14 à 18** de 14 a 18; **de Madrid à Paris** de Madrid a París; **voyager de pays en pays** viajar de país en país

6 de; (*cause*): **mourir de faim** morir(se) de hambre; **rouge de colère** rojo(-a) de ira

7 (*vb + de + infinitif*): **je vous prie de venir** le ruego que venga; **il m'a dit de rester** me dijo que me quedara

8: **cet imbécile de Pierre** el tonto de Pierre

♦ *dét* (*partitif*): **du vin/de l'eau/des pommes** vino/agua/manzanas; **des enfants sont venus** vinieron unos niños; **pendant des mois** durante meses; **il mange de tout** come de todo; **y a-t'il du vin?** ¿hay vino?; **il n'a pas de chance/d'enfants** no tiene suerte/niños.

dé [de] *nm* (*aussi*: **~ à coudre**) dedal *m*; (*à jouer*) dado; (*CULIN*): **couper en ~s** cortar en dados; **~s** *nmpl* (*jeu*) dados *mpl*; **un coup de ~s** un golpe de suerte.

déambuler [deɑ̃byle] *vi* deambular.

débâcle [debɑkl] *nf* (*dégel*) deshielo; (*armée*) desbandada.

déballer [debale] *vt* desembalar.

débandade [debɑ̃dad] *nf* desbandada.

débarbouiller [debaʀbuje] *vt* lavar la cara a; **se débarbouiller** *vpr* lavarse la cara.

débarcadère [debaʀkadɛʀ] *nm* desembarcadero.

débardeur [debaʀdœʀ] *nm* (*maillot*) *camiseta corta sin mangas*.

débarquement [debaʀkəmɑ̃] *nm* desembarco.

débarquer [debaʀke] *vt* desembarcar ♦ *vi* desembarcar; (*fam*) plantarse.

débarras [debaʀɑ] *nm* trastero; (*placard*) armario trastero; **"bon ~!"** "¡anda y que te zurzan!"

débarrasser [debaʀɑse] *vt* desalojar ♦ *vi* quitar la mesa; **se débarrasser** *vpr*: **se ~ de** desembarazarse de; (*vêtement*) quitarse; (*habitude*) librarse de; **~ la table** quitar la mesa; **~ qn de qch** (*vêtements*) recogerle algo a algn; (*paquets*) ayudar a algn con algo; **~ qch de** desembarazar algo de.

débat [deba] *nm* debate *m*; **~s** *nmpl* (*POL*) debate *msg*.

débattre [debatʀ] *vt* (*question, prix*) debatir, discutir; **se débattre** *vpr* debatirse.

débaucher [deboʃe] *vt* (*licencier*) despedir; (*entraîner*) corromper; (*inciter à la grève*) instigar.

débile [debil] *adj* débil; (*fam*: *idiot*) imbécil ♦ *nm/f*: **~ mental** retrasado(-a) mental.

débit [debi] *nm* (*d'un liquide*) flujo; (*fleuve*) caudal *m*; (*élocution*) cadencia; (*d'un magasin*) ventas *fpl*; (*du trafic*) fluidez *f*;

(*bancaire*) débito; **avoir un ~ de 10 F** tener un débito de 10 francos; **gros/faible ~** mucho/poco débito; **débit de boissons** establecimiento de bebidas; **débit de données** (*INFORM*) velocidad *f* de datos; **débit de tabac** estanco.

débiter [debite] *vt* (*compte*) cargar (en cuenta); (*liquide, gaz*) suministrar; (*bois, viande*) cortar; (*vendre*) despachar; (*péj: discours*) soltar.

débiteur, -trice [debitœʀ, tʀis] *adj, nm/f* deudor(a).

déblayer [debleje] *vt* despejar.

débloquer [deblɔke] *vt* desbloquear ♦ *vi* (*fam*) disparatar; **~ le crédit** desbloquear los créditos.

déboires [debwaʀ] *nmpl* sinsabores *mpl*; **avoir/essuyer des ~** tener/recibir sinsabores.

déboiser [debwaze] *vt* desmontar; **se déboiser** *vpr* deforestarse.

déboîter [debwate] *vi* (*AUTO*) salirse de la fila ♦ *vt*: **se ~** dislocarse.

débonnaire [debɔnɛʀ] *adj* bonachón(-ona).

débordé, e [debɔʀde] *adj*: **être ~** estar desbordado(-a).

déborder [debɔʀde] *vi* (*rivière*) desbordarse; (*eau, lait*) derramarse ♦ *vt* (*MIL, SPORT*) adelantar; (*dépasser*): **~ (de) qch** rebosar de algo; **~ de joie/zèle** (*fig*) rebosar de alegría/fervor.

débouché [debuʃe] *nm* (*gén pl: pour vendre un produit*) mercado; (*perspectives d'emploi*) posibilidades *fpl*; **au ~ de la vallée** a la salida del valle.

déboucher [debuʃe] *vt* (*évier, tuyau etc*) destapar; (*bouteille*) descorchar ♦ *vi* desembocar; **~ sur** desembocar en; (*fig*) conducir a; **~ de** salir de.

débourser [debuʀse] *vt* desembolsar.

debout [d(ə)bu] *adv* (*personne, chose*) de pie; (*levé, éveillé*) levantado(-a); **être encore ~** (*fig*) estar todavía en pie; **mettre qch/qn ~** poner algo/a algn de pie; **se mettre ~** ponerse de pie; **se tenir ~** mantenerse en pie; **"~!"** "¡pie!"; (*du lit*) "¡arriba!"; **cette histoire/ça ne tient pas ~** esta historia/eso no se tiene en pie.

déboutonner [debutɔne] *vt* desabrochar, desabotonar; **se déboutonner** *vpr* desabrocharse, desabotonarse; (*fig*) desahogarse.

débraillé, e [debʀɑje] *adj* (*tenue*) desaliñado(-a); (*manières*) descuidado(-a).

débrancher [debʀɑ̃ʃe] *vt* (*appareil électrique*) desenchufar; (*téléphone*) desconectar.

débrayer [debʀeje] *vi* (*AUTO*) desembragar; (*cesser le travail*) hacer paro.

débris [debʀi] *nm* trozo ♦ *nmpl* restos *mpl*.

débrouillard, e [debʀujaʀ, aʀd] *adj* avispado(-a).

débrouiller [debʀuje] *vt* (*affaire, cas*) desembrollar; (*écheveau*) desenredar; **se débrouiller** *vpr* arreglárselas.

débusquer [debyske] *vt* desemboscar.

début [deby] *nm* comienzo, principio; **~s** *nmpl* (*CINÉ, SPORT etc*) debut *msg*; (*carrière*) comienzos *mpl*; **un bon/mauvais ~** un buen/mal comienzo; **faire ses ~s** debutar; **au ~** al principio; **dès le ~** desde el principio.

débutant, e [debytɑ̃, ɑ̃t] *nm/f, adj* principiante *m/f*.

débuter [debyte] *vi* comenzar; (*personne*) debutar.

deçà [dəsa] *prép*: **en ~ de** de este lado de; **être en ~ de** (*vérité, réalité*) no alcanzar ♦ *adv*: **en ~** de este lado.

décacheter [dekaʃ(ə)te] *vt* desellar, abrir.

décadence [dekadɑ̃s] *nf* decadencia.

décaféiné, e [dekafeine] *adj* descafeinado(-a).

décalage [dekalaʒ] *nm* desfase *m*; (*écart*) separación *f*; (*désaccord*) desacuerdo; **un ~** (*de position*) un desplazamiento; (*temporel*) una diferencia; (*fig*) un desfase; **décalage horaire** diferencia de horario.

décalcifier [dekalsifje] *vt* descalcificar; **se décalcifier** *vpr* descalcificarse.

décaler [dekale] *vt* (*changer de position*) desplazar; (*dans le temps: avancer*) adelantar; (*: retarder*) aplazar; **~ de 10 cm** desplazar 10 cm; **~ de 2 h** variar en 2h.

décalquer [dekalke] *vt* calcar.

décamper [dekɑ̃pe] *vi* largarse, rajarse (*AM*).

décapant [dekapɑ̃] *adj* corrosivo(-a) ♦ *nm* decapante *m*.

décaper [dekape] *vt* decapar.

décapiter [dekapite] *vt* (*par accident*) decapitar; (*arbres etc*) descabezar; (*une organisation*) decapitar, eliminar la cúpula de.

décapotable [dekapɔtabl] *adj* descapotable.

décapsuler [dekapsyle] *vt* abrir.

décapsuleur [dekapsylœʀ] *nm* abrebotellas *m inv*.

décarcasser [dekaʀkase]: **se ~** *vpr* partirse el pecho.

décédé, e [desede] *adj* fallecido(-a); **~ le 10 janvier** fallecido(-a) el 10 de enero.

décéder [desede] *vi* fallecer.

déceler [des(ə)le] *vt* detectar; (*révéler*) re-

velar.
décélérer [deseleʀe] *vi* desacelerar.
décembre [desɑ̃bʀ] *nm* diciembre *m*; *voir aussi* **juillet**.
décence [desɑ̃s] *nf* decencia.
décennie [deseni] *nf* decenio.
décent, e [desɑ̃, ɑ̃t] *adj* decente.
déception [desɛpsjɔ̃] *nf* decepción *f*.
décerner [desɛʀne] *vt* (*prix*) otorgar; (*compliment*) presentar.
décès [desɛ] *nm* fallecimiento; **acte de ~** partida de defunción.
décevoir [des(ə)vwaʀ] *vt* decepcionar; (*espérances, confiance*) defraudar.
déchaîné, e [deʃene] *adj* (*mer*) encrespado(-a); (*personne, foule, passions*) desenfrenado(-a); (*opinion publique*) encolerizado(-a).
déchaîner [deʃene] *vt* desencadenar; **se déchaîner** *vpr* (*tempête*) desencadenarse; (*mer, passions, colère*) desatarse; (*se mettre en colère*) encolerizarse; **se ~ contre qn** enfurecerse contra algn.
décharge [deʃaʀʒ] *nf* (*dépôt d'ordures*) vertedero; (*JUR*) descargo; (*salve, électrique*) descarga; **à la ~ de** en descargo de.
déchargement [deʃaʀʒəmɑ̃] *nm* descargo.
décharger [deʃaʀʒe] *vt* descargar; **~ qn de** dispensar a algn de; **~ sa colère (sur)** (*fig*) descargar su cólera (en); **~ sa conscience** (*fig*) descargar la conciencia; **se ~ dans** (*se déverser*) derramarse en; **se ~ d'une affaire sur qn** delegar un asunto en algn.
décharné, e [deʃaʀne] *adj* descarnado(-a), demacrado(-a); (*arbre etc*) seco(-a).
déchausser [deʃose] *vt* descalzar; (*skis*) quitar; **se déchausser** *vpr* (*personne*) descalzarse; (*dent*) descarnarse.
déchéance [deʃeɑ̃s] *nf* decadencia.
déchet [deʃɛ] *nm* desecho; (*perte*) pérdida; **~s** *nmpl* (*ordures*) restos *mpl*, residuos *mpl*; **déchets radioactifs** residuos radiactivos.
déchiffrer [deʃifʀe] *vt* (*nouvelle*) leer; (*musique, partition*) ejecutar por primera vez; (*texte illisible*) descifrar.
déchiqueter [deʃik(ə)te] *vt* despedazar.
déchirant, e [deʃiʀɑ̃, ɑ̃t] *adj* desgarrador(a).
déchirer [deʃiʀe] *vt* (*vêtement, livre*) desgarrar; (*mettre en morceaux*) rasgar; (*pour ouvrir*) rasgar; (*arracher*) arrancar; (*fig*) destrozar; **se déchirer** *vpr* desgarrarse; (*fig*) destrozarse; **se ~ un muscle/tendon** desgarrarse un músculo/tendón.
déchirure [deʃiʀyʀ] *nf* desgarrón *m*; **déchirure musculaire** desgarrón muscular.
déchu, e [deʃy] *pp de* **déchoir** ♦ *adj* venido(-a) a menos.
décidé, e [deside] *adj* decidido(-a); **c'est ~** está decidido; **être ~ à faire** estar resuelto(-a) a hacer.
décider [deside] *vt*: **~ qch** decidir algo; **se décider** *vpr* (*personne*) decidirse; (*problème, affaire*) resolverse; **~ que** decidir que; **~ qn (à faire qch)** animar a algn (a hacer algo); **~ de faire** decidir hacer; **~ de qch** decidir algo; **se ~ à faire qch** decidirse a hacer algo; **se ~ pour qch** decidirse por algo; **"décide-toi!"** "¡decídete!".
décilitre [desilitʀ] *nm* decilitro.
décimal, e, -aux [desimal, o] *adj* decimal.
décimer [desime] *vt* diezmar.
décimètre [desimɛtʀ] *nm* decímetro; **double ~** doble decímetro.
décisif, -ive [desizif, iv] *adj* decisivo(-a).
décision [desizjɔ̃] *nf* decisión *f*; (*ADMIN, JUR*) resolución *f*; **prendre la ~ de faire** tomar la decisión de hacer; **emporter** *ou* **faire la ~** zanjar la cuestión.
déclaration [deklaʀasjɔ̃] *nf* declaración *f*; **déclaration (d'amour)** declaración (de amor); **déclaration (de changement de domicile)** certificado (de cambio de domicilio); **déclaration de décès** certificación *f* de fallecimiento; **déclaration de guerre** declaración de guerra; **déclaration de naissance** partida de nacimiento; **déclaration (de perte)** denuncia (de pérdida); **déclaration de revenus** declaración de la renta; **déclaration (de sinistre)** declaración (de siniestro); **déclaration (de vol)** denuncia (de robo); **déclaration d'impôts** declaración de impuestos.
déclarer [deklaʀe] *vt* declarar; (*vol etc: à la police*) denunciar; (*décès, naissance*) certificar; **se déclarer** *vpr* declararse; **~ que** declarar que; **~ qch/qn inutile** *etc* declarar algo/a algn inútil *etc*; **se ~ favorable/prêt à** declararse favorable/dispuesto a; **~ la guerre** declarar la guerra.
déclasser [deklɑse] *vt* (*sportif, cheval*) descalificar; (*hôtel*) rebajar de categoría; (*déranger*) desordenar.
déclenchement [deklɑ̃ʃmɑ̃] *nm* detonante *m*; (*mécanisme etc*) puesta en marcha.
déclencher [deklɑ̃ʃe] *vt* activar; (*attaque*) lanzar; (*grève*) poner en marcha; (*fig*) provocar; **se déclencher** *vpr* desencadenarse.
déclic [deklik] *nm* (*mécanisme*) trinquete *m*; (*bruit*) chasquido.
déclin [deklɛ̃] *nm* decadencia.

décliner [dekline] *vi* (*empire, acteur*) decaer; (*jour, santé*) declinar ♦ *vt* (*aussi LING*) declinar; (*identité*) dar a conocer; **se décliner** *vpr* (*LING*) declinarse.
décocher [dekɔʃe] *vt* arrojar; (*regard*) lanzar.
décodeur [dekɔdœʀ] *nm* (*TV*) descodificador *m*.
décoiffé, e [dekwafe] *adj*: **elle est toute ~e** está completamente despeinada.
décoiffer [dekwafe] *vt* (*déranger la coiffure*) despeinar; **se décoiffer** *vpr* despeinarse.
déçois *etc* [deswa] *vb voir* **décevoir**.
décollage [dekɔlaʒ] *nm* despegue *m*, decolaje *m* (*AM*).
décoller [dekɔle] *vt, vi* despegar, decolar (*AM*); **se décoller** *vpr* despegarse.
décolleté, e [dekɔlte] *adj* escotado(-a) ♦ *nm* escote *m*.
décoloré, e [dekɔlɔʀe] *adj* (*vêtement, cheveux*) decolorado(-a); (: *avec l'âge*) descolorido(-a).
décolorer [dekɔlɔʀe] *vt* decolorar; (*suj: âge, lumière*) descolorir; **se décolorer** *vpr* descolorirse.
décombres [dekɔ̃bʀ] *nmpl* escombros *mpl*.
décommander [dekɔmɑ̃de] *vt* (*marchandise*) anular; (*réception*) cancelar; **se décommander** *vpr* (*invité etc*) excusarse; **il faut ~ les invités** tenemos que avisar a los invitados que no vengan.
décomposé, e [dekɔ̃poze] *adj* descompuesto(-a).
décompression [dekɔ̃pʀesjɔ̃] *nf* descompresión *f*.
décompte [dekɔ̃t] *nm* descuento; (*facture détaillée*) desglose *m*.
déconcerter [dekɔ̃sɛʀte] *vt* desconcertar.
déconfit, e [dekɔ̃fi, it] *adj* decepcionado(-a).
décongeler [dekɔ̃ʒ(ə)le] *vt* descongelar.
décongestionner [dekɔ̃ʒɛstjɔne] *vt* (*MÉD, circulation*) descongestionar.
déconnecter [dekɔnɛkte] *vt* (*ÉLEC*) desconectar.
déconner [dekɔne] (*fam*) *vi* (*en parlant*) decir pijadas; (*faire des bêtises*) hacer pijadas; **sans ~** en serio.
déconseiller [dekɔ̃seje] *vt*: **~ qch (à qn)** desaconsejar algo (a algn); **~ à qn de faire** desaconsejar a algn hacer; **c'est déconseillé** no es aconsejable.
décontracté, e [dekɔ̃tʀakte] *adj* (*personne*) relajado(-a); (*ambiance*) distendido(-a).
décontracter [dekɔ̃tʀakte] *vt* descontraer; (*muscle*) relajar; **se décontracter** *vpr* (*personne*) relajarse.
décor [dekɔʀ] *nm* (*d'un palais etc*) decoración *f*; (*paysage*) panorama *m*; (*gén pl: THÉÂTRE, CINÉ*) decorado; **changement de ~** (*fig*) cambio de situación; **entrer dans le ~** (*fig*) salirse de la carretera; **en ~ naturel** (*CINÉ*) en exteriores.
décorateur, -trice [dekɔʀatœʀ, tʀis] *nm/f* (*ouvrier*) decorador(a); (*CINÉ*) escenógrafo(-a).
décoration [dekɔʀasjɔ̃] *nf* decoración *f*; (*médaille*) condecoración *f*.
décorer [dekɔʀe] *vt* decorar; (*médailler*) condecorar.
décortiquer [dekɔʀtike] *vt* (*riz*) descascarillar; (*amandes, crevettes*) pelar; (*fig*) desmenuzar.
découcher [dekuʃe] *vi* dormir fuera de casa.
découdre [dekudʀ] *vt* descoser; **se découdre** *vpr* descoserse; **en ~** (*fig*) pelearse.
découler [dekule] *vi*: **~ de** derivarse de.
découper [dekupe] *vt* recortar; (*volaille, viande*) trinchar; (*fig*) fragmentar; **se ~ sur** (*le ciel, fond*) perfilarse en.
décourager [dekuʀaʒe] *vt* desanimar, desalentar; **se décourager** *vpr* desanimarse; **~ qn de faire/de qch** desalentar *ou* desanimar a algn de hacer/de algo.
décousu, e [dekuzy] *pp de* **découdre** ♦ *adj* descosido(-a); (*fig*) deshilvanado(-a).
découvert, e [dekuvɛʀ, ɛʀt] *pp de* **découvrir** ♦ *adj* (*tête*) descubierto(-a); (*lieu*) pelado(-a) ♦ *nm* (*bancaire*) descubierto; **à ~** (*MIL*) al descubierto; (*ouvertement*) abiertamente; (*COMM*) en descubierto; **à visage ~** a cara descubierta.
découverte [dekuvɛʀt(ə)] *nf* descubrimiento; **aller à la ~ (de)** ir en busca (de).
découvrir [dekuvʀiʀ] *vt* descubrir; (*casserole*) destapar; (*apercevoir*) divisar; (*voiture*) descapotar ♦ *vi* (*mer*) descubrirse; **se découvrir** *vpr* (*ôter le chapeau*) descubrirse; (*se déshabiller*) desvestirse; (*au lit*) destaparse; (*ciel*) despejarse; **~ que** descubrir que; **se ~ des talents de** descubrir que se tiene talento para.
décrépi, e [dekʀepi] *adj* desconchado(-a).
décret [dekʀɛ] *nm* decreto.
décréter [dekʀete] *vt* decretar; **~ que** decretar que.
décrire [dekʀiʀ] *vt* describir.
décrocher [dekʀɔʃe] *vt* descolgar; (*contrat etc*) conseguir ♦ *vi* (*pour répondre au téléphone*) descolgar; (*abandonner*) reti-

rarse; (*perdre sa concentration*) desconectar; **se décrocher** *vpr* (*tableau, rideau*) descolgarse.
décroître [dekʀwatʀ] *vi* decrecer.
déçu, e [desy] *pp de* **décevoir** ♦ *adj* (*personne*) decepcionado(-a); (*espoir*) frustrado(-a).
décuple [dekypl] *nm*: **le ~ de** el décuplo de; **au ~** diez veces más.
décupler [dekyple] *vt* decuplicar ♦ *vi* decuplicarse.
dédaigner [dedeɲe] *vt* desdeñar; **~ de faire** desdeñar hacer.
dédaigneux, -euse [dedɛɲø, øz] *adj* desdeñoso(-a).
dédain [dedɛ̃] *nm* desdén.
dédale [dedal] *nm* dédalo.
dedans [dədɑ̃] *adv* dentro, adentro (*esp AM*) ♦ *nm* interior *m*; **là-~** ahí dentro; **au ~** (por) dentro; **en ~** por dentro.
dédicacer [dedikase] *vt* dedicar.
dédier [dedje] *vt*: **~ à** (*livre*) dedicar a; (*efforts*) consagrar a.
dédire [dediʀ]: **se ~** *vpr* desdecirse.
dédommager [dedɔmaʒe] *vt*: **~ qn (de)** indemnizar a algn (por); (*remercier*) recompensar a algn (por).
dédouaner [dedwane] *vt* aduanar.
dédoubler [deduble] *vt* desdoblar; (*couverture etc*) desplegar; **se dédoubler** *vpr* (*PSYCH*) desdoblarse; **~ un train/les trains** poner un tren/trenes complementario(s).
déduction [dedyksjɔ̃] *nf* (*d'argent*) descuento; (*raisonnement*) deducción *f*.
déduire [dedɥiʀ] *vt*: **~ qch (de)** deducir algo (de).
déesse [deɛs] *nf* diosa.
défaillance [defajɑ̃s] *nf* desfallecimiento; (*technique*) fallo; (*morale*) debilidad *f*; **défaillance cardiaque** fallo cardíaco.
défaillir [defajiʀ] *vi* desfallecer; (*mémoire etc*) fallar.
défaire [defɛʀ] *vt* (*installation, échafaudage*) desmontar; (*paquet etc*) abrir; (*nœud*) desatar; (*vêtement*) descoser; (*déranger*) deshacer; (*cheveux*) despeinar; **se défaire** *vpr* (*cheveux, nœud*) deshacerse; **se ~ de** deshacerse de; **~ ses bagages** deshacer las maletas; **~ le lit** (*pour changer les draps*) deshacer la cama; (*pour se coucher*) abrir la cama.
défait, e [defɛ, ɛt] *pp de* **défaire** ♦ *adj* deshecho(-a); (*nœud*) desatado(-a); (*visage*) descompuesto(-a).
défaite [defɛt] *nf* (*MIL*) derrota; (*gén: échec*) fracaso.
défalquer [defalke] *vt* desfalcar.
défaut [defo] *nm* (*moral*) defecto; (*d'étoffe, métal*) falla; (*INFORM*) fallo; **~ de** (*manque, carence*) falto de; **~ de la cuirasse** (*fig*) punto débil; **en ~** en falta; **faire ~** faltar; **à ~** al menos; **à ~ de** a falta de; **par ~** (*JUR*) en rebeldía; (*INFORM*) por defecto.
défavorable [defavɔʀabl] *adj* desfavorable.
défavoriser [defavɔʀize] *vt* desfavorecer.
défection [defɛksjɔ̃] *nf* defección *f*; **faire ~** desertar.
défectueux, -euse [defɛktɥø, øz] *adj* defectuoso(-a).
défendeur, -eresse [defɑ̃dœʀ, dʀɛs] *nm/f* (*JUR*) demandado(-a).
défendre [defɑ̃dʀ] *vt* defender; (*interdire*) prohibir; **se défendre** *vpr* defenderse; (*se justifier*) justificarse; **~ à qn qch/de faire** prohibir a algn algo/hacer; **il est défendu de cracher** está prohibido escupir; **c'est défendu** está prohibido; **il se défend** (*fig*) va defendiéndose; **ça se défend** (*fig*) esto se sostiene; **se ~ de/contre** (*se protéger*) protegerse de/contra; **se ~ de** (*se garder de*) evitar; (*nier*) negar; **se ~ de vouloir** no tener la intención de.
défense [defɑ̃s] *nf* defensa; **ministre de la ~** ministro de defensa; **la ~ nationale** la defensa nacional; **la ~ contre avions** la defensa aérea; **"~ de fumer/cracher"** "prohibido fumar/escupir"; **prendre la ~ de qn** defender a algn; **défense des consommateurs** defensa de los consumidores.
défenseur [defɑ̃sœʀ] *nm* defensor(a).
déférence [defeʀɑ̃s] *nf* deferencia; **par ~ pour** por deferencia a.
déférer [defeʀe] *vt* (*JUR*) deferir; **~ à** deferir a; **~ qn à la justice** hacer comparecer a algn ante la justicia.
déferler [defɛʀle] *vi* (*vagues*) romper; (*foule*) desplegarse.
défi [defi] *nm* desafío, reto; **mettre qn au ~ de faire qch** desafiar *ou* retar a algn a hacer algo; **relever un ~** aceptar un desafío.
déficient, e [defisjɑ̃, jɑ̃t] *adj* deficiente.
déficit [defisit] *nm* (*COMM*) déficit *m*; (*PSYCH etc*) deficiencia; **être en ~** tener déficit; **déficit budgétaire** déficit presupuestario.
défier [defje] *vt* desafiar; **se défier de** *vpr* desconfiar de; **~ qn de faire qch** desafiar a algn a hacer algo; **~ qn à** desafiar a algn a; **~ toute comparaison/concurrence** excluir toda comparación/competencia.
défilé [defile] *nm* (*GÉO*) desfiladero; (*sol-

dats, manifestants) desfile *m*; **un ~ de** (*voitures, visiteurs*) un desfile de.
défiler [defile] *vi* desfilar; **se défiler** *vpr* escaquearse; **faire ~** (*bande, film*) proyectar; (*INFORM*) hacer un scroll.
définir [definiʀ] *vt* definir.
définitif, -ive [definitif, iv] *adj* definitivo(-a); (*décision, refus*) irrevocable.
définition [definisjɔ̃] *nf* definición *f*.
défoncer [defɔ̃se] *vt* hundir; (*caisse*) desfondar; **se défoncer** *vpr* (*fam: se donner à fond*) desmadrarse; (*se droguer*) colocarse.
déformation [defɔʀmasjɔ̃] *nf* deformación *f*; **déformation professionnelle** deformación profesional.
déformer [defɔʀme] *vt* deformar; **se déformer** *vpr* deformarse.
défouler [defule]: **se ~** *vpr* (*gén*) desahogarse; (*PSYCH*) liberarse.
défrayer [defʀeje] *vt*: **~ qn (de)** resarcir a algn (de); **~ la chronique** (*fig*) saltar a los titulares.
défricher [defʀiʃe] *vt* desbrozar.
défroqué [defʀɔke] *nm* exclaustrado.
défunt, e [defœ̃, œ̃t] *adj*: **son ~ père** su difunto padre ♦ *nm/f* difunto(-a).
dégagement [degaʒmɑ̃] *nm* despejo; (*espace libre*) espacio despejado; (*couloirs*) pasillo; (*FOOTBALL*) saque *m*; (*MIL*) levantamiento del cerco; **voie de ~** vía muerta; **itinéraire de ~** carretera de circunvalación.
dégager [degaʒe] *vt* liberar; (*exhaler*) desprender; (*désencombrer*) despejar; (*idée, aspect etc*) extraer; (*crédits*) desbloquear; **se dégager** *vpr* (*odeur*) desprenderse; (*passage bloqué, ciel*) despejarse; **se ~ de** liberarse de; **~ qn de** liberar a algn de; **dégagé des obligations militaires** exento de las obligaciones militares.
dégarnir [degaʀniʀ] *vt* vaciar; **se dégarnir** *vpr* vaciarse; (*tempes, crâne*) despoblarse.
dégâts [degɑ] *nmpl*: **faire des ~** causar daños.
dégeler [deʒ(ə)le] *vt* (*fig*) descongelar ♦ *vi* deshelarse; **se dégeler** *vpr* (*atmosphère, relations*) animarse; **~ l'atmosphère** romper el hielo.
dégénérer [deʒeneʀe] *vi* degenerar; **~ en** degenerar en.
dégingandé, e [deʒɛ̃gɑ̃de] *adj* desgarbado(-a).
dégivrer [deʒivʀe] *vt* (*frigo*) descongelar; (*vitres*) deshelar.
déglutir [deglytiʀ] *vi* deglutir.
dégonfler [degɔ̃fle] *vt* desinflar, deshinchar ♦ *vi* deshincharse; **se dégonfler** *vpr* (*fam*) rajarse.
dégouliner [deguline] *vi* chorrear; **~ de** chorrear.
dégourdi, e [deguʀdi] *adj* espabilado(-a).
dégourdir [deguʀdiʀ] *vt* (*sortir de l'engourdissement*) desentumecer; (*faire tiédir*) templar; (*personne*) despabilar, espabilar; **se dégourdir** *vpr*: **se ~ (les jambes)** desentumecerse (las piernas).
dégoût [degu] *nm* asco; (*aversion*) repugnancia.
dégoûtant, e [degutɑ̃, ɑ̃t] *adj* asqueroso(-a); **c'est ~!** (*injuste*) ¡no hay derecho!
dégoûter [degute] *vt* asquear; **~ qn de faire qch** quitarle a algn las ganas de hacer algo; **se ~ de** (*se lasser de*) hartarse de.
dégradé, e [degʀade] *adj* (*couleur, teinte*) en gradación; (*cheveux*) en capas ♦ *nm* gradación *f*.
dégrader [degʀade] *vt* (*MIL, fig*) degradar; (*abîmer*) deteriorar; **se dégrader** *vpr* deteriorarse; (*roche*) erosionarse; (*PHYS*) degradarse.
dégrafer [degʀafe] *vt* desabrochar.
degré [dəgʀe] *nm* grado; (*escalier*) peldaño; (*niveau, taux*) punto; **brûlure/équation au 1er/2ème ~** quemadura/ecuación *f* de 1er/2° grado; **le premier ~** (*SCOL*) el primer grado; **alcool à 90 ~s** alcohol *m* de 90 grados; **vin de 10 ~s** vino de 10 grados; **par ~(s)** gradualmente.
dégressif, -ive [degʀesif, iv] *adj* decreciente; **tarif ~** tarifa decreciente.
dégrèvement [degʀɛvmɑ̃] *nm* desgravación *f*.
dégringoler [degʀɛ̃gɔle] *vi* caer rodando; (*prix, Bourse etc*) hundirse ♦ *vt* (*escalier*) bajar corriendo.
déguerpir [degɛʀpiʀ] *vi* largarse.
déguisement [degizmɑ̃] *nm* disfraz *m*.
déguiser [degize] *vt* disfrazar; **se déguiser** *vpr* disfrazarse; **se ~ en** disfrazarse de.
déguster [degyste] *vt* degustar; (*vin*) catar; (*fig*) saborear; (*fam*) pasarlas moradas.
déhancher [deɑ̃ʃe]: **se ~** *vpr* contonearse.
dehors [dəɔʀ] *adv* fuera, afuera (*esp AM*) ♦ *nm* exterior *m* ♦ *nmpl* (*apparences*) apariencias *fpl*; **mettre** *ou* **jeter ~** echar fuera; **au ~** (por) fuera; (*en apparence*) por fuera; **au ~ de** fuera de; **de ~** desde afuera; **en ~** (*vers l'extérieur*) hacia afuera; **en ~ de** (*hormis*) fuera de.
déjà [deʒa] *adv* ya; **quel nom, ~?** (*interrogatif*) entonces, ¿qué nombre?; **c'est ~ pas**

mal (*intensif*) no está nada mal; **as-tu ~ été en France?** ¿ya has estado en Francia?; **c'est ~ quelque chose** ya es algo.

déjeuner [deʒœne] *vi* (*matin*) desayunar; (*à midi*) almorzar, comer ♦ *nm* (*petit déjeuner*) desayuno; (*à midi*) almuerzo, comida; **déjeuner d'affaires** comida de negocios.

déjouer [deʒwe] *vt* (*personne, attention*) burlar; (*complot*) hacer fracasar.

delà [dəla] *prép, adv*: **par-~** (*plus loin que*) más allá de; (*de l'autre côté de*) al otro lado de; **en ~ (de)/au-~ (de)** más allá (de).

délabrer [delɑbʀe]: **se ~** *vpr* deteriorarse.

délai [delɛ] *nm* plazo; (*sursis*) prórroga; **sans ~** sin demora; **à bref ~** en breve plazo; **dans les ~s** dentro de los plazos; **un ~ de 30 jours** un plazo de 30 días; **délai de livraison** plazo de entrega; **compter un ~ de livraison de 10 jours** contar un plazo de entrega de 10 días.

délaisser [delese] *vt* abandonar.

délasser [delɑse] *vt* (*membres*) descansar; (*personne, esprit*) recrear; **se délasser** *vpr* recrearse.

délateur, -trice [delatœʀ, tʀis] *nm/f* delator(a).

délavé, e [delave] *adj* descolorido(-a).

delco ® [dɛlko] *nm* (*AUT*) delco.

délecter [delɛkte] *vb*: **se ~ de** deleitarse con.

délégation [delegasjɔ̃] *nf* delegación *f*; **délégation de pouvoir** (*document*) poder *m*.

délégué, e [delege] *adj* delegado(-a) ♦ *nm/f* delegado(-a); (*syndical*) enlace *m/f*; **ministre ~ à** ministro delegado de; **délégué médical** delegado médico.

déléguer [delege] *vt* delegar.

délibération [delibeʀasjɔ̃] *nf* deliberación *f*; **~s** *nfpl* (*décisions*) deliberaciones *fpl*.

délibéré, e [delibeʀe] *adj* deliberado(-a); (*déterminé*) resuelto(-a); **de propos ~** adrede.

délibérer [delibeʀe] *vi* deliberar; **~ de** (*décider*) deliberar sobre.

délicat, e [delika, at] *adj* delicado(-a); (*attentionné*) atento(-a); **procédés peu ~s** procedimientos *mpl* poco limpios.

délice [delis] *nm* delicia; **~s** *nfpl* (*plaisirs*) placeres *mpl*.

délicieux, -euse [delisjø, jøz] *adj* (*goût, femme*) delicioso(-a); (*sensation*) placentero(-a); (*robe*) precioso(-a).

délimiter [delimite] *vt* delimitar.

délinquance [delɛ̃kɑ̃s] *nf* delincuencia; **délinquance juvénile** delincuencia juvenil.

délinquant, e [delɛ̃kɑ̃, ɑ̃t] *adj, nm/f* delincuente *m/f*.

délire [deliʀ] *nm* (*fièvre, fig*) delirio; (*folie*) locura.

délirer [deliʀe] *vi* delirar.

délit [deli] *nm* (*JUR, gén*) delito; **délit de droit commun** delito común; **délit de fuite** delito de fuga; **délit de presse** delito de prensa; **délit politique** delito político.

délivrer [delivʀe] *vt* (*prisonnier*) liberar; (*passeport, certificat*) expedir; **~ qn de** (*ennemis, responsabilité*) liberar a algn de; (*maladie*) curar a algn de.

déloger [delɔʒe] *vt* (*locataire, ennemi*) desalojar; (*objet coincé*) desenganchar.

déloyal, e, -aux [delwajal, o] *adj* desleal; **concurrence ~e** (*COMM*) competencia desleal.

deltaplane ® [dɛltaplan] *nm* ala delta.

déluge [delyʒ] *nm* diluvio; **~ de** (*grand nombre*) avalancha de.

déluré, e [delyʀe] *adj* avispado(-a); (*péj*) descarado(-a).

démagogue [demagɔg] *adj, nm/f* demagogo(-a).

demain [d(ə)mɛ̃] *adv* mañana; **~ matin/soir** mañana por la mañana/tarde; **~ midi** mañana a mediodía; **à ~** hasta mañana.

demande [d(ə)mɑ̃d] *nf* petición *f*; (*ADMIN, formulaire*) instancia, solicitud *f*; **la ~** (*ÉCON*) la demanda; **à la ~ générale** a petición general; **faire sa ~ (en mariage)** pedir la mano; **demande d'emploi** solicitud de empleo; **"~s d'emploi"** "demandas *fpl* de empleo"; **demande de naturalisation/poste** solicitud de nacionalidad/empleo.

demander [d(ə)mɑ̃de] *vt* pedir; (*autorisation*) solicitar; (*JUR*) requerir; (*médecin, plombier, infirmier*) necesitar; (*personnel*) precisar; (*de l'habileté, du courage*) requerir; (*à qn*) exigir; **~ de la ponctualité** *etc* **de qn** (*suj: personne*) exigir puntualidad *etc* a algn; **~ la main de qn** (*fig*) pedir la mano de algn; **~ qch à qn** preguntar algo a algn; **~ des nouvelles de qn** pedir noticias de algn; **~ l'heure/son chemin** preguntar la hora/el camino; **~ pardon à qn** pedir perdón a algn; **~ à** *ou* **de voir/faire** solicitar ver/hacer; **~ à qn de faire** pedir a algn que haga; **~ que** pedir *ou* solicitar que; **se ~ si/pourquoi** *etc* preguntarse si/por qué *etc*; **il a demandé 2000 F par mois** pidió 2000 francos al mes; **ils demandent 2 secrétaires et un ingénieur** solicitan 2 secretarias y un ingeniero; **~ la parole** pedir la palabra; **~ la permission de** pedir permiso para; **je n'en demandais pas davantage** no necesitaba más; **je me de-**

mande comment tu as pu ... me pregunto cómo has podido ...; **je me le demande** me lo pregunto; **je me demande vraiment pourquoi** es que no entiendo por qué; **on vous demande au téléphone** le llaman por teléfono; **il ne demande que ça/qu'à faire ...** (*iro*) justo lo que quería/lo que quería hacer ...; **je ne demande pas mieux que ...** no deseo otra cosa más que ... .

demandeur, -euse [dəmɑ̃dœʀ, øz] *nm/f*: ~ **d'emploi** demandante *m/f* de empleo.

démanger [demɑ̃ʒe] *vi* picar; **la main me démange** pegaría a algn; **l'envie** *ou* **ça le démange de faire ...** (*fig*) tiene muchas ganas de hacer ... .

démanteler [demɑ̃t(ə)le] *vt* desmantelar.

démaquillant, e [demakijɑ̃, ɑ̃t] *adj* desmaquillador(a) ♦ *nm* desmaquillador *m*.

démarche [demaʀʃ] *nf* (*allure*) paso; (*intervention*) trámite *m*; (*intellectuelle etc*) proceso; (*requête, tractation*) gestión *f*; **faire** *ou* **entreprendre des ~s (auprès de qn)** hacer *ou* iniciar gestiones (ante algn).

démarque [demaʀk] *nf* (*COMM*) saldo, rebaja.

démarrer [demaʀe] *vi* arrancar; (*coureur*) acelerar; (*travaux, affaire*) ponerse en marcha ♦ *vt* (*voiture*) arrancar; (*travail*) poner en marcha.

démarreur [demaʀœʀ] *nm* (*AUTO*) botón *m* de arranque.

démasquer [demaske] *vt* desenmascarar; **se démasquer** *vpr* (*fig*) desenmascararse.

démêler [demele] *vt* (*fil, cheveux*) desenredar; (*problèmes*) desembrollar.

démêlés [demele] *nmpl* diferencias *fpl*.

déménagement [demenaʒmɑ̃] *nm* mudanza; **entreprise/camion de ~** empresa/camión *m* de mudanzas.

déménager [demenaʒe] *vt* mudar ♦ *vi* mudarse.

démener [dem(ə)ne]: **se ~** *vpr* agitarse; (*fig*) bregar.

dément[1]**, e** [demɑ̃, ɑ̃t] *vb voir* **démentir**.

dément[2]**, e** [demɑ̃, ɑ̃t] *adj* (*fou*) demente; (*fam*) loco(-a).

démenti [demɑ̃ti] *nm* desmentido.

démentir [demɑ̃tiʀ] *vt* desmentir; **ne pas se ~** no cesar.

démesuré, e [dem(ə)zyʀe] *adj* desmesurado(-a).

démettre [demɛtʀ] *vt*: **~ qn de** destituir a algn de; **se démettre** *vpr* (*épaule etc*) dislocarse; **se ~ (de ses fonctions)** dimitir (de sus funciones).

demeure [d(ə)mœʀ] *nf* residencia; **dernière ~** (*fig*) tumba; **mettre qn en ~ de faire** intimar a algn a hacer ...; **à ~** de forma permanente.

demeuré, e [d(ə)mœʀe] *adj, nm/f* retrasado(-a).

demeurer [d(ə)mœʀe] *vi* (*habiter*) residir, vivir; (*séjourner*) permanecer; (*rester*) quedar, permanecer.

demi, e [dəmi] *adj*: **~-rempli** medio lleno(-a) ♦ *nm* (*bière*) caña; (*FOOTBALL*) medio; **trois bouteilles et ~e** tres botellas y media; **il est deux heures et ~e** son las dos y media; **à ~** a medias; (*presque*: *sourd, idiot*) medio(-a); (*fini, corrigé*) a medio; **à la ~e** (*heure*) a la media.

demi-cercle [dəmisɛʀkl] (*pl* **~-~s**) *nm* semicírculo.

demi-finale [dəmifinal] (*pl* **~-~s**) *nf* semifinal *f*.

demi-frère [dəmifʀɛʀ] (*pl* **~-~s**) *nm* medio hermano, hermanastro.

demi-heure [dəmijœʀ] (*pl* **~-~s**) *nf* media hora.

demi-journée [dəmiʒuʀne] (*pl* **~-~s**) *nf* media jornada.

demi-litre [dəmilitʀ] (*pl* **~-~s**) *nm* medio litro.

demi-lune [dəmilyn]: **en ~-~** *adj inv* en media luna *inv*.

demi-mesure [dəmimzyʀ] (*pl* **~-~s**) *nf* medida insuficiente.

demi-pension [dəmipɑ̃sjɔ̃] (*pl* **~-~s**) *nf* media pensión *f*; **être en ~-~** estar de media pensión.

démis, e [demi, iz] *pp de* **démettre** ♦ *adj* (*épaule etc*) dislocado(-a).

demi-saison [dəmisɛzɔ̃] (*pl* **~-~s**) *nf*: **vêtements de ~-~** ropa de entretiempo.

demi-sœur [dəmisœʀ] (*pl* **~-~s**) *nf* media hermana, hermanastra.

démission [demisjɔ̃] *nf* dimisión *f*; **donner sa ~** presentar la dimisión.

démissionner [demisjɔne] *vi* dimitir.

demi-tarif [dəmitaʀif] (*pl* **~-~s**) *nm* media tarifa; **voyager à ~-~** viajar con media tarifa.

demi-tour [dəmituʀ] (*pl* **~-~s**) *nm* media vuelta; **faire un ~-~** dar media vuelta; **faire ~-~** dar la vuelta.

démocrate [demɔkʀat] *adj, nm/f* demócrata *m/f*.

démocratie [demɔkʀasi] *nf* democracia; **démocratie libérale/populaire** democracia liberal/popular.

démocratique [demɔkʀatik] *adj* democrático(-a); (*sport, moyen de transport etc*) popular.

démodé, e [demɔde] *adj* pasado(-a) de moda.

démographie [demɔgʀafi] *nf* demografía.

demoiselle [d(ə)mwazɛl] *nf* señorita; **demoiselle d'honneur** dama de honor.

démolir [demɔliʀ] *vt* (*bâtiment*) demoler; (*théorie, système*) echar abajo; (*personne*) arruinar.

démon [demɔ̃] *nm* demonio; **le ~ du jeu** el demonio del juego; **le D~** el demonio.

démonstration [demɔ̃stʀasjɔ̃] *nf* demostración *f*; (*aérienne, navale*) exhibición *f*.

démonté, e [demɔ̃te] *adj* encrespado(-a).

démonter [demɔ̃te] *vt* desmontar; (*discours, théorie*) desmoronar; (*personne*) desconcertar; **se démonter** *vpr* desconcertarse.

démontrer [demɔ̃tʀe] *vt* demostrar; (*des talents, du courage*) mostrar.

démoraliser [demɔʀalize] *vt* desmoralizar.

démouler [demule] *vt* (*gâteau*) extraer del molde.

démuni, e [demyni] *adj* pelado(-a); **~ de** desprovisto(-a) de.

démunir [demyniʀ] *vt* desproveer; **se ~ de** desprenderse de.

dénaturer [denatyʀe] *vt* (*goût*) desnaturalizar; (*pensée, fait*) desvirtuar.

dénégations [denegasjɔ̃] *nfpl* negativas *fpl*.

dénicher [deniʃe] *vt* dar con.

dénier [denje] *vt* negar; **~ qch à qn** denegar algo a algn.

dénigrer [denigʀe] *vt* denigrar.

déniveler [deniv(ə)le] *vt* desnivelar.

dénivellation [denivelasjɔ̃] *nf* desnivel *m*.

dénombrer [denɔ̃bʀe] *vt* (*compter*) contar; (*énumérer*) enumerar.

dénominateur [denɔminatœʀ] *nm* (MATH) denominador *m*; **dénominateur commun** común denominador.

dénommé, e [denɔme] *adj*: **le ~ Dupont** el tal *ou* llamado Dupont.

dénoncer [denɔ̃se] *vt* denunciar; **se dénoncer** *vpr* denunciarse.

dénouement [denumɑ̃] *nm* desenlace *m*.

dénouer [denwe] *vt* desatar; (*intrigue, affaire*) aclarar.

dénoyauter [denwajote] *vt* deshuesar, despepitar; **appareil à ~** deshuesadora.

denrée [dɑ̃ʀe] *nf* producto; **denrées alimentaires** productos *mpl* alimenticios.

dense [dɑ̃s] *adj* denso(-a).

densité [dɑ̃site] *nf* densidad *f*.

dent [dɑ̃] *nf* diente *m*; **avoir une ~ contre qn** tener manía a algn; **avoir les ~s longues** tener hambre; **se mettre quelque chose sous la ~** tener algo que llevarse a la boca; **être sur les ~s** andar de cabeza; **faire ses ~s** salirle los dientes; **à belles ~s** con ganas; **en ~s de scie** dentado(-a); **ne pas desserrer les ~s** no despegar los labios; **dent de lait** diente de leche; **dent de sagesse** muela del juicio.

dentaire [dɑ̃tɛʀ] *adj* dental; **cabinet ~** clínica dental; **école ~** escuela de odontología.

dentelle [dɑ̃tɛl] *nf* encaje *m*.

dentier [dɑ̃tje] *nm* dentadura.

dentifrice [dɑ̃tifʀis] *adj*: **pâte/eau ~** pasta/agua dentífrica ♦ *nm* dentífrico.

dentiste [dɑ̃tist] *nm/f* dentista *m/f*.

dénudé, e [denyde] *adj* pelado(-a).

dénué, e [denɥe] *adj*: **~ de** desprovisto(-a) de; (*intérêt*) falto(-a) de.

dénuement [denymɑ̃] *nm* indigencia.

déodorant [deɔdɔʀɑ̃] *nm* desodorante *m*.

dépanner [depane] *vt* reparar; (*fig*) sacar de apuros.

dépanneur [depanœʀ] *nm* (AUTO) mecánico; (TV) técnico.

dépanneuse [depanøz] *nf* grúa.

dépareillé, e [depaʀeje] *adj* (*collection, service*) descabalado(-a); (*gant, volume, objet*) desparejado(-a).

départ [depaʀ] *nm* partida, marcha; (*d'un employé*) despido; (SPORT, *sur un horaire*) salida; **à son ~** a su marcha; **au ~** al principio; **courrier au ~** correo saliente.

départager [depaʀtaʒe] *vt* desempatar.

département [depaʀtəmɑ̃] *nm* ≈ provincia; (*de ministère*) ministerio; (*d'université*) departamento; (*de magasin*) sección *f*; **département d'outre-mer** provincia de ultramar.

départir [depaʀtiʀ]: **se ~ de** *vpr* abandonar.

dépassé, e [depɑse] *adj* pasado(-a) de moda; (*fig*) desbordado(-a).

dépasser [depɑse] *vt* (*véhicule, concurrent*) adelantar; (*endroit*) dejar atrás; (*somme, limite fixée, prévisions*) rebasar; (*fig*) superar; (*être en saillie sur*) sobresalir ♦ *vi* (AUTO) adelantarse; (*ourlet, jupon*) sobresalir; **se dépasser** *vpr* (*se surpasser*) superarse; **cela me dépasse** esto no me cabe en la cabeza; **être dépassé** estar desbordado.

dépaysé, e [depeize] *adj* extrañado(-a).

dépecer [depəse] *vt* descuartizar.

dépêche [depɛʃ] *nf* despacho; **dépêche (télégraphique)** despacho (telegráfico).

dépêcher [depeʃe] *vt* despachar; **se dépêcher** *vpr* darse prisa, apresurarse, apurarse (*AM*); **se ~ de faire qch** darse prisa *ou* apurarse (*AM*) en hacer algo.

dépeindre [depɛ̃dʀ] *vt* describir.

dépendre [depɑ̃dʀ] *vt* descolgar; ~ **de** depender de; **ça dépend** depende.
dépens [depɑ̃] *nmpl*: **aux ~ de** a expensas de.
dépense [depɑ̃s] *nf* gasto; (*comptabilité*) desembolso; (*fig*) consumo; **une ~ de 100 F** un gasto de 100 francos; **pousser qn à la ~** incitar a algn al consumo; **dépenses de fonctionnement** gastos *mpl* de funcionamiento; **dépense de temps** consumo *ou* gasto de tiempo; **dépenses d'investissement** gastos de inversión; **dépense physique** consumo *ou* gasto físico; **dépenses publiques** gastos públicos.
dépenser [depɑ̃se] *vt* gastar; (*fig*) consumir; **se dépenser** *vpr* fatigarse.
dépensier, -ière [depɑ̃sje, jɛʀ] *adj*: **il est ~** es un derrochador.
dépérir [depeʀiʀ] *vi* (*personne, animal*) debilitarse; (*plante*) marchitarse.
dépeupler [depœple] *vt* despoblar; **se dépeupler** *vpr* despoblarse.
déphasé, e [defɑze] *adj* desfasado(-a).
dépistage [depistaʒ] *nm* (*MÉD*) reconocimiento; ~ **du sida** prueba del sida.
dépit [depi] *nm* despecho; **en ~ de** a pesar de; **en ~ du bon sens** sin sentido común.
dépité, e [depite] *adj* contrariado(-a).
déplacé, e [deplase] *adj* fuera de lugar *inv*; **personne ~e** persona desplazada.
déplacement [deplasmɑ̃] *nm* traslado; (*voyage*) viaje *m*; **en ~** de viaje; **déplacement d'air** corriente *f* de aire; **déplacement de vertèbre** vértebra dislocada.
déplacer [deplase] *vt* mover; (*employé*) trasladar; (*conversation, sujet*) cambiar; **se déplacer** *vpr* (*objet, personne*) moverse; (*voyager*) desplazarse, viajar; (*vertèbre etc*) desplazarse; **se ~ en voiture/avion** desplazarse en coche/avión.
déplaire [deplɛʀ] *vi* desagradar; **se déplaire** *vpr* hallarse a disgusto; **ceci me déplaît** esto me desagrada; ~ **à qn** desagradar a algn; **il cherche à nous ~** intenta molestarnos.
déplaisant, e [deplɛzɑ̃, ɑ̃t] *vb voir* **déplaire** ♦ *adj* desagradable.
déplaisir [deplezir] *nm* disgusto.
dépliant [deplijɑ̃] *nm* folleto.
déplier [deplije] *vt* desplegar; **se déplier** *vpr* desplegarse.
déplorable [deplɔʀabl] *adj* deplorable; (*blâmable*) lamentable.
déployer [deplwaje] *vt* desplegar.
déporté, e [depɔʀte] *nm/f* (*POL*: *1939-1945*) deportado(-a).
déporter [depɔʀte] *vt* (*POL*) deportar; (*voiture*) desviar; **se déporter** *vpr* (*voiture*) desviarse.
déposé, e [depoze] *adj* depositado(-a); (*marque*) registrado(-a).
déposer [depoze] *vt* poner, dejar; (*à la banque*) ingresar; (*caution*) prestar; (*serrure, moteur*) desmontar; (*rideau*) descolgar; (*roi*) deponer; (*ADMIN, JUR*) presentar ♦ *vi* (*vin etc*) sedimentar; (*JUR*): ~ **(contre)** declarar (contra); **se déposer** *vpr* depositarse; ~ **son bilan** (*COMM*) declararse en quiebra; ~ **de l'argent** ingresar dinero.
déposition [depozisj̃ɔ] *nf* (*JUR*) deposición *f*.
dépôt [depo] *nm* (*d'argent*) ingreso; (*de sable*) sedimento; (*de poussière*) acumulación *f*; (*de candidature*) presentación *f*; (*entrepôt*) depósito; (*gare*) cochera; (*prison*) cárcel *f* transitoria; **dépôt bancaire** depósito bancario; **dépôt de bilan** declaración *f* de suspensión de pagos; **dépôt d'ordures** basurero, vertedero; **dépôt légal** depósito legal.
dépotoir [depɔtwaʀ] *nm* vertedero.
dépouille [depuj] *nf* (*d'animal*) piel *f*; ~ **(mortelle)** (*humaine*) despojos *mpl*.
dépouiller [depuje] *vt* (*animal*) desollar; (*personne*) despojar; (*résultats, documents*) analizar; ~ **qch/qn de** despojar algo/a algn de; ~ **le scrutin** hacer el escrutinio.
dépourvu, e [depuʀvy] *adj*: ~ **de** desprovisto(-a) de; **au ~**: **prendre qn au ~** coger a algn desprevenido(-a).
dépravé, e [depʀave] *adj* depravado(-a).
déprécier [depʀesje] *vt* (*personne*) menospreciar; (*chose*) depreciar; **se déprécier** *vpr* depreciarse.
dépression [depʀesjɔ̃] *nf* depresión *f*; **dépression (nerveuse)** depresión (nerviosa).
déprimé, e [depʀime] *adj* deprimido(-a).
depuis [dəpɥi] *prép* desde ♦ *adv* (*temps*) desde entonces; ~ **que** desde que; ~ **qu'il m'a dit ça** desde que me dijo eso; ~ **combien de temps?** ¿cuánto tiempo hace?; **il habite Paris ~ 5 ans** vive en París desde hace 5 años, lleva 5 años viviendo en París; ~ **quand le connaissez-vous?** ¿desde cuándo lo conoce usted?; **je le connais ~ 9 ans** lo conozco desde hace 9 años; ~ **quand?** (*excl*) ¿desde cuándo?; **il a plu ~ Metz** ha estado lloviendo desde Metz; **elle a téléphoné ~ Valence** llamó por teléfono desde Valencia; ~ **les plus petits jusqu'aux plus grands** desde los más pequeños hasta los más grandes; **je ne lui ai pas parlé ~** no he vuelto a hablar con él *ou* ella; ~ **lors** desde entonces.
député [depyte] *nm* (*POL*) diputado(-a).
déraciner [deʀasine] *vt* desarraigar.

dérailler [deʀɑje] *vi* (*train*) descarrilar; (*fam*) desvariar; **faire** ~ hacer descarrilar.
dérailleur [deʀɑjœʀ] *nm* cambio de velocidades.
déraisonner [deʀɛzɔne] *vi* desatinar, disparatar.
dérangement [deʀɑ̃ʒmɑ̃] *nm* molestia; **en** ~ averiado(-a).
déranger [deʀɑ̃ʒe] *vt* desordenar; (*personne*) molestar; (*projet*) desarreglar; **se déranger** *vpr* molestarse; (*changer de place*) cambiar de sitio; **est-ce que cela vous dérange si ...?** ¿le molesta si ...?; **ça te dérangerait de faire ...?** ¿te importaría hacer ... ?; **ne vous dérangez pas** no se moleste.
déraper [deʀape] *vi* (*voiture*) derrapar, patinar; (*personne, couteau*) resbalar; (*économie etc*) dispararse.
déréglé, e [deʀegle] *adj* (*montre, mécanisme*) estropeado(-a); (*estomac*) revuelto(-a); (*mœurs, vie*) desordenado(-a).
dérégler [deʀegle] *vt* (*mécanisme*) estropear; (*estomac*) indisponer; (*mœurs, vie*) desordenar; **se dérégler** *vpr* (*mécanisme*) estropearse; (*estomac*) indisponerse; (*mœurs, vie*) descarriarse.
dérision [deʀizjɔ̃] *nf* burla; **par** ~ en broma; **tourner en** ~ burlarse de.
dérisoire [deʀizwaʀ] *adj* irrisorio(-a).
dérive [deʀiv] *nf* (*NAUT*) orza de quilla; **aller à la** ~ (*NAUT, fig*) ir a la deriva; **dérive des continents** (*GÉOLOGIE*) deriva de los continentes.
dériver [deʀive] *vt* (*MATH, ÉLEC*) derivar; (*cours d'eau etc*) desviar ♦ *vi* (*bateau, avion*) desviarse; ~ **de** (*LING*) derivar de; (*CHIM, gén*) derivarse de.
dermatologue [dɛʀmatɔlɔg] *nm/f* dermatólogo(-a).
dernier, -ière [dɛʀnje, jɛʀ] *adj* último(-a) ♦ *nm/f* último(-a) ♦ *nm* (*étage*) último piso; **lundi/le mois** ~ el lunes/el mes pasado; **du** ~ **chic** de última moda; **le** ~ **cri** (*MODE*) el último grito; **les ~s honneurs** los últimos honores; **rendre le** ~ **soupir** exhalar el último suspiro; **en** ~ al final, por último; **en** ~ **ressort** en última instancia; **avoir le** ~ **mot** tener la última palabra; **ce ~/cette dernière** este último/esta última.
dérobé, e [deʀɔbe] *adj* (*porte, escalier*) falso(-a); **à la ~e** a hurtadillas.
dérober [deʀɔbe] *vt* hurtar; **se dérober** *vpr* eludir, zafarse; ~ **qch à (la vue de) qn** ocultar algo a (a la vista de) algn; **se** ~ **sous** (*s'effondrer*) hundirse bajo; **se** ~ **à** librarse de.
dérogation [deʀɔgasjɔ̃] *nf* contravención *f*.
déroger [deʀɔʒe] *vi*: ~ **à** contravenir (a).
déroulement [deʀulmɑ̃] *nm* desenrollamiento; (*d'une opération etc*) desarrollo.
dérouler [deʀule] *vt* (*ficelle, papier*) desenrollar; **se dérouler** *vpr* (*avoir lieu*) desarrollarse.
déroute [deʀut] *nf* desbandada; (*entreprise, parti*) hundimiento; **mettre en** ~ poner en desbandada; **en** ~ en desbandada.
derrière [dɛʀjɛʀ] *prép* detrás de; (*fig*) tras, más allá de ♦ *adv* detrás, atrás ♦ *nm* (*d'une maison*) trasera; (*postérieur*) trasero; **les pattes/roues de** ~ las patas/ruedas traseras; **par** ~ por detrás.
des [de] *dét voir* **de** ♦ *prép* + *dét* = **de**.
dès [dɛ] *prép* desde; ~ **que** tan pronto como; ~ **à présent** desde ahora; ~ **réception** en cuanto se reciba; ~ **son retour** en cuanto vuelva; ~ **lors** desde entonces; (*en conséquence*) por lo tanto; ~ **lors que** en cuanto; (*puisque, étant donné que*) ya que.
désabusé, e [dezabyze] *adj* desengañado(-a).
désaccord [dezakɔʀ] *nm* desacuerdo; (*contraste*) discordancia.
désaccordé, e [dezakɔʀde] *adj* desafinado(-a).
désaffecté, e [dezafɛkte] *adj* en desuso.
désagréable [dezagʀeabl] *adj* desagradable.
désagréger [dezagʀeʒe]: **se** ~ *vpr* disgregarse.
désaltérer [dezalteʀe] *vt* quitar la sed a ♦ *vi* refrescar; **se désaltérer** *vpr* beber; **ça désaltère** esto refresca.
désamorcer [dezamɔʀse] *vt* (*bombe*) desactivar; (*fig*) neutralizar.
désapprobateur, -trice [dezapʀɔbatœʀ, tʀis] *adj* desaprobatorio(-a).
désapprouver [dezapʀuve] *vt* desaprobar.
désarmant, e [dezaʀmɑ̃, ɑ̃t] *adj* conmovedor(a).
désarroi [dezaʀwa] *nm* desasosiego.
désastre [dezastʀ] *nm* desastre *m*.
désavantage [dezavɑ̃taʒ] *nm* (*handicap*) inferioridad *f*; (*inconvénient*) desventaja.
désavantager [dezavɑ̃taʒe] *vt* desfavorecer.
désavouer [dezavwe] *vt* desaprobar.
désaxé, e [dezakse] *adj, nm/f* (*fig*) desequilibrado(-a).
descendre [desɑ̃dʀ] *vt* bajar; (*abattre*) cargarse; (*boire*) pimplar, soplar ♦ *vi* bajar, descender; (*passager*) bajar(se); (*avion, chemin, marée*) bajar; (*nuit*) caer; ~ **à pied/en voiture** bajar a pie/en coche; ~

de (*famille*) descender de; ~ **du train/d'un arbre/de cheval** bajar(se) del tren/de un árbol/del caballo; ~ **à l'hôtel** quedarse en un hotel; ~ **dans l'estime de qn** bajar en la estima de algn; ~ **dans la rue** (*manifester*) salir a la calle; ~ **dans le Midi** bajar al Sur de Francia; ~ **la rue/rivière** ir calle/río abajo; ~ **en ville** ir al centro.

descente [desɑ̃t] *nf* bajada, descenso; (*route*) pendiente *f*; (*SKI*) descenso; **au milieu de la** ~ en medio de la bajada; **descente de lit** alfombra de cama; **descente (de police)** redada (de la policía), allanamiento (*AM*).

description [dɛskʀipsjɔ̃] *nf* descripción *f*.

désemparé, e [dezɑ̃paʀe] *adj* desamparado(-a); (*bateau, avion*) averiado(-a).

désemplir [dezɑ̃pliʀ] *vi*: **ne pas** ~ (*fig*) estar siempre lleno(-a).

désenfler [dezɑ̃fle] *vi* deshinchar.

déséquilibre [dezekilibʀ] *nm* desequilibrio; **en** ~ desequilibrado(-a).

désert, e [dezɛʀ, ɛʀt] *adj* desierto(-a) ♦ *nm* desierto.

déserter [dezɛʀte] *vi* (*MIL*) desertar ♦ *vt* (*salle*) abandonar; (*école*) dejar desierto(-a).

déserteur [dezɛʀtœʀ] *nm* desertor *m*.

désespéré, e [dezɛspeʀe] *adj, nm/f* desesperado(-a); **état** ~ (*MÉD*) estado desesperado.

désespoir [dezɛspwaʀ] *nm* desesperación *f*, desesperanza; **être** *ou* **faire le** ~ **de qn** ser la desesperación de algn; **en** ~ **de cause** como último recurso.

déshabiller [dezabije] *vt* desvestir; **se déshabiller** *vpr* desnudarse, desvestirse (*esp AM*).

désherber [dezɛʀbe] *vt* desherbar.

déshérité, e [dezeʀite] *adj* desheredado(-a) ♦ *nm/f* (*gén pl*: *pauvre*) desheredado(-a).

déshériter [dezeʀite] *vt* desheredar.

déshonneur [dezɔnœʀ] *nm* deshonor *m*.

déshydraté, e [dezidʀate] *adj* deshidratado(-a).

désigner [deziɲe] *vt* (*montrer*) enseñar; (*dénommer*) designar; (*représentant*) nombrar.

désinence [dezinɑ̃s] *nf* (*LING*) desinencia.

désinfectant, e [dezɛ̃fɛktɑ̃, ɑ̃t] *adj* desinfectante ♦ *nm* desinfectante *m*.

désinfecter [dezɛ̃fɛkte] *vt* desinfectar.

désintégrer [dezɛ̃tegʀe] *vt* desintegrar; **se désintégrer** *vpr* desintegrarse.

désintéressé, e [dezɛ̃teʀese] *adj* desinteresado(-a).

désintoxication [dezɛ̃tɔksikasjɔ̃] *nf* (*MÉD*) desintoxicación *f*; **faire une cure de** ~ hacer una cura de desintoxicación.

désinvolte [dezɛ̃vɔlt] *adj* impertinente.

désinvolture [dezɛ̃vɔltyʀ] *nf* impertinencia.

désir [deziʀ] *nm* deseo; **exprimer le** ~ **de** (*politesse*) expresar el deseo de.

désirer [deziʀe] *vt* desear; **je désire ...** (*formule de politesse*) desearía ...; ~ **que** desear que; **il désire que tu l'aides** desea que le ayudes; ~ **faire qch** desear hacer algo; **ça laisse à** ~ deja mucho que desear.

désister [deziste]: **se** ~ *vpr* desistir.

désobéir [dezɔbeiʀ] *vi*: ~ **(à qn/qch)** desobedecer (a algn/algo).

desobéissant, e [dezɔbeisɑ̃, ɑ̃t] *adj* desobediente.

désodorisant, e [dezɔdɔʀizɑ̃, ɑ̃t] *adj* desodorante ♦ *nm* desodorante *m*; (*d'appartement*) ambientador *m*.

désœuvré, e [dezœvʀe] *adj, nm/f* desocupado(-a), ocioso(-a).

désolé, e [dezɔle] *adj* desolado(-a); **je suis ~, il n'y en a plus** lo siento, ya no hay más.

désolidariser [desɔlidaʀize] *vt*: **se** ~ **de** *ou* **d'avec** desolidarizarse de.

désordre [dezɔʀdʀ] *nm* desorden *m*; **~s** *nmpl* (*POL*) disturbios *mpl*; **en** ~ en desorden; **dans le** ~ (*tiercé*) sin dar el orden.

désorienté, e [dezɔʀjɑ̃te] *adj* desorientado(-a).

désormais [dezɔʀmɛ] *adv* (de ahora) en adelante.

desquelles, desquels [dekɛl] *prép + pron voir* **lequel**.

dessaisir [desezir] *vt*: ~ **un tribunal d'une affaire** declarar a un tribunal incompetente sobre un caso; **se dessaisir** *vpr*: **se** ~ **de** desprenderse de.

dessécher [deseʃe] *vt* desecar; (*cœur*) endurecer; **se dessécher** *vpr* secarse; (*peau, lèvres*) secarse, resecarse.

dessein [desɛ̃] *nm* intención *f*, propósito; **dans le** ~ **de** con la intención de, con el propósito de; **à** ~ a propósito.

desserrer [deseʀe] *vt* aflojar; (*poings, dents*) abrir; (*objets alignés*) espaciar; (*crédit*) reabrir; **ne pas** ~ **les dents** no despegar los labios.

dessert [desɛʀ] *vb voir* **desservir** ♦ *nm* (*moment du repas*) postres *mpl*; (*mets*) postre *m*.

desserte [desɛʀt] *nf* (*table*) mesa de servicio; **le bus assure la** ~ **du village** el autobús cubre el servicio de comunicación del pueblo; **chemin** *ou* **voie de** ~ camino vecinal.

desservir [desɛʀviʀ] *vt* (*suj: moyen de transport*) cubrir el servicio de; (*: voie de communication*) comunicar; (*: vicaire: paroisse*) atender; (*personne*) perjudicar a; ~ **la table** quitar la mesa.

dessin [desɛ̃] *nm* dibujo; **le ~ industriel** el diseño industrial; **dessin animé** dibujos *mpl* animados; **dessin humoristique** dibujo humorístico, viñeta.

dessinateur, -trice [desinatœʀ, tʀis] *nm/f* dibujante *m/f*; **dessinatrice de mode** diseñadora de moda; **dessinateur industriel** delineante *m/f*.

dessiner [desine] *vt* dibujar; (*concevoir*) diseñar; (*suj: robe: taille*) resaltar; **se dessiner** *vpr* perfilarse.

dessous [d(ə)su] *adv* debajo, abajo ♦ *nm* parte *f* inferior; (*de voiture*) bajos *mpl*; (*étage inférieur*): **les voisins/l'appartement du ~** los vecinos/el piso de abajo; ~ *nmpl* (*fig*) secretos *mpl*; (*sous-vêtements*) ropa interior *fsg*; **en ~** (*sous*) debajo; (*plus bas*) por debajo; (*fig: en catimini*) a hurtadillas; **par-~** *adv* por debajo; **par ~** *prép* por debajo de; **de ~** de abajo; **de ~ le lit** debajo de la cama; **au-~** abajo, debajo; **au-~ de** por debajo de; (*zéro*) bajo; **au-~ de tout** incalificable; **avoir le ~** tener *ou* llevar la peor parte.

dessous-de-plat [dəsudpla] *nm inv* salvamanteles *m inv*.

dessus [d(ə)sy] *adv* encima, arriba ♦ *nm* parte *f* superior; (*étage supérieur*): **les voisins/l'appartement du ~** los vecinos/el piso de arriba; **en ~** encima, arriba; **c'est écrit ~** está ahí; **par-~** *adv* por encima, por arriba ♦ *prép* por encima de, por arriba de; **au-~** encima, arriba; **au-~ de** por encima de; (*zéro*) sobre; **de ~** de arriba, de encima; **avoir/prendre le ~** ir ganando; **reprendre le ~** recobrarse; **bras ~ bras dessous** cogidos(-as) del brazo; **sens ~ dessous** patas arriba.

dessus-de-lit [dəsydli] *nm inv* colcha.

déstabiliser [destabilize] *vt* (*POL*) desestabilizar.

destin [dɛstɛ̃] *nm* destino.

destinataire [dɛstinatɛʀ] *nm/f* destinatario(-a); **aux risques et périls du ~** a cuenta y riesgo del destinatario.

destination [dɛstinasjɔ̃] *nf* destino; (*usage*) función *f*; **à ~ de** con destino a.

destinée [dɛstine] *nf* destino.

destiner [dɛstine] *vt*: **~ qn à** destinar a algn a/para; **~ qch à** destinar algo a; **~ qch à qn** destinar a algn para algo; **se ~ à l'enseignement** pensar dedicarse a la enseñanza; **être destiné à** estar destinado(-a) a; (*usage*) ser para.

destituer [dɛstitɥe] *vt* destituir; **~ qn de ses fonctions** destituir a algn de su cargo.

désuet, -ète [dezɥɛ, ɛt] *adj* desusado(-a).

désuétude [desɥetyd] *nf*: **tomber en ~** caer en desuso.

détachable [detaʃabl] *adj* separable; (*capuche*) de quita y pon.

détachant [detaʃɑ̃] *nm* quitamanchas *m inv*.

détachement [detaʃmɑ̃] *nm* (*action*) desprendimiento; (*désintéressement*) desapego; (*MIL*) destacamento; **être en ~** tener un destino temporal.

détacher [detaʃe] *vt* (*ôter*) desprender; (*délier*) desatar, soltar; (*MIL*) destacar; (*vêtement*) limpiar; **se détacher** *vpr* (*SPORT*) descolgarse; (*prisonnier etc*) desatarse; (*tomber, se défaire*) desprenderse; **~ qn (auprès de *ou* à)** (*ADMIN*) enviar a algn (a); **se ~ (de qn *ou* qch)** (*se désintéresser*) perder interés (por algn *ou* algo); **se ~ sur** (*se dessiner*) destacarse en.

détail [detaj] *nm* detalle *m*; **le ~** (*COMM*) la venta al por menor; **prix de ~** precio al por menor; **au ~** (*COMM*) al por menor; (*individuellement*) por unidades; **faire/donner le ~ de** detallar; (*compte, facture*) desglosar; **en ~** en detalle.

détaillant, e [detajɑ̃, ɑ̃t] *nm/f* minorista *m/f*.

détailler [detaje] *vt* detallar; (*personne*) examinar.

détartrer [detaʀtʀe] *vt* (*radiateur*) desincrustar; (*dents*) limpiar el sarro de.

détecter [detɛkte] *vt* detectar.

détective [detɛktiv] *nm* (*en Grande Bretagne: policier*) inspector(a); **détective (privé)** detective *m/f*.

déteindre [detɛ̃dʀ] *vi* desteñir; (*suj: soleil*) decolorar; **~ sur** teñir; (*influencer*) influir sobre.

détendre [detɑ̃dʀ] *vt* aflojar; (*lessive, linge*) recoger; (*gaz*) descomprimir; (*atmosphère etc*) relajar; **se détendre** *vpr* (*ressort*) aflojarse; (*se reposer*) descansar; (*se décontracter*) relajarse.

détenir [det(ə)niʀ] *vt* poseer; (*otage*) retener; (*prisonnier*) tener preso a; (*record*) ostentar; **~ le pouvoir** (*POL*) ostentar el poder.

détente [detɑ̃t] *nf* distensión *f*, relajación *f*; (*politique, sociale*) distensión; (*loisirs*) esparcimiento, descanso; (*d'une arme*) disparador *m*, gatillo; (*d'un athlète qui saute*) resorte *m*.

détention [detɑ̃sjɔ̃] *nf* posesión *f*; (*d'un otage*) retención *f*; (*d'un prisonnier*) encarcelamiento; **la ~ du pouvoir par ...** el hecho de que el poder fuera ostentado por ...; **détention préventive** *ou* **provisoire** prisión *f* preventiva.

détenu, e [det(ə)ny] *pp de* **détenir** ♦ *nm/f* (*prisonnier*) preso(-a).

détergent [detɛʀʒɑ̃] *nm* detergente *m*.

détériorer [deteʀjɔʀe] *vt* deteriorar; **se détériorer** *vpr* deteriorarse.

déterminé, e [detɛʀmine] *adj* (*personne, air*) decidido(-a); (*but, intentions*) claro(-a); (*fixé: quantité etc*) determinado(-a).

déterminer [detɛʀmine] *vt* (*date etc*) determinar; **~ qn à faire qch** decidir a algn a hacer algo; **se ~ à faire qch** determinarse a hacer algo.

déterrer [deteʀe] *vt* desenterrar.

détester [detɛste] *vt* (*haïr*) detestar, odiar; (*sens affaibli*) detestar.

détonation [detɔnasjɔ̃] *nf* detonación *f*.

détour [detuʀ] *nm* rodeo; (*tournant, courbe*) curva, recodo; (*subterfuge*) subterfugio; **au ~ du chemin** a la vuelta del camino; **sans ~** (*fig*) sin rodeos.

détournement [detuʀnəmɑ̃] *nm* desvío; **détournement d'avion** secuestro aéreo; **détournement (de fonds)** malversación *f* (de fondos); **détournement de mineur** corrupción *f* de menores.

détourner [detuʀne] *vt* desviar; (*avion: par la force*) secuestrar; (*yeux*) apartar; (*tête*) volver; (*de l'argent*) malversar; **se détourner** *vpr* (*tourner la tête*) apartar la cara; **~ la conversation/l'attention (de qn)** desviar la conversación/la atención (de algn); **~ qn de son devoir/travail** apartar a algn de su deber/trabajo.

détraquer [detʀake] *vt* fastidiar, cargarse; (*santé, estomac*) estropear; **se détraquer** *vpr*: **ma montre s'est détraquée** se me ha fastidiado el reloj.

détresse [detʀɛs] *nf* angustia; (*misère*) desamparo; **en ~** en peligro; **appel/signal de ~** llamada/señal *f* de socorro.

détriment [detʀimɑ̃] *nm*: **au ~ de** en detrimento de; **à mon/son ~** en mi/su perjuicio.

détritus [detʀity(s)] *nmpl* detritus *msg*.

détroit [detʀwa] *nm* estrecho; **le détroit de Be(h)ring/de Gibraltar/de Magellan/du Bosphore** el estrecho de Bering/de Gibraltar/de Magallanes/del Bósforo.

détromper [detʀɔ̃pe] *vt* desengañar; **se détromper** *vpr*: **détrompez-vous** no se engañe.

détrôner [detʀone] *vt* destronar.

détrousser [detʀuse] *vt* atracar.

détruire [detʀɥiʀ] *vt* destruir; (*population*) acabar con; (*hypothèse*) echar abajo; (*espoir*) romper; (*santé*) perjudicar.

dette [dɛt] *nf* deuda; **dette de l'État** *ou* **publique** deuda pública.

DEUG [døg] *sigle m* (= *diplôme d'études universitaires générales*) *diplomatura*.

deuil [dœj] *nm* luto; **porter le ~** llevar luto; **être en ~** estar de luto; **prendre le ~** ponerse de luto.

deux [dø] *adj inv, nm inv* dos *m inv*; **les ~** los(las) dos, ambos(-as); **ses ~ mains** las dos manos; **tous les ~ jours/mois** cada dos días/meses; **à ~ pas** a dos pasos; **deux points** (*ponctuation*) dos puntos *mpl*; *voir aussi* **cinq**.

deuxième [døzjɛm] *adj, nm/f* segundo(-a); **~ classe** segunda clase *f*; *voir aussi* **cinquième**.

deuxièmement [døzjɛmmɑ̃] *adv* en segundo lugar.

deux-pièces [døpjɛs] *nm inv* dos piezas *m inv*; (*appartement*) apartamento de dos habitaciones.

deux-roues [døʀu] *nm inv* vehículo de dos ruedas.

dévaler [devale] *vt* bajar rápidamente.

dévaliser [devalize] *vt* desvalijar.

dévaloriser [devalɔʀize] *vt* desvalorizar; **se dévaloriser** *vpr* desvalorizarse.

dévaluation [devalɥasjɔ̃] *nf* devaluación *f*.

devancer [d(ə)vɑ̃se] *vt* adelantar; (*arriver avant, aussi fig*) adelantarse a; **~ l'appel** (*MIL*) alistarse como voluntario.

devant [d(ə)vɑ̃] *vb voir* **devoir** ♦ *adv* delante, adelante ♦ *prép* (*en face de*) delante de, frente a; (*passer, être*) delante de; (*en présence de*) ante; (*face à*) ante, delante de; (*étant donné*) ante ♦ *nm* (*de maison*) fachada; (*vêtement, voiture*) delantera; **prendre les ~s** adelantarse; **de ~** delantero(-a); **par ~** por delante; **aller au-~ de qn** ir al encuentro de algn; **aller au-~ de** (*désirs de qn*) anticiparse a; (*ennuis, difficultés*) encontrarse con; **par-~ notaire** ante notario.

devanture [d(ə)vɑ̃tyʀ] *nf* (*façade*) fachada; (*étalage, vitrine*) escaparate *m*, vidriera (*AM*).

dévaster [devaste] *vt* devastar.

déveine [devɛn] (*fam*) *nf* mala suerte *f*.

développement [dev(ə)lɔpmɑ̃] *nm* desarrollo; (*photo*) revelado; (*exposé*) exposición *f*, (*GÉOM*) proyección *f*, (*gén pl*) evolución *f*.

développer [dev(ə)lɔpe] *vt* desarrollar; (*PHOTO*) revelar; (*GÉOM*) proyectar; **se développer** *vpr* desarrollarse; (*affaire*) evolucionar.

devenir [dəv(ə)niʀ] *vt* volverse; **que**

sont-ils devenus? ¿qué ha sido de ellos?; **~ médecin** hacerse médico; **~ vieux/grand** hacerse viejo/mayor.
dévergondé, e [devɛʀgɔ̃de] *adj* desvergonzado(-a).
déverser [devɛʀse] *vt* verter, derramar; (*injure, colère*) descargar; **se ~ dans** verterse en.
dévêtir [devetiʀ] *vt* desvestir; **se dévêtir** *vpr* desvestirse.
déviation [devjasjɔ̃] *nf* desviación *f*; (*AUTO*) desvío; **déviation de la colonne (vertébrale)** desviación de la columna vertebral.
devienne *etc* [dəvjɛn] *vb voir* **devenir**.
dévier [devje] *vt, vi* desviar.
devin [dəvɛ̃] *nm* adivino.
deviner [d(ə)vine] *vt* adivinar; (*apercevoir*) atisbar.
devinette [d(ə)vinɛt] *nf* adivinanza.
devint *etc* [dəvɛ̃] *vb voir* **devenir**.
devis [d(ə)vi] *nm* presupuesto; **devis descriptif/estimatif** presupuesto detallado/aproximado.
devise [dəviz] *nf* (*formule*) lema *m*, divisa; (*ÉCON*) divisa; **~s** *nfpl* dinero *msg* extranjero.
dévisser [devise] *vt* desatornillar; **se dévisser** *vpr* desatornillarse.
dévoiler [devwale] *vt* descubrir, revelar.
devoir [d(ə)vwaʀ] *nm* deber *m* ♦ *vt* deber; **il doit le faire** (*obligation*) debe hacerlo, tiene que hacerlo; **cela devait arriver** (*fatalité*) tenía que ocurrir (un día); **il doit partir demain** (*intention*) se va mañana; **il doit être tard** (*probabilité*) debe (de) ser tarde; **se faire un ~ de faire** creerse en la obligación de hacer; **se ~ de faire qch** sentirse obligado(-a) a hacer algo; **je devrais faire** tendría que hacer; **tu n'aurais pas dû** no deberías haberlo hecho; (*politesse*) no tendrías que haberlo hecho; **comme il se doit** (*comme il faut*) como debe ser; **se mettre en ~ de faire qch** empezar a hacer algo; **derniers ~s** honras *fpl* fúnebres; **je lui dois beaucoup** le debo mucho; **devoirs de vacances** deberes *mpl* de vacaciones.
dévolu, e [devɔly] *adj* (*temps, part*) destinado(-a), atribuido(-a) ♦ *nm*: **jeter son ~ sur** poner sus miras en.
dévorer [devɔʀe] *vt* devorar; **~ qch/qn des yeux** *ou* **du regard** devorar algo/a algn con la mirada.
dévot, e [devo, ɔt] *adj, nm/f* devoto(-a); **un faux ~** un mojigato.
dévotion [devosjɔ̃] *nf* devoción *f*; **être à la ~ de qn** estar dedicado(-a) a algn; **avoir une ~ pour qn** querer a algn con devoción.
dévoué, e [devwe] *adj* dedicado(-a).
dévouer [devwe] *vb*: **se ~ (pour)** sacrificarse (por); **se ~ à** dedicarse a.
devrai [dəvʀe] *vb voir* **devoir**.
dextérité [dɛksteʀite] *nf* destreza.
diabète [djabɛt] *nm* (*MÉD*) diabetes *f inv*.
diable [djɑbl] *nm* diablo; (*chariot à deux roues*) carretilla; **(petit) ~** (*enfant*) diablillo; **pauvre ~** pobre diablo; **une musique du ~** una música infernal; **il fait une chaleur du ~** hace un calor infernal; **avoir le ~ au corps** tener el diablo en el cuerpo; **habiter/être situé au ~** vivir/estar en el quinto infierno.
diabolique [djabɔlik] *adj* diabólico(-a).
diabolo [djabɔlo] *nm* (*jeu*) diábolo; (*boisson*) *mezcla de gaseosa y almíbar*; **diabolo menthe** menta con gas.
diagnostic [djagnɔstik] *nm* diagnóstico.
diagonal, e, -aux [djagɔnal, o] *adj* diagonal ♦ *nf* diagonal *f*.
diagramme [djagʀam] *nm* diagrama *m*.
dialecte [djalɛkt] *nm* dialecto.
dialogue [djalɔg] *nm* diálogo; **cesser/reprendre le ~** interrumpir/reanudar el diálogo; **dialogue de sourds** diálogo de besugos.
diamant [djamɑ̃] *nm* diamante *m*.
diamètre [djamɛtʀ] *nm* diámetro.
diapason [djapazɔ̃] *nm* diapasón *m*; **être/se mettre au ~ (de)** (*fig*) estar/ponerse al nivel (de).
diaphragme [djafʀagm] *nm* diafragma *m*.
diapo [djapo] *nf*, **diapositive** [djapozitiv] *nf* diapositiva.
diarrhée [djaʀe] *nf* diarrea.
dictateur [diktatœʀ] *nm* dictador *m*.
dictature [diktatyʀ] *nf* dictadura.
dictée [dikte] *nf* dictado; **prendre sous ~** tomar al dictado.
dicter [dikte] *vt* (*aussi fig*) dictar.
dictionnaire [diksjɔnɛʀ] *nm* diccionario; **dictionnaire bilingue** diccionario bilingüe; **dictionnaire encyclopédique/de langue** diccionario enciclopédico/de la lengua.
dicton [diktɔ̃] *nm* refrán *m*, dicho.
dièse [djɛz] *nm* sostenido.
diesel [djezɛl] *nm* diesel *m*; **un (véhicule/moteur) ~** un (vehículo/motor) diesel.
diète [djɛt] *nf* dieta; **être à la ~** estar a dieta.
diététique [djetetik] *adj* dietético(-a) ♦ *nf* dietética; **magasin ~** tienda de dietética.
dieu, x [djø] *nm* dios *msg*; **D~** Dios; **le**

bon D~ Dios; **mon D~!** ¡Dios mío!
diffamation [difamasjɔ̃] *nf* difamación *f*; **attaquer qn en ~** atacar a algn por difamación.
différé, e [difeʀe] *adj* (*INFORM*): **traitement ~** procesamiento por lotes ♦ *nm* (*TV*): **en ~** en diferido; **crédit ~** crédito con carencia.
différence [difeʀɑ̃s] *nf* diferencia; **à la ~ de** a diferencia de.
différencier [difeʀɑ̃sje] *vt* diferenciar; **se différencier** *vpr* diferenciarse; **se ~ (de)** diferenciarse (de).
différend [difeʀɑ̃] *nm* discrepancia.
différent, e [difeʀɑ̃, ɑ̃t] *adj*: **~ (de)** distinto(-a) (de), diferente (de); **~s objets/personnages** varios objetos/personajes; **à ~es reprises** en varias ocasiones; **pour ~es raisons** por distintas razones.
différer [difeʀe] *vt* diferir, postergar (*AM*) ♦ *vi*: **~ (de)** diferir (de).
difficile [difisil] *adj* difícil; **faire le** *ou* **la ~** hacer remilgos.
difficulté [difikylte] *nf* dificultad *f*; **faire des ~s (pour)** poner dificultades (para); **en ~** en apuros; **avoir de la ~ à faire qch** tener dificultad en hacer algo.
difforme [difɔʀm] *adj* deforme.
diffuser [difyze] *vt* emitir; (*nouvelle, idée*) difundir; (*COMM*) distribuir.
diffusion [difyzjɔ̃] *nf* emisión *f*; (*de journaux*) distribución *f*; **journal/magazine à grande ~** periódico/revista de gran difusión.
digérer [diʒeʀe] *vt* digerir.
digestif, -ive [diʒɛstif, iv] *adj* digestivo(-a) ♦ *nm* licor *m*.
digne [diɲ] *adj* (*respectable*) digno(-a); **~ d'intérêt/d'admiration** digno de interés/de admiración; **~ de foi** digno de fe; **~ de qn/qch** digno de algn/algo.
dignité [diɲite] *nf* dignidad *f*.
digue [dig] *nf* dique *m*; (*pour protéger la côte*) rompeolas *m inv*.
dilapider [dilapide] *vt* dilapidar.
dilemme [dilɛm] *nm* dilema *m*.
diligence [diliʒɑ̃s] *nf* diligencia; **faire ~** apresurarse.
diluer [dilɥe] *vt* diluir; (*péj: discours etc*) meter paja en.
dimanche [dimɑ̃ʃ] *nm* domingo; **le ~ des Rameaux/de Pâques** el domingo de Ramos/de Pascua; *voir aussi* **lundi**.
dimension [dimɑ̃sjɔ̃] *nf* dimensión *f*; (*gén pl: cotes, coordonnées*) dimensiones *fpl*.
diminuer [diminɥe] *vt* disminuir; (*dénigrer*) desacreditar; (*tricot*) menguar ♦ *vi* disminuir.
diminution [diminysjɔ̃] *nf* disminución *f*; (*morale*) descrédito; (*tricot*) menguado.
dinde [dɛ̃d] *nf* pava.
dindon [dɛ̃dɔ̃] *nm* pavo.
dîner [dine] *nm* cena, comida (*AM*) ♦ *vi* cenar; **dîner de famille/d'affaires** cena familiar/de negocios.
dingue [dɛ̃g] (*fam*) *adj* chalado(-a).
diplomate [diplɔmat] *adj* diplomático(-a) ♦ *nm/f* diplomático(-a) ♦ *nm* (*CULIN*) *especie de bizcocho*.
diplomatie [diplɔmasi] *nf* diplomacia.
diplôme [diplom] *nm* diploma *m*, título; (*examen*) examen *m* de diplomatura; **avoir des ~s** tener títulos.
diplômé, e [diplome] *adj, nm/f* titulado(-a), diplomado(-a).
dire [diʀ] *nm*: **au ~ de** al decir de, en la opinión de ♦ *vt* decir; (*suj: horloge etc*) decir, marcar; (*ordre, invitation*): **~ à qn qu'il fasse** *ou* **de faire qch** decir a algn que haga algo; (*objecter*): **n'avoir rien à ~ (à)** no tener nada que decir (a); (*signifier*): **vouloir ~ que** querer decir que; (*plaire*): **cela me/lui dit de faire** me/le apetece hacer; (*penser*): **que dites-vous de ...?** ¿qué opina usted de ...?; **~s** *nmpl* opiniones *fpl*; **se dire** *vpr* decirse; (*se prétendre*): **se ~ malade** *etc* pretenderse enfermo(-a) *etc*; **ça se dit ... en anglais** se dice ... en inglés; **~ quelque chose/ce qu'on pense** decir algo/lo que uno piensa; **~ la vérité/l'heure** decir la verdad/la hora; **dis pardon** pide perdón; **dis merci** da las gracias; **on dit que** dicen que; **comme on dit** como se dice; **on dirait que** parece que; **on dirait du vin** *etc* parece vino *etc*; **ça ne me dit rien** no me apetece; (*rappeler qch*) no me suena; **à vrai ~** a decir verdad; **pour ainsi ~** por decirlo así; **cela va sans ~** ni qué decir tiene; **dis donc!/dites donc!** (*pour attirer attention*) ¡oye!/¡oiga!; (*au fait*) ¡a propósito!; (*agressif*) ¡oye!/¡oiga Vd!; **et ~ que ...** y pensar que ...; **ceci** *ou* **cela dit** a pesar de todo; (*à ces mots*) dicho esto; **c'est dit, voilà qui est dit** está dicho; **il n'y a pas à ~** realmente; **c'est ~ si** muestra hasta qué punto; **c'est beaucoup/peu ~** es mucho/poco decir; **cela ne se dit pas comme ça** no se dice así; **se ~ au revoir** decirse adiós; **c'est toi qui le dis** lo dices tú; **je ne vous le fais pas ~** estoy muy de acuerdo; **je te l'avais dit** te lo había dicho; **je ne peux pas ~ le contraire** no puedo decir lo contrario; **tu peux le ~, à qui le dis-tu** y que lo digas.
direct, e [diʀɛkt] *adj* directo(-a); (*personne*) franco(-a) ♦ *nm* (*train, boxe*) directo; (*boxe*): **~ du gauche/du droit** directo con

la izquierda/derecha; **train/bus** ~ tren *m*/autobús *msg* directo; **en** ~ en directo.
directement [dirɛktəmɑ̃] *adv* directamente.
directeur, -trice [dirɛktœr, tris] *adj* (*principe, fil*) rector(a) ♦ *nm/f* director(a); **comité** ~ comité *m* directivo; **directeur général/commercial/du personnel** director(a) general/comercial/de personal; **directeur de thèse** director(a) de tesis.
direction [dirɛksjɔ̃] *nf* dirección *f*; **sous la** ~ **de** (*MUS*) bajo la dirección de; **en** ~ **de** en dirección a; **"toutes ~s"** (*AUTO*) "todas las direcciones".
directrice [dirɛktris] *adj, nf voir* **directeur**.
dirigeant, e [diriʒɑ̃, ɑ̃t] *adj, nm/f* dirigente *m/f*.
diriger [diriʒe] *vt* dirigir; **se diriger** *vpr* orientarse; ~ **sur** (*regard*) dirigir hacia; ~ **son arme sur qn** apuntar a algn con un arma; ~ **contre** (*critiques, plaisanteries*) dirigir contra; **se** ~ **vers** *ou* **sur** dirigirse hacia.
discerner [disɛrne] *vt* (*apercevoir*) divisar; (*motif, cause*) discernir.
disciple [disipl] *nm/f* (*REL, aussi fig*) discípulo(-a).
discipline [disiplin] *nf* disciplina.
discipliner [disipline] *vt* disciplinar; (*cheveux*) mantener.
discontinu, e [diskɔ̃tiny] *adj* discontinuo(-a).
discontinuer [diskɔ̃tinɥe] *vi*: **sans** ~ sin interrupción.
disconvenir [diskɔ̃v(ə)nir] *vi*: **ne pas** ~ **de qch/que** no negar algo/que.
discordant, e [diskɔrdɑ̃, ɑ̃t] *adj* discordante.
discothèque [diskɔtɛk] *nf* discoteca.
discourir [diskurir] *vi* disertar.
discours [diskur] *vb voir* **discourir** ♦ *nm* discurso ♦ *nmpl* (*bavardages*) palabrería *fsg*; **le** ~ (*LING*) el enunciado; ~ **direct/indirect** discurso directo/indirecto.
discret, -ète [diskrɛ, ɛt] *adj* discreto(-a); **un endroit** ~ un lugar tranquilo.
discrètement [diskrɛtmɑ̃] *adv* discretamente.
discrétion [diskresjɔ̃] *nf* discreción *f*; **à** ~ (*boisson etc*) a discreción; **à la** ~ **de qn** según la voluntad de algn.
discrimination [diskriminasjɔ̃] *nf* discriminación *f*; **sans** ~ sin discriminación.
disculper [diskylpe] *vt* (*JUR*) absolver; **se disculper** *vpr* disculparse.
discussion [diskysjɔ̃] *nf* discusión *f*; **~s** *nfpl* negociaciones *fpl*.
discuté, e [diskyte] *adj* controvertido(-a).
discuter [diskyte] *vt, vi* discutir; ~ **de qch** discutir algo.
dise [diz] *vb voir* **dire**.
disette [dizɛt] *nf* hambruna.
disgrâce [disgrɑs] *nf* desgracia; **être en** ~ estar en desgracia.
disgracieux, -euse [disgrasjø, jøz] *adj* desagradable.
disjoncteur [disʒɔ̃ktœr] *nm* (*ÉLEC*) interruptor *m*.
disloquer [dislɔke] *vt* (*membre*) dislocar; (*chaise*) desencajar; (*troupe, manifestants*) disolver; **se disloquer** *vpr* (*parti*) desmembrarse, disgregarse; (*empire*) desmembrarse; **se** ~ **l'épaule** dislocarse el hombro.
disons [dizɔ̃] *vb voir* **dire**.
disparaître [disparɛtr] *vi* desaparecer; **faire** ~ **qch/qn** hacer desaparecer algo/a algn.
disparité [disparite] *nf* disparidad *f*.
disparition [disparisjɔ̃] *nf* desaparición *f*.
disparu, e [dispary] *pp de* **disparaître** ♦ *nm/f* (*dont on a perdu la trace*) desaparecido(-a); (*défunt*) fallecido(-a); **être porté** ~ ser dado por desaparecido.
dispensaire [dispɑ̃sɛr] *nm* dispensario.
dispense [dispɑ̃s] *nf* dispensa; **dispense d'âge** dispensa de edad.
dispenser [dispɑ̃se] *vt* (*soins etc*) prestar; (*exempter*): ~ **qn de qch/faire qch** dispensar a algn de algo/hacer algo; **se** ~ **de qch/faire qch** librarse de algo/hacer algo; **se faire** ~ **de qch** lograr eximirse de algo.
disperser [dispɛrse] *vt* dispersar; (*efforts*) dividir; **se disperser** *vpr* (*foule*) dispersarse; (*fig*) dividirse.
disponible [dispɔnibl] *adj* disponible.
dispos [dispo] *adj m*: **(frais et)** ~ fresco(-a).
disposé, e [dispoze] *adj* dispuesto(-a); **bien/mal** ~ de buen/mal humor; **être bien/mal** ~ **pour** *ou* **envers qn** estar bien/mal dispuesto(-a) hacia algn; ~ **à** dispuesto(-a) a; **pièces bien/mal ~es** habitaciones *fpl* bien/mal distribuidas.
disposer [dispoze] *vt* disponer; (*préparer, inciter*): ~ **qn à qch/faire qch** predisponer a algn para algo/hacer algo ♦ *vi*: **vous pouvez** ~ puede retirarse; ~ **de** disponer de; **se** ~ **à faire qch** disponerse a hacer algo.
dispositif [dispozitif] *nm* dispositivo; (*d'un texte de loi*) parte *f* resolutiva; **dispositif de sûreté** dispositivo de seguridad.

disposition [dispozisjɔ̃] *nf* disposición *f*; (*arrangement*) distribución *f*; (*gén pl*: *mesures*) medidas *fpl*; (: *préparatifs*) preparativos *mpl*; **~s** *nfpl* disposición *fsg*; **à la ~ de qn** a disposición de algn.
disproportionné, e [dispʀɔpɔʀsjɔne] *adj* desproporcionado(-a).
dispute [dispyt] *nf* riña, disputa.
disputer [dispyte] *vt* disputar; **se disputer** *vpr* reñir; (*match, etc*) disputarse; **~ qch à qn** disputar algo a algn.
disqualifier [diskalifje] *vt* descalificar; **se disqualifier** *vpr* descalificarse.
disque [disk] *nm* disco; **le lancement du ~** el lanzamiento de disco; **disque compact** disco compacto; **disque d'embrayage** (*AUTO*) disco de embrague; **disque de stationnement** disco de estacionamiento; **disque dur** (*INFORM*) disco duro; **disque laser** disco láser; **disque système** sistema *m* de disco.
disquette [diskɛt] *nf* (*INFORM*) diskette *m*; **disquette à double/simple densité** diskette de densidad doble/sencilla; **disquette double/une face** diskette de doble/una cara.
disséminer [disemine] *vt* diseminar.
disséquer [diseke] *vt* disecar; (*fig*) analizar minuciosamente.
dissertation [disɛʀtasjɔ̃] *nf* (*SCOL*) redacción *f*.
disserter [disɛʀte] *vi* disertar; (*gén, SCOL*) redactar; **~ sur** disertar sobre.
dissident, e [disidɑ̃, ɑ̃t] *adj, nm/f* disidente *m/f*.
dissimuler [disimyle] *vt* disimular, ocultar; **se dissimuler** *vpr* cubrirse; (*être masqué, caché*) ocultarse.
dissiper [disipe] *vt* disipar; (*fortune*) derrochar; **se dissiper** *vpr* disiparse; (*élève*) distraerse.
dissocier [disɔsje] *vt* disociar; **se dissocier** *vpr* (*éléments, groupe*) desunirse; **se ~ de** (*point de vue*) disociarse de; (*groupe*) separarse de.
dissolu, e [disɔly] *adj* disoluto(-a).
dissolvant, e [disɔlvɑ̃, ɑ̃t] *vb voir* **dissoudre** ♦ *nm* (*CHIM*) disolvente *m*.
dissoudre [disudʀ] *vt* disolver; **se dissoudre** *vpr* disolverse.
dissuader [disɥade] *vt*: **~ qn de faire qch/de qch** disuadir a algn de hacer algo/de algo.
dissuasion [disɥazjɔ̃] *nf* disuasión *f*; **force de ~** fuerza de disuasión.
distance [distɑ̃s] *nf* distancia; (*de temps*) diferencia; **à ~** a distancia; **avec la ~** con el tiempo; **(situé) à ~** (*INFORM*) (situado) a distancia; **tenir qn à ~** tener a algn a raya; **se tenir à ~** mantenerse a distancia; **une ~ de 10 km** una distancia de 10 km; **à 10 km de ~** a 10 km de distancia; **à 2 ans de ~** con 2 años de diferencia; **prendre ses ~s** tomar las distancias; **garder ses ~s** guardar las distancias; **tenir la ~** resistir el recorrido; **distance focale** (*PHOTO*) distancia focal.
distancer [distɑ̃se] *vt* (*concurrent*) distanciarse de; **se laisser ~** quedarse atrás.
distant, e [distɑ̃, ɑ̃t] *adj* distante; **~ de 5 km** distante 5 km.
distiller [distile] *vt* destilar.
distillerie [distilʀi] *nf* destilería.
distinct, e [distɛ̃(kt), ɛ̃kt] *adj* distinto(-a); (*net*) claro(-a).
distinctif, -ive [distɛ̃ktif, iv] *adj* distintivo(-a).
distinguer [distɛ̃ge] *vt* distinguir; (*suj*: *caractéristique, trait*) caracterizar; **se distinguer** *vpr*: **se ~ (de)** distinguirse (de).
distraire [distʀɛʀ] *vt* distraer; (*amuser*) distraer, entretener; (*somme d'argent*) distraer ♦ *vi* distraer; **se distraire** *vpr* distraerse; **~ qn de qch** distraer a algn de algo; **~ l'attention** distraer la atención.
distrait, e [distʀɛ, ɛt] *pp de* **distraire** ♦ *adj* distraído(-a).
distribuer [distʀibɥe] *vt* repartir; (*hum*: *gifles, coups*) propinar; (*rôles*) repartir; (*CARTES*) dar; (*COMM*) distribuir.
distributeur, -trice [distʀibytœʀ, tʀis] *nm/f* (*COMM*) distribuidor(a) ♦ *nm* (*AUTO*) delco; **distributeur (automatique)** máquina (expendedora); (*BANQUE*) cajero.
distribution [distʀibysjɔ̃] *nf* reparto; (*livres, ordonnance, répartition*) distribución *f*; **circuits de ~** circuitos *mpl* de distribución; **~ des prix** reparto de premios.
district [distʀikt] *nm* distrito.
dit [di] *pp de* **dire** ♦ *adj*: **le jour ~** el día fijado; **X, ~ Pierrot** X, llamado Pierrot.
dites [dit] *vb voir* **dire**.
divaguer [divage] *vi* divagar; (*malade*) delirar.
divan [divɑ̃] *nm* sofá *m*.
diverger [divɛʀʒe] *vi* (*personnes, idées*) discrepar; (*rayons, lignes*) divergir.
divers, e [divɛʀ, ɛʀs] *adj* (*varié*) diverso(-a), vario(-a); (*différent*) variado(-a) ♦ *dét* (*plusieurs*) varios(-as), diversos(-as); "~" "varios"; **(frais) ~** gastos *mpl* varios.
diversité [divɛʀsite] *nf* diversidad *f*.
divertir [divɛʀtiʀ] *vt* divertir; **se divertir** *vpr* divertirse.
divin, e [divɛ̃, in] *adj* (*aussi fig*) divino(-a).
divinité [divinite] *nf* divinidad *f*.

diviser [divize] *vt* dividir; **se diviser** *vpr*: **se ~ en** dividirse en; **~ par** dividir por; **~ un nombre par un autre** dividir un número entre otro.
division [divizjɔ̃] *nf* división *f*; **1ère/2ème ~** (*SPORT*) 1a/2a división; **division du travail** (*ÉCON*) división del trabajo.
divorce [divɔʀs] *nm* divorcio.
divorcer [divɔʀse] *vi* divorciarse; **~ de** *ou* **d'avec qn** divorciarse de algn.
divulguer [divylge] *vt* divulgar.
dix [dis] *adj inv, nm inv* diez *m inv*; *voir aussi* **cinq**.
dixième [dizjɛm] *adj, nm/f* décimo(-a) ♦ *nm* décimo; *voir aussi* **cinquième**.
dizaine [dizɛn] *nf* (*unité*) decena; **une ~ de ...** unos(-as) diez ...; **dire une ~ de chapelet** rezar una decena del rosario.
do [do] *nm inv* (*MUS*) do.
docile [dɔsil] *adj* dócil.
dock [dɔk] *nm* dique *m*; (*hangar, bâtiment*) depósito, almacén *m*; **dock flottant** dique flotante.
docker [dɔkɛʀ] *nm* estibador *m*.
docteur [dɔktœʀ] *nm* (*médecin*) médico, doctor(a); (*d'université*) doctor(a); **docteur en médecine** doctor(a) en medicina.
doctorat [dɔktɔʀa] *nm* (*aussi*: **~ d'État**) doctorado.
doctoresse [dɔktɔʀɛs] *nf* médica, doctora.
doctrine [dɔktʀin] *nf* doctrina.
document [dɔkymɑ̃] *nm* documento.
documentaire [dɔkymɑ̃tɛʀ] *adj* documental ♦ *nm*: **(film) ~** documental *m*.
documenter [dɔkymɑ̃te] *vt* documentar; **se ~ (sur)** documentarse (sobre).
dodeliner [dɔd(ə)line] *vi*: **~ de la tête** cabecear, dar cabezadas.
dodo [dɔdo] *nm*: **aller faire ~** ir a la cama.
dodu, e [dɔdy] *adj* rollizo(-a).
dogme [dɔgm] *nm* dogma *m*.
dogue [dɔg] *nm* (perro) dogo.
doigt [dwa] *nm* dedo; **être à deux ~s de** estar a dos dedos de; **un ~ de** (*fig: lait*) una gota de; (*: whisky*) un dedo de; **le petit ~** el (dedo) meñique; **au ~ et à l'œil** (*obéir*) puntualmente; **désigner** *ou* **montrer du ~** señalar con el dedo; **connaître qch sur le bout du ~** saber algo al dedillo; **mettre le ~ sur le plaie** poner el dedo en la llaga; **doigt de pied** dedo del pie.
doigté [dwate] *nm* (*MUS*) digitación *f*; (*fig*) tiento.
dois *etc* [dwa] *vb voir* **devoir**.
doive *etc* [dwav] *vb voir* **devoir**.
dollar [dɔlaʀ] *nm* dólar *m*.
domaine [dɔmɛn] *nm* dominio; (*JUR*): **tomber dans le ~ public** pasar al dominio público; **dans tous les ~s** en todos los órdenes.
dôme [dom] *nm* cúpula.
domestique [dɔmɛstik] *adj* doméstico(-a) ♦ *nm/f* doméstico(-a), sirviente(-a), criado(-a).
domicile [dɔmisil] *nm* domicilio; **à ~** a domicilio; **élire ~ à** fijar el domicilio en; **sans ~ fixe** sin domicilio fijo; **domicile conjugal/légal** domicilio conyugal/legal.
dominant, e [dɔminɑ̃, ɑ̃t] *adj* dominante.
dominateur, -trice [dɔminatœʀ, tʀis] *adj* dominante.
dominer [dɔmine] *vt* dominar; (*passions etc*) dominar, controlar; (*surpasser*) sobrepasar a ♦ *vi* dominar; (*être le plus nombreux*) predominar; **se dominer** *vpr* dominarse, controlarse.
Dominique [dɔminik] *nf* Dominica.
domino [dɔmino] *nm* dominó *m*; **~s** *nmpl* (*jeu*) dominó *msg*.
dommage [dɔmaʒ] *nm* daño, perjuicio; (*gén pl: dégâts, pertes*) daños *mpl*, pérdidas *fpl*; **c'est ~ de faire/que ...** es una lástima hacer/que ...; **dommages corporels** daños físicos; **dommages matériels** daños materiales.
dommages-intérêts [dɔmaʒ(əz)ɛ̃teʀɛ] *nmpl* daños y perjuicios *mpl*.
dompter [dɔ̃(p)te] *vt* domar; (*passions*) dominar.
dompteur, -euse [dɔ̃(p)tœʀ, øz] *nm/f* domador(a).
DOM-TOM [dɔmtɔm] *sigle m ou mpl* (= *département(s) d'outre-mer/territoire(s) d'outre-mer*) *provincias y territorios franceses de ultramar*.
don [dɔ̃] *nm* (*cadeau*) regalo; (*charité*) donativo; (*aptitude*) don *m*; **avoir des ~s pour** tener don *ou* tener gracia para; **faire ~ de** regalar; **don en argent** regalo en metálico.
donation [dɔnasjɔ̃] *nf* donación *f*.
donc [dɔ̃k] *conj* (*en conséquence*) por tanto; (*après une digression*) así pues; **voilà ~ la solution** (*intensif*) aquí está la solución; **je disais ~ que** como decía; **c'est ~ que** así que; **c'est ~ que j'avais raison** entonces yo tenía razón; **venez ~ dîner à la maison** venid por favor a cenar a casa; **faites ~** ¡adelante!; **"allons ~!"** "¡no me digas!", "¡anda, vamos!"
donjon [dɔ̃ʒɔ̃] *nm* torreón *m*.
donné, e [dɔne] *adj* (*convenu*): **prix/jour ~** precio/día *m* determinado; **c'est ~** es tirado, está regalado; **étant ~ que ...** puesto *ou* dado que ... ♦ *nf* dato.

donner [dɔne] *vt* dar; (*offrir*) regalar; (*maladie*) pegar; (*film, spectacle*) echar, poner ♦ *vi* (*fenêtre, chambre*): ~ **sur** dar a; **se donner** *vpr*: **se ~ à fond (à son travail)** entregarse a fondo (a su trabajo); ~ **dans** (*piège etc*) caer en; **faire ~ l'infanterie** hacer cargar a la infantería; ~ **qch à qn** dar algo a algn; ~ **l'heure à qn** decir la hora a algn; ~ **le ton** (*fig*) marcar la tónica; **se ~ du mal** *ou* **de la peine (pour faire qch)** afanarse (por hacer algo); **s'en ~ (à cœur joie)** (*fam*) pasarlo bomba; ~ **à penser/entendre que ...** parecer indicar que ... .

MOT-CLÉ

dont [dɔ̃] *pron relatif* **1** (*complément d'un nom sujet*) cuyo(-a), cuyos(-as); **une méthode dont je ne connais pas les résultats** un método cuyos resultados desconozco; **c'est le chien dont le maître habite en face** es el perro cuyo dueño vive enfrente

2 (*complément de verbe ou adjectif*): **le voyage dont je t'ai parlé** el viaje del que te hablé; **le pays dont il est originaire** el país del que es originario; **la façon dont il l'a fait** la forma en que lo hizo

3 (*parmi lesquel(le)s*): **2 livres, dont l'un est gros** 2 libros, uno de los cuales es gordo; **il y avait plusieurs personnes, dont Gabrielle** había varias personas, entre ellas Gabriela; **10 blessés, dont 2 grièvement** 10 heridos, 2 de ellos de gravedad.

doper [dɔpe] *vt* dopar; **se doper** *vpr* doparse.

doré, e [dɔʀe] *adj* dorado(-a).

dorénavant [dɔʀenavɑ̃] *adv* en adelante, en lo sucesivo.

dorer [dɔʀe] *vt* dorar ♦ *vi* (*CULIN: poulet*): **(faire)** ~ dorar; (*: gâteau*) bañar en yema; **se ~ au soleil** tostarse al sol; ~ **la pilule à qn** dorar la píldora a algn.

dorloter [dɔʀlɔte] *vt* mimar; **se faire ~** dejarse mimar.

dormir [dɔʀmiʀ] *vi* dormir; (*être endormi*) dormir, estar dormido(-a); **il dort bien/mal** duerme bien/mal; **ne fais pas de bruit, il dort** no hagas ruido, está durmiendo; ~ **à poings fermés** dormir a pierna suelta.

dortoir [dɔʀtwaʀ] *nm* dormitorio; **cité ~** ciudad *f* dormitorio.

dos [do] *nm* espalda; (*d'un animal, de livre*) lomo; (*d'un chèque etc*) dorso; (*de la main*) dorso; **voir au ~** véase al dorso; **robe décolletée dans le ~** vestido escotado de espalda; **de ~** de espaldas; **~ à ~** de espaldas uno a otro; **sur le ~** (*s'allonger*) boca arriba; **à ~ de** (*chameau*) a lomo de; **elle a bon ~, ta mère!** ¡qué fácil es echarle la culpa a tu madre!; **se mettre qn à ~** enemistarse con algn.

dosage [dozaʒ] *nm* dosificación *f*.

dose [doz] *nf* dosis *f inv*.

doser [doze] *vt* dosificar.

dossard [dosaʀ] *nm* dorsal *m*.

dossier [dosje] *nm* expediente *m*; (*chemise, enveloppe*) carpeta; (*de chaise*) respaldo; (*PRESSE*) dossier *m*; **le ~ social/monétaire** (*fig*) la cuestión social/monetaria; **dossier suspendu** expediente archivado.

dot [dɔt] *nf* dote *f*.

doter [dɔte] *vt* (*équiper*): ~ **qch/qn de** dotar algo/a algn de.

douane [dwan] *nf* aduana; (*taxes*) arancel *m*; **passer la ~** pasar la aduana; **en ~** en la aduana.

douanier, -ière [dwanje, jɛʀ] *adj, nm/f* aduanero(-a).

double [dubl] *adj* doble ♦ *adv*: **voir ~** ver doble ♦ *nm* (*autre exemplaire*) copia; (*sosie*) doble; **le ~ (de)** el doble (de); ~ **messieurs/mixte** (*TENNIS*) dobles *mpl* masculinos/mixtos; **à ~ sens** con doble sentido; **à ~ tranchant** de doble filo; **faire ~ emploi** sobrar; **à ~s commandes** de doble mando; **en ~** por duplicado; **double carburateur** doble carburador *m*; **double toit** (*tente*) doble techo; **double vue** doble vista.

doubler [duble] *vt* duplicar; (*vêtement, chaussures*) forrar; (*voiture etc*) adelantar; (*film*) doblar; (*acteur*) doblar a ♦ *vi* duplicarse; (*SCOL*): ~ **(la classe)** repetir (curso); **se doubler** *vpr*: **se ~ de** (*fig*) complicarse con; ~ **un cap** (*NAUT*) doblar un cabo; (*fig*) pasar una etapa.

doublure [dublyʀ] *nf* (*de vêtement*) forro; (*acteur*) doble *m*.

douce [dus] *adj voir* **doux**.

doucement [dusmɑ̃] *adv* (*délicatement*) con cuidado; (*à voix basse*) bajo; (*lentement*) despacio; (*graduellement*) poco a poco.

douceur [dusœʀ] *nf* suavidad *f*; (*d'une personne, saveur etc*) dulzura; (*de gestes*) delicadeza; **~s** *nfpl* golosinas *fpl*; **en ~** con suavidad.

douche [duʃ] *nf* ducha; **~s** *nfpl* (*salle*) duchas *fpl*; **prendre une ~** ducharse; **douche écossaise** *ou* **froide** (*fig*) jarro de agua fría.

doudoune [dudun] *nf* anorak *m*.

doué, e [dwe] *adj* dotado(-a); ~ **de** (*possé-*

dant) dotado(-a) de; **être ~ pour** tener facilidad para.

douille [duj] *nf* (*ÉLEC*) casquillo; (*de projectile*) casquete *m*.

douillet, te [dujɛ, ɛt] *adj* (*péj*) delicado(-a); (*lit*) mullido(-a); (*maison*) confortable.

douleur [dulœʀ] *nf* dolor *m*; **ressentir des ~s** sentir dolores; **il a eu la ~ de perdre son père** tuvo la desgracia de perder a su padre.

douloureux, -euse [duluʀø, øz] *adj* doloroso(-a); (*membre*) dolido(-a).

doute [dut] *nm* duda; **sans ~** seguramente; **sans nul** *ou* **aucun ~** sin ninguna duda; **hors de ~** fuera de duda; **nul ~ que** no hay ninguna duda de que; **mettre en ~** poner en duda; **mettre en ~ que** dudar que.

douter [dute] *vt* dudar; **~ de** dudar de; **~ que** dudar que; **j'en doute** lo dudo; **se ~ de qch/que** sospechar algo/que; **je m'en doutais** me lo figuraba; **ne ~ de rien** estar muy seguro(-a).

douteux, -euse [dutø, øz] *adj* dudoso(-a); (*discutable*) discutible; (*péj*) de aspecto dudoso.

douve [duv] *nf* (*de château*) foso; (*de tonneau, du foie*) duela.

doux, douce [du, dus] *adj* suave; (*personne, saveur*) dulce; (*gestes*) delicado(-a); (*climat, région*) templado(-a); (*eau*) blando(-a); **en douce** (*partir etc*) a la chita callando; **tout ~** despacio.

douzaine [duzɛn] *nf* docena; **une ~ (de)** unos(-as) doce.

douze [duz] *adj inv, nm inv* doce *m inv*; *voir aussi* **cinq**.

douzième [duzjɛm] *adj, nm/f* duodécimo(-a) ♦ *nm* duodécimo; *voir aussi* **cinquième**.

doyen, ne [dwajɛ̃, jɛn] *nm/f* (*en âge*) mayor *m/f*; (*de faculté*) decano(-a); **le ~ de ...** (*en ancienneté*) el(la) más antiguo(-a) de ... .

dragée [dʀaʒe] *nf* peladilla; (*MÉD*) gragea.

dragon [dʀagɔ̃] *nm* dragón *m*.

draguer [dʀage] *vt* (*rivière*) dragar; (*fam: filles*) ligar con ♦ *vi* ligar.

drainer [dʀene] *vt* drenar; (*visiteurs, capitaux*) atraer.

dramatique [dʀamatik] *adj* dramático(-a) ♦ *nf* (*TV*) teledrama *m*.

drame [dʀam] *nm* drama *m*; **drame de l'alcoolisme** drama del alcoholismo; **drame familial** drama familiar.

drap [dʀa] *nm* sábana; (*tissu*) paño; **drap de dessous/de dessus** (sábana) bajera/encimera; **drap de plage** toalla de playa.

drapeau, x [dʀapo] *nm* bandera; **sous les ~x** en filas; **le ~ blanc** la bandera blanca.

dresser [dʀese] *vt* levantar; (*liste*) redactar; (*animal domestique*) entrenar; (*animal de cirque*) amaestrar; **se dresser** *vpr* (*église, falaise*) erguirse; (*obstacle*) presentarse; (*sur la pointe des pieds*) ponerse de puntillas; (*avec grandeur, menace*) erguirse; **~ l'oreille** aguzar el oído; **~ la table** poner la mesa; **~ qn contre qn d'autre** indisponer a algn con algn; **~ un procès-verbal** *ou* **une contravention à qn** levantar acta a algn.

drogue [dʀɔg] *nf* droga; **drogue douce/dure** droga blanda/dura.

drogué, e [dʀɔge] *nm/f* drogadicto(-a).

droguer [dʀɔge] *vt* drogar; **se droguer** *vpr* drogarse.

droit, e [dʀwa, dʀwat] *adj* derecho(-a), recto(-a); (*opposé à gauche*) derecho(-a); (*fig*) recto(-a) ♦ *adv* derecho ♦ *nm* derecho; (*BOXE*): **direct/crochet du ~** directo/gancho de derecha; (*lois, matière*): **le ~** el derecho; **~s** *nmpl* (*taxes*) derechos *mpl*; **~ au but** *ou* **au fait** al grano; **~ au cœur** al corazón; **avoir le ~ de** tener el derecho de; **avoir ~ à** tener derecho a; **être en ~ de** tener el derecho de; **faire ~ à** hacer justicia a; **être dans son ~** estar en su derecho; **à bon ~** con razón; **de quel ~?** ¿con qué derecho?; **à qui de ~** a quien corresponda; **avoir ~ de cité (dans)** (*fig*) tener derecho de entrada (en); **droit coutumier** derecho consuetudinario; **droit de regard** derecho de control; **droit de réponse/de visite/de vote** derecho de réplica/de visita/al voto; **droits d'auteur** derechos de autor; **droits de douane** aranceles *mpl*, derechos arancelarios *ou* de aduana; **droits d'inscription** matrícula.

droite [dʀwat] *nf* (*direction*) derecha; (*MATH*) recta; (*POL*): **la ~** la derecha; **à ~ (de)** a la derecha (de); **de ~** (*POL*) de derechas.

droitier, -ière [dʀwatje, jɛʀ] *adj, nm/f* diestro(-a).

drôle [dʀol] *adj* gracioso(-a); (*bizarre*) raro(-a); **un ~ de ...** un ... muy raro.

drôlement [dʀolmɑ̃] *adv* tremendamente; **il fait ~ froid** hace un frío que pela.

dru, e [dʀy] *adj* (*cheveux*) tupido(-a); (*pluie*) recio(-a) ♦ *adv* (*pousser*) tupido; **la pluie tombait ~** llovía a cántaros.

du [dy] *prép + dét voir* **de**.

dû, e [dy] *pp de* **devoir** ♦ *adj* (*somme*) debido(-a); **~ à** debido a ♦ *nm*: **le ~** lo debido.

duc [dyk] *nm* duque *m*.

duchesse [dyʃɛs] *nf* duquesa.
dune [dyn] *nf* duna.
duo [dɥo] *nm* (*MUS*) dúo; (*couple*) pareja.
dupe [dyp] *nf* engañado(-a) ♦ *adj*: **(ne pas) être ~ de** (no) dejarse engañar por.
duquel [dykɛl] *prép + pron voir* **lequel**.
dur, e [dyʀ] *adj* duro(-a); (*problème*) difícil; (*lumière*) fuerte; (*fam*) almidonado(-a) ♦ *nm* (*construction*): **en ~** de fábrica ♦ *adv* (*travailler, taper etc*) duramente, mucho ♦ *nf*: **à la ~e** en condiciones penosas; **mener la vie ~e à qn** dar mala vida a algn; **~ d'oreille** duro(-a) de oído.
durable [dyʀabl] *adj* duradero(-a).
durant [dyʀɑ̃] *prép* durante; **~ des mois, des mois ~** durante meses enteros.
durcir [dyʀsiʀ] *vt, vi* endurecer; **se durcir** *vpr* endurecerse.
durée [dyʀe] *nf* duración *f*; **de courte/longue ~** breve/prolongado(-a); **pile de longue ~** pila de larga duración; **pour une ~ illimitée** por un periodo ilimitado.
durement [dyʀmɑ̃] *adv* (*très*) fuertemente; (*traiter*) severamente, duramente.
durer [dyʀe] *vi* durar.
dureté [dyʀte] *nf* dureza; (*de la lumière*) fuerza.
dut *etc* [dy] *vb voir* **devoir**.
duvet [dyvɛ] *nm* plumón *m*; (*sac de couchage*) saco de dormir (de plumón).
dynamique [dinamik] *adj* dinámico(-a).
dynamite [dinamit] *nf* dinamita.
dynamo [dinamo] *nf* dinamo *f* (*m en AM*).
dynastie [dinasti] *nf* dinastía.

E, e

eau, x [o] *nf* agua; **~x** *nfpl* (*thermales*) aguas *fpl*; **sans ~** (*whisky etc*) sin agua; **prendre l'~** (*chaussure etc*) dejar pasar el agua; **prendre les ~x** tomar las aguas; **tomber à l'~** (*fig*) fracasar; **à l'~ de rose** rosa; **eau bénite** agua bendita; **eau courante/douce/salée** agua corriente/dulce/salada; **eau de Cologne/de toilette** agua de Colonia/de olor; **eau de javel** lejía; **eau de pluie** agua de lluvia; **eau distillée/lourde** agua destilada/pesada; **eau minérale/oxygénée** agua mineral/oxigenada; **eau plate/gazeuse** agua natural (del grifo)/con gas; **les Eaux et Forêts** *administración de montes*; **eaux ménagères** *ou* **usées** aguas *fpl* residuales; **eaux territoriales** aguas jurisdiccionales.
eau-de-vie [odvi] (*pl* **~x-~-~**) *nf* aguardiente *m*.
eau-forte [ofɔʀt] (*pl* **~x-~s**) *nf* aguafuerte *f*.
ébahi, e [ebai] *adj* atónito(-a).
ébattre [ebatʀ]: **s'~** *vpr* retozar.
ébaucher [eboʃe] *vt* esbozar, bosquejar; **~ un sourire/geste** esbozar una sonrisa/un gesto; **s'ébaucher** *vpr* esbozarse.
ébène [ebɛn] *nf* ébano.
ébéniste [ebenist] *nm* ebanista *m/f*.
éberlué, e [ebɛʀlɥe] *adj* boquiabierto(-a).
éblouir [ebluiʀ] *vt* deslumbrar; (*aveugler*) cegar.
éborgner [ebɔʀɲe] *vt*: **~ qn** dejar tuerto(-a) a algn.
éboueur [ebwœʀ] *nm* basurero.
éboulement [ebulmɑ̃] *nm* derrumbamiento; (*amas*) escombros *mpl*.
ébouler [ebule]: **s'~** *vpr* derrumbarse.
éboulis [ebuli] *nm* desprendimiento.
ébouriffé, e [ebuʀife] *adj* desgreñado(-a).
ébranler [ebʀɑ̃le] *vt* (*vitres, immeuble*) estremecer; (*poteau, mur*) mover; (*résolution, personne*) hacer vacilar; (*régime*) desestabilizar; (*santé*) debilitar; **s'ébranler** *vpr* (*partir*) ponerse en movimiento.
ébrécher [ebʀeʃe] *vt* (*assiette*) lascar; (*lame*) mellar.
ébriété [ebʀijete] *nf*: **en état d'~** en estado de embriaguez.
ébrouer [ebʀue]: **s'~** *vpr* (*cheval*) resoplar; (*s'agiter*) sacudirse.
ébruiter [ebʀɥite] *vt* divulgar; **s'ébruiter** *vpr* divulgarse.
ébullition [ebylisjɔ̃] *nf* ebullición *f*; **en ~** en ebullición; (*fig*) en efervescencia.
écaille [ekaj] *nf* (*de poisson*) escama; (*de coquillage*) concha; (*matière*) concha, carey *m*; (*de peinture*) desconchón *m*.
écailler [ekaje] *vt* (*poisson*) escamar; (*huître*) abrir; (*aussi*: **faire s'~**) desconchar; **s'écailler** *vpr* (*peinture*) desconcharse.
écarlate [ekaʀlat] *adj* escarlata.
écarquiller [ekaʀkije] *vt*: **~ les yeux** abrir desmesuradamente los ojos.
écart [ekaʀ] *nm* (*de temps*) lapso; (*dans l'espace*) separación *f*; (*de prix etc*) diferencia; (*embardée, mouvement*) desvío brusco; **à l'~** (*éloigné*) alejado(-a), apartado(-a); (*fig*) aislado(-a); **faire le grand ~** hacer el spaccato; **écart de conduite** desviación *f* de conducta; **écart de langage** grosería.
écarté, e [ekaʀte] *adj* (*isolé*) apartado(-a); (*ouvert*) abierto(-a); **les jambes ~es** las piernas abiertas; **les bras ~s** los brazos abiertos.
écarter [ekaʀte] *vt* (*éloigner*) alejar; (*personnes*) separar; (*ouvrir*) abrir; (*CARTES,*

candidat, possibilité) descartar; **s'écarter** *vpr* (*parois, jambes*) abrirse; (*personne*) alejarse; **s'~ de** alejarse de; (*fig*) desviarse de.

ecchymose [ekimoz] *nf* equimosis *f inv*.

écervelé, e [esɛʀvəle] *adj* atolondrado(-a).

échafaud [eʃafo] *nm* cadalso.

échafaudage [eʃafodaʒ] *nm* (*CONSTR*) andamiaje *m*; (*amas*) montón *m*.

échalote [eʃalɔt] *nf* chalote *m*, chalota.

échancré, e [eʃɑ̃kʀe] *adj* (*robe, corsage*) escotado(-a); (*côte*) recortado(-a).

échancrure [eʃɑ̃kʀyʀ] *nf* (*de robe*) escote *m*; (*de côte, arête rocheuse*) escotadura.

échange [eʃɑ̃ʒ] *nm* intercambio; **en ~ (de)** a cambio (de); **échanges commerciaux/culturels** intercambios *mpl* comerciales/culturales; **échanges de lettres/de politesses** intercambio *msg* de cartas/de cumplidos; **échange de vues** cambio de impresiones.

échanger [eʃɑ̃ʒe] *vt* intercambiar; **~ qch (contre)** (*troquer*) canjear algo (por); **~ qch avec qn** intercambiar algo con algn.

échangeur [eʃɑ̃ʒœʀ] *nm* cruce *m* (a diferentes niveles).

échantillon [eʃɑ̃tijɔ̃] *nm* muestra.

échappement [eʃapmɑ̃] *nm* escape *m*; **échappement libre** escape libre.

échapper [eʃape]: **~ à** *vt ind* escapar de; (*punition, péril*) librarse de; **s'échapper** *vpr* escaparse; **~ à qn** escapársele a algn; **~ des mains de qn** escaparse de las manos de algn; **laisser ~** dejar escapar; **l'~ belle** escapar por los pelos.

écharde [eʃaʀd] *nf* astilla.

écharpe [eʃaʀp] *nf* (*cache-nez*) bufanda; (*de maire*) banda; **avoir un bras en ~** tener un brazo en cabestrillo; **prendre en ~** (*dans une collision*) coger de refilón.

échasse [eʃas] *nf* zanco.

échauffer [eʃofe] *vt* (*métal, moteur*) recalentar; (*corps, personne*) calentar; (*exciter*) irritar; **s'échauffer** *vpr* (*SPORT*) calentarse; (*dans la discussion*) acalorarse.

échéance [eʃeɑ̃s] *nf* (*date*) vencimiento; (*somme due*) deuda; (*d'engagements, promesses*) plazo; **à brève/longue ~** *adj, adv* a corto/largo plazo.

échéant [eʃeɑ̃]: **le cas ~** *adv* llegado el caso.

échec [eʃɛk] *nm* fracaso; (*ÉCHECS*) jaque *m*; **~s** *nmpl* (*jeu*) ajedrez *msg*; **~ et mat/au roi** jaque mate/al rey; **mettre en ~** hacer fracasar; **tenir en ~** tener en jaque; **faire ~ à** fracasar.

échelle [eʃɛl] *nf* (*de bois*) escalera de mano; (*fig*) escala; **à l'~ de** a escala de; **sur une grande/petite ~** en gran/pequeña escala; **faire la courte ~ à qn** aupar a algn; **échelle de corde** escala de cuerda.

échelon [eʃ(ə)lɔ̃] *nm* (*d'échelle*) escalón *m*; (*ADMIN*) escalafón *m*; (*SPORT*) categoría.

échevelé, e [eʃəv(ə)le] *adj* desgreñado(-a); (*fig*) alocado(-a).

échine [eʃin] *nf* espinazo.

échiquier [eʃikje] *nm* tablero.

écho [eko] *nm* eco; (*potins*) cotilleo; **~s** *nmpl* (*PRESSE*) gacetilla *fsg*; **rester sans ~** (*suggestion*) no tener eco; **se faire l'~ de** hacerse eco de.

échographie [ekogʀafi] *nf* ecografía.

échoir [eʃwaʀ] *vi* vencer; **~ à** corresponder a.

échouer [eʃwe] *vi* (*tentative*) fracasar; (*candidat*) suspender; (*bateau*) encallar; (*débris*) ser arrastrado(-a) a; (*aboutir: personne dans un café etc*) ir a parar ♦ *vt* (*bateau*) embarrancar; **s'échouer** *vpr* embarrancarse.

éclabousser [eklabuse] *vt* salpicar; (*fig*) mancillar.

éclair [eklɛʀ] *nm* (*d'orage*) relámpago; (*de flash*) disparo; (*de génie, d'intelligence*) chispa ♦ *adj inv* (*voyage etc*) relámpago *inv*.

éclairage [eklɛʀaʒ] *nm* iluminación *f*; (*CINÉ, lumière*) luz *f*; (*fig*) punto de vista; **éclairage indirect** iluminación indirecta.

éclaircie [eklɛʀsi] *nf* escampada.

éclaircir [eklɛʀsiʀ] *vt* aclarar; (*sauce*) aguar; **s'éclaircir** *vpr* (*ciel*) despejarse; (*cheveux*) caerse; (*situation*) aclararse; **s'~ la voix** aclararse la voz.

éclairer [ekleʀe] *vt* (*suj: lampe, lumière*) iluminar; (*avec une lampe de poche*) alumbrar; (*instruire*) instruir; (*rendre compréhensible*) aclarar ♦ *vi*: **~ bien/mal** iluminar bien/mal; **s'éclairer** *vpr* (*phare, rue*) iluminarse; (*situation*) aclararse; **s'~ à la bougie/l'électricité** alumbrarse con velas/con electricidad.

éclaireur, -euse [eklɛʀœʀ, øz] *nm* (*MIL*) explorador *m* ♦ *nm/f* (*scout*) explorador(a); **partir en ~** adelantarse.

éclat [ekla] *nm* (*de bombe, verre*) fragmento; (*du soleil, d'une couleur*) brillo; (*d'une cérémonie*) brillantez *f*; **faire un ~** (*scandale*) montar un número; **action d'~** hazaña; **voler en ~s** volar en pedazos; **des ~s de verre** cristales *mpl*; **éclat de rire** carcajada; **éclats de voix** subidas *fpl* de tono.

éclatant, e [eklatɑ̃, ɑ̃t] *adj* (*couleur*) brillante; (*lumière*) resplandeciente; (*voix,* *son*) vibrante; (*évident*) incuestionable; (*succès*) clamoroso(-a); (*revanche*) sensacional.

éclater [eklate] *vi* estallar; (*groupe, parti*) fragmentarse; **s'éclater** *vpr* (*fam*) pasarlo bomba; ~ **de rire/en sanglots** reventar de risa/en llanto.

éclipser [eklipse] *vt* eclipsar; **s'éclipser** *vpr* eclipsarse.

éclopé, e [eklɔpe] *adj* cojo(-a).

écluse [eklyz] *nf* esclusa.

écœurer [ekœʀe] *vt* (*suj*: *gâteau, goût*) dar asco; (*personne, attitude*) desagradar; (*démoraliser*) destrozar.

école [ekɔl] *nf* escuela; **aller à l'~** ir a la escuela; **faire ~** formar escuela; **les Grandes Écoles** las Grandes Escuelas; **école de danse/de dessin/de musique/de secrétariat** escuela de baile/de dibujo/de música/de secretariado; **école hôtelière** escuela de hostelería; **école maternelle** escuela de párvulos; **école normale (d'instituteurs)/supérieure** escuela normal (de maestros)/superior; **école élémentaire, école primaire** escuela primaria; **école privée/publique/secondaire** escuela privada/pública/secundaria.

écolier, -ière [ekɔlje, jɛʀ] *nm/f* escolar *m/f*.

écologie [ekɔlɔʒi] *nf* ecología.

écologique [ekɔlɔʒik] *adj* ecológico(-a).

écologiste [ekɔlɔʒist] *nm/f* ecologista *m/f*.

éconduire [ekɔ̃dɥiʀ] *vt* (*congédier*) despedir.

économe [ekɔnɔm] *adj* ahorrador(a) ♦ *nm/f* (*de lycée etc*) ecónomo(-a).

économie [ekɔnɔmi] *nf* economía; (*vertu*) ahorro; (*plan, arrangement d'ensemble*) organización *f*; **~s** *nfpl* ahorros *mpl*; **une ~ de temps/d'argent** un ahorro de tiempo/de dinero; **économie dirigée** economía planificada.

économique [ekɔnɔmik] *adj* económico(-a).

économiser [ekɔnɔmize] *vt* ahorrar, economizar ♦ *vi* ahorrar dinero.

écoper [ekɔpe] *vt* achicar ♦ *vi* achicar; (*fig*) pagar el pato; ~ **(de)** (*recevoir*) ganarse.

écorce [ekɔʀs] *nf* corteza; (*de fruit*) piel *f*.

écorcher [ekɔʀʃe] *vt* (*animal*) desollar; (*égratigner*) arañar; (*une langue*) lastimar; **s'~ le genou** *etc* arañarse la rodilla *etc*.

écorchure [ekɔʀʃyʀ] *nf* arañazo.

Écosse [ekɔs] *nf* Escocia.

écouler [ekule] *vt* (*stock*) liquidar; (*faux billets*) hacer circular; **s'écouler** *vpr* (*rivière, eau*) fluir; (*foule*) dispersarse; (*jours, temps*) transcurrir.

écourter [ekuʀte] *vt* acortar.

écoute [ekut] *nf* (*RADIO, TV*): **temps/heure d'~** tiempo/hora de audición; (*NAUT*) escota; **heure de grande ~** hora de gran audiencia; **bonne/mauvaise ~** buena/mala audición; **prendre l'~** sintonizar; **être/rester à l'~ (de)** estar/seguir a la escucha (de); **écoutes téléphoniques** escuchas *fpl* telefónicas.

écouter [ekute] *vt* escuchar; (*fig*) hacer caso de *ou* a, escuchar a ♦ *vi* escuchar; **s'écouter** *vpr* (*s'apitoyer*) hacerse caso; **si je m'écoutais** (*suivre son impulsion*) si por mí fuera; s'~ **parler** escucharse hablar.

écouteur [ekutœʀ] *nm* (*téléphone*) auricular *m*; **~s** *nmpl* (*RADIO*) auriculares *mpl*.

écrabouiller [ekʀabuje] *vt* (*fam*) espachurrar.

écran [ekʀɑ̃] *nm* pantalla; **porter à l'~** llevar a la pantalla; **faire ~** hacer pantalla; **le petit ~** la pequeña pantalla; **écran de fumée** pantalla de humo.

écrasant, e [ekʀɑzɑ̃, ɑ̃t] *adj* (*responsabilité, travail*) agobiante; (*supériorité, avance*) abrumador(a), aplastante.

écraser [ekʀɑze] *vt* (*broyer*) aplastar; (*suj*: *voiture, train etc*) atropellar; (*ennemi, équipe adverse*) aplastar; (*INFORM*) sobreescribir; (*suj*: *travail, impôts*) abrumar; (: *responsabilités*) agobiar; (*dominer, humilier*) humillar; **écrase(-toi)!** ¡cierra el pico!; **se faire ~** ser atropellado(-a); **s'~ (au sol)** (*avion*) estrellarse (contra el suelo); **s'~ contre/sur** (*suj*: *voiture, objet*) estrellarse contra/en.

écrevisse [ekʀəvis] *nf* cangrejo de río.

écrier [ekʀije]: **s'~** *vpr* exclamar.

écrin [ekʀɛ̃] *nm* joyero.

écrire [ekʀiʀ] *vt, vi* escribir; **s'écrire** *vpr* (*réciproque*) escribirse; (*mot*): **ca s'écrit comment?** ¿cómo se escribe eso?; **~ à qn (que)** escribir a algn (que).

écrit, e [ekʀi, it] *pp de* **écrire** ♦ *adj*: **bien/mal ~** bien/mal escrito(-a) ♦ *nm* escrito; **par ~** por escrito.

écriteau, x [ekʀito] *nm* letrero.

écriture [ekʀityʀ] *nf* escritura; (*style*) estilo; **~s** *nfpl* (*COMM*) escrituras *fpl*; **les Écritures** las Escrituras; **Écriture (sainte)**: **l'Écriture (sainte)** la (sagrada) Escritura.

écrivain [ekʀivɛ̃] *nm* escritor(a).

écrou [ekʀu] *nm* tuerca.

écrouer [ekʀue] *vt* encarcelar.

écrouler [ekʀule]: **s'~** *vpr* (*mur*) derrumbarse; (*personne, animal*) desplomarse; (*projet etc*) venirse abajo.

écru [ekʀy] *adj* crudo(-a).

écu [eky] *nm* (*monnaie de la CE*) ecu *m*.
écueil [ekœj] *nm* escollo.
éculé, e [ekyle] *adj* (*chaussure*) destaconado(-a); (*péj: plaisanterie etc*) trasnochado(-a).
écume [ekym] *nf* espuma; **écume de mer** espuma de mar.
écumer [ekyme] *vt* (*CULIN*) espumar; (*région, bibliothèque*) recorrer ♦ *vi* (*mer*) hacer espuma; (*fig*) echar chispas por la boca.
écureuil [ekyʀœj] *nm* ardilla.
écurie [ekyʀi] *nf* cuadra; (*de course automobile*) escudería; (*de course hippique*) caballeriza.
écusson [ekysɔ̃] *nm* insignia.
écuyer, -ère [ekɥije, jɛʀ] *nm/f* jinete *m/f*.
eczéma [ɛgzema] *nm* eczema *m*.
EDF [ədeɛf] *sigle f* = *Électricité de France*.
édifice [edifis] *nm* (*bâtiment*) edificio; (*fig*) estructura.
édifier [edifje] *vt* (*bâtiment*) edificar; (*plan, théorie*) construir; (*REL: personne*) edificar; (*: iro*) informar.
édit [edi] *nm* edicto.
éditer [edite] *vt* editar.
éditeur, -trice [editœʀ, tʀis] *nm/f* editor(a).
édition [edisjɔ̃] *nf* edición *f*; (*PRESSE: exemplaires d'un journal*) tirada; ~ **sur écran** (*INFORM*) edición en pantalla; **l'~** (*industrie du livre*) la edición.
éditorial, -aux [editɔʀjal, jo] *nm* editorial *f*.
édredon [edʀədɔ̃] *nm* edredón *m*.
éducateur, -trice [edykatœʀ, tʀis] *adj* educativo(-a) ♦ *nm/f* educador(a); **éducateur spécialisé** educador especializado.
éducatif, -ive [edykatif, iv] *adj* educativo(-a).
éducation [edykasjɔ̃] *nf* educación *f*; **bonne/mauvaise** ~ buena/mala educación; **sans** ~ (*mal élevé*) sin educación; **éducation permanente** educación permanente; **éducation physique** educación física; **l'Éducation (Nationale)** (*ADMIN*) ≈ Educación.
éduquer [edyke] *vt* educar; **bien/mal éduqué** bien/mal educado.
effacé, e [efase] *adj* (*personne*) eclipsado(-a); (*rôle*) secundario(-a).
effacer [efase] *vt* borrar; **s'effacer** *vpr* borrarse; (*pour laisser passer*) apartarse.
effarant, e [efaʀɑ̃, ɑ̃t] *adj* espantoso(-a).
effaré, e [efaʀe] *adj* espantado(-a).
effaroucher [efaʀuʃe] *vt* (*animal*) espantar; (*personne*) asustar.
effectif, -ive [efɛktif, iv] *adj* efectivo(-a) ♦ *nm* (*MIL, COMM: gén pl*) efectivos *mpl*; (*d'une classe*) alumnado.
effectivement [efɛktivmɑ̃] *adv* efectivamente; (*réellement*) realmente.
effectuer [efɛktɥe] *vt* efectuar; (*mouvement*) realizar; **s'effectuer** *vpr* efectuarse; (*mouvement*) producirse.
efféminé, e [efemine] *adj* afeminado(-a).
effervescent, e [efɛʀvesɑ̃, ɑ̃t] *adj* efervescente.
effet [efɛ] *nm* efecto; **~s** *nmpl* (*vêtements etc*) prendas *fpl*; **avec ~ rétroactif** con efecto retroactivo; **faire de l'~** (*médicament, menace*) hacer efecto; (*nouvelle, décor*) causar efecto; **sous l'~ de** bajo el efecto de; **donner de l'~ à une balle** dar efecto a una pelota; **à cet ~** con este fin; **en ~** en efecto; **effet (de commerce)** efecto (comercial); **effet de couleur/de lumière/de style** efecto de color/de luz/de estilo; **effet de serre** efecto invernadero; **effets de voix** efectos *mpl* de voz; **effets spéciaux** efectos especiales.
efficace [efikas] *adj* eficaz.
efficacité [efikasite] *nf* eficacia.
effilé, e [efile] *adj* afilado(-a); (*doigt*) delgado(-a); (*pointe*) aguzado(-a); (*carrosserie*) refinado(-a).
efflanqué, e [eflɑ̃ke] *adj* flaco(-a).
effleurer [eflœʀe] *vt* (*avec la main, le corps*) rozar; (*fig: sujet, idée*) tocar; ~ **qn** (*suj: pensée*) pasar por la cabeza.
effluves [eflyv] *nmpl* efluvios *mpl*.
effondrer [efɔ̃dʀe]: **s'~** *vpr* (*mur, bâtiment*) desmoronarse; (*prix, marché*) hundirse; (*blessé, coureur etc*) desplomarse; (*craquer moralement*) hundirse.
efforcer [efɔʀse]: **s'~ de** *vpr* esforzarse por; **s'~ de faire** esforzarse por hacer.
effort [efɔʀ] *nm* esfuerzo; **faire un ~** hacer un esfuerzo; **faire tous ses ~s** hacer todos los esfuerzos posibles; **faire l'~ de ...** hacer el esfuerzo de ...; **sans ~** *adj, adv* sin esfuerzo; **effort de mémoire/de volonté** esfuerzo de memoria/de voluntad.
effraction [efʀaksjɔ̃] *nf* allanamiento de morada; **s'introduire par ~ dans** entrar con allanamiento de morada en.
effrayant, e [efʀɛjɑ̃, ɑ̃t] *adj* horroroso(-a), espantoso(-a).
effrayer [efʀeje] *vt* asustar; **s'effrayer (de)** *vpr* asustarse (de).
effréné, e [efʀene] *adj* desenfrenado(-a).
effriter [efʀite]: **s'~** *vpr* desmoronarse.
effroi [efʀwa] *nm* pavor *m*.
effronté, e [efʀɔ̃te] *adj* descarado(-a).
effronterie [efʀɔ̃tʀi] *nf* descaro.
effroyable [efʀwajabl] *adj* espantoso(-a).
effusion [efyzjɔ̃] *nf* (*gén pl*) efusión *f*;

sans ~ de sang sin derramamiento de sangre.

égal, e, -aux [egal, o] *adj* (*gén*) igual; (*terrain, surface*) liso(-a); (*vitesse, rythme*) regular ♦ *nm/f* igual *m/f*; **être ~ à** ser igual a; **ça lui/nous est ~** le/nos da igual; **c'est ~** es igual; **sans ~** sin igual; **à l'~ de** (*comme*) al igual que; **d'~ à ~** de igual a igual.

également [egalmɑ̃] *adv* (*partager etc*) en partes iguales; (*en outre, aussi*) igualmente.

égaler [egale] *vt* igualar; **3 plus 3 égalent 6** 3 más 3 igual a 6.

égaliser [egalize] *vt* igualar ♦ *vi* (*SPORT*) empatar.

égalité [egalite] *nf* igualdad *f*; **être à ~ (de points)** estar empatados(-as) (en tantos); **égalité d'humeur** serenidad *f*; **égalité de droits** igualdad de derechos.

égard [egaʀ] *nm* consideración *f*; **~s** *nmpl* (*marques de respect*) atenciones *fpl*; **à cet ~/certains ~s/tous ~s** a este respecto/ en ciertos aspectos/por todos los conceptos; **en ~ à** en consideración a; **par/sans ~ pour** por/sin consideración para; **à l'~ de** con respecto a.

égarer [egaʀe] *vt* (*perdre*) perder; (*personne*) echar a perder; **s'égarer** *vpr* perderse; (*objet*) extraviarse.

égayer [egeje] *vt* (*personne: divertir*) distraer; (*récit, endroit*) alegrar.

églantine [eglɑ̃tin] *nf* zarzarrosa.

église [egliz] *nf* iglesia; **aller à l'~** (*être pratiquant*) ir a la iglesia; **Église catholique: l'Église catholique** la Iglesia católica; **Église presbytérienne: l'Église presbytérienne** la Iglesia presbiteriana.

égoïste [egɔist] *adj, nm/f* egoísta *m/f*.

égorger [egɔʀʒe] *vt* degollar.

égout [egu] *nm* alcantarilla; **eaux d'~** aguas *fpl* residuales.

égoutter [egute] *vt* escurrir ♦ *vi* gotear; **s'égoutter** *vpr* escurrirse; (*eau*) gotear.

égouttoir [egutwaʀ] *nm* escurridero.

égratigner [egʀatiɲe] *vt* rasguñar; (*fig*) burlarse; **s'égratigner** *vpr* rasguñarse.

égratignure [egʀatiɲyʀ] *nf* rasguño.

eh [e] *excl* ¡eh!; **~ bien!** (*surprise*) ¡pero bueno!; **~ bien?** (*attente, doute*) ¿y bien?; **~ bien** (*donc*) entonces.

éhonté, e [eɔ̃te] *adj* desvergonzado(-a).

éjaculer [eʒakyle] *vi* eyacular.

éjecter [eʒɛkte] *vt* (*TECH*) eyectar; (*fam*) echar.

élaborer [elabɔʀe] *vt* elaborar.

élaguer [elage] *vt* (*aussi fig*) podar.

élan [elɑ̃] *nm* (*ZOOL*) alce *m*; (*mouvement, lancée*) impulso; (*fig*) arrebato; **perdre son ~** perder impulso; **prendre de l'~** tomar carrerilla; **prendre son ~** tomar impulso.

élancé, e [elɑ̃se] *adj* esbelto(-a).

élancer [elɑ̃se]: **s'~** *vpr* lanzarse; (*arbre, clocher*) alzarse.

élargir [elaʀʒiʀ] *vt* (*porte, route*) ensanchar; (*vêtement*) sacar a; (*fig: groupe, débat*) ampliar; (*JUR*) liberar; **s'élargir** *vpr* ensancharse.

élasticité [elastisite] *nf* elasticidad *f*; **~ de l'offre/de la demande** elasticidad de la oferta/de la demanda.

élastique [elastik] *adj* elástico(-a); (*PHYS*) flexible; (*fig: parfois péj*) contemporizador(a) ♦ *nm* (*de bureau*) elástico, goma; (*pour la couture*) goma.

électeur, -trice [elɛktœʀ, tʀis] *nm/f* elector(a).

élection [elɛksjɔ̃] *nf* elección *f*; **~s** *nfpl* (*POL*) elecciones *fpl*; **sa terre/patrie d'~** su tierra/patria de elección; **élection partielle** elección parcial; **élections législatives** elecciones legislativas.

électricien, ne [elɛktʀisjɛ̃, jɛn] *nm/f* electricista *m/f*.

électricité [elɛktʀisite] *nf* electricidad *f*; (*fig*) tensión *f*; **avoir l'~** tener corriente eléctrica; **fonctionner à l'~** funcionar con electricidad; **allumer/éteindre l'~** encender/apagar la luz; **électricité statique** electricidad estática.

électrifier [elɛktʀifje] *vt* electrificar.

électrique [elɛktʀik] *adj* eléctrico(-a); (*fig*) tenso(-a).

électro- [elɛktʀɔ] *préf* electro-.

électrocardiogramme [elɛktʀokaʀdjɔgʀam] *nm* electrocardiograma *m*.

électrochoc [elɛktʀoʃɔk] *nm* electrochoque *m*.

électrocuter [elɛktʀɔkyte] *vt* electrocutar.

électroencéphalogramme [elɛktʀoɑ̃sefalɔgʀam] *nm* electroencefalograma *m*.

électroménager [elɛktʀomenaʒe] *adj*: **appareils ~s** aparatos *mpl* electrodomésticos; **l'~** (*secteur commercial*) el sector de electrodomésticos.

électronique [elɛktʀɔnik] *adj* electrónico(-a) ♦ *nf* electrónica.

électrophone [elɛktʀɔfɔn] *nm* tocadiscos *m inv*.

élégant, e [elegɑ̃, ɑ̃t] *adj* (*aussi fig*) elegante.

élément [elemɑ̃] *nm* elemento; **~s** *nmpl* (*eau, air etc*) elementos *mpl*; (*rudiments*) rudimentos *mpl*.

élémentaire [elemɑ̃tɛʀ] *adj* elemental.

éléphant [elefɑ̃] *nm* elefante *m*; **éléphant**

de mer elefante marino.

élevage [el(ə)vaʒ] *nm* (*de bétail, de volaille etc*) cría; (*activité, secteur économique*) ganadería; (*vin*) crianza.

élève [elɛv] *nm/f* alumno(-a); **élève infirmière** aspirante *f* a enfermera.

élevé, e [el(ə)ve] *adj* elevado(-a); **bien/mal ~** bien/mal educado(-a).

élever [el(ə)ve] *vt* (*enfant, animaux, vin*) educar, criar; (*hausser*) subir; (*monument, âme, esprit*) elevar; **s'élever** *vpr* (*avion, alpiniste*) ascender; (*clocher, montagne*) alzarse; (*protestations*) levantar; (*cri*) oírse; (*niveau*) subir; (*température*) ascender; (*survenir: difficultés*) surgir; **~ une protestation/critique** elevar una protesta/crítica; **~ la voix/le ton** levantar la voz/el tono; **~ qn au rang/grade de** ascender *ou* elevar a algn al rango/grado de; **~ un nombre au carré/cube** elevar un número al cuadrado/al cubo; **s'~ contre qch** rebelarse contra algo; **s'~ à** (*frais, dégâts*) elevarse a.

éleveur, -euse [el(ə)vœʀ, øz] *nm/f* (*de bétail*) ganadero(-a).

éligible [eliʒibl] *adj* elegible.

élimé, e [elime] *adj* raído(-a).

éliminer [elimine] *vt* eliminar.

élire [eliʀ] *vt* (*POL etc*) elegir; **~ domicile à ...** domiciliarse en ....

élite [elit] *nf* élite *f*; **tireur d'~** tirador *m* de primera; **chercheur d'~** investigador *m* de categoría.

elle [ɛl] *pron* ella; **Marie est-~ grande?** ¿María es grande?; **c'est à ~** es suyo(-a), es de ella; **ce livre est à ~** ese libro es suyo; **~-même** ella misma; (*après préposition*) sí misma; **avec ~** (*réfléchi*) consigo.

éloge [elɔʒ] *nm* (*compliment: gén pl*) elogio; (*discours*) panegírico; **faire l'~ de qn/qch** hacer el elogio de algn/algo.

éloigné, e [elwaɲe] *adj* (*gén*) alejado(-a); (*date, échéance, parent*) lejano(-a).

éloigner [elwaɲe] *vt* (*échéance, but*) retrasar; (*soupçons, danger*) ahuyentar; **s'éloigner** *vpr* alejarse; (*fig*) distanciarse; **~ qch (de)** alejar algo (de); **~ qn (de)** distanciar a algn (de); **s'~ de** alejarse de; (*fig: sujet, but*) salirse de.

éloquent, e [elɔkɑ̃, ɑ̃t] *adj* elocuente.

élu, e [ely] *pp de* **élire** ♦ *nm/f* (*POL*) elegido(-a), electo(-a); (*REL*) elegido(-a).

éluder [elyde] *vt* eludir.

Elysée [elize] *nm*: **l'~, le palais de l'~** el Elíseo, el palacio del Elíseo; **les Champs ~s** los Campos Elíseos.

émacié, e [emasje] *adj* demacrado(-a).

émail, -aux [emaj, o] *nm* esmalte *m*.

émaillé, e [emaje] *adj* esmaltado(-a); **~ de** (*parsemé*) plagado(-a) de.

émanciper [emɑ̃sipe] *vt* (*JUR*) emancipar; (*gén: aussi moralement*) liberar; **s'émanciper** *vpr* (*fig*) liberarse.

émaner [emane]: **~ de** *vt ind* emanar de.

émasculer [emaskyle] *vt* emascular; (*fig*) mutilar.

emballage [ɑ̃balaʒ] *nm* embalaje *m*; (*d'un cadeau*) envoltura; **emballage perdu** embalaje no retornable.

emballer [ɑ̃bale] *vt* (*gén, moteur*) embalar; (*cadeau*) envolver; (*fig: fam*) apetecer; **s'emballer** *vpr* (*moteur, personne*) embalarse; (*cheval*) desbocarse; (*fig*) propasarse.

embarcation [ɑ̃baʀkasjɔ̃] *nf* embarcación *f*.

embardée [ɑ̃baʀde] *nf* bandazo; **faire une ~** dar un bandazo.

embargo [ɑ̃baʀgo] *nm* embargo; **mettre l'~ sur** embargar.

embarquer [ɑ̃baʀke] *vt* embarcar; (*fam: voler*) mangar; (*: arrêter*) detener ♦ *vi* embarcar; **s'embarquer** *vpr* embarcarse; **s'~ dans** (*affaire, aventure*) embarcarse en.

embarras [ɑ̃baʀa] *nm* (*gén pl: obstacle*) inconveniente *m*; (*confusion*) turbación *f*; (*ennui*) problema *m*; **être dans l'~** (*gêne financière*) estar en apuros; **embarras gastrique** molestia intestinal.

embarrasser [ɑ̃baʀase] *vt* (*encombrer*) estorbar; (*gêner*) molestar; (*troubler*) turbar; **s'~ de** (*paquets*) cargarse de; (*scrupules, problèmes*) preocuparse por.

embaucher [ɑ̃boʃe] *vt* contratar; **s'~ comme** inscribirse como.

embaumer [ɑ̃bome] *vt* embalsamar ♦ *vi* oler muy bien; **~ la lavande/l'encaustique** oler a lavanda/a cera.

embellie [ɑ̃beli] *nf* calma.

embellir [ɑ̃beliʀ] *vt* embellecer ♦ *vi* estar cada vez más bonito(-a).

embêtement [ɑ̃bɛtmɑ̃] *nm* (*gén pl*) contratiempo.

embêter [ɑ̃bete] *vt* (*importuner*) molestar, embromar (*AM*); (*ennuyer*) aburrir; (*contrarier*) fastidiar; **s'embêter** *vpr* aburrirse; (*iro*): **il ne s'embête pas!** ¡no se aburre!

emblée [ɑ̃ble]: **d'~** *adv* de golpe.

emboîter [ɑ̃bwate] *vt* encajar; **~ le pas à qn** pisarle los talones a algn; **s'~ dans** encajarse en; **s'~ (l'un dans l'autre)** encajarse (uno en otro).

embonpoint [ɑ̃bɔ̃pwɛ̃] *nm* gordura; **prendre de l'~** engordar.

embouchure [ɑ̃buʃyʀ] *nf* (*GÉO*) desembocadura; (*MUS*) embocadura.

embourber [ɑ̃buʀbe]: **s'~** *vpr* atascarse;

s'~ dans (*fig*) atrancarse en.
embouteillage [ɑ̃butɛjaʒ] *nm* embotellamiento.
emboutir [ɑ̃butiʀ] *vt* (*TECH*) forjar; (*entrer en collision avec*) chocar contra.
embranchement [ɑ̃bʀɑ̃ʃmɑ̃] *nm* (*routier*) bifurcación *f*; (*SCIENCE*) tipo.
embraser [ɑ̃bʀaze]: **s'~** *vpr* abrasarse; (*fig*) encenderse.
embrasser [ɑ̃bʀase] *vt* (*étreindre*) abrazar; (*donner un baiser*) besar; (*sujet, période*) abarcar; **s'embrasser** *vpr* besarse; **~ une carrière/un métier** abrazar una carrera/ un oficio; **~ du regard** abarcar con la mirada.
embrasure [ɑ̃bʀɑzyʀ] *nf* vano; **dans l'~ de la porte** en el vano de la puerta.
embrayer [ɑ̃bʀeje] *vi* embragar ♦ *vt* (*affaire*) emprender; **~ sur qch** empalmar con algo.
embrocher [ɑ̃bʀɔʃe] *vt* ensartar; (*fig*) atravesar (con espada).
embrouiller [ɑ̃bʀuje] *vt* enredar; (*personne*) liar; **s'embrouiller** *vpr* enredarse.
embruns [ɑ̃bʀœ̃] *nmpl* salpicaduras *fpl*.
embryon [ɑ̃bʀijɔ̃] *nm* embrión *m*.
embûches [ɑ̃byʃ] *nfpl* obstáculos *mpl*.
embué, e [ɑ̃bɥe] *adj* empañado(-a); **yeux ~s de larmes** ojos *mpl* empañados por las lágrimas.
embuscade [ɑ̃byskad] *nf* emboscada; **tendre une ~ à qn** tender una emboscada a algn.
émeraude [em(ə)ʀod] *nf, adj inv* esmeralda.
émergence [emɛʀʒɑ̃s] *nf* emergencia.
émerger [emɛʀʒe] *vi* emerger; (*fig*) surgir.
émerveiller [emɛʀveje] *vt* maravillar; **s'émerveiller** *vpr*: **s'~ (de qch)** maravillarse (de algo).
émetteur, -trice [emetœʀ, tʀis] *adj* emisor(a) ♦ *nm* emisor *m*.
émettre [emɛtʀ] *vt, vi* emitir; **~ sur ondes courtes** emitir en onda corta.
émeute [emøt] *nf* motín *m*.
émietter [emjete] *vt* (*pain*) desmigajar; (*terre*) deshacer; (*fig*) dividir; **s'émietter** *vpr* (*terre*) desmenuzarse; (*pain*) desmigajarse.
émigré, e [emigʀe] *nm/f* emigrado(-a).
émigrer [emigʀe] *vi* emigrar.
éminence [eminɑ̃s] *nf* eminencia; (*colline*) elevación *f*; **Son/Votre Éminence** Su/Vuestra Eminencia; **éminence grise** eminencia gris.
émir [emiʀ] *nm* emir *m*.
émission [emisjɔ̃] *nf* emisión *f*.
emmagasiner [ɑ̃magazine] *vt* almacenar.
emmêler [ɑ̃mele] *vt* enmarañar; **s'emmêler** *vpr* enmarañarse.
emménager [ɑ̃menaʒe] *vi* mudarse; **~ dans** instalarse en.
emmener [ɑ̃m(ə)ne] *vt* llevar; (*comme otage, capture, avec soi*) llevarse; **~ qn au cinéma/restaurant** llevar a algn al cine/restaurante.
emmerder [ɑ̃mɛʀde] (*fam!*) *vt* dar el coñazo (*fam!*), fregar (*AM*: *fam!*); **s'emmerder** *vpr* aburrirse la hostia (*fam!*); **je t'emmerde!** ¡que te den por culo! (*fam!*).
emmitoufler [ɑ̃mitufle] *vt* arropar; **s'emmitoufler** *vpr* arroparse.
émoi [emwa] *nm* emoción *f*; (*trouble*) inquietud *f*; **en ~** excitado(-a).
émotif, -ive [emɔtif, iv] *adj* (*troubles etc*) emocional; (*personne*) emotivo(-a).
émotion [emosjɔ̃] *nf* emoción *f*; **avoir des ~s** (*fig*) tener sobresaltos; **donner des ~s à** dar sobresaltos a; **sans ~** sin emoción.
émoussé, e [emuse] *adj* desafilado(-a).
émouvant, e [emuvɑ̃, ɑ̃t] *adj* conmovedor(a).
émouvoir [emuvwaʀ] *vt* (*troubler*) turbar; (*attendrir*) conmover; (*indigner*) indignar; (*effrayer*) atemorizar; **s'émouvoir** *vpr* (*se troubler*) turbarse; (*s'attendrir*) conmoverse; (*s'indigner*) indignarse; (*s'effrayer*) atemorizarse.
empailler [ɑ̃pɑje] *vt* disecar.
empaler [ɑ̃pale] *vt* empalar; **s'empaler sur** *vpr* empalarse en.
empaqueter [ɑ̃pakte] *vt* empaquetar.
emparer [ɑ̃paʀe]: **s'~ de** *vpr* apoderarse de; (*MIL*) adueñarse de.
empêchement [ɑ̃pɛʃmɑ̃] *nm* impedimento.
empêcher [ɑ̃peʃe] *vt* impedir; **~ qn de faire qch** impedir a algn que haga algo; **~ que qch (n')arrive/que qn (ne) fasse** impedir que algo pase/que algn haga; **il n'empêche que** lo que no quiere decir que; **je ne peux pas m'~ de penser** no puedo dejar de pensar; **il n'a pas pu s'~ de rire** no pudo evitar reírse.
empereur [ɑ̃pʀœʀ] *nm* emperador *m*.
empeser [ɑ̃pəze] *vt* almidonar.
empester [ɑ̃pɛste] *vt, vi* apestar; **~ le tabac/le vin** apestar a tabaco/a vino.
empêtrer [ɑ̃petʀe] *vb*: **s'~ dans** (*des fils etc, une affaire louche*) enredarse en; (*ses explications*) enredarse con.
empiéter [ɑ̃pjete]: **~ sur** *vt ind* (*terrain*) invadir; (*droits, attributions*) usurpar.

empiffrer [ɑ̃pifʀe]: **s'~** *vpr* (*péj*) atracarse.

empiler [ɑ̃pile] *vt* apilar; **s'empiler** *vpr* amontonarse.

empire [ɑ̃piʀ] *nm* imperio; (*fig*) dominio; **style E~** estilo imperio; **sous l'~ de** bajo el efecto de.

empirer [ɑ̃piʀe] *vi* empeorar.

emplacement [ɑ̃plasmɑ̃] *nm* emplazamiento; **sur l'~ de** en el emplazamiento de.

emplette [ɑ̃plɛt] *nf*: **faire des ~s** ir de tiendas; **faire l'~ de** adquirir.

emplir [ɑ̃pliʀ] *vt* llenar; **s'emplir (de)** *vpr* llenarse (de).

emploi [ɑ̃plwa] *nm* empleo; **l'~** (*COMM, ÉCON*) el empleo; **d'~ facile/délicat** de uso fácil/delicado; **offre/demande d'~** oferta/demanda de empleo; **le plein ~** pleno empleo; **emploi du temps** horario.

employé, e [ɑ̃plwaje] *nm/f* empleado(-a); **employé de banque** empleado(-a) de banco; **employé de bureau** oficinista *m/f*; **employé de maison** criado(-a).

employer [ɑ̃plwaje] *vt* emplear; **~ la force/les grands moyens** emplear fuerza/fuerzas mayores; **s'~ à qch/à faire** esforzarse por algo/por hacer.

employeur, -euse [ɑ̃plwajœʀ, øz] *nm/f* patrón(-ona), empresario(-a).

empocher [ɑ̃pɔʃe] *vt* embolsar.

empoigner [ɑ̃pwaɲe] *vt* empuñar; **s'empoigner** *vpr* (*fig*) ir a las manos.

empoisonner [ɑ̃pwazɔne] *vt* (*volontairement*) envenenar; (*accidentellement, empester*) intoxicar; (*fam: embêter*): **~ qn** fastidiar a algn; **s'empoisonner** *vpr* (*suicide*) envenenarse; (*accidentellement*) intoxicarse; **~ l'atmosphère** (*fig*) cargar la atmósfera; **il nous empoisonne l'existence** nos amarga la existencia.

emporté, e [ɑ̃pɔʀte] *adj* arrebatado(-a).

emporter [ɑ̃pɔʀte] *vt* llevar; (*en dérobant, enlevant*) arrebatar; (*suj: courant, vent, avalanche, choc*) arrastrar; (*: enthousiasme, colère*) arrebatar; (*gagner, MIL*) lograr; **s'emporter** *vpr* enfurecerse; **la maladie qui l'a emporté** la enfermedad que se lo ha llevado; **l'~** ganar; **l'~ sur** desbancar a; **boissons/plats chauds à ~** bebidas *fpl*/comidas *fpl* calientes para llevar.

empreinte [ɑ̃pʀɛ̃t] *nf* huella; **empreintes (digitales)** huellas *fpl* (dactilares).

empressé, e [ɑ̃pʀese] *adj* solícito(-a); (*péj: prétendant, subordonné*) servil.

empresser [ɑ̃pʀese]: **s'~** *vpr* apresurarse; **s'~ auprès de qn** mostrarse solícito con algn; **s'~ de faire** apresurarse a hacer.

emprise [ɑ̃pʀiz] *nf* influencia; **sous l'~ de** bajo la influencia de.

emprisonner [ɑ̃pʀizɔne] *vt* encarcelar; (*fig*) encerrar.

emprunt [ɑ̃pʀœ̃] *nm* (*gén, FIN*) préstamo; (*littéraire*) imitación *f*; **nom d'~** (p)seudónimo; **~ d'État** empréstito de Estado; **~ public à 5%** empréstito público al 5%.

emprunté, e [ɑ̃pʀœ̃te] *adj* (*fig*) forzado(-a).

emprunter [ɑ̃pʀœ̃te] *vt* (*gén, FIN*) pedir *ou* tomar prestado; (*route, itinéraire*) seguir; (*style, manière*) imitar.

ému, e [emy] *pp de* **émouvoir** ♦ *adj* (*de joie, gratitude*) emocionado(-a); (*d'attendrissement*) conmovido(-a).

MOT-CLÉ

en [ɑ̃] *prép* **1** (*endroit, pays*) en; (*direction*) a; **habiter en France/en ville** vivir en Francia/en la ciudad; **aller en France/en ville** ir a Francia/a la ciudad

2 (*temps*) en; **en 3 jours/20 ans** en 3 días/20 años; **en été/juin** en verano/junio

3 (*moyen*) en; **en avion/taxi** en avión/taxi

4 (*composition*) de; **c'est en verre/bois** es de cristal/madera; **un collier en argent** un collar de plata

5 (*description, état*): **une femme en rouge** una mujer de rojo; **peindre qch en rouge** pintar algo de rojo; **en T/étoile** en forma de T/en estrella; **en chemise/chaussettes** en camisa/calcetines; **en soldat** de soldado; **en civil** de civil *ou* paisano; **en deuil** de luto; **cassé en plusieurs morceaux** roto en varios pedazos; **en réparation** en reparación; **partir en vacances** marcharse de vacaciones; **le même en plus grand** el mismo en tamaño más grande; **en bon diplomate, il n'a rien dit** como buen diplomático, no dijo nada; **expert/licencié en ...** experto/licenciado en ...; **fort en maths** fuerte en matemáticas; **être en bonne santé** estar bien de salud; **en deux volumes/une pièce** en dos volúmenes/una pieza; *pour locutions avec 'en' voir* **tant**; **croire** *etc*

6 (*en tant que*): **en bon chrétien** como buen cristiano; **je te parle en ami** te hablo como amigo

7 (*avec gérondif*): **en travaillant/dormant** al trabajar/dormir, trabajando/durmiendo; **en apprenant la nouvelle/sortant, ...** al saber la noticia/al salir, ...; **sortir en courant** salir corriendo

♦ *pron* **1** (*indéfini*): **j'en ai ...** tengo ...; **en as-tu?** ¿tienes?; **en veux-tu?** ¿quieres?; **je n'en veux pas** no quiero; **j'en ai 2** tengo dos; **j'en ai assez** (*fig*) tengo bastante; (*j'en ai marre*) estoy harto de eso; **combien y en a-t-il?** ¿cuántos hay?; **où en étais-je?** ¿dónde estaba?; **j'en viens à penser que ...** eso me lleva a pensar que ...; **il en est ainsi** *ou* **de même pour toi!** ¡y tú igual!
2 (*provenance*) de allí; **j'en viens/sors** vengo/salgo (de allí)
3 (*cause*): **il en est malade/perd le sommeil** está enfermo/pierde el sueño (por ello); (*instrument, agent*): **il en est aimé** es estimado (por ello)
4 (*complément de nom, d'adjectif, de verbe*): **j'en connais les dangers/défauts** conozco los peligros/defectos de eso; **j'en suis fier** estoy orgulloso de ello; **j'en ai besoin** lo necesito.

ENA [ena] *sigle f* (= *École nationale d'administration*) *universidad de élite para altos cargos de la Administración.*
encadrer [ɑ̃kadʀe] *vt* (*tableau, image*) enmarcar; (*fig: entourer*) rodear; (*personnel*) formar; (*soldats etc*) tener a su mando; (*crédit*) controlar.
encaissé, e [ɑ̃kese] *adj* encajonado(-a).
encaisser [ɑ̃kese] *vt* (*chèque, argent*) cobrar; (*coup, défaite*) encajar.
encart [ɑ̃kaʀ] *nm* encarte *m*; ~ **publicitaire** volante *m* publicitario.
en-cas [ɑ̃ka] *nm inv* tentempié *m*.
encastrer [ɑ̃kastʀe] *vt*: ~ **qch dans** (*mur*) empotrar algo en; (*boîtier*) encastrar algo en; **s'encastrer dans** *vpr* embutirse en; (*boîtier*) encastrarse en.
encaustique [ɑ̃kostik] *nf* cera.
enceinte [ɑ̃sɛ̃t] *adj f*: ~ **(de 6 mois)** encinta *ou* embarazada (de 6 meses) ♦ *nf* (*mur*) muralla; (*espace*) recinto; **enceinte (acoustique)** bafle *m*.
encens [ɑ̃sɑ̃] *nm* incienso.
encercler [ɑ̃sɛʀkle] *vt* cercar.
enchaîner [ɑ̃ʃene] *vt* encadenar ♦ *vi* proseguir.
enchanté, e [ɑ̃ʃɑ̃te] *adj* encantado(-a); ~ **de faire votre connaissance** encantado(-a) de conocerle.
enchanter [ɑ̃ʃɑ̃te] *vt* encantar.
enchère [ɑ̃ʃɛʀ] *nf* oferta; **faire une** ~ hacer una oferta; **mettre/vendre aux ~s** sacar/vender en subasta; **les ~s montent** las ofertas suben; **faire monter les ~s** (*fig*) hacer subir las ofertas.
enchevêtrer [ɑ̃ʃ(ə)vɛtʀe] *vt* enredar; **s'enchevêtrer** *vpr* enredarse.
enclave [ɑ̃klav] *nf* enclave *m*.
enclencher [ɑ̃klɑ̃ʃe] *vt* (*mécanisme*) enganchar; (*affaire*) iniciar; **s'enclencher** *vpr* ponerse en marcha.
enclin, e [ɑ̃klɛ̃, in] *adj*: ~ **à qch/à faire** propenso(-a) a algo/a hacer.
enclos [ɑ̃klo] *nm* cercado.
encoche [ɑ̃kɔʃ] *nf* muesca.
encolure [ɑ̃kɔlyʀ] *nf* (*mesure*) (medida del) cuello; (*col, cou*) cuello.
encombrant, e [ɑ̃kɔ̃bʀɑ̃, ɑ̃t] *adj* voluminoso(-a).
encombre [ɑ̃kɔ̃bʀ]: **sans** ~ *adv* sin dificultad.
encombrer [ɑ̃kɔ̃bʀe] *vt* (*couloir, rue*) obstruir; (*mémoire, marché*) abarrotar; (*personne*) estorbar; **s'encombrer de** *vpr* (*bagages etc*) cargarse de *ou* con; ~ **le passage** obstruir el paso.
encontre [ɑ̃kɔ̃tʀ]: **à l'~ de** *prép* (*contre*) en contra de, contra; (*contraire à*) en contra de.

MOT-CLÉ

encore [ɑ̃kɔʀ] *adv* **1** (*continuation*) todavía; **il travaille encore** trabaja todavía; **pas encore** todavía no
2 (*de nouveau*): **elle m'a encore demandé de l'argent** me ha vuelto a pedir dinero; **encore!** (*insatisfaction*) ¡otra vez!; **encore un effort** un esfuerzo más; **j'irai encore demain** iré también mañana; **encore une fois** una vez más; **encore deux jours** dos días más
3 (*intensif*): **encore plus fort/mieux** aún más fuerte/mejor; **hier encore** todavía ayer; **non seulement ... , mais encore** no sólo ... sino también
4 (*restriction*) al menos; **encore pourrais-je le faire, si j'avais de l'argent** si al menos tuviera dinero, podría hacerlo; **si encore** si por lo menos; **(et puis) quoi encore?** ¿y qué más?
encore que *conj* aunque.

encourager [ɑ̃kuʀaʒe] *vt* (*personne*) animar; (*activité, tendance*) fomentar; ~ **qn à faire qch** animar a algn para que haga algo.
encourir [ɑ̃kuʀiʀ] *vt* exponerse a.
encre [ɑ̃kʀ] *nf* tinta; **encre de Chine** tinta china; **encre indélébile** tinta indeleble; **encre sympathique** tinta simpática *ou* invisible.
encrier [ɑ̃kʀije] *nm* tintero.
encroûter [ɑ̃kʀute]: **s'~** *vpr* (*fig*) embrutecerse.
encyclopédie [ɑ̃siklɔpedi] *nf* enciclopedia.

endetté, e [ɑ̃dete] *adj* endeudado(-a); **très ~ envers qn** (*fig*) muy endeudado(-a) con algn.

endiablé, e [ɑ̃djɑble] *adj* (*allure, rythme*) endiablado(-a); (*enfant*) revoltoso(-a).

endimancher [ɑ̃dimɑ̃ʃe]: **s'~** *vpr* endomingarse, vestirse de domingo; **avoir l'air endimanché** parecer endomingado(-a).

endive [ɑ̃div] *nf* endibia.

endoctriner [ɑ̃dɔktʀine] *vt* adoctrinar.

endolori, e [ɑ̃dɔlɔʀi] *adj* dolorido(-a).

endommager [ɑ̃dɔmaʒe] *vt* perjudicar.

endormi, e [ɑ̃dɔʀmi] *pp de* **endormir** ♦ *adj* dormido(-a); (*indolent, lent*) lento(-a).

endormir [ɑ̃dɔʀmiʀ] *vt* adormecer, dormir; (*soupçons*) engañar; (*ennemi*) burlar; (*ennuyer*) adormecer; (*MÉD*) anestesiar; **s'endormir** *vpr* dormirse.

endosser [ɑ̃dose] *vt* (*responsabilité*) asumir; (*chèque*) endosar; (*uniforme*) ponerse.

endroit [ɑ̃dʀwa] *nm* lugar *m*, sitio; (*opposé à l'envers*) derecho; **à l'~** (*vêtement*) al derecho; **à l'~ de** (*à l'égard de*) con respecto a; **les gens de l'~** la gente del lugar; **par ~s** en algunos sitios; **à cet ~** en ese sitio.

enduire [ɑ̃dɥiʀ] *vt*: **~ qch de** recubrir algo con *ou* de; **s'enduire** *vpr* untarse.

endurant, e [ɑ̃dyʀɑ̃, ɑ̃t] *adj* resistente.

endurcir [ɑ̃dyʀsiʀ] *vt* endurecer; **s'endurcir** *vpr* endurecerse.

endurer [ɑ̃dyʀe] *vt* aguantar.

énergie [enɛʀʒi] *nf* energía.

énergique [enɛʀʒik] *adj* enérgico(-a).

énergumène [enɛʀgymɛn] *nm* energúmeno.

énervé, e [enɛʀve] *adj* nervioso(-a); (*agacé*) irritado(-a).

énerver [enɛʀve] *vt* poner nervioso, enervar; **s'énerver** *vpr* ponerse nervioso, enervarse.

enfance [ɑ̃fɑ̃s] *nf* (*âge*) niñez *f*; (*fig*) principio; (*enfants*) infancia; **c'est l'~ de l'art** está tirado; **petite ~** primera infancia; **souvenir/ami d'~** recuerdo/amigo de infancia; **retomber en ~** volver a la niñez.

enfant [ɑ̃fɑ̃] *nm/f* (*garçon, fillette: aussi fig*) niño(-a); (*fils, fille: aussi fig*) hijo(-a); **petit ~** nene(-a); **bon ~** bonachón(-ona); **enfant adoptif** hijo adoptivo; **enfant de chœur** (*REL, fig*) monaguillo; **enfant naturel/unique** hijo natural/único; **enfant prodige** niño prodigio.

enfanter [ɑ̃fɑ̃te] *vi* dar a luz, parir ♦ *vt* (*œuvre*) dar a luz.

enfantin, e [ɑ̃fɑ̃tɛ̃, in] *adj* infantil.

enfer [ɑ̃fɛʀ] *nm* infierno; **allure/bruit d'~** ritmo/ruido infernal.

enfermer [ɑ̃fɛʀme] *vt* (*à clef etc*) encerrar; **s'enfermer** *vpr* encerrarse; **s'~ à clef** cerrarse con llave; **s'~ dans la solitude/le mutisme** encerrarse en la soledad/el mutismo.

enfiler [ɑ̃file] *vt* (*perles*) ensartar; (*aiguille*) enhebrar; (*rue, couloir*) enfilar; **s'enfiler dans** *vpr* (*entrer dans*) enfilar; **~ qch** (*vêtement*) ponerse algo; **~ qch dans** (*insérer*) meter algo en.

enfin [ɑ̃fɛ̃] *adv* (*pour finir*) finalmente; (*en dernier lieu, pour conclure*) por último; (*de restriction, résignation*) en fin; (*eh bien!*) ¡por fin!

enflammer [ɑ̃flɑme] *vt* inflamar; **s'enflammer** *vpr* inflamarse.

enflé, e [ɑ̃fle] *adj* hinchado(-a).

enfler [ɑ̃fle] *vi* (*MÉD*) inflamar, hincharse.

enfoncer [ɑ̃fɔ̃se] *vt* (*clou*) clavar; (*forcer, défoncer, faire pénétrer*) hundir; (*lignes ennemies*) derrotar; (*fam: surpasser*) derribar ♦ *vi* (*dans la vase etc*) hundirse; **s'enfoncer** *vpr* hundirse; **s'~ dans** hundirse en; (*forêt, ville*) adentrarse en; (*mensonge*) sumirse en; (*erreur*) andar en; **~ un chapeau sur la tête** calarse un sombrero en la cabeza; **~ qn dans la dette** hundir a algn en deudas.

enfouir [ɑ̃fwiʀ] *vt* (*dans le sol*) enterrar; (*dans un tiroir, une poche*) meter en el fondo; **s'enfouir dans/sous** *vpr* refugiarse en/ocultarse bajo.

enfourcher [ɑ̃fuʀʃe] *vt* montar a horcajadas; **~ son dada** (*fig*) comenzar con su tema.

enfourner [ɑ̃fuʀne] *vt* poner al horno, meter en el horno; **s'enfourner dans** *vpr* meterse en; **~ qch dans** meter algo en.

enfreindre [ɑ̃fʀɛ̃dʀ] *vt* infringir.

enfuir [ɑ̃fɥiʀ]: **s'~** *vpr* huir.

engagé, e [ɑ̃gaʒe] *adj* (*littérature, politique*) comprometido(-a) ♦ *nm* (*MIL*) voluntario.

engagement [ɑ̃gaʒmɑ̃] *nm* compromiso; (*contrat professionnel*) contrato; (*combat*) intervención *f*; (*recrutement*) alistamiento voluntario; (*SPORT*) saque *m* de centro; **prendre l'~ de faire** comprometerse a hacer; **sans ~** (*COMM*) sin compromiso.

engager [ɑ̃gaʒe] *vt* (*embaucher*) contratar; (*débat*) iniciar; (: *négociations*) entablar; (*lier*) comprometer; (*impliquer, entraîner*) implicar; (*argent*) colocar; (*faire intervenir*) hacer intervenir; **s'engager** *vpr* (*s'embaucher*) incorporarse; (*MIL*) alistarse; (*politiquement, promettre*) comprometerse; (*négociations*) entablarse; **10 che-**

vaux sont engagés dans cette course 10 caballos toman parte en esta carrera; ~ **qn à faire/à qch** incitar a algn a hacer/a algo; ~ **qch dans** (*faire pénétrer*) meter algo en; **s'~ à faire qch** comprometerse a hacer algo; **s'~ dans** (*rue, passage*) enfilar; (*s'emboîter*) encajarse en; (*voie, carrière, discussion*) meterse en.

engelures [ɑ̃ʒlyʀ] *nfpl* sabañones *mpl*.

engendrer [ɑ̃ʒɑ̃dʀe] *vt* engendrar.

engin [ɑ̃ʒɛ̃] *nm* máquina; (*péj*) artefacto; (*missile*) proyectil *m*; **engin blindé** vehículo blindado; **engin de terrassement** excavadora; **engin (explosif)** artefacto explosivo; **engins (spéciaux)** misiles *mpl*.

englober [ɑ̃glɔbe] *vt* englobar.

engloutir [ɑ̃glutiʀ] *vt* tragar; **s'engloutir** *vpr* hundirse.

engorger [ɑ̃gɔʀʒe] *vt* (*tuyau, rue*) atascar; (*marché*) saturar; **s'engorger** *vpr* atascarse.

engouement [ɑ̃gumɑ̃] *nm* apasionamiento.

engouffrer [ɑ̃gufʀe] *vt* engullir; **s'engouffrer dans** *vpr* (*suj: vent, eau*) penetrar en; (: *personnes*) precipitarse en.

engourdir [ɑ̃guʀdiʀ] *vt* (*membres*) entumecer; (*esprit*) entorpecer; **s'engourdir** *vpr* entumecerse; entorpecerse.

engrais [ɑ̃gʀɛ] *nm* abono; **engrais chimique/minéral/naturel** abono químico/mineral/natural; **engrais organique/vert** abono orgánico/verde.

engraisser [ɑ̃gʀese] *vt* (*animal*) cebar; (*terre*) abonar ♦ *vi* (*péj: personne*) forrarse.

engrenage [ɑ̃gʀənaʒ] *nm* engranaje *m*.

engueuler [ɑ̃gœle] (*fam*) *vt*: ~ **qn** cabrearse con algn.

énigme [enigm] *nf* enigma *m*.

enivrer [ɑ̃nivʀe] *vt* (*aussi fig*) embriagar, emborrachar; **s'enivrer** *vpr* (*en buvant*) emborracharse, embriagarse; **s'~ de** (*fig*) embriagarse de, emborracharse de.

enjambée [ɑ̃ʒɑ̃be] *nf* zancada; **d'une ~** de una zancada.

enjamber [ɑ̃ʒɑ̃be] *vt* franquear.

enjeu, x [ɑ̃ʒø] *nm* apuesta; (*d'une élection, d'un match*) lo que está en juego.

enjoindre [ɑ̃ʒwɛ̃dʀ] *vt*: ~ **à qn de faire** ordenar a algn que haga.

enjolivement [ɑ̃ʒɔlivmɑ̃] *nm* adorno.

enjoliver [ɑ̃ʒɔlive] *vt* adornar.

enjoliveur [ɑ̃ʒɔlivœʀ] *nm* (*AUTO*) embellecedor *m*.

enjoué, e [ɑ̃ʒwe] *adj* alegre.

enlacer [ɑ̃lase] *vt* (*étreindre*) abrazar; (*suj: corde, liane*) enredarse alrededor de.

enlaidir [ɑ̃lediʀ] *vt* afear ♦ *vi* afearse.

enlèvement [ɑ̃lɛvmɑ̃] *nm* (*rapt*) rapto; **l'~ des ordures ménagères** la recogida de basuras.

enlever [ɑ̃l(ə)ve] *vt* quitar; (*ordures, meubles à déménager*) recoger; (*kidnapper*) raptar; (*prix, victoire*) conseguir; (*MIL*) tomar; (*MUS*) ejecutar brillantemente; **s'enlever** *vpr* (*tache*) quitarse; ~ **qch à qn** (*possessions, espoir*) quitar algo a algn; **la maladie qui nous l'a enlevé** (*euphémisme*) la enfermedad que nos lo ha llevado.

enliser [ɑ̃lize]: **s'~** *vpr* hundirse; (*dialogue*) llegar a un punto muerto.

enneigé, e [ɑ̃neʒe] *adj* (*pente, col*) nevado(-a); (*maison*) cubierto(-a) de nieve.

ennemi, e [ɛnmi] *adj, nm/f* enemigo(-a) ♦ *nm* (*MIL, gén*) enemigo; **être ~ de** (*tendance, activité*) ser enemigo(-a) de.

ennui [ɑ̃nɥi] *nm* (*lassitude*) aburrimiento; (*difficulté*) problema *m*; **avoir/s'attirer des ~s** tener/buscarse problemas.

ennuyer [ɑ̃nɥije] *vt* (*importuner, gêner*) molestar; (*contrarier*) fastidiar; (*lasser*) aburrir; **s'ennuyer** *vpr* (*se lasser*) aburrirse; **si cela ne vous ennuie pas** si no le molesta; **s'~ de qch/qn** (*regretter*) echar de menos algo/a algn.

ennuyeux, -euse [ɑ̃nɥijø, øz] *adj* (*lassant*) aburrido(-a); (*contrariant*) molesto(-a).

énoncé [enɔ̃se] *nm* enunciado.

énoncer [enɔ̃se] *vt* enunciar; (*conditions*) formular.

énorme [enɔʀm] *adj* enorme.

énormément [enɔʀmemɑ̃] *adv* (*avec vb*) muchísimo; ~ **de neige/gens** muchísima nieve/gente.

enquérir [ɑ̃keʀiʀ] *vb*: **s'~ de** preguntar por.

enquête [ɑ̃kɛt] *nf* (*judiciaire, administrative, de police*) investigación *f*; (*de journaliste, sondage*) encuesta.

enquêter [ɑ̃kete] *vi* (*gén, police*) investigar; (*journaliste, sondage*) hacer una encuesta; ~ **sur** investigar sobre.

enraciné, e [ɑ̃ʀasine] *adj* arraigado(-a).

enragé, e [ɑ̃ʀaʒe] *adj* (*MÉD*) rabioso(-a); (*furieux*) furioso(-a); (*passionné*) apasionado(-a); ~ **de** fanático(-a) de.

enrager [ɑ̃ʀaʒe] *vi* dar rabia; **faire ~ qn** hacer rabiar a algn.

enrayer [ɑ̃ʀeje] *vt* (*maladie*) cortar; (*processus*) interrumpir; **s'enrayer** *vpr* (*arme à feu*) encasquillarse.

enregistrement [ɑ̃ʀ(ə)ʒistʀəmɑ̃] *nm* (*d'un disque*) grabación *f*; (*d'un fichier, d'une plainte*) registro; ~ **des bagages** facturación *f*; **enregistrement magnétique**

grabación magnética.

enregistrer [ɑ̃R(ə)ʒistRe] *vt* (*MUS, INFORM*) grabar; (*ADMIN, COMM, fig*) registrar; (*aussi*: **faire** ~: *bagages*) facturar.

enrhumer [ɑ̃Ryme]: **s'**~ *vpr* acatarrarse, constiparse, resfriarse.

enrichir [ɑ̃RiʃiR] *vt* enriquecer; **s'enrichir** *vpr* enriquecerse.

enrichissant, e [ɑ̃Riʃisɑ̃, ɑ̃t] *adj* enriquecedor(a).

enrober [ɑ̃Rɔbe] *vt*: ~ **qch de** envolver algo con, cubrir algo con; (*fig*) disfrazar algo con.

enrôler [ɑ̃Role] *vt* reclutar; (*MIL*) alistar; **s'enrôler (dans)** *vpr* enrolarse (en), alistarse (en).

enroué, e [ɑ̃Rwe] *adj* ronco(-a).

enrouler [ɑ̃Rule] *vt* enrollar; **s'enrouler** *vpr* enrollarse; ~ **qch autour de** enrollar algo alrededor de.

ensanglanté, e [ɑ̃sɑ̃glɑ̃te] *adj* ensangrentado(-a).

enseignant, e [ɑ̃sɛɲɑ̃, ɑ̃t] *adj, nm/f* docente *m/f*.

enseigne [ɑ̃sɛɲ] *nf* rótulo ♦ *nm*: ~ **de vaisseau** alférez *m* de navío; **à telle ~ que** ... la prueba es que ...; **être logé à la même** ~ (*fig*) estar en el mismo caso; **enseigne lumineuse** rótulo luminoso.

enseignement [ɑ̃sɛɲ(ə)mɑ̃] *nm* enseñanza; **enseignement ménager/technique** enseñanza doméstica/técnica; **enseignement primaire/secondaire** enseñanza primaria/secundaria; **enseignement privé/public** enseñanza privada/pública.

enseigner [ɑ̃seɲe] *vt* (*suj*: *professeur*) enseñar, dar clase de; (: *choses*) enseñar ♦ *vi* (*être professeur*) dar clases; ~ **qch à qn** enseñar algo a algn; ~ **à qn que** enseñar a algn que.

ensemble [ɑ̃sɑ̃bl] *adv* (*l'un avec l'autre*) juntos(-as); (*en même temps*) juntos(-as) ♦ *nm* conjunto; **l'**~ **du/de la** la totalidad del/de la; **aller** ~ (*être assorti*) combinarse; **impression/idée d'**~ impresión *f*/idea de conjunto; **dans l'**~ (*en gros*) en conjunto; **dans son** ~ (*en gros, au total*) en su conjunto; **ensemble instrumental/vocal** conjunto *ou* grupo instrumental/vocal.

ensemencer [ɑ̃s(ə)mɑ̃se] *vt* sembrar.

ensevelir [ɑ̃səv(ə)liR] *vt* sepultar.

ensoleillé, e [ɑ̃sɔleje] *adj* soleado(-a).

ensorceler [ɑ̃sɔRsəle] *vt* hechizar.

ensuite [ɑ̃sɥit] *adv* (*dans une succession*: *après*) a continuación; (*plus tard*) después; ~ **de quoi** después de lo cual.

ensuivre [ɑ̃sɥivR]: **s'**~ *vpr* resultar; **il s'ensuit que** ... de lo que resulta que ...; **et tout ce qui s'ensuit** y toda la pesca.

entaille [ɑ̃taj] *nf* (*encoche*) muesca; (*blessure*) cortada; **se faire une** ~ hacerse una cortada.

entamer [ɑ̃tame] *vt* (*pain, bouteille*) empezar; (*hostilités, pourparlers*) iniciar; (*réputation, confiance*) mermar; (*bonne humeur*) hacer perder.

entasser [ɑ̃tɑse] *vt* (*empiler*) amontonar; (*prisonniers etc*) hacinar; **s'entasser** *vpr* (*v vt*) amontonarse; hacinarse; **s'**~ **dans** hacinarse en; amontonarse en.

entendre [ɑ̃tɑ̃dR] *vt* oír; (*comprendre*) entender; (*vouloir dire*) querer decir; **s'entendre** *vpr* (*sympathiser*) entenderse; (: *se mettre d'accord*) ponerse de acuerdo; **j'ai entendu dire que** he oído que; **s'**~ **à qch/à faire qch** ser competente para algo/para hacer algo; ~ **être obéi/que** (*vouloir*) pretender ser obedecido/que; ~ **parler de** oír hablar de; ~ **raison** entrar en razón; **je m'entends** sé lo que (me) digo; **entendons-nous** expliquémonos; **(cela) s'entend** por supuesto, naturalmente; **laisser** ~ **que, donner à** ~ **que** dar a entender que; **qu'est-ce qu'il ne faut pas** ~! ¡lo que hay que oír!; **j'ai mal entendu** no he comprendido; **je suis heureux de vous l'**~ **dire** es un placer oírselo decir; **ça s'entend!** (*c'est audible*) ¡se oye!; **je vous entends très mal** le oigo muy mal.

entendu, e [ɑ̃tɑ̃dy] *pp de* **entendre** ♦ *adj* (*affaire*) concluido(-a); (*air*) entendido(-a); **étant** ~ **que** dando por supuesto que; **(c'est)** ~! ¡de acuerdo!, ¡entendido!; **c'est** ~ (*concession*) entendido; **bien** ~! ¡por supuesto!

entente [ɑ̃tɑ̃t] *nf* (*entre amis, pays*) entendimiento; (*accord, traité*) acuerdo; **à double** ~ de doble sentido.

entériner [ɑ̃teRine] *vt* ratificar.

enterrement [ɑ̃tɛRmɑ̃] *nm* entierro.

enterrer [ɑ̃teRe] *vt* enterrar; (*suj*: *avalanche etc*) sepultar; (*dispute, projet*) echar tierra sobre.

entêté, e [ɑ̃tete] *adj* obstinado(-a), cabezota.

entêter [ɑ̃tete]: **s'**~ *vpr* obstinarse, empeñarse; **s'**~ **(à faire)** empeñarse (en hacer).

enthousiasme [ɑ̃tuzjasm] *nm* entusiasmo; **avec** ~ con entusiasmo.

enthousiasmer [ɑ̃tuzjasme] *vt* entusiasmar; **s'enthousiasmer** *vpr*: **s'**~ **(pour qch)** entusiasmarse (con algo).

enthousiaste [ɑ̃tuzjast] *adj, nm/f* entusiasta *m/f*.

enticher [ɑ̃tiʃe] *vb*: **s'**~ **de** encapricharse con *ou* por.

entier, -ère [ɑ̃tje, jɛR] *adj* entero(-a); (*en

totalité) entero(-a), completo(-a); (*personne, caractère*) íntegro(-a) ♦ *nm* (*MATH*) entero; **en ~** por completo; **se donner tout ~ à qch** entregarse enteramente a algo; **lait ~** leche *f* entera; **nombre ~** número entero.

entièrement [ɑ̃tjɛʀmɑ̃] *adv* enteramente.

entonnoir [ɑ̃tɔnwaʀ] *nm* (*ustensile*) embudo; (*trou*) hoyo.

entorse [ɑ̃tɔʀs] *nf* esguince *m*; **~ à la loi/au règlement** infracción *f* de la ley/del reglamento; **se faire une ~ à la cheville/au poignet** hacerse un esguince en el tobillo/en la muñeca.

entortiller [ɑ̃tɔʀtije] *vt*: **~ qch dans/avec** envolver algo en/con; **s'entortiller dans** *vpr* (*draps*) enroscarse en; (*fig*) enredarse en; **~ qch autour de** enrollar algo alrededor de; **~ qn** (*fam*) liar a algn.

entourage [ɑ̃tuʀaʒ] *nm* (*personnes proches*) allegados *mpl*; (*ce qui enclôt*) cerco.

entourer [ɑ̃tuʀe] *vt* (*par une clôture etc*) cercar; (*MIL, gén*) sitiar; (*faire cercle autour de*) rodear; (*apporter son soutien à*) atender; **~ qch de** rodear algo con; **~ qn de soins/prévenances** prodigar a algn cuidados/atenciones; **s'~ de** (*collaborateurs*) rodearse de; **s'~ de mystère/de luxe/de précautions** rodearse de misterio/de lujo/de precauciones.

entracte [ɑ̃tʀakt] *nm* entreacto.

entraide [ɑ̃tʀɛd] *nf* ayuda mutua.

entraider [ɑ̃tʀede]: **s'~** *vpr* ayudarse mutuamente.

entrain [ɑ̃tʀɛ̃] *nm* ánimo; **avec ~** con entusiasmo; **faire qch sans ~** hacer algo sin entusiasmo *ou* sin ganas.

entraînement [ɑ̃tʀɛnmɑ̃] *nm* entrenamiento; **~ à chaîne/galet** tracción *f* a cadena/rodillo; **manquer d'~** estar desentrenado(-a); **~ par ergots/friction** (*INFORM*) arrastre *m* por tracción/fricción.

entraîner [ɑ̃tʀene] *vt* (*tirer*) arrastrar; (*charrier*) acarrear; (*moteur, poulie*) accionar; (*emmener*) llevarse; (*joueurs, soldats*) guiar; (*SPORT*) entrenar; (*influencer*) influenciar; (*impliquer, causer*) ocasionar; **s'entraîner** *vpr* (*SPORT*) entrenarse; **~ qn à/à faire qch** (*inciter*) arrastrar a algn a/a hacer algo; **s'~ à qch/à faire qch** (*s'exercer*) ejercitarse en algo/en hacer algo.

entraîneur, -euse [ɑ̃tʀɛnœʀ, øz] *nm/f* (*SPORT*) entrenador(a); (*HIPPISME*) picador(a).

entraîneuse [ɑ̃tʀɛnøz] *nf* (*de bar*) cabaretera, gancho.

entraver [ɑ̃tʀave] *vt* obstaculizar.

entre [ɑ̃tʀ] *prép* entre; **l'un d'~ eux/nous** uno de ellos/nosotros; **le meilleur d'~ eux/nous** el mejor de ellos/nosotros; **ils préfèrent rester ~ eux** prefieren permanecer entre ellos; **~ autres (choses)** entre otras (cosas); **~ nous, ...** entre nosotros, ...; **ils se battent ~ eux** se pelean entre sí; **~ ces deux solutions, il n'y a guère de différence** entre estas dos soluciones no hay mucha diferencia.

entrebâillé, e [ɑ̃tʀəbɑje] *adj* entreabierto(-a).

entrecôte [ɑ̃tʀəkot] *nf* entrecot(e) *m*.

entrecoupé, e [ɑ̃tʀəkupe] *adj* entrecortado(-a).

entrecroiser [ɑ̃tʀəkʀwaze] *vt* entrecruzar; **s'entrecroiser** *vpr* entrecruzarse.

entrée [ɑ̃tʀe] *nf* entrada; **~s** *nfpl*: **avoir ses ~s chez/auprès de** tener libre acceso a/fácil contacto con; **erreur d'~** error *m* de principio; **faire son ~ dans** (*aussi fig*) hacer su entrada en; **d'~** de entrada; **entrée de service/des artistes** entrada de servicio/de artistas; **entrée en matière** comienzo; **entrée en scène** salida a escena; **entrée en vigueur** entrada en vigor; **"entrée interdite"** "prohibida la entrada"; **"entrée libre"** "entrada libre".

entrefaites [ɑ̃tʀəfɛt]: **sur ces ~** *adv* en ese momento.

entre-jambes [ɑ̃tʀəʒɑ̃b] *nm inv* (*COUTURE*) cruz *f*.

entrelacer [ɑ̃tʀəlase] *vt* entrelazar; **s'entrelacer** *vpr* entrelazarse.

entremêler [ɑ̃tʀəmele] *vt* entremezclar; **~ qch de** entremezclar algo con.

entremets [ɑ̃tʀəmɛ] *nm* postre *m*.

entremise [ɑ̃tʀəmiz] *nf* mediación *f*; **par l'~ de** por mediación de.

entreposer [ɑ̃tʀəpoze] *vt* almacenar.

entrepôt [ɑ̃tʀəpo] *nm* almacén *m*, galpón *m* (*CSUR*); **entrepôt frigorifique** almacén frigorífico.

entreprenant, e [ɑ̃tʀəpʀənɑ̃, ɑ̃t] *vb voir* **entreprendre** ♦ *adj* emprendedor(a); (*trop galant*) atrevido(-a).

entreprendre [ɑ̃tʀəpʀɑ̃dʀ] *vt* emprender; **~ qn sur un sujet** abordar a algn con un tema; **~ de faire qch** decidir hacer algo.

entrepreneur [ɑ̃tʀəpʀənœʀ] *nm* empresario; **entrepreneur de pompes funèbres** empresario de pompas fúnebres; **entrepreneur (en bâtiment)** contratista *m/f* (de obras).

entreprise [ɑ̃tʀəpʀiz] *nf* empresa; **entreprise agricole/de travaux publics** empresa agraria/de obras públicas.

entrer [ɑ̃tʀe] *vi* entrar ♦ *vt* (*marchandises*:

aussi faire entrer) introducir; (*INFORM*) meter; **(faire) ~ qch dans** (*objet*) meter algo en; **~ dans** entrar en; (*entrer en collision avec*) chocar con; (*vues, craintes de qn*) compartir; **~ au couvent/à l'hôpital** ingresar en el convento/en el hospital; **~ en fureur** enfurecerse; **~ en ébullition** entrar en ebullición; **~ en scène** salir a escena; **~ dans le système** (*INFORM*) entrar en el sistema; **laisser ~ qch/qn** (*lumière, air*) dejar pasar algo/a algn; **faire ~** hacer pasar.

entresol [ɑ̃tʀəsɔl] *nm* entresuelo.

entre-temps [ɑ̃tʀətɑ̃] *adv* entretanto.

entretenir [ɑ̃tʀət(ə)niʀ] *vt* mantener; **s'entretenir** *vpr*: **s'~ (de qch)** conversar (sobre algo); **~ qn (de qch)** conversar con algn (sobre algo); **~ qn dans l'erreur** mantener a algn en el error.

entretien [ɑ̃tʀətjɛ̃] *nm* (*d'une maison, d'une famille, service*) mantenimiento; (*discussion*) conversación *f*; (*audience*) entrevista; **~s** *nmpl* (*pourparlers*) conversaciones *fpl*; **frais d'~** gastos *mpl* de mantenimiento.

entretuer [ɑ̃tʀətɥe]: **s'~** *vpr* matarse.

entrevoir [ɑ̃tʀəvwaʀ] *vt* entrever; (*solution, problème*) vislumbrar.

entrevu, e [ɑ̃tʀəvy] *pp de* **entrevoir** ♦ *nf* entrevista.

entrouvert, e [ɑ̃tʀuvɛʀ, ɛʀt] *pp de* **entrouvrir** ♦ *adj* entreabierto(-a).

énumérer [enymeʀe] *vt* enumerar.

envahir [ɑ̃vaiʀ] *vt* invadir.

envahisseur [ɑ̃vaisœʀ] *nm* invasor *m*.

enveloppe [ɑ̃v(ə)lɔp] *nf* sobre *m*; (*revêtement, gaine*) revestimiento; **mettre sous ~** poner en un sobre; **enveloppe à fenêtre** sobre de ventana; **enveloppe autocollante** sobre autoadhesivo; **enveloppe budgétaire** límite *m* presupuestario.

envelopper [ɑ̃v(ə)lɔpe] *vt* envolver; **s'~ dans un châle/une couverture** envolverse en un chal/una manta.

envenimer [ɑ̃v(ə)nime] *vt* envenenar; **s'envenimer** *vpr* (*relations*) envenenarse; (*plaie*) infectarse.

envergure [ɑ̃vɛʀgyʀ] *nf* envergadura; (*d'une personne*) valía.

enverrai *etc* [ɑ̃veʀe] *vb voir* **envoyer**.

envers [ɑ̃vɛʀ] *prép* hacia ♦ *nm*: **l'~** (*d'une feuille*) el dorso; (*d'un vêtement*) el revés; (*d'un problème*) la otra cara; **à l'~** al revés; **~ et contre tous** *ou* **tout** contra viento y marea.

envie [ɑ̃vi] *nf* envidia; (*sur la peau*) antojo; (*autour des ongles*) padrastro; **avoir ~ de qch/de faire qch** tener ganas de algo/de hacer algo; **avoir ~ que** tener ganas de que; **donner à qn l'~ de qch/de faire qch** dar a algn ganas de algo/de hacer algo; **ça lui fait ~** le da envidia.

envier [ɑ̃vje] *vt* envidiar; **~ qch à qn** envidiar algo a algn; **n'avoir rien à ~ à** no tener nada que envidiarle a.

envieux, -euse [ɑ̃vjø, jøz] *adj, nm/f* envidioso(-a).

environ [ɑ̃viʀɔ̃] *adv* aproximadamente; **3 h/2 km ~** 3 h/2 km aproximadamente; **~ 3 h/2 km** alrededor de 3 h/2 km.

environnement [ɑ̃viʀɔnmɑ̃] *nm* medioambiente.

environner [ɑ̃viʀɔne] *vt* rodear.

environs [ɑ̃viʀɔ̃] *nmpl* alrededores *mpl*; **aux ~ de** en los alrededores de; (*fig: temps, somme*) alrededor de.

envisager [ɑ̃vizaʒe] *vt* considerar; (*avoir en vue*) prever; **~ de faire** tener planeado hacer.

envoi [ɑ̃vwa] *nm* envío; (*paquet, colis*) paquete *m*; **~ contre remboursement** (*COMM*) envío contra reembolso.

envol [ɑ̃vɔl] *nm* (*d'un oiseau*) vuelo; (*d'un avion*) despegue *m*.

envolée [ɑ̃vɔle] *nf* (*des cours*) subida vertiginosa.

envoler [ɑ̃vɔle]: **s'~** *vpr* (*oiseau*) echarse a volar; (*avion*) despegar; (*papier, feuille*) volarse; (*espoir, illusion*) esfumarse.

envoûtement [ɑ̃vutmɑ̃] *nm* hechizo.

envoûter [ɑ̃vute] *vt* hechizar.

envoyé, e [ɑ̃vwaje] *nm/f* (*POL*) enviado(-a) ♦ *adj*: **bien ~** (*remarque*) atinado(-a); **envoyé spécial** enviado especial; **envoyé permanent** corresponsal *m* permanente.

envoyer [ɑ̃vwaje] *vt* enviar; (*projectile, ballon*) lanzar; **s'envoyer** *vpr* (*fam: repas etc*) zamparse; **~ une gifle à qn** propinar una bofetada a algn; **~ une critique à qn** lanzar una crítica a algn; **~ les couleurs** izar la bandera nacional; **~ chercher qch/qn** mandar a buscar algo/a algn; **~ par le fond** (*bateau*) hundir.

épagneul, e [epaɲœl] *nm/f* podenco(-a).

épais, se [epɛ, ɛs] *adj* espeso(-a); (*foule*) denso(-a); (*tissu, mur*) grueso(-a), gordo(-a); (*forêt*) tupido(-a); (*péj: esprit*) corto(-a).

épaisseur [epɛsœʀ] *nf* (*v adj*) espesor *m*; grosor *m*.

épancher [epɑ̃ʃe] *vt* desahogar; **s'épancher** *vpr* desahogarse; (*liquide*) derramarse.

épanoui, e [epanwi] *adj* (*éclos, ouvert, sourire*) abierto(-a); (*visage*) radiante; (*corps, formes*) desarrollado(-a).

épanouir [epanwiʀ]: **s'~** *vpr* (*fleur*) abrirse; (*visage*) iluminarse; (*fig*) florecer.

épargne [epaʀɲ] *nf* ahorro; **l'~-logement** el ahorro-vivienda.

épargner [epaʀɲe] *vt* ahorrar; (*ennemi, récolte, région*) perdonar ♦ *vi* ahorrar; ~ **qch à qn** evitarle algo a algn.

éparpiller [epaʀpije] *vt* esparcir; (*pour répartir*) diseminar; (*fig: efforts*) dispersar; **s'éparpiller** *vpr* esparcirse; (*fig: étudiant, chercheur etc*) dispersarse los esfuerzos.

épars, e [epaʀ, aʀs] *adj* (*maisons*) disperso(-a); (*cheveux*) despeinado(-a).

épatant, e [epatɑ̃, ɑ̃t] (*fam*) *adj* estupendo(-a).

épater [epate] (*fam*) *vt* impresionar.

épaule [epol] *nf* (*ANAT*) hombro; (*CULIN*) espaldilla.

épauler [epole] *vt* (*aider*) apoyar; (*arme*) apoyar en el hombro; (*viser*) apuntar.

épaulette [epolɛt] *nf* (*MIL*) charretera; (*bretelle*) tirante *m*; (*rembourrage*) hombrera.

épave [epav] *nf* restos *mpl*; (*fig: personne*) desecho.

épée [epe] *nf* espada.

épeler [ep(ə)le] *vt* deletrear; **comment s'épelle ce mot?** ¿cómo se deletrea esa palabra?

éperdu, e [epɛʀdy] *adj* (*personne, regard*) desquiciado(-a); (*sentiment*) imperioso(-a); (*fuite*) enloquecido(-a).

éperon [epʀɔ̃] *nm* (*de botte*) espuela; (*GÉO, de navire*) espolón *m*.

éphémère [efemɛʀ] *adj* efímero(-a).

épi [epi] *nm* (*de blé*) espiga; ~ **de cheveux** remolino; **stationnement/se garer en** ~ estacionamiento/aparcar en batería.

épice [epis] *nf* especia.

épicé, e [epise] *adj* picante.

épicerie [episʀi] *nf* (*magasin*) tienda de ultramarinos, boliche *m* (*AM*); (*produits*) comestibles *mpl*; **épicerie fine** ultramarinos *mpl* finos.

épicier, -ière [episje, jɛʀ] *nm/f* tendero(-a).

épidémie [epidemi] *nf* epidemia.

épiderme [epidɛʀm] *nm* epidermis *f inv*.

épier [epje] *vt* (*personne*) espiar; (*arrivée, occasion*) estar pendiente de.

épieu, x [epjø] *nm* venablo.

épilepsie [epilɛpsi] *nf* epilepsia.

épiler [epile] *vt* depilar; **s'~ les jambes/les sourcils** depilarse las piernas/las cejas; **se faire** ~ (ir a) depilarse; **crème à** ~ crema depilatoria; **pince à** ~ pinzas *fpl* de depilar.

épilogue [epilɔg] *nm* (*THÉÂTRE*) epílogo; (*fig: dénouement*) desenlace *m*.

épinard [epinaʀ] *nm* (*BOT*) espinaca; ~s *nmpl* (*CULIN*) espinacas *fpl*.

épine [epin] *nf* espina; **épine dorsale** espina dorsal.

épineux, -euse [epinø, øz] *adj* (*aussi fig*) espinoso(-a).

épingle [epɛ̃gl] *nf* alfiler *m*; **tirer son ~ du jeu** salir del apuro; **tiré à quatre ~s** de punta en blanco; **monter qch en ~** poner algo de manifiesto; **virage en ~ à cheveux** curva muy cerrada; **épingle à chapeau** alfiler de sombrero; **épingle à cheveux** horquilla; **épingle de cravate** alfiler de corbata; **épingle de nourrice** *ou* **de sûreté** *ou* **double** imperdible *m*.

épingler [epɛ̃gle] *vt* sujetar con alfileres; (*sur un mur*) clavar con alfileres; ~ **qn** (*fam*) pillar a algn.

épisode [epizɔd] *nm* episodio; **film en trois ~s** película en tres episodios.

éploré, e [eplɔʀe] *adj* desconsolado(-a).

éplucher [eplyʃe] *vt* (*fruit, légumes*) pelar; (*fig: texte*) examinar minuciosamente.

épluchures [eplyʃyʀ] *nfpl* mondas *fpl*.

éponge [epɔ̃ʒ] *nf* esponja ♦ *adj*: **tissu ~** tela de felpa; **passer l'~** (*fig*) hacer borrón y cuenta nueva; **passer l'~ sur** correr un tupido velo sobre; **jeter l'~** (*fig*) tirar la toalla; **éponge métallique** estropajo metálico.

éponger [epɔ̃ʒe] *vt* (*liquide, fig*) enjugar; (*surface*) pasar una esponja por; **s'~ le front** enjugarse la frente.

épopée [epɔpe] *nf* epopeya.

époque [epɔk] *nf* época; **d'~** (*meuble etc*) de época; **à cette ~** (*dans l'histoire*) en aquella/esa época; (*les mois/années qui précèdent*) entonces; **à l'~ de/où** en la época de/en que; **faire ~** hacer época.

époumoner [epumɔne]: **s'~** *vpr* desgañitarse.

épouse [epuz] *nf* esposa.

épouser [epuze] *vt* casarse con; (*vues, idées*) adherirse a; (*forme, mouvement*) adaptarse a.

épousseter [epuste] *vt* limpiar el polvo de.

époustouflant, e [epustuflɑ̃, ɑ̃t] *adj* (*fam*) pasmante.

épouvantable [epuvɑ̃tabl] *adj* horroroso(-a); (*bruit, vent etc*) espantoso(-a).

épouvantail [epuvɑ̃taj] *nm* (*aussi fig*) espantapájaros *m inv*.

épouvanter [epuvɑ̃te] *vt* (*terrifier*) horrorizar; (*sens affaibli*) espantar.

époux, épouse [epu, uz] *nm/f* esposo(-a) ♦ *nmpl*: **les ~** los esposos.

éprendre [epʀɑ̃dʀ]: **s'~ de** *vpr* enamorarse de.

épreuve [epʀœv] *nf* prueba; (*SCOL*) examen *m*; **à l'~ des balles/du feu** a prueba de balas/de fuego; **à toute ~** a toda prueba; **mettre à l'~** poner a prueba; **épreuve de force/de résistance** prueba de fuerza/de resistencia; **épreuve de sélection** (prueba) eliminatoria.

épris, e [epʀi, iz] *vb voir* **éprendre** ♦ *adj*: **~ de** enamorado(-a) de.

éprouver [epʀuve] *vt* (*machine*) probar; (*mettre à l'épreuve*) poner a prueba; (*faire souffrir*) marcar; (*fatigue, douleur*) sufrir, padecer; (*sentiment*) sentir; (*difficultés etc*) encontrar.

éprouvette [epʀuvɛt] *nf* probeta.

épuisé, e [epɥize] *adj* agotado(-a).

épuiser [epɥize] *vt* agotar; **s'épuiser** *vpr* agotarse.

épurer [epyʀe] *vt* depurar.

équateur [ekwatœʀ] *nm* ecuador *m*; **É~** Ecuador *m*; **la république de l'É~** la república de Ecuador.

équation [ekwasjɔ̃] *nf* ecuación *f*; **mettre en ~** convertir en ecuación; **équation du premier/second degré** ecuación de primer/segundo grado.

équatorien, ne [ekwatɔʀjɛ̃, jɛn] *adj* ecuatoriano(-a) ♦ *nm/f*: **É~, ne** ecuatoriano (-a).

équerre [ekɛʀ] *nf* (*pour dessiner, mesurer*) escuadra; (*pour fixer*) angular *m*; **à l'~, en ~, d'~** a *ou* en escuadra; **les jambes en ~** las piernas en ángulo recto; **double ~** doble escuadra.

équilibre [ekilibʀ] *nm* equilibrio; **être/mettre en ~** estar/poner en equilibrio; **avoir le sens de l'~** tener sentido del equilibrio; **garder/perdre l'~** guardar/perder el equilibrio; **en ~ instable** en equilibrio inestable; **équilibre budgétaire** equilibrio presupuestario.

équilibrer [ekilibʀe] *vt* equilibrar; **s'équilibrer** *vpr* equilibrarse.

équinoxe [ekinɔks] *nm* equinoccio; **équinoxe d'automne/de printemps** equinoccio de otoño/de primavera.

équipage [ekipaʒ] *nm* (*de bateau, d'avion*) tripulación *f*; (*SPORT, AUTOMOBILE*) equipo; (*d'un roi*) séquito; **en grand ~** con gran cortejo.

équipe [ekip] *nf* (*de joueurs*) equipo; (*de travailleurs*) cuadrilla; (*bande: parfois péj*) panda; **travailler par ~s** trabajar por equipos; **travailler en ~** trabajar en equipo; **faire ~ avec** formar equipo con; **équipe de chercheurs/de sauveteurs/de secours** equipo de investigadores/de salvamento/de socorro.

équipé, e [ekipe] *adj* equipado(-a).

équipement [ekipmɑ̃] *nm* equipo; (*d'une cuisine*) instalación *f*; **biens/dépenses d'~** bienes *mpl*/gastos *mpl* de equipo; **~s sportifs/collectifs** instalaciones *fpl* deportivas/colectivas; **(le ministère de) l'Équipement** (*ADMIN*) ≈ MOPT *m* (*Ministerio de Obras Públicas y Transportes*).

équiper [ekipe] *vt* equipar; (*région*) dotar; **s'équiper** *vpr* equiparse; **~ qch/qn de** equipar algo/a algn con.

équipier, -ière [ekipje, jɛʀ] *nm/f* compañero(-a) de equipo.

équitable [ekitabl] *adj* equitativo(-a).

équitation [ekitasjɔ̃] *nf* equitación *f*; **faire de l'~** practicar la equitación.

équivalent, e [ekivalɑ̃, ɑ̃t] *adj* equivalente ♦ *nm*: **l'~ de qch** el equivalente de algo.

équivaloir [ekivalwaʀ]: **~ à** *vt ind* equivaler a.

équivoque [ekivɔk] *adj* equívoco(-a) ♦ *nf* equívoco.

érable [eʀabl] *nm* arce *m*.

érafler [eʀɑfle] *vt* arañar; **s'~ (la main/les jambes)** arañarse (la mano/las piernas).

éraflure [eʀɑflyʀ] *nf* rasguño, arañazo.

éraillé, e [eʀɑje] *adj* (*voix*) cascado(-a).

ère [ɛʀ] *nf* era; **en l'an 1050 de notre ~** en el año 1050 de nuestra era; **ère chrétienne**: **l'~ chrétienne** la era cristiana.

érection [eʀɛksjɔ̃] *nf* erección *f*.

éreinter [eʀɛ̃te] *vt* matar; (*fig: œuvre, auteur*) poner por los suelos; **s'éreinter** *vpr*: **s'~ (à faire qch/à qch)** volcarse (haciendo algo/con algo).

ergot [ɛʀgo] *nm* (*de coq*) espolón *m*; (*TECH*) saliente *m*; **~ du seigle** cornezuelo.

ériger [eʀiʒe] *vt* erigir; **~ qch en principe/loi** elevar algo a principio/ley; **s'~ en juge/critique de ...** erigirse en juez/crítico de ... .

ermite [ɛʀmit] *nm* ermitaño.

éroder [eʀɔde] *vt* erosionar; (*suj: acide*) corroer.

érosion [eʀozjɔ̃] *nf* erosión *f*; (*par acide*) corrosión *f*.

érotique [eʀɔtik] *adj* erótico(-a).

errer [eʀe] *vi* vagar.

erreur [eʀœʀ] *nf* error *m*; (*de jeunesse*) desliz *m*; **tomber/être dans l'~** (*état*) incurrir/estar en el error; **induire qn en ~** inducir a algn a error; **par ~** por error; **faire ~** equivocarse; **erreur d'écriture/d'impression** error de escritura/de imprenta; **erreur de date** equivocación *f* de fecha; **erreur de fait/de jugement** error de hecho/de juicio; **erreur judiciaire/matérielle/tactique** error judicial/

material/táctico.
erroné, e [eʀɔne] *adj* erróneo(-a).
érudit, e [eʀydi, it] *adj, nm/f* erudito(-a).
éruption [eʀypsjɔ̃] *nf* erupción *f*; (*de joie, colère*) arrebato.
es [ɛ] *vb voir* **être**.
ès [ɛs] *prép*: **licencié ~ lettres/sciences** licenciado en letras/ciencias; **docteur ~ lettres** doctor(a) en letras.
escabeau, x [ɛskabo] *nm* (*tabouret*) escabel *m*; (*échelle*) escalera de tijera.
escadrille [ɛskadʀij] *nf* escuadrilla.
escadron [ɛskadʀɔ̃] *nm* escuadrón *m*.
escalade [ɛskalad] *nf* escalada; **l'~ de la guerre/violence** la escalada de la guerra/violencia; **escalade artificielle/libre** escalada artificial/libre.
escalader [ɛskalade] *vt* escalar.
escalator [ɛskalatɔʀ] *nm* escalera mecánica.
escale [ɛskal] *nf* escala; **faire ~ (à)** hacer escala (en); **vol sans ~** vuelo sin escala; **escale technique** escala técnica.
escalier [ɛskalje] *nm* escalera; **dans l'~** *ou* **les ~s** en la escalera *ou* las escaleras; **descendre l'~** *ou* **les ~s** bajar la escalera *ou* las escaleras; **escalier à vis** *ou* **en colimaçon** escalera de caracol; **escalier de secours/de service** escalera de socorro/de servicio; **escalier roulant** *ou* **mécanique** escalera mecánica.
escapade [ɛskapad] *nf* escapada.
escargot [ɛskaʀgo] *nm* caracol *m*.
escarpé, e [ɛskaʀpe] *adj* escarpado(-a).
escient [esjɑ̃] *nm*: **à bon ~** juiciosamente.
esclaffer [ɛsklafe]: **s'~** *vpr* reírse a carcajadas.
esclandre [ɛsklɑ̃dʀ] *nm* escándalo; **faire un ~** armar un escándalo.
esclavage [ɛsklavaʒ] *nm* esclavitud *f*.
esclave [ɛsklav] *nm/f* esclavo(-a); **être ~ de qn/de qch** ser esclavo(-a) de algn/de algo.
escompter [ɛskɔ̃te] *vt* (*COMM*) descontar; (*espérer*) contar con.
escorte [ɛskɔʀt] *nf* escolta; **faire ~ à** escoltar a.
escrime [ɛskʀim] *nf* esgrima; **faire de l'~** practicar la esgrima.
escrimer [ɛskʀime]: **s'~** *vpr*: **s'~ à faire qch** empeñarse en hacer algo.
escroc [ɛskʀo] *nm* estafador(a).
escroquer [ɛskʀɔke] *vt*: **~ qn (de qch)** timar a algn (con algo); **~ qch (à qn)** estafar algo (a algn).
escroquerie [ɛskʀɔkʀi] *nf* estafa.
espace [ɛspas] *nm* espacio; **manquer d'~** faltarle a algn espacio; **espace publicitaire/vital** espacio publicitario/vital.
espacer [ɛspase] *vt* espaciar; **s'espacer** *vpr* espaciarse.
espadon [ɛspadɔ̃] *nm* pez *m* espada *inv*, emperador *m*.
espadrille [ɛspadʀij] *nf* alpargata.
Espagne [ɛspaɲ] *nf* España.
espagnol, e [ɛspaɲɔl] *adj* español(a) ♦ *nm* (*LING*) español *m*, castellano (*esp AM*) ♦ *nm/f*: **E~, e** español(a).
espèce [ɛspɛs] *nf* especie *f*; **~s** *nfpl* (*COMM*) metálico; (*REL*) especies *fpl*; (*sorte, genre*) clases *fpl*; **une ~ de** una especie de; **~ de maladroit/de brute!** ¡pedazo de *ou* so inútil/bruto!; **de toute ~** de toda clase; **payer en ~s** pagar en metálico; **l'~ humaine** la especie humana; **cas d'~** caso especial.
espérance [ɛspeʀɑ̃s] *nf* esperanza; **contre toute ~** contra toda esperanza; **espérance de vie** esperanza de vida.
espérer [ɛspeʀe] *vt* esperar ♦ *vi* confiar; **j'espère (bien)** eso espero; **~ que/faire** esperar que/hacer; **~ en qn/qch** confiar en algn/algo; **je n'en espérais pas tant** no esperaba tanto.
espiègle [ɛspjɛgl] *adj* travieso(-a).
espion, ne [ɛspjɔ̃, jɔn] *nm/f* espía *m/f* ♦ *adj*: **bateau/avion ~** barco/avión *m* espía.
espionner [ɛspjɔne] *vt* espiar.
esplanade [ɛsplanad] *nf* explanada.
espoir [ɛspwaʀ] *nm* esperanza; **l'~ de qch/de faire qch** la esperanza de algo/de hacer algo; **avoir bon ~ que** tener muchas esperanzas de que; **garder l'~ que** conservar la esperanza de que; **dans l'~ de/que** con la esperanza de/de que; **reprendre ~** recuperar la esperanza; **un ~ de la boxe/du ski** una promesa del boxeo/del esquí; **c'est sans ~** no tiene esperanza.
esprit [ɛspʀi] *nm* espíritu *m*; **l'~ de parti/de clan** espíritu de partido/de clan; **paresse/vivacité d'~** pereza/vivacidad mental; **l'~ d'une loi/réforme** el espíritu de una ley/reforma; **l'~ d'équipe/de compétition/d'entreprise** espíritu de equipo/de competencia/de empresa; **dans mon ~** en mi opinión; **faire de l'~** hacerse el gracioso; **reprendre ses ~s** recuperar el sentido; **perdre l'~** perder la razón; **avoir bon/mauvais ~** tener buenas/malas intenciones; **avoir l'~ à faire qch** estar con ánimos para hacer algo; **avoir l'~ critique** tener sentido crítico; *voir aussi* **lettre**; **esprits chagrins** espíritus *mpl* sombríos; **esprit de contra-**

diction espíritu de contradicción; **esprit de corps** sentido de solidaridad; **esprit de famille** espíritu de familia; **l'esprit malin** el espíritu del mal.

esquimau, de, x [ɛskimo, od] *adj* esquimal ♦ *nm* (*LING*) esquimal *m*; (*glace*) pingüino ♦ *nm/f*: **E~**, **de** esquimal *m/f*; **chien ~** perro esquimal.

esquinter [ɛskɛ̃te] (*fam*) *vt* hacer polvo; **s'esquinter** (*fam*) *vpr*: **s'~ à faire qch** empeñarse haciendo algo.

esquisse [ɛskis] *nf* esbozo; (*de changement*) amago; **l'~ d'un sourire** el esbozo de una sonrisa.

esquisser [ɛskise] *vt* esbozar; **s'esquisser** *vpr* esbozarse; **~ un geste/un sourire** esbozar un gesto/una sonrisa.

esquiver [ɛskive] *vt* esquivar; **s'esquiver** *vpr* esquivarse.

essai [esɛ] *nm* (*d'une voiture, d'un vêtement*) prueba; (*tentative, aussi SPORT*) intento; (*RUGBY, LITT*) ensayo; **~s** *nmpl* (*SPORT*) pruebas *fpl*; **à l'~** a prueba; **~ gratuit** prueba gratuita.

essaim [esɛ̃] *nm* enjambre *m*; **~ d'enfants** (*fig*) enjambre de niños.

essayage [esɛjaʒ] *nm* prueba; **salon** *ou* **cabine d'~** probador *m*.

essayer [eseje] *vt* probar ♦ *vi* intentar, tratar de; **~ de faire qch** intentar hacer algo, tratar de hacer algo; **essayez un peu!** ¡inténtalo!; **s'~ à faire qch/à qch** ejercitarse en hacer algo/en algo.

essence [esɑ̃s] *nf* (*carburant*) gasolina, nafta (*ARG*), bencina (*CHI*); (*d'une plante, fig*) esencia; (*espèce*: *d'arbre*) especie *f*; **par ~** (*par définition*) por esencia; **prendre** *ou* **faire de l'~** echar gasolina, repostar; **essence de café** extracto de café; **essence de citron/lavande/térébenthine** esencia de limón/lavanda/trementina.

essentiel, le [esɑ̃sjɛl] *adj* esencial; **être ~ à** ser esencial para; **l'~ d'un discours/d'une œuvre** lo fundamental de un discurso/ de una obra; **emporter/acheter l'~** llevar/comprar lo esencial; **c'est l'~** es lo esencial; **l'~ de** la mayor parte de.

essieu, x [esjø] *nm* eje *m*.

essor [esɔʀ] *nm* (*de l'économie etc*) auge *m*; **prendre son ~** (*oiseau*) tomar el vuelo.

essorer [esɔʀe] *vt* escurrir; (*à la machine*) centrifugar.

essoreuse [esɔʀøz] *nf* (*à rouleaux*) escurridor *m*; (*à tambour*) secadora.

essouffler [esufle] *vt* sofocar; **s'essouffler** *vpr* sofocarse; (*fig*: *écrivain, cinéaste*) perder la inspiración; (*économie*) tambalearse.

essuie-glace [esɥiglas] *nm inv* limpiaparabrisas *m inv*.

essuyer [esɥije] *vt* secar; (*épousseter*) limpiar; (*fig*: *défaite, tempête*) soportar; **s'essuyer** *vpr* secarse; **~ la vaisselle** secar los platos.

est[1] [ɛ] *vb voir* **être**.

est[2] [ɛst] *nm* este *m* ♦ *adj inv* este *inv*; **à l'~** (*situation*) al este; (*direction*) hacia el este; **à l'~ de** al este de; **les pays de l'E~** los países del Este.

estampe [ɛstɑ̃p] *nf* (*image*) estampa, lámina.

est-ce que [ɛskə] *adv*: **~-~ ~ c'est cher/c'était bon?** ¿es caro?/¿estaba bueno?; **quand est-ce qu'il part?** ¿cuándo se marcha?; **où est-ce qu'il va?** ¿dónde va?; **qui est-ce qui le connaît/a fait ça?** ¿quién le conoce/ha hecho esto?

esthéticienne [ɛstetisjɛn] *nf* (*d'institut de beauté*) esteticista.

esthétique [ɛstetik] *adj* estético(-a) ♦ *nf* estética; **esthétique industrielle** diseño industrial.

estimation [ɛstimasjɔ̃] *nf* valoración *f*; **d'après mes ~s** según mis cálculos.

estime [ɛstim] *nf* estima; **avoir de l'~ pour qn** tener estima a algn.

estimer [ɛstime] *vt* (*personne, qualité*) estimar, apreciar; (*expertiser*: *bijou etc*) valorar; (*évaluer*: *prix, distance*) calcular; **~ que/être ...** (*penser*) estimar que/ser ..., considerar que/ser ...; **s'~ satisfait/heureux** sentirse satisfecho/feliz; **j'estime le temps nécessaire à 3 jours** calculo que necesitaremos unos 3 días.

estival, e, -aux [ɛstival, o] *adj* estival; **station ~e** estación *f* estival.

estivant, e [ɛstivɑ̃, ɑ̃t] *nm/f* veraneante *m/f*.

estomac [ɛstɔma] *nm* estómago; **avoir l'~ creux/mal à l'~** tener el estómago vacío/tener dolor de estómago.

estomper [ɛstɔ̃pe] *vt* (*ART, PHOTO*) difuminar; (*suj*: *brume etc*) desdibujar; (*fig*: *souvenir, sentiment*) esfumar; **s'estomper** *vpr* (*bruit, souvenirs*) atenuarse; (*couleurs, forme*) difuminarse.

estrade [ɛstʀad] *nf* estrado.

estragon [ɛstʀagɔ̃] *nm* estragón *m*.

Estrémadure [ɛstʀemadyʀ] *nf* Extremadura.

estropié, e [ɛstʀɔpje] *nm/f* lisiado(-a), tullido(-a).

estropier [ɛstʀɔpje] *vt* lisiar, tullir; (*fig*: *mot*) alterar.

estuaire [ɛstɥɛʀ] *nm* estuario.

et [e] *conj* y; **~ aussi/lui** y también/él; **~ puis?** ¿y qué?; **~ alors** *ou* **(puis) après?**

(*qu'importe!*) ¿y qué?; (*ensuite*) ¿y entonces?

ETA [əteа] *sigle m* (= *Euskadi Ta Askatasuna*) ETA *f*.

étable [etabl] *nf* establo.

établi, e [etabli] *adj* (*en place, solide*) establecido(-a); (*vérité*) confirmado(-a) ♦ *nm* banco.

établir [etabliʀ] *vt* establecer; (*papiers d'identité*) hacer; (*facture*) hacer, realizar; (*liste, programme*) establecer, fijar; (*installer: entreprise, camp*) establecer, instalar; (*personne: aider à s'établir*) colocar; (*relations, liens d'amitié*) entablar, establecer; **s'établir** *vpr* establecerse; (*colonie*) asentarse; ~ **un record** establecer un récord; **s'~ (à son compte)** establecerse (por su cuenta).

établissement [etablismɑ̃] *nm* establecimiento; (*papiers d'identité*) realización *f*; **établissement commercial/industriel** establecimiento comercial/industrial; **établissement de crédit** entidad *f* de crédito; **établissement hospitalier/public** establecimiento hospitalario/público; **établissement scolaire** establecimiento escolar.

étage [etaʒ] *nm* (*d'immeuble*) piso, planta; (*de fusée*) cuerpo; (*de culture, végétation*) capa, estrato; **habiter à l'~/au deuxième ~** vivir en el primer piso/en el segundo piso; **maison à deux ~s** casa de dos pisos *ou* plantas; **de bas ~** de clase baja; (*médiocre*) de baja estofa.

étagère [etaʒɛʀ] *nf* estante *m*.

étai [etɛ] *nm* puntal *m*.

étain [etɛ̃] *nm* estaño; **pot en ~** vasija de estaño.

étais *etc* [etɛ] *vb voir* **être**.

étal [etal] *nm* (*de marché*) puesto.

étalage [etalaʒ] *nm* (*de richesses, connaissances*) ostentación *f*; (*de magasin*) escaparate *m*; **faire ~ de** hacer alarde de, hacer ostentación de.

étaler [etale] *vt* (*carte, nappe*) extender, desplegar; (*beurre, liquide*) extender; (*paiements, dates*) escalonar; (*marchandises*) exponer; (*richesses, connaissances*) ostentar; **s'étaler** *vpr* (*liquide*) desparramarse; (*luxe etc*) ser ostensible; (*fam: tomber*) caer a lo largo; **s'~ sur** (*suj: travaux, paiements*) repartirse en.

étalon [etalɔ̃] *nm* (*mesure*) patrón *m*; (*cheval*) semental *m*; **l'~-or** el patrón oro.

étanche [etɑ̃ʃ] *adj* impermeable; (*fig: cloison*) entero(-a); **~ à l'air** hermético(-a).

étanchéité [etɑ̃ʃeite] *nf* impermeabilidad *f*.

étancher [etɑ̃ʃe] *vt* (*liquide*) estancar; (*sang*) restañar; **~ sa soif** apagar la sed.

étançon [etɑ̃sɔ̃] *nm* puntal *m*.

étançonner [etɑ̃sɔne] *vt* apuntalar.

étang [etɑ̃] *nm* estanque *m*.

étant [etɑ̃] *vb voir* **être**; **donné**.

étape [etap] *nf* etapa; **faire ~ à** hacer una etapa en; **brûler les ~s** quemar etapas.

état [eta] *nm* estado; (*liste, inventaire*) registro; **être boucher de son ~** (*condition professionnelle*) ser carnicero de oficio; **en bon/mauvais ~** en buen/mal estado; **être en ~ (de marche)** funcionar; **remettre en ~** volver a poner en condiciones, arreglar; **hors d'~** fuera de uso, inservible; **être en ~/hors d'~ de faire qch** estar/no estar en condiciones de hacer algo; **en tout ~ de cause** en todo caso, de todos modos; **être dans tous ses ~s** estar fuera de sí; **faire ~ de** hacer valer; **être en ~ d'arrestation** (*JUR*) quedar arrestado(-a), estar detenido(-a); **en ~ de grâce** (*REL, fig*) en estado de gracia; **en ~ d'ivresse** en estado de embriaguez; **état civil** (*ADMIN*) estado civil; **état d'urgence/de guerre/de siège** estado de excepción/de guerra/de sitio; **état d'alerte** estado de alerta; **état d'esprit** mentalidad *f*; **état de choses** estado de cosas; **état de santé** estado de salud; **état de veille** estado de vigilia; **état des lieux** estado del inmueble; **états de service** (*MIL, ADMIN*) hoja *fsg* de servicios; **les États du Golfe** los Estados del Golfo.

état-major [etamaʒɔʀ] (*pl* **~s-~s**) *nm* (*MIL*) estado mayor; (*de parti, d'entreprise*) plana mayor.

États-Unis [etazyni] *nmpl*: **les ~-~** los Estados Unidos.

étau, x [eto] *nm* (*TECH*) torno; **être pris dans un ~** (*fig*) estar acorralado.

étayer [eteje] *vt* (*construction, fig*) apuntalar.

etc. [ɛtseteʀa] *abr* (= *et c(a)etera*) etc.

et c(a)etera [ɛtseteʀa] *adv* etcétera.

été[1] [ete] *pp de* **être**.

été[2] [ete] *nm* verano; **en ~** en verano.

éteindre [etɛ̃dʀ] *vt* apagar; (*incendie*) extinguir, apagar; (*JUR: dette*) extinguir; **s'éteindre** *vpr* apagarse.

étendard [etɑ̃daʀ] *nm* estandarte *m*.

étendre [etɑ̃dʀ] *vt* extender; (*carte, tapis*) extender, desplegar; (*lessive, linge*) tender, colgar; (*blessé, malade*) tender; (*vin, sauce*) diluir, rebajar; (*fig: agrandir*) extender, ampliar; (*fam*) tumbar; (*SCOL*) catear; **s'étendre** *vpr* extenderse; **s'~ (sur)** (*personne*) tenderse (sobre *ou* en); (*fig: sujet, problème*) extenderse (en); **s'~ jusqu'à/d'un endroit à un autre** extenderse hasta/de un sitio a otro.

étendu, e [etɑ̃dy] *adj* (*terrain*) extenso(-a); (*connaissances, pouvoirs etc*) amplio(-a) ♦ *nf* extensión *f*; (*des connaissances*) amplitud *f*; (*importance*) alcance *m*.

éternel, le [etɛʀnɛl] *adj* eterno(-a); (*habituel*) inseparable.

éterniser [etɛʀnize]: **s'~** *vpr* eternizarse.

éternité [etɛʀnite] *nf* eternidad *f*; **il y a** *ou* **ça fait une ~ que** hace una eternidad que; **de toute ~** de tiempo inmemorial.

éternuer [etɛʀnɥe] *vi* estornudar.

êtes [ɛt(z)] *vb voir* **être**.

éther [etɛʀ] *nm* éter *m*.

ethnie [ɛtni] *nf* etnia.

éthylisme [etilism] *nm* etilismo.

étiez [etjɛ] *vb voir* **être**.

étinceler [etɛ̃s(ə)le] *vi* resplandecer.

étincelle [etɛ̃sɛl] *nf* chispa, fulgor *m*; (*fig*) destello, chispa.

étioler [etjɔle]: **s'~** *vpr* (*fleur*) marchitarse; (*enfant, esprit*) languidecer, marchitarse.

étiqueter [etik(ə)te] *vt* etiquetar.

étiquette [etikɛt] *nf* etiqueta; **l'~** (*protocole*) la etiqueta; **sans ~** (*POL*) sin etiqueta.

étirer [etiʀe] *vt* estirar; **s'étirer** *vpr* estirarse; (*convoi, route*): **s'~ sur plusieurs kilomètres** extenderse por varios kilómetros; **~ ses bras/jambes** estirar los brazos/las piernas.

étoffe [etɔf] *nf*: **avoir l'~ d'un chef** tener madera de jefe; **avoir de l'~** tener personalidad.

étoffer [etɔfe] *vt* (*discours, récit*) dar cuerpo a; **s'étoffer** *vpr* (*personne*) desarrollarse.

étoile [etwal] *nf* estrella; (*signe*) asterisco ♦ *adj*: **danseur/danseuse ~** primer bailarín/primera bailarina; **la bonne/mauvaise ~ de qn** la buena/mala estrella de algn; **à la belle ~** al sereno, al aire libre; **étoile de mer** estrella de mar; **étoile filante** estrella fugaz; **étoile polaire** estrella polar.

étoilé, e [etwale] *adj* estrellado(-a).

étonnant, e [etɔnɑ̃, ɑ̃t] *adj* (*surprenant*) asombroso(-a), sorprendente; (*valeur intensive*) sorprendente.

étonner [etɔne] *vt* asombrar, sorprender; **s'~ que/de** asombrarse de que/de; **cela m'étonnerait (que)** me sorprendería (que).

étouffée [etufe]: **à l'~** *adv* (*CULIN*) estofado(-a).

étouffer [etufe] *vt* (*personne*) ahogar; (*bruit*) acallar; (*nouvelle, scandale*) ocultar, tapar ♦ *vi* (*aussi fig*) ahogarse; (*avoir trop chaud*) sofocarse, ahogarse; **s'étouffer** *vpr* (*en mangeant*) atragantarse.

étourderie [etuʀdəʀi] *nf* descuido; **faute d'~** despiste *m*.

étourdi, e [etuʀdi] *adj* aturdido(-a), distraído(-a).

étourdir [etuʀdiʀ] *vt* (*assommer*) aturdir, atontar; (*griser*) aturdir.

étrange [etʀɑ̃ʒ] *adj* extraño(-a), raro(-a).

étranger, -ère [etʀɑ̃ʒe, ɛʀ] *adj* (*d'un autre pays*) extranjero(-a), gringo(-a) (*AM*); (*pas de la famille*) extraño(-a); (*non familier*) extraño(-a), desconocido(-a) ♦ *nm/f* (*d'un autre pays*) extranjero(-a); (*inconnu*) extraño(-a) ♦ *nm*: **l'~** el extranjero; **~ à** ajeno(-a) a; **de l'~** del extranjero.

étranglé, e [etʀɑ̃gle] *adj*: **d'une voix ~e** con una voz sofocada.

étrangler [etʀɑ̃gle] *vt* (*intentionnellement*) estrangular; (*accidentellement*) ahogar; (*fig: presse, libertés*) ahogar, asfixiar; **s'étrangler** *vpr* (*en mangeant etc*) atragantarse; (*se resserrer: tuyau, rue*) estrecharse.

étrave [etʀav] *nf* roda.

MOT-CLÉ

être [ɛtʀ] *vb +attribut, vi* **1** (*qualité essentielle, permanente, profession*) ser; **il est fort/intelligent** es fuerte/inteligente; **être journaliste** ser periodista

2 (*état temporaire, position, + adj/pp*) estar; **comme tu es belle!** ¡qué guapa estás!; **être marié** estar casado; **il est à Paris/au salon** está en París/en el salón; **je ne serai pas ici demain** no estaré aquí mañana; **ça y est!** ¡ya está!

3: **être à** (*appartenir*) ser de; **le livre est à Paul** el libro es de Pablo; **c'est à moi/eux** es mío(-a)/suyo(-a) *ou* de ellos

4 (*+de: provenance, origine*): **il est de Paris** es de París; (*: appartenance*): **il est des nôtres** es de los nuestros; **être de Genève/de la même famille** ser de Ginebra/de la misma familia

5 (*date*): **nous sommes le 5 juin** estamos a 5 de junio

♦ *vb aux* **1** haber; **être arrivé/allé** haber llegado/ido; **il est parti** (él) se ha marchado; **il est parti hier** (*verbe au passé simple quand la période dans laquelle se situe l'action est révolue*) se marchó ayer

2 (*forme passive*) ser; **être fait par** ser hecho por; **il a été promu** ha sido ascendido

3 (*+à: obligation*): **c'est à faire/réparer** está por hacer/reparar; **c'est à essayer** está por ensayar; **il est à espérer/souhaiter**

que es de esperar/desear que
♦ *vb impers* **1**: **il est** *+adjectif* es; **il est impossible de le faire** es imposible hacerlo; **il serait facile de/souhaitable que** sería fácil/deseable que
2 (*heure, date*): **il est** *ou* **c'est 10 heures** son las 10
3 (*emphatique*): **c'est moi** soy yo; **c'est à lui de le faire/de décider** tiene que hacerlo/decidirlo él
♦ *nm* ser *m*; **être humain** ser humano.

étreindre [etʀɛ̃dʀ] *vt* (*pour s'accrocher, retenir*) agarrarse a; (*amoureusement, amicalement*) abrazar; (*suj: douleur, peur*) oprimir; **s'étreindre** *vpr* (*personnes*) abrazarse.
étrenner [etʀene] *vt* estrenar.
étrennes [etʀɛn] *nfpl* (*cadeaux*) regalos *mpl*; (*gratifications*) aguinaldo *msg*.
étrier [etʀije] *nm* estribo.
étriper [etʀipe] *vt* destripar; ~ **qn** (*fam*) rajar a algn.
étroit, e [etʀwa, wat] *adj* (*gén, fig*) estrecho(-a); **à l'**~ con estrechez; **étroit d'esprit** de miras estrechas.
étude [etyd] *nf* estudio; (*de notaire*) bufete *m*; (*SCOL: salle de travail*) sala de estudio; ~**s** *nfpl* (*SCOL*) estudios *mpl*; **être à l'**~ (*projet etc*) estar en estudio; **faire une** ~ **de cas** ver un caso práctico; **faire des** ~**s de droit/médecine** cursar estudios de *ou* estudiar derecho/medicina; ~**s secondaires/supérieures** estudios secundarios/superiores; **étude de faisabilité/de marché** estudio de factibilidad/de mercado.
étudiant, e [etydjɑ̃, jɑ̃t] *nm/f* (*UNIV*) estudiante *m/f*, universitario(-a) ♦ *adj* estudiante.
étudier [etydje] *vt, vi* estudiar.
étui [etɥi] *nm* (*à lunettes*) funda, estuche *m*; (*à cigarettes*) estuche.
étuvée [etyve]: **à l'**~ *adv* (*CULIN*) estofado(-a).
eu, eue [y] *pp de* **avoir**.
euh [ø] *excl* ¡ee!.
euphémisme [øfemism] *nm* eufemismo.
euphorie [øfɔʀi] *nf* euforia.
eurent [yʀ] *vb voir* **avoir**.
Europe [øʀɔp] *nf* Europa; **l'Europe centrale** la Europa central; **l'Europe verte** la Europa verde.
européen, ne [øʀɔpeɛ̃, ɛn] *adj* europeo(-a) ♦ *nm/f*: **E**~, **ne** europeo(-a).
eus *etc* [y] *vb voir* **avoir**.
eux [ø] *pron* ellos; ~, **ils ont fait ...** ellos han hecho ... .
évacuer [evakɥe] *vt* evacuar.
évadé, e [evade] *adj, nm/f* evadido(-a).
évader [evade]: **s'**~ *vpr* evadirse.
évaluer [evalɥe] *vt* evaluar, calcular.
évangile [evɑ̃ʒil] *nm* evangelio; (*texte de la Bible*): **É**~ Evangelio; **ce n'est pas l'É**~ (*fig*) esto no es la Biblia.
évanouir [evanwiʀ]: **s'**~ *vpr* desmayarse, desvanecerse; (*fig*) desvanecerse, desaparecer.
évanouissement [evanwismɑ̃] *nm* (*MÉD*) desmayo, desvanecimiento.
évaporer [evapɔʀe]: **s'**~ *vpr* evaporarse.
évaser [evɑze] *vt* (*tuyau*) ensanchar; (*jupe, pantalon*) acampanar; **s'évaser** *vpr* ensancharse.
évasif, -ive [evazif, iv] *adj* evasivo(-a).
évasion [evazjɔ̃] *nf* evasión *f*; **littérature d'**~ literatura de evasión; **évasion des capitaux** evasión de capitales; **évasion fiscale** evasión fiscal.
évêché [eveʃe] *nm* obispado.
éveil [evɛj] *nm* despertar *m*; **être en** ~ estar sobre aviso; **mettre qn en** ~, **donner l'**~ **à qn** poner sobre aviso *ou* avisar a algn; **activités d'**~ actividades *fpl* de aprendizaje.
éveillé, e [eveje] *adj* despierto(-a).
éveiller [eveje] *vt* despertar; **s'éveiller** *vpr* despertarse.
événement [evɛnmɑ̃] *nm* acontecimiento; ~**s** *nmpl* (*POL etc: situation générale*) acontecimientos *mpl*.
éventail [evɑ̃taj] *nm* abanico; **en** ~ en abanico.
éventer [evɑ̃te] *vt* (*secret, complot*) descubrir; **s'éventer** *vpr* (*vin, parfum*) alterarse; (*avec un éventail*) abanicarse.
éventrer [evɑ̃tʀe] *vt* (*animal, personne*) destripar; (*sac, matelas etc*) reventar.
éventualité [evɑ̃tɥalite] *nf* eventualidad *f*; **dans l'**~ **de** en la eventualidad de; **parer à toute** ~ prevenir contra toda eventualidad.
éventuel, le [evɑ̃tɥɛl] *adj* eventual.
éventuellement [evɑ̃tɥɛlmɑ̃] *adv* eventualmente.
évêque [evɛk] *nm* obispo.
évertuer [evɛʀtɥe]: **s'**~ *vpr*: **s'**~ **à faire** afanarse por *ou* en hacer.
évidemment [evidamɑ̃] *adv* evidentemente; ~! ¡claro!
évidence [evidɑ̃s] *nf* evidencia; **se rendre à/nier l'**~ rendirse ante/negar la evidencia; **à l'**~ sin duda alguna; **de toute** ~ a todas luces; **en** ~ en evidencia; **mettre en** ~ (*problème, détail*) poner de manifiesto.
évident, e [evidɑ̃, ɑ̃t] *adj* evidente; **ce**

n'est pas ~ (*cela pose des problèmes*) no es nada fácil; (*pas sûr*) no está claro.
évider [evide] *vt* ahuecar.
évier [evje] *nm* fregadero.
évincer [evɛ̃se] *vt* excluir.
éviter [evite] *vt* evitar; (*fig: problème, question*) evitar, eludir; (*importun, raseur: fuir*) rehuir, evitar; (*coup, projectile, obstacle*) esquivar; ~ **de faire/que qch ne se passe** evitar hacer/que algo suceda; ~ **qch à qn** evitar algo a algn.
évoluer [evɔlɥe] *vi* evolucionar.
évolution [evɔlysjɔ̃] *nf* evolución *f*; ~**s** *nfpl* evoluciones *fpl*.
évoquer [evɔke] *vt* evocar.
ex- [ɛks] *préfixe*: **ex-ministre/président** ex-ministro/-presidente; **son ex-mari/femme** su ex-marido/-mujer.
exact, e [ɛgza(kt), ɛgzakt] *adj* (*précis*) exacto(-a); (*personne: ponctuel*) puntual; **l'heure** ~**e** la hora exacta.
exactement [ɛgzaktəmɑ̃] *adv* exactamente.
exactitude [ɛgzaktityd] *nf* exactitud *f*.
ex aequo [ɛgzeko] *adv* iguales ♦ *adj inv*: **ils sont** ~ ~ han quedado iguales.
exagérer [ɛgzaʒeʀe] *vt* exagerar ♦ *vi* (*abuser*) abusar; (*déformer les faits, la vérité*) exagerar; **encore en retard, tu exagères!** (*dépasser les bornes*) ¡otra vez tarde, te estás pasando!; **sans** ~ sin exagerar; **s'**~ **qch** sobreestimar algo; **il ne faut pas/rien** ~ no hay que exagerar.
exalté, e [ɛgzalte] *adj, nm/f* exaltado(-a).
exalter [ɛgzalte] *vt* exaltar; **s'exalter** *vpr* exaltarse.
examen [ɛgzamɛ̃] *nm* examen *m*; ~ **médical** examen *ou* reconocimiento médico; **à l'**~ en examen; **examen blanc** prueba preliminar; **examen de conscience** examen de conciencia; **examen de la vue** examen de la vista; **examen final/d'entrée** examen final/de ingreso.
examiner [ɛgzamine] *vt* examinar.
exaspérer [ɛgzaspeʀe] *vt* exasperar.
exaucer [ɛgzose] *vt* (*vœu*) otorgar; ~ **qn** satisfacer a algn.
excavation [ɛkskavasjɔ̃] *nf* excavación *f*.
excédent [ɛksedɑ̃] *nm* excedente *m*; **en** ~ en excedente; **payer 600F d'**~ pagar 600 francos en exceso; **excédent commercial** excedente comercial; **excédent de bagages/de poids** exceso de equipaje/de peso.
excéder [ɛksede] *vt* (*dépasser*) exceder, sobrepasar; (*agacer*) crispar; **excédé de fatigue/travail** agotado de cansancio/de trabajo.
excellence [ɛkselɑ̃s] *nf* excelencia; **son E**~ su Excelencia; **par** ~ por excelencia.
excellent, e [ɛkselɑ̃, ɑ̃t] *adj* excelente.
excentrique [ɛksɑ̃tʀik] *adj* excéntrico(-a).
excepté, e [ɛksɛpte] *adj*: **les élèves** ~**s/dictionnaires** ~**s** excepto los alumnos/los diccionarios ♦ *prép*: ~ **les élèves** salvo los alumnos; ~ **si/quand ...** salvo si/cuando ...; ~ **que** salvo que.
exception [ɛksɛpsjɔ̃] *nf* excepción *f*; **faire** ~ ser una excepción; **faire une** ~ (*dérogation*) hacer una excepción; **sans** ~ sin excepción; **à l'**~ **de** con excepción de; **mesure/loi d'**~ medida/ley *f* de excepción.
exceptionnel, le [ɛksɛpsjɔnɛl] *adj* excepcional.
excès [ɛksɛ] *nm* exceso ♦ *nmpl* (*abus*) excesos *mpl*; **à l'**~ (*méticuleux, généreux*) en exceso; **tomber dans l'**~ **inverse** pasar de un extremo al otro; **avec/sans** ~ con/sin exceso; **excès de langage** lenguaje *m* abusivo; **excès de pouvoir/de zèle** exceso de poder/de celo; **excès de vitesse** exceso de velocidad.
excessif, -ive [ɛksesif, iv] *adj* excesivo(-a).
excité, e [ɛksite] *adj* excitado(-a).
exciter [ɛksite] *vt* excitar; **s'exciter** *vpr* excitarse; ~ **qn à** (*la révolte, au combat*) incitar a algn a.
exclamation [ɛksklamasjɔ̃] *nf* exclamación *f*.
exclamer [ɛksklame]: **s'**~ *vpr* exclamar; **"zut", s'exclama-t-il** "caramba", exclamó.
exclure [ɛksklyʀ] *vt* excluir; (*d'une salle, d'un parti*) expulsar, excluir.
exclusif, -ive [ɛksklyzif, iv] *adj* exclusivo(-a); **avec la mission exclusive/dans le but** ~ **de** con la misión exclusiva/con la finalidad exclusiva de.
exclusion [ɛksklyzjɔ̃] *nf* expulsión *f*, exclusión *f*; **à l'**~ **de** con exclusión de.
exclusivité [ɛksklyzivite] *nf* exclusividad *f*; **en** ~ en exclusiva; **film passant en** ~ película en exclusiva.
excréments [ɛkskʀemɑ̃] *nmpl* excrementos *mpl*.
excursion [ɛkskyʀsjɔ̃] *nf* excursión *f*; **faire une** ~ hacer una *ou* ir de excursión.
excuse [ɛkskyz] *nf* excusa; ~**s** *nfpl* (*expression de regret*) disculpas *fpl*; **faire des** ~**s** disculparse, excusarse; **mot d'**~ (*SCOL*) justificante *m*; **faire/présenter ses** ~**s** pedir disculpas; **lettre d'**~**s** carta de disculpa.
excuser [ɛkskyze] *vt* excusar, disculpar; **s'excuser** *vpr* (*par politesse*) disculparse,

excusarse; ~ **qn de qch** (*dispenser*) dispensar a algn de algo; **s'~ (de)** disculparse (de), excusarse (por); **"excusez-moi"** (*en passant devant qn*) "discúlpeme"; (*pour attirer l'attention*) "perdón"; **se faire ~** excusarse.

exécuter [ɛgzekyte] *vt* (*INFORM, MUS, prisonnier*) ejecutar; (*opération, mouvement*) efectuar, realizar; **s'exécuter** *vpr* cumplir.

exécutif, -ive [ɛgzekytif, iv] *adj* ejecutivo(-a) ♦ *nm*: **l'~** (*POL*) el ejecutivo.

exécution [ɛgzekysjɔ̃] *nf* ejecución *f*; **mettre à ~** llevar a cabo; **exécution capitale** ejecución capital.

exemplaire [ɛgzɑ̃plɛʀ] *adj* ejemplar ♦ *nm* ejemplar *m*; **en deux/trois ~s** por duplicado/triplicado.

exemple [ɛgzɑ̃pl] *nm* ejemplo; **par ~** por ejemplo; (*valeur intensive*) ¡no es posible!; **sans ~** (*bêtise, gourmandise*) sin igual; **donner l'~** dar ejemplo; **prendre ~ sur qn** tomar ejemplo de algn; **suivre l'~ de qn** seguir el ejemplo de algn; **à l'~ de** a ejemplo de; **servir d'~ (à qn)** servir de ejemplo (a algn); **pour l'~** (*punir*) para que sirva *etc* de escarmiento *ou* de ejemplo.

exempt, e [ɛgzɑ̃, ɑ̃(p)t] *adj*: ~ **de** exento(-a) de; ~ **de taxes** exento(-a) de tasas.

exercer [ɛgzɛʀse] *vt* ejercer; (*former: personne*) acostumbrar; (*animal*) adiestrar; (*faculté, partie du corps*) ejercitar ♦ *vi* (*médecin*) ejercer; **s'exercer** *vpr* (*sportif*) entrenarse; (*musicien*) practicar; **s'~ (sur/contre)** (*pression, poussée*) ejercerse (sobre/contra); **s'~ à faire qch** ejercitarse en hacer algo.

exercice [ɛgzɛʀsis] *nm* ejercicio; **à l'~** (*MIL*) de maniobras; **en ~** (*ADMIN*) en ejercicio, en activo; **dans l'~ de ses fonctions** en ejercicio de sus funciones; **~s d'assouplissement** ejercicios *mpl* de flexibilidad.

exhiber [ɛgzibe] *vt* exhibir; **s'exhiber** *vpr* exhibirse.

exhorter [ɛgzɔʀte] *vt*: ~ **qn à faire qch** exhortar a algn a hacer algo.

exigence [ɛgziʒɑ̃s] *nf* exigencia.

exiger [ɛgziʒe] *vt* exigir.

exigu, -uë [ɛgzigy] *adj* exiguo(-a).

exil [ɛgzil] *nm* exilio; **en ~** en el exilio.

exiler [ɛgzile] *vt* exiliar; **s'exiler** *vpr* exiliarse.

existence [ɛgzistɑ̃s] *nf* existencia; **moyens d'~** medios *mpl* de existencia, medios de vida.

exister [ɛgziste] *vi* existir; **il existe une solution/des solutions** existe una solución/existen soluciones.

exonérer [ɛgzɔneʀe] *vt*: ~ **qn/qch de** eximir a algn/a algo de.

exorbitant, e [ɛgzɔʀbitɑ̃, ɑ̃t] *adj* exorbitante.

exotique [ɛgzɔtik] *adj* exótico(-a).

expansion [ɛkspɑ̃sjɔ̃] *nf* expansión *f*.

expatrier [ɛkspatʀije] *vt* (*argent*) llevar al extranjero; **s'expatrier** *vpr* expatriarse.

expédient [ɛkspedjɑ̃] *nm* (*parfois péj*) recurso; **vivre d'~s** vivir del cuento.

expédier [ɛkspedje] *vt* (*lettre*) expedir; (*troupes, renfort*) enviar; (*péj: faire rapidement*) despachar; ~ **par la poste** expedir por correo; ~ **par bateau/avion** enviar por barco/avión.

expéditeur, -trice [ɛkspeditœʀ, tʀis] *nm/f* remitente *m/f*.

expédition [ɛkspedisjɔ̃] *nf* (*d'une lettre*) envío; (*MIL, scientifique*) expedición *f*; **expédition punitive** expedición de castigo.

expérience [ɛkspeʀjɑ̃s] *nf* experiencia; **une ~** (*scientifique*) un experimento; **avoir de l'~** tener experiencia; **avoir l'~ de** tener experiencia en; **faire l'~ de qch** experimentar algo; **expérience d'électricité** prueba de electricidad; **expérience de chimie** experimento de química.

expérimenter [ɛkspeʀimɑ̃te] *vt* experimentar.

expert, e [ɛkspɛʀ, ɛʀt] *adj*: ~ **en** experto(-a) en ♦ *nm* experto(-a), perito(-a); **expert en assurances** perito de seguros.

expert-comptable [ɛkspɛrkɔ̃tabl] (*pl* **~s-~**) *nm* perito contable.

expertiser [ɛkspɛʀtize] *vt* valorar pericialmente, hacer un peritaje de.

expirer [ɛkspiʀe] *vi* (*passeport, bail*) vencer, expirar; (*respirer*) espirar; (*litt: mourir*) expirar.

explicatif, -ive [ɛksplikatif, iv] *adj* explicativo(-a).

explication [ɛksplikasjɔ̃] *nf* explicación *f*; (*discussion*) discusión *f*; **explication de texte** (*SCOL*) comentario de texto.

explicite [ɛksplisit] *adj* explícito(-a).

expliciter [ɛksplisite] *vt* explicitar.

expliquer [ɛksplike] *vt* explicar; **s'expliquer** *vpr* explicarse; (*discuter*) discutir; (*se disputer*) pelearse; **je m'explique son retard/absence** (*comprendre*) me explico su retraso/ausencia; ~ **(à qn) comment/que** explicar (a algn) cómo/que; **son erreur s'explique** su error tiene una explicación.

exploit [ɛksplwa] *nm* hazaña.

exploitation [ɛksplwatasjɔ̃] *nf* explotación *f*; ~ **agricole** explotación agrícola.

exploiter [ɛksplwate] *vt* explotar; (*tirer parti de: faiblesse de qn*) aprovecharse de.

explorateur, -trice [ɛksplɔʀatœʀ, tʀis] *nm/f* explorador(a).
explorer [ɛksplɔʀe] *vt* (*pays, grotte*) explorar; (*fig: domaine, problème*) examinar.
exploser [ɛksploze] *vi* (*bombe*) explotar, estallar; (*joie, colère*) estallar; **faire ~** hacer estallar.
explosif, -ive [ɛksplozif, iv] *adj* explosivo(-a) ♦ *nm* explosivo.
explosion [ɛksplozjɔ̃] *nf* explosión *f*; **explosion démographique** explosión demográfica.
exporter [ɛkspɔʀte] *vt* exportar.
exposant [ɛkspozɑ̃] *nm* (*personne*) expositor *m*; (*MATH*) exponente *m*.
exposé, e [ɛkspoze] *adj* (*orienté*) orientado(-a) ♦ *nm* (*écrit*) informe *m*; (*oral*) charla; (*SCOL*) exposición *f*; **~ à l'est/au sud** orientado(-a) al este/al sur; **bien ~** bien orientado(-a); **très ~** (*fig: personne*) muy expuesto.
exposer [ɛkspoze] *vt* exponer; (*orienter: maison*) orientar; **s'exposer à** *vpr* exponerse a; **~ sa vie** (*mettre en danger*) exponer su vida; **~ qn/qch à** exponer a algn/algo a.
exposition [ɛkspozisjɔ̃] *nf* exposición *f*; **temps d'~** (*PHOTO*) tiempo de exposición.
exprès[1], expresse [ɛkspʀɛs] *adj* expreso(-a) ♦ *adj inv*: **lettre/colis ~** carta/paquete *m* urgente; **envoyer qch en ~** enviar algo urgente.
exprès[2] [ɛkspʀɛ] *adv* (*délibérément*) a propósito, adrede; (*spécialement*) expresamente; **faire ~ de faire qch** hacer algo deliberadamente; **il l'a fait/ne l'a pas fait ~** lo hizo/no lo hizo adrede *ou* a propósito.
express [ɛkspʀɛs] *adj, nm*: **(café) ~** (café) exprés *m*; **(train) ~** (tren) expreso.
expression [ɛkspʀesjɔ̃] *nf* expresión *f*; **réduit à sa plus simple ~** reducido a su mínima expresión; **liberté/moyens d'~** libertad *f*/medios *mpl* de expresión; **expression toute faite** frase *f* hecha.
exprimer [ɛkspʀime] *vt* (*sentiment, idée*) expresar; (*jus, liquide*) exprimir; **s'exprimer** *vpr* expresarse; **bien s'~** expresarse bien; **s'~ en français** expresarse en francés.
exproprier [ɛkspʀɔpʀije] *vt* expropiar.
expulser [ɛkspylse] *vt* expulsar; (*locataire*) echar.
exquis, e [ɛkski, iz] *adj* (*personne, élégance, parfum*) exquisito(-a); (*temps*) delicioso(-a).
exsangue [ɛksɑ̃g] *adj* exangüe.
extase [ɛkstɑz] *nf* éxtasis *msg*; **être en ~** estar en éxtasis.
extasier [ɛkstɑzje]: **s'~** *vpr*: **s'~ sur** extasiarse ante.
extensif, -ive [ɛkstɑ̃sif, iv] *adj* extensivo(-a).
extension [ɛkstɑ̃sjɔ̃] *nf* extensión *f*; (*fig: développement*) expansión *f*; **en ~** (*MÉD*) en extensión.
exténuer [ɛkstenɥe] *vt* extenuar.
extérieur, e [ɛksteʀjœʀ] *adj* exterior; (*pressions, calme*) externo(-a) ♦ *nm* exterior *m*; **contacts avec l'~** contactos *mpl* con el exterior; **à l'~** (*dehors*) fuera, afuera (*AM*); (*à l'étranger*) en el exterior; (*SPORT*) por el exterior.
exterminer [ɛkstɛʀmine] *vt* exterminar.
externe [ɛkstɛʀn] *adj* externo(-a) ♦ *nm/f* externo(-a); (*étudiant en médecine*) alumno(-a) en prácticas.
extincteur [ɛkstɛ̃ktœʀ] *nm* extintor *m*.
extinction [ɛkstɛ̃ksjɔ̃] *nf* extinción *f*; **extinction de voix** afonía.
extorquer [ɛkstɔʀke] *vt*: **~ qch à qn** sacar algo a algn.
extra [ɛkstʀa] *adj inv, préf* extra ♦ *nm* extra *m*; (*employé*) eventual *m/f*.
extrader [ɛkstʀade] *vt* extraditar.
extraire [ɛkstʀɛʀ] *vt* extraer; **~ qch de** extraer algo de.
extrait, e [ɛkstʀɛ, ɛt] *pp de* **extraire** ♦ *nm* extracto; (*de film, livre*) pasaje *m*; **extrait de naissance** partida de nacimiento.
extraordinaire [ɛkstʀaɔʀdinɛʀ] *adj* extraordinario(-a); **si par ~ ...** en el caso poco probable de que ...; **mission/envoyé ~** misión *f*/enviado especial; **ambassadeur ~** embajador *m* especial *ou* extraordinario; **assemblée ~** asamblea extraordinaria.
extravagant, e [ɛkstʀavagɑ̃, ɑ̃t] *adj* extravagante.
extrême [ɛkstʀɛm] *adj* extremo(-a) ♦ *nm*: **les ~s** los extremos *mpl*; **d'une ~ simplicité/brutalité** (*intensif*) de una extrema simplicidad/brutalidad; **d'un ~ à l'autre** de un extremo a(l) otro; **à l'~** al extremo, en sumo grado; **à l'~ rigueur** en extremo rigor.
extrêmement [ɛkstʀɛmmɑ̃] *adv* extremadamente.
extrême-onction [ɛkstʀɛmɔ̃ksjɔ̃] (*pl* **~-~s**) *nf* (*REL*) extremaunción *f*.
Extrême-Orient [ɛkstʀɛmɔʀjɑ̃] *nm* Extremo Oriente *m*.
extrémiste [ɛkstʀemist] *adj, nm/f* extremista *m/f*.
extrémité [ɛkstʀemite] *nf* extremo; (*d'un doigt, couteau*) punta; (*geste désespéré*) extremos *mpl*; **~s** *nfpl* (*pieds et mains*) extremidades *fpl*; **à la dernière ~** en las últi-

mas.
exubérant, e [ɛgzybeʀɑ̃, ɑ̃t] *adj* exuberante.
exulter [ɛgzylte] *vi* exultar.

F, f

F [ɛf] *abr* = **franc**; **Fahrenheit**; (*appartement*): **un F2/F3** un piso de 2/3 habitaciones.
fa [fɑ] *nm inv* fa *m*.
fable [fɑbl] *nf* fábula; (*mensonge*) cuento.
fabricant [fabʀikɑ̃] *nm* fabricante *m/f*.
fabrication [fabʀikasjɔ̃] *nf* fabricación *f*.
fabrique [fabʀik] *nf* fábrica.
fabriquer [fabʀike] *vt* (*produire*) producir; (*construire*) fabricar; (*inventer*) inventar; (*forger*) acuñar; ~ **en série** fabricar en serie; **qu'est-ce qu'il fabrique?** (*fam*) ¿qué está tramando?
fabuleux, -euse [fabylø, øz] *adj* fabuloso(-a).
fac [fak] (*fam*) *abr f* = **faculté**.
façade [fasad] *nf* fachada; (*fig*) apariencia.
face [fas] *nf* (*visage*) cara, rostro; (*côté*) cara; (*d'un problème, sujet*) aspecto ♦ *adj*: **le côté ~** cara; **perdre la ~** perder prestigio; **sauver la ~** salvar las apariencias; **regarder qn en ~** mirar a algn a la cara; **la maison/le trottoir d'en ~** la casa/la acera de enfrente; **en ~ de** enfrente de; (*fig*) frente a; **de ~** de frente; ~ **à** frente a, ante; **faire ~ à qn/qch** hacer frente *ou* cara a algn/algo; **faire ~ à la demande** (*COMM*) hacer frente a la demanda; ~ **à** ~ *adv* frente a frente ♦ *nm inv* debate *m*.
fâché, e [fɑʃe] *adj* enfadado(-a); (*désolé, contrarié*) contrariado(-a); **être ~ avec qn** (*brouillé*) estar enfadado(-a) con algn.
fâcher [fɑʃe] *vt* enfadar; **se fâcher** *vpr*: **se ~ (contre** *ou* **avec qn)** enfadarse (con algn).
fâcheux, -euse [fɑʃø, øz] *adj* (*événement, affaire*) lamentable; (*contretemps, initiative*) fastidioso(-a).
facile [fasil] *adj* (*aussi péj*) fácil; (*accommodant*) sencillo(-a); ~ **à faire** fácil de hacer; **personne ~ à tromper** persona fácil de engañar.
facilement [fasilmɑ̃] *adv* con facilidad, fácilmente; (*au moins*) por lo menos; **se fâcher/se tromper ~** enfadarse/equivocarse con facilidad.
facilité [fasilite] *nf* facilidad *f*; (*occasion*) oportunidad *f*; **~s** *nfpl* (*possibilités*) facilidades *fpl*; **il a la ~ de rencontrer des gens** tiene facilidad para encontrar gente; **facilités de crédit/paiement** facilidades de crédito/pago.
faciliter [fasilite] *vt* facilitar.
façon [fasɔ̃] *nf* modo, manera; (*d'une robe, veste*) hechura; **~s** *nfpl* (*péj*) modales *mpl*; **faire des ~s** (*péj*: *être affecté*) ser remilgado(-a); (: *faire des histoires*) venir con historias; **de quelle ~ l'a-t-il fait/construit?** ¿cómo lo ha hecho/construido?; **sans ~** *adv* simplemente ♦ *adj* (*personne, déjeuner*) sencillo(-a); **d'une autre ~** de otra manera; **en aucune ~** de ningún modo; **de ~ agréable/agressive** *etc* de manera agradable/agresiva *etc*; **de ~ à faire/à ce que** de modo que haga/de modo que; **de (telle) ~ que** de tal forma que; **de toute ~** de todos modos; ~ **de parler** manera de hablar; **travail à ~** trabajo a destajo; **châle ~ cachemire** chal *m* imitación cachemir.
façonner [fasɔne] *vt* (*fabriquer*) fabricar, hacer; (*travailler*) dar forma a; (*personne, caractère*) formar.
fac-similé [faksimile] (*pl* **~-~s**) *nm* facsímil *m*.
facteur, -trice [faktœʀ, tʀis] *nm/f* cartero(-a) ♦ *nm* (*MATH, fig*) factor *m*; **facteur d'orgues** fabricante *m/f* de órganos; **facteur de pianos** fabricante de pianos; **facteur rhésus** factor Rh.
factice [faktis] *adj* falso(-a).
faction [faksjɔ̃] *nf* (*groupe*) facción *f*; (*MIL, gén*) guardia; (*dans une entreprise*) turno; **en ~** de guardia.
facture [faktyʀ] *nf* factura; (*façon de faire*: *d'un artisan*) ejecución *f*.
facturer [faktyʀe] *vt* facturar.
facultatif, -ive [fakyltatif, iv] *adj* facultativo(-a); (*arrêt de bus*) discrecional.
faculté [fakylte] *nf* facultad *f*; **~s** *nfpl* (*moyens intellectuels*) facultades *fpl*.
fade [fad] *adj* soso(-a), insípido(-a); (*couleur*) apagado(-a); (*fig*) insulso(-a).
fagot [fago] *nm* haz *m*, gavilla.
faible [fɛbl] *adj* débil; (*sans volonté*) apático(-a); (*intellectuellement*) flojo(-a); (*protestations, résistance*) escaso(-a); (*rendement, revenu*) bajo(-a) ♦ *nm*: **le ~ de qn/qch** el punto flaco de algn/algo; **avoir un ~ pour qn/qch** tener debilidad por algn/algo; **faible d'esprit** retrasado(-a) mental.
faiblesse [fɛblɛs] *nf* debilidad *f*; (*défaillance*) desmayo; (*lacune*) punto flaco; (*défaut*) defecto, debilidad.
faiblir [febliʀ] *vi* debilitarse; (*vent*) amainar; (*résistance, intérêt*) decaer.

faïence [fajɑ̃s] *nf* loza.
faignant, e [fɛɲɑ̃, ɑ̃t] *nm/f, adj* = **fainéant**.
faille [faj] *vb voir* **falloir** ♦ *nf* (*GÉO*) falla; (*fig: d'une théorie*) fallo.
faillir [fajiʀ] *vi*: **j'ai failli tomber/lui dire** estuve a punto de caer/decirle; ~ **à une promesse/un engagement** faltar a una promesa/un compromiso.
faillite [fajit] *nf* (*échec*) fracaso; **être en/faire** ~ (*COMM*) estar en/hacer quiebra.
faim [fɛ̃] *nf* hambre *f*; **la ~ dans le monde** el hambre en el mundo; ~ **d'amour/de richesses** (*fig*) hambre de amor/de riquezas; **avoir** ~ tener hambre; **je suis resté sur ma** ~ me he quedado con hambre; (*fig*) me ha sabido a poco.
fainéant, e [fɛneɑ̃, ɑ̃t] *adj, nm/f* holgazán(-ana), flojo(-a) (*AM*).

MOT-CLÉ

faire [fɛʀ] *vt* **1** (*fabriquer, être l'auteur de*) hacer; (*blé, soie*) producir; **faire du vin/une offre/un film** hacer vino/una oferta/una película; **faire du bruit** hacer ruido; **fait à la main/la machine** hecho a mano/máquina
2 (*effectuer: travail, opération*) hacer; **que faites-vous?** ¿qué hace?; (*quel métier etc*) ¿a qué se dedica (usted)?; **faire la lessive** hacer la colada; **faire la cuisine/le ménage/les courses** hacer la cocina/la limpieza/las compras; **faire les magasins/l'Europe** ir de tiendas/por Europa
3 (*étudier, pratiquer*): **faire du droit/du français** hacer derecho/francés; **faire du sport/rugby** hacer deporte/rugby; **faire du cheval** montar a caballo; **faire du ski/du vélo** ir a esquiar/en bicicleta; **faire du violon/piano** tocar el violín/piano
4 (*simuler*): **faire le malade/l'ignorant** hacerse el enfermo/el ignorante
5 (*transformer, avoir un effet sur*): **faire de qn un frustré/avocat** hacer de algn un frustrado/abogado; **ça ne me fait rien** *ou* **ni chaud ni froid** no me importa nada; **ça ne fait rien** no importa; **je n'ai que faire de tes conseils** no me hacen falta tus consejos
6 (*calculs, prix, mesures*): **2 et 2 font 4** 2 y 2 son 4; **9 divisé par 3 fait 3** 9 entre 3 es 3; **ça fait 10 m/15 F** son 10 m/15 francos; **je vous le fais 10 F** (*j'en demande 10 F*) se lo dejo en 10 francos; *voir* **mal; entrer; sortir**
7: **qu'a-t-il fait de sa valise/de sa sœur?** ¿qué ha hecho con su maleta/con su hermana?; **que faire?** ¿qué voy *etc* a hacer?; **tu fais bien de me le dire** haces bien en decírmelo
8: **ne faire que**: **il ne fait que critiquer** no hace más que criticar
9 (*dire*) decir; **"vraiment?" fit-il** "¿de verdad?" dijo
10 (*maladie*) tener; **faire du diabète/de la tension/de la fièvre** tener diabetes/tensión/fiebre
♦ *vi* **1** (*agir, s'y prendre*) hacer; (*faire ses besoins*) hacer sus necesidades; **il faut faire vite** hay que darse prisa; **comment a-t-il fait?** ¿cómo ha hecho?; **faites comme chez vous** está en su casa
2 (*paraître*): **tu fais jeune dans ce costume** este traje te hace joven; **ça fait bien** queda bien
♦ *vb substitut* hacer; **je viens de le faire** acabo de hacerlo; **ne le casse pas comme je l'ai fait** no lo rompas como he hecho yo; **je peux le voir? - faites!** ¿puedo verlo? - desde luego
♦ *vb impers* **1**: **il fait beau** hace bueno; *voir aussi* **jour**; **froid** *etc*
2 (*temps écoulé, durée*): **ça fait 5 ans/heures qu'il est parti** hace 5 años/horas que se fue; **ça fait 2 ans/heures qu'il y est** hace 2 años/horas que está allí
♦ *vb semi-aux*: **faire** + *infinitif* hacer + *infinitivo*; **faire tomber/bouger qch** hacer caer/mover algo; **cela fait dormir** esto hace dormir; **faire réparer qch** llevar algo a arreglar; **que veux-tu me faire croire/comprendre?** ¿qué quieres hacerme creer/comprender?; **il m'a fait ouvrir la porte** me hizo abrir la puerta; **il m'a fait traverser la rue** me ayudó a cruzar la calle
se faire *vi* **1** (*vin, fromage*) hacerse
2: **cela ne se fait pas** eso no se hace
3: **se faire** + *nom ou pron*: **se faire une jupe** hacerse una falda; **se faire des amis** hacer amigos; **se faire du souci** inquietarse; **il ne s'en fait pas** no se preocupa; **se faire des illusions** hacerse ilusiones; **se faire beaucoup d'argent** hacer mucho dinero
4: **se faire** + *adj* (*devenir*): **se faire vieux** hacerse viejo; (*délibérément*): **se faire beau** ponerse guapo
5: **se faire à** (*s'habituer*) acostumbrarse a; **je n'arrive pas à me faire à la nourriture/au climat** no acabo de acostumbrarme a la comida/al clima
6: **se faire** +*infinitif*: **se faire opérer/examiner la vue** operarse/examinarse la vista; **se faire couper les cheveux** cortarse el pelo; **il va se faire tuer/punir** le van a matar/castigar; **il s'est fait aider par qn** le ha ayudado algn; **se faire faire**

un vêtement hacerse un vestido; **se faire ouvrir (la porte)** hacerse abrir (la puerta); **je me suis fait expliquer le texte par Anne** Anne me explicó el texto
7 (*impersonnel*): **comment se fait-il que ...?** ¿cómo es que ...?; **il peut se faire que ...** puede ocurrir que ... .

faire-part [fɛʀpaʀ] *nm inv*: **~-~ de mariage** participación *f* de boda; **~-~ de décès** esquela de defunción.
faisable [fəzabl] *adj* factible.
faisan, e [fəzɑ̃, an] *nm/f* faisán(-ana).
faisceau, x [fɛso] *nm* haz *m*; (*de branches etc*) haz, gavilla.
fait[1] [fɛ] *vb voir* **faire** ♦ *nm* hecho; **le ~ que ...** el hecho de que ...; **le ~ de manger/travailler** el hecho de comer/trabajar; **être le ~ de** ser la característica de; (*causé par*) ser cosa de, ser obra de; **être au ~ de** estar al corriente de; **au ~** a propósito; **aller droit au ~** ir al grano; **en venir au ~** pasar a los hechos; **mettre qn au ~** poner a algn al corriente; **de ~** *adj* (*opposé à*: *de droit*) de hecho ♦ *adv* (*en fait*) en realidad; **du ~ que** por el hecho de que; **du ~ de** a causa de; **de ce ~** por esto; **en ~** de hecho; **en ~ de repas/vacances** a guisa de comida/vacaciones; **c'est un ~** es un hecho, es verdad; **le ~ est que ...** el caso es que ...; **prendre ~ et cause pour qn** tomar partido por algn; **prendre qn sur le ~** coger a algn con las manos en la masa; **hauts ~s** hazañas *fpl*; **dire à qn son ~** decir a algn cuatro cosas; **les ~s et gestes de qn** todos los movimientos de algn; **fait accompli** hecho consumado; **fait d'armes** hecho de armas; **fait divers** suceso.
fait[2], **e** [fɛ, fɛt] *pp de* **faire** ♦ *adj* (*fromage*) curado(-a); (*melon*) maduro(-a); (*yeux*) maquillado(-a); (*ongles*) pintado(-a); **un homme ~** un hombre hecho; **être ~ pour** (*conçu pour*) estar pensado(-a) para; (*naturellement doué pour*) estar dotado(-a) para; **c'en est ~ de lui** es su fin; **c'en est ~ de notre tranquillité** se acabó la tranquilidad; **tout(e) fait(e)** (*préparé à l'avance*) ya listo(-a), ya preparado(-a); **idée toute ~e** idea común; **c'est bien ~ pour lui!** ¡le está bien empleado!
faîte [fɛt] *nm* (*d'arbre*) copa; (*du toit*) caballete *m*; **au ~ de la gloire/des honneurs** (*fig*) en la cima de la gloria/de los honores.
faites [fɛt] *vb voir* **faire**.
fait-tout [fɛtu] *nm inv* cacerola.
falaise [falɛz] *nf* acantilado.
falloir [falwaʀ] *vb impers* (*besoin*): **il va ~ 100 F** se necesitarán 100 francos; **il doit ~ du temps pour ...** se necesitará tiempo para ...; **il faut faire les lits** (*obligation*) hay que hacer las camas; **il faut qu'il ait oublié/qu'il soit malade** (*hypothèse*) debe haberse olvidado/estar enfermo; **il faut que tu arrives à ce moment!** (*fatalité*) ¡sólo nos faltaba que llegaras ahora!; **il me faut/faudrait 100 F/de l'aide** necesito/necesitaría 100 francos/ayuda; **il vous faut tourner à gauche après l'église** tiene que girar a la izquierda después de la iglesia; **nous avons ce qu'il (nous) faut** tenemos lo necesario; **il faut que je fasse les lits** tengo que hacer las camas; **il a fallu que je parte** tuve que irme; **il faudrait qu'elle rentre** convendría que volviese; **il faut toujours qu'il s'en mêle** está siempre entrometiéndose; **comme il faut** *adj, adv* (*bien, convenable*) como Dios manda; **s'en ~**: **il s'en faut/s'en est fallu de 5 minutes/100 F (pour que ...)** faltan/faltaron 5 minutos/100 francos (para que ...); **il t'en faut peu!** ¡con poco te conformas!; **il ne fallait pas** (*pour remercier*) no era necesario; **faut le faire!** (*surprise*) ¡hay que ver!; **il faudrait que ...** convendría que ...; **il s'en faut de beaucoup que ...** mucho falta para que ...; **il s'en est fallu de peu que ...** faltó poco para que ...; **tant s'en faut!** ¡ni mucho menos!; **... ou peu s'en faut** ... o poco falta.
falsifier [falsifje] *vt* falsificar.
famé, e [fame] *adj*: **mal ~** de mala fama.
fameux, -euse [famø, øz] *adj* (*illustre*) famoso(-a), ilustre; (*bon*) excelente; (*parfois péj*: *de référence*) famoso(-a); **~ problème** (*intensif*) menudo problema; **ce n'est pas ~** no es maravilloso.
familial, e, -aux [familjal, jo] *adj* familiar.
familiale [familjal] *nf* (AUTO) coche *m* familiar.
familiariser [familjaʀize] *vt*: **~ qn avec** familiarizar a algn con; **se ~ avec** familiarizarse con.
familiarité [familjaʀite] *nf* familiaridad *f*; **~s** *nfpl* familiaridades *fpl*, confianzas *fpl*; **~ avec** (*connaissance*) conocimiento de.
familier, -ière [familje, jɛʀ] *adj* (*connu*) familiar; (*rapports*) de confianza; (LING) familiar, coloquial ♦ *nm* asiduo(-a); **tu es un peu trop ~ avec lui** (*cavalier, impertinent*) te tomas demasiadas confianzas con él.
famille [famij] *nf* familia; **il a de la ~ à Paris** tiene familia en París; **de ~** (*secrets*) de familia; (*dîner, fête*) en familia.

famine [famin] *nf* hambruna.
fanal, -aux [fanal, o] *nm* fanal *m*; (*lanterne à main*) linterna.
fanatique [fanatik] *adj, nm/f* fanático(-a); ~ **de rugby/de voile** (*sens affaibli*) entusiasta *m/f* del rugby/de la vela.
fané, e [fane] *adj* (*fleur*) marchito(-a).
faner [fane]: **se** ~ *vpr* (*fleur*) marchitarse; (*couleur, tissu*) deslucirse.
fanfare [fɑ̃faʀ] *nf* fanfarria, charanga; (*musique*) fanfarria; **en** ~ (*avec bruit*) con gran estruendo.
fanfaron, ne [fɑ̃faʀɔ̃, ɔn] *nm/f* fanfarrón(-ona).
fange [fɑ̃ʒ] *nf* fango; (*fig*) abyección *f*.
fanion [fanjɔ̃] *nm* banderín *m*.
fantaisie [fɑ̃tezi] *nf* fantasía; (*caprice*) capricho ♦ *adj*: **bijou/pain** ~ joya/pan *m* de fantasía; **œuvre de** ~ obra de imaginación; **agir selon sa** ~ hacer lo que le place.
fantasme [fɑ̃tasm] *nm* fantasma *m*.
fantasque [fɑ̃task] *adj* peregrino(-a).
fantastique [fɑ̃tastik] *adj* fantástico(-a); **littérature/cinéma** ~ literatura fantástica/cine *m* fantástico.
fantoche [fɑ̃tɔʃ] (*péj*) *nm* fantoche *m*.
fantôme [fɑ̃tom] *nm* fantasma *m*; **gouvernement** ~ gobierno en la sombra.
faon [fɑ̃] *nm* cervatillo.
farce [faʀs] *nf* (*viande*) relleno; (*THÉÂTRE*) farsa; **faire une** ~ **à qn** gastar una broma a algn; **magasin de ~s et attrapes** tienda de objetos de broma; **farces et attrapes** bromas *fpl* y engaños.
farceur, -euse [faʀsœʀ, øz] *nm/f* bromista *m/f*, (*péj*) payaso(-a).
farcir [faʀsiʀ] *vt* (*viande*) rellenar; **se farcir** *vpr* (*fam*): **je me suis farci la vaisselle** me tragué todo el fregado; ~ **qch de** (*fig*) atiborrar algo con.
fard [faʀ] *nm* maquillaje *m*; **fard à joues** maquillaje para mejillas.
fardeau, x [faʀdo] *nm* carga.
farfelu, e [faʀfəly] *adj* estrambótico(-a).
farine [faʀin] *nf* harina; **farine de blé/de maïs** harina de trigo/de maíz; **farine lactée** harina lacteada.
farniente [faʀnjɛnte] *nm* ocio.
farouche [faʀuʃ] *adj* (*animal*) arisco(-a); (*personne*) esquivo(-a); (*déterminé*) tenaz; **peu** ~ (*péj*) fácil.
fascicule [fasikyl] *nm* fascículo.
fasciner [fasine] *vt* (*aussi fig*) fascinar.
fasciste [faʃist] *adj, nm/f* fascista *m/f*.
faste [fast] *nm* fasto ♦ *adj*: **c'est un jour** ~ es un día de suerte.
fastidieux, -euse [fastidjø, jøz] *adj* fastidioso(-a).
fatal, e [fatal] *adj* mortal; (*inévitable*) fatal.
fatalité [fatalite] *nf* fatalidad *f*.
fatidique [fatidik] *adj* fatídico(-a).
fatigant, e [fatigɑ̃, ɑ̃t] *adj* fatigante; (*agaçant*) pesado(-a).
fatigue [fatig] *nf* fatiga, cansancio; (*d'un matériau*) deterioro; **les ~s du voyage** el cansancio del viaje.
fatigué, e [fatige] *adj* fatigado(-a); (*estomac, foie*) malo(-a).
fatiguer [fatige] *vt* (*personne, membres*) fatigar, cansar; (*moteur etc*) forzar; (*importuner*) cansar ♦ *vi* (*moteur*) forzarse; **se fatiguer** *vpr* fatigarse, cansarse; **se** ~ **de** (*fig*) cansarse de; **se** ~ **à faire qch** molestarse en hacer algo.
fatras [fatʀɑ] *nm* revoltijo.
faubourg [fobuʀ] *nm* suburbio.
fauché, e [foʃe] (*fam*) *adj* pelado(-a).
faucher [foʃe] *vt* (*aussi fig*) segar; (*herbe*) segar, cortar; (*fam: voler*) birlar.
faucille [fosij] *nf* hoz *f*.
faucon [fokɔ̃] *nm* halcón *m*.
faudra [fodʀa] *vb voir* **falloir**.
faufiler [fofile] *vt* hilvanar; **se faufiler** *vpr*: **se** ~ **dans/parmi/entre** deslizarse en/entre.
faune [fon] *nf* (*fig, péj*) fauna ♦ *nm* fauno; **faune marine** fauna marina.
faussaire [fosɛʀ] *nm* falseador(a).
fausse [fos] *adj voir* **faux**[2].
faussement [fosmɑ̃] *adv* (*accuser*) en falso; (*croire*) engañosamente.
fausser [fose] *vt* (*serrure, objet*) torcer; (*résultat, données*) falsear; ~ **compagnie à qn** dejar plantado(-a) a algn.
fausseté [foste] *nf* falsedad *f*.
faut [fo] *vb voir* **falloir**.
faute [fot] *nf* (*de calcul*) error *m*; (*SPORT, d'orthographe*) falta; (*REL*) pecado, culpa; **par la** ~ **de** por culpa de; **c'est de sa/ma** ~ es culpa suya/mía; **être en** ~ hacer mal; (*être responsable*) tener la culpa; **prendre qn en** ~ pillar a algn; ~ **de** por falta de; ~ **de mieux ...** a falta de algo mejor ...; **sans** ~ (*à coup sûr*) sin falta; **faute d'inattention/d'orthographe** falta de atención/de ortografía; **faute de frappe** error de máquina; **faute de goût** falta de educación; **faute professionnelle** error profesional.
fauteuil [fotœj] *nm* sillón *m*; **fauteuil à bascule** mecedora; **fauteuil club** sillón amplio de cuero; **fauteuil d'orchestre** (*THÉÂTRE*) butaca de patio; **fauteuil roulant** sillón de ruedas.
fautif, -ive [fotif, iv] *adj* (*incorrect*) erróneo(-a); (*responsable*) culpable ♦ *nm/f* cul-

pable *m/f*.
fauve [fov] *nm* fiera; (*peintre*) fauvista *m/f* ♦ *adj* (*couleur*) rojizo(-a).
faux[1] [fo] *nf* (*AGR*) guadaña.
faux[2], **fausse** [fo, fos] *adj* falso(-a); (*inexact*) erróneo(-a); (*rire, personne*) falso(-a), hipócrita; (*barbe, dent*) postizo(-a); (*MUS*) desafinado(-a); (*opposé à bon, correct: numéro, clé*) confundido(-a) ♦ *adv*: **jouer/chanter ~** tocar/cantar desafinadamente ♦ *nm* (*peinture, billet*) falsificación *f*; **le ~** (*opposé au vrai*) lo falso; **faire fausse route** ir por mal camino; **faire ~ bond à qn** fallarle a algn; **fausse alerte** falsa alarma; **fausse clé** llave *f* maestra; **fausse couche** aborto; **fausse joie** alegría fingida; **fausse note** (*MUS, fig*) nota discordante; **faux ami** (*LING*) falso amigo; **faux col** cuello postizo; **faux départ** (*SPORT, fig*) salida falsa; **faux frais** *nmpl* gastos *mpl* menudos; **faux frère** (*fig: péj*) cabrón *m*; **faux mouvement** movimiento en falso; **faux nez** nariz *f* postiza; **faux nom** seudónimo; **faux pas** (*aussi fig*) paso en falso; **faux témoignage** (*délit*) falso testimonio.
faux-filet [fofilɛ] (*pl* **~-~s**) *nm* solomillo bajo.
faux-fuyant [fofɥijɑ̃] (*pl* **~-~s**) *nm* pretexto, evasiva.
faux-monnayeur [fomɔnɛjœʀ] (*pl* **~-~s**) *nm* falsificador(a) de moneda.
faveur [favœʀ] *nf* favor *m*; (*ruban*) cinta; **~s** *nfpl* favores *mpl*; **avoir la ~ de qn** gozar del favor de algn; **régime/traitement de ~** régimen *m*/tratamiento preferencial; **à la ~ de** (*la nuit, une erreur*) aprovechando; (*grâce à*) gracias a; **en ~ de qn/qch** en favor de algn/algo.
favorable [favɔʀabl] *adj* favorable; **~ à qn/qch** favorable a algn/algo.
favori, te [favɔʀi, it] *adj* favorito(-a) ♦ *nm/f* (*SPORT*) favorito(-a); **~s** *nmpl* (*barbe*) patillas *fpl*.
favoriser [favɔʀize] *vt* favorecer.
FC [ɛfse] *sigle m* (= *Football Club*) FC (= *Fútbol Club*), C.F. (= *Club de Fútbol*).
fébrile [febʀil] *adj* febril; **capitaux ~s** (*ÉCON*) dinero *msg* caliente.
fécond, e [fekɔ̃, ɔ̃d] *adj* fértil, fecundo(-a).
fécondité [fekɔ̃dite] *nf* fecundidad *f*.
fécule [fekyl] *nf* fécula.
féculents [fekylɑ̃] *nmpl* féculas *fpl*.
fédéral, e, -aux [fedeʀal, o] *adj* federal.
fée [fe] *nf* hada.
féerique [fe(e)ʀik] *adj* (*histoire*) fantástico(-a); (*paysage, vision*) mágico(-a).
feignant, e [fɛɲɑ̃, ɑ̃t] *adj, nm/f* = **fainéant**.
feindre [fɛ̃dʀ] *vt, vi* fingir; **~ de faire** fingir hacer.
feinte [fɛ̃t] *nf* finta.
feinter [fɛ̃te] *vi* (*SPORT*) fintar.
fêler [fele] *vt* (*verre, assiette*) resquebrajar; (*os*) astillar; **se fêler** *vpr* resquebrajarse; astillarse.
félicitations [felisitasjɔ̃] *nfpl* felicidades *fpl*.
féliciter [felisite] *vt* felicitar; **~ qn (de qch/d'avoir fait qch)** felicitar a algn (por algo/por haber hecho algo); **se ~ de qch/d'avoir fait qch** alegrarse de algo/de haber hecho algo.
félin, e [felɛ̃, in] *adj* felino(-a) ♦ *nm* felino.
fêlure [felyʀ] *nf* resquebrajadura; (*d'un os*) astillamiento.
femelle [fəmɛl] *nf* hembra ♦ *adj*: **souris/perroquet ~** ratón *m*/loro hembra; **prise/tuyau ~** (*ÉLEC, TECH*) enchufe *m*/tubo hembra.
féminin, e [feminɛ̃, in] *adj* femenino(-a); (*vêtements etc*) de mujer; (*parfois péj*) afeminado(-a) ♦ *nm* (*LING*) femenino.
féministe [feminist] *adj, nm/f* feminista *m/f*.
féminité [feminite] *nf* feminidad *f*.
femme [fam] *nf* mujer *f*; **être très ~** ser muy femenina; **devenir ~** hacerse mujer; **jeune ~** mujer joven; **femme au foyer** ama de casa; **femme célibataire/mariée** mujer soltera/casada; **femme d'affaires/d'intérieur** mujer de negocios/de su casa; **femme de chambre** doncella; **femme de ménage** asistenta; **femme de tête/du monde** mujer de carácter/de mundo; **femme fatale** mujer fatal.
fémur [femyʀ] *nm* fémur *m*.
fendre [fɑ̃dʀ] *vt* hender; (*suj: gel, séisme etc*) resquebrajar; (*foule, flots*) abrirse paso entre; **se fendre** *vpr* henderse; **~ l'air** surcar el aire.
fenêtre [f(ə)nɛtʀ] *nf* ventana; **regarder par la ~** mirar por la ventana; **fenêtre à guillotine** ventana de guillotina; **fenêtre de lancement** (*ESPACE*) ventana de lanzamiento.
fenouil [fənuj] *nm* hinojo.
fente [fɑ̃t] *nf* (*fissure*) grieta, hendidura; (*de boîte à lettres*) ranura; (*dans un vêtement*) abertura.
féodal, e, -aux [feɔdal, o] *adj* feudal.
fer [fɛʀ] *nm* hierro; (*de cheval*) herradura; **~s** *nmpl* (*MÉD: forceps*) fórceps *m inv*; **objet de** *ou* **en ~** objeto de hierro; **santé/main de ~** salud *f*/mano de hierro; **mettre aux ~s** encadenar; **au ~ rouge** con el hierro

al rojo; **fer à cheval** herradura; **en ~ à cheval** (*fig*) en herradura; **fer à friser** plancha de rizar; **fer (à repasser)** plancha; **fer à souder** soldador *m*; **fer à vapeur** plancha de vapor; **fer de lance** (*MIL, fig*) punta de lanza; **fer forgé** hierro forjado.

férié, e [feʀje] *adj*: **jour ~** día *m* festivo.

ferme [fɛʀm] *adj* firme; (*chair*) prieto(-a) ♦ *adv*: **travailler ~** trabajar mucho ♦ *nf* granja; **discuter ~** discutir enérgicamente; **tenir ~** mantenerse firme; **~ désir/intention de faire** firme deseo/intención *f* de hacer.

fermé, e [fɛʀme] *adj* (*aussi fig*) cerrado(-a); (*gaz, eau*) cortado(-a); (*personne, visage*) huraño(-a).

ferment [fɛʀmɑ̃] *nm* fermento.

fermenter [fɛʀmɑ̃te] *vi* fermentar.

fermer [fɛʀme] *vt* cerrar; (*rideaux*) correr; (*eau, électricité, route*) cortar ♦ *vi* cerrar; **se fermer** *vpr* cerrarse; **~ à clef** cerrar con llave; **~ au verrou** cerrar con cerrojo; **~ la lumière/la radio/la télévision** apagar la luz/la radio/la televisión; **~ les yeux (sur qch)** (*fig*) hacer la vista gorda (sobre algo); **elle se ferme à l'amour** rehúye el amor.

fermeté [fɛʀməte] *nf* firmeza; (*des muscles*) dureza; **avec ~** con firmeza.

fermeture [fɛʀmətyʀ] *nf* cierre *m*, cerradura; (*dispositif*) cerradura; **jour/heure de ~** día *m*/hora de cierre; **fermeture à glissière** cierre de cremallera; **fermeture éclair** ® cierre relámpago.

fermier, -ière [fɛʀmje, jɛʀ] *adj*: **beurre/cidre ~** mantequilla/sidra de granja ♦ *nm/f* (*locataire*) granjero(-a), colono; (*propriétaire*) granjero(-a), arrendatario(-a).

fermoir [fɛʀmwaʀ] *nm* cierre *m*.

féroce [feʀɔs] *adj* feroz.

ferons [fəʀɔ̃] *vb voir* **faire**.

ferraille [feʀɑj] *nf* chatarra; **mettre à la ~** tirar a la chatarra; **bruit de ~** ruido de chatarra.

ferré, e [feʀe] *adj* guarnecido(-a) con hierro, ferrado(-a); **~ en** *ou* **sur** (*fam*) fuerte en.

ferrer [feʀe] *vt* (*cheval*) herrar; (*chaussure, canne*) guarnecer con hierro, ferrar; (*poisson*) enganchar con el anzuelo.

ferronnerie [feʀɔnʀi] *nf* ferrería; **ferronnerie d'art** artesanía de hierro forjado.

ferroviaire [feʀɔvjɛʀ] *adj* ferroviario(-a).

ferry(-boat) [fɛʀe(bot)] (*pl* **ferry-boats** *ou* **ferries**) *nm* ferry *m*, transbordador *m*.

fertile [fɛʀtil] *adj* fértil; **~ en événements/incidents** fértil en acontecimientos/incidentes.

fertiliser [fɛʀtilize] *vt* (*terre*) fertilizar.

fertilité [fɛʀtilite] *nf* fertilidad *f*.

féru, e [feʀy] *adj*: **~ de** apasionado(-a) de.

fervent, e [fɛʀvɑ̃, ɑ̃t] *adj* ferviente.

fesse [fɛs] *nf* nalga; **les ~s** las nalgas.

fessée [fese] *nf* nalgada; **donner une ~ à** dar una nalgada a.

festin [fɛstɛ̃] *nm* festín *m*.

festival [fɛstival] *nm* festival *m*.

festivités [fɛstivite] *nfpl* fiestas *fpl*.

fêtard, e [fɛtaʀ, aʀd] (*péj*) *nm/f* juerguista *m/f*.

fête [fɛt] *nf* fiesta; (*kermesse*) romería; (*d'une personne*) santo; **faire la ~** irse de juerga *ou* de farra (*AM*); **faire ~ à qn** festejar a algn; **se faire une ~ de** estar deseando; **jour de ~** día *m* de fiesta; **les ~s (de fin d'année)** las fiestas (de fin de año); **salle/comité des ~s** sala/comité *m* de fiestas; **la ~ des Mères/des Pères** el día de la madre/del padre; **la F~ Nationale** *aniversario de la revolución francesa*; **fête de charité** fiesta de caridad; **fête foraine** feria; **fête mobile** fiesta móvil.

fêter [fete] *vt* (*personne*) festejar; (*événement, anniversaire*) festejar, celebrar.

fétiche [fetiʃ] *nm* fetiche *m*; **animal/objet ~** animal *m*/objeto amuleto.

fétu [fety] *nm*: **~ de paille** brizna de paja.

feu[1] [fø] *adj inv*: **~ le roi/M Dupont** el difunto rey/Sr Dupont; **~ son père** su difunto padre.

feu[2]**, x** [fø] *nm* fuego; (*signal lumineux*) luz *f*; (*fig*) fuego, ardor *m*; (: *sensation de brûlure*) escocedura; **~x** *nmpl* (*éclat, lumière*) destello *msg*; (*AUTO*: *de circulation*) semáforo *msg*; **tous ~x éteints** con las luces apagadas; **au ~!** ¡fuego!; **à ~ doux/vif** a poco fuego/fuego vivo; **à petit ~** a fuego lento; (*fig*) lentamente; **faire ~** abrir fuego; **ne pas faire long ~** (*fig*) no durar mucho; **commander le ~** (*MIL*) dirigir el combate; **tué au ~** (*MIL*) muerto en combate; **mettre à ~** (*fusée*) encender; **~ nourri/roulant** (*MIL*) fuego intenso/graneado; **être pris entre deux ~x** (*fig*) estar entre la espada y la pared; **en ~** ardiendo, quemando; **être tout ~ tout flamme (pour)** estar entusiasmadísimo(-a) (con); **avoir le ~ sacré** tener el fuego sagrado; **prendre ~** (*maison*) incendiarse; (*vêtements, rideaux*) prender fuego; **mettre le ~ à** meterle fuego a; **faire du ~** hacer fuego; **avez-vous du ~?** ¿tiene fuego?; **donner le ~ vert à qch/qn** (*fig*) dar luz verde a algo/a algn; **s'arrêter aux ~x** *ou* **au ~ rouge** pararse en el semáforo *ou* con el disco rojo; **leur amour fut un ~ de paille** su amor fue efímero; **feu arrière** (*AUTO*) luz *f* trasera, piloto trasero; **feu d'artifice** fuegos *mpl* de artificio; (*spectacle*) fuegos artificiales; **feu de camp/de cheminée** fuego de campamento/de chimenea; **feu de joie** fogata; **feu orange/rouge/vert** (*AUTO*) disco ámbar/rojo/verde; **feux de brouillard/de croisement/de position/de stationnement** (*AUTO*) luces *fpl* de niebla/de cruce/de posición/intermitentes; **feux de route** (*AUTO*) luces largas *ou* de carretera.

feuillage [fœjaʒ] *nm* follaje *m*.

feuille [fœj] *nf* hoja; (*plaque: de carton*) lámina; **rendre ~ blanche** (*SCOL*) entregar el examen en blanco; **feuille de chou** (*fam: péj*) periodicucho; **feuille de déplacement** (*MIL*) parte *m* de desplazamiento; **feuille de maladie** informe *m* médico; **feuille de métal** lámina de metal; **feuille (de papier)** hoja (de papel); **feuille de paye** aviso de pago; **feuille de présence** parte de asistencia; **feuille de route** (*COMM*) hoja de ruta; **feuille de température** gráfico de temperatura; **feuille de vigne** hoja de parra; **feuille d'impôts** declaración *f* de impuestos; **feuille d'or** lámina de oro; **feuille morte** hoja seca; **feuille volante** hoja suelta.

feuillet [fœjɛ] *nm* pliego, página.

feuilleté, e [fœjte] *adj* (*CULIN*) hojaldrado(-a); (*verre*) laminado(-a) ♦ *nm* (*gâteau*) hojaldre *m*.

feuilleter [fœjte] *vt* (*livre*) hojear.

feuilleton [fœjtɔ̃] *nm* (*aussi TV, RADIO*) serial *m*; (*partie*) capítulo.

feuillu, e [fœjy] *adj* frondoso(-a) ♦ *nm* árbol *m* frondoso.

feutre [føtʀ] *nm* fieltro; (*chapeau*) sombrero de fieltro; (*stylo*) rotulador *m*.

feutré, e [føtʀe] *adj* (*tissu*) afelpado(-a); (*pas, voix, atmosphère*) amortiguado(-a).

février [fevʀije] *nm* febrero; *voir aussi* **juillet**.

fi [fi] *excl*: **faire ~ de** hacer caso omiso de.

fiable [fjabl] *adj* fiable.

fiançailles [fjɑ̃saj] *nfpl* noviazgo.

fiancé, e [fjɑ̃se] *nm/f* novio(-a) ♦ *adj*: **être ~ (à)** estar prometido(-a) (con).

fiancer [fjɑ̃se]: **se ~** *vpr*: **se ~ (avec)** prometerse (con).

fiasco [fjasko] *nm* fiasco.

fibre [fibʀ] *nf* fibra; (*de bois*) veta; (*fig*) vena; **avoir la ~ paternelle/militaire/patriotique** tener la vena paternal/militar/patriótica; **fibre de verre/optique** fibra de vidrio/óptica.

ficeler [fis(ə)le] *vt* atar.

ficelle [fisɛl] *nf* cordón; (*pain*) violín *m*; **~s** *nfpl* (*procédés cachés*) artificios *mpl*; **tirer sur la ~** (*fig*) pasarse.

fiche [fiʃ] *nf* ficha; (*formulaire*) ficha, impreso; (*ÉLEC*) enchufe *m*; **fiche de paye** nómina; **fiche signalétique** (*POLICE*) ficha; **fiche technique** ficha técnica.

ficher [fiʃe] *vt* (*pour un fichier*) anotar en fichas; (*suj: police, personne*) fichar; **~ qch dans** clavar algo en; **il ne fiche rien** (*fam*) no da golpe; **cela me fiche la trouille** (*fam*) eso me da miedo; **fiche-le dans un coin** (*fam*) ponlo en un rincón; **~ qn à la porte** (*fam*) poner a algn de patitas en la calle; **fiche(-moi) le camp** (*fam*) lárgate; **fiche-moi la paix** (*fam*) déjame en paz; **se ~ dans** *vpr* (*s'enfoncer*) clavarse en, hundirse en; **se ~ de** (*fam*) tomar el pelo a.

fichier [fiʃje] *nm* fichero; (*à cartes*) archivador *m*, fichero; **~ actif** *ou* **en cours d'utilisation** (*INFORM*) fichero activo *ou* en uso; **fichier d'adresses** fichero de direcciones.

fichu, e [fiʃy] *pp de* **ficher** ♦ *adj* (*fam: fini, inutilisable*) estropeado(-a) ♦ *nm* (*foulard*) pañoleta; **être/n'être pas ~ de** (*fam*) ser/no ser capaz de; **être mal ~** (*fam: santé*) estar fastidiado(-a); **bien/mal ~** (*fam: habillé*) bien/mal arreglado(-a); **~ temps/caractère** tiempo/carácter *m* pajolero.

fictif, -ive [fiktif, iv] *adj* ficticio(-a); (*promesse, nom*) falso(-a).

fiction [fiksjɔ̃] *nf* ficción *f*.

fidèle [fidɛl] *adj* fiel; (*loyal*) fiel, leal ♦ *nm/f* (*REL, fig*) devoto(-a); **les ~s** (*REL*) los fieles; **~ à** fiel a.

fidélité [fidelite] *nf* fidelidad *f*; **~ conjugale** fidelidad conyugal.

fief [fjɛf] *nm* feudo.

fier[1] [fje]: **se ~ à** *vpr* fiarse de.

fier[2], **fière** [fje, jɛʀ] *adj* orgulloso(-a); (*hautain, méprisant*) arrogante, altivo(-a); **~ de qch/qn** orgulloso(-a) de algo/algn; **avoir fière allure** tener muy buen aspecto.

fierté [fjɛʀte] *nf* (*v adj*) orgullo; arrogancia.

fièvre [fjɛvʀ] *nf* (*aussi fig*) fiebre *f*; **avoir de la ~/39 de ~** tener fiebre/39 de fiebre; **fièvre jaune/typhoïde** fiebre amarilla/tifoidea.

fiévreux, -euse [fjevʀø, øz] *adj* febril.

figer [fiʒe] *vt* (*sang*) coagular; (*sauce*) cuajar; (*mode de vie, institutions etc*) entorpecer; (*personne*) petrificar; **se figer** *vpr* (*sang*) coagularse; (*huile*) cuajarse; (*personne, sourire*) petrificarse; (*institutions etc*) anquilosarse.

figue [fig] *nf* higo.

figurant, e [figyʀɑ̃, ɑ̃t] *nm/f* figurante *m/f*; (*THÉÂTRE*) figurante, comparsa *m/f*; (*CINÉ*) figurante, extra *m*.

figure [figyʀ] *nf* figura; (*visage*) cara; (*illustration, dessin*) figura, ilustración *f*; (*aspect*) aspecto; **se casser la ~** (*fam*) partirse la cara; **faire ~ de** (*avoir l'air de*) aparentar ser; (*passer pour*) quedar como; **faire bonne ~** poner buena cara; **faire triste ~** estar cabizbajo(-a); **prendre ~** tomar cuerpo; **figure de rhétorique/de style** figura retórica/estilística.

figuré, e [figyʀe] *adj* figurado(-a).

figurer [figyʀe] *vi* figurar ♦ *vt* representar, figurar; **se ~ qch/que** imaginarse algo/que; **figurez-vous que ...** figúrese que ... .

fil [fil] *nm* hilo; (*du téléphone*) cable *m*; (*tranchant*) filo; **au ~ des heures/des années** a lo largo *ou* con el correr de las horas/de los años; **le ~ d'une histoire/de ses pensées** el hilo de una historia/de sus pensamientos; **au ~ de l'eau** a favor de la corriente; **de ~ en aiguille** de una cosa a otra; **ne tenir qu'à un ~** estar pendiente de un hilo; **donner du ~ à retordre à qn** dar mucha guerra a algn; **donner/recevoir un coup de ~** dar/recibir un telefonazo; **fil à coudre** hilo de coser; **fil à pêche** sedal *m*; **fil à plomb** plomada; **fil à souder** hilo de estaño; **fil de fer** alambre *m*; **fil de fer barbelé** alambre de espino; **fil électrique** cable eléctrico.

filament [filamɑ̃] *nm* (*ÉLEC*) filamento; (*de liquide etc*) hilo.

filature [filatyʀ] *nf* (*fabrique*) hilandería; (*policière*) vigilancia; **prendre qn en ~** seguirle los pasos a algn.

file [fil] *nf* (*de voitures*) fila; (*de clients*) cola; **prendre la ~** ponerse a la cola; **prendre la ~ de droite** (*AUTO*) coger el carril de la derecha; **se mettre en ~** (*AUTO*) ponerse en fila; **stationner en double ~** (*AUTO*) aparcar en doble fila; **à la ~** (*d'affilée*) seguidos(-as); (*l'un derrière l'autre*) en fila; **à la** *ou* **en ~ indienne** en fila india; **file (d'attente)** cola.

filer [file] *vt* hilar; (*verre*) soplar; (*dérouler*) soltar; (*note*) modular; (*prendre en filature*) seguir los pasos a ♦ *vi* (*bas, maille*) correrse, hacerse una carrera; (*liquide, pâte*) fluir; (*aller vite*) pasar volando; (*fam: partir*) largarse; **~ qch à qn** (*fam: donner*) dar algo a algn; **~ à l'anglaise** despedirse a la francesa; **~ doux** ser dócil; **~ un mauvais coton** estar de capa caída.

filet [filɛ] *nm* red *f*; (*à cheveux*) redecilla; (*de poisson*) filete *m*; (*viande*) solomillo; (*d'eau, sang*) hilo; **tendre un ~** (*suj: police*) tender una trampa; **filet (à bagages)** red (del equipaje); **filet (à provisions)** bolsa (de la compra).

filiale [filjal] *nf* filial *f*, sucursal *f*.

filière [filjɛʀ] *nf* escalafón *m*; **suivre la ~** seguir el escalafón.

fille [fij] *nf* chica; (*opposé à fils*) hija; (*vieilli: opposé à femme mariée*) soltera; (*péj*) mujerzuela; **petite ~** niña; **vieille ~** solterona; **fille de joie** prostituta; **fille de salle** (*d'un restaurant*) camarera; (*d'un hôpital*) auxiliar *f*.

fillette [fijɛt] *nf* chiquilla.

filleul, e [fijœl] *nm/f* ahijado(-a).

film [film] *nm* película; (*couche*) capa; **film d'animation** película de animación; **film muet/parlant** película muda/sonora; **film policier** película policíaca.

filmer [filme] *vt* filmar.

filon [filɔ̃] *nm* filón *m*.

fils [fis] *nm* hijo; **le F~ (de Dieu)** (*REL*) el Hijo (de Dios); **fils à papa** (*péj*) niño de papá; **fils de famille** niño bien.

filtre [filtʀ] *nm* filtro; **"~ ou sans ~?"** "¿con filtro o sin filtro?"; **filtre à air** filtro de aire.

filtrer [filtʀe] *vt* filtrar; (*candidats, nouvelles*) hacer una criba de ♦ *vi* filtrarse; (*nouvelle, rumeurs*) filtrarse.

fin[1] [fɛ̃] *nf* final *m*; (*d'un projet, d'un rêve: aussi mort*) final, fin *m* ♦ *nm voir* **fin**[2]; **~s** *nfpl* (*desseins*) fines *mpl*; **à (la) ~ mai/juin** a finales de mayo/junio; **en ~ de journée** al final del día; **prendre ~** terminar, acabar; **mener à bonne ~** llevar a buen término; **toucher à sa ~** llegar a su fin; **mettre ~ à qch** poner fin a algo; **mettre ~ à ses jours** poner fin a sus días; **à la ~** finalmente; **sans ~** sin fin, interminable; (*sans cesse*) sin cesar; **à cette ~** para *ou* con este fin; **à toutes ~s utiles** por si es *etc* de utilidad; **fin de non-recevoir** (*JUR, ADMIN*) desestimación *f* de demanda; **fin de section** (*de ligne d'autobus*) final de zona.

fin[2]**, e** [fɛ̃, fin] *adj* fino(-a); (*taille*) delgado(-a); (*effilé*) afilado(-a); (*subtil*) agudo(-a) ♦ *adv* fino ♦ *nm*: **vouloir jouer au plus ~ (avec qn)** querer dárselas de listo (con algn); **c'est ~!** (*iro*) ¡qué gracioso!; **avoir la vue ~e/l'ouïe ~e** tener vista aguda/buen oído; **le ~ fond de ...** lo más recóndito de ...; **le ~ mot de ...** el quid de ...; **la ~e fleur de ...** la flor y nata de ...; **or ~** oro puro; **linge ~** lencería fina *ou* selecta; **vin ~** vino selecto; **être ~ gourmet** tener un paladar muy fino; **être ~ tireur** ser un muy buen tirador; **fines herbes** hierbas *fpl* aromáticas; **fine mouche** (*fig*) persona perspicaz; **fin prêt/soûl** completamente listo/borracho.

final, e [final] *adj* último(-a); (*PHILOS*) final ♦ *nm* (*MUS*) final *m* ♦ *nf* (*SPORT*) final *f*; **quart/8èmes/16èmes de ~e** cuarto/octavos/dieciseisavos de final; **cause ~e** causa final.

finalement [finalmɑ̃] *adv* finalmente; (*après tout*) al final, después de todo.

finance [finɑ̃s] *nf*: **la ~** las finanzas; **~s** *nfpl* (*d'un club, pays*) fondos *mpl*; (*activités et problèmes financiers*) finanzas; **moyennant ~** con dinero.

financer [finɑ̃se] *vt* financiar.

financier, -ière [finɑ̃sje, jɛʀ] *adj* financiero(-a) ♦ *nm* financiero.

finaud, e [fino, od] *adj* ladino(-a).

fine [fin] *adj f voir* **fin²** ♦ *nf* aguardiente *m* fino.

finesse [finɛs] *nf* finura; delgadez *f*; afilamiento; agudeza; **~s** *nfpl* (*subtilités*) sutilezas *fpl*; **finesse de goût** delicadeza de gusto; **finesse d'esprit** agudeza de espíritu.

fini, e [fini] *adj* terminado(-a), acabado(-a); (*mode*) pasado(-a); (*persona*) acabado(-a); (*machine etc*) obsoleto(-a); (*MATH, PHILOSOPHIE*) finito(-a) ♦ *nm* (*d'un objet manufacturé*) perfección *f*; **bien/mal ~** (*travail, vêtement*) bien/mal terminado(-a), bien/mal rematado(-a); **un égoïste/artiste ~** (*valeur intensive*) un egoísta/artista consumado.

finir [finiʀ] *vt* acabar, terminar; (*être placé en fin de: période, livre*) finalizar ♦ *vi* terminarse, acabarse; **~ quelque part** terminar en algún sitio; **~ de faire qch** (*terminer*) acabar de hacer algo; (*cesser*) dejar de hacer algo; **~ par qch/par faire qch** (*gén*) acabar con algo/haciendo *ou* por hacer algo; **il finit par m'agacer** acaba molestándome; **~ en pointe/tragédie** acabar en punta/tragedia; **en ~ (avec qn/qch)** acabar (con algn/algo); **à n'en plus ~** interminable; **il a fini son travail** acabó su trabajo; **il n'a pas encore fini de parler** no ha acabado todavía de hablar; **il finit de manger** está acabando de comer; **cela/il va mal ~** eso/él acabará mal; **c'est bientôt fini?** ¿terminas o no?

finition [finisjɔ̃] *nf* acabado, último toque *m*.

finlandais, e [fɛ̃lɑ̃dɛ, ɛz] *adj* finlandés(-esa) ♦ *nm/f*: **F~, e** finlandés(-esa).

Finlande [fɛ̃lɑ̃d] *nf* Finlandia.

fiole [fjɔl] *nf* frasco.

fioriture [fjɔʀityʀ] *nf* floritura.

fioul [fjul] *nm* fuel oil *m*.

firent [fiʀ] *vb voir* **faire**.

firme [fiʀm] *nf* firma.

fis [fi] *vb voir* **faire**.

fisc [fisk] *nm*: **le ~** el fisco.

fiscal, e, -aux [fiskal, o] *adj* fiscal; **l'année ~e** el año fiscal.

fiscalité [fiskalite] *nf* (*système*) régimen *m* tributario; (*charges*) cargas *fpl* fiscales.

fission [fisjɔ̃] *nf* fisión *f*.

fissure [fisyʀ] *nf* fisura.

fissurer [fisyʀe]: **se ~** *vpr* agrietarse.

fiston [fistɔ̃] (*fam*) *nm* hijito.

fit [fi] *vb voir* **faire**.

fixation [fiksasjɔ̃] *nf* fijación *f*; **~ (de sécurité)** (*de ski*) fijación (de seguridad).

fixe [fiks] *adj* fijo(-a) ♦ *nm* (*salaire de base*) sueldo base; **à date/heure ~** en fecha/hora fijada; **menu à prix ~** menú *m* de precio fijo.

fixé, e [fikse] *adj*: **être ~ (sur)** saber a qué atenerse (respecto a); **à l'heure ~e** en la hora fijada; **au jour ~** en el día fijado.

fixer [fikse] *vt* fijar; (*personne*) estabilizar; (*poser son regard sur*) fijar la mirada en; **~ qch à/sur** sujetar algo a/en, fijar algo a/en; **~ son regard/son attention sur** fijar su mirada/su atención en; **~ son choix sur qch** elegir algo; **se ~ quelque part** establecerse en algún sitio; **se ~ sur** (*suj: regard, attention*) fijarse en.

flacon [flakɔ̃] *nm* frasco.

flagada [flagada] *adj inv* molido(-a).

flageoler [flaʒɔle] *vi* (*jambes*) flaquear, temblar.

flageolet [flaʒɔlɛ] *nm* (*MUS*) chirimía; (*CULIN*) frijol *m*.

flagrant, e [flagʀɑ̃, ɑ̃t] *adj* flagrante; **prendre qn en ~ délit** coger a algn en flagrante delito.

flair [flɛʀ] *nm* olfato.

flairer [fleʀe] *vt* olfatear; (*fig*) oler.

flamand, e [flamɑ̃, ɑ̃d] *adj* flamenco(-a) ♦ *nm* (*LING*) flamenco ♦ *nm/f*: **F~, e** flamenco(-a); **les F~s** los flamencos.

flamant [flamɑ̃] *nm* (*ZOOL*) flamenco.

flambé, e [flɑ̃be] *adj*: **banane/crêpe ~e** plátano/crêpe *m* flameado.

flambeau, x [flɑ̃bo] *nm* antorcha; **se passer le ~** pasarse la antorcha.

flambée [flɑ̃be] *nf* llamarada; **~ de violence** (*fig*) ola de violencia; **~ des prix** disparo de los precios.

flamber [flɑ̃be] *vi* llamear ♦ *vt* (*poulet*) chamuscar; (*aiguille*) flamear.

flamboyant, e [flɑ̃bwajɑ̃, ɑ̃t] *adj* (*yeux, couleur*) resplandeciente.

flamenco [flamɛnko] *nm* flamenco.

flamme [flɑm] *nf* llama; (*fig*) pasión *f*; **en ~s** en llamas.

flan [flɑ̃] *nm* flan *m*; **en rester comme deux ronds de ~** quedarse patidifuso(-a).

flanc [flɑ̃] *nm* (*ANAT*) costado; (*d'une armée*) flanco; (*montagne*) ladera; **à ~ de montagne/colline** en la ladera de la montaña/colina; **tirer au ~** (*fam*) escurrir el bulto; **prêter le ~ à** (*fig*) dar pie a.

flancher [flɑ̃ʃe] *vi* flaquear.

flanelle [flanɛl] *nf* franela.

flâner [flɑne] *vi* callejear, deambular.

flâneur, -euse [flɑnœʀ, øz] *adj, nm/f* callejero(-a).

flanquer [flɑ̃ke] *vt* flanquear; **~ qch sur/dans** (*fam: mettre*) tirar algo a/en; **~ par terre** (*fam*) arrojar al suelo; **~ à la porte** (*fam*) echar a la calle; **~ la frousse à qn** (*fam*) meter miedo a algn; **être flanqué de** (*suj: personne*) estar escoltado por.

flapi, e [flapi] *adj* reventado(-a).

flaque [flak] *nf* charco.

flash [flaʃ] (*pl* **~es**) *nm* (*PHOTO: dispositif*) flash *m*; (*: lumière*) flash, destello; **au ~** con el flash; **flash d'information** flash informativo; **flash publicitaire** flash publicitario.

flasque [flask] *adj* flá(c)cido(-a) ♦ *nf* frasco.

flatter [flate] *vt* (*personne*) halagar, adular; (*suj: honneurs, amitié*) halagar; (*animal*) acariciar; **se ~ de qch/de pouvoir faire qch** vanagloriarse de algo/de poder hacer algo.

flatterie [flatʀi] *nf*: **la ~** adulación *f*; **une ~** un halago.

flatteur, -euse [flatœʀ, øz] *adj* (*photo, profil*) halagüeño(-a); (*éloges*) halagador(a) ♦ *nm/f* (*personne*) adulador(a).

fléau, x [fleo] *nm* (*calamité*) plaga, calamidad *f*; (*de balance*) fiel *m*; (*AGR*) mayal *m*.

flèche [flɛʃ] *nf* flecha; (*de clocher*) aguja; (*de grue*) aguilón *m*; (*critique*) dardo; **monter en ~** (*fig*) subir como una flecha; **partir en ~** (*fig*) marcharse como una flecha.

flécher [fleʃe] *vt* señalizar.

fléchette [fleʃɛt] *nf* dardo; **~s** *nfpl* (*jeu*) dardos *mpl*; **jouer aux ~s** jugar a los dardos.

fléchir [fleʃiʀ] *vt* (*corps, genou*) flexionar, doblar; (*détermination de qn*) doblegar ♦ *vi* (*poutre*) combarse; (*fig*) ceder, claudicar; (*prix*) bajar.

flemmard, e [flemaʀ, aʀd] *adj, nm/f* vago(-a).

flétrir [fletʀiʀ] *vt* (*fleur*) marchitar; (*fruit*) secar; (*peau, visage*) ajar; **se flétrir** *vpr* marchitarse; pasarse; ajarse; **~ la mémoire de qn** (*fig*) mancillar la memoria de algn.

fleur [flœʀ] *nf* flor *f*, **être en ~** estar en flor; **tissu/papier/assiette à ~s** tejido/papel *m*/plato de flores; **la (fine) ~ de** (*fig*) la flor y nata de; **être ~ bleue** ser sentimental; **à ~ de terre/peau** a flor de tierra/piel; **faire une ~ à qn** hacer un favor a algn; **fleur de lis** flor de lis.

fleuri, e [flœʀi] *adj* (*aussi fig*) florido(-a); (*papier, tissu*) floreado(-a); (*péj: teint, nez*) colorado(-a).

fleurir [flœʀiʀ] *vi* florecer ♦ *vt* poner flores en.

fleuriste [flœʀist] *nm/f* florista *m/f*.

fleuron [flœʀɔ̃] *nm* (*fig*) florón *m*.

fleuve [flœv] *nm* río; **~ de sang/boue** (*fig*) río de sangre/barro; **discours-~** discurso interminable; **roman-~** novelón *m*.

flexible [flɛksibl] *adj* flexible.

flic [flik] (*fam: péj*) *nm* poli *m*.

flipper[1] [flipœʀ] *nm* flíper *m*.

flipper[2] [flipe] *vi* (*fam*) amargarse.

flirter [flœʀte] *vi* flirtear.

flocon [flɔkɔ̃] *nm* copo; (*de laine etc: boulette*) pelotilla; **flocons d'avoine** copos *mpl* de avena.

floraison [flɔʀɛzɔ̃] *nf* floración *f*.

flore [flɔʀ] *nf* flora; **flore bactérienne/microbienne** flora bacteriana/microbiana.

florissant, e [flɔʀisɑ̃, ɑ̃t] *vb voir* **fleurir** ♦ *adj* (*entreprise, commerce*) floreciente, próspero(-a); (*santé, mine*) rebosante.

flot [flo] *nm* (*fig*) oleada; (*de paroles, etc*) río; (*marée*) marea; **~s** *nmpl* (*de la mer*) olas *fpl*, mar *fsg*; **mettre/être à ~** sacar/estar a flote; **à ~s** a raudales.

flotte [flɔt] *nf* flota; (*fam: eau*) agua; (*: pluie*) lluvia.

flotter [flɔte] *vi* flotar; (*drapeau, cheveux*) ondear; (*vêtements*) volar; (*ÉCON*) fluctuar ♦ *vb impers* (*fam*): **il flotte** llueve ♦ *vt* (*aussi*: **faire ~**: *bois*) transportar mediante corriente fluvial.

flotteur [flɔtœʀ] *nm* (*d'hydravion etc*) flotador *m*; (*de canne à pêche*) boya.

flottille [flɔtij] *nf* flotilla.

flou, e [flu] *adj* borroso(-a); (*idée*) vago(-a); (*robe*) amplio(-a).

fluctuer [flyktɥe] *vi* fluctuar.

fluet, te [flyɛ, ɛt] *adj* (*personne*) endeble; (*voix*) débil.

fluide [flɥid] *adj* fluido(-a) ♦ *nm* fluido; (*force invisible*) efluvio.

fluor [flyɔʀ] *nm* flúor *m*.

fluorescent, e [flyɔʀesɑ̃, ɑ̃t] *adj* fluorescente.

flûte [flyt] *nf* flauta; (*verre*) copa; (*pain*) *barra pequeña de pan*; **petite ~** flautín *m*; **~!** ¡caramba!; **flûte à bec/traversière** flauta dulce/travesera; **flûte de Pan** zampoña.

fluvial, e, -aux [flyvjal, jo] *adj* fluvial.

flux [fly] *nm* flujo; **le ~ et le reflux** el flujo y el reflujo.

FM [ɛfɛm] *sigle f* (= *fréquence modulée*) FM *f* (= *frecuencia modulada*).

FMI [ɛfɛmi] *sigle m* (= *Fonds monétaire international*) FMI *m*.

focaliser [fɔkalize] *vt* (*fig*) focalizar.

fœtus [fetys] *nm* feto.

foi [fwa] *nf* fe *f*; **sous la ~ du serment** bajo juramento; **avoir ~ en** tener fe en; **ajouter ~ à** dar crédito a; **faire ~** acreditar, testificar; **digne de ~** fidedigno(-a); **sur la ~ de** en base a; **bonne/mauvaise ~** buena/mala fe; **être de bonne/mauvaise ~** actuar con buena/mala fe; **ma ~!** ¡lo juro!

foie [fwa] *nm* hígado; **foie gras** foie-gras *m inv*.

foin [fwɛ̃] *nm* heno; **faire les ~s** segar el heno; **faire du ~** (*fig*: *fam*) armar jaleo.

foire [fwaʀ] *nf* mercado; (*fête foraine*) feria, romería; (*fam*) bulla; **faire la ~** (*fig*: *fam*) irse de juerga *ou* de farra (*AM*); **foire (exposition)** feria de muestras.

fois [fwa] *nf*: **une/deux ~** una vez/dos veces; **2 ~ 2** 2 por 2; **deux/quatre ~ plus grand (que)** dos/cuatro veces mayor (que); **encore une ~** una vez más; **cette ~** esta vez; **la ~ suivante/précédente** la próxima vez/vez anterior; **une (bonne) ~ pour toutes** de una vez por todas; **une ~ que c'est fait** una vez que esté hecho; **une ~ qu'il prend une décision, il ne ...** (*quand*) una vez que toma una decisión, no ...; **une ~ couché, il s'endort tout de suite** (*dès que*) en cuanto se acuesta, se duerme; **à la ~** (*ensemble*) a la vez; **à la ~ grand et beau** grande y a la vez bonito; **des ~** a veces; **chaque ~ que** cada vez que; **si des ~ ...** (*fam*) si por casualidad ...; **"non mais, des ~!"** (*fam*) "¡ya vale!", "¡ya está bien!"; **il était une ~ ...** había una vez ... .

foison [fwazɔ̃] *nf*: **une ~ de** una profusión de; **à ~** en profusión.

foisonnement [fwazɔnmɑ̃] *nm* abundancia, acopio.

foisonner [fwazɔne] *vi* abundar; **~ en** *ou* **de** rebosar de.

folie [fɔli] *nf* locura; **la ~ des grandeurs** el delirio de grandeza; **faire des ~s** hacer locuras, gastar a lo loco.

folklore [fɔlklɔʀ] *nm* folklore *m*.

folle [fɔl] *adj f*, *nf voir* **fou**.

follement [fɔlmɑ̃] *adv* (*amoureux*) locamente; (*drôle, intéressant*) tremendamente; **avoir ~ envie de** tener unos celos tremendos de.

foncé, e [fɔ̃se] *adj* oscuro(-a); **bleu/rouge ~** azul/rojo oscuro.

foncer [fɔ̃se] *vt* oscurecer ♦ *vi* oscurecerse; (*fam*: *aller vite*) ir volando; **~ sur** (*fam*) arremeter contra.

foncier, -ière [fɔ̃sje, jɛʀ] *adj* (*honnêteté etc*) innato(-a); (*COMM*: *impôt*) territorial; **propriétaire ~** dueño de tierras; (*grande superficie*) terrateniente *m*.

fonction [fɔ̃ksjɔ̃] *nf* función *f*; (*profession*) profesión *f*; (*poste*) cargo; **~s** *nfpl* (*activité, pouvoirs*) competencias *fpl*; (*corporelles, biologiques*) funciones *fpl*; **entrer en/reprendre ses ~s** tomar posesión de/reincorporarse a su cargo; **voiture/maison de ~** coche *m*/casa oficial; **être ~ de** depender de; **en ~ de** dependiendo de; **faire ~ de** (*suj*: *personne*) hacer las veces de; (*chose*) servir para; **la ~ publique** la función pública.

fonctionnaire [fɔ̃ksjɔnɛʀ] *nm/f* funcionario(-a).

fonctionnel, le [fɔ̃ksjɔnɛl] *adj* funcional.

fonctionner [fɔ̃ksjɔne] *vi* funcionar; **faire ~** poner en funcionamiento.

fond [fɔ̃] *nm* fondo; **un ~ de verre/bouteille** el resto del vaso/de la botella; **donnez m'en seulement un ~** (*d'alcool etc*) póngame sólo un dedo; **le ~** (*SPORT*) el fondo; **course/épreuve de ~** carrera/prueba de fondo; **au ~ de** (*récipient*) en el fondo de; (*salle*) al fondo de; **aller au ~ des choses/du problème** ir al fondo de las cosas/del problema; **le ~ de sa pensée** el fondo de su pensamiento; **sans ~** (*très profond*) sin fondo; **toucher le ~** (*aussi fig*) tocar fondo; **envoyer par le ~** echar a pique; **à ~** a fondo; (*soutenir*) a capa y espada; **à ~ (de train)** (*fam*) a todo correr, a toda marcha; **dans le ~, au ~** en resumidas cuentas; **de ~ en comble** de arriba a abajo; **fond de teint** maquillaje *m* de fondo; **fond sonore** fondo sonoro.

fondamental, e, -aux [fɔ̃damɑ̃tal, o] *adj* fundamental.

fondateur, -trice [fɔ̃datœʀ, tʀis] *nm/f* fundador(a); **groupe/membre ~** grupo/miembro fundador.

fondation [fɔ̃dasjɔ̃] *nf* fundación *f*; **~s** *nfpl* (*d'une maison*) cimientos *mpl*; **travaux de ~** (*CONSTR*) trabajos *mpl* de cimentación.

fondé, e [fɔ̃de] *adj* fundado(-a); **bien/mal ~** bien/mal fundado(-a); **être ~ à croire** *etc* estar facultado(-a) *ou* autorizado(-a) para creer *etc*.

fondement [fɔ̃dmɑ̃] *nm* (*le postérieur*) trasero; **~s** *nmpl* (*d'un édifice*) cimientos *mpl*; (*de la société, d'une théorie*) cimientos, base *fsg*; **sans ~** sin fundamento.

fonder [fɔ̃de] *vt* fundar; **~ qch sur** (*fig*) basar algo en; **se ~ sur qch** (*personne*) basarse en algo; **~ un foyer** fundar un hogar.

fondre [fɔ̃dʀ] *vt* (*neige, glace*) fundir, derretir; (*métal*) fundir; (*dans l'eau: sucre*) disolver; (*mélanger*) mezclar ♦ *vi* fundirse, derretirse; (*métal*) fundirse; (*dans l'eau*) disolverse; (*argent, courage*) esfumarse; **~ sur** (*se précipiter*) abatirse sobre; **se fondre** *vpr* confundirse; **faire ~** derretir; (*sucre*) disolver; **~ en larmes** deshacerse en lágrimas.

fonds [fɔ̃] *nm* fondo ♦ *nmpl* (*argent*) fondos *mpl*; **~ (de commerce)** fondo de comercio; **être en ~** tener fondos *ou* dinero; **à ~ perdus** a fondo perdido; **mise de ~** inversión *f* de capital; **le F~ monétaire international** el Fondo Monetario Internacional; **fonds de roulement** fondo de operaciones; **fonds publics** fondos *mpl* públicos.

fondu, e [fɔ̃dy] *adj* (*beurre*) derretido(-a); (*neige*) fundido(-a), derretido(-a); (*métal*) fundido(-a); (*fig*) desvanecido(-a) ♦ *nm* (*CINÉ*) fundido; **fondu enchaîné** fundido encadenado.

fondue [fɔ̃dy] *nf*: **~ (savoyarde)/bourguignonne** fondue *f* (saboyana)/burguiñona.

font [fɔ̃] *vb voir* **faire**.

fontaine [fɔ̃tɛn] *nf* fuente *f*.

fonte [fɔ̃t] *nf* (*de la neige*) deshielo; (*d'un métal*) fundición *f*; (*métal*) hierro fundido *ou* colado; **en ~ émaillée** de hierro esmaltado; **la ~ des neiges** el deshielo.

foot(ball) [fut(bol)] *nm* fútbol *m*; **jouer au ~** jugar al fútbol.

footballeur, -euse [futbolœʀ, øz] *nm/f* futbolista *m/f*.

footing [futiŋ] *nm*: **faire du ~** hacer footing.

for [fɔʀ] *nm*: **dans *ou* en mon/son ~ intérieur** en mi/su fuero interno.

forain, e [fɔʀɛ̃, ɛn] *adj* ferial ♦ *nm/f* (*marchand*) feriante *m/f*; (*bateleur*) saltimbanqui *m*, titiritero(-a).

forçat [fɔʀsa] *nm* forzado.

force [fɔʀs] *nf* fuerza; (*d'une armée*) potencia; (*intellectuelle, morale*) fortaleza; **~s** *nfpl* (*MIL, physiques*) fuerzas *fpl*; **d'importantes ~s de police** importantes efectivos de la policía; **avoir de la ~** tener fuerza; **ménager ses/reprendre des ~s** ahorrar/recuperar fuerzas; **être à bout de ~** estar agotado(-a); **c'est au-dessus de mes/ses ~s** supera mis/sus fuerzas; **de toutes mes/ses ~s** con todas mis/sus fuerzas; **à la ~ du poignet** (*fig*) a pulso; **à ~ de critiques/de le critiquer/de faire** a fuerza de críticas/de criticarlo/de hacer; **arriver en ~** llegar en gran número; **de ~** (*prendre, enlever*) a la fuerza; **par la ~** por fuerza; **à toute ~** (*absolument*) a toda costa; **cas de ~ majeure** caso de fuerza mayor; **faire ~ de rames** remar con todas las fuerzas; **être de ~ à faire qch** ser capaz de hacer algo; **dans la ~ de l'âge** en la madurez; **de première ~** de primera; **par la ~ des choses** debido a las circunstancias; **par la ~ de l'habitude** por la fuerza de la costumbre; **la ~** (*ÉLEC*) la energía; **la ~ armée** las fuerzas armadas; **la ~ publique** la fuerza pública; **les ~s de l'ordre** las fuerzas del orden; **c'est une ~ de la nature** (*personne*) es un sansón; **force centrifuge/d'inertie** fuerza centrífuga/de la inercia; **force d'âme** ánimo, valor *m*; **force de caractère** fuerza de carácter; **force de dissuasion *ou* de frappe** fuerza de disuasión; **forces d'intervention** fuerzas de intervención.

forcé, e [fɔʀse] *adj* (*rire, attitude*) forzado(-a); (*bain, atterrissage*) forzoso(-a); (*comparaison*) rebuscado(-a); **c'est ~!** ¡es lógico!, ¡es inevitable!

forcené, e [fɔʀsəne] *adj* encarnizado(-a) ♦ *nm/f* furioso(-a).

forcer [fɔʀse] *vt* forzar; (*AGR*) impulsar el crecimiento de ♦ *vi* esforzarse; **~ qn à qch/à faire qch** obligar a algn a algo/a hacer algo; **se ~ à qch/faire qch** obligarse a algo/a hacer algo; **~ la main à qn** apretarle los tornillos a algn; **~ la dose** cargar la mano; **~ l'allure** aligerar; **~ la décision** determinar la decisión; **~ le destin** ir contra el destino; **~ l'attention** llamar la atención; **~ le respect** imponer el respeto; **~ la consigne** desacatar las órdenes.

forer [fɔʀe] *vt* (*objet, rocher*) perforar, horadar; (*trou, puits*) perforar.

forestier, -ière [fɔʀɛstje, jɛʀ] *adj* forestal.

foret [fɔʀɛ] *nm* taladro.

forêt [fɔʀɛ] *nf* bosque *m*; **Office national des f~s** ≈ ICONA (*Instituto para la conservación de la naturaleza*); **forêt vierge** selva virgen.

forfait [fɔʀfɛ] *nm* (*COMM*) ajuste *m*; (*crime*) crimen *m*; **déclarer ~** (*SPORT*) retirarse; **gagner par ~** ganar por incomparecencia; **travailler à ~** trabajar a destajo; **vendre/acheter à ~** vender/comprar a

tanto alzado.
forfaitaire [fɔʀfɛtɛʀ] *adj* concertado(-a).
forgé, e [fɔʀʒe] *adj*: **~ de toutes pièces** inventado(-a) de cabo a rabo.
forger [fɔʀʒe] *vt* (*aussi fig*) forjar; (*prétexte, alibi*) urdir; (*histoire, plan*) urdir, inventar.
forgeron [fɔʀʒəʀɔ̃] *nm* herrero.
formaliser [fɔʀmalize]: **se ~** *vpr* molestarse; **se ~ de qch** molestarse por algo.
formalité [fɔʀmalite] *nf* requisito, trámite *m*; **simple ~** mera formalidad *f*.
format [fɔʀma] *nm* formato; **petit ~** de tamaño pequeño.
formation [fɔʀmasjɔ̃] *nf* formación *f*; (*apprentissage*) educación *f*; **en ~** (*MIL, AVIAT*) en formación; **la ~ permanente/continue** la formación permanente/continua; **la ~ professionnelle/des adultes** la formación profesional/de adultos.
forme [fɔʀm] *nf* forma; (*type*) tipo; **~s** *nfpl* (*manières*) formas *fpl*; **en ~ de poire** con forma de pera; **sous ~ de** en forma de; **être en (bonne/pleine) ~** estar en (buena/plena) forma; **avoir la ~** estar en forma; **en bonne et due ~** con todos los requisitos; **y mettre les ~s** hacer las cosas como Dios manda; **sans autre ~ de procès** (*fig*) sin más ni más; **pour la ~** para guardar las apariencias; **prendre ~** tomar cuerpo.
formel, le [fɔʀmɛl] *adj* (*preuve, décision*) categórico(-a); (*logique*) formal; (*extérieur*) formalista.
formellement [fɔʀmɛlmɑ̃] *adv* absolutamente.
former [fɔʀme] *vt* formar; (*projet, idée*) concebir; (*caractère, intelligence, goût*) formar, desarrollar; (*lettre etc*) componer; **se former** *vpr* formarse.
formidable [fɔʀmidabl] *adj* (*important*: *excellent*) estupendo(-a).
formulaire [fɔʀmylɛʀ] *nm* impreso.
formule [fɔʀmyl] *nf* fórmula; (*de vacances, crédit*) sistema *m*; **selon la ~ consacrée** según la expresión consagrada; **formule de politesse** fórmula de cortesía; (*en fin de lettre*) fórmula epistolar.
formuler [fɔʀmyle] *vt* formular.
fort, e [fɔʀ, fɔʀt] *adj* (*aussi fig*) fuerte; (*élevé*) alto(-a); (*gros*) grueso(-a); (*quantité*) importante; (*soleil*) intenso(-a) ♦ *adv* (*frapper, serrer, sonner*) con fuerza; (*parler*) alto; (*beaucoup*) mucho; (*très*) muy ♦ *nm* (*édifice, fig*) fuerte *m*; **le(s) fort(s)** (*gén pl*: *personne, pays*) los fuertes; **être ~ (en)** (*doué*) ser bueno(-a) (en); **c'est un peu ~!** ¡ya es demasiado!, ¡se pasa!; **à plus ~e raison** con mayor motivo; **se faire ~ de faire** comprometerse a hacer; **~ bien/peu** muy bien/poco; **au plus ~ de** en lo más álgido de; **vous aurez ~ à faire pour le convaincre** le costará trabajo convencerle; **~ comme un Turc** fuerte como un toro; **forte tête** rebelde *m/f*.
forteresse [fɔʀtəʀɛs] *nf* fortaleza.
fortifiant, e [fɔʀtifjɑ̃, jɑ̃t] *adj* fortificante ♦ *nm* reconstituyente *m*.
fortifications [fɔʀtifikasjɔ̃] *nfpl* fortificaciones *fpl*.
fortifier [fɔʀtifje] *vt* (*corps*) fortalecer; (*MIL*) fortificar; **se fortifier** *vpr* fortalecerse.
fortin [fɔʀtɛ̃] *nm* fortín *m*.
fortiori [fɔʀsjɔʀi]: **à ~** *adv* a fortiori.
fortuit, e [fɔʀtɥi, it] *adj* fortuito(-a).
fortune [fɔʀtyn] *nf* fortuna; **des ~s diverses** (*sort*) diversas suertes; **faire ~** hacer fortuna; **de ~** improvisado(-a); **bonne/mauvaise ~** buena/mala fortuna.
fosse [fos] *nf* fosa; **fosse à purin** depósito de aguas de estiércol; **fosse aux lions/aux ours** foso de los leones/de los osos; **fosse commune** fosa común; **fosse (d'orchestre)** foso (de la orquesta); **fosse septique** fosa séptica; **fosses nasales** fosas *fpl* nasales.
fossé [fose] *nm* zanja; (*fig*) abismo.
fossette [fosɛt] *nf* hoyuelo.
fossile [fosil] *nm* fósil *m* ♦ *adj*: **animal/coquillage ~** animal *m*/concha fósil.
fossoyeur [foswajœʀ] *nm* sepulturero.
fou (fol), folle [fu, fɔl] *adj* loco(-a); (*regard*) extraviado(-a); (*fam*: *extrême*) inmenso(-a) ♦ *nm/f* loco(-a) ♦ *nm* (*d'un roi*) bufón *m*; (*ÉCHECS*) alfil *m*; **fou de Bassan** alcatraz *m*; **fou à lier** loco(-a) de atar; **fou furieux/folle furieuse** loco(-a) agresivo(-a); **être fou de** estar loco(-a) por; **fou de chagrin** trastornado(-a) por el dolor; **fou de colère/joie** loco(-a) de ira/alegría; **faire le fou** hacer el tonto *ou* el indio; **avoir le fou rire** tener un ataque de risa; **ça prend un temps fou** (*fam*) esto lleva mucho tiempo; **il a eu un succès fou** (*fam*) tuvo un éxito loco; **herbe folle** hierbajo.
foudre [fudʀ] *nf* rayo; **~s** *nfpl* (*colère*) iras *fpl*; **s'attirer les ~s de qn** ganarse las iras de algn.
foudroyer [fudʀwaje] *vt* fulminar; **~ qn du regard** fulminar a algn con la mirada.
fouet [fwɛ] *nm* látigo, fuete (*AM*), rebenque (*AM*); (*CULIN*) batidor *m*; **de plein ~** (*heurter*) de frente.
fouetter [fwete] *vt* dar latigazos a; (*CULIN, pluie, vagues etc*) batir.

fougère [fuʒɛʀ] *nf* helecho.
fougue [fug] *nf* fogosidad *f.*
fouille [fuj] *nf* (*v vt*) cacheo; registro; **~s** *nfpl* (*archéologiques*) excavaciones *fpl.*
fouiller [fuje] *vt* (*suspect*) cachear; (*local, quartier*) registrar; (*creuser*) excavar; (*approfondir*) ahondar en ♦ *vi* (*archéologue*) hacer excavaciones; **~ dans/parmi** hurgar en/entre.
fouillis [fuji] *nm* revoltijo.
fouiner [fwine] (*péj*) *vi*: **~ dans** escudriñar en.
foulard [fulaʀ] *nm* pañuelo; (*étoffe*) fular *m.*
foule [ful] *nf*: **la ~** la muchedumbre, el gentío; **une ~ énorme/émue** una muchedumbre inmensa/emocionada; **une ~ de** una multitud de; **les ~s** las masas; **venir en ~** (*aussi fig*) llegar en masa.
foulée [fule] *nf* (*SPORT*) zancada; **dans la ~ de** inmediatamente después de.
fouler [fule] *vt* (*écraser*) prensar; (*raisin*) pisar; **se fouler** *vpr* (*fam*) matarse trabajando; **se ~ la cheville/le bras** torcerse el tobillo/el brazo; **~ aux pieds** (*fig*) pasar por encima de; **~ le sol de son pays** pisar el suelo de su país.
foulure [fulyʀ] *nf* esguince *m.*
four [fuʀ] *nm* horno; (*échec*) fracaso; **allant au ~** resistente al horno.
fourbe [fuʀb] *adj* falso(-a).
fourbu, e [fuʀby] *adj* (*animal*) extenuado(-a); (*personne*) rendido(-a).
fourche [fuʀʃ] *nf* horca; (*de bicyclette*) horquilla; (*d'une route*) bifurcación *f.*
fourchette [fuʀʃɛt] *nf* tenedor *m*; (*STATISTIQUE*) gama; **fourchette à dessert** tenedor de postre.
fourgon [fuʀgɔ̃] *nm* furgón *m*; **fourgon mortuaire** funeraria.
fourgonnette [fuʀgɔnɛt] *nf* furgoneta.
fourmi [fuʀmi] *nf* hormiga; **avoir des ~s dans les jambes/mains** (*fig*) tener un hormigueo en las piernas/manos.
fourmilière [fuʀmiljɛʀ] *nf* hormiguero.
fourmiller [fuʀmije] *vi* (*gens*) hormiguear; **~ de** (*lieu*) estar plagado(-a) de.
fournaise [fuʀnɛz] *nf* gran horno.
fourneau, x [fuʀno] *nm* horno.
fournée [fuʀne] *nf* hornada.
fourni, e [fuʀni] *adj* (*barbe, cheveux*) tupido(-a), poblado(-a); **bien/mal ~ (en)** bien/mal equipado(-a) (en).
fournir [fuʀniʀ] *vt* proporcionar; (*effort*) realizar; (*chose*) dar, proporcionar; **se fournir** *vpr*: **se ~ chez** abastecerse en; **~ qch à qn** proporcionar algo a algn; **~ qn** en abastecer a algn de.
fournisseur, -euse [fuʀnisœʀ, øz] *nm/f* proveedor(a).
fourniture [fuʀnityʀ] *nf* abastecimiento, suministro; **~s** *nfpl* material *msg*; **fournitures de bureau** artículos *mpl* de escritorio.
fourrage [fuʀaʒ] *nm* forraje *m.*
fourrager¹ [fuʀaʒe] *vi*: **~ dans/parmi** revolver en/entre.
fourrager², -ère [fuʀaʒe, ɛʀ] *adj* forrajero(-a).
fourré, e [fuʀe] *adj* (*bonbon*) relleno(-a); (*manteau, botte*) forrado(-a) ♦ *nm* maleza.
fourreau, x [fuʀo] *nm* (*d'épée*) vaina; (*de parapluie*) funda; **robe/jupe ~** vestido/falda de tubo.
fourrer [fuʀe] (*fam*) *vt*: **~ qch dans** meter algo en; **se fourrer** *vpr*: **se ~ dans/sous** meterse en/bajo.
fourre-tout [fuʀtu] *nm inv* bolsa de viaje; (*fam: local, meuble*) trastero; (*fig*) cajón *m* de sastre.
fourrière [fuʀjɛʀ] *nf* (*pour chiens*) perrera; (*voitures*) depósito de coches.
fourrure [fuʀyʀ] *nf* piel *f*; **manteau/col de ~** abrigo/cuello de piel.
fourvoyer [fuʀvwaje]: **se ~** *vpr* extraviarse, perderse; **se ~ dans** perderse en.
foutre [futʀ] (*fam!*) *vt* = **ficher**.
foutu, e [futy] (*fam!*) *adj* = **fichu**.
foyer [fwaje] *nm* hogar *m*; (*fig*) foco; (*THÉÂTRE*) vestíbulo; (*d'étudiants etc*) residencia; (*salon*) salón *m*; **lunettes à double ~** gafas *fpl ou* anteojos *mpl* (*AM*) bifocales.
fracas [fʀaka] *nm* estruendo.
fracasser [fʀakase] *vt* destrozar; **se ~ contre** *ou* **sur** estrellarse contra; **se ~ la tête/le bras** romperse la cabeza/el brazo.
fraction [fʀaksjɔ̃] *nf* fracción *f*; (*MATH*) fracción, quebrado; **une ~ de seconde** una fracción de segundo.
fractionner [fʀaksjɔne] *vt* fraccionar; **se fractionner** *vpr* fraccionarse.
fracture [fʀaktyʀ] *nf* (*MÉD*) fractura; **fracture de la jambe/du crâne** fractura de pierna/de cráneo; **fracture ouverte** fractura abierta.
fracturer [fʀaktyʀe] *vt* (*coffre, serrure*) forzar; (*os, membre*) fracturar; **se ~ la jambe/le crâne** fracturarse la pierna/el cráneo.
fragile [fʀaʒil] *adj* (*aussi fig*) frágil; (*santé, personne*) delicado(-a).
fragilité [fʀaʒilite] *nf* fragilidad *f.*
fragment [fʀagmɑ̃] *nm* (*d'un objet*) fragmento, trozo; (*d'un discours*) fragmento.

fraîche [fʀɛʃ] *adj voir* **frais**.
fraîcheur [fʀɛʃœʀ] *nf* (*voir frais*) frescor *m*, frescura; lozanía; frialdad *f*.
fraîchir [fʀeʃiʀ] *vi* refrescar; (*vent*) levantarse.
frais, fraîche [fʀɛ, fʀɛʃ] *adj* fresco(-a); (*teint*) lozano(-a); (*accueil*) frío(-a) ♦ *adv*: **il fait** ~ hace *ou* está fresco ♦ *nm*: **mettre au** ~ poner en el frigorífico ♦ *nmpl* (*COMM, dépenses*) gastos *mpl*; **le voilà** ~! (*iron*) ¡va listo!, ¡está arreglado!; **des troupes fraîches** tropas *fpl* de refresco; ~ **et dispos** preparado y listo; **à boire/servir** ~ beber/servir frío; **légumes/fruits** ~ verduras *fpl*/frutas *fpl* frescas; ~ **débarqué de sa province** recién llegado de su provincia; **prendre le** ~ tomar el fresco; **faire des** ~ hacer gasto; **à grands/peu de** ~ con mucho/poco gasto; **faire les** ~ **de** (*fig*) pagar la factura de; **faire les** ~ **de la conversation** ser el centro de la conversación; **rentrer dans ses** ~ recuperar su dinero; **tous** ~ **payés** con todos los gastos pagados; **en être pour ses** ~ (*aussi fig*) haber perdido el tiempo; **frais d'entretien** *nmpl* gastos de mantenimiento; **frais de déplacement/logement** gastos de desplazamiento/alojamiento; **frais de scolarité** gastos de matrícula; **frais fixes/variables** gastos fijos/variables; **frais généraux** gastos generales.
fraise [fʀɛz] *nf* (*BOT, TECH*) fresa, frutilla (*AM*); (*de dentiste*) torno, fresa; **fraise des bois** fresa silvestre.
fraisier [fʀezje] *nm* (*BOT*) fresa.
framboise [fʀɑ̃bwaz] *nf* frambuesa.
framboisier [fʀɑ̃bwazje] *nm* frambueso.
franc, franche [fʀɑ̃, fʀɑ̃ʃ] *adj* franco(-a); (*refus, couleur*) claro(-a); (*coupure*) limpio(-a); (*intensif*) auténtico(-a) ♦ *adv*: **à parler** ~ francamente ♦ *nm* (*monnaie*) franco; ~ **de port** porte pagado; **ancien** ~, ~ **léger** franco viejo; **nouveau** ~, ~ **lourd** franco nuevo; **franc belge/français/suisse** franco belga/francés/suizo.
français, e [fʀɑ̃sɛ, ɛz] *adj* francés(-esa) ♦ *nm* (*LING*) francés *m* ♦ *nm/f*: **F**~, **e** francés(-esa); **les F**~ los franceses.
France [fʀɑ̃s] *nf* Francia.
franche [fʀɑ̃ʃ] *adj f voir* **franc**.
franchement [fʀɑ̃ʃmɑ̃] *adv* francamente; (*tout à fait*) realmente; (*excl*) ¡pero bueno!
franchir [fʀɑ̃ʃiʀ] *vt* (*aussi fig*) salvar; (*seuil*) franquear.
franchise [fʀɑ̃ʃiz] *nf* franqueza; (*douanière, ASSURANCE*) franquicia; (*COMM*) licencia; **en toute** ~ con toda franqueza; **franchise de bagages** franquicia de equipaje.
franc-maçon [fʀɑ̃masɔ̃] (*pl* **~-~s**) *nm* francmasón(-ona).
franco [fʀɑ̃ko] *adv* (*COMM*): ~ **(de port)** porte pagado.
francophone [fʀɑ̃kɔfɔn] *adj, nm/f* francófono(-a).
franc-parler [fʀɑ̃paʀle] *nm inv* franqueza.
franc-tireur [fʀɑ̃tiʀœʀ] (*pl* **~s-~s**) *nm* francotirador *m*.
frange [fʀɑ̃ʒ] *nf* fleco, franja; (*de cheveux*) flequillo; (*fig*) franja.
frappe [fʀap] *nf* (*d'une dactylo, pianiste*) tecleo; (*d'une machine à écrire*) impresión *f*; (*boxe*) pegada; (*football*) toque *m*; (*péj*: *voyou*) golfo.
frappé, e [fʀape] *adj* (*vin, café*) helado(-a); ~ **de** *ou* **par qch** impresionado(-a) por algo; ~ **de panique** presa del pánico; ~ **de stupeur** estupefacto(-a).
frapper [fʀape] *vt* golpear; (*fig*) impresionar; (*malheur, impôt*) afectar; (*monnaie*) acuñar; **se frapper** *vpr* (*s'inquiéter, s'étonner*) impresionarse; ~ **à la porte** llamar a la puerta; ~ **dans ses mains** golpear con las manos; ~ **du poing sur** dar un puñetazo en; ~ **un grand coup** (*fig*) asestar un duro golpe.
frasques [fʀask] *nfpl* calaveradas *fpl*; **faire des** ~ hacer calaveradas.
fraternel, le [fʀatɛʀnɛl] *adj* fraterno(-a); (*amical*) fraterno(-a), amistoso(-a).
fraternité [fʀatɛʀnite] *nf* fraternidad *f*.
fraude [fʀod] *nf* fraude *m*; **passer qch en** ~ pasar algo fraudulentamente; **fraude électorale/fiscale** fraude electoral/fiscal.
frauder [fʀode] *vi* cometer un fraude ♦ *vt* defraudar; ~ **le fisc** defraudar al fisco.
frauduleux, -euse [fʀodylø, øz] *adj* fraudulento(-a).
frayer [fʀeje] *vt* abrir ♦ *vi* desovar; ~ **avec qn** tratarse con algn; **se** ~ **un passage/chemin dans** abrirse paso/camino en.
frayeur [fʀɛjœʀ] *nf* pavor *m*.
fredonner [fʀədɔne] *vt* tararear.
freezer [fʀizœʀ] *nm* congelador *m*.
frein [fʀɛ̃] *nm* freno; **mettre un** ~ **à** (*fig*) poner freno a; **sans** ~ sin freno; **freins à disques** frenos *mpl* de disco; **frein à main** freno de mano; **freins à tambours** frenos de tambor; **frein moteur** freno motor.
freiner [fʀene] *vi* frenar ♦ *vt* frenar, parar.
frelaté, e [fʀəlate] *adj* adulterado(-a); (*fig*) corrompido(-a).

frêle [fʀɛl] *adj* frágil.
frelon [fʀəlɔ̃] *nm* abejón *m*.
frémir [fʀemiʀ] *vi* estremecerse; (*eau*) empezar a hervir; (*feuille etc*) temblar; ~ **d'impatience/de colère** temblar de impaciencia/de ira.
frêne [fʀɛn] *nm* fresno.
frénétique [fʀenetik] *adj* frenético(-a).
fréquence [fʀekɑ̃s] *nf* frecuencia; **haute/basse** ~ (*RADIO*) alta/baja frecuencia.
fréquent, e [fʀekɑ̃, ɑ̃t] *adj* frecuente; (*opposé à rare*) corriente.
fréquentation [fʀekɑ̃tasjɔ̃] *nf* frecuentación *f*, trato; ~**s** *nfpl* (*relations*): **de bonnes ~s** buenas relaciones; **une mauvaise** ~ una mala compañía.
fréquenté, e [fʀekɑ̃te] *adj*: **très** ~ muy concurrido(-a); **mal** ~ frecuentado(-a) por gente indeseable.
fréquenter [fʀekɑ̃te] *vt* frecuentar; (*personne*) tratar, frecuentar; (*courtiser*) salir con; **se fréquenter** *vpr* tratarse, frecuentarse.
frère [fʀɛʀ] *nm* hermano; (*REL*) hermano, fraile *m*; **partis/pays ~s** partidos *mpl*/ países *mpl* hermanos.
fresque [fʀɛsk] *nf* fresco; (*LITT*) retrato.
fret [fʀɛ(t)] *nm* flete *m*.
frétiller [fʀetije] *vi* colear; (*de joie etc*) bullir; ~ **de la queue** mover la cola.
friable [fʀijabl] *adj* desmenuzable.
friand, e [fʀijɑ̃, fʀijɑ̃d] *adj*: ~ **de** entusiasta de ♦ *nm* (*CULIN*) empanadilla; (: *sucré*) empanadilla dulce.
friandise [fʀijɑ̃diz] *nf* golosina.
fric [fʀik] (*fam*) *nm* pasta.
friche [fʀiʃ]: **en** ~ *adj, adv* inculto(-a).
friction [fʀiksjɔ̃] *nf* fricción *f*; (*chez le coiffeur*) masaje *m*; (*TECH*) rozamiento; (*fig*) fricciones *fpl*.
frigidaire ® [fʀiʒidɛʀ] *nm* nevera, frigorífico.
frigide [fʀiʒid] *adj* frígido(-a).
frigo [fʀigo] *nm* = **frigidaire**.
frigorifier [fʀigɔʀifje] *vt* meter en el frigorífico; (*fig*) helar, dejar helado(-a); (*intimider, figer*) intimidar.
frigorifique [fʀigɔʀifik] *adj* frigorífico(-a).
frileux, -euse [fʀilø, øz] *adj* friolero(-a); (*fig*) encogido(-a).
frimer [fʀime] (*fam*) *vi* chulear.
frimousse [fʀimus] *nf* carita.
fringale [fʀɛ̃gal] *nf*: **avoir la** ~ tener un hambre canina.
fringues [fʀɛ̃g] (*fam*) *nfpl* trapos *mpl*.
fripé, e [fʀipe] *adj* arrugado(-a).
fripon, ne [fʀipɔ̃, ɔn] *adj, nm/f* pillo(-a).
fripouille [fʀipuj] (*péj*) *nf* canalla *m*.
frire [fʀiʀ] *vt* (*aussi*: **faire** ~) freír ♦ *vi* freírse.
frisé, e [fʀize] *adj* rizado(-a); **(chicorée) ~e** (achicoria) rizada.
frisquet [fʀiskɛ] *adj m* (*fam*): **il fait** ~ hace fresquito.
frisson [fʀisɔ̃] *nm* escalofrío, estremecimiento.
frissonner [fʀisɔne] *vi* tiritar, estremecerse; (*fig*) temblar.
frit, e [fʀi, fʀit] *pp de* **frire** ♦ *adj* frito(-a); **(pommes) ~es** patatas *fpl ou* papas *fpl* (*AM*) fritas.
frite [fʀit] *nf* patata frita.
friteuse [fʀitøz] *nf* freidora; ~ **électrique** freidora eléctrica.
friture [fʀityʀ] *nf* (*huile*) aceite *m*; (*RADIO*) ruido de fondo; ~**s** *nfpl*: **les ~s** los fritos; ~ **(de poissons)** fritura (de pescado).
frivole [fʀivɔl] *adj* frívolo(-a).
froc [fʀɔk] *nm* (*REL*) hábito; (*fam*) pantalón *m*.
froid, e [fʀwa, fʀwad] *adj* frío(-a) ♦ *nm*: **le** ~ el frío; (*industrie*) la industria del frío; **il y a un** ~ **entre eux** hay tirantez entre ellos; **il fait** ~ hace frío; **manger/ boire** ~ comer/beber frío; **avoir/prendre** ~ tener/coger frío; **à** ~ en frío; **les grands ~s** los grandes fríos; **jeter un** ~ (*fig*) provocar el asombro; **être en** ~ **avec qn** estar enfadado(-a) con algn; **battre** ~ **à qn** tratar con frialdad a algn.
froidement [fʀwadmɑ̃] *adv* con frialdad.
froisser [fʀwase] *vt* arrugar; (*fig*) ofender; **se froisser** *vpr* arrugarse; (*fig*) mosquearse; **se** ~ **un muscle** distendérsele a algn un músculo.
frôler [fʀole] *vt* rozar.
fromage [fʀɔmaʒ] *nm* queso; **fromage blanc** queso fresco, requesón *m*; **fromage de tête** queso de cerdo.
froment [fʀɔmɑ̃] *nm* trigo.
froncer [fʀɔ̃se] *vt* fruncir; ~ **les sourcils** fruncir el ceño.
frondaisons [fʀɔ̃dɛzɔ̃] *nfpl* fronda *fsg*.
front [fʀɔ̃] *nm* (*ANAT*) frente *f*; (*MIL, MÉTÉO, fig*) frente *m*; **le F~ de libération/lutte pour** el frente de liberación/lucha por; **aller au/être sur le** ~ (*MIL*) ir al/estar en el frente; **avoir le** ~ **de faire qch** tener la cara de hacer algo; **de** ~ de frente; (*rouler*) al lado; (*simultanément*) al mismo tiempo; **faire** ~ **à** hacer frente a; **front de mer** paseo marítimo.
frontalier, -ière [fʀɔ̃talje, jɛʀ] *adj* fronterizo(-a) ♦ *nm/f*: **(travailleurs) ~s** (trabajadores *mpl*) fronterizos *mpl*.

frontière [fʀɔ̃tjɛʀ] *nf* frontera; **poste ~** puesto fronterizo; **ville ~** ciudad *f* fronteriza; **à la ~** en la frontera.
fronton [fʀɔ̃tɔ̃] *nm* frontón *m*.
frotter [fʀɔte] *vi* frotar ♦ *vt* frotar; (*pour nettoyer*) frotar, estregar; (*avec une brosse*) cepillar; **se ~ à qn/qch** (*fig: souvent nég*) acercarse a algn/algo; **~ une allumette** encender una cerilla; **se ~ les mains** (*fig*) frotarse las manos.
frousse [fʀus] (*fam*) *nf* miedo; **avoir la ~** tener miedo.
fructifier [fʀyktifje] *vi* fructificar; **faire ~** rentabilizar.
fructueux, -euse [fʀyktɥø, øz] *adj* fructuoso(-a).
frugal, e, -aux [fʀygal, o] *adj* frugal.
fruit [fʀɥi] *nm* fruta; **~s** *nmpl* (*fig*) frutos *mpl*; **fruits de mer** mariscos *mpl*; **fruits secs** frutos secos.
fruitier, -ière [fʀɥitje, jɛʀ] *adj*: **arbre ~** árbol *m* frutal ♦ *nm/f* frutero(-a).
fruste [fʀyst] *adj* tosco(-a).
frustrer [fʀystʀe] *vt* frustrar; **~ qn de qch** privar a algn de algo.
fugace [fygas] *adj* fugaz.
fugitif, -ive [fyʒitif, iv] *adj* (*lueur, amour*) efímero(-a); (*prisonnier etc*) fugitivo(-a) ♦ *nm/f* fugitivo(-a).
fugue [fyg] *nf* fuga; **faire une ~** fugarse.
fuir [fɥiʀ] *vt* huir ♦ *vi* huir; (*gaz, eau*) escapar; (*robinet*) perder agua; **~ devant l'ennemi** huir ante el enemigo.
fuite [fɥit] *nf* huida; (*des capitaux etc*) fuga; (*d'eau*) escape *m*; (*divulgation*) filtración *f*; **être en ~** ser un(a) prófugo(-a); **mettre en ~** ahuyentar; **prendre la ~** escapar, huir.
fulgurant, e [fylgyʀɑ̃, ɑ̃t] *adj* fulgurante.
fulminer [fylmine] *vi*: **~ (contre)** despotricar (contra).
fumé, e [fyme] *adj* ahumado(-a).
fumée [fyme] *nf* humo; **partir en ~** (*fig*) volverse agua de borrajas.
fumer [fyme] *vi* echar humo; (*personne*) fumar ♦ *vt* (*cigarette, pipe*) fumar; (*jambon, poisson*) ahumar; (*terre, champ*) abonar.
fûmes [fym] *vb voir* **être**.
fumet [fymɛ] *nm* olor *m*.
fumeur, -euse [fymœʀ, øz] *nm/f* fumador(a); **compartiment (pour) ~s/non-~s** compartimento de fumadores/no fumadores.
fumier [fymje] *nm* estiércol *m*.
fumiste [fymist] *nm* (*ramoneur*) deshollinador *m* ♦ *nm/f* (*péj*) gandul(a).
funambule [fynɑ̃byl] *nm* funámbulo.
funèbre [fynɛbʀ] *adj* fúnebre.
funérailles [fyneʀɑj] *nfpl* funeral *msg*.
funeste [fynɛst] *adj* funesto(-a).
fur [fyʀ]: **au ~ et à mesure** *adv* poco a poco; **au ~ et à mesure que** a medida que, conforme; **au ~ et à mesure de leur progression** a medida que avanzan, conforme avanzan.
furent [fyʀ] *vb voir* **être**.
furet [fyʀɛ] *nm* (ZOOL) hurón *m*.
fureter [fyʀ(ə)te] (*péj*) *vi* husmear, fisgonear.
fureur [fyʀœʀ] *nf* furia, cólera; **la ~ du jeu** *etc* la pasión por el juego *etc*; **faire ~** estar en boga, hacer furor.
furibond, e [fyʀibɔ̃, ɔ̃d] *adj* furibundo(-a).
furie [fyʀi] *nf* furia; **en ~** (*aussi fig*) desencadenado(-a).
furieux, -euse [fyʀjø, jøz] *adj* furioso(-a); (*combat, tempête*) violento(-a); **être ~ contre qn** estar furioso(-a) con algn.
furoncle [fyʀɔ̃kl] *nm* forúnculo.
furtif, -ive [fyʀtif, iv] *adj* furtivo(-a).
fus [fy] *vb voir* **être**.
fusain [fyzɛ̃] *nm* (BOT) bonetero; (ART) carboncillo.
fuseau, x [fyzo] *nm* (*pantalon*) fuso; (*pour filer*) huso; **en ~** (*jambes*) estilizado(-a); (*colonne*) ensanchado(-a) en el centro; **fuseau horaire** huso horario.
fusée [fyze] *nf* cohete *m*; (*de feu d'artifice*) volador *m*; **fusée éclairante** bengala.
fuselé, e [fyz(ə)le] *adj* (*jambes*) estilizado(-a); (*doigts*) bien formado(-a).
fuser [fyze] *vi* (*rires*) resonar; (*questions*) llover.
fusible [fyzibl] *nm* fusible *m*.
fusil [fyzi] *nm* (*de guerre, à canon rayé*) fusil *m*; (*de chasse, à canon lisse*) escopeta; **fusil à deux coups** escopeta de dos cañones; **fusil sous-marin** fusil submarino.
fusillade [fyzijad] *nf* (*bruit*) tiroteo; (*combat*) descarga de fusilería.
fusiller [fyzije] *vt* fusilar; **~ qn du regard** fulminar a algn con la mirada.
fusion [fyzjɔ̃] *nf* fusión *f*; **(entrer) en ~** (entrar) en fusión.
fusionner [fyzjɔne] *vi* fusionarse.
fustiger [fystiʒe] *vt* fustigar.
fut [fy] *vb voir* **être**.
fût[1] [fy] *vb voir* **être**.
fût[2] [fy] *nm* (*tonneau*) tonel *m*, barril *m*; (*de canon*) caña; (*d'arbre*) tronco; (*de colonne*) fuste *m*.
futaie [fytɛ] *nf* plantación *f* de árboles.
futé, e [fyte] *adj* ladino(-a).
futile [fytil] *adj* fútil.
futur, e [fytyʀ] *adj* futuro(-a) ♦ *nm*: **le ~**

(*LING*) el futuro; (*avenir*) el futuro, el porvenir; **son ~ époux** su futuro marido; **un ~ artiste** un futuro artista; **le ~ de qch/qn** el futuro de algo/algn; **au ~** (*LING*) en futuro; **futur antérieur** futuro perfecto.
fuyant, e [fɥijɑ̃, ɑ̃t] *vb voir* **fuir** ♦ *adj* (*regard, personne*) huidizo(-a); (*lignes etc*) de fuga; **perspective ~e** (*ART*) perspectiva de fuga.
fuyard, e [fɥijaʀ, aʀd] *nm/f* fugitivo(-a).

G, g

gabarit [gabaʀi] *nm* (*TECH*) plantilla; (*fig: dimension, taille*) talla; (*: valeur*) nivel *m*; **du même ~** (*fig*) del mismo estilo.
gâcher [gɑʃe] *vt* arruinar, estropear; (*vie*) arruinar; (*argent*) malgastar; (*plâtre, mortier*) amasar.
gâchette [gaʃɛt] *nf* gatillo.
gâchis [gɑʃi] *nm* (*désordre*) lío; (*gaspillage*) despilfarro.
gadget [gadʒɛt] *nm* artilugio.
gadin [gadɛ̃] (*fam*) *nm*: **prendre un ~** caerse, darse un trompazo.
gaffe [gaf] *nf* (*instrument*) bichero; (*fam: erreur*) metedura de pata; **faire ~** (*fam*) tener cuidado.
gage [gaʒ] *nm* (*dans un jeu, comme garantie*) prenda; (*fig: de fidélité*) prueba; **~s** *nmpl* (*salaire*) sueldo; **mettre en ~** empeñar; **laisser en ~** dejar en prenda.
gager [gaʒe] *vt*: **~ que** apostar que.
gagnant, e [gaɲɑ̃, ɑ̃t] *adj*: **billet/numéro ~** billete *m*/número premiado ♦ *adv*: **jouer ~** (*aux courses*) jugar a ganador ♦ *nm/f* (*aux courses*) acertante *m/f*; (*à la loterie*) ganador(a); (*dans un concours*) vencedor(a).
gagne-pain [gɑɲpɛ̃] *nm inv* medio de vida.
gagner [gaɲe] *vt* ganar; (*suj: maladie, feu*) extenderse a; (*: sommeil, faim, fatigue*) apoderarse de; (*envahir*) invadir ♦ *vi* (*être vainqueur*) ganar; **~ qn/l'amitié de qn** (*se concilier*) granjearse a algn/la amistad de algn; **~ du temps/de la place** ganar tiempo/espacio; **~ sa vie** ganarse la vida; **~ du terrain** (*aussi fig*) ganar terreno; **~ qn de vitesse** (*aussi fig*) adelantarse a algn; **~ à faire qch** convenirle a algn hacer algo; **~ en élégance/rapidité** ganar en elegancia/rapidez; **il y gagne** sale ganando.
gai, e [ge] *adj* alegre.
gaieté [gete] *nf* alegría; **de ~ de cœur** de buena gana.
gaillard, e [gajaʀ, aʀd] *adj* (*robuste*) vigoroso(-a); (*grivois*) verde ♦ *nm/f*: **c'est un ~** es un roble.
gain [gɛ̃] *nm* (*revenu*) ingreso; (*bénéfice: gén pl*) ganancias *fpl*; (*avantage*) ventaja; (*lucre*) beneficio; **~ de temps/place** ahorro de tiempo/espacio; **avoir ~ de cause** (*fig*) ganar, tener razón; **obtenir ~ de cause** (*fig*) salirse con la suya; **quel ~ en as-tu tiré?** (*avantage*) ¿qué has ganado con eso?
gaine [gɛn] *nf* (*corset*) faja; (*de couteau*) funda; (*de sabre*) vaina.
gala [gala] *nm* gala; **soirée de ~** fiesta de gala.
galant, e [galɑ̃, ɑ̃t] *adj* galante; (*entreprenant*) galanteador(a); **en ~e compagnie** (*homme*) en gentil compañía; (*femme*) en galante compañía.
galaxie [galaksi] *nf* galaxia.
galbé, e [galbe] *adj* (*jambes*) torneado(-a); (*corps*) curvilíneo(-a).
galère [galɛʀ] *nf* galera; (*fam*) fastidio.
galerie [galʀi] *nf* galería; (*THÉÂTRE*) palco; (*de voiture*) baca; (*fig: spectateurs*) público, galería; **galerie de peinture** galería de arte; **galerie marchande** centro comercial, galería comercial.
galet [galɛ] *nm* guijarro; (*TECH*) arandela; **~s** *nmpl* guijarros *mpl*.
galette [galɛt] *nf* (*gâteau*) roscón *m*; (*crêpe*) crepe *f*, panqueque *m* (*AM*); **galette des Rois** roscón de Reyes.
Galice [galis], **Galicie** [galisi] *nf* Galicia.
galon [galɔ̃] *nm* galón *m*; **prendre du ~** (*MIL, fig*) subir en el escalafón.
galop [galo] *nm* galope *m*; **au ~** al galope; **galop d'essai** (*fig*) temporada de prueba.
galoper [galɔpe] *vi* galopar; (*fig*) ir a galope.
galopin [galɔpɛ̃] (*péj*) *nm* pillo.
galvaudé, e [galvode] *adj* trillado(-a).
gambader [gɑ̃bade] *vi* brincar.
gamelle [gamɛl] *nf* escudilla; **ramasser une ~** (*fam*) caerse, darse un trompazo.
gamin, e [gamɛ̃, in] *nm/f* chiquillo(-a), chamaco(-a) (*CAM, MEX*), pibe(-a) (*ARG*), cabro(-a) (*AND, CHI*) ♦ *adj* de chiquillo *ou* chamaco *ou* pibe *ou* cabro.
gamme [gam] *nf* (*MUS*) escala; (*fig*) gama.
gang [gɑ̃g] *nm* banda.
gangster [gɑ̃gstɛʀ] *nm* gánster *m*.
gant [gɑ̃] *nm* guante *m*; **prendre des ~s** (*fig*) actuar con miramiento; **relever le ~** (*fig*) recoger el guante; **gant de toilette** manopla de baño; **gants de boxe/de caoutchouc/de crin** guantes *mpl* de boxeo/de goma/de crin.
garage [gaʀaʒ] *nm* garaje *m*; **garage à**

vélos garaje de bicicletas.

garagiste [gaʀaʒist] *nm/f* (*propriétaire*) dueño(-a) de un garaje; (*mécanicien*) mecánico(-a).

garant, e [gaʀɑ̃, ɑ̃t] *nm/f* (*JUR, POL*) garante *m/f*, fiador(a) ♦ *nm* garantía; **se porter ~ de qch** salir fiador(a) de algo.

garantie [gaʀɑ̃ti] *nf* garantía; **(bon de) ~** (bono de) garantía; **garantie de bonne exécution** garantía de funcionamiento.

garantir [gaʀɑ̃tiʀ] *vt* garantizar; (*attester*) asegurar; **~ de qch** proteger contra *ou* de algo; **je vous garantis que ...** le garantizo que ...; **garanti pure laine/2 ans** garantizado pura lana/por 2 años.

garçon [gaʀsɔ̃] *nm* niño; **mon/son ~** (*fils*) mi/su hijo; (*célibataire*) soltero; (*jeune homme*) chico; **petit ~** niño; **jeune ~** muchacho; **garçon boucher/coiffeur** aprendiz *m* de carnicero/de peluquero; **garçon d'écurie** mozo de cuadra; **garçon de bureau** ordenanza *m*; **garçon de café** camarero; **garçon de courses** recadero; **garçon manqué** medio chico.

garçonnet [gaʀsɔnɛ] *nm* chiquillo.

garde [gaʀd(ə)] *nm* guardia *m*; (*de domaine etc*) guarda *m* ♦ *nf* guardia *f*; (*d'une arme*) guarnición *f*; (*TYPO*) guarda; **de ~** *adj, adv* de guardia; **mettre en ~** poner en guardia; **mise en ~** advertencia; **prendre ~ (à)** tener cuidado (con); **être sur ses ~s** estar en guardia; **monter la ~** montar guardia; **avoir la ~ des enfants** tener la custodia de los hijos; **garde à vue** *nf* (*JUR*) detención *f* provisional; **garde champêtre** *nm* guarda rural; **garde d'enfants** *nf* niñera; **garde d'honneur** *nf* escolta; **garde des Sceaux** *nm* ≈ ministro de Justicia; **garde descendante** *nf* guardia saliente; **garde du corps** *nm* guardaespaldas *m inv*, guarura *m* (*fam*: *MEX*); **garde forestier** *nm* guarda forestal; **garde mobile** *nm/f* policía *m/f* antidisturbios; **garde montante** *nf* guardia entrante.

garde-à-vous [gaʀdavu] *nm inv*: **être/se mettre au ~-~-~** estar/ponerse firmes; **~-~-~!** ¡atentos, firmes!

garde-barrière [gaʀdəbaʀjɛʀ] (*pl* **gardes-barrière(s)**) *nm/f* guardabarrera *m/f*.

garde-boue [gaʀdəbu] *nm inv* guardabarros *m inv*.

garde-chasse [gaʀdəʃas] (*pl* **gardes-chasse(s)**) *nm* guarda *m* de caza.

garde-pêche [gaʀdəpɛʃ] *nm inv* (*personne*) guarda *m* de pesca; (*navire*) guardapesca *m*.

garder [gaʀde] *vt* (*conserver*: *personne*) mantener; (: *sur soi*: *vêtement, chapeau*) quedarse con; (: *attitude*) conservar; (*surveiller*: *enfants*) cuidar; (: *prisonnier, lieu*) vigilar; **se garder** *vpr* (*aliment*) conservarse; **~ le lit** guardar cama; **~ la chambre** permanecer en la habitación; **~ la ligne** cuidar la línea; **~ le silence** guardar silencio; **~ à vue** (*JUR*) detener provisionalmente; **se ~ de faire qch** abstenerse de hacer algo; **pêche/chasse gardée** coto de pesca/caza.

garderie [gaʀdəʀi] *nf* guardería.

garde-robe [gaʀdəʀɔb] (*pl* **~-~s**) *nf* (*meuble*) ropero; (*vêtements*) guardarropa *m*.

gardien, ne [gaʀdjɛ̃, jɛn] *nm/f* (*garde*) vigilante *m/f*; (*de prison*) oficial *m/f*; (*de domaine, réserve, cimetière*) guarda *m/f*; (*de musée etc*) guarda, vigilante; (*de phare*) farero; (*fig*: *garant*) garante *m/f*; (*d'immeuble*) portero(-a); **gardien de but** portero, arquero (*esp AM*); **gardien de la paix** guardia *m* del orden público; **gardien de nuit** vigilante de noche.

gare [gaʀ] *nf* estación *f* ♦ *excl*: **~ à ...** cuidado con ...; **~ à ne pas ...** ten cuidado de no ...; **~ à toi** cuidado con lo que haces; **sans crier ~** sin avisar; **gare de triage** apartadero; **gare maritime** estación marítima; **gare routière** estación de autobuses; (*camions*) estacionamiento de camiones.

garer [gaʀe] *vt* aparcar; **se garer** *vpr* (*véhicule, personne*) aparcar; (*pour laisser passer*) apartarse.

gargouille [gaʀguj] *nf* gárgola.

gargouiller [gaʀguje] *vi* (*eau*) gargotear; **mon estomac gargouille** me suenan las tripas.

garnement [gaʀnəmɑ̃] *nm* tunante *m*.

garnir [gaʀniʀ] *vt* (*décorer*) decorar; (*remplir*) llenar; (*recouvrir*) cubrir; (*approvisionner*) proveer; (*table, pièce*) adornar; (*protéger*) revestir; (*CULIN*) guarnecer; **se garnir** *vpr* (*pièce, salle*) llenarse.

garnison [gaʀnizɔ̃] *nf* guarnición *f*.

garniture [gaʀnityʀ] *nf* (*CULIN*: *légumes*) guarnición *f*; (: *persil etc*) aderezo; (: *farce*) relleno; (*décoration*) adorno; (*protection*) revestimiento; **garniture de cheminée** juego de chimenea; **garniture de frein** (*AUTO*) forro de freno; **garniture périodique** compresa.

garrot [gaʀo] *nm* torniquete *m*.

gars [gɑ] *nm* (*fam*: *garçon*) chico; (*homme*) tío.

Gascogne [gaskɔɲ] *nf* Gasconia.

gas-oil [gazwal] *nm* gas-oil *m*.

gaspiller [gaspije] *vt* derrochar, malgastar.

gastrique [gastʀik] *adj* gástrico(-a).

gastronomie [gastʀɔnɔmi] *nf* gastronomía.
gâteau, x [gɑto] *nm* pastel *m* ♦ *adj inv* (*fam*): **papa-/maman-~** padrazo/madraza; **gâteau d'anniversaire** pastel de cumpleaños; **gâteau de riz** pastel de arroz; **gâteau sec** galleta.
gâter [gɑte] *vt* (*personne*) mimar; (*plaisir, vacances*) estropear; **se gâter** *vpr* (*dent, fruit*) picarse; (*temps, situation*) empeorar.
gâteux, -euse [gɑtø, øz] *adj* chocho(-a).
GATT [gat] *sigle m* (= *General Agreement on Tariffs and Trade*) GATT *m*.
gauche [goʃ] *adj* izquierda; (*personne, style*) torpe ♦ *nm* (*BOXE*): **direct du ~** directo de izquierda ♦ *nf* izquierda; **à ~** a la izquierda; **à (la) ~ de** a la izquierda de; **de ~** (*POL*) de izquierdas.
gaucher, -ère [goʃe, ɛʀ] *adj, nm/f* zurdo(-a).
gauchiste [goʃist] *adj, nm/f* izquierdista *m/f*.
gaufre [gofʀ] *nf* (*pâtisserie*) gofre *m*; (*de cire*) panal *m*.
gaufrette [gofʀɛt] *nf* barquillo.
gaulois, e [golwa, waz] *adj* galo(-a); (*grivois*) picante ♦ *nm/f*: **G~, e** galo(-a).
gausser [gose]: **se ~ de** *vpr* mofarse de.
gaver [gave] *vt* cebar; **~ de** (*fig*) atiborrar de; **se ~ de** atiborrarse de.
gaz [gɑz] *nm inv* gas *m*; **avoir des ~** tener gases; **mettre les ~** (*AUTO*) pisar el acelerador; **chambre/masque à ~** cámara/máscara de gas; **gaz butane** gas butano; **gaz carbonique** gas carbónico; **gaz de ville** gas ciudad; **gaz en bouteilles** gas en bombonas; **gaz hilarant/lacrymogène** gas hilarante/lacrimógeno; **gaz naturel/propane** gas natural/propano.
gaze [gɑz] *nf* gasa.
gazéifié, e [gazeifje] *adj*: **eau/boisson ~e** agua/bebida gasificada.
gazelle [gazɛl] *nf* gacela.
gazeux, -euse [gɑzø, øz] *adj* gaseoso(-a); **eau/boisson gazeuse** agua/bebida con gas.
gazon [gɑzɔ̃] *nm* césped *m*; **motte de ~** cepellón *m*.
gazouiller [gazuje] *vi* gorjear.
géant, e [ʒeɑ̃, ɑ̃t] *adj* gigante ♦ *nm/f* gigante(-a).
geindre [ʒɛ̃dʀ] *vi* gemir.
gel [ʒɛl] *nm* (*temps*) helada; (*de l'eau*) hielo; (*fig*) congelación *f*; (*produit de beauté*) gel *m*.
gélatine [ʒelatin] *nf* gelatina.
gelée [ʒ(ə)le] *nf* (*CULIN*) gelatina; (*MÉTÉO*) helada; **viande en ~** carne *f* en gelatina; **gelée blanche** escarcha; **gelée royale** jalea real.
geler [ʒ(ə)le] *vt* (*sol, liquide*) helar; (*ÉCON, aliment*) congelar ♦ *vi* (*sol, personne*) helarse; **il gèle** hiela.
gélule [ʒelyl] *nf* gragea.
Gémeaux [ʒemo] *nmpl* (*ASTROL*): **les ~** Géminis *mpl*; **être (des) ~** ser Géminis.
gémir [ʒemiʀ] *vi* gemir.
gênant, e [ʒɛnɑ̃, ɑ̃t] *adj* molesto(-a).
gencive [ʒɑ̃siv] *nf* encía.
gendarme [ʒɑ̃daʀm] *nm* gendarme *m*, ≈ guardia *m* civil.
gendarmerie [ʒɑ̃daʀməʀi] *nf* ≈ Guardia Civil; (*caserne, bureaux*) ≈ cuartel *m* de la Guardia Civil.
gendre [ʒɑ̃dʀ] *nm* yerno.
gêne [ʒɛn] *nf* (*à respirer, bouger*) molestia; (*dérangement*) malestar *m*; (*manque d'argent*) aprieto; (*embarras, confusion*) incomodidad *f*; **sans ~** descarado(-a).
gène [ʒɛn] *nm* gen *m*; **gène dominant/récessif** gen dominante/recesivo.
gêné, e [ʒene] *adj* embarazoso(-a); (*dépourvu d'argent*) apurado(-a); **tu n'es pas ~!** ¡qué fresco eres!
gêner [ʒene] *vt* (*incommoder*) molestar; (*encombrer*) estorbar; (*déranger*) trastornar; **~ qn** (*embarrasser*) violentar a algn; **se gêner** *vpr* molestarse; **je vais me ~!** (*fam, iron*) ¡no pienso cortarme!; **ne vous gênez pas!** (*fam, iron*) ¡no se corte!
général, e, -aux [ʒeneʀal, o] *adj, nm* general ♦ *nf*: **(répétition) ~e** ensayo general; **en ~** en general; **à la satisfaction ~e** con la satisfacción unánime; **à la demande ~e** a petición general; **assemblée/grève ~e** asamblea/huelga general; **culture/médecine ~e** cultura/medicina general.
généralement [ʒeneʀalmɑ̃] *adv* (*communément*) al nivel general; (*habituellement*) generalmente; **~ parlant** en términos generales.
généraliser [ʒeneʀalize] *vt, vi* generalizar; **se généraliser** *vpr* generalizarse.
généraliste [ʒeneʀalist] *nm* médico general.
générateur, -trice [ʒeneʀatœʀ, tʀis] *adj*: **~ de** creador(a) de.
génération [ʒeneʀasjɔ̃] *nf* generación *f*.
généreux, -euse [ʒeneʀø, øz] *adj* generoso(-a).
générique [ʒeneʀik] *adj* genérico(-a) ♦ *nm* (*CINÉ, TV*) ficha técnica.
générosité [ʒeneʀozite] *nf* generosidad *f*.
genêt [ʒ(ə)nɛ] *nm* retama.
génétique [ʒenetik] *adj* genético(-a) ♦ *nf*

genética.

Genève [ʒ(ə)nɛv] *n* Ginebra.

genevois, e [ʒən(ə)vwa, waz] *adj* ginebrino(-a) ♦ *nm/f*: **G~, e** ginebrino(-a).

génial, e, -aux [ʒenjal, jo] *adj* (*aussi fam*) genial.

génie [ʒeni] *nm* genio; **le ~** (*MIL*) el cuerpo de ingenieros; **de ~** genial; **bon/mauvais ~** espíritu *m* favorable/maligno; **avoir du ~** ser un genio; **génie civil** cuerpo de ingeniería civil.

génisse [ʒenis] *nf* ternera; **foie de ~** hígado de ternera.

génocide [ʒenɔsid] *nm* genocidio.

genou, x [ʒ(ə)nu] *nm* rodilla; **à ~x** de rodillas; **se mettre à ~x** ponerse de rodillas; **prendre qn sur ses ~x** poner a algn encima de sus rodillas.

genre [ʒɑ̃ʀ] *nm* género; (*allure*) estilo; **se donner un ~** darse tono; **avoir bon/mauvais ~** (*allure*) tener buena/mala presencia; (*éducation*) tener buenos/malos modales.

gens [ʒɑ̃] *nmpl, parfois nfpl* gente *f*; **de braves ~** buena gente; **de vieilles ~** ancianos; **les ~ d'Église** el clero; **les ~ du monde** la gente mundana; **jeunes ~** jóvenes *mpl*; **gens de maison** servidumbre *f*.

gentil, le [ʒɑ̃ti, ij] *adj* (*aimable*) amable; (*enfant*) bueno(-a); (*endroit etc*) agradable; (*intensif*) encantador(a); **c'est très ~ à vous** es muy amable de su parte.

gentillesse [ʒɑ̃tijɛs] *nf* (*v adj*) amabilidad *f*; bondad *f*; lo agradable; encanto.

gentiment [ʒɑ̃timɑ̃] *adv* con amabilidad.

géographie [ʒeɔgʀafi] *nf* geografía.

géologie [ʒeɔlɔʒi] *nf* geología.

géologue [ʒeɔlɔg] *nm/f* geólogo(-a).

géomètre [ʒeɔmɛtʀ] *nm/f*: **(arpenteur-)~** agrimensor(a).

géométrie [ʒeɔmetʀi] *nf* geometría; **à ~ variable** (*AVIAT*) de geometría variable.

gérance [ʒeʀɑ̃s] *nf* gerencia; **mettre en ~** poner en gestión; **prendre en ~** gestionar.

géranium [ʒeʀanjɔm] *nm* geranio.

gérant, e [ʒeʀɑ̃] *nm/f* gerente *m/f*; **gérant d'immeuble** administrador(a) de fincas.

gerbe [ʒɛʀb] *nf* (*de fleurs*) ramo; (*de blé*) gavilla; (*d'eau*) chorro; (*de particules*) haz *m*; (*d'étincelles*) lluvia.

gercé, e [ʒɛʀse] *adj* agrietado(-a).

gerçure [ʒɛʀsyʀ] *nf* grieta.

gérer [ʒeʀe] *vt* administrar.

germain, e [ʒɛʀmɛ̃, ɛn] *adj voir* **cousin**.

germe [ʒɛʀm] *nm* germen *m*; (*pousse*) brote *m*.

germer [ʒɛʀme] *vi* germinar.

geste [ʒɛst] *nm* gesto; **s'exprimer par ~s** expresarse mediante gestos; **faire un ~ de refus** hacer un ademán de desaprobación; **il fit un ~ de la main pour m'appeler** me llamó con la mano; **ne faites pas un ~** no haga ni el menor gesto.

gesticuler [ʒɛstikyle] *vi* gesticular.

gestion [ʒɛstjɔ̃] *nf* gestión *f*; **gestion de fichier(s)** (*INFORM*) gestión de fichero(s).

ghetto [geto] *nm* gueto.

gibecière [ʒib(ə)sjɛʀ] *nf* (*de chasseur*) morral *m*; (*sac en bandoulière*) bandolera.

gibier [ʒibje] *nm* caza; (*fig*) presa.

giboulée [ʒibule] *nf* chaparrón *m*.

Gibraltar [ʒibʀaltaʀ] *nm* Gibraltar *m*.

giclée [ʒikle] *nf* chorro.

gicler [ʒikle] *vi* brotar.

gifle [ʒifl] *nf* bofetada.

gifler [ʒifle] *vt* abofetear.

gigantesque [ʒigɑ̃tɛsk] *adj* gigantesco(-a).

gigogne [ʒigɔɲ] *adj*: **lits/tables ~s** camas *fpl*/mesas *fpl* nido; **poupées ~s** muñecas *fpl* encajables.

gigot [ʒigo] *nm* pierna.

gigoter [ʒigɔte] *vi* patalear.

gilet [ʒilɛ] *nm* (*de costume*) chaleco; (*tricot*) chaqueta (de punto); (*sous-vêtement*) camiseta; **gilet de sauvetage** chaleco salvavidas; **gilet pare-balles** chaleco antibalas.

gin [dʒin] *nm* ginebra.

gingembre [ʒɛ̃ʒɑ̃bʀ] *nm* jenjibre *m*.

girafe [ʒiʀaf] *nf* jirafa.

giratoire [ʒiʀatwaʀ] *adj*: **sens ~** sentido giratorio.

girofle [ʒiʀɔfl] *nf*: **clou de ~** clavo.

girouette [ʒiʀwɛt] *nf* veleta.

gisement [ʒizmɑ̃] *nm* yacimiento.

gît [ʒiz] *vb voir* **gésir**.

gitan, e [ʒitɑ̃, an] *nm/f* gitano(-a).

gîte [ʒit] *nm* (*maison*) morada; (*du lièvre*) cama; **~ rural** casa de turismo rural.

givre [ʒivʀ] *nm* escarcha.

glace [glas] *nf* hielo; (*crème glacée*) helado; (*verre*) cristal *m*; (*miroir*) espejo; (*de voiture*) ventanilla; **~s** *nfpl* (*GÉO*) hielos *mpl*; **de ~** (*fig*) frío(-a); **il est resté de ~** ni se inmutó; **rompre la ~** (*fig*) romper el hielo.

glacé, e [glase] *adj* helado(-a); (*fig*) frío(-a).

glacer [glase] *vt* (*lac, eau*) helar; (*refroidir*) enfriar; (*CULIN, papier, tissu*) glasear; **~ qn** (*fig*) dejar helado(-a) a algn.

glacial, e [glasjal] *adj* glacial.

glacier [glasje] *nm* (*GÉO*) glaciar *m*; (*marchand*) heladero; **glacier suspendu** glaciar suspendido.

glacière [glasjɛʀ] *nf* nevera.
glaçon [glasɔ̃] *nm* témpano; (*pour boisson*) cubito de hielo.
glaise [glɛz] *nf* greda.
gland [glɑ̃] *nm* (*de chêne*) bellota; (*décoration*) borla; (*ANAT*) glande *m*.
glande [glɑ̃d] *nf* glándula.
glander [glɑ̃de] (*fam*) *vi* holgazanear.
glaner [glane] *vi* (*AGR*) espigar ♦ *vt* (*fig*) recoger.
glapir [glapiʀ] *vi* gañir.
glas [glɑ] *nm* doble *m*, toque *m* de difuntos; **sonner le ~** doblar, tocar a muerto.
glauque [glok] *adj* glauco(-a); (*fig*) triste.
glissade [glisad] *nf* (*par jeu*) deslizamiento; (*chute*) resbalón *m*; **faire des ~s** deslizarse.
glissant, e [glisɑ̃, ɑ̃t] *adj* resbaladizo(-a).
glisser [glise] *vi* resbalar; (*patineur, fig*) deslizarse ♦ *vt* (*introduire: erreur, citation*) deslizar; (*mot, conseil*) decir discretamente; **se glisser** *vpr* (*erreur etc*) deslizarse; **~ qch sous/dans** meter algo bajo/en; **~ sur** (*détail, fait*) pasar por alto; **se ~ dans/entre** (*personne*) deslizarse *ou* escurrirse en/entre.
global, e, -aux [glɔbal, o] *adj* global.
globe [glɔb] *nm* globo; (*d'une pendule*) fanal *m*; (*d'un objet*) campana de cristal; **sous ~** (*fig*) en una urna; **globe oculaire/terrestre** globo ocular/terrestre.
globe-trotter [glɔbtʀɔtœʀ] (*pl* **~-~s**) *nm* trotamundos *m inv*.
globule [glɔbyl] *nm* glóbulo.
gloire [glwaʀ] *nf* gloria; (*mérite*) mérito; (*personne*) celebridad *f*.
glorieux, -euse [glɔʀjø, jøz] *adj* glorioso(-a).
glotte [glɔt] *nf* glotis *fsg*.
glousser [gluse] *vi* cloquear; (*rire*) reír ahogadamente.
glouton, ne [glutɔ̃, ɔn] *adj* glotón(-ona).
glu [gly] *nf* liga.
glucose [glykoz] *nm* glucosa.
glycine [glisin] *nf* glicina.
gnon [ɲɔ̃] (*fam*) *nm* porrazo.
GO [ʒeo] *sigle fpl* (= *grandes ondes*) OL ♦ *sigle m* (= *gentil organisateur*) *animador turístico del Club Mediterráneo*.
goal [gol] *nm* portero, guardameta *m*.
gobelet [gɔblɛ] *nm* cubilete *m*.
gober [gɔbe] *vt* tragarse entero(-a); (*fig*) tragar.
godasse [gɔdas] (*fam*) *nf* zapato.
godet [gɔdɛ] *nm* (*verre*) vaso de chupito; (*récipient*) pocillo; (*COUTURE*) pliegue *m*.
goéland [gɔelɑ̃] *nm* gaviota.
goélette [gɔelɛt] *nf* goleta.
gogo [gɔgo] (*péj*) *nm* primo; **à ~** en mogollón.
goinfrer [gwɛ̃fʀe]: **se ~** *vpr* atiborrarse, atracarse.
golf [gɔlf] *nm* golf *m*; **golf miniature** minigolf *m*.
golfe [gɔlf] *nm* golfo; **golfe d'Aden/de Gascogne/du Lion** golfo de Adén/de Vizcaya/de León; **golfe Persique** golfo Pérsico.
gomme [gɔm] *nf* (*à effacer*) goma (de borrar); (*résine*) resina; **boule** *ou* **pastille de ~** gominola.
gommer [gɔme] *vt* borrar; (*enduire de gomme*) engomar; (*détails etc*) atenuar.
gond [gɔ̃] *nm* gozne *m*; **sortir de ses ~s** (*fig*) salirse de sus casillas.
gondoler [gɔ̃dɔle] *vi* abombarse; **se gondoler** *vpr* abombarse; (*fam*) desternillarse de risa.
gonflé, e [gɔ̃fle] *adj* hinchado(-a); **être ~** (*fam*) tener jeta.
gonfler [gɔ̃fle] *vt* hinchar ♦ *vi* hincharse; (*CULIN, pâte*) inflarse.
goret [gɔʀɛ] *nm* lechón *m*.
gorge [gɔʀʒ] *nf* garganta; (*poitrine*) pecho; (*GÉO*) garganta, desfiladero; (*rainure*) ranura; **avoir mal à la ~** tener dolor de garganta; **avoir la ~ serrée** tener un nudo en la garganta.
gorgé, e [gɔʀʒe] *adj*: **~ de** ahíto(-a) de; (*eau*) empapado(-a) de.
gorgée [gɔʀʒe] *nf* trago; **boire à petites/grandes ~s** beber a pequeños/grandes tragos.
gorille [gɔʀij] *nm* gorila.
gosier [gozje] *nm* garganta.
gosse [gɔs] *nm/f* chiquillo(-a), chamaco(-a) (*CAM, MEX*), pibe(-a) (*ARG*), cabro(-a) (*AND, CHI*).
gouache [gwaʃ] *nf* aguada.
goudron [gudʀɔ̃] *nm* alquitrán *m*.
goudronner [gudʀɔne] *vt* alquitranar.
gouffre [gufʀ] *nm* sima, precipicio; (*fig*) abismo.
goujat [guʒa] *nm* patán *m*.
goulot [gulo] *nm* cuello; **boire au ~** beber a morro.
goulu, e [guly] *adj* glotón(-ona).
gourde [guʀd] *nf* (*récipient*) cantimplora; (*fam*) zoquete *m/f*.
gourdin [guʀdɛ̃] *nm* porra.
gourmand, e [guʀmɑ̃, ɑ̃d] *adj* goloso(-a).
gourmet [guʀmɛ] *nm* gastrónomo(-a).
gousse [gus] *nf* vaina; **gousse d'ail** diente *m* de ajo.
goût [gu] *nm* gusto, sabor *m*; (*fig*) gusto; **~s** *nmpl*: **chacun ses ~s** cado uno tiene sus gustos; **le (bon) ~** el (buen) gusto; **de**

bon/mauvais ~ de buen/mal gusto; **avoir du/manquer de ~** tener/no tener gusto; **avoir bon/mauvais ~** (*aliment*) saber bien/mal; (*personne*) tener mucho/poco gusto; **avoir du ~ pour** tener inclinación por; **prendre ~ à** aficionarse a.

goûter [gute] *vt* (*aussi*: ~ **à**: *essayer*) probar; (*apprécier*) apreciar ♦ *vi* merendar ♦ *nm* merienda; **~ de qch** probar algo; **goûter d'anniversaire/d'enfants** merienda de cumpleaños/de niños.

goutte [gut] *nf* gota; (*alcool*) aguardiente *m*; **~s** *nfpl* (*MÉD*) gotas *fpl*; **tomber ~ à ~** caer gota a gota.

goutte-à-goutte [gutagut] *nm inv* bomba de perfusión; **alimenter au ~-~-~** alimentar gota a gota.

goutter [gute] *vi* gotear.

gouttière [gutjɛʀ] *nf* canalón *m*.

gouvernail [guvɛʀnaj] *nm* timón *m*.

gouvernante [guvɛʀnɑ̃t] *nf* institutriz *f*.

gouvernement [guvɛʀnəmɑ̃] *nm* gobierno; **membre du ~** miembro del gobierno.

gouverner [guvɛʀne] *vt* gobernar; (*fig*: *acte, émotion*) dominar.

gouverneur [guvɛʀnœʀ] *nm* gobernador *m*.

GPL [ʒepeɛl] *sigle m* = *gaz de pétrole liquéfié*.

grabataire [gʀabatɛʀ] *adj* encamado(-a).

grâce [gʀɑs] *nf* gracia; (*faveur*) favor *m*; (*JUR*) indulto; **~s** *nfpl* (*REL*) gracias *fpl*; **de bonne/mauvaise ~** de buena/mala gana; **dans les bonnes ~s de qn** con el beneplácito de algn; **faire ~ à qn de qch** perdonar algo a algn; **rendre ~(s) à** dar las gracias a; **demander ~** pedir perdón; **droit de/recours en ~** (*JUR*) derecho de/ recurso de indulto; **~ à** gracias a.

gracier [gʀasje] *vt* indultar.

gracieux, -euse [gʀasjø, jøz] *adj* elegante; (*charmant, élégant*) encantador(a); (*aimable*) amable; **à titre ~** con carácter gratuito; **concours ~** colaboración *f* desinteresada.

grade [gʀad] *nm* grado; **monter en ~** ascender de grado.

gradé, e [gʀade] *nm/f* suboficial *m/f*.

gradin [gʀadɛ̃] *nm* grada; **~s** *nmpl* (*de stade*) gradas *fpl*; **en ~s** en gradas.

gradué, e [gʀadɥe] *adj* graduado(-a); (*exercices*) progresivo(-a).

graduel, le [gʀadɥɛl] *adj* gradual.

graduer [gʀadɥe] *vt* graduar; (*effort*) dosificar.

graffiti [gʀafiti] *nmpl* grafiti *mpl*.

grain [gʀɛ̃] *nm* grano; (*de chapelet*) cuenta; (*averse*) aguacero; **un ~ de** (*fig*) una pizca de; **mettre son ~ de sel** (*fam*) meter la nariz; **grain de beauté** lunar *m*; **grain de café/de poivre** grano de café/de pimienta; **grain de poussière** mota de polvo; **grain de raisin** uva; **grain de sable** (*fig*) minucia.

graine [gʀɛn] *nf* semilla; **mauvaise ~** (*fig*) mala hierba; **une ~ de voyou** un macarra en ciernes.

graisse [gʀɛs] *nf* grasa.

graisser [gʀese] *vt* engrasar; (*tacher*) manchar de grasa.

grammaire [gʀa(m)mɛʀ] *nf* gramática.

gramme [gʀam] *nm* gramo.

grand, e [gʀɑ̃, gʀɑ̃d] *adj* grande; (*avant le nom*) gran; (*haut*) alto(-a); (*fil, voyage, période*) largo(-a) ♦ *adv*: **~ ouvert** abierto de par en par; **voir ~** pensar a otro nivel; **de ~ matin** de madrugada; **en ~** en grande; **un ~ homme/artiste** un gran hombre/ artista; **avoir ~ besoin de** tener mucha necesidad de; **il est ~ temps de** ya es hora de; **son ~ frère** su hermano mayor; **il est assez ~ pour** ya es bastante mayor para, ya tiene años para; **au ~ air** al aire libre; **au ~ jour** (*fig*) en pleno día, en plena luz; **grand blessé/brûlé** herido/ quemado grave; **grand écart** spagat *m*; **grand ensemble** gran barriada; **grande personne** persona mayor; **grandes écoles** *universidades de élite francesas*; **grandes lignes** líneas *fpl* principales; **grande surface** hipermercado; **grandes vacances** vacaciones *fpl* de verano; **grand livre** (*COMM*) libro mayor; **grand magasin** grandes almacenes *mpl*; **grand malade/mutilé** enfermo/mutilado grave; **grand public** gran público.

grand-chose [gʀɑ̃ʃoz] *nm/f inv*: **pas ~-~** poca cosa.

Grande-Bretagne [gʀɑ̃dbʀətaɲ] *nf* Gran Bretaña.

grandeur [gʀɑ̃dœʀ] *nf* tamaño; (*mesure, quantité, aussi fig*) magnitud *f*; (*gloire, puissance*) grandeza; **~ nature** *adj* tamaño natural.

grandiose [gʀɑ̃djoz] *adj* grandioso(-a).

grandir [gʀɑ̃diʀ] *vi* (*enfant, arbre*) crecer; (*bruit, hostilité*) aumentar ♦ *vt*: **~ qn** (*suj*: *vêtement, chaussure*) hacer más alto(-a) a algn; (*fig*) ennoblecer a algn.

grand-mère [gʀɑ̃mɛʀ] (*pl* **grand(s)-mères**) *nf* abuela.

grand-père [gʀɑ̃pɛʀ] (*pl* **~s-~s**) *nm* abuelo.

grand-route [gʀɑ̃ʀut] (*pl* **~-~s**) *nf* carretera general.

grands-parents [gʀɑ̃paʀɑ̃] *nmpl* abuelos *mpl*.

grange [gRɑ̃ʒ] *nf* granero.
granit [gRanit] *nm* granito.
granite [gRanit] *nm* = **granit**.
granulé [gRanyle] *nm* granulado.
graphique [gRafik] *adj* gráfico(-a) ♦ *nm* gráfico.
grappe [gRap] *nf* (*BOT*) racimo; (*fig*) piña; **grappe de raisin** racimo de uvas.
grappiller [gRapije] *vt* (*fig*) recolectar.
grappin [gRapɛ̃] *nm* (*TECH*) gancho; **mettre le ~ sur** (*fig*) echar el guante a.
gras, se [gRɑ, gRɑs] *adj* (*viande, soupe*) graso(-a); (*personne*) gordo(-a); (*surface, cheveux*) grasiento(-a); (*terre*) viscoso(-a); (*toux*) flemático(-a); (*rire*) ordinario(-a); (*plaisanterie*) grosero(-a); (*crayon*) grueso(-a); (*TYPO*) en negrita ♦ *nm* (*CULIN*) gordo; **faire la ~se matinée** levantarse tarde.
grassouillet, te [gRɑsujɛ, ɛt] *adj* regordete.
gratifiant, e [gRatifjɑ̃, jɑ̃t] *adj* gratificante.
gratification [gRatifikasjɔ̃] *nf* gratificación *f*.
gratifier [gRatifje] *vt*: **~ qn de** gratificar a algn con; (*sourire etc*) honrar a algn con.
gratin [gRatɛ̃] *nm* gratín *m*; **au ~** gratinado(-a); **tout le ~ parisien** (*fig*) la flor y nata parisina.
gratis [gRatis] *adv, adj* gratis.
gratitude [gRatityd] *nf* gratitud *f*.
gratte-ciel [gRatsjɛl] *nm inv* rascacielos *m inv*.
gratter [gRate] *vt* (*frotter*) raspar; (*enlever*) quitar, borrar; (*bras, bouton*) rascar; **se gratter** *vpr* rascarse.
gratuit, e [gRatɥi, ɥit] *adj* gratuito(-a).
gravats [gRavɑ] *nmpl* escombros *mpl*.
grave [gRav] *adj* grave; (*sujet, problème*) grave, serio(-a) ♦ *nm* (*MUS*) grave *m*; **ce n'est pas ~!** ¡no importa!; **blessé ~** herido grave.
gravement [gRavmɑ̃] *adv* gravemente.
graver [gRave] *vt* grabar; **~ qch dans son esprit/sa mémoire** (*fig*) grabar algo en su alma/su memoria.
gravier [gRavje] *nm* grava.
gravir [gRaviR] *vt* subir.
gravité [gRavite] *nf* (*aussi PHYS*) gravedad *f*.
graviter [gRavite] *vi* (*aussi fig*): **~ autour de** gravitar alrededor de.
gravure [gRavyR] *nf* grabado *m*.
gré [gRe] *nm*: **à son ~** a su gusto; **au ~ de** a merced de; **contre le ~ de qn** contra la voluntad de algn; **de son (plein) ~** por su propia voluntad; **de ~ ou de force** por las buenas o por las malas; **de bon ~** con mucho gusto; **il faut le faire bon ~ mal ~** hay que hacerlo, queramos o no; **de ~ à ~** (*COMM*) de común acuerdo; **savoir ~ à qn de qch** estar agradecido(-a) a algn por algo.
grec, grecque [gRɛk] *adj* griego(-a) ♦ *nm* (*LING*) griego ♦ *nm/f*: **G~, Grecque** griego(-a).
Grèce [gRɛs] *nf* Grecia.
gréement [gRemɑ̃] *nm* aparejo.
greffe [gRɛf] *nf* (*AGR*) injerto; (*MÉD*) tra(n)splante *m* ♦ *nm* (*JUR*) archivo; **greffe du rein** transplante de riñón.
greffer [gRefe] *vt* (*tissu*) injertar; (*organe*) transplantar; **se greffer** *vpr*: **se ~ sur qch** incorporarse a algo.
grêle [gRɛl] *adj* flaco(-a) ♦ *nf* granizo.
grêler [gRele] *vb impers*: **il grêle** graniza.
grêlon [gRɛlɔ̃] *nm* granizo.
grelot [gRəlo] *nm* cascabel *m*.
grelotter [gRəlɔte] *vi* tiritar.
Grenade [gRənad] *nf* (*ville, île*) Granada.
grenade [gRənad] *nf* granada; **grenade lacrymogène** bomba lacrimógena.
grenat [gRəna] *adj inv* granate.
grenier [gRənje] *nm* (*de maison*) desván *m*, altillo (*AM*), entretecho (*AM*); (*de ferme*) granero.
grenouille [gRənuj] *nf* rana.
grès [gRɛ] *nm* (*roche*) arenisca; (*poterie*) gres *msg*.
grésiller [gRezije] *vi* (*CULIN*) chisporrotear; (*RADIO*) chirriar.
grève [gRɛv] *nf* huelga; (*plage*) playa; **se mettre en/faire ~** declararse en/hacer huelga; **grève bouchon** huelga parcial; **grève de la faim** huelga de hambre; **grève de solidarité** huelga de solidaridad; **grève du zèle** huelga de celo; **grève perlée/sauvage** huelga intermitente/ salvaje; **grève sur le tas** huelga de brazos caídos; **grève surprise/tournante** huelga sorpresa/escalonada.
grever [gRəve] *vt* gravar; **grevé d'impôts/d'hypothèques** gravado con impuestos/con hipotecas.
gréviste [gRevist] *nm/f* huelguista *m/f*.
gribouiller [gRibuje] *vt, vi* garabatear.
grief [gRijɛf] *nm* queja; **faire ~ à qn de qch** reprochar algo a algn.
grièvement [gRijɛvmɑ̃] *adv* gravemente; **~ blessé/atteint** herido/alcanzado de gravedad.
griffe [gRif] *nf* garra; (*fig: d'un couturier, parfumeur*) marca.
griffer [gRife] *vt* arañar.
griffonner [gRifɔne] *vt* garabatear.
grignoter [gRiɲɔte] *vt* roer; (*argent, temps*) consumir ♦ *vi* (*manger peu*) picar;

il lui a grignoté quelques secondes (*SPORT*) consiguió arrancarle unos segundos.
gril [gRil] *nm* parrilla.
grillade [gRijad] *nf* carne *f* a la parrilla, asado (*AM*).
grillage [gRijaʒ] *nm* (*treillis*) reja; (*clôture*) alambrada.
grille [gRij] *nf* reja; (*fig*) red *f*; **grille (des programmes)** (*RADIO, TV*) parrilla (de programación); **grille des salaires** cuadro de salarios.
grille-pain [gRijpɛ̃] *nm inv* tostador *m* de pan.
griller [gRije] *vt* (*aussi*: **faire ~**: *pain, café*) tostar; (: *viande*) asar; (*ampoule, résistance*) fundir; (*feu rouge*) saltar ♦ *vi* (*brûler*) asarse.
grillon [gRijɔ̃] *nm* grillo.
grimace [gRimas] *nf* mueca; **faire des ~s** hacer muecas.
grimper [gRɛ̃pe] *vt* trepar a *ou* por ♦ *vi* empinarse; (*prix, nombre*) subir; (*SPORT*) escalar ♦ *nm*: **le ~** (*SPORT*) la cuerda; **~ à/sur** trepar a/por.
grincer [gRɛ̃se] *vi* (*porte, roue*) chirriar; (*plancher*) crujir; **~ des dents** rechinar los dientes.
grincheux, -euse [gRɛ̃ʃø, øz] *adj* cascarrabias.
gringalet [gRɛ̃galɛ] *nm* mequetrefe *m*.
grippe [gRip] *nf* gripe *f*; **avoir la ~** tener gripe; **prendre qn/qch en ~** (*fig*) coger manía a algn/algo.
grippé, e [gRipe] *adj*: **être ~** estar griposo(-a); (*moteur*) estar gripado(-a).
gris, e [gRi, gRiz] *adj* gris *inv*; (*ivre*) alegre ♦ *nm* gris *msg*; **il fait ~** está nublado; **faire ~e mine (à qn)** poner mala cara (a algn); **~ perle** gris perla.
grisaille [gRizɑj] *nf* gris *msg*.
griser [gRize] *vt* (*fig*) embriagar; **se ~ de** (*fig*) embriagarse de.
grisonner [gRizɔne] *vi* encanecer.
grive [gRiv] *nf* tordo.
grogner [gRɔɲe] *vi* gruñir; (*personne*) gruñir, refunfuñar.
groin [gRwɛ̃] *nm* hocico.
grommeler [gRɔm(ə)le] *vi* mascullar.
gronder [gRɔ̃de] *vi* (*canon, tonnerre*) retumbar; (*animal*) gruñir; (*fig*) amenazar con estallar ♦ *vt* regañar.
gros, se [gRo, gRos] *adj* (*personne*) gordo(-a); (*paquet, problème, fortune*) gran, grande; (*travaux, dégâts*) importante; (*commerçant*) acaudalado(-a); (*orage, bruit*) fuerte; (*trait, fil*) grueso(-a) ♦ *adv*: **risquer/gagner ~** arriesgar/ganar mucho ♦ *nm* (*COMM*): **le ~** el por mayor; **écrire ~** escribir grueso; **en ~** en líneas generales; **prix de/vente en ~** precio/venta al por mayor; **par ~ temps** con temporal; **par ~se mer** con mar gruesa; **le ~ de** (*troupe, fortune*) el grueso de; **en avoir ~ sur le cœur** estar con el corazón muy triste; **gros intestin** intestino grueso; **gros lot** premio gordo; **gros mot** palabrota; **gros œuvre** (*CONSTR*) obra bruta; **gros plan** (*PHOTO*) primer plano; **en ~ plan** en primer plano; **gros porteur** (*AVIAT*) avión *m* de gran capacidad; **grosse caisse** (*MUS*) bombo; **gros sel** sal *f* gorda; **gros titre** (*PRESSE*) titular *m*.
groseille [gRozɛj] *nf* grosella; **groseille à maquereau** grosella espinosa; **groseille (blanche)/(rouge)** grosella (blanca)/(roja).
grossesse [gRosɛs] *nf* embarazo; **grossesse nerveuse** falso embarazo.
grosseur [gRosœR] *nf* (*d'une personne*) gordura; (*d'un paquet*) tamaño; (*d'un trait*) grosor *m*; (*tumeur*) bulto.
grossier, -ière [gRosje, jɛR] *adj* (*vulgaire*) grosero(-a); (*laine*) basto(-a); (*travail, finition*) tosco(-a); (*erreur*) burdo(-a), craso(-a).
grossièreté [gRosjɛRte] *nf* grosería.
grossir [gRosiR] *vi* engordar; (*fig*) aumentar; (*rivière, eaux*) crecer ♦ *vt* (*suj*: *vêtement*): **~ qn** hacer gordo a algn; (*nombre, importance*) aumentar; (*histoire, erreur*) exagerar.
grossiste [gRosist] *nm/f* (*COMM*) mayorista *m/f*.
grotesque [gRɔtɛsk] *adj* grotesco(-a).
grotte [gRɔt] *nf* gruta.
grouiller [gRuje] *vi* (*foule*) bullir; (*fourmis*) pulular; **se grouiller** *vpr* (*fam*) espabilar; **~ de** estar atestado(-a) de.
groupe [gRup] *nm* grupo; **médecine/thérapie de ~** medicina/terapia de grupo; **groupe de pression** grupo de presión; **groupe électrogène** grupo electrógeno; **groupe sanguin/scolaire** grupo sanguíneo/escolar.
groupement [gRupmɑ̃] *nm* agrupación *f*; **groupement d'intérêt économique** agrupación con intereses económicos.
grouper [gRupe] *vt* agrupar; **se grouper** *vpr* agruparse.
grue [gRy] *nf* grúa; (*ZOOL*) grulla; **faire le pied de ~** (*fam*) estar de plantón.
grumeaux [gRymo] *nmpl* grumos *mpl*.
gruyère [gRyjɛR] *nm* gruyère *m*.
Guadeloupe [gwadlup] *nf* Guadalupe *f*.
guadeloupéen, ne [gwadlupeɛ̃, ɛn] *adj* guadalupeño(-a) ♦ *nm/f*: **G~, ne** guadalupeño(-a).

Guatemala [gwatemala] *nm* Guatemala.
guatémaltèque [gwatemaltɛk] *adj* guatemalteco(-a) ♦ *nm/f*: **G~** guatemalteco(-a).
gué [ge] *nm* vado; **passer à ~** vadear.
guenon [gənɔ̃] *nf* mona.
guépard [gepaʀ] *nm* guepardo.
guêpe [gɛp] *nf* avispa.
guêpier [gepje] *nm* (*fig*) avispero.
guère [gɛʀ] *adv* (*avec adjectif, adverbe*): **ne ... ~** poco; (*avec verbe*) poco, apenas; **tu n'es ~ raisonnable** eres poco razonable; **il ne la connaît ~** apenas la conoce; **il n'y a ~ de** apenas hay; **il n'y a ~ que toi qui puisse le faire** apenas hay otro que puede hacerlo más que tú.
guéridon [geʀidɔ̃] *nm* velador *m*.
guérilla [geʀija] *nf* guerrilla.
guérir [geʀiʀ] *vt* curar ♦ *vi* (*personne, chagrin*) curarse; (*plaie*) curarse, sanar; **~ de** (*MÉD, fig*) curar de; **~ qn de** curar a algn de.
guérison [geʀizɔ̃] *nf* curación *f*.
guérite [geʀit] *nf* garita.
guerre [gɛʀ] *nf* guerra; **~ atomique/de tranchées/d'usure** guerra atómica/de trincheras/de desgaste; **en ~** en guerra; **faire la ~ à** hacer la guerra a; **de ~ lasse** (*fig*) cansado(-a) de luchar; **de bonne ~** legítimo(-a); **guerre civile** guerra civil; **guerre de religion** guerra de religión; **guerre froide/mondiale** guerra fría/mundial; **guerre sainte** guerra santa; **guerre totale** guerra total.
guerrier, -ière [gɛʀje, jɛʀ] *adj, nm/f* guerrero(-a).
guet [gɛ] *nm*: **faire le ~** estar al acecho.
guet-apens [gɛtapɑ̃] *nm inv* emboscada.
guetter [gete] *vt* (*pour épier, surprendre*) acechar; (*attendre*) aguardar.
gueule [gœl] *nf* (*d'animal*) hocico; (*du canon, tunnel*) boca; (*fam*: *visage*) jeta; (: *bouche*) pico; **ta ~!** (*fam*) ¡cierra el pico!; **gueule de bois** (*fam*) resaca.
gueuler [gœle] (*fam*) *vi* chillar.
gui [gi] *nm* muérdago.
guichet [giʃɛ] *nm* (*d'un bureau, d'une banque*) ventanilla; (*d'une porte*) portillo; **les ~s** (*à la gare, au théâtre*) la taquilla, la boletería (*AM*); **jouer à ~s fermés** actuar con todas las entradas vendidas.
guide [gid] *nm* guía *m*; (*livre*) guía *f* ♦ *nf* guía; **~s** *nfpl* (*d'un cheval*) riendas *fpl*.
guider [gide] *vt* guiar.
guidon [gidɔ̃] *nm* manillar *m*.
guignol [giɲɔl] *nm* guiñol *m*; (*fig*) payaso.
guillemets [gijmɛ] *nmpl*: **entre ~** entre comillas.
guindé, e [gɛ̃de] *adj* estirado(-a).
guingois [gɛ̃gwa]: **de ~** *adv* de través.
guirlande [giʀlɑ̃d] *nf* guirnalda; **guirlande de Noël/lumineuse** guirnalda de Navidad/de luces.
guise [giz] *nf*: **à votre ~** como guste; **en ~ de** (*en manière de, comme*) a guisa de; (*à la place de*) en lugar de.
guitare [gitaʀ] *nf* guitarra; **guitare sèche** guitarra española.
gymnase [ʒimnɑz] *nm* gimnasio.
gymnastique [ʒimnastik] *nf* gimnasia; **gymnastique corrective/rythmique** gimnasia correctiva/rítmica.
gynécologue [ʒinekɔlɔg] *nm/f* ginecólogo(-a).
gyrophare [ʒiʀofaʀ] *nm* (*sur une voiture*) faro giratorio.

H, h

habile [abil] *adj* hábil.
habileté [abilte] *nf* habilidad *f*.
habilité, e [abilite] *adj*: **~ à faire** habilitado(-a) para hacer.
habillé, e [abije] *adj* vestido(-a); (*robe, costume*) elegante; **~ de** (*TECH*) revestido(-a) de, forrado(-a) con.
habiller [abije] *vt* vestir; (*objet*) revestir, forrar; **s'habiller** *vpr* vestirse; (*mettre des vêtements chic*) vestir bien, ir bien vestido(-a); **s'~ de/en** vestirse de; **s'~ chez/à** vestirse en.
habit [abi] *nm* traje *m*; **~s** *nmpl* (*vêtements*) ropa; **prendre l'~** (*REL*) tomar hábito; **habit (de soirée)** traje de etiqueta.
habitant, e [abitɑ̃, ɑ̃t] *nm/f* habitante *m/f*; (*d'une maison*) ocupante *m/f*; (*d'un immeuble*) vecino(-a); **loger chez l'~** alojarse con gente local.
habitat [abita] *nm* hábitat *m*.
habitation [abitasjɔ̃] *nf* (*fait de résider*) habitación *f*; (*domicile*) domicilio; (*bâtiment*) vivienda; **habitations à loyer modéré** *viviendas oficiales de bajo alquiler*.
habiter [abite] *vt* vivir en; (*suj*: *sentiment, envie*) anidar ♦ *vi*: **~ à** *ou* **dans** vivir en; **~ chez** *ou* **avec qn** vivir en casa de *ou* con algn; **~ rue Montmartre** vivir en la calle Montmartre.
habitude [abityd] *nf* costumbre *f*; **avoir l'~ de faire/qch** tener la costumbre de hacer/algo; (*expérience*) estar acostumbrado(-a) a hacer/algo; **avoir l'~ des enfants** estar acostumbrado(-a) a los niños; **prendre l'~ de faire qch** acostumbrarse a

hacer algo; **perdre une ~** perder una costumbre; **d'~** normalmente; **comme d'~** como de costumbre; **par ~** por hábito *ou* costumbre.

habitué, e [abitɥe] *adj*: **être ~ à** estar acostumbrado(-a) a ♦ *nm/f* (*d'une maison*) amigo(-a); (*client: d'un café etc*) parroquiano(-a).

habituel, le [abitɥɛl] *adj* habitual.

habituer [abitɥe] *vt*: **~ qn à qch/faire** acostumbrar a algn a algo/hacer; **s'~ à** acostumbrarse a; **s'~ à faire** acostumbrarse a hacer.

hache ['aʃ] *nf* hacha.

haché, e ['aʃe] *adj* (*CULIN*) picado(-a); (*mot, style*) entrecortado(-a); **viande ~e** carne *f* picada, picadillo.

hachis ['aʃi] *nm* picadillo; **hachis de viande** picadillo de carne.

hachoir ['aʃwaʀ] *nm* (*instrument*) cuchilla de carnicero; (*appareil*) picadora; (*planche*) tabla de picar.

hachurer ['aʃyʀe] *vt* (*ART*) plumear.

hagard, e ['agaʀ, aʀd] *adj* enloquecido(-a).

haie ['ɛ] *nf* seto; (*SPORT*) valla; (*fig: rang*) hilera; **200 m/400 m ~s** 200m/400m vallas; **haie d'honneur** hilera de honor.

haillons ['ɑjɔ̃] *nmpl* harapos *mpl*, andrajos *mpl*.

haine ['ɛn] *nf* odio.

haïr ['aiʀ] *vt* odiar; **se haïr** *vpr* odiarse.

hâlé, e ['ɑle] *adj* bronceado(-a).

haleine [alɛn] *nf* aliento; **perdre ~** perder el aliento *ou* la respiración; **à perdre ~** hasta perder el aliento; **avoir mauvaise ~** tener mal aliento; **reprendre ~** recobrar el aliento; **hors d'~** sin aliento; **tenir en ~** tener en vilo; **de longue ~** de mucho esfuerzo.

haleter ['alte] *vi* jadear.

hall ['ol] *nm* vestíbulo.

halle ['al] *nf* mercado; **~s** *nfpl* (*marché principal*) mercado central.

hallucinant, e [alysinɑ̃, ɑ̃t] *adj* alucinante.

hallucination [alysinasjɔ̃] *nf* alucinación *f*; **hallucination collective** alucinación colectiva.

halte ['alt] *nf* alto; (*escale*) parada; (*RAIL*) apeadero; (*excl*) ¡alto!; **faire ~** hacer un alto, pararse.

haltère [altɛʀ] *nm* pesa; **~s** *nmpl* (*activité*): **faire des ~s** hacer pesas.

hamac ['amak] *nm* hamaca.

hamburger ['ɑ̃buʀgœʀ] *nm* hamburguesa.

hameau, x ['amo] *nm* aldea.

hameçon [amsɔ̃] *nm* anzuelo.

hanche ['ɑ̃ʃ] *nf* cadera.

handicap ['ɑ̃dikap] *nm* handicap *m*.

handicapé, e ['ɑ̃dikape] *adj, nm/f* disminuido(-a); **handicapé mental** disminuido(-a) psíquico; **handicapé moteur** paralítico(-a); **handicapé physique** minusválido(-a) *ou* disminuido(-a) físico(-a).

hangar ['ɑ̃gaʀ] *nm* cobertizo, galpón *m* (*CSUR*); (*AVIAT*) hangar *m*.

hanneton ['antɔ̃] *nm* abejorro.

hanter ['ɑ̃te] *vt* (*suj: fantôme*) aparecer en; (*: idée, souvenir*) obsesionar, atormentar.

hantise ['ɑ̃tiz] *nf* obsesión *f*.

happer ['ape] *vt* (*avec la bouche*) atrapar; (*suj: train, voiture*) atropellar.

haras ['aʀɑ] *nm* acaballadero.

harassant, e ['aʀasɑ̃, ɑ̃t] *adj* abrumador(a).

harceler ['aʀsəle] *vt* (*MIL*) hostigar; (*CHASSE, fig*) acosar; **~ de questions** acosar con preguntas.

hardi, e ['aʀdi] *adj* audaz; (*décolleté, passage*) atrevido(-a).

harem ['aʀɛm] *nm* harén *m*.

hareng ['aʀɑ̃] *nm* arenque *m*; **hareng saur** arenque ahumado.

hargne ['aʀɲ] *nf* saña.

hargneux, -euse ['aʀɲø, øz] *adj* arisco(-a), hosco(-a); (*critiques*) acerbo(-a).

haricot ['aʀiko] *nm* (*BOT*) judía; **haricot blanc/rouge** alubia blanca/pinta; **haricot vert** judía verde.

harmonica [aʀmɔnika] *nm* armónica.

harmonie [aʀmɔni] *nf* armonía.

harnacher ['aʀnaʃe] *vt* enjaezar.

harnais ['aʀnɛ] *nm* arreos *mpl*.

harpe ['aʀp] *nf* arpa.

harpon ['aʀpɔ̃] *nm* arpón *m*.

harponner ['aʀpɔne] *vt* arponear; (*fam*) enganchar.

hasard ['azaʀ] *nm* azar *m*; **un ~** una casualidad; (*chance*) una suerte; **au ~** al azar; (*à l'aveuglette*) a ciegas; **par ~** por casualidad; **comme par ~** como de casualidad; **à tout ~** por si acaso.

hasarder ['azaʀde] *vt* (*mot*) aventurar; (*fortune*) arriesgar; **se ~ à faire** aventurarse a hacer.

haschisch ['aʃiʃ] *nm* hachís *m*.

hâte ['ɑt] *nf* prisa; **à la ~** de prisa; **en ~** rápidamente; **avoir ~ de** tener prisa por.

hâter ['ɑte] *vt* apresurar; **se hâter** *vpr* apresurarse; **se ~ de** apresurarse a.

hausse ['os] *nf* alza; (*de la température*) subida, aumento; **à la ~** al alza; **en ~** (*prix*) en alza; (*température*) en aumento.

hausser ['ose] *vt* subir; **~ les épaules** encogerse de hombros; **se ~ sur la pointe**

des pieds ponerse de puntillas.

haut, e ['o, 'ot] *adj* alto(-a); (*température, pression*) elevado(-a), alto(-a); (*idée, intelligence*) brillante ♦ *adv*: **être/monter/lever ~** estar/subir/levantar en alto ♦ *nm* alto; (*d'un arbre*) copa; (*d'une montagne*) cumbre *f*; **de 3 m de ~** de 3 m de alto *ou* altura; **~ de 2 m/5 étages** de 2 m/5 pisos de altura; **en ~e montagne** en alta montaña; **des ~s et des bas** altibajos *mpl*; **en ~ lieu** en las altas esferas; **à ~e voix, tout ~** en voz alta; **du ~ de** desde lo alto de; **tomber de ~** caer desde lo alto; (*fig*) quedarse de una pieza; **dire qch bien ~** decir algo bien fuerte; **prendre qch de (très) ~** tomar algo con desdén; **traiter qn de ~** tratar con altanería a algn; **de ~ en bas** (*regarder*) de arriba abajo; (*frapper*) por todas partes; **~ en couleur** muy coloreado(-a); **un personnage ~ en couleur** un personaje excéntrico; **plus ~** más alto; (*dans un texte*) más arriba; **en ~** arriba; **en ~ de** (*être situé*) por encima de; (*aller, monter*) a lo alto de; **"~ les mains!"** "¡arriba las manos!"; **haute coiffure/couture** alta peluquería/costura; **haute fidélité** (*ÉLEC*) alta fidelidad *f*; **haute finance** altas finanzas *fpl*; **haute trahison** alta traición *f*.

hautain, e ['otɛ̃, ɛn] *adj* altanero(-a).

haut-de-forme ['odfɔʀm] (*pl* **~s-~-~**) *nm* sombrero de copa.

hauteur ['otœʀ] *nf* altura; (*noblesse*) grandeza; (*arrogance*) altanería, altivez *f*; **à ~ de** a la altura de; **à ~ des yeux** a la altura de los ojos; **à la ~ de** al nivel de; **à la ~** (*fig*) a la altura.

haut-le-cœur ['olkœʀ] *nm inv* náusea.

haut-parleur ['opaʀlœʀ] (*pl* **~-~s**) *nm* altavoz *m*.

Havane ['avan] *nf*: **la ~** La Habana ♦ *nm* (*cigare*) habano.

havre ['ɑvʀ] *nm* refugio.

hayon ['ɛjɔ̃] *nm* (*AUTO*) portón *m* trasero.

hé ['e] *excl* ¡eh!

hebdomadaire [ɛbdɔmadɛʀ] *adj* semanal ♦ *nm* semanario.

héberger [ebɛʀʒe] *vt* alojar, hospedar; (*réfugiés*) alojar.

hébété, e [ebete] *adj* atontado(-a).

hécatombe [ekatɔ̃b] *nf* hecatombe *f*.

hectare [ɛktaʀ] *nm* hectárea.

hein ['ɛ̃] *excl* (*comment?*) ¿eh?; **tu m'approuves, ~?** ¿estás de acuerdo, eh?; **Paul est venu, ~?** Pablo vino, ¿no?; **j'ai mal fait/eu tort, ~?** hice mal/me equivoqué, ¿no?; **que fais-tu, ~?** ¿qué haces, eh?

hélas ['elɑs] *excl* ¡ay! ♦ *adv* desgraciadamente.

héler ['ele] *vt* llamar.

hélice [elis] *nf* hélice *f*; **escalier en ~** escalera de caracol.

hélicoptère [elikɔptɛʀ] *nm* helicóptero.

helvétique [ɛlvetik] *adj* helvético(-a).

hématome [ematom] *nm* hematoma *m*.

hémicycle [emisikl] *nm* hemiciclo; (*POL*): **l'~** el hemiciclo.

hémisphère [emisfɛʀ] *nm*: **~ nord/sud** hemisferio norte/sur.

hémorragie [emɔʀaʒi] *nf* hemorragia; **hémorragie cérébrale/interne/nasale** hemorragia cerebral/interna/nasal.

hémorroïdes [emɔʀɔid] *nfpl* almorranas *fpl*, hemorroides *fpl*.

hennir ['eniʀ] *vi* relinchar.

hépatite [epatit] *nf* hepatitis *f*.

herbe [ɛʀb] *nf* hierba; **en ~** en cierne; **de l'~** hierba; **touffe/brin d'~** mata/brizna de hierba.

herbeux, -euse [ɛʀbø, øz] *adj* herboso(-a).

herboriste [ɛʀbɔʀist] *nm/f* herbolario(-a).

héréditaire [eʀeditɛʀ] *adj* hereditario(-a).

hérésie [eʀezi] *nf* herejía.

hérissé, e ['eʀise] *adj* erizado(-a); **~ de** erizado(-a) de.

hérisser ['eʀise] *vt*: **~ qn** (*fig*) poner los pelos de punta a algn; **se hérisser** *vpr* erizarse.

hérisson ['eʀisɔ̃] *nm* erizo.

héritage [eʀitaʒ] *nm* herencia; (*legs*) testamento; **faire un (petit) ~** recibir una (pequeña) herencia.

hériter [eʀite] *vi*: **~ qch (de qn)** heredar algo (de algn) ♦ *vt*: **il a hérité 2 millions de son oncle** heredó 2 millones de su tío; **~ de qn** heredar de algn.

héritier, -ière [eʀitje, jɛʀ] *nm/f* heredero(-a).

hermétique [ɛʀmetik] *adj* hermético(-a); (*étanche*) impermeable.

hernie ['ɛʀni] *nf* hernia.

héroïne [eʀɔin] *nf* heroína.

héron ['eʀɔ̃] *nm* garza.

héros ['eʀo] *nm* héroe *m*.

herpès [ɛʀpɛs] *nm* herpes *m inv*.

hertz [ɛʀts] *nm* hercio, hertz *m*.

hésiter [ezite] *vi*: **~ (à faire)** vacilar *ou* dudar (en hacer); **je le dis sans ~** lo digo sin vacilar *ou* dudar; **~ sur qch** vacilar *ou* dudar sobre algo; **~ entre** dudar entre.

hétéroclite [eteʀɔklit] *adj* heteróclito(-a).

hêtre ['ɛtʀ] *nm* haya.

heure [œʀ] *nf* hora; (*SCOL*) clase *f*; **c'est**

l'~ es la hora; **quelle ~ est-il?** ¿qué hora es?; **pourriez-vous me donner l'~, s'il vous plaît?** ¿me puede decir la hora, por favor?; **2 ~s (du matin)** las 2 (de la mañana); **à la bonne ~** (*parfois ironique*) ¡me alegro!; **être à l'~** ser puntual; (*montre*) estar en hora; **mettre à l'~** poner en hora; **100 km à l'~** 100 km por hora; **à toute ~** a todas horas; **24 ~s sur 24** 24 horas al día; **à l'~ qu'il est** a esta hora; (*fig*) a estas horas *ou* alturas; **une ~ d'arrêt** una hora de parada; **sur l'~** inmediatamente; **pour l'~** por ahora; **d'~ en ~** cada hora; (*d'une heure à l'autre*) de hora en hora; **d'une ~ à l'autre** dentro de nada; **de bonne ~** de madrugada; **le bus passe à l'~** el autobús pasa a la hora en punto; **2 ~s de marche/travail** 2 horas de marcha/trabajo; **à l'~ actuelle** a estas horas, actualmente; **heure de pointe** hora punta; **heure locale/d'été** hora local/de verano; **heures supplémentaires/de bureau** horas *fpl* extraordinarias/de oficina.

heureusement [œʀøzmɑ̃] *adv* afortunadamente; ~ **que ...** menos mal que ... .

heureux, -euse [œʀø, øz] *adj* feliz; (*caractère*) optimista; (*chanceux*) afortunado(-a); **être ~ de qch/faire** alegrarse de algo/hacer; **être ~ que** alegrarle a algn que; **s'estimer ~ que/de qch** darse por contento(-a) de que/de algo; **encore ~ que ...** y menos mal que ... .

heurt ['œʀ] *nm* choque *m*; **~s** *nmpl* (*fig: bagarre*) choques *mpl*; (: *désaccord*) desavenencias *fpl*.

heurter ['œʀte] *vt* (*mur, porte*) chocar con *ou* contra; (*personne*) tropezar con; (*fig: personne, sentiment*) chocar (con); **se heurter** *vpr* chocar (con); (*voitures, personnes*) chocar; (*couleurs, tons*) contrastar; **se ~ à** (*fig*) enfrentarse a; **~ qn de front** enfrentarse a algn.

heurtoir ['œʀtwaʀ] *nm* aldaba.

hexagone [ɛgzagɔn] *nm* hexágono; (*la France*) Francia.

hiberner [ibɛʀne] *vi* hibernar.

hibou, x ['ibu] *nm* búho.

hideux, -euse ['idø, øz] *adj* horrendo(-a).

hier [jɛʀ] *adv* ayer; **~ matin/soir/midi** ayer por la mañana/por la tarde/al mediodía; **toute la journée/la matinée d'~** todo el día/toda la mañana de ayer.

hiérarchie ['jeʀaʀʃi] *nf* jerarquía.

hilare [ilaʀ] *adj* jovial.

hindou, e [ɛ̃du] *adj* hindú ♦ *nm/f*: **H~, e** hindú *m/f*.

hippique [ipik] *adj* hípico(-a).

hippocampe [ipɔkɑ̃p] *nm* hipocampo.

hippodrome [ipɔdʀom] *nm* hipódromo.

hippopotame [ipɔpɔtam] *nm* hipopótamo.

hirondelle [iʀɔ̃dɛl] *nf* golondrina.

hirsute [iʀsyt] *adj* (*barbe*) hirsuto(-a); (*tête*) desgreñado(-a).

hisser ['ise] *vt* izar; **se ~ sur** levantarse sobre.

histoire [istwaʀ] *nf* historia; (*chichis: gén pl*) lío; **~s** *nfpl* (*ennuis*) problemas *mpl*; **l'~ de France** la historia de Francia; **l'~ sainte** la historia sagrada; **une ~ de** (*fig*) una cuestión de.

historien, ne [istɔʀjɛ̃, ɛn] *nm/f* historiador(a).

hit-parade ['itpaʀad] (*pl* **~-~s**) *nm* lista de éxitos.

hiver [ivɛʀ] *nm* invierno; **en ~** en invierno.

hivernal, e, -aux [ivɛʀnal, o] *adj* invernal.

HLM ['aʃɛlɛm] *sigle m ou f* (= *habitations à loyer modéré*) *viviendas oficiales de bajo alquiler*.

hobby ['ɔbi] *nm* hobby *m*.

hocher ['ɔʃe] *vt*: **~ la tête** cabecear; (*signe négatif ou dubitatif*) menear la cabeza.

hochet ['ɔʃɛ] *nm* sonajero.

hockey ['ɔkɛ] *nm*: **~ (sur glace/gazon)** hockey *m* (sobre hielo/hierba).

holding ['ɔldiŋ] *nm* holding *m*.

hold-up ['ɔldœp] *nm inv* atraco a mano armada.

hollandais, e ['ɔlɑ̃dɛ, ɛz] *adj* holandés(-esa) ♦ *nm* (LING) holandés *msg* ♦ *nm/f*: **H~, e** holandés(-esa); **les H~** los holandeses.

Hollande ['ɔlɑ̃d] *nf* Holanda ♦ *nm*: **h~** (*fromage*) queso de Holanda.

homard ['ɔmaʀ] *nm* bogavante *m*.

homéopathie [ɔmeɔpati] *nf* homeopatía.

homicide [ɔmisid] *nm* homicidio; **homicide involontaire** homicidio involuntario.

hommage [ɔmaʒ] *nm* homenaje *m*; **~s** *nmpl* (*civilités*): **présenter ses ~s** presentar sus respetos; **rendre ~ à** rendir homenaje a; **en ~ de** en prueba de; **faire ~ de qch à qn** obsequiar algo a algn.

homme [ɔm] *nm* hombre *m*; (*individu de sexe masculin*) hombre, varón *m*; **l'~ de la rue** el hombre de la calle; **homme à tout faire** hombre para todo; **homme d'affaires** hombre de negocios; **homme d'Église** eclesiástico; **homme d'État** estadista *m*; **homme de loi** abogado; **homme de main** matón *m*; **homme de paille** hombre de paja; **homme des cavernes** hombre de

las cavernas.
homme-grenouille [ɔmgʀənuj] (*pl* **~s-~s**) *nm* hombre *m* rana *inv*.
homogène [ɔmɔʒɛn] *adj* homogéneo(-a).
homologuer [ɔmɔlɔge] *vt* homologar.
homonyme [ɔmɔnim] *nm* (*LING*) homónimo; (*d'une personne*) tocayo(-a).
homosexuel, le [ɔmɔsɛksɥɛl] *adj* homosexual.
Honduras ['ɔ̃dyʀas] *nm* Honduras *f*.
hondurien, ne ['ɔ̃dyʀjɛ̃, ɛn] *adj* hondureño(-a) ♦ *nm/f*: **H~, ne** hondureño(-a).
Hongrie ['ɔ̃gʀi] *nf* Hungría.
hongrois, e ['ɔ̃gʀwa, waz] *adj* húngaro(-a) ♦ *nm* (*LING*) húngaro ♦ *nm/f*: **H~, e** húngaro(-a).
honnête [ɔnɛt] *adj* (*intègre*) honrado(-a), honesto(-a); (*juste, satisfaisant*) justo(-a), razonable.
honnêteté [ɔnɛtte] *nf* honestidad *f*.
honneur [ɔnœʀ] *nm* honor *m*; (*faveur*) honra; (*mérite*): **l'~ lui revient** es mérito suyo; **à qui ai-je l'~?** ¿con quién tengo el honor de hablar?; **cela me/te fait ~** esto me/te honra; **"j'ai l'~ de ..."** "tengo el honor de ..."; **en l'~ de** (*personne*) en honor de; (*événement*) en celebración de; **faire ~ à** (*engagements*) cumplir con; (*famille, professeur*) hacer honor a; (*repas*) hacer los honores a; **être à l'~** (*personne*) ser admirado(-a); (*vêtement*) estar de moda; **être en ~** gozar de consideración; **membre d'~** miembro de honor; **table d'~** mesa de honor.
honorable [ɔnɔʀabl] *adj* honorable; (*suffisant*) satisfactorio(-a).
honoraire [ɔnɔʀɛʀ] *adj* honorario(-a); **~s** *nmpl* honorarios *mpl*; **professeur ~** profesor(a) honorario(-a).
honorer [ɔnɔʀe] *vt* honrar; (*estimer*) respetar; (*COMM*: *chèque, dette*) pagar; **~ qn de** honrar a algn con; **s'~ de** honrarse con.
honorifique [ɔnɔʀifik] *adj* honorífico(-a).
honte ['ɔ̃t] *nf* vergüenza; **avoir ~ de** tener vergüenza de; **faire ~ à qn** avergonzar a algn.
honteux, -euse ['ɔ̃tø, øz] *adj* avergonzado(-a); (*conduite, acte*) vergonzoso(-a).
hôpital, -aux [ɔpital, o] *nm* hospital *m*.
hoquet ['ɔkɛ] *nm* hipo; **avoir le ~** tener hipo.
hoqueter ['ɔkte] *vi* tener hipo.
horaire [ɔʀɛʀ] *adj* por hora ♦ *nm* horario; **~s** *nmpl* (*conditions, heures de travail*) horario *msg*; **horaire mobile/à la carte** horario móvil/libre; **horaire souple** *ou* **flexible** horario flexible.
horde ['ɔʀd] *nf* horda.
horizon [ɔʀizɔ̃] *nm* horizonte *m*; (*paysage*) panorama *m*; **~s** *nmpl* (*fig*) horizontes *mpl*; **sur l'~** en el horizonte.
horizontal, e, -aux [ɔʀizɔ̃tal, o] *adj* horizontal ♦ *nf*: **à l'~e** en horizontal.
horloge [ɔʀlɔʒ] *nf* reloj *m*; **horloge normande** *modalidad de reloj de pie*; **horloge parlante** reloj parlante *ou* telefónico.
horloger, -ère [ɔʀlɔʒe, ɛʀ] *nm/f* relojero(-a).
horlogerie [ɔʀlɔʒʀi] *nf* relojería; **pièces d'~** piezas *fpl* de relojería.
hormis ['ɔʀmi] *prép* excepto.
hormone [ɔʀmɔn] *nf* hormona.
horodateur, -trice [ɔʀɔdatœʀ, tʀis] *adj* (*appareil*) expendedor(a) ♦ *nm* parquímetro.
horoscope [ɔʀɔskɔp] *nm* horóscopo.
horreur [ɔʀœʀ] *nf* horror *m*; **l'~ d'une action/d'une scène** lo horroroso de una acción/de una escena; **quelle ~!** ¡qué horror!; **avoir ~ de qch** sentir horror por algo; **cela me fait ~** eso me horroriza.
horrible [ɔʀibl] *adj* horrible, horrendo(-a); (*laid*) horroroso(-a).
horrifier [ɔʀifje] *vt* horrorizar.
horripiler [ɔʀipile] *vt* horripilar, exasperar.
hors ['ɔʀ] *prép* salvo; **~ de** fuera de; **~ de propos** fuera de lugar; **être ~ de soi** estar fuera de sí; **hors ligne/série** fuera de línea/de serie; **hors pair** fuera de serie; **hors service/d'usage** fuera de servicio/de uso.
hors-bord ['ɔʀbɔʀ] *nm inv* fuera borda *m inv*.
hors-concours ['ɔʀkɔ̃kuʀ] *adj inv* fuera de concurso.
hors-d'œuvre ['ɔʀdœvʀ] *nm inv* entremés *m*.
hors-jeu ['ɔʀʒø] *nm inv* fuera *m* de juego.
hors-la-loi ['ɔʀlalwa] *nm inv* forajido.
hors-taxe [ɔʀtaks] *adj* libre de impuestos.
horticulture [ɔʀtikyltyʀ] *nf* horticultura.
hospice [ɔspis] *nm* (*de vieillards*) asilo; (*asile*) hospicio.
hospitalier, -ière [ɔspitalje, jɛʀ] *adj* hospitalario(-a).
hospitaliser [ɔspitalize] *vt* hospitalizar.
hospitalité [ɔspitalite] *nf* hospitalidad *f*; **offrir l'~ à qn** dar hospitalidad a algn.
hostie [ɔsti] *nf* (*REL*) hostia.
hostile [ɔstil] *adj* hostil; **~ à** contrario(-a) a.
hostilité [ɔstilite] *nf* hostilidad *f*; **~s** *nfpl* (*MIL*) hostilidades *fpl*.
hôte [ot] *nm* (*maître de maison*) anfitrión

m ♦ *nm/f* (*invité*) huésped *m/f*; (*client*) cliente *m/f*; (*fig*: *occupant*) ocupante *m/f*; **hôte payant** huésped de pago.
hôtel [otɛl] *nm* hotel *m*; **aller à l'~** ir a un hotel; **hôtel de ville** ayuntamiento; **hôtel (particulier)** palacete *m*.
hôtelier, -ière [otəlje, jɛʀ] *adj, nm/f* hotelero(-a).
hôtellerie [otɛlʀi] *nf* (*profession*) hostelería; (*auberge*) hostal *m*.
hôtesse [otɛs] *nf* (*maîtresse de maison*) anfitriona; (*dans une agence, une foire*) azafata, recepcionista; **hôtesse (de l'air)** azafata (de aviación), aeromoza (*AM*); **hôtesse (d'accueil)** azafata (de recepción).
hotte ['ɔt] *nf* (*panier*) cuévano; (*de cheminée*) campana; ~ **aspirante** (*de cuisinière*) campana extractora.
houblon ['ublɔ̃] *nm* lúpulo.
houille ['uj] *nf* hulla; **houille blanche** hulla blanca.
houle ['ul] *nf* marejada.
houleux, -euse ['ulø, øz] *adj* (*mer*) encrespado(-a); (*discussion*) agitado(-a).
houspiller ['uspije] *vt* reprender.
housse ['us] *nf* funda.
houx ['u] *nm* acebo.
hublot ['yblo] *nm* portilla.
huer ['ɥe] *vt* abuchear ♦ *vi* graznar.
huile [ɥil] *nf* aceite *m*; (*ART*) óleo; (*fam*) pez *m* gordo; **mer d'~** balsa de aceite; **faire tache d'~** (*fig*) extenderse como cosa buena; **huile d'arachide/de table** aceite de cacahuete/de mesa; **huile de ricin/de foie de morue** aceite de ricino/de hígado de bacalao; **huile détergente** (*AUTO*) aceite detergente; **huile essentielle** aceite volátil; **huile solaire** aceite bronceador.
huiler [ɥile] *vt* aceitar.
huileux, -euse [ɥilø, øz] *adj* aceitoso(-a).
huis [ɥi] *nm*: **à ~ clos** a puerta cerrada.
huissier [ɥisje] *nm* ordenanza *m*; (*JUR*) ujier *m*.
huit ['ɥi(t)] *adj inv, nm inv* ocho *m inv*; **samedi en ~** el sábado en ocho días; **dans ~ jours** dentro de ocho días; *voir aussi* **cinq**.
huitaine ['ɥitɛn] *nf*: **une ~ de** unos ocho; **une ~ de jours** unos ocho días.
huitième ['ɥitjɛm] *adj, nm/f* octavo(-a) ♦ *nm* (*partitif*) octavo; *voir aussi* **cinquième**.
huître [ɥitʀ] *nf* ostra.
hululer ['ylyle] *vi* ulular.
humain, e [ymɛ̃, ɛn] *adj* humano(-a) ♦ *nm* humano.
humanitaire [ymanitɛʀ] *adj* humanitario(-a).
humble [œ̃bl] *adj* humilde.
humecter [ymɛkte] *vt* humedecer; **s'~ les lèvres** humedecerse los labios.
humer ['yme] *vt* aspirar, oler.
humérus [ymeʀys] *nm* húmero.
humeur [ymœʀ] *nf* (*momentanée*) humor *m*; (*tempérament*) carácter *m*; (*irritation*) mal humor; **de bonne/mauvaise ~** de buen/mal humor; **cela m'a mis de mauvaise/bonne ~** eso me puso de mal/buen humor; **je suis de mauvaise/bonne ~** estoy de mal/buen humor; **être d'~ à faire qch** estar de humor para hacer algo.
humide [ymid] *adj* húmedo(-a); (*route*) mojado(-a).
humidité [ymidite] *nf* humedad *f*; **traces d'~** rastros *mpl* de humedad.
humilier [ymilje] *vt* humillar; **s'~ devant qn** humillarse delante de algn.
humoristique [ymɔʀistik] *adj* humorístico(-a).
humour [ymuʀ] *nm* humor *m*; **il a un ~ particulier** tiene un humor muy particular; **avoir de l'~** tener sentido del humor; **humour noir** humor negro.
hurlement ['yʀləmɑ̃] *nm* aullido, alarido.
hurler ['yʀle] *vi* (*animal*) aullar; (*personne*) dar alaridos; (*de peur*) chillar; (*fig*: *vent etc*) ulular; (: *couleurs etc*) chocar; **~ à la mort** aullar a la muerte.
hutte ['yt] *nf* choza.
hydrater [idʀate] *vt* hidratar.
hydraulique [idʀolik] *adj* hidráulico(-a).
hydravion [idʀavjɔ̃] *nm* hidroavión *m*.
hydrocarbure [idʀɔkaʀbyʀ] *nm* hidrocarburo.
hydrogène [idʀɔʒɛn] *nm* hidrógeno.
hygiène [iʒjɛn] *nf* higiene *f*; **hygiène corporelle/intime** higiene corporal/íntima.
hymne [imn] *nm* himno; **hymne national** himno nacional.
hypermarché [ipɛʀmaʀʃe] *nm* hipermercado.
hypertension [ipɛʀtɑ̃sjɔ̃] *nf* hipertensión *f*.
hypnotiser [ipnɔtize] *vt* hipnotizar.
hypocrisie [ipɔkʀizi] *nf* hipocresía.
hypocrite [ipɔkʀit] *adj, nm/f* hipócrita *m/f*.
hypothèque [ipɔtɛk] *nf* hipoteca.
hypothèse [ipɔtɛz] *nf* hipótesis *f inv*; **dans l'~ où ...** en la hipótesis de que ... .
hystérie [isteʀi] *nf* histeria, histerismo; **hystérie collective** histeria colectiva.
hystérique [isteʀik] *adj* histérico(-a).

I, i

ibérique [iberik] *adj*: **la péninsule ~** la península ibérica.

iceberg [ajsbɛrg] *nm* iceberg *m*.

ici [isi] *adv* aquí; **jusqu'~** hasta aquí; (*temporel*) hasta ahora; **d'~ là** para entonces; (*en attendant*) mientras tanto; **d'~ peu** dentro de poco.

idéal, e, -aux [ideal, o] *adj* ideal ♦ *nm* (*modèle, type parfait*) ideal *m*; (*système de valeurs*) ideales *mpl*; **l'~ serait de/que** lo ideal sería/sería que.

idéaliste [idealist] *adj, nm/f* idealista *m/f*.

idée [ide] *nf* idea; **~s** *nfpl* (*opinions, conceptions*) ideas *fpl*; **se faire des ~s** hacerse ilusiones; **mon ~, c'est que ...** mi opinión es que ...; **je n'en ai pas la moindre ~** no tengo la menor idea; **à l'~ de/que** con la idea de/de que; **avoir ~ que, avoir dans l'~ que** tener la impresión de que; **il a dans l'~ que ...** (*il est convaincu que*) se le ha metido en la cabeza que ...; **en voilà des ~s!** ¡menuda idea!, ¡vaya ocurrencia!; **avoir des ~s larges/étroites** tener una mentalidad abierta/estrecha; **agir/vivre à son ~** actuar/vivir de acuerdo con sus propias ideas; **venir à l'~ de qn** ocurrírsele a algn; **idée fixe** idea fija; **idées noires** pensamientos *mpl* negros; **idées reçues** ideas preconcebidas.

identifier [idɑ̃tifje] *vt* identificar; (*échantillons de pierre*) reconocer; **~ qch/qn à** identificar algo/a algn con; **s'~ avec** *ou* **à qch/qn** identificarse con algo/algn.

identique [idɑ̃tik] *adj* idéntico(-a); **~ à** idéntico a.

identité [idɑ̃tite] *nf* (*de vues, goûts*) semejanza; (*d'une personne*) identidad *f*; **identité judiciaire** identidad judicial.

idéologie [ideɔlɔʒi] *nf* ideología.

idiot, e [idjo, idjɔt] *adj* (*MÉD*) retrasado(-a); (*péj: personne*) idiota, estúpido(-a); (*film, réflexion*) estúpido(-a) ♦ *nm/f* idiota *m/f*; **l'~ du village** el tonto del pueblo.

idole [idɔl] *nf* (*aussi fig*) ídolo.

idylle [idil] *nf* idilio.

IFOP [ifɔp] *sigle m* (= *Institut français d'opinion publique*) *empresa de sondeos de opinión*.

IGF [iʒeɛf] *sigle m* = *impôt sur les grandes fortunes*.

ignare [iɲaʀ] *adj, nm/f* ignorante *m/f*.

ignoble [iɲɔbl] *adj* (*individu, procédé*) ruin, innoble; (*taudis, nourriture*) asqueroso(-a).

ignorance [iɲɔʀɑ̃s] *nf* (*d'un événement*) desconocimiento; (*manque d'instruction*) ignorancia; **tenir qn dans l'~ de** tener algn en la ignorancia de; **être dans l'~ de** desconocer.

ignorant, e [iɲɔʀɑ̃, ɑ̃t] *adj, nm/f* ignorante *m/f*; **~ en** (*une matière quelconque*) ignorante en; **faire l'~** hacerse el tonto.

ignorer [iɲɔʀe] *vt* (*loi, faits*) ignorar; (*personne, demande*) no hacer caso a, ignorar a; (*être sans expérience de: plaisir, guerre*) desconocer; **j'ignore comment/si** no sé cómo/si; **~ que** ignorar que, desconocer que; **je n'ignore pas que ...** soy consciente de que ...; **je l'ignore** lo ignoro.

il [il] *pron* él; **~s** ellos; **~ fait froid** hace frío; **~ est midi** es mediodía; **Pierre est-~ arrivé?** ¿ha llegado Pedro?; *voir aussi* **avoir**.

île [il] *nf* isla; **les ~s** (*les Antilles*) las Antillas; **l'~ de Beauté** Córcega; **l'~ Maurice** la isla Mauricio; **les ~s anglo-normandes/Britanniques** las islas del Canal/Británicas; **les (îles) Baléares/Canaries** las (islas) Baleares/Canarias; **les (îles) Marquises** las (islas) Marquesas.

illégal, e, -aux [i(l)legal, o] *adj* ilegal.

illégitime [i(l)leʒitim] *adj* ilegítimo(-a); (*craintes*) injustificado(-a).

illettré, e [i(l)letʀe] *adj* (*analphabète*) iletrado(-a), analfabeto(-a) ♦ *nm/f* analfabeto(-a).

illicite [i(l)lisit] *adj* ilícito(-a).

illimité, e [i(l)limite] *adj* ilimitado(-a); (*confiance*) infinito(-a); (*congé, durée*) indefinido(-a).

illisible [i(l)lizibl] *adj* (*indéchiffrable*) ilegible; (*roman*) intragable, insoportable.

illumination [i(l)lyminasjɔ̃] *nf* iluminación *f*; **~s** *nfpl* (*lumières*) luces *fpl*.

illuminer [i(l)lymine] *vt* iluminar; **s'illuminer** *vpr* iluminarse.

illusion [i(l)lyzjɔ̃] *nf* ilusión *f*; **se faire des ~s** hacerse ilusiones; **faire ~** dar el pego; **illusion d'optique** ilusión óptica.

illustrateur, -trice [i(l)lystʀatœʀ, tʀis] *nm/f* ilustrador(a).

illustration [i(l)lystʀasjɔ̃] *nf* ilustración *f*.

illustre [i(l)lystʀ] *adj* ilustre.

illustré, e [i(l)lystʀe] *adj* ilustrado(-a) ♦ *nm* (*périodique*) revista ilustrada; (*pour enfants*) tebeo.

illustrer [i(l)lystʀe] *vt* ilustrar; (*de notes, commentaires*) glosar; **s'illustrer** *vpr* (*personne*) distinguirse.

îlot [ilo] *nm* (*petite île*) islote *m*; (*bloc de maisons*) manzana; **un ~ de verdure** una

isla verde.
ils [il] *pron voir* **il**.
image [imaʒ] *nf* imagen *f*; (*tableau, représentation*) imagen, representación *f*; ~ **de** imagen de; **image de marque** (*d'un produit*) imagen de marca; (*d'une personne, d'une entreprise*) reputación *f*; **image d'Épinal** cromo; (*présentation simpliste*) imagen estereotipada; **image pieuse** imagen piadosa.
imaginaire [imaʒinɛʀ] *adj* imaginario(-a); **nombre** ~ número imaginario.
imagination [imaʒinasjɔ̃] *nf* imaginación *f*; (*chimère, invention*) imaginaciones *fpl*.
imaginer [imaʒine] *vt* imaginar; (*inventer*) idear; **s'imaginer** *vpr* (*scène*) imaginarse; ~ **que** suponer que; **j'imagine qu'il a voulu plaisanter** me figuro que habrá querido bromear; **que vas-tu** ~ **là?** ¡qué ocurrencias tienes!; **s'**~ **que** imaginarse que; **s'**~ **à 60 ans/en vacances** imaginarse a los 60 años/en vacaciones; **il s'imagine pouvoir faire ...** se imagina que va a poder hacer ...; **ne t'imagine pas que** no te imagines que.
imbécile [ɛ̃besil] *adj, nm/f* imbécil *m/f*.
imbiber [ɛ̃bibe] *vt* empapar; **s'imbiber de** *vpr* impregnarse de; ~ **qch de** empapar algo con; **imbibé d'eau** empapado (de agua).
imbroglio [ɛ̃bʀɔljo] *nm* embrollo; (*THÉÂTRE*) enredo.
imbu, e [ɛ̃by] *adj*: ~ **de** imbuído(-a) de; ~ **de soi-même/sa supériorité** engreído(-a).
imitateur, -trice [imitatœʀ, tʀis] *nm/f* imitador(a).
imitation [imitasjɔ̃] *nf* imitación *f*; **un sac** ~ **cuir** un bolso imitación cuero *ou* de cuero imitación; **c'est en** ~ **cuir** es de cuero de imitación; **à l'**~ **de** a imitación de.
imiter [imite] *vt* imitar; (*ressembler à*) imitar a; **il se leva et je l'imitai** se levantó y yo le imité.
immaculé, e [imakyle] *adj* inmaculado(-a); **Immaculée Conception**: **l'I~e Conception** la Inmaculada Concepción.
immatriculation [imatʀikylasjɔ̃] *nf* (*AUTO*) matrícula; (*à l'université*) inscripción *f*.
immatriculer [imatʀikyle] *vt* matricular; (*à la Sécurité sociale*) inscribir; **se faire** ~ matricularse, inscribirse; **voiture immatriculée dans la Seine** coche *m* con matrícula del departamento del Sena.
immédiat, e [imedja, jat] *adj* inmediato(-a) ♦ *nm*: **dans l'**~ por ahora; **dans le voisinage** ~ **de** en el entorno próximo de.
immédiatement [imedjatmɑ̃] *adv* inmediatamente.
immense [i(m)mɑ̃s] *adj* inmenso(-a); (*succès, influence, avantage*) enorme.
immerger [imɛʀʒe] *vt* sumergir; **s'immerger** *vpr* (*sous-marin*) sumergirse.
immeuble [imœbl] *nm* (*bâtiment*) edificio ♦ *adj* (*JUR: bien*) inmueble; **immeuble de rapport** edificio de renta; **immeuble locatif** edificio de alquiler.
immigration [imigʀasjɔ̃] *nf* inmigración *f*.
immigré, e [imigʀe] *nm/f* inmigrado(-a).
imminent, e [iminɑ̃, ɑ̃t] *adj* inminente.
immiscer [imise] *vb*: **s'**~ **dans** inmiscuirse en.
immobile [i(m)mɔbil] *adj* inmóvil; (*pièce de machine*) fijo(-a); (*dogmes, institutions*) inamovible.
immobilier, -ière [imɔbilje, jɛʀ] *adj* inmobiliario(-a) ♦ *nm*: **l'**~ (*COMM*) el sector inmobiliario; (*JUR*) los bienes inmuebles; *voir aussi* **promoteur; société**.
immobiliser [imɔbilize] *vt* inmovilizar; (*file, circulation*) detener; (*véhicule: stopper*) detener, parar; **s'immobiliser** *vpr* (*personne*) inmovilizarse; (*machine, véhicule*) pararse.
immonde [i(m)mɔ̃d] *adj* inmundo(-a).
immondices [imɔ̃dis] *nfpl* basura *fsg*.
immoral, e, -aux [i(m)mɔʀal, o] *adj* inmoral.
immortel, -elle [imɔʀtɛl] *adj* inmortal.
immuable [imɥabl] *adj* (*bonheur, vérité, loi*) inmutable, inalterable; (*routine, paysage*) invariable; (*sourire, coutume*) inmutable; ~ **dans ses convictions** de convicciones inamovibles.
immuniser [imynize] *vt* (*MÉD, fig*) inmunizar.
immunité [imynite] *nf* inmunidad *f*; **immunité diplomatique/parlementaire** inmunidad diplomática/parlamentaria.
impact [ɛ̃pakt] *nm* impacto; (*d'une personne*) influencia.
impair, e [ɛ̃pɛʀ] *adj* impar ♦ *nm* (*gaffe*) torpeza; **numéros** ~**s** números *mpl* impares.
impardonnable [ɛ̃paʀdɔnabl] *adj* imperdonable; **vous êtes** ~ **d'avoir fait cela** no tiene perdón por haber hecho esto.
imparfait, e [ɛ̃paʀfɛ, ɛt] *adj* (*guérison, connaissance*) incompleto(-a); (*imitation, œuvre*) deficiente ♦ *nm* (*LING*) (pretérito) imperfecto.
impartial, e, -aux [ɛ̃paʀsjal, jo] *adj* imparcial.
impartir [ɛ̃paʀtiʀ] *vt*: ~ **qch à qn** impartir algo a algn; (*JUR: délai*) otorgar; **dans**

les délais impartis en los plazos asignados.

impasse [ɛ̃pɑs] *nf* callejón *m* sin salida; **faire une ~** (*SCOL*) preparar sólo una parte del temario; **être dans l'~** (*négociations*) estar en un punto muerto; **impasse budgétaire** descubierto presupuestario.

impassible [ɛ̃pasibl] *adj* impasible.

impatience [ɛ̃pasjɑ̃s] *nf* impaciencia; **avec ~** con impaciencia; **mouvement/signe d'~** movimiento/signo de impaciencia.

impatient, e [ɛ̃pasjɑ̃, jɑ̃t] *adj* impaciente; **~ de faire qch** impaciente por hacer algo.

impatienter [ɛ̃pasjɑ̃te] *vt* impacientar; **s'impatienter** *vpr* impacientarse; **s'~ de/contre** impacientarse por/contra.

impeccable [ɛ̃pekabl] *adj* impecable; (*employé*) impecable, intachable; (*fam: formidable*) fenomenal.

impensable [ɛ̃pɑ̃sabl] *adj* (*inconcevable*) impensable; (*incroyable*) increíble.

imper [ɛ̃pɛʀ] *nm* = **imperméable**.

impératif, -ive [ɛ̃peʀatif, iv] *adj* imperioso(-a); (*JUR*) preceptivo(-a) ♦ *nm* (*LING*): **l'~** el imperativo; **~s** *nmpl* (*d'une charge, fonction, de la mode*) imperativos *mpl*.

impératrice [ɛ̃peʀatʀis] *nf* emperatriz *f*.

imperceptible [ɛ̃pɛʀsɛptibl] *adj* imperceptible.

imperfection [ɛ̃pɛʀfɛksjɔ̃] *nf* imperfección *f*; (*d'un travail*) fallo.

impérieux, -euse [ɛ̃peʀjø, jøz] *adj* (*air, ton*) imperioso(-a); (*pressant*) imperioso(-a), urgente.

imperméabiliser [ɛ̃pɛʀmeabilize] *vt* impermeabilizar.

imperméable [ɛ̃pɛʀmeabl] *adj* impermeable ♦ *nm* impermeable *m*; **~ à l'air** impermeable al aire; **~ à** (*fig: personne*) inaccesible a.

impertinent, e [ɛ̃pɛʀtinɑ̃, ɑ̃t] *adj* impertinente.

imperturbable [ɛ̃pɛʀtyʀbabl] *adj* (*personne*) imperturbable; (*sang-froid, sérieux*) impasible; **rester ~** quedar impasible.

impétueux, -euse [ɛ̃petɥø, øz] *adj* impetuoso(-a).

impitoyable [ɛ̃pitwajabl] *adj* despiadado(-a).

implant [ɛ̃plɑ̃] *nm* (*MÉD*) implante *m*.

implanter [ɛ̃plɑ̃te] *vt* (*usine*) instalar; (*MÉD, usage, mode*) implantar; (*race, immigrants, industrie*) establecer; (*idée*) inculcar; **s'~ dans** (*v vt*) instalarse en; implantarse en; establecerse en; **un préjugé solidement implanté** un prejuicio muy arraigado.

impliquer [ɛ̃plike] *vt*: **~ qn (dans)** implicar a algn (en); (*supposer, entraîner*) implicar, suponer; (*MATH*) implicar; **~ qch/que** significar algo/que.

implorer [ɛ̃plɔʀe] *vt* implorar.

impoli, e [ɛ̃pɔli] *adj* descortés.

impopulaire [ɛ̃pɔpylɛʀ] *adj* impopular.

importance [ɛ̃pɔʀtɑ̃s] *nf* importancia; **avoir de l'~** tener importancia; **sans ~** sin importancia; **quelle ~?** ¿qué más da?; **d'~** de importancia.

important, e [ɛ̃pɔʀtɑ̃, ɑ̃t] *adj* importante; (*gamme de produits*) extenso(-a); (*péj: airs, ton*) de importancia ♦ *nm*: **l'~ (est de/est que)** lo importante (es/es que); **c'est ~ à savoir** es importante saberlo.

importateur, -trice [ɛ̃pɔʀtatœʀ, tʀis] *adj, nm/f* importador(a); **pays ~ de blé** país *m* importador de trigo.

importer [ɛ̃pɔʀte] *vt* (*COMM*) importar; (*maladies, plantes*) importar, introducir ♦ *vi* (*être important*) importar; **~ à qn** importar a algn; **il importe de le faire/que nous le fassions** es importante hacerlo/que lo hagamos; **peu m'importe** (*je n'ai pas de préférence*) ¡me da igual!; (*je m'en moque*) ¡a mí qué me importa!; **peu importe!** ¡qué importa!; **peu importe que** poco importa que; **peu importe le prix, nous paierons** no importa el precio, pagaremos; *voir aussi* **n'importe**.

importun, e [ɛ̃pɔʀtœ̃, yn] *adj* (*curiosité, présence*) importuno(-a); (*visite, personne*) inoportuno(-a) ♦ *nm/f* inoportuno(-a).

importuner [ɛ̃pɔʀtyne] *vt* importunar; (*suj: insecte, bruit*) molestar.

imposable [ɛ̃pozabl] *adj* imponible.

imposant, e [ɛ̃pozɑ̃, ɑ̃t] *adj* imponente.

imposer [ɛ̃poze] *vt* (*taxer*) gravar; (*faire accepter par force*) imponer; **s'imposer** *vpr* imponerse; (*montrer sa prééminence*) destacar; (*être importun*) molestar; **~ qch à qn** imponer algo a algn; **~ les mains** (*REL*) imponer las manos; **en ~ à qn** impresionar a algn; **en ~** (*personne, présence*) imponer; **ça s'impose!** ¡es de rigor!

impossible [ɛ̃pɔsibl] *adj* (*irréalisable, improbable*) imposible; (*enfant*) insoportable, inaguantable; (*absurde, extravagant*) increíble ♦ *nm*: **l'~** lo imposible; **~ à faire** imposible de hacer; **il est ~ que** es imposible que; **il m'est ~ de le faire** me resulta imposible hacerlo; **faire l'~** hacer lo imposible; **si, par ~, je ne venais pas ...** si no viniera, lo cual es imposible ... .

impôt [ɛ̃po] *nm* (*taxe*) impuesto; **~s** *nmpl* (*contributions*) impuestos *mpl*; **impôt**

direct/foncier/indirect impuesto directo/sobre la propiedad/indirecto; **impôts locaux** impuestos municipales; **impôt sur la fortune** impuesto sobre el patrimonio; **impôt sur le chiffre d'affaires/le revenu** impuesto sobre el capital/la renta; **impôt sur le revenu des personnes physiques** impuesto sobre la renta de las personas físicas; **impôt sur les plus-values** impuesto sobre las plusvalías; **impôt sur les sociétés** impuesto de sociedades.

impotent, e [ɛ̃pɔtɑ̃, ɑ̃t] *adj* (*personne*) impedido(-a), inválido(-a); (*jambe, bras*) paralítico(-a).

impraticable [ɛ̃pʀatikabl] *adj* (*projet, idée*) impracticable; (*piste, chemin, sentier*) intransitable, impracticable.

imprécis, e [ɛ̃pʀesi, iz] *adj* (*contours, renseignement*) impreciso(-a); (*souvenir*) impreciso(-a), borroso(-a); (*tir*) sin precisión.

imprégner [ɛ̃pʀeɲe] *vt*: ~ **(de)** impregnar (con *ou* de); (*de lumière*) bañar (de); (*suj*: *amertume, ironie etc*) cargar (de); **s'~ de** impregnarse de; (*de lumière*) bañarse de; (*idée, culture*) imbuirse de, empaparse de.

imprenable [ɛ̃pʀənabl] *adj* (*forteresse, citadelle*) inexpugnable; **vue ~** vista panorámica asegurada.

impression [ɛ̃pʀesjɔ̃] *nf* (*sentiment, sensation*: *d'étouffement etc*) sensación *f*; (*PHOTO, d'un ouvrage*) impresión *f*; (*d'un tissu, papier peint*) imprimación *f*; (*dessin, motif*) imprimación, estampación *f*; **faire bonne/mauvaise ~** causar buena/mala impresión; **faire/produire une vive ~** (*émotion*) causar/producir una viva impresión; **donner l'~ d'être ...** dar la impresión de ser ...; **donner une ~ de/l'~ que** dar una impresión de/la impresión de que; **avoir l'~ de/que** tener la impresión de/de que; **faire ~** (*orateur, déclaration*) impresionar; **~s de voyage** impresiones *fpl* de viaje.

impressionnant, e [ɛ̃pʀesjɔnɑ̃, ɑ̃t] *adj* impresionante.

impressionner [ɛ̃pʀesjɔne] *vt* impresionar.

imprévisible [ɛ̃pʀevizibl] *adj* imprevisible.

imprévoyant, e [ɛ̃pʀevwajɑ̃, ɑ̃t] *adj* poco previsor(a).

imprévu, e [ɛ̃pʀevy] *adj* (*événement, succès*) imprevisto(-a); (*dépense, réaction, geste*) inesperado(-a) ♦ *nm*: **l'~** lo imprevisto; **en cas d'~** en caso de imprevisto; **sauf ~** salvo imprevisto.

imprimante [ɛ̃pʀimɑ̃t] *nf* (*INFORM*) impresora; **imprimante à jet d'encre/à marguerite/(à) laser** impresora de chorro de tinta/de margarita/láser; **imprimante (ligne par) ligne** impresora de líneas; **imprimante matricielle** impresora matricial; **imprimante thermique** impresora térmica.

imprimer [ɛ̃pʀime] *vt* imprimir; (*tissu*) estampar; (*visa, cachet*) sellar; (*mouvement, vitesse*) comunicar, transmitir; (*direction*) imprimir, comunicar.

imprimerie [ɛ̃pʀimʀi] *nf* imprenta; (*technique*) tipografía.

imprimeur [ɛ̃pʀimœʀ] *nm* impresor *m*; (*ouvrier*) tipógrafo.

impropre [ɛ̃pʀɔpʀ] *adj* (*incorrect*) incorrecto(-a), impropio(-a); **~ à** (*suj*: *personne*) inepto(-a) para; (: *chose*) inadecuado(-a) para.

improviser [ɛ̃pʀɔvize] *vt, vi* improvisar; **s'improviser** *vpr* improvisarse; **s'~ cuisinier** improvisarse como *ou* de cocinero; **~ qn cuisinier** improvisar a algn como *ou* de cocinero.

improviste [ɛ̃pʀɔvist]: **à l'~** *adv* de improviso.

imprudent, e [ɛ̃pʀydɑ̃, ɑ̃t] *adj, nm/f* imprudente *m/f*.

impudent, e [ɛ̃pydɑ̃, ɑ̃t] *adj* descarado(-a).

impuissant, e [ɛ̃pɥisɑ̃, ɑ̃t] *adj* impotente; (*effort*) inútil, vano(-a) ♦ *nm* impotente *m*; **~ à faire qch** incapaz de hacer algo.

impulsion [ɛ̃pylsjɔ̃] *nf* impulso; **~ donnée aux affaires/au commerce** (*fig*) impulso dado a los negocios/al comercio; **sous l'~ de leurs chefs ...** (*fig*) bajo la influencia de sus jefes ... .

impunité [ɛ̃pynite] *nf* impunidad *f*; **en toute ~** con toda impunidad.

impureté [ɛ̃pyʀte] *nf* impureza.

imputable [ɛ̃pytabl] *adj*: **~ à** imputable a; **~ sur** (*COMM*) imputable a.

imputation [ɛ̃pytasjɔ̃] *nf* imputación *f*.

inabordable [inabɔʀdabl] *adj* (*lieu*) inaccesible; (*cher, exorbitant*) exorbitante.

inaccessible [inaksesibl] *adj* (*endroit*) inaccesible; (*obscur*) incomprensible; (*personne*) inaccesible, inabordable; (*objectif*) inalcanzable; **~ à** (*insensible à*: *suj*: *personne*) insensible a.

inachevé, e [inaʃ(ə)ve] *adj* inacabado(-a).

inadapté, e [inadapte] *adj*, *nm/f* inadaptado(-a).

inadéquat, e [inadekwa(t), kwat] *adj* inadecuado(-a).

inadmissible [inadmisibl] *adj* inadmisible.

inadvertance [inadvɛʀtɑ̃s]: **par ~** *adv* por inadvertencia, por descuido.

inanimé, e [inanime] *adj* inanimado(-a); **tomber ~** caer exánime.

inaperçu, e [inapɛʀsy] *adj*: **passer ~** pasar desapercibido(-a).

inapte [inapt] *adj*: **~ à qch/faire qch** incapaz para *ou* de algo/hacer algo; (*MIL*) no apto(-a), incapacitado(-a).

inattaquable [inatakabl] *adj* (*MIL*) inatacable; (*texte*) incuestionable; (*argument, preuve*) irrebatible; (*réputation, personne*) irreprochable.

inattendu, e [inatɑ̃dy] *adj* inesperado(-a); (*insoupçonné*) insospechado(-a) ♦ *nm*: **l'~** lo inesperado.

inattentif, -ive [inatɑ̃tif, iv] *adj* (*lecteur, élève*) desatento(-a); **~ à** (*dangers, détails matériels*) despreocupado(-a) de.

inattention [inatɑ̃sjɔ̃] *nf* desatención *f*, despreocupación *f*; **par ~** por descuido; **faute** *ou* **erreur d'~** despiste *m*; **une minute d'~** un momento de despiste.

inaudible [inodibl] *adj* inaudible.

inaugurer [inogyʀe] *vt* inaugurar; (*statue*) descubrir; (*politique*) inaugurar, estrenar.

inavouable [inavwabl] *adj* inconfesable.

inavoué, e [inavwe] *adj* inconfesado(-a).

incalculable [ɛ̃kalkylabl] *adj* incalculable; **un nombre ~ de** un número incalculable de.

incandescent [ɛ̃kɑ̃desɑ̃] *adj* candente, incandescente; (*gaz*) incandescente.

incapable [ɛ̃kapabl] *adj* incapaz; **~ de faire qch** incapaz de hacer algo; (*pour des raisons physiques*) incapacitado(-a) para hacer algo; **je suis ~ d'y aller** (*dans l'impossibilité*) no puedo ir.

incapacité [ɛ̃kapasite] *nf* (*incompétence*) incapacidad *f*; (*JUR*) inhabilitación *f*; **je suis dans l'~ de vous aider** (*impossibilité*) me resulta imposible ayudarle; **incapacité de travail** incapacidad laboral; **incapacité électorale** inhabilitación electoral; **incapacité partielle/permanente/totale** incapacidad parcial/definitiva/total.

incarcérer [ɛ̃kaʀseʀe] *vt* encarcelar.

incarner [ɛ̃kaʀne] *vt* encarnar; **s'~ dans** (*REL*) encarnarse en.

incartade [ɛ̃kaʀtad] *nf* (*écart de conduite*) incorrección *f*; (*ÉQUITATION*) espantada.

incassable [ɛ̃kɑsabl] *adj* irrompible.

incendie [ɛ̃sɑ̃di] *nm* incendio; **incendie criminel/de forêt** incendio doloso/forestal.

incendier [ɛ̃sɑ̃dje] *vt* incendiar; (*accabler de reproches*) vapulear; (*visage, pommette*) enrojecer.

incertain, e [ɛ̃sɛʀtɛ̃, ɛn] *adj* incierto(-a); (*éventuel, douteux*) inseguro(-a), incierto(-a); (*temps*) inestable; (*indécis, imprécis*) indefinido(-a); (*personne*) indeciso(-a); (*pas, démarche*) inseguro(-a).

inceste [ɛ̃sɛst] *nm* incesto.

inchangé, e [ɛ̃ʃɑ̃ʒe] *adj* invariable.

incidence [ɛ̃sidɑ̃s] *nf* incidencia, repercusión *f*; (*PHYS*) incidencia.

incident, e [ɛ̃sidɑ̃, ɑ̃t] *adj* (*JUR*: *accessoire*) incidental ♦ *nm* incidente *m*; **proposition ~e** (*LING*) inciso; **incident de frontière** incidente fronterizo; **incident de parcours** (*fig*) pequeño contratiempo; **incident diplomatique** incidente diplomático; **incident technique** dificultad *f* técnica.

incinérer [ɛ̃sineʀe] *vt* incinerar.

incisive [ɛ̃siziv] *nf* incisivo.

inciter [ɛ̃site] *vt*: **~ qn à (faire) qch** incitar a algn a (hacer) algo; (*à la révolte etc*) incitar a.

inclinable [ɛ̃klinabl] *adj* reclinable; **siège à dossier ~** asiento reclinable.

inclinaison [ɛ̃klinɛzɔ̃] *nf* inclinación *f*; (*d'une route*) pendiente *f*.

inclination [ɛ̃klinasjɔ̃] *nf* inclinación *f*; **montrer de l'~ pour les sciences** mostrar inclinación hacia *ou* por las ciencias; **~ de (la) tête** inclinación de (la) cabeza; **~ (du buste)** inclinación.

incliner [ɛ̃kline] *vt* inclinar ♦ *vi*: **~ à qch/à faire** tender a algo/a hacer; **s'incliner** *vpr* (*personne, toit*) inclinarse; (*chemin, pente*) bajar, descender; **~ la tête** *ou* **le front** (*pour saluer*) inclinar la cabeza; **s'~ (devant qn/qch)** (*rendre hommage à*) inclinarse (ante algn/algo); **s'~ (devant qch)** (*céder*) ceder (ante algo); **s'~ devant qn/qch** (*s'avouer battu*) doblegarse ante algn/algo.

inclure [ɛ̃klyʀ] *vt* incluir; (*joindre à un envoi*) adjuntar.

incognito [ɛ̃kɔɲito] *adv* de incógnito ♦ *nm*: **garder l'~** mantener el incógnito.

incohérent, e [ɛ̃kɔeʀɑ̃, ɑ̃t] *adj* incoherente.

incolore [ɛ̃kɔlɔʀ] *adj* incoloro(-a); (*style*) insulso(-a).

incomber [ɛ̃kɔ̃be]: **~ à** *vt ind* (*suj*: *devoirs, responsabilités*) incumbir a; (: *frais, travail*) corresponder a.

incommode [ɛ̃kɔmɔd] *adj* incómodo(-a).

incommoder [ɛ̃kɔmɔde] *vt*: **~ qn** incomodar a algn.

incomparable [ɛ̃kɔ̃paʀabl] *adj* (*dissemblable*) no comparable; (*inégalable*) incomparable.

incompatible [ɛ̃kɔ̃patibl] *adj* incompati-

ble; ~ **avec** incompatible con.
incompétent, e [ɛ̃kɔ̃petɑ̃, ɑ̃t] *adj* (*ignorant*): ~ **(en)** incompetente (en); (*incapable*) incapaz; (*JUR*) incompetente.
incomplet, -ète [ɛ̃kɔ̃plɛ, ɛt] *adj* incompleto(-a).
incompréhensible [ɛ̃kɔ̃pʀeɑ̃sibl] *adj* incomprensible.
incompris, e [ɛ̃kɔ̃pʀi, iz] *adj* incomprendido(-a).
inconcevable [ɛ̃kɔ̃s(ə)vabl] *adj* inconcebible; (*extravagant*) increíble.
inconditionnel, le [ɛ̃kɔ̃disjɔnɛl] *adj, nm/f* incondicional *m/f*.
incongru, e [ɛ̃kɔ̃gʀy] *adj* (*attitude, remarque*) improcedente; (*visite*) intempestivo(-a), inoportuno(-a).
inconnu, e [ɛ̃kɔny] *adj* desconocido(-a); (*joie, sensation*) desconocido(-a), extraño(-a) ♦ *nm/f* desconocido(-a); (*étranger, tiers*) extraño(-a) ♦ *nm*: **l'~** lo desconocido.
inconscient, e [ɛ̃kɔ̃sjɑ̃, jɑ̃t] *adj* inconsciente ♦ *nm* (*PSYCH*): **l'~** el inconsciente ♦ *nm/f* inconsciente *m/f*; ~ **de** (*événement extérieur*) ajeno(-a) a; **il est ~ de ...** (*conséquences*) no es consciente de ... .
inconsidéré, e [ɛ̃kɔ̃sideʀe] *adj* desconsiderado(-a).
inconsistant, e [ɛ̃kɔ̃sistɑ̃, ɑ̃t] *adj* inconsistente; (*caractère, personne*) débil; (*intrigue d'un roman*) flojo(-a).
inconsolable [ɛ̃kɔ̃sɔlabl] *adj* inconsolable.
incontestable [ɛ̃kɔ̃tɛstabl] *adj* indiscutible.
incontrôlable [ɛ̃kɔ̃tʀolabl] *adj* (*invérifiable*) no comprobable.
inconvenant, e [ɛ̃kɔ̃v(ə)nɑ̃, ɑ̃t] *adj* (*malséant, déplacé*) inconveniente; (*indécent*) incorrecto(-a).
inconvénient [ɛ̃kɔ̃venjɑ̃] *nm* inconveniente *m*, desventaja; (*d'un remède, changement*) inconveniente; **~s** inconvenientes *mpl*; **y a-t-il un ~ à ...?** (*risque*) ¿hay algún problema en ...?; (*objection*) ¿hay algún inconveniente en ...?; **si vous n'y voyez pas d'~** (*obstacle, objection*) si no tiene inconveniente.
incorporer [ɛ̃kɔʀpɔʀe] *vt* incorporar; ~ **(à)** (*mélanger*) incorporar (a); ~ **(dans)** (*insérer*) insertar (en); ~ **qn dans** (*MIL: affecter*) destinar a algn a.
incorrect, e [ɛ̃kɔʀɛkt] *adj* incorrecto(-a).
incrédule [ɛ̃kʀedyl] *adj* (*REL*) descreído(-a); (*personne, moue*) incrédulo(-a), escéptico(-a).
increvable [ɛ̃kʀəvabl] *adj* (*ballon, pneu*) a prueba de pinchazos; (*fam: personne*) infatigable, incansable.
incriminer [ɛ̃kʀimine] *vt* incriminar; (*mettre en doute*) dudar de, sospechar de; **livre/article incriminé** libro/artículo incriminado.
incroyable [ɛ̃kʀwajabl] *adj* increíble.
incroyant, e [ɛ̃kʀwajɑ̃, ɑ̃t] *nm/f* (*REL*) descreído(-a).
incruster [ɛ̃kʀyste] *vt*: ~ **qch dans** (*ART*) incrustar algo en; (*récipient, radiateur*) formar sarro en; **s'incruster** *vpr* (*radiateur, conduite*) cubrirse de sarro; ~ **un bijou de diamants** (*décorer*) incrustar diamantes en una joya; **s'~ dans** incrustarse en; (*invité*) instalarse en, aposentarse en.
inculpé, e [ɛ̃kylpe] *nm/f* inculpado(-a), acusado(-a).
inculper [ɛ̃kylpe] *vt*: ~ **(de)** inculpar (de), acusar (de).
inculquer [ɛ̃kylke] *vt*: ~ **qch à qn** inculcar algo a *ou* en algn.
inculte [ɛ̃kylt] *adj* no cultivado(-a), yermo(-a); (*esprit, paysan, peuple*) inculto(-a); (*cheveux, barbe*) descuidado(-a).
incurable [ɛ̃kyʀabl] *adj* (*maladie, malade*) incurable; (*sottise, ignorance*) irremediable.
incursion [ɛ̃kyʀsjɔ̃] *nf* (*attaque, invasion*) incursión *f*; (*fig*) irrupción *f*.
incurvé, e [ɛ̃kyʀve] *adj* curvo(-a).
Inde [ɛ̃d] *nf* India.
indécent, e [ɛ̃desɑ̃, ɑ̃t] *adj* indecente, indecoroso(-a); (*inconvenant, déplacé*) desconsiderado(-a).
indécis, e [ɛ̃desi, iz] *adj* (*paix, victoire*) dudoso(-a); (*temps*) dudoso(-a), inestable; (*contours, formes*) impreciso(-a), vago(-a); (*personne*) indeciso(-a).
indéfini, e [ɛ̃defini] *adj* indefinido(-a); (*nombre*) ilimitado(-a); (*LING: article*) indeterminado(-a); **passé ~** perfecto.
indemne [ɛ̃dɛmn] *adj* indemne.
indemniser [ɛ̃dɛmnize] *vt* indemnizar; ~ **qn de qch** indemnizar a algn por algo; **se faire ~** cobrar una indemnización.
indemnité [ɛ̃dɛmnite] *nf* (*dédommagement*) indemnización *f*; (*allocation*) subsidio; **indemnité de licenciement** indemnización por despido; **indemnité de logement** subsidio de vivienda; **indemnité journalière de chômage** subsidio de paro; **indemnité parlementaire** dietas *fpl* parlamentarias.
indéniable [ɛ̃denjabl] *adj* innegable.
indépendance [ɛ̃depɑ̃dɑ̃s] *nf* independencia; **indépendance matérielle** independencia económica.
indépendant, e [ɛ̃depɑ̃dɑ̃, ɑ̃t] *adj* independiente; ~ **de** independiente de; **tra-**

vailleur ~ trabajador autónomo; **chambre ~e** habitación *f* independiente.
indescriptible [ɛ̃dɛskʀiptibl] *adj* indescriptible.
indétermination [ɛ̃detɛʀminasjɔ̃] *nf* indeterminación *f*.
indéterminé, e [ɛ̃detɛʀmine] *adj* indeterminado(-a); (*texte, sens*) impreciso(-a).
index [ɛ̃dɛks] *nm* índice *m*; **mettre qn/qch à l'~** poner a algn/algo en la lista negra.
indexer [ɛ̃dɛkse] *vt* (*ÉCON*): ~ **(sur)** ajustar (de acuerdo a *ou* según).
indicateur, -trice [ɛ̃dikatœʀ, tʀis] *nm/f* (*de la police*) confidente *m/f* ♦ *nm* (*livre, brochure*): ~ **immobilier** guía inmobiliaria; (*ÉCON*) indicador *m*, índice *m* ♦ *adj*: **poteau** ~ indicador, señal *f* de orientación; **panneau** ~ panel *m* informativo; **indicateur de changement de direction** (*AUTO*) indicador de cambio de dirección; **indicateur de niveau** indicador de nivel; **indicateur de pression** manómetro; **indicateur des chemins de fer** horario de trenes; **indicateur de vitesse** velocímetro.
indicatif [ɛ̃dikatif] *nm* (*LING*) indicativo; (*RADIO*) sintonía; (*téléphonique*) prefijo ♦ *adj*: **à titre** ~ a título informativo; **indicatif d'appel** (*RADIO*) signo convencional.
indication [ɛ̃dikasjɔ̃] *nf* indicación *f*; **~s** *nfpl* (*directives*) indicaciones *fpl*, instrucciones *fpl*; **indication d'origine** (*COMM*) indicación de origen *ou* de procedencia.
indice [ɛ̃dis] *nm* indicio; (*POLICE*) indicio, pista; (*ÉCON, SCIENCE, TECH, ADMIN*) índice *m*; **indice de la production industrielle** índice de producción industrial; **indice de réfraction/des prix** índice de refracción/de precios; **indice de traitement** (*ADMIN*) escala de sueldos; **indice d'octane** (*d'un carburant*) índice de octano; **indice du coût de la vie** índice de coste de la vida; **indice inférieur** (*INFORM*) índice inferior.
indicible [ɛ̃disibl] *adj* (*joie, charme*) inefable; (*peine*) indecible.
indien, ne [ɛ̃djɛ̃, jɛn] *adj* indio(-a), hindú ♦ *nm/f*: **I~, ne** (*d'Amérique*) indio(-a); (*d'Inde*) indio(-a), hindú *m/f*; **l'océan I~** el Océano Indico.
indifférence [ɛ̃difeʀɑ̃s] *nf* indiferencia.
indifférent, e [ɛ̃difeʀɑ̃, ɑ̃t] *adj* indiferente; ~ **à qn/qch** indiferente a algn/algo; **parler de choses ~es** hablar de cosas sin importancia; **ça m'est ~ (que ...)** me es indiferente (que ...).
indigène [ɛ̃diʒɛn] *adj, nm/f* indígena, criollo(-a) (*AM*).
indigeste [ɛ̃diʒɛst] *adj* indigesto(-a); (*fig*) pesado(-a).
indigestion [ɛ̃diʒɛstjɔ̃] *nf* indigestión *f*; **avoir une** ~ tener una indigestión.
indigne [ɛ̃diɲ] *adj* indigno(-a); ~ **de** indigno(-a) de.
indigner [ɛ̃diɲe] *vt* indignar; **s'indigner** *vpr*: **s'~ (de qch/contre qn)** (*se fâcher*) indignarse (por *ou* con algo/contra *ou* con algn).
indiquer [ɛ̃dike] *vt* indicar; (*heure, solution*) indicar, informar; (*déterminer*) señalar, fijar; ~ **qch/qn du doigt/du regard** (*désigner*) indicar *ou* señalar algo/a algn con el dedo/con la mirada; **à l'heure indiquée** a la hora acordada; **pourriez-vous m'~ les toilettes/l'heure?** ¿puede indicarme dónde están los servicios/decirme la hora?
indirect, e [ɛ̃diʀɛkt] *adj* indirecto(-a).
indiscipliné, e [ɛ̃disipline] *adj* (*écolier, troupes*) indisciplinado(-a); (*cheveux etc*) rebelde.
indiscrétion [ɛ̃diskʀesjɔ̃] *nf* indiscreción *f*; **sans ~, ...** si no es indiscreción, ...
indiscutable [ɛ̃diskytabl] *adj* indiscutible.
indispensable [ɛ̃dispɑ̃sabl] *adj* (*garanties, précautions, condition*) indispensable; (*objet, connaissances, personne*) imprescindible; ~ **à qn/pour faire qch** imprescindible *ou* indispensable a algn/para hacer algo.
indisponible [ɛ̃dispɔnibl] *adj* indisponible, no disponible.
indisposé, e [ɛ̃dispoze] *adj* indispuesto(-a).
indistinct, e [ɛ̃distɛ̃(kt), ɛ̃kt] *adj* (*objet*) indistinto(-a); (*voix, bruits, souvenirs*) confuso(-a).
individu [ɛ̃dividy] *nm* individuo.
individuel, le [ɛ̃dividɥɛl] *adj* individual; (*opinion*) personal; (*cas*) particular ♦ *nm/f* (*athlète*) independiente *m/f*; **chambre/maison ~le** habitación *f*/casa individual; **propriété ~le** propiedad *f* particular.
indolent, e [ɛ̃dɔlɑ̃, ɑ̃t] *adj* indolente.
indolore [ɛ̃dɔlɔʀ] *adj* indoloro(-a).
indomptable [ɛ̃dɔ̃(p)tabl] *adj* (*fauve, fig*) indomable; (*volonté*) inquebrantable.
indu, e [ɛ̃dy] *adj*: **à des heures ~es** (*travailler*) tarde; (*rentrer*) a horas imprudentes.
induire [ɛ̃dɥiʀ] *vt*: ~ **qch de** deducir algo de; ~ **qn en erreur** inducir a algn a error.
indulgent, e [ɛ̃dylʒɑ̃, ɑ̃t] *adj* indulgente.
industrie [ɛ̃dystʀi] *nf* industria; **petite/moyenne/grande ~** pequeña/mediana/gran industria; **industrie automobile** in-

dustria automovilística; **industrie du livre/du spectacle** industria del libro/del espectáculo; **industrie légère/lourde/ textile** industria ligera/pesada/textil.
industriel, le [ɛ̃dystʀijɛl] *adj, nm/f* industrial *m/f*.
inébranlable [inebʀɑ̃labl] *adj* inquebrantable; (*personne, certitude*) firme.
inédit, e [inedi, it] *adj* inédito(-a).
inefficacité [inefikasite] *nf* ineficacia; (*machine, employé*) ineficiencia.
inégal, e, -aux [inegal, o] *adj* desigual; (*partage, part*) desproporcionado(-a); (*rythme, pouls, écrivain*) irregular; (*humeur*) variable.
inégalable [inegalabl] *adj* inigualable.
inégalité [inegalite] *nf* desigualdad *f*; (*d'un partage etc*) desproporción *f*; ~s *nfpl* (*dans une œuvre*) desigualdades *fpl*; **inégalités d'humeur** variaciones *fpl* de humor; **inégalités de terrain** desigualdades del terreno.
ineptie [inɛpsi] *nf* necedad *f*; (*idée, œuvre*) desatino.
inerte [inɛʀt] *adj* inerte; (*apathique*) pasivo(-a).
inestimable [inɛstimabl] *adj* inestimable.
inévitable [inevitabl] *adj* inevitable; (*effet*) consabido(-a), inevitable; (*hum: rituel*) consabido(-a).
inexact, e [inɛgza(kt), akt] *adj* inexacto(-a); (*traduction etc*) incorrecto(-a); (*non ponctuel*) impuntual.
inexactitude [inɛgzaktityd] *nf* inexactitud *f*; (*d'une traduction*) incorrección *f*; (*d'une personne*) impuntualidad *f*; (*erreur*) error *m*.
inexpérience [inɛkspeʀjɑ̃s] *nf* inexperiencia.
inexpérimenté, e [inɛkspeʀimɑ̃te] *adj* (*naïf*) ingenuo(-a); (*sans expérience: conducteur*) con poca experiencia; (*arme, procédé*) no probado(-a).
inexplicable [inɛksplikabl] *adj* inexplicable.
inexpressif, -ive [inɛkspʀesif, iv] *adj* inexpresivo(-a).
in extremis [inɛkstʀemis] *adv* de milagro ♦ *adj* (*préparatifs, sauvetage*) en el último momento; (*mariage, testament*) in extremis.
infaillible [ɛ̃fajibl] *adj* infalible.
infâme [ɛ̃fɑm] *adj* (*personne, complaisance etc*) detestable; (*trahison, action*) infame; (*malpropre*) inmundo(-a).
infanterie [ɛ̃fɑ̃tʀi] *nf* infantería.
infantile [ɛ̃fɑ̃til] *adj* infantil.
infarctus [ɛ̃faʀktys] *nm*: ~ **(du myocarde)** infarto (de miocardio).
infatigable [ɛ̃fatigabl] *adj* infatigable, incansable.
infect, e [ɛ̃fɛkt] *adj* pestilente; (*goût*) asqueroso(-a); (*temps*) horroroso(-a); (*personne*) odioso(-a).
infecter [ɛ̃fɛkte] *vt* (*atmosphère, eau*) contaminar; (*personne*) contagiar; (*plaie*) infectar; **s'infecter** *vpr* infectarse.
infection [ɛ̃fɛksjɔ̃] *nf* (*puanteur*) pestilencia; (*MÉD*) infección *f*.
inférieur, e [ɛ̃feʀjœʀ] *adj* inferior; (*classes sociales, intelligence*) bajo(-a) ♦ *nm/f* inferior *m/f*; ~ **à** inferior a.
infernal, e, -aux [ɛ̃fɛʀnal, o] *adj* infernal; (*satanique*) diabólico(-a); **tu es ~!** (*fam: enfant*) ¡eres un diablo!
infidèle [ɛ̃fidɛl] *adj* infiel; (*narrateur, récit*) inexacto(-a).
infidélité [ɛ̃fidelite] *nf* infidelidad *f*; (*d'un récit*) inexactitud *f*.
infiltrer [ɛ̃filtʀe]: **s'~** *vpr*: **s'~ dans** infiltrarse en; (*vent, lumière*) colarse en.
infime [ɛ̃fim] *adj* ínfimo(-a).
infini, e [ɛ̃fini] *adj* infinito(-a); (*discussions*) interminable; (*précautions*) extremo(-a) ♦ *nm*: **l'~** (*MATH, PHOTO*) el infinito; **à l'~** (*MATH*) al infinito; (*discourir*) interminablemente; (*agrandir, varier*) ampliamente.
infinitif, -ive [ɛ̃finitif, iv] *nm* (*LING*) infinitivo ♦ *adj* (*mode, proposition*) infinitivo(-a).
infirme [ɛ̃fiʀm] *adj, nm/f* inválido(-a); **infirme moteur** deficiente *m/f* físico(-a).
infirmerie [ɛ̃fiʀməʀi] *nf* enfermería.
infirmier, -ière [ɛ̃fiʀmje, jɛʀ] *nm/f* enfermero(-a), A.T.S. *m/f* ♦ *adj*: **élève ~** alumno(-a) de enfermería; **infirmière chef** enfermera jefe; **infirmière diplômée** diplomada en enfermería; **infirmière visiteuse** enfermera domiciliaria.
infirmité [ɛ̃fiʀmite] *nf* invalidez *f*.
inflammable [ɛ̃flamabl] *adj* inflamable.
inflammation [ɛ̃flamasjɔ̃] *nf* inflamación *f*.
inflation [ɛ̃flasjɔ̃] *nf* inflación *f*; **inflation galopante/rampante** inflación galopante/lenta.
infléchir [ɛ̃fleʃiʀ] *vt* (*politique*) reorientar; **s'infléchir** *vpr* (*poutre*) doblarse, curvarse.
inflexible [ɛ̃flɛksibl] *adj* inflexible.
inflexion [ɛ̃flɛksjɔ̃] *nf* inflexión *f*; **~ de la tête** inclinación *f* de cabeza.
influence [ɛ̃flyɑ̃s] *nf* influencia; (*d'une drogue*) efecto; (*POL*) predominio.
influencer [ɛ̃flyɑ̃se] *vt* influir.
influer [ɛ̃flye]: **~ sur** *vt ind* (*fig*) influir en.
informaticien, ne [ɛ̃fɔʀmatisjɛ̃, jɛn]

nm/f informático(-a).
information [ɛ̃fɔʀmasjɔ̃] *nf* información *f*; **~s** *nfpl* (*RADIO*) noticias *fpl*; **voyage d'~** viaje *m* de investigación; **~ politique/sportive** (*TV etc*) información política/deportiva; **journal d'~** diario informativo.
informatique [ɛ̃fɔʀmatik] *nf* informática.
informe [ɛ̃fɔʀm] *adj* informe; (*vêtement*) deforme; (*essai, projet*) esbozado(-a).
informer [ɛ̃fɔʀme] *vt*: **~ qn (de)** informar a algn (de) ♦ *vi* (*JUR*): **~ contre qn/sur qch** informar contra algn/sobre algo; **s'informer** *vpr*: **s'~ (sur)** informarse (sobre).
infos [ɛ̃fo] *nfpl* = **informations**.
infraction [ɛ̃fʀaksjɔ̃] *nf* infracción *f*; **être en ~** haber cometido una infracción.
infranchissable [ɛ̃fʀɑ̃ʃisabl] *adj* infranqueable; (*fig*) insalvable.
infrarouge [ɛ̃fʀaʀuʒ] *adj* infrarrojo(-a) ♦ *nm* infrarrojo.
infrastructure [ɛ̃fʀastʀyktyʀ] *nf* infraestructura; **~s** *nfpl* (*d'un pays etc*) infraestructuras *fpl*; **~ touristique/hôtelière/routière** infraestructura turística/hotelera/viaria.
infuser [ɛ̃fyze] *vt* (*aussi*: **faire ~**) dejar reposar.
infusion [ɛ̃fyzjɔ̃] *nf* infusión *f*.
ingénieur [ɛ̃ʒenjœʀ] *nm* ingeniero; **ingénieur agronome/du son** ingeniero agrónomo/de sonido; **ingénieur chimiste/des mines** ingeniero químico/de minas.
ingénieux, -euse [ɛ̃ʒenjø, jøz] *adj* ingenioso(-a).
ingénu, e [ɛ̃ʒeny] *adj* ingenuo(-a).
ingérer [ɛ̃ʒeʀe] *vb*: **s'~ dans** interferir en.
ingrat, e [ɛ̃gʀa, at] *adj* (*personne, travail*) ingrato(-a); (*sol*) estéril; (*visage*) poco agraciado(-a) ♦ *nm/f* ingrato(-a); **~ envers** ingrato con.
ingrédient [ɛ̃gʀedjɑ̃] *nm* ingrediente *m*.
ingurgiter [ɛ̃gyʀʒite] *vt* tragar; (*avec voracité*) engullir; (*connaissances*) empollar.
inhabitable [inabitabl] *adj* inhabitable.
inhabité, e [inabite] *adj* (*régions*) despoblado(-a); (*maison*) deshabitado(-a).
inhabituel, le [inabitɥɛl] *adj* inhabitual.
inhibition [inibisjɔ̃] *nf* inhibición *f*.
inhospitalier, -ière [inɔspitalje, jɛʀ] *adj* inhospitalario(-a).
inhumain, e [inymɛ̃, ɛn] *adj* (*barbare*) inhumano(-a); (*cri etc*) atroz.
inhumer [inyme] *vt* inhumar.
inimitable [inimitabl] *adj* inimitable.
inintelligible [inɛ̃teliʒibl] *adj* ininteligible.
inintéressant, e [inɛ̃teʀesɑ̃, ɑ̃t] *adj* poco interesante.
ininterrompu, e [inɛ̃teʀɔ̃py] *adj* ininterrumpido(-a); (*flot, vacarme*) continuo(-a).
initial, e, -aux [inisjal, jo] *adj, nf* inicial; **~es** *nfpl* iniciales *fpl*.
initiation [inisjasjɔ̃] *nf* iniciación *f*.
initiative [inisjativ] *nf* (*aussi POL*) iniciativa; **avoir de l'~** tener iniciativa; **esprit d'~** (espíritu de) iniciativa; **à** *ou* **sur l'~ de qn** a iniciativa de algn; **de sa propre ~** por propia iniciativa.
initié, e [inisje] *adj, nm/f* iniciado(-a).
initier [inisje] *vt* iniciar; **s'initier** *vpr*: **s'~ à** iniciarse en; **~ qn à** iniciar a algn en.
injecter [ɛ̃ʒɛkte] *vt* inyectar.
injection [ɛ̃ʒɛksjɔ̃] *nf* inyección *f*; **~ intraveineuse/sous-cutanée** inyección intravenosa/subcutánea; **à ~** (*moteur, système*) de inyección.
injure [ɛ̃ʒyʀ] *nf* insulto.
injurier [ɛ̃ʒyʀje] *vt* insultar.
injurieux, -euse [ɛ̃ʒyʀjø, jøz] *adj* injurioso(-a).
injuste [ɛ̃ʒyst] *adj* injusto(-a); **~ (avec** *ou* **envers qn)** injusto(-a) (con algn).
injustice [ɛ̃ʒystis] *nf* injusticia; **haïr/abhorrer l'~** odiar/aborrecer la injusticia.
inlassable [ɛ̃lɑsabl] *adj* incansable, infatigable.
inné, e [i(n)ne] *adj* innato(-a).
innocence [inɔsɑ̃s] *nf* inocencia.
innocent, e [inɔsɑ̃, ɑ̃t] *adj* inocente; (*crédule, naïf*) inocente, ingenuo(-a); (*jeu, plaisir*) inofensivo(-a) ♦ *nm/f* inocente *m/f*; **faire l'~** hacerse el inocente.
innombrable [i(n)nɔ̃bʀabl] *adj* incontable.
innovation [inɔvasjɔ̃] *nf* innovación *f*.
innover [inɔve] *vt* innovar ♦ *vi*: **~ en art/en matière d'art** innovar en arte/en temas de arte.
inoccupé, e [inɔkype] *adj* desocupado(-a).
inoculer [inɔkyle] *vt* (*volontairement*) inocular; (*accidentellement*) contagiar; (*fig: idées nocives*) inculcar.
inodore [inɔdɔʀ] *adj* inodoro(-a).
inoffensif, -ive [inɔfɑ̃sif, iv] *adj* inofensivo(-a); (*plaisanterie*) inocente.
inondation [inɔ̃dasjɔ̃] *nf* inundación *f*; (*afflux massif*) invasión *f*.
inonder [inɔ̃de] *vt* inundar; (*pluie*) empapar; (*envahir*) invadir; **~ de** inundar de.
inopportun, e [inɔpɔʀtœ̃, yn] *adj* ino-

portuno(-a).

inoubliable [inublijabl] *adj* inolvidable.

inouï, e [inwi] *adj* inaudito(-a).

inox [inɔks] *adj, nm abr* acero inoxidable.

inoxydable [inɔksidabl] *adj* inoxidable; (*couteaux etc*) de acero inoxidable ♦ *nm* acero inoxidable.

inqualifiable [ɛ̃kalifjabl] *adj* incalificable.

inquiet, -ète [ɛ̃kjɛ, ɛ̃kjɛt] *adj* inquieto(-a) ♦ *nm/f* inquieto(-a); ~ **de qch/au sujet de qn** inquieto(-a) *ou* preocupado(-a) por algo/algn.

inquiéter [ɛ̃kjete] *vt* inquietar, preocupar; (*harceler*) hostigar; (*police*) molestar; **s'inquiéter** *vpr* inquietarse, preocuparse; **s'~ de** preocuparse por.

inquiétude [ɛ̃kjetyd] *nf* inquietud *f*, preocupación *f*; **donner de l'~** *ou* **des ~s à** preocupar a; **avoir de l'~** *ou* **des ~s au sujet de** estar preocupado(-a) por.

insaisissable [ɛ̃sezisabl] *adj* (*ennemi*) incapturable; (*nuance*) imperceptible; (*bien*) inembargable.

insalubre [ɛ̃salybʀ] *adj* insalubre.

insanité [ɛ̃sanite] *nf* insensatez *f*.

insatisfait, e [ɛ̃satisfɛ, ɛt] *adj* insatisfecho(-a).

inscription [ɛ̃skʀipsjɔ̃] *nf* inscripción *f*; (*indication*) inscripción, letrero; (*à une institution*) inscripción, matrícula.

inscrire [ɛ̃skʀiʀ] *vt* escribir, inscribir; (*renseignement*) anotar; (*à un budget*) hacer asiento de; (*nom: sur une liste etc*) anotar, apuntar; **s'inscrire** *vpr* (*pour une excursion etc*) apuntarse, inscribirse; **~ qn à** matricular *ou* apuntar a algn a; **s'~ (à)** (*un club, parti*) apuntarse (a), matricularse (en); (*l'université, un examen*) matricularse (en); **s'~ dans** (*suj: projet*) insertarse en; **s'~ en faux contre qch** desmentir algo.

insecte [ɛ̃sɛkt] *nm* insecto.

insecticide [ɛ̃sɛktisid] *adj* insecticida ♦ *nm* insecticida *m*.

insécurité [ɛ̃sekyʀite] *nf* inseguridad *f*; **vivre dans l'~** vivir en la inseguridad.

insémination [ɛ̃seminasjɔ̃] *nf* inseminación *f*; **insémination artificielle** inseminación artificial.

insensé, e [ɛ̃sɑ̃se] *adj* insensato(-a).

insensible [ɛ̃sɑ̃sibl] *adj* insensible; (*pouls, mouvement*) imperceptible; ~ **aux compliments/à la chaleur** insensible a los halagos/al calor.

insensiblement [ɛ̃sɑ̃sibləmɑ̃] *adv* imperceptiblemente.

insérer [ɛ̃seʀe] *vt* insertar; (*exemples*) introducir; **s'~ dans** insertarse *ou* incluirse en.

insigne [ɛ̃siɲ] *nm* emblema *m* ♦ *adj* insigne; (*service*) notable.

insignifiant, e [ɛ̃siɲifjɑ̃, jɑ̃t] *adj* insignificante; (*paroles, visage, livre*) insustancial.

insinuer [ɛ̃sinɥe] *vt* insinuar; **s'insinuer** *vpr*: **s'~ dans** (*odeur, humidité*) filtrarse en; (*personne*) colarse en.

insipide [ɛ̃sipid] *adj* insípido(-a), insulso(-a); (*film etc*) insulso(-a); (*personne*) soso(-a).

insister [ɛ̃siste] *vi* insistir; ~ **sur** insistir en; ~ **pour (faire) qch** insistir en (hacer) algo.

insolation [ɛ̃sɔlasjɔ̃] *nf* insolación *f*.

insolent, e [ɛ̃sɔlɑ̃, ɑ̃t] *adj* insolente, descarado(-a); (*indécent*) injurioso(-a) ♦ *nm/f* insolente *m/f*, descarado(-a).

insolite [ɛ̃sɔlit] *adj* extraño(-a).

insomnie [ɛ̃sɔmni] *nf* insomnio; **avoir des ~s** tener insomnio.

insonoriser [ɛ̃sɔnɔʀize] *vt* insonorizar.

insouciant, e [ɛ̃susjɑ̃, jɑ̃t] *adj* despreocupado(-a); (*imprévoyant*) dejado(-a).

insoumis, e [ɛ̃sumi, iz] *adj* insumiso(-a); (*contrée, tribu*) sublevado(-a); (*soldat*) desertor(a) ♦ *nm* (*soldat*) desertor(a).

insoupçonnable [ɛ̃supsɔnabl] *adj* insospechable.

insoutenable [ɛ̃sut(ə)nabl] *adj* (*argument, opinion*) insostenible; (*lumière, chaleur, spectacle*) insoportable; (*effort*) insufrible.

inspecter [ɛ̃spɛkte] *vt* inspeccionar; (*personne*) dar un repaso a; (*maison*) revisar.

inspecteur, -trice [ɛ̃spɛktœʀ, tʀis] *nm/f* inspector(a); **inspecteur d'Académie** inspector de enseñanza; **inspecteur (de police)** inspector (de policía); **inspecteur des Finances** *ou* **des impôts** inspector de hacienda; **inspecteur (de l'enseignement) primaire** ≈ inspector de educación primaria.

inspection [ɛ̃spɛksjɔ̃] *nf* inspección *f*; **inspection des Finances/du Travail** inspección de Hacienda/de trabajo.

inspiration [ɛ̃spiʀasjɔ̃] *nf* inspiración *f*; (*conseil*) sugerencia; **sous l'~ de qn** bajo la inspiración de algn; **mode d'~ orientale** moda de inspiración oriental.

inspirer [ɛ̃spiʀe] *vt* inspirar; (*intentions*) sugerir ♦ *vi* inspirar; **s'inspirer** *vpr*: **s'~ de qch** inspirarse en algo; ~ **qch à qn** sugerir algo a algn; (*crainte, horreur*) inspirar algo a algn; **ça ne m'inspire pas beaucoup/vraiment pas** eso no me dice mucho/nada.

instable [ɛ̃stabl] *adj* inestable; (*personne,*

population) nómada.

installation [ɛ̃stalasjɔ̃] *nf* instalación *f*; (*dans un lieu précis*) colocación *f*; (*chez qn*) alojamiento; (*sur un siège*) acomodo; **~s** *nfpl* (*équipement*): **~s portuaires** instalaciones *fpl* portuarias; **une ~ provisoire** *ou* **de fortune** un alojamiento provisional; **l'~ électrique** la instalación eléctrica; **installations industrielles** instalaciones industriales.

installer [ɛ̃stale] *vt* instalar; (*asseoir, coucher*) acomodar; (*dans un lieu déterminé*) colocar; (*appartement*) acondicionar; (*fonctionnaire, magistrat*) dar posesión a; **s'installer** *vpr* instalarse; (*à un emplacement*) acomodarse; (*maladie, grève*) arraigarse; **~ une chambre dans le grenier** construir una habitación en el ático; **s'~ à l'hôtel/chez qn** alojarse en el hotel/en casa de algn.

instamment [ɛ̃stamɑ̃] *adv* insistentemente.

instance [ɛ̃stɑ̃s] *nf* (*JUR*) instancia; **~s** *nfpl* (*prières*) insistencia *fsg*; **les ~s internationales** los organismos internacionales; **affaire en ~** asunto pendiente; **courrier en ~** correo pendiente; **être en ~ de divorce** estar en trámites de divorcio; **train en ~ de départ** tren *m* a punto de salir; **en première ~** en primera instancia.

instant, e [ɛ̃stɑ̃, ɑ̃t] *adj* (*prière etc*) apremiante ♦ *nm* instante *m*; **sans perdre un ~** sin perder un instante; **en** *ou* **dans un ~** en un instante; **à l'~**: **je l'ai vu à l'~** lo he visto hace nada; **à l'~ (même) où** en el (mismo) momento en que; **à chaque** *ou* **tout ~** a cada instante; **pour l'~** por el momento; **par ~s** por momentos; **de tous les ~s** constante; **dès l'~ où** *ou* **que ...** desde el momento en que *ou* en cuanto ...; **d'un ~ à l'autre** de un momento a otro, en cualquier momenta.

instantané, e [ɛ̃stɑ̃tane] *adj* instantáneo(-a) ♦ *nm* (*PHOTO*) instantánea.

instar [ɛ̃staʀ]: **à l'~ de** *prép* a semejanza de.

instaurer [ɛ̃stɔʀe] *vt* implantar; **s'instaurer** *vpr* establecerse.

instinct [ɛ̃stɛ̃] *nm* instinto; **avoir l'~ des affaires/du commerce** tener instinto para los negocios/el comercio; **d'~** por instinto; **~ grégaire/de conservation** instinto gregario/de conservación.

instinctif, -ive [ɛ̃stɛ̃ktif, iv] *adj* instintivo(-a); (*personne*) impulsivo(-a).

instituer [ɛ̃stitɥe] *vt* establecer; (*un organisme*) fundar; (*évêque*) designar; (*héritier*) nombrar; **s'instituer** *vpr* (*relations*) establecerse; **s'~ défenseur d'une cause** erigirse en defensor(a) de una causa.

institut [ɛ̃stity] *nm* instituto; **l'I~ de France** *institución que agrupa las cinco academias en Francia*, ≈ Real Academia Española; **institut de beauté** instituto de belleza; **institut médico-légal** instituto médico legal; **Institut universitaire de technologie (IUT)** ≈ Escuela Politécnica.

instituteur, -trice [ɛ̃stitytœʀ, tʀis] *nm/f* maestro(-a).

institution [ɛ̃stitysjɔ̃] *nf* institución *f*; (*régime*) régimen *m*; (*collège*) colegio privado; **~s** *nfpl* (*structures politiques et sociales*) instituciones *fpl*.

instruction [ɛ̃stʀyksjɔ̃] *nf* (*enseignement*) enseñanza; (*savoir*) cultura; (*JUR, INFORM*) instrucción *f*; **~s** *nfpl* (*directives, mode d'emploi*) instrucciones *fpl*; **~ publique/primaire** enseñanza pública/de educación primaria; **~ ministérielle/préfectorale** circular *f* ministerial/de la Prefectura; **instruction civique** formación *f* cívica; **instruction religieuse** formación religiosa.

instruire [ɛ̃stʀɥiʀ] *vt* (*élèves*) enseñar; (*MIL, JUR*) instruir; **s'instruire** *vpr* instruirse; **s'~ de qch auprès de qn** informarse sobre algo por algn; **~ qn de qch** informar a algn de algo.

instruit, e [ɛ̃stʀɥi, it] *pp de* **instruire** ♦ *adj* instruido(-a), culto(-a).

instrument [ɛ̃stʀymɑ̃] *nm* herramienta; (*MUS*) instrumento; **instrument à cordes/à percussion/à vent/de musique** instrumento de cuerda/de percusión/de viento/musical; **instrument de mesure/de travail** instrumento de medición/de trabajo.

insu [ɛ̃sy] *nm*: **à l'~ de qn** a espaldas de algn; **à son ~** a sus espaldas.

insubordonné, e [ɛ̃sybɔʀdɔne] *adj* (*élève*) indisciplinado(-a); (*soldat*) insubordinado(-a).

insuffisance [ɛ̃syfizɑ̃s] *nf* insuficiencia; **~s** *nfpl* (*déficiences, lacunes*) insuficiencias *fpl*; **insuffisance cardiaque/hépatique** insuficiencia cardíaca/hepática.

insuffisant, e [ɛ̃syfizɑ̃, ɑ̃t] *adj* insuficiente; (*dimensions*) reducido(-a); **~ en maths** insuficiente en matemáticas.

insulaire [ɛ̃sylɛʀ] *adj* insular; (*attitude*) cerrado(-a).

insuline [ɛ̃sylin] *nf* insulina.

insulte [ɛ̃sylt] *nf* insulto.

insulter [ɛ̃sylte] *vt* insultar.

insupportable [ɛ̃sypɔʀtabl] *adj* insoportable.

insurger [ɛ̃syʀʒe] *vb*: **s'~ (contre)** sublevarse (contra).

insurmontable [ɛ̃syʀmɔ̃tabl] *adj* insuperable; (*angoisse, aversion*) invencible.

insurrection [ɛ̃syʀɛksjɔ̃] *nf* insurrección *f*, sublevación *f*.

intact, e [ɛ̃takt] *adj* intacto(-a); (*réputation*) íntegro(-a).

intarissable [ɛ̃taʀisabl] *adj* inagotable; **il est ~ sur ...** es incansable cuando habla de ... .

intégral, e, -aux [ɛ̃tegʀal, o] *adj* total; (*édition*) completo(-a); **nu ~** desnudo integral.

intégrant, e [ɛ̃tegʀɑ̃, ɑ̃t] *adj*: **faire partie ~e de qch** formar parte integrante de algo.

intègre [ɛ̃tɛgʀ] *adj* íntegro(-a).

intégrer [ɛ̃tegʀe] *vt* (*personnes*) integrar; (*théories, paragraphe*) incorporar ♦ *vi* (*argot universitaire*) ingresar; **s'intégrer** *vpr*: **s'~ à** *ou* **dans qch** integrarse en algo.

intégrisme [ɛ̃tegʀism] *nm* integrismo.

intellectuel, le [ɛ̃telɛktɥɛl] *adj, nm/f* intelectual *m/f*.

intelligence [ɛ̃teliʒɑ̃s] *nf* inteligencia; (*compréhension*) comprensión *f*; **~s** *nfpl* (*fig*) cómplices *mpl*; **regard/sourire d'~** mirada/sonrisa de complicidad; **vivre en bonne/mauvaise ~ avec qn** llevarse bien/mal con algn; **avoir des ~s dans la place** (*MIL*) tener contactos en el sitio; **être d'~** estar de común acuerdo; **intelligence artificielle** inteligencia artificial.

intelligent, e [ɛ̃teliʒɑ̃, ɑ̃t] *adj* inteligente, listo(-a); (*personne, animal*) inteligente.

intempéries [ɛ̃tɑ̃peʀi] *nfpl* tiempo inclemente.

intenable [ɛ̃t(ə)nabl] *adj* inaguantable, insoportable; (*position*) indefendible; (*enfant*) inaguantable.

intendant, e [ɛ̃tɑ̃dɑ̃, ɑ̃t] *nm/f* (*MIL*) intendente *m*; (*SCOL, régisseur*) administrador(a).

intense [ɛ̃tɑ̃s] *adj* intenso(-a).

intensif, -ive [ɛ̃tɑ̃sif, iv] *adj* intensivo(-a); **cours ~** curso intensivo; **culture intensive** cultivo intensivo.

intensité [ɛ̃tɑ̃site] *nf* intensidad *f*; (*d'une expression*) fuerza.

intenter [ɛ̃tɑ̃te] *vt*: **~ un procès/une action contre** *ou* **à qn** entablar proceso/una acción contra algn.

intention [ɛ̃tɑ̃sjɔ̃] *nf* intención *f*; (*but, objectif*) intención *f*, propósito; **contrecarrer les ~s de qn** oponerse a las intenciones de algn; **avec** *ou* **dans l'~ de nuire** con la premeditación de dañar; **avoir l'~ de faire qch** tener la intención de hacer algo; **à l'~ de qn** para algn; (*prière, messe*) por algn; (*fête*) en honor de algn; (*film, ouvrage*) dedicado(-a) a algn; **à cette ~** con este propósito; **sans ~ de** sin intención de; **faire qch sans mauvaise ~** hacer algo sin mala intención; **agir dans une bonne ~** actuar con buena intención.

intentionné, e [ɛ̃tɑ̃sjɔne] *adj*: **être bien/mal ~** tener buena/mala intención.

intentionnel, le [ɛ̃tɑ̃sjɔnɛl] *adj* intencionado(-a); (*JUR*) premeditado(-a).

interactif, -ive [ɛ̃tɛʀaktif, iv] *adj* (*aussi INFORM*) interactivo(-a).

intercalaire [ɛ̃tɛʀkalɛʀ] *adj* intercalar ♦ *nm* separador *m*.

intercaler [ɛ̃tɛʀkale] *vt*: **~ (dans)** introducir (en); **s'intercaler** *vpr*: **s'~ entre** interponerse (entre).

intercéder [ɛ̃tɛʀsede] *vi*: **~ (pour qn)** interceder (en favor de algn).

intercepter [ɛ̃tɛʀsɛpte] *vt* interceptar; (*lumière etc*) impedir el paso de.

interchangeable [ɛ̃tɛʀʃɑ̃ʒabl] *adj* intercambiable.

interclasse [ɛ̃tɛʀklɑs] *nm* descanso.

interdiction [ɛ̃tɛʀdiksjɔ̃] *nf* interdicción *f*, prohibición *f*; **~ de fumer** prohibido *ou* se prohibe fumar; **~ de séjour** interdicción de residencia.

interdire [ɛ̃tɛʀdiʀ] *vt* prohibir; (*ADMIN, REL*: *personne*) inhabilitar; **~ qch à qn** prohibir algo a algn; **~ à qn de faire qch** prohibir a algn hacer algo; (*suj*: *chose*) impedir que algn haga algo; **s'~ qch** (*éviter*) privarse de algo; **il s'interdit d'y penser** se niega a pensar en ello.

interdit, e [ɛ̃tɛʀdi, it] *pp de* **interdire** ♦ *adj* (*stupéfait*) estupefacto(-a); (*prêtre*) inhabilitado(-a), incapacitado(-a); (*écrivain*) vedado(-a); (*livre*) censurado(-a) ♦ *nm* pauta; **prononcer l'~ contre qn** vetar a algn; **film ~ aux moins de 18/13 ans** película prohibida a los menores de 18/13 años; **sens/stationnement ~** dirección *f*/estacionamiento prohibido(-a); **interdit de chéquier** *persona a la que se le deniega un talonario de cheques*; **interdit de séjour** expulsado(-a).

intéressant, e [ɛ̃teʀesɑ̃, ɑ̃t] *adj* interesante; **faire l'~** hacerse el interesante.

intéresser [ɛ̃teʀese] *vt* (*élèves etc*) interesar; (*ADMIN*: *mesure, loi*) concernir; (*COMM*: *aux bénéfices*) dar participación en; **ce film m'a beaucoup intéressé** he encontrado muy interesante esta película; **ça n'intéresse personne** eso no interesa a nadie; **~ qn dans une affaire** hacer partícipe a algn en un negocio; **~ qn à qch** interesar a algn en algo; **s'~ à qn/à ce que fait qn/qch** interesarse por algn/por lo que hace algn/algo; **s'~ à un sport** interesarse por un deporte.

intérêt [ɛ̃teʀɛ] *nm* interés *msg*; (*avantage, originalité*): **l'~ de ...** lo interesante de ...; **~s** *nmpl* (*avantage*) intereses *mpl*; **porter de l'~ à qn** interesarse por algn; **agir par ~** actuar por interés; **avoir des ~s dans une société** tener intereses en una compañía; **il a ~ à acheter cette voiture** le interesa comprar ese coche; **tu aurais ~ à te taire!** ¡más te vale callarte! **il y a ~ à ...** interesa ...; **intérêt composé** interés compuesto.

intérieur, e [ɛ̃teʀjœʀ] *adj* interior ♦ *nm* interior *m*; **ministère de l'I~** ministerio del Interior; **un ~ bourgeois/confortable** una decoración burguesa/confortable; **à l'~ (de)** en el interior *ou* dentro *ou* adentro (*esp AM*) (de); (*fig*) dentro (de); **en ~** (*CINÉ*) en interiores; **vêtement/veste/chaussures d'~** prenda/chaqueta/zapatos *mpl* de estar en casa.

intérim [ɛ̃teʀim] *nm* interinidad *f*; **assurer l'~ (de qn)** hacer la interinidad (de algn); **faire de l'~** hacer sustituciones; **par ~** *adj* interino(-a) ♦ *adv* de interino.

intérimaire [ɛ̃teʀimɛʀ] *adj, nm/f* interino(-a); **personnel ~** personal *m* interino.

interjeter [ɛ̃tɛʀʒəte] *vt* (*appel*) interponer.

interlocuteur, -trice [ɛ̃tɛʀlɔkytœʀ, tʀis] *nm/f* interlocutor(a); **~ valable** (*POL*) interlocutor válido.

intermède [ɛ̃tɛʀmɛd] *nm* intermedio; **~ chanté/dansé** intermedio con canto/con baile.

intermédiaire [ɛ̃tɛʀmedjɛʀ] *adj* intermedio(-a) ♦ *nm/f* intermediario(-a); **~s** *nmpl* (*COMM*) intermediarios *mpl*; **par l'~ de** por mediación de.

interminable [ɛ̃tɛʀminabl] *adj* interminable.

intermittence [ɛ̃tɛʀmitɑ̃s] *nf*: **par ~** (*travailler*) con intermitencias; (*entendre qch*) a intervalos.

internat [ɛ̃tɛʀna] *nm* internado; (*MÉD: fonction*) interno; (*: concours*) ≈ MIR.

international, e, -aux [ɛ̃tɛʀnasjɔnal, o] *adj* internacional ♦ *nm/f* (*SPORT*) jugador(a) internacional.

interne [ɛ̃tɛʀn] *adj* interno(-a) ♦ *nm/f* (*élève*) interno(-a); (*MÉD*) médico(-a) interno(-a).

interner [ɛ̃tɛʀne] *vt* (*réfugiés, soldats*) recluir; (*MÉD*) internar.

interpeller [ɛ̃tɛʀpəle] *vt* interpelar; (*police*) detener.

interphone [ɛ̃tɛʀfɔn] *nm* interfono; (*d'un appartement*) portero automático.

interposer [ɛ̃tɛʀpoze] *vt* interponer; **s'interposer** *vpr* interponerse; **par personnes interposées** por un intermediario.

interprète [ɛ̃tɛʀpʀɛt] *nm/f* intérprete *m/f*; **être l'~ de qn/de qch** ser el portavoz de algn/de algo.

interpréter [ɛ̃tɛʀpʀete] *vt* interpretar.

interrogation [ɛ̃teʀɔgasjɔ̃] *nf* interrogación *f*; **~ écrite/orale** (*SCOL*) control *m* escrito/oral; **~ directe/indirecte** (*LING*) interrogación directa/indirecta.

interrogatoire [ɛ̃teʀɔgatwaʀ] *nm* interrogatorio.

interroger [ɛ̃teʀɔʒe] *vt* interrogar; (*données*) consultar; (*candidat*) examinar; **s'interroger** *vpr* preguntarse; **~ qn (sur qch)** preguntar a algn (por algo); **~ qn du regard** preguntar a algn con la mirada.

interrompre [ɛ̃teʀɔ̃pʀ] *vt* interrumpir; (*circuit électrique, communications*) cortar; **s'interrompre** *vpr* interrumpirse.

interrupteur [ɛ̃teʀyptœʀ] *nm* interruptor *m*; **interrupteur à bascule** interruptor basculante.

interruption [ɛ̃teʀypsjɔ̃] *nf* interrupción *f*; **sans ~** sin interrupción; **interruption (volontaire) de grossesse** interrupción (voluntaria) del embarazo.

intersection [ɛ̃tɛʀsɛksjɔ̃] *nf* intersección *f*.

interstice [ɛ̃tɛʀstis] *nm* intersticio.

intervalle [ɛ̃tɛʀval] *nm* intervalo; **à deux mois d'~** con dos meses de intervalo; **à ~s rapprochés** con mucha frecuencia; **par ~s** a ratos; **dans l'~** mientras tanto.

intervenir [ɛ̃tɛʀvəniʀ] *vi* (*survenir*) ocurrir, tener lugar; (*circonstances, volonté etc*) influir; **~ dans** intervenir en; **~ (pour faire qch)** intervenir (para hacer algo); **~ auprès de qn/en faveur de qn** interceder ante algn/en favor de algn; **la police a dû ~** la policía tuvo que intervenir; **les médecins ont dû ~** los médicos tuvieron que intervenir.

intervention [ɛ̃tɛʀvɑ̃sjɔ̃] *nf* intervención *f*; **~ (chirurgicale)** intervención (quirúrgica); **prix d'~** precio de intervención; **intervention armée** intervención armada.

intervertir [ɛ̃tɛʀvɛʀtiʀ] *vt* invertir; **~ les rôles** invertir los papeles.

interview [ɛ̃tɛʀvju] *nf* interviú *f*, entrevista.

intestin, e [ɛ̃tɛstɛ̃, in] *adj*: **querelles/luttes ~es** querellas *fpl*/luchas *fpl* internas ♦ *nm* intestino; **intestin grêle** intestino delgado.

intime [ɛ̃tim] *adj* íntimo(-a); (*convictions*)

profundo(-a) ♦ *nm/f* íntimo(-a).
intimer [ɛ̃time] *vt* (*JUR: citer*) citar; (*: signifier légalement*) notificar; ~ **à qn l'ordre de faire** ordenar a algn hacer.
intimider [ɛ̃timide] *vt* intimidar.
intimité [ɛ̃timite] *nf* intimidad *f*; **dans l'~** en la intimidad; (*sans formalités*) informalmente.
intitulé [ɛ̃tityle] *nm* (*d'une loi, d'un jugement*) epígrafe *m*; (*d'un ouvrage, chapitre*) título.
intituler [ɛ̃tityle] *vt*: **comment a-t-il intitulé son livre?** ¿cómo tituló su libro?; **s'intituler** *vpr* (*ouvrage*) titularse; (*personne*) llamarse, denominarse.
intolérable [ɛ̃tɔleʀabl] *adj* (*chaleur*) insoportable; (*inadmissible*) intolerable.
intonation [ɛ̃tɔnasjɔ̃] *nf* entonación *f*.
intoxication [ɛ̃tɔksikasjɔ̃] *nf* intoxicación *f*; (*fig*) contaminación *f*; **intoxication alimentaire** intoxicación alimenticia.
intoxiquer [ɛ̃tɔksike] *vt* intoxicar; (*fig aussi*) contaminar; **s'intoxiquer** *vpr* intoxicarse.
intransigeant, e [ɛ̃tʀɑ̃ziʒɑ̃, ɑ̃t] *adj* intransigente; (*morale, passion*) firme.
intraveineuse [ɛ̃tʀavɛnøz] *nf* intravenosa.
intrépide [ɛ̃tʀepid] *adj* intrépido(-a); (*inébranlable*) tenaz.
intrigue [ɛ̃tʀig] *nf* intriga; (*liaison amoureuse*) aventura.
intrinsèque [ɛ̃tʀɛ̃sɛk] *adj* intrínseco(-a).
introduction [ɛ̃tʀɔdyksjɔ̃] *nf* introducción *f*, incorporación *f*; **paroles/chapitre d'~** palabras *fpl*/capítulo de introducción; **lettre/mot d'~** carta/nota de presentación.
introduire [ɛ̃tʀɔdɥiʀ] *vt* introducir; (*visiteur*) hacer pasar a; (*mots*) incorporar; **s'introduire** *vpr* introducirse; ~ **qn auprès de qn** conducir a algn ante algn; ~ **qn dans un club** introducir a algn en un club; **s'~ dans** introducirse en; ~ **une correction au clavier** teclear una corrección.
introuvable [ɛ̃tʀuvabl] *adj* (*personne*) ilocalizable; (*COMM: rare: édition, livre*) imposible de encontrar; **ma montre est ~** no encuentro mi reloj por ningún sitio.
introverti, e [ɛ̃tʀɔvɛʀti] *nm/f* introvertido(-a).
intrus, e [ɛ̃tʀy, yz] *nm/f* intruso(-a).
intuition [ɛ̃tɥisjɔ̃] *nf* intuición *f*; **avoir une ~** tener un presentimiento; **avoir l'~ de qch** tener la intuición de algo; **avoir de l'~** tener intuición.
inusable [inyzabl] *adj* duradero(-a).
inutile [inytil] *adj* inútil; (*superflu*) innecesario(-a).
inutilité [inytilite] *nf* inutilidad *f*.
invalide [ɛ̃valid] *adj, nm/f* inválido(-a); **invalide de guerre** inválido de guerra; **invalide du travail** inválido(-a) laboral.
invalidité [ɛ̃validite] *nf* invalidez *f*.
invariable [ɛ̃vaʀjabl] *adj* invariable.
invasion [ɛ̃vazjɔ̃] *nf* invasión *f*; (*de sauterelles, rats*) plaga, invasión.
invendable [ɛ̃vɑ̃dabl] *adj* invendible.
invendus [ɛ̃vɑ̃dy] *nmpl* invendidos *mpl*.
inventaire [ɛ̃vɑ̃tɛʀ] *nm* inventario; **faire un ~** (*COMM, JUR, gén*) hacer un inventario; **faire** *ou* **procéder à l'~** hacer inventario.
inventer [ɛ̃vɑ̃te] *vt* inventar; (*moyen*) idear; ~ **de faire qch** discurrir hacer algo.
inventeur, -trice [ɛ̃vɑ̃tœʀ, tʀis] *nm/f* inventor(a).
invention [ɛ̃vɑ̃sjɔ̃] *nf* invención *f*; (*objet inventé, expédient*) invento; (*fable, mensonge*) ficción *f*, invención; **manquer d'~** no tener imaginación.
inventorier [ɛ̃vɑ̃tɔʀje] *vt* inventariar.
inverse [ɛ̃vɛʀs] *adj* (*ordre*) inverso(-a); (*sens*) inverso(-a), contrario(-a) ♦ *nm*: **l'~** lo contrario; **en proportion ~** en proporción inversa; **dans l'ordre ~** en orden inverso; **dans le sens ~ des aiguilles d'une montre** en sentido contrario a las agujas del reloj; **en** *ou* **dans le sens ~** en sentido contrario; **à l'~** al contrario.
inverser [ɛ̃vɛʀse] *vt* invertir.
investir [ɛ̃vɛstiʀ] *vt* (*personne*) investir; (*MIL*) cercar, sitiar; (*argent, capital*) invertir ♦ *vi* invertir; ~ **qn de** (*d'une fonction, d'un pouvoir*) investir a algn con.
investissement [ɛ̃vɛstismɑ̃] *nm* inversión *f*.
investisseur [ɛ̃vɛstisœʀ] *nm* inversor(a).
invétéré, e [ɛ̃veteʀe] *adj* inveterado(-a); (*bavard, buveur*) empedernido(-a).
invincible [ɛ̃vɛ̃sibl] *adj* (*ennemi, armée, obstacle*) invencible; (*argument*) irrebatible; (*charme*) irresistible.
invisible [ɛ̃vizibl] *adj* invisible; **il est ~ aujourd'hui** (*fig*) hoy no está para nadie.
invité, e [ɛ̃vite] *nm/f* invitado(-a).
inviter [ɛ̃vite] *vt* invitar; ~ **qn à faire qch** (*engager, exhorter*) invitar a algn a hacer algo; ~ **à qch** (*à la méfiance*) incitar a algo; (*à la promenade, méditation*) invitar a algo.
involontaire [ɛ̃vɔlɔ̃tɛʀ] *adj* involuntario(-a).
invoquer [ɛ̃vɔke] *vt* invocar; (*excuse, argument*) invocar, alegar; (*loi, texte*) apelar; (*jeunesse, ignorance*) alegar; ~ **la**

clémence/le secours de qn implorar la clemencia/la ayuda de algn.

invraisemblable [ɛ̃vʀɛsɑ̃blabl] *adj* (*histoire*) inverosímil; (*aplomb, toupet*) increíble.

invulnérable [ɛ̃vylneʀabl] *adj* invulnerable; ~ **à** invulnerable a.

iode [jɔd] *nm* yodo.

irai *etc* [iʀe] *vb voir* **aller**.

iris [iʀis] *nm* (*BOT*) lirio; (*ANAT*) iris *m inv*.

Irlande [iʀlɑ̃d] *nf* Irlanda; **la mer d'~** el mar de Irlanda; **Irlande du Nord/Sud** Irlanda del Norte/Sur.

ironie [iʀɔni] *nf* ironía; **ironie du sort** ironía del destino.

ironique [iʀɔnik] *adj* irónico(-a).

irradier [iʀadje] *vi* irradiar ♦ *vt* irradiar, difundir.

irrationnel, le [iʀasjɔnɛl] *adj* irracional.

irréconciliable [iʀekɔ̃siljabl] *adj* irreconciliable.

irrécupérable [iʀekypeʀabl] *adj* irrecuperable.

irrécusable [iʀekyzabl] *adj* (*JUR*) irrecusable.

irréductible [iʀedyktibl] *adj* irreductible; (*volonté*) férreo(-a).

irréel, le [iʀeɛl] *adj* irreal; (*LING*): **(mode) ~** (modo) condicional *m ou* hipotético.

irréfléchi, e [iʀefleʃi] *adj* irreflexivo(-a); (*geste, mouvement, acte*) inconsciente.

irréfutable [iʀefytabl] *adj* irrefutable.

irrégularité [iʀegylaʀite] *nf* irregularidad *f*; **~s** *nfpl* irregularidades *fpl*; (*inégalité*) desigualdades *fpl*.

irrégulier, -ière [iʀegylje, jɛʀ] *adj* irregular; (*développement, accélération*) irregular, desigual; (*peu honnête*) deshonesto(-a).

irrémédiable [iʀemedjabl] *adj* irremediable.

irréprochable [iʀepʀɔʃabl] *adj* (*personne, vie*) irreprochable, intachable; (*tenue, toilette*) intachable.

irrésistible [iʀezistibl] *adj* irresistible; (*concluant: logique*) contundente; (*qui fait rire*) graciosísimo(-a).

irrespectueux, -euse [iʀɛspɛktɥø, øz] *adj* irrespetuoso(-a).

irresponsable [iʀɛspɔ̃sabl] *adj, nm/f* irresponsable *m/f*.

irréversible [iʀevɛʀsibl] *adj* irreversible.

irrévocable [iʀevɔkabl] *adj* irrevocable.

irriguer [iʀige] *vt* irrigar.

irritable [iʀitabl] *adj* irritable.

irritation [iʀitasjɔ̃] *nf* (*colère*) irritación *f*, enfado; (*inflammation*) irritación.

irriter [iʀite] *vt* irritar; **s'~ contre qn/de qch** irritarse con algn/por algo.

irruption [iʀypsjɔ̃] *nf* irrupción *f*; **faire ~ dans un endroit/chez qn** irrumpir en un lugar/en casa de algn.

Islam [islam] *nm*: **l'~** el Islam.

islamique [islamik] *adj* islámico(-a).

isolant, e [izɔlɑ̃, ɑ̃t] *adj, nm* aislante *m*.

isolation [izɔlasjɔ̃] *nf*: **~ acoustique/thermique** aislamiento acústico/térmico.

isolé, e [izɔle] *adj* aislado(-a); (*éloigné*) apartado(-a).

isoler [izɔle] *vt* aislar; **s'isoler** *vpr* (*pour travailler*) aislarse.

issu, e [isy] *adj*: **~ de** descendiente de; (*fig*) resultante de.

issue [isy] *nf* salida; (*solution*) salida, solución *f*; **à l'~ de** al concluir; **chemin/rue sans ~** camino/calle *f* sin salida; **issue de secours** salida de socorro.

Italie [itali] *nf* Italia.

italien, ne [italjɛ̃, jɛn] *adj* italiano(-a) ♦ *nm* (*LING*) italiano ♦ *nm/f*: **I~, ne** italiano(-a).

italique [italik] *nm*: **(mettre un mot) en ~(s)** (poner una palabra) en cursiva.

itinéraire [itineʀɛʀ] *nm* itinerario.

IUT *sigle m* (= *Institut universitaire de technologie*) *voir* **institut**.

IVG [iveʒe] *sigle f* (= *interruption volontaire de grossesse*) interrupción *f* voluntaria del embarazo.

ivoire [ivwaʀ] *nm* marfil *m*.

ivre [ivʀ] *adj* (*saoul*) ebrio(-a), beodo(-a); **~ de colère/de bonheur** ebrio(-a) de ira/de felicidad; **~ mort** borracho perdido.

ivresse [ivʀɛs] *nf* embriaguez *f*.

ivrogne [ivʀɔɲ] *nm/f* borracho(-a).

J, j

j' [ʒ] *pron voir* **je**.

jachère [ʒaʃɛʀ] *nf*: **(être) en ~** (estar) en barbecho.

jacinthe [ʒasɛ̃t] *nf* jacinto; **jacinthe des bois** jacinto silvestre.

jade [ʒad] *nm* jade *m*.

jadis [ʒɑdis] *adv* antaño.

jaguar [ʒagwaʀ] *nm* jaguar *m*.

jaillir [ʒajiʀ] *vi* (*liquide*) brotar; (*fig*) surgir.

jalon [ʒalɔ̃] *nm* jalón *m*, hito; **poser des ~s** (*fig*) preparar el terreno.

jalonner [ʒalɔne] *vt* jalonar.

jalousie [ʒaluzi] *nf* celos *mpl*; (*store*) celosía.

jaloux, -se [ʒalu, uz] *adj* (*envieux*) envidioso(-a); (*possessif*) celoso(-a); **être ~ de qn/qch** estar celoso(-a) de algn/algo, tener envidia de algn/algo.

jamais [ʒamɛ] *adv* nunca, jamás; (*sans négation*) alguna vez; ~ **de la vie!** ¡nunca jamás!; **ne ...** ~ no ... nunca; **si** ~ ... si alguna vez ...; **à (tout)** ~, **pour** ~ para siempre.
jambe [ʒɑ̃b] *nf* (ANAT) pierna; (*d'un cheval*) pata; (*d'un pantalon*) pernil *m*; **à toutes ~s** a toda velocidad.
jambières [ʒɑ̃bjɛʀ] *nfpl* polainas *fpl*; (SPORT) espinilleras *fpl*.
jambon [ʒɑ̃bɔ̃] *nm* jamón *m*; **jambon cru/fumé** jamón crudo/ahumado.
jambonneau, x [ʒɑ̃bɔno] *nm* lacón *m*.
jante [ʒɑ̃t] *nf* llanta.
janvier [ʒɑ̃vje] *nm* enero; *voir aussi* **juillet**.
Japon [ʒapɔ̃] *nm* Japón *m*.
japonais, e [ʒapɔnɛ, ɛz] *adj* japonés(-esa) ♦ *nm* (LING) japonés *m* ♦ *nm/f*: **J~, e** japonés(-esa).
japper [ʒape] *vi* gañir.
jaquette [ʒakɛt] *nf* (*de femme*) chaqueta; (*d'homme*) chaqué *m*; (*d'un livre*) sobrecubierta.
jardin [ʒaʀdɛ̃] *nm* jardín *m*; **jardin botanique** jardín botánico; **jardin d'acclimatation** zoo de especies exóticas; **jardin d'enfants** jardín de infancia; **jardin japonais** jardín japonés; **jardin potager** huerto; **jardin public** parque *m* público; **jardins suspendus** jardines *mpl* colgantes.
jardiner [ʒaʀdine] *vi* cuidar el jardín.
jardinier, -ière [ʒaʀdinje, jɛʀ] *nm/f* jardinero(-a); **jardinier paysagiste** jardinero(-a) artístico(-a).
jardinière [ʒaʀdinjɛʀ] *nf* (*de fenêtre*) jardinera; **jardinière d'enfants** educadora infantil; **jardinière (de légumes)** (CULIN) menestra.
jargon [ʒaʀgɔ̃] *nm* jerga.
jarre [ʒaʀ] *nf* tinaja.
jarret [ʒaʀɛ] *nm* (ANAT) corva; (CULIN) morcillo.
jarretelle [ʒaʀtɛl] *nf* liga.
jaser [ʒɑze] *vi* charlar; (*indiscrètement*) cotorrear; (*médire*) cotillear.
jasmin [ʒasmɛ̃] *nm* jazmín *m*.
jatte [ʒat] *nf* cuenco.
jauge [ʒoʒ] *nf* (*capacité*) capacidad *f*; (*d'un navire*) arqueo; (*instrument*) aspilla, varilla graduada; **jauge (de niveau) d'huile** indicador *m* (del nivel) de aceite.
jauger [ʒoʒe] *vt* (*mesurer*) calibrar; (*fig*) juzgar ♦ *vi* (NAUT): ~ **6 mètres/3000 tonneaux** tener 6 metros de calado/una capacidad de 3000 toneladas.
jaune [ʒon] *adj* amarillo(-a) ♦ *nm* amarillo; (*aussi*: ~ **d'œuf**) yema ♦ *nm/f* (*péj*): **J~** (*de race jaune*) amarillo(-a); (*briseur de grève*) esquirol(a) ♦ *adv*: **rire** ~ (*fam*) reír falsamente.
jaunir [ʒoniʀ] *vt* amarillear ♦ *vi* amarillear(se).
jaunisse [ʒonis] *nf* ictericia.
Javel [ʒavɛl] *nf voir* **eau**.
javelot [ʒavlo] *nm* jabalina; **faire du** ~ hacer jabalina.
jazz [dʒɑz] *nm* jazz *m*.
je [ʒ] *pron* yo.
jean [dʒin] *nm* (TEXTILE) tela vaquera; (*pantalon*) vaqueros *mpl*, blue-jean(s) *m(pl)* (*esp AM*).
jerrycan [dʒeʀikan] *nm* bidón *m* de reserva.
Jésus-Christ [ʒezykʀi(st)] *n* Jesucristo; **600 avant/après** ~-~ *ou* **J.-C.** en el año 600 antes/después de Jesucristo *ou* J.C.
jet[1] [dʒɛt] *nm* (*avion*) jet *m*, avión *m* a reacción.
jet[2] [ʒɛ] *nm* (*lancer*) lanzamiento; (*distance*) tiro; (*jaillissement, tuyau*) chorro; **premier** ~ (*fig*) bosquejo, esbozo; **arroser au** ~ regar a chorro; **d'un (seul)** ~ de un tirón, de una sola vez; **du premier** ~ a la primera; **jet d'eau** chorro de agua; (*fontaine*) surtidor *m*.
jetée [ʒəte] *nf* (*digue*) escollera; (AVIAT) muelle *m* de embarque.
jeter [ʒ(ə)te] *vt* (*lancer*) lanzar, botar (*AM*); (*se défaire de*) tirar; (*passerelle, pont*) construir, tender; (*bases, fondations*) establecer, sentar; (*regard*) echar; (*cri, insultes*) lanzar; (*lumière, son*) dar; ~ **l'ancre** echar el ancla; ~ **un coup d'œil (à)** echar un vistazo (a); ~ **qch à qn** lanzar algo a algn; ~ **les bras en avant/la tête en arrière** echar los brazos hacia adelante/la cabeza hacia atrás; ~ **le trouble/l'effroi parmi ...** sembrar la confusión/el miedo entre ...; ~ **un sort à qn** echar una maldición a algn; ~ **qn dans la misère** hundir a algn en la miseria; ~ **qn dans l'embarras** meter a algn en un apuro; ~ **qn dehors** echar a algn fuera; ~ **qn en prison** meter a algn en la cárcel; ~ **l'éponge** (*fig*) tirar la toalla; ~ **des fleurs à qn** (*fig*) echar flores a algn; ~ **la pierre à qn** (*accuser, blâmer*) acusar a algn; **se** ~ **contre/dans/sur** arrojarse contra/en/sobre; **se** ~ **dans** (*suj*: *fleuve*) desembocar en; **se** ~ **par la fenêtre** tirarse por la ventana; **se** ~ **à l'eau** (*fig*) lanzarse a hacer algo.
jeton [ʒ(ə)tɔ̃] *nm* ficha; **~s** *nmpl* (*de présence*) dieta *fsg ou* prima *fsg* de asistencia.
jeu, x [ʒø] *nm* juego; (*interprétation*) actuación *f*, interpretación *f*; (MUS) interpretación; (TECH) juego, holgura; (*défaut*

de serrage) holgura; **par** ~ por juego; **d'entrée de** ~ desde el principio; **cacher son** ~ ocultar las intenciones; **c'est le** ~ *ou* **la règle du** ~ es el juego, son las reglas del juego; **c'est un** ~ **(d'enfant)** es un juego (de niños); **il a beau** ~ **de dire ça** le resulta fácil decir eso; **être/remettre en** ~ (*FOOTBALL*) estar/poner en juego; **être en** ~ (*fig*) estar en juego; **entrer/mettre en** ~ (*fig*) entrar/poner en juego; **entrer dans le** ~/**le** ~ **de qn** (*fig*) entrar en el juego/en el juego de algn; **se piquer** *ou* **se prendre au** ~ cegarse por el juego; **jouer gros** ~ jugar fuerte, arriesgar mucho; **jeu d'orgue(s)** registros *mpl*; **jeu de boules** (*activité*) juego de bolos; (*endroit*) bolera; **jeu de cartes** juego de naipes; (*paquet*) baraja; **jeu de clés/d'aiguilles** (*série*) juego de llaves/de agujas; **jeu de construction** juego de construcción, mecano; **jeu d'échecs** ajedrez *m*; **jeu d'écritures** traspaso de cuenta a cuenta; **jeu de hasard/de mots** juego de azar/de palabras; **jeu de l'oie** juego de la oca; **jeu de massacre** (*à la foire, fig*) pim pam pum *m*; **jeu de patience/de société** juego de paciencia/de salón; **jeu de physionomie** expresión *f*; **jeux de lumière** juego de luces; **Jeux olympiques** Juegos *mpl* Olímpicos.

jeudi [ʒødi] *nm* jueves *m inv*; **jeudi saint** jueves santo; *voir aussi* **lundi**.

jeun [ʒœ̃]: **à** ~ *adv* en ayunas.

jeune [ʒœn] *adj* joven; (*récent*) joven, reciente ♦ *adv*: **faire** ~ hacer joven; **s'habiller** ~ vestirse juvenil; **les** ~**s** los jóvenes; **jeune fille** muchacha, chica; **jeune homme** muchacho, chico; **jeune loup** (*ÉCON, POL*) joven cachorro; **jeune premier** galán *m*; **jeunes gens** jóvenes *mpl*; **jeunes mariés** recién casados *mpl*.

jeûne [ʒøn] *nm* ayuno.

jeunesse [ʒœnɛs] *nf* juventud *f*.

JO [ʒio] *sigle m* (= *Journal officiel*) ≈ BOE *m* (= *Boletín Oficial del Estado*) ♦ *sigle mpl* (= *Jeux olympiques*) JJ. OO. (= *Juegos Olímpicos*).

joaillerie [ʒɔajʀi] *nf* joyería.

job [dʒɔb] *nm* trabajo.

jockey [ʒɔkɛ] *nm* jockey *m*.

jogging [dʒɔgiŋ] *nm*: **faire du** ~ hacer footing.

joie [ʒwa] *nf* (*bonheur intense*) alegría, gozo; (*vif plaisir*) alegría; ~**s** *nfpl* (*agrément*) alegrías *fpl*; (*iron*: *ennuis*) encantos *mpl*.

joindre [ʒwɛ̃dʀ] *vt* juntar, unir; (*qch à qch*) juntar ♦ *vi* (*se toucher*) encajar; **se joindre** *vpr* (*mains etc*) unirse; ~ **qch à** (*ajouter*) adjuntar algo a; ~ **qn** (*réussir à contacter*) dar con algn, localizar a algn; ~ **les mains/talons** juntar las manos/los talones; ~ **les deux bouts** (*fig*) llegar a final de mes; **se** ~ **à** (*s'unir*) unirse a; (*se mêler*) sumarse a; **se** ~ **à qch** (*participer à*) sumarse a algo.

joint, e [ʒwɛ̃, ɛ̃t] *pp de* **joindre** ♦ *adj* junto(-a) ♦ *nm* (*articulation, assemblage*) junta, empalme *m*; (*ligne, en ciment*) junta; **sauter à pieds** ~**s** saltar con los pies juntos; ~ **à** (*un paquet, une lettre*) adjunto(-a) a; **pièce** ~**e** pieza adjunta; **chercher/trouver le** ~ (*fig*) buscar/encontrar la solución; **joint de cardan/de culasse** junta de cardán/de culata; **joint de robinet** junta de grifo; **joint universel** junta universal.

joker [(d)ʒɔkɛʀ] *nm* (*CARTES*) comodín *m*.

joli, e [ʒɔli] *adj* bonito(-a), lindo(-a) (*fam*: *AM*); **une** ~**e somme/situation** una buena suma/un buen puesto; **c'est du** ~! (*iron*) ¡muy bonito!; **un** ~ **gâchis/travail** (*iron*) menudo lío/trabajo; **c'est bien** ~ **mais ...** está muy bien pero ... .

jonc [ʒɔ̃] *nm* (*BOT*) junco; (*bague, bracelet*) anillo.

joncher [ʒɔ̃ʃe] *vt* (*répandre*) cubrir; (*être épars*) estar esparcido(-a) por; **jonché de** cubierto de.

jonction [ʒɔ̃ksjɔ̃] *nf* (*action*) unión *f*; **(point de)** ~ (*de routes*) empalme *m*, enlace *m*; (*de fleuves*) confluencia; **opérer une** ~ (*MIL etc*) reunirse.

jongler [ʒɔ̃gle] *vi* hacer juegos malabares; ~ **avec** (*fig*) hacer malabarismos con.

jongleur, -euse [ʒɔ̃glœʀ, øz] *nm/f* malabarista *m/f*.

jonquille [ʒɔ̃kij] *nf* junquillo.

joue [ʒu] *nf* mejilla; **mettre en** ~ apuntar.

jouer [ʒwe] *vt* jugar; (*pièce de théâtre*) representar; (*film, rôle*) interpretar; (*simuler*) fingir; (*morceau de musique*) ejecutar, tocar ♦ *vi* jugar; (*MUS*) ejecutar, tocar; (*CINÉ, THÉÂTRE*) actuar; (*aux cartes, à la roulette*) jugar a; (*bois, porte*) combarse; (*clé, pièce*) tener juego *ou* holgura; ~ **au héros** dárselas de héroe; ~ **sur** (*miser*) jugar con; ~ **de** (*instrument*) tocar; (*fig*): ~ **du couteau** manejar el cuchillo; ~ **des coudes** abrirse paso con los codos; ~ **à** (*jeu, sport*) jugar a; ~ **avec** (*sa santé etc*) jugar con; **se** ~ **de** (*difficultés*) pasar por alto; **se** ~ **de qn** (*tromper*) engañar a algn; ~ **un tour à qn** jugar una mala pasada a algn; ~ **la comédie** (*fig*) hacer teatro; ~ **à la baisse/à la hausse** (*BOURSE*) jugar a la baja/al alza; ~ **serré** actuar con tiento; ~ **de malchance** *ou* **malheur** tener mala suerte; ~ **sur les mots** tergiversar las palabras; **à toi/nous de** ~ (*fig*) te toca a ti/nos toca a nosotros; ~ **aux courses** jugar a las carreras.

jouet [ʒwɛ] *nm* juguete *m*; **être le ~ de** (*fig*) ser el juguete de.

joueur, -euse [ʒwœʀ, øz] *nm/f* jugador(a); (*musique*) músico ♦ *adj* juguetón(-ona); **être beau/mauvais** ~ (*fig*) ser un buen/mal perdedor.

jouir [ʒwiʀ]: ~ **de** *vt ind* (*avoir*) gozar de; (*savourer*) disfrutar de.

jouissance [ʒwisɑ̃s] *nf* goce *m*; **la ~ de qch** (*JUR*) el usufructo de algo.

jour [ʒuʀ] *nm* día *m*; (*clarté*) luz *f*; (*ouverture*) hueco, vano; (*COUTURE*) calado; ~s *nmpl* (*vie*) días *mpl*; **de nos ~s** hoy en día; **sous un ~ favorable/nouveau** (*fig*) bajo el aspecto más favorable/nuevo; **tous les ~s** todos los días, a diario; **de** ~ de día; **d'un ~ à l'autre** de un día a otro; **du ~ au lendemain** de la noche a la mañana; **au ~ le ~, de ~ en ~** día a día; **il fait** ~ es de día; **en plein** ~ en pleno día; **au** ~ a la luz del día; **au petit** ~ de madrugada, al amanecer; **au grand** ~ (*fig*) a todas luces, de forma evidente; **mettre au** ~ (*découvrir*) sacar a la luz; **être/mettre à** ~ estar/poner al día; **mise à** ~ puesta al día; **donner le ~ à** dar a luz a; **voir le** ~ salir a la luz; **se faire** ~ (*fig*) abrirse camino, triunfar; **jour férié** día festivo; **le jour J** ≈ el día D.

journal, -aux [ʒuʀnal, o] *nm* periódico; (*personnel*) diario; **le J~ officiel (de la République française)** el Boletín oficial (de la República Francesa), ≈ el Boletín oficial del Estado; **journal de bord** diario de a bordo; **journal de mode** revista de moda; **journal parlé** diario hablado; **journal télévisé** diario televisado, telediario.

journalisme [ʒuʀnalism] *nm* periodismo.

journaliste [ʒuʀnalist] *nm/f* periodista *m/f*.

journée [ʒuʀne] *nf* día *m*; (*travail d'une journée*) jornada; **la ~ continue** la jornada continua.

jovial, e, -aux [ʒɔvjal, jo] *adj* jovial.

joyau, x [ʒwajo] *nm* joya.

joyeux, -euse [ʒwajø, øz] *adj* feliz, alegre; ~ **Noël!** ¡feliz Navidad!; ~ **anniversaire!** ¡feliz cumpleaños!

jucher [ʒyʃe] *vt*: ~ **qch/qn sur** poner algo/a algn sobre ♦ *vi* (*oiseau*): ~ **sur** morar en; **se ~ sur** posarse en *ou* sobre.

judas [ʒyda] *nm* mirilla.

judiciaire [ʒydisjɛʀ] *adj* judicial.

judicieux, -euse [ʒydisjø, jøz] *adj* juicioso(-a), sensato(-a).

judo [ʒydo] *nm* judo.

judoka [ʒydɔka] *nm/f* judoka *m/f*, yudoka *m/f*.

juge [ʒyʒ] *nm* juez *m/f*; **être bon/mauvais** ~ (*fig*) ser un buen/mal árbitro; **juge d'instruction/de paix** juez de instrucción/de paz; **juge de touche** (*FOOTBALL*) juez de línea; **juge des enfants** juez de menores.

jugé [ʒyʒe]: **au** ~ *adv* a bulto; (*fig*) a bulto, a ojo.

jugement [ʒyʒmɑ̃] *nm* (*JUR*) sentencia; (*gén*) juicio; **jugement de valeur** juicio de valor.

juger [ʒyʒe] *vt* juzgar; (*JUR*) juzgar, sentenciar ♦ *nm*: **au** ~ a bulto; ~ **qn/qch satisfaisant** considerar a algn/algo satisfactorio; ~ **bon de faire ...** juzgar oportuno hacer ...; ~ **que** estimar que; ~ **de qch** juzgar algo; **jugez de ma surprise** imagine mi sorpresa.

juif, -ive [ʒɥif, ʒɥiv] *adj* judío(-a) ♦ *nm/f*: **J~, -ive** judío(-a).

juillet [ʒɥijɛ] *nm* julio; **le premier** ~ el uno de julio; **le deux/onze** ~ el dos/once de julio; **début/fin** ~ a primeros/finales de julio; **le 14** ~ el 14 de julio (*la fiesta nacional francesa*).

juin [ʒɥɛ̃] *nm* junio; *voir aussi* **juillet**.

jumeau, -elle, x [ʒymo, ɛl] *adj, nm/f* gemelo(-a); **maisons jumelles** casas *fpl* gemelas.

jumeler [ʒym(ə)le] *vt* (*TECH*) acoplar; (*villes*) hermanar; **roues jumelées** ruedas *fpl* gemelas; **billets de loterie jumelés** décimos *mpl* de lotería dobles; **pari jumelé** apuesta doble.

jumelle [ʒymɛl] *vb voir* **jumeler** ♦ *adj, nf voir* **jumeau**; ~s *nfpl* (*instrument*) gemelos *mpl*.

jument [ʒymɑ̃] *nf* yegua.

jungle [ʒœ̃gl] *nf* jungla, selva; (*fig*) jungla.

junior [ʒynjɔʀ] *adj* (*mode, style*) juvenil; (*SPORT*) júnior, juvenil ♦ *nm/f* (*SPORT*) júnior *m/f*.

jupe [ʒyp] *nf* falda, pollera (*AM*).

jupon [ʒypɔ̃] *nm* enaguas *fpl*.

juré [ʒyʀe] *nm* jurado ♦ *adj*: **ennemi** ~ enemigo jurado.

jurer [ʒyʀe] *vt* jurar ♦ *vi* jurar; ~ **(avec)** (*couleurs etc*) chocar (con), desentonar (con); ~ **de faire/que** jurar hacer/que; ~ **de qch** jurar algo, responder de algo; **ils ne jurent que par lui** creen a ciegas en él; **je vous jure!** ¡se lo juro!

juridique [ʒyʀidik] *adj* jurídico(-a).

juron [ʒyʀɔ̃] *nm* juramento.

jury [ʒyʀi] *nm* (*JUR*) jurado; (*SCOL*) tribunal *m.*

jus [ʒy] *nm* jugo, zumo (*ESP*); (*de viande*) jugo; (*fam: courant*) corriente *f* (eléctrica); (*: café*) café *m*; **jus de fruits** jugo *ou* zumo (*ESP*) de frutas; **jus d'orange/de pommes/de raisin/de tomates** zumo de naranja/de manzana/de uvas/de tomate.

jusque [ʒysk]: **jusqu'à** *prép* hasta; **jusqu'au matin/soir** hasta la mañana/la tarde; **jusqu'à ce que** hasta que; **jusqu'à présent** *ou* **maintenant** hasta ahora; ~ **sur/dans** hasta arriba de/en; (*y compris*) hasta, incluso; ~ **vers** hasta cerca de; ~-**là** hasta ahí; **jusqu'ici** (*temps*) hasta ahora; (*espace*) hasta aquí.

juste [ʒyst] *adj* justo(-a); (*légitime*) justo(-a), legítimo(-a); (*étroit*) ajustado(-a); (*insuffisant*) escaso(-a) ♦ *adv* (*avec exactitude, précision*) con precisión; (*étroitement*) apretado; (*chanter*) afinado; (*seulement*) solamente, nomás (*AM*); ~ **assez/au-dessus** bastante/hasta por encima de; **pouvoir tout ~ faire qch** poder sólo hacer algo; **au ~** exactamente; **comme de ~** como es lógico; **le ~ milieu** el término medio; **à ~ titre** con razón.

justement [ʒystəmɑ̃] *adv* justamente; **c'est ~ ce qu'il fallait faire** es precisamente lo que había que hacer.

justesse [ʒystɛs] *nf* (*exactitude, précision*) precisión *f*, exactitud *f*; (*d'une remarque*) propiedad *f*; (*d'une opinion*) rectitud *f*; **de ~** por poco.

justice [ʒystis] *nf* justicia; **rendre la ~** administrar justicia; **traduire en ~** citar ante la justicia, hacer comparecer ante la justicia; **obtenir ~** lograr justicia; **rendre ~ à qn** hacer justicia a algn; **se faire ~** (*se venger*) tomarse la justicia por su mano; (*se suicider*) suicidarse.

justicier, -ière [ʒystisje, jɛʀ] *nm/f* justiciero(-a).

justificatif, -ive [ʒystifikatif, iv] *adj* justificativo(-a) ♦ *nm* justificante *m*.

justifier [ʒystifje] *vt* justificar; **se justifier** *vpr* justificarse; ~ **de** probar; **non justifié** injustificado(-a); **justifié à droite/gauche** justificado a la derecha/izquierda.

juteux, -euse [ʒytø, øz] *adj* jugoso(-a); (*fam*) jugoso(-a), sustancioso(-a).

juvénile [ʒyvenil] *adj* juvenil.

K, k

kaki [kaki] *adj inv* caqui.

kaléidoscope [kaleidɔskɔp] *nm* caleidoscopio.

kangourou [kɑ̃guʀu] *nm* canguro.

karaté [kaʀate] *nm* kárate *m*.

karting [kaʀtiŋ] *nm* karting *m*.

kayak [kajak] *nm* kayak *m*.

képi [kepi] *nm* quepis *m*.

kermesse [kɛʀmɛs] *nf* romería.

kg *abr* (= *kilogramme(s)*) kg (= *kilogramo*).

kidnapper [kidnape] *vt* secuestrar.

kidnapping [kidnapiŋ] *nm* secuestro (de niños).

kilo [kilo] *nm* kilo.

kilogramme [kilɔgʀam] *nm* kilogramo.

kilométrage [kilɔmetʀaʒ] *nm* kilometraje *m*; **faible ~** poco kilometraje, pocos kilómetros.

kilomètre [kilɔmɛtʀ] *nm* kilómetro; **~s (à l')heure** kilómetros por hora.

kinésithérapeute [kineziteʀapøt] *nm/f* kinesiólogo(-a).

kiosque [kjɔsk] *nm* (*de jardin, à journaux*) kiosco *ou* quiosco; (*fleurs*) puesto; (*TÉL etc*) torreta.

klaxon [klaksɔn] *nm* bocina, claxon *m*.

klaxonner [klaksɔne] *vi* tocar la bocina *ou* el claxon.

km *abr* (= *kilomètre(s)*) km. (= *kilómetro(s)*).

km/h *abr* (= *kilomètres/heure*) km/h.

K.-O. [kao] *adj inv* K.O.

kyrielle [kiʀjɛl] *nf*: **une ~ de ...** una retahíla de ... .

kyste [kist] *nm* quiste *m*.

L, l

l *abr* (= *litre(s)*) l. (= *litro(s)*).

l' [l] *dét voir* **le**.

la [la] *nm* (*MUS*) la *m inv* ♦ *dét, pron voir* **le**.

là [la] *adv* (*plus loin*) ahí, allí; (*ici*) aquí; (*dans le temps*) entonces; **est-ce que Catherine est ~?** ¿está Catherine?; **elle n'est pas ~** no está; **c'est ~ que** ahí *ou* allí es donde; (*ici*) aquí es donde; **~ où** allí donde; **de ~** (*fig*) de ahí; **par ~** (*fig*) con eso; **tout est ~** todo está ahí; (*fig*) ahí está el fondo de la cuestión.

là-bas [labɑ] *adv* allí.

label [labɛl] *nm* etiqueta, sello; **label de qualité** etiqueta de calidad.

laboratoire [labɔʀatwaʀ] *nm* laboratorio; **laboratoire d'analyses/de langues** laboratorio de análisis/de idiomas.

laborieux, -euse [labɔʀjø, jøz] *adj* laborioso(-a); (*vie*) sacrificado(-a); **classes laborieuses** clases *fpl* trabajadoras.

labour [labuʀ] *nm* labor *f*, labranza; **~s** *nmpl* (*champs*) labrantíos *mpl*; **cheval/bœuf de ~** caballo/buey *m* de labranza.

labourer [labuʀe] *vt* labrar.
labrador [labʀadɔʀ] *nm* (*chien*) perro labrador; (*GÉO*): **le L~** el Labrador.
labyrinthe [labiʀɛ̃t] *nm* laberinto.
lac [lak] *nm* lago; **les Grands L~s** los Grandes Lagos; **lac Léman** lago Lemán.
lacer [lase] *vt* atar.
lacérer [laseʀe] *vt* rasgar; (*corps*) desgarrar.
lacet [lasɛ] *nm* (*de chaussure*) cordón *m*; (*de route*) curva cerrada; (*piège*) lazo; **chaussures à ~s** zapatos de cordones.
lâche [lɑʃ] *adj* (*poltron*) cobarde; (*procédé etc*) ruin, vil; (*desserré, pas tendu*) flojo(-a); (*morale, mœurs*) relajado(-a) ♦ *nm/f* cobarde *m/f*.
lâcher [lɑʃe] *nm* (*de ballons, d'oiseaux*) lanzamiento ♦ *vt* (*aussi fig*) soltar; (*SPORT: distancer*) despegarse de; (*fam: abandonner*) dejar colgado(-a) ♦ *vi* soltar; **~ les amarres** (*NAUT*) soltar amarras; **~ les chiens** (*contre*) soltar los perros; **~ prise** (*fig*) soltarse.
lâcheté [lɑʃte] *nf* cobardía *f*; (*bassesse*) ruindad *f*, vileza.
lacrymogène [lakʀimɔʒɛn] *adj* lacrimógeno(-a).
lacune [lakyn] *nf* laguna.
là-dedans [ladədɑ̃] *adv* ahí dentro; (*fig*) en eso.
là-dessous [ladsu] *adv* ahí debajo; (*fig*) detrás de eso.
là-dessus [ladsy] *adv* ahí encima; (*fig*) luego; (*à ce sujet*) al respecto.
lagune [lagyn] *nf* laguna.
là-haut [lao] *adv* allí arriba.
laïc [laik] *adj, nm* = **laïque**.
laid, e [lɛ, lɛd] (*aussi fig*) *adj* feo(-a).
laideur [lɛdœʀ] *nf* fealdad *f*; (*fig*) vileza.
lainage [lɛnaʒ] *nm* (*vêtement*) jersey *m ou* chaqueta de lana; (*étoffe*) tejido de lana.
laine [lɛn] *nf* lana; **pure ~** pura lana; **laine à tricoter** lana para tejer; **laine de verre** lana de vidrio; **laine peignée/vierge** lana cardada/virgen.
laïque [laik] *adj, nm/f* laico(-a).
laisse [lɛs] *nf* (*de chien*) correa; **tenir en ~** tener atado(-a); (*fig*) manejar a su antojo.
laisser [lese] *vt* dejar; **~ qch quelque part** dejar algo en algún sitio; **se ~ exploiter** dejarse explotar; **se ~ aller** abandonarse; **laisse-toi faire** déjate hacer; **rien ne laisse penser que ...** nada permite pensar que ...; **cela ne laisse pas de surprendre** esto no deja de sorprender; **~ qn tranquille** dejar a algn en paz.
laisser-aller [leseale] *nm inv* abandono; (*péj: absence de soin*) desaliño.
laissez-passer [lesepɑse] *nm inv* salvoconducto.
lait [lɛ] *nm* leche *f*; **frère/sœur de ~** hermano/hermana de leche; **lait concentré/condensé** leche concentrada/condensada; **lait de beauté** leche de belleza; **lait de chèvre/ de vache** leche de cabra/de vaca; **lait démaquillant** leche desmaquillante; **lait écrémé/entier/en poudre** leche descremada/entera/en polvo; **lait maternel** leche materna.
laiterie [lɛtʀi] *nf* lechería.
laitier, -ière [letje, jɛʀ] *adj* (*produit, industrie*) lácteo(-a); **vache laitière** vaca lechera.
laiton [lɛtɔ̃] *nm* latón *m*.
laitue [lety] *nf* lechuga.
lama [lama] *nm* llama.
lambeau, x [lɑ̃bo] *nm* jirón *m*; (*de conversation*) retazo; **en ~x** hecho(-a) jirones.
lambin, e [lɑ̃bɛ̃, in] (*péj*) *adj* holgazán(-ana).
lame [lam] *nf* (*de couteau etc*) hoja; (*de paquet etc*) lámina; (*vague*) ola; **lame de fond** mar *m* de fondo; **lame de rasoir** cuchilla de afeitar.
lamelle [lamɛl] *nf* laminilla; **couper en ~s** cortar en lascas.
lamentable [lamɑ̃tabl] *adj* lamentable.
lamenter [lamɑ̃te] *vb*: **se ~ (sur)** quejarse (de).
lampadaire [lɑ̃padɛʀ] *nm* lámpara de pie; (*dans la rue*) farola.
lampe [lɑ̃p] *nf* lámpara; (*de radio*) válvula; **lampe à alcool** lámpara de alcohol; **lampe à arc** arco voltaico; **lampe à bronzer** lámpara (de rayos) UVA; **lampe de chevet/halogène** lámpara de mesa/halógena; **lampe à pétrole** lámpara de petróleo, quinqué *m*; **lampe à souder** soplete *m*; **lampe de poche** linterna; **lampe témoin** piloto.
lampion [lɑ̃pjɔ̃] *nm* farolillo.
lance [lɑ̃s] *nf* lanza; **lance à eau** manguera; **lance d'incendie/d'arrosage** manguera de incendios/de riego.
lancée [lɑ̃se] *nf*: **être/continuer sur sa ~** aprovechar el impulso inicial.
lance-missiles [lɑ̃smisil] *nm inv* lanzamisiles *m inv*.
lance-pierres [lɑ̃spjɛʀ] *nm inv* tirachinas *m inv*.
lancer [lɑ̃se] *nm* lanzamiento ♦ *vt* lanzar; (*bateau*) botar; (*mandat d'arrêt*) dictar; (*emprunt*) emitir; (*moteur*) poner en marcha; **se lancer** *vpr* lanzarse; **se ~ sur** *ou* **contre** lanzarse sobre *ou* contra; **~ qch à qn** lanzar algo a algn; (*de façon agressive*) arrojar algo a algn; **~ un appel** lanzar un

llamamiento; ~ **qn sur un sujet** mencionar un tema a algn; **se ~ dans** lanzarse en; **lancer du poids** lanzamiento de peso.

lancinant, e [lɑ̃sinɑ̃, ɑ̃t] *adj* obsesivo(-a); (*douleur*) punzante.

landau [lɑ̃do] *nm* coche *m ou* carro de niño.

lande [lɑ̃d] *nf* landa.

langage [lɑ̃gaʒ] *nm* lenguaje *m*; **langage d'assemblage/de programmation** (*INFORM*) lenguaje ensamblador/de programación; **langage évolué** (*INFORM*) lenguaje evolucionado *ou* de última generación; **langage machine** (*INFORM*) lenguaje máquina.

lange [lɑ̃ʒ] *nm* pañal *m*; **~s** *nmpl* (*d'un bébé*) mantillas *fpl*.

langer [lɑ̃ʒe] *vt* envolver en mantillas; **table à ~** vestidor *m*.

langoureux, -euse [lɑ̃guʀø, øz] *adj* lánguido(-a).

langouste [lɑ̃gust] *nf* langosta.

langoustine [lɑ̃gustin] *nf* cigala.

langue [lɑ̃g] *nf* lengua; **~ de terre** franja de tierra; **tirer la ~ (à)** sacar la lengua (a); **donner sa ~ au chat** rendirse; **de ~ française** de lengua francesa; **langue de bois** *lenguaje engañoso de los políticos*; **langue maternelle** lengua materna; **langue verte** germanía, argot *m*; **langue vivante** lengua viva; **langues étrangères** lenguas *fpl* extranjeras.

langueur [lɑ̃gœʀ] *nf* languidez *f*.

languir [lɑ̃giʀ] *vi* languidecer; **se languir** *vpr* languidecer; **faire ~ qn** hacer esperar a algn.

lanière [lanjɛʀ] *nf* (*de fouet*) tralla; (*de valise, bretelle*) correa.

lanterne [lɑ̃tɛʀn] *nf* linterna; (*de voiture*) luz *f* de población; **lanterne rouge** (*fig*) farolillo rojo; **lanterne vénitienne** farolillo veneciano.

laper [lape] *vt* beber a lengüetadas.

lapidaire [lapidɛʀ] *adj* lapidario(-a); **musée ~** museo de lápidas.

lapider [lapide] *vt* apedrear, lapidar.

lapin [lapɛ̃] *nm* conejo; **coup du ~** golpe *m* en la nuca; **poser un ~ à qn** dar un plantón a algn; **lapin de garenne** conejo de monte.

laps [laps] *nm*: **~ de temps** lapso.

lapsus [lapsys] *nm* lapsus *m inv*.

laque [lak] *nm ou f* laca.

laquelle [lakɛl] *pron voir* **lequel**.

larcin [laʀsɛ̃] *nm* ratería.

lard [laʀ] *nm* (*graisse*) tocino; (*bacon*) bacon *m*.

lardon [laʀdɔ̃] *nm* (*CULIN*) torrezno; (*fam: enfant*) chiquillo(-a).

large [laʀʒ] *adj* ancho(-a); (*généreux*) espléndido(-a) ♦ *adv*: **calculer ~** calcular por lo alto; **voir ~** ver con amplitud ♦ *nm*: **5 m de ~** 5m de ancho; **le ~** alta mar; **au ~ de** a la altura de; **ne pas en mener ~** temblarle las rodillas a algn; **~ d'esprit** de mentalidad abierta.

largement [laʀʒəmɑ̃] *adv* ampliamente; (*au minimum*) al menos; (*de loin*) indudablemente; (*sans compter*) generosamente; **il a ~ le temps** tiene tiempo de sobra; **il a ~ de quoi vivre** tiene ampliamente de qué vivir.

largesses [laʀʒɛs] *nfpl* (*dons*) regalos *mpl* espléndidos.

largeur [laʀʒœʀ] *nf* anchura; (*impression visuelle, fig*) amplitud *f*.

larguer [laʀge] *vt* (*fam*) pasar de; **~ les amarres** soltar amarras.

larme [laʀm] *nf* lágrima; **une ~ de** (*fig*) una gota de; **en ~s** llorando; **pleurer à chaudes ~s** llorar a lágrima viva.

larmoyer [laʀmwaje] *vi* (*yeux*) lagrimear; (*se plaindre*) lloriquear.

larve [laʀv] *nf* larva.

laryngite [laʀɛ̃ʒit] *nf* laringitis *f inv*.

las, lasse [lɑ, lɑs] *adj* fatigado(-a); **~ de qch/qn, de faire qch** cansado(-a) *ou* harto(-a) de algo/algn/de hacer algo.

lasagne [lazaɲ] *nf* lasaña.

lascar [laskaʀ] *nm* bribón(-ona); (*malin*) pícaro(-a).

laser [lazɛʀ] *nm*: **(rayon) ~** (rayo) láser *m*; **chaîne** *ou* **platine ~** cadena *ou* pletina láser; **disque ~** disco láser.

lasser [lɑse] *vt* (*ennuyer*) cansar; (*décourager*) agotar; **se lasser de** *vpr* cansarse de.

latéral, e, -aux [lateʀal, o] *adj* lateral.

latin, e [latɛ̃, in] *adj* latino(-a) ♦ *nm* (*LING*) latín *m* ♦ *nm/f*: **L~, e** latino(-a).

latino-américain, e [latinoameʀikɛ̃, ɛn] (*pl* **~-~s, es**) *adj* latinoamericano(-a).

latitude [latityd] *nf* latitud *f*; **avoir la ~ de faire** (*fig*) tener la libertad de hacer; **à 48 degrés de ~ Nord** a 48 grados latitud norte; **sous toutes les ~s** (*fig*) en todas las latitudes.

lauréat, e [lɔʀea, at] *nm/f* galardonado(-a).

laurier [lɔʀje] *nm* laurel *m*; **~s** *nmpl* (*fig*) laureles *mpl*.

lavabo [lavabo] *nm* lavabo; **~s** *nmpl* (*toilettes*) servicios *mpl*.

lavage [lavaʒ] *nm* lavado; **lavage d'estomac/d'intestin** lavado de estómago/de intestino; **lavage de cerveau** lavado de cerebro.

lavande [lavɑ̃d] *nf* lavanda.

lave-glace [lavglas] (*pl* **~-~s**) *nm* lavaparabrisas *m inv*.

laver [lave] *vt* lavar; (*baigner*) bañar; (*accusation, affront*) limpiar; **se laver** *vpr* lavarse; **se ~ les dents/les mains** lavarse los dientes/las manos; **se ~ les mains de qch** (*fig*) lavarse las manos con respecto a algo; **~ la vaisselle** fregar los platos; **~ le linge** lavar la ropa; **~ qn d'une accusation** alejar una acusación que recae sobre algn; **~ qn de tous soupçons** limpiar a algn de toda sospecha.

laverie [lavʀi] *nf*: **~ (automatique)** lavandería.

laveur, -euse [lavœʀ, øz] *nm/f* (*de carreaux*) lavacristales *m inv*; (*de voitures*) lavacoches *m/f inv*.

lave-vaisselle [lavvɛsɛl] *nm inv* lavaplatos *m inv*.

lavoir [lavwaʀ] *nm* lavadero; (*bac*) tina.

laxatif, -ive [laksatif, iv] *adj, nm* laxante *m*.

MOT-CLÉ

le, l', la [lə] (*pl* **les**) *art déf* **1** (*masculin*) el; (*féminin*) la; (*pluriel*) los(las); **la pomme/l'arbre** la manzana/el árbol; **les étudiants/femmes** los estudiantes/las mujeres

2 (*indiquant la possession*): **avoir les yeux gris** tener los ojos grises

3 (*temps*): **travailler le matin/le soir** trabajar por la mañana/la tarde; **le jeudi** (*d'habitude*) los jueves; (*ce jeudi-là*) el jueves; **le lundi je vais toujours au cinéma** los lunes voy siempre al cine

4 (*distribution, évaluation*) el(la); **10 F le mètre/la douzaine** 10 francos el metro/la docena; **le tiers/quart de** el tercio/cuarto de

♦ *pron* **1** (*masculin*) lo; (*féminin*) la; (*pluriel*) los(las); **je le/la/les vois** lo/la/los(las) veo

2 (*remplaçant une phrase*): **je ne le savais pas** no lo sabía; **il était riche et ne l'est plus** era rico y ya no lo es.

leader [lidœʀ] *nm* líder *m*.

lécher [leʃe] *vt* lamer; (*finir, polir*) pulir; **se lécher** *vpr*: **se ~ qch** chuparse algo; **~ les vitrines** mirar los escaparates.

leçon [l(ə)sɔ̃] *nf* clase *f*; (*fig*) lección *f*; **faire la ~** dar la lección; **faire la ~ à** (*fig*) dar una lección a; **leçon de choses** clase práctica; **leçons de conduite** clases de conducir; **leçons particulières** clases particulares.

lecteur, -trice [lɛktœʀ, tʀis] *nm/f* lector(a) ♦ *nm* (*TECH*): **~ de cassettes** cassette *m*; (*INFORM*): **~ de disquette(s)** *ou* **de disque** lector *m* de disquete(s) *ou* de disco; **~ CD/de disques compacts** lector *m ou* reproductor *m* CD/de discos compactos.

lecture [lɛktyʀ] *nf* lectura; **en première/seconde ~** (*d'une loi*) en primera/segunda lectura.

ledit, ladite [lədi, ladit] (*pl* **lesdits, lesdites**) *dét* susodicho(-a).

légal, e, -aux [legal, o] *adj* legal.

légaliser [legalize] *vt* legalizar.

légalité [legalite] *nf* legalidad *f*; **être dans/sortir de la ~** estar dentro/salirse de la ley.

légende [leʒɑ̃d] *nf* leyenda; (*d'une photo*) pie *m*.

léger, -ère [leʒe, ɛʀ] *adj* ligero(-a); (*erreur, retard*) leve; (*peu sérieux, personne*) superficial; (*volage*) frívolo(-a); **blessé ~** herido leve; **à la légère** a la ligera.

légèrement [leʒɛʀmɑ̃] *adv* ligeramente, suavemente; (*parler, agir*) superficialmente; **~ plus grand** ligeramente mayor; **~ en retard** con un ligero *ou* pequeño retraso.

légèreté [leʒɛʀte] *nf* ligereza; (*d'une personne*) superficialidad *f*.

législatif, -ive [leʒislatif, iv] *adj* legislativo(-a).

législatives [leʒislativ] *nfpl* elecciones *fpl* legislativas.

légiste [leʒist] *adj*: **médecin ~** médico forense.

légitime [leʒitim] *adj* legítimo(-a); **en (état de) ~ défense** (*JUR*) en (estado de) legítima defensa.

léguer [lege] *vt*: **~ qch à qn** legar algo a algn.

légume [legym] *nm* verdura; **légumes secs** legumbres *fpl*; **légumes verts** verduras.

lendemain [lɑ̃dmɛ̃] *nm*: **le ~** el día siguiente; **le ~ matin/soir** el día siguiente por la mañana/por la noche; **le ~ de** el día después de; **au ~ de** inmediatamente después de; **penser au ~** pensar en el mañana; **sans ~** sin futuro, sin porvenir; **de beaux ~s** días *mpl* felices; **des ~s qui chantent** un futuro feliz.

lent, e [lɑ̃, lɑ̃t] *adj* lento(-a).

lenteur [lɑ̃tœʀ] *nf* lentitud *f*; **~s** *nfpl* (*actions, décisions lentes*) lentitud *fsg*.

lentille [lɑ̃tij] *nf* (*OPTIQUE*) lente *f*; (*BOT, CULIN*) lenteja; **lentille d'eau** (*BOT*) lenteja de agua; **lentilles de contact** lentillas *fpl*.

léopard [leɔpaʀ] *nm* leopardo; **tenue ~** (*MIL*) ropa de camuflaje.

lequel, laquelle [ləkɛl, lakɛl] (*pl* **lesquels, *f* lesquelles**) (*à + lequel* = **auquel,** *de + lequel* = **duquel** *etc*) *pron* (*interrogatif*) cuál; (*relatif: personne*) el/la cual, que;

(: *après préposition*) el/la cual ♦ *adj*: **auquel cas** en cuyo caso; **laquelle des chambres est la sienne?** ¿cuál de las habitaciones es la suya?; **un homme sur la compétence duquel on ne peut compter** un hombre con cuya competencia no se puede contar; **il prit un livre, ~ livre ...** cogió un libro, el cual ... .

les [le] *dét voir* **le**.

lesbienne [lɛsbjɛn] *nf* lesbiana.

lesdits, lesdites [ledi, dit] *dét voir* **ledit**.

léser [leze] *vt* perjudicar; (*MÉD*) lesionar.

lésiner [lezine] *vi*: ~ **(sur)** escatimar (en).

lésion [lezjɔ̃] *nf* lesión *f*; **lésions cérébrales** lesiones *fpl* cerebrales.

lesquels, lesquelles [lekɛl] *pron voir* **lequel**.

lessive [lesiv] *nf* detergente *m*; (*linge*) colada; (*opération*) lavado; **faire la ~** hacer la colada.

lessiver [lesive] *vt* lavar.

lest [lɛst] *nm* lastre *m*; **jeter** *ou* **lâcher du ~** (*fig*) soltar lastre.

leste [lɛst] *adj* ágil, ligero(-a); (*désinvolte*) confianzudo(-a); (*osé*) atrevido(-a).

lester [lɛste] *vt* lastrar.

léthargique [letaʀʒik] *adj* (*MÉD*) letárgico(-a); (*gén*) amodorrado(-a).

lettre [lɛtʀ] *nf* carta; (*TYPO*) letra; **~s** *nfpl* (*ART, SCOL*) letras *fpl*; **à la ~** (*fig*) al pie de la letra; **par ~** por carta; **en ~s majuscules** *ou* **capitales** en letras mayúsculas; **en toutes ~s** por extenso, sin abreviar; **lettre anonyme/piégée** carta anónima/bomba; **lettre de change/de crédit** letra de cambio/de crédito; **lettre de voiture aérienne** carta de porte; **lettre morte**: **rester ~ morte** quedarse en papel mojado; **lettre ouverte** (*POL, de journal*) carta abierta; **lettres de noblesse** cartas *fpl* de nobleza.

leucémie [løsemi] *nf* leucemia.

leur [lœʀ] *adj possessif* su ♦ *pron* (*objet indirect*) les; (: *après un autre prénom à la troisième personne*) se; **~ maison** su casa; **~s amis** sus amigos; **à ~ avis** en su opinión; **à ~ approche** al acercarse ellos; **à ~ vue** al verles; **je ~ ai dit la vérité** les dije la verdad; **je le ~ ai donné** se lo di; **le(la) ~, les ~s** (*possessif*) el(la) suyo(-a), los(las) suyos(-as).

leurre [lœʀ] *nm* cebo; (*illusion*) ilusión *f*; (*piège*) engaño, señuelo.

levain [ləvɛ̃] *nm* levadura; **sans ~** sin levadura.

levé, e [ləve] *adj*: **être ~** estar levantado(-a) ♦ *nm*: **~ de terrain** levantamiento de terreno; **à mains ~es** (*vote*) a mano alzada; **au pied ~** de forma improvisada.

levée [ləve] *nf* (*POSTES*) recogida; (*CARTES*) baza; **levée d'écrou** liberación *f*; **levée de boucliers** (*fig*) levantamiento de protestas; **levée de terre** terraplén *m*; **levée de troupes** reclutamiento; **levée du corps** levantamiento del cadáver; **levée en masse** (*MIL*) reclutamiento en masa.

lever [l(ə)ve] *vt* levantar; (*vitre*) subir; (*difficulté*) superar; (*impôts*) recaudar; (*armée*) reclutar; (*CHASSE*) ahuyentar; (*fam*: *fille*) enrollarse con ♦ *vi* (*CULIN*) levantarse; (*semis, graine*) brotar; **se lever** *vpr* levantarse; (*soleil*) salir ♦ *nm*: **au ~** al amanecer; **ça va se ~** va a despejar; **lever de rideau** (*pièce*) pieza preliminar; **lever de soleil/du jour** amanecer *m*; **lever du rideau** subida del telón.

levier [ləvje] *nm* palanca; (*fig*) incentivo; **faire ~ sur** hacer palanca en; **levier de changement de vitesse/de commande** palanca de cambios/de mando.

lèvre [lɛvʀ] *nf* labio; (*d'une plaie*) labio, borde *m*; **du bout des ~s** (*manger*) con desgana; (*rire, parler*) de dientes afuera; (*répondre*) con altivez; **petites/grandes ~s** (*ANAT*) labios pequeños/grandes.

lévrier [levʀije] *nm* galgo.

levure [l(ə)vyʀ] *nf*: **~ de boulanger/chimique** levadura de pan/química; **levure de bière** levadura de cerveza.

lexique [lɛksik] *nm* glosario.

lézard [lezaʀ] *nm* lagarto.

lézarde [lezaʀd] *nf* grieta.

liaison [ljɛzɔ̃] *nf* (*rapport*) relación *f*; (*RAIL, AVIAT, PHONÉTIQUE*) enlace *m*; (*relation amoureuse*) relaciones *fpl*; (*hum*) lío; (*CULIN*) trabazón *f*; **entrer/être en ~ avec** entrar/estar en comunicación con; **liaison (de transmission de données)** (*INFORM*) enlace (de transmisión de datos); **liaison radio/téléphonique** (*contact*) contacto radiofónico/telefónico.

liane [ljan] *nf* liana.

liasse [ljas] *nf* fajo.

libeller [libele] *vt*: **~ (au nom de)** extender (a la orden de); (*lettre, rapport*) redactar.

libellule [libelyl] *nf* libélula.

libéral, e, -aux [libeʀal, o] *adj, nm/f* liberal *m/f*; **les professions ~es** las profesiones liberales.

libéraliser [libeʀalize] *vt* liberalizar.

libération [libeʀasjɔ̃] *nf* (*v vt*) liberación *f*; puesta en libertad; licencia; **la L~** (*1945*) la liberación (*de Francia al final de la segunda guerra mundial*); **libération conditionnelle** puesta en libertad condicional.

libérer [libeʀe] *vt* liberar; (*de prison*) poner en libertad; (*soldat*) licenciar; (*cran d'arrêt, levier*) soltar; (*ÉCON*) liberalizar; **se libérer** *vpr* (*de rendez-vous*) escaparse; ~ **qn de** liberar a algn de.

liberté [libɛʀte] *nf* libertad *f*; (*loisir*) tiempo libre; **~s** *nfpl* (*privautés*) libertades *fpl*; **mettre/être en** ~ poner/estar en libertad; **en ~ provisoire/surveillée/ conditionnelle** en libertad provisional/ vigilada/condicional; **jours/heures de** ~ días *mpl*/horas *fpl* libres; **liberté d'action** libertad de acción; **liberté d'association/ de la presse/syndicale** libertad de asociación/de prensa/sindical; **liberté d'esprit/de conscience** libertad de juicio/de conciencia; **liberté d'opinion/ de culte/de réunion** libertad de opinión/ de culto/de reunión; **libertés individuelles** libertades individuales; **libertés publiques** libertades públicas.

libertin, e [libɛʀtɛ̃, in] *adj* libertino(-a).

libraire [libʀɛʀ] *nm/f* librero(-a).

librairie [libʀeʀi] *nf* librería.

libre [libʀ] *adj* libre; (*propos, manières*) atrevido(-a); (*ligne téléphonique*) desocupado(-a); (*SCOL*) privado(-a); **de** ~ (*place*) libre; ~ **de** libre de; ~ **de qch/de faire** libre de algo/de hacer; **avoir le champ** ~ tener el campo libre; **en vente** ~ de venta libre; **libre arbitre** libre albedrío; **libre concurrence/entreprise** libre competencia/empresa.

libre-échange [libʀeʃɑ̃ʒ] *nm* librecambio.

libre-service [libʀəsɛʀvis] (*pl* **~s-~s**) *nm* autoservicio.

licence [lisɑ̃s] *nf* licencia; (*diplôme*) ≈ licenciatura; (*des mœurs*) libertinaje *m*.

licencier [lisɑ̃sje] *vt* despedir.

licite [lisit] *adj* lícito(-a).

lié, e [lje] *adj*: **être très ~ avec qn** (*fig*) tener mucha confianza con algn; **être ~ par** (*serment, promesse*) estar comprometido(-a) por; **avoir partie ~e (avec qn)** actuar de común acuerdo (con algn).

liège [ljɛʒ] *nm* corcho.

lien [ljɛ̃] *nm* ligadura; (*analogie*) vinculación *f*; (*rapport affectif, culturel*) vínculo; **liens de famille** lazos *mpl* familiares; **lien de parenté** lazo de parentesco.

lier [lje] *vt* (*attacher*) atar; (*joindre*) unir, ligar; (*fig*) unir; (*moralement*) vincular; (*sauce*) espesar; **se ~ (avec qn)** relacionarse (con algn); ~ **qch à** (*attacher*) atar algo a; (*associer*) relacionar algo con; ~ **amitié (avec)** trabar amistad (con); ~ **conversation (avec)** entablar conversación (con); ~ **connaissance (avec)** entablar relación (con), trabar conocimiento (con).

lierre [ljɛʀ] *nm* hiedra.

liesse [ljɛs] *nf*: **être en** ~ estar alborozado(-a).

lieu, x [ljø] *nm* (*position*) lugar *m*, sitio; (*endroit*) lugar; **~x** *nmpl* (*habitation, salle*): **vider** *ou* **quitter les ~x** desalojar el lugar; (*d'un accident, manifestation*) **arriver/être sur les ~x** llegar al/estar en el lugar; **en ~ sûr** en lugar seguro; **en haut** ~ en altas esferas; **en premier/dernier** ~ en primer/último lugar; **avoir** ~ tener lugar, suceder; **avoir ~ de faire** (*se demander, s'inquiéter*) tener razones *ou* motivos para hacer; **tenir ~ de** hacer las veces de, fungir de (*AM*); **donner ~ à** dar lugar a; **au ~ de** en lugar de, en vez de; **au ~ qu'il y aille** en vez de ir él; **lieu commun** lugar común; **lieu de départ** punto de partida; **lieu de naissance/rendez-vous/ travail** lugar de nacimiento/encuentro/ trabajo; **lieu géométrique** punto geométrico; **lieu public** lugar público.

lieu-dit [ljødi] (*pl* **~x-~s**) *nm* aldea.

lieutenant [ljøt(ə)nɑ̃] *nm* teniente *m*; **lieutenant de vaisseau** teniente de navío.

lièvre [ljɛvʀ] *nm* liebre *f*; **lever un** ~ (*fig*) levantar la liebre.

ligament [ligamɑ̃] *nm* ligamento.

ligature [ligatyʀ] *nf* (*MÉD*) ligadura; **ligature des trompes** ligadura de trompas.

ligne [liɲ] *nf* línea; **en** ~ (*INFORM*) en línea; **en ~ droite** en línea recta; **"à la ~"** "aparte"; **entrer en ~ de compte** entrar en cuenta; **garder la** ~ guardar la línea; **ligne de départ/d'arrivée** línea de salida/de llegada; **ligne d'horizon** línea del horizonte; **ligne de but/de touche** línea de meta/de banda; **ligne de conduite** línea de conducta; **ligne de flottaison/de mire** línea de flotación/de mira; **ligne directrice** línea directriz; **ligne médiane** línea media; **ligne ouverte**: **émission à ~ ouverte** emisión *f* en línea abierta.

lignée [liɲe] *nf* (*race, famille*) linaje *m*; (*postérité*) descendencia.

ligoter [ligɔte] *vt* (*bras, personne*) amarrar; (*fig*) atar.

ligue [lig] *nf* (*association*) liga, asociación *f*; (*SPORT*) liga; ~ **arabe** (*POL*) liga árabe.

liguer [lige] *vb*: **se ~ contre** (*fig*) aliarse contra.

lilas [lilɑ] *nm* lila.

Lima [lima] *n* Lima.

limace [limas] *nf* babosa.

limande [limɑ̃d] *nf* gallo.

lime [lim] *nf* lima; (*arbre*) lima, limero; **lime à ongles** lima de uñas.

limer [lime] *vt* limar.
limitation [limitasjɔ̃] *nf* limitación *f*; **sans ~ de temps** sin límite de tiempo; **limitation de vitesse** limitación de velocidad; **limitation des armements/des naissances** reducción *f* de armamento/de nacimientos.
limite [limit] *nf* (*aussi fig*) límite *m*; (*de terrain*) límite, linde *m ou f*; **dans la ~ de** dentro de; **à la ~** (*au pire*) como mucho; **sans ~s** sin límites; **vitesse/charge ~** velocidad *f*/carga límite; **cas ~** caso límite; **date ~ de vente/consommation** fecha límite de venta/consumo; **prix ~** precio límite; **limite d'âge** límite de edad.
limiter [limite] *vt* (*délimiter*) delimitar; **se limiter** *vpr* limitarse; (*chose*) reducirse; **~ qch (à)** (*restreindre*) limitar algo.
limitrophe [limitʀɔf] *adj* limítrofe; **~ de** limítrofe con.
limoger [limɔʒe] *vt* destituir.
limonade [limɔnad] *nf* gaseosa.
limpide [lɛ̃pid] *adj* límpido(-a); (*fig*) meridiano(-a), diáfano(-a).
lin [lɛ̃] *nm* lino.
linceul [lɛ̃sœl] *nm* mortaja.
linge [lɛ̃ʒ] *nm* (*serviettes etc*) ropa blanca; (*pièce de tissu*) lienzo; (*aussi*: **~ de corps**) ropa interior; (*lessive*) colada; **linge sale** ropa sucia.
lingerie [lɛ̃ʒʀi] *nf* lencería.
lingot [lɛ̃go] *nm* lingote *m*.
linguistique [lɛ̃gɥistik] *adj* lingüístico(-a) ♦ *nf* lingüística.
lino(léum) [linɔ(leɔm)] *nm* linóleo.
lion, ne [ljɔ̃, ɔn] *nm/f* león(leona); (*ASTROL*): **le L~** Leo; **être (du) L~** ser de Leo; **lion de mer** león marino.
lionceau, x [ljɔ̃so] *nm* cachorro de león.
liqueur [likœʀ] *nf* licor *m*.
liquidation [likidasjɔ̃] *nf* liquidación *f*; (*règlement*) liquidación, pago; (*meurtre*) asesinato; **liquidation judiciaire** liquidación judicial.
liquide [likid] *adj* líquido(-a) ♦ *nm* líquido; **en ~** (*COMM*) en líquido; **air ~** aire *m* líquido.
liquider [likide] *vt* liquidar.
liquidités [likidite] *nfpl* (*COMM*) liquidez *fsg*, disponibilidades *fpl*.
lire [liʀ] *nf* (*monnaie italienne*) lira ♦ *vt, vi* leer; **~ qch à qn** leer algo a algn.
lisible [lizibl] *adj* legible; **ce livre n'est pas ~** no merece la pena leer este libro.
lisière [lizjɛʀ] *nf* (*de forêt, bois*) lindero, linde *m ou f*; (*de tissu*) orillo.
lisse [lis] *adj* liso(-a).
liste [list] *nf* lista; **faire la ~ de** hacer la lista de; **liste civile** *presupuesto de la casa real o del jefe del Estado*; **liste d'attente** lista de espera; **liste de mariage** lista de boda; **liste électorale/noire** lista electoral/negra.
listing [listiŋ] *nm* (*INFORM*) listado; **qualité ~** calidad *f* de listado.
lit [li] *nm* cama; (*de rivière*) lecho; **faire son ~** hacerse la cama; **aller/se mettre au ~** ir a/meterse en la cama; **prendre le ~** (*malade etc*) guardar cama; **d'un premier ~** (*JUR*) del primer matrimonio; **lit d'enfant** cuna; **lit de camp** cama de campaña; **lit simple/double** cama sencilla/de matrimonio.
litière [litjɛʀ] *nf* cama de paja.
litige [litiʒ] *nm* litigio; **en ~** en litigio.
litre [litʀ] *nm* litro; **~ de vin/bière** litro de vino/cerveza.
littéraire [liteʀɛʀ] *adj* literario(-a).
littéral, e, -aux [liteʀal, o] *adj* literal.
littérature [liteʀatyʀ] *nf* literatura.
littoral, e, -aux [litɔʀal, o] *adj, nm* litoral *m*.
liturgique [lityʀʒik] *adj* litúrgico(-a).
livide [livid] *adj* lívido(-a).
livraison [livʀɛzɔ̃] *nf* entrega; (*de plusieurs marchandises*) reparto; **livraison à domicile** reparto a domicilio.
livre [livʀ] *nm* libro ♦ *nf* (*poids, monnaie*) libra; **traduire qch à ~ ouvert** traducir algo de corrido; **livre blanc** libro blanco; **livre d'or** libro de oro; **livre de bord** diario de navegación; **livre de chevet/de comptes** libro de cabecera/de cuentas; **livre de cuisine** libro de cocina; **livre de messe** libro de misa, misal *m*; **livre de poche** libro de bolsillo.
livrée [livʀe] *nf* librea.
livrer [livʀe] *vt* (*marchandises, otage, complice*) entregar; (*plusieurs colis etc*) repartir; (*client*) hacer una entrega a; (*secret, information*) revelar; **se livrer à** *vpr* entregarse a; (*se confier à*) confiarse a; (*s'abandonner à*) darse a, entregarse a; (*enquête*) llevar a cabo; **~ bataille** librar una batalla.
livret [livʀɛ] *nm* (*petit livre*) librito; (*d'opéra*) libreto; **livret de caisse d'épargne** libreta de ahorros; **livret de famille** libro de familia; **livret scolaire** libro escolar.
livreur, -euse [livʀœʀ, øz] *nm/f* repartidor(a).
local, e, -aux [lɔkal, o] *adj* local ♦ *nm* local *m*; **locaux** *nmpl* (*d'une compagnie*) locales *mpl*.
localiser [lɔkalize] *vt* (*dans l'espace*) loca-

lizar; (*dans le temps*) situar.

localité [lɔkalite] *nf* localidad *f*.

locataire [lɔkatɛʀ] *nm/f* inquilino(-a).

location [lɔkasjɔ̃] *nf* alquiler *m*; (*par le propriétaire*) arriendo, alquiler; **"~ de voitures"** "alquiler de coches".

locomotive [lɔkɔmɔtiv] *nf* locomotora.

locution [lɔkysjɔ̃] *nf* (*LING*) locución *f*.

loge [lɔʒ] *nf* (*d'artiste*) camerino; (*de spectateurs*) palco; (*de concierge*) portería, conserjería; (*de franc-maçon*) logia.

logement [lɔʒmɑ̃] *nm* alojamiento; (*maison, appartement*) vivienda; **le ~** (*POL, ADMIN*) la vivienda; **chercher un ~** buscar una vivienda; **construire des ~s bon marché** construir viviendas baratas; **crise du ~** crisis *fsg* de la vivienda; **logement de fonction** alojamiento de servicio.

loger [lɔʒe] *vt* alojar; (*suj: hôtel, école*) alojar, albergar ♦ *vi* vivir; **se loger** *vpr*: **trouver à se ~** encontrar dónde alojarse *ou* vivir; **se ~ dans** (*suj: balle, flèche*) alojarse en.

logeur, -euse [lɔʒœʀ, øz] *nm/f* casero(-a).

logiciel [lɔʒisjɛl] *nm* (*INFORM*) software *m*, soporte *m* lógico.

logique [lɔʒik] *adj* lógico(-a) ♦ *nf* lógica; **la ~ de qch** la lógica de algo; **c'est ~** (*fam*) es lógico.

logis [lɔʒi] *nm* casa.

loi [lwa] *nf* ley *f*; **livre/tables de la ~** (*REL*) libro/tablas *fpl* de la ley; **les ~s de la mode** (*fig*) las leyes de la moda; **avoir force de ~** tener fuerza de ley; **faire la ~** dictar la ley; **la ~ de la jungle/du plus fort** la ley de la jungla/del más fuerte; **proposition/projet de ~** propuesta/proyecto de ley; **loi d'orientation** ≈ Ley de Autonomía Universitaria.

loin [lwɛ̃] *adv* lejos; **~ de** lejos de; **pas ~ de 1 000 F** no mucho menos de 1000 francos; **au ~** a lo lejos; **de ~** de lejos; (*de beaucoup*) con mucho; **il revient de ~** (*fig*) ha vuelto a nacer; **de ~ en ~** de vez en cuando; **aussi ~ que je puisse me rappeler ...** que yo recuerde ...; **~ de là** ni mucho menos.

lointain, e [lwɛ̃tɛ̃, ɛn] *adj* lejano(-a) ♦ *nm*: **dans le ~** en la lejanía.

loir [lwaʀ] *nm* lirón *m*.

loisir [lwaziʀ] *nm*: **heures de ~** horas *fpl* de ocio; **~s** *nmpl* tiempo libre *msg*; (*activités*) diversiones *fpl*; **prendre/avoir le ~ de faire qch** tomarse/tener tiempo para hacer algo; **(tout) à ~** con (toda) tranquilidad; (*autant qu'on le désire*) todo lo que se quiera, tanto como se quiera.

Londres [lɔ̃dʀ] *n* Londres.

long, longue [lɔ̃, lɔ̃g] *adj* largo(-a) ♦ *adv*: **en dire/savoir ~** decir/saber mucho ♦ *nm*: **de 5 mètres de ~** de 5 metros de largo; **faire/ne pas faire ~ feu** durar mucho/poco; **au ~ cours** (*NAUT*) de altura; **de longue date** de antiguo; **longue durée** larga duración; **de longue haleine** arduo(-a); **être ~ à faire** ser lento(-a) para hacer; **en ~** a lo largo; **(tout) le ~ de** (*rue, bord*) a lo largo de; **tout au ~ de** (*année, vie*) a lo largo de; **de ~ en large** de un lado a otro; **en ~ et en large** (*fig*) a fondo.

longer [lɔ̃ʒe] *vt* bordear, costear; (*suj: mur, route*) bordear.

longitude [lɔ̃ʒityd] *nf* longitud *f*; **à 45 degrés de ~ Nord** a 45 grados longitud norte.

longtemps [lɔ̃tɑ̃] *adv* mucho tiempo; **avant ~** dentro de poco; **pour/pendant ~** para/durante mucho tiempo; **je n'en ai pas pour ~** no voy a tardar mucho tiempo; **mettre ~ à faire qch** costarle mucho tiempo a algn *ou* algo hacer algo; **ça ne va pas durer ~** eso no va a durar mucho; **elle/il en a pour ~ (à le faire)** le va a llevar un buen rato (hacerlo); **il y a/n'y a pas ~ que je travaille** hace/no hace mucho que trabajo; **il y a ~ que je n'ai pas travaillé** llevo mucho tiempo sin trabajar.

longue [lɔ̃g] *adj f voir* **long** ♦ *nf*: **à la ~** a la larga.

longuement [lɔ̃gmɑ̃] *adv* mucho tiempo, largamente; (*en détail*) detenidamente.

longueur [lɔ̃gœʀ] *nf* longitud *f*; **~s** *nfpl* (*fig*): **il y a des ~s dans ce film** hay momentos lentos en esta película; **une ~ (de piscine)** un largo (de piscina); **sur une ~ de 10 km** en una distancia de 10 km; **en ~** a lo largo; **tirer en ~** alargarse demasiado; **à ~ de journée** durante todo el día; **d'une ~** (*SPORT*) por un largo, por un cuerpo; **longueur d'onde** longitud de onda.

longue-vue [lɔ̃gvy] (*pl* **~s-~s**) *nf* catalejo.

lopin [lɔpɛ̃] *nm*: **~ de terre** parcela de tierra.

loque [lɔk] *nf* (*personne*) ruina; **~s** *nfpl* (*habits*) harapos *mpl*, andrajos *mpl*; **être/tomber en ~s** estar hecho(-a)/hacerse harapos.

loquet [lɔkɛ] *nm* picaporte *m*.

lorgner [lɔʀɲe] *vt* (*regarder*) mirar de reojo; (*convoiter*) echar la vista *ou* el ojo a.

lors [lɔʀ]: **~ de** *prép* durante; **~ même que**

aun cuando.

lorsque [lɔʀsk] *conj* cuando.

losange [lɔzɑ̃ʒ] *nm* rombo; **en** ~ en forma de rombo, romboidal.

lot [lo] *nm* lote *m*; (*de loterie*) premio; (*destin*) suerte *f*; **lot de consolation** premio de consolación.

loterie [lɔtʀi] *nf* (*tombola*) lotería, rifa; (*fig*) lotería; **Loterie nationale** Lotería nacional.

loti, e [lɔti] *adj*: **être bien/mal** ~ tener (buena)/mala suerte.

lotion [losjɔ̃] *nf* loción *f*; **lotion après rasage** loción para después del afeitado; **lotion capillaire** loción capilar.

lotissement [lɔtismɑ̃] *nm* (*de maisons, d'immeubles*) urbanización *f*; (*parcelle*) parcelación *f*.

loto [lɔto] *nm* lotería; (*jeu de hasard*) loto.

louange [lwɑ̃ʒ] *nf*: **à la** ~ **de qn/de qch** en elogio de algn/de algo; ~**s** *nfpl* (*compliments*) elogios *mpl*, alabanzas *fpl*.

louche [luʃ] *adj* sospechoso(-a) ♦ *nf* cucharón *m*.

loucher [luʃe] *vi* bizquear; ~ **sur qch** (*fig*) írsele los ojos tras de algo.

louer [lwe] *vt* alquilar; (*réserver*) reservar; (*faire l'éloge de*) elogiar; (*REL*: *Dieu*) alabar a; **"à ~"** "se alquila"; **se ~ de qch/d'avoir fait qch** felicitarse por algo/ por haber hecho algo.

loup [lu] *nm* lobo; (*poisson*) róbalo, lubina; (*masque*) antifaz *m*; **jeune** ~ (joven) cachorro; **loup de mer** (*marin*) lobo de mar.

loupe [lup] *nf* (*OPTIQUE*) lupa; ~ **de noyer** (*MENUISERIE*) nudo de nogal; **à la** ~ (*fig*) con lupa.

louper [lupe] (*fam*) *vt* (*train etc*) perder; (*examen*) catear.

lourd, e [luʀ, luʀd] *adj* (*aussi fig*) pesado(-a); (*chaleur, temps*) bochornoso(-a); (*responsabilité, impôts*) importante; (*parfum, vin*) fuerte ♦ *adv*: **peser** ~ pesar mucho; ~ **de** (*conséquences, menaces*) lleno(-a) de; **artillerie/industrie ~e** artillería/industria pesada.

lourdeur [luʀdœʀ] *nf* pesadez *f*; **lourdeur d'estomac** pesadez de estómago.

loutre [lutʀ] *nf* nutria.

louve [luv] *nf* loba.

louveteau, x [luv(ə)to] *nm* (*ZOOL*) lobezno; (*scout*) joven scout *m*.

louvoyer [luvwaje] *vi* (*NAUT*) bordear; (*fig*) andar con rodeos.

loyal, e, -aux [lwajal, o] *adj* leal; (*fair-play*) legal.

loyauté [lwajote] *nf* lealtad *f*.

loyer [lwaje] *nm* alquiler *m*; **loyer de l'argent** interés *msg*.

lu [ly] *pp de* **lire**.

lubie [lybi] *nf* capricho, antojo.

lubrifier [lybʀifje] *vt* lubrificar.

lucarne [lykaʀn] *nf* tragaluz *m*.

lucide [lysid] *adj* lúcido(-a).

lucratif, -ive [lykʀatif, iv] *adj* lucrativo(-a); **à but non** ~ sin ánimo de lucro.

lueur [lɥœʀ] *nf* resplandor *m*; (*pâle*: *d'étoile, de lune, lampe*) resplandor, fulgor *m*; (*fig*: *de désir, colère*) señal *f*; (*de raison, d'intelligence*) chispa; (*d'espoir*) rayo, chispa.

luge [lyʒ] *nf* trineo (*pequeño*); **faire de la** ~ deslizarse en trineo.

lugubre [lygybʀ] *adj* lúgubre; (*lumière, temps*) lóbrego(-a).

lui[1] [lɥi] *pron* (*objet indirect*) le; (: *après un autre pronom à la troisième personne*) se; (*sujet, objet direct*: *aussi forme emphatique*) él; **je ~ ai donné de l'argent** le di dinero; **je le ~ donne** se lo doy; **elle est riche, ~ est pauvre** ella es rica, él es pobre; **~, il est à Paris** él está en París; **c'est ~ qui l'a fait** lo hizo él; **à** ~ (*possessif*) suyo(-a), suyos(-as), de él; **cette voiture est à** ~ ese coche es suyo; **je la connais mieux que** ~ la conozco mejor que él; **~-même** él mismo; **il a agi de ~-même** obró por sí mismo.

lui[2] [lɥi] *pp de* **luire**.

lui-même [lɥimɛm] *pron* (*personne*) él mismo; (*avec préposition*) sí mismo.

luire [lɥiʀ] *vi* brillar, relucir.

lumière [lymjɛʀ] *nf* luz *f*; (*éclaircissement*) iluminación *f*, luz; (*personne*) lumbrera; ~**s** *nfpl* (*d'une personne*) luces *fpl*; **à la ~ de** a la luz de; **à la ~ électrique** con luz eléctrica; **faire de la** ~ encender la luz; **faire (toute) la ~ sur** (*fig*) esclarecer, aclarar; **mettre qch en** ~ (*fig*) poner algo en claro, sacar algo a la luz; **lumière du jour/du soleil** luz del día/del sol.

luminaire [lyminɛʀ] *nm* luminaria.

lumineux, -euse [lyminø, øz] *adj* luminoso(-a); (*éclairé*) iluminado(-a).

lunatique [lynatik] *adj* lunático(-a).

lundi [lœ̃di] *nm* lunes *m inv*; **on est** ~ estamos a lunes; **le ~ 20 août** el lunes 20 de agosto; **il est venu** ~ llegó el lunes; **le(s) lundi(s)** (*chaque lundi*) el (los) lunes; **"à ~"** "hasta el lunes"; **lundi de Pâques** lunes de Pascua; **lundi de Pentecôte** lunes de Pentecostés.

lune [lyn] *nf* luna; **pleine/nouvelle** ~ luna llena/nueva; **être dans la** ~ estar en la luna; **lune de miel** luna de miel.

lunette [lynɛt] *nf*: ~**s** *nfpl* gafas *fpl*, anteo-

jos *mpl* (*AM*); **lunette arrière** (*AUTO*) ventanilla trasera; **lunette d'approche** catalejo; **lunettes de plongée** gafas de bucear; **lunettes noires/de soleil** gafas negras/de sol.
lurette [lyʀɛt] *nf*: **il y a belle ~** hace siglos.
lus [ly] *vb voir* **lire**.
lustre [lystʀ] *nm* araña; (*éclat*) brillo.
lustrer [lystʀe] *vt* lustrar; (*vêtement*) gastar.
lutin [lytɛ̃] *nm* duende *m*.
lutte [lyt] *nf* lucha; **de haute ~** en reñida lucha; **lutte des classes** lucha de clases; **lutte libre** (*SPORT*) lucha libre.
lutter [lyte] *vi* luchar; (*SPORT*) luchar, combatir; **~ pour/contre qn/qch** luchar por/contra algn/algo.
luxe [lyks] *nm* lujo; **de ~** de lujo; **un ~ de** (*fig*) un lujo de.
Luxembourg [lyksɑ̃buʀ] *nm* Luxemburgo.
luxueux, -euse [lyksɥø, øz] *adj* lujoso(-a).
luxure [lyksyʀ] *nf* lujuria.
lycée [lise] *nm* instituto, liceo (*AM*); **lycée technique** instituto técnico.
lycéen, ne [liseɛ̃, ɛn] *nm/f* alumno(-a) de instituto.
lynx [lɛ̃ks] *nm* lince *m*.
lyre [liʀ] *nf* lira.
lyrique [liʀik] *adj* lírico(-a); **artiste ~** artista lírico(-a); **théâtre ~** teatro lírico; **comédie ~** comedia lírica.
lys [lis] *nm* (*BOT*) lirio; (*emblème*) lis *m*.

M, m

M. *abr* (= *Monsieur*) Sr. (= *Señor*).
m' [m] *pron voir* **me**.
ma [ma] *dét voir* **mon**.
macabre [makɑbʀ] *adj* macabro(-a).
macaron [makaʀɔ̃] *nm* (*gâteau*) mostachón *m*; (*insigne*) insignia; (*natte*) rodete *m*.
macaroni [makaʀɔni] *nm* macarrones *mpl*; **~ au fromage** *ou* **au gratin** macarrones al queso *ou* gratinados.
macédoine [masedwan] *nf*: **~ de fruits** macedonia de frutas; **macédoine de légumes** menestra (*sin carne*).
macérer [maseʀe] *vi, vt* macerar.
mâcher [mɑʃe] *vt* masticar; **ne pas ~ ses mots** no tener pelos en la lengua; **~ le travail à qn** (*fig*) darle a algn el trabajo mascado.
machin [maʃɛ̃] (*fam*) *nm* chisme *m*; (*personne*): **M~** fulano.
machine [maʃin] *nf* máquina; (*d'un navire, aussi fig*) maquinaria; (*fam*: *personne*): **M~** fulana; **faire ~ arrière** dar marcha atrás; **machine à coudre/à écrire/à tricoter** máquina de coser/de escribir/de tricotar; **machine à laver** lavadora; **machine à sous** máquina tragaperras *inv*; **machine à vapeur** máquina a *ou* de vapor.
machinerie [maʃinʀi] *nf* maquinaria; (*d'un navire*) sala de máquinas.
mâchoire [mɑʃwaʀ] *nf* mandíbula; (*TECH*) mordaza; **mâchoire de frein** zapata.
mâchonner [mɑʃɔne] *vt* mordisquear.
maçon [masɔ̃] *nm* albañil *m*.
maçonnerie [masɔnʀi] *nf* albañilería; (*murs*) muros *mpl*.
maculer [makyle] *vt* manchar; (*TYPO*: *feuille*) macular.
Madame [madam] (*pl* **Mesdames**) *nf*: **~ X** la señora X; **occupez-vous de ~/de Monsieur/de Mademoiselle** atienda a la señora/al señor/a la señorita; **bonjour ~/Monsieur/Mademoiselle** (*ton déférent*) buenos días señora/señor/señorita; **m~/monsieur** (*pour appeler*) ¡(oiga) señora/señor!; **~/Monsieur/Mademoiselle** (*sur lettre*) Señora/Señor/Señorita; **chère ~/cher Monsieur/chère Mademoiselle** estimado(-a) Señora/Señor/Señorita; **~ la Directrice** (la) señora directora; **Mesdames** Señoras.
madeleine [madlɛn] *nf* (*gâteau*) magdalena.
Mademoiselle [madmwazɛl] (*pl* **Mesdemoiselles**) *nf* Señorita; *voir aussi* **Madame**.
madère [madɛʀ] *nm* madeira *m*.
Madrid [madʀid] *n* Madrid.
madrilène [madʀilɛn] *adj* madrileño(-a) ♦ *nm/f*: **M~** madrileño(-a).
maf(f)ia [mafja] *nf* mafia.
magasin [magazɛ̃] *nm* tienda; (*entrepôt*) almacén *m*; (*d'une arme*) recámara; (*PHOTO*) carga; **en ~** (*COMM*) en almacén; **faire les ~s** ir de tiendas; **magasin d'alimentation** tienda de ultramarinos.
magazine [magazin] *nm* revista; (*radiodiffusé, télévisé*) magazine *m*.
mage [maʒ] *nm*: **les Rois M~s** los Reyes Magos.
maghrébin, e [magʀebɛ̃, in] *adj* magrebí ♦ *nm/f*: **M~, e** magrebí *m/f*.
magicien, ne [maʒisjɛ̃, jɛn] *nm/f* mago(-a).
magie [maʒi] *nf* magia; **magie noire** magia negra.
magique [maʒik] *adj* mágico(-a).

magistral, -aux [maʒistʀal, o] *adj* magistral; **cours** ~ (*ex cathedra*) clase *f* teórica.
magistrat [maʒistʀa] *nm* magistrado.
magnanime [maɲanim] *adj* magnánimo(-a).
magnat [magna] *nm* magnate *m*; ~ **de la presse** magnate de la prensa.
magner [maɲe]: **se** ~ (*fam*) *vpr* correr.
magnésium [maɲezjɔm] *nm* magnesio.
magnétique [maɲetik] *adj* magnético(-a).
magnétisme [maɲetism] *nm* magnetismo.
magnéto [maɲeto] *nf* (*ÉLEC*) magneto; (*à cassettes*) cassette *m*.
magnétophone [maɲetɔfɔn] *nm* magnetófono; **magnétophone (à cassettes)** cassette *m*.
magnétoscope [maɲetɔskɔp] *nm* magnetoscopio.
magnifique [maɲifik] *adj* magnífico(-a).
magot [mago] *nm* pasta (*fam*); (*économies*) hucha.
magouille [maguj] (*fam*) *nf* chanchullo.
mai [mɛ] *nm* mayo; *voir aussi* **juillet**.
maigre [mɛgʀ] *adj* (*après nom*: *personne, animal*) delgado(-a), flaco(-a); (: *viande, fromage*) magro(-a); (*fig*: *avant nom*: *repas, salaire, profit*) escaso(-a); (: *résultat*) mediocre ♦ *adv*: **faire** ~ comer de vigilia; **jours** ~**s** días *mpl* de vigilia.
maigreur [mɛgʀœʀ] *nf* delgadez *f*, flaqueza; (*de la végétation*) escasez *f*.
maigrir [megʀiʀ] *vi* adelgazar ♦ *vt* (*suj*: *vêtement*): ~ **qn** hacer parecer más delgado(-a) a algn.
maille [mɑj] *nf* (*boucle*) eslabón *m*; (*ouverture*: *dans un filet etc*) punto; **avoir** ~ **à partir avec qn** andar en dimes y diretes con algn; **maille à l'endroit/à l'envers** punto del derecho/del revés.
maillet [majɛ] *nm* (*outil*) mazo; (*de croquet*) palo.
maillon [mɑjɔ̃] *nm* (*d'une chaîne*) eslabón *m*.
maillot [majo] *nm* malla; (*de sportif*) camiseta; (*lange de bébé*) pañal *m*; **maillot (de corps)** camiseta; **maillot de bain** traje *m* de baño, bañador *m*; **maillot deux pièces** biquini *m*; **maillot jaune** (*CYCLISME*) maillot *m* amarillo.
main [mɛ̃] *nf* mano *f*; **la** ~ **dans la** ~ cogidos(-as) de la mano; **à une** ~ con una mano; **à deux** ~**s** con las dos manos; **à la** ~ a mano; **se donner la** ~ darse la mano; **donner** *ou* **tendre la** ~ **à qn** dar *ou* tender la mano a algn; **se serrer la** ~ estrecharse la mano; **serrer la** ~ **à qn** estrechar la mano a algn; **demander la** ~ **d'une femme** pedir la mano de una mujer; **sous la** ~ a mano; **haut les** ~**s** arriba las manos; **à** ~ **levée** (*ART*) a pulso; **à** ~**s levées** (*voter*) a mano alzada; **attaque à** ~ **armée** ataque *m* a mano armada; **à** ~ **droite/gauche** a mano derecha/izquierda; **de première** ~ de primera mano; **de** ~ **de maître** con mano maestra; **à remettre en** ~**s propres** a entregar en mano; **faire** ~ **basse sur qch** apoderarse de algo; **mettre la dernière** ~ **à qch** dar el último toque a algo; **mettre la** ~ **à la pâte** poner manos a la obra; **avoir qch/qn bien en** ~ conocer algo/a algn bien; **prendre qch en** ~ (*fig*) hacerse cargo de algo; **avoir la** ~ (*CARTES*) ser mano; **céder/passer la** ~ (*CARTES*) ceder/pasar la mano; **forcer la** ~ **à qn** obligar a algn; **s'en laver les** ~**s** (*fig*) lavarse las manos; **se faire la** ~ entrenarse; **perdre la** ~ estar desentrenado(-a); **en un tour de** ~ (*fig*) en un periquete; **main courante** pasamanos *m inv*.
main-d'œuvre [mɛ̃dœvʀ] (*pl* ~**s**-~) *nf* mano *f* de obra.
main-forte [mɛ̃fɔʀt] *nf*: **prêter** ~-~ **à qn** echar una mano a algn.
mainmise [mɛ̃miz] *nf* confiscación *f*; (*fig*): **avoir la** ~ **sur** tener control sobre.
maint, e [mɛ̃, mɛ̃t] *adj* varios(-as); **à** ~**es reprises** en repetidas ocasiones.
maintenant [mɛ̃t(ə)nɑ̃] *adv* ahora; (*ceci dit*) ahora bien; ~ **que** ahora que.
maintenir [mɛ̃t(ə)niʀ] *vt* mantener; (*personne, foule, animal*) contener; **se maintenir** *vpr* mantenerse; (*préjugé*) conservarse.
maintien [mɛ̃tjɛ̃] *nm* mantenimiento; (*attitude, allure, contenance*) compostura; ~ **de l'ordre** mantenimiento del orden.
maire [mɛʀ] *nm* alcalde *m*, intendente *m* (*CSUR*), regente *m* (*MEX*).
mairie [meʀi] *nf* ayuntamiento.
mais [mɛ] *conj* pero; ~ **non!** ¡que no!; ~ **enfin!** ¡pero bueno!; ~ **encore** sino que.
maïs [mais] *nm* maíz *m*.
maison [mɛzɔ̃] *nf* casa; (*famille*): **fils/ami de la** ~ niño/amigo de la casa ♦ *adj inv* (*CULIN*) casero(-a); (*dans un restaurant, fig*) de la casa; (*syndicat*) propio(-a); (*fam*: *bagarre etc*) bárbaro(-a); **à la** ~ en casa; (*direction*) a casa; **maison centrale/mère** casa central/matriz; **maison close** *ou* **de passe** casa de citas; **maison d'arrêt** prisión *f*; **maison de campagne** casa de campo; **maison de la culture** casa de la cultura; **maison de repos** casa de reposo; **maison de correction** correccional *m*; **maison de retraite** asilo de ancianos;

maison de santé centro de salud; **maison des jeunes** casa de la juventud.

maisonnette [mɛzɔnɛt] *nf* casita.

maître, maîtresse [mɛtʀ, mɛtʀɛs] *nm/f* (*chef*) jefe(-a); (*possesseur, propriétaire*) dueño(-a); (*SCOL*) maestro(-a) ♦ *nm* (*peintre etc*) maestro; (*JUR*): **M~** *título que se da en Francia a abogados, procuradores y notarios* ♦ *adj* maestro(-a); (*CARTES*) principal; **voiture de ~** coche *m* con chófer; **maison de ~** casa señorial; **être ~ de** dominar; **se rendre ~ de** (*pays, ville*) adueñarse de; (*situation, incendie*) dominar; **passer ~ dans l'art de** llegar a dominar el arte de; **rester ~ de soi** dominarse a sí mismo; **une ~sse femme** toda una mujer; **maître à penser** maestro; **maître auxiliaire** (*SCOL*) profesor *m* adjunto; **maître chanteur** chantajista *m*; **maître d'armes** maestro de armas; **maître d'école** maestro de escuela; **maître d'hôtel** (*domestique*) mayordomo; (*d'hôtel*) jefe de comedor, maître *m*; **maître d'œuvre** (*CONSTR*) contratista *m/f*; **maître d'ouvrage** (*CONSTR*) maestro de obras; **maître de chapelle** maestro de capilla; **maître de conférences** (*UNIV*) profesor(a); **maître de maison** amo *ou* dueño de casa; **maître nageur** monitor(a) de natación; **maître queux** jefe de cocina.

maîtrise [metʀiz] *nf* (*aussi*: **~ de soi**) dominio de sí mismo; (*calme*) serenidad *f*; (*habileté, virtuosité*) maestría; (*suprématie*) dominio; (*diplôme*) ≈ licenciatura; (*contremaîtres et chefs d'équipe*) capataces *mpl*.

maîtriser [metʀize] *vt* dominar; **se maîtriser** *vpr* dominarse.

majesté [maʒɛste] *nf*: **~ royale/impériale** majestad *f* real/imperial; (*titre*): **Sa/Votre M~** Su/Vuestra Majestad.

majestueux, -euse [maʒɛstɥø, øz] *adj* majestuoso(-a); (*fleuve, édifice*) imponente.

majeur, e [maʒœʀ] *adj* mayor; (*JUR*: *personne*) mayor de edad; (*préoccupation*) principal ♦ *nm/f* (*JUR*) mayor *m/f* de edad ♦ *nm* (*doigt*) corazón *m*; **en ~e partie** en su mayor parte; **la ~e partie de** la mayor parte de.

major [maʒɔʀ] *nm* (*MIL*) ≈ subteniente *m*; **~ de la promotion** (*SCOL*) primero de la promoción.

majorer [maʒɔʀe] *vt* recargar.

majorité [maʒɔʀite] *nf* mayoría; (*JUR*) mayoría de edad; **en ~** en su mayoría; **avoir la ~** tener la mayoría; **la ~ silencieuse** la mayoría silenciosa; **majorité absolue/relativa** mayoría absoluta/relativa; **majorité civile** mayoría de edad (*para el ejercicio de los derechos civiles*); **majorité électorale** *mayoría de edad para votar*; **majorité pénale** mayoría de edad.

Majorque [maʒɔʀk] *nf* Mallorca.

majuscule [maʒyskyl] *adj, nf*: **(lettre) ~** (letra) mayúscula.

mal, maux [mal, mo] *nm* (*tort, épreuve, malheur*) desgracia; (*douleur physique*) dolor *m*; (*maladie*) mal *m*; (*difficulté*) dificultad *f*; (*souffrance morale*) sufrimiento; (*péché*): **le ~** el mal ♦ *adv* mal ♦ *adj m*: **c'est ~ (de faire)** está mal (hacer); **être ~** (*mal installé*) estar incómodo(-a); **se sentir/se trouver ~** sentirse/encontrarse mal; **être ~ avec qn** andar de malas con algn; **il comprend ~** no entiende bien; **il a ~ compris** ha entendido mal; **~ tourner** ir mal; **dire du ~ de qn** hablar mal de algn; **ne vouloir de ~ à personne** no querer hacer daño a nadie; **il n'a rien fait de ~** no ha hecho nada malo; **penser du ~ de qn** pensar mal de algn; **ne voir aucun ~ à** no ver ningún mal en; **sans penser** *ou* **songer à ~** sin mala intención; **craignant ~ faire** temiendo hacer mal; **faire du ~ à qn** hacer daño a algn; **il n'y a pas de ~** no pasa nada; **se donner du ~ pour faire qch** tomarse trabajo para hacer algo; **se faire ~** hacerse daño; **se faire ~ au pied** hacerse daño en el pie; **ça fait ~** duele; **j'ai ~ (ici)** me duele (aquí); **j'ai ~ au dos** me duele la espalda; **avoir ~ à la tête/aux dents** tener dolor de cabeza/de muelas; **avoir ~ au cœur** tener náuseas; **j'ai du ~ à faire ...** me cuesta hacer ...; **avoir le ~ de l'air** marearse (en los aviones); **avoir le ~ du pays** tener morriña; **prendre ~** ponerse enfermo(-a); **mal de mer** mareo; **mal en point** *adj inv* bastante mal; **mal de ventre** dolor de barriga.

malade [malad] *adj* enfermo(-a); (*poitrine, jambe*) malo(-a) ♦ *nm/f* enfermo(-a); **tomber ~** caer enfermo(-a); **être ~ du cœur** estar enfermo(-a) del corazón; **~ mental** enfermo mental; **grand ~** enfermo grave.

maladie [maladi] *nf* enfermedad *f*; **être rongé par la ~** estar consumido por la enfermedad; **maladie bleue** cianosis *f inv*; **maladie de peau** enfermedad de la piel.

maladif, -ive [maladif, iv] *adj* enfermizo(-a).

maladresse [maladʀɛs] *nf* torpeza.

maladroit, e [maladʀwa, wat] *adj* torpe.

mal-aimé, e [maleme] (*pl* **~-~s, es**) *nm/f* malquerido(-a).

malaise [malɛz] *nm* malestar *m*; **avoir un ~** marearse.

malaisé, e [maleze] *adj* difícil.

malaxer [malakse] *vt* amasar; (*mêler*) mezclar.
malchance [malʃɑ̃s] *nf* mala suerte; (*mésaventure*) desgracia; **par ~** por desgracia; **quelle ~!** ¡qué mala suerte!
mâle [mɑl] *nm* macho ♦ *adj* macho; (*enfant*) varón; (*viril*) varonil, viril; **prise ~** (*ÉLEC*) clavija; **souris ~** ratón *m* macho.
malédiction [malediksjɔ̃] *nf* maldición *f*; (*fatalité, malchance*) desgracia.
malencontreux, -euse [malɑ̃kɔ̃tʀø, øz] *adj* desgraciado(-a).
mal-en-point [malɑ̃pwɑ̃] *adj inv* en mal estado.
malentendant, e [malɑ̃tɑ̃dɑ̃, ɑ̃t] *nm/f*: **les ~s** las personas con defectos de audición.
malentendu [malɑ̃tɑ̃dy] *nm* malentendido.
malfaisant, e [malfəzɑ̃, ɑ̃t] *adj* (*bête*) dañino(-a); (*être*) malo(-a); (*idées, influence*) nocivo(-a).
malfaiteur [malfɛtœʀ] *nm* malhechor *m*; (*voleur*) ladrón *m*.
malfamé, e [malfame] *adj* de mala fama.
malfrat [malfʀa] *nm* malhechor *m*.
malgré [malgʀe] *prép* (*contre le gré de*) contra la voluntad de; (*en dépit de*) a pesar de; **~ moi/lui** a pesar mío/suyo; **~ tout** a pesar de todo.
malhabile [malabil] *adj* torpe.
malheur [malœʀ] *nm* desgracia; (*ennui, inconvénient*) inconveniente *m*; **par ~** por desgracia; **quel ~!** ¡qué desgracia!; **faire un ~** (*fam: un éclat*) explotar; (*: avoir du succès*) arrasar.
malheureux, -euse [maløʀø, øz] *adj* (*triste: personne*) infeliz, desdichado(-a); (*existence, accident*) desgraciado(-a), desdichado(-a); (*malchanceux: candidat*) derrotado(-a); (*: tentative*) fracasado(-a); (*insignifiant*) miserable ♦ *nm/f* desgraciado(-a); **la malheureuse femme/victime** la desdichada mujer/víctima; **avoir la main malheureuse** (*au jeu*) tener poca fortuna; (*tout casser*) ser un manazas; **les ~** los desamparados.
malhonnête [malɔnɛt] *adj* deshonesto(-a).
malice [malis] *nf* malicia; (*méchanceté*): **par ~** por maldad; **sans ~** sin malicia.
malicieux, -ieuse [malisjø, jøz] *adj* malicioso(-a).
malin, -igne [malɛ̃, maliɲ] *adj* (*f gén maline*) astuto(-a); (*malicieux: sourire*) pícaro(-a); (*MÉD*) maligno(-a); **faire le ~** dárselas de listo; **éprouver un ~ plaisir à** regodearse con; **c'est ~!** (*iron*) ¡qué listo!
malingre [malɛ̃gʀ] *adj* enteco(-a).
malle [mal] *nf* baúl *m*; **~ arrière** (*AUTO*) maletero.
mallette [malɛt] *nf* maletín *m*; (*coffret*) cofre *m*; **mallette de voyage** maletín de viaje.
malmener [malmәne] *vt* maltratar; (*fig: adversaire*) dejar maltrecho(-a).
malotru, e [malɔtʀy] *nm/f* grosero(-a).
malpoli, e [malpɔli] *nm/f* maleducado(-a).
malpropre [malpʀɔpʀ] *adj* sucio(-a); (*travail*) mal hecho(-a); (*histoire, plaisanterie*) grosero(-a); (*malhonnête*) inmoral.
malsain, e [malsɛ̃, ɛn] *adj* malsano(-a); (*esprit, curiosité*) morboso(-a).
malt [malt] *nm* malta; **whisky pur ~** whisky *m* de malta.
maltraiter [maltʀete] *vt* maltratar; (*critiquer, éreinter*) vapulear.
malus [malys] *nm* (*ASSURANCE*) recargo.
malveillance [malvɛjɑ̃s] *nf* mala voluntad *f*; (*intention de nuire*) mala intención *f*; (*JUR*) malevolencia.
malversation [malvɛʀsasjɔ̃] *nf* malversación *f*.
maman [mamɑ̃] *nf* mamá.
mamelle [mamɛl] *nf* teta.
mamelon [mam(ә)lɔ̃] *nm* (*ANAT*) pezón *m*; (*petite colline*) montecillo.
mamie [mami] (*fam*) *nf* abuelita, nana.
mammifère [mamifɛʀ] *nm* mamífero.
mammouth [mamut] *nm* mamut *m*.
manager [manadʒɛʀ] *nm* director *m*; (*COMM*) gerente *m*; (*SPORT*) manager *m*; **~ commercial** gerente comercial.
manche [mɑ̃ʃ] *nf* manga; (*d'un jeu, tournoi*) partida; (*GÉO*): **la M~** Canal *m* de la Mancha ♦ *nm* mango; (*de violon, guitare*) mástil *m*; **se débrouiller comme un ~** (*fam: maladroit*) hacer las cosas con los pies; **faire la ~** tocar en la calle; **manche à air** *nf* (*AVIAT*) manga de aire; **manche à balai** *nm* palo de escoba; (*AVIAT*) palanca de mando; (*INFORM*) palanca.
manchette [mɑ̃ʃɛt] *nf* (*de chemise*) puño; (*coup*) *golpe dado con el antebrazo*; (*PRESSE*) cabecera, titular *m*; **faire la ~ des journaux** saltar a los titulares.
manchot, e [mɑ̃ʃo, ɔt] *adj* manco(-a) ♦ *nm* (*ZOOL*) pingüino.
mandarine [mɑ̃daʀin] *nf* mandarina.
mandat [mɑ̃da] *nm* (*postal*) giro; (*d'un député, président*) mandato; (*procuration*) poder *m*; (*POLICE*) orden *f*; **toucher un ~** cobrar un giro; **mandat d'amener** orden de comparecencia; **mandat d'arrêt** orden de arresto; **mandat de dépôt** orden de pri-

sión; **mandat de police** orden de registro.

mandataire [mɑ̃datɛʀ] *nm/f* mandatario(-a).

mandibule [mɑ̃dibyl] *nf* mandíbula.

mandoline [mɑ̃dɔlin] *nf* mandolina.

manège [manɛʒ] *nm* (*école d'équitation*) picadero; (*à la foire*) tiovivo; (*fig*: *manœuvre*) maniobra; **faire un tour de ~** dar una vuelta en tiovivo; **manège de chevaux de bois** caballitos *mpl*.

manette [manɛt] *nf* palanca; **manette de jeu** (*INFORM*) palanca de juego.

mangeoire [mɑ̃ʒwaʀ] *nf* pesebre *m*.

manger [mɑ̃ʒe] *vt* comer; (*ronger*: *suj*: *rouille etc*) carcomer; (*consommer*) gastar; (*capital*) despilfarrar ♦ *vi* comer.

mangue [mɑ̃g] *nf* mango.

maniable [manjabl] *adj* manejable; (*fig*: *personne*) manipulable.

maniaque [manjak] *adj* maniático(-a) ♦ *nm/f* (*obsédé, fou*) maníaco(-a); (*pointilleux*) maniático(-a).

manie [mani] *nf* manía.

manier [manje] *vt* manejar; **se manier** *vpr* (*fam*) darse prisa.

manière [manjɛʀ] *nf* manera; (*genre, style*) estilo; **~s** *nfpl* (*attitude*) modales *mpl*; (*chichis*) melindres *mpl*; **de ~ à** con objeto de; **de telle ~ que** de tal manera que; **de cette ~** de esta manera; **d'une ~ générale** en general; **de toute ~** de todas maneras; **d'une certaine ~** en cierto sentido; **manquer de ~s** carecer de educación; **faire des ~s** andar con remilgos; **sans ~s** sin ceremonias; **employer la ~ forte** emplear la fuerza; **complément/adverbe de ~** complemento/adverbio de modo.

maniéré, e [manjeʀe] *adj* amanerado(-a).

manifestation [manifɛstasjɔ̃] *nf* manifestación *f*; (*fête, réunion etc*) acto.

manifeste [manifɛst] *adj* manifiesto(-a) ♦ *nm* manifiesto.

manifester [manifɛste] *vt* manifestar ♦ *vi* (*POL*) manifestarse; **se manifester** *vpr* manifestarse; (*témoin*) presentarse.

manigancer [manigɑ̃se] *vt* tramar.

manipuler [manipyle] *vt* manipular.

manivelle [manivɛl] *nf* manivela.

mannequin [mankɛ̃] *nm* (*COUTURE*) maniquí *m*; (*MODE*) modelo; **taille ~** talla maniquí.

manœuvre [manœvʀ] *nf* maniobra ♦ *nm* obrero; **fausse ~** maniobra falsa.

manœuvrer [manœvʀe] *vt* maniobrar; (*levier, personne*) manejar ♦ *vi* maniobrar.

manoir [manwaʀ] *nm* casa solariega.

manque [mɑ̃k] *nm* falta; **~s** *nmpl* (*lacunes*) lagunas *fpl*; **par ~ de** por falta de; **manque à gagner** lucro cesante.

manquer [mɑ̃ke] *vi* faltar; (*échouer*) fallar, fracasar ♦ *vt* (*coup, objectif*) fallar; (*cours, réunion*) faltar a; (*occasion*) perder ♦ *vb impers*: **il (nous) manque encore 100 F** nos faltan todavía 100 francos; **il manque des pages** faltan páginas; **l'argent qui leur manque** el dinero que les falta; **la voix lui a manqué** le falló la voz; **~ à qn** (*absent etc*): **il/cela me manque** le/lo echo de menos; **~ à** faltar a; **~ de** carecer de; **nous manquons de feutres** se nos han agotado los rotuladores, no nos quedan rotuladores; **j'ai manqué la photo** no me ha salido bien la foto; **ne pas ~ qn** vérselas con algn; **ne pas ~ de faire**: **il n'a pas manqué de le dire** no dejó de decirlo; **~ (de) faire**: **il a manqué (de) se tuer** por poco se mata; **il ne manquerait plus que ...** faltaría sólo que ...; **je n'y manquerai pas** no dejaré de hacerlo.

mansarde [mɑ̃saʀd] *nf* buhardilla.

manteau, x [mɑ̃to] *nm* abrigo; (*de cheminée*) campana; **sous le ~** bajo cuerda.

manucure [manykyʀ] *nf* manicura.

manuel, le [manɥɛl] *adj* manual ♦ *nm/f*: **je suis un ~** lo mío es trabajar con las manos ♦ *nm* (*livre*) manual *m*; **travailleur ~** trabajador *m* manual.

manufacture [manyfaktyʀ] *nf* manufactura.

manufacturé, e [manyfaktyʀe] *adj* manufacturado(-a).

manuscrit, e [manyskʀi, it] *adj* manuscrito(-a) ♦ *nm* manuscrito.

manutention [manytɑ̃sjɔ̃] *nf* manipulación *f*.

mappemonde [mapmɔ̃d] *nf* mapamundi *m*.

maquereau, x [makʀo] *nm* (*ZOOL*) caballa; (*fam*: *proxénète*) chulo.

maquette [makɛt] *nf* maqueta; (*d'une page illustrée, affiche*) boceto.

maquettiste [maketist] *nm/f* maquetista *m/f*; **maquettiste publicitaire** maquetista publicitario(-a).

maquiller [makije] *vt* maquillar; (*passeport*) falsificar; **se maquiller** *vpr* maquillarse.

maquis [maki] *nm* (*GÉO*) monte *m* bajo; (*fig*) embrollo; (*MIL*) maquis *m inv*.

maraîcher, -ère [maʀeʃe, ɛʀ] *adj*: **cultures maraîchères** cultivos *mpl* de huerta ♦ *nm/f* hortelano(-a).

marais [maʀɛ] *nm* pantano; **marais salant** salina.

marasme [maʀasm] *nm* marasmo.
marathon [maʀatɔ̃] *nm* maratón *m*.
maraudeur, -euse [maʀodœʀ, øz] *nm/f* ratero(-a).
marbre [maʀbʀ] *nm* mármol *m*; (*TYPO*) platina; **rester de ~** quedarse de piedra.
marbrures [maʀbʀyʀ] *nfpl* moraduras *fpl*.
marc [maʀ] *nm* (*de raisin, pommes*) orujo; **marc de café** poso de café.
marcassin [maʀkasɛ̃] *nm* jabato.
marchand, e [maʀʃɑ̃, ɑ̃d] *nm/f* comerciante *m/f*; (*au marché*) vendedor(a) ♦ *adj*: **prix ~** precio de coste; **valeur ~e** valor *m* comercial; **qualité ~e** calidad *f* corriente; **marchand au détail/en gros** vendedor minorista/mayorista; **marchand de biens** corredor *m* de fincas; **marchand de canons** (*péj*) traficante *m* de armas; **marchand de charbon/de cycles** vendedor de carbón/de bicicletas; **marchand de couleurs** droguero(-a); **marchand de fruits** frutero(-a); **marchand de journaux** vendedor de periódicos; **marchand de légumes** verdulero(-a); **marchand de poisson** pescadero(-a); **marchand de sable** (*fig*) *genio fabuloso que duerme a los niños*; **marchand de tableaux** marchante *m/f*; **marchand de tapis** vendedor de alfombras; **marchand de vins** vinatero(-a); **marchand des quatre saisons** vendedor ambulante de frutas y verduras.
marchander [maʀʃɑ̃de] *vt, vi* regatear.
marchandise [maʀʃɑ̃diz] *nf* mercancía.
marche [maʀʃ] *nf* marcha; (*d'escalier*) escalón *m*; (*allure, démarche*) paso; (*du temps, progrès*) curso; **ouvrir/fermer la ~** abrir/cerrar la marcha; **à une heure de ~** a una hora de camino; **dans le sens de la ~** (*RAIL*) en el sentido de la marcha; **monter/prendre en ~** subir/coger en marcha; **mettre en ~** poner en marcha; **remettre qch en ~** arreglar algo; **se mettre en ~** ponerse en marcha; **marche à suivre** pasos *mpl* a seguir; (*sur notice*) método; **marche arrière** (*AUTO*) marcha atrás; **faire ~ arrière** (*AUTO*) dar marcha atrás.
marché [maʀʃe] *nm* mercado; (*accord, affaire*) trato; **par dessus le ~** por añadidura; **faire son ~** ir a la compra; **mettre le ~ en main à qn** obligar a algn a tomar una decisión; **marché à terme/au comptant** (*BOURSE*) operación *f* a plazo/al contado; **marché aux fleurs** mercado de flores; **marché aux puces** rastro, mercadillo; **Marché commun** Mercado Común; **marché du travail** mercado de trabajo; **marché noir** mercado negro.
marchepied [maʀʃəpje] *nm* (*RAIL*) estribo; (*fig*) trampolín *m*.
marcher [maʀʃe] *vi* andar; (*se promener*) caminar; (*MIL, affaires*) marchar; (*fonctionner*) funcionar; (*fam: croire naïvement*) tragar; **d'accord, je marche** (*fam*) bueno, me parece bien; **~ sur** caminar por; (*mettre le pied sur*) pisar; (*MIL*) avanzar hacia; **~ dans** (*herbe etc*) caminar por; (*flaque*) meterse en; **faire ~ qn** (*pour rire*) tomar el pelo a algn; (*pour tromper*) engañar a algn.
marcheur, -euse [maʀʃœʀ, øz] *nm/f* andarín(-ina).
mardi [maʀdi] *nm* martes *m inv*; **Mardi gras** martes de Carnaval; *voir aussi* **lundi**.
mare [maʀ] *nf* charco; **mare de sang** charco de sangre.
marécage [maʀekaʒ] *nm* ciénaga.
maréchal, -aux [maʀeʃal, o] *nm* mariscal *m*; **maréchal des logis** sargento.
marée [maʀe] *nf* marea; (*poissons*) pescado fresco; **contre vents et ~s** (*fig*) contra viento y marea; **marée basse/haute** marea baja/alta; **marée d'équinoxe** marea de equinoccio; **marée humaine** marea humana; **marée montante/descendante** flujo/reflujo; **marée noire** marea negra.
marémotrice [maʀemɔtʀis] *adj*: **usine/énergie ~** fábrica/energía maremotriz.
margarine [maʀgaʀin] *nf* margarina.
marge [maʀʒ] *nf* margen *m*; **en ~ (de)** al margen (de); **marge bénéficiaire** (*COMM*) margen de beneficios; **marge de fluctuation** banda de fluctuación; **marge d'erreur/de sécurité** margen de error/de seguridad.
marginal, e, -aux [maʀʒinal, o] *adj* marginal ♦ *nm/f* persona marginal.
marguerite [maʀgəʀit] *nf* margarita.
mari [maʀi] *nm* marido.
mariage [maʀjaʒ] *nm* matrimonio; (*noce*) boda; (*fig: de mots, couleurs*) combinación *f*; **mariage blanc** matrimonio no consumado; **mariage civil/religieux** matrimonio civil/religioso; **mariage d'amour/d'intérêt/de raison** matrimonio por amor/por interés/de conveniencia.
marié, e [maʀje] *adj* casado(-a) ♦ *nm/f* novio(-a); **les ~s** los novios; **les (jeunes) ~s** los (recién) casados.
marier [maʀje] *vt* casar; (*fig: couleur*) combinar; **se marier** *vpr* casarse; **se ~ (avec)** casarse (con); (*fig*) casar (con).
marin, e [maʀɛ̃, in] *adj* marino(-a); (*carte, lunette*) náutico(-a) ♦ *nm* marino; (*matelot*) marinero; **avoir le pied ~** no marearse en los barcos.

marinade [maʀinad] *nf* escabeche *m*.
marine [maʀin] *adj f voir* **marin** ♦ *nf* marina; (*couleur*) azul marino ♦ *adj inv* azul marino ♦ *nm* marine *m*, soldado de infantería de marina; **marine à voiles** marina de vela; **marine marchande/de guerre** marina mercante/de guerra.
marionnette [maʀjɔnɛt] *nf* marioneta; **~s** *nfpl* (*spectacle*) marionetas *fpl*.
maritime [maʀitim] *adj* marítimo(-a).
mark [maʀk] *nm* marco.
marketing [maʀketiŋ] *nm* (*COMM*) márketing *m*, márquetin *m*; **faire du ~** hacer márketing.
marmelade [maʀməlad] *nf* mermelada; **en ~** (*fig*) hecho(-a) migas; **marmelade d'oranges** mermelada de naranja.
marmite [maʀmit] *nf* (*récipient*) marmita; (*contenu*) cocido.
marmonner [maʀmɔne] *vt* mascullar.
marmot [maʀmo] (*fam*) *nm* renacuajo.
Maroc [maʀɔk] *nm* Marruecos *msg*.
marocain, e [maʀɔkɛ̃, ɛn] *adj* marroquí ♦ *nm/f*: **M~, e** marroquí *m/f*.
maroquinerie [maʀɔkinʀi] *nf* marroquinería.
marque [maʀk] *nf* marca; (*d'une fonction, d'un grade*) distintivo; **~ du pluriel** (*LING*) terminación *f* de plural; **à vos ~s!** (*SPORT*) ¡preparados!; **quelle est la ~?** ¿cómo van?; **~ d'affection/de joie** demostración *f* de afecto/de alegría; **de ~** *adj* (*COMM*: *produit*) de marca; (*fig*) destacado(-a); **marque de fabrique** marca de fábrica; **marque déposée** marca registrada.
marquer [maʀke] *vt* marcar; (*inscrire*) anotar; (*frontières*) señalar; (*suj*: *chose*: *laisser une trace sur*) dejar una marca en; (*endommager*) afectar; (*fig*: *impressionner*) impresionar; (*assentiment, refus*) manifestar ♦ *vi* dejar marca; (*SPORT*) marcar; **~ qch de/par** señalar algo con; **~ qn de son influence** influir en algn; **~ qn de son empreinte** dejar su impronta en algn; **~ un temps d'arrêt** hacer una pausa; **~ le pas** (*fig*) marcar el paso; **~ d'une pierre blanche** señalar con una piedra blanca; **~ les points** apuntar los tantos.
marqueterie [maʀkɛtʀi] *nf* marquetería.
marquis, e [maʀki, iz] *nm/f* marqués (-esa) ♦ *nf* (*auvent*) marquesina.
marraine [maʀɛn] *nf* madrina.
marrant, e [maʀɑ̃, ɑ̃t] (*fam*) *adj* divertido(-a); **ce n'est pas ~** no tiene gracia.
marre [maʀ] (*fam*) *adv*: **en avoir ~ de** estar harto(-a) de.
marron, ne [maʀɔ̃, ɔn] *nm* castaña ♦ *adj inv* (*couleur*) marrón *inv* ♦ *adj* (*péj*) clandestino(-a); (: *faux*) falso(-a); **marrons glacés** castañas *fpl* confitadas.
marronnier [maʀɔnje] *nm* castaño.
mars [maʀs] *nm* marzo; *voir aussi* **juillet**.
marseillais, e [maʀsɛjɛ, ɛz] *adj* marsellés(-esa) ♦ *nm/f*: **M~, e** marsellés(-esa).
Marseille [maʀsɛj] *n* Marsella.
marteau [maʀto] *nm* martillo; (*de porte*) aldaba; **marteau pneumatique** martillo neumático.
marteau-piqueur [maʀtopikœʀ] (*pl* **~x-~s**) *nm* martillo neumático.
marteler [maʀtəle] *vt* martillear; (*mots, phrases*) recalcar.
martial, e, -aux [maʀsjal, jo] *adj* marcial; **arts martiaux** artes *fpl* marciales; **cour ~e** tribunal *m* militar; **loi ~e** ley *f* marcial.
martinet [maʀtinɛ] *nm* (*fouet*) disciplinas *fpl*; (*ZOOL*) vencejo.
Martinique [maʀtinik] *nf* Martinica.
martyr, e [maʀtiʀ] *nm/f* mártir *m/f* ♦ *adj* mártir; **enfants ~s** niños *mpl* mártires.
martyre [maʀtiʀ] *nm* martirio; **souffrir le ~** pasar un martirio.
martyriser [maʀtiʀize] *vt* martirizar.
mas [mɑ(s)] *nm* masía.
mascara [maskaʀa] *nm* rímel *m*.
mascarade [maskaʀad] *nf* mascarada.
mascotte [maskɔt] *nf* mascota.
masculin, e [maskylɛ̃, in] *adj* masculino(-a) ♦ *nm* masculino.
masochiste [mazɔʃist] *adj, nm/f* masoquista *m/f*.
masque [mask] *nm* máscara; (*d'escrime, de soudeur*) careta; (*MÉD*: *pour endormir*) mascarilla; **masque à gaz** máscara de gas, careta antigás *inv*; **masque à oxygène** máscara de oxígeno; **masque de beauté** mascarilla de belleza; **masque de plongée** gafas *fpl* de bucear.
masqué, e [maske] *adj* enmascarado(-a); **bal ~** baile *m* de disfraces.
masquer [maske] *vt* ocultar; (*goût, odeur*) disimular.
massacre [masakʀ] *nm* matanza; **jeu de ~** (*à la foire*) pim pam pum *m*; (*fig*) destrozo.
massacrer [masakʀe] *vt* matar, exterminar; (*fig*) destrozar.
massage [masaʒ] *nm* masaje *m*.
masse [mas] *nf* masa; (*de cailloux, documents, mots*) montón *m*; (*d'un édifice, navire*) mole *f*; (*maillet*) maza; **la ~** (*péj*: *peuple*) la masa; **les ~s laborieuses/paysannes** las masas trabajadoras/campesinas; **la grande ~ des ...** la gran

masa de ...; **une ~ de, des ~s de** (*fam*) un montón de, montones de; **en ~** juntos(-as); (*plus nombreux*) en masa; **masse monétaire/salariale** (*FIN*) masa monetaria/salarial.
masser [mase] *vt* concentrar; (*personne, jambe*) dar masaje a; **se masser** *vpr* concentrarse.
masseur, -euse [masœʀ, øz] *nm/f* masajista *m/f* ♦ *nm* (*appareil*) vibrador *m*.
massif, -ive [masif, iv] *adj* (*porte, silhouette, or*) macizo(-a); (*dose, déportations*) masivo(-a) ♦ *nm* macizo.
massue [masy] *nf* maza; **argument ~** argumento contundente.
mastic [mastik] *nm* masilla.
mastiquer [mastike] *vt* masticar; (*fente, vitre*) enmasillar.
mastodonte [mastɔdɔ̃t] *nm* mastodonte *m*.
masturber [mastyʀbe]: **se ~** *vpr* masturbarse.
mat, e [mat] *adj* mate *inv*; (*son*) sordo(-a); **être ~** (*ÉCHECS*) ser mate.
mât [mɑ] *nm* (*NAUT*) mástil *m*; (*poteau*) poste *m*.
match [matʃ] *nm* partido; **match aller/retour** partido de ida/de vuelta; **match nul** empate *m*; **faire ~ nul** empatar.
matelas [mat(ə)lɑ] *nm* colchón *m*; **matelas à ressorts** colchón de muelles; **matelas pneumatique** colchón de aire.
matelot [mat(ə)lo] *nm* marinero.
mater [mate] *vt* (*personne*) someter; (*révolte*) dominar; (*fam*) controlar.
matérialiser [mateʀjalize] *vt* materializar; **se matérialiser** *vpr* materializarse.
matériau [mateʀjo] *nm* material *m*; **~x** *nmpl* (*documents*) material *msg*; **matériaux de construction** materiales *mpl* de construcción.
matériel, le [mateʀjɛl] *adj* material ♦ *nm* material *m*; (*de camping*) equipo; (*de pêche*) aparejos *mpl*; (*INFORM*) soporte *m* físico; **il n'a pas le temps ~ de le faire** no tiene tiempo material para hacerlo; **matériel d'exploitation** (*COMM*) material de explotación; **matériel roulant** (*RAIL*) material móvil.
matériellement [mateʀjɛlmɑ̃] *adv* materialmente; **c'est ~ impossible** es materialmente imposible.
maternel, le [matɛʀnɛl] *adj* (*amour*) maternal; (*par filiation*: *grand-père*) materno(-a).
maternelle [matɛʀnɛl] *nf* (*aussi*: **école ~**) escuela de párvulos.
maternité [matɛʀnite] *nf* maternidad *f*.
math [mat] *nfpl* = **maths**.
mathématique [matematik] *adj* matemático(-a); **~s** *nfpl* matemáticas *fpl*; **mathématiques modernes** matemáticas modernas.
maths [mat] *nfpl* matemáticas *fpl*, mates *fpl* (*fam*).
matière [matjɛʀ] *nf* (*PHYS*) materia; (*COMM, TECH*) material *m*; (*d'un livre etc*) tema *m*; (*SCOL*) asignatura; **en ~ de** en materia de; (*en ce qui concerne*) en cuanto a; **donner ~ à** dar motivo de; **matière grise** materia gris; **matière plastique** plástico; **matières fécales** heces *fpl*; **matières grasses** grasas *fpl*; **matières premières** materias primas.
matin [matɛ̃] *nm* mañana; **le ~** por la mañana; **dimanche ~** el domingo por la mañana; **jusqu'au ~** hasta la mañana; **le lendemain ~** a la mañana siguiente; **hier/demain ~** ayer/mañana por la mañana; **du ~ au soir** de la mañana a la noche; **une heure du ~** la una de la mañana; **à demain ~!** ¡hasta mañana por la mañana!; **un beau ~** un día de éstos; **de grand** *ou* **bon ~** de madrugada; **tous les dimanches ~s** todos los domingos por la mañana.
matinal, e, -aux [matinal, o] *adj* (*toilette, gymnastique*) matutino(-a), matinal; (*de bonne heure*) tempranero(-a); **être ~** (*personne*) ser madrugador(a).
matinée [matine] *nf* mañana; (*réunion*) sesión *f* de la tarde; (*spectacle*) función *f* de tarde, vermú *m* (*AM*); **en ~** por la tarde.
matou [matu] *nm* gato.
matraque [matʀak] *nf* (*de malfaiteur*) cachiporra; (*de policier*) porra.
matraquer [matʀake] *vt* aporrear; (*fig*: *touristes etc*) clavar; (: *disque*) poner una y otra vez.
matrice [matʀis] *nf* (*ANAT, MATH*) matriz *f*; (*TECH*) molde *m*.
matricule [matʀikyl] *nf* matrícula ♦ *nm* (*MIL*) número de registro; (*ADMIN*) registro.
matrimonial, e, -aux [matʀimɔnjal, jo] *adj* matrimonial.
maturité [matyʀite] *nf* (*d'une personne*) madurez *f*; (*d'un fruit*) sazón *f*.
maudire [modiʀ] *vt* maldecir.
maudit, e [modi, it] *adj* maldito(-a).
mauresque [mɔʀɛsk] *adj* moro(-a); (*ART*) árabe.
maussade [mosad] *adj* (*personne*) malhumorado(-a); (*ciel, temps*) desapacible.
mauvais, e [mɔvɛ, ɛz] *adj* malo(-a); (*placé avant le nom*) mal; (*rire*) perverso(-a) ♦ *nm*: **le ~** lo malo ♦ *adv*: **il fait ~** hace

malo; **sentir ~** oler mal; **la mer est ~e** el mar está agitado; **mauvais coucheur** persona con malas pulgas; **mauvais coup** (*fig*) golpe *m*; **mauvais garçon** delincuente *m*; **mauvais joueur** mal jugador *m*; **mauvais pas** mal paso; **mauvais payeur** moroso; **mauvais plaisant** gracioso; **mauvais traitements** malos tratos *mpl*; **mauvaise herbe** mala hierba; **mauvaise langue** lengua viperina; **mauvaise passe** aprieto; (*période*) mala racha; **mauvaise tête** terco(-a).

mauve [mov] *nm* malva ♦ *adj* malva *inv*.

mauviette [movjɛt] (*péj*) *nf* alfeñique *m/f*.

maux [mo] *nmpl voir* **mal**.

maximum [maksimɔm] *adj* máximo(-a) ♦ *nm* máximo; **le ~ de chances** el máximo de posibilidades; **atteindre un/son ~** alcanzar un/su máximo; **au ~** *adv* (*le plus possible*) al máximo; (*tout au plus*) como máximo.

mayonnaise [majɔnɛz] *nf* mayonesa.

mazout [mazut] *nm* fuel-oil *m*; **chaudière/poêle à ~** caldera/estufa de fuel-oil.

me [mə] *pron* me; **il m'a donné un livre** me ha dado un libro.

méandres [meɑ̃dʀ] *nmpl* meandros *mpl*; (*de la politique, pensée*) subterfugios *mpl*.

mec [mɛk] (*fam*) *nm* tío.

mécanicien, ne [mekanisjɛ̃, jɛn] *nm/f* mecánico(-a); (*RAIL*) maquinista *m/f*; **mécanicien de bord** *ou* **navigant** (*AVIAT*) mecánico(-a) de vuelo.

mécanique [mekanik] *adj* mecánico(-a) ♦ *nf* mecánica; (*mécanisme*) mecanismo; **s'y connaître en ~** saber de mecánica; **ennui ~** problema *m* mecánico; **mécanique hydraulique/ondulatoire** mecánica hidráulica/ondulatoria.

mécanisme [mekanism] *nm* mecanismo.

mécène [mesɛn] *nm* mecenas *m/f inv*.

méchanceté [meʃɑ̃ste] *nf* maldad *f*, malicia.

méchant, e [meʃɑ̃, ɑ̃t] *adj* (*personne*) malvado(-a); (*sourire*) malicioso(-a); (*enfant*) travieso(-a), revoltoso(-a); (*animal*) malo(-a); (*avant le nom: affaire, humeur*) mal; (*: intensif*) malísimo(-a).

mèche [mɛʃ] *nf* mecha; (*de fouet*) tralla; (*de cheveux: coupés*) mechón *m*; (*: d'une autre couleur*) mecha; **se faire faire des ~s** (*chez le coiffeur*) hacerse mechas; **vendre la ~** irse de la lengua; **être de ~ avec qn** estar conchabado(-a) con algn.

méconnaissable [mekɔnɛsabl] *adj* irreconocible.

méconnaître [mekɔnɛtʀ] *vt* (*ignorer*) desconocer; (*méjuger*) infravalorar.

mécontent, e [mekɔ̃tɑ̃, ɑ̃t] *adj*: **~ (de)** descontento(-a) (con); (*contrarié*) disgustado(-a) ♦ *nm* descontento.

mécontentement [mekɔ̃tɑ̃tmɑ̃] *nm* descontento.

mécréant, e [mekʀeɑ̃, ɑ̃t] *adj* (*peuple*) infiel; (*personne*) descreído(-a).

médaille [medaj] *nf* medalla.

médaillon [medajɔ̃] *nm* medallón *m*; **en ~** *adj* (*carte etc*) en forma de medallón.

médecin [med(ə)sɛ̃] *nm* médico(-a); **médecin de famille/du bord** médico de familia/de a bordo; **médecin généraliste/légiste/traitant** médico general/forense/de cabecera.

médecine [med(ə)sin] *nf* medicina; **médecine du travail/générale/infantile** medicina laboral/general/infantil; **médecine légale/préventive** medicina legal/preventiva.

médias [medja] *nmpl*: **les ~** los medios de comunicación, los media.

médiateur, -trice [medjatœʀ, tʀis] *nm/f* mediador(a); juez *m/f* árbitro.

médiatique [medjatik] *adj* de *ou* en los medios de comunicación.

médical, e, -aux [medikal, o] *adj* médico(-a).

médicament [medikamɑ̃] *nm* medicamento.

médiéval, e, -aux [medjeval, o] *adj* medieval.

médiocre [medjɔkʀ] *adj* mediocre.

médire [mediʀ]: **~ de** *vt ind* hablar mal de.

médisance [medizɑ̃s] *nf* maledicencia.

médit [medi] *pp de* **médire**.

méditer [medite] *vt* meditar; (*préparer*) planear ♦ *vi* (*réfléchir*) meditar; **~ de faire qch** planear hacer algo; **~ sur qch** meditar sobre algo.

Méditerranée [mediteʀane] *nf*: **la (mer) ~** el (mar) Mediterráneo.

méditerranéen, ne [mediteʀaneɛ̃, ɛn] *adj* mediterráneo(-a) ♦ *nm/f*: **M~, ne** mediterráneo(-a).

méduse [medyz] *nf* medusa.

méduser [medyze] *vt* asombrar, dejar estupefacto.

meeting [mitiŋ] *nm* mitin *m*; **meeting aérien** exhibición *f* aérea.

méfait [mefɛ] *nm* (*faute*) fechoría; **~s** *nmpl* (*ravages*) daños *mpl*.

méfiant, e [mefjɑ̃, jɑ̃t] *adj* desconfiado(-a), receloso(-a).

méfier [mefje]: **se ~** *vpr* desconfiar; **se ~ de** desconfiar de; (*faire attention*) tener cuidado con.

mégarde [megaʀd] *nf*: **par ~** por descuido; (*par erreur*) por equivocación.

mégère [meʒɛʀ] (*péj*) *nf* arpía, bruja.

mégot [mego] *nm* colilla.

meilleur, e [mɛjœʀ] *adj* mejor; (*superlatif*): **le ~ (de)** (*personne*) el mejor (de); (*chose*) lo mejor (de) ♦ *adv* mejor ♦ *nm*: **le ~** (*personne*) el mejor; (*chose*) lo mejor ♦ *nf*: **la ~e** la mejor; **le ~ des deux** el mejor de los dos; **c'est la ~e!** ¡es el colmo!; **de ~e heure** más temprano; **meilleur marché** más barato.

méjuger [meʒyʒe] *vt* juzgar mal.

mélancolique [melɑ̃kɔlik] *adj* melancólico(-a).

mélange [melɑ̃ʒ] *nm* mezcla; **sans ~** (*pur*) sin mezcla; (*parfait*) perfecto(-a).

mélanger [melɑ̃ʒe] *vt* mezclar; (*mettre en désordre*) mezclar, desordenar; (*confondre*): **vous mélangez tout!** ¡usted lo mezcla *ou* confunde todo!; **se mélanger** *vpr* mezclarse.

mêlée [mele] *nf* (*bataille*) pelea, contienda; (*fig*) conflicto, lucha; (*RUGBY*) melé *f*.

mêler [mele] *vt* mezclar; (*thèmes*) reunir, juntar; (*brouiller*) enredar, revolver; **se mêler** *vpr* mezclarse; **se ~ à** mezclarse con; **se ~ de** entrometerse en; **~ qn à une affaire** implicar a algn en un asunto; **mêle-toi de tes affaires!** ¡métete en tus asuntos!

mélodie [melɔdi] *nf* melodía.

melon [m(ə)lɔ̃] *nm* melón *m*; (*aussi*: **chapeau ~**) sombrero hongo; **melon d'eau** sandía.

membrane [mɑ̃bʀan] *nf* membrana.

membre [mɑ̃bʀ] *nm* miembro; (*LING*): **~ de phrase** constituyente *m* de la frase ♦ *adj* miembro *inv*; **être ~ de** ser miembro de; **membre (viril)** miembro (viril).

MOT-CLÉ

même [mɛm] *adj* **1** (*avant le nom*) mismo(-a); **en même temps** al mismo tiempo; **ils ont les mêmes goûts** tienen los mismos gustos; **la même chose** lo mismo

2 (*après le nom*: *renforcement*): **il est la loyauté même** es la lealtad misma; **ce sont ses paroles mêmes** son sus mismas palabras

♦ *pron*: **le(la) même** el(la) mismo(-a)

♦ *adv* **1** (*renforcement*): **il n'a même pas pleuré** ni siquiera lloró; **même lui l'a dit** incluso él lo dijo; **ici même** aquí mismo

2: **à même**: **à même la bouteille** de la botella misma; **à même la peau** junto a la piel; **être à même de faire** estar en condiciones de hacer

3: **de même**: **faire de même** hacer lo mismo; **lui de même** también él; **de même que** lo mismo que; **de lui-même** por sí mismo; **il en va de même pour** lo mismo va para

4: **même si** *conj* aunque (*+subjonctif*).

mémé [meme] (*fam*) *nf* abuelita; (*vieille femme*) viejecita.

mémoire [memwaʀ] *nf* memoria; (*souvenir*) recuerdo ♦ *nm* (*ADMIN, JUR, SCOL*) memoria; **~s** *nmpl* (*souvenirs*) memorias *fpl*; **avoir la ~ des visages/chiffres** tener memoria para las caras/los números; **n'avoir aucune ~** no tener nada de memoria; **avoir de la ~** tener memoria; **à la ~ de** en memoria de, en recuerdo de; **pour ~** *adv* a título de información; **de ~ d'homme** desde tiempo inmemorial; **de ~** *adv* de memoria; **mettre en ~** (*INFORM*) guardar en memoria; **mémoire morte/vive** memoria ROM/RAM; **mémoire non volatile** *ou* **rémanente** memoria no volátil.

mémoriser [memɔʀize] *vt* memorizar; (*INFORM*) almacenar.

menace [mənas] *nf* amenaza; **menace en l'air** amenaza vana.

menacer [mənase] *vt* amenazar; **~ qn de qch/de faire qch** amenazar a algn con algo/con hacer algo.

ménage [menaʒ] *nm* quehaceres *mpl* domésticos, limpieza; (*couple*) matrimonio; (*ADMIN, famille*) familia; **faire le ~** hacer la limpieza; **faire des ~s** trabajar de asistenta; **monter son ~** poner la casa; **se mettre en ~ (avec)** casarse (con); **heureux en ~** bien casado; **faire bon/mauvais ~ avec qn** hacer buenas/malas migas con algn; **ménage à trois** triángulo amoroso; **ménage de poupée** juego de batería de cocina de muñeca.

ménagement [menaʒmɑ̃] *nm* deferencia; **~s** *nmpl* (*égards*) miramientos *mpl*; **avec/sans ~** con/sin miramientos.

ménager[1] [menaʒe] *vt* (*personne*) tratar con deferencia; (*animal, adversaire*) tratar bien; (*monture*) no fatigar; (*vêtements*) tener cuidado con; (*entretien*) organizar; (*ouverture*) instalar; **se ménager** *vpr* cuidarse; **se ~ qch** procurarse algo; **~ qch à qn** tener algo guardado para algn.

ménager[2]**, -ère** [menaʒe, ɛʀ] *adj* doméstico(-a); (*enseignement*) del hogar; (*eaux*) residual.

ménagère [menaʒɛʀ] *nf* ama de casa; (*service de couverts*) estuche *m* de cubertería.

mendiant, e [mɑ̃djɑ̃, jɑ̃t] *nm/f* mendigo(-a), pordiosero(-a) ♦ *nm postre de al-*

mendras, higos, avellanas y uvas.

mendier [mɑ̃dje] *vt, vi* mendigar.

mener [m(ə)ne] *vt* dirigir; (*enquête, vie, affaire*) llevar ♦ *vi*: ~ **(à la marque)** (*SPORT*) estar a la cabeza, ir en cabeza; ~ **à/dans/chez** (*emmener*) llevar a/en/a casa de; ~ **qch à bonne fin/à terme/à bien** llevar algo a buen fin/a término/a buen término; ~ **à rien/à tout** llevar *ou* conducir a nada/a todas partes.

meneur, -euse [mənœʀ, øz] *nm/f* dirigente *m/f*; (*péj*: *agitateur*) cabecilla *m/f*; **meneur d'hommes** líder *m* innato; **meneur de jeu** (*RADIO, TV*) animador(a).

méningite [menɛ̃ʒit] *nf* meningitis *f*.

ménopause [menopoz] *nf* menopausia.

menotte [mənɔt] *nf* (*langage enfantin*) manita; ~**s** *nfpl* esposas *fpl*; **passer les ~s à qn** poner las esposas a algn.

mensonge [mɑ̃sɔ̃ʒ] *nm* mentira.

mensualité [mɑ̃sɥalite] *nf* mensualidad *f*.

mensuel, le [mɑ̃sɥɛl] *adj* mensual ♦ *nm/f* asalariado(-a) pagado(-a) mensualmente ♦ *nm* (*PRESSE*) publicación *f* mensual.

mensurations [mɑ̃syʀasjɔ̃] *nfpl* medidas *fpl*.

mental, e, -aux [mɑ̃tal, o] *adj* mental.

mentalité [mɑ̃talite] *nf* mentalidad *f*; **quelle ~!** ¡qué mentalidad!

menteur, -euse [mɑ̃tœʀ, øz] *nm/f* mentiroso(-a), embustero(-a).

menthe [mɑ̃t] *nf* menta; **menthe (à l'eau)** menta (con agua).

mention [mɑ̃sjɔ̃] *nf* mención *f*; (*SCOL, UNIV*): ~ **passable/assez bien/bien/très bien** aprobado/bien/notable/sobresaliente; **faire ~ de** hacer mención de; **"rayer la ~ inutile"** (*ADMIN*) "tache lo que no proceda".

mentionner [mɑ̃sjɔne] *vt* mencionar.

mentir [mɑ̃tiʀ] *vi* mentir; ~ **à qn** mentir a algn.

menton [mɑ̃tɔ̃] *nm* (*ANAT*) mentón *m*, barbilla; **double/triple ~** papada.

menu, e [məny] *adj* menudo(-a); (*voix*) débil; (*frais*) módico(-a) ♦ *adv*: **couper/hacher ~** cortar/picar en trocitos ♦ *nm* menú *m*; **par le ~** (*raconter*) con todo detalle; **menue monnaie** dinero suelto.

menuisier [mənɥizje] *nm* carpintero.

méprendre [mepʀɑ̃dʀ]: **se ~** *vpr* equivocarse, confundirse; **se ~ sur** confundirse en, equivocarse en; **à s'y ~** hasta el punto de confundirse.

mépris [mepʀi] *pp de* **méprendre** ♦ *nm* desprecio, menosprecio; **au ~ de** a despecho de.

mépriser [mepʀize] *vt* despreciar, menospreciar.

mer [mɛʀ] *nf* mar *m*; (*fig*: *vaste étendue*): ~ **de sable/de feu** mar de arena/de fuego; **en ~** en el mar; **prendre la ~** hacerse a la mar; **en haute/pleine ~** en alta mar; **la ~ Adriatique** el mar Adriático; **la ~ des Antilles** *ou* **des Caraïbes** el mar de las Antillas *ou* del Caribe; **la ~ Baltique** el mar Báltico; **la ~ Caspienne** el mar Caspio; **la ~ de Corail** el mar del Coral; **la ~ Égée** el mar Egeo; ~ **fermée** mar interior; **la ~ Ionienne** el mar Jónico; **la ~ Morte** el mar Muerto; **la ~ Noire** el mar Negro; **la ~ du Nord** el mar del Norte; **la ~ Rouge** el mar Rojo; **la ~ des Sargasses** el mar de los Sargazos; **la ~ Tyrrhénienne** el mar Tirreno; **les ~s du Sud** los mares del Sur.

mercenaire [mɛʀsənɛʀ] *nm* mercenario.

mercerie [mɛʀsəʀi] *nf* mercería.

merci [mɛʀsi] *excl* gracias ♦ *nm*: **dire ~ à qn** dar las gracias a algn ♦ *nf* merced *f*; **à la ~ de qn/qch** a merced de algn/algo; ~ **beaucoup** muchas gracias; ~ **de/pour** gracias por; **non, ~** no, gracias; **sans ~** despiadado(-a).

mercredi [mɛʀkʀədi] *nm* miércoles *m inv*; ~ **des cendres** miércoles de Ceniza; *voir aussi* **lundi**.

mercure [mɛʀkyʀ] *nm* mercurio.

merde [mɛʀd] (*fam!*) *nf* mierda (*fam!*) ♦ *excl* ¡mierda! (*fam!*); (*surprise, impatience*) ¡joder! (*fam!*), ¡coño! (*fam!*).

mère [mɛʀ] *nf* madre *f*; (*fam*) tía ♦ *adj* (*idée*) central; (*langue*) madre; **mère adoptive/porteuse** madre adoptiva/de alquiler; **mère célibataire/de famille** madre soltera/de familia.

merguez [mɛʀgɛz] *nf salchicha muy condimentada.*

méridional, e, -aux [meʀidjɔnal, o] *adj* meridional; (*du midi de la France*) del Sur de Francia ♦ *nm/f* nativo(-a) *ou* habitante *m/f* del Sur de Francia.

meringue [məʀɛ̃g] *nf* merengue *m*.

mérite [meʀit] *nm* mérito; (*valeur*) mérito, valor *m*; **le ~ lui revient** el mérito es suyo; **je n'ai pas de ~ à le faire** no tengo mérito al hacer eso.

mériter [meʀite] *vt* merecer, ameritar (*AM*); ~ **de réussir** merecer aprobar; **il mérite qu'on fasse ...** merece que se haga ... .

merlan [mɛʀlɑ̃] *nm* pescadilla.

merle [mɛʀl] *nm* mirlo.

merveille [mɛʀvɛj] *nf* maravilla; **faire ~/des ~s** hacer maravillas; **à ~** a las mil maravillas; **les sept ~s du monde** las siete maravillas del mundo.

merveilleux, -euse [mɛʀvɛjø, øz] *adj* maravilloso(-a).

mes [me] *dét voir* **mon**.

mésalliance [mezaljɑ̃s] *nf* mal casamiento.

mésange [mezɑ̃ʒ] *nf* herrerillo; **mésange bleue** alionín *m*.

mésaventure [mezavɑ̃tyʀ] *nf* infortunio.

Mesdames [medam] *nfpl voir* **Madame**.

Mesdemoiselles [medmwazɛl] *nfpl voir* **Mademoiselle**.

mésentente [mezɑ̃tɑ̃t] *nf* desacuerdo.

mesquin, e [mɛskɛ̃, in] *adj*: **esprit ~/personne ~e** espíritu ruin/persona mezquina.

message [mesaʒ] *nm* mensaje *m*; **message d'erreur/de guidage** (*INFORM*) mensaje de error/de ayuda; **message publicitaire** anuncio publicitario; **message téléphoné** aviso telefónico.

messager, -ère [mesaʒe, ɛʀ] *nm/f* mensajero(-a).

messagerie [mesaʒʀi] *nf* mensajería; **messagerie (électronique)** mensajería (electrónica); **messagerie rose** línea erótica; **messageries aériennes/maritimes** servicio aéreo/marítimo de mensajería; **messageries de presse** (agencias *fpl*) distribuidoras *fpl* de prensa.

messe [mɛs] *nf* misa; **aller à la ~** ir a misa; **messe basse/chantée/noire** misa rezada/cantada/negra; **faire des ~s basses** (*fig, péj*) andar con secretos; **messe de minuit** misa del gallo.

Messieurs [mesjø] *nmpl voir* **Monsieur**.

mesure [m(ə)zyʀ] *nf* (*dimension, étalon*) medida; (*évaluation*) medición *f*; (*MUS*) compás *msg*; (*modération, retenue*) mesura, comedimiento; **prendre des ~s** tomar medidas; **sur ~** a la medida; **à la ~ de** a la medida de; **dans la ~ de/où** en la medida de/en que; **dans une certaine ~** en cierta medida; **à ~ que** a medida que; **en ~** (*MUS*) al compás; **être en ~ de** estar en condiciones de; **dépasser la ~** (*fig*) pasarse de la raya; **unité/système de ~** unidad *f*/sistema *m* de medida.

mesurer [məzyʀe] *vt* medir; (*limiter: argent, temps*) escatimar; **~ qch à** evaluar algo según; **se ~ avec/à qn** medirse con algn; **il mesure 1 m 80** mide 1 m 80.

met [mɛ] *vb voir* **mettre**.

métal, -aux [metal, o] *nm* metal *m*.

métallique [metalik] *adj* metálico(-a).

métamorphose [metamɔʀfoz] *nf* metamorfosis *f inv*.

métaphore [metafɔʀ] *nf* metáfora.

météo [meteo] *nf* (*bulletin*) tiempo; (*service*) servicio meteorológico.

météorite [meteɔʀit] *nm ou f* meteorito.

météorologie [meteɔʀɔlɔʒi] *nf* meteorología; (*service*) instituto nacional de meteorología.

méthode [metɔd] *nf* método.

méticuleux, -euse [metikylø, øz] *adj* meticuloso(-a).

métier [metje] *nm* oficio; (*technique, expérience*) práctica; (*aussi*: **~ à tisser**) telar *m*; **le ~ de roi** (*fonction, rôle*) la función de rey; **être du ~** ser del oficio.

métis, se [metis] *adj, nm/f* mestizo(-a), cholo(-a) (*ANDES*).

métrage [metʀaʒ] *nm* medición *f* en metros; (*longueur de tissu*) medida en metros; (*CINÉ*) metraje *m*; **long/moyen/court ~** (*CINÉ*) largometraje/mediometraje/cortometraje *m*.

mètre [mɛtʀ] *nm* metro; **un 100/800 ~s** (*SPORT*) los 100/800 metros; **mètre carré/cube** metro cuadrado/cúbico.

métrique [metʀik] *adj*: **système ~** sistema métrico ♦ *nf* métrica.

métro [metʀo] *nm* metro, subterráneo (*AM*).

métropole [metʀɔpɔl] *nf* metrópoli *f*, metrópolis *f inv*.

mets [mɛ] *vb voir* **mettre** ♦ *nm* plato.

metteur [metœʀ] *nm*: **~ en scène** (*THÉÂTRE*) director *m* escénico; (*CINÉ*) director.

MOT-CLÉ

mettre [mɛtʀ] *vt* **1** poner; **mettre en bouteille** embotellar; **mettre en sac** poner en sacos; **mettre en pages** compaginar; **mettre qch en terre** enterrar algo; **mettre en examen** detener (*para ser interrogado*); **mettre à la poste** echar al correo; **mettre qn debout/assis** levantar/sentar a algn

2 (*vêtements: revêtir*) poner; (*: soi-même*) ponerse; (*installer*) poner; **mets ton gilet** ponte el chaleco

3 (*faire fonctionner: chauffage, réveil*) poner; (*: lumière*) dar; (*installer: gaz, eau*) poner; **faire mettre le gaz/l'électricité** poner gas/electricidad; **mettre en marche** poner en marcha

4 (*consacrer*): **mettre du temps/2 heures à faire qch** tardar tiempo/dos horas en hacer algo

5 (*noter, écrire*) poner; **qu'est-ce que tu as mis sur la carte?** ¿qué has puesto en la postal?; **mettre au pluriel** poner en plural

6 (*supposer*): **mettons que ...** pongamos

que

7: **y mettre du sien** (*dépenser, dans une affaire*) poner de su parte

se mettre *vpr*: **vous pouvez vous mettre là** puede ponerse allí; **où ça se met?** ¿dónde se pone eso?; **se mettre au lit** meterse en la cama; **se mettre qn à dos** ganarse la enemistad de algn; **se mettre de l'encre sur les doigts** mancharse los dedos de tinta; **se mettre bien/mal avec qn** ponerse a bien/mal con algn; **se mettre en maillot de bain** ponerse en bañador; **n'avoir rien à se mettre** no tener nada que ponerse; **se mettre à faire qch** ponerse a hacer algo; **se mettre au piano** (*s'asseoir*) sentarse al piano; (*apprendre*) estudiar piano; **se mettre au travail/à l'étude** ponerse a trabajar/a estudiar; **se mettre au régime** ponerse a régimen; **allons, il faut s'y mettre!** ¡venga, vamos a ponernos a trabajar!

meuble [mœbl] *nm* mueble *m*; (*ameublement, mobilier*) mobiliario ♦ *adj* mueble; **biens ~s** (*JUR*) bienes *mpl* muebles.

meublé, e [mœble] *adj*: **chambre ~e** habitación *f* amueblada ♦ *nm* (*pièce*) habitación amueblada; (*appartement*) piso amueblado.

meubler [mœble] *vt* amueblar; (*fig*) llenar ♦ *vi* decorar; **se meubler** *vpr* amueblar la casa.

meugler [møgle] *vi* mugir.

meule [møl] *nf* muela; (*AGR*) almiar *m*; (*de fromage*) rueda grande de queso.

meurtre [mœʀtʀ] *nm* asesinato.

meurtrier, -ière [mœʀtʀije, ijɛʀ] *nm/f* asesino(-a) ♦ *adj* mortal; (*arme, instinct*) asesino(-a).

meurtrir [mœʀtʀiʀ] *vt* magullar; (*fig*) herir.

meute [møt] *nf* jauría.

mexicain, e [mɛksikɛ̃, ɛn] *adj* mexicano(-a), mejicano(-a) ♦ *nm/f*: **M~, e** mexicano(-a), mejicano(-a).

Mexico [mɛksiko] *n* México, Méjico.

Mexique [mɛksik] *nm* México, Méjico.

mezzanine [mɛdzanin] *nf parte superior de un dúplex*.

mi [mi] *nm inv* (*MUS*) mi *m* ♦ *préf* medio; **à la ~-janvier** a mediados de enero; **~-bureau/chambre** mitad oficina/mitad dormitorio; **à ~-jambes/-corps** a media pierna/cuerpo; **à ~-hauteur/-pente** a media altura/pendiente.

miaou [mjau] *nm* miau *m*.

miauler [mjole] *vi* maullar.

miche [miʃ] *nf* hogaza.

mi-chemin [miʃmɛ̃]: **à ~-~** *adv* a medio camino.

micro [mikʀo] *nm* micrófono; (*INFORM*) micro.

microbe [mikʀɔb] *nm* microbio.

microclimat [mikʀoklima] *nm* microclima *m*.

microfilm [mikʀofilm] *nm* microfilm(e) *m*.

micro-onde [mikʀoɔ̃d] (*pl* **~-~s**) *nf*: **four à ~-~s** horno microondas.

micro-ordinateur [mikʀoɔʀdinatœʀ] (*pl* **~-~s**) *nm* microordenador *m*.

microscope [mikʀɔskɔp] *nm* microscopio; **examiner au ~** examinar en el microscopio; **microscope électronique** microscopio electrónico.

midi [midi] *nm* mediodía *m*; (*sud*) sur *m*, mediodía; **le M~ (de la France)** el sur de Francia; **à ~** a mediodía; **tous les ~s** todos los días a las doce; **le repas de ~** la comida de mediodía, el almuerzo; **en plein ~** en pleno día.

mie [mi] *nf* miga.

miel [mjɛl] *nm* miel *f*; **être tout ~** (*fig*) ser muy meloso(-a).

mien, ne [mjɛ̃, mjɛn] *adj* mío(-a) ♦ *pron*: **le ~, la ~ne, les ~s** el mío, la mía, los míos; **les ~s** (*ma famille*) los míos.

miette [mjɛt] *nf* migaja; (*fig*: *de la conversation etc*) retazo; **en ~s** hecho añicos; **une ~ de** una pizca de.

MOT-CLÉ

mieux [mjø] *adv* **1** (*d'une meilleure façon*): **mieux (que)** mejor (que); **elle travaille/mange mieux** trabaja/come mejor; **elle va mieux** va mejor; **j'aime mieux le cinéma** me gusta más el cine; **j'attendais mieux de vous** esperaba algo más de usted; **qui mieux est** y lo que es mejor; **crier à qui mieux mieux** gritar a cual más; **de mieux en mieux** cada vez mejor

2 (*de la meilleure façon*) mejor; **ce que je sais le mieux** lo que mejor sé; **les livres les mieux faits** los libros mejor hechos

♦ *adj* **1** (*plus à l'aise, en meilleure forme*) mejor; **se sentir mieux** encontrarse mejor

2 (*plus satisfaisant, plus joli*) mejor; **c'est mieux ainsi** es mejor así; **c'est le mieux des deux** es el mejor de los dos; **le(la) mieux, les mieux** el(la) mejor, los(las) mejores; **demandez-lui, c'est le mieux** pregúntele, es lo mejor; **il est mieux sans moustache** está mejor sin bigote; **il est mieux que son frère** es mejor que su hermano

3: **au mieux** en el mejor de los casos; **être au mieux avec** llevarse muy bien

con; **tout est pour le mieux** todo va de maravilla
♦ *nm* **1** (*amélioration, progrès*) mejoría; **faute de mieux** a falta de algo mejor
2: **faire de son mieux** hacer cuanto se pueda; **du mieux qu'il peut** lo mejor que puede.

mignon, ne [miɲɔ̃, ɔn] *adj* mono(-a); (*aimable*) majo(-a).
migraine [migʀɛn] *nf* jaqueca.
migration [migʀasjɔ̃] *nf* migración *f*.
mijoter [miʒɔte] *vt* (*plat*) cocer a fuego lento; (: *préparer avec soin*) hacer (con mimo); (*affaire*) tramar ♦ *vi* cocer a fuego lento; (*personne*: *attendre*) esperar largo tiempo.
mil [mil] *nm* mil.
milice [milis] *nf* milicia.
milieu, x [miljø] *nm* medio; (*social, familial*) medio, entorno; **il y a un ~ entre ...** (*fig*) hay un término medio entre ...; **au ~ de** en medio de; (*fig*) entre; **au beau** *ou* **en plein ~ (de)** justo en medio *ou* mitad (de); **le juste ~** el término medio; **le ~** (*pègre*) el hampa; **milieu de terrain** (*FOOTBALL*: *joueur*) medio campo; (: *joueurs*) medio.
militaire [militɛʀ] *adj, nm* militar *m*; **marine/aviation ~** marina/aviación *f* militar; **service ~** servicio militar.
militant, e [militɑ̃, ɑ̃t] *adj, nm/f* militante *m/f*.
militer [milite] *vi* militar; **~ pour/contre** militar a favor de/en contra de.
mille [mil] *adj inv, nm inv* mil ♦ *nm*: **~ marin** milla marina; **page ~** página mil; **mettre dans le ~** dar en el blanco; (*fig*) dar en el clavo.
millénaire [milenɛʀ] *nm* milenio ♦ *adj* milenario(-a).
mille-pattes [milpat] *nm inv* ciempiés *m inv*.
millésime [milezim] *nm* (*d'une médaille*) fecha; (*d'un vin*) año, cosecha.
millet [mijɛ] *nm* mijo.
milliard [miljaʀ] *nm* mil millones *mpl*.
milliardaire [miljaʀdɛʀ] *adj, nm/f* multimillonario(-a).
millième [miljɛm] *adj, nm/f* milésimo(-a); **~ de seconde** milésima de segundo.
millier [milje] *nm* millar *m*; **un ~ (de)** un millar (de); **par ~s** por miles, a millares.
millimètre [milimɛtʀ] *nm* milímetro.
million [miljɔ̃] *nm* millón *m*; **deux ~s de** dos millones de; **toucher cinq ~s** ganar cinco millones.
millionnaire [miljɔnɛʀ] *adj, nm/f* millonario(-a).
mime [mim] *nm/f* mimo; (*imitateur*) imitador(a) ♦ *nm* (*art*) mimo.
mimer [mime] *vt* mimar; (*singer*) imitar.
minable [minabl] *adj* penoso(-a).
mince [mɛ̃s] *adj* delgado(-a); (*étoffe, filet d'eau*) fino(-a); (*fig*) escaso(-a) ♦ *excl*: **~ alors!** ¡caramba!
minceur [mɛ̃sœʀ] *nf* delgadez *f*.
mine [min] *nf* mina; (*physionomie*) cara, aspecto; **~s** *nfpl* (*péj*) melindres *mpl*, remilgos *mpl*; **les M~s** (*ADMIN*) Dirección *f* de Minas; **avoir bonne/mauvaise ~** tener buena/mala cara; **tu as bonne ~!** (*iron*: *aspect*) ¡vaya pinta que tienes!; (: *action*) ¡has hecho el ridículo!; **faire grise ~** poner mala cara; **faire ~ de faire** simular hacer algo; **ne pas payer de ~** tener mala pinta; **~ de rien** como quien no quiere la cosa, como si nada; **mine à ciel ouvert/de charbon** mina a cielo abierto/de carbón.
miner [mine] *vt* minar.
minerai [minʀɛ] *nm* mineral *m*.
minéral, e, -aux [mineʀal, o] *adj, nm* mineral *m*.
minéralogique [mineʀalɔʒik] *adj* mineralógico(-a); **plaque ~** matrícula; **numéro ~** número de matrícula.
minet, te [minɛ, ɛt] *nm/f* gatito(-a), minino(-a); (*péj*) chuleta *m/f*.
mineur, e [minœʀ] *adj* (*souci*) secundario(-a); (*poète, personne*) menor ♦ *nm/f* (*JUR*) menor *m/f* ♦ *nm* (*travailleur*) minero; (*MIL*) minador *m*; **mineur de fond** minero de interior.
miniature [minjatyʀ] *adj, nf* miniatura; **en ~** en miniatura.
minibus [minibys] *nm* microbús *msg*.
minichaîne [miniʃɛn] *nf* minicadena.
mini-jupe [miniʒyp] (*pl* **~-~s**) *nf* minifalda.
minime [minim] *adj* mínimo(-a) ♦ *nm/f* (*SPORT*) alevín *m/f*.
minimiser [minimize] *vt* minimizar.
minimum [minimɔm] *adj* mínimo(-a) ♦ *nm* mínimo; **un ~ de** un mínimo de; **au ~** como mínimo; **minimum vital** (*salaire*) salario mínimo; (*niveau de vie*) mínimos *mpl* vitales.
ministère [ministɛʀ] *nm* ministerio; **ministère public** (*JUR*) ministerio público.
ministériel, le [ministeʀjɛl] *adj* ministerial; (*partisan*) gubernamental.
ministre [ministʀ] *nm* ministro; **ministre d'Etat** ministro de Estado.
Minitel ® [minitɛl] *nm* Minitel *m* ®.
minorité [minɔʀite] *nf* minoría; (*d'une personne*) minoría de edad; **la/une ~ de** la/una minoría de; **être en ~** estar en

minoría; **mettre en** ~ (*POL*) poner en minoría.

Minorque [minɔʀk] *nf* Menorca.

minuit [minɥi] *nm* medianoche *f*.

minuscule [minyskyl] *adj* minúsculo(-a) ♦ *nf*: **(lettre)** ~ (letra) minúscula.

minute [minyt] *nf* minuto; (*JUR*) minuta ♦ *excl* ¡un momento!; **d'une** ~ **à l'autre** de un momento a otro; **à la** ~ en seguida; **entrecôte/steak** ~ entrecot(e) *m*/bisté *m* al minuto.

minuter [minyte] *vt* cronometrar.

minuterie [minytʀi] *nf* programador *m*; (*d'escalier d'immeuble*) interruptor *m* (de la luz).

minutieux, -euse [minysjø, jøz] *adj* minucioso(-a).

mirabelle [miʀabɛl] *nf* ciruela mirabel; (*eau de vie*) licor *m* de ciruela.

miracle [miʀɑkl] *nm* milagro; **par** ~ de milagro; **faire/accomplir des** ~**s** hacer milagros.

mirador [miʀadɔʀ] *nm* (*MIL*) torre *f* de observación.

mirage [miʀaʒ] *nm* espejismo.

mire [miʀ] *nf* (*d'un fusil*) mira; (*TV*) carta de ajuste; **point/ligne de** ~ punto/línea de mira.

mirobolant, e [miʀɔbɔlɑ̃, ɑ̃t] *adj* extraordinario(-a).

miroir [miʀwaʀ] *nm* espejo; (*fig*) espejo, reflejo.

miroiter [miʀwate] *vi* espejear, relucir; **faire** ~ **qch à qn** seducir a algn con algo.

mis, e [mi, miz] *pp de* **mettre** ♦ *adj* puesto(-a); **bien/mal** ~ bien/mal vestido(-a).

mise [miz] *nf* (*argent*) apuesta; (*tenue*) porte *m*; **être de** ~ estar de moda; **mise à feu** encendido; **mise à jour** puesta al día; **mise à mort** matanza; **mise à pied** despido; **mise à prix** tasación *f*; **mise au point** (*PHOTO*) enfoque *m*; (*fig*) aclaración *f*; **mise de fonds** inversión *f* de capital; **mise en bouteilles** embotellado; **mise en plis** marcado; **mise en scène** (*THÉÂTRE, CINÉ*) dirección *f*; (*THÉÂTRE*: *matérielle*) puesta en escena; **mise en service** puesta en servicio; **mise sur pied** organización *f*.

miser [mize] *vt* apostar; ~ **sur** apostar a; (*fig*) contar con.

misérable [mizeʀabl] *adj* miserable; (*insignifiant*) insignificante; (*honteux*) vergonzoso(-a) ♦ *nm/f* miserable *m/f*.

misère [mizɛʀ] *nf* miseria; ~**s** *nfpl* (*malheurs, peines*) desgracias *fpl*; (*ennuis*) dificultades *fpl*; **être dans la** ~ estar en la miseria; **salaire de** ~ salario de miseria; **faire des** ~**s à qn** hacer rabiar a algn; **misère noire** triste miseria.

miséricorde [mizeʀikɔʀd] *nf* misericordia.

misogyne [mizɔʒin] *adj, nm/f* misógino(-a).

missel [misɛl] *nm* misal *m*.

missile [misil] *nm* misil *m*; **missile autoguidé/balistique/stratégique** misil teledirigido/balístico/estratégico; **missile de croisière** misil de crucero.

mission [misjɔ̃] *nf* misión *f*; (*fonction, vocation*) función *f*; **partir en** ~ (*ADMIN, POL*) ir a realizar una misión; **mission de reconnaissance** (*MIL*) misión de reconocimiento.

missionnaire [misjɔnɛʀ] *nm/f* misionero(-a).

missive [misiv] *nf* misiva.

mistral [mistʀal] *nm* mistral *m*.

mit [mi] *vb voir* **mettre**.

mite [mit] *nf* polilla.

mi-temps [mitɑ̃] *nf inv* (*SPORT*: *période*) tiempo; (: *pause*) descanso; **à** ~-~ *adv* media jornada ♦ *adj* de media jornada.

mitigé, e [mitiʒe] *adj* moderado(-a).

mitonner [mitɔne] *vt* elaborar cuidadosamente.

mitoyen, ne [mitwajɛ̃, jɛn] *adj* medianero(-a); **maisons** ~**nes** casas *fpl* adosadas.

mitrailler [mitʀɑje] *vt* ametrallar; (*photographier*) fotografiar; ~ **qn de** (*fig*) bombardear a algn con *ou* a.

mitraillette [mitʀɑjɛt] *nf* metralleta.

mitrailleuse [mitʀɑjøz] *nf* ametralladora.

mi-voix [mivwa]: **à** ~-~ *adv* a media voz.

mixage [miksaʒ] *nm* (*CINÉ*) mezcla *f* de sonido.

mixer, mixeur [miksœʀ] *nm* (*CULIN*) batidora.

mixte [mikst] *adj* mixto(-a); **à usage** ~ para uso mixto; **cuisinière** ~ cocina mixta.

mixture [mikstyʀ] *nf* mixtura; (*péj*) mejunje *m*.

Mlle (*pl* ~**s**) *abr* (= *Mademoiselle*) ≈ Srta. (= *Señorita*).

MM. *abr* (*Messieurs*) Srs. (= *Señores*); *voir aussi* **Monsieur**.

Mme (*pl* ~**s**) *abr* (= *Madame*) ≈ Sra. (= *Señora*).

mobile [mɔbil] *adj* móvil, movible; (*pièce, feuillet*) suelto(-a); (*population, main d'œuvre*) móvil; (*reflets*) cambiante; (*regard*) vivo(-a), vivaz ♦ *nm* móvil *m*.

mobilier, -ière [mɔbilje, jɛʀ] *adj* mobiliario(-a) ♦ *nm* mobiliario; **effets/valeurs** ~**s** (*JUR*) efectos *mpl*/valores *mpl* mobiliarios; **vente/saisie mobilière** (*JUR*) venta/

embargo de mobiliario.

mobiliser [mɔbilize] *vt* movilizar.

mobylette ® [mɔbilɛt] *nf* motocicleta.

mocassin [mɔkasɛ̃] *nm* mocasín *m*.

moche [mɔʃ] (*fam*) *adj* feo(-a).

modalité [mɔdalite] *nf* modalidad *f*; **~s** *nfpl* (*JUR*) modalidades *fpl*; **modalités de paiement** modalidades de pago.

mode [mɔd] *nf* moda ♦ *nm* modo; (*INFORM*) modo, modalidad *f*; **à la ~** de moda; **travailler dans la ~** trabajar en la confección; **~ de production/d'exploitation** modo de producción/de explotación; **mode d'emploi** instrucciones *fpl* de uso; **mode de paiement** forma de pago; **mode de vie** modo de vida; **mode dialogué** (*INFORM*) modalidad conversacional.

modèle [mɔdɛl] *nm* modelo; (*qualités*): **un ~ de fidélité/générosité** un modelo de fidelidad/generosidad ♦ *adj* modelo; (*cuisine, ferme*) piloto; **~ en carton/métal** modelo en cartón/metal; **modèle courant/de série** (*COMM*) modelo corriente/de serie; **modèle déposé** (*COMM*) modelo patentado *ou* registrado; **modèle réduit** modelo reducido.

modeler [mɔd(ə)le] *vt* modelar; (*suj: vêtement, érosion*) moldear; **~ qch sur** *ou* **d'après** moldear algo según.

modem [mɔdɛm] *nm* (*INFORM*) modem *m*, módem *m*.

modéré, e [mɔdeʀe] *adj, nm/f* moderado(-a).

modérer [mɔdeʀe] *vt* moderar; **se modérer** *vpr* moderarse.

moderne [mɔdɛʀn] *adj* moderno(-a) ♦ *nm* (*ART*) arte *m* moderno; **le ~** (*ameublement*) lo moderno; **enseignement ~** enseñanza moderna.

moderniser [mɔdɛʀnize] *vt* modernizar; **se moderniser** *vpr* modernizarse.

modeste [mɔdɛst] *adj* modesto(-a).

modestie [mɔdɛsti] *nf* modestia; **fausse ~** falsa modestia.

modification [mɔdifikasjɔ̃] *nf* modificación *f*.

modifier [mɔdifje] *vt* modificar; **se modifier** *vpr* modificarse.

modique [mɔdik] *adj* módico(-a).

modiste [mɔdist] *nf* sombrerera.

modulation [mɔdylasjɔ̃] *nf* modulación *f*; **modulation de fréquence** frecuencia modulada.

moelle [mwal] *nf* médula; **jusqu'à la ~** (*fig*) hasta la médula; **moelle épinière** médula espinal.

moelleux, -euse [mwalø, øz] *adj* (*étoffe*) esponjoso(-a); (*siège*) mullido(-a); (*vin, chocolat*) suave; (*voix, son*) aterciopelado(-a).

mœurs [mœʀ(s)] *nfpl* costumbres *fpl*; **~ simples/bohèmes** costumbres sencillas/bohemias; **femme de mauvaises ~** mujer *f* de la vida; **passer dans les ~** entrar en las costumbres; **contraire aux bonnes ~** contrario a las buenas costumbres.

moi [mwa] *pron* (*sujet*) yo; (*objet direct/indirect*) me ♦ *nm* (*PSYCH*) yo *m*; **c'est ~** soy yo; **c'est ~ qui l'ai fait** lo hice yo; **c'est ~ que vous avez appelé?** ¿me ha llamado a mí?; **apporte-le-~** tráemelo; **donnez m'en un peu** deme un poco; **à ~** (*possessif*) mío(mía), míos(mías); **le livre est à ~** ese libro es mío; **avec ~** conmigo; **des poèmes de ~** (*appartenance*) poemas míos; **sans ~** sin mí; **~, je ...** (*emphatique*) yo, ...; **plus grand que ~** más grande que yo.

moignon [mwaɲɔ̃] *nm* muñón *m*.

moi-même [mwamɛm] *pron* yo mismo.

moindre [mwɛ̃dʀ] *adj* menor; **le/la ~, les ~s** el/la menor, los/las menores; **c'est la ~ des politesses** es lo menos que se puede decir *ou* hacer; **c'est la ~ des choses** es lo mínimo.

moine [mwan] *nm* monje *m*, fraile *m*.

moineau, x [mwano] *nm* gorrión *m*.

MOT-CLÉ

moins [mwɛ̃] *adv* **1** (*comparatif*): **moins (que)** menos (que); **il a 3 ans de moins que moi** tiene 3 años menos que yo; **moins intelligent que** menos inteligente que; **moins je travaille, mieux je me porte** cuanto menos trabajo, mejor me encuentro

2 (*superlatif*): **le moins** el(lo) menos; **c'est ce que j'aime le moins** es lo que menos me gusta; **le moins doué** el menos dotado; **pas le moins du monde** en lo más mínimo; **au moins, du moins** por lo menos, al menos

3: **moins de** (*quantité, nombre*) menos; **moins de sable/d'eau** menos arena/agua; **moins de livres/de gens** menos libros/gente; **moins de 2 ans/100 F** menos de 2 años/100 francos; **moins de midi** antes de mediodía

4: **de/en moins**: **100 F/3 jours de moins** 100 francos/3 días menos; **3 livres en moins** 3 libros menos; **de l'argent en moins** menos dinero; **le soleil en moins** sin el sol; **de moins en moins** cada vez menos; **en moins de deux** en un santiamén

5: **à moins de/que** *conj* a menos que, a no ser que; **à moins de faire** a no ser que se haga *etc*; **à moins que tu ne fasses** a menos que hagas; **à moins d'un accident** a

no ser por un accidente
♦ *prép*: **4 moins 2** 4 menos 2; **il est moins 5** son menos 5; **il fait moins 5** hay cinco grados bajo cero.

mois [mwa] *nm* mes *msg*; (*salaire, somme due*) mensualidad *f*; **treizième** *ou* **double ~** (*COMM*) paga extra.
moisi, e [mwazi] *adj* enmohecido(-a) ♦ *nm* moho; **odeur/goût de ~** olor *m*/ gusto a moho.
moisir [mwaziʀ] *vi* enmohecerse; (*fig*) criar moho ♦ *vt* enmohecer.
moisissure [mwazisyʀ] *nf* moho.
moisson [mwasɔ̃] *nf* siega, cosecha; (*céréales*) cosecha; (*époque*) siega; **faire ~ de souvenirs/renseignements** (*fig*) hacer acopio de recuerdos/informaciones.
moissonner [mwasɔne] *vt* segar, cosechar; (*champ*) segar; (*fig*) recolectar.
moissonneuse [mwasɔnøz] *nf* segadora.
moite [mwat] *adj* (*peau*) sudoroso(-a); (*atmosphère*) húmedo(-a).
moitié [mwatje] *nf* mitad *f*; **sa ~** (*épouse*) su media naranja; **la ~** la mitad; **la ~ du temps/des gens** la mitad del tiempo/de la gente; **à la ~ de** a mitad de; **~ moins grand** la mitad de grande; **~ plus long** la mitad más largo; **à ~** a medias; **à ~ prix** a mitad de precio; **de ~** en la mitad; **~ ~** mitad y mitad.
mol [mɔl] *adj voir* **mou**.
molaire [mɔlɛʀ] *nf* molar *m*.
molécule [mɔlekyl] *nf* molécula.
molester [mɔlɛste] *vt* maltratar.
molle [mɔl] *adj f voir* **mou**.
mollement [mɔlmɑ̃] *adv* débilmente; (*péj*) desganadamente.
mollet [mɔlɛ] *nm* pantorrilla ♦ *adj m*: **œuf ~** huevo pasado por agua.
molletonné, e [mɔltɔne] *adj* forrado(-a) de muletón.
mollir [mɔliʀ] *vi* flaquear; (*NAUT: vent*) amainar.
môme [mom] (*fam*) *nm/f* chiquillo(-a); (*fille*) chavala.
moment [mɔmɑ̃] *nm* momento; **les grands ~s de l'histoire** los grandes momentos de la historia; **~ de gêne/de bonheur** momento violento/de felicidad; **profiter du ~** aprovechar el momento; **ce n'est pas le ~** no es el mejor momento; **à un certain ~** en cierto momento; **à un ~ donné** en un momento dado; **à quel ~?** ¿en qué momento?; **au même ~** en el mismo momento; **pour un bon ~** un buen rato; **en avoir pour un bon ~** tener para rato; **pour le ~** por el momento; **au ~ de** en el momento de; **au ~ où** en el momento en que; **à tout ~** a cada momento *ou* rato; (*continuellement*) constantemente; **en ce ~** en este momento; (*aujourd'hui*) en los momentos actuales; **sur le ~** al principio; **par ~s** por momentos; **d'un ~ à l'autre** de un momento a otro; **du ~ où** *ou* **que** (*dès lors que*) puesto que; (*à condition que*) siempre que; **n'avoir pas un ~ à soi** no tener ni un momento libre para sí; **derniers ~s** últimos momentos *mpl*.
momentané, e [mɔmɑ̃tane] *adj* momentáneo(-a).
momie [mɔmi] *nf* momia.
mon, ma [mɔ̃, ma] (*pl* **mes**) *dét* mi; (*pl*) mis.
Monaco [mɔnako] *nm*: **(la principauté de) ~** (el principado de) Mónaco.
monarchie [mɔnaʀʃi] *nf* monarquía; **monarchie absolue/parlementaire** monarquía absoluta/parlamentaria.
monarque [mɔnaʀk] *nm* monarca *m*.
monastère [mɔnastɛʀ] *nm* monasterio.
monceau, x [mɔ̃so] *nm* montón *m*.
mondain, e [mɔ̃dɛ̃, ɛn] *adj* mundano(-a) ♦ *nm/f* hombre *m* mundano/mujer *f* mundana; **carnet ~** agenda ♦ *nf*: **la M~e, la police ~e** la brigada antidroga.
mondanités [mɔ̃danite] *nfpl* formulismos *mpl* mundanos; (*PRESSE*) crónica *fsg* social, ecos *mpl* de sociedad.
monde [mɔ̃d] *nm* mundo; **le ~ capitaliste/végétal/du spectacle** el mundo capitalista/vegetal/del espectáculo; **être/ne pas être du même ~** ser/no ser del mismo mundo; **il y a du ~** (*beaucoup de gens*) hay mucha gente; (*quelques personnes*) hay gente; **y a-t-il du ~ dans le salon?** ¿hay gente en el salón?; **beaucoup/peu de ~** mucha/poca gente; **meilleur du ~** mejor del mundo; **mettre au ~** dar a luz; **l'autre ~** el otro mundo; **tout le ~** todo el mundo; **pas le moins du ~** de ninguna manera; **tour du ~** vuelta al mundo; **homme/femme du ~** hombre *m*/mujer *f* de mundo.
mondial, e, -aux [mɔ̃djal, jo] *adj* mundial.
monégasque [mɔnegask] *adj* monegasco(-a) ♦ *nm/f*: **M~** monegasco(-a).
monétaire [mɔnetɛʀ] *adj* monetario(-a).
moniteur, -trice [mɔnitœʀ, tʀis] *nm/f* monitor(a) ♦ *nm* (*INFORM*) monitor *m*; **~ cardiaque** (*MÉD*) monitor cardíaco *ou* de electrocardiografía; **moniteur d'auto-école** monitor de auto-escuela.
monnaie [mɔnɛ] *nf* moneda; **avoir de la ~** (*petites pièces*) tener cambio; **avoir/faire la ~ de 20 F** tener cambio de/

cambiar 20 francos; **donner/faire à qn la ~ de 20 F** dar el cambio de/cambiar 20 francos a algn; **rendre à qn la ~ (sur 20 F)** darle la vuelta a algn (de 20 francos); **servir de ~ d'échange** servir de moneda de cambio; **payer en ~ de singe** pagar con promesas vanas; **c'est ~ courante** es moneda corriente; **monnaie légale** moneda legal.

monnayer [mɔneje] *vt* convertir en dinero; (*talent*) sacar partido de.

monokini [mɔnɔkini] *nm* monokini *m*.

monologue [mɔnɔlɔg] *nm* monólogo; **monologue intérieur** monólogo interior.

monoplace [mɔnoplas] *adj, nm/f* monoplaza *m*.

monopole [mɔnɔpɔl] *nm* monopolio.

monopoliser [mɔnɔpɔlize] *vt* monopolizar.

monoski [mɔnoski] *nm* monoesquí *m*; **faire du ~** hacer monoesquí.

monotone, e [mɔnɔtɔn] *adj* monótono(-a).

monseigneur [mɔ̃sɛɲœʀ] *nm* (*archevêque, évêque*) Su Ilustrísima *m*; (*cardinal*) Su Eminencia; **Mgr Thomas** Monseñor Tomás.

Monsieur [məsjø] (*pl* **Messieurs**) *nm* (*titre*) señor, don; **un/le m~** un/el señor; *voir aussi* **Madame**.

monstre [mɔ̃stʀ] *nm* monstruo ♦ *adj* (*fam*) monstruo *inv*; **un travail ~** un trabajo monstruo; **monstre sacré** (*THÉÂTRE, CINÉ*) monstruo sagrado.

monstrueux, -euse [mɔ̃stʀyø, øz] *adj* monstruoso(-a).

mont [mɔ̃] *nm*: **par ~s et par vaux** por todas partes; **le ~ de Vénus** el monte de Venus; **le M~ Blanc** el Mont Blanc.

montage [mɔ̃taʒ] *nm* montaje *m*; **montage sonore** montaje sonoro.

montagnard, e [mɔ̃taɲaʀ, aʀd] *adj, nm/f* montañés(-esa).

montagne [mɔ̃taɲ] *nf* montaña; (*fig*): **une ~ de** una montaña de; **la haute ~** la alta montaña; **la moyenne ~** la montaña media; **les ~s Rocheuses** las Montañas Rocosas; **montagnes russes** montaña *fsg* rusa.

montagneux, -euse [mɔ̃taɲø, øz] *adj* montañoso(-a).

montant, e [mɔ̃tɑ̃, ɑ̃t] *adj* ascendente; (*chemin*) ascendente, cuesta arriba; (*robe, corsage*) cerrado(-a) ♦ *nm* importe *m*; (*d'une fenêtre*) jamba; (*d'un lit, d'une échelle*) larguero.

monte-charge [mɔ̃tʃaʀʒ] *nm inv* montacargas *m inv*.

montée [mɔ̃te] *nf* subida; (*côte*) cuesta; **au milieu de la ~** en medio de la cuesta *ou* de la subida.

monter [mɔ̃te] *vi* subir; (*CARTES*) echar una carta de más valor; (*à cheval*): **~ bien/mal** montar bien/mal ♦ *vt* montar; (*escalier, valise etc*) subir; (*tente, échafaudage, machine*) armar; **se monter** *vpr* proveerse; **~ dans un train/avion/taxi** subir en un tren/avión/taxi; **~ sur/à un arbre/une échelle** subir a un árbol/una escalera; **~ à cheval/bicyclette** montar a caballo/en bicicleta; **~ à pied/en voiture** subir a pie/en coche; **~ à bord** subir a bordo; **~ à la tête de qn** subírsele a la cabeza de algn; **~ son ménage** montar la casa; **~ son trousseau** preparar el ajuar; **~ sur les planches** subir a un escenario; **~ en grade** ascender; **~ à la tête à qn** fastidiar a algn; **~ la tête à qn** calentarle la cabeza a algn; **~ la garde** montar la guardia; **~ à l'assaut** lanzarse al asalto; **se ~ à** ascender a.

monticule [mɔ̃tikyl] *nm* montículo.

montre [mɔ̃tʀ] *nf* reloj *m*; **~ en main** reloj en mano; **faire ~ de** hacer alarde de; (*faire preuve de*) dar muestras de; **contre la ~** contra reloj; **montre de plongée** reloj sumergible.

montrer [mɔ̃tʀe] *vt* mostrar, enseñar; (*suj: panneau*) señalar; (: *vêtement*) descubrir; **se montrer** *vpr* mostrarse; **~ qch à qn** mostrar algo a algn; **~ qch du doigt** señalar algo con el dedo; **~ à qn qu'il a tort** demostrar a algn que está equivocado; **~ à qn son affection/amitié** demostrar su afecto/amistad a algn; **se ~ habile/à la hauteur/intelligent** mostrarse hábil/a la altura/inteligente.

monture [mɔ̃tyʀ] *nf* (*bête*) montura.

monument [mɔnymɑ̃] *nm* monumento; **monument aux morts** monumento a los caídos.

moquer [mɔke]: **se ~ de** *vt* burlarse de; (*mépriser*) importarle a algn muy poco; **se ~ de qn** (*tromper*) burlarse de algn.

moquette [mɔkɛt] *nf* moqueta.

moqueur, -euse [mɔkœʀ, øz] *adj* burlón(-ona).

moral, e, -aux [mɔʀal, o] *adj, nm* moral *f* ♦ *nf* moral *f*; (*d'une fable*) moraleja; **au ~, sur le plan ~** moralmente; **avoir le ~ à zéro** tener la moral por los suelos.

moralité [mɔʀalite] *nf* moralidad *f*; (*conclusion*) moraleja.

morbide [mɔʀbid] *adj* mórbido(-a).

morceau, x [mɔʀso] *nm* trozo, pedazo; (*MUS, œuvre littéraire*) fragmento; (*CULIN: de viande*) tajada; **couper en/déchirer en ~x** cortar en/rasgar en trozos; **mettre en ~x**

hacer pedazos.

morceler [mɔʀsəle] *vt* parcelar.

mordant, e [mɔʀdɑ̃, ɑ̃t] *adj* (*ironie*) mordaz; (*froid*) cortante ♦ *nm* (*dynamisme*) ímpetu *m*, bríos *mpl*; (*CHIM*) mordiente *m*; (*d'un article*) mordacidad *f*.

mordiller [mɔʀdije] *vt* mordisquear.

mordre [mɔʀdʀ] *vt* morder; (*suj*: *insecte, froid*) picar; (: *ancre, vis*) penetrar en ♦ *vi* (*poisson*) picar; ~ **dans** morder en; ~ **sur** (*fig*) sobrepasar; ~ **à qch** cogerle gusto a algo; ~ **à l'hameçon** morder el anzuelo.

mordu, e [mɔʀdy] *pp de* **mordre** ♦ *adj* (*amoureux*) loco(-a) ♦ *nm/f*: **un ~ de la voile/de jazz** un loco de la vela/del jazz.

morfondre [mɔʀfɔ̃dʀ]: **se ~** *vpr* aburrirse esperando.

morgue [mɔʀg] *nf* (*arrogance*) altivez *f*; (*endroit*) depósito de cadáveres.

moribond, e [mɔʀibɔ̃, ɔ̃d] *adj* moribundo(-a).

morne [mɔʀn] *adj* (*personne, regard*) apagado(-a); (*temps*) desapacible; (*vie, conversation*) monótono(-a).

morose [mɔʀoz] *adj* taciturno(-a); (*ÉCON*) moroso(-a).

morphologie [mɔʀfɔlɔʒi] *nf* morfología.

mors [mɔʀ] *nm* bocado.

morse [mɔʀs] *nm* (*ZOOL*) morsa; (*TÉL*) morse *m*.

morsure [mɔʀsyʀ] *nf* picadura; (*plaie*) mordedura.

mort, e [mɔʀ, mɔʀt] *pp de* **mourir** ♦ *adj, nm/f* muerto(-a) ♦ *nf* muerte *f*; (*fig*) fin *m* ♦ *nm* (*CARTES*) muerto; **il y a eu plusieurs ~s** hubo varios muertos; **de ~** de muerte; **à ~** (*blessé etc*) de muerte; **à la ~ de qn** a la muerte de algn; **à la vie, à la ~** de por vida; **~ ou vif** vivo o muerto; **~ de peur/fatigue** muerto(-a) de miedo/cansancio; **~s et blessés** muertos y heridos; **faire le ~** hacer el muerto; (*fig*) callarse como un muerto; **se donner la ~** darse muerte; **mort clinique** muerte clínica.

mortalité [mɔʀtalite] *nf* mortalidad *f*; **mortalité infantile** mortalidad infantil.

mortel, le [mɔʀtɛl] *adj, nm/f* mortal *m/f*.

morte-saison [mɔʀtəsɛzɔ̃] (*pl* **~s-~s**) *nf* (*ÉCON*) temporada baja.

mortier [mɔʀtje] *nm* (*TECH*) mortero, argamasa; (*canon*) mortero.

mort-né, e [mɔʀne] (*pl* **~-~s, es**) *adj* nacido(-a) muerto(-a); (*fig*) fracasado(-a).

mortuaire [mɔʀtɥɛʀ] *adj*: **cérémonie ~** ceremonia fúnebre; **avis ~s** esquelas *fpl*; **chapelle ~** capilla ardiente; **couronne ~** corona mortuoria; **domicile ~** domicilio del difunto; **drap ~** mortaja.

morue [mɔʀy] *nf* bacalao.

mosaïque [mɔzaik] *nf* mosaico; (*fig*): **une ~ de** un mosaico de; **parquet ~** parquet *m* mosaico.

Moscou [mɔsku] *n* Moscú.

mosquée [mɔske] *nf* mezquita.

mot [mo] *nm* palabra; (*bon mot etc*) ocurrencia, gracia; **mettre/écrire/recevoir un ~** (*message*) poner/escribir/recibir unas líneas; **le ~ de la fin** la conclusión; **~ à ~** *adj, adv* palabra por palabra ♦ *nm* traducción *f* literal; **sur/à ces ~s** después de/con estas palabras; **en un ~** en una palabra; **~ pour ~** palabra por palabra; **à ~s couverts** con medias palabras; **avoir le dernier ~** tener la última palabra; **prendre qn au ~** coger *ou* tomar la palabra a algn; **se donner le ~** ponerse de acuerdo; **avoir son ~ à dire** tener algo que decir; **avoir des ~s avec qn** tener unas palabras con algn; **mot d'ordre** contraseña; **mot de passe** contraseña, santo y seña; **mots croisés** crucigrama *msg*.

motard [mɔtaʀ] *nm* motociclista *m*; (*de la police*) motorista *m*.

moteur, -trice [mɔtœʀ, tʀis] *adj* (*ANAT*) motor(a); (*TECH*) motor(motriz); (*AUTO*): **à 4 roues motrices** con 4 ruedas motrices ♦ *nm* motor *m*; (*mobile*) causa; **à ~** a motor; **moteur à deux/à quatre temps** motor de dos/de cuatro tiempos; **moteur à explosion/à réaction** motor de explosión/de reacción; **moteur thermique** motor térmico.

motif [mɔtif] *nm* motivo; **~s** *nmpl* (*JUR*) alegato; **sans ~** sin motivo.

motion [mosjɔ̃] *nf* moción *f*; **motion de censure** moción de censura.

motiver [mɔtive] *vt* motivar.

moto [moto] *nf* moto *f*; **moto de trial** moto de trial; **moto verte** motocross *m*.

motocyclette [mɔtɔsiklɛt] *nf* motocicleta.

motocycliste [mɔtɔsiklist] *nm/f* motociclista *m/f*.

motorisé, e [mɔtɔʀize] *adj* motorizado(-a).

motrice [mɔtʀis] *nf* (*RAIL*) locomotora ♦ *adj f voir* **moteur**.

motte [mɔt] *nf*: **~ de terre** terrón *m*; **motte de beurre** pella de mantequilla; **motte de gazon** montón *m* de césped.

motus [mɔtys] *excl*: **~ (et bouche cousue)!** ¡chitón (y boca cerrada)!

mou (mol), molle [mu, mɔl] *adj* blando(-a); (*péj*: *visage*) insulso(-a); (: *résistance*) débil ♦ *nm* débil *m*; (*abats*) bofe *m*; **avoir du ~** estar flojo(-a); **j'ai les jambes molles** me flaquean las piernas; **donner du ~** aflojar.

mouche [muʃ] *nf* mosca; (*ESCRIME*) zapatilla; (*de taffetas*) lunar *m* postizo; (*sur une cible*) diana; **prendre la ~** picarse; **faire ~** dar en el blanco; **bateau ~** lancha del Sena; **mouche tsé-tsé** mosca tsé tsé.

moucher [muʃe] *vt* (*enfant*) sonar; (*chandelle, lampe*) despabilar; (*fig*) dar una lección a; **se moucher** *vpr* sonarse.

moucheron [muʃʀɔ̃] *nm* mosca pequeña.

mouchoir [muʃwaʀ] *nm* pañuelo; **mouchoir en papier** pañuelo de papel.

moudre [mudʀ] *vt* moler.

moue [mu] *nf* mueca; **faire la ~** poner cara de asco.

mouette [mwɛt] *nf* gaviota.

moufle [mufl] *nf* manopla; (*TECH*) aparejo.

mouillé, e [muje] *adj* mojado(-a).

mouiller [muje] *vt* mojar; (*CULIN*) añadir agua a; (*diluer*) aguar; (*NAUT*) fondear ♦ *vi* (*NAUT*) fondear; **se mouiller** *vpr* mojarse; **~ l'ancre** fondear, echar el ancla.

moule [mul] *vb voir* **moudre** ♦ *nf* mejillón *m* ♦ *nm* molde *m*; (*modèle plein*) modelo; **moule à gâteaux** molde para pasteles; **moule à gaufre/à tarte** molde para barquillos/para tartas.

mouler [mule] *vt* moldear, vaciar; (*lettre*) escribir cuidadosamente; (*suj*: *vêtement, bas*) ceñir, ajustar; **~ qch sur** (*fig*) adaptar algo a.

moulin [mulɛ̃] *nm* molino; (*fam*: *moteur*) motor *m*; **moulin à café/à poivre** molinillo de café/de pimienta; **moulin à eau/à vent** molino de agua/de viento; **moulin à légumes** pasapurés *m inv*; **moulin à paroles** cotorra; **moulin à prières** cilindro de oraciones.

mouliner [muline] *vt* (*légumes*) pasar por el pasapurés.

moulinet [mulinɛ] *nm* (*d'un treuil*) torniquete *m*; (*d'une canne à pêche*) carrete *m*; **faire des ~s avec un bâton/les bras** hacer molinetes con un palo/los brazos.

moulinette ® [mulinɛt] *nf* pequeño pasapurés *m*.

moulu, e [muly] *pp de* **moudre** ♦ *adj* molido(-a).

moulure [mulyʀ] *nf* moldura.

mourir [muʀiʀ] *vi* morir(se); (*civilisation*) desaparecer; (*flamme*) apagarse; **~ de faim/de froid/d'ennui** morir(se) de hambre/de frío/de aburrimiento; **~ de rire/de vieillesse** morirse de risa/de viejo; **~ assassiné** morir asesinado; **~ d'envie de faire** morirse de ganas de hacer; **à ~**: **s'ennuyer à ~** morirse de aburrimiento.

moussant, e [musɑ̃, ɑ̃t] *adj*: **bain ~** baño de espuma.

mousse [mus] *nf* (*BOT*) musgo; (*écume*) espuma; (*CULIN*) mousse *f*; (*en caoutchouc etc*) gomaespuma ♦ *nm* grumete *m*; **bain de ~** baño de espuma; **bas ~** media de espuma; **balle ~** pelota de esponja; **mousse à raser** espuma de afeitar; **mousse carbonique** espuma de gas carbónico; **mousse de foie gras** mousse de foie gras; **mousse de nylon** espuma de nylon; (*tissu*) tejido en espuma de nylon.

mousseline [muslin] *nf* (*TEXTILE*) muselina; **pommes ~** (*CULIN*) puré *m* de patatas.

mousser [muse] *vi* espumar, hacer espuma.

mousseux, -euse [musø, øz] *adj* (*chocolat*) cremoso(-a) ♦ *nm*: **(vin) ~** (vino) espumoso.

mousson [musɔ̃] *nf* monzón *m*.

moustache [mustaʃ] *nf* bigote *m*; **~s** *nfpl* (*d'animal*) bigotes *mpl*.

moustiquaire [mustikɛʀ] *nf* mosquitero.

moustique [mustik] *nm* mosquito.

moutarde [mutaʀd] *nf, adj inv* mostaza; **moutarde extra-forte** mostaza extra fuerte.

mouton [mutɔ̃] *nm* (*ZOOL*) carnero; (*peau*) piel *f* de carnero; (*fourrure*) mutón *m*; (*CULIN, péj*: *personne*) cordero; **~s** *nmpl* (*fig*: *nuages*) nubecillas *fpl*; (: *poussière*) pelusa *fsg*.

mouvement [muvmɑ̃] *nm* movimiento; (*geste*) gesto; (*d'une phrase*) expresividad *f*; (*d'un terrain, sol*) accidentes *mpl*; (*de montre*) mecanismo; **en ~** en movimiento; **mettre qch en ~** poner algo en funcionamiento; **mouvement de colère/d'humeur** arrebato de cólera/de mal humor; **mouvement d'opinion** cambio de opinión; **le mouvement perpétuel** el movimiento continuo; **mouvement révolutionnaire/syndical** movimiento revolucionario/sindical.

mouvementé, e [muvmɑ̃te] *adj* accidentado(-a); (*récit*) animado(-a); (*agité*) agitado(-a).

mouvoir [muvwaʀ] *vt* mover; (*machine*) accionar; (*fig*: *personne*) animar; **se mouvoir** *vpr* moverse.

moyen, ne [mwajɛ̃, jɛn] *adj* medio(-a); (*élève, résultat*) regular ♦ *nm* medio; **~s** *nmpl* (*capacités*) medios *mpl*; **au ~ de** por medio de; **y a-t-il ~ de...?** ¿hay modo de ...?; **par quel ~?** ¿de qué manera?, ¿cómo?; **avec les ~s du bord** (*fig*) con todos los medios disponibles; **par tous les ~s** por todos los medios; **employer les**

grands ~s emplear medios más persuasivos; **par ses propres ~s** por sus propios medios; **moyen âge** edad *f* media; **moyen d'expression** forma de expresión; **moyen de locomotion/de transport** medio de locomoción/de transporte; **moyen terme** término medio.

moyennant [mwajɛnɑ̃] *prép* (*somme d'argent: contre une acquisition*) al precio de; (*: contre un service*) a cambio de; **~ quoi** mediante lo cual.

moyenne [mwajɛn] *nf* media, promedio; (*MATH, STATISTIQUE*) media; (*SCOL*) nota media; (*AUTO*) promedio; **en ~** por término medio; **faire la ~** hacer la media; **moyenne d'âge** edad *f* media; **moyenne entreprise** (*COMM*) mediana empresa.

Moyen-Orient [mwajɛnɔʀjɑ̃] *nm* Medio Oriente *m*.

moyeu, x [mwajø] *nm* cubo.

MST [ɛmɛste] *sigle f* = *maladie sexuellement transmissible*.

mû, mue [my] *pp de* **mouvoir**.

mue [my] *pp de* **mouvoir** ♦ *nf* muda.

muer [mɥe] *vi* mudar; (*jeune garçon*): **il mue** está mudando la voz; **se muer** *vpr*: **se ~ en** convertirse en.

muet, te [mɥɛ, mɥɛt] *adj, nm/f* mudo(-a); (*protestation, joie, douleur*) silencioso(-a) ♦ *nm*: **le ~** (*CINÉ*) el cine mudo; (*fig*): **~ d'admiration/d'étonnement** mudo(-a) de admiración/de extrañeza.

mufle [myfl] *nm* hocico; (*goujat*) patán *m* ♦ *adj* patán.

mugir [myʒiʀ] *vi* mugir; (*sirène*) sonar.

muguet [mygɛ] *nm* muguete *m*, lirio del valle; (*MÉD*) muguete.

mule [myl] *nf* mula; **~s** *nfpl* (*pantoufles*) chinelas *fpl*.

mulet [mylɛ] *nm* mulo; (*poisson*) mújol *m*.

multicolore [myltikɔlɔʀ] *adj* multicolor.

multinationale [myltinasjɔnal] *nf* multinacional *f*.

multiple [myltipl] *adj* múltiple ♦ *nm* múltiplo.

multiplication [myltiplikasjɔ̃] *nf* multiplicación *f*.

multiplier [myltiplije] *vt* multiplicar; **se multiplier** *vpr* multiplicarse.

multitude [myltityd] *nf* multitud *f*; **une ~ de** (una) multitud de.

municipal, e, -aux [mynisipal, o] *adj* municipal.

municipalité [mynisipalite] *nf* municipalidad *f*, ayuntamiento; (*commune*) municipio.

munir [myniʀ] *vt*: **~ qn de** proveer a algn de; **~ qch de** dotar algo de; **se munir** *vpr*: **se ~ de** proveerse de.

munitions [mynisjɔ̃] *nfpl* municiones *fpl*.

mur [myʀ] *nm* muro; (*cloison*) pared *f*; (*de terre*) tapia; (*de rondins*) cercado; **~ d'incompréhension/de haine** (*obstacle*) muro de incomprensión/de odio; **faire le ~** salir sin permiso; **mur du son** barrera del sonido.

mûr, e [myʀ] *adj* maduro(-a); (*fig*) a punto.

muraille [myʀɑj] *nf* muralla.

mural, e, -aux [myʀal, o] *adj* mural; (*plante*) trepador(a) ♦ *nm* mural *m*.

mûre [myʀ] *nf* (*du mûrier*) mora; (*de la ronce*) zarzamora.

murer [myʀe] *vt* amurallar; (*porte, issue*) tapiar; (*personne*) emparedar.

muret [myʀɛ] *nm* muro bajo.

mûrir [myʀiʀ] *vt, vi* madurar.

murmure [myʀmyʀ] *nm* murmullo; **~ d'approbation/d'admiration/de protestation** murmullo de aprobación/de admiración/de protesta; **~s** *nmpl* (*plaintes*) murmullo *msg*, protesta *fsg*.

murmurer [myʀmyʀe] *vi* murmurar; **~ que** murmurar que.

muscade [myskad] *nf*: **noix de ~** nuez *f* moscada.

muscat [myska] *nm* uva moscatel; (*vin*) moscatel *m*.

muscle [myskl] *nm* músculo.

musclé, e [muskle] *adj* musculoso(-a); (*fig: politique, régime*) duro(-a).

museau, x [myzo] *nm* hocico.

musée [myze] *nm* museo.

museler [myz(ə)le] *vt* poner un bozal a; (*opposition, presse*) amordazar.

muselière [myzəljɛʀ] *nf* bozal *m*.

musette [myzɛt] *nf* morral *m* ♦ *adj inv*: **orchestre/valse ~** orquesta/vals *msg* popular.

musical, e, -aux [myzikal, o] *adj* musical.

musicien, ne [myzisjɛ̃, jɛn] *adj* músico(-a).

musique [myzik] *nf* música; (*d'un vers, d'une phrase*) musicalidad *f*; **faire de la ~** componer música; (*jouer d'un instrument*) tocar música; **musique de chambre/de fond** música de cámara/de fondo; **musique militaire/de film** música militar/de banda sonora.

musulman, e [myzylmɑ̃, an] *adj, nm/f* musulmán(-ana).

mutation [mytasjɔ̃] *nf* (*ADMIN*) traslado; (*BIOL*) mutación *f*.

muter [myte] *vt* (*ADMIN*) trasladar.

mutilé, e [mytile] *nm/f* mutilado(-a);

grand ~ gravemente mutilado; **mutilé du travail/de guerre** mutilado(-a) laboral/de guerra.
mutiler [mytile] *vt* mutilar; (*endroit*) deteriorar, degradar.
mutin, e [mytɛ̃, in] *adj* (*enfant*) travieso(-a); (*air, ton*) pícaro(-a) ♦ *nm/f* (*MIL*) amotinado(-a).
mutiner [mytine]: **se** ~ *vpr* amotinarse.
mutualiste [mytɥalist] *adj* mutualista.
mutuel, le [mytɥɛl] *adj* mutuo(-a); (*établissement*) mutualista ♦ *nf* mutualidad *f*, mutua.
myope [mjɔp] *adj, nm/f* miope *m/f*.
myrtille [miʀtij] *nf* arándano.
mystère [mistɛʀ] *nm* misterio; ~ **de la Trinité/de la foi** (*REL*) misterio de la Santísima Trinidad/de la fe.
mystérieux, -euse [misteʀjø, jøz] *adj* misterioso(-a).
mystifier [mistifje] *vt* mistificar; (*tromper*) engañar.
mystique [mistik] *adj, nm/f* místico(-a).
mythe [mit] *nm* mito; **le ~ de la galanterie française** el mito de la galantería francesa.
mythologie [mitɔlɔʒi] *nf* mitología.

N, n

n' [n] *adv voir* **ne**.
nacre [nakʀ] *nf* nácar *m*.
nacré, e [nakʀe] *adj* nacarado(-a).
nage [naʒ] *nf* natación *f*; (*style*) estilo; **traverser/s'éloigner à la** ~ atravesar/alejarse a nado; **en** ~ bañado(-a) en sudor; **nage indienne** natación *f* de costado; **nage libre** estilo libre; **nage papillon** estilo mariposa.
nageoire [naʒwaʀ] *nf* aleta.
nager [naʒe] *vi* nadar; (*fig*) estar pez ♦ *vt* nadar (a); ~ **dans des vêtements** flotar en la ropa; ~ **dans le bonheur** rebosar de alegría.
nageur, euse [naʒœʀ, øz] *nm/f* nadador(-a).
naguère [nagɛʀ] *adv* antes.
naïf, -ïve [naif, naiv] *adj* ingenuo(-a); (*air*) inocente.
nain, e [nɛ̃, nɛn] *adj, nm/f* enano(-a).
nais *etc* [nɛ] *vb voir* **naître**.
naissance [nɛsɑ̃s] *nf* nacimiento; **donner ~ à** (*enfant*) dar a luz a; (*fig*) originar; **prendre** ~ nacer; **aveugle/Français de** ~ ciego/francés de nacimiento.
naître [nɛtʀ] *vi* nacer; (*résulter*): ~ **(de)** nacer (de); **il est né en 1960** ha nacido en 1960; **il naît plus de filles que de garçons** nacen más niñas que niños; **faire** ~ (*fig*) originar.
nana [nana] (*fam*) *nf* chica.
nantir [nɑ̃tiʀ] *vt*: ~ **qn de** proveer a algn de; **les nantis** (*péj*) los pudientes.
nappe [nap] *nf* mantel *m*; (*fig*): ~ **d'eau** capa de agua; **nappe de brouillard** capa de niebla; **nappe de gaz/mazout** capa de gas/fuel-oil.
napperon [napʀɔ̃] *nm* tapete *m*; **napperon individuel** mantel *m* individual.
naquit *etc* [naki] *vb voir* **naître**.
narcotique [naʀkɔtik] *adj* narcótico(-a) ♦ *nm* narcótico.
narguer [naʀge] *vt* provocar.
narine [naʀin] *nf* ventana (de la nariz).
narquois, e [naʀkwa, waz] *adj* burlón(-ona).
narrateur, -trice [naʀatœʀ, tʀis] *nm/f* narrador(a).
narrer [naʀe] *vt* narrar.
naseau, x [nazo] *nm* nariz *f*.
natal, e [natal] *adj* natal.
natalité [natalite] *nf* natalidad *f*.
natation [natasjɔ̃] *nf* natación *f*; **faire de la** ~ hacer natación, nadar.
natif, -ive [natif, iv] *adj* nativo(-a); (*inné*) natural; (*originaire*): ~ **de** natural de.
nation [nasjɔ̃] *nf* nación *f*; **les Nations Unies** las Naciones Unidas.
national, e, -aux [nasjɔnal, o] *adj* nacional ♦ *nf*: **(route)** ~**e** (carretera) nacional *f*; **nationaux** *nmpl* nacionales *mpl*.
nationaliser [nasjɔnalize] *vt* nacionalizar.
nationalité [nasjɔnalite] *nf* nacionalidad *f*; **il est de ~ française** es de nacionalidad francesa.
natte [nat] *nf* (*tapis*) estera; (*cheveux*) coleta.
naturaliser [natyʀalize] *vt* naturalizar.
nature [natyʀ] *nf* naturaleza; (*tempérament*) temperamento ♦ *adj* natural; (*café*) solo; (*CULIN*) al natural; **payer en** ~ pagar en especie; **peint d'après** ~ pintado del natural; ~ **morte** naturaleza muerta, bodegón *m*; **être de ~ à faire qch** (*propre à*) ser adecuado(-a) para hacer algo; **il n'est pas de ~ à accepter** está claro que no va a aceptar.
naturel, le [natyʀɛl] *adj* natural ♦ *nm* (*caractère*) natural *m*; (*aisance*) naturalidad *f*; **au** ~ (*CULIN*) al natural.
naturellement [natyʀɛlmɑ̃] *adv* naturalmente.
naufrage [nofʀaʒ] *nm* naufragio; (*fig*) ruina; **faire** ~ naufragar.
naufragé, e [nofʀaʒe] *adj, nm/f* náufrago(-a).

nauséabond, e [nozeabɔ̃, ɔ̃d] *adj* nauseabundo(-a).
nausée [noze] *nf* náusea, asco; **avoir la ~ *ou* des ~s** tener náuseas.
nautique [notik] *adj* náutico(-a); **sports ~s** deportes náuticos.
naval, e [naval] *adj* naval.
navet [navɛ] *nm* nabo; (*péj: film*) tostón *m*.
navette [navɛt] *nf autobús o tren que conecta dos estaciones*; **faire la ~ (entre)** ir y venir (entre); **navette spatiale** nave *f* espacial.
navigateur [navigatœʀ] *nm* navegante *m/f*.
navigation [navigasjɔ̃] *nf* navegación *f*; **compagnie de ~** compañía de navegación.
naviguer [navige] *vi* navegar.
navire [naviʀ] *nm* buque *m*; **navire marchand/de guerre** buque mercante/de guerra.
navrer [navʀe] *vt* afligir; **je suis navré** lo siento en el alma; **je suis navré que** siento muchísimo que.
ne [n(ə)] *adv* no; (*explétif*) *non traduit*; **je ~ le veux pas** no lo quiero; **je crains qu'il ~ vienne** temo que venga; **je ~ veux que ton bonheur** sólo quiero tu felicidad; *voir* **jamais; pas; plus**.
né, e [ne] *pp de* **naître** ♦ *adj*: **un comédien ~** un comediante nato; **~ en 1960** nacido(-a) en 1960; **~e Dupont** de soltera Dupont; **bien ~(e)** de buena cuna; **~ de ... et de ...** (*sur acte de naissance etc*) hijo(-a) de ... y de ...; **~ d'une mère française** hijo de madre francesa.
néanmoins [neɑ̃mwɛ̃] *adv* no obstante.
néant [neɑ̃] *nm* nada; **réduire à ~** reducir a la nada; (*espoir*) quitar.
nécessaire [nesesɛʀ] *adj* necesario(-a) ♦ *nm*: **faire le ~** hacer lo necesario; **est-il ~ que je m'en aille?** ¿es preciso que me vaya?; **il est ~ de ...** es necesario ...; **n'emporter que le strict ~** llevar sólo lo estrictamente necesario; **nécessaire de couture** costurero; **nécessaire de toilette/de voyage** neceser *m* de aseo/de viaje.
nécessité [nesesite] *nf* necesidad *f*; **se trouver dans la ~ de faire qch** encontrarse en la necesidad de hacer algo; **par ~** por necesidad.
nécessiter [nesesite] *vt* necesitar.
nec plus ultra [nɛkplysyltʀa] *nm*: **le ~ ~ ~ de** el no va más de.
nécrologique [nekʀɔlɔʒik] *adj*: **article ~** nota necrológica; **rubrique ~** sección *f* necrológica.
nectar [nɛktaʀ] *nm* néctar *m*.
néerlandais, e [neɛʀlɑ̃dɛ, ɛz] *adj* neerlandés(-esa) ♦ *nm* (*LING*) neerlandés *m* ♦ *nm/f*: **N~, e** neerlandés(-esa).
nef [nɛf] *nf* nave *f*.
néfaste [nefast] *adj* nefasto(-a).
négatif, -ive [negatif, iv] *adj* negativo(-a) ♦ *nm* (*PHOTO*) negativo.
négation [negasjɔ̃] *nf* negación *f*.
négligé, e [negliʒe] *adj* descuidado(-a) ♦ *nm* salto de cama.
négligent, e [negliʒɑ̃, ɑ̃t] *adj* (*personne*) descuidado(-a); (*geste, attitude*) negligente.
négliger [negliʒe] *vt* descuidar; (*avis, précautions*) ignorar, no hacer caso; **se négliger** *vpr* descuidarse; **~ de faire qch** olvidarse de hacer algo.
négociation [negɔsjasjɔ̃] *nf* negociación *f*; **négociations collectives** negociaciones *fpl* colectivas.
négocier [negɔsje] *vt* negociar; (*virage, obstacle*) sortear ♦ *vi* (*POL*) negociar.
nègre [nɛgʀ] (*péj*) *nm* (*aussi écrivain*) negro ♦ *adj* negro(-a).
négresse [negʀɛs] (*péj*) *nf* negra.
neige [nɛʒ] *nf* nieve *f*; **battre les œufs en ~** (*CULIN*) batir los huevos a punto de nieve; **neige carbonique** nieve carbónica; **neige fondue** aguanieve *f*; **neige poudreuse** nieve fresca.
neiger [neʒe] *vi* nevar.
nénuphar [nenyfaʀ] *nm* nenúfar *m*.
néon [neɔ̃] *nm* neón *m*.
néophyte [neɔfit] *nm/f* neófito(-a).
néo-zélandais, e [neoʒelɑ̃dɛ, ɛz] (*pl* **~-~, es**) *adj* neocelandés(-esa) ♦ *nm/f*: **N~-~, e** neocelandés(-esa).
néphrétique [nefʀetik] *adj* nefrítico(-a).
nerf [nɛʀ] *nm* nervio; **~s** *nmpl* nervios *mpl*; **être *ou* vivre sur les ~s** estar *ou* vivir en tensión; **être à bout de ~s** estar al borde de un ataque de nervios; **passer ses ~s sur qn** pagarlas con algn.
nerveux, -euse [nɛʀvø, øz] *adj* nervioso(-a); (*cheval*) vigoroso(-a); (*tendineux*) con nervios; **une voiture nerveuse** un coche que tiene buena aceleración.
nervosité [nɛʀvozite] *nf* nerviosismo; (*passagère*) alteración *f*.
nervure [nɛʀvyʀ] *nf* nervadura.
n'est-ce pas [nɛspɑ] *adv*: **"c'est bon, ~-~ ~?"** "está bueno, ¿verdad?"; **"il a peur, ~-~ ~?"** "tiene miedo, ¿verdad?"; **"~-~ ~ que c'est bon?"** "¿verdad que está bueno?"; **lui, ~-~ ~, il peut se le permettre** él puede permitírselo, ¿no es así?
net, nette [nɛt] *adj* (*évident, sans équivoque*) evidente; (*distinct, propre, sans tache*) limpio(-a); (*photo, film*) nítido(-a); (*COMM*)

neto(-a) ♦ *adv* (*refuser*) rotundamente ♦ *nm*: **mettre au ~** poner en limpio; **s'arrêter ~** pararse en seco; **la lame a cassé ~** la hoja se rompió de un golpe; **faire place ~te** despejar; **~ d'impôt** exento de impuestos.

nettoyage [netwajaʒ] *nm* limpieza; **nettoyage à sec** limpieza en seco.

nettoyant [netwajɑ̃] *nm* producto de limpieza.

nettoyer [netwaje] *vt* limpiar.

neuf[1] [nœf] *adj inv, nm inv* nueve *m inv*; *voir aussi* **cinq**.

neuf[2], **neuve** [nœf, nœv] *adj* nuevo(-a) ♦ *nm*: **repeindre à ~** pintar de nuevo; **remettre à ~** dejar como nuevo; **n'acheter que du ~** comprar sólo cosas nuevas; **quoi de ~?** ¿qué hay de nuevo?

neurone [nøʀɔn] *nm* neurona.

neutraliser [nøtʀalize] *vt* neutralizar.

neutre [nøtʀ] *adj* neutro(-a); (*POL*) neutral ♦ *nm* neutro.

neutron [nøtʀɔ̃] *nm* neutrón *m*.

neuve [nœv] *adj voir* **neuf**[2].

neuvième [nœvjɛm] *adj, nm/f* noveno(-a) ♦ *nm* (*partitif*) noveno; *voir aussi* **cinquième**.

neveu, x [n(ə)vø] *nm* sobrino.

névrose [nevʀoz] *nf* neurosis *f inv*.

névrosé, e [nevʀoze] *adj, nm/f* neurótico(-a).

New York [njujɔʀk] *n* Nueva York.

new-yorkais, e [njujɔʀkɛ, ɛz] (*pl* **~-~, es**) *adj* neoyorquino(-a) ♦ *nm/f*: **N~-~, e** neoyorquino(-a).

nez [ne] *nm* nariz *f*; (*d'avion etc*) morro; **rire au ~ de qn** reírse en las barbas *ou* narices de algn; **avoir du ~** tener olfato; **avoir le ~ fin** tener buen olfato; **~ à ~ avec** cara a cara con; **à vue de ~** a ojo de buen cubero.

ni [ni] *conj*: **~ l'un ~ l'autre ne sont ...** ni uno ni otro son ...; **il n'a rien vu ~ entendu** no ha visto ni oído nada.

niais, e [njɛ, njɛz] *adj* bobo(-a).

Nicaragua [nikaʀagwa] *nm* Nicaragua.

nicaraguayen, ne [nikaʀagwajɛ̃, jɛn] *adj* nicaragüense ♦ *nm/f*: **N~, ne** nicaragüense *m/f*.

niche [niʃ] *nf* (*du chien*) perrera; (*dans un mur*) hornacina, nicho; (*farce*) diablura.

nicher [niʃe] *vi* anidar; **se ~ dans** (*oiseau*) anidar en; (*se cacher: enfant*) esconderse; (*se blottir*) acurrucarse.

nicotine [nikɔtin] *nf* nicotina.

nid [ni] *nm* nido; **nid d'abeilles** (*COUTURE*) nido de abeja; **nid de poule** bache *m*.

nièce [njɛs] *nf* sobrina.

nier [nje] *vt* negar.

nigaud, e [nigo, od] *nm/f* memo(-a).

n'importe [nɛ̃pɔʀt] *adv*: **"~!"** "¡no tiene importancia!"; **~ qui** cualquiera; **~ quoi** cualquier cosa; **~ où** a *ou* en cualquier sitio; **~ quoi!** (*fam*) ¡pamplinas!; **~ lequel/laquelle d'entre nous** cualquiera de nosotros(-as); **~ quel/quelle** cualquier/cualquiera; **à ~ quel prix** a cualquier precio; **~ quand** en cualquier momento; **~ comment, il part ce soir** se va esta noche, sea como sea; **~ comment** (*sans soin*) de cualquier manera.

niveau, x [nivo] *nm* nivel *m*; **au ~ de** a nivel de; (*à côté de*) a la altura de; (*fig*) en cuanto a; **de ~ (avec)** a nivel (con); **le ~ de la mer** el nivel del mar; **niveau (à bulle)** nivel (de aire); **niveau (d'eau)** nivel (de agua); **niveau de vie** (*ÉCON*) nivel de vida; **niveau social** (*ÉCON*) nivel social.

niveler [niv(ə)le] *vt* nivelar.

n° *abr* (= *numéro*) n° (= *número*).

noble [nɔbl] *adj, nm/f* noble *m/f*.

noblesse [nɔblɛs] *nf* nobleza.

noce [nɔs] *nf* boda; **il l'a épousée en secondes ~s** se ha casado con ella en segundas nupcias; **faire la ~** (*fam*) ir de juerga; **noces d'argent/d'or/de diamant** bodas de plata/de oro/de diamante.

nocif, -ive [nɔsif, iv] *adj* nocivo(-a).

noctambule [nɔktɑ̃byl] *nm/f* noctámbulo(-a).

nocturne [nɔktyʀn] *adj* nocturno(-a) ♦ *nf* (*SPORT*) nocturno; (*d'un magasin*): **"~ le mercredi"** "abrimos hasta tarde el miércoles".

Noël [nɔɛl] *nm* Navidad *f*.

nœud [nø] *nm* nudo; (*ruban*) lazo; (*fig: liens*) vínculo; **nœud coulant** nudo corredizo; **nœud de vipères** (*fig*) nido de víboras; **nœud gordien** nudo gordiano; **nœud papillon** pajarita.

noir, e [nwaʀ] *adj* negro(-a); (*obscur, sombre*) oscuro(-a); (*roman*) policíaco(-a); (*travail*) sumergido(-a) ♦ *nm/f* (*personne*) negro(-a) ♦ *nm* negro; (*obscurité*): **dans le ~** en la oscuridad ♦ *nf* (*MUS*) negra; **au ~** ilegalmente; **il fait ~** está oscuro.

noircir [nwaʀsiʀ] *vi* ennegrecer ♦ *vt* ensombrecer; (*réputation*) manchar; (*personne*) difamar.

noisette [nwazɛt] *nf* avellana; (*CULIN: de beurre etc*) nuececilla ♦ *adj* (*yeux*) color avellana.

noix [nwa] *nf* nuez *f*; (*CULIN*): **une ~ de beurre** una nuez de mantequilla; **à la ~** (*fam*) de tres al cuarto; **noix de cajou** nuez de acajú; **noix de coco** coco; **noix de veau** (*CULIN*) babilla de ternera; **noix muscade** nuez moscada.

nom [nɔ̃] *nm* nombre *m*; **connaître qn de ~** conocer a algn de nombre; **au ~ de** en nombre de; **~ d'une pipe** *ou* **d'un chien!** (*fam*) ¡caramba!; **nom commun/propre** nombre común/propio; **nom composé** (*LING*) nombre compuesto; **nom de Dieu!** (*fam!*) ¡maldito sea!; **nom d'emprunt** apodo; **nom de famille** apellido; **nom de fichier** nombre de fichero; **nom de jeune fille** apellido de soltera; **nom déposé** nombre registrado.

nomade [nɔmad] *adj, nm/f* nómada *m/f*.

nombre [nɔ̃bʀ] *nm* número; **venir en ~** venir muchos; **depuis ~ d'années** desde hace muchos años; **ils sont au ~ de 3** son 3; **au ~ de mes amis** entre mis amigos; **sans ~** innumerable; **(bon) ~ de** numerosos(-as); **nombre entier/premier** número entero/primo.

nombreux, -euse [nɔ̃bʀø, øz] *adj* (*avec nom pl*) numerosos(-as); **la foule nombreuse** la gran muchedumbre; **un public ~** mucho público; **peu ~** poco numeroso(-a); **de ~ cas** numerosos casos.

nombril [nɔ̃bʀi(l)] *nm* ombligo.

nommer [nɔme] *vt* nombrar; (*baptiser*) llamar; **se nommer** *vpr*: **il se nomme Jean** se llama Jean; (*se présenter*) presentarse; **un nommé Leduc** un tal Leduc.

non [nɔ̃] *adv* no; **Paul est venu, ~?** ha venido Paul, ¿verdad *ou* no?; **répondre** *ou* **dire que ~** responder *ou* decir que no; **~ (pas) que ...** no porque ...; **~ plus: moi ~ plus** yo tampoco; **je préférerais que ~** preferiría que no; **il se trouve que ~** resulta que no; **mais ~, ce n'est pas mal** que no, que no está mal; **~ mais ...!** ¡pero bueno ...!; **~ mais des fois!** ¡qué te *etc* has *etc* creído!; **~ loin** no muy lejos; **~ seulement** no sólo; **~ sans** no sin antes.

non... [nɔ̃] *préf* no.

nonchalant, e [nɔ̃ʃalɑ̃, ɑ̃t] *adj* indolente.

non-conformisme [nɔ̃kɔ̃fɔʀmism(ə)] *nm* no conformismo.

non-conformiste [nɔ̃kɔ̃fɔʀmist] *adj, nm/f* inconformista *m/f*.

non-croyant, e [nɔ̃kʀwajɑ̃, ɑ̃t] (*pl* **~-~s, es**) *nm/f* no creyente *m/f*.

non-fumeur, -euse [nɔ̃fymœʀ, øz] (*pl* **~-~s, euses**) *nm/f* no fumador(a).

non-lieu [nɔ̃ljø] *nm*: **il y a eu ~-~** hubo sobreseimiento.

nonne [nɔn] *nf* monja.

non-retour [nɔ̃ʀətuʀ] *nm*: **point de ~-~** punto límite.

non-sens [nɔ̃sɑ̃s] *nm* disparate *m*.

non-stop [nɔnstɔp] *adj inv, adv* sin parada.

non-violent, e [nɔ̃vjɔlɑ̃, ɑ̃t] (*pl* **~-~s, es**) *adj, nm/f* no violento(-a).

nord [nɔʀ] *nm* norte *m*; (*région*): **le N~** el Norte ♦ *adj inv* norte; **au ~** (*situation*) al norte; (*direction*) hacia el norte; **au ~ de** al norte de; **perdre le ~** perder el norte; *voir aussi* **pôle**; **sud**.

nord-est [nɔʀɛst] *nm inv* nordeste *m*.

nord-ouest [nɔʀwɛst] *nm inv* noroeste *m*.

normal, e, -aux [nɔʀmal, o] *adj* normal; **la ~e** la normalidad.

normalement [nɔʀmalmɑ̃] *adv* normalmente.

normaliser [nɔʀmalize] *vt* normalizar.

normand, e [nɔʀmɑ̃, ɑ̃d] *adj* normando(-a) ♦ *nm/f*: **N~, e** normando(-a).

Normandie [nɔʀmɑ̃di] *nf* Normandía.

norme [nɔʀm] *nf* norma.

Norvège [nɔʀvɛʒ] *nf* Noruega.

norvégien, ne [nɔʀveʒjɛ̃, jɛn] *adj* noruego(-a) ♦ *nm* (*LING*) noruego ♦ *nm/f*: **N~, ne** noruego(-a).

nos [no] *dét voir* **notre**.

nostalgie [nɔstalʒi] *nf* nostalgia.

notable [nɔtabl] *adj, nm/f* notable *m/f*.

notaire [nɔtɛʀ] *nm* notario.

notamment [nɔtamɑ̃] *adv* particularmente, especialmente.

note [nɔt] *nf* nota; (*facture*) cuenta; (*annotation*) nota, anotación *f*; **prendre des ~s** tomar notas *ou* apuntes; **prendre ~ de** tomar nota de; **forcer la ~** pasarse de la raya; **une ~ de tristesse/de gaieté** una nota de tristeza/de alegría; **note de service** nota de servicio.

noter [nɔte] *vt* (*écrire*) anotar, apuntar; (*remarquer*) señalar, notar; (*SCOL*) calificar; (*ADMIN*) evaluar; **notez bien que ...** fíjense bien que ... .

notice [nɔtis] *nf* nota; (*brochure*): **~ explicative** folleto explicativo.

notifier [nɔtifje] *vt*: **~ qch à qn** notificar algo a algn.

notion [nosjɔ̃] *nf* noción *f*; **~s** *nfpl* nociones *fpl*.

notoire [nɔtwaʀ] *adj* notorio(-a).

notre [nɔtʀ] *dét* nuestro(-a).

nôtre, nos [notʀ, nos] *adj* nuestro(-a) ♦ *pron*: **le ~** el *ou* lo nuestro; **la ~** la nuestra; **les ~s** los(las) nuestros(-as); **soyez des ~s** únase a nosotros.

nouer [nwe] *vt* anudar, atar; (*fig*: *amitié*) trabar; (: *alliance*) formar; **se nouer** *vpr* (*pièce de théâtre*): **c'est là où l'intrigue se noue** es ahí donde se urde la intriga; **~ la conversation** entablar conversación; **avoir la gorge nouée** tener un nudo en la garganta.

nougat [nuga] *nm tipo de turrón.*
nouille [nuj] *nf* pasta; (*fam*) lelo(-a).
nounours [nunuʀs] *nm* osito de peluche.
nourri, e [nuʀi] *adj* denso(-a).
nourrice [nuʀis] *nf* nodriza; **mettre en ~** dar a criar.
nourrir [nuʀiʀ] *vt* alimentar; (*fig: espoir*) mantener; (*: haine*) guardar; **logé, nourri** alojamiento y comida; **bien/mal nourri** bien/mal alimentado(-a); **~ au sein** amamantar; **se ~ de légumes** alimentarse de verduras; **se ~ de rêves** vivir de fantasías.
nourrisson [nuʀisɔ̃] *nm* niño de pecho.
nourriture [nuʀityʀ] *nf* alimento, comida; (*fig*) alimento.
nous [nu] *pron* nosotros(-as); (*objet direct, indirect*) nos; **c'est ~ qui l'avons fait** lo hicimos nosotros; **~ les Marseillais** nosotros los marselleses; **il ~ le dit** nos lo dice; **il ~ en a parlé** nos habló de eso; **à ~** (*possession*) nuestro(-a), nuestros(-as); **ce livre est à ~** ese libro es nuestro; **avec/sans ~** con/sin nosotros; **un poème de ~** un poema nuestro; **plus riche que ~** más rico que nosotros; **~ mêmes** nosotros(-as) mismos(-as).
nouveau (nouvel), -elle, -aux [nuvo, nuvɛl] *adj* nuevo(-a); (*original*) novedoso(-a) ♦ *nm/f* nuevo(-a), novato(-a) ♦ *nm*: **il y a du ~** hay novedades; **de ~, à ~** de nuevo, otra vez; **Nouvel An** año nuevo; **nouveaux mariés** recién casados; **nouveau riche** *adj* nuevo(-a) rico(-a); **nouvelle vague** *adj* (*gén*) nueva ola; (*CINÉ*) nouvelle vague *f*; **nouveau venu** recién llegado; **nouvelle venue** recién llegada.
nouveau-né, e [nuvone] (*pl* **~-~s, es**) *adj, nm/f* recién nacido(-a).
nouveauté [nuvote] *nf* novedad *f*.
nouvel [nuvɛl] *adj m voir* **nouveau**.
nouvelle [nuvɛl] *adj f voir* **nouveau** ♦ *nf* noticia; (*LITT*) cuento; **~s** *nfpl* noticias *fpl*; **je suis sans ~s de lui** no tengo noticias de él.
Nouvelle-Zélande [nuvɛlzelɑ̃d] *nf* Nueva Zelanda, Nueva Zelandia (*AM*).
novateur, -trice [nɔvatœʀ, tʀis] *adj, nm/f* innovador(a).
novembre [nɔvɑ̃bʀ] *nm* noviembre *m*; *voir aussi* **juillet**.
novice [nɔvis] *adj* novato(-a) ♦ *nm/f* (*REL*) novicio(-a).
noyau, x [nwajo] *nm* núcleo; (*de fruit*) hueso.
noyé, e [nwaje] *nm/f* ahogado(-a) ♦ *adj* (*fig*) desbordado(-a).
noyer [nwaje] *nm* nogal *m* ♦ *vt* ahogar; (*fig: submerger*) sumergir; (*: délayer*) desleír; **se noyer** *vpr* ahogarse; **se ~ dans** (*fig*) perderse en; **~ son chagrin** ahogar su pena; **~ son moteur** (*AUTO*) inundar el motor; **~ le poisson** dar largas al asunto.
nu, e [ny] *adj* desnudo(-a) ♦ *nm* (*ART*) desnudo; **le ~ intégral** desnudo integral; **(les) pieds ~s** descalzo(-a); **(la) tête ~e** con la cabeza descubierta; **à mains ~es** sólo con las manos, con las manos desnudas; **se mettre ~** desnudarse; **mettre à ~** desnudar.
nuage [nɥaʒ] *nm* nube *f*; (*fig*): **sans ~s** (*bonheur etc*) completo(-a); **être dans les ~s** estar en las nubes; **un ~ de lait** una gota de leche.
nuageux, -euse [nɥaʒø, øz] *adj* nuboso(-a), nublado(-a).
nuance [nɥɑ̃s] *nf* matiz *m*; **il y a une ~ (entre ...)** hay una leve diferencia (entre ...); **une ~ de tristesse** un algo de tristeza.
nuancer [nɥɑ̃se] *vt* matizar.
nucléaire [nykleɛʀ] *adj* nuclear ♦ *nm*: **le ~** (*secteur*) la industria nuclear; (*énergie*) la energía nuclear.
nudiste [nydist] *nm/f* nudista *m/f*.
nudité [nydite] *nf* desnudez *f*.
nuée [nɥe] *nf*: **une ~ de** una nube de.
nues [ny] *nfpl*: **tomber des ~** caerse de las nubes; **porter qn aux ~** poner a algn por las nubes.
nuire [nɥiʀ] *vi* perjudicar; **~ à qn/qch** ser perjudicial para algn/algo.
nuisible [nɥizibl] *adj* perjudicial; **animal ~** animal dañino.
nuit [nɥi] *nf* noche *f*; **5 ~s de suite** 5 noches seguidas; **payer sa ~** pagar la noche; **il fait ~** es de noche; **cette ~** esta noche; **de ~** por la noche; **nuit blanche** noche en blanco *ou* en vela; **nuit de noces** noche de bodas; **nuit de Noël** Nochebuena; **nuit des temps**: **la ~ des temps** la noche de los tiempos.
nul, nulle [nyl] *adj* (*aucun*) ninguno(-a); (*minime, non valable, péj*) nulo(-a) ♦ *pron* nadie; **résultat ~, match ~** (*SPORT*) empate *m*; **~le part** en ningún sitio; (*aller etc*) a ningún sitio.
nullité [nylite] *nf* nulidad *f*.
numéro [nymeʀo] *nm* número; (*fig*): **un (drôle de) ~** un elemento gracioso; **faire** *ou* **composer un ~** marcar un número; **numéro de téléphone** número de teléfono; **numéro d'identification personnel** número personal de identificación; **numéro d'immatriculation** *ou* **minéralogique** número de matrícula; **numéro vert** número verde.

numéroter [nymeʀɔte] *vt* numerar.
nuptial, e, -aux [nypsjal, jo] *adj* nupcial.
nuque [nyk] *nf* nuca.
nu-tête [nytɛt] *adj inv* cabeza descubierta.
nutrition [nytʀisjɔ̃] *nf* nutrición *f*.
nylon [nilɔ̃] *nm* nylon *m*.

O, o

oasis [ɔazis] *nf ou m* oasis *m inv*.
obéir [ɔbeiʀ] *vi* obedecer; **~ à** obedecer a; (*loi*) acatar; (*suj: moteur, véhicule*) responder a.
obéissant, e [ɔbeisɑ̃, ɑ̃t] *adj* obediente.
obèse [ɔbɛz] *adj* obeso(-a).
objecter [ɔbʒɛkte] *vt* (*prétexter*) pretextar; **~ qch à** objetar algo a; **~ (à qn) que** objetar (a algn) que.
objecteur [ɔbʒɛktœʀ] *nm*: **~ de conscience** objetor *m* de conciencia.
objectif, -ive [ɔbʒɛktif, iv] *adj* objetivo(-a) ♦ *nm* objetivo; **objectif à focale variable** objetivo de distancia focal variable; **objectif grand angulaire** objetivo gran angular.
objection [ɔbʒɛksjɔ̃] *nf* objeción *f*; **objection de conscience** objeción de conciencia.
objet [ɔbʒɛ] *nm* objeto; (*but*) objetivo; (*sujet*) tema *m*; **être** *ou* **faire l'~ de** ser objeto de; **sans ~** sin objeto; **(bureau des) ~s trouvés** (oficina de) objetos perdidos; **objet d'art** objeto de arte; **objets de toilette** artículos *mpl* de tocador; **objets personnels** objetos personales.
obligation [ɔbligasjɔ̃] *nf* obligación *f*; (*gén pl: devoir*) compromisos *mpl*; **sans ~ d'achat/de votre part** sin compromiso de compra/por su parte; **être dans l'~ de faire qch** estar obligado(-a) a hacer algo; **avoir l'~ de faire qch** tener la obligación de hacer algo; **obligations familiales** obligaciones *fpl* familiares; **obligations militaires** obligaciones militares; **obligations mondaines** compromisos *mpl* sociales.
obligatoire [ɔbligatwaʀ] *adj* obligatorio(-a).
obligé, e [ɔbliʒe] *adj* obligado(-a); **être très ~ à qn** estar muy agradecido a algn; **je suis ~ de le faire** estoy obligado a hacerlo.
obliger [ɔbliʒe] *vt* obligar; (*aider, rendre service à*): **votre offre m'oblige beaucoup** le agradezco mucho que se haya ofrecido.
oblique [ɔblik] *adj* oblicuo(-a); **regard ~** mirada torcida; **en ~** en diagonal.
oblitérer [ɔbliteʀe] *vt* matar; (*MÉD*) obliterar; (*effacer peu à peu*) borrar.
obscène [ɔpsɛn] *adj* obsceno(-a).
obscur, e [ɔpskyʀ] *adj* oscuro(-a); (*exposé*) confuso(-a); (*vague*) ligero(-a); (*inconnu*) desconocido(-a).
obscurcir [ɔpskyʀsiʀ] *vt* oscurecer; (*rendre peu intelligible*) confundir; **s'obscurcir** *vpr* (*ciel, jour*) oscurecerse.
obscurité [ɔpskyʀite] *nf* oscuridad *f*; **dans l'~** en la oscuridad.
obsédé, e [ɔpsede] *nm/f*: **un ~ de** un obseso de; **obsédé sexuel** obseso sexual.
obséder [ɔpsede] *vt* obsesionar; **être obsédé par** estar obsesionado por.
obsèques [ɔpsɛk] *nfpl* exequias *fpl*.
observateur, -trice [ɔpsɛʀvatœʀ, tʀis] *adj, nm/f* observador(a).
observation [ɔpsɛʀvasjɔ̃] *nf* observación *f*; (*d'un règlement etc*) cumplimiento; **faire une ~ à qn** (*reproche*) criticarle a algn; **en ~** (*MÉD*) en observación; **avoir l'esprit d'~** tener un espíritu observador.
observatoire [ɔpsɛʀvatwaʀ] *nm* observatorio; (*lieu élevé*) puesto de observación.
observer [ɔpsɛʀve] *vt* observar; (*remarquer*) notar; **s'observer** *vpr* controlarse; **faire ~ qch à qn** hacer ver algo a algn.
obstacle [ɔpstakl] *nm* obstáculo; **faire ~ à** obstaculizar.
obstiner [ɔpstine]: **s'~** *vpr* obstinarse; **s'~ à faire qch** empeñarse en hacer algo; **s'~ sur qch** obcecarse con algo.
obstruer [ɔpstʀye] *vt* obstruir; **s'obstruer** *vpr* obstruirse.
obtempérer [ɔptɑ̃peʀe] *vi* obedecer; **~ à** (*JUR, ADMIN*) acatar; (*gén*) obedecer a.
obtenir [ɔptəniʀ] *vt* conseguir, obtener; (*diplôme*) obtener; **~ de pouvoir faire qch** conseguir poder hacer algo; **~ qch à qn** conseguir algo a algn; **~ de qn qu'il fasse** conseguir que algn haga; **ils ont obtenu satisfaction** se ha accedido a sus demandas.
obtention [ɔptɑ̃sjɔ̃] *nf* obtención *f*.
obturation [ɔptyʀasjɔ̃] *nf* obturación *f*; **vitesse d'~** (*PHOTO*) velocidad *f* de obturación; **obturation (dentaire)** empaste *m* (dental).
obus [ɔby] *nm* obús *msg*.
occasion [ɔkazjɔ̃] *nf* ocasión *f*, oportunidad *f*, chance *m ou f* (*AM*); (*acquisition avantageuse*) ganga; (*circonstance*) ocasión; **à plusieurs ~s** en varias ocasiones; **à cette/la première ~** en esta/la primera ocasión; **avoir l'~ de faire** tener la oportunidad *ou* la ocasión de hacer; **être l'~**

de ser el momento para; **à l'~** si llega el caso; (*un jour*) en alguna ocasión; **à l'~ de** con motivo de; **d'~** de segunda mano, de ocasión.

occasionner [ɔkazjɔne] *vt* ocasionar, causar; ~ **qch à qn** causar algo a algn.

occident [ɔksidɑ̃] *nm* (GÉO) occidente *m*; (POL): **l'O~** Occidente *m*.

occidental, e [ɔksidɑ̃tal, o] *adj* occidental ♦ *nm/f* occidental *m/f*.

occulte [ɔkylt] *adj* oculto(-a).

occupation [ɔkypasjɔ̃] *nf* ocupación *f*; **l'O~** (*1941-44*) la Ocupación.

occupé, e [ɔkype] *adj* ocupado(-a); (*ligne téléphonique*) comunicando; **j'ai l'esprit ~** estoy preocupado(-a).

occuper [ɔkype] *vt* ocupar; (*surface, période*) cubrir; (*main d'œuvre, personnel*) emplear; **s'occuper** *vpr* ocuparse; **s'~ de** (*être responsable de*) encargarse de; (*clients etc*) ocuparse de; (*s'intéresser à*) dedicarse a; **ça occupe trop de place** esto ocupa demasiado sitio.

occurrence [ɔkyʀɑ̃s] *nf*: **en l'~** en este caso.

océan [ɔseɑ̃] *nm* océano; **océan Indien** Océano Índico.

ocre [ɔkʀ] *adj inv* ocre *inv*.

octane [ɔktan] *nm* octano.

octave [ɔktav] *nf* octava.

octet [ɔktɛ] *nm* (INFORM) byte *m*, octeto.

octobre [ɔktɔbʀ] *nm* octubre *m*; *voir aussi* **juillet**.

octroyer [ɔktʀwaje] *vt*: ~ **qch à qn** (*droit, faveur*) otorgar algo a algn; (*répit*) conceder algo a algn; **s'octroyer** *vpr* (*vacances*) concederse.

oculiste [ɔkylist] *nm/f* oculista *m/f*.

ode [ɔd] *nf* oda.

odeur [ɔdœʀ] *nf* olor *m*; **mauvaise ~** mal olor.

odieux, -euse [ɔdjø, jøz] *adj* abominable; (*enfant*) odioso(-a).

odorat [ɔdɔʀa] *nm* olfato; **avoir l'~ fin** tener un olfato muy fino.

odyssée [ɔdise] *nf* odisea.

œil [œj] (*pl* **yeux**) *nm* ojo; **avoir un ~ au beurre noir** *ou* **poché** tener un ojo a la funerala; **à l'~** (*fam*) por la cara; **à l'~ nu** a simple vista; **avoir l'~** estar ojo avizor; **avoir l'~ sur qn** no quitar ojo a algn; **faire de l'~ à qn** guiñar el ojo a algn; **voir qch d'un bon/mauvais ~** ver algo con buenos/malos ojos; **à l'~ vif** de mirada expresiva; **tenir qn à ~** no quitar los ojos de encima a algn; **à mes/ses yeux** para mí/él; **de ses propres yeux** con sus propios ojos; **fermer les yeux (sur)** (*fig*) hacer la vista gorda (a); **ne pas pouvoir fermer l'~** no pegar ojo; **~ pour ~, dent pour dent** ojo por ojo, diente por diente; **les yeux fermés** a ciegas; **pour ses beaux yeux** (*fig*) por su cara bonita; **œil de verre** ojo de cristal.

œillères [œjɛʀ] *nfpl* anteojeras *fpl*; **avoir des ~** (*fig: péj*) ser de miras muy estrechas.

œillet [œjɛ] *nm* (BOT) clavel *m*; (*trou, bordure rigide*) ojete *m*.

œuf [œf] *nm* huevo, blanquillo (*MEX*); **étouffer qch dans l'~** cortar algo de raíz; **œuf à la coque/au plat/dur** huevo cocido/al plato/duro; **œuf à repriser** huevo de zurzir; **œuf de Pâques** huevo de Pascua; **œuf mollet** huevo pasado por agua; **œuf poché** huevo escalfado; **œufs brouillés** huevos *mpl* revueltos.

œuvre [œvʀ] *nf* trabajo; (*art*) obra; (*organisation charitable*) obra benéfica ♦ *nm* (*d'un artiste*) obra; (CONSTR): **le gros ~** el armazón; **~s** *nfpl* (REL) obras *fpl*; **être/se mettre à l'~** estar/ponerse manos a la obra; **mettre en ~** poner en práctica; **bonnes ~s, ~s de bienfaisance** obras de caridad; **œuvre d'art** obra de arte.

œuvrer [œvʀe] *vi*: ~ **pour** trabajar para.

offense [ɔfɑ̃s] *nf* ofensa, agravio; (REL) ofensa.

offenser [ɔfɑ̃se] *vt* ofender; (*bon sens, bon goût, principes*) ir contra; **s'~ de qch** ofenderse por algo.

offensive [ɔfɑ̃siv] *nf* (MIL) ofensiva; (*du froid, de l'hiver*) vuelta; **passer à l'~** pasar a la ofensiva.

offert, e [ɔfɛʀ, ɛʀt] *pp de* **offrir**.

office [ɔfis] *nm* (*charge*) cargo; (*bureau, agence*) oficina; (*messe*) oficio ♦ *nm ou f* (*pièce*) antecocina; **faire ~ de** hacer las veces de; **d'~** automáticamente; **bons ~s** (POL) buenos oficios *mpl*; **office du tourisme** oficina de turismo.

officiel, le [ɔfisjɛl] *adj* oficial ♦ *nm/f* personalidad *f*; (SPORT) juez *m*.

officiellement [ɔfisjɛlmɑ̃] *adv* oficialmente.

officier [ɔfisje] *nm* oficial *m/f* ♦ *vi* (REL) oficiar; **officier de l'état-civil** teniente *m* (alcalde); **officier de police** oficial de policía; **officier ministériel** funcionario(-a) ministerial.

officieux, -euse [ɔfisjø, jøz] *adj* oficioso(-a).

officine [ɔfisin] *nf* (*de pharmacie*) laboratorio; (ADMIN: *pharmacie*) farmacia; (*gén péj: bureau*) oficina.

offrande [ɔfʀɑ̃d] *nf* regalo; (REL) ofrenda.

offrant [ɔfʀɑ̃] *nm*: **vendre/adjuger au plus ~** vender/adjudicar al mejor postor.

offre [ɔfʀ] *vb voir* **offrir** ♦ *nf* oferta; (*ADMIN: soumission*) licitación *f*; **offre d'emploi** oferta de empleo; **offre publique d'achat** oferta pública de compra; **offres de service** ofertas de servicio.

offrir [ɔfʀiʀ] *vt* regalar, ofrecer; (*proposer*) ofrecer; (*COMM*) ofertar; (*présenter*) presentar; **s'offrir** *vpr* (*se présenter*) presentarse; (*vacances*) tomarse; (*voiture*) regalarse; ~ **(à qn) de faire qch** proponer (a algn) hacer algo; ~ **à boire à qn** ofrecer de beber a algn; ~ **ses services à qn** ofrecer sus servicios a algn; ~ **le bras à qn** ofrecer el brazo a algn; **s'~ à faire qch** ofrecerse para hacer algo; **s'~ comme guide/en otage** ofrecerse como guía/como rehén; **s'~ aux regards** exponerse a las miradas.

offusquer [ɔfyske] *vt* disgustar; **s'~ de qch** disgustarse por algo.

ogre [ɔgʀ] *nm* ogro.

oie [wa] *nf* ganso, oca; **oie blanche** (*fig, péj*) pava.

oignon [ɔɲɔ̃] *nm* cebolla; (*de tulipe etc*) bulbo; (*MÉD*) juanete *m*; **ce ne sont pas tes ~s** (*fam*) no es asunto tuyo; **petits ~s** cebolletas *fpl*.

oindre [wɛ̃dʀ] *vt* ungir.

oiseau, x [wazo] *nm* ave *f*, pájaro; **oiseau de nuit** ave nocturna; **oiseau de proie** ave de rapiña.

oiseux, -euse [wazø, øz] *adj* vano(-a).

oisif, -ive [wazif, iv] *adj* ocioso(-a) ♦ *nm/f* (*péj*) holgazán(-ana).

oisillon [wazijɔ̃] *nm* pajarillo.

OK [okɛ] *excl* vale.

oléoduc [ɔleɔdyk] *nm* oleoducto.

olive [ɔliv] *nf* aceituna, oliva; (*type d'interrupteur*) oliveta ♦ *adj inv* verde oliva *inv*.

olivier [ɔlivje] *nm* olivo.

olympique [ɔlɛ̃pik] *adj* olímpico(-a); **piscine ~** piscina olímpica.

ombrage [ɔ̃bʀaʒ] *nm* (*feuillage*) follaje *m*; (*ombre*) sombra; (*fig*): **prendre ~ de qch** molestarse por algo; **faire** *ou* **porter ~ à qn** (*fig*) herir los sentimientos de algn.

ombrageux, -euse [ɔ̃bʀaʒø, øz] *adj* (*cheval*) espantadizo(-a); (*caractère, personne*) susceptible.

ombre [ɔ̃bʀ] *nf* sombra; **il n'y a pas l'~ d'un doute** no hay la menor sombra de duda; **à l'~ de** a la sombra de; (*fig*) al amparo de; **donner/faire de l'~** dar/hacer sombra; **dans l'~** en la sombra; **vivre dans l'~** (*fig*) vivir en la sombra; **laisser qch dans l'~** (*fig*) dejar algo en la sombra; **ombre à paupières** sombra de ojos; **ombre portée** sombra proyectada; **ombres chinoises** sombras *fpl* chinescas.

omelette [ɔmlɛt] *nf* tortilla; **omelette au fromage/aux herbes** tortilla de queso/a las hierbas; **omelette baveuse/flambée** tortilla poco hecha/flambeada; **omelette norvégienne** souflé *m* helado.

omettre [ɔmɛtʀ] *vt* omitir; ~ **de faire qch** omitir hacer algo.

omission [ɔmisjɔ̃] *nf* omisión *f*.

omnibus [ɔmnibys] *nm* ómnibus *m inv*.

omniprésent, e [ɔmnipʀezɑ̃, ɑ̃t] *adj* omnipresente.

omnivore [ɔmnivɔʀ] *adj* omnívoro(-a).

omoplate [ɔmɔplat] *nf* omóplato, omoplato.

MOT-CLÉ

on [ɔ̃] *pron* **1** (*indéterminé*): **on peut le faire ainsi** se puede hacer así; **on frappe à la porte** llaman a la puerta

2 (*quelqu'un*): **on les a attaqués** les atacaron; **on vous demande au téléphone** le llaman por teléfono

3 (*nous*) nosotros(-as); **on va y aller demain** vamos a ir (allí) mañana

4 (*les gens*): **autrefois, on croyait ...** antes, se creía ...; **on dit que ...** dicen que ..., se dice que ...

5: **on ne peut plus** *adv*: **il est on ne peut plus stupide** no puede ser más estúpido.

oncle [ɔ̃kl] *nm* tío.

onctueux, -euse [ɔ̃ktɥø, øz] *adj* cremoso(-a).

onde [ɔ̃d] *nf* onda; **sur l'~** (*eau*) en el agua; **sur les ~s** en antena; **mettre en ~s** difundir por radio; **grandes/petites ~s** onda *fsg* larga/media; **onde de choc** onda expansiva; **onde porteuse** onda hertziana; **ondes courtes** onda *fsg* corta; **ondes moyennes** onda *fsg* media; **ondes sonores** ondas *fpl* acústicas.

ondée [ɔ̃de] *nf* chaparrón *m*.

on-dit [ɔ̃di] *nm inv* rumor *m*.

ondulant, e [ɔ̃dylɑ̃, ɑ̃t] *adj* (*ligne*) ondulante; (*démarche*) cimbreante.

onduler [ɔ̃dyle] *vi* ondular; (*route*) serpentear.

onéreux, -euse [ɔneʀø, øz] *adj* oneroso(-a); **à titre ~** (*JUR*) a título oneroso.

ongle [ɔ̃gl] *nm* uña; **manger ses ~s** comerse las uñas; **se ronger les ~s** morderse las uñas; **se faire les ~s** arreglarse las uñas.

onomatopée [ɔnɔmatɔpe] *nf* onomatopeya.

ont [ɔ̃] *vb voir* **avoir**.

ONU [ɔny] *sigle f* (= *Organisation des Nations unies*) ONU *f* (= *Organización de las*

Naciones Unidas).

onze ['ɔ̃z] *adj inv, nm inv* once *m inv* ♦ *nm* (*FOOTBALL*): **le ~ tricolore** *la selección francesa de fútbol*; *voir aussi* **cinq**.

onzième ['ɔ̃zjɛm] *adj, nm/f* undécimo(-a) ♦ *nm* (*partitif*) onceavo; *voir aussi* **cinquième**.

OPA [ɔpea] *sigle f* (= *offre publique d'achat*) OPA *f* (= *Oferta Pública de Adquisición*).

opale [ɔpal] *nf* ópalo.

opaque [ɔpak] *adj* opaco(-a); (*brouillard*) denso(-a); (*nuit*) oscuro(-a); ~ **à** opaco(-a) a.

opéra [ɔpeʀa] *nm* ópera.

opérateur, -trice [ɔpeʀatœʀ, tʀis] *nm/f* operador(a); **opérateur (de prise de vues)** operador(a) (de cámara).

opération [ɔpeʀasjɔ̃] *nf* operación *f*; **salle d'~** quirófano; **table d'~** mesa de operaciones; **opération à cœur ouvert** (*MÉD*) operación a corazón abierto; **opération de sauvetage** maniobra de salvamento; **opération publicitaire** campaña publicitaria.

opérationnel, le [ɔpeʀasjɔnɛl] *adj* en funcionamiento; (*MIL*) operacional; **recherche ~le** (*ÉCON*) investigación *f* operativa.

opératoire [ɔpeʀatwaʀ] *adj* operatorio(-a); (*choc etc*) postoperatorio(-a); **bloc ~** zona quirúrgica.

opérer [ɔpeʀe] *vt* operar; (*faire, exécuter*) realizar ♦ *vi* (*agir*) hacer efecto; (*MÉD*) operar; **s'opérer** *vpr* realizarse; ~ **qn des amygdales/du cœur** operar a algn de las anginas/del corazón; **se faire ~** operarse.

ophtalmologue [ɔftalmɔlɔg] *nm/f* oftalmólogo(-a).

opiner [ɔpine] *vi*: ~ **de la tête** asentir con la cabeza; ~ **à** asentir a.

opiniâtre [ɔpinjɑtʀ] *adj* empecinado(-a); (*résistance*) tenaz.

opinion [ɔpinjɔ̃] *nf* opinión *f*; (*point de vue*) posición *f*; **~s** *nfpl* convicciones *fpl*, ideas *fpl*; **avoir (une) bonne/mauvaise ~ de** tener buena/mala opinión de; **l'opinion américaine/ouvrière** la posición americana/obrera; **opinion (publique)**: **l'~ (publique)** la opinión pública.

opportun, e [ɔpɔʀtœ̃, yn] *adj* oportuno(-a); **en temps ~** en el momento oportuno.

opportuniste [ɔpɔʀtynist] *adj, nm/f* oportunista *m/f*.

opposant, e [ɔpozɑ̃, ɑ̃t] *adj* opositor(a); **~s** *nmpl* opositores *mpl*; (*membres de l'opposition*) oposición *f*.

opposé, e [ɔpoze] *adj* opuesto(-a) ♦ *nm*: **l'~** (*contraire*) lo opuesto; **il est tout l'~ de son frère** es todo lo contrario de su hermano; **être ~ à** ser opuesto a; **à l'~** (*direction*) en dirección contraria; (*fig*) al contrario; **à l'~ de** al otro lado de; (*fig*) totalmente opuesto(-a) a; (*contrairement à*) al contrario de.

opposer [ɔpoze] *vt* (*meubles, objets*) colocar enfrente; (*personnes etc*) enfrentar; (*couleurs*) contrastar; (*rapprocher, comparer*) contrastar; (*suj: conflit*) dividir; (*résistance*) oponer; **s'opposer** *vpr* oponerse; **~ qch à** (*comme obstacle, défense*) interponer algo en; (*comme objection*) objetar algo contra; (*en contraste*) poner algo frente a; **s'~ à** oponerse a; (*tenir tête*) enfrentarse a; **sa religion s'y oppose** su religión se lo impide; **s'~ à ce que qn fasse** oponerse a que algn haga.

opposition [ɔpozisjɔ̃] *nf* oposición *f*; (*entre deux personnes etc*) enfrentamiento; (*contraste*) contraste *m*; **par ~** por oposición; **par ~ à** a diferencia de; **entrer en ~ avec qn** entrar en conflicto con algn; **être en ~ avec** estar en contra de; **faire ~ à un chèque** bloquear un cheque.

oppresser [ɔpʀese] *vt* oprimir; (*chaleur*) agobiar; **se sentir oppressé** sentirse oprimido.

oppresseur [ɔpʀesœʀ] *nm* opresor(a).

oppression [ɔpʀesjɔ̃] *nf* opresión *f*; (*chaleur*) agobio.

opprimé, e [ɔpʀime] *adj* oprimido(-a).

opprimer [ɔpʀime] *vt* oprimir; (*la liberté etc*) reprimir.

opter [ɔpte] *vi*: ~ **pour/entre** optar por/entre.

opticien, ne [ɔptisjɛ̃, jɛn] *nm/f* óptico(-a).

optimiste [ɔptimist] *adj, nm/f* optimista *m/f*.

option [ɔpsjɔ̃] *nf* opción *f*; (*SCOL*) optativa; **matière/texte à ~** (*SCOL*) asignatura optativa/texto optativo; **prendre une ~ sur** (*JUR*) tomar opción por; **option par défaut** (*INFORM*) opción por defecto.

optique [ɔptik] *adj* óptico(-a) ♦ *nf* óptica; (*fig*) enfoque *m*.

opulent, e [ɔpylɑ̃, ɑ̃t] *adj* opulento(-a); (*formes, poitrine*) exuberante.

or [ɔʀ] *nm* oro ♦ *conj* ahora bien; **d'~** (*fig*) de oro; **en ~** de oro; **un mari/enfant en ~** un marido/hijo de oro; **affaire en ~** negocio magnífico; (*objet*) ganga; **plaqué ~** chapado en oro; **or blanc/jaune** oro blanco/amarillo; **or noir** oro negro.

orage [ɔʀaʒ] *nm* tormenta.

orageux, -euse [ɔʀaʒø, øz] *adj* tormentoso(-a); (*chaleur*) bochornoso(-a).

oraison [ɔʀɛzɔ̃] *nf* oración *f*; **oraison funèbre** oración fúnebre.

oral, e, -aux [ɔʀal, o] *adj* oral ♦ *nm* (*SCOL*) oral *m*; **par voie ~e** (*MÉD*) por vía oral.

orange [ɔʀɑ̃ʒ] *nf* naranja ♦ *adj inv* naranja *inv* ♦ *nm* (*couleur*) naranja *m*; **orange amère** naranja amarga; **orange pressée** zumo de naranja; **orange sanguine** naranja sanguina *ou* agria.

orangeade [ɔʀɑ̃ʒad] *nf* naranjada.

oranger [ɔʀɑ̃ʒe] *nm* naranjo.

orang-outan [ɔʀɑ̃utɑ̃] (*pl* **~s-~s**) *nm* orangután *m*.

orateur [ɔʀatœʀ] *nm* orador(a).

orbite [ɔʀbit] *nf* (*ANAT, PHYS*) órbita; **placer/mettre un satellite sur** *ou* **en ~** poner/situar un satélite en órbita; **dans l'~ de** (*fig*) en la órbita de; **mettre sur ~** (*fig*) poner en órbita.

orchestre [ɔʀkɛstʀ] *nm* orquesta; (*de jazz, danse*) orquesta, grupo; (*THÉÂTRE, CINÉ: places*) patio de butacas; (: *spectateurs*) platea.

orchestrer [ɔʀkɛstʀe] *vt* orquestar; (*fig*) orquestar, organizar.

orchidée [ɔʀkide] *nf* orquídea.

ordinaire [ɔʀdinɛʀ] *adj* ordinario(-a); (*coutumier, de tous les jours*) corriente ♦ *nm* (*menus*): **l'~** lo corriente ♦ *nf* (*essence*) normal *f*; **intelligence au-dessus de l'~** inteligencia por debajo de lo normal *ou* la media; **d'~** por lo general, corrientemente; **à l'~** de costumbre.

ordinateur [ɔʀdinatœʀ] *nm* ordenador *m*; **mettre sur ~** meter en ordenador; **ordinateur domestique** ordenador de uso doméstico; **ordinateur individuel** *ou* **personnel** ordenador personal.

ordonnance [ɔʀdɔnɑ̃s] *nf* disposición *f*, ordenación *f*; (*groupement*) disposición; (*MÉD*) receta, prescripción *f*; (*décret*) mandamiento judicial, mandato; (*MIL*) ordenanza, reglamento; **~ de non-lieu** (*JUR*) auto de sobreseimiento; **d'~**: **officier d'~** ayudante *m* de campo.

ordonner [ɔʀdɔne] *vt* ordenar, arreglar; (*REL, MATH*) ordenar; (*MÉD*) recetar, prescribir; **s'ordonner** *vpr* ordenarse; **~ à qn de faire** ordenar *ou* mandar a algn que haga; **~ le huis clos** (*JUR*) ordenar que la audiencia sea a puerta cerrada.

ordre [ɔʀdʀ] *nm* orden *m*; (*directive, REL*) orden *f*; (*association professionnelle*) colegio; **~s** *nmpl* (*REL*): **être/entrer dans les ~s** pertenecer/entrar en las órdenes; **mettre en ~** poner en orden; **avoir de l'~** tener orden, ser ordenado(-a); **procéder par ~** proceder ordenadamente *ou* por orden; **par ~ d'entrée en scène** por orden de aparición; **mettre bon ~ à** poner orden en; **rentrer dans l'~** volver a la normalidad; **je n'ai pas d'~ à recevoir de vous** usted no tiene que darme ninguna orden; **être aux ~s de qn/sous les ~s de qn** estar a las órdenes de algn; **jusqu'à nouvel ~** hasta nuevo aviso; **rappeler qn à l'~** llamar a algn al orden; **donner (à qn) l'~ de** dar (a algn) la orden de; **payer à l'~ de** (*COMM*) pagar a la orden de; **dans le même ~/un autre ~ d'idées** en el mismo orden/en otro orden de cosas; **d'~ pratique** de orden *ou* tipo práctico; **de premier/second ~** de primer/segundo orden; **ordre de grandeur** orden de tamaño; **ordre de grève** orden convocatoria de huelga; **ordre de mission** (*MIL*) orden de misión; **ordre de route** orden de destino; **ordre du jour** orden del día; **à l'~ du jour** (*fig*) al orden del día; **ordre public** orden público.

ordure [ɔʀdyʀ] *nf* basura; (*propos*) grosería, indecencia; **~s** *nfpl* (*balayures*) basura *fsg*, desechos *mpl*, restos *mpl*; **ordures ménagères** basura.

orée [ɔʀe] *nf*: **à l'~ de** (*bois*) en la linde de.

oreille [ɔʀɛj] *nf* oreja; (*ouïe*) oído; (*de marmite, tasse*) asa; **avoir de l'~** tener oído; **avoir l'~ fine** tener buen oído; **l'~ basse** con las orejas gachas; **se faire tirer l'~** hacerse de rogar; **parler/dire qch à l'~ de qn** hablar/decir algo al oído de algn.

oreiller [ɔʀeje] *nm* almohada.

oreillons [ɔʀɛjɔ̃] *nmpl* paperas *fpl*.

ores [ɔʀ]: **d'~ et déjà** *adv* desde ahora, de aquí en adelante.

orfèvre [ɔʀfɛvʀ] *nm* orfebre *m*; **être ~ en la matière** (*fig*) ser ducho(-a) en la materia.

organe [ɔʀgan] *nm* órgano; (*véhicule, instrument*) vehículo; (*voix*) voz *f*; (*représentant*) órgano, portavoz *m*; **organes de transmission** (*TECH*) órganos de transmisión.

organisateur, -trice [ɔʀganizatœʀ, tʀis] *nm/f* organizador(a).

organisation [ɔʀganizasjɔ̃] *nf* organización *f*; **Organisation des Nations unies** Organización de Naciones Unidas; **Organisation du traité de l'Atlantique Nord** Organización del tratado del Atlántico Norte; **Organisation mondiale de la santé** Organización mundial de la salud; **Organisation scientifique du travail** Organización científica del trabajo.

organiser [ɔʀganize] *vt* organizar; (*mettre sur pied*) organizar, preparar; **s'organiser** *vpr* (*personne*) organizarse; (*choses*) arreglarse, ordenarse.
organisme [ɔʀganism] *nm* organismo; (*association*) organismo, organización *f*.
orgasme [ɔʀgasm] *nm* orgasmo.
orge [ɔʀʒ] *nf* cebada.
orgie [ɔʀʒi] *nf* orgía; **une ~ de** (*surabondance*) una orgía de.
orgue [ɔʀg] *nm* (*MUS*) órgano; **~s** *nfpl* (*GÉO*) basaltos *mpl* prismáticos; **orgue de Barbarie** organillo; **orgue électrique** *ou* **électronique** órgano electrónico.
orgueil [ɔʀgœj] *nm* orgullo, soberbia; **~ de** (*fierté, gloire, vanité*) orgullo de.
orgueilleux, -euse [ɔʀgøjø, øz] *adj* orgulloso(-a), vanidoso(-a).
orient [ɔʀjɑ̃] *nm* Oriente *m*.
oriental, e, -aux [ɔʀjɑ̃tal, o] *adj* oriental ♦ *nm/f*: **O~**, e oriental *m/f*.
orientation [ɔʀjɑ̃tasjɔ̃] *nf* orientación *f*; **avoir le sens de l'~** tener sentido de la orientación; **orientation professionnelle** orientación profesional.
orienté, e [ɔʀjɑ̃te] *adj* (*article, journal*) orientado(-a); **bien/mal ~** (*appartement*) bien/mal orientado(-a); **~ au sud** orientado(-a) al sur.
orienter [ɔʀjɑ̃te] *vt* (*situer*) orientar, situar; (*placer: pièce mobile*) colocar, poner; (*tourner*) dirigir; (*voyageur*) orientar, dirigir; **s'orienter** *vpr* orientarse; **(s')~ vers** (*recherches*) orientar(se) *ou* dirigir(se) hacia.
orifice [ɔʀifis] *nm* orificio.
originaire [ɔʀiʒinɛʀ] *adj* originario(-a); (*défaut*) de origen; **être ~ de** ser originario(-a) *ou* natural de.
original, e, -aux [ɔʀiʒinal, o] *adj* original; (*bizarre, curieux*) original, extravagante ♦ *nm/f* (*fam: excentrique*) excéntrico(-a), extravagante *m/f*, (: *fantaisiste*) extravagante ♦ *nm* (*document*) original *m*.
origine [ɔʀiʒin] *nf* origen *m*; (*d'une idée*) origen, procedencia; **~s** *nfpl* (*d'une personne*) orígenes *mpl*; (*commencements*): **les ~s de la vie** los orígenes de la vida; **d'~** (*nationalité*) de origen, natural de; (*pneus etc*) de origen; (*bureau postal*) de procedencia; **dès l'~** desde el principio; **à l'~ (de)** al principio (de); **avoir son ~ dans qch** tener su origen en algo.
originel, le [ɔʀiʒinɛl] *adj* original.
orme [ɔʀm] *nm* olmo.
orné, e [ɔʀne] *adj* adornado(-a); **~ de** adornado(-a) con.
ornement [ɔʀnəmɑ̃] *nm* adorno; (*garniture*) ornamento; (*fig*) ornato, ornamento; **~s** *nmpl*: **~s sacerdotaux** ornamentos *mpl* sacerdotales.
orner [ɔʀne] *vt* adornar; **~ qch de** adornar algo con.
ornière [ɔʀnjɛʀ] *nf* carril *m*; (*impasse*) atolladero; **sortir de l'~** (*fig*) salir del camino trillado.
ornithologue [ɔʀnitɔlɔg] *nm/f* ornitólogo(-a).
orphelin, e [ɔʀfəlɛ̃, in] *adj, nm/f* huérfano(-a); **orphelin de mère/de père** huérfano de madre/de padre.
orteil [ɔʀtɛj] *nm* dedo del pie; **gros ~** dedo gordo del pie.
orthodoxe [ɔʀtɔdɔks] *adj* ortodoxo(-a).
orthographe [ɔʀtɔgʀaf] *nf* ortografía.
orthopédiste [ɔʀtɔpedist] *nm/f* ortopedista *m/f*, ortopeda *m/f*.
orthophoniste [ɔʀtɔfɔnist] *nm/f* ortofonista *m/f*.
ortie [ɔʀti] *nf* ortiga; **ortie blanche** ortiga blanca.
OS [oɛs] *sigle m* (= *ouvrier spécialisé*) *voir* **ouvrier**.
os [ɔs] *nm* hueso; **sans ~** (*BOUCHERIE*) deshuesado(-a); **os à moelle** hueso de cañada; **os de seiche** jibión *m*.
osciller [ɔsile] *vi* oscilar; (*au vent etc*) oscilar, balancearse; **~ entre** (*hésiter*) vacilar *ou* dudar entre.
osé, e [oze] *adj* (*tentative*) osado(-a); (*plaisanterie*) atrevido(-a).
oseille [ozɛj] *nf* (*BOT*) acedera; (*fam: argent*) pasta, parné *m*.
oser [oze] *vt, vi* osar, atreverse; **~ faire qch** atreverse a hacer algo; **je n'ose pas** no me atrevo.
osier [ozje] *nm* mimbre *m*; **d'~, en ~** de mimbre.
ossature [ɔsatyʀ] *nf* (*squelette*) esqueleto, osamenta; (*du visage*) esqueleto; (*ARCHIT*) armazón *f*; (*d'une société*) esqueleto, estructura; (*d'un discours*) estructura.
ossements [ɔsmɑ̃] *nmpl* osamenta *fsg*, huesos *mpl*.
osseux, -euse [ɔsø, øz] *adj* óseo(-a); (*charpente, carapace*) de hueso, hueso-so(-a); (*main, visage*) huesudo(-a).
ostensible [ɔstɑ̃sibl] *adj* ostensible.
ostréiculteur, -trice [ɔstʀeikyltœʀ, tʀis] *nm/f* ostricultor(a).
otage [ɔtaʒ] *nm* rehén *m*; **prendre qn comme** *ou* **en ~** tomar *ou* coger a algn de *ou* como rehén.
OTAN [ɔtɑ̃] *sigle f* (= *Organisation du traité de l'Atlantique Nord*) OTAN *f* (= *Organización del Tratado del Atlántico Norte*).

otarie [ɔtaʀi] *nf* león *m* marino, otaria.

ôter [ote] *vt* quitar; (*soustraire*) quitar, restar; ~ **qch de** quitar algo de; ~ **qch à qn** quitar algo a algn; **6 ôté de 10 égale 4** 10 menos 6 igual a 4.

otite [ɔtit] *nf* otitis *f inv*.

oto-rhino(-laryngologiste) [ɔtɔʀino (laʀɛ̃gɔlɔʒist(ə))] *nm/f* otorrinolaringólogo(-a).

ou [u] *conj* o, u; **l'un ~ l'autre** una u otra; **~ ... ~** o ... o; **~ bien** o bien.

MOT-CLÉ

où [u] *pron relatif* **1** (*lieu*) donde, en que; **la chambre où il était** la habitación en que *ou* donde estaba; **le village d'où je viens** el pueblo de donde vengo; **les villes par où il est passé** las ciudades por donde pasó

2 (*direction*) adonde; **la ville où je me rends** la ciudad adonde me dirijo

3 (*temps, état*) (en) que; **le jour où il est parti** el día (en) que se marchó; **au prix où c'est** al precio que está

♦ *adv* **1** (*interrogatif*) ¿dónde?; **où est-il?** ¿dónde está?; **par où?** ¿por dónde?; **d'où vient que ...?** ¿cómo es que ...?

2 (*direction*) (a)dónde; **où va-t-il?** ¿(a)dónde va?

3 (*relatif*) donde; **je sais où il est** sé donde está; **où que l'on aille** vayamos donde vayamos, dondequiera que vayamos.

ouais ['wɛ] *excl* sí, ya.

ouate ['wat] *nf* (*bourre*) algodón *m*, guata; (*coton*): **tampon d'~** tapón *m* de algodón; **ouate hydrophile/de cellulose** algodón hidrófilo/de celulosa.

oubli [ubli] *nm* olvido; **l'~** (*absence de souvenirs*) el olvido; **tomber dans l'~** caer en el olvido.

oublier [ublije] *vt* olvidar; (*ne pas mettre*) olvidar, omitir; (*famille*) descuidar; (*responsabilités*) descuidar, olvidar; **s'oublier** *vpr* olvidarse; (*euph*) orinarse, mearse; **~ que/de faire qch** olvidar que/olividar hacer algo; **~ l'heure** olvidar la hora.

oubliettes [ublijɛt] *nfpl* mazmorra *fsg*; **(jeter) aux ~** (*fig*) (dejar) en el olvido.

ouest [wɛst] *nm* oeste *m* ♦ *adj inv* oeste; **l'O~** (*région, POL*) el Oeste; **à l'~ (de)** al oeste (de); **vent d'~** viento del oeste.

ouf ['uf] *excl* ¡uf!

oui ['wi] *adv* sí; **répondre ~** responder que sí; **mais ~, bien sûr** pues claro que sí, naturalmente; **je suis sûr que ~** estoy seguro que sí; **je pense que ~** creo que sí; **pour un ~ ou pour un non** por un quítame allá esas pajas.

ouï-dire ['widiʀ] *nm inv*: **par ~-~** de oídas.

ouïe [wi] *nf* oído; **~s** *nfpl* (*de poisson*) agallas *fpl*; (*d'un violon*) eses *fpl*.

ouragan [uʀagɑ̃] *nm* huracán *m*.

ourdir [uʀdiʀ] *vt* urdir, tramar.

ourlet [uʀlɛ] *nm* (*COUTURE*) dobladillo; (*de l'oreille*) repliegue *m*; **faire un ~ à** hacer un dobladillo a; **faux ~** (*COUTURE*) falso dobladillo.

ours [uʀs] *nm inv* oso; (*homme insociable*) oso, cardo; **ours blanc/brun** oso blanco/pardo; **ours (en peluche)** oso de peluche; **ours mal léché** oso, hurón *m*; **ours marin** oso marino.

ourse [uʀs] *nf* osa; **la Grande/Petite O~** (*ASTRON*) la Osa Mayor/Menor.

oursin [uʀsɛ̃] *nm* erizo de mar.

ourson [uʀsɔ̃] *nm* osezno(-a).

ouste [ust] *excl* ¡fuera!, ¡largo de aquí!

outil [uti] *nm* herramienta, instrumento; **outil de travail** herramienta.

outrage [utʀaʒ] *nm* ultraje *m*; **faire subir les derniers ~s à** (*femme*) someter a los peores ultrajes a; **outrage à la pudeur** (*JUR*) ultraje al pudor; **outrage à magistrat** (*JUR*) ultraje *ou* injurias *fpl* a un magistrado; **outrage aux bonnes mœurs** (*JUR*) ultraje a las buenas costumbres.

outrager [utʀaʒe] *vt* ultrajar; **~ les bonnes mœurs/le bon sens** (*fig*) atentar contra las buenas costumbres/el buen sentido.

outrance [utʀɑ̃s] *nf* exageración *f*, exceso; **à ~** a ultranza.

outre [utʀ] *nf* odre *m* ♦ *prép* además de ♦ *adv*: **passer ~** hacer caso omiso; **passer ~ à** hacer caso omiso a; **en ~** además, por añadidura; **~ que** además de que; **~ mesure** sin medida, desmesuradamente.

outré, e [utʀe] *adj* (*flatterie*) exagerado(-a); (*indigné*): **~ de** indignado(-a) de.

outre-Atlantique [utʀatlɑ̃tik] *adv* al otro lado del Atlántico.

outremer [utʀəmɛʀ] *adj*: **bleu/ciel ~** azul/cielo de ultramar.

outre-mer [utʀəmɛʀ] *adv* ultramar; **d'~-~** de ultramar, ultramarino(-a).

outrepasser [utʀəpɑse] *vt* sobrepasar, extralimitarse en.

ouvert, e [uvɛʀ, ɛʀt] *pp de* **ouvrir** ♦ *adj* abierto(-a); (*accueillant: milieu*) abierto(-a), acogedor(-a), hospitalario(-a); **à bras ~s** con los brazos abiertos; **à livre ~** como un libro abierto; (*traduire*) de corrido; **à cœur ~** (*fig*) con el corazón en la mano.

ouverture [uvɛʀtyʀ] *nf* apertura; (*orifice, MUS*) obertura; **~s** *nfpl* (*offres*) propuestas

fpl; **l'~** (*POL*) la apertura; **~ (du diaphragme)** (*PHOTO*) abertura (del diafragma); **heures/jours d'~** (*COMM*) horas *fpl*/días *mpl* de apertura; **ouverture d'esprit** apertura de ideas, amplitud *f* de ideas.
ouvrable [uvʀabl] *adj*: **jour ~** día *m* laborable; **heures ~s** horas *fpl* laborables.
ouvrage [uvʀaʒ] *nm* obra; (*MIL*) *elemento autónomo de una línea fortificada*; **panier** *ou* **corbeille à ~** cesta de costura; **ouvrage à l'aiguille** labor *f* de aguja; **ouvrage d'art** (*GÉNIE CIVIL*) obra de ingeniería.
ouvragé, e [uvʀaʒe] *adj* labrado(-a), bordado(-a).
ouvrant, e [uvʀɑ̃, ɑ̃t] *vb voir* **ouvrir** ♦ *adj*: **toit ~** (*AUTO*) techo corredizo *ou* solar.
ouvre-boîte(s) [uvʀəbwat] *nm inv* abrelatas *m inv*.
ouvre-bouteille(s) [uvʀəbutɛj] *nm inv* abrebotellas *m inv*.
ouvreuse [uvʀøz] *nf* acomodadora.
ouvrier, -ière [uvʀije, ijɛʀ] *nm/f* obrero(-a) ♦ *nf* (*ZOOL*) obrera ♦ *adj* obrero(-a); (*conflits*) laboral; (*revendications*) obrero(-a); **classe ouvrière** clase *f* obrera; **ouvrier agricole** trabajador *m* agrario; **ouvrier qualifié** obrero calificado; **ouvrier spécialisé** obrero especialista.
ouvrir [uvʀiʀ] *vt* abrir; (*fonder*) abrir, fundar; (*commencer, mettre en train*) abrir, empezar ♦ *vi* abrir; (*commencer*) abrir, empezar; **s'ouvrir** *vpr* abrirse; **~** *ou* **s'~ sur** comenzar con; **s'~ à** abrirse a; **s'~ à qn** confiarse a algn; **s'~ les veines** abrirse las venas; **~ l'œil** (*fig*) abrir los ojos, enterarse; **~ l'appétit à qn** abrir el apetito a algn; **~ des horizons/perspectives** abrir horizontes/perspectivas; **~ l'esprit** ampliar *ou* abrir las ideas; **~ une session** (*INFORM*) abrir una sesión; **~ à cœur/trèfle** (*CARTES*) abrir *ou* salir con corazones/trébol.
ovaire [ɔvɛʀ] *nm* ovario.
ovale [ɔval] *adj* oval, ovalado(-a).
ovation [ɔvasjɔ̃] *nf* ovación *f*.
OVNI [ɔvni] *sigle m* (= *objet volant non identifié*) OVNI *m* (= *objeto volante no identificado*).
ovule [ɔvyl] *nm* óvulo.
oxyde [ɔksid] *nm* óxido; **oxyde de carbone** óxido de carbono.
oxygène [ɔksiʒɛn] *nm* oxígeno; **cure d'~** (*fig*) cura de oxígeno.
oxygéné, e [ɔksiʒene] *adj*: **cheveux ~s** cabellos *mpl* oxigenados; **eau ~e** agua oxigenada.
ozone [ozon] *nm* ozono.

P, p

pacemaker [pɛsmɛkœʀ] *nm* marcapasos *m inv*.
pachyderme [paʃidɛʀm] *nm* paquidermo.
pacifier [pasifje] *vt* pacificar.
pacifique [pasifik] *adj* pacífico(-a) ♦ *nm*: **le P~, l'océan P~** el (Océano) Pacífico.
pacifiste [pasifist] *nm/f* pacifista *m/f*.
pacte [pakt] *nm* pacto; **pacte d'alliance/de non-agression** pacto de alianza/de no agresión.
pactiser [paktize] *vi*: **~ avec** pactar con; **~ avec le crime** transigir con el crimen; **~ avec sa conscience** acallar la conciencia.
pagaie [pagɛ] *nf* zagual *m*.
pagaille [pagaj] *nf* (*désordre*) follón *m*, desbarajuste *m*; **en ~** (*en grande quantité*) a porrillo; (*en désordre*) a barullo.
pagayer [pageje] *vi* remar con zagual.
page [paʒ] *nf* página; (*passage: d'un roman*) pasaje *m* ♦ *nm* paje *m*; **mettre en ~s** compaginar; **mise en ~** compaginación *f*; **être à la ~** (*fig*) estar al día; **page blanche** página en blanco; **page de garde** guarda.
pagne [paɲ] *nm* taparrabo.
pagode [pagɔd] *nf* pagoda.
paiement [pɛmɑ̃] *nm* pago.
païen, ne [pajɛ̃, pajɛn] *adj, nm/f* pagano(-a).
paillasson [pajasɔ̃] *nm* felpudo.
paille [pɑj] *nf* paja; (*défaut*) defecto; **être sur la ~** (*être ruiné*) estar a dos velas; **paille de fer** estropajo metálico.
paillette [pɑjɛt] *nf* lámina; **~s** *nfpl* (*décoratives*) lentejuelas *fpl*; **lessive en ~s** detergente *m* en escamas.
pain [pɛ̃] *nm* pan *m*; (*CULIN: de poisson, légumes*) pastel *m*; **petit ~** panecillo; **pain complet** pan integral; **pain d'épice(s)** alfajor *m*; **pain de campagne/de seigle** pan de pueblo/de centeno; **pain de cire** librillo de cera; **pain de mie** pan de molde; **pain de sucre** pan de azúcar; **pain fantaisie/viennois** pan de lujo/de Viena; **pain grillé** pan tostado; **pain perdu** torrija.
pair, e [pɛʀ] *adj* par ♦ *nm* par *m*; **aller** *ou* **marcher de ~ (avec)** correr *ou* ir parejo(-a) (con); **au ~** (*FIN*) a la par; **valeur au ~** valor *m* a la par; **jeune fille au ~** chica au pair.
paire [pɛʀ] *nf* par *m*; **une ~ de lunettes/tenailles** un par de gafas/tenazas; **les deux font la ~** son tal para cual.

paisible [pezibl] *adj* apacible; (*ville, lac*) tranquilo(-a).
paître [pɛtʀ] *vi* pacer.
paix [pɛ] *nf* paz *f*; (*fig: tranquillité*) paz, sosiego; **faire la ~ avec** hacer las paces con; **vivre en ~ avec** vivir en paz con; **avoir la ~** tener paz.
palace [palas] *nm* hotel *m* de gran lujo.
palais [palɛ] *nm* palacio; (*ANAT*) paladar *m*; **le Palais Bourbon** El Palacio Borbón (*sede de la asamblea nacional*); **le Palais de Justice** Palacio de Justicia, la audiencia nacional; **le Palais de l'Elysée** El Palacio del Elíseo (*residencia oficial del Presidente de la República francesa*); **palais des expositions** palacio de exposiciones.
pale [pal] *nf* (*d'hélice, de rame*) pala; (*de roue*) álabe *m*, paleta.
pâle [pɑl] *adj* pálido(-a); **une ~ imitation** (*fig*) una pálida imitación; **~ de colère/d'indignation** pálido(-a) de rabia/de indignación; **bleu/vert ~** azul/verde pálido.
Palestine [palɛstin] *nf*: **la ~** la Palestina.
palestinien, ne [palɛstinjɛ̃, jɛn] *adj* palestino(-a) ♦ *nm/f*: **P~, ne** palestino(-a).
palet [palɛ] *nm* tejo; (*hockey*) pastilla.
palette [palɛt] *nf* paleta; (*plateau de chargement*) plataforma; **~ riche/pauvre/brillante** (*ensemble de couleurs*) paleta rica/pobre/brillante.
pâleur [pɑlœʀ] *nf* palidez *f*.
palier [palje] *nm* (*d'escalier*) rellano; (*d'une machine*) cojinete *m*; (*d'un graphique*) nivel *m*; (*phase stable*) nivel estable; **en ~** a altura constante; **par ~s** (*progresser*) gradualmente.
pâlir [pɑliʀ] *vi* (*personne*) palidecer; (*couleur*) decolorar; **faire ~ qn** hacer palidecer a algn.
palissade [palisad] *nf* empalizada.
pallier [palje]: **~ à** *vt ind* paliar.
palmarès [palmaʀɛs] *nm* palmarés *m inv*.
palme [palm] *nf* palma; (*de plongeur*) aleta; **palmes (académiques)** *galardón al mérito académico*.
palmier [palmje] *nm* palmera.
pâlot, e [pɑlo, ɔt] *adj* paliducho(-a).
palourde [paluʀd] *nf* almeja.
palper [palpe] *vt* palpar.
palpiter [palpite] *vi* palpitar; (*plus fort*) latir.
pâmer [pɑme]: **se ~** *vpr* desfallecer; **se ~ d'amour/d'admiration** desfallecer de amor/de admiración; **se ~ devant** (*fig*) desmayarse ante.
pamphlet [pɑ̃flɛ] *nm* panfleto.
pamplemousse [pɑ̃pləmus] *nm* pomelo.
pan [pɑ̃] *nm* (*d'un manteau, rideau*) faldón *m*; (*côté*) cara; (*d'affiche etc*) lado ♦ *excl* ¡pum!; **pan de chemise** pañal *m*; **pan de mur** lienzo de pared.
panaché, e [panaʃe] *adj*: **œillet ~** clavel *m* matizado ♦ *nm* (*bière*) clara, cerveza con gaseosa; **glace ~e** helado de varios gustos; **salade ~e** ensalada mixta; **bière ~e** cerveza con gaseosa.
Panama [panama] *nm* Panamá *m*.
panaméen, ne [panameɛ̃, ɛn] *adj* panameño(-a) ♦ *nm/f*: **P~, ne** panameño(-a).
panaris [panaʀi] *nm* panadizo.
pancarte [pɑ̃kaʀt] *nf* (*affiche, écriteau*) cartel *m*; (*dans un défilé*) pancarta.
pancréas [pɑ̃kʀeɑs] *nm* páncreas *m inv*.
panda [pɑ̃da] *nm* panda *m*.
pané, e [pane] *adj* empanado(-a).
panier [panje] *nm* cesta; (*à diapositives*) carro; **mettre au ~** tirar a la basura; **panier à provisions** cesta de la compra; **panier à salade** (*CULIN*) escurridor *m*; (*POLICE*) coche *m* celular; **panier de crabes** (*fig*) nido de víboras; **panier percé** (*fig*) manirroto(-a).
panier-repas [panjeʀ(ə)pɑ] (*pl* **~s-~**) *nm* almuerzo.
panique [panik] *nf* pánico ♦ *adj*: **peur ~** miedo cerval; **terreur ~** terror *f* pánico.
paniquer [panike] *vt* aterrorizar ♦ *vi* aterrorizarse, espantarse.
panne [pan] *nf* (*d'un mécanisme, moteur*) avería; (*THÉÂTRE*) papel *m* de poca importancia; **mettre en ~** (*NAUT*) ponerse al pairo, pairar; **être/tomber en ~** tener una avería, descomponerse/estar descompuesto (*esp MEX*); **tomber en ~ d'essence** *ou* **sèche** quedarse sin gasolina; **panne d'électricité** *ou* **de courant** corte *m* eléctrico.
panneau, x [pano] *nm* (*écriteau*) letrero; (*de boiserie, de tapisserie*) panel *m*; (*ARCHIT*) tablero; (*COUTURE*) paño; **donner/tomber dans le ~** caer en la trampa; **panneau d'affichage** tablón *m* de anuncios; **panneau de signalisation** señal *f* de tráfico; **panneau électoral** panel electoral; **panneau indicateur** panel indicador; **panneau publicitaire** valla publicitaria.
panonceau [panɔ̃so] *nm* (*de médecin etc*) placa; (*de magasin*) rótulo.
panoplie [panɔpli] *nf* (*d'armes*) panoplia; (*fig*) arsenal *m*; **panoplie de pompier/d'infirmière** disfraz *m* de bombero/de enfermera.
panorama [panɔʀama] *nm* panorama *m*.
panse [pɑ̃s] *nf* panza.
pansement [pɑ̃smɑ̃] *nm* venda, apósito; **pansement adhésif** tirita, curita (*AM*).
panser [pɑ̃se] *vt* (*appliquer un pansement*)

vendar; (*guérir*) curar; (*cheval*) almohazar.

pantalon [pɑ̃talɔ̃] *nm* (*aussi*: **~s, paire de ~s**) pantalón *m*; **pantalon de golf/de pyjama** pantalón de golf/de pijama; **pantalon de ski** pantalón de esquí.

pantelant, e [pɑ̃t(ə)lɑ̃, ɑ̃t] *adj* jadeante.

panthère [pɑ̃tɛʀ] *nf* pantera; (*fourrure*) piel *f* de pantera.

pantin [pɑ̃tɛ̃] *nm* (*marionnette*) pelele *m*, monigote *m*; (*péj*: *personne*) pelele.

pantois [pɑ̃twa] *adj m*: **rester ~** quedarse atónito(-a) *ou* patidifuso(-a).

pantoufle [pɑ̃tufl] *nf* zapatilla.

PAO [peao] *sigle f* (= *publication assistée par ordinateur*) edición *f* asistida por ordenador, autoedición *f*.

paon [pɑ̃] *nm* pavo real.

papa [papa] *nm* papá *m*.

pape [pap] *nm* papa *m*.

paperasse [papʀas] (*péj*) *nf*: **des ~s, de la ~** papelotes *mpl*; (*administrative*) papeles *mpl*.

papeterie [papɛtʀi] *nf* (*fabrication du papier*) fabricación *f* de papel; (*usine*) papelera; (*magasin*) papelería; (*articles*) artículos *mpl* de papelería.

papier [papje] *nm* papel *m*; (*article*) artículo; (*écrit officiel*) documento; **~s** *nmpl* (*aussi*: **~s d'identité**) documentación *f*, papeles *mpl*; **sur le ~** (*théoriquement*) en teoría; **jeter une phrase sur le ~** poner una frase sobre el papel; **noircir du ~** emborronar papel; **papier à dessin** papel de dibujo; **papier à lettres** papel de cartas; **papier à pliage accordéon** papel plisado de acordeón; **papier bible/pelure** papel biblia/cebolla; **papier bulle/calque** papel de estraza/de calcar; **papier buvard/carbone** papel secante/carbón; **papier collant** papel de goma; **papier couché/glacé** papel cuché/glaseado; **papier (d')aluminium** papel de aluminio; **papier d'Arménie** papel de Armenia; **papier d'emballage** papel de envolver; **papier de brouillon** papel de borrador; **papier de soie/de tournesol** papel de seda/de tornasol; **papier de verre** papel de lija; **papier en continu** papel continuo; **papier gommé/thermique** papel engomado/térmico; **papier hygiénique** papel higiénico; **papier journal** papel de periódico; (*pour emballer*) papel de envolver; **papier kraft/mâché** papel kraft/maché; **papier machine** papel de máquina de escribir; **papier peint** papel pintado.

papillon [papijɔ̃] *nm* mariposa; (*fam*: *contravention*) multa; (*écrou*) tuerca de mariposa; **papillon de nuit** mariposa nocturna.

papoter [papɔte] *vi* parlotear.

Pâque [pɑk] *nf*: **la ~** la Pascua; *voir aussi* **Pâques**.

paquebot [pak(ə)bo] *nm* paquebote *m*.

pâquerette [pɑkʀɛt] *nf* margarita.

Pâques [pɑk] *nfpl* (*fête*) Pascua *fsg* ♦ *nm* (*période*) Semana Santa; **faire ses ~** comulgar por Pascua Florida; **l'île de ~** la isla de Pascua.

paquet [pakɛ] *nm* paquete *m*; (*de linge, vêtements*) bulto; (*tas*): **un ~ de** un manojo de; **~s** *nmpl* (*bagages*) bultos *mpl*; **mettre le ~** (*fam*) poner toda la carne en el asador; **paquet de mer** golpe *m* de mar.

paquet-cadeau [pakɛkado] (*pl* **~s-~x**) *nm* paquete *m* regalo *inv*.

MOT-CLÉ

par [paʀ] *prép* **1** (*agent, cause*) por; **par amour** por amor; **peint par un grand artiste** pintado por un gran artista

2 (*lieu, direction*) por; **passer par Lyon/la côte** pasar por Lyon/la costa; **par la fenêtre** (*jeter, regarder*) por la ventana; **par le haut/bas** por arriba/abajo; **par ici** por aquí; **par où?** ¿por dónde?; **par là** por allí; **par-ci, par-là** aquí y allá; **être/jeter par terre** estar en el/tirar al suelo

3 (*fréquence, distribution*) por; **3 fois par semaine** 3 veces por *ou* a la semana; **3 par jour/par personne** 3 al día/por persona; **par centaines** a cientos, a centenares; **2 par 2** (*marcher, entrer, prendre etc*) de 2 en 2

4 (*moyen*) por; **par la poste** por correo

5 (*manière*): **prendre par la main** coger *ou* agarrar de la mano; **prendre par la poignée** coger *ou* agarrar por el asa; **finir** *etc* **par** terminar *etc* por; **le film se termine par une scène d'amour** la película termina con una escena de amor; **Pau commence par la lettre 'p'** Pau empieza por 'p'.

parabole [paʀabɔl] *nf* parábola.

parachever [paʀaʃ(ə)ve] *vt* rematar, ultimar.

parachute [paʀaʃyt] *nm* paracaídas *m inv*; **parachute ventral** paracaídas de delantal.

parachutiste [paʀaʃytist] *nm/f* paracaidista *m/f*; (*soldat*) paracaidista *m*.

parade [paʀad] *nf* (*MIL*) desfile *m*; (*de cirque, bateleurs*) cabalgata; (*ESCRIME, BOXE*) parada; **trouver la ~ à une attaque/mesure** hallar la contrapartida a un ataque/medida; **faire ~ de qch** lucir algo; **de ~** (*habit, épée*) de gala; (*superficiel*)

superficial.
paradis [paʀadi] *nm* paraíso; **Paradis terrestre** paraíso terrenal.
paradoxe [paʀadɔks] *nm* paradoja.
paraffine [paʀafin] *nf* parafina.
parages [paʀaʒ] *nmpl* (*NAUT*) aguas *fpl*; **dans les ~ (de)** en los alrededores (de).
paragraphe [paʀagʀaf] *nm* párrafo.
Paraguay [paʀagwɛ] *nm* Paraguay *m*.
paraguayen, ne [paʀagwajɛ̃, ɛn] *adj* paraguayo(-a) ♦ *nm/f*: **P~, ne** paraguayo(-a).
paraître [paʀɛtʀ] *vb +attribut* parecer, verse (*AM*) ♦ *vi* (*apparaître*) aparecer; (*PRESSE, ÉDITION*) publicarse; (*se montrer, venir*) mostrarse; (*sembler*) parecer; (*un certain âge*) aparentar, representar; **aimer/vouloir ~** (*personne*) gustarle a algn/querer aparentar; **il paraît que** parece que; **il me paraît que** me parece que; **il paraît absurde de/préférable que** parece absurdo/preferible que; **laisser ~ qch** dejar ver algo; **~ en justice** comparecer ante la justicia; **~ en scène/en public/à l'écran** aparecer en escena/en público/en la pantalla; **il ne paraît pas son âge** no representa su edad.
parallèle [paʀalɛl] *adj* paralelo(-a) ♦ *nm* paralelo ♦ *nf* (*droite, ligne*) paralela; **faire un ~ entre** establecer un paralelo entre; **en ~** en paralelo; **mettre en ~** (*choses opposées*) confrontar; (*choses semblables*) cotejar.
paralyser [paʀalize] *vt* paralizar.
paranoïaque [paʀanɔjak] *nm/f* paranoico(-a).
parapet [paʀapɛ] *nm* parapeto.
parapher [paʀafe] *vt* rubricar.
paraphrase [paʀafʀɑz] *nf* paráfrasis *f inv*.
parapluie [paʀaplɥi] *nm* paraguas *m inv*; **parapluie à manche télescopique** paraguas con mango telescópico; **parapluie atomique/nucléaire** paraguas atómico/nuclear; **parapluie pliant** paraguas plegable.
parasite [paʀazit] *nm* parásito ♦ *adj* parásito(-a); **~s** *nmpl* (*TÉL*) parásitos *mpl*.
parasol [paʀasɔl] *nm* quitasol *m*.
paratonnerre [paʀatɔnɛʀ] *nm* pararrayos *m inv*.
paravent [paʀavɑ̃] *nm* (*meuble*) biombo; (*fig*) tapadera.
parc [paʀk] *nm* parque *m*; (*pour le bétail*) aprisco; (*de voitures*) aparcamiento; **parc à huîtres** criadero de ostras; **parc automobile** (*d'un pays*) parque automovilístico; (*d'une société*) parque móvil; **parc d'attractions** parque de atracciones; **parc national/naturel** parque nacional/natural; **parc de stationnement** aparcamiento; **parc zoologique** parque zoológico.
parcelle [paʀsɛl] *nf* (*d'or, de vérité*) partícula; (*de terrain*) parcela.
parce que [paʀs(ə)kə] *conj* porque.
parchemin [paʀʃəmɛ̃] *nm* pergamino.
parcimonie [paʀsimɔni] *nf* parsimonia; **avec ~** con parsimonia.
parc(o)mètre [paʀk(ɔ)mɛtʀ] *nm* parquímetro.
parcourir [paʀkuʀiʀ] *vt* recorrer; (*journal, article*) echar un vistazo a; **~ qch des yeux** *ou* **du regard** recorrer algo con la vista.
parcours [paʀkuʀ] *vb voir* **parcourir** ♦ *nm* (*trajet, itinéraire*) trayecto; (*SPORT*) recorrido; **sur le ~** en el trayecto; **parcours du combattant** (*MIL*) pista americana.
par-delà [paʀdəla] *prép* más allá de.
par-dessous [paʀd(ə)su] *prép* por debajo de ♦ *adv* por debajo.
pardessus [paʀdəsy] *nm* abrigo.
par-dessus [paʀd(ə)sy] *prép* por encima de ♦ *adv* por encima; **~-~ le marché** para colmo.
par-devant [paʀd(ə)vɑ̃] *prép* ante ♦ *adv* por delante.
pardon [paʀdɔ̃] *nm* perdón *m* ♦ *excl* ¡perdón!; (*se reprendre*) ¡disculpe!; **demander ~ à qn (de ...)** pedir perdón a algn (por ...); **je vous demande ~** le pido perdón; (*contradiction*) discúlpeme.
pardonner [paʀdɔne] *vt* perdonar; **~ qch à qn** perdonar algo a algn; **~ à qn** perdonar a algn; **qui ne pardonne pas** (*maladie, erreur*) que no perdona.
paré, e [paʀe] *adj* adornado(-a); (*protégé*) protegido(-a).
pare-balles [paʀbal] *adj inv* antibalas *inv*.
pare-boue [paʀbu] *nm inv* guardabarro.
pare-brise [paʀbʀiz] *nm inv* parabrisas *m inv*.
pare-chocs [paʀʃɔk] *nm inv* parachoques *m inv*.
pare-feu [paʀfø] *nm inv* cortafuego ♦ *adj inv*: **portes ~-~** puertas *fpl* cortafuego *inv*.
pareil, le [paʀɛj] *adj* igual; (*similaire*) parecido(-a) ♦ *adv*: **habillés ~** vestidos de la misma manera; **faire ~** hacer lo mismo; **un courage ~** tal valor; **de ~s livres** tales libros; **j'en veux un ~** quiero uno igual; **rien de ~** nada parecido; **ses ~s** sus semejantes; **ne pas avoir son (sa) pareil(le)** no tener igual; **~ à** parecido(-a) a; **sans ~** sin igual; **c'est du ~ au même** es lo mismo; **en ~ cas** en un caso parecido; **rendre la ~le à qn** pagar a algn con la misma

moneda.

parent, e [paʀɑ̃, ɑ̃t] *nm/f* pariente(-a) ♦ *adj*: **être ~(s) de qn** ser pariente(s) de algn; **~s** *nmpl* (*père et mère*) padres *mpl*; (*famille, proches*) parientes *mpl*; **parents adoptifs** padres adoptivos; **parents en ligne directe** parientes por línea directa; **parents par alliance** parientes políticos.

parenté [paʀɑ̃te] *nf* (*rapport, lien*) parentesco; (*personnes*) parentela; (*ressemblance, affinité*) afinidad *f*; (*entre caractères*) similitud *f*.

parenthèse [paʀɑ̃tɛz] *nf* paréntesis *m inv*; **ouvrir/fermer la ~** abrir/cerrar el paréntesis; **entre ~s** entre paréntesis; **mettre entre ~s** dejar de lado.

parer [paʀe] *vt* (*décorer, orner*) adornar; (*suj: bijou, ruban*) embellecer; (*CULIN*) aderezar; (*éviter*) parar; **~ à** (*danger*) precaverse de *ou* contra; (*inconvénient*) protegerse de; **se ~ de** (*qualité, titre*) hacer alarde de; **~ à toute éventualité** estar prevenido(-a) contra cualquier eventualidad; **~ au plus pressé** atender lo más urgente; **~ le coup** (*fig*) parar el golpe.

pare-soleil [paʀsɔlɛj] *nm inv* quitasol *m*.

paresse [paʀɛs] *nf* pereza, holgazanería.

paresseux, -euse [paʀesø, øz] *adj* perezoso(-a), flojo(-a) (*AM*); (*démarche, attitude*) indolente; (*estomac*) atónico(-a) ♦ *nm* (*ZOOL*) perezoso.

parfaire [paʀfɛʀ] *vt* perfeccionar.

parfait, e [paʀfɛ, ɛt] *pp de* **parfaire** ♦ *adj* perfecto(-a) ♦ *nm* (*LING*) pretérito perfecto; (*CULIN*) helado ♦ *excl* ¡perfecto!, ¡muy bien!

parfaitement [paʀfɛtmɑ̃] *adv* perfectamente ♦ *excl* ¡seguro!, ¡desde luego!; **cela lui est ~ égal** le da completamente igual.

parfois [paʀfwa] *adv* a veces.

parfum [paʀfœ̃] *nm* perfume *m*; (*de tabac, vin*) aroma *m*; (*de glace etc*) sabor *m*.

parfumer [paʀfyme] *vt* perfumar; (*crème, gâteau*) aromatizar; **se parfumer** *vpr* perfumarse.

parfumerie [paʀfymʀi] *nf* perfumería; **rayon ~** sección *f* de perfumería.

pari [paʀi] *nm* apuesta; **Pari Mutuel Urbain** *apuestas mutuas en las carreras de caballos*.

parier [paʀje] *vt* apostar; **j'aurais parié que si/non** hubiera apostado que sí/no.

Paris [paʀi] *n* París.

parisien, ne [paʀizjɛ̃, jɛn] *adj* (*personne, vie*) parisino(-a); (*GÉO, ADMIN*) parisiense ♦ *nm/f*: **P~, ne** parisiense *m/f*.

parité [paʀite] *nf* paridad *f*; **parité de change** paridad monetaria.

parjurer [paʀʒyʀe]: **se ~** *vpr* perjurar.

parka [paʀka] *nm* parka.

parking [paʀkiŋ] *nm* aparcamiento.

parlant, e [paʀlɑ̃, ɑ̃t] *adj* (*portrait, image*) vivo(-a), elocuente; (*comparaison, preuve*) concluyente; (*CINÉ*) sonoro(-a) ♦ *adv*: **généralement/humainement ~** en términos generales/a nivel humano; **techniquement ~** técnicamente hablando.

parlement [paʀləmɑ̃] *nm* parlamento.

parlementaire [paʀləmɑ̃tɛʀ] *adj* parlamentario(-a) ♦ *nm/f* (*député*) parlamentario(-a); (*négociateur*) delegado(-a).

parlementer [paʀləmɑ̃te] *vi* parlamentar.

parler [paʀle] *nm* habla ♦ *vi* hablar; (*malfaiteur, complice*) hablar, cantar; **~ de qch/qn** hablar de algo/algn; **~ (à qn) de** hablar (a algn) de; **~ de faire qch** hablar de hacer algo; **~ pour qn** (*intercéder, plaider*) hablar en favor de algn; **~ le/en français** hablar el/en francés; **~ affaires/politique** hablar de negocios/de política; **~ en dormant** hablar en sueños; **~ du nez** hablar gangoso; **~ par gestes** hablar por señas; **~ en l'air** hablar a la ligera; **sans ~ de** (*fig*) sin hablar de; **tu parles!** ¡ya ves!; **les faits parlent d'eux-mêmes** los hechos hablan por sí mismos; **n'en parlons plus** no se hable más.

parloir [paʀlwaʀ] *nm* locutorio; (*d'un hôpital*) sala de visitas.

parmi [paʀmi] *prép* entre, en medio de.

parodier [paʀɔdje] *vt* (*œuvre, auteur*) parodiar; (*imiter*) remedar.

paroi [paʀwa] *nf* pared *f*; **~ (rocheuse)** pared (rocosa).

paroisse [paʀwas] *nf* parroquia.

paroissien, ne [paʀwasjɛ̃, jɛn] *nm/f* feligrés(-esa).

parole [paʀɔl] *nf* palabra; **~s** *nfpl* (*d'une chanson*) letra *fsg*; **la bonne ~** la palabra de Dios; **tenir ~** cumplir con su palabra; **n'avoir qu'une ~** no tener más que una palabra; **avoir/prendre la ~** tener/tomar la palabra; **demander/obtenir la ~** pedir/conseguir la palabra; **donner la ~ à qn** conceder la palabra a algn; **perdre la ~** (*fig*) perder la palabra; **sur ~**: **croire qn sur ~** confiar en la palabra de algn; **prisonnier sur ~** preso bajo palabra; **temps de ~** tiempo asignado para hablar; **histoire sans ~s** historieta muda; **ma ~!** (*surprise*) ¡pero bueno!, ¡por Dios!; **parole d'honneur** palabra de honor.

parquer [paʀke] *vt* (*bestiaux, prisonniers*) encerrar; (*soldats, vivres*) meter; (*voiture*) aparcar.

parquet [paʀkɛ] *nm* (*plancher*) parqué *m*; **le ~** (*JUR*) el tribunal de justicia.

parrain [paʀɛ̃] *nm* padrino.

parrainer [paʀene] *vt* apadrinar; (*suj: entreprise*) patrocinar.

parsemer [paʀsəme] *vt* cubrir; ~ **qch de** sembrar algo de.

part [paʀ] *vb voir* **partir** ♦ *nf* parte *f*; (*de gâteau, fromage*) trozo, pedazo; (*titre*) acción *f*; **prendre ~ à** (*débat etc*) tomar parte en; (*soucis, douleur*) compartir; **faire ~ de qch à qn** comunicar algo a algn; **pour ma ~** por mi parte; **à ~ entière** de pleno derecho; **de la ~ de** de parte de; **c'est de la ~ de qui?** (*au téléphone*) ¿de parte de quién?; **de toute(s) part(s)** de todas partes; **de ~ et d'autre** a *ou* en ambos lados; **de ~ en ~** de parte a parte; **d'une ~ ... d'autre ~** por una parte ... por otra; **nulle/autre/quelque ~** en ninguna/en otra/en alguna parte; **à ~** *adv* aparte ♦ *adj* (*personne, place*) aparte ♦ *prép*: **à ~ cela** a parte de eso, excepto eso; **pour une large/bonne ~** en una larga/buena medida; **prendre qch en bonne/mauvaise ~** tomar algo en buen/mal sentido; **faire la ~ des choses** tener en cuenta las circunstancias, sopesar los pros y los contras; **faire la ~ du feu** (*fig*) cortar por lo sano; **faire la ~ trop belle à qn** darle todo en bandeja a algn.

partage [paʀtaʒ] *nm* reparto; **en ~**: **donner/recevoir qch en ~** dar/recibir algo en herencia; **sans ~** (*régner*) sin compartir el poder.

partagé, e [paʀtaʒe] *adj* (*opinions, torts*) compartido(-a); (*amour*) correspondido(-a); **être ~ entre** estar dividido(-a) entre; **être ~ sur** estar dividido(-a) en *ou* sobre.

partager [paʀtaʒe] *vt* repartir; **se partager** *vpr* repartirse; ~ **un gâteau en quatre/une ville en deux** dividir un pastel en cuatro/una ciudad en dos; ~ **qch avec qn** compartir algo con algn; ~ **la joie de qn/la responsabilité d'un acte** compartir la alegría de algn/la responsabilidad de un acto.

partance [paʀtɑ̃s] *nf*: **en ~ (pour)** a punto de salir (para).

partenaire [paʀtənɛʀ] *nm/f* compañero(-a); **partenaires sociaux** agentes *mpl* sociales.

parterre [paʀtɛʀ] *nm* (*de fleurs*) parterre *m*, arriate *m*; (*THÉÂTRE*) patio de butacas.

parti [paʀti] *nm* (*POL, décision*) partido; (*groupe*) bando; (*personne à marier*): **un beau/riche ~** un buen partido; **tirer ~ de** sacar partido de; **prendre le ~ de faire qch** tomar la decisión de hacer algo; **prendre le ~ de qn** ponerse a favor de algn; **prendre ~ (pour/contre qn)** tomar partido (por/contra algn); **prendre son ~ de qch** resignarse a algo; **parti pris** prejuicio.

partial, e, -aux [paʀsjal, jo] *adj* parcial.

participant, e [paʀtisipɑ̃, ɑ̃t] *nm/f* participante *m/f*; (*à un concours*) concursante *m/f*; (*d'une société*) miembro, accionista *m/f*.

participation [paʀtisipasjɔ̃] *nf* participación *f*; **la ~ aux frais** la contribución a los gastos; **la ~ aux bénéfices** la participación en los beneficios; **la ~ ouvrière** la participación obrera; **"avec la ~ de"** "con la participación de".

participe [paʀtisip] *nm* participio; **participe passé/présent** participio de perfecto/de presente.

participer [paʀtisipe]: ~ **à** *vt ind* participar en; (*chagrin*) compartir; ~ **de** *vt ind* (*tenir de la nature de*) participar de.

particularité [paʀtikylaʀite] *nf* particularidad *f*.

particule [paʀtikyl] *nf* partícula; **particule (nobiliaire)** partícula (*que indica la nobleza en un apellido*).

particulier, -ière [paʀtikylje, jɛʀ] *adj* particular; (*intérêt, style*) propio(-a); (*entretien, conversation*) privado(-a); (*spécifique*) propio(-a), individual ♦ *nm* (*individu*) particular *m*; **"~ vend ..."** (*COMM*) "particular vende ..."; **avec un soin ~** con un cuidado especial; **avec une attention particulière** con una atención especial; **~ à** propio(-a) de; **en ~** (*précisément*) en concreto; (*en privé*) en privado; (*surtout*) especialmente.

particulièrement [paʀtikyljɛʀmɑ̃] *adv* (*notamment*) principalmente; (*spécialement*) especialmente.

partie [paʀti] *nf* parte *f*; (*profession, spécialité*) rama; (*JUR, fig: adversaire*) parte contraria; (*de cartes, tennis, fig*) partida; ~ **de campagne/de pêche** salida al campo/de pesca; **en ~** en parte; **faire ~ de qch** formar parte de algo; **prendre qn à ~** habérselas con algn; (*malmener*) atacar a algn, meterse con algn; **en grande/majeure ~** en gran/la mayor parte; **ce n'est que ~ remise** es sólo cosa diferida, otra vez será; **avoir ~ liée avec qn** estar aliado(-a) con algn; **partie civile** (*JUR*) parte civil; **partie publique** (*JUR*) ministerio público.

partiel, le [paʀsjɛl] *adj, nm* parcial *m*.

partir [paʀtiʀ] *vi* (*gén*) partir; (*train, bus etc*) salir; (*s'éloigner*) marcharse; (*pétard, fusil*) dispararse; (*bouchon*) saltar; (*cris*) surgir; (*se détacher*) desprenderse; (*tache*) desaparecer; (*affaire, moteur*) arrancar; ~ **de** (*lieu*) salir de; (*suj: personne, route*) partir de; (*date*) comenzar en; (*suj: abonnement*) comenzar a partir de; (: *proposition*) nacer de, manar de; ~ **pour/à** (*lieu, pays*) salir para/hacia; ~ **de rien** comenzar de la nada; **à ~ de** a partir de.

partisan, e [paʀtizɑ̃, an] *nm/f* seguidor(a), partidario(-a) ♦ *adj* partidario(-a); **être ~ de qch/de faire qch** ser partidario(-a) de algo/de hacer algo.

partition [paʀtisjɔ̃] *nf* (*MUS*) partitura.

partout [paʀtu] *adv* por todas partes; ~ **où il allait** por dondequiera que iba; **de ~** de todas partes; **trente/quarante ~** (*TENNIS*) iguales a treinta/a cuarenta, empate *m* a treinta/a cuarenta.

paru, e [paʀy] *pp de* **paraître**.

parure [paʀyʀ] *nf* adorno; (*de table, sous-vêtements*) juego; ~ **de diamants** juego de diamantes.

parution [paʀysjɔ̃] *nf* aparición *f*, publicación *f*.

parvenir [paʀvəniʀ]: ~ **à** *vt ind* llegar a, arribar a (*AM*); ~ **à ses fins/à la fortune/à un âge avancé** alcanzar sus fines/la fortuna/una edad avanzada; ~ **à faire qch** (*réussir*) conseguir hacer algo; **faire ~ qch à qn** hacer llegar algo a algn.

parvis [paʀvi] *nm* atrio.

pas[1] [pɑ] *nm* paso; ~ **à** ~ paso a paso; **de ce ~** al momento; **marcher à grands ~** andar dando zancadas; **mettre qn au ~** meter a algn en vereda; **rouler au ~** (*AUTO*) ir a paso lento; **au ~ de gymnastique/de course** a paso ligero/a la carrera; **à ~ de loup** con paso sigiloso; **faire les cent ~** ir y venir, ir de un lado para otro; **faire les premiers ~** dar los primeros pasos; **retourner** *ou* **revenir sur ses ~** volver sobre sus pasos; **se tirer d'un mauvais ~** salir del atolladero; **sur le ~ de la porte** en el umbral (de la puerta); **le ~ de Calais** (*détroit*) el paso *ou* estrecho de Calais; ~ **de porte** (*COMM*) entrada.

MOT-CLÉ

pas[2] [pɑ] *adv* **1** (*avec ne, non etc*): **ne ... pas** no; **je ne vais pas à l'école** no voy a la escuela; **je ne mange pas de pain** no como pan; **il ne ment pas** no miente; **ils n'ont pas de voiture/d'enfants** no tienen coche/niños; **il m'a dit de ne pas le faire** me ha dicho que no lo haga; **non pas que ...** no es que ...; **je n'en sais pas plus** no sé más; **il n'y avait pas plus de 200 personnes** no había más de 200 personas; **je ne reviendrai pas de sitôt** tardaré en volver

2 (*sans ne etc*): **pas moi** yo no; (*renforçant l'opposition*): **elle travaille, (mais) lui pas** *ou* **pas lui** ella trabaja, (pero) él no; (*dans des réponses négatives*): **pas de sucre, merci!** ¡sin azúcar, gracias!; **une pomme pas mûre** una manzana que no está madura; **je suis très content - moi pas** *ou* **pas moi** yo estoy muy contento - yo no; **pas plus tard qu'hier** ayer mismo; **pas du tout** (*réponse*) en absoluto; **ça ne me plaît pas du tout** no me gusta nada; **ils sont 4 et non (pas) 3** son 4 y no 3; **pas encore** todavía no; **ceci est à vous ou pas?** ¿eso es suyo o no?

3: **pas mal** *adv* no está mal; **ça va? - pas mal** ¿qué tal? - bien; **pas mal de** (*beaucoup de*): **ils ont pas mal d'argent** no andan mal de dinero.

passable [pɑsabl] *adj* pasable.

passage [pɑsaʒ] *nm* paso; (*traversée*) travesía; (*extrait*) pasaje *m*; **sur le ~ du cortège** en el recorrido del cortejo; **"laissez/n'obstruez pas le ~"** "dejen/no impidan el paso"; **de ~** (*touristes*) de paso; (*amants etc*) de paso, de un día; **au ~** (*en passant*) al paso, de paso; **passage à niveau** paso a nivel; **passage à tabac** paliza; **passage à vide** (*fig*) mal momento; **passage clouté** paso de peatones; **passage interdit** prohibido el paso; **passage protégé/souterrain** paso protegido/subterráneo.

passager, -ère [pɑsaʒe, ɛʀ] *adj* pasajero(-a); (*rue etc*) concurrido(-a) ♦ *nm/f* pasajero(-a); ~ **clandestin** polizón *m*.

passant, e [pɑsɑ̃, ɑ̃t] *adj* transitado(-a) ♦ *nm/f* transeúnte *m/f* ♦ *nm* (*d'une ceinture, courroie*) trabilla.

passe [pɑs] *nf* pase *m*; (*chenal*) pase, pasaje *m* ♦ *nm* (*passe-partout*) llave *f* maestra; (*de cambrioleur*) ganzúa; **être en ~ de faire** estar a punto de hacer; **être dans une bonne/mauvaise ~** (*fig*) tener buena/mala racha; **passe d'armes** (*fig*) intercambio de réplicas.

passé, e [pɑse] *adj* pasado(-a); (*couleur, tapisserie*) pasado(-a), descolorido(-a) ♦ *prép*: ~ **10 heures/7 ans/ce poids** después de las 10/de 7 años/a partir de ese peso ♦ *nm* pasado; (*LING*) pretérito; **dimanche ~** el domingo pasado; **les vacances ~es** las vacaciones pasadas; **il est ~ midi** *ou* **midi ~** ya es pasado mediodía *ou* mediodía pasado; **par le ~** hace tiempo, en otro tiempo; ~ **de mode** pasado(-a) de moda; ~ **simple/composé** perfecto simple/pretérito perfecto.

passe-droit [pɑsdʀwa] (*pl* **~-~s**) *nm* enchufe *m*.

passe-montagne [pasmɔ̃taɲ] (*pl* **~-~s**) *nm* pasamontañas *m inv*.

passe-partout [paspaʀtu] *nm inv* llave *f* maestra ♦ *adj inv*: **tenue/phrase ~-~** vestimenta/frase *f* válida para todo momento.

passe-passe [paspas] *nm inv*: **tour de ~-~** (*de prestidigitateur*) juego de manos; (*fig*) trampa.

passe-plat [paspla] (*pl* **~-~s**) *nm* ventanilla (para servir).

passeport [paspɔʀ] *nm* pasaporte *m*.

passer [pase] *vi* pasar; (*air*) correr; (*liquide, café*) filtrarse, colarse; (*couleur, papier*) decolorarse ♦ *vt* pasar; (*obstacle*) pasar, superar; (*doubler*) adelantar, pasar; (*frontière, rivière etc*) cruzar; (*examen: se présenter*) hacer; (*: réussir*) aprobar; (*réplique, plaisanterie*) dejar pasar; (*film, émission, disque*) poner; (*vêtement*) ponerse; (*café*) filtrar; **se passer** *vpr* (*scène, action*) transcurrir; (*s'écouler*) pasar; (*arriver*): **que s'est-il passé?** ¿qué ha pasado?; **~ par** pasar por; **~ chez qn** (*ami etc*) pasar por la casa de algn; **~ sur** (*fig*) pasar por alto; **~ qch (à qn)** (*faute, bêtise*) pasar por alto algo (a algn), aguantar algo (a algn); **~ qch à qn** (*grippe*) pasar algo a algn; **~ dans les mœurs/la langue** pasar a las costumbres/a la lengua; **~ devant/derrière qn/qch** pasar delante/detrás de algn/algo; **~ avant qch/qn** (*être plus important que*) estar antes de algo/de algn; **~ devant** (*accusé*) comparecer ante; (*projet de loi*) ser presentado(-a) a; **laisser ~** dejar pasar; **~ dans la classe supérieure** pasar al curso superior; **~ directeur/président** ascender a director/a presidente; **~ en seconde/troisième** (*AUTO*) meter segunda/tercera; **~ à la radio/télévision** salir en la radio/televisión; **~ à l'action** pasar a la acción; **~ aux aveux** decidirse a confesar; **~ inaperçu** pasar desapercibido; **~ outre (à qch)** hacer caso omiso (de algo); **~ pour riche/un imbécile/avoir fait qch** pasar por rico/un imbécil/haber hecho algo; **~ à table** sentarse a la mesa; **~ au salon/à côté** pasar al salón/a la habitación del lado; **~ à l'étranger/à l'opposition/à l'ennemi** pasarse al extranjero/a la oposición/al enemigo; **ne faire que ~** pasar solamente; **passe encore de** todavía pase que; **en passant: dire/remarquer qch en passant** decir/señalar algo de pasada; **venir voir qn/faire en passant** venir a ver a algn/hacer de paso; **faire ~ à qn le goût/l'envie de qch** quitarle a algn el gusto/las ganas de algo; **faire ~ qch/qn pour** hacer pasar algo/a algn por; **(faire) ~ qch dans/par** meter algo en/por; **passons** pasemos de eso; **ce film passe au cinéma/à la télé** ponen esa película en el cine/en la tele; **~ une radio/la visite médicale** hacerse una radiografía/un reconocimiento; **~ son chemin** pasar de largo; **je passe mon tour** paso; **~ qch en fraude** pasar algo de contrabando; **~ la tête/la main par la portière** sacar la cabeza/la mano por la ventanilla; **~ l'aspirateur** pasar la aspiradora; **je vous passe M. X** (*au téléphone*) le pongo *ou* comunico (*AM*) con el Sr. X; (*je lui passe l'appareil*) le paso a *ou* con el Sr. X; **~ la parole à qn** cederle la palabra a algn; **~ qn par les armes** pasar a algn por las armas; **~ commande** hacer un pedido; **~ un marché/accord** concertar un negocio/acuerdo; **se ~ les mains sous l'eau** lavarse las manos; **se ~ de l'eau sur le visage** echarse agua por la cara; **cela se passe de commentaires** habla por sí solo; **se ~ de qch** (*s'en priver*) pasarse sin algo.

passerelle [pasʀɛl] *nf* pasarela; **~ (de commandement)** puente *m* (de mando).

passe-temps [pastɑ̃] *nm inv* pasatiempo.

passeur, -euse [pasœʀ, øz] *nm/f* (*fig*) pasador(a).

passible [pasibl] *adj*: **~ de** merecedor(a) de.

passif, -ive [pasif, iv] *adj* pasivo(-a) ♦ *nm* (*LING*) pasiva; (*COMM*) pasivo.

passion [pasjɔ̃] *nf* pasión *f*; (*fanatisme*) fanatismo; **avoir la ~ de** tener pasión por; **la ~ du jeu/de l'argent** la pasión por el juego/por el dinero; **fruit de la ~** (*BOT*) fruta de la pasión.

passionnant, e [pasjɔnɑ̃, ɑ̃t] *adj* apasionante.

passionné, e [pasjɔne] *adj* apasionado(-a) ♦ *nm/f*: **~(e) de** entusiasta *m/f ou* apasionado(-a) de; **être ~(e) de** ser un(a) apasionado(-a) de.

passionner [pasjɔne] *vt* apasionar; **se ~ pour qch** apasionarse por algo.

passoire [paswaʀ] *nf* colador *m*; (*à légumes*) pasapurés *m inv*.

pastel [pastɛl] *nm* pintura al pastel ♦ *adj inv* pastel.

pastèque [pastɛk] *nf* sandía.

pasteur [pastœʀ] *nm* pastor *m*.

pasteuriser [pastœʀize] *vt* pasteurizar.

pastille [pastij] *nf* pastilla; **~s pour la toux** pastillas de la tos.

pastis [pastis] *nm* anís *msg*.

patate [patat] *nf* patata, papa (*AM*); **pata-**

te douce batata, camote *m* (*AM*).

patauger [patoʒe] *vi* (*pour s'amuser*) chapotear; (*avec effort*) atascarse; ~ **dans** (*en marchant*) tropezar en; (*exposé etc*) encasquillarse en, atascarse en.

pâte [pɑt] *nf* pasta; (*à frire*) albardilla; ~s *nfpl* (*macaroni etc*) pastas *fpl*; **fromage à ~ dure/molle** queso seco/cremoso; **pâte à choux** crema de petisús; **pâte à modeler** plastilina; **pâte à papier** pasta de papel; **pâte brisée** pasta quebrada; **pâte d'amandes** pasta de almendra; **pâte de fruits** fruta escarchada; **pâte feuilletée** masa de hojaldre.

pâté [pɑte] *nm* (*CULIN*) paté *m*; (*tache d'encre*) borrón *m*; **pâté de foie/de lapin** paté de hígado/de liebre; **pâté de maisons** manzana de casas; **pâté (de sable)** flan *m* (de arena); **pâté en croûte** paté empanado.

pâtée [pɑte] *nf* cebo.

patente [patɑ̃t] *nf* patente *f*.

paternel, le [patɛʀnɛl] *adj* paterno(-a).

pâteux, -euse [pɑtø, øz] *adj* pastoso(-a); **avoir la bouche/langue pâteuse** tener la boca/lengua pastosa.

pathétique [patetik] *adj* patético(-a).

patience [pasjɑ̃s] *nf* paciencia; (*CARTES*) solitario; **être à bout de** ~ estar a punto de perder la paciencia; **perdre** ~ perder la paciencia; **prendre** ~ tomárselo con calma.

patient, e [pasjɑ̃, jɑ̃t] *adj, nm/f* paciente *m/f*.

patienter [pasjɑ̃te] *vi* esperar.

patin [patɛ̃] *nm* patín *m*; **patin (de frein)** (*TECH*) zapata; **patins (à glace)** patines *mpl* (de cuchilla); **patins à roulettes** patines de ruedas.

patine [patin] *nf* pátina.

patiner [patine] *vi* patinar; **se patiner** *vpr* cubrirse de pátina.

patineur, -euse [patinœʀ, øz] *nm/f* patinador(a).

patinoire [patinwaʀ] *nf* pista de patinaje.

pâtir [pɑtiʀ] *vi*: ~ **de** padecer de.

pâtisserie [pɑtisʀi] *nf* pastelería; (*à la maison*) repostería; ~s *nfpl* (*gâteaux*) pasteles *mpl*.

pâtissier, -ière [pɑtisje, jɛʀ] *nm/f* pastelero(-a).

patois [patwa] *nm* dialecto.

patriarche [patʀijaʀʃ] *nm* patriarca *m*.

patrie [patʀi] *nf* patria.

patrimoine [patʀimwan] *nm* patrimonio; **patrimoine génétique** herencia genética.

patriote [patʀijɔt] *adj, nm/f* patriota *m/f*.

patron, ne [patʀɔ̃, ɔn] *nm/f* (*chef*) jefe(-a), patrón(-ona); (*propriétaire*) dueño(-a); (*MÉD*) médico(-a) jefe; (*REL*) patrono(-a) ♦ *nm* (*COUTURE*) patrón *m*; ~**s et employés** patronos *mpl* y empleados; **patron de thèse** director *m* de tesis.

patronner [patʀɔne] *vt* (*personne, entreprise*) patrocinar; (*candidature*) apoyar.

patronyme [patʀɔnim] *nm* patronímico.

patrouille [patʀuj] *nf* patrulla; **patrouille de chasse** (*AVIAT*) escuadrilla de caza; **patrouille de reconnaissance** patrulla de reconocimiento.

patrouiller [patʀuje] *vi* patrullar.

patte [pat] *nf* (*jambe*) pierna; (*d'animal*) pata; (*languette de cuir, d'étoffe*) lengüeta; (*de poche*) solapa; ~**s (de lapin)** (*favoris*) patillas *fpl*; **à ~s d'éléphant** (*pantalon*) de pata de elefante; ~**s d'oie** (*rides*) patas *fpl* de gallo; **pattes de mouche** (*fig*) letra *fsg*.

pâturage [pɑtyʀaʒ] *nm* pasto.

paume [pom] *nf* palma (de la mano).

paumé, e [pome] (*fam*) *adj* marginado(-a).

paumer [pome] *vt* (*fam*) perder; **se paumer** *vpr* perderse.

paupière [popjɛʀ] *nf* párpado.

pause [poz] *nf* (*arrêt, halte*) parada; (*en parlant*) pausa; (*MUS*) silencio.

pauvre [povʀ] *adj, nm/f* pobre *m/f*; ~s *nmpl*: **les ~s** los pobres; ~ **en calcium** pobre en calcio.

pauvreté [povʀəte] *nf* pobreza.

pavaner [pavane]: **se ~** *vpr* pavonearse.

pavé, e [pave] *adj* pavimentado(-a) ♦ *nm* (*bloc de pierre*) adoquín *m*; (*pavage, pavement*) pavimento; (*de viande*) trozo grueso; (*fam: article, livre*) tocho; **être sur le ~** estar en la calle; **pavé numérique** (*INFORM*) teclado numérico; **pavé publicitaire** panel *m* publicitario.

pavillon [pavijɔ̃] *nm* pabellón *m*; (*maisonnette, villa*) chalet *m*; **pavillon de complaisance** pabellón de conveniencia.

pavoiser [pavwaze] *vt* (*édifice*) engalanar; (*navire*) empavesar ♦ *vi* poner colgaduras; (*fig*) echar las campanas al vuelo.

pavot [pavo] *nm* adormidera.

paye [pɛj] *nf* paga.

payer [peje] *vt* pagar ♦ *vi* (*métier*) dar dinero; (*effort, tactique*) dar fruto; **il me l'a fait ~ 10 F** me ha cobrado 10 francos; ~ **qn de** (*ses efforts, peines*) recompensar a algn por; ~ **qch à qn** pagar algo a algn; **ils nous ont payé le voyage** nos han pagado el viaje; ~ **par chèque/en espèces** pagar con cheque/en metálico; ~ **cher qch** pagar caro algo; (*fig*) costar caro algo; ~ **de sa personne** darse por entero; ~ **d'audace** dar prueba de audacia; **cela ne paie pas de mine** eso tiene mal aspecto, eso no tiene buena cara; **se ~ qch** comprarse algo; **se ~ de mots** contentarse con palabras; **se ~ la tête de qn** burlarse de algn, tomar el pelo a algn; (*duper*) tomar el pelo a algn.

pays [pei] *nm* país *msg*; (*région*) región *f*; (*village*) pueblo; **du ~** del país; **le ~ de Galles** el país de Gales.

paysage [peizaʒ] *nm* paisaje *m*.

paysan, ne [peizɑ̃, an] *nm/f* campesino(-a); (*aussi péj*) pueblerino(-a), paleto(-a) ♦ *adj* rústico(-a).

Pays-Bas [peiba] *nmpl*: **les ~-~** los Países Bajos.

PDG [pedeʒe] *sigle m* (= *président directeur général*) *voir* **président**.

péage [peaʒ] *nm* peaje *m*; (*endroit*) paso de peaje; **autoroute/pont à ~** carretera/puente *m* de peaje.

peau, x [po] *nf* piel *f*; (*de la peinture*) película; (*du lait*) nata; **une ~** (*morceau de peau*) un pellejo; **gants de ~** guantes *mpl* de piel; **être bien/mal dans sa ~** encontrarse/no encontrarse bien consigo mismo; **se mettre dans la ~ de qn** ponerse en el pellejo de algn; **faire ~ neuve** cambiar; **peau d'orange** piel de naranja; **peau de chamois** gamuza.

peaufiner [pofine] *vt* pulir.

Peau-Rouge [poʀuʒ] (*pl* **~x-~s**) *nm/f* piel *m/f* roja.

pêche [pɛʃ] *nf* pesca; (*endroit*) coto de pesca; (*fruit*) melocotón *m*, durazno (*AM*); **aller à la ~** ir de pesca; **avoir la ~** (*fam*) estar en buena forma; **~ à la ligne** pesca con caña; **~ sous-marine** pesca submarina.

péché [peʃe] *nm* pecado; **péché mignon** punto flaco, debilidad *f*.

pécher [peʃe] *vi* pecar; (*être insuffisant*) ser incompleto(-a); **~ contre la bienséance/les bonnes mœurs** pecar contra la decencia/las buenas costumbres.

pêcher [peʃe] *nm* melocotonero ♦ *vi* ir de pesca ♦ *vt* pescar; (*chercher*) sacar; **~ au chalut** pescar con red.

pêcheur [pɛʃœʀ] *nm* pescador *m*; **pêcheur de perles** pescador de perlas.

pécheur, -eresse [peʃœʀ, peʃʀɛs] *nm/f* pecador(a).

pécule [pekyl] *nm* (*économies*) peculio; (*d'un détenu, militaire*) sueldo.

pédagogique [pedagɔʒik] *adj* pedagógico(-a); **formation ~** formación *f* pedagógica.

pédale [pedal] *nf* pedal *m*; **mettre la ~ douce** atenuar la expresión, bajar el tono.

pédaler [pedale] *vi* pedalear.

pédalier [pedalje] *nm* plato.

pédestre [pedɛstʀ] *adj*: **tourisme ~** turismo pedestre; **randonnée ~** excursión *f* a pie.

pédiatre [pedjatʀ] *nm/f* pediatra *m/f*.

pédicure [pedikyʀ] *nm/f* pedicuro(-a).

pègre [pɛgʀ] *nf* hampa.

peigne [pɛɲ] *vb voir* **peindre; peigner** ♦ *nm* peine *m*.

peigner [peɲe] *vt* peinar; **se peigner** *vpr* peinarse.

peignoir [pɛɲwaʀ] *nm* (*chez le coiffeur*) peinador *m*; (*de sportif*) albornoz *m*; (*déshabillé*) salto de cama; **peignoir de bain** *ou* **de plage** albornoz.

peindre [pɛ̃dʀ] *vt* pintar.

peine [pɛn] *nf* pena; (*effort, difficulté*) trabajo; (*JUR*) condena; **faire de la ~ à qn** hacer sufrir a algn; **prendre la ~ de faire** tomarse la molestia de hacer; **se donner de la ~** esforzarse; **ce n'est pas la ~ de faire** no vale la pena hacer; **avoir de la ~ à faire** costarle trabajo a algn hacer; **donnez-vous/veuillez vous donner la ~ d'entrer** sírvase usted entrar; **pour la ~** en compensación; **c'est ~ perdue** es perder el tiempo; **à ~** apenas, recién (*AM*); **à ~ était-elle sortie qu'il se mit à pleuvoir** apenas salió se puso a llover; **c'est à ~ si** ... apenas si ...; **sous ~**: **sous ~ d'être puni** so pena de ser castigado; **défense d'afficher sous ~ d'amende** prohibido fijar carteles bajo multa; **peine capitale** *ou* **de mort** pena capital *ou* de muerte.

peiner [pene] *vi* cansarse ♦ *vt* apenar.

peintre [pɛ̃tʀ] *nm* pintor(a); **~ en bâtiment** pintor (de brocha gorda).

peinture [pɛ̃tyʀ] *nf* pintura; **ne pas pouvoir voir qn en ~** no poder ver a algn ni en pintura; **"~ fraîche"** "recién pintado"; **peinture brillante/mate** pintura brillante/mate; **peinture laquée** laca.

péjoratif, -ive [peʒɔʀatif, iv] *adj* peyorativo(-a), despectivo(-a).

pelage [pəlaʒ] *nm* pelaje *m*.

pêle-mêle [pɛlmɛl] *adv* en desorden.

peler [pəle] *vt* pelar ♦ *vi* pelarse.

pèlerin [pɛlʀɛ̃] *nm* peregrino.

pèlerinage [pɛlʀinaʒ] *nm* peregrinación *f*; (*lieu*) centro de peregrinación.

pélican [pelikɑ̃] *nm* pelícano.

pelle [pɛl] *nf* pala; **pelle à gâteau** *ou* **à tarte** paleta; **pelle mécanique** excavadora.

pelleteuse [pɛltøz] *nf* excavadora.

pellicule [pelikyl] *nf* (*couche fine*) película; (*PHOTO*) rollo, carrete *m*; (*CINÉ*) cinta; **~s** *nfpl* (*MÉD*) caspa *fsg*.

pelote [p(ə)lɔt] *nf* (*de fil, laine*) ovillo;

(*d'épingles, d'aiguilles*) acerico; (*balle, jeu*): ~ **(basque)** pelota (vasca).
peloton [p(ə)lɔtɔ̃] *nm* pelotón *m*; ~ **d'exécution** pelotón de ejecución.
pelouse [p(ə)luz] *nf* césped *m*; (*COURSES*) pista.
peluche [p(ə)lyʃ] *nf* (*flocon de poussière, poil*) pelusa; **animal en** ~ muñeco de peluche.
pelure [p(ə)lyʀ] *nf* piel *f*; **pelure d'oignon** capa; (*couleur*) violáceo.
pénal, e, -aux [penal, o] *adj* penal.
pénaliser [penalize] *vt* penalizar.
pénalité [penalite] *nf* penalidad *f*; (*SPORT*) sanción *f*.
penaud, e [pəno, od] *adj* corrido(-a).
penchant [pɑ̃ʃɑ̃] *nm* inclinación *f*; **avoir un ~ pour qch** tener una inclinación hacia algo.
pencher [pɑ̃ʃe] *vi* inclinarse ♦ *vt* inclinar; **se pencher** *vpr* inclinarse; (*se baisser*) agacharse; **se ~ sur** inclinarse sobre; (*fig*) examinar; **se ~ au dehors** asomarse; ~ **pour** (*fig*) inclinarse por.
pendant, e [pɑ̃dɑ̃, ɑ̃t] *adj* (*jambes, langue etc*) colgante; (*ADMIN, JUR*) pendiente ♦ *nm*: **être le ~ de** ser el compañero de; (*fig*) ser equiparable con ♦ *prép* durante; **faire ~ à** hacer pareja con; ~ **que** mientras; **pendants d'oreilles** pendientes *mpl*.
pendentif [pɑ̃dɑ̃tif] *nm* colgante *m*.
penderie [pɑ̃dʀi] *nf* ropero.
pendre [pɑ̃dʀ] *vt* colgar; (*personne*) ahorcar ♦ *vi* colgar; **se ~ (à)** (*se suicider*) ahorcarse (de); **se ~ à** colgarse de; ~ **à** colgar de; ~ **qch à** colgar algo de.
pendule [pɑ̃dyl] *nf* (*horloge*) reloj *m* péndulo ♦ *nm* péndulo.
pénétrer [penetʀe] *vi* penetrar ♦ *vt* entrar; (*suj: projectile, mystère, secret*) penetrar; ~ **dans/à l'intérieur de** penetrar en/en el interior de; (*suj: air, eau*) entrar en; **se ~ de qch** llenarse de algo.
pénible [penibl] *adj* penoso(-a); **il m'est ~ de ...** me resulta penoso ... .
péniche [peniʃ] *nf* chalana; (*MIL*): ~ **de débarquement** lanchón *m* de desembarco.
pénicilline [penisilin] *nf* penicilina.
péninsule [penɛ̃syl] *nf* península.
pénis [penis] *nm* pene *m*.
pénitence [penitɑ̃s] *nf* penitencia; **être/mettre en ~** (*enfant*) estar castigado(-a)/castigar; **faire ~** hacer penitencia.
pénitencier [penitɑ̃sje] *nm* (*prison*) penitenciaría.
pénombre [penɔ̃bʀ] *nf* penumbra.
pensée [pɑ̃se] *nf* pensamiento; (*maxime, sentence*) aforismo; (*démarche*): ~ **claire/obscure/organisée** ideas *fpl* claras/oscuras/organizadas; **en ~** con el pensamiento; **represénter qch par la** *ou* **en ~** imaginarse algo con el pensamiento.
penser [pɑ̃se] *vi* pensar; (*avoir une opinion*): **je ne pense pas comme vous** no pienso como usted ♦ *vt* pensar; (*concevoir: problème, machine*) pensar, idear; ~ **à** pensar en; ~ **que** pensar que, creer que; ~ **(à) faire qch** pensar (en) hacer algo; ~ **du bien/du mal de qn/qch** pensar bien/mal de algn/algo; **faire ~ à** hacer pensar en, recordar; **n'y pensons plus** (*pour excuser, pardonner*) olvidémoslo; **qu'en pensez-vous?** ¿qué opina usted?; **je le pense aussi** yo también lo creo; **je ne le pense pas** no lo creo; **j'aurais pensé que si/non** habría creído que sí/no; **je pense que oui/non** creo que sí/no; **vous n'y pensez pas!** ¡ni lo sueñe!; **sans ~ à mal** sin mala intención.
pensif, -ive [pɑ̃sif, iv] *adj* pensativo(-a).
pension [pɑ̃sjɔ̃] *nf* pensión *f* de jubilación; (*prix du logement, hôtel*) pensión; (*école*) internado; **prendre ~ chez qn/dans un hôtel** alojarse en casa de algn/en un hotel; **prendre qn en ~** coger a algn en pensión; **mettre en ~** (*enfant*) meter interno; **pension alimentaire** (*d'étudiant*) pensión alimenticia; (*de divorcée*) pensión; **pension complète** pensión completa; **pension d'invalidité** subsidio de invalidez; **pension de famille** casa de huéspedes; **pension de guerre** pensión de mutilado.
pensionnaire [pɑ̃sjɔnɛʀ] *nm/f* (*d'un hôtel*) huésped *m*; (*d'école*) interno(-a).
pensionnat [pɑ̃sjɔna] *nm* pensionado; (*élèves*) internado.
pente [pɑ̃t] *nf* pendiente *f*; (*descente*) cuesta; **en ~** en pendiente, en cuesta.
Pentecôte [pɑ̃tkot] *nf*: **la ~** Pentecostés *msg*; **lundi de ~** lunes *m inv* de Pentecostés.
pénurie [penyʀi] *nf* penuria, escasez *f*; **pénurie de main d'œuvre** escasez de mano de obra.
pépé [pepe] (*fam*) *nm* abuelo.
pépin [pepɛ̃] *nm* (*BOT*) pepita; (*fam: ennui*) lío; (*: parapluie*) paraguas *m inv*.
pépinière [pepinjɛʀ] *nf* vivero; (*fig*) cantera.
pépite [pepit] *nf* pepita.
perçant, e [pɛʀsɑ̃, ɑ̃t] *adj* (*vue, regard, yeux*) perspicaz; (*cri, voix*) agudo(-a).
percée [pɛʀse] *nf* paso; (*COMM, fig*) avance *m*; (*SPORT*) entrada; **tenter une ~** (*MIL*) intentar abrir una brecha.
percepteur [pɛʀsɛptœʀ] *nm* (*ADMIN*) recaudador(a) de impuestos.

perception [pɛʀsɛpsjɔ̃] *nf* percepción *f*; (*d'impôts etc*) recaudación *f*; (*bureau*) oficina de recaudación.
percer [pɛʀse] *vt* (*métal etc*) perforar; (*coffre-fort*) abrir; (*pneu*) pinchar; (*abcès*) reventar; (*trou etc*) abrir; (*suj: lumière: obscurité*) atravesar; (*mystère, énigme*) penetrar; (*suj: bruit: oreilles, tympan*) traspasar ♦ *vi* (*aube, dent etc*) salir; (*artiste*) abrirse camino.
perceuse [pɛʀsøz] *nf* taladradora, perforadora; **perceuse à percussion** perforadora neumática.
percevoir [pɛʀsəvwaʀ] *vt* percibir; (*taxe, impôt*) recaudar.
perche [pɛʀʃ] *nf* (*ZOOL*) perca; (*pièce de bois, métal*) vara; (*SPORT*) pértiga; (*TV, RADIO, CINÉ*): ~ **à son** jirafa del micrófono.
percher [pɛʀʃe] *vt*: ~ **qch sur** colocar algo sobre; **se percher** *vpr* (*oiseau*) encaramarse.
perchoir [pɛʀʃwaʀ] *nm* percha; (*POL*) sede *f*.
percolateur [pɛʀkɔlatœʀ] *nm* percolador *m*, máquina de café.
perçu, e [pɛʀsy] *pp de* **percevoir**.
percussion [pɛʀkysjɔ̃] *nf* percusión *f*.
percuter [pɛʀkyte] *vt* percutir; (*suj: véhicule*) chocar ♦ *vi*: ~ **contre** chocar contra.
percuteur [pɛʀkytœʀ] *nm* percutor *m*.
perdant, e [pɛʀdɑ̃, ɑ̃t] *nm/f* perdedor(a) ♦ *adj* (*numéro*) no agraciado(-a).
perdre [pɛʀdʀ] *vt* perder; (*argent*) gastar ♦ *vi* perder; **se perdre** *vpr* perderse; **il ne perd rien pour attendre** a ése le espero yo.
perdrix [pɛʀdʀi] *nf* perdiz *f*.
perdu, e [pɛʀdy] *pp de* **perdre** ♦ *adj* perdido(-a); (*malade, blessé*): **il est** ~ está desahuciado; **à vos moments** ~**s** en sus ratos libres.
père [pɛʀ] *nm* padre *m*; ~**s** *nmpl* padres *mpl*; **de** ~ **en fils** de padre a hijo; ~ **de famille** padre de familia; **mon** ~ (*REL*) padre; **le** ~ **Noël** el papa Noel.
perfection [pɛʀfɛksjɔ̃] *nf* perfección *f*; **à la** ~ a la perfección.
perfectionner [pɛʀfɛksjɔne] *vt* perfeccionar.
perfectionniste [pɛʀfɛksjɔnist] *nm/f* perfeccionista *m/f*.
perfide [pɛʀfid] *adj* pérfido(-a).
perforer [pɛʀfɔʀe] *vt* perforar.
performance [pɛʀfɔʀmɑ̃s] *nf* (*d'un cheval, athlète*) marca; (*exploit, succès*) récord *m*; ~**s** *nfpl* (*d'une machine, d'un véhicule*) prestaciones *fpl*.
perfusion [pɛʀfyzjɔ̃] *nf* perfusión *f*; **être sous** ~ tener puesto el gotero.
péril [peʀil] *nm* peligro; **au** ~ **de sa vie** con riesgo de su vida; **à ses risques et** ~**s** por su cuenta y riesgo.
périlleux, -euse [peʀijø, øz] *adj* peligroso(-a).
périmé, e [peʀime] *adj* (*conception, idéologie*) pasado(-a) de moda; (*passeport, billet*) caducado(-a).
périmètre [peʀimɛtʀ] *nm* perímetro; (*zone*) superficie *f*.
période [peʀjɔd] *nf* periodo; ~ **de l'ovulation/d'incubation** periodo de ovulación/de incubación.
périodique [peʀjɔdik] *adj* periódico(-a) ♦ *nm* periódico; **garniture** *ou* **serviette** ~ compresa.
péripéties [peʀipesi] *nfpl* peripecias *fpl*.
périphérique [peʀifeʀik] *adj* periférico(-a) ♦ *nm* (*INFORM*) periférico; (*AUTO*): **(boulevard)** ~ carretera de circunvalación.
périple [peʀipl] *nm* viaje *m*.
périr [peʀiʀ] *vi* (*personne*) perecer; (*navire*) naufragar.
perle [pɛʀl] *nf* perla; (*de verre etc*) cuenta; (*de rosée, sang, sueur*) gota; (*erreur*) gazapo.
permanence [pɛʀmanɑ̃s] *nf* permanencia; (*local*) guardia; (*SCOL*) permanencia; **assurer une** ~ (*service public, bureaux*) estar abierto(-a); **être de** ~ estar de guardia; **en** ~ permanentemente.
permanent, e [pɛʀmanɑ̃, ɑ̃t] *adj* permanente; (*spectacle*) continuo(-a) ♦ *nm* (*d'un syndicat*) representante *m*; (*d'un parti*) miembro permanente.
permanente [pɛʀmanɑ̃t] *nf* permanente *f*.
perméable [pɛʀmeabl] *adj* permeable; ~ **à** (*fig*) influenciable por.
permettre [pɛʀmɛtʀ] *vt* permitir; **rien ne permet de penser que ...** nada permite pensar que ...; ~ **à qn de faire qch** permitir a algn hacer algo; **se** ~ **(de faire) qch** permitirse (hacer) algo; **permettez!** ¡perdone!
permis, e [pɛʀmi, iz] *pp de* **permettre** ♦ *nm* permiso; **permis d'inhumer** permiso de inhumación; **permis de chasse/pêche/construction** licencia de caza/pesca/construcción; **permis de conduire** carnet *m* de conducir; **permis de séjour/de travail** permiso de residencia/de trabajo; **permis poids lourds** carnet de primera.
permission [pɛʀmisjɔ̃] *nf* permiso; **en** ~ (*MIL*) de permiso; **avoir la** ~ **de faire qch** tener permiso para hacer algo.
permuter [pɛʀmyte] *vt, vi* permutar.

Pérou [peʀu] *nm* Perú *m*.
perpendiculaire [pɛʀpɑ̃dikylɛʀ] *adj* perpendicular ♦ *nf* perpendicular *f*; ~ **à** perpendicular a.
perpétrer [pɛʀpetʀe] *vt* perpetrar.
perpétuel, le [pɛʀpetɥɛl] *adj* perpetuo(-a); (*ADMIN etc*) vitalicio(-a); (*jérémiades*) continuo(-a).
perpétuer [pɛʀpetɥe] *vt* perpetuar; **se perpétuer** *vpr* perpetuarse.
perpétuité [pɛʀpetɥite]: **à** ~ *adj* a perpetuidad ♦ *adv* perpetuamente; **être condamné à** ~ estar condenado a cadena perpetua.
perplexe [pɛʀplɛks] *adj* perplejo(-a).
perquisitionner [pɛʀkizisjɔne] *vi* registrar.
perron [peʀɔ̃] *nm* escalinata.
perroquet [peʀɔkɛ] *nm* loro.
perruche [peʀyʃ] *nf* cotorra.
perruque [peʀyk] *nf* peluca.
persan, e [pɛʀsɑ̃, an] *adj* persa ♦ *nm* (*LING*) persa *m*.
persécuter [pɛʀsekyte] *vt* perseguir.
persécution [pɛʀsekysjɔ̃] *nf* persecución *f*.
persévérer [pɛʀseveʀe] *vi* perseverar; ~ **à croire que** obstinarse en creer que; ~ **dans qch** perseverar en algo.
persiennes [pɛʀsjɛn] *nfpl* persianas *fpl*.
persil [pɛʀsi] *nm* perejil *m*.
persister [pɛʀsiste] *vi* persistir; ~ **dans qch** persistir en algo; ~ **à faire qch** empeñarse en hacer algo.
personnage [pɛʀsɔnaʒ] *nm* personaje *m*.
personnalité [pɛʀsɔnalite] *nf* personalidad *f*.
personne [pɛʀsɔn] *nf* persona; (*LING*): **première/troisième** ~ primera/tercera persona ♦ *pron* nadie; ~**s** *nfpl* personas *fpl*; **il n'y a** ~ no hay nadie; **10F par** ~ 10 francos por persona; **en** ~ en persona; **personne à charge** (*JUR*) persona a su cargo; **personne âgée** persona mayor; **personne civile/morale** (*JUR*) persona civil/moral.
personnel, le [pɛʀsɔnɛl] *adj* personal; (*égoïste*) suyo(-a); (*taxe, contribution*) individual ♦ *nm* (*domestiques*) servidumbre *f*, (*employés*) plantilla; **il a des idées très ~les sur le sujet** tiene sus propias ideas sobre el tema; **service du** ~ servicio de personal.
perspective [pɛʀspɛktiv] *nf* perspectiva; ~**s** *nfpl* (*d'avenir*) perspectivas *fpl*; **en** ~ en perspectiva.
perspicace [pɛʀspikas] *adj* perspicaz.
persuader [pɛʀsɥade] *vt*: ~ **qn (de qch/de faire qch)** persuadir a algn (de algo/de hacer algo); **j'en suis persuadé** estoy convencido.
persuasif, -ive [pɛʀsɥazif, iv] *adj* persuasivo(-a).
perte [pɛʀt] *nf* pérdida; (*morale*) perdición *f*, ~**s** *nfpl* (*personnes tuées*) bajas *fpl*; (*COMM*) déficit *m*; **vendre à** ~ hacer dumping; **à** ~ **de vue** hasta perderse de vista; (*discourir, raisonner*) hasta nunca acabar; **en pure** ~ sin ganancia alguna; **courir à sa** ~ arriesgar mucho; **être en** ~ **de vitesse** (*fig*) estar de capa caída; **avec** ~ **et fracas** sin contemplaciones; ~ **de chaleur/d'énergie** pérdida de calor/de energía; ~ **sèche** pérdida total; **pertes blanches** flujo *msg*.
pertinent, e [pɛʀtinɑ̃, ɑ̃t] *adj* pertinente.
perturber [pɛʀtyʀbe] *vt* perturbar.
péruvien, ne [peʀyvjɛ̃, jɛn] *adj* peruano(-a) ♦ *nm/f*: **P~, ne** peruano(-a).
pervers, e [pɛʀvɛʀ, ɛʀs] *adj, nm/f* perverso(-a); **effet** ~ efecto perverso.
pervertir [pɛʀvɛʀtiʀ] *vt* pervertir; (*altérer, dénaturer*) desnaturalizar.
pesanteur [pəzɑ̃tœʀ] *nf* gravedad *f*.
pèse-personne [pɛzpɛʀsɔn] (*pl* **~-~(s)**) *nm* báscula.
peser [pəze] *vt* pesar; (*considérer, comparer*) ponderar ♦ *vi* pesar; (*fig*) tener peso; ~ **sur** (*levier, bouton*) apretar sobre; (*fig*) abrumar; (*suj*: *aliment, fardeau, impôt*) pesar; (*influencer*: *décision*) influir en; ~ **à qn** molestar a algn; ~ **cent kilos/peu** pesar cien kilos/poco.
pessimiste [pesimist] *adj, nm/f* pesimista *m/f*.
peste [pɛst] *nf* (*MÉD*) peste *f*, (*femme, fillette*): **quelle ~!** ¡es más mala que la peste!
pester [pɛste] *vi*: ~ **contre qn/qch** echar pestes contra algn/algo.
pétale [petal] *nm* pétalo.
pétanque [petɑ̃k] *nf* petanca.
pétarade [petaʀad] *nf* traca.
pétard [petaʀ] *nm* (*feu d'artifice*) petardo, cohete *m*; (*de cotillon*) petardo.
péter [pete] (*fam*) *vi* (*sauter*) estallar; (*casser*) romperse; (*fam!*) tirarse pedos.
pétillant, e [petijɑ̃, ɑ̃t] *adj* (*eau*) con gas; (*vin*) espumoso(-a); (*regard*) chispeante.
pétiller [petije] *vi* (*flamme, bois*) chisporrotear; (*mousse, champagne*) burbujear; (*joie, yeux*) chispear; (*fig*): ~ **d'intelligence** chispear de ingenio.
petit, e [p(ə)ti, it] *adj* pequeño(-a), chico(-a) (*esp AM*); (*personne, cri*) bajo(-a); (*mince*) fino(-a); (*court*) corto(-a) ♦ *nm/f* (*petit enfant*) pequeño(-a) ♦ *nm* (*d'un animal*) cachorro(-a); ~**s** *nmpl*: **la classe des ~s** la clase de párvulos; **faire des ~s** (*ani-*

mal) tener cachorros; **en ~** en pequeño; **mon ~** mi niño; **ma ~e** mi niña; **pauvre ~** pobre crío; **pour ~s et grands** para pequeños y mayores; **les tout-~s** los pequeñitos; **~ à ~** poco a poco; **petit(e) ami(e)** novio(-a); **petit déjeuner** desayuno; **petit doigt** dedo meñique; **petit écran** televisión *f*; **petit four** pastelillo; **petit pain** panecillo; **petite monnaie** calderilla; **petite vérole** viruela; **petits pois** guisantes *mpl*, arvejas *fpl* (*AM*), chícharos *mpl* (*MEX*); **les petites annonces** anuncios *mpl* por palabras; **petites gens** gente *f* humilde.

petite-fille [pətitfij] (*pl* **~s-~s**) *nf* nieta.

petit-fils [pətifis] (*pl* **~s-~**) *nm* nieto.

pétition [petisjɔ̃] *nf* petición *f*; **faire signer une ~** recoger firmas.

petits-enfants [pətizɑ̃fɑ̃] *nmpl* nietos *mpl*.

petit-suisse [pətisɥis] (*pl* **~s-~s**) *nm* petit-suisse *m*.

pétrifier [petʀifje] *vt* petrificar; (*fig*) dejar de piedra.

pétrin [petʀɛ̃] *nm* artesa; (*fig*): **être dans le ~** estar en un apuro.

pétrir [petʀiʀ] *vt* (*argile, cire*) moldear; (*pâte*) amasar; (*palper fortement*) manosear.

pétrole [petʀɔl] *nm* petróleo; **lampe à ~** lámpara de petróleo; **pétrole lampant** petróleo lampante.

pétrolier, -ière [petʀɔlje, jɛʀ] *adj* petrolero(-a) ♦ *nm* petrolero; (*technicien*) técnico de petróleo.

P et T [peete] *sigle fpl* = *postes et télécommunications*.

MOT-CLÉ

peu [pø] *adv* **1** poco; **il boit peu** bebe poco; **il est peu bavard** es poco hablador; **elle est un peu grande** es un poco grande; **peu avant/après** poco antes/después; **depuis peu** desde hace poco

2 (*modifiant nom*): **peu de** poco(-a), pocos(-as); (*quantité*): **il a peu d'espoir** tiene pocas esperanzas; **il y a peu d'arbres** hay pocos árboles; **avoir peu de pain** tener poco pan; **pour peu de temps** por poco tiempo; **c'est (si) peu de chose** eso es (muy) poca cosa

3: **peu à peu** poco a poco; **à peu près** *adv* más o menos; **à peu près 10 kg/10 F** unos 10 kg/10 francos, como 10 kg/10 francos (*AM*); **à peu de frais** con poco gasto

♦ *nm* **1**: **le peu de gens qui** los pocos que; **le peu de sable qui** la poca arena que; **le peu de courage qui nous restait** el poco valor que nos quedaba

2: **un peu** un poco; **un petit peu** un poquito; **un peu d'espoir** cierta esperanza; **essayez un peu!** ¡mire a ver!; **un peu plus/moins de** un poco más/menos de; **un peu plus et il ratait son train** un poco más y pierde el tren; **pour peu qu'il travaille, il réussira** a poco que trabaje, aprobará

♦ *pron*: **peu le savent** pocos lo saben; **avant** *ou* **sous peu** dentro de poco; **de peu**: **il a gagné de peu** ganó por poco; **il s'en est fallu de peu (qu'il ne le blesse)** faltó muy poco (para que lo hiriese); **éviter qch de peu** evitar algo por poco; **il est de peu mon cadet** es un poco más pequeño que yo.

peuple [pœpl] *nm* pueblo; (*péj*): **le ~** el pueblo; (*masse indifférenciée*): **un ~ de vacanciers** una masa de veraneantes; **il y a du ~** hay un gentío.

peuplé, e [pœple] *adj* poblado(-a); **très/peu ~** muy/poco poblado(-a).

peuplier [pøplije] *nm* álamo.

peur [pœʀ] *nf* miedo; **avoir ~ (de qn/qch/de faire qch)** tener miedo (de *ou* a algn/algo/de hacer algo); **avoir ~ que** temer que; **prendre ~** asustarse; **la ~ de qn/qch/faire qch** el temor de algn/algo/hacer algo; **faire ~ à qn** asustar a algn; **de ~ de/que** por miedo a/a que.

peureux, -euse [pøʀø, øz] *adj* (*personne*) miedoso(-a); (*regard*) atemorizado(-a).

peut [pø] *vb voir* **pouvoir**.

peut-être [pøtɛtʀ] *adv* quizá(s), a lo mejor; **~-~ bien (qu'il fera/est)** puede (que haga/sea); **~-~ que** quizá(s), a lo mejor; **~-~ fera-t-il beau dimanche** quizás haga bueno el domingo, a lo mejor hace bueno el domingo.

peux *etc* [pø] *vb voir* **pouvoir**.

phalange [falɑ̃ʒ] *nf* falange *f*.

pharaon [faʀaɔ̃] *nm* faraón *m*.

phare [faʀ] *nm* faro ♦ *adj*: **produit ~** producto estrella; **se mettre en ~s, mettre ses ~s** poner la luz larga; **phares de recul** faros de marcha atrás.

pharmacie [faʀmasi] *nf* farmacia; (*produits, armoire*) botiquín *m*.

pharmacien, ne [faʀmasjɛ̃, jɛn] *nm/f* farmacéutico(-a).

phase [fɑz] *nf* fase *f*.

phénomène [fenɔmɛn] *nm* fenómeno; (*personne*) bicho raro; (*monstre*) monstruo.

philatélie [filateli] *nf* filatelia.

philosophe [filɔzɔf] *adj, nm/f* filósofo(-a).

philosophie [filɔzɔfi] *nf* filosofía.

philosophique [filɔzɔfik] *adj* filosófico(-a).

phobie [fɔbi] *nf* fobia.

phonétique [fɔnetik] *adj* fonético(-a) ♦ *nf* fonética.

phoque [fɔk] *nm* foca; (*fourrure*) piel *f* de foca.

phosphate [fɔsfat] *nm* fosfato.

phosphore [fɔsfɔʀ] *nm* fósforo.

phosphorescent, e [fɔsfɔʀesɑ̃, ɑ̃t] *adj* fosforescente.

photo [fɔto] *nf* (*abr de photographie*) foto *f* ♦ *adj* (*abr de photographique*): **appareil/pellicule ~** máquina/carrete *m* de fotos; **en ~**: **être mieux en ~ qu'au naturel** salir mejor en foto que al natural; **prendre (qn) en ~** hacer una foto (a algn); **il aime la ~** le gusta la fotografía; **faire de la ~** hacer fotografía; **photo d'identité** foto de carnet; **photo en couleurs** foto en color.

photo... [fɔto] *préfixe* foto... .

photocopie [fɔtɔkɔpi] *nf* fotocopia.

photocopier [fɔtɔkɔpje] *vt* fotocopiar.

photographe [fɔtɔgʀaf] *nm/f* fotógrafo(-a).

photographie [fɔtɔgʀafi] *nf* fotografía.

photographier [fɔtɔgʀafje] *vt* fotografiar.

photomaton ® [fɔtɔmatɔ̃] *nm* fotomatón *m*.

phrase [fʀɑz] *nf* (*LING, propos*) frase *f*; **~s** *nfpl* (*péj*) palabras *fpl*.

physiologique [fizjɔlɔʒik] *adj* fisiológico(-a).

physionomie [fizjɔnɔmi] *nf* fisionomía.

physique [fizik] *adj* físico(-a) ♦ *nm* físico ♦ *nf* física; **au ~** físicamente.

piailler [pjaje] *vi* (*oiseau*) piar; (*personne*) chillar.

pianiste [pjanist] *nm/f* pianista *m/f*.

piano [pjano] *nm* piano; **piano à queue** piano de cola; **piano mécanique** organillo.

pianoter [pjanɔte] *vi* tocar el piano, teclear; (*tapoter*) tamborilear.

pic [pik] *nm* pico; (*ZOOL*) pájaro carpintero; **à ~** escarpado(-a); (*fig*): **arriver/tomber à ~** venir/caer de perilla; **couler à ~** (*bateau*) irse a pique; **~ à glace** pico.

pichet [piʃɛ] *nm* jarro.

pickpocket [pikpɔkɛt] *nm* ratero.

picorer [pikɔʀe] *vt* picotear.

picotement [pikɔtmɑ̃] *nm* picor *m*.

pie [pi] *nf* (*ZOOL*) urraca; (*fig*: *femme*) cotorra ♦ *adj inv*: **cheval ~** caballo pío.

pièce [pjɛs] *nf* pieza; (*d'un logement*) habitación *f*; (*THÉÂTRE*) obra; (*de monnaie*) moneda; (*COUTURE*) parche *m*; (*document*) documento; (*de bétail*) cabeza de ganado; **mettre en ~s** hacer pedazos; **en ~s** roto(-a) en pedazos; **dix francs ~** diez francos la unidad; **vendre à la ~** vender por unidades; **travailler/payer à la ~** trabajar/cobrar a destajo; **créer/inventer de toutes ~s** crear/inventar completamente; **maillot une ~** bañador *m*; **un deux-~s cuisine** apartamento con dos habitaciones y cocina; **un trois-~s** (*costume*) un tres piezas *m inv*; (*appartement*) apartamento con tres habitaciones; **tout d'une ~** de una pieza; (*personne*: *franc*) cabal franco(-a); (: *sans souplesse*) rígido(-a); **pièce à conviction** prueba de convicción; **pièce d'eau** estanque *m*; **pièce d'identité**: **avez-vous une ~ d'identité?** ¿tiene usted algún documento de identidad?; **pièce de rechange** pieza de recambio; **pièce de résistance** (*plat*) plato fuerte; **pièce montée** tarta nupcial; **pièces détachées** piezas *fpl* de repuesto; **en ~s détachées** (*à monter*) en piezas montables; **pièces justificatives** comprobante *msg*.

pied [pje] *nm* pie *m*; (*ZOOL, d'un meuble, d'une échelle*) pata; (*d'une falaise*) base *f*; **~s nus** *ou* **nu-~s** descalzo(-a); **à ~** a pie; **à ~ sec** a pie enjuto; **à ~ d'œuvre** al pie del cañón; **au ~ de la lettre** al pie de la letra; **au ~ levé** de repente; **de ~ en cap** de los pies a la cabeza; **en ~** (*portrait, photo*) de cuerpo entero; **avoir ~** hacer pie; **avoir le ~ marin** no marearse; **perdre ~** (*fig*) perder pie; **sur ~** (*AGR*) antes de recoger; (*rétabli*) restablecido(-a); **être sur ~ dès cinq heures** estar en pie desde las cinco; **mettre sur ~** (*entreprise*) poner en pie; **mettre à ~** echar a la calle; **sur le ~ de guerre** en pie de guerra; **sur un ~ d'égalité** sobre una base de igualdad; **sur ~ d'intervention** en alerta; **faire du ~ à qn** dar con el pie a algn; **mettre les ~s quelque part** poner los pies en algún sitio; **faire des ~s et des mains** revolver Roma con Santiago; **mettre qn au ~ du mur** poner a algn entre la espada y la pared; **quel ~!** ¡fantástico!; **c'est le ~!** (*fam*) ¡es fenomenal!; **se lever du bon ~** levantarse con buen pie; **il s'est levé du ~ gauche** se ha levantado con el pie izquierdo; **~ de nez** palmo de narices; **pied de lit** pata de la cama; **pied de salade** planta de ensalada; **pied de vigne** cepa.

pied-à-terre [pjetatɛʀ] *nm inv* apeadero.

pied-de-biche [pjedbiʃ] (*pl* **~s-~-~**) *nm* palanca; (*COUTURE*) prensatelas *m inv*.

piédestal, -aux [pjedɛstal, o] *nm* pedestal *m*.

pied-noir [pjenwaʀ] (*pl* **~s-~s**) *nm/f francés nacido en Argelia*.

piège [pjɛʒ] *nm* trampa; **prendre au ~** coger en la trampa; **tomber dans un ~** caer en la trampa.

piéger [pjeʒe] *vt* (*animal*) coger en la trampa; (*avec une bombe, mine*) colocar un explosivo en; (*fig*) hacer caer en una trampa; **lettre/voiture piégée** carta/coche *m* bomba *inv*.

pierre [pjɛʀ] *nf* piedra; **poser la première ~** poner la primera piedra; **mur de ~s sèches** muro de piedras secas; **faire d'une ~ deux coups** matar dos pájaros de un tiro; **pierre à briquet** piedra de mechero; **pierre de taille/de touche** piedra tallada/de toque; **pierre fine/ponce** piedra fina/pómez; **pierre tombale** lápida sepulcral.

piété [pjete] *nf* piedad *f*.

piétiner [pjetine] *vi* patalear; (*marquer le pas*) marcar el paso; (*fig*) estancarse, atascarse ♦ *vt* (*aussi fig*) pisotear.

piéton, ne [pjetɔ̃, ɔn] *nm/f* peatón *m/f* ♦ *adj* peatonal.

piétonnier, -ière [pjetɔnje, jɛʀ] *adj* peatonal.

pieu, x [pjø] *nm* estaca; (*fam*: *lit*) catre *m*.

pieuvre [pjœvʀ] *nf* pulpo.

pieux, -euse [pjø, pjøz] *adj* piadoso(-a).

piffer [pife] (*fam*) *vt*: **je ne peux pas le ~** no puedo tragarlo.

pigeon [piʒɔ̃] *nm* palomo; **pigeon voyageur** paloma mensajera.

piger [piʒe] (*fam*) *vt, vi* pillar.

pignon [piɲɔ̃] *nm* piñón *m*; (*d'un mur*) aguilón *m*; **avoir ~ sur rue** (*fig*) estar bien establecido.

pile [pil] *nf* pila; (*pilier*) pilar *m* ♦ *adj*: **le côté ~** cruz *f* ♦ *adv* (*net, brusquement*) en seco; (*à temps, à point nommé*) justo a tiempo; **à deux heures ~** a las dos en punto; **jouer à ~ ou face** jugar a cara o cruz; **~ ou face?** ¿cara o cruz?

piler [pile] *vt* machacar.

pileux, -euse [pilø, øz] *adj*: **système ~** pelo.

pilier [pilje] *nm* (*colonne, support, RUGBY*) pilar *m*; (*personne*) apoyo; **pilier de bar** asiduo de un bar.

pillard, e [pijaʀ, aʀd] *nm/f* saqueador(a).

piller [pije] *vt* saquear.

pilonner [pilɔne] *vt* machacar a cañonazos.

pilote [pilɔt] *nm* piloto ♦ *adj*: **appartement-~** piso-piloto; **pilote d'essai/de chasse/de course/de ligne** piloto de pruebas/de caza/de carreras/civil.

piloter [pilɔte] *vt* pilotar; (*automobile*) conducir; (*fig*): **~ qn** guiar a algn; **piloté par menu** (*INFORM*) guiado por menú.

pilule [pilyl] *nf* píldora; **prendre la ~** tomar la píldora.

piment [pimɑ̃] *nm* pimiento, ají *m* (*AM*); (*fig*) sal y pimienta; **piment rouge** guindilla.

pimenté, e [pimɑ̃te] *adj* salpimentado(-a).

pin [pɛ̃] *nm* pino; **pin maritime/parasol** pino marítimo/piñonero.

pince [pɛ̃s] *nf* pinza; (*outil*) pinzas *fpl*; **pince à épiler** pinza de depilar; **pince à linge** pinza de la ropa; **pince à sucre** tenacillas *fpl* para el azúcar; **pince universelle** alicates *mpl*; **pinces de cycliste** pinzas para bicicleta.

pinceau, x [pɛ̃so] *nm* pincel *m*.

pincée [pɛ̃se] *nf*: **une ~ de sel/poivre** una pizca de sal/pimienta.

pincer [pɛ̃se] *vt* (*personne*) pellizcar; (*MUS*: *cordes*) puntear; (*suj*: *vêtement*: *aussi COUTURE*) entallar; (*fam*: *malfaiteur*) pescar; **se ~ le doigt** pillarse el dedo; **se ~ le nez** taparse la nariz.

pingouin [pɛ̃gwɛ̃] *nm* pingüino.

ping-pong [piŋpɔ̃g] (*pl* **~-~s**) *nm* ping-pong *m*.

pingre [pɛ̃gʀ] *adj* roñica.

pinson [pɛ̃sɔ̃] *nm* pinzón *m*.

pintade [pɛ̃tad] *nf* pintada.

pioche [pjɔʃ] *nf* pico.

piocher [pjɔʃe] *vt* (*terre*) cavar; (*fam*) empollar; **~ dans** (*une réserve*) hurgar en.

pion, ne [pjɔ̃, ɔn] *nm/f* (*SCOL, péj*) vigilante *m/f* ♦ *nm* (*ÉCHECS*) peón *m*; (*DAMES*) ficha.

pionnier [pjɔnje] *nm* pionero(-a); (*fig*) precursor *m*.

pipe [pip] *nf* pipa; **fumer la ~** fumar en pipa; **pipe de bruyère** pipa (de raíz) de brezo.

piquant, e [pikɑ̃, ɑ̃t] *adj* punzante; (*saveur*) picante; (*description, style*) penetrante; (*caustique*) mordaz ♦ *nm* (*épine*) espina; (*de hérisson*) púa; (*fig*): **le ~** lo picante.

pique [pik] *nf* pica; (*parole blessante*): **envoyer** *ou* **lancer des ~s à qn** tirar *ou* lanzar indirectas a algn ♦ *nm* (*CARTES*) picas *fpl*, ≈ espadas *fpl*.

pique-nique [piknik] (*pl* **~-~s**) *nm* picnic *m*.

piquer [pike] *vt* picar; (*percer*) pinchar; (*MÉD*) poner una inyección a; (: *animal blessé*) poner una inyección para matar; (*suj*: *vers*) apolillar; (*COUTURE*) pespuntear; (*fam*: *prendre*) coger; (: *voler*) birlar; (: *arrêter*) pillar; (*planter*): **~ qch dans** clavar algo en; (*fixer*): **~ qch à/sur** colocar algo en ♦ *vi* (*oiseau, avion*) bajar en picado; (*saveur*) picar; **se piquer** *vpr* (*avec une aiguille*) pincharse; (*se faire une piqûre*) ponerse una inyección; (*se vexer*) picarse; **se ~ de faire** alardear de hacer; **~ sur** bajar en picado sobre; **~ du nez** caerse de narices; (*dormir*) dar una cabezada; **~ une tête** meterse en el agua; **~ un galop/un cent mètres** ir al galope/correr cien metros; **~ une crise** coger una rabieta; **~ au vif** (*fig*) herir en carne viva.

piquet [pikɛ] *nm* estaca; **mettre un élève au ~** castigar a un alumno contra la pared; **~ de grève** piquete *m* de huelga; **~ d'incendie** cuerpo permanente de bomberos.

piqûre [pikyʀ] *nf* (*gén*) picadura; (*MÉD*) inyección *f*; (*COUTURE*) pespunte *m*; (*tache*) mancha; **faire une ~ à qn** poner una inyección a algn.

pirate [piʀat] *nm* pirata *m/f* ♦ *adj*: **émetteur ~** emisora pirata; **pirate de l'air** pirata del aire.

pire [piʀ] *adj* (*comparatif*) peor; (*superlatif*): **le (la) ~** el/lo (la) peor ♦ *nm*: **le ~ (de)** lo peor (de); **au ~** en el peor de los casos.

pirogue [piʀɔg] *nf* piragua.

pis [pi] *nm* (*de vache*) ubre *f*; (*pire*): **le ~** lo peor ♦ *adj, adv* peor; **on aurait pu faire ~** podría haber sido peor; **de mal en ~** de mal en peor; **qui ~ est** y lo que es peor; **au ~ aller** en el peor de los casos.

piscine [pisin] *nf* piscina; **piscine couverte/en plein air/olympique** piscina cubierta/al aire libre/olímpica.

pissenlit [pisɑ̃li] *nm* cardillo.

pistache [pistaʃ] *nf* pistacho.

piste [pist] *nf* pista, rastro; (*sentier*) camino; (*d'un magnétophone*) banda; **être sur la ~ de qn** estar tras la pista de algn; **piste cavalière** camino de herradura; **piste cyclable** pista para ciclistas; **piste sonore** banda sonora.

pistolet [pistɔlɛ] *nm* pistola; **pistolet à air comprimé/à bouchon/à eau** pistola de aire comprimido/con tapón/de agua.

piston [pistɔ̃] *nm* (*TECH*) pistón *m*; (*fig*) enchufe *m*; (*MUS*): **cornet/trombone à ~s** corneta/trombón *m* de pistones.

pistonner [pistɔne] *vt* enchufar.

piteux, -euse [pitø, øz] *adj* (*résultat*) deplorable; (*air*) lastimoso(-a); **en ~ état** en estado lamentable.

pitié [pitje] *nf* piedad *f*; **sans ~** sin piedad; **faire ~** dar pena *ou* lástima; **par ~, ...** por piedad, ...; **il me fait ~** me da lástima; **avoir ~ de qn** (*épargner*) compadecerse de algn.

piton [pitɔ̃] *nm* (*clou*) armella; **piton rocheux** pico rocoso.

pitoyable [pitwajabl] *adj* lamentable; (*réponse, acteur*) penoso(-a).

pitre [pitʀ] *nm* (*fig*) payaso.

pittoresque [pitɔʀɛsk] *adj* pintoresco(-a).

pivert [pivɛʀ] *nm* pájaro carpintero, picamaderos *m inv*.

pivot [pivo] *nm* (*axe*) pivote *m*; (*fig*) eje *m*; **dent sur ~** soporte *m* dental.

pivoter [pivɔte] *vi* girar; **~ sur ses talons** dar media vuelta.

pizza [pidza] *nf* pizza.

PJ [peʒi] *sigle f* (= *police judiciaire*) *voir* **police** ♦ *sigle fpl* (= *pièces jointes*) documentos adjuntos.

placard [plakaʀ] *nm* (*armoire*) armario (empotrado); (*affiche*) anuncio; (*TYPO*) prueba; **placard publicitaire** anuncio publicitario.

placarder [plakaʀde] *vt* fijar; (*mur*) fijar carteles en.

place [plas] *nf* plaza; (*emplacement*) lugar *m*; (*espace libre*) sitio; (*siège*) asiento; (*prix*: *au cinéma etc*) entrada; (: *dans un bus*) billete *m*; (*situation*: *d'une personne*) situación *f*; (*UNIV, emploi*) puesto; **en ~** en su sitio; **de ~ en ~** de un sitio a otro; **sur ~** en el sitio; (*sur les lieux*): **faire une enquête/se rendre sur ~** hacer una encuesta/presentarse in situ; **faire de la ~** hacer sitio; **faire ~ à qch** dar paso a algo; **prendre ~** tomar asiento; **ça prend de la ~** ocupa sitio; **à votre ~ ...** en su lugar ...; **remettre qn à sa ~** poner a algn en su sitio; **ne pas rester** *ou* **tenir en ~** no estarse quieto(-a); **à la ~** (*en échange*) en su lugar; **à la ~ de** en lugar de; **une quatre ~s** (*AUTO*) un cuatro plazas *m inv*; **il y a 20 ~s assises/debout** hay 20 plazas de asiento/de pie; **place d'honneur** lugar de honor; **place forte** plaza fuerte; **places arrière/avant** asientos *mpl* traseros/delanteros.

placement [plasmɑ̃] *nm* (*emploi*) colocación *f*; (*FIN*) inversión *f*; **agence/bureau de ~** oficina de empleo.

placer [plase] *vt* (*convive, spectateur*) acomodar; (*chose*) colocar; (*élève, employé*) dar empleo a; (*marchandises, valeurs*) vender; (*capital*) invertir; (*événement, pays*) situar; **se placer** *vpr* (*COURSES*) clasificarse; **se ~ au premier rang/devant qch** (*chose, pays*) encontrarse en primera fila/delante de algo; **~ qn chez qn/sous les ordres de qn** colocar a algn en casa de algn/bajo las órdenes de algn; **~ qn dans un emploi de** colocar a algn de.

plafond [plafɔ̃] *nm* techo; (*AVIAT*) altura máxima; (*fig*) tope *m*.

plafonner [plafɔne] *vi* (*salaire*) llegar a un máximo; (*AVIAT*) volar a la altura máxima ♦ *vt* (*pièce*) techar.
plage [plaʒ] *nf* playa; (*station*) balneario; (*de disque*) banda sonora; (*fig*): ~ **horaire/musicale/de prix** banda horaria/musical/de precios; **plage arrière** (*AUTO*) maletero.
plagiat [plaʒja] *nm* plagio.
plaider [plede] *vi* (*avocat*) pleitear; (*plaignant*) litigar ♦ *vt* (*cause*) defender; ~ **l'irresponsabilité/la légitime défense** alegar irresponsabilidad/legítima defensa; ~ **coupable/non coupable** declararse culpable/inocente; ~ **pour** *ou* **en faveur de qn** (*fig*) declarar a favor de algn.
plaidoirie [plɛdwaʀi] *nf* pleito.
plaidoyer [plɛdwaje] *nm* (*JUR, fig*) alegato.
plaie [plɛ] *nf* herida.
plaignant, e [plɛɲɑ̃, ɑ̃t] *vb voir* **plaindre** ♦ *adj, nm/f* demandante *m/f*.
plaindre [plɛ̃dʀ] *vt* compadecer; **se plaindre** *vpr* quejarse; **se** ~ **que** quejarse de que.
plaine [plɛn] *nf* llanura.
plainte [plɛ̃t] *nf* queja; (*gémissement*) lamento; (*JUR*): **porter** ~ poner una denuncia.
plaire [plɛʀ] *vi* gustar; **se plaire** *vpr* (*quelque part*) estar a gusto; ~ **à**: **cela me plaît** eso me gusta; **essayer de** ~ **à qn** tratar de agradar a algn; **se** ~ **à** complacerse en; **elle plaît aux hommes** gusta a los hombres; **ce qu'il vous plaira** lo que usted quiera; **s'il vous plaît** por favor.
plaisance [plɛzɑ̃s] *nf* (*aussi*: **navigation de** ~) navegación *f* de recreo.
plaisant, e [plɛzɑ̃, ɑ̃t] *adj* agradable; (*personne*) grato(-a); (*histoire, anecdote*) divertido(-a).
plaisanter [plɛzɑ̃te] *vi* bromear ♦ *vt* (*personne*) gastar una broma a; **pour** ~ en broma; **on ne plaisante pas avec cela** con eso no se bromea; **tu plaisantes!** ¡no hablas en serio!
plaisanterie [plɛzɑ̃tʀi] *nf* broma.
plaise *etc* [plɛz] *vb voir* **plaire**.
plaisir [pleziʀ] *nm*: **le** ~ el placer; ~**s** *nmpl*: **chaque âge a ses** ~**s** cada edad tiene su encanto; **boire/manger avec** ~ beber/comer con ganas; **faire** ~ **à qn** complacer a algn; (*suj*: *cadeau, nouvelle*) agradar a algn; **prendre** ~ **à qch/à faire qch** complacerse en algo/en hacer algo; **j'ai le** ~ **de ...** tengo el gusto de ...; **M et Mme X ont le** ~ **de vous faire part de ...** el señor y la señora X se complacen en hacerles partícipes de ...; **se faire un** ~ **de faire qch** tener mucho gusto en hacer algo; **faites-moi le** ~ **de ...** hágame usted el favor de ...; **à** ~ a placer; (*sans raison*) sin motivo; **au** ~ **(de vous revoir)** hasta que nos veamos; **pour le** *ou* **par** *ou* **pour son** ~ por gusto.
plaît [plɛ] *vb voir* **plaire**.
plan, e [plɑ̃, an] *adj* plano(-a) ♦ *nm* plano; (*projet, ÉCON*) plan *m*; **au premier/second** ~ en primer/segundo plano; **sur tous les** ~**s** (*aspect*) en todos los aspectos; **à l'arrière** ~ en segundo plano; **laisser/rester en** ~ dejar/quedar en suspenso; **sur le même** ~ al mismo nivel; **de premier/second** ~ (*personnage*) de primera/segunda plana; **sur le** ~ **sexuel** en el terreno de la sexualidad; **plan d'action** plan de acción; **plan d'eau** estanque *m*; **plan de cuisson** rejilla de cocina; **plan de sustentation** plano de sustentación; **plan de travail** (*dans une cuisine*) encimera; **plan de vol** plan de vuelo; **plan directeur** (*MIL*) plano de campaña; (*ÉCON*) plan rector.
planche [plɑ̃ʃ] *nf* tabla; (*de dessins*) lámina; (*de salades etc*) hilera; (*d'un plongeoir*) tablón *m*; ~**s** *nfpl*: **les** ~**s** (*THÉÂTRE*) las tablas; **en** ~**s** de tablas; **faire la** ~ (*dans l'eau*) hacer el muerto; **avoir du pain sur la** ~ tener tela que cortar; **planche à découper** tabla de cortar; **planche à dessin** tablero de dibujo; **planche à pain** tabla; **planche à repasser** tabla de planchar; **planche (à roulettes)** monopatín *m*; **planche à voile** (*objet*) tabla de windsurfing; (*SPORT*) windsurfing *m*; **planche de salut** (*fig*) tabla de salvación.
plancher [plɑ̃ʃe] *nm* suelo; (*d'une maison*) piso; (*fig*): ~ **des salaires/cotisations** nivel *m* mínimo salarial/de las cotizaciones ♦ *vi* trabajar duro.
plancton [plɑ̃ktɔ̃] *nm* planctón *m*.
planer [plane] *vi* (*oiseau*) cernerse; (*avion*) planear; (*odeur etc*) flotar; (*fam*: *être euphorique*) estar ciego(-a); ~ **sur** cernerse sobre.
planète [planɛt] *nf* planeta *m*.
planeur [planœʀ] *nm* planeador *m*.
planifier [planifje] *vt* planificar.
planning [planiŋ] *nm* programación *f*; **planning familial** planificación *f* familiar.
planque [plɑ̃k] (*fam*) *nf* (*emploi peu fatigant*) momio; (*cachette*) escondrijo.
planquer [plɑ̃ke] (*fam*) *vt* esconder; **se planquer** *vpr* esconderse.
plantation [plɑ̃tasjɔ̃] *nf* plantación *f*.
plante [plɑ̃t] *nf* planta; (*ANAT*): ~ **du pied** planta del pie; **plante d'appartement** planta de interior; **plante verte** planta

verde.

planter [plɑ̃te] *vt* plantar; (*pieu*) clavar; (*drapeau*) plantar, poner; (*tente*) montar; (*décors*) instalar; (*fam: mettre*) plantar; (: *abandonner*): ~ **là** dejar plantado(-a); **se planter** *vpr* (*fam: se tromper*) meter la pata; ~ **de/en vignes** plantar de/con viñas; **se ~ devant qn/qch** plantarse delante de algn/algo.

planton [plɑ̃tɔ̃] *nm* plantón *m*.

plaque [plak] *nf* placa; (*d'ardoise, de verre*) hoja; **plaque chauffante** placa calientaplatos; **plaque d'identité** placa (de identidad); **plaque minéralogique/d'immatriculation** placa mineralógica/de matrícula; **plaque de beurre** cucharada de mantequilla; **plaque de chocolat** tableta de chocolate; **plaque de cuisson** quemador *m*; **plaque de four** placa de horno; **plaque de police** placa (de identidad); **plaque de propreté** placa protectora; **plaque sensible** (*PHOTO*) placa sensible; **plaque tournante** (*fig*) centro.

plaqué, e [plake] *nm* (*métal*): ~ **or/argent** chapado en oro/plata; (*bois*): ~ **acajou** enchapado en caoba ♦ *adj*: ~ **or/argent** chapado(-a) en oro/plata.

plaquer [plake] *vt* (*bijou*) chapar; (*bois*) enchapar; (*RUGBY*) hacer un placaje a; (*fam: laisser tomber*) dejar plantado(-a); (*aplatir*): ~ **qch sur/contre** aplastar algo sobre/contra; **se ~ contre** pegarse a; ~ **qn contre** sujetar a algn con fuerza contra.

plaquette [plakɛt] *nf* (*de chocolat, pilules*) tableta; (*de beurre*) cucharada; (*livre*) folleto; (*INFORM*) tarjeta de circuitos impresos; **plaquette de frein** (*AUTO*) almohadilla de freno.

plasma [plasma] *nm* plasma *m*.

plastique [plastik] *adj* plástico(-a) ♦ *nm* plástico ♦ *nf* plástica; **bouteille en ~** botella de plástico; **chirurgie ~** cirugía plástica.

plastiquer [plastike] *vt* volar con goma dos.

plat, e [pla, at] *adj* llano(-a); (*chapeau, bateau*) chato(-a); (*ventre, poitrine*) plano(-a); (*cheveux*) lacio(-a); (*vin*) insípido(-a); (*banal*) anodino(-a) ♦ *nm* (*CULIN: mets*) plato; (: *récipient*) fuente *f*; (*partie plate*): **le ~ de la main** la palma de la mano; (*d'une route*): **rouler sur du ~** conducir en lo llano; **à ~** *adv* a lo largo ♦ *adj* (*neumático*) desinflado(-a); (*personne*) rendido(-a); **à ~ ventre** boca abajo; **batterie à ~** batería descargada; **talons ~s** zapatos *mpl* planos; **plat cuisiné** plato precocinado; **plat de résistance** plato fuerte; **plat du jour** plato del día; **plats préparés** platos preparados.

platane [platan] *nm* plátano.

plateau, x [plato] *nm* bandeja; (*d'une table*) superficie *f*; (*d'une balance, de tourne-disque*) plato; (*GÉO*) meseta; (*d'un graphique*) nivel *m*; (*CINÉ, TV*) plató; **plateau à fromage** tabla de quesos.

plate-bande [platbɑ̃d] (*pl* **~s-~s**) *nf* arriate *m*.

plate-forme [platfɔʀm] (*pl* **~s-~s**) *nf* plataforma; **plate-forme de forage/petrolière** plataforma de perforación/petrolera.

platine [platin] *nm* platino ♦ *nf* platina ♦ *adj inv*: **cheveux/blond ~** cabello/rubio platino *inv*; **platine cassette/laser/disque** platina de casete/de compact-disc/de tocadiscos; **platine laser** platina láser.

plâtre [plɑtʀ] *nm* yeso; (*MÉD, statue*) escayola; **~s** *nmpl* (*revêtements*) revestimientos *mpl* de escayola; **avoir un bras dans le ~** tener un brazo escayolado.

plâtrer [plɑtʀe] *vt* (*mur*) enyesar; (*MÉD*) escayolar.

plâtrier [plɑtʀije] *nm* yesero.

plausible [plozibl] *adj* plausible.

play-back [plɛbak] *nm inv* play-back *m*.

plein, e [plɛ̃, plɛn] *adj* lleno(-a); (*journée*) ocupado(-a); (*porte, roue*) macizo(-a); (*joues, formes*) relleno(-a); (*mer*) alto(-a); (*chienne, jument*) preñada ♦ *prép*: **avoir de l'argent ~ les poches** tener los bolsillos llenos de dinero ♦ *nm*: **faire le ~ (d'essence)** llenar el depósito (de gasolina); **faire le ~ de spectateurs/voix** llenar la sala/conseguir la mayoría de los votos; **les ~s** (*écriture*) el trazo grueso; **avoir les mains ~es** tener las manos llenas; **à ~es mains** a manos llenas; **à ~, en ~** de lleno; **à ~ régime** al máximo; **à ~ temps, à temps ~** a tiempo completo; **en ~ air** al aire libre; **jeux de ~ air** juegos de aire libre; **en ~ vent/soleil** a pleno viento/sol; **en ~e mer** en altamar; **en ~e rue** en medio de la calle; **en ~ milieu** en medio; **en ~ jour/~e nuit** en pleno día/plena noche; **en ~e croissance** en pleno crecimiento; **en ~ sur** de lleno sobre; **en avoir ~ le dos** (*fam*) estar hasta la coronilla; **pleins pouvoirs** plenos poderes *mpl*.

plénitude [plenityd] *nf* plenitud *f*.

pleurer [plœʀe] *vt, vi* llorar; ~ **sur** llorar por; ~ **de rire** llorar de risa.

pleurnicher [plœʀniʃe] *vi* lloriquear.

pleurs [plœʀ] *nmpl*: **en ~** deshecho(-a) en lágrimas.

pleut [plø] *vb voir* **pleuvoir**.

pleuvoir [pløvwaʀ] *vb impers*: **il pleut** llueve ♦ *vi* (*fig*) llover; **il pleut des cordes** *ou* **à verse/à torrents** llueve a cántaros/

torrencialmente.
pli [pli] *nm* pliegue *m*; (*d'un drapé, rideau*) doblez *f*; (*d'une jupe*) tabla; (*d'un pantalon*) raya; (*aussi*: **faux ~**) arruga; (*ride*) arruga; (*enveloppe*) sobre *m*; (*ADMIN*) carta; (*CARTES*) baza; **prendre le ~ de faire qch** adquirir el hábito de hacer algo; **ça ne va pas faire un ~** no cabe duda; **pli d'aisance** tabla.
pliant, e [plijɑ̃, plijɑ̃t] *adj* plegable ♦ *nm* silla de tijera.
plier [plije] *vt* doblar; (*tente etc*) plegar; (*pour ranger*) recoger; (*genou, bras*) flexionar ♦ *vi* curvarse; (*céder*) ceder; **se plier à** *vpr* doblegarse a; **~ bagage** (*fig*) tomar las de Villadiego.
plissé, e [plise] *adj* (*jupe*) plisado(-a); (*peau*) arrugado(-a); (*GÉO*) plegado(-a) ♦ *nm* (*COUTURE*) plisado.
plisser [plise] *vt* arrugar; (*jupe*) hacerle tablas a, plisar; **se plisser** *vpr* arrugarse.
plomb [plɔ̃] *nm* plomo; (*d'une cartouche*) perdigón *m*; (*sceau*) precinto; (*ÉLEC*) fusible *m*; **sommeil de ~** sueño pesado; **soleil de ~** sol abrasador.
plombage [plɔ̃baʒ] *nm* empaste *m*.
plomber [plɔ̃be] *vt* (*canne, ligne*) poner el plomo en; (*INFORM, colis etc*) precintar; (*TECH*: *mur*) aplomar; (*dent*) empastar.
plombier [plɔ̃bje] *nm* fontanero, plomero (*AM*), gasfíter *m* (*CHI*), gasfitero (*CHI*).
plongeant, e [plɔ̃ʒɑ̃, ɑ̃t] *adj* (*vue*) desde arriba; (*tir*) oblicuo(-a); (*décolleté*) pronunciado(-a).
plongée [plɔ̃ʒe] *nf* inmersión *f*; (*SPORT*: *sans bouteilles*) buceo; (*CINÉ, TV*) plano tomado desde arriba, plano picado; **~ (sous-marine)** submarinismo; **sous-marin en ~** submarino sumergido.
plongeoir [plɔ̃ʒwaʀ] *nm* trampolín *m*.
plongeon [plɔ̃ʒɔ̃] *nm* zambullida; (*FOOTBALL*) estirada.
plonger [plɔ̃ʒe] *vi* (*personne*) zambullirse; (*sous-marin*) sumergirse; (*oiseau, avion*) lanzarse en picado; (*FOOTBALL*) hacer una estirada; (*regard*) dirigir; (*personne*): **~ dans un sommeil profond** sumirse en un sueño profundo ♦ *vt* sumergir; (*arme, racine*) clavar; **~ dans l'obscurité** sumir en la oscuridad; **~ qn dans l'embarras/le découragement** sumir a algn en la confusión/el desánimo.
ployer [plwaje] *vt*: **~ les genoux** doblar las rodillas ♦ *vi* curvarse; **~ sous le joug** (*fig*) ceder bajo el yugo.
plu [ply] *pp de* **plaire**; **pleuvoir**.
pluie [plɥi] *nf* lluvia; (*averse*) chaparrón *m*; **une ~ de** (*fig*) una lluvia de; **retomber en ~** caer en forma de lluvia; **sous la ~** bajo la lluvia.
plumage [plymaʒ] *nm* plumaje *m*.
plume [plym] *nf* pluma; **dessin à la ~** dibujo en plumilla.
plumier [plymje] *nm* plumero.
plupart [plypaʀ]: **la ~** *pron* la mayor parte; **la ~ du temps** la mayoría de las veces; **dans la ~ des cas** en la mayoría de los casos; **pour la ~** en su mayoría.
pluriel [plyʀjɛl] *nm* plural *m*; **au ~** en plural.

MOT-CLÉ

plus *adv* [ply] **1** (*forme négative*): **ne ... plus** ya no; **je n'ai plus d'argent** ya no tengo dinero; **il ne travaille plus** ya no trabaja
2 [plys] (*comparatif*) más; **plus intelligent (que)** más inteligente (que); **plus d'intelligence/de possibilités (que)** más inteligencia/posibilidades (que); (*superlatif*): **le plus** el más; **c'est lui qui travaille le plus** es él quien más trabaja; **le plus grand** el más grande; **(tout) au plus** a lo sumo, a lo más
3 (*davantage*) más; **il travaille plus (que)** trabaja más (que); **plus il travaille, plus il est heureux** cuanto más trabaja, más feliz es; **il était plus de minuit** era más de medianoche; **plus de 3 heures/4 kilos** más de 3 horas/4 kilos; **3 heures/kilos de plus que** 3 horas/kilos más que; **il a 3 ans de plus que moi** tiene 3 años más que yo; **de plus** (*en supplément*) de más; (*en outre*) además; **de plus en plus** cada vez más; **plus de pain** más pan; **sans plus** sin más; **3 kilos en plus** 3 kilos de más; **en plus de cela ...** además de eso ...; **d'autant plus que** tanto más cuando, más aún cuando; **qui plus est** y lo que es más; **plus ou moins** más o menos; **ni plus ni moins** ni más ni menos
♦ *prép*: **4 plus 2** 4 más 2.

plusieurs [plyzjœʀ] *dét, pron* varios(-as); **ils sont ~** son varios.
plus-value [plyvaly] (*pl* **~-~s**) *nf* (*ÉCON*) plusvalía; (*bénéfice*) beneficio; (*budgétaire*) excedente *m*.
plut [ply] *vb voir* **plaire**; **pleuvoir**.
plutôt [plyto] *adv* más bien; **je ferais ~ ceci** haría más bien esto; **fais ~ comme ça** haz mejor así; **~ que (de) faire qch** en lugar de hacer algo; **~ grand/rouge** más bien grande/rojo.
pluvieux, -euse [plyvjø, jøz] *adj* lluvioso(-a).
PME [peɛmə] *sigle fpl* (= *petites et moyennes entreprises*) ≈ PYME *fsg* (= *pequeña y*

mediana empresa).

PMU [peɛmy] *sigle m* (= *pari mutuel urbain*) *voir* **pari**.

pneu, x [pnø] *nm* neumático, llanta (*AM*); (*message*) misiva tubular.

pneumatique [pnømatik] *nm* neumático ♦ *adj* de aire comprimido; (*canot*) hinchable.

pneumonie [pnømɔni] *nf* neumonía.

poche [pɔʃ] *nf* bolsillo; (*ZOOL*) buche *m* ♦ *nm* libro de bolsillo; **de ~** de bolsillo; **en être de sa ~** pagarlo de su bolsillo; **c'est dans la ~** es cosa hecha.

pochette [pɔʃɛt] *nf* (*de timbres*) sobre *m*; (*d'aiguilles etc*) estuche *m*; (*sac: de femme*) bolso de mano; (*: d'homme*) bolso; (*sur veste*) pañuelo; **pochette d'allumettes** canterilla de cerillas; **pochette de disque** funda de discos; **pochette surprise** sobre sorpresa.

podium [pɔdjɔm] *nm* podio.

poêle [pwal] *nm* estufa ♦ *nf*: **~ (à frire)** sartén *f (m en AM)*.

poème [pɔɛm] *nm* poema *m*.

poésie [pɔezi] *nf* poesía.

poète [pɔɛt] *nm* poeta *m* ♦ *adj* poeta.

poids [pwa] *nm* peso; (*pour peser*) pesa; (*SPORT*) pesas *fpl*; **vendre qch au ~** vender algo al peso; **prendre/perdre du ~** coger/perder peso; **faire le ~** (*fig*) dar la talla; **argument de ~** argumento de peso; **poids et haltères** *nmpl* pesas y halterofilia; **poids lourd** peso pesado; (*camion: aussi*: **PL**) camión *m* de carga pesada; **poids mort** (*TECH*) peso muerto; (*fig: péj*) lastre *m*; **poids mouche/plume/coq/moyen** (*BOXE*) peso mosca/ pluma/gallo/medio; **poids utile** carga.

poignant, e [pwaɲɑ̃, ɑ̃t] *adj* conmovedor(a).

poignard [pwaɲaʀ] *nm* puñal *m*.

poignarder [pwaɲaʀde] *vt* apuñalar.

poigne [pwaɲ] *nf* fuerza; (*main, poing*) mano *f*; (*fig*) firmeza; **à ~** con firmeza.

poignée [pwaɲe] *nf* puñado; (*de couvercle, valise*) asa; (*tiroir*) tirador *m*; (*porte*) picaporte *m*; (*de cuisine*) manopla *f*; **poignée de main** apretón *m* de manos.

poignet [pwaɲɛ] *nm* muñeca; (*d'une chemise*) puño.

poil [pwal] *nm* pelo; (*de pinceau, brosse*) cerda; **à ~** (*fam*) en pelota; **au ~** (*parfait*) estupendo; **de tout ~** de toda calaña; **être de bon/mauvais ~** (*fam*) estar de buenas/malas; **poil à gratter** picapica.

poilu, e [pwaly] *adj* peludo(-a).

poinçon [pwɛ̃sɔ̃] *nm* punzón *m*; (*marque*) contraste *m*.

poinçonner [pwɛ̃sɔne] *vt* (*billet, ticket*) picar; (*marchandise, bijou*) contrastar.

poindre [pwɛ̃dʀ] *vi* (*fleur*) brotar; (*aube, jour*) despuntar.

poing [pwɛ̃] *nm* puño; **dormir à ~s fermés** dormir a pierna suelta.

point [pwɛ̃] *nm* punto; (*COUTURE, TAPISSERIE*) puntada ♦ *adv voir* **pas**; **il n'est ~ bête** no es ningún tonto; **faire le ~** (*NAUT*) determinar la posición; (*fig*) recapitular; **faire le ~ sur** analizar la situación de; **en tout ~** de todo punto; **sur le ~ de faire qch** a punto de hacer algo; **au ~ que** hasta el punto que; **mettre au ~** poner a punto; (*appareil de photo*) enfocar; (*affaire*) precisar; **à ~** (*CULIN*) en su punto; **à ~ nommé** en el momento oportuno; **au ~ de vue scientifique** desde el punto de vista científico; **point chaud** (*MIL, POL*) punto álgido; **point culminant** punto culminante; **point d'eau** punto de agua; **point d'exclamation/d'interrogation** signo de exclamación/de interrogación; **point de chaînette/de croix/de tige** punto de cadeneta/de cruz/de tallo; **point de chute** (*fig*) lugar *m* de parada; **point de côté** punzada en el costado; **point de départ/d'arrivée/d'arrêt/de chute** punto de partida/de llegada/de parada/de caída; **point de jersey** (*TRICOT*) punto liso *ou* de jersey; **point de non-retour** punto sin retorno; **point de repère** punto de referencia; **point de vente** punto de venta; **point de vue** (*paysage*) vista; (*fig*) punto de vista; **point faible** punto débil; **point final** punto final; **point mort** punto muerto; **point mousse** (*TRICOT*) punto de malla; **point noir** punto negro; **points cardinaux** puntos cardinales; **points de suspension** puntos suspensivos.

pointe [pwɛ̃t] *nf* punta; (*d'un clocher*) remate *m*; (*fig*): **une ~ d'ail/d'accent** una pizca de ajo/de acento; **~s** *nfpl* (*DANSE*) zapatillas *fpl* de puntas; **être à la ~ de qch** estar en la vanguardia de algo; **faire** *ou* **pousser une ~ jusqu'à ...** llegar hasta ...; **sur la ~ des pieds** de puntillas; **en ~** *adv, adj* en punta; **de ~** (*industries etc*) de vanguardia; (*vitesse*) tope; **heures/jours de ~** horas *fpl*/días *mpl* punta; **faire du 180 en ~** (*AUTO*) llevar une velocidad tope de 180; **faire des ~s** (*DANSE*) bailar de puntillas; **pointe d'asperge** punta de espárrago; **pointe de courant** sobretensión *f*; **pointe de tension** (*INFORM*) punto de tensión; **pointe de vitesse** escapada.

pointer [pwɛ̃te] *vt* puntear; (*employés, ouvriers*) fichar; (*canon, doigt*) apuntar ♦ *vi* (*ouvrier, employé*) fichar; (*pousses*) brotar; (*jour*) despuntar; **~ les oreilles**

aguzar las orejas.
pointillé [pwɛ̃tije] *nm* línea de puntos; (*ART*) punteado.
pointilleux, -euse [pwɛ̃tijø, øz] *adj* puntilloso(-a).
pointu, e [pwɛ̃ty] *adj* puntiagudo(-a); (*son, voix, fig*) agudo(-a).
pointure [pwɛ̃tyʀ] *nf* número.
poire [pwaʀ] *nf* pera; (*fam: péj*) memo(-a); **poire à injections** jeringa de inyecciones; **poire électrique/à lavement** pera eléctrica/de lavativa.
poireau, x [pwaʀo] *nm* puerro.
poireauter [pwaʀote] (*fam*) *vi* esperar.
poirier [pwaʀje] *nm* peral *m*; **faire le ~** hacer el pino.
pois [pwɑ] *nm* guisante *m*; (*sur une étoffe*) lunar *m*; **à ~** de lunares; **pois cassés** guisantes *mpl* secos; **pois chiche** garbanzo; **pois de senteur** guisante de olor.
poison [pwazɔ̃] *nm* veneno.
poisse [pwas] *nf* gafe *m*.
poisseux, -euse [pwasø, øz] *adj* pegajoso(-a).
poisson [pwasɔ̃] *nm* pez *m*; (*CULIN*) pescado; (*ASTROL*): **P~s** Piscis *msg*; **être (des) P~s** ser Piscis; **prendre du ~** pescar; **poisson d'avril** inocentada; **poisson volant/rouge** pez volador/de colores.
poissonnier, -ière [pwasɔnje, jɛʀ] *nm/f* pescadero(-a) ♦ *nf* besuguera.
poitrine [pwatʀin] *nf* pecho.
poivre [pwavʀ] *nm* pimienta; **poivre blanc/gris** pimienta blanca/negra; **poivre de cayenne** cayena; **poivre moulu/en grains** pimienta molida/en grano; **poivre et sel** *adj inv* (*cheveux*) entrecano(-a); **poivre vert** pimienta verde.
poivrier [pwavʀije] *nm* (*BOT, ustensile*) pimentero.
poivron [pwavʀɔ̃] *nm* pimiento morrón; **poivron rouge/vert** pimiento rojo/verde.
poker [pɔkɛʀ] *nm*: **le ~** el póker; **partie de ~** (*fig*) partida de póker; **poker d'as** póker de dados.
polaire [pɔlɛʀ] *adj* polar.
pôle [pol] *nm* (*GÉO, ÉLEC*) polo; (*chose en opposition*) polo opuesto; **pôle d'attraction** polo de atracción; **pôle de développement** (*ÉCON*) polo de desarrollo; **le pôle Nord/Sud** el polo Norte/Sur.
poli, e [pɔli] *adj* (*personne*) educado(-a), elegante; (*surface*) liso(-a).
police [pɔlis] *nf* policía; (*ASSURANCE*) póliza; (*discipline*): **assurer la ~ de** *ou* **dans** mantener el orden en; **~ d'assurance** póliza de seguros; **être dans la ~** estar en la policía; **peine de simple ~** pena leve; **police de caractère** (*TYPO, INFORM*) tipo de letra; **police des mœurs** *policía encargada del control de la prostitución*; **police judiciaire** policía judicial; **police secours** servicio urgente de policía; **police secrète** policía secreta.
policier, -ière [pɔlisje, jɛʀ] *adj* policial, policiaco(-a) ♦ *nm* policía *m/f*, agente *m* (*AM*); (*aussi*: **roman ~**) novela policiaca.
polio(myélite) [pɔljɔ(mjelit)] *nf* poliomielitis *f inv*.
polir [pɔliʀ] *vt* pulir.
polisson, ne [pɔlisɔ̃, ɔn] *adj* (*enfant*) pillo(-a); (*allusion, chanson*) pícaro(-a), atrevido(-a).
politesse [pɔlitɛs] *nf* cortesía; (*civilité*): **la ~** la urbanidad; **~s** *nfpl* (*actes*) cumplidos *mpl*; **devoir/rendre une ~ à qn** deber/devolver un cumplido a algn.
politicien, ne [pɔlitisjɛ̃, jɛn] *nm/f* político(-a); (*péj*) politicastro(-a) ♦ *adj* político(-a).
politique [pɔlitik] *adj, nm/f* político(-a) ♦ *nf* política; **politique étrangère/intérieure** política exterior/interior.
pollen [pɔlɛn] *nm* polen *m*.
polluer [pɔlɥe] *vt* contaminar; **air pollué/eaux polluées** aire *m* contaminado/aguas *fpl* contaminadas.
pollution [pɔlysjɔ̃] *nf* polución *f*.
polo [pɔlo] *nm* polo.
Pologne [pɔlɔɲ] *nf* Polonia.
polonais, e [pɔlɔnɛ, ɛz] *adj* polaco(-a) ♦ *nm* (*LING*) polaco ♦ *nm/f*: **P~, e** polaco(-a).
poltron, ne [pɔltʀɔ̃, ɔn] *adj* cobarde.
poly- [pɔli] *préf* poli-.
polychrome [pɔlikʀom] *adj* polícromo(-a).
polycopier [pɔlikɔpje] *vt* multicopiar.
polyester [pɔliɛstɛʀ] *nm* poliéster *m*.
polyglotte [pɔliglɔt] *adj* políglota(-a).
polygone [pɔligɔn] *nm* polígono.
Polynésie [pɔlinezi] *nf* Polinesia; **la Polynésie française** la Polinesia francesa.
polystyrène [pɔlistiʀɛn] *nm* poliestireno.
polyvalent, e [pɔlivalɑ̃, ɑ̃t] *adj* polivalente ♦ *nm* tasador *m* de impuestos.
pommade [pɔmad] *nf* pomada.
pomme [pɔm] *nf* manzana; (*boule décorative*) pomo; (*pomme de terre*): **un steak (~s) frites** un filete con patatas (fritas); **tomber dans les ~s** (*fam*) darle a algn un patatús; **pomme d'Adam** nuez *f* de Adán; **pomme d'arrosoir** alcachofa; **pomme de pin** piña; **pomme de terre** patata, papa (*AM*); **pommes allumettes/vapeur** patatas paja/al vapor.
pommeau, x [pɔmo] *nm* (*boule*) pomo;

(*d'une selle*) perilla.
pommette [pɔmɛt] *nf* pómulo.
pommier [pɔmje] *nm* manzano.
pompe [pɔ̃p] *nf* (*appareil*) bomba; (*faste*) pompa; **en grande ~** con gran pompa; **pompe à eau** bomba de agua; **pompe (à essence)** surtidor *m* (de gasolina); **pompe à huile** bomba de aceite; **pompe à incendie** bomba de incendios; **pompe de bicyclette** bomba de bicicleta; **pompes funèbres** pompas *fpl* fúnebres.
pomper [pɔ̃pe] *vt* bombear; (*aspirer*) aspirar; (*absorber*) empapar ♦ *vi* bombear.
pompeux, -euse [pɔ̃pø, øz] (*péj*) *adj* pomposo(-a).
pompier [pɔ̃pje] *nm* bombero ♦ *adj m* (*style*) vulgar.
pompiste [pɔ̃pist] *nm/f* encargado(-a) de una gasolinera.
pompon [pɔ̃pɔ̃] *nm* borla.
pomponner [pɔ̃pɔne] *vt* engalanar; **se pomponner** *vpr* (*fam*) emperifollarse.
poncer [pɔ̃se] *vt* alisar con piedra pómez.
ponctuation [pɔ̃ktɥasjɔ̃] *nf* puntuación *f*.
ponctuel, le [pɔ̃ktɥɛl] *adj* puntual.
ponctuer [pɔ̃ktɥe] *vt* puntuar; (*MUS*) marcar las pausas en; **~ une phrase de commentaires** intercalar comentarios en una frase.
pondéré, e [pɔ̃deʀe] *adj* ponderado(-a).
pondre [pɔ̃dʀ] *vt* (*œufs*) poner; (*fig: fam*) parir ♦ *vi* poner.
poney [pɔnɛ] *nm* poney *m*, poni *m*.
pont [pɔ̃] *nm* puente *m*; (*NAUT*) cubierta; **faire le ~** hacer puente; **faire un ~ d'or à qn** tender un puente de plata a algn; **pont à péage** puente de peaje; **pont aérien** puente aéreo; **pont basculant** puente basculante; **pont d'envol** (*sur un porte-avions*) cubierta de despegue; **pont élévateur** puente elevador; **pont roulant** puente grúa; **pont suspendu/tournant** puente colgante/giratorio; **Ponts et Chaussées** (*UNIV*) Caminos, Canales y Puertos.
pont-levis [pɔ̃lvi] (*pl* **~s-~**) *nm* puente *m* levadizo.
pop [pɔp] *adj inv* pop *inv* ♦ *nf*: **la ~** la música pop.
populaire [pɔpylɛʀ] *adj* popular.
popularité [pɔpylaʀite] *nf* popularidad *f*.
population [pɔpylasjɔ̃] *nf* población *f*; **population active/agricole** población activa/agrícola; **population civile** población civil; **population ouvrière** población obrera.
porc [pɔʀ] *nm* (*ZOOL*) cerdo, chancho (*AM*); (*CULIN*) carne *f* de cerdo; (*peau*) cuero de cerdo.
porcelaine [pɔʀsəlɛn] *nf* porcelana.
porc-épic [pɔʀkepik] (*pl* **~s-~s**) *nm* puerco espín.
porche [pɔʀʃ] *nm* porche *m*.
porcherie [pɔʀʃəʀi] *nf* porqueriza; (*fig*) pocilga.
pore [pɔʀ] *nm* poro.
poreux, -euse [pɔʀø, øz] *adj* poroso(-a).
porno [pɔʀno] *adj* (*abr de pornographique*) porno *inv* ♦ *nm* película porno.
pornographique [pɔʀnɔgʀafik] *adj* pornográfico(-a).
port [pɔʀ] *nm* porte *m*; (*NAUT*) puerto; **arriver à bon ~** llegar a buen puerto; **le ~ de l'uniforme est interdit dans ...** está prohibido llevar el uniforme en ...; **port d'arme** (*JUR*) tenencia de armas; **port d'attache** (*NAUT*) puerto de amarre; (*fig*) refugio; **port de commerce/de pêche** puerto comercial/pesquero; **port d'escale** puerto de escala; **port de tête** porte de cabeza; **port dû/payé** (*COMM*) porte debido/pagado; **port franc** puerto franco; **port pétrolier** puerto petrolero.
portable [pɔʀtabl] *adj* (*vêtement*) ponedero(-a); (*ordinateur etc*) portátil.
portail [pɔʀtaj] *nm* portal *m*; (*d'une cathédrale*) pórtico.
porte [pɔʀt] *nf* puerta; **mettre qn à la ~** poner a algn en la calle; **prendre la ~** coger la puerta; **à ma/sa ~** a la puerta de mi/su casa; **faire du ~ à ~** (*COMM*) vender de puerta en puerta, vender a domicilio; **journée ~s ouvertes** jornada de puertas abiertas; **porte (d'embarquement)** (*AVIAT*) puerta de embarque; **porte d'entrée** puerta de entrada; **porte de secours** salida de emergencia; **porte de service** puerta de servicio.
porte-à-faux [pɔʀtafo] *nm inv*: **en ~-~-~** en falso; (*fig*) en vilo.
porte-avions [pɔʀtavjɔ̃] *nm inv* portaaviones *m inv*.
porte-bagages [pɔʀtbagaʒ] *nm inv* portaequipajes *m inv*.
porte-bonheur [pɔʀtbɔnœʀ] *nm inv* amuleto.
porte-clefs [pɔʀtəkle] *nm inv* llavero.
porte-documents [pɔʀtdɔkymɑ̃] *nm inv* cartera de mano, portafolio(s) *m* (*AM*).
portée [pɔʀte] *nf* alcance *m*; (*capacités*) capacidad *f*; (*d'une chienne etc*) camada; (*MUS*) pentagrama *m*; (*fig*) aptitud *f* intelectual; **à (la) ~ (de)** al alcance (de); **hors de ~ (de)** fuera del alcance (de); **à ~ de la main** al alcance de la mano; **à ~ de voix** a poca distancia; **à la ~ de toutes les bourses** al alcance de todos los bolsillos;

ce n'est pas à sa ~ (*fig*) eso no está a su alcance.

portefeuille [pɔʀtəfœj] *nm* cartera; (*POL*) cartera (ministerial); **faire un lit en ~** hacer la petaca.

porte-jarretelles [pɔʀtʒaʀtɛl] *nm inv* liguero.

portemanteau, x [pɔʀt(ə)mɑ̃to] *nm* perchero.

porte-monnaie [pɔʀtmɔnɛ] *nm inv* monedero.

porte-parapluies [pɔʀtpaʀaplɥi] *nm inv* paragüero.

porte-parole [pɔʀtpaʀɔl] *nm inv* portavoz *m*, vocero(-a) (*AM*).

porter [pɔʀte] *vt* llevar; (*fig: poids d'une affaire*) soportar; (*: responsabilité*) cargar con; (*suj: jambes*) sostener; (*: arbre*) dar, producir ♦ *vi* llegar; (*fig*) surtir efecto; **se porter** *vpr*: **se ~ bien/mal** encontrarse bien/mal; (*aller*): **se ~ vers** dirigirse hacia; **se ~ garant** avalar; **~ sur** (*suj: édifice*) apoyarse sobre; (*: accent*) caer en; (*: bras, tête*) dar contra; (*: conférence*) tratar de; **elle portait le nom de Rosalie** llevaba el nombre de Rosalie; **~ qn au pouvoir** conducir a algn al poder; **~ secours/assistance à qn** prestar socorro/asistencia a algn; **~ bonheur à qn** traer buena suerte a algn; **~ son âge** representar su edad; **~ un toast** brindar; **~ de l'argent au crédit d'un compte** ingresar dinero en una cuenta; **~ une somme sur un registre** asentar una cantidad en un registro; **~ atteinte à (l'honneur/la réputation de qn)** atentar contra (el honor/la reputación de algn); **se faire ~ malade** declararse enfermo(-a); **se ~ partie civile** constituirse parte civil; **se ~ candidat à la députation** presentarse como candidato a la diputación; **~ un jugement sur qn/qch** emitir un juicio sobre algn/algo; **~ un livre/récit à l'écran** llevar un libro/relato a la pantalla; **~ la main à son chapeau/une cuillère à sa bouche** llevarse la mano al sombrero/una cuchara a la boca; **~ son attention/regard/effort sur** fijar su atención/mirada/esfuerzo sobre; **~ un fait à la connaissance de qn** llevar un hecho al conocimiento de algn; **~ à croire** llevar a pensar.

porte-savon [pɔʀtsavɔ̃] (*pl* **~-~(s)**) *nm* jabonera.

porteur, -euse [pɔʀtœʀ, øz] *nm/f* (*de messages*) mensajero(-a); (*MÉD*) portador(a) ♦ *nm* (*de bagages*) mozo de equipaje; (*COMM: d'un chèque*) portador *m*; (*: d'une action*) tenedor *m* ♦ *adj*: **être ~ de** ser portador de; **gros ~** (*avion*) avión *m* de gran capacidad; **au ~** (*billet, chèque*) al portador.

porte-voix [pɔʀtəvwa] *nm inv* megáfono.

portier [pɔʀtje] *nm* portero.

portière [pɔʀtjɛʀ] *nf* puerta.

portillon [pɔʀtijɔ̃] *nm* portillo.

portion [pɔʀsjɔ̃] *nf* (*part*) ración *f*; (*partie*) parte *f*.

portique [pɔʀtik] *nm* (*GYMNASTIQUE*) barra sueca; (*ARCHIT*) pórtico; (*RAIL*) grúa pórtico; **portique de sécurité** (*dans un aéroport*) pórtico de seguridad; **portique électronique** pórtico electrónico.

porto [pɔʀto] *nm* oporto.

portrait [pɔʀtʀɛ] *nm* retrato; **elle est le ~ de sa mère** (*fig*) es el vivo retrato de su madre.

portuaire [pɔʀtɥɛʀ] *adj* portuario(-a).

portugais, e [pɔʀtygɛ, ɛz] *adj* portugués(-esa) ♦ *nm* (*LING*) portugués *m* ♦ *nm/f*: **P~, e** portugués(-esa).

Portugal [pɔʀtygal] *nm* Portugal *m*.

pose [poz] *nf* (*de moquette*) instalación *f*; (*de rideau, papier peint*) colocación *f*; (*position*) postura; **(temps de) ~** (*PHOTO*) (tiempo de) exposición *f*.

poser [poze] *vt* poner; (*moquette, carrelage*) instalar; (*rideaux, papier peint*) colocar; (*question*) hacer; (*principe*) establecer; (*problème*) plantear; (*personne: mettre en valeur*) dar notoriedad a; (*déposer*): **~ qch (sur)** dejar algo (sobre) ♦ *vi* (*modèle*) posar; **se poser** *vpr* (*oiseau, avion*) posarse; (*question*) plantearse; **se ~ en** erigirse en; **~ son** *ou* **un regard sur qn/qch** poner sus ojos sobre *ou* en algn/algo; **~ sa candidature** (*à un emploi*) presentarse; (*POL*) presentar su candidatura.

positif, -ive [pozitif, iv] *adj* positivo(-a); (*PHILOS*) positivista.

position [pozisjɔ̃] *nf* posición *f*; (*posture*) postura; (*métier*) cargo; (*d'un compte en banque*) situación *f*; **être dans une ~ difficile/délicate** estar en una situación difícil/delicada; **prendre ~** tomar posiciones.

posséder [pɔsede] *vt* poseer; (*qualité*) estar dotado(-a) de; (*métier, langue*) dominar, conocer a fondo; (*suj: jalousie, colère*) dominar; (*fam: duper*) engañar.

possessif, -ive [pɔsesif, iv] *adj* posesivo(-a) ♦ *nm* (*LING*) posesivo.

possession [pɔsesjɔ̃] *nf* posesión *f*; **être/entrer en ~ de qch** estar/entrar en posesión de algo; **en sa/ma ~** en su/mi posesión; **prendre ~ de qch** tomar posesión de algo; **être en ~ de toutes ses facultés** tener pleno dominio de sus facultades.

possibilité [pɔsibilite] *nf* posibilidad *f*; **~s** *nfpl* (*moyens*) medios *mpl*; (*potentiel*) posibilidades *fpl*; **avoir la ~ de faire qch** tener la posibilidad de hacer algo.

possible [pɔsibl] *adj* posible; (*projet*) realizable ♦ *nm*: **faire (tout) son ~** hacer (todo) lo (que sea) posible; **il est ~ que** es posible que; **autant que ~** en la medida de lo posible; **si (c'est) ~** si es posible; **(ce n'est) pas ~!** ¡no puede ser!; **comme c'est pas ~** a más no poder; **le plus/moins de livres ~** el mayor/menor número de libros posible; **le plus/moins d'eau ~** la mayor/menor cantidad de agua posible; **aussitôt** *ou* **dès que ~** en cuanto sea posible; **gentil au ~** amable al máximo.

postal, e, -aux [pɔstal, o] *adj* postal; **sac ~** correspondencia.

poste [pɔst] *nf* (*service*) correo; (*administration*) correos *mpl*; (*bureau*) oficina de correos ♦ *nm* (*MIL*) puesto; (*charge*) cargo; (*de radio, télévision*) aparato; (*TÉL*) extensión *f*; (*de budget*) partida, asiento; (*IND*): **~ de nuit** turno de noche; **~s** *nfpl*: **agent/employé des ~s** agente *m*/empleado de correos; **mettre à la ~** echar al correo; **poste de commandement** *nm* (*MIL etc*) puesto de mando; **poste de contrôle** *nm* puesto de control; **poste de douane** *nm* puesto aduanero; **poste d'essence** *nm* punto de repuesto; **poste d'incendie** *nm* boca de incendio; **poste de péage** *nm* puesto de peaje; **poste de pilotage** *nm* puesto de pilotaje; **poste (de police)** *nm* puesto (de policía); **poste de secours** *nm* puesto de sorroco; **poste de travail** *nm* puesto de trabajo; **poste émetteur** *nm* (*RADIO*) emisora; **poste restante** *nf* lista de correos; **Postes et Télécommunications** *nm* Correos y Telecomunicaciones.

poster[1] [pɔste] *vt* (*lettre*) echar al correo; (*personne*) apostar; **se poster** *vpr* apostarse.

poster[2] [pɔstɛʀ] *nm* póster *m*.

postérieur, e [pɔsteʀjœʀ] *adj* posterior ♦ *nm* (*fam*) trasero.

posthume [pɔstym] *adj* póstumo(-a).

postier, -ière [pɔstje, jɛʀ] *nm/f* empleado(-a) de correos.

post-scriptum [pɔstskʀiptɔm] *nm inv* postdata.

postuler [pɔstyle] *vt* solicitar.

posture [pɔstyʀ] *nf* postura; **être en bonne/mauvaise ~** (*fig*) estar en buena/mala situación.

pot [po] *nm* (*récipient*) cacharro; (*en métal*) bote *m*; (*fam: chance*): **avoir du ~** tener potra; **boire** *ou* **prendre un ~** (*fam*) tomar una copa; **découvrir le ~ aux roses** descubrir el pastel; **pot à tabac** tabaquera; **pot d'échappement** (*AUTO*) silenciador *m*; **pot (de chambre)** orinal *m*; **pot de fleurs** tiesto, maceta.

potable [pɔtabl] *adj* potable; (*travail*) aceptable; (*fig*) pasable.

potage [pɔtaʒ] *nm* sopa.

potager, -ère [pɔtaʒe, ɛʀ] *adj* hortícola; **(jardin) ~** huerto.

pot-au-feu [pɔtofø] *nm inv* cocido; (*viande*) carne *f* para el cocido ♦ *adj inv* (*fam*) casero(-a).

pot-de-vin [podvɛ̃] (*pl* **~s-~-~**) *nm* gratificación *f*.

pote [pɔt] (*fam*) *nm* amigo, compadre *m* (*AM*), manito (*MEX*).

poteau, x [pɔto] *nm* poste *m*; **poteau de départ/d'arrivée** línea de salida/meta; **poteau (d'exécution)** paredón *m*; **poteau indicateur** poste indicador; **poteau télégraphique** poste telegráfico; **poteaux (de but)** postes (de portería).

potentiel, le [pɔtɑ̃sjɛl] *adj, nm* potencial *m*.

poterie [pɔtʀi] *nf* (*fabrication*) alfarería; (*objet*) objeto de barro, cerámica.

potier [pɔtje] *nm* alfarero.

potins [pɔtɛ̃] *nmpl* chismes *mpl*.

potion [posjɔ̃] *nf* poción *f*.

potiron [pɔtiʀɔ̃] *nm* calabaza.

pou, x [pu] *nm* piojo.

poubelle [pubɛl] *nf* cubo *ou* bote *m* (*AM*) de la basura.

pouce [pus] *nm* pulgar *m*; **se tourner** *ou* **se rouler les ~s** (*fig*) estar mano sobre mano; **manger sur le ~** comer de pie y deprisa.

poudre [pudʀ] *nf* polvo; (*fard*) polvos *mpl*; (*explosif*) pólvora; **en ~**: **café/savon/lait en ~** café *m* molido/detergente *m*/leche *f* en polvo; **poudre à canon** pólvora de cañón; **poudre à éternuer** polvos estornudatorios; **poudre à priser** polvo de rapé; **poudre à récurer** polvos de blanqueo; **poudre de riz** polvos de arroz.

pouffer [pufe] *vi*: **~ (de rire)** partirse de risa.

poulailler [pulaje] *nm* (*aussi THÉÂTRE*) gallinero.

poulain [pulɛ̃] *nm* potro; (*fig*) pupilo.

poule [pul] *nf* gallina; (*SPORT*) campeonato; (*RUGBY*) liga; (*fam: fille de mœurs légères*) golfa; (*: maîtresse*) amante *f*; **poule d'eau** polla de agua; **poule mouillée** cobarde *m/f*, gallina *m/f*; **poule pondeuse** gallina ponedora.

poulet [pulɛ] *nm* pollo; (*fam*) poli *m*.

poulie [puli] *nf* polea.

poulpe [pulp] *nm* pulpo.

pouls [pu] *nm* pulso; **prendre le ~ de qn** tomar el pulso a algn.
poumon [pumɔ̃] *nm* pulmón *m*; **poumon artificiel** pulmón artificial.
poupe [pup] *nf* (*NAUT*) popa; **avoir le vent en ~** (*fig*) ir viento en popa.
poupée [pupe] *nf* muñeca; **jouer à la ~** jugar a las muñecas; **de ~** (*très petit*): **jardin/maison de ~** jardín *m*/casa de muñecas.
poupon [pupɔ̃] *nm* nene *m*.
pouponner [pupɔne] *vi* cuidar un bébé.

MOT-CLÉ

pour [puʀ] *prép* **1** (*destination, temps*): **elle est partie pour Paris** se ha ido a París; **le train pour Séville** el tren para *ou* a Sevilla; **j'en ai pour une heure** tengo para una hora; **il faut le faire pour après les vacances** hay que hacerlo para después de vacaciones; **pour toujours** para siempre
2 (*au prix de, en échange de*) por; **il l'a acheté pour 5 F** lo compró por 5 francos; **donnez-moi pour 200 F d'essence** deme 200 francos de gasolina; **je te l'échange pour ta montre** te lo cambio por tu reloj
3 (*en vue de, intention, en faveur de*): **pour le plaisir** por gusto; **pour ton anniversaire** para tu cumpleaños; **je le fais pour toi** lo hago por ti; **pastilles pour la toux** pastillas *fpl* para la tos; **pour que** para que; **pour faire** para hacer; **pour quoi faire?** ¿para qué?
4 (*à cause de*): **fermé pour (cause de) travaux** cerrado por obras; **c'est pour cela que je le fais** por eso lo hago; **être pour beaucoup dans qch** influir mucho en algo; **ce n'est pas pour dire, mais ...** (*fam*) no es por nada pero ...; **pour avoir fait** por haber hecho
5 (*à la place de*): **il a parlé pour moi** habló por mí
6 (*rapport, comparaison*): **mot pour mot** palabra por palabra; **ça fait un an jour pour jour** hoy hace justamente un año; **10 pour cent** diez por ciento; **pour un Français, il parle bien suédois** para ser francés, habla bien el sueco; **pour riche qu'il soit** por rico que sea
7 (*comme*): **la femme qu'il a eue pour mère** la mujer que tuvo por madre
8 (*point de vue*): **pour moi, il a tort** para mí que se equivoca; **pour ce qui est de ...** por lo que se refiere a ...; **pour autant que je sache** que yo sepa
♦ *nm*: **le pour et le contre** los pros y los contras.

pourboire [puʀbwaʀ] *nm* propina.
pourcentage [puʀsɑ̃taʒ] *nm* porcentaje *m*; **travailler au ~** trabajar al tanto por ciento.
pourchasser [puʀʃase] *vt* perseguir.
pourparlers [puʀpaʀle] *nmpl* negociaciones *fpl*; **être en ~ avec** estar en tratos con.
pourpre [puʀpʀ] *adj* púrpura.
pourquoi [puʀkwa] *adv, conj* por qué ♦ *nm*: **le ~ (de)** el porqué (de); **~ dis-tu cela?** ¿por qué dices eso?; **~ se taire/faire cela?** ¿por qué *ou* para qué callarse/hacer eso?; **~ ne pas faire ...?** ¿por qué no hacer ...?; **~ pas?** ¿por qué no?; **je voudrais savoir/ne comprends pas ~ ...** quisiera saber/no entiendo por qué ...; **dire/expliquer ~** decir/explicar por qué; **c'est ~ ...** por eso ... .
pourrai *etc* [puʀe] *vb voir* **pouvoir**.
pourri, e [puʀi] *adj* podrido(-a); (*roche, câble*) fragmentado(-a); (*temps, climat*) horrible; (*fig*) corrompido(-a) ♦ *nm*: **sentir le ~** oler a podrido.
pourrir [puʀiʀ] *vi* podrirse; (*cadavre*) descomponerse; (*fig*: *situation*) degradarse ♦ *vt* pudrir; (*fig*: *corrompre*: *personne*) corromper; (: *gâter*: *enfant*) echar a perder.
pourriture [puʀityʀ] *nf* podredumbre *f*.
poursuite [puʀsɥit] *nf* persecución *f*; (*fig*: *de la fortune*) búsqueda; **~s** *nfpl* (*JUR*) diligencias *fpl*; **(course) ~** (*CYCLISME*) persecución.
poursuivant, e [puʀsɥivɑ̃, ɑ̃t] *vb voir* **poursuivre** ♦ *nm/f* perseguidor(a); (*JUR*) demandante *m/f*.
poursuivre [puʀsɥivʀ] *vt* perseguir; (*mauvais payeur*) acosar, perseguir; (*femme*) pretender a; (*obséder*) obsesionar, perseguir; (*fortune, gloire*) perseguir, buscar; (*continuer*: *voyage, études*) proseguir ♦ *vi* proseguir; **se poursuivre** *vpr* seguirse; **~ qn en justice** demandar a *ou* querellarse contra algn; **~ qn au pénal/au civil** querellarse contra algn por vía penal/por vía civil.
pourtant [puʀtɑ̃] *adv* sin embargo; **c'est ~ facile** sin embargo es fácil.
pourtour [puʀtuʀ] *nm* (*d'un quadrilatère*) perímetro; (*d'un lieu*) contorno.
pourvoir [puʀvwaʀ] *vt* (*COMM*): **~ qn en** proveer a algn de, suministrar a algn ♦ *vi*: **~ à** ocuparse de; (*emploi*) atender a; **se pourvoir** *vpr* (*JUR*): **se ~ en cassation** *etc* interponer un recurso de casación *etc*; **~ qn de qch** (*recommandation, emploi*) proporcionar algo a algn; (*qualités*) dotar

a algn de algo; ~ **qch de** equipar algo con.

pourvoyeur, -euse [purvwajœr, øz] *nm/f* proveedor(a), abastecedor(a); **pourvoyeur de fonds** proveedor(a) de fondos.

pourvu, e [purvy] *pp de* **pourvoir** ♦ *adj*: ~ **de** provisto(-a) de; ~ **que** (*à condition que*) con tal que; ~ **qu'il soit là!** (*espérons que*) ¡ojalá que esté!

pousse [pus] *nf* brote *m*; (*bourgeon*) botón *m*, yema; **pousses de bambou** brotes *mpl* de bambú.

poussée [puse] *nf* (*pression, attaque*) empuje *m*; (*coup*) empujón *m*; (*MÉD*) acceso; (*fig: des prix*) aumento; (*: révolutionnaire*) ola; (*: d'un parti politique*) crecimiento.

pousser [puse] *vt* empujar; (*acculer*): ~ **qn à qch/à faire qch** arrastrar *ou* empujar a algn a algo/a algn a hacer algo; (*cri*) lanzar, exhalar; (*élève*) hacer trabajar, estimular; (*études*) seguir, continuar; (*moteur, voiture*) forzar ♦ *vi* crecer; (*aller*): ~ **jusqu'à un endroit/plus loin** seguir hasta un lugar/hasta más lejos; **se pousser** *vpr* echarse a un lado; **faire** ~ (*plante*) sembrar, plantar; ~ **qn à bout** sacar a algn de sus casillas; **il a poussé la gentillesse jusqu'à ...** ha extremado su amabilidad hasta ... .

poussette [pusɛt] *nf* cochecito de niño.

poussière [pusjɛr] *nf* (*la poussière*) polvo; (*une poussière*) mota; **et des ~s** (*fig*) y pico; **poussière de charbon** carbonilla.

poussiéreux, -euse [pusjerø, øz] *adj* sucio(-a) de polvo; (*route*) polvoriento(-a).

poussin [pusɛ̃] *nm* pollito.

poutre [putr] *nf* viga; **poutres apparentes** vigas *fpl* aparentes.

pouvoir [puvwar] *nm* poder *m* ♦ *vt, vb semi-aux, vb impers* poder ♦ *vi*: **il se peut que** puede ser que; **les ~s public** los poderes públicos; **je me porte on ne peut mieux** me encuentro perfectamente; **je ne peux pas le réparer** no puedo arreglarlo; **déçu de ne pas ~ le faire** decepcionado por no poder hacerlo; **tu ne peux pas savoir!** ¡no puedes imaginarte!; **je n'en peux plus** no puedo más; **je ne peux pas dire le contraire** no puedo decir lo contrario; **j'ai fait tout ce que j'ai pu** hice todo lo que pude; **qu'est-ce que je pouvais bien faire?** ¿qué iba a *ou* podía hacer yo?; **tu peux le dire!** ¡ya lo creo!; **il aurait pu le dire!** ¡podría haberlo dicho!; **vous pouvez aller au cinéma** podéis ir al cine; **il a pu avoir un accident** pudo haber un accidente; **il peut arriver que ...** puede suceder que ...; **il pourrait pleuvoir** puede que llueva; **pouvoir absorbant** poder de absorción; **pouvoir calorifique** poder calorífico; **pouvoir d'achat** poder adquisitivo.

prairie [preri] *nf* pradera.

praline [pralin] *nf* (*bonbon*) garapiñado; (*au chocolat*) bombón *m*.

praticien, ne [pratisjɛ̃, jɛn] *nm/f* practicante *m/f*.

pratique [pratik] *nf* práctica; (*coutume*) usos *mpl*; (*conduite*) actuación *f*, prácticas *fpl* ♦ *adj* (*intelligence*) práctico(-a), positivo(-a); (*personne*) práctico(-a); (*instrument*) práctico(-a), útil; (*horaire*) adaptado(-a), adecuado(-a); **dans la** ~ en la práctica; **mettre en** ~ poner en práctica, llevar a la práctica.

pratiquer [pratike] *vt* practicar; (*méthode, théorie*) poner en práctica; (*métier*) ejercer; (*intervention*) efectuar, realizar; (*abri*) instalar ♦ *vi* (*REL*) practicar.

pré [pre] *nm* prado.

préalable [prealabl] *adj* previo(-a) ♦ *nm* (*condition*) condición *f* previa; **condition ~ (de)** condición previa (a); **sans avis ~** sin previo aviso; **au ~** de antemano.

préambule [preɑ̃byl] *nm* preámbulo; (*fig*) preludio; **sans ~** sin preámbulos.

préavis [preavi] *nm*: ~ **(de licenciement)** notificación *f* (de despido); **communication avec ~** (*TÉL*) llamada con aviso; **préavis de congé** aviso de desahucio.

précaire [prekɛr] *adj* precario(-a); (*bonheur*) incierto(-a).

précaution [prekosjɔ̃] *nf* precaución *f*; (*prudence*) atención *f*; **avec/sans ~** con/sin precaución; **prendre des ~s/ses ~s** tomar precauciones/sus precauciones; **par ~** por precaución; **pour plus de ~** para mayor garantía; **précautions oratoires** retórica *fsg* cuidadosa.

précédent, e [presedɑ̃, ɑ̃t] *adj* precedente, anterior ♦ *nm* precedente *m*; **sans ~** sin precedentes; **le jour ~** el día antes.

précéder [presede] *vt* preceder; **elle m'a précédé de quelques minutes** llegó unos minutos antes que yo.

prêcher [preʃe] *vt* (*REL*): ~ **l'Evangile** predicar el Evangelio; (*conseiller*) aconsejar ♦ *vi* predicar; (*fig*) sermonear.

précieux, -euse [presjø, jøz] *adj* precioso(-a); (*temps, qualités*) valioso(-a), importante; (*ami, conseils*) valioso(-a); (*littérature, style*) preciosista.

précipice [presipis] *nm* precipicio; (*fig*) abismo, perdición *f*; **au bord du ~** (*fig*) al borde del abismo *ou* de la perdición.

précipitamment [presipitamɑ̃] *adv* precipitadamente.

précipitation [presipitasjɔ̃] *nf* (*hâte*) precipitación *f*; (*CHIM*) precipitado; **~s** *nfpl* (*MÉTÉO*): **~s (atmosphériques)** precipitaciones *fpl*.

précipité, e [pResipite] *adj* (*respiration*) jadeante; (*pas*) apresurado(-a); (*démarche, entreprise*) precipitado(-a).

précipiter [pResipite] *vt* (*faire tomber*) arrojar, tirar; (*pas*) apresurar; (*événements*) precipitar; **se précipiter** *vpr* (*respiration*) acelerarse; (*événements*) precipitarse; **se ~ sur/vers** lanzarse sobre/hacia; **se ~ au devant de qn** abalanzarse hacia algn.

précis, e [pResi, iz] *adj* conciso(-a); (*vocabulaire*) conciso(-a), preciso(-a); (*bruit, point*) preciso(-a), determinado(-a); (*dessin, esprit*) seguro(-a), preciso(-a); (*heure*) preciso(-a), exacto(-a); (*tir, mesures*) exacto(-a) ♦ *nm* compendio.

précisément [pResizemɑ̃] *adv* (*avec précision*) de manera precisa; (*dans une réponse*) exactamente; (*dans négation*) precisamente; (*justement*) justamente.

préciser [pResize] *vt* precisar; **se préciser** *vpr* precisarse, concretarse.

précision [pResizjɔ̃] *nf* precisión *f*; (*détail*) exactitud *f*; **~s** *nfpl* (*plus amples détails*) precisiones *fpl*.

précoce [pRekɔs] *adj* precoz.

préconiser [pRekɔnize] *vt* preconizar.

précurseur [pRekyRsœR] *adj m, nm* precursor(-a).

prédateur [pRedatœR] *nm* depredador *m*.

prédécesseur [pRedesesœR] *nm* predecesor *m*; **~s** *nmpl* (*ancêtres, précurseurs*) predecesores *mpl*.

prédiction [pRediksjɔ̃] *nf* predicción *f*.

prédilection [pRedilɛksjɔ̃] *nf*: **avoir une ~ pour qn/qch** tener predilección por algn/algo; **de ~** favorito(-a), preferido(-a).

prédire [pRediR] *vt* (*événement improbable*) predecir, vaticinar; (*événement probable*) augurar.

prédisposer [pRedispoze] *vt*: **~ qn à qch/à faire qch** predisponer a algn a algo/a hacer algo.

prédominer [pRedɔmine] *vi* predominar.

préfabriqué, e [pRefabRike] *adj* prefabricado(-a); (*péj*: *sourire*) estudiado(-a), premeditado(-a) ♦ *nm* prefabricado.

préface [pRefas] *nf* prólogo; (*fig*) preliminar *m*.

préfecture [pRefɛktyR] *nf* prefectura, ≈ gobierno civil; (*ville*) capital *f* de departamento; **préfecture de police** dirección *f* general de policía de París.

préférable [pRefeRabl] *adj* preferible; **il est ~ de faire qch** es preferible hacer algo; **être ~ à** ser preferible a.

préférence [pRefeRɑ̃s] *nf* preferencia; **de ~** preferentemente; **de ~ à** antes que; **par ~ à** en lugar de; **avoir une ~ pour qn/qch** tener predilección por algn/algo; **n'avoir pas de ~** no tener predilección; **donner la ~ à qn** dar preferencia a algn; **par ordre de ~** por orden de preferencia; **obtenir la ~ (sur qn)** pasar delante (de algn).

préférer [pRefeRe] *vt*: **~ qch/qn (à)** preferir algo/a algn (a); **~ faire qch** preferir hacer algo; **je préférerais du thé** preferiría té.

préfet [pRefɛ] *nm* prefecto, ≈ gobernador *m* civil; **préfet de police** director *m* general de policía de París.

préfixe [pRefiks] *nm* prefijo.

préhistoire [pReistwaR] *nf* prehistoria.

préjudice [pReʒydis] *nm* perjuicio; **porter ~ à qch/à qn** perjudicar algo/a algn; **au ~ de qn/de qch** en perjuicio de algn/de algo.

préjugé [pReʒyʒe] *nm* prejuicio; **avoir un ~ contre qn/qch** tener prejuicios contra algn/algo; **bénéficier d'un ~ favorable** beneficiarse de un prejuicio favorable.

prélasser [pRelase]: **se ~** *vpr* relajarse.

prélèvement [pRelɛvmɑ̃] *nm* extracción *f*, toma; **faire un ~ de sang** hacer una extracción de sangre.

prélever [pRel(ə)ve] *vt* (*échantillon*) tomar, sacar; (*organe*) extraer; **~ (sur)** (*retirer*) sacar (de); (*déduire*) descontar (de), deducir (de).

préliminaire [pRelimineR] *adj* preliminar; **~s** *nmpl* preliminares *mpl*.

prélude [pRelyd] *nm* preludio.

prématuré, e [pRematyRe] *adj* prematuro(-a); (*retraite, nouvelle*) anticipado(-a) ♦ *nm/f* prematuro(-a).

préméditer [pRemedite] *vt* premeditar.

premier, -ière [pRəmje, jɛR] *adj* primero(-a); (*avant un nom masculin*) primer; (*après le nom*: *cause, principe*) primordial; (: *objectif*) principal ♦ *adj m* (*MATH*) primo ♦ *nm/f* primero(-a) ♦ *nm* (*premier étage*) primero ♦ *nf* (*vitesse, classe*) primera; (*SCOL*) *sexto año de educación secundaria en el sistema francés*; (*THÉÂTRE, CINÉ*) estreno; **au ~ abord** en un primer momento; **au** *ou* **du ~ coup** al instante; **de ~ ordre** de primer orden; **à la première occasion** en la primera ocasión; **de première qualité** de primera calidad; **de ~ choix** de primera; **de première importance** de capital importancia; **de première nécessité** de primera necesidad; **le ~ venu** el primero que venga; **jeune ~** joven *m* promesa; (*CINÉ*) galán *m*; **première classe** primera clase *f*; **le ~ de l'an** el primero de año, el día de año nuevo; **première communion** primera comunión *f*; **enfant du ~ lit** hijo de primer matrimonio; **en ~ lieu** en primer lugar; **premier âge** infancia, primera edad *f*; **Premier ministre** primer(-a) ministro(-a).

premièrement [pʀəmjɛʀmɑ̃] *adv* primeramente; (*en premier lieu*) en primer lugar; (*introduisant une objection*) primero.

prémonition [pʀemɔnisjɔ̃] *nf* premonición *f*.

prémunir [pʀemyniʀ] *vb*: **se ~ contre qch** prevenirse contra algo.

prendre [pʀɑ̃dʀ] *vt* coger, agarrar (*AM*); (*aller chercher*) recoger; (*emporter avec soi*) llevar; (*poisson*) pescar; (*place*) ocupar; (*CARTES*) levantar; (*ÉCHECS, aliment*) comer; (*boisson*) beber; (*médicament, notes, mesures*) tomar; (*bain, douche*) darse; (*moyen de transport, route*) tomar, coger; (*essence*) echar; (*commande*) tomar nota de; (*passager, personnel, élève*) coger, tomar (*AM*); (*exemple*) poner; (*photographie*) sacar; (*renseignements, ordres*) recibir; (*avis*) pedir; (*engagement, critique*) aceptar; (*attitude*) adoptar; (*du poids*) ganar; (*de la valeur*) adquirir, ganar; (*vacances, repos*) tomar(se); (*coûter: temps*) requerir, llevar; (*: efforts, argent*) requerir; (*prélever: pourcentage, argent, cotisation*) quedarse con; (*traiter: enfant*) tratar; (*: problème*) tratar, llevar ♦ *vi* (*pâte, peinture*) espesar; (*ciment*) fraguar; (*semis, vaccin*) agarrar; (*plaisanterie*) encajar; (*mensonge*) ser creído(-a); (*feu, incendie*) comenzar; (*bois, allumette*) prender; **~ qn par la main** coger a algn de la mano; **~ qn dans ses bras** abrazar a algn; **~ au piège** coger *ou* pillar en la trampa; **~ la relève** relevar, tomar el relevo; **~ la défense de qn** salir en defensa de algn, defender a algn; **~ des risques** arriesgarse; **~ l'air** tomar el aire; **~ son temps** tomarse el tiempo necesario, no precipitarse; **~ le deuil** ponerse de luto; **~ feu** prender fuego; **~ l'eau** entrarle agua a; **~ de l'âge** envejecer; **~ sa retraite** jubilarse; **~ la parole** tomar la palabra; **~ la fuite** emprender la huida; **~ la porte** coger *ou* agarrar la puerta; **~ son origine** (*mot*) tomar su origen; **~ sa source** (*rivière*) nacer; **~ congé de qn** despedirse de algn; **~ un virage** tomar una curva; **~ le lit** guardar cama; **~ le voile** (*REL*) tomar los hábitos, profesar; **~ qn comme** *ou* **pour** coger *ou* tomar a algn como *ou* de; **~ sur soi** responsabilizarse de; **~ sur soi de faire qch** responsabilizarse de hacer algo; **~ du plaisir à qch** cogerle *ou* tomarle gusto a algo; **~ de l'intérêt à qch** tomar interés por algo; **~ qch au sérieux** tomar(se) algo en serio; **~ qn en faute** coger *ou* pillar a algn in fraganti; **~ qn en sympathie/horreur** coger *ou* agarrar simpatía/odio a algn; **~ qn pour qn/qch** tomar a algn por algn/algo; **~ qch pour prétexte** tomar algo como pretexto; **~ qn à témoin** poner a algn por testigo; **à tout ~** bien mirado; **~ (un) rendez-vous avec qn** concertar una entrevista con algn; **~ à gauche** coger *ou* tomar a la izquierda; **s'en ~ à** emprenderla con; **se ~ pour** creerse; **se ~ d'amitié pour qn** hacer amistad con algn; **se ~ d'affection pour qn** cobrar afecto a algn; **s'y ~ bien/mal** (*procéder*) hacerlo bien/mal; **il faudra s'y ~ à l'avance** habrá que hacerlo con antelación; **s'y ~ à deux fois** intentarlo dos veces; **se ~ par le cou/la taille** agarrarse del cuello/de la cintura; **se ~ par la main** (*gén*) agarrarse de la mano; (*fig*) armarse de valor; **se ~ les doigts** pillarse los dedos.

preneur [pʀənœʀ] *nm*: **je suis ~** estoy dispuesto a comprar; **trouver ~** encontrar comprador.

prenne *etc* [pʀɛn] *vb voir* **prendre**.

prénom [pʀenɔ̃] *nm* nombre *m* (de pila).

préoccupation [pʀeɔkypasjɔ̃] *nf* preocupación *f*.

préoccuper [pʀeɔkype] *vt* (*personne*) preocupar, inquietar; **se ~ de qch/de faire qch** preocuparse por algo/de hacer algo.

préparatifs [pʀepaʀatif] *nmpl* preparativos *mpl*.

préparation [pʀepaʀasjɔ̃] *nf* preparación *f*; (*CHIM*) preparado.

préparer [pʀepaʀe] *vt* preparar; **se préparer** *vpr* prepararse; **~ qn à** (*nouvelle etc*) preparar a algn para; **se ~ (à qch/à faire qch)** prepararse (para algo/para hacer algo).

prépondérant, e [pʀepɔ̃deʀɑ̃, ɑ̃t] *adj* preponderante.

préposé, e [pʀepoze] *adj*: **~ (à qch)** encargado(-a) (de algo) ♦ *nm/f* encargado(-a); (*ADMIN: facteur*) cartero *m/f*; **préposé des douanes** agente *m/f* de aduanas.

préposition [pʀepozisjɔ̃] *nf* preposición *f*.

près [pʀɛ] *adv* cerca; **~ de** (*lieu*) cerca de; (*la retraite*) próximo a; (*mourir*) a punto de; (*temps, quantité*) alrededor de; **de ~** de cerca; **à 5 m/5 kg ~** 5 m/5 kg más o menos; **à cela ~ que** salvo que, excepto que; **je ne suis pas ~ de lui pardonner/d'oublier** estoy lejos de perdonarle/de olvidar; **on n'est pas à un jour ~** un día más o menos da igual.

présage [pʀezaʒ] *nm* presagio; (*d'un événement*) presentimiento.

presbyte [pʀɛsbit] *adj* présbita, hipermétrope.

presbytère [pʀɛsbitɛʀ] *nm* casa parroquial.

prescription [pʀɛskʀipsjɔ̃] *nf* (*JUR*) mandato, orden *f*; (*instruction*) disposición *f*; (*MÉD*) prescripción *f* facultativa, receta.

prescrire [pʀɛskʀiʀ] *vt* (*JUR*) dictar; (*ordonner*) prescribir; (*remède*) recetar; (*suj*: *circonstances*) recomendar; **se prescrire** *vpr* (*JUR*) prescribir, anularse.

présence [pʀezɑ̃s] *nf* presencia; (*au bureau etc*) presencia, asistencia; **en ~ de** (*personne*) en presencia de; (*incidents etc*) en medio de; **en ~** presentes; **sentir une ~** sentir una presencia; **faire acte de ~** hacer acto de presencia; **présence d'esprit** presencia de ánimo.

présent, e [pʀezɑ̃, ɑ̃t] *adj*, *nm* presente *m*; **~s** *nmpl*: **les ~s** (*personnes*) los presentes; **"~!"** (*à un contrôle*) "¡presente!"; **la ~e lettre/loi** (*ADMIN, COMM*) la presente carta/ley; **à ~** en la actualidad, ahora; **dès à/jusqu'à ~** desde/hasta ahora; **à ~ que** ahora que.

présentateur, trice [pʀezɑ̃tatœʀ, tʀis] *nm/f* (*TV*) presentador(a); (*RADIO*) locutor(a).

présentation [pʀezɑ̃tasjɔ̃] *nf* presentación *f*; **faire les ~s** hacer las presentaciones.

présenter [pʀezɑ̃te] *vt* presentar; (*billet, pièce d'identité*) enseñar; (*fig*: *spectacle*) ofrecer; (*thèse*) defender; (*remettre*: *note*) entregar; (*matière*: *à un examen*) hacer, exponer; (*condoléances, félicitations, remerciements*) dar ♦ *vi*: **~ mal/bien** tener buena/mala presencia; **se présenter** *vpr* presentarse; (*solution, doute*) surgir; **~ qch à qn** (*fauteuil etc*) enseñar *ou* mostrar algo a algn; (*plat*) presentar algo a algn; **se ~ bien/mal** (*affaire*) presentarse bien/mal; **se ~ à l'esprit** venir a la cabeza.

préservatif [pʀezɛʀvatif] *nm* preservativo.

préserver [pʀezɛʀve] *vt*: **~ qch/qn de** (*protéger*) preservar *ou* proteger algo/a algn de.

président [pʀezidɑ̃] *nm* presidente *m*; **président du jury** (*JUR*) presidente del jurado; **président d'un jury d'examen/de concours** presidente del tribunal; **président de la République** presidente de la República; **président directeur général** director *m* gerente.

présider [pʀezide] *vt* presidir; **~ à qch** presidir algo.

présomptueux, -euse [pʀezɔ̃ptɥø, øz] *adj* presuntuoso(-a).

presque [pʀɛsk] *adv* casi; **~ toujours/autant** casi siempre/tanto; **~ tous/rien** casi todos/nada; **il n'a ~ pas d'argent** casi no tiene dinero, apenas tiene dinero; **il n'y avait ~ personne** no había casi nadie; **la voiture s'est ~ arrêtée** el coche casi se para, por poco se para el coche; **il n'y avait personne, ou ~** no había nadie, o casi nadie; **on pourrait ~ dire que** casi podría decirse que; **~ à chaque pas** casi a cada paso; **la ~ totalité (de)** la casi totalidad (de).

presqu'île [pʀɛskil] *nf* península.

presse [pʀɛs] *nf* prensa; **mettre un ouvrage sous ~** meter una obra en prensa; **avoir bonne/mauvaise ~** (*fig*) tener buena/mala prensa; **presse d'information/d'opinion** prensa de información/de opinión; **presse du cœur** prensa del corazón; **presse féminine** prensa femenina.

pressé, e [pʀese] *adj* (*personne*) apresurado(-a), apurado(-a) (*AM*); (*lettre, besogne*) urgente ♦ *nm*: **aller/courir au plus ~** acudir/atender a lo más urgente; **être ~ de faire qch** tener prisa por hacer algo; **orange ~e** zumo de naranja.

pressentiment [pʀesɑ̃timɑ̃] *nm* presentimiento.

pressentir [pʀesɑ̃tiʀ] *vt* presentir; (*prendre contact avec, sonder*) sondear.

presse-papiers [pʀɛspapje] *nm inv* pisapapeles *m inv*.

presser [pʀese] *vt* (*fruit*) exprimir; (*éponge*) escurrir; (*interrupteur, bouton*) pulsar; (*brusquer*) acosar ♦ *vi* (*être urgent*) urgir, correr prisa; **se presser** *vpr* (*se hâter*) darse prisa, apurarse (*AM*); (*se grouper*) apiñarse; **le temps presse** el tiempo apremia; **rien ne presse** no hay prisa; **~ le pas** *ou* **l'allure** aligerar (el paso); **~ qn de faire qch** (*inciter*) inducir *ou* presionar a algn a hacer algo; **~ qn de questions** acosar a algn a preguntas; **~ ses débiteurs** apremiar a sus deudores; **~ qn entre** *ou* **dans ses bras** estrechar a algn entre *ou* en sus brazos; **se ~ contre qn** apretujarse contra algn.

pressing [pʀesiŋ] *nm* (*repassage*) planchado; (*magasin*) tintorería.

pression [pʀesjɔ̃] *nf* presión *f*; (*bouton*) automático; **faire ~ sur qn/qch** ejercer presión sobre algn/algo; **sous ~** a presión; (*fig*) presionado(-a); **pression artérielle** tensión *f* arterial; **pression atmosphérique** presión atmosférica.

pressoir [pʀeswaʀ] *nm* prensa.
prestance [pʀɛstɑ̃s] *nf* prestancia.
prestation [pʀɛstasjɔ̃] *nf* (*allocation*) prestación *f*, ayuda; (*d'une assurance*) prestación, indemnización *f*; (*d'une entreprise*) contribución *f*; (*d'un joueur, artiste, homme politique*) actuación *f*; **prestation de serment** jura; **prestation de service** prestación de servicios; **prestations familiales** prestaciones *fpl* familiares (de la Seguridad Social).
prestidigitateur, -trice [pʀɛstidiʒitatœʀ, tʀis] *nm/f* prestidigitador(a).
prestige [pʀɛstiʒ] *nm* prestigio.
prestigieux, -euse [pʀɛstiʒjø, jøz] *adj* prestigioso(-a).
présumer [pʀezyme] *vt*: ~ **que** presumir que; ~ **de qn/qch** sobreestimar algn/a algo; **présumé coupable/innocent** presunto culpable/inocente.
prêt, e [pʀɛ, pʀɛt] *adj* listo(-a), presto(-a); (*cérémonie, repas*) listo(-a), preparado(-a) ♦ *nm* préstamo; ~ **à faire qch** (*préparé à*) listo(-a) para hacer algo; (*disposé à*) dispuesto(-a) a hacer algo; ~ **à toute éventualité** preparado(-a) para lo que venga; ~ **à tout** dispuesto(-a) a todo; **à vos marques, ~s? partez!** ¡preparados, listos, ya!; ~ **sur gages** préstamo bajo fianza.
prêt-à-porter [pʀɛtapɔʀte] (*pl* **~s-~-~**) *nm* prêt-à-porter *f*.
prétendant [pʀetɑ̃dɑ̃] *nm* (*à un trône*) aspirante *m*; (*d'une femme*) pretendiente *m*.
prétendre [pʀetɑ̃dʀ] *vt* (*avoir la ferme intention de*) pretender; (*affirmer*): ~ **que** mantener que; ~ **à** aspirar a.
prétendu, e [pʀetɑ̃dy] *adj* supuesto(-a).
prétentieux, -euse [pʀetɑ̃sjø, jøz] *adj* presuntuoso(-a); (*maison, villa*) pretencioso(-a).
prétention [pʀetɑ̃sjɔ̃] *nf* pretensión *f*; **sans** ~ sin pretensiones.
prêter [pʀete] *vt* (*livres, argent*): ~ **qch (à)** prestar algo (a); (*propos etc*): ~ **à qn** achacar a algn ♦ *vi* (*aussi*: **se ~**: *tissu, cuir*) dar de sí; ~ **à**: ~ **aux commentaires/à équivoque/à rire** prestarse a comentarios/a equívoco/a risa; **se ~ à qch** prestarse a algo; ~ **assistance à** prestar socorro a; ~ **attention/serment** prestar atención/juramento; ~ **l'oreille** aguzar el oído; ~ **sur gages** prestar bajo fianza; ~ **de l'importance à** prestar importancia a.
prétexte [pʀetɛkst] *nm* pretexto; **sous aucun** ~ bajo ningún pretexto; **sous ~ de** con el pretexto de.
prétexter [pʀetɛkste] *vt* poner el pretexto de; ~ **que** poner el pretexto de que.
prêtre [pʀɛtʀ] *nm* sacerdote *m*.
preuve [pʀœv] *nf* prueba; **jusqu'à ~ du contraire** hasta que se demuestre lo contrario; **faire ~ de** dar pruebas de; **faire ses ~s** dar prueba de sus aptitudes; **preuve matérielle** (*JUR*) prueba material; **preuve par neuf** prueba del nueve.
prévaloir [pʀevalwaʀ] *vi* prevalecer; **se ~ de qch** contar con la ventaja de algo; (*tirer vanité de*) enorgullecerse de algo.
prévenant, e [pʀev(ə)nɑ̃, ɑ̃t] *adj* atento(-a).
prévenir [pʀev(ə)niʀ] *vt* prevenir; (*besoins, etc*) anticiparse a; ~ **qn (de qch)** (*avertir*) prevenir a algn (de algo); ~ **qn contre** (*influencer*) predisponer a algn contra.
prévention [pʀevɑ̃sjɔ̃] *nf* prevención *f*; **faire six mois de ~** pasar seis meses en prisión preventiva; **prévention routière** seguridad *f* vial.
prévenu, e [pʀev(ə)ny] *nm/f* preso(-a) ♦ *adj*: **être ~ contre qn** estar prevenido(-a) contra algn; **j'ai été ~ en votre faveur** me han dado buenas referencias sobre usted.
prévision [pʀevizjɔ̃] *nf*: ~s previsión *f*; **en ~ de l'orage** en caso de que haya tormenta; **prévisions météorologiques** previsión meteorológica.
prévoir [pʀevwaʀ] *vt* prever; **prévu pour 4 personnes** con cabida para 4 personas; **prévu pour 10 h** previsto para las 10.
prévoyant, e [pʀevwajɑ̃, ɑ̃t] *vb voir* **prévoir** ♦ *adj* prevenido(-a), precavido(-a).
prier [pʀije] *vi* rezar ♦ *vt* rogar; (*REL*) rezar; (*demander avec fermeté*) mandar; ~ **qn à dîner** invitar a algn a cenar; **se faire ~** hacerse rogar; **je vous en prie** (*allez-y*) pase por favor; (*de rien*) de nada.
prière [pʀijɛʀ] *nf* oración *f*; (*demande*) ruego; **dire une/des/sa ~(s)** rezar una/algunas/su(s) oración(oraciones); **"~ de faire/ne pas faire ..."** "se ruega hacer/no hacer ...".
primaire [pʀimɛʀ] *adj* primario(-a); (*péj*) primitivo(-a); (: *explication*) superficial ♦ *nm* (*SCOL*: *aussi*: **enseignement ~**): **le ~** ≈ primera etapa de la educación primaria.
prime [pʀim] *nf* (*bonification, ASSURANCE, BOURSE*) prima; (*subside*) ayuda; (*COMM*: *cadeau*) bonificación *f* ♦ *adj*: **de ~ abord** de entrada; **prime de risque/de transport** prima de riesgo/gastos *mpl* de transporte.
primer [pʀime] *vt* (*récompenser*) premiar ♦ *vi* primar; (*l'emporter sur*): ~ **sur qch** primar sobre algo.

primeur [pRimœR] *nf*: **avoir la ~ de** tener las primicias de; **~s** *nfpl* (*fruits, légumes*) frutos *mpl* tempranos; **marchand de ~s** verdulero.
primevère [pRimvɛR] *nf* primavera.
primitif, -ive [pRimitif, iv] *adj* primitivo(-a); (*texte etc*) antiguo(-a) ♦ *nm/f* primitivo(-a).
primordial, e, -aux [pRimɔRdjal, jo] *adj* primordial.
prince [pRɛ̃s] *nm* príncipe *m*; **prince charmant** príncipe azul; **prince de Galles** (*TEXTILE*) príncipe de gales; **prince héritier** príncipe heredero.
princesse [pRɛ̃sɛs] *nf* princesa.
princier, -ière [pRɛ̃sje, jɛR] *adj* principesco(-a).
principal, e, -aux [pRɛ̃sipal, o] *adj* principal ♦ *nm* (*SCOL*) director *m*; (*FIN*) principal *m*; (*essentiel*): **le ~** lo importante.
principe [pRɛ̃sip] *nm* principio; **~s** *nmpl* (*moraux etc*) principios *mpl*; **partir du ~ que** partir del principio de que; **pour le ~** por principios; **en ~** en principio.
printemps [pRɛ̃tɑ̃] *nm* primavera.
priori [pRijɔRi]: **a ~** *adv* a priori.
priorité [pRijɔRite] *nf* prioridad *f*; **en ~** con prioridad; **priorité à droite** prioridad a la derecha.
pris, e [pRi, pRiz] *pp de* **prendre** ♦ *adj* (*place, journée*) ocupado(-a); (*billets*) sacado(-a); (*crème, glace*) en su punto; (*ciment*) fraguado(-a); **avoir le nez ~/la gorge ~e** (*MÉD*) tener la nariz/la garganta irritada; **être ~ de peur/de fatigue** entrarle a algn miedo/cansancio.
prise [pRiz] *nf* (*d'une ville*) toma; (*de judo, catch*) llave *f*; (*PÊCHE, CHASSE*) presa; (*ÉLEC*) conexión *f*; (*fiche*) enchufe *m*; **ne pas avoir de/avoir ~** no tener/tener donde agarrarse; **en ~** (*AUTO*) en directa; **être aux ~s avec qn** enfrentarse con algn; **lâcher ~** soltarse; **donner ~ à** (*fig*) dar pie a; **avoir ~ sur qn** tener influencia sobre algn; **prise d'eau** toma de agua; **prise d'otages** captura de rehenes; **prise de contact** toma de contacto; **prise de courant** conexión; **prise de sang** toma de sangre; **prise de son** toma de sonido; **prise de tabac** toma de rapé; **prise de terre** toma de tierra; **prise de vue** (*PHOTO*) toma de vista; **prise de vue(s)** toma de planos; **prise en charge** (*par un taxi*) bajada de bandera; (*par la Sécurité sociale*) cobertura; **prise multiple** ladrón *m*.
prison [pRizɔ̃] *nf* cárcel *f*, prisión *f*; (*MIL*) prisión militar; (*fig*) cárcel; **faire de/risquer la ~** estar en/correr el riesgo de ir a la cárcel; **être condamné à cinq ans de ~** ser condenado a cinco años de cárcel.
prisonnier, -ière [pRizɔnje, jɛR] *nm/f* preso(-a); (*soldat, otage*) prisionero(-a) ♦ *adj* preso(-a); **faire qn ~** hacer prisionero(-a) a algn.
prit [pRi] *vb voir* **prendre**.
privatiser [pRivatize] *vt* privatizar.
privé, e [pRive] *adj* privado(-a); **~ de** privado(-a) de; **en ~** en privado; **dans le ~** (*ÉCON*) en el sector privado.
priver [pRive] *vt* privar; **se priver** *vpr*: **(ne pas) se ~ (de)** (no) privarse (de).
privilège [pRivilɛʒ] *nm* privilegio.
privilégié, e [pRivileʒje] *adj* privilegiado(-a).
privilégier [pRivileʒje] *vt* dar preferencia a, privilegiar.
prix [pRi] *nm* precio; (*récompense*) premio; **grand ~ automobile** gran premio automovilístico; **mettre à ~** sacar a la venta; **au ~ fort** al precio más alto; **acheter qch à ~ d'or** comprar algo a precio de oro; **hors de ~** carísimo(-a); **à aucun ~** por nada del mundo; **à tout ~** cueste lo que cueste; **prix conseillé** precio de venta al público, PVP *m*; **prix d'achat/de revient/de vente** precio de compra/de coste/de venta.
probable [pRɔbabl] *adj* probable.
probablement [pRɔbabləmɑ̃] *adv* probablemente.
problème [pRɔblɛm] *nm* problema *m*.
procédé [pRɔsede] *nm* proceso; (*comportement*) proceder *m*.
procéder [pRɔsede] *vi* proceder; **~ à** (*JUR*) proceder a, pasar a.
procès [pRɔsɛ] *nm* (*JUR*) juicio; (*: poursuites*) proceso; **être en ~ avec qn** estar en pleito con algn; **faire le ~ de qch/qn** (*fig*) criticar algo/a algn; **sans autre forme de ~** sin más ni más.
procession [pRɔsesjɔ̃] *nf* procesión *f*.
processus [pRɔsesys] *nm* proceso.
procès-verbal [pRɔsɛvɛRbal] (*pl* **~-verbaux**) *nm* (*constat*) atestado; (*aussi*: **P.V.**) multa; (*d'une réunion*) acta.
prochain, e [pRɔʃɛ̃, ɛn] *adj* próximo(-a) ♦ *nm* prójimo; **la ~e fois** la próxima vez; **la semaine ~e** la semana que viene; **à la ~e!** (*fam*) ¡hasta otra!; **un jour ~** cualquier día.
prochainement [pRɔʃɛnmɑ̃] *adv* pronto; (*au cinéma*) próximamente.
proche [pRɔʃ] *adj* (*ami*) cercano(-a), próximo(-a); **~s** *nmpl* (*parents*) familiares *mpl*; (*amis*): **l'un de ses ~s** una de sus amistades; **être ~ (de)** estar cerca (de); (*fig: parent*) estar unido(-a) a; **de ~ en ~**

progresivamente.
Proche-Orient [pʀɔʃɔʀjɑ̃] *nm* Oriente *m* Próximo, Cercano Oriente.
proclamer [pʀɔklame] *vt* declarar; (*la république, son innocence*) proclamar; (*résultat d'un examen*) publicar.
procuration [pʀɔkyʀasjɔ̃] *nf* poder *m*; **donner ~ à qn** hacer un poder a algn; **voter/acheter par ~** votar/comprar por poder.
procurer [pʀɔkyʀe] *vt* (*fournir*) proporcionar; (*causer*) dar; **se procurer** *vpr* conseguir.
procureur [pʀɔkyʀœʀ] *nm*: **~ (de la République)** ≈ fiscal *m*; **procureur général** ≈ fiscal del tribunal supremo.
prodige [pʀɔdiʒ] *nm* prodigio; **un ~ d'ingéniosité** un prodigio de ingenio.
prodigieux, -euse [pʀɔdiʒjø, jøz] *adj* prodigioso(-a).
prodigue [pʀɔdig] *adj* pródigo(-a); **fils ~** hijo pródigo.
prodiguer [pʀɔdige] *vt* prodigar.
producteur, -trice [pʀɔdyktœʀ, tʀis] *adj, nm/f* productor(a); **société productrice** productora.
production [pʀɔdyksjɔ̃] *nf* producción *f*.
produire [pʀɔdɥiʀ] *vt* producir; (*ADMIN, JUR: documents, témoins*) presentar ♦ *vi* producir; **se produire** *vpr* producirse; (*acteur*) actuar.
produit, e [pʀɔdɥi, it] *pp de* **produire** ♦ *nm* producto; (*profit*) rendimiento; **produit d'entretien** producto de limpieza; **produit des ventes** producto de la venta; **produit national brut** producto nacional bruto; **produit net** beneficio neto; **produit pour la vaisselle** lavavajillas *m inv*; **produits agricoles** productos *mpl* agrícolas; **produits alimentaires** productos alimenticios; **produits de beauté** productos de belleza.
proéminent, e [pʀɔeminɑ̃, ɑ̃t] *adj* prominente.
prof [pʀɔf] *abr* (= *professeur*) prof. (= *profesor*).
profane [pʀɔfan] *adj, nm/f* profano(-a).
profaner [pʀɔfane] *vt* profanar.
proférer [pʀɔfeʀe] *vt* proferir.
professeur [pʀɔfesœʀ] *nm* profesor(a); (*titulaire d'une chaire*) catedrático(-a); **professeur (de faculté)** profesor(a) (de universidad).
profession [pʀɔfesjɔ̃] *nf* profesión *f*; **faire ~ de** hacer profesión de; **de ~: ballerine de ~** bailarina de profesión; **"sans ~"** "sin profesión"; (*femme mariée*) "sus labores".
professionnel, le [pʀɔfesjɔnɛl] *adj* profesional ♦ *nm/f* profesional *m/f*; (*ouvrier qualifié*) obrero(-a) cualificado(-a).
profil [pʀɔfil] *nm* perfil *m*; (*d'une voiture*) línea; (*section*) sección *f*; **de ~** de perfil; **profil des ventes** perfil de ventas; **profil psychologique** perfil psicológico.
profit [pʀɔfi] *nm* (*avantage*) provecho; (*COMM, FIN*) beneficio; **au ~ de qn/qch** en beneficio de algn/algo; **tirer** *ou* **retirer ~ de qch** sacar provecho de algo; **mettre à ~ qch** sacar partido de algo; **profits et pertes** (*COMM*) pérdidas *fpl* y beneficios.
profiter [pʀɔfite]: **~ de** *vt ind* aprovecharse de; (*lecture*) sacar provecho de; (*occasion*) aprovechar; **~ de ce que ...** aprovecharse de que ...; **~ à qch/à qn** beneficiar algo/a algn.
profond, e [pʀɔfɔ̃, ɔ̃d] *adj* profundo(-a); (*trou, eaux*) hondo(-a); **au plus ~ de** desde lo más hondo *ou* profundo de; **la France ~e** la Francia profunda.
profondeur [pʀɔfɔ̃dœʀ] *nf* profundidad *f*; **en ~** en profundidad; **profondeur de champ** (*PHOTO*) profundidad de campo.
profusion [pʀɔfyzjɔ̃] *nf* profusión *f*; **une ~ de cadeaux** regalos en abundancia; **à ~** en abundancia.
progéniture [pʀɔʒenityʀ] *nf* prole *f*.
programme [pʀɔgʀam] *nm* programa *m*; **au ~ de ce soir** (*TV*) en la programación de esta noche.
programmer [pʀɔgʀame] *vt* programar.
programmeur, -euse [pʀɔgʀamœʀ, øz] *nm/f* (*INFORM*) programador(a).
progrès [pʀɔgʀɛ] *nm* progreso, avance *m*; (*gén pl: d'un incendie, d'une épidémie etc*) avance *m*; **faire des/être en ~** hacer progresos.
progresser [pʀɔgʀese] *vi* (*mal etc*) avanzar; (*élève, recherche*) progresar.
progressif, -ive [pʀɔgʀesif, iv] *adj* progresivo(-a).
prohiber [pʀɔibe] *vt* prohibir.
proie [pʀwɑ] *nf* presa; (*fig*) víctima; **être la ~ de** ser presa de; **être en ~ à** ser presa de.
projecteur [pʀɔʒɛktœʀ] *nm* (*de théâtre, cirque*) foco; (*de films, photos*) proyector *m*.
projectile [pʀɔʒɛktil] *nm* proyectil *m*.
projet [pʀɔʒɛ] *nm* proyecto; **faire des ~s** hacer planes; **projet de loi** proyecto de ley.
projeter [pʀɔʒ(ə)te] *vt* proyectar; (*jeter*) lanzar; (*envisager*) planear.
prolétaire [pʀɔletɛʀ] *nm* proletario(-a).
proliférer [pʀɔlifeʀe] *vi* proliferar.
prolifique [pʀɔlifik] *adj* prolífico(-a).
prologue [pʀɔlɔg] *nm* prólogo.

prolongation [pRɔlɔ̃gasjɔ̃] *nf* prolongación *f*; (*FOOTBALL, délai*) prórroga; **jouer les ~s** (*FOOTBALL*) jugar la prórroga.
prolonger [pRɔlɔ̃ʒe] *vt* prolongar; (*délai*) prorrogar; **se prolonger** *vpr* prolongarse.
promenade [pRɔm(ə)nad] *nf* paseo; **faire une ~** dar un paseo; **partir en ~** salir de paseo; **promenade à pied/à vélo/en voiture** paseo andando/en bici/en coche.
promener [pRɔm(ə)ne] *vt* dar un paseo a; (*fig: qch*) llevar consigo; (*doigts, main*) recorrer; **se promener** *vpr* pasearse; **se ~ sur** (*fig*) recorrer; **son regard se promena sur ...** recorrió con la mirada ... .
promeneur, -euse [pRɔm(ə)nœR, øz] *nm/f* paseante *m/f*.
promesse [pRɔmɛs] *nf* promesa; **promesse d'achat/de vente** compromiso de compra/de venta.
prometteur, -euse [pRɔmetœR, øz] *adj* prometedor(a).
promettre [pRɔmɛtR] *vt, vi* prometer; **se ~ de faire qch** comprometerse a hacer algo; **~ à qn de faire qch** prometer a algn hacer algo.
promiscuité [pRɔmiskɥite] *nf* promiscuidad *f*.
promontoire [pRɔmɔ̃twaR] *nm* promontorio.
promoteur, -trice [pRɔmɔtœR, tRis] *nm/f* propulsor(a); **promoteur (immobilier)** promotor (inmobiliario).
promotion [pRɔmosjɔ̃] *nf* promoción *f*; (*avancement*) ascenso; **article en ~** artículo en oferta; **promotion des ventes** promoción de ventas.
promouvoir [pRɔmuvwaR] *vt* (*à un grade, poste*) ascender a; (*recherche etc*) promover; (*COMM: produit*) promocionar.
prompt, e [pRɔ̃(pt), pRɔ̃(p)t] *adj* rápido(-a); **~ à qch/à faire qch** dado(-a) a algo/a hacer algo.
prôner [pRone] *vt* (*louer*) ensalzar; (*préconiser*) preconizar.
pronom [pRɔnɔ̃] *nm* pronombre *m*.
prononcer [pRɔnɔ̃se] *vt* pronunciar; (*souhait, vœu*) formular; **se prononcer** *vpr* pronunciarse; **se ~ sur qch** pronunciarse sobre algo; **ça se prononce comment?** ¿cómo se pronuncia eso?
pronostic [pRɔnɔstik] *nm* pronóstico.
propagande [pRɔpagɑ̃d] *nf* propaganda; **faire de la ~ pour qch** hacer propaganda de algo.
propager [pRɔpaʒe] *vt* propagar; **se propager** *vpr* propagarse; (*espèce*) multiplicarse.
prophète, prophétesse [pRɔfɛt, pRɔfetɛs] *nm/f* profeta(profetisa).
prophétie [pRɔfesi] *nf* (*d'un prophète*) profecía; (*d'une cartomancienne*) predicción *f*.
propice [pRɔpis] *adj* propicio(-a).
proportion [pRɔpɔRsjɔ̃] *nf* proporción *f*; (*relation, pourcentage*) relación *f*; **à ~ de** en proporción directa a; **en ~ de** (*selon*) en proporción a; (*en comparaison de*) en comparación a; **hors de ~** desproporcionado(-a); **toute(s) ~(s) gardée(s)** manteniendo las proporciones.
proportionner [pRɔpɔRsjɔne] *vt* proporcionar.
propos [pRɔpo] *nm* (*paroles*) palabras *fpl*; (*intention*) propósito; **à ~ de** a propósito de; **à tout ~** a cada momento; **à ce ~** a ese respecto; **à ~** a propósito; **hors de ~, mal à ~** fuera de lugar.
proposer [pRɔpoze] *vt* proponer; (*loi, motion*) presentar; **se ~ (pour faire qch)** ofrecerse (para hacer algo); **se ~ de faire qch** proponerse hacer algo.
proposition [pRɔpozisjɔ̃] *nf* propuesta; (*offre*) oferta; (*LING*) proposición *f*; **sur la ~ de** a propuesta de; **proposition de loi** propuesta de ley.
propre [pRɔpR] *adj* limpio(-a); (*net*) pulcro(-a); (*fig: honnête*) intachable; (*intensif possessif, sens*) propio(-a) ♦ *nm*: **le ~ de** lo propio de; **~ à** (*particulier*) propio(-a) de; (*convenable*) apropiado(-a) para; **au ~** (*LING*) en sentido propio; **mettre** *ou* **recopier au ~** pasar a limpio; **avoir qch/appartenir à qn en ~** tener algo/pertenecer a algn en propiedad; **propre à rien** *nm/f* (*péj*) inútil *m/f*.
proprement [pRɔpRəmɑ̃] *adv* (*manger etc*) correctamente; (*rangé, habillé*) con esmero; (*avec décence*) honradamente; (*exclusivement*) propiamente; (*littéralement*) verdaderamente; **à ~ parler** a decir verdad; **le village ~ dit** el pueblo propiamente dicho.
propreté [pRɔpRəte] *nf* limpieza; (*d'une personne: pour s'habiller etc*) pulcritud *f*.
propriétaire [pRɔpRijetɛR] *nm/f* propietario(-a); (*d'un chien etc*) dueño(-a); (*pour le locataire*) casero(-a); **propriétaire (immobilier)** propietario; **propriétaire récoltant** labrador; **propriétaire terrien** terrateniente *m/f*.
propriété [pRɔpRijete] *nf* propiedad *f*; (*villa, terres*) casa de campo; (*exploitations agricoles*) granja; **propriété artistique et littéraire/industrielle** propiedad intelectual/industrial.
propulser [pRɔpylse] *vt* (*missile, engin*) propulsar; (*projeter*) lanzar.
proroger [pRɔRɔʒe] *vt* prorrogar; (*assem-*

blée) aplazar.
proscrire [pʀɔskʀiʀ] *vt* proscribir.
prose [pʀoz] *nf* prosa.
prospecter [pʀɔspɛkte] *vt* prospectar; (*COMM*) estudiar el mercado de.
prospection [pʀɔspɛksjɔ̃] *nf* prospección *f*; (*COMM*) estudio de mercado.
prospectus [pʀɔspɛktys] *nm* prospecto.
prospère [pʀɔspɛʀ] *adj* próspero(-a); **il a la santé ~** está rebosante de salud.
prospérité [pʀɔspeʀite] *nf* prosperidad *f*.
prosterner [pʀɔstɛʀne]: **se ~** *vpr* prosternarse.
prostituée [pʀɔstitɥe] *nf* prostituta.
protagoniste [pʀɔtagɔnist] *nm* protagonista *m/f*.
protecteur, -trice [pʀɔtɛktœʀ, tʀis] *adj* protector(a); (*ÉCON*) proteccionista; (*péj*: *air, ton*) paternalista ♦ *nm/f* protector(a); **protecteur des arts** mecenas *m*.
protection [pʀɔtɛksjɔ̃] *nf* protección *f*; **écran/enveloppe de ~** pantalla protectora/sobre *m* protector; **protection civile/judiciaire** protección civil/judicial; **protection maternelle et infantile** protección materna y de la infancia.
protéger [pʀɔteʒe] *vt* proteger; (*moralement*) amparar; (*carrière*) apoyar; (*ÉCON*) patrocinar; **se ~ de/contre qch** protegerse de/contra algo.
protéine [pʀɔtein] *nf* proteína.
protestant, e [pʀɔtɛstɑ̃, ɑ̃t] *adj, nm/f* protestante *m/f*.
protestataire [pʀɔtɛstatɛʀ] *nm/f* protestante *m/f*.
protestation [pʀɔtɛstasjɔ̃] *nf* protesta.
protester [pʀɔtɛste] *vi* protestar.
prothèse [pʀɔtɛz] *nf* prótesis *f inv*; (*pour remplacer un organe*) implante *m*; **prothèse dentaire** prótesis dental; (*science*) fabricación *f* de prótesis dentales.
protocole [pʀɔtɔkɔl] *nm* protocolo; (*procès-verbal*) acta de protocolo; **chef du ~** jefe *m* de protocolo; **protocole d'accord** proposición *f* de acuerdo; **protocole opératoire** (*MÉD*) parte *m* médico.
prototype [pʀɔtɔtip] *nm* prototipo.
proue [pʀu] *nf* proa.
prouesse [pʀuɛs] *nf* proeza.
prouver [pʀuve] *vt* probar; (*montrer*) demostrar.
provenance [pʀɔv(ə)nɑ̃s] *nf* procedencia; (*d'un mot, d'une coutume*) origen *m*; **en ~ de** procedente de.
provençal, e, -aux [pʀɔvɑ̃sal, o] *adj* provenzal ♦ *nm* (*LING*) provenzal *m* ♦ *nm/f*: **P~, e, -aux** provenzal *m/f*.
Provence [pʀɔvɑ̃s] *nf* Provenza.
provenir [pʀɔv(ə)niʀ] *vi*: **~ de** proceder de; (*tirer son origine de*) provenir de; (*résulter de*) derivarse de.
proverbe [pʀɔvɛʀb] *nm* proverbio.
providence [pʀɔvidɑ̃s] *nf* Providencia.
province [pʀɔvɛ̃s] *nf* provincia.
proviseur [pʀɔvizœʀ] *nm* director(a) de instituto.
provision [pʀɔvizjɔ̃] *nf* provisión *f*; (*acompte, avance*) anticipo; (*COMM*) provisión de fondos; **~s** *nfpl* (*vivres*) provisiones *fpl*; **faire ~ de qch** abastecerse de algo; **placard** *ou* **armoire à ~s** despensa.
provisoire [pʀɔvizwaʀ] *adj* provisional, provisorio(-a) (*AM*); (*personne*) interino(-a); **mise en liberté ~** puesta en libertad provisional.
provocateur [pʀɔvɔkatœʀ] *nm* provocador(a).
provoquer [pʀɔvɔke] *vt* provocar; (*curiosité*) despertar.
proxénète [pʀɔksenɛt] *nm* proxeneta *m*.
proximité [pʀɔksimite] *nf* (*dans l'espace*) cercanía; (*dans le temps*) proximidad *f*; **à ~ (de)** cerca (de).
prude [pʀyd] *adj* mojigato(-a).
prudemment [pʀydamɑ̃] *adv* con prudencia.
prudent, e [pʀydɑ̃, ɑ̃t] *adj* prudente; (*sage, conseillé*) sensato(-a); **ce n'est pas ~** no es sensato; **soyez ~!** ¡tened cuidado!
prune [pʀyn] *nf* ciruela.
pruneau, x [pʀyno] *nm* ciruela pasa.
prunelle [pʀynɛl] *nf* (*ANAT*) pupila; (*BOT*) endrina; (*eau de vie*) licor *m* de endrina.
prunier [pʀynje] *nm* ciruelo.
psaume [psom] *nm* salmo.
pseudonyme [psødɔnim] *nm* seudónimo; (*de comédien*) nombre *m* artístico.
psychanalyste [psikanalist] *nm/f* (p)sicoanalista *m/f*.
psychiatre [psikjatʀ] *nm/f* (p)siquiatra *m/f*.
psychique [psiʃik] *adj* (p)síquico(-a).
psychologie [psikɔlɔʒi] *nf* (p)sicología.
psychologue [psikɔlɔg] *nm/f* (p)sicólogo(-a); **être ~** (*fig*) ser (p)sicólogo(-a).
psychose [psikoz] *nf* (p)sicosis *f inv*.
PTT [petete] *sigle fpl* = *Postes, télécommunications et télédiffusion*.
pub [pyb] *nf* (*fam*: *publicité*) publicidad *f*.
puberté [pybɛʀte] *nf* pubertad *f*.
public, -ique [pyblik] *adj* público(-a) ♦ *nm* público; **en ~** en público; **interdit au ~** prohibido al público; **le grand ~** el público en general.
publication [pyblikasjɔ̃] *nf* publicación *f*; **directeur de ~** director *m* de publicaciones.
publicitaire [pyblisitɛʀ] *adj* publicita-

rio(-a) ♦ *nm/f* publicista *m/f*; **rédacteur/dessinateur ~** redactor *m*/dibujante *m* publicitario.

publicité [pyblisite] *nf* publicidad *f*; **une ~** un anuncio; **faire trop de ~ autour de qch/qn** dar demasiada publicidad a algo/algn.

publier [pyblije] *vt* publicar; (*décret, loi*) promulgar.

puce [pys] *nf* pulga; (INFORM) pulgada; **marché aux ~s** mercadillo; **mettre la ~ à l'oreille de qn** poner la mosca detrás de la oreja a algn.

pudeur [pydœʀ] *nf* pudor *m*.

pudique [pydik] *adj* (*chaste*) pudoroso(-a); (*discret*) recatado(-a).

puer [pɥe] (*péj*) *vi, vt* apestar (a).

puéril, e [pɥeʀil] *adj* pueril.

puis [pɥi] *vb voir* **pouvoir** ♦ *adv* (*ensuite*) después, luego; (*dans une énumération*) luego; (*en outre*): **et ~** y además, y encima; **et ~ après!** ¡y qué!; **et ~ quoi encore?** ¡y qué más!

puiser [pɥize] *vt*: **~ (dans)** sacar (de).

puisque [pɥisk] *conj* ya que, como; **~ je te le dis!** (*valeur intensive*) ¡que te lo digo yo!

puissance [pɥisɑ̃s] *nf* potencia; (*pouvoir*) poder *m*; **deux (à la) ~ cinq** (MATH) dos (elevado) a la quinta; **les ~s occultes** los poderes ocultos.

puissant, e [pɥisɑ̃, ɑ̃t] *adj* poderoso(-a); (*homme, voix*) fuerte; (*raisonnement*) consistente; (*moteur*) potente; (*éclairage, drogue, vent*) fuerte.

puisse *etc* [pɥis] *vb voir* **pouvoir**.

puits [pɥi] *nm* pozo; **puits artésien/de mine** pozo artesano/minero; **puits de science** pozo de sabiduría.

pull [pyl], **pull-over** [pylɔvɛʀ] (*pl* **~-overs**) *nm* jersey *m*.

pulluler [pylyle] *vi* pulular; (*fig*) abundar.

pulpe [pylp] *nf* pulpa.

pulsation [pylsasjɔ̃] *nf* (MÉD) pulsación *f*; **pulsations (du cœur)** (*rythme cardiaque*) ritmo cardíaco; (*battements*) latidos *mpl*.

pulvériser [pylveʀize] *vt* pulverizar; (*fig: adversaire*) machacar.

puma [pyma] *nm* puma *m*.

punaise [pynɛz] *nf* (ZOOL) chinche *f*; (*clou*) chincheta.

punch [pœnʃ] *nm* (*boisson*) ponche *m*; (BOXE) puñetazo; (*fig*) vitalidad *f*.

punir [pyniʀ] *vt* castigar; (*faute, infraction*) sancionar; (*crime*) condenar; **~ qn de qch** castigar a algn por algo.

punition [pynisjɔ̃] *nf* castigo.

pupille [pypij] *nf* (ANAT) pupila ♦ *nm/f* (*enfant*) pupilo(-a); **pupille de l'État** hospiciano(-a); **pupille de la Nation** huérfano(-a) de guerra.

pupitre [pypitʀ] *nm* (SCOL) pupitre *m*; (REL, MUS) atril *m*; (INFORM) consola; **pupitre de commande** consola de mandos.

pur, e [pyʀ] *adj* puro(-a); (*intentions*) bueno(-a) ♦ *nm* duro; **~ et simple** mero(-a); **en ~e perte** en balde; **~e laine** pura lana.

purée [pyʀe] *nf* puré *m*; **purée de pois** (*fig*) niebla muy espesa; **purée de tomates** tomate *m* triturado.

pureté [pyʀte] *nf* pureza.

purger [pyʀʒe] *vt* purgar; (*vidanger*) limpiar.

purifier [pyʀifje] *vt* purificar.

puritain, e [pyʀitɛ̃, ɛn] *adj, nm/f* puritano(-a).

pur-sang [pyʀsɑ̃] *nm inv* pura sangre *m*.

pus [py] *vb voir* **pouvoir** ♦ *nm* pus *m*.

pustule [pystyl] *nf* pústula.

putain [pytɛ̃] (*fam!*) *nf* puta; **~!** ¡joder!; **ce/cette ~ de ...** este(-a) puto(-a) ... .

putois [pytwa] *nm* turón *m*; **crier comme un ~** gritar como un loco.

putsch [putʃ] *nm* golpe *m* de estado.

puzzle [pœzl] *nm* rompecabezas *m inv*.

PV [peve] *sigle m* (= *procès-verbal*) multa.

pyjama [piʒama] *nm* pijama *m*, piyama *m ou f* (AM).

pylône [pilon] *nm* (*d'un pont*) pilar *m*; (*mât, poteau*) poste *m*.

pyramide [piʀamid] *nf* pirámide *f*; **pyramide humaine** pirámide humana.

Pyrénées [piʀene] *nfpl*: **les ~** los Pirineos.

pyromane [piʀɔman] *nm/f* pirómano(-a).

python [pitɔ̃] *nm* pitón *m*.

Q, q

QI [kyi] *sigle m* (= *quotient intellectuel*) C.I. *m* (= *coeficiente intelectual*).

quadragénaire [k(w)adʀaʒenɛʀ] *nm/f* (*de quarante ans*) cuadragenario(-a); (*de quarante à cinquante ans*) cuarentón(-ona); **les ~s** los mayores de cuarenta años.

quadriller [kadʀije] *vt* (*papier, page etc*) cuadricular; (*ville, région etc*) controlar totalmente.

quadruple [k(w)adʀypl] *adj* cuádruple ♦ *nm*: **le ~ de** el cuádruplo de.

quadrupler [k(w)adʀyple] *vt* cuadruplicar ♦ *vi* cuadruplicarse.

quadruplés, -ées [k(w)adʀyple] *nm/fpl* cuatrillizos(-as).

quai [ke] *nm* (*d'un port*) muelle *m*; (*d'une gare*) andén *m*; (*d'un cours d'eau, canal*) orilla; **être à ~** (*navire*) estar atracado; (*train*) estar en el andén; **le Quai d'Orsay** *Ministerio de Asuntos Exteriores*; **le Quai des Orfèvres** *la sede de la Policía Judicial*.

qualifier [kalifje] *vt* calificar; **se qualifier** *vpr* (*SPORT*) calificarse; **~ qch de crime** calificar algo de crimen; **~ qn d'artiste** calificar a algn de artista; **être qualifié pour** estar cualificado *ou* capacitado para.

qualité [kalite] *nf* calidad *f*; (*valeur, aptitude*) cualidad *f*; **en ~ de** en calidad de; **ès ~s** como tal; **avoir ~ pour** tener autoridad para; **de ~** *adj* de calidad; **rapport ~-prix** relación *f* calidad-precio.

quand [kɑ̃] *conj* cuando; (*chaque fois que*) cada vez que; (*alors que*) cuando, mientras ♦ *adv*: **~ arrivera-t-il?** ¿cuándo llegará?; **~ je serai riche, j'aurai une belle maison** cuando yo sea rico, tendré una casa bonita; **~ même** (*cependant, pourtant*) sin embargo; (*tout de même*): **tu exagères ~ même** desde luego te pasas; **~ bien même** aun cuando, así *+subjun* (*AM*).

quant [kɑ̃]: **~ à** *prép* en cuanto a; (*au sujet de*): **il n'a rien dit ~ à ses projets** no dijo nada sobre sus planes; **~ à moi, ...** en cuanto a mí ..., por lo que se refiere a mí ... .

quantité [kɑ̃tite] *nf* cantidad *f*, (*grand nombre*): **une** *ou* **des ~(s) de** una cantidad *ou* cantidades de; **~ négligeable** (*SCIENCE*) cantidad insignificante; **en grande ~** en gran cantidad; **en ~s industrielles** en cantidades industriales; **du travail en ~** cantidad de trabajo.

quarantaine [kaʀɑ̃tɛn] *nf* (*isolement*) cuarentena; (*nombre*): **une ~ (de)** unos cuarenta; (*âge*): **avoir la ~** estar en la cuarentena; **mettre en ~** poner en cuarentena; (*fig*) hacer el vacío.

quarante [kaʀɑ̃t] *adj inv, nm inv* cuarenta *m inv*; *voir aussi* **cinq**.

quart [kaʀ] *nm* cuarto ♦ *nm* (*NAUT, surveillance*) guardia; **le ~ de** la cuarta parte de; **un ~ de l'héritage** un cuarto de la herencia; **un ~ de fromage** un cuarto (de kilo) de queso; **un kilo un** *ou* **et ~** un kilo y cuarto; **2 h et** *ou* **un ~** las dos y cuarto; **1 h moins le ~** la una menos cuarto; **il est moins le ~** son menos cuarto; **être de/prendre le ~** estar de/entrar de guardia; **au ~ de tour** (*fig*) a la primera; **quarts de finale** (*SPORT*) cuartos *mpl* de final; **quart d'heure** cuarto de hora; **quart de tour** cuarto de vuelta.

quartier [kaʀtje] *nm* cuarto; (*d'une ville*) barrio; (*d'orange*) gajo; **~s** *nmpl* (*MIL*) cuarteles *mpl*; (*BLASON*) cuartel *m*; **cinéma de ~** cine *m* de barrio; **avoir ~ libre** estar libre; (*MIL*) tener permiso; **ne pas faire de ~** no dar cuartel; **quartier commerçant** zona *ou* barrio comercial; **quartier général** cuartel general; **quartier résidentiel** barrio residencial.

quasi [kazi] *adv* casi ♦ *préf*: **~-certitude/totalité** cuasicerteza/cuasitotalidad *f*.

quasiment [kazimɑ̃] *adv* casi.

quatorze [katɔʀz] *adj inv, nm inv* catorce *m inv*; *voir aussi* **cinq**.

quatre [katʀ] *adj inv, nm inv* cuatro *m inv*; **à ~ pattes** a cuatro patas; **être tiré à ~ épingles** estar hecho un maniquí; **faire les ~ cents coups** armar las mil y una; **se mettre en ~ pour qn** desvivirse por algn; **monter/descendre (l'escalier) ~ à ~** subir/ bajar (los escalones) de cuatro en cuatro; **à ~ mains** *adj* (*morceau*) a cuatro manos; *voir aussi* **cinq**.

quatre-vingt-dix [katʀəvɛ̃dis] *adj inv, nm inv* noventa *m inv*; *voir aussi* **cinq**.

quatre-vingts [katʀəvɛ̃] *adj inv, nm inv* ochenta *m inv*; *voir aussi* **cinq**.

quatrième [katʀijɛm] *adj, nm/f* cuarto(-a) ♦ *nf* (*AUTO*) cuarta; (*SCOL*) *tercer año de educación secundaria en el sistema francés*; *voir aussi* **cinquième**.

quatuor [kwatɥɔʀ] *nm* cuarteto.

MOT-CLÉ

que [kə] *conj* **1** (*introduisant complétive*) que; **il sait que tu es là** sabe que estás allí; **je veux que tu acceptes** quiero que aceptes

2 (*reprise d'autres conjonctions*): **quand il rentrera et qu'il aura mangé** cuando vuelva y haya comido; **si vous y allez ou que vous lui téléphonez** si usted va (allí) o le llama por teléfono

3 (*en tête de phrase: hypothèse, souhait etc*): **qu'il le veuille ou non** quiera o no quiera; **qu'il fasse ce qu'il voudra!** ¡que haga lo que quiera!

4 (*après comparatif*): **aussi grand que** tan grande como; **plus grand que** más grande que; *voir aussi* **plus**

5 (*temps*): **elle venait à peine de sortir qu'il se mit à pleuvoir** acababa justo de salir cuando se puso a llover; **il y a 4 ans qu'il est parti** hace 4 años que se marchó

6 (*attribut*): **c'est une erreur que de croire ...** es un error creer ...

7 (*but*): **tenez-le qu'il ne tombe pas** sujételo (para) que no se caiga

8 (*seulement*): **ne ... que** sólo, no más que; **il ne boit que de l'eau** sólo bebe agua, no bebe más que agua

♦ *adv* (*exclamation*): **qu'est-ce qu'il est bête!** ¡qué tonto es!; **qu'est-ce qu'il court vite!** ¡cómo corre!; **que de livres!** ¡cuántos libros!

♦ *pron* **1** (*relatif*): **l'homme que je vois** el hombre que veo; (*temps*): **un jour que j'étais ...** un día en que yo estaba ...; **le livre que tu lis** el libro que lees

2 (*interrogatif*): **que fais-tu?, qu'est-ce que tu fais?** ¿qué haces?; **que préfères-tu, celui-ci ou celui-là?** ¿cuál prefieres, éste o ése?; **que fait-il dans la vie?** ¿a qué se dedica?; **qu'est-ce que c'est?** ¿qué es?; **que faire?** ¿qué se puede hacer?; *voir aussi* **aussi**; **autant** *etc.*

Québec [kebɛk] *nm* Quebec *m.*

MOT-CLÉ

quel, quelle [kɛl] *adj* **1** (*interrogatif*: *avant un nom*) qué; (*avant un verbe*: *personne*) quién; (: *chose*) cuál; **sur quel auteur va-t-il parler?** ¿sobre qué autor va a hablar?; **quels acteurs préférez-vous?** ¿(a) qué actores prefiere?; **quel est cet homme?** ¿quién es este hombre?; **quel livre veux-tu?** ¿qué libro quieres?; **quel est son nom?** ¿cuál es su nombre?

2 (*exclamatif*): **quelle surprise/coïncidence!** ¡qué sorpresa/coincidencia!; **quel dommage qu'il soit parti!** ¡qué pena que se haya marchado!

3: **quel que soit** (*personne*) sea quien sea, quienquiera que sea; (*chose*) sea cual sea, cualquiera que sea; **quel que soit le coupable** sea quien sea el culpable; **quel que soit votre avis** sea cual sea su opinión

♦ *pron interrogatif*: **de tous ces enfants, quel est le plus intelligent?** de todos esos niños, ¿cuál es el más inteligente?

quelconque [kɛlkɔ̃k] *adj* cualquier(a); (*sans valeur*) mediocre; **pour une raison ~** por cualquier razón.

MOT-CLÉ

quelque [kɛlk] *adj* **1** (*suivi du singulier*) algún(-una); (*suivi du pluriel*) algunos(-as); **cela fait quelque temps que je ne l'ai (pas) vu** hace algún tiempo que no lo he visto; **il a dit quelques mots de remerciement** dijo algunas palabras de agradecimiento; **les quelques enfants qui ...** los pocos niños que ...; **il habite à quelque distance d'ici** vive a cierta distancia de aquí; **a-t-il quelques amis?** ¿tiene amigos?; **20 kg et quelque(s)** 20 kg y pico

2: **quelque ... que**: **quelque livre qu'il choisisse** cualquier libro que elija; **par quelque temps qu'il fasse** haga el tiempo que haga

3: **quelque chose** algo; **quelque chose d'autre** otra cosa; **y être pour quelque chose** tener algo que ver; **ça m'a fait quelque chose!** (*fig*) ¡sentí una cosa!; **puis-je faire quelque chose pour vous?** ¿puedo hacer algo por usted?; **c'est déjà quelque chose** algo es algo; **quelque part** (*position*) en alguna parte; (*direction*) a alguna parte; **en quelque sorte** (*pour ainsi dire*) en cierto modo; (*bref*) o sea

♦ *adv* **1** (*environ, à peu près*): **une route de quelque 100 km** una carretera de unos 100 km

2: **quelque peu** algo; **il est quelque peu vulgaire** es algo vulgar.

quelquefois [kɛlkəfwa] *adv* a veces.

quelques-uns, -unes [kɛlkəzœ̃, yn] *pron* algunos(-as); **~-~ des lecteurs** unos cuantos lectores.

quelqu'un [kɛlkœ̃] *pron* alguien; (*entre plusieurs*) alguno(-a); **~ d'autre** otro(-a); **être ~** (*de valeur*) ser alguien.

querelle [kəʀɛl] *nf* pelea; **chercher ~ à qn** buscar pelea con algn.

quereller [kəʀele]: **se ~** *vpr* pelearse.

qu'est-ce que [kɛskə] *voir* **que**.

qu'est-ce qui [kɛski] *voir* **que; qui**.

question [kɛstjɔ̃] *nf* (*gén*) pregunta; (*problème*) cuestión *f*, problema *m*; **il a été ~ de** se trató de; **il est ~ de les emprisonner** se trata de encarcelarlos; **c'est une ~ de temps/d'habitude** es cuestión de tiempo/de costumbre; **de quoi est-il ~?** ¿de qué se trata?; **il n'en est pas ~** ni hablar, ni mucho menos; **en ~** en cuestión; **hors de ~** fuera de lugar; **je ne me suis jamais posé la ~** nunca me he planteado el problema; **(re)mettre en ~** poner en tela de juicio; **poser la ~ de confiance** (*POL*) pedir un voto de confianza; **question d'actualité** (*PRESSE*) tema *m* de actualidad; **question piège** pregunta capciosa; **questions économiques/sociales** cuestiones económicas/sociales; **question subsidiaire** cuestión subsidiaria.

questionnaire [kɛstjɔnɛʀ] *nm* cuestionario.

questionner [kɛstjɔne] *vt* preguntar; **~ qn sur qch** preguntar a algn acerca de algo.

quête [kɛt] *nf* (*collecte*) colecta; (*recherche*) búsqueda; **faire la ~** (*à l'église*) pasar la bandeja; (*artiste*) pasar la gorra; **se mettre en ~ de qch** ir en busca de algo.

quêter [kete] *vi* pedir ♦ *vt* buscar.

queue [kø] *nf* cola; (*de lettre, note*) rabo; (*d'une casserole*) asa; (*poêle*) mango; (*d'un fruit, d'une feuille*) rabillo; (*cheveux*) coleta; (*BILLARD*) taco; **en ~ (de train)** en cola; **faire la ~** hacer cola; **se mettre à la ~** ponerse a la cola; **histoire sans ~ ni tête** historia sin pies ni cabeza; **à la ~ leu leu** uno tras otro; (*fig*) en fila india; **faire une ~ de poisson à qn** (*AUTO*) ponerse bruscamente delante de algn al adelantar; **finir en ~ de poisson** (*projets*) terminar en agua de borrajas; **queue de cheval** cola de caballo.

queue-de-pie [kødpi] (*pl* **~s-~-~**) *nf* chaqué *m*.

MOT-CLÉ

qui [ki] *pron* **1** (*interrogatif*) quién; (: *pluriel*) quiénes; (: *objet*): **qui (est-ce que) j'emmène?** ¿a quién llevo?; **je ne sais pas qui c'est** no sé quién es; **à qui est ce sac?** ¿de quién es este bolso?; **à qui parlais-tu?** ¿con quién hablabas?

2 (*relatif*) que; (: *après prép*) quien, el(la) que; (: *pluriel*) quienes, los(las) que; **l'ami de qui je vous ai parlé** el amigo de quien *ou* del que le hablé; **la personne avec qui je l'ai vu** la persona con quien lo vi

3 (*sans antécédent*): **amenez qui vous voulez** traiga a quien quiera; **qui que ce soit** quienquiera que sea.

quiche [kiʃ] *nf*: **~ lorraine** quiche *m* lorena.

quiconque [kikɔ̃k] *pron* quienquiera que; (*n'importe qui*) cualquiera.

quignon [kiɲɔ̃] *nm* cantero, cuscurro.

quille [kij] *nf* bolo; (*d'un bateau*) quilla; (*MIL: fam*) licencia; **(jeu de) ~s** juego de bolos.

quincaillerie [kɛ̃kɑjʀi] *nf* (*ustensiles, métier*) quincallería; (*magasin*) ferretería.

quinquagénaire [kɛ̃kaʒenɛʀ] *nm/f* (*de cinquante ans*) quincuagenario(-a); (*de cinquante à soixante ans*) cincuentón(-ona); **les ~s** los mayores de cincuenta años.

quintal, -aux [kɛ̃tal, o] *nm* quintal *m*.

quinte [kɛ̃t] *nf*: **~ (de toux)** golpe *m* de tos.

quintuple [kɛ̃typl] *adj* quíntuplo ♦ *nm*: **le ~ de** el quíntuplo de.

quintupler [kɛ̃typle] *vt* quintuplicar ♦ *vi* quintuplicarse.

quintuplés, -ées [kɛ̃typle] *nm/fpl* quintillizos.

quinzaine [kɛ̃zɛn] *nf* quincena; **une ~ (de jours)** una quincena (de días).

quinze [kɛ̃z] *adj inv, nm inv* quince *m inv*; **demain en ~** desde mañana en quince días; **lundi en ~** desde lunes en quince días; **dans ~ jours** dentro de quince días; **le ~ de France** (*RUGBY*) el equipo internacional francés de rugby; *voir aussi* **cinq**.

quiproquo [kipʀɔko] *nm* malentendido; (*THÉÂTRE*) quid pro quo *m*.

quittance [kitɑ̃s] *nf* (*reçu*) recibo; (*facture*) recibo, factura.

quitte [kit] *adj*: **être ~ envers qn** estar en paz con algn; **être ~ de** haberse librado de; **en être ~ à bon compte** escaparse por los pelos; **~ à être renvoyé** aunque me/te *etc* echen; **je resterai ~ à attendre pendant 3 heures** me quedaré aunque tenga que esperar 3 horas; **~ ou double** doble o nada; (*fig*): **c'est du ~ ou double** es el todo por el todo.

quitter [kite] *vt* dejar; (*fig: espoir, illusion*) perder; (*vêtement*) quitarse; **se quitter** *vpr* (*couples, interlocuteurs*) separarse; **~ la route** (*véhicule*) salir de la carretera; **ne quittez pas** (*au téléphone*) no se retire; **ne pas ~ qn d'une semelle** pisarle los talones a algn.

qui-vive [kiviv] *nm inv*: **être sur le ~-~** estar alerta.

MOT-CLÉ

quoi [kwa] *pron interrog* **1** (*interrogation directe*) qué; **quoi de plus beau que ...?** ¿hay algo más hermoso que ...?; **quoi de neuf?** ¿qué hay de nuevo?; **quoi encore?** ¿y ahora, qué?; **et puis quoi encore!** ¡y qué más!; **quoi?** (*qu'est-ce que tu dis?*) ¿qué?

2 (*interrogation directe avec prép*) qué; **à quoi penses-tu?** ¿en qué piensas?; **de quoi parlez-vous?** ¿de qué habláis?; **en quoi puis-je vous aider?** ¿en qué puedo ayudarle?; **à quoi bon?** ¿para qué?

3 (*interrogation indirecte*) qué; **dis-moi à quoi ça sert** dime para qué sirve; **je ne sais pas à quoi il pense** no sé en qué piensa

♦ *pron rel* **1** que; **ce à quoi tu penses** lo que piensas; **de quoi écrire** algo para escribir; **il n'a pas de quoi se l'acheter** no tiene con qué comprarlo; **il y a de quoi être fier** es para estar orgulloso; **merci – il n'y a pas de quoi** gracias – no hay de qué

2 (*locutions*): **après quoi** después de lo cual; **sans quoi, faute de quoi** si no; **comme quoi** (*déduction*) así que; **un message comme quoi il est arrivé** un mensaje en el que dice que ha llegado

3: **quoi qu'il arrive** pase lo que pase; **quoi qu'il en soit** sea lo que sea; **quoi qu'elle fasse** haga lo que haga; **si vous**

avez besoin de quoi que ce soit si necesita cualquier cosa
♦ *excl* qué.

quoique [kwak(ə)] *conj* aunque.
quota [k(w)ɔta] *nm* cuota.
quote-part [kɔtpaʀ] (*pl* **~s-~s**) *nf* cuota.
quotidien, ne [kɔtidjɛ̃, jɛn] *adj* cotidiano(-a) ♦ *nm* (*journal*) diario; (*vie quotidienne*) vida diaria; **les grands ~s** los grandes diarios.

R, r

rabâcher [ʀabɑʃe] *vt* repetir.
rabais [ʀabɛ] *nm* rebaja; **au ~** rebajado.
rabaisser [ʀabese] *vt* (*prétentions, autorité*) bajar, reducir; (*influence*) disminuir; (*personne, mérites*) rebajar.
rabat [ʀaba] *vb voir* **rabattre** ♦ *nm* solapa.
rabattre [ʀabatʀ] *vt* (*couvercle, siège*) bajar; (*fam*) volver; (*couture*) dobladillar; (*balle*) rechazar; (*gibier*) ojear; (*somme d'un prix*) rebajar; (*orgueil, prétentions*) bajar; (*TRICOT*) cerrar; **se rabattre** *vpr* bajarse; **se ~ devant qn** (*véhicule, coureur*) colocarse delante de algn; **se ~ sur** (*accepter*) conformarse con.
rabbin [ʀabɛ̃] *nm* rabino.
rabot [ʀabo] *nm* cepillo.
raboter [ʀabɔte] *vt* cepillar.
rabougri, e [ʀabugʀi] *adj* (*végétal*) mustio(-a); (*personne*) canijo(-a).
rabrouer [ʀabʀue] *vt* acoger ásperamente.
racaille [ʀakɑj] (*péj*) *nf* chusma.
raccommoder [ʀakɔmɔde] *vt* (*vêtement, linge*) remendar; (*chaussette*) zurcir; (*fam*) reconciliar; **se ~ avec** (*fam*) reconciliarse con.
raccompagner [ʀakɔ̃paɲe] *vt* acompañar.
raccord [ʀakɔʀ] *nm* (*TECH*) racor *m*, empalme *m*; (*CINÉ*) ajuste *m*; **raccord de maçonnerie/de peinture** retoque *m* de albañilería/de pintura.
raccorder [ʀakɔʀde] *vt* (*tuyaux, fils électriques*) empalmar; (*bâtiments, routes*) reparar; (*suj: pont, passerelle*) enlazar; **se raccorder à** *vpr* empalmarse con; (*fig*) relacionarse con; **~ qn au réseau du téléphone** conectar a algn a la red telefónica.
raccourci [ʀakuʀsi] *nm* atajo; (*fig*) resumen *m*; **en ~** en resumen.
raccourcir [ʀakuʀsiʀ] *vt* acortar ♦ *vi* (*vêtement*) encoger; (*jours*) acortarse.
raccrocher [ʀakʀɔʃe] *vt* (*tableau, vêtement*) volver a colgar; (*récepteur*) colgar; (*fig*) recuperar ♦ *vi* (*TÉL*) colgar; **se raccrocher à** *vpr* (*branche*) agarrarse a; (*fig*) aferrarse a; **ne raccrochez pas** (*TÉL*) no cuelgue.
race [ʀas] *nf* raza; (*ascendance, origine*) casta; (*espèce*) calaña; **de ~** de raza.
rachat [ʀaʃa] *nm* (*v vt*) compra; repesca; redención *f*; rescate *m*.
racheter [ʀaʃ(ə)te] *vt* volver a comprar; (*part, firme: aussi d'occasion*) comprar; (*pension, rente*) liquidar; (*REL*) redimir; (*mauvaise conduite, oubli, défaut*) compensar; (*candidat*) repescar; (*prisonnier*) rescatar; **se racheter** *vpr* (*REL*) redimirse; (*gén*) rehabilitarse; **~ du lait/des œufs** comprar más leche/huevos.
racial, e, -aux [ʀasjal, jo] *adj* racial.
racine [ʀasin] *nf* raíz *f*; **prendre ~** (*fig: s'attacher*) arraigar; (*: s'établir*) echar raíces.
racisme [ʀasism] *nm* racismo.
raciste [ʀasist] *adj, nm/f* racista *m/f*.
racket [ʀakɛt] *nm* chantaje *m*.
raclée [ʀɑkle] (*fam*) *nf* paliza, golpiza (*AM*).
racler [ʀɑkle] *vt* (*os, casserole*) raspar; (*tache, boue*) frotar; (*suj: chose: frotter contre*) rascar; **se ~ la gorge** carraspear.
raclette [ʀɑklɛt] *nf* (*CULIN*) *plato suizo a base de queso fundido y patatas*.
racoler [ʀakɔle] (*péj*) *vt* (*attirer, attraper*) enganchar; **elle racole dans cette rue** (*prostituée*) caza clientes en esta calle.
racontars [ʀakɔ̃taʀ] *nmpl* habladurías *fpl*.
raconter [ʀakɔ̃te] *vt*: **~ (à qn)** contar (a algn).
racorni, e [ʀakɔʀni] *adj* endurecido(-a).
radar [ʀadaʀ] *nm* radar *m*.
rade [ʀad] *nf* rada; **en ~ de Toulon** en la rada de Toulon; **laisser/rester en ~** (*fig*) dejar/quedarse plantado(-a).
radeau, x [ʀado] *nm* balsa; **radeau de sauvetage** balsa salvavidas.
radiateur [ʀadjatœʀ] *nm* radiador *m*; **radiateur à gaz** radiador de gas; **radiateur électrique** radiador eléctrico.
radiation [ʀadjasjɔ̃] *nf* radiación *f*.
radical, e, -aux [ʀadikal, o] *adj* radical; (*moyen, remède*) infalible ♦ *nm* radical *m*.
radieux, -euse [ʀadjø, jøz] *adj* radiante.
radin, e [ʀadɛ̃, in] (*fam*) *adj* tacaño(-a).
radio [ʀadjo] *nf* radio *f* (*m en AM*); (*radioscopie*) radioscopia; (*radiographie*) radiografía ♦ *nm* (*personne*) radiotelegrafista *m/f ou* radiotelefonista *m/f*; **à la ~** en la radio; **avoir la ~** tener radio; **passer à la ~** (*personne*) salir por la radio; (*pro-

gramme) poner por la radio; **passer une** ~ hacerse una radiografía; **radio libre** radio libre.

radio... [Radjo] *préf* radio... .

radioactif, -ive [Radjoaktif, iv] *adj* radioactivo(-a).

radiocassette [Radjokasɛt] *nf* radiocasete *m*.

radiodiffuser [Radjodifyze] *vt* radiodifundir.

radiographie [RadjɔgRafi] *nf* radiografía.

radiologue [Radjɔlɔg] *nm/f* radiólogo(-a).

radiophonique [Radjɔfɔnik] *adj*: **programme/jeu** ~ programa *m*/juego radiofónico; **émission** ~ emisión *f* radiofónica.

radio-réveil [RadjoRevɛj] (*pl* **~s-~s**) *nm* radio-despertador *m*.

radis [Radi] *nm* rábano; **radis noir** rábano picante.

radoter [Radɔte] *vi* chochear.

radoucir [RadusiR] *vt* mejorar; **se radoucir** *vpr* (*température, temps*) suavizarse; (*se calmer*) calmarse.

rafale [Rafal] *nf* ráfaga; **souffler en ~s** soplar viento racheado; **tir en** ~ disparo a ráfaga; **rafale de mitrailleuse** ráfaga de ametralladora.

raffermir [RafɛRmiR] *vt* (*tissus, muscle*) fortalecer; (*fig*) afianzar; **se raffermir** *vpr* (*v vt*) fortalecerse; afianzarse.

raffiner [Rafine] *vt* refinar.

raffinerie [RafinRi] *nf* refinería.

raffoler [Rafɔle]: ~ **de** *vt ind* volverse loco(-a) por.

raffut [Rafy] (*fam*) *nm* follón *m*.

rafle [Rɑfl] *nf* redada, allanamiento (*esp AM*).

rafler [Rɑfle] (*fam*) *vt* arrasar.

rafraîchir [RafReʃiR] *vt* refrescar; (*atmosphère, température*) enfriar; (*fig*) renovar ♦ *vi*: **mettre une boisson à** ~ poner una bebida a enfriar; **se rafraîchir** *vpr* refrescarse; ~ **la mémoire** *ou* **les idées à qn** refrescarle a algn la memoria *ou* las ideas.

rafraîchissant, e [RafReʃisɑ̃, ɑ̃t] *adj* refrescante.

rafraîchissement [RafReʃismɑ̃] *nm* (*de la température*) enfriamiento; (*boisson*) refresco; **~s** *nmpl* refrescos *mpl*.

rage [Raʒ] *nf* rabia; **faire** ~ (*tempête*) bramar; **l'incendie faisait** ~ el incendio se propagaba con todo vigor; **rage de dents** tremendo dolor *m* de muelas.

ragoût [Ragu] *nm* guiso.

raid [Rɛd] *nm* raid *m*; (*attaque aérienne*) raid aéreo; (*SPORT*) carrera de resistencia, raid; **raid à skis** raid con esquís; **raid automobile** raid automovilístico.

raide [Rɛd] *adj* (*cheveux*) liso(-a); (*ankylosé*) entumecido(-a); (*peu souple: câble, personne*) tenso(-a); (*escarpé*) empinado(-a); (*étoffe etc*) tieso(-a); (*fam: surprenant*) inaudito(-a); (: *sans argent*) pelado(-a); (: *alcool, spectacle, paroles*) fuerte ♦ *adv*: **le sentier monte** ~ el camino sube muy empinado; **tomber** ~ **mort** quedarse en el sitio.

raidir [RediR] *vt* (*muscles, membres*) contraer; (*câble, fil de fer*) tensar; **se raidir** *vpr* (*personne, muscles*) contraerse; (*câble*) ponerse tenso(-a); (*se crisper*) ponerse tieso(-a); (*intransigeant*) mantenerse firme; **la discipline s'est raidie** la disciplina se ha vuelto severa.

raie [Rɛ] *nf* raya.

rail [Rɑj] *nm* (*barre d'acier*) riel *m*; **le** ~ el ferrocarril; **les ~s** (*la voie ferrée*) las vías *fpl*; **par** ~ por ferrocarril.

railler [Rɑje] *vt* burlarse de.

rainure [RenyR] *nf* ranura.

raisin [Rɛzɛ̃] *nm* uva; ~ **blanc/noir** (*variété*) uva blanca/negra; **raisin muscat** uva moscatel; **raisins secs** (uvas) pasas.

raison [Rɛzɔ̃] *nf* razón *f*; **avoir** ~ tener razón; **donner** ~ **à qn** dar la razón a algn; **avoir** ~ **de qn/qch** vencer a algn/algo; **se faire une** ~ conformarse; **perdre/recouvrer la** ~ perder/recobrar el juicio; **ramener qn à la** ~ hacer entrar en razón a algn; **demander** ~ **à qn de** (*affront etc*) pedir satisfacción a algn por; **entendre** ~ atenerse a razones; **plus que de** ~ más de lo debido; ~ **de plus** razón de más; **à plus forte** ~ con mayor motivo; **en** ~ **de** (*à cause de*) a causa de; **à** ~ **de** a razón de; **sans** ~ sin razón; **pour la simple** ~ **que** por la sencilla razón de que; **pour quelle** ~ **dit-il ceci?** ¿por qué razón dice esto?; **il y a plusieurs ~s à cela** existen varias razones para esto; **raison d'État** razón de estado; **raison d'être** razón de ser; **raison sociale** razón social.

raisonnable [Rɛzɔnabl] *adj* razonable; (*doué de raison*) racional.

raisonnement [Rɛzɔnmɑ̃] *nm* raciocinio; (*argumentation*) razonamiento; **~s** *nmpl* objeciones *fpl*.

raisonner [Rɛzɔne] *vi* razonar; (*péj*) argumentar ♦ *vt* (*personne*) hacer entrar en razón a; **se raisonner** *vpr* reflexionar.

rajeunir [RaʒœniR] *vt* rejuvenecer; (*attribuer un âge moins avancé à*) hacer más joven a; (*fig*) remozar ♦ *vi* (*personne*) rejuvenecer; (*entreprise, quartier*) renovarse.

rajouter [Raʒute] *vt* (*commentaire*) añadir; ~ **que ...** añadir que ...; **en ~** cargar las tintas; ~ **du sel/un œuf** añadir sal/un huevo.

rajuster [Raʒyste] *vt* (*cravate, coiffure*) arreglar; (*salaires, prix*) reajustar; (*machine, tir etc*) ajustar; **se rajuster** *vpr* (*arranger ses vêtements*) arreglarse.

ralenti [Ralɑ̃ti] *nm*: **au ~** a ralentí; (*CINÉ*) a cámara lenta; **tourner au ~** (*AUTO*) rodar a ralentí.

ralentir [Ralɑ̃tiR] *vt* (*marche, allure*) aminorar; (*production, expansion*) disminuir ♦ *vi* (*véhicule, coureur*) disminuir la velocidad; **se ralentir** *vpr* (*processus, effort etc*) verse reducido.

râler [Rɑle] *vi* producir estertores; (*fam: protester*) gruñir.

rallier [Ralje] *vt* (*rassembler*) reunir; (*rejoindre*) incorporarse a; (*gagner à sa cause*) captar; **se rallier à** *vpr* (*avis, opinion*) adherirse a.

rallonge [Ralɔ̃ʒ] *nf* (*de table*) larguero; (*argent*) gratificación *f*; (*ÉLEC*) alargador *m*; (*fig: ÉCON*) ampliación *f*.

rallonger [Ralɔ̃ʒe] *vt* alargar ♦ *vi* alargarse.

rallye [Rali] *nm* rally *m*.

ramassage [Ramɑsaʒ] *nm* recogida; **ramassage scolaire** transporte *m* escolar.

ramasser [Ramɑse] *vt* recoger; (*fam: arrêter*) pescar; **se ramasser** *vpr* (*se pelotonner*) encogerse.

rambarde [Rɑ̃baRd] *nf* barandilla.

rame [Ram] *nf* (*aviron*) remo; (*de métro*) tren *m*; (*de papier*) resma; **faire force de ~s** remar con fuerza; **rame de haricots** *ramo que sirve para que se enrosquen las judías*.

rameau, x [Ramo] *nm* rama; **les R~x** Domingo de Ramos.

ramener [Ram(ə)ne] *vt* volver a traer; (*reconduire*) llevar; (*rapporter, revenir avec*) traer consigo; (*rendre*) devolver; (*faire revenir*) hacer volver; (*rétablir*) restablecer; **se ramener** *vpr* (*fam*) llegar; ~ **qch sur** (*couverture, visière*) echar algo hacia; ~ **qch à** (*faire revenir*) devolver algo a; (*MATH, réduire*) reducir algo a; ~ **qn à la vie** volver a algn a la vida; **se ~ à** reducirse a.

ramer [Rame] *vi* remar.

rameur, -euse [RamœR, øz] *nm/f* remero(-a).

rameuter [Ramøte] *vt* amotinar.

ramoner [Ramɔne] *vt* deshollinar.

rampe [Rɑ̃p] *nf* (*d'escalier*) barandilla; (*dans un garage*) rampa; (*d'un terrain, d'une route*) declive *m*; (*THÉÂTRE*): **la ~** candilejas *fpl*; **passer la ~** llegar al público; **rampe de lancement** plataforma de lanzamiento.

ramper [Rɑ̃pe] *vi* (*reptile, animal*) reptar; (*plante, personne, aussi péj*) arrastrarse.

rancart [Rɑ̃kaR] (*fam*) *nm*: **mettre au ~** (*objet, projet*) arrinconar; (*personne*) arrumbar.

rance [Rɑ̃s] *adj* rancio(-a).

rancœur [Rɑ̃kœR] *nf* rencor *m*.

rançon [Rɑ̃sɔ̃] *nf* rescate *m*; **la ~ du succès** *etc* (*fig*) el precio del éxito *etc*.

rancune [Rɑ̃kyn] *nf* rencor *m*; **garder ~ à qn (de qch)** guardar rencor a algn (por algo); **sans ~!** ¡olvidémoslo!

rancunier, -ière [Rɑ̃kynje, jɛR] *adj* rencoroso(-a).

randonnée [Rɑ̃dɔne] *nf* (*excursion*) excursión *f*; (*à pied*) caminata; (*activité*) caminata, excursión.

rang [Rɑ̃] *nm* (*rangée*) fila; (*d'un cortège, groupe de soldats*) hilera; (*de perles, de tricot*) vuelta; (*grade*) grado; (*condition sociale*) rango; (*position dans un classement*) posición *f*; **~s** *nmpl* (*MIL*) filas *fpl*; **se mettre en ~s/sur un ~** ponerse en filas/en una fila; **sur 3 ~s** en 3 filas; **se mettre en ~s par 4** ponerse en fila de 4; **se mettre sur les ~s** (*fig*) ponerse entre los candidatos; **au premier/dernier ~** en el primer/último puesto; (*rangée de sièges*) en primera/última fila; **rentrer dans le ~** volverse más comedido; **au ~ de** en la categoría de; **avoir ~ de** tener rango de.

rangé, e [Rɑ̃ʒe] *adj* ordenado(-a); (*vie*) asentado(-a), reposado(-a).

rangée [Rɑ̃ʒe] *nf* fila.

ranger [Rɑ̃ʒe] *vt* ordenar; (*voiture dans la rue*) aparcar; (*en cercle etc*) disponer; **se ranger** *vpr* (*se placer/disposer*) colocarse; (*véhicule, conducteur*) hacerse a un lado; (*: s'arrêter*) parar; (*piéton*) apartarse; (*s'assagir*) sosegarse; **se ~ à** ponerse del lado de; ~ **qch/qn parmi** (*fig*) situar algo/algn entre.

ranimer [Ranime] *vt* (*personne, courage*) reanimar; (*réconforter, attiser*) avivar; (*colère, douleur*) despertar.

rapace [Rapas] *nm* rapaz *f* ♦ *adj* (*péj*) rapaz; **rapace diurne/nocturne** rapaz diurna/nocturna.

rapatrier [RapatRije] *vt* repatriar; (*capitaux*) recuperar.

râpe [Rɑp] *nf* (*CULIN*) rallador *m*; (*à bois*) escofina.

râpé, e [Rɑpe] *adj* (*élimé*) raído(-a); (*CULIN*) rallado(-a) ♦ *nm* queso rallado.

râper [Rɑpe] *vt* (*CULIN*) rallar; (*gratter, râcler*) raspar.

rapetisser [ʀap(ə)tise] *vt* (*suj: distance*) empequeñecer; ~ **qch** (*planche, vêtement*) acortar algo; **se rapetisser** *vpr* (*rétrécir*) encogerse.

rapide [ʀapid] *adj* rápido(-a) ♦ *nm* rápido.

rapidité [ʀapidite] *nf* rapidez *f*.

rapiécer [ʀapjese] *vt* remendar.

rappel [ʀapɛl] *nm* (*MIL, d'un exilé, d'un ambassadeur*) llamamiento; (*MÉD*) vacuna de refuerzo; (*THÉÂTRE etc*) llamada a escena; (*de salaire*) atrasos *mpl*; (*d'une aventure, d'un nom, d'un titre*) recuerdo; (*de limitation de vitesse*) *señal recordatoria de limitación de velocidad*; (*TECH*) retroceso; (*NAUT*) *hecho de colgarse la tripulación al exterior de un velero para equilibrarlo*; (*ALPINISME: aussi:* ~ **de corde**) descenso con cuerda, rappel *m*; **rappel à l'ordre** llamada al orden.

rappeler [ʀap(ə)le] *vt* (*retéléphoner à*) volver a llamar; (*pour faire revenir*) llamar nuevamente; (*ambassadeur*) retirar; (*acteur*) llamar a escena; (*MIL*) llamar a filas; (*suj: événement, affaires*) recordar; **se rappeler** *vpr* acordarse de; **se ~ que ...** acordarse de que ...; ~ **qn à la vie** volver a algn a la vida; ~ **qn à la décence** llamar a algn a la decencia; ~ **qch à qn** (*faire se souvenir*) recordar algo a algn; (*évoquer, faire penser à*) traer algo a la memoria de algn; **ça rappelle la Provence** eso me recuerda a Provenza; ~ **à qn de faire qch** recordarle a algn hacer algo.

rapport [ʀapɔʀ] *nm* (*compte rendu*) informe *m*; (*d'expert*) dictamen *m*; (*profit*) rendimiento; (*lien, analogie*) relación *f*; (*proportion*) razón *f*; ~**s** *nmpl* (*entre personnes, groupes, pays*) relaciones *fpl*; **avoir ~ à** tener relación con; **être en ~ avec** estar relacionado(-a) con; **être/se mettre en ~ avec qn** estar/ponerse en contacto con algn; **par ~ à** (*comparé à*) en comparación con; (*à propos de*) respecto a; **sous le ~ de** desde el punto de vista de; **sous tous (les) ~s** desde cualquier punto de vista; **rapport qualité-prix** relación calidad-precio; **rapports (sexuels)** contactos *mpl* (sexuales).

rapporter [ʀapɔʀte] *vt* (*remettre à sa place, rendre*) devolver; (*apporter de nouveau*) volver a traer; (*revenir avec, ramener*) traer; (*COUTURE*) añadir; (*suj: investissement, entreprise*) rendir; (*: activité*) producir; (*relater*) referir; (*JUR*) revocar ♦ *vi* (*investissement, propriété*) rentar; (*activité*) dar beneficio; (*péj: moucharder*) chivarse; **se rapporter** *vpr*: **se ~ à** relacionarse con; **s'en ~ à qn/au jugement de qn** fiarse de algn/de la opinión de algn; ~ **qch à** (*rendre*) devolver algo a; (*relater*) relatar algo a; (*fig*) atribuir algo a.

rapporteur, -euse [ʀapɔʀtœʀ, øz] *nm/f* (*d'un procès, d'une commission*) ponente *m/f*; (*péj*) chivato(-a) ♦ *nm* (*GÉOM*) transportador *m*.

rapprocher [ʀapʀɔʃe] *vt* (*faire paraître plus proche*) acercar; (*deux objets*) juntar, arrimar; (*réunions, visites*) aumentar el número de; (*réunir*) unir; (*associer, comparer*) cotejar; **se rapprocher** *vpr* acercarse; ~ **qch (de)** (*chaise d'une table*) arrimar algo (a); **se ~ de** (*lieu, personne*) acercarse a, aproximarse a; (*présenter une analogie avec*) asemejarse a.

rapt [ʀapt] *nm* rapto.

raquette [ʀakɛt] *nf* raqueta; (*de ping-pong*) pala.

rare [ʀɑʀ] *adj* raro(-a); (*sentiment*) extraño(-a); (*main-d'œuvre, denrées*) escaso(-a); (*beaux jours*) raro(-a), poco(-a); (*cheveux, herbe*) ralo(-a); **il est ~ que** es extraño que; **se faire ~** escasear; (*personne*) dejarse ver poco.

rarement [ʀɑʀmɑ̃] *adv* raramente.

rareté [ʀɑʀte] *nf* (*v adj*) rareza; escasez *f*.

ras, e [ʀɑ, ʀɑz] *adj* (*tête, cheveux*) rapado(-a); (*poil*) corto(-a); (*herbe, mesure, cuillère*) raso(-a) ♦ *adv* (*couper*) al rape; **faire table ~e** hacer tabla rasa; **en ~e campagne** en pleno campo; **à ~ bords** colmado(-a); **au ~ de** a(l) ras de; **en avoir ~ le bol** (*fam*) estar hasta el moño; ~ **du cou** (*pull, robe*) (de) cuello redondo.

rasade [ʀɑzad] *nf* vaso lleno.

raser [ʀɑze] *vt* (*barbe, cheveux*) rasurar; (*menton, personne*) afeitar; (*fam: ennuyer*) dar la lata a; (*quartier*) derribar; (*frôler*) rozar; **se raser** *vpr* afeitarse; (*fam*) aburrirse.

rasoir [ʀɑzwaʀ] *nm* navaja de afeitar; **rasoir électrique** maquinilla eléctrica; **rasoir mécanique** *ou* **de sûreté** maquinilla de afeitar.

rassasier [ʀasazje] *vt* saciar; **être rassasié** estar saciado.

rassemblement [ʀasɑ̃bləmɑ̃] *nm* reunión *f*; (*POL*) concentración *f*; (*MIL*) formación *f*.

rassembler [ʀasɑ̃ble] *vt* (*réunir*) reunir; (*regrouper*) agrupar; (*accumuler, amasser*) acumular; **se rassembler** *vpr* reunirse; ~ **ses idées** poner en orden sus ideas; ~ **son courage** armarse de valor.

rassis, e [ʀasi, iz] *adj* duro(-a).

rassuré, e [ʀasyʀe] *adj*: **ne pas être très ~** no estar muy tranquilo(-a).

rassurer [ʀasyʀe] *vt* tranquilizar; **se ras-**

surer *vpr* tranquilizarse; **rassure-toi** tranquilízate.
rat [ʀa] *nm* rata; (*danseuse*) joven bailarina; **rat musqué** ratón *m* almizclero.
ratatouille [ʀatatuj] *nf* (*CULIN*) pisto.
rate [ʀat] *nf* (*ANAT*) bazo.
raté, e [ʀate] *adj* (*tentative, opération*) frustrado(-a); (*vacances, spectacle*) malogrado(-a) ♦ *nm/f* fracasado(-a) ♦ *nm* (*AUTO*) detonación *f*; (*d'arme à feu*) fallo.
râteau, x [ʀɑto] *nm* rastrillo.
rater [ʀate] *vi* (*échouer*) fracasar ♦ *vt* (*cible, balle, train*) perder; (*occasion etc*) dejar escapar; (*démonstration, plat*) estropear; (*examen*) suspender; ~ **son coup** fallar.
ratifier [ʀatifje] *vt* ratificar.
ration [ʀasjɔ̃] *nf* ración *f*; **ration alimentaire** ración alimenticia.
rationnel, le [ʀasjɔnɛl] *adj* racional.
rationner [ʀasjɔne] *vt* racionar; (*personne*) someter a racionamiento; **se rationner** *vpr* racionarse.
ratisser [ʀatise] *vt* rastrillar; (*suj: armée, police*) peinar.
RATP [ɛʀatepe] *sigle f* (= *Régie autonome des transports parisiens*) *administración de transportes parisinos*.
rattacher [ʀataʃe] *vt* atar de nuevo; **se rattacher** *vpr*: **se ~ à** (*avoir un lien avec*) asemejarse a; ~ **qch à** (*incorporer*) incorporar algo a; ~ **qch à** (*relier*) relacionar algo con; ~ **qn à** (*lier*) vincular a algn con.
rattraper [ʀatʀape] *vt* (*fugitif, animal échappé*) volver a coger; (*retenir, empêcher de tomber*) coger; (*atteindre, rejoindre*) alcanzar; (*imprudence, erreur*) reparar, subsanar; **se rattraper** *vpr* (*compenser une perte de temps*) ponerse al día; (*regagner ce qu'on a perdu*) recuperarse; (*se dédommager d'une privation*) explayarse; (*réparer une gaffe etc*) justificarse; (*éviter une erreur, bévue*) enmendarse; **se ~ (à)** (*se raccrocher*) agarrarse (a); ~ **son retard/le temps perdu** recuperar el retraso/el tiempo perdido.
rature [ʀatyʀ] *nf* tachadura.
rauque [ʀok] *adj* ronco(-a).
ravager [ʀavaʒe] *vt* (*suj: ennemi, grêle, bombes*) devastar; (*: maladie, chagrin etc*) causar estragos en.
ravages [ʀavaʒ] *nmpl* (*de la guerre, de l'alcoolisme*) estragos *mpl*; (*d'un incendie, orage*) devastación *f*; **faire des ~** hacer estragos.
ravaler [ʀavale] *vt* (*mur, façade*) enlucir; (*abaisser, déprécier*) rebajar; (*avaler de nouveau*) volver a tragar; ~ **sa colère/son dégoût** contener su cólera/su asco.
ravi, e [ʀavi] *adj* encantado(-a); **être ~ de/que ...** estar encantado(-a) de/de que ... .
ravier [ʀavje] *nm* bandejita *f*.
ravin [ʀavɛ̃] *nm* hondonada.
ravioli [ʀavjɔli] *nmpl* ravioles *mpl*.
ravir [ʀaviʀ] *vt* (*enchanter*) encantar; ~ **qch à qn** arrebatar algo a algn; **à ~** de maravilla; **être beau à ~** ser guapo a más no poder; **chanter à ~** cantar que es un primor.
raviser [ʀavize]: **se ~** *vpr* cambiar de opinión.
ravissant, e [ʀavisɑ̃, ɑ̃t] *adj* encantador(a).
ravisseur, -euse [ʀavisœʀ, øz] *nm/f* secuestrador(a).
ravitailler [ʀavitaje] *vt* abastecer; (*véhicule*) echar gasolina a; **se ravitailler** *vpr* abastecerse.
raviver [ʀavive] *vt* avivar; (*flamme, douleur*) reavivar.
rayé, e [ʀeje] *adj* (*à rayures*) a *ou* de rayas; (*éraflé*) rayado(-a).
rayer [ʀeje] *vt* rayar; (*d'une liste*) tachar.
rayon [ʀɛjɔ̃] *nm* rayo; (*GÉOM, d'une roue*) radio; (*étagère*) estante *m*; (*de grand magasin*) departamento, sección *f*; (*fig: domaine*) asunto; (*d'une ruche*) panal *m*; **~s** *nmpl* (*radiothérapie*) rayos *mpl*; **dans un ~ de ...** (*périmètre*) en un radio de ...; **rayon d'action** radio de acción; **rayon de braquage** (*AUTO*) radio de giro; **rayon de soleil** rayo de sol; **rayon laser/vert** rayo láser/verde; **rayons cosmiques/infrarouges/ultraviolets** rayos cósmicos/infrarrojos/ultravioletas; **rayons X** rayos X.
rayonnant, e [ʀɛjɔnɑ̃, ɑ̃t] *adj* radiante; ~ **de** (*joie, santé*) rebosante de.
rayonner [ʀɛjɔne] *vi* irradiar; (*fig*) ejercer su influencia; (*avenues, axes*) divergir; (*touristes: excursionner*) recorrer.
rayure [ʀejyʀ] *nf* (*motif*) raya; (*éraflure*) rayado; (*rainure, d'un fusil*) estría; **à ~s** a *ou* de rayas.
raz-de-marée [ʀɑdmaʀe] *nm inv* maremoto; (*fig*) conmoción *f*.
ré [ʀe] *nm inv* (*MUS*) re *m*.
réabonner [ʀeabɔne] *vt*: ~ **qn à** suscribir de nuevo a algn a; **se ~ (à)** volver a abonarse *ou* suscribirse (a).
réacteur [ʀeaktœʀ] *nm* reactor *m*; **réacteur nucléaire** reactor nuclear.
réaction [ʀeaksjɔ̃] *nf* reacción *f*; **par ~** por reacción; **avion/moteur à ~** avión *m*/motor *m* de reacción; **réaction en chaîne** reacción en cadena.
réadapter [ʀeadapte] *vt* readaptar; **se**

réadapter readaptarse.

réagir [Reaʒir] *vi* reaccionar; ~ **à** reaccionar ante; ~ **contre** reaccionar contra; ~ **sur** repercutir sobre.

réajuster [Reaʒyste] *vt* = **rajuster**.

réalisateur, -trice [RealizatœR, tRis] *nm/f* realizador(a).

réaliser [Realize] *vt* realizar; (*rêve, souhait*) cumplir; (*exploit*) llevar a cabo; (*comprendre, se rendre compte de*) darse cuenta de; **se réaliser** *vpr* (*projet, prévision*) realizarse; ~ **que** darse cuenta de que.

réaliste [Realist] *adj, nm/f* realista *m/f*.

réalité [Realite] *nf* realidad *f*; **en** ~ en realidad; **dans la** ~ en la realidad.

réanimation [Reanimasjɔ̃] *nf* reanimación *f*; **service de** ~ servicio de reanimación.

rébarbatif, -ive [RebaRbatif, iv] *adj* (*mine*) repelente; (*travail*) fastidioso(-a); (*style*) árido(-a).

rebelle [Rəbɛl] *adj, nm/f* rebelde *m/f*; ~ **à** (*la patrie*) rebelado(-a) contra; (*fermé à qch, contre qch*) negado(-a) para.

rebeller [R(ə)bele]: **se** ~ *vpr* rebelarse; **se** ~ **contre** rebelarse contra.

rebondir [R(ə)bɔ̃diR] *vi* rebotar; (*fig*) reanudarse.

rebondissements [Rəbɔ̃dismɑ̃] *nmpl* reanudación *f*.

rebord [R(ə)bɔR] *nm* (*d'une table etc*) reborde *m*; (*d'un fossé*) borde *m*.

reboucher [R(ə)buʃe] *vt* volver a tapar.

rebours [R(ə)buR]: **à** ~ *adv* (*brosser*) a contrapelo; (*comprendre*) al revés; (*tourner: pages*) a la inversa; **compter à** ~ contar hacia atrás.

rebrousse-poil [RəbRuspwal]: **à** ~-~ *adv* a contrapelo; **prendre qn à** ~-~ (*fig*) sacar a algn de quicio.

rebrousser [R(ə)bRuse] *vt* (*cheveux, poils*) levantar hacia atrás; ~ **chemin** dar marcha atrás.

rébus [Rebys] *nm* jeroglífico.

rebut [Rəby] *nm*: **mettre/jeter qch au** ~ desechar algo.

récalcitrant, e [RekalsitRɑ̃, ɑ̃t] *adj* (*cheval*) indómito(-a); (*caractère, personne*) recalcitrante.

recaler [R(ə)kale] *vt* suspender.

récapituler [Rekapityle] *vt* recapitular.

receler [R(ə)səle] *vt* (*produit d'un vol*) ocultar; (*malfaiteur, déserteur*) encubrir; (*fig*) encerrar.

recenser [R(ə)sɑ̃se] *vt* (*population*) censar; (*inventorier*) hacer el recuento *ou* el inventario de; (*dénombrer*) computar.

récent, e [Resɑ̃, ɑ̃t] *adj* reciente.

récépissé [Resepise] *nm* recibo.

récepteur, -trice [ResɛptœR, tRis] *adj* receptor(a) ♦ *nm* (*de téléphone*) auricular *m*; **récepteur (de papier)** (*INFORM*) introductor *m* de hoja; **récepteur (de radio)** receptor *m*.

réception [Resɛpsjɔ̃] *nf* recepción *f*; (*accueil*) acogida *f*; (*pièces*) salas *fpl* de recepción; (*SPORT*) caída; **jour/heures de** ~ día *m*/horas *fpl* de recepción.

réceptionniste [Resɛpsjɔnist] *nm/f* recepcionista *m/f*.

récession [Resesjɔ̃] *nf* recesión *f*.

recette [R(ə)sɛt] *nf* (*CULIN, fig*) receta; (*COMM*) ingreso; (*ADMIN: bureau des impôts*) oficina de recaudación; ~**s** *nfpl* (*COMM: rentrées d'argent*) entradas *fpl*; **faire** ~ (*spectacle, exposition*) ser taquillero(-a); **recette postale** ingresos *mpl* postales.

receveur, -euse [R(ə)səvœR, øz] *nm/f* (*des finances*) recaudador(a); (*des postes*) administrador(a); (*d'autobus*) cobrador(a); (*MÉD*) receptor(a); **receveur universel** (*de sang*) receptor(a) universal.

recevoir [R(ə)səvwaR] *vt* recibir; (*prime, salaire*) cobrar; (*visiteurs, ambassadeur*) acoger; (*candidat, plainte*) admitir ♦ *vi* (*donner des réceptions, audiences etc*) recibir visitas; **se recevoir** *vpr* (*athlète*) caer; **il reçoit de 8 à 10** sus horas de visita son de 8 a 10; (*docteur, dentiste*) pasa consulta de 8 a 10; **il m'a reçu à 2h** me recibió a las 2; ~ **qn à dîner** recibir a algn a cenar; **être reçu** (*à un examen*) aprobar; **être bien/mal reçu** ser bien/mal recibido.

rechange [R(ə)ʃɑ̃ʒ]: **de** ~ *adj* (*pièces, roue*) de repuesto; (*fig*) de recambio; **vêtements de** ~ vestidos *mpl* para cambiarse.

réchapper [Reʃape] *vi*: ~ **de** *ou* **à** (*maladie*) librarse de; (*accident*) salvarse de; **va-t-il en** ~? ¿saldrá de ésta?

recharge [R(ə)ʃaRʒ] *nf* recambio.

recharger [R(ə)ʃaRʒe] *vt* (*camion*) volver a cargar; (*fusil, batterie*) recargar; (*appareil de photo, briquet, stylo*) cargar.

réchaud [Reʃo] *nm* (*portable*) hornillo; (*chauffe-plat*) calientaplatos *m inv*.

réchauffer [Reʃofe] *vt* (*plat*) recalentar; (*mains, doigts, personne*) calentar; **se réchauffer** *vpr* calentarse; (*température*) subir.

recherche [R(ə)ʃɛRʃ] *nf* (*action*) búsqueda; (*raffinement*) afectación *f*; (*scientifique etc*) investigación *f*; ~**s** *nfpl* (*de la police*) indagaciones *fpl*; (*scientifiques*) investigaciones *fpl*; **être/se mettre à la** ~ **de** estar investigando/ponerse a la búsqueda de.

recherché, e [R(ə)ʃɛRʃe] *adj* (*rare*) codi-

ciado(-a); (*entouré*) solicitado(-a); (*style, allure*) rebuscado(-a).
rechercher [ʀ(ə)ʃɛʀʃe] *vt* buscar; (*objet égaré, lettre*) rebuscar; (*cause d'un phénomène, nouveau procédé*) investigar; (*la perfection, le bonheur etc*) perseguir; **"~ et remplacer"** (*INFORM*) "buscar y sustituir".
rechigner [ʀ(ə)ʃiɲe] *vi* refunfuñar; **~ à qch/à faire qch** poner mala cara a algo/ por hacer algo.
rechute [ʀ(ə)ʃyt] *nf* recaída; **faire** *ou* **avoir une ~** (*MÉD*) recaer *ou* tener una recaída.
récidiver [ʀesidive] *vi* reincidir; (*fig*) reiterar; (*MÉD: malade*) recaer; (*: maladie*) reproducirse.
récif [ʀesif] *nm* arrecife *m*.
récipient [ʀesipjɑ̃] *nm* recipiente *m*.
réciproque [ʀesipʀɔk] *adj* (*mutuel*) recíproco(-a); (*partagé: confiance, amitié*) mutuo(-a) ♦ *nf*: **la ~** (*l'inverse*) la inversa.
récit [ʀesi] *nm* relato.
récital [ʀesital] *nm* recital *m*.
récitation [ʀesitasjɔ̃] *nf* recitación *f*.
réciter [ʀesite] *vt* recitar.
réclamation [ʀeklamasjɔ̃] *nf* reclamación *f*; **service des ~s** servicio de reclamaciones.
réclame [ʀeklam] *nf*: **la ~** la publicidad; **une ~** (*annonce, prospectus*) un anuncio; **faire de la ~ (pour qch/qn)** hacer publicidad (de algo/algn); **article en ~** artículo de oferta.
réclamer [ʀeklame] *vt* (*aide, nourriture*) pedir; (*exiger*) reclamar; (*nécessiter*) requerir ♦ *vi* (*protester*) reclamar; **se ~ de qn** (*se recommander de*) apelar a algn.
réclusion [ʀeklyzjɔ̃] *nf* reclusión *f*; **réclusion à perpétuité** cadena perpetua.
recoin [ʀəkwɛ̃] *nm* rincón *m*.
récolte [ʀekɔlt] *nf* cosecha; (*fig*) acopio.
récolter [ʀekɔlte] *vt* cosechar; (*fam: ennuis, coups*) ganarse, cobrar.
recommandation [ʀ(ə)kɔmɑ̃dasjɔ̃] *nf* recomendación *f*; **lettre de ~** carta de recomendación.
recommandé, e [ʀ(ə)kɔmɑ̃de] *adj* recomendado(-a) ♦ *nm* (*POSTES*): **en ~** certificado(-a).
recommander [ʀ(ə)kɔmɑ̃de] *vt* recomendar; (*POSTES*) certificar; **~ qch à qn** recomendar algo a algn; **~ à qn de faire ...** recomendar a algn hacer ...; **~ qn auprès de qn/à qn** recomendar algn a algn; **il est recommandé de faire** se recomienda hacer; **se ~ à qn** encomendarse a algn; **se ~ de qn** apoyarse en algn.
recommencer [ʀ(ə)kɔmɑ̃se] *vt* (*reprendre*) seguir con; (*refaire*) repetir; (*erreur*) reincidir ♦ *vi* volver a empezar; (*récidiver*) volver a las andadas; **~ à faire** volver a hacer; **ne recommence pas!** ¡no empieces!
récompense [ʀekɔ̃pɑ̃s] *nf* recompensa; **recevoir qch en ~** recibir algo como recompensa.
récompenser [ʀekɔ̃pɑ̃se] *vt* recompensar; **~ qn de** *ou* **pour qch** recompensar a algn por algo.
réconcilier [ʀekɔ̃silje] *vt* reconciliar; **se réconcilier** *vpr* reconciliarse; **~ qn avec qn** reconciliar a algn con algn; **~ qn avec qch** reconciliar a algn con algo; **se ~ avec** reconciliarse con.
reconduire [ʀ(ə)kɔ̃dɥiʀ] *vt* (*à la porte*) acompañar hasta la salida; (*à son domicile*) acompañar; (*JUR, POL*) reconducir.
réconfort [ʀekɔ̃fɔʀ] *nm* consuelo.
réconforter [ʀekɔ̃fɔʀte] *vt* reconfortar.
reconnaissance [ʀ(ə)kɔnɛsɑ̃s] *nf* reconocimiento; (*gratitude*) agradecimiento; **en ~** (*MIL*) de reconocimiento; **reconnaissance de dette** reconocimiento de deuda.
reconnaissant, e [ʀ(ə)kɔnɛsɑ̃, ɑ̃t] *vb voir* **reconnaître** ♦ *adj* agradecido(-a); **je vous serais ~ de bien vouloir ...** le estaría muy agradecido(-a) si quisiera ... .
reconnaître [ʀ(ə)kɔnɛtʀ] *vt* reconocer; (*distinguer*) distinguir; **~ que** reconocer que; **~ qch/qn à** reconocer algo/a algn por; **~ à qn: je lui reconnais certaines qualités/une grande franchise** le reconozco ciertas cualidades/una gran franqueza; **se ~ quelque part** (*s'y retrouver*) orientarse en un lugar.
reconstituant, e [ʀ(ə)kɔ̃stitɥɑ̃, ɑ̃t] *adj, nm* reconstituyente *m*.
reconstituer [ʀ(ə)kɔ̃stitɥe] *vt* reconstituir; (*fresque, vase brisé*) recomponer; (*fortune, patrimoine*) rehacer.
reconstruire [ʀ(ə)kɔ̃stʀɥiʀ] *vt* reconstruir.
reconversion [ʀ(ə)kɔ̃vɛʀsjɔ̃] *nf* (*économique, technique*) reconversión *f*; (*du personnel*) reciclaje *m*.
reconvertir [ʀ(ə)kɔ̃vɛʀtiʀ] *vt* reconvertir; **se ~ dans** reconvertirse en.
recopier [ʀ(ə)kɔpje] *vt* (*transcrire*) volver a copiar; (*mettre au propre*) poner en limpio.
record [ʀ(ə)kɔʀ] *adj, nm* récord *m*; **battre tous les ~s** (*fig*) batir todos los récords; **en un temps/à une vitesse ~** en un tiempo/a una velocidad récord; **record du monde** récord del mundo.
recouper [ʀ(ə)kupe] *vt* (*tranche*) volver a cortar; (*vêtement*) retocar ♦ *vi* (*CARTES*) volver a cortar; **se recouper** *vpr* (*témoi-*

gnages) coincidir.
recourir [ʀ(ə)kuʀiʀ] *vi* (*courir de nouveau*) correr de nuevo; (*refaire une course*) volver a correr; ~ **à** recurrir a.
recours [ʀ(ə)kuʀ] *vb voir* **recourir** ♦ *nm*: **le ~ à la ruse/violence** el recurso de la astucia/violencia; **avoir ~ à** recurrir a; **en dernier ~** como último recurso; **c'est sans ~** no tiene remedio; **recours en grâce** petición *f* de indulto.
recouvrer [ʀ(ə)kuvʀe] *vt* (*la vue, santé, raison*) recobrar; (*impôts, créance*) recaudar.
recouvrir [ʀ(ə)kuvʀiʀ] *vt* (*récipient*) volver a cubrir; (*livre*) volver a forrar; (*couvrir entièrement*) recubrir; (*fig*) encubrir; (*embrasser*) abarcar; **se recouvrir** *vpr* (*idées, concepts*) superponerse.
récréation [ʀekʀeasjɔ̃] *nf* recreo.
récrier [ʀekʀije]: **se ~** *vpr* exclamar.
récriminations [ʀekʀiminasjɔ̃] *nfpl* recriminaciones *fpl*.
recroqueviller [ʀ(ə)kʀɔk(ə)vije]: **se ~** *vpr* (*plantes, feuilles*) marchitarse; (*personne*) acurrucarse.
recrudescence [ʀ(ə)kʀydesɑ̃s] *nf* recrudecimiento.
recrue [ʀəkʀy] *nf* (*MIL*) recluta *mf*; (*gén*) neófito(-a).
recruter [ʀ(ə)kʀyte] *vt* (*MIL, clients, adeptes*) reclutar; (*personnel*) contratar.
rectangle [ʀɛktɑ̃gl] *nm* rectángulo; **rectangle blanc** (*TV*) ≈ rombo.
rectangulaire [ʀɛktɑ̃gylɛʀ] *adj* rectangular.
recteur [ʀɛktœʀ] *nm* rector *m*.
rectification [ʀɛktifikasjɔ̃] *nf* rectificación *f*.
rectifier [ʀɛktifje] *vt* (*tracé*) enderezar; (*calcul*) rectificar; (*erreur*) corregir.
recto [ʀɛkto] *nm* anverso.
reçu, e [ʀ(ə)sy] *pp de* **recevoir** ♦ *adj* (*admis, consacré*) admitido(-a) ♦ *nm* (*récépissé*) recibo.
recueil [ʀəkœj] *nm* selección *f*.
recueillir [ʀ(ə)kœjiʀ] *vt* recoger; (*matériaux, voix, suffrages*) conseguir; (*fonds*) conseguir, recolectar; (*renseignements, dépositions*) reunir; (*réfugiés*) acoger; **se recueillir** *vpr* recogerse.
recul [ʀ(ə)kyl] *nm* retroceso; **avoir un mouvement de ~** hacer un movimiento de retroceso; **prendre du ~** retroceder; (*fig*) considerar con detenimiento; **avec le ~** con perspectiva.
reculé, e [ʀ(ə)kyle] *adj* (*isolé*) apartado(-a); (*lointain*) lejano(-a).
reculer [ʀ(ə)kyle] *vi* retroceder; (*véhicule, conducteur*) dar marcha atrás; (*se dérober, hésiter*) echarse atrás ♦ *vt* (*meuble, véhicule*) retirar; (*mur, frontières*) alejar; (*fig: possibilités, limites*) ampliar; (*: date, livraison, décision*) aplazar, postergar (*AM*); **~ devant** (*danger, difficulté*) echarse atrás ante; **~ pour mieux sauter** retrasar el asunto.
reculons [ʀ(ə)kylɔ̃]: **à ~** *adv* hacia atrás.
récupérer [ʀekypeʀe] *vt* recuperar; (*forces*) recobrar ♦ *vi* (*après un effort etc*) recuperarse.
reçus [ʀəsy] *vb voir* **recevoir**.
récuser [ʀekyze] *vt* (*JUR*) recusar; (*argument, témoignage*) rechazar; **se récuser** *vpr* declararse incompetente.
recycler [ʀ(ə)sikle] *vt* reciclar; (*SCOL*) adaptar; (*employés*) reciclar, reconvertir; **se recycler** *vpr* reciclarse.
rédacteur, -trice [ʀedaktœʀ, tʀis] *nm/f* redactor(a); **rédacteur en chef** redactor(a) jefe; **rédacteur publicitaire** redactor(a) publicitario(a).
rédaction [ʀedaksjɔ̃] *nf* redacción *f*.
redescendre [ʀ(ə)desɑ̃dʀ] *vi* volver a bajar ♦ *vt* bajar.
redevable [ʀ(ə)dəvabl] *adj*: **être ~ de qch à qn** (*aussi fig*) deber algo a algn.
redevance [ʀ(ə)dəvɑ̃s] *nf* canon *m*.
rediffusion [ʀ(ə)difyzjɔ̃] *nf* nueva difusión *f*.
rédiger [ʀediʒe] *vt* redactar.
redire [ʀ(ə)diʀ] *vt* repetir; **avoir/trouver qch à ~** (*critiquer*) tener/encontrar algo que criticar.
redonner [ʀ(ə)dɔne] *vt* (*restituer*) restituir; (*repasser*) volver a dar; (*du courage, des forces*) devolver.
redoubler [ʀ(ə)duble] *vt* (*classe*) repetir; (*lettre*) duplicar ♦ *vi* (*tempête, violence*) arreciar; (*SCOL*) repetir; **~ de** (*amabilité, efforts*) redoblar; **le vent redouble de violence** el viento arrecia con violencia.
redoutable [ʀ(ə)dutabl] *adj* temible.
redouter [ʀ(ə)dute] *vt* temer; **~ que** temer que; **je redoute de faire sa connaissance** temo conocerlo.
redresser [ʀ(ə)dʀese] *vt* enderezar; (*situation, économie*) restablecer; **se redresser** *vpr* (*objet penché*) enderezarse; (*personne*) erguirse; (*se tenir très droit*) ponerse derecho; (*fig: pays, situation*) restablecerse; **~ (les roues)** enderezarse.
réduction [ʀedyksjɔ̃] *nf* reducción *f*; (*rabais, remise*) rebaja; **en ~** (*en plus petit*) reducido(-a).
réduire [ʀedɥiʀ] *vt* reducir; (*jus, sauce*) consumir; **se réduire à** *vpr* reducirse a; **se ~ en** (*se transformer en*) convertirse en; **~ qn au silence/à l'inaction/à la misère**

reducir a algn al silencio/a la inactividad/a la miseria; ~ **qch à** (*fig*) reducir algo a; ~ **qch en** transformar algo en; **en être réduit à** no tener otro remedio que.

réduit, e [Redɥi, it] *pp de* **réduire** ♦ *adj* reducido(-a) ♦ *nm* cuchitril *m*.

rééditer [Reedite] *vt* reeditar.

rééducation [Reedykasjɔ̃] *nf* rehabilitación *f*.

rééduquer [Reedyke] *vt* rehabilitar.

réel, le [Reɛl] *adj* real; (*intensif: avant le nom*) verdadero(-a) ♦ *nm*: **le** ~ lo real.

réélire [Reeliʀ] *vt* reelegir.

réellement [Reɛlmɑ̃] *adv* realmente.

rééquilibrer [Reekilibʀe] *vt* reequilibrar.

réévaluer [Reevalɥe] *vt* reevaluar.

réexpédier [Reɛkspedje] *vt* (*à l'envoyeur*) devolver; (*au destinataire*) remitir.

refaire [ʀ(ə)fɛʀ] *vt* hacer de nuevo; (*recommencer, faire tout autrement*) rehacer; (*réparer, restaurer*) restaurar; **se refaire** *vpr* (*en santé, argent etc*) reponerse; **se ~ une santé** mejorarse, recuperarse; **se ~ à qch** acostumbrarse de nuevo a algo; **être refait** (*fam*) ser engañado *ou* timado; **il faut ~ les peintures** tenemos que repintar.

réfection [Refɛksjɔ̃] *nf* reparación *f*; **en** ~ en obras.

réfectoire [Refɛktwaʀ] *nm* refectorio, comedor *m*.

référence [Refeʀɑ̃s] *nf* referencia; ~**s** *nfpl* (*garanties, recommandations*) referencias *fpl*; **faire ~ à** hacer referencia a; **ouvrage de** ~ manual *m* de consulta; **ce n'est pas une** ~ (*fig*) menuda referencia; ~**s exigées** con informes.

référendum [Refeʀɛ̃dɔm] *nm* referéndum *m*.

référer [Refeʀe] *vb*: **se ~ à** remitirse a; (*se rapporter à*) referirse a; **en ~ à qn** remitir a algn.

réfléchi, e [Refleʃi] *adj* reflexivo(-a); (*action, décision*) pensado(-a).

réfléchir [Refleʃiʀ] *vt* reflejar ♦ *vi* reflexionar; ~ **à** *ou* **sur** reflexionar acerca de; **c'est tout réfléchi** está todo pensado.

reflet [ʀ(ə)flɛ] *nm* reflejo; ~**s** *nmpl* (*du soleil, des cheveux*) reflejos *mpl*; (*d'une étoffe, d'un métal*) destellos *mpl*.

refléter [ʀ(ə)flete] *vt* reflejar; **se refléter** *vpr* reflejarse.

réflexe [Reflɛks] *nm* reflejo ♦ *adj*: **acte/mouvement** ~ acto/movimiento reflejo; **avoir de bons ~s** tener buenos reflejos; **réflexe conditionné** reflejo condicionado.

réflexion [Reflɛksjɔ̃] *nf* reflexión *f*; (*remarque désobligeante*) reproche *m*; ~**s** *nfpl* (*méditations*) reflexiones *fpl*; **sans** ~ sin pensar; **après ~, ~ faite, à la ~** pensándolo bien; **cela demande** ~ eso exige reflexión; **délai de** ~ tiempo para reflexionar; **groupe de** ~ gabinete *m* de estrategia.

refluer [ʀ(ə)flye] *vi* (*eaux*) refluir; (*foule, manifestants*) retroceder.

reflux [ʀəfly] *nm* (*de la mer*) reflujo; (*fig*) retroceso.

réforme [Refɔʀm] *nf* reforma; (*MIL*) baja; **la R~** (*REL*) la Reforma; **conseil de** ~ (*MIL*) tribunal *m* médico.

réformé, e [Refɔʀme] *adj* (*REL*) reformado(-a) ♦ *nm/f* (*REL*) protestante *m/f* ♦ *nm* (*MIL*) *persona declarada inútil para el servicio*.

réformer [Refɔʀme] *vt* reformar; (*recrue*) declarar inútil; (*soldat*) dar de baja.

refoulé, e [ʀ(ə)fule] *adj* reprimido(-a).

refouler [ʀ(ə)fule] *vt* (*envahisseurs*) rechazar; (*liquide*) impeler; (*fig: larmes*) contener; (*PSYCH, colère*) reprimir.

réfractaire [Refʀaktɛʀ] *adj* refractario(-a); (*rebelle*) rebelde; (*prêtre*) refractario; **être ~ à** ser refractario(-a) a.

refrain [ʀ(ə)fʀɛ̃] *nm* estribillo; (*air*) canción *f*; (*leitmotiv*) cantinela.

refréner [ʀəfʀene] *vt* refrenar.

réfréner [refʀene] *vt* = **refréner**.

réfrigérateur [Refʀiʒeʀatœʀ] *nm* frigorífico, nevera, heladera (*AM*), refrigeradora (*AM*).

réfrigéré, e [Refʀiʒeʀe] *adj* refrigerado(-a).

refroidir [ʀ(ə)fʀwadiʀ] *vt* enfriar ♦ *vi* (*plat, moteur*) enfriar; **se refroidir** *vpr* (*personne*) enfriarse, coger frío; (*temps*) refrescar; (*fig*) enfriarse.

refuge [ʀ(ə)fyʒ] *nm* refugio; (*pour piétons*) abrigo; **chercher/trouver ~ auprès de qn** buscar/encontrar refugio en algn; **demander ~ à qn** pedir asilo a algn.

réfugié, e [Refyʒje] *adj, nm/f* refugiado(-a).

réfugier [Refyʒje]: **se** ~ *vpr* refugiarse.

refus [ʀ(ə)fy] *nm* rechazo; **ce n'est pas de** ~ (*fam*) se agradece.

refuser [ʀ(ə)fyze] *vt* (*ne pas accorder*) denegar; (*ne pas accepter*) rechazar; (*candidat*) suspender ♦ *vi* (*cheval*) rehusar; ~ **que/de faire** negarse a que/a hacer; ~ **qch à qn** negar algo a algn; ~ **du monde** cerrar las puertas a la gente; **se ~ à qch/faire qch** negarse a algo/hacer algo; **se ~ à qn** no entregarse a algn; **il ne se refuse rien** no se priva de nada.

réfuter [Refyte] *vt* refutar.

regagner [ʀ(ə)gaɲe] *vt* (*argent*) volver a ganar; (*affection, amitié*) recuperar; (*lieu,* *place*) regresar a; ~ **le temps perdu** recuperar el tiempo perdido; ~ **du terrain** recuperar terreno.

régal [Regal] *nm* (*mets, fig*) placer *m*; **c'est un (vrai)** ~ es un (verdadero) placer, es una (verdadera) delicia; **un** ~ **pour les yeux** una delicia para la vista.

régaler [Regale] *vt*: ~ **qn** obsequiar a algn; **se régaler** *vpr* (*faire un bon repas*) regalarse; (*fig*) disfrutar; ~ **qn de** obsequiar a algn con.

regard [R(ə)gaR] *nm* mirada; **parcourir/menacer du** ~ recorrer/amenazar con la mirada; **au** ~ **de** (*loi, morale*) a la luz de; **en** ~ (*en face, vis à vis*) en frente; **en** ~ **de** en comparación con.

regarder [R(ə)gaRde] *vt* mirar; (*situation, avenir*) ver; (*son intérêt etc*) mirar, preocuparse por; (*concerner*) concernir ♦ *vi* ver, mirar; ~ **la télévision** ver *ou* mirar la televisión; ~ **qn/qch comme** (*juger*) considerar a algn/algo como; ~ **(qch) dans le dictionnaire/l'annuaire** mirar (algo) en el diccionario/en la guía telefónica; ~ **par la fenêtre** mirar por la ventana; ~ **à** (*dépense*) reparar en; (*qualité, détails*) mirar; ~ **(vers)** (*être orienté vers*) mirar (hacia); **ne pas** ~ **à la dépense** no mirar por el dinero; **cela me regarde** eso me atañe, eso es cosa mía; **cela te regarde?** ¿a ti qué te importa?

régie [Reʒi] *nf* (*ADMIN*) administración *f* (*del estado o de una institución pública*); (*COMM, INDUSTRIE*) corporación *f* pública; (*CINÉ, THÉÂTRE*) departamento de producción; (*RADIO, TV*) sala de control; **la régie de l'État** la administración del Estado.

régime [Reʒim] *nm* régimen *m*; (*fig*: *allure*) paso; (*de bananes, dattes*) racimo; **se mettre au/suivre un** ~ ponerse a/estar a régimen; ~ **sans sel** régimen sin sal; **à bas/haut** ~ (*AUTO*) a pocas/muchas revoluciones; **à plein** ~ a toda velocidad; **régime matrimonial** régimen matrimonial.

régiment [Reʒimɑ̃] *nm* regimiento; **un** ~ **de** (*fig*: *fam*) un regimiento de; **un copain de** ~ un compañero de la mili.

région [Reʒjɔ̃] *nf* región *f*; **la** ~ **parisienne** la región de Paris.

régional, e, -aux [Reʒjɔnal, o] *adj* regional.

régir [ReʒiR] *vt* regir.

régisseur [ReʒisœR] *nm* (*d'un domaine, d'une propriété*) administrador(a); (*THÉÂTRE, CINÉ*) regidor(a).

registre [Rəʒistr] *nm* registro; **registre de comptabilité** libro de cuentas; **registre de l'état civil** registro civil.

réglage [Reglaʒ] *nm* ajuste *m*, regulación *f*; (*d'un moteur*) reglaje *m*.

règle [Rɛgl] *nf* regla; ~**s** *nfpl* (*PHYSIOL*) reglas *fpl*; **avoir pour** ~ **de ...** tener por norma ...; **en** ~ (*papiers d'identité*) en regla; **être/se mettre en** ~ estar/ponerse en regla; **dans** *ou* **selon les** ~**s** en *ou* según las normas; **être la** ~ ser la norma; **être de** ~ ser (la) norma; **en** ~ **générale** por regla general; **règle à calcul** regla de cálculo; **règle de trois** regla de tres.

règlement [Rɛgləmɑ̃] *nm* (*règles*) reglamento; (*paiement*) pago; (*d'un conflit, d'une affaire*) arreglo, solución *f*; **règlement à la commande** pago al hacer el pedido; ~ **en espèces/par chèque** pago en metálico/por cheque; **règlement de compte(s)** ajuste *m* de cuentas; **règlement intérieur** reglamento de régimen interno; **règlement judiciaire** pago de costas.

réglementaire [Rɛgləmɑ̃tɛR] *adj* reglamentario(-a).

réglementer [Rɛgləmɑ̃te] *vt* reglamentar.

régler [Regle] *vt* (*mécanisme, machine*) ajustar; (*moteur, thermostat*) regular; (*modalités*) determinar; (*emploi du temps etc*) organizar; (*question, problème*) arreglar; (*facture, fournisseur*) pagar; (*papier*) rayar; ~ **qch sur** acoplar algo a, adaptar algo a; ~ **son compte à qn** ajustarle la cuenta a algn; ~ **un compte avec qn** ajustar las cuentas con algn.

réglisse [Reglis] *nf ou m* regaliz *m*; **pâte/bâton de** ~ pasta/barra de regaliz.

règne [Rɛɲ] *nm* reinado; (*fig*) reino; **le** ~ **végétal/animal** el reino vegetal/animal.

régner [Reɲe] *vi* reinar.

regorger [R(ə)gɔRʒe] *vi*: ~ **de** rebosar de.

regret [R(ə)gRɛ] *nm* (*nostalgie*) nostalgia; (*d'un acte commis*) arrepentimiento; (*d'un projet non réalisé*) pesar *m*; **à** ~ *ou* **avec** ~ con pesar; **à mon grand** ~ con mi mayor pesar; **être au** ~ **de devoir/ne pas pouvoir faire ...** lamentar mucho tener que/no poder hacer ...; **j'ai le** ~ **de vous informer que ...** siento comunicarle que ... .

regretter [R(ə)gRete] *vt* lamentar; (*jeunesse, personne, passé*) echar de menos; ~ **d'avoir fait** lamentar haber hecho; ~ **de** sentir; ~ **que** lamentar que; **je regrette** lo siento; **non, je regrette** no, lo siento.

regrouper [R(ə)gRupe] *vt* reagrupar; (*contenir*) reunir; **se regrouper** *vpr* reagruparse.

régulariser [RegylaRize] *vt* (*fonctionnement, trafic*) regular; (*passeport, papiers*) regularizar; ~ **sa situation** regularizar su situación.

régularité [RegylaRite] *nf* regularidad *f*.

régulier, -ière [ʀegylje, jɛʀ] *adj* regular; (*employé*) puntual; (*fam: correct, loyal*) formal; **clergé ~** (*REL*) clero regular; **armées/troupes régulières** (*MIL*) ejércitos *mpl*/tropas *fpl* regulares.
régulièrement [ʀegyljɛʀmɑ̃] *adv* con regularidad; (*légalement, normalement*) regularmente; (*normalement*) normalmente.
réhabiliter [ʀeabilite] *vt* rehabilitar; **se réhabiliter** *vpr* rehabilitarse.
rehausser [ʀəose] *vt* (*mur, plafond*) levantar; (*fig*) realzar.
rein [ʀɛ̃] *nm* riñón *m*; **~s** *nmpl* (*ANAT: dos, muscles du dos*) riñones *mpl*; **avoir mal aux ~s** tener dolor de riñones; **rein artificiel** riñón artificial.
reine [ʀɛn] *nf* reina; **reine mère** reina madre.
reine-claude [ʀɛnklod] (*pl* **~s-~s**) *nf* ciruela claudia.
réinsertion [ʀeɛ̃sɛʀsjɔ̃] *nf* reinserción *f*.
réintégrer [ʀeɛ̃tegʀe] *vt* (*lieu*) volver a; (*fonctionnaire*) reintegrar.
rejaillir [ʀ(ə)ʒajiʀ] *vi* (*liquide*) salpicar; **~ sur** salpicar en; (*fig*) repercutir sobre.
rejeter [ʀəʒ(ə)te] *vt* rechazar; (*renvoyer*) lanzar de nuevo; (*aliments*) rechazar, vomitar; (*déverser*) vertir; **~ un mot à la fin d'une phrase** dejar una palabra al final de la frase; **~ la tête/les épaules en arrière** echar la cabeza/los hombros hacia atrás; **~ la responsabilité de qch sur qn** echar la responsabilidad de algo sobre algn.
rejoindre [ʀ(ə)ʒwɛ̃dʀ] *vt* (*famille, régiment*) reunirse con; (*lieu*) retornar a (*concurrent*) alcanzar; (*suj: route etc*) llegar a; **se rejoindre** *vpr* (*personnes*) reunirse; (*routes*) juntarse; (*fig: observations, arguments*) asemejarse; **je te rejoins au café** te veo en el café.
réjouir [ʀeʒwiʀ] *vt* alegrar; **se réjouir** *vpr* regocijarse, alegrarse; **se ~ de qch/de faire qch** alegrarse de algo/de hacer algo; **se ~ que** alegrarse de que.
réjouissances [ʀeʒwisɑ̃s] *nfpl* (*joie collective*) regocijos *mpl*; (*fête*) festejos *mpl*.
relâche [ʀəlɑʃ] *nf*: **faire ~** (*navire*) hacer escala; (*CINÉ*) no haber función; **jour de ~** día *m* de descanso; **sans ~** sin descanso.
relâcher [ʀ(ə)lɑʃe] *vt* (*ressort, étreinte, cordes*) aflojar; (*animal, prisonnier*) soltar; (*discipline*) relajar ♦ *vi* (*NAUT*) hacer escala; **se relâcher** *vpr* (*cordes*) aflojarse; (*discipline*) relajarse; (*élève*) aflojar.
relais [ʀ(ə)lɛ] *nm*: **(course de) ~** (carrera de) relevos *mpl*; (*RADIO, TV*) repetidor *m*; **satellite de ~** satélite *m* repetidor; **servir de ~** (*intermédiaire*) servir de relevo; **équipe de ~** equipo de relevo; **travail par ~** trabajo por turnos; **prendre le ~ (de qn)** tomar el relevo (de algn); **relais de poste** (*pour diligences*) posta *f*; **relais routier** restaurante *m* de carretera.
relancer [ʀ(ə)lɑ̃se] *vt* (*balle*) lanzar de nuevo; (*moteur*) poner en marcha de nuevo; (*fig: économie, agriculture*) reactivar; **~ qn** (*harceler*) hostigar a algn.
relatif, -ive [ʀ(ə)latif, iv] *adj* relativo(-a); **~ à** relativo(-a) a.
relation [ʀ(ə)lasjɔ̃] *nf* (*récit*) relato; (*rapport*) relación *f*; **~s** *nfpl* relaciones *fpl*; **avoir des ~s** tener relaciones; **être/entrer en ~(s) avec** estar/entrar en relación(relaciones) con; **mettre qn en ~(s) avec** poner a algn en relación con; **avoir** *ou* **entretenir des ~s avec** tener *ou* mantener relaciones con; **relations internationales** relaciones internacionales; **relations publiques** relaciones públicas; **relations (sexuelles)** relaciones (sexuales).
relaxer [ʀəlakse] *vt* (*détendre*) relajar; (*JUR*) poner en libertad; **se relaxer** *vpr* relajarse.
relayer [ʀ(ə)leje] *vt* (*collaborateur, coureur*) relevar; (*RADIO, TV*) retransmitir; **se relayer** *vpr* (*dans une activité, course*) relevarse.
reléguer [ʀ(ə)lege] *vt* relegar; **~ au second plan** relegar a un segundo plano; **se sentir relégué** sentirse relegado.
relent [ʀəlɑ̃] *nm* (*gén pl*) hedor *m*; **ça a des ~s de racisme** eso huele a racismo.
relève [ʀəlɛv] *nf* relevo; **prendre la ~** (*aussi fig*) tomar el relevo.
relevé, e [ʀəl(ə)ve] *adj* (*bord de chapeau*) alzado(-a); (*manches*) arremangado(-a); (*virage*) peraltado(-a); (*conversation, style*) elevado(-a); (*sauce, plat*) sazonado(-a) ♦ *nm* (*liste*) relación *f*; (*de cotes*) alzado; (*facture*) extracto; (*d'un compteur*) lectura; **relevé de compte** saldo; **relevé d'identité bancaire** número de cuenta.
relever [ʀəl(ə)ve] *vt* levantar; (*niveau de vie, salaire*) aumentar; (*col*) subir; (*style, conversation*) animar; (*plat, sauce*) sazonar; (*sentinelle, équipe*) relevar; (*fautes, points*) señalar; (*traces, anomalies*) constatar; (*remarque*) contestar a; (*défi*) hacer frente a; (*noter*) tomar nota de, anotar; (*compteur*) leer; (*copies*) recoger; (*TRICOT*) coger ♦ *vi* (*jupe, bord*) levantar, arremangar; **se relever** *vpr* levantarse; **se ~ (de)** (*fig*) recuperarse (de); **~ de** (*maladie*) salir de; (*être du ressort de, du domaine de*) ser de la competencia de; (*ADMIN*) depender de; **~ qn de** (*fonctions*) eximir a algn de;

(*REL*: *vœux*) liberar a algn de; ~ **la tête** levantar la cabeza; (*fig*) levantar cabeza.

relief [Rəljɛf] *nm* relieve *m*; (*de pneu*) dibujo; ~**s** *nmpl* (*restes*) restos *mpl*; **en** ~ en relieve; **mettre en** ~ (*fig*) poner de relieve; **donner du** ~ **à** (*fig*) dar relieve a.

relier [Rəlje] *vt* (*routes, bâtiments*) unir; (*fig*: *idées etc*) relacionar; (*livre*) encuadernar; ~ **qch à** unir algo con; **livre relié cuir** libro encuadernado en piel.

religieux, -euse [R(ə)liʒjø, jøz] *adj* religioso(-a) ♦ *nm* religioso ♦ *nf* religiosa; (*gâteau*) pastelillo de crema.

religion [R(ə)liʒjɔ̃] *nf* religión *f*; (*piété, dévotion*) fe *f*; **entrer en** ~ hacer los votos.

relire [R(ə)liR] *vt* releer; **se relire** *vpr* releerse.

reliure [RəljyR] *nf* encuadernación *f*.

reluire [R(ə)lɥiR] *vi* relucir.

remanier [R(ə)manje] *vt* (*roman, pièce*) modificar; (*ministère*) reorganizar.

remarier [R(ə)maRje]: **se** ~ *vpr* volver a casarse.

remarque [R(ə)maRk] *nf* comentario.

remarquer [R(ə)maRke] *vt* notar; **se remarquer** *vpr* notarse; **se faire** ~ (*péj*) hacerse notar; **faire** ~ **(à qn) que** hacer notar (a algn) que; **faire** ~ **qch (à qn)** hacer notar algo (a algn); ~ **que** (*dire*) observar que; **remarquez que** ... observe que ... .

remblai [Rɑ̃blɛ] *nm* terraplén *m*; **travaux de** ~ terraplenado.

rembobiner [Rɑ̃bɔbine] *vt* (*pellicule*) devanar; (*cassette*) rebobinar.

rembourré, e [Rɑ̃buRe] *adj* relleno(-a).

remboursement [Rɑ̃buRsəmɑ̃] *nm* reembolso; **envoi contre** ~ envío contra reembolso.

rembourser [Rɑ̃buRse] *vt* reembolsar.

remède [R(ə)mɛd] *nm* (*médicament*) medicamento; (*traitement, fig*) remedio; **trouver un** ~ **à** encontrar una solución a.

remédier [R(ə)medje]: ~ **à** *vt ind* remediar.

remémorer [R(ə)memɔRe]: **se** ~ *vpr* acordarse de.

remerciements [R(ə)mɛRsimɑ̃] *nmpl* gracias *fpl*; **(avec) tous mes** ~ (con) todo mi agradecimiento.

remercier [R(ə)mɛRsje] *vt* (*donateur, bienfaiteur*) dar las gracias a; (*congédier*: *employé*) despedir; ~ **qn de qch** agradecerle algo a algn; **je vous remercie d'être venu** le agradezco que haya venido; **non, je vous remercie** no, muchas gracias.

remettre [R(ə)mɛtR] *vt* (*vêtement*) volver a ponerse; (*rétablir*): ~ **qn** restablecer a algn; (*reconnaître*) recordar a algn; (*restituer*): ~ **qch à qn** devolver algo a algn; (*paquet, argent, récompense*) entregar algo a algn; (*ajourner, reporter*): ~ **qch (à)** aplazar algo (hasta *ou* para); **se remettre** *vpr* (*malade*) reponerse; (*temps*) mejorar; ~ **qch quelque part** colocar de nuevo algo en algún sitio; ~ **du sel/un sucre** añadir sal/un azucarillo; **se** ~ **de** (*maladie, chagrin*) recuperarse de; **s'en** ~ **à** remitirse a; **se** ~ **à faire/qch** ponerse de nuevo a hacer/algo; ~ **qch en place** colocar algo en su sitio; ~ **une pendule à l'heure** poner un reloj en hora; ~ **un moteur/une machine en marche** poner un motor/una máquina en marcha; ~ **en état** reparar; ~ **en ordre/en usage** volver a poner en orden/al uso; ~ **en cause** *ou* **question** poner en tela de juicio; ~ **sa démission** presentar su dimisión; ~ **qch à plus tard** dejar algo para más tarde; ~ **qch à neuf** dejar algo como nuevo; ~ **qn à sa place** (*fig*) poner a algn en su sitio.

remise [R(ə)miz] *nf* (*d'un colis, d'une récompense*) entrega; (*rabais, réduction*) descuento; (*lieu, local*) trastero, galpón *m* (*CSUR*); **remise à neuf** renovación *f*; **remise de fonds** remesa de fondos; **remise de peine** remisión *f* de pena; **remise en cause** replanteamiento; **remise en jeu** (*FOOTBALL*) saque *m*; **remise en marche/en ordre** puesta en marcha/en orden; **remise en question** replanteamiento.

remontant [R(ə)mɔ̃tɑ̃] *nm* estimulante.

remonte-pente [R(ə)mɔ̃tpɑ̃t] (*pl* **~-~s**) *nm* remonte *m*.

remonter [R(ə)mɔ̃te] *vi* volver a subir; (*sur un cheval*) volver a montar; (*dans une voiture*) volver a montarse; (*jupe*) subir ♦ *vt* volver a subir; (*fleuve*) remontar; (*hausser*) subir; (*fig*: *personne, moral*) animar; (*moteur, meuble, mécanisme*) montar de nuevo; (*garde-robe, collection*) reponer; (*montre*) dar cuerda; ~ **à** (*dater de*) remontarse a; ~ **en voiture** volver a montarse en coche; ~ **le moral à qn** levantar la moral a algn.

remontoir [R(ə)mɔ̃twaR] *nm* cuerda.

remontrance [R(ə)mɔ̃tRɑ̃s] *nf* (*gén pl*) amonestación *f*.

remontrer [R(ə)mɔ̃tRe] *vt*: ~ **qch (à qn)** (*montrer de nouveau*) volver a enseñar algo (a algn); **en** ~ **à qn** (*fig*) dar lecciones a algn.

remords [R(ə)mɔR] *nm* remordimiento; **avoir des** ~ tener remordimiento.

remorque [R(ə)mɔRk] *nf* remolque *m*; **prendre en** ~ llevar en remolque; **être en** ~ ir remolcado(-a); **être à la** ~ (*fig*) estar a remolque.

remorquer [R(ə)mɔRke] *vt* remolcar.

remorqueur [R(ə)mɔRkœR] *nm* remolcador *m*.
remous [Rəmu] *nm* remolino ♦ *nmpl* (*fig*) alboroto *msg*.
rempart [Rɑ̃paR] *nm* (*de ville fortifiée*) muralla; (*de château fort*) bastión *m*; (*fig*) baluarte *m*; **~s** *nmpl* murallas *fpl*.
remplaçant, e [Rɑ̃plasɑ̃, ɑ̃t] *nm/f* sustituto(-a); (*THÉÂTRE*) suplente *m/f*.
remplacer [Rɑ̃plase] *vt* (*mettre qn/qch à la place de*) sustituir; (*ami, époux etc*) cambiar de; (*temporairement*) reemplazar; (*pneu, ampoule*) cambiar; (*tenir lieu de*) sustituir (a); **~ qch par qch d'autre/qn par qn d'autre** cambiar una cosa por otra/a algn por otro(-a).
rempli, e [Rɑ̃pli] *adj* (*journée*) cargado(-a); (*forme, visage*) relleno(-a); **~ de** lleno(-a) de.
remplir [Rɑ̃pliR] *vt* llenar; (*questionnaire*) rellenar; (*obligations, conditions, rôle*) cumplir (con); **se remplir** *vpr* llenarse; **~ qch de** llenar algo de; **~ qn de** (*joie, admiration*) llenar a algn de.
remporter [Rɑ̃pɔRte] *vt* (*livre, marchandise*) devolver; (*fig*: *victoire, succès*) lograr.
remue-ménage [R(ə)mymenaʒ] *nm inv* zafarrancho.
remuer [Rəmɥe] *vt* (*meuble, objet*) mudar; (*partie du corps*) mover; (*café, salade, sauce*) remover; (*émouvoir*) conmover ♦ *vi* moverse; (*fig*: *opposants*) agitarse; **se remuer** *vpr* moverse; (*fig*) desvivirse.
rémunérer [Remynere] *vt* remunerar, pagar.
renaissance [R(ə)nɛsɑ̃s] *nf* renacimiento; **la R~** el Renacimiento.
renaître [R(ə)nɛtR] *vi* renacer; **~ à la vie/à l'espoir** renacer a la vida/a la esperanza.
renard [R(ə)naR] *nm* zorro.
renchérir [Rɑ̃ʃeRiR] *vi* encarecerse; **~ (sur)** ir más allá (de).
rencontre [Rɑ̃kɔ̃tR] *nf* (*SPORT, congrès, gén*) encuentro; (*de cours d'eau*) confluencia; (*véhicules*) choque *m*; (*idées*) coincidencia; (*entrevue*) entrevista; **faire la ~ de qn** conocer a algn; **aller à la ~ de qn** ir al encuentro de algn; **amis/amours de ~** amigos/amores de paso.
rencontrer [Rɑ̃kɔ̃tRe] *vt* encontrar (a); (*avoir une entrevue avec*) entrevistarse con; (*SPORT*: *équipe*) enfrentarse con; (*mot, opposition*) encontrar; (*regard, yeux*) encontrarse con; **se rencontrer** *vpr* (*fleuves*) confluir; (*personnes, regards*) encontrarse; (*véhicules*) chocar.
rendement [Rɑ̃dmɑ̃] *nm* rendimiento; (*d'une culture*) producto; **à plein ~** a pleno rendimiento.
rendez-vous [Rɑ̃devu] *nm inv* cita; **recevoir sur ~-~** recibir previa cita; **donner ~-~ à qn** dar una cita a algn; **fixer un ~-~ à qn** fijar una cita con algn; **avoir ~-~ (avec qn)** tener una cita (con algn); **prendre ~-~ (avec qn)** pedir cita (con algn); **prendre ~-~ chez le médecin** pedir hora con el médico; **rendez-vous orbital** acoplamiento de satélites; **rendez-vous spatial** cita en el espacio.
rendormir [Rɑ̃dɔRmiR]: **se ~** *vpr* dormirse de nuevo.
rendre [Rɑ̃dR] *vt* devolver; (*honneurs*) rendir; (*sons*) producir; (*pensée, tournure*) traducir, expresar; (*JUR*: *verdict*) fallar; (: *jugement, arrêt*) dictar ♦ *vi* (*suj*: *terre, pêche etc*) ser productivo(-a); **se rendre** *vpr* rendirse; **~ qn célèbre/qch possible** hacer a algn célebre/algo posible; **~ la vue/l'espoir/la santé à qn** devolver la vista/la esperanza/la salud a algn; **~ la liberté** devolver la libertad; **se ~ quelque part** irse a algún sitio; **se ~ compte de qch** darse cuenta de algo; **~ la monnaie** dar las vueltas; **se ~ à** (*arguments etc*) rendirse a; (*ordres*) someterse; **se ~ insupportable/malade** volverse insoportable/enfermo(-a).
rênes [Rɛn] *nfpl* riendas.
renfermer [Rɑ̃fɛRme] *vt* contener; **se ~ (sur soi-même)** encerrarse (en sí mismo).
renflement [Rɑ̃fləmɑ̃] *nm* abultamiento.
renflouer [Rɑ̃flue] *vt* (*bateau*) reflotar; (*fig*) sacar a flote.
renfoncement [Rɑ̃fɔ̃smɑ̃] *nm* fortalecimiento.
renforcer [Rɑ̃fɔRse] *vt* reforzar; (*soupçons*) aumentar; **~ qn dans ses opinions** confirmar a algn en sus opiniones.
renfort [Rɑ̃fɔR] *nm*: **~s** *nmpl* (*MIL, gén*) refuerzo *msg*; **en ~** de refuerzo; **à grand ~ de** con gran acompañamiento de.
renfrogné, e [Rɑ̃fRɔɲe] *adj* sombrío(-a).
rengaine [Rɑ̃gɛn] (*péj*) *nf* cantinela.
renier [Rənje] *vt* renegar de.
renifler [R(ə)nifle] *vi* resoplar ♦ *vt* aspirar.
renne [Rɛn] *nm* reno.
renom [Rənɔ̃] *nm* renombre *m*; **vin de grand ~** vino de gran fama.
renommé, e [R(ə)nɔme] *adj* renombrado(-a), famoso(-a).
renommée [R(ə)nɔme] *nf* fama; **la ~** el renombre.
renoncer [R(ə)nɔ̃se]: **~ à** *vt ind* renunciar a; (*opinion, croyance*) renegar de; **~ à faire qch** renunciar a hacer algo; **j'y renonce** renuncio.

renouer [Rənwe] *vt* (*cravate, lacets*) atar de nuevo; (*fig*) reanudar; ~ **avec** volver a; ~ **avec qn** reconciliarse con algn.

renouveler [R(ə)nuv(ə)le] *vt* renovar; (*eau d'une piscine, pansement*) cambiar; (*demande, remerciements*) reiterar; (*exploit, méfait*) repetir; **se renouveler** *vpr* (*incident*) repetirse; (*cellules etc*) reproducirse; (*artiste, écrivain*) renovarse.

rénovation [Renɔvasjɔ̃] *nf* renovación *f*.

rénover [Renɔve] *vt* (*immeuble, enseignement*) renovar; (*meuble*) restaurar; (*quartier*) remozar.

renseignement [Rɑ̃sɛɲmɑ̃] *nm* información *f*; **prendre des ~s sur** pedir referencia sobre; **(guichet des) ~s** (ventanilla de) información; **(service des) ~s** (*TÉL*) (servicio de) información; **service/agent de ~s** (*MIL*) servicio/agente *m* de información; **les renseignements généraux** dirección *f* general de seguridad.

renseigner [Rɑ̃seɲe] *vt* (*suj: expérience*) mostrar; (*: document*) informar; **se renseigner** *vpr* informarse; ~ **qn (sur)** informar a algn (sobre).

rentable [Rɑ̃tabl] *adj* rentable.

rente [Rɑ̃t] *nf* renta; **rente viagère** renta vitalicia.

rentier, -ière [Rɑ̃tje, jɛR] *nm/f* rentista *m/f*.

rentrée [Rɑ̃tRe] *nf*: ~ **(d'argent)** ingreso; **la ~ (des classes)** el comienzo (del curso); **la ~ (parlementaire)** ≈ la reapertura (de las Cortes); **réussir/faire sa ~** (*artiste, acteur*) tener éxito en/hacer su reaparición.

rentrer [Rɑ̃tRe] *vi* entrar; (*entrer de nouveau*) volver a entrar; (*revenir chez soi*) irse a casa; (*revenu, argent*) ingresar ♦ *vt* meter; (*foins*) recoger; (*griffes*) guardar; (*fig: larmes, colère etc*) tragarse; ~ **le ventre** (*effacer*) meter la tripa; ~ **dans** (*famille, patrie*) volver a; (*arbre, mur*) chocar contra; (*catégorie etc*) entrar en; ~ **dans l'ordre** volver al orden; ~ **dans ses frais** cubrir sus gastos.

renverser [Rɑ̃vɛRse] *vt* (*chaise, verre*) dejar caer; (*piéton*) atropellar; (*: tuer*) matar; (*liquide*) derramar; (*: volontairement*) verter; (*retourner*) poner boca abajo; (*ordre des mots etc*) invertir; (*tradition etc*) echar abajo; (*gouvernement etc*) derrochar; (*stupéfier*) asombrar; **se renverser** *vpr* (*pile d'objets, récipient*) caerse; (*véhicule*) volcarse; (*liquide*) derramarse; ~ **la tête/le corps (en arrière)** echar la cabeza/el cuerpo hacia atrás; **se ~ (en arrière)** echarse hacia atrás; ~ **la vapeur** dar marcha atrás.

renvoi [Rɑ̃vwa] *nm* reenvío, devolución *f*; (*d'un élève*) expulsión *f*; (*d'un employé*) despido; (*de la lumière*) reflejo; (*référence*) llamada, nota; (*éructation*) eructo.

renvoyer [Rɑ̃vwaje] *vt* devolver; (*élève*) expulsar; (*domestique, employé*) despedir; (*lumière*) reflejar; ~ **qn quelque part** volver a enviar a algn a algún sitio; ~ **qch (à)** (*ajourner, différer*) aplazar algo (para); ~ **qch à qn** devolver algo a algn; ~ **qn à** (*référer*) remitir a algn a.

repaire [R(ə)pɛR] *nm* guarida.

répandre [Repɑ̃dR] *vt* derramar; (*gravillons, sable etc*) echar; (*lumière, chaleur, odeur*) despedir; (*nouvelle, usage*) propagar; (*terreur, joie*) sembrar; **se répandre** *vpr* (*liquide*) derramarse; (*odeur, fumée*) propagarse; (*foule*) desparramarse; (*épidémie, mode*) difundirse; **se ~ en** (*injures, compliments*) deshacerse en.

réparation [RepaRasjɔ̃] *nf* arreglo; **~s** *nfpl* reparaciones *fpl*; **en ~** en reparación; **demander à qn ~ de** (*offense etc*) demandar a algn la reparación de.

réparer [RepaRe] *vt* arreglar; (*déchirure, avarie, aussi fig*) reparar.

repartie [RepaRti] *nf* réplica; **avoir de la ~** tener una respuesta fácil; **esprit de ~** espíritu *m* de réplica.

repartir [RepaRtiR] *vi* (*retourner*) regresar; (*partir de nouveau*) volver a marcharse; (*affaire*) comenzar de nuevo; ~ **à zéro** recomenzar de cero.

répartir [RepaRtiR] *vt* repartir; **se répartir** *vpr* (*travail, rôles*) repartirse; ~ **sur** repartir en; ~ **en** dividir en.

répartition [RepaRtisjɔ̃] *nf* reparto.

repas [R(ə)pɑ] *nm* comida; **à l'heure des ~** a la hora de comer.

repasser [R(ə)pɑse] *vi* (*passer de nouveau*) volver a pasar ♦ *vt* (*vêtement, tissu*) planchar; (*examen, film*) repetir; (*leçon, rôle*) repasar; ~ **qch à qn** (*plat, pain*) volver a pasar algo a algn.

repêcher [R(ə)peʃe] *vt* (*noyé*) sacar del agua; (*fam: candidat*) repescar.

repentir [Rəpɑ̃tiR] *nm* arrepentimiento; **se repentir** *vpr* arrepentirse; **se ~ de qch/d'avoir fait qch** arrepentirse de algo/de haber hecho algo.

répercussions [RepɛRkysjɔ̃] *nfpl* (*fig*) repercusiones *fpl*.

répercuter [RepɛRkyte] *vt* repercutir; (*consignes, charges etc*) transmitir; **se répercuter** *vpr* repercutir; **se ~ sur** (*fig*) repercutir en.

repère [R(ə)pɛR] *nm* referencia; (*TECH*) marca; (*monument etc*) lugar *m* de referencia; **point de ~** punto de referencia.

repérer [ʀ(ə)peʀe] *vt* (*erreur, connaissance*) ver; (*abri, ennemi*) localizar; **se repérer** *vpr* orientarse; **se faire ~** hacerse notar.

répertoire [ʀepɛʀtwaʀ] *nm* repertorio; (*carnet*) agenda; (*INFORM, de carnet*) directorio; (*indicateur*) índice *m*.

répéter [ʀepete] *vt* repetir; (*nouvelle, secret*) volver a contar; (*leçon, rôle*) repasar; (*THÉÂTRE*) ensayar ♦ *vi* (*THÉÂTRE etc*) ensayar; **se répéter** *vpr* repetirse; **je te répète que ...** te repito que ... .

répétition [ʀepetisjɔ̃] *nf* repetición *f*; (*THÉÂTRE*) ensayo; **~s** *nfpl* clases *fpl* particulares; **armes à ~** armas de repetición; **répétition générale** (*THÉÂTRE*) ensayo general.

répit [ʀepi] *nm* descanso; (*fig*) respiro; **sans ~** sin tregua.

replet, -ète [ʀəplɛ, ɛt] *adj* rollizo(-a).

repli [ʀəpli] *nm* repliegue *m*; **~s** *nmpl* pliegues *mpl*; **repli de terrain** ondulación *f* del terreno.

replier [ʀ(ə)plije] *vt* doblar; **se replier** *vpr* replegarse; **se ~ sur soi-même** ensimismarse.

réplique [ʀeplik] *nf* réplica; **donner la ~ à** contestar a; **sans ~** tajante.

répliquer [ʀeplike] *vt* contestar; (*avec impertinence*) replicar; **~ à** (*critique, personne*) rebatir (a); **~ que ...** contestar que ... .

répondeur [ʀepɔ̃dœʀ] *nm*: **~ automatique** (*TÉL*) contestador *m* automático.

répondre [ʀepɔ̃dʀ] *vi* contestar, responder; (*freins, mécanisme*) responder; **~ à** responder a *ou* contestar a; (*affection*) corresponder a; (*salut, provocation, description*) responder a; **~ que** responder que; **~ de** responder de.

réponse [ʀepɔ̃s] *nf* respuesta; **avec ~ payée** (*POSTES*) a cobro revertido; **avoir ~ à tout** tener respuesta para todo; **en ~ à** en respuesta a; **carte-~** carta de respuesta; **bulletin-~** cupón *m* de concurso.

reportage [ʀ(ə)pɔʀtaʒ] *nm* reportaje *m*.

reporter[1] [ʀ(ə)pɔʀtɛʀ] *nm* reportero.

reporter[2] [ʀəpɔʀte] *vt* (*total, notes*): **~ qch sur** pasar algo a; (*ajourner, renvoyer*): **~ qch (à)** aplazar algo (hasta); **se ~ à** (*époque*) remontarse a; (*document, texte*) remitirse a.

repos [ʀ(ə)po] *nm* descanso; (*après maladie*) reposo; (*fig*) sosiego; (*MIL*): **~!** ¡descansen!; **en ~** en reposo; **au ~** en reposo; (*soldat*) en descanso; **de tout ~** seguro(-a).

reposer [ʀ(ə)poze] *vt* (*verre, livre*) volver a poner; (*rideaux, carreaux*) volver a colocar; (*question, problème*) replantear; (*délasser*) descansar ♦ *vi* (*liquide, pâte*) reposar; (*personne*): **ici repose ...** aquí descansa ...; **se reposer** *vpr* descansar; **~ sur** (*suj: bâtiment*) descansar sobre; (*fig: affirmation*) basarse en; **se ~ sur qn** apoyarse en algn.

repoussant, e [ʀ(ə)pusɑ̃, ɑ̃t] *adj* repulsivo(-a).

repousser [ʀ(ə)puse] *vi* volver a crecer ♦ *vt* rechazar; (*rendez-vous, entrevue*) aplazar; (*répugner*) repeler; (*tiroir, table*) empujar.

reprendre [ʀ(ə)pʀɑ̃dʀ] *vt* (*prisonnier*) volver a coger; (*MIL: ville*) volver a tomar; (*objet posé etc*) recoger; (*objet prêté, donné*) recuperar; (*se resservir de*) volver a tomar; (*racheter*) comprar; (*travail, promenade, études*) reanudar; (*explication, histoire*) volver a; (*emprunter: argument, idée*) tomar; (*article etc*) rehacer; (*jupe, pantalon*) arreglar; (*émission, pièce*) repetir; (*personne*) corregir ♦ *vi* (*cours, classes*) reanudarse; (*froid, pluie etc*) volver, llegar de nuevo; (*affaires, industrie*) reactivarse; **se reprendre** *vpr* (*se corriger*) corregirse; (*se ressaisir*) reponerse; **je reprends** (*poursuivre*) prosigo; **je viendrai te ~ à 4h** (*chercher*) pasaré a recogerte a las cuatro; **reprit-il** (*dire*) contestó; **s'y ~** recomenzar; **~ courage/des forces** recobrar valor/fuerzas; **~ ses habitudes/sa liberté** recuperar sus costumbres/su libertad; **~ la route** volver a ponerse en marcha; **~ connaissance** recobrar el conocimiento; **~ haleine** *ou* **son souffle** recobrar el aliento; **~ la parole** retomar la palabra.

représailles [ʀ(ə)pʀezɑj] *nfpl* represalias *fpl*.

représentant, e [ʀ(ə)pʀezɑ̃tɑ̃, ɑ̃t] *nm/f* representante *m/f*.

représentation [ʀ(ə)pʀezɑ̃tasjɔ̃] *nf* representación *f*; **faire de la ~** (*COMM*) trabajar como representante; **frais de ~** (*d'un diplomate*) gastos *mpl* de representación.

représenter [ʀ(ə)pʀezɑ̃te] *vt* representar; **se représenter** *vpr* (*occasion*) volver a presentarse; (*s'imaginer, se figurer*) figurarse; **se ~ à** (*examen, élections*) volver a presentarse a.

répression [ʀepʀesjɔ̃] *nf* represión *f*; **mesures de ~** medidas *fpl* represivas.

réprimander [ʀepʀimɑ̃de] *vt* reprender.

réprimer [ʀepʀime] *vt* reprimir.

repris, e [ʀ(ə)pʀi] *pp de* **reprendre** ♦ *nm*: **~ de justice** individuo con antecedentes penales.

reprise [ʀ(ə)pʀiz] *nf* (*d'une ville*) toma; (*entreprise*) compra; (*article*) reestructuración *f*; (*jupe, pantalon*) arreglo; (*recommencement*) reanudación *f*; (*de la parole*) proseguimiento; (*THÉÂTRE, TV, CINÉ*) reposición *f*; (*BOXE etc*) repetición *f*; (*AUTO: en accélérant*) reprise *m*; (*COMM*) compra; (*de location*) traspaso; (*raccommodage*) zurcido; **la ~ des hostilités** la reanudación de las hostilidades; **à plusieurs ~s** repetidas veces.

repriser [R(ə)pRize] *vt* zurcir; **aiguille/coton à ~** aguja/hilo de zurcir.

reproche [R(ə)pRɔʃ] *nm* reproche *m*; **ton/air de ~** tono/aire *m* de reproche; **faire des ~s à qn** hacer reproches a algn; **faire ~ à qn de qch** reprochar algo a algn; **sans ~(s)** sin reproche.

reprocher [R(ə)pRɔʃe] *vt* **~ qch à (qn)** reprochar algo a (algn); **se ~ qch/d'avoir fait qch** reprocharse algo/haber hecho algo.

reproduction [R(ə)pRɔdyksjɔ̃] *nf* (*aussi BIOL*) reproducción *f*; **droits de ~** derechos *mpl* de reproducción; **"~ interdite"** "prohibida su reproducción".

reproduire [R(ə)pRɔdɥiR] *vt* reproducir; **se reproduire** *vpr* (*BIOL, fig*) reproducirse.

reptile [Rɛptil] *nm* reptil *m*.

repu, e [Rəpy] *pp de* **repaître** ♦ *adj* harto(-a).

république [Repyblik] *nf* república; **République arabe du Yémen** República árabe del Yemen; **République Centrafricaine** República Centroafricana; **République de Corée** República de Corea; **République démocratique allemande** República democrática alemana; **République d'Irlande** República de Irlanda; **République dominicaine** República Dominicana; **République fédérale d'Allemagne** República federal de Alemania; **République populaire de Chine** República popular de China; **République populaire démocratique de Corée** República popular democrática de Corea; **République populaire du Yémen** República popular del Yemen.

répugnant, e [Repyɲɑ̃, ɑ̃t] *adj* repugnante.

répugner [Repyɲe] *vt* repugnar; **je répugne à le faire** me repugna hacerlo.

répulsion [Repylsjɔ̃] *nf* repulsión *f*.

réputation [Repytasjɔ̃] *nf* reputación *f*; (*d'une maison*) fama; **avoir la ~ d'être ...** tener fama de ser ...; **connaître qn/qch de ~** conocer a algn/algo por la fama; **de ~ mondiale** de fama mundial.

réputé, e [Repyte] *adj* famoso(-a); **être ~ pour** ser famoso(-a) por.

requérir [RəkeRiR] *vt* requerir; (*demander au nom de la loi*) demandar, requerir; (*JUR: peine*) pedir.

requête [Rəkɛt] *nf* (*prière*) petición *f*; (*JUR*) demanda, requerimiento.

requiem [Rekɥijɛm] *nm* réquiem *m*.

requin [Rəkɛ̃] *nm* tiburón *m*; (*fam: fig*) buitre *m*.

requis, e [Rəki, iz] *pp de* **requérir** ♦ *adj* (*conditions, âge*) requerido(-a).

réquisitionner [Rekizisjɔne] *vt* requisar.

RER [ɛRøɛR] *sigle m* (= *Réseau express régional*) *red de trenes rápidos de París y de la periferia*; (*train*) *uno de esos trenes*.

rescapé, e [Rɛskape] *nm/f* superviviente *m/f*.

rescousse [Rɛskus] *nf*: **aller/venir à la ~ de** ir/venir en socorro de; **appeler qn à la ~** pedir la ayuda de algn.

réseau, x [Rezo] *nm* red *f*.

réserve [RezɛRv] *nf* reserva; (*d'un magasin*) depósito; (*de pêche, chasse*) coto; **~s** *nfpl* reservas *fpl*; **la ~** (*MIL*) la reserva; **officier de ~** oficial en la reserva; **sous toutes ~s** con muchas reservas; **sous ~ de** a reserva de; **sans ~** sin reservas; **avoir/mettre/tenir qch en ~** tener/poner/guardar algo en reserva; **de ~** de reserva; **réserve naturelle** reserva natural.

réserver [RezɛRve] *vt* reservar; (*réponse, assentiment etc*) reservarse; **~ qch pour/à** (*mettre de côté, garder*) reservar algo para/a; **~ qch à qn** reservar algo a algn; **se ~ qch** reservarse algo; **se ~ de faire qch** reservarse el hacer algo; **se ~ le droit de faire qch** reservarse el derecho de hacer algo.

réservoir [RezɛRvwaR] *nm* depósito.

résidence [Rezidɑ̃s] *nf* (*ADMIN*) sede *f*; (*habitation luxueuse*) residencia; (*groupe d'immeubles*) conjunto residencial; **(en) ~ surveillée** (*JUR*) (en) arresto domiciliario; **résidence principale/secondaire** residencia principal/secundaria; **résidence universitaire** residencia universitaria.

résidentiel, le [Rezidɑ̃sjɛl] *adj* residencial.

résider [Rezide] *vi*: **~ à/dans/en** residir en; **~ dans/en** (*fig*) radicar en.

résidu [Rezidy] *nm* (*péj*) deshecho; (*CHIM, PHYS*) residuo.

résigné, e [Reziɲe] *adj* resignado(-a).

résigner [Reziɲe] *vt* resignar; **se résigner** *vpr* resignarse; **se ~ à qch/faire qch** resignarse a algo/hacer algo.

résilier [Rezilje] *vt* rescindir.

résine [Rezin] *nf* resina.

résistance [Rezistɑ̃s] *nf* resistencia; **la R~** (*POL*) la Resistencia.

résistant, e [Rezistɑ̃, ɑ̃t] *adj* resistente ♦ *nm/f* militante *m/f* de la Resistencia.

résister [Reziste] *vi* resistir; **~ à** resistir

a; (*personne*) oponerse a.

résolu, e [Rezɔly] *pp de* **résoudre** ♦ *adj* decidido(-a); **être ~ à qch/faire qch** estar decidido(-a) a algo/hacer algo.

résolution [Rezɔlysjɔ̃] *nf* resolución *f*; (*fermeté*) decisión *f*; (*INFORM*) definición *f*; **prendre la ~ de** tomar la resolución de; **bonnes ~s** determinaciones *fpl*.

résolve *etc* [Rezɔlv] *vb voir* **résoudre**.

résonner [Rezɔne] *vi* resonar; **~ de** resonar con.

résoudre [RezudR] *vt* resolver; **~ qn à faire qch** inducir a que algn haga algo; **~ de faire qch** decidir hacer algo; **se ~ à qch/faire qch** decidirse por algo/a *ou* por hacer algo.

respect [Rɛspɛ] *nm* respeto; **~s** *nmpl*: **présenter ses ~s à qn** presentar sus respetos a algn; **tenir qn en ~** mantener a algn a distancia; (*fig*) tener a algn a raya.

respectable [Rɛspɛktabl] *adj* respetable; (*quantité*) considerable.

respecter [Rɛspɛkte] *vt* respetar; **faire ~** hacer respetar; **le lexicographe qui se respecte** (*fig*) el lexicógrafo que se precie.

respectif, -ive [Rɛspɛktif, iv] *adj* respectivo(-a).

respectueux, -euse [Rɛspɛktɥø, øz] *adj* respetuoso(-a); **à une distance respectueuse** a una distancia respetuosa; **~ de** respetuoso(-a) con.

respiration [Rɛspirasjɔ̃] *nf* respiración *f*; **retenir sa ~** contener su respiración; **respiration artificielle** respiración artificial.

respiratoire [Rɛspiratwar] *adj* respiratorio(-a).

respirer [Rɛspire] *vi* respirar ♦ *vt* (*odeur, parfum*) aspirar; (*santé, calme, paix*) respirar.

resplendir [Rɛsplɑ̃diR] *vi* resplandecer; **~ (de)** resplandecer (de).

responsabilité [Rɛspɔ̃sabilite] *nf* responsabilidad *f*; **accepter/refuser la ~ de** aceptar/declinar la responsabilidad de; **prendre ses ~s** asumir su responsabilidad; **décliner toute ~** declinar cualquier responsabilidad; **responsabilité civile/collective/morale/pénale** responsabilidad civil/colectiva/moral/penal.

responsable [Rɛspɔ̃sabl] *adj, nm/f* responsable *m/f*.

resquiller [Rɛskije] *vi* (*au cinéma, au stade*) colarse; (*dans le train*) viajar de gorra.

ressaisir [R(ə)seziR]: **se ~** *vpr* (*se maîtriser*) serenarse; (*équipe sportive, concurrent*) recuperarse.

ressasser [R(ə)sase] *vt* rumiar; (*histoires, critiques*) repetir.

ressembler [R(ə)sɑ̃ble]: **~ à** *vt ind* parecerse a; **se ressembler** *vpr* parecerse.

ressemeler [R(ə)səm(ə)le] *vt* echar nuevas suelas.

ressentiment [R(ə)sɑ̃timɑ̃] *nm* resentimiento.

ressentir [R(ə)sɑ̃tiR] *vt* sentir; **se ~ de** resentirse de.

resserrer [R(ə)seRe] *vt* apretar; (*liens d'amitié*) estrechar; **se resserrer** *vpr* (*route, vallée*) estrecharse; (*liens, nœuds*) apretarse; **se ~ (autour de)** (*fig*) acercarse (a).

resservir [R(ə)sɛRviR] *vt*: **~ de qch (à qn)** volver a servir algo (a algn) ♦ *vi* (*être réutilisé*) servir de nuevo; **~ qn (d'un plat)** volver a servir a algn (un plato); **se ~ de** (*plat*) volver a servirse.

ressort [RəsɔR] *vb voir* **ressortir** ♦ *nm* muelle *m*; **avoir du/manquer de ~** tener/carecer de coraje; **en dernier ~** en última instancia; **être du ~ de** ser de la competencia de.

ressortir [RəsɔRtiR] *vi* (*sortir à nouveau*) salir de nuevo; (*projectile etc*) salir; (*couleur, broderie, détail*) resaltar ♦ *vt* sacar de nuevo; **~ de: il ressort de ceci que ...** resulta de eso que ...; **~ à** (*ADMIN, JUR*) ser de la jurisdicción de; **faire ~ qch** (*fig*) hacer resaltar algo.

ressortissant, e [R(ə)sɔRtisɑ̃, ɑ̃t] *nm/f* súbdito(-a).

ressource [R(ə)suRs] *nf* (*expédient, recours*): **avoir la ~ de** tener el recurso de; **~s** *nfpl* recursos *mpl*; **leur seule ~ était de ...** su único recurso era ...; **ressources d'énergie** recursos energéticos.

ressusciter [Resysite] *vt* (*personne*) resucitar; (*art, mode*) resurgir ♦ *vi* (*Christ, aussi fig*) resucitar.

restant, e [Rɛstɑ̃, ɑ̃t] *adj* restante ♦ *nm* (*d'une somme, quantité*): **le ~ (de)** el resto (de); **un ~ de** unas sobras de; (*vestige*) un resto de.

restaurant [Rɛstɔrɑ̃] *nm* restaurante *m*; **manger au ~** comer en un restaurante; **restaurant d'entreprise/universitaire** comedor *m* de una empresa/universitario.

restaurer [Rɛstɔre] *vt* restaurar; **se restaurer** *vpr* comer.

reste [Rɛst] *nm* resto; (*MATH*) residuo; **~s** *nmpl* (*CULIN*) sobras *fpl*; (*d'une cité, dépouille mortelle*) restos *mpl*; **utiliser un ~ de poulet/soupe/tissu** utilizar un resto de pollo/sopa/tejido; **faites ceci, je me charge du ~** haced esto, del resto me encargo yo; **pour le ~, quant au ~** por lo demás, en cuanto a lo demás; **le ~ du temps/des gens** el resto del tiempo/de la gente;

avoir du temps/de l'argent de ~ tener tiempo/dinero de sobra; **et tout le ~** y todo lo demás; **ne voulant pas être** *ou* **demeurer en ~** no queriendo ser menos; **partir sans attendre** *ou* **demander son ~** (*fig*) marcharse sin esperar respuesta; **du ~, au ~** (*au surplus, d'ailleurs*) además.

rester [ʀɛste] *vi* (*dans un lieu*) quedarse; (*dans un état, une position*) quedar; (*être encore là, subsister*) permanecer; (*durer*) persistir ♦ *vb impers*: **il me reste du pain** me queda pan; **il (me) reste 2 œufs** (me) quedan 2 huevos; **il (me) reste 10 minutes** (me) quedan 10 minutos; **voilà tout ce qui (me) reste** esto es todo lo que (me) queda; **ce qui (me) reste à faire** lo que (me) falta por hacer; **(il) reste à savoir/établir si ...** queda por saber/establecer si ...; **il reste que ..., il n'en reste pas moins que ...** sin embargo ..., con todo y con eso ...; **en ~ à** (*stade, menaces*) quedarse en; **restons-en là** dejémoslo aquí; **~ immobile/assis/habillé** quedarse inmóvil/sentado/vestido; **~ sur sa faim/une impression** quedarse con las ganas/una impresión; **y ~** (*fam*): **il a failli y ~** por poco estira la pata.

restituer [ʀɛstitɥe] *vt* (*texte, inscription*) reconstruir; (*TECH: énergie, son*) reproducir; **~ qch (à qn)** (*objet, somme*) restituir algo (a algn).

restreindre [ʀɛstʀɛ̃dʀ] *vt* restringir; **se restreindre** *vpr* restringirse.

restriction [ʀɛstʀiksjɔ̃] *nf* restricción *f*; **~s** *nfpl* (*rationnement*) restricciones *fpl*; **faire des ~s** (*critiquer*) tener reservas; (*mentales*) hacer restricción mental; **sans ~** sin reservas.

résultat [ʀezylta] *nm* resultado; **~s** *nmpl* resultados *mpl*; **exiger/obtenir des ~s** exigir/obtener resultados; **résultats sportifs** resultados deportivos.

résulter [ʀezylte] *vi*: **~ de** resultar de; **il résulte de ceci que ...** de ello resulta que ... .

résumé [ʀezyme] *nm* resumen *m*; (*ouvrage succinct*) compendio *m*; **faire le ~ de** hacer el resumen de; **en ~** en resumen.

résumer [ʀezyme] *vt* resumir; **se résumer** *vpr* (*personne*) sintetizar; **se ~ à** (*se réduire à*) resumirse a.

resurgir [ʀ(ə)syʀʒiʀ] *vi* resurgir.

résurrection [ʀezyʀɛksjɔ̃] *nf* (*REL*) resurrección *f*; (*fig*) reaparición *f*.

rétablir [ʀetabliʀ] *vt* restablecer; **se rétablir** *vpr* restablecerse; (*GYMNASTIQUE etc*): **se ~ (sur)** elevarse (sobre); **~ qn** restablecer a algn; **~ qn dans son emploi/ses droits** (*ADMIN*) restablecer a algn en su empleo/en sus derechos.

rétablissement [ʀetablismɑ̃] *nm* restablecimiento; (*GYMNASTIQUE etc*) elevación *f*; **faire un ~** (*GYMNASTIQUE etc*) hacer una elevación.

retaper [ʀ(ə)tape] *vt* arreglar; (*fig: fam*) restablecer; (*redactylographier*) pasar de nuevo a máquina, mecanografiar de nuevo.

retard [ʀ(ə)taʀ] *nm* retraso; **arriver en ~** llegar con retraso; **être en ~** (*personne*) llegar tarde; (*train*) traer retraso; (*dans paiement, travail*) retrasarse; (*pays*) estar retrasado(-a); **être en ~ (de 2 heures)** retrasarse (2 horas); **avoir un ~ de 2 heures/2 km** (*SPORT*) llevar un retraso de 2 horas/2 km; **rattraper son ~** recuperarse de un retraso; **avoir du ~** estar retrasado(-a); (*sur un programme*) estar atrasado(-a); **prendre du ~** (*train, avion*) retrasarse; (*montre*) atrasarse; **sans ~** sin retraso; **~ à l'allumage** (*AUTO*) retardo en la chispa; **retard scolaire** retraso escolar.

retardataire [ʀ(ə)taʀdatɛʀ] *adj* (*enfant*) retrasado(-a); (*idées*) atrasado(-a) ♦ *nm/f* rezagado(-a).

retardement [ʀ(ə)taʀdəmɑ̃]: **à ~** *adj* de efecto retardado; (*aussi PHOTO, mécanisme*) de mecanismo retardado; **bombe à ~** bomba de relojería.

retarder [ʀ(ə)taʀde] *vt* (*montre*) atrasar; (*travail, études*) retrasar ♦ *vi* (*horloge, montre*) atrasar; (*: d'habitude*) estar atrasado(-a); (*fig: personne*) no estar al tanto; **~ qn (d'une heure)** retrasar a algn (una hora); **je retarde (d'une heure)** mi reloj va una hora atrasada.

retenir [ʀət(ə)niʀ] *vt* retener; (*objet qui glisse*) agarrar; (*objet suspendu*) sujetar; (*odeur, chaleur, lumière etc*) conservar; (*colère, larmes*) contener; (*chanson, date*) recordar; (*suggestion, proposition*) aceptar; (*place, chambre*) reservar; (*MATH*) llevarse; **se retenir** *vpr* (*euphémisme*) aguantarse; (*se raccrocher*): **se ~ (à)** agarrarse (a); **~ qn (de faire)** impedir a algn (hacer); **se ~ (de faire qch)** contenerse (de hacer algo); **je pose 3 et je retiens 2** pongo 3 y me llevo 2; **~ un rire/sourire** contener la risa/sonrisa; **~ son souffle** *ou* **haleine** contener su respiración *ou* aliento; **il m'a retenu à dîner** me ha hecho quedarme a cenar.

retentir [ʀ(ə)tɑ̃tiʀ] *vi* resonar; (*fig*) repercutir; **~ de** retumbar con; **~ sur** (*fig*) repercutir sobre.

retenu, e [ʀət(ə)ny] *pp de* **retenir** ♦ *adj* (*place, propos*) reservado(-a); (*personne: empêché*) retenido(-a).

retenue [Rət(ə)ny] *nf* (*somme prélevée*) deducción *f*; (*MATH*) lo que se lleva; (*SCOL*) castigo; (*modération*) moderación *f*; (*réserve*) reserva; (*AUTO*) cola.

réticent, e [Retisɑ̃, ɑ̃t] *adj* reticente.

rétine [Retin] *nf* retina.

retirer [R(ə)tiRe] *vt* retirar; (*vêtement, lunettes*) quitarse; **se retirer** *vpr* retirarse; ~ **qch à qn** quitarle algo a algn; ~ **qch/qn de** sacar algo/a algn de; ~ **un bénéfice/des avantages de** sacar beneficio de/ventajas de.

retombées [Rətɔ̃be] *nfpl* (*radioactives*) lluvias *fpl*; (*d'un événement*) repercusiones *fpl*; (*d'une invention*) efectos *mpl*.

retomber [R(ə)tɔ̃be] *vi* caer; (*tomber de nouveau*) caer de nuevo; ~ **malade/dans l'erreur** volver a caer enfermo/en el error; ~ **sur qn** recaer sobre algn.

retouche [R(ə)tuʃ] *nf* retoque *m*; **faire une** *ou* **des ~(s) à** dar un *ou* unos retoque(s) a.

retour [R(ə)tuR] *nm* vuelta; (*d'un lieu, vers un lieu*) regreso; **au ~** a la vuelta; **pendant le ~** durante el regreso; **à mon/ton ~** a mi/tu regreso; **au ~ de** a la vuelta de; **être de ~ (de)** estar de vuelta (de); **de ~ à Lyons** de vuelta en Lyons; **de ~ chez moi** de vuelta en casa; **"de ~ dans 10 minutes"** "vuelvo en 10 minutos"; **en ~** en cambio; **par ~ du courrier** a vuelta de correo; **un juste ~ des choses** un castigo merecido; **un de ces jours, il y aura un ~ de manivelle** un día se le virará la tortilla; **match ~** partido de vuelta; **retour à l'envoyeur** (*POSTES*) devuelto a su procedencia; **retour (automatique) à la ligne** (*INFORM*) salto de línea automático; **retour aux sources** (*fig*) vuelta a las raíces; **retour de bâton** contragolpe *m*; **retour de chariot** vuelta de carretilla; **retour de flamme** retorno de llama; (*fig*) contragolpe *m*; **retour en arrière** (*CINÉ, LITT, fig*) vuelta atrás; (*mesure*) paso atrás; **retour offensif** vuelta ofensiva.

retourner [R(ə)tuRne] *vt* (*dans l'autre sens*) dar la vuelta a, voltear (*AM*); (*caisse*) poner boca abajo; (*arme*) volver; (*renvoyer, restituer, argument*) devolver; (*sac, vêtement*) volver del revés; (*terre, sol, foin, émouvoir*) revolver ♦ *vi* volver; (*aller de nouveau*): ~ **quelque part/vers/chez** volver de nuevo a algún sitio/hacia/a casa de; **se retourner** *vpr* volverse, voltearse (*AM*); (*voiture*) dar vuelta de campana; (*tourner la tête*) volverse; ~ **à** volver a; **s'en ~** regresar; **se ~ contre qn/qch** (*fig*) volverse contra algn/algo; **savoir de quoi il retourne** saber de qué se trata; ~ **sa veste** *ou* **se ~** (*fig: fam*) cambiar de bando; ~ **en arrière** *ou* **sur ses pas** volver atrás *ou* sobre sus pasos; ~ **aux sources** volver a las raíces.

retrait [R(ə)tRɛ] *nm* retiro; (*d'un tissu au lavage*) encogimiento; **en ~** apartado(-a); **écrire en ~** escribir dejando un margen; **retrait du permis (de conduire)** retirada de carnet (de conducir).

retraite [R(ə)tRɛt] *nf* retiro; (*d'une armée*) retirada; (*d'un employé, fonctionnaire*) jubilación *f*; **être à la ~** estar jubilado(-a); **mettre à la ~** jubilar (a); **prendre sa ~** jubilarse; **retraite anticipée** jubilación anticipada; **retraite aux flambeaux** desfile *m* con antorchas.

retraité, e [R(ə)tRete] *adj* retirado(-a), jubilado(-a) ♦ *nm/f* jubilado(-a).

retranchements [R(ə)tRɑ̃ʃmɑ̃] *nmpl*: **attaquer** *ou* **forcer qn dans ses ~** acorralar a algn; **derniers ~** últimos recursos *mpl*.

retrancher [R(ə)tRɑ̃ʃe] *vt* suprimir; (*couper, aussi fig*) mutilar; ~ **qch de** (*nombre, somme*) sustraer algo de; **se ~ derrière/dans** (*MIL*) parapetarse detrás de/en; (*fig*) refugiarse en.

retransmettre [R(ə)tRɑ̃smɛtR] *vt* retransmitir.

rétréci, e [RetResi] *adj* estrechado(-a).

rétrécir [RetResiR] *vt, vi* (*vêtement*) encoger; **se rétrécir** *vpr* estrecharse.

rétribution [RetRibysjɔ̃] *nf* retribución *f*.

rétro [RetRo] *adj inv*: **mode/style ~** moda/estilo retro *inv* ♦ *nm* (*fam*) = **rétroviseur**.

rétrograder [RetRɔgRade] *vi* (*AUTO*) reducir velocidad; (*cheval, coureur*) atrasarse ♦ *vt* (*MIL, ADMIN*) degradar.

retroussé, e [R(ə)tRuse] *adj*: **nez ~** nariz respingona.

retrousser [R(ə)tRuse] *vt* (*pantalon etc*) arremangar; (*fig: nez*) arrugar; (*lèvres*) fruncir.

retrouvailles [R(ə)tRuvɑj] *nfpl* reencuentro.

retrouver [R(ə)tRuve] *vt* encontrar; (*sommeil, calme, santé*) recobrar; (*expression, style*) reconocer; (*rejoindre*) encontrarse con; **se retrouver** *vpr* encontrarse; (*s'orienter*) orientarse; **se ~ dans** (*calculs, dossiers, désordre*) desenvolverse en; **s'y ~** (*rentrer dans ses frais*) salir ganando.

rétroviseur [RetRɔvizœR] *nm* retrovisor *m*.

Réunion [Reynjɔ̃] *nf*: **la ~, l'île de la ~** la (isla de la) Reunión.

réunion [Reynjɔ̃] *nf* reunión *f*; (*séance, congrès*) encuentro; **réunion électorale** mitin *m* electoral; **réunion sportive** tertulia deportiva.

réunionnais, e [ʀeynjɔnɛ, ɛz] *adj* de la Reunión ♦ *nm/f*: **R~, e** nativo(-a) *ou* habitante *m/f* de la Reunión.

réunir [ʀeyniʀ] *vt* reunir; (*rapprocher*) juntar; (*rattacher*) unir; **se réunir** *vpr* reunirse; (*s'allier*) unirse; (*chemins, cours d'eau etc*) juntarse; ~ **qch à** sumar algo a.

réussi, e [ʀeysi] *adj* (*robe, photographie*) logrado(-a); (*réception*) exitoso(-a).

réussir [ʀeysiʀ] *vi* (*tentative, projet*) ser un éxito; (*plante, culture*) darse bien; (*personne*) tener éxito; (: *à un examen*) salir bien de ♦ *vt* (*examen, plat*) salir bien; ~ **à faire qch** lograr hacer algo; ~ **à qn** (*aliment*) sentar bien a algn; **le travail/le mariage lui réussit** el trabajo/el matrimonio le sienta bien.

réussite [ʀeysit] *nf* éxito; (*de qn*: *aussi pl*) éxitos *mpl*, triunfos *mpl*; (*CARTES*) solitario.

revanche [ʀ(ə)vɑ̃ʃ] *nf* revancha; **prendre sa ~ (sur)** tomar la revancha (contra); **en ~** en cambio; (*en compensation*) en compensación.

rêve [ʀɛv] *nm* sueño; **paysage/silence de ~** paisaje/silencio de ensueño; **la voiture/maison de ses ~s** el coche/la casa de sus sueños; **rêve éveillé** ensueño.

revêche [ʀəvɛʃ] *adj* hosco(-a).

réveil [ʀevɛj] *nm* despertar *m*; (*pendule*) despertador *m*; **au ~, je ...** al despertar, yo ...; **sonner le ~** (*MIL*) tocar a diana.

réveille-matin [ʀevɛjmatɛ̃] *nm inv* despertador *m*.

réveiller [ʀeveje] *vt* despertar; **se réveiller** *vpr* despertarse; (*fig*: *se secouer*) espabilarse.

réveillon [ʀevɛjɔ̃] *nm* cena de Nochebuena; (*de la Saint-Sylvestre*) cena de Nochevieja; (*dîner, soirée*) cotillón *m*.

réveillonner [ʀevɛjɔne] *vi celebrar la cena de Nochebuena ou la cena de Nochevieja*.

révélateur, -trice [ʀevelatœʀ, tʀis] *adj* revelador(a) ♦ *nm* (*PHOTO*) revelador *m*.

révélation [ʀevelasjɔ̃] *nf* revelación *f*.

révéler [ʀevele] *vt* revelar; **se révéler** *vpr* revelarse; ~ **qn/qch** dar algn/algo a conocer; **se ~ facile/faux** resultar fácil/falso; **se ~ cruel** mostrarse cruel; **se ~ un allié sûr** resultar ser un aliado seguro.

revenant, e [ʀ(ə)vənɑ̃, ɑ̃t] *nm/f* fantasma *m*.

revendiquer [ʀ(ə)vɑ̃dike] *vt* reivindicar; (*responsabilité*) asumir ♦ *vi* (*POL*) reivindicar.

revendre [ʀ(ə)vɑ̃dʀ] *vt* revender; ~ **du sucre** (*vendre davantage de*) volver a vender azucar; **à ~** de sobra; **avoir du talent/de l'énergie à ~** tener talento/energía para dar y tomar.

revenir [ʀəv(ə)niʀ] *vi* (*venir de nouveau*) venir de nuevo; (*rentrer*) regresar, volver; (*saison, mode, calme*) volver; ~ **(à qn)** volverle (a algn); **faire ~ de la viande/des légumes** rehogar la carne/las verduras; ~ **cher/à 100 F (à qn)** resultar caro/a 100 francos (a algn); ~ **à** (*études, conversation, projet*) volver a; (*équivaloir à*) venir a ser; ~ **à qn** (*rumeur, nouvelle*) llegar a los oídos de algn; (*part, honneur, responsabilité*) corresponder a algn; (*souvenir, nom*) venirle a algn *ou* a la mente; ~ **de** (*fig*) salir de; ~ **sur** (*question*) volver sobre; (*promesse*) retractarse de; ~ **à la charge** volver a la carga; ~ **à soi** volver en sí; **n'en pas ~**: **je n'en reviens pas** no vuelvo de mi asombro; ~ **sur ses pas** dar marcha atrás; **cela revient au même/à dire que** eso equivale a lo mismo/a decir que; **je reviens de loin** (*fig*) me escapé de una buena.

revenu, e [ʀəv(ə)ny] *pp de* **revenir** ♦ *nm* renta; (*d'une terre*) rendimiento; **~s** *nmpl* ingresos *mpl*.

rêver [ʀeve] *vi* soñar ♦ *vt* soñar con; ~ **de** *ou* **à** soñar con; ~ **que** soñar que.

réverbère [ʀevɛʀbɛʀ] *nm* farola.

révérence [ʀeveʀɑ̃s] *nf* reverencia.

révérend, e [ʀeveʀɑ̃, ɑ̃d] *adj* (*REL*): **le ~ père Pascal** el reverendo padre Pascal.

rêverie [ʀɛvʀi] *nf* ensoñación *f*, ensueño.

revers [ʀ(ə)vɛʀ] *nm* revés *msg*; (*d'une feuille*) envés *msg*; (*de la main*) dorso; (*d'une pièce, médaille*) reverso; **d'un ~ de main** de un revés; **le ~ de la médaille** (*fig*) el lado malo; **prendre à ~** (*MIL*) coger por la espalda; **revers de fortune** revés de fortuna.

revêtement [ʀ(ə)vɛtmɑ̃] *nm* revestimiento; (*d'une chaussée*) firme *m*; (*d'un tuyau etc*) capa.

revêtir [ʀ(ə)vetiʀ] *vt* revestir; (*vêtement*) ponerse; ~ **qn de** vestir a algn con; ~ **qch de** revestir algo de; (*signature, visa*) estampar algo con.

rêveur, -euse [ʀɛvœʀ, øz] *adj* soñador(a) ♦ *nm/f* soñador(a); (*péj*: *utopiste*) quijote *m*.

revient [ʀəvjɛ̃] *vb voir* **revenir** ♦ *nm*: **prix de ~** (*COMM*) precio de coste.

revirement [ʀ(ə)viʀmɑ̃] *nm* (*d'une personne*) cambio de opinión; (*d'une situation, de l'opinion*) cambio brusco.

réviser [ʀevize] *vt* revisar; (*SCOL, comptes*) repasar.

révision [ʀevizjɔ̃] *nf* revisión *f*; **conseil**

de ~ (*MIL*) junta de clasificación y revisión; **faire ses ~s** (*SCOL*) repasar; **la ~ des 10000 km** (*AUTO*) la revisión de los 10.000 km.

revivre [ʀ(ə)vivʀ] *vi* recuperar fuerzas; (*traditions, coutumes*) recuperarse ♦ *vt* revivir; **faire ~** (*mode, institution, usage*) resucitar; (*personnage, époque*) hacer revivir.

revoir [ʀ(ə)vwaʀ] *vt* volver a ver; (*par la mémoire*) recordar; (*texte, édition*) revisar; (*matière, programme*) repasar ♦ *nm*: **au ~** adiós *msg*; **se revoir** *vpr* (*amis*) volverse a ver; **au ~ Monsieur/Madame** adiós señor/señora; **dire au ~ à qn** decir adiós a algn.

révolte [ʀevɔlt] *nf* rebelión *f*; (*indignation*) indignación *f*.

révolter [ʀevɔlte] *vt* indignar; **se révolter** *vpr*: **se ~ (contre)** rebelarse (contra); (*s'indigner*) indignarse (con).

révolu, e [ʀevɔly] *adj* (*de jadis*) pasado(-a); (*fini*: *période, époque*) terminado(-a); (*ADMIN*: *complété*: *année etc*): **âgé de 18 ans ~s** con 18 años cumplidos; **après 3 ans ~s** después de pasados 3 años.

révolution [ʀevɔlysjɔ̃] *nf* revolución *f*; **être en ~** (*pays etc*) estar en revolución; **la révolution industrielle** la revolución industrial; **la Révolution française** la Revolución Francesa.

révolutionnaire [ʀevɔlysjɔnɛʀ] *adj, nm/f* revolucionario(-a).

revolver [ʀevɔlvɛʀ] *nm* pistola; (*à barillet*) revólver *m*.

révoquer [ʀevɔke] *vt* revocar; (*fonctionnaire*) destituir.

revue [ʀ(ə)vy] *nf* revista; **passer en ~** (*MIL*) pasar revista (a); (*fig*: *problèmes, possibilités*) estudiar; **revue de (la) presse** revista de prensa.

rez-de-chaussée [ʀed(ə)ʃose] *nm inv* planta baja.

rhabiller [ʀabije] *vt* volver a vestir; **se rhabiller** *vpr* volver a vestirse.

Rhin [ʀɛ̃] *nm*: **le ~** el Rin.

rhinocéros [ʀinɔseʀɔs] *nm* (*ZOOL*) rinoceronte *m*.

Rhône [ʀon] *nm*: **le ~** el Ródano.

rhubarbe [ʀybaʀb] *nf* ruibarbo.

rhum [ʀɔm] *nm* ron *m*.

rhumatisme [ʀymatism] *nm* reumatismo, reúma; **avoir des ~s** tener reúma.

rhume [ʀym] *nm* catarro; **rhume de cerveau** catarro de nariz; **le rhume des foins** la fiebre del heno.

ri [ʀi] *pp de* **rire**.

ribambelle [ʀibɑ̃bɛl] *nf*: **une ~ d'enfants/de chats** una manada de niños/de gatos.

ricaner [ʀikane] *vi* (*avec méchanceté*) reírse burlonamente; (*bêtement*) reírse con risa tonta; (*avec gêne*) reírse con sofocación.

riche [ʀiʃ] *adj* rico(-a); **~s** *nmpl*: **les ~s** los ricos; **~ en/de** rico(-a) en/de.

richesse [ʀiʃɛs] *nf* riqueza; **~s** *nfpl* riquezas *fpl*; **la ~ en vitamines d'un aliment** la riqueza vitamínica de un alimento.

ricochet [ʀikɔʃɛ] *nm* rebote *m*; **faire ~** rebotar; (*fig*) tener repercusión; **faire des ~s** hacer cabrillas; **par ~** de rebote.

rictus [ʀiktys] *nm* rictus *msg*.

ride [ʀid] *nf* arruga; (*sur l'eau, le sable*) onda.

ridé, e [ʀide] *adj* arrugado(-a).

rideau, x [ʀido] *nm* (*de fenêtre*) visillo; (*THÉÂTRE*) telón *m*; (*d'arbres etc*) hilera; **tirer/ouvrir les ~x** correr/descorrer las cortinas; **le ~ de fer** (*POL*) el Telón de Acero; **rideau de fer** cierre *m* metálico.

rider [ʀide] *vt* arrugar; (*eau, sable etc*) ondear; **se rider** *vpr* arrugarse.

ridicule [ʀidikyl] *adj* ridículo(-a); (*dérisoire*) risible ♦ *nm* ridículo; (*travers*: *gén pl*) defectos *mpl*; **tourner qn en ~** poner a algn en ridículo.

ridiculiser [ʀidikylize] *vt* ridiculizar; **se ridiculiser** *vpr* ridiculizarse.

rie [ʀi] *vb voir* **rire**.

rien [ʀjɛ̃] *pron*: **(ne) ... ~** (no) ... nada ♦ *nm*: **un petit ~** (*cadeau*) un detalle (de nada); **des ~s** naderías *fpl*; **qu'est-ce que vous avez? – ~** ¿qué le pasa? – nada; **il n'a ~ dit/fait** no dijo/hizo nada; **il n'a ~** (*n'est pas blessé*) no tiene nada; **de ~!** ¡de nada!; **n'avoir peur de ~** no tener miedo de nada; **a-t-il jamais ~ fait pour nous?** ¿ha hecho alguna vez algo por nosotros?; **~ d'intéressant** nada interesante; **~ d'autre** nada más; **~ du tout** nada en absoluto; **~ que** nada más que; **~ que pour lui faire plaisir** nada más que por agradarle; **~ que la vérité** nada más que la verdad; **~ que cela** nada más que eso; **un ~ de** una pizca de; **en un ~ de temps** en nada de tiempo.

rieur, -euse [ʀ(i)jœʀ, ʀ(i)jøz] *adj* reidor(a); (*yeux, expression*) risueño(-a).

rigide [ʀiʒid] *adj* rígido(-a).

rigole [ʀigɔl] *nf* desagüe *m*; (*filet d'eau*) reguero.

rigoler [ʀigɔle] *vi* reírse; (*s'amuser*) pasarlo bien; (*ne pas parler sérieusement, plaisanter*) estar de broma.

rigolo, -ote [ʀigɔlo, ɔt] (*fam*) *adj* gracioso(-a); (*curieux, étrange*) raro(-a) ♦ *nm/f* gracioso(-a); (*péj*: *fumiste*) cantamañanas *m inv.*

rigoureux, -euse [RiguRø, øz] *adj* riguroso(-a); (*morale*) rígido(-a); (*interdiction*) total.

rigueur [RigœR] *nf* rigor *m*; (*de la morale*) rigidez *f*; (*d'une interdiction*) rigurosidad *f*; **de ~** de rigor; **être de ~** ser de rigor; **à la ~** en último extremo; **tenir ~ à qn de qch** guardar rencor a algn por algo.

rillettes [Rijɛt] *nfpl especie de paté de cerdo u oca.*

rime [Rim] *nf* rima; **n'avoir ni ~ ni raison** no tener pies ni cabeza.

rimer [Rime] *vi* rimar; **~ avec** rimar con; **ne ~ à rien** no tener sentido.

rincer [Rɛ̃se] *vt* enjuagar; (*linge*) aclarar; **se ~ la bouche** (*chez le dentiste etc*) enjuagarse la boca.

ring [Riŋ] *nm* ring *m*; **monter sur le ~** dedicarse al boxeo.

ringard, e [Rɛ̃gaR, aRd] (*péj*) *adj* anticuado(-a).

rions [Rjɔ̃] *vb voir* **rire**.

riposte [Ripɔst] *nf* réplica.

riposter [Ripɔste] *vi* replicar ♦ *vt*: **~ que** responder que; **~ à** responder a.

rire [RiR] *vi* reír; (*se divertir*) reírse; (*plaisanter*) bromear ♦ *nm* risa; **se ~ de** reírse de; **tu veux ~!** (*désapprobation*) ¡estás de broma!; **~ aux éclats/aux larmes** reírse a carcajadas/hasta llorar; **~ jaune** reírse sin ganas; **~ sous cape** reírse para sus adentros; **~ au nez de qn** reírse en las narices de algn; **pour ~** en broma.

risée [Rize] *nf*: **être la ~ de** ser el hazmerreír de.

risque [Risk] *nm* riesgo; **aimer le ~** amar el riesgo; **l'attrait du ~** la emoción del riesgo; **prendre un ~/des ~s** correr un riesgo/riesgos; **à ses ~s et périls** por su cuenta y riesgo; **au ~ de** a riesgo de; **risque d'incendie** riesgo de incendio.

risqué, e [Riske] *adj* arriesgado(-a); (*plaisanterie, histoire*) escabroso(-a).

risquer [Riske] *vt* arriesgar; (*allusion, comparaison, question*) aventurar; (*MIL, gén*) arriesgarse a; **tu risques qu'on te renvoie** te arriesgas a que te despidan; **ça ne risque rien** no hay riesgo alguno; **il risque de se tuer** puede matarse; **il a risqué de se tuer** por poco si se mata; **ce qui risque de se produire** lo que puede producirse; **il ne risque pas de recommencer** no hay peligro de que vuelva a empezar; **se ~ dans** aventurarse en; **se ~ à qch/faire qch** arriesgarse a algo/hacer algo; **~ le tout pour le tout** arriesgar el todo por el todo.

rite [Rit] *nm* rito; (*fig*) ritual *m*; **rites d'initiation** ritos iniciáticos.

rituel, le [Ritɥɛl] *adj* ritual ♦ *nm* ritual *m*.

rivage [Rivaʒ] *nm* (*côte, littoral*) costa; (*grève, plage*) orilla.

rival, e, -aux [Rival, o] *adj* rival ♦ *nm/f* (*adversaire*) rival *m/f*; **sans ~** sin rival.

rivaliser [Rivalize] *vi*: **~ avec** rivalizar con; **~ d'élégance/de générosité avec qn** rivalizar en elegancia/en generosidad con algn.

rivalité [Rivalite] *nf* rivalidad *f*.

rive [Riv] *nf* orilla.

riverain, e [Riv(ə)Rɛ̃, ɛn] *adj, nm/f* (*d'une rivière*) ribereño(-a); (*d'une route*) vecino(-a).

rivet [Rivɛ] *nm* remache *m*.

rivière [RivjɛR] *nf* río; **rivière de diamants** collar *m* de diamantes.

rixe [Riks] *nf* pelea.

riz [Ri] *nm* arroz *m*; **riz au lait** arroz con leche.

robe [Rɔb] *nf* vestido; (*de juge, d'avocat*) toga; (*d'ecclésiastique*) hábito; (*d'un animal*) pelo; **robe de baptême** traje *m* de bautismo; **robe de chambre** bata; **robe de grossesse** vestido premamá; **robe de mariée** vestido de novia; **robe de soirée** traje de noche.

robinet [Rɔbinɛ] *nm* grifo, canilla (*AM*); **robinet du gaz** llave *f* del gas; **robinet mélangeur** grifo mezclador.

robot [Rɔbo] *nm* robot *m*; **robot de cuisine** robot de cocina.

robuste [Rɔbyst] *adj* robusto(-a); (*moteur, voiture*) resistente.

roc [Rɔk] *nm* roca.

roche [Rɔʃ] *nf* roca; **une ~** un peñasco; **~s éruptives/calcaires** rocas volcánicas/calizas.

rocher [Rɔʃe] *nm* (*un rocher*) peñasco; (*matière*) roca; (*ANAT*) temporal *m*.

rocheux, -euse [Rɔʃø, øz] *adj* rocoso(-a); **les (montagnes) Rocheuses** (*GÉO*) las (montañas) Rocosas.

roder [Rɔde] *vt* (*moteur, voiture*) rodar; (*spectacle, service*) perfeccionar.

rôder [Rode] *vi* rondar; (*péj*) vagabundear.

rôdeur, -euse [RodœR, øz] *nm/f* vagabundo(-a).

rogne [Rɔɲ] *nf*: **être en ~** estar rabiando; **mettre en ~** hacer rabiar; **se mettre en ~** cogerse un berrinche.

rogner [Rɔɲe] *vt* recortar; (*prix etc*) rebajar ♦ *vi*: **~ sur** (*dépenses etc*) recortar.

rognons [Rɔɲɔ̃] *nmpl* riñones *mpl*.

roi [Rwa] *nm* rey *m*; **le jour** *ou* **la fête des R~s, les R~s** el día de Reyes, los Reyes;

les Rois mages los Reyes magos.

rôle [ʀol] *nm* (*CINÉ, THÉÂTRE, aussi fig*) papel *m*; (*fonction*) función *f*; **jouer un ~ important dans ...** desempeñar un papel importante en ... .

romain, e [ʀɔmɛ̃, ɛn] *adj* romano(-a) ♦ *nm/f*: **R~, e** romano(-a).

roman, e [ʀɔmɑ̃, an] *adj* románico(-a) ♦ *nm* novela; **roman d'espionnage** novela de espionaje; **roman noir/policier** novela negra/policíaca.

romance [ʀɔmɑ̃s] *nf* romanza.

romancer [ʀɔmɑ̃se] *vt* novelar.

romancier, -ière [ʀɔmɑ̃sje, jɛʀ] *nm/f* novelista *m/f*.

romanesque [ʀɔmanɛsk] *adj* (*incroyable, fantastique*) fabuloso(-a); (*sentimental, rêveur*) romántico(-a); (*LITT*) novelesco(-a).

roman-photo [ʀɔmɑ̃fɔto] (*pl* **~s-~s**) *nm* fotonovela.

romantique [ʀɔmɑ̃tik] *adj* romántico(-a).

romarin [ʀɔmaʀɛ̃] *nm* romero.

rompre [ʀɔ̃pʀ] *vt* romper ♦ *vi* (*fiancés*) romper; **se rompre** *vpr* romperse; **~ avec** romper con; **applaudir à tout ~** aplaudir a rabiar; **~ la glace** (*fig*) romper el hielo; **rompez!** (*MIL*) ¡rompan filas!; **se ~ les os** *ou* **le cou** romperse los huesos *ou* la crisma.

rompu, e [ʀɔ̃py] *pp de* **rompre** ♦ *adj* (*fourbu*) deshecho(-a); **~ à** avezado(-a) en.

ronce [ʀɔ̃s] *nf* zarza; (*MENUISERIE*): **~ de noyer** veta de nogal; **~s** *nfpl* zarzas *fpl*.

rond, e [ʀɔ̃, ʀɔ̃d] *adj* redondo(-a); (*fam: ivre*) alegre; (*sincère, décidé*): **être ~ en affaires** ser serio(-a) en los negocios ♦ *nm* redondo ♦ *adv*: **tourner ~** (*moteur*) marchar bien; **je n'ai plus un ~** (*fam: sou*) no me queda ni una perra; **ça ne tourne pas ~** (*fig*) eso no marcha bien; **pour faire un compte ~** para redondear la cuenta; **avoir le dos ~** ser cargado(-a) de hombros; **en ~** (*s'asseoir, danser*) en corro; **faire des ~s de jambe** hacer zalamerías; **rond de serviette** servilletero.

ronde [rɔ̃d] *nf* ronda; (*danse*) corro; (*MUS: note*) redonda; **à 10 km à la ~** a 10 km a la redonda; **passer qch à la ~** pasar algo en corro.

rondelet, te [ʀɔ̃dlɛ, ɛt] *adj* regordete(-a); (*fig: somme*) suculento(-a); (*: bourse*) lleno(-a).

rondelle [ʀɔ̃dɛl] *nf* (*TECH*) arandela; (*tranche*) loncha.

rondin [ʀɔ̃dɛ̃] *nm* tronco.

rond-point [ʀɔ̃pwɛ̃] (*pl* **~s-~s**) *nm* rotonda.

ronfler [ʀɔ̃fle] *vi* (*personne*) roncar; (*moteur, poêle*) zumbar.

ronger [ʀɔ̃ʒe] *vt* (*suj: souris, chien etc*) roer; (*: vers*) carcomer; (*: insectes*) ficar; (*: rouille*) corroer; (*fig: suj: mal, pensée*) carcomer, atormentar; **~ son frein** morder el freno; **se ~ d'inquiétude/de souci** reconcomerse de inquietud/de preocupación; **se ~ les ongles** comerse las uñas; **se ~ les sangs** quemarse la sangre.

rongeur [ʀɔ̃ʒœʀ] *nm* roedor *m*.

ronronner [ʀɔ̃ʀɔne] *vi* ronronear.

roquefort [ʀɔkfɔʀ] *nm* roquefort *m*.

roquette [ʀɔkɛt] *nf* (*MIL*) misil *m*; **roquette antichar** misil antitanque *inv*.

rosace [ʀozas] *nf* rosetón *m*.

rosbif [ʀɔsbif] *nm* rosbif *m*.

rose [ʀoz] *nf* rosa; (*vitrail*) rosetón *m* ♦ *adj* rosa *inv* ♦ *nm* (*couleur*) rosa *m*; **~ bonbon** (*couleur*) rosa caramelo; **rose des sables/des vents** *nf* rosa de las arenas/de los vientos.

rosé, e [ʀoze] *adj* rosa *inv* ♦ *nm*: **(vin) ~** (vino) rosado.

roseau, x [ʀozo] *nm* caña.

rosée [ʀoze] *adj f voir* **rosé** ♦ *nf* rocío; **une goutte de ~** una gota de rocío.

rosier [ʀozje] *nm* rosal *m*.

rossignol [ʀɔsiɲɔl] *nm* (*ZOOL*) ruiseñor *m*; (*crochet*) ganzúa.

rot [ʀo] *nm* eructo.

rotation [ʀɔtasjɔ̃] *nf* rotación *f*; (*fig*) movimiento; (*renouvellement*) renovación *f*; **par ~** por rotación; **rotation des cultures** alternancia de cultivos; **rotations des stocks** (*COMM*) renovación de existencia.

roter [ʀɔte] (*fam*) *vi* eructar.

rôti [ʀoti] *nm* carne *f* de asar; (*cuit*) asado de carne.

rotin [ʀɔtɛ̃] *nm* mimbre *m ou f*; **fauteuil en ~** sillón *m* de mimbre.

rôtir [ʀotiʀ] *vt* asar ♦ *vi* asarse; **se ~ au soleil** tostarse al sol.

rôtisserie [ʀɔtisʀi] *nf* (*restaurant*) restaurante-parrilla *m*; (*comptoir, magasin*) establecimiento de precocinados.

rôtissoire [ʀɔtiswaʀ] *nf* asador *m*.

rotonde [ʀɔtɔ̃d] *nf* rotonda.

rotor [ʀɔtɔʀ] *nm* rotor *m*.

rotule [ʀɔtyl] *nf* rótula.

rouage [ʀwaʒ] *nm* (*d'un mécanisme*) engranaje *m*; (*de montre*) maquinaria; (*fig*) mecanismo; **~s** *nmpl* (*fig*) máquina *fsg*.

roucouler [ʀukule] *vi* arrullarse; (*péj: chanteur*) gorgoritear.

roue [ʀu] *nf* rueda; **faire la ~** (*paon*) pavonearse; (*GYMNASTIQUE*) dar la vuelta pineta; **descendre en ~ libre** (*AUTO*) bajar en punto muerto; **pousser à la ~** alentar; **grande ~** (*à la foire*) noria; **roue à aubes**

rueda de álabes; **roue de secours** rueda de repuesto; **roue dentée** rueda dentada; **roues avant/arrière** ruedas delanteras/ traseras.

rouer [ʀwe] *vt*: ~ **qn de coups** moler a algn a palos.

rouet [ʀwɛ] *nm* rueda de afilar.

rouge [ʀuʒ] *adj* rojo(-a) ♦ *nm/f* (*POL*) rojo(-a) ♦ *nm* (*couleur*) rojo; (*fard*) carmín *m*; **(vin)** ~ (vino) tinto; **passer au** ~ (*signal*) ponerse el disco rojo; (*automobiliste*) pasar en rojo; **porter au** ~ (*métal*) poner al rojo; **être sur la liste** ~ (*TÉL*) no constar en la guía; ~ **de honte/colère** rojo(-a) de vergüenza/de cólera; **se fâcher tout** ~, **voir** ~ ponerse hecho una furia; **rouge (à lèvres)** barra de labios.

rouge-gorge [ʀuʒgɔʀʒ] (*pl* **~s-~s**) *nm* petirrojo.

rougeole [ʀuʒɔl] *nf* sarampión *m*.

rougeoyer [ʀuʒwaje] *vi* ponerse rojo.

rougeur [ʀuʒœʀ] *nf* rojez *f*; (*honte*) rubor *m*; (*échauffement*) colores *mpl*; ~**s** *nfpl* (*MÉD*) enrojecimiento.

rougir [ʀuʒiʀ] *vi* enrojecer; (*fraise, tomate*) ponerse rojo; (*ciel*) arrebolarse.

rouille [ʀuj] *nf* moho; (*CULIN*) *alioli con pimiento rojo que acompaña la sopa de pescado* ♦ *adj inv* (*couleur*) óxido *inv*.

rouillé, e [ʀuje] *adj* oxidado(-a); (*personne, mémoire*) embotado(-a).

rouiller [ʀuje] *vt* oxidar; (*corps, esprit*) embotar ♦ *vi* oxidarse; **se rouiller** *vpr* oxidarse; (*mentalement*) embotarse; (*physiquement*) debilitarse.

rouleau, x [ʀulo] *nm* rollo; (*de pièces de monnaie*) cartucho; (*de machine à écrire, à peinture*) rodillo; (*à mise en plis*) rulo; (*SPORT*) balanceo; (*vague*) rompiente *m*; **être au bout du** ~ (*fig*) estar en las últimas; **rouleau à pâtisserie** rodillo; **rouleau compresseur** apisonadora; **rouleau de pellicule** rollo de película, carrete *m* de fotos.

roulement [ʀulmɑ̃] *nm* rodamiento; (*voiture etc*) circulación *f*; (*bruit: de véhicule*) ruido; (*: du tonnerre*) fragor *m*; (*d'ouvriers*) turno; (*de capitaux*) circulación; **par** ~ por turno; **roulement (à billes)** rodamiento (de bolas); **roulement d'yeux** movimiento de ojos; **roulement de tambour** redoble *m* de tambor.

rouler [ʀule] *vt* hacer rodar; (*CULIN, tissu, papier*) enrollar; (*cigarette, aussi fam*) liar ♦ *vi* rodar; (*voiture, train*) circular, estar en marcha; (*automobiliste*) circular; (*bateau*) balancearse; (*tonnerre*) retumbar; ~ **en bas de** (*dégringoler*) caer rodando por; ~ **sur** (*suj: conversation*) tratar sobre; **se** ~ **dans** (*boue*) revolcarse en; (*couverture*) envolverse en; ~ **dans la farine** (*fam*) timar; ~ **les épaules/hanches** contonearse; ~ **les "r"** marcar las "r"; ~ **sur l'or** ser riquísimo(-a); ~ **(sa bosse)** rodar, viajar.

roulette [ʀulɛt] *nf* rueda; (*pâtissier*) carretilla; **la** ~ la ruleta; **table/fauteuil à ~s** mesa/silla de ruedas; **la roulette russe** la ruleta rusa.

roulis [ʀuli] *nm* balanceo.

roulotte [ʀulɔt] *nf* carro, carromato.

rouquin, e [ʀukɛ̃, in] (*fam*) *nm/f* pelirrojo(-a).

rouspéter [ʀuspete] (*fam*) *vi* refunfuñar.

rousse [ʀus] *adj voir* **roux**.

rousseur [ʀusœʀ] *nf*: **tache de** ~ peca.

roussi [ʀusi] *nm*: **ça sent le** ~ (*plat etc*) eso huele a quemado; (*fig*) eso huele a chamusquina.

route [ʀut] *nf* carretera; (*itinéraire, parcours*) ruta; (*fig*) camino; **par (la)** ~ por (la) carretera; **il y a 3 heures de** ~ hay 3 horas de camino; **en** ~ por el camino; **en** ~! ¡en marcha!; **en cours de** ~ en *ou* por el camino; **mettre en** ~ poner en marcha; **se mettre en** ~ ponerse en camino; **faire** ~ **vers** dirigirse hacia; **faire fausse** ~ (*fig*) ir por mal camino; **route nationale** ≈ carretera nacional.

routier, -ière [ʀutje, jɛʀ] *adj* (*réseau, carte*) de carreteras; (*circulation*) de carretera ♦ *nm* (*camionneur*) camionero; (*restaurant*) restaurante *m* de carretera; (*scout*) guía *m*; (*cycliste*) corredor *m*; **vieux** ~ perro viejo.

routine [ʀutin] *nf* rutina; **contrôle de** ~ control *m* rutinario *ou* de rutina.

rouvrir [ʀuvʀiʀ] *vt* (*porte, valise*) volver a abrir ♦ *vi* (*suj: école, piscine*) volver a abrirse; **se rouvrir** *vpr* (*porte, blessure*) volver a abrirse.

roux, rousse [ʀu, ʀus] *adj, nm/f* pelirrojo(-a) ♦ *nm* (*CULIN*) salsa rubia.

royal, e, -aux [ʀwajal, o] *adj* real; (*festin, cadeau*) regio(-a); (*indifférence*) soberano(-a); (*paix*) completo(-a).

royaume [ʀwajom] *nm* reino; (*fig*) dominios *mpl*; **le royaume des cieux** el reino de los cielos.

Royaume-Uni [ʀwajomyni] *nm* Reino Unido.

ruade [ʀɥad] *nf* coz *f*.

ruban [ʀybɑ̃] *nm* cinta; (*de velours, de soie*) lazo; (*pour ourlet, couture*) galón *m*; (*décoration*) condecoración *f*; **ruban adhésif** cinta adhesiva; **ruban encreur** cinta mecanográfica.

rubis [ʀybi] *nm* rubí *m*; **payer** ~ **sur l'ongle** pagar a toca teja.

rubrique [RybRik] *nf* (*titre, catégorie*) rúbrica; (*PRESSE: article*) sección *f*.
ruche [Ryʃ] *nf* colmena.
rude [Ryd] *adj* (*barbe, toile, voix*) áspero(-a); (*métier, épreuve, climat*) duro(-a); (*bourru*) rudo(-a); **un ~ paysan/montagnard** (*fruste*) un rudo campesino/montañés; **un ~ appétit** (*fam*) un gran apetito; **être mis à ~ épreuve** ser sometido a severa prueba.
rudement [Rydmɑ̃] *adv* (*tomber, frapper*) bruscamente; (*traiter, reprocher*) duramente; **elle est ~ belle/riche** (*fam: très*) es super bonita/rica; **j'ai ~ faim** (*fam*) tengo un montón de hambre; **tu as ~ de la chance/du courage** (*fam: beaucoup*) tienes un montón de suerte/de ánimo.
rudimentaire [Rydimɑ̃tɛR] *adj* rudimentario(-a).
rudiments [Rydimɑ̃] *nmpl* rudimentos *mpl*.
rue [Ry] *nf* calle *f*; **être à la ~** estar en la calle; **jeter qn à la ~** echar a algn a la calle.
ruée [Rɥe] *nf* riada; **la ruée vers l'or** la fiebre del oro.
ruelle [Rɥɛl] *nf* callejuela.
ruer [Rɥe] *vi* cocear; **se ruer** *vpr*: **se ~ sur** (*provisions, adversaire*) arrojarse sobre; **se ~ vers/dans/hors de** precipitarse hacia/en/fuera de; **~ dans les brancards** plantar cara.
rugby [Rygbi] *nm* rugby *m*; **rugby à quinze** rugby; **rugby à treize** rugby de trece.
rugir [RyʒiR] *vi* rugir; (*personne*) bramar ♦ *vt* (*menaces, injures*) lanzar a voz en grito.
rugueux, -euse [Rygø, øz] *adj* rugoso(-a).
ruine [Rɥin] *nf* ruina; **tomber en ~** caerse, venirse abajo; **être au bord de la ~** (*fig*) estar al borde de la ruina.
ruiner [Rɥine] *vt* arruinar; **se ruiner** *vpr* arruinarse.
ruisseau, x [Rɥiso] *nm* (*cours d'eau*) arroyo; (*caniveau*) cuneta; **~x de larmes/sang** (*fig*) ríos *mpl* de lágrimas/sangre.
ruisseler [Rɥis(ə)le] *vi* (*eau, pluie, larmes*) correr; (*mur, visage*) chorrear; **~ d'eau, ~ de pluie** chorrear agua; **~ de sueur** chorrear de sudor; **~ de lumière** centellear luz; **son visage ruisselait de larmes** las lágrimas le corrían por las mejillas.
rumeur [RymœR] *nf* rumor *m*.
ruminer [Rymine] *vi, vt* rumiar.
rupture [RyptyR] *nf* rotura; (*des négociations, d'un couple*) ruptura; (*d'un contrat*) incumplimiento; **en ~ de ban** (*fig*) libre de obligaciones; **être en ~ de stock** estar agotado.
rural, e, -aux [RyRal, o] *adj* rural; **ruraux** *nmpl*: **les ruraux** los campesinos.
ruse [Ryz] *nf* astucia; **une ~** un ardid; **par ~** con astucia.
rusé, e [Ryze] *adj* astuto(-a).
russe [Rys] *adj* ruso(-a) ♦ *nm* (*LING*) ruso ♦ *nm/f*: **R~** ruso(-a).
Russie [Rysi] *nf* Rusia; **la Russie blanche/Soviétique** la Rusia blanca/Soviética.
rustique [Rystik] *adj* rústico(-a); (*plante*) resistente.
rustre [RystR] *nm* paleto.
rythme [Ritm] *nm* ritmo; (*des saisons*) paso; **au ~ de 10 par jour** a razón de 10 al día.
rythmé, e [Ritme] *adj* rítmico(-a).
rythmer [Ritme] *vt* dar ritmo a; (*souligner*) medir.

S, s

s' [s] *pron voir* **se**.
SA [ɛsa] *sigle f* (= *société anonyme*) S.A. (= *Sociedad Anónima*); (= *Son Altesse*) S.A. (= *Su Alteza*).
sa [sa] *dét voir* **son**[1].
sable [sɑbl] *nm* arena; **sables mouvants** arenas *fpl* movedizas.
sablé, e [sɑble] *adj* enarenado(-a) ♦ *nm* galleta; **pâte ~e** masa de galleta.
sabler [sɑble] *vt* enarenar; **~ le champagne** (*fig*) celebrar algo con champán.
sablier [sɑblije] *nm* reloj *m* de arena.
saborder [sabɔRde] *vt* hundir (voluntariamente); **se saborder** *vpr* hundirse (voluntariamente).
sabot [sabo] *nm* (*chaussure*) zueco; (*de cheval, bœuf*) casco; (*TECH*) zapata; **sabot (de Denver)** cepo; **sabot de frein** zapata de freno.
saboter [sabɔte] *vt* sabotear.
saboteur, -euse [sabɔtœR, øz] *nm/f* saboteador(a).
sabre [sɑbR] *nm* sable *m*; **le ~** (*fig*) el ejército.
sac [sak] *nm* saco; (*pillage*) saqueo; **mettre à ~** saquear; **sac à dos** mochila; **sac à main** bolso de mano, cartera (*AM*); **sac à provisions** bolsa de la compra; **sac de couchage** saco de dormir; **sac de voyage** bolsa de viaje; **sac de plage** bolsa playera.
saccade [sakad] *nf* tirón *m*; **par ~s** a tirones.
saccadé, e [sakade] *adj* (*gestes, voix*) brusco(-a); (*voix*) entrecortado(-a).

saccager [sakaʒe] *vt* (*piller*) saquear; (*dévaster*) devastar.
sache *etc* [saʃ] *vb voir* **savoir**.
sachet [saʃɛ] *nm* bolsita; (*de poudre, lavande*) saquito; **thé en ~s** té *m* en bolsitas.
sacoche [sakɔʃ] *nf* bolso, talego; (*de bicyclette, motocyclette*) talego; (*du facteur*) cartera; (*d'outils*) bolsa.
sacre [sakʀ] *nm* consagración *f*; (*d'un souverain*) coronación *f*.
sacré, e [sakʀe] *adj* sagrado(-a); (*fam: satané*) maldito(-a); **il a une ~e chance/un ~ culot** (*fam*) tiene una suerte/cara increíble.
sacrement [sakʀəmɑ̃] *nm* sacramento; **administrer les derniers ~s à qn** administrar los últimos sacramentos a algn.
sacrifice [sakʀifis] *nm* sacrificio; **faire le ~ de** sacrificar.
sacrifier [sakʀifje] *vt* sacrificar; **se sacrifier** *vpr* sacrificarse; **~ à** (*mode, tradition*) seguir; **articles sacrifiés** artículos *mpl* a precio de saldo, gangas *fpl*.
sacrilège [sakʀilɛʒ] *nm* sacrilegio ♦ *nm/f, adj* sacrílego(-a).
sacristie [sakʀisti] *nf* sacristía.
sadique [sadik] *adj, nm/f* sádico(-a).
safari [safaʀi] *nm* safari *m*; **faire un ~** hacer un safari.
safran [safʀɑ̃] *nm* azafrán *m*.
sage [saʒ] *adj* (*avisé, prudent*) sensato(-a); (*enfant*) bueno(-a); (*jeune fille, vie*) casto(-a) ♦ *nm* sabio; (*POL*) consejero.
sage-femme [saʒfam] (*pl* **~s-~s**) *nf* comadrona.
sagement [saʒmɑ̃] *adv* (*raisonnablement*) razonablemente; (*tranquillement*) tranquilamente.
sagesse [saʒɛs] *nf* (*bon sens, prudence*) sensatez *f*; (*philosophie du sage*) sabiduría; (*d'un enfant*) buena conducta.
Sagittaire [saʒitɛʀ] *nm* (*ASTROL*) Sagitario; **être (du) ~** ser Sagitario.
Sahara [saaʀa] *nm* Sáhara *m*.
saignant, e [sɛɲɑ̃, ɑ̃t] *adj* (*viande*) poco hecho(-a); (*blessure*) sangrante.
saigner [seɲe] *vi* sangrar ♦ *vt* (*MÉD, fig*) sangrar a; (*animal*) desangrar; **~ qn à blanc** (*fig*) esquilmar a algn; **~ du nez** sangrar por la nariz.
saillant, e [sajɑ̃, ɑ̃t] *adj* (*pommettes, menton*) prominente; (*corniche etc*) saliente; (*fig*) destacado(-a).
saillie [saji] *nf* (*d'une construction*) voladizo; (*trait d'esprit*) ocurrencia; (*accouplement*) apareamiento; **faire ~** sobresalir; **en ~, formant ~** saliente.
saillir [sajiʀ] *vi* sobresalir ♦ *vt* (*ÉLEVAGE*) cubrir; **faire ~** (*muscles etc*) hacer sobresalir.
sain, e [sɛ̃, sɛn] *adj* sano(-a); (*habitation*) salubre; (*affaire, entreprise*) saneado(-a); **~ et sauf** sano y salvo; **~ d'esprit** sano(-a) de espíritu.
saint, e [sɛ̃, sɛ̃t] *adj, nm/f* santo(-a) ♦ *nm* (*statue*) santo; **la Sainte Vierge** la Virgen Santísima.
Saint-Esprit [sɛ̃tɛspʀi] *nm*: **le ~-~** el Espíritu Santo.
sainteté [sɛ̃tte] *nf* santidad *f*; **sa S~ le pape** su Santidad el Papa.
Saint-Sylvestre [sɛ̃silvɛstʀ] *nf*: **la ~-~** el día de Nochevieja.
sais *etc* [sɛ] *vb voir* **savoir**.
saisie [sezi] *nf* (*JUR*) embargo; **saisie (de données)** (*INFORM*) recogida de datos.
saisir [seziʀ] *vt* (*personne, chose: prendre*) agarrar; (*fig: occasion, prétexte*) aprovechar; (*comprendre*) comprender; (*entendre*) captar; (*suj: sensations, émotions*) sobrecoger; (*INFORM*) procesar; (*CULIN*) soasar; (*JUR: biens, personne*) embargar; (*: publication interdite*) secuestrar; **se saisir de** *vpr* (*personne*) apoderarse de; **~ un tribunal d'une affaire** someter un caso a un tribunal; **elle fut saisie de douleur/crainte** le embargó el dolor/fue presa del pánico.
saisissant, e [sezisɑ̃, ɑ̃t] *adj* (*spectacle, contraste*) sobrecogedor(a); (*froid*) penetrante.
saison [sɛzɔ̃] *nf* temporada, época; (*du calendrier*) estación *f*; **la ~** (*touristique*) la temporada; **la belle/mauvaise ~** la buena/mala temporada; **être de ~** ser de la temporada; **en/hors ~** en/fuera de temporada; **haute/basse/morte ~** temporada alta/media/baja; **la ~ des pluies/des amours** la época de las lluvias/de los amores.
saisonnier, -ière [sɛzɔnje, jɛʀ] *adj* (*produits, culture*) estacional; (*travail*) temporal ♦ *nm* (*travailleur*) temporero; (*vacancier*) turista *m* estacional.
sait [sɛ] *vb voir* **savoir**.
salade [salad] *nf* ensalada; (*fam: confusion*) embrollo; **~s** *nfpl* (*fam*): **raconter des ~s** contar cuentos; **haricots en ~** judías *fpl* en ensalada; **salade composée** ensalada mixta; **salade de concombres/d'endives** ensalada de pepinos/de endibias; **salade de fruits** macedonia de frutas; **salade de laitues/de tomates** ensalada de lechuga/de tomate; **salade niçoise** *ensalada con aceitunas, anchoas, tomates*; **salade russe** ensaladilla rusa.
saladier [saladje] *nm* ensaladera.

salaire [salɛʀ] *nm* salario; (*journalier*) jornal *m*; (*fig*) recompensa; **un ~ de misère** un salario de miseria; **salaire brut/net** salario bruto/neto; **salaire de base** sueldo base; **salaire minimum interprofessionnel de croissance** ≈ salario mínimo interprofesional.

salami [salami] *nm* salami *m*.

salarié, e [salaʀje] *adj, nm/f* asalariado(-a).

salaud [salo] (*fam!*) *nm* cabrón *m* (*!*), hijo de la chingada (*!: MEX*).

sale [sal] *adj* sucio(-a); (*avant le nom: fam*) malo(-a).

salé, e [sale] *adj* salado(-a); (*fig: histoire, plaisanterie*) picante; (*fam: note, facture*) desorbitado(-a) ♦ *nm* (*porc salé*) carne *f* de cerdo salada; **bien ~** muy salado(-a); **petit ~** saladillo.

saler [sale] *vt* (*plat*) echar sal; (*pour conserver*) salar.

saleté [salte] *nf* suciedad *f*; (*action vile*) cochinada; (*chose sans valeur*) porquería; (*obscénité*) guarrada; **j'ai attrapé une ~** (*microbe etc*) se me ha pegado una enfermedad; **vivre dans la ~** vivir en la inmundicia.

salière [saljɛʀ] *nf* salero.

salir [saliʀ] *vt* manchar; (*fig*) mancillar; **se salir** *vpr* (*aussi fig*) ensuciarse.

salissant, e [salisɑ̃, ɑ̃t] *adj* sucio(-a).

salive [saliv] *nf* saliva.

salle [sal] *nf* sala; (*pièce*) sala, habitación *f*; (*de restaurant*) salón *m*; **faire ~ comble** tener un llenazo; **salle à manger** comedor *m*; **salle commune** sala común; **salle d'armes** (*pour l'escrime*) sala de esgrima; **salle d'attente** sala de espera; **salle d'eau** aseo; **salle de bain(s)** cuarto de baño; **salle de bal** salón de baile; **salle de cinéma** sala de cine; **salle de classe** aula; **salle de concert** sala de conciertos; **salle de consultation** sala de consulta; **salle de douches** cuarto de duchas; **salle de jeux** sala de juegos; **salle d'embarquement** sala de embarque; **salle de projection** sala de proyección; **salle de séjour** cuarto de estar; **salle des machines** sala de máquinas; **salle de spectacle** sala de espectáculos; **salle des ventes** salón de ventas; **salle d'exposition** sala de exposiciones; **salle d'opération** sala de operaciones; **salle obscure** sala oscura.

salon [salɔ̃] *nm* salón *m*, living *m* (*AM*); (*mondain, littéraire*) salón, tertulia; **salon de coiffure** salón de peluquería; **salon de thé** salón de té.

salopard [salɔpaʀ] (*fam!*) *nm* cabrón *m*, hijo de la chingada (*AM*).

salope [salɔp] (*fam!*) *nf* marrana.

saloperie [salɔpʀi] (*fam!*) *nf* (*obscénité, publication obscène*) guarradas *fpl*; (*action vile*) marranada; (*chose sans valeur, de mauvaise qualité*) porquería.

salopette [salɔpɛt] *nf* pantalón *m* de peto; (*de travail*) mono, overol *m* (*AM*).

saltimbanque [saltɛ̃bɑ̃k] *nm/f* saltimbanqui *m/f*.

salubre [salybʀ] *adj* salubre.

saluer [salɥe] *vt* saludar; (*fig: acclamer*) aclamar, saludar.

salut [saly] *nm* (*REL, sauvegarde*) salvación *f*; (*MIL, parole d'accueil*) saludo ♦ *excl* (*fam: bonjour*) ¡hola!; (*: au revoir*) ¡hasta luego!, ¡chao! *ou* ¡chau! (*esp AM*); (*style relevé*) ¡salve!; **salut public** salud *f* pública.

salutaire [salytɛʀ] *adj* saludable.

Salvador [salvadɔʀ] *nm* El Salvador.

salve [salv] *nf* salva; **salve d'applaudissements** salva de aplausos.

samedi [samdi] *nm* sábado; *voir aussi* **lundi**.

SAMU [samy] *sigle m* (= *service d'assistance médicale d'urgence*) ≈ servicio médico de urgencia.

sanction [sɑ̃ksjɔ̃] *nf* sanción *f*; **prendre des ~s contre** tomar medidas sancionadoras contra.

sanctionner [sɑ̃ksjɔne] *vt* sancionar.

sanctuaire [sɑ̃ktɥɛʀ] *nm* santuario.

sandale [sɑ̃dal] *nf* sandalia.

sandwich [sɑ̃dwi(t)ʃ] *nm* sandwich *m*, bocadillo, emparedado (*esp AM*); **être pris en ~ (entre)** estar aprisionado (entre).

sang [sɑ̃] *nm* sangre *f*; **être en ~** estar cubierto de sangre; **jusqu'au ~** hasta hacer(le) sangrar; **se faire du mauvais ~** preocuparse; **sang bleu** sangre azul.

sang-froid [sɑ̃fʀwa] *nm inv* sangre *f* fría; **garder/perdre/reprendre son ~-~** conservar/perder/recobrar la sangre fría; **faire qch de ~-~** hacer algo a sangre fría.

sanglant, e [sɑ̃glɑ̃, ɑ̃t] *adj* (*visage, arme*) ensangrentado(-a); (*combat, fig*) sangriento(-a).

sangle [sɑ̃gl] *nf* correa; **~s** *nfpl* (*pour lit etc*) cinchas *fpl*; **fauteuil/lit de sangle(s)** sillón *m*/catre *m* de tijera.

sanglier [sɑ̃glije] *nm* jabalí *m*.

sanglot [sɑ̃glo] *nm* sollozo.

sanguin, e [sɑ̃gɛ̃, in] *adj* sanguíneo(-a).

sanisette [sanizɛt] *nf* aseo público.

sanitaire [sanitɛʀ] *adj* sanitario(-a); **~s** *nmpl* sanitarios *mpl*; **installation/appareil ~** instalación *f*/aparato sanitario(-a).

sans [sɑ̃] *prép* sin; ~ **qu'il s'en aperçoive** sin que se dé cuenta; ~ **scrupules** sin escrúpulos; ~ **manches** sin mangas.
sans-abri [sɑ̃zabʀi] *nm/f inv* persona sin hogar.
sans-façon [sɑ̃fasɔ̃] *adj inv* sencillo(-a).
sans-gêne [sɑ̃ʒɛn] *adj inv* desenfadado(-a) ♦ *nm inv* desenfado.
sans-logis [sɑ̃lɔʒi] *nm/f inv* persona sin hogar.
santé [sɑ̃te] *nf* salud *f*; **avoir une ~ de fer** tener una salud de hierro; **avoir une ~ délicate** tener una salud delicada; **être en bonne ~** estar bien de salud; **boire à la ~ de qn** beber a la salud de algn; **"à la ~ de ..."** "a la salud de ..."; **"à votre/ta ~!"** "¡a su/tu salud!"; **service de ~** servicio sanitario; **la santé publique** la salud pública.
santon [sɑ̃tɔ̃] *nm* figurita del Belén.
saoul, e [su, sul] *adj* = **soûl**.
saper [sape] *vt* socavar; **se saper** *vpr* (*fam*) vestirse.
sapeur-pompier [sapœʀpɔ̃pje] (*pl* **~s-~s**) *nm* bombero.
saphir [safiʀ] *nm* zafiro; (*d'électrophone*) aguja.
sapin [sapɛ̃] *nm* (*BOT*) abeto; (*bois*) pino; **sapin de Noël** pino de Navidad.
sarcasme [saʀkasm] *nm* sarcasmo.
sarcastique [saʀkastik] *adj* sarcástico(-a).
sarcler [saʀkle] *vt* escardar.
sarcophage [saʀkɔfaʒ] *nm* sarcófago.
Sardaigne [saʀdɛɲ] *nf* Cerdeña.
sardine [saʀdin] *nf* sardina; **sardines à l'huile** sardinas en aceite.
SARL [ɛsaɛʀɛl] *sigle f* (= *société à responsabilité limitée*) ≈ SL (= *sociedad limitada*).
sarment [saʀmɑ̃] *nm*: ~ **(de vigne)** sarmiento (de vid).
sas [sɑs] *nm* esclusa de aire; (*d'une écluse*) cámara.
satané, e [satane] *adj* (*maudit*) maldito(-a).
satellite [satelit] *nm* satélite *m*; **pays ~** país *msg* satélite *inv*; **retransmis par ~** retransmitido vía satélite; ~ **(artificiel)** satélite (artificial).
satiété [sasjete]: **à ~** *adv* hasta la saciedad.
satin [satɛ̃] *nm* satén *m*.
satire [satiʀ] *nf* sátira; **faire la ~ de** satirizar.
satirique [satiʀik] *adj* satírico(-a).
satisfaction [satisfaksjɔ̃] *nf* satisfacción *f*; **à ma grande ~** para gran satisfacción mía; **donner ~ (à)** satisfacer; **ils ont obtenu satisfaction** se ha accedido a sus demandas.
satisfaire [satisfɛʀ] *vt* satisfacer; **se satisfaire de** *vpr* contentarse con; ~ **à** cumplir con; (*conditions*) responder a.
satisfaisant, e [satisfəzɑ̃, ɑ̃t] *adj* satisfactorio(-a).
saturer [satyʀe] *vt* saturar; ~ **qn/qch de** saturar a algn/algo de; **être saturé de qch** (*publicité*) estar harto de algo; **je suis saturé de travail** estoy saturado de trabajo.
sauce [sos] *nf* salsa; **en ~** en salsa; **sauce à salade** salsa de ensalada; **sauce aux câpres** salsa de alcaparras; **sauce blanche** salsa blanca; **sauce chasseur** salsa chasseur (*con chalotes, vino blanco, champiñones y hierbas*); **sauce mayonnaise/piquante** salsa mayonesa/picante; **sauce suprême/vinaigrette** salsa suprema/vinagreta; **sauce tomate** salsa de tomate.
saucière [sosjɛʀ] *nf* salsera.
saucisse [sosis] *nf* salchicha.
saucisson [sosisɔ̃] *nm* salchichón *m*; **saucisson à l'ail** salchichón al ajo; **saucisson sec** salchichón curado.
sauf[1] [sof] *prép* salvo; ~ **que ...** salvo que ...; ~ **si ...** salvo que ...; ~ **avis contraire** salvo aviso contrario; ~ **empêchement** salvo impedimento; ~ **erreur/imprévu** salvo error/imprevisto.
sauf[2], **sauve** [sof, sov] *adj* (*personne*) ileso(-a); (*fig: honneur*) a salvo; **laisser la vie sauve à qn** perdonar la vida a algn.
saugrenu, e [sogʀəny] *adj* (*accoutrement*) estrafalario(-a); (*idée, question*) ridículo(-a).
saule [sol] *nm* sauce *m*; **saule pleureur** sauce llorón.
saumon [somɔ̃] *nm* salmón *m* ♦ *adj inv* (*couleur*) color salmón *inv*.
sauna [sona] *nm* sauna (*m en AM*).
saupoudrer [sopudʀe] *vt*: ~ **qch de** (*de sel, sucre*) espolvorear algo de; (*fig*) salpicar algo de.
saur [sɔʀ] *adj m*: **hareng ~** arenque *m* ahumado.
saurai *etc* [sɔʀe] *vb voir* **savoir**.
saut [so] *nm* salto; **faire un ~** dar un salto; **faire un ~ chez qn** dar un salto a casa de algn; **au ~ du lit** al levantarse; ~ **en hauteur/longueur/à la perche** salto de altura/longitud/con pértiga; **saut à la corde** salto a la comba; **saut de page** (*INFORM*) avance *m* de página; **saut en parachute** salto en paracaídas; **saut périlleux** salto mortal.
sauté, e [sote] *adj* (*CULIN*) salteado(-a) ♦ *nm*: ~ **de veau** salteado de ternera.
saute-mouton [sotmutɔ̃] *nm inv*: **jouer**

à ~-~ jugar a la pídola.
sauter [sote] *vi* saltar; (*exploser*) estallar; (*se rompre*) romperse; (*se détacher*) soltarse ♦ *vt* (*obstacle*) franquear; (*fig: omettre*) saltarse; **faire** ~ (*avec explosifs*) volar; (*CULIN*) saltear; ~ **à pieds joints/à cloche-pied** saltar con los pies juntos/a pata coja; ~ **dans/sur/vers** (*se précipiter*) echarse en/sobre/hacia; ~ **en parachute** saltar en paracaídas; ~ **à la corde** saltar a la cuerda; ~ **à bas du lit** saltar de la cama; ~ **de joie/de colère** saltar de alegría/de rabia; ~ **au cou de qn** echarse al cuello de algn; ~ **d'un sujet à l'autre** pasar de un tema a otro; ~ **aux yeux** saltar a la vista; ~ **au plafond** (*fig*) subirse por las paredes.
sauterelle [sotʀɛl] *nf* (*ZOOL*) saltamontes *m inv*.
sautiller [sotije] *vi* dar saltitos.
sautoir [sotwaʀ] *nm* (*collier*) collar *m*; (*SPORT*) saltadero; **porter en** ~ llevar sobre el pecho; **sautoir (de perles)** collar (de perlas).
sauvage [sovaʒ] *adj* (*animal, peuplade*) salvaje; (*plante*) silvestre; (*lieu*) agreste; (*insociable*) huraño(-a); (*non officiel*) no autorizado(-a) ♦ *nm/f* (*primitif*) salvaje *m/f*; (*brute*) bárbaro(-a).
sauvagement [sovaʒmɑ̃] *adv* brutalmente.
sauve [sov] *adj f voir* **sauf**[2].
sauvegarde [sovgaʀd] *nf* salvaguardia; **sous la** ~ **de** bajo el amparo de; **disquette/fichier de** ~ disquete *m*/fichero de seguridad.
sauvegarder [sovgaʀde] *vt* salvaguardar; (*INFORM*) grabar; (: *copier*) hacer una copia de seguridad de.
sauve-qui-peut [sovkipø] *nm inv* desbandada ♦ *excl* ¡sálvese quien pueda!
sauver [sove] *vt* salvar; **se sauver** *vpr* (*s'enfuir*) largarse; (*fam: partir*) irse; ~ **qn de** salvar a algn de; ~ **la vie à qn** salvar la vida a algn; ~ **les apparences** guardar las apariencias.
sauvetage [sov(ə)taʒ] *nm* salvamento; **ceinture** *ou* **brassière** *ou* **gilet de** ~ cinturón *m ou* camisa *ou* chaleco salvavidas *inv*; **sauvetage en montagne** rescate *m* de montaña.
sauveteur [sov(ə)tœʀ] *nm* salvador *m*.
sauvette [sovɛt] *nf*: **à la** ~ (*vendre, aussi: se marier etc*) precipitadamente; **vente à la** ~ venta ambulante no autorizada.
sauveur [sovœʀ] *nm* salvador *m*; **le S~** (*REL*) el Salvador.
savais *etc* [save] *vb voir* **savoir**.
savane [savan] *nf* sabana.
savant, e [savɑ̃, ɑ̃t] *adj* (*érudit, instruit, habile*) sabio(-a); (*souvent ironique: compétent, calé*) erudito(-a); (*compliqué, difficile*) complejo(-a) ♦ *nm/f* sabio(-a); **animal** ~ animal amaestrado.
saveur [savœʀ] *nf* sabor *m*.
savoir [savwaʀ] *vt* saber; (*connaître: date, fait etc*) conocer ♦ *nm* saber *m*; **se savoir** *vpr* (*chose: être connu*) saberse; **se** ~ **malade/incurable** saberse enfermo/incurable; ~ **nager/se montrer ferme** saber nadar/mostrarse firme; ~ **que** saber que; ~ **si/comment/combien ...** saber si/cómo/cuánto ...; **il faut** ~ **que ...** es preciso saber que ...; **il est petit: tu ne peux pas** ~ **...** no creerías lo pequeño que es ...; **vous n'êtes pas sans** ~ **que ...** usted no ignora que ...; **je crois** ~ **que ...** creo saber que ...; **je n'en sais rien** yo no sé nada de eso; **à** ~ a saber; **à** ~ **que ...** a saber que ...; **faire** ~ **qch à qn** hacer saber algo a algn; **ne rien vouloir** ~ no querer saber nada; **pas que je sache** que yo sepa, no; **sans le** ~ sin saberlo; **en** ~ **long** saber un rato largo.
savoir-faire [savwaʀfɛʀ] *nm inv* tacto.
savoir-vivre [savwaʀvivʀ] *nm inv*: **manquer de/avoir du** ~-~ carecer de/tener modales.
savon [savɔ̃] *nm* jabón *m*; **un** ~ (*morceau*) una pastilla de jabón; **passer un** ~ **à qn** (*fam*) echarle un rapapolvo a algn.
savonner [savɔne] *vt* enjabonar; **se savonner** *vpr* enjabonarse; **se** ~ **les mains/pieds** enjabonarse las manos/los pies.
savonnette [savɔnɛt] *nf* jaboncillo.
savons [savɔ̃] *vb voir* **savoir**.
savourer [savuʀe] *vt* saborear.
savoureux, -euse [savuʀø, øz] *adj* sabroso(-a).
saxo(phone) [saksɔ(fɔn)] *nm* saxo(fón) *m*.
scabreux, -euse [skabʀø, øz] *adj* escabroso(-a).
scalpel [skalpɛl] *nm* escalpelo.
scandale [skɑ̃dal] *nm* escándalo; **au grand** ~ **de ...** (*indignation*) con gran indignación de ...; **faire du** ~ (*tapage*) armar un escándalo; **faire** ~ causar escándalo.
scandaleux, -euse [skɑ̃dalø, øz] *adj* escandaloso(-a).
scandinave [skɑ̃dinav] *adj* escandinavo(-a) ♦ *nm/f*: **S~** escandinavo(-a).
scanner [skanɛʀ] *nm* escáner *m*.
scaphandre [skafɑ̃dʀ] *nm* escafandra; **scaphandre autonome** escafandra autónoma.
scarabée [skaʀabe] *nm* escarabajo.

sceau, x [so] *nm* sello; **sous le ~ du secret** bajo secreto.
scélérat, e [seleʀa, at] *nm/f* canalla *m/f* ♦ *adj* canallesco(-a).
sceller [sele] *vt* sellar; (*barreau, chaîne etc*) fijar.
scellés [sele] *nmpl* (*JUR*): **mettre les ~ sur** precintar.
scénario [senaʀjo] *nm* (*CINÉ*) guión *m*; (*fig, idée*) plan *m*.
scène [sɛn] *nf* escena; (*lieu, décors*) escena, escenario; (*dispute bruyante*) altercado; **la ~ politique/internationale** la escena política/internacional; **sur le devant de la ~** (*fig*) de plena actualidad; **entrer en ~** entrar en escena; **par ordre d'entrée en ~** por orden de aparición; **mettre en ~** (*THÉÂTRE, fig*) poner en escena; (*CINÉ*) dirigir; **porter à/adapter pour la ~** llevar al/adaptar para el teatro; **faire une ~ (à qn)** hacerle una escena (a algn); **scène de ménage** riña conyugal.
sceptique [sɛptik] *adj, nm/f* escéptico(-a).
schéma [ʃema] *nm* esquema *m*.
scie [si] *nf* sierra; (*fam: péj: rengaine*) cantinela; (*: personne*) pesadez *f*; **scie à bois** sierra para madera; **scie à découper** segueta; **scie à métaux** sierra para metales; **scie circulaire/sauteuse** sierra circular/de vaivén.
science [sjɑ̃s] *nf* ciencia; (*savoir*) saber *m*; (*savoir-faire*) saber hacer *m*; **les ~s** (*SCOL*) las ciencias; **sciences appliquées/expérimentales** ciencias aplicadas/experimentales; **sciences humaines/naturelles** ciencias humanas/naturales; **sciences occultes** ciencias ocultas; **sciences politiques/sociales** ciencias políticas/sociales.
science-fiction [sjɑ̃sfiksjɔ̃] (*pl* **~s-~s**) *nf* ciencia ficción.
scientifique [sjɑ̃tifik] *adj, nm/f* científico(-a).
scier [sje] *vt* serrar; (*partie en trop*) aserrar.
scierie [siʀi] *nf* aserradero.
scintiller [sɛ̃tije] *vi* centellear.
sclérose [skleʀoz] *nf* esclerosis *f inv*; **sclérose artérielle** esclerosis arterial, arteriosclerosis *f inv*; **sclérose en plaques** esclerosis en placas.
scolaire [skɔlɛʀ] *adj* escolar; **l'année ~** el curso escolar; (*à l'université*) el curso académico; **en âge ~** en edad escolar.
scolarité [skɔlaʀite] *nf* escolaridad *f*; **frais de ~** gastos *mpl* de escolaridad; **la scolarité obligatoire** la escolaridad obligatoria.
scooter [skutœʀ] *nm* escúter *m*.
score [skɔʀ] *nm* (*SPORT*) tanteo; (*dans un test*) puntuación *f*; (*électoral etc*) resultado.
scorpion [skɔʀpjɔ̃] *nm* escorpión *m*; **le S~** (*ASTROL*) escorpio; **être (du) S~** ser escorpio.
scotch [skɔtʃ] *nm* (*whisky*) whisky *m* escocés; (®: *adhésif*) celo, cinta adhesiva.
scout, e [skut] *adj* de scout ♦ *nm/f* scout *m/f*, explorador(a).
script [skʀipt] *nm* (*écriture*) letra cursiva; (*CINÉ*) guión *m*.
scrupule [skʀypyl] *nm* escrúpulo; **être sans ~s** no tener escrúpulos; **il se fait un ~ de lui mentir** le da reparo mentirle.
scruter [skʀyte] *vt* (*objet, visage*) escrutar; (*horizon, alentours*) otear.
scrutin [skʀytɛ̃] *nm* (*vote*) escrutinio; (*ensemble des opérations*) votación *f*; **ouverture/clôture d'un ~** apertura/cierre *m* de la votación; **scrutin à deux tours** votación a doble vuelta; **scrutin de liste** sistema *m* de lista cerrada; **scrutin majoritaire/proportionnel** sistema mayoritario/proporcional; **scrutin uninominal** elección *f* uninominal.
sculpter [skylte] *vt* esculpir.
sculpteur [skyltœʀ] *nm* escultor *m*.
sculpture [skyltyʀ] *nf* escultura; **sculpture sur bois** escultura en madera.
se (s') [sə] *pron* se; **se voir comme on est** verse como uno es; **ils s'aiment** se quieren; **cela se répare facilement** eso se arregla fácilmente; **se casser la jambe/laver les mains** romperse una pierna/lavarse las manos.
séance [seɑ̃s] *nf* sesión *f*; **ouvrir/lever la ~** abrir/levantar la sesión; **~ tenante**: **obéir/régler une affaire ~ tenante** obedecer/arreglar un asunto en el acto.
seau, x [so] *nm* cubo, balde *m* (*esp AM*); **seau à glace** cubitera.
sec, sèche [sɛk, sɛʃ] *adj* seco(-a); (*maigre, décharné*) enjuto(-a); (*style, graphisme*) árido(-a); (*départ, démarrage*) brusco(-a) ♦ *nm*: **tenir au ~** mantener en sitio seco ♦ *adv* (*démarrer*) bruscamente; **je le prends** *ou* **bois ~** lo tomo *ou* bebo puro; **à pied ~** a pie enjuto; **à ~** (*cours d'eau*) agotado(-a); (*à court d'idées*) vacío(-a); (*à court d'argent*) pelado(-a); **une toux sèche** una tos seca; **avoir la gorge sèche** tener la garganta seca; **boire ~** (*beaucoup*) ser un gran bebedor; **raisins ~s** pasas *fpl*.
sécateur [sekatœʀ] *nm* podadera.
sèche-cheveux [sɛʃʃəvø] *nm inv* secador *m* de pelo.
sèche-linge [sɛʃlɛ̃ʒ] *nm inv* secadora.

sèchement [sɛʃmɑ̃] *adv* (*frapper etc*) bruscamente; (*répliquer etc*) secamente.
sécher [seʃe] *vt* secar; (*fam*: *SCOL*: *classe*) pirarse ♦ *vi* secarse; (*fam*: *candidat*) estar pez; **se sécher** *vpr* secarse.
sécheresse [sɛʃʀɛs] *nf* (*du climat, sol*) sequedad *f*; (*fig*: *du style*) aridez *f*; (*absence de pluie*) sequía.
séchoir [seʃwaʀ] *nm* (*à linge*) tendedero; (*tabac, fruits*) secadero.
second, e [s(ə)gɔ̃, ɔ̃d] *adj* segundo(-a) ♦ *nm* (*adjoint*) ayudante *m*; (*étage*) segundo; (*NAUT*) segundo de a bordo; **doué de ~e vue** dotado de un sexto sentido; **en ~** en segunda; **trouver son ~ souffle** (*SPORT, fig*) recobrar fuerzas; **être dans un état ~** estar enajenado(-a); **de ~e main** de segunda mano.
secondaire [s(ə)gɔ̃dɛʀ] *adj* secundario(-a); (*SCOL*) medio(-a), secundario(-a).
seconde [s(ə)gɔ̃d] *nf* segundo; (*SCOL*) *quinto año de educación secundaria en el sistema francés*; (*AUTO*) segunda; **voyager en ~** (*TRANSPORT*) viajar en segunda.
seconder [s(ə)gɔ̃de] *vt* (*assister*) ayudar; (*favoriser*) secundar.
secouer [s(ə)kwe] *vt* sacudir; (*passagers*) zarandear; (*fam*: *faire se démener*) pinchar; **se secouer** *vpr* (*chiens*) sacudirse; (*fam*: *se démener*) menearse, moverse; **~ la poussière d'un tapis/manteau** sacudir el polvo de una alfombra/de un abrigo; **~ la tête** (*pour dire oui*) asentir con la cabeza; (*pour dire non*) negar con la cabeza.
secourir [s(ə)kuʀiʀ] *vt* socorrer; (*prodiguer des soins à*) auxiliar.
secouriste [s(ə)kuʀist] *nm/f* socorrista *m/f*.
secours [s(ə)kuʀ] *vb voir* **secourir** ♦ *nm* socorro ♦ *nmpl* (*aide financière, matérielle*) ayuda *fsg*; (*soins à un malade, blessé*) auxilio *msg*; (*équipes de secours*) servicios *mpl* de socorro; **au ~!** ¡socorro!; **appeler au ~** pedir socorro; **appeler qn à son ~** pedir socorro a algn; **aller au ~ de qn** acudir en ayuda de algn; **porter ~ à qn** prestar socorro a algn; **les premiers ~** los primeros auxilios; **sa mémoire/cet outil lui a été d'un grand ~** su memoria/esta herramienta le ha sido de gran ayuda; **le secours en montagne** el servicio de rescate de montaña.
secousse [s(ə)kus] *nf* sacudida; (*électrique*) descarga; (*fig*: *psychologique*) conmoción *f*; **secousse sismique/tellurique** sacudida sísmica/telúrica.
secret, -ète [səkʀɛ, ɛt] *adj* secreto(-a); (*renfermé*: *personne*) reservado(-a) ♦ *nm* secreto; **le ~ de qch** (*raison cachée, recette*) el secreto de algo; **en ~** (*sans témoins*) en secreto; **au ~** (*prisonnier*) incomunicado(-a); **secret d'État/de fabrication** secreto de Estado/de fabricación; **secret professionnel** secreto profesional.
secrétaire [s(ə)kʀetɛʀ] *nm/f* secretario(-a) ♦ *nm* (*meuble*) secreter *m*; **secrétaire d'ambassade** secretario de embajada; **secrétaire d'État** secretario de Estado; **secrétaire de direction** secretario de dirección; **secrétaire de mairie** secretario municipal; **secrétaire de rédaction** secretario de redacción; **secrétaire général** secretario general; **secrétaire médicale** auxiliar médico.
secrétariat [s(ə)kʀetaʀja] *nm* (*profession*) secretariado; (*bureau, fonction*) secretaría; **secrétariat d'État** secretaría de Estado; **secrétariat général** secretaría general.
sécréter [sekʀete] *vt* segregar.
secte [sɛkt] *nf* secta.
secteur [sɛktœʀ] *nm* sector *m*; **branché sur le ~** conectado a la red; **fonctionne sur pile et ~** funciona con pilas y con electricidad; **le secteur privé/public** el sector privado/público; **le secteur primaire/secondaire/tertiaire** el sector primario/secundario/terciario.
section [sɛksjɔ̃] *nf* sección *f*; (*d'une route, d'un parcours*) tramo; (*d'un chapitre, d'une œuvre*) parte *f*; **la ~ rythmique/des cuivres** la sección rítmica/los cobres; **tube de ~ 6,5 mm** tubo de 6,5 mm de sección.
sectionner [sɛksjɔne] *vt* (*membre, tige*) seccionar; **se sectionner** *vpr* (*câble*) romperse.
sécu [seky] (*fam*) *nf* (= *Sécurité sociale*) *voir* **sécurité**.
séculaire [sekylɛʀ] *adj* secular.
sécuriser [sekyʀize] *vt* tranquilizar.
sécurité [sekyʀite] *nf* seguridad *f*; **impression de ~** impresión *f* de seguridad; **être en ~** estar seguro(-a); **dispositif/système de ~** dispositivo/sistema *m* de seguridad; **mesures de ~** medidas *fpl* de seguridad; **la sécurité de l'emploi** la garantía de trabajo; **la sécurité internationale/nationale** la seguridad internacional/nacional; **la sécurité routière** la seguridad vial; **la Sécurité sociale** la Seguridad Social.
sédentaire [sedɑ̃tɛʀ] *adj* sedentario(-a).
sédition [sedisjɔ̃] *nf* sedición *f*.
séduction [sedyksjɔ̃] *nf* seducción *f*.
séduire [sedɥiʀ] *vt* seducir.
séduisant, e [sedɥizɑ̃, ɑ̃t] *vb voir* **séduire** ♦ *adj* seductor(a).
segment [sɛgmɑ̃] *nm* segmento; **~ (de**

piston) segmento (de pistón); **segment de frein** segmento de freno.

ségrégation [segʀegasjɔ̃] *nf* segregación *f*; **ségrégation raciale** segregación racial.

seiche [sɛʃ] *nf* sepia.

seigle [sɛgl] *nm* (*BOT*) centeno; (*farine*) harina de centeno.

seigneur [sɛɲœʀ] *nm* señor *m*; **le S~** (*REL*) el Señor.

sein [sɛ̃] *nm* (*ANAT*) seno; (*fig: poitrine*) pecho; **au ~ de** en el seno de; **nourrir au ~** amamantar.

Seine [sɛn] *nf*: **la ~** el Sena.

séisme [seism] *nm* seísmo.

seize [sɛz] *adj inv, nm inv* dieciséis *m inv*; *voir aussi* **cinq**.

seizième [sɛzjɛm] *adj, nm/f* decimosexto(-a) ♦ *nm* (*partitif*) dieciseisavo; *voir aussi* **cinquième**.

séjour [seʒuʀ] *nm* (*villégiature*) estancia; (*pièce*) cuarto de estar.

séjourner [seʒuʀne] *vi* permanecer.

sel [sɛl] *nm* sal *f*; **sel de cuisine/de table** sal de cocina/de mesa; **sel fin/gemme** sal fina/gema; **sels de bain** sales de baño.

sélection [selɛksjɔ̃] *nf* selección *f*; **faire/opérer une ~ parmi** hacer/realizar una selección entre; **épreuve de ~** (*SPORT*) prueba de selección; **sélection naturelle/professionnelle** selección natural/profesional.

sélectionner [selɛksjɔne] *vt* seleccionar.

self-service [sɛlfsɛʀvis] (*pl* **~-~s**) *adj* autoservicio ♦ *nm* self-service *m*, restaurante *m* autoservicio.

selle [sɛl] *nf* (*de cheval*) silla de montar; (*de bicyclette*) sillín *m*; (*CULIN*) paletilla; **~s** *nfpl* (*MÉD*) deposiciones *fpl*; **aller à la ~** (*MÉD*) hacer sus necesidades; **se mettre en ~** montar.

seller [sele] *vt* ensillar.

sellette [sɛlɛt] *nf*: **mettre qn/être sur la ~** agobiar a algn/estar agobiado con preguntas.

selon [s(ə)lɔ̃] *prép* según; **~ que** según que; **~ moi** a mi modo de ver.

semaine [s(ə)mɛn] *nf* semana; **en ~** durante la semana; **la ~ de quarante heures** la semana de cuarenta horas; **la ~ du blanc/du livre** la semana de la ropa blanca/del libro; **à la petite ~** (*vivre etc*) al día; **une organisation à la petite ~** una organización de miras cortas; **la semaine sainte** la Semana Santa.

semblable [sɑ̃blabl] *adj* semejante ♦ *nm* (*prochain*) semejante *m*; **~ à** parecido(-a) a; **de ~s mésaventures/calomnies** (*de ce genre*) semejantes desgracias/calumnias.

semblant [sɑ̃blɑ̃] *nm*: **un ~ d'intérêt/de vérité** una apariencia de interés/de verdad; **faire ~ (de faire qch)** fingir (hacer algo).

sembler [sɑ̃ble] *vi* parecer ♦ *vb impers*: **il semble inutile/bon de ...** parece inútil/bien ...; **il semble (bien) que/ne semble pas que** parece (bien) que/no parece que; **il me semble (bien) que** me parece (bien) que; **il me semble le connaître** me parece que lo conozco; **cela leur semblait cher/pratique** eso les parecía caro/práctico; **~ être** parecer ser; **comme/quand bon lui semble** como/cuando le parece bien; **me semble-t-il, à ce qu'il me semble** me parece, en mi opinión.

semelle [s(ə)mɛl] *nf* (*de chaussure*) suela; (*: intérieure*) plantilla; (*de bas, chaussette*) planta; (*d'un ski*) plancha; **battre la ~** golpear el suelo con los pies para calentarlos; (*fig*) recorrer; **semelles compensées** suelas *fpl* de plataforma.

semence [s(ə)mɑ̃s] *nf* (*graine*) semilla; (*clou*) tachuela.

semer [s(ə)me] *vt* (*AGR*) sembrar; (*fig: éparpiller*) esparcir; (*: poursuivants*) despistar; **~ la confusion** sembrar la confusión; **~ la discorde/terreur parmi ...** sembrar la discordia/el terror entre ...; **semé de difficultés/d'erreurs** sembrado de dificultades/de errores.

semestre [s(ə)mɛstʀ] *nm* semestre *m*.

séminaire [seminɛʀ] *nm* seminario.

semi-remorque [səmiʀəmɔʀk] (*pl* **~-~s**) *nf* (*remorque*) semirremolque *m* ♦ *nm* (*camion*) semirremolque.

semonce [səmɔ̃s] *nf* (*NAUT*) aviso; (*fig*) reprimenda; **coup de ~** disparo de advertencia.

semoule [s(ə)mul] *nf* sémola; **semoule de maïs/de riz** harina de maíz/de arroz.

sénat [sena] *nm*: **le S~** el Senado.

sénateur [senatœʀ] *nm* senador(a).

sénile [senil] *adj* (*voix, tremblement*) senil; (*péj*) chocho(-a).

sens[1] [sɑ̃] *vb voir* **sentir**.

sens[2] [sɑ̃s] *nm* sentido ♦ *nmpl* (*sensualité*) sentidos *mpl*; **avoir le ~ des affaires/de la mesure** tener el don de los negocios/de la medida; **en dépit du bon ~** sin sentido común; **tomber sous le ~** caer por su propio peso; **ça n'a pas de ~** eso no tiene sentido; **en ce ~ que** (*dans la mesure où*) en la medida en que; (*c'est-à-dire que*) en el sentido de que; **en un ~, dans un ~** en cierto sentido; **à mon ~** en mi opinión; **dans le ~ des aiguilles d'une montre** en el sentido de las agujas del reloj; **dans le ~ de la longueur/largeur** a lo largo/ancho; **dans le mauvais ~** en mal sentido; **bon ~** sensatez *f*; **reprendre ses ~** volver en sí; **sens commun** sentido común; **sens dessus dessous** desordenado, patas arriba; **sens figuré** sentido figurado; **sens interdit** dirección *f* prohibida; **sens propre** sentido propio; **sens unique** dirección *f* única.

sensation [sɑ̃sasjɔ̃] *nf* sensación *f*; **faire ~** causar sensación; **à ~** (*péj*) sensacionalista.

sensationnel, le [sɑ̃sasjɔnɛl] *adj* sensacional.

sensé, e [sɑ̃se] *adj* sensato(-a).

sensibiliser [sɑ̃sibilize] *vt* (*PHOTO*) sensibilizar; **~ qn (à)** sensibilizar a algn (para).

sensibilité [sɑ̃sibilite] *nf* sensibilidad *f*.

sensible [sɑ̃sibl] *adj* sensible; (*différence, progrès*) apreciable; **~ à** sensible a.

sensuel, le [sɑ̃sɥɛl] *adj* sensual.

sentence [sɑ̃tɑ̃s] *nf* sentencia.

sentier [sɑ̃tje] *nm* sendero.

sentiment [sɑ̃timɑ̃] *nm* sentimiento; (*avis, opinion*) opinión *f*; **~s** *nmpl*: **les ~s** los sentimientos; **avoir le ~ de/que** tener la impresión de/que; **recevez mes ~s respectueux/dévoués** (*dans une lettre*) reciba usted mis más sinceros respetos; **veuillez agréer l'expression de mes ~s distingués** (*dans une lettre*) reciba usted mis más atentos saludos; **faire du ~** (*péj*) apelar a la sensiblería; **si vous me prenez par les ~s** si usted apela a mis sentimientos.

sentimental, e, -aux [sɑ̃timɑ̃tal, o] *adj* sentimental.

sentinelle [sɑ̃tinɛl] *nf* centinela; **en ~** de guardia.

sentir [sɑ̃tiʀ] *vt* sentir; (*goût*) notar; (*apprécier*) apreciar; (*par l'odorat*) oler; (*avoir le goût de*) saber a; (*au toucher*) sentir; (*avoir une odeur de, aussi fig*) oler a ♦ *vi* oler mal; **~ bon/mauvais** oler bien/mal; **se ~ à l'aise/mal à l'aise** sentirse a gusto *ou* cómodo/incómodo; **se ~ mal** encontrarse mal; **se ~ le courage/la force de faire qch** sentirse con ánimo/fuerza para hacer algo; **se ~ coupable de faire qch** sentirse culpable por haber hecho algo; **ne plus se ~ de joie** rebosar de alegría; **ne pas pouvoir ~ qn** (*fam*) no poder tragar a algn.

séparation [sepaʀasjɔ̃] *nf* separación *f*; (*mur, cloison*) división *f*; **séparation de biens/de corps** separación de bienes/de cuerpos; **séparation des pouvoirs** separación de (los) poderes.

séparer [sepaʀe] *vt* separar; **se séparer** *vpr* separarse; (*amis etc*) despedirse; (*route, tige*) bifurcarse; (*éléments, parties*) desmontarse; (*écorce*) desprenderse; **se ~ de** (*époux*) separarse de; (*employé, objet personnel*) deshacerse de; **~ qn de** (*ami, allié*) separar a algn de; **~ une pièce/un jardin en deux** dividir una habitación/un jardín en dos.

sept [sɛt] *adj inv, nm inv* siete *m inv*; *voir aussi* **cinq**.

septembre [sɛptɑ̃bʀ] *nm* se(p)tiembre *m*; *voir aussi* **juillet**.

septennat [sɛptena] *nm* septenio.

septième [sɛtjɛm] *adj, nm/f* sé(p)timo(-a) ♦ *nm* (*partitif*) sé(p)timo; **être au ~ ciel** estar en el sé(p)timo cielo; *voir aussi* **cinquième**.

septique [sɛptik] *adj*: **fosse ~** foso séptico.

septuagénaire [sɛptɥaʒenɛʀ] *adj, nm/f* septuagenario(-a).

sépulture [sepyltyʀ] *nf* sepultura.

séquelles [sekɛl] *nfpl* secuelas *fpl*.

séquence [sekɑ̃s] *nf* secuencia.

séquestrer [sekɛstʀe] *vt* (*personne*) secuestrar; (*biens*) embargar.

serai *etc* [səʀe] *vb voir* **être**.

serein, e [səʀɛ̃, ɛn] *adj* sereno(-a); (*visage, regard, personne*) apacible.

sérénité [seʀenite] *nf* serenidad *f*.

serez [səʀe] *vb voir* **être**.

sergent [sɛʀʒɑ̃] *nm* sargento.

série [seʀi] *nf* serie *f*; (*de clefs, outils*) juego; (*SPORT*) fase *f*; **en/de/hors ~** en/de/fuera de serie; **imprimante ~** impresora en serie; **soldes de fin de ~s** saldos *mpl* de fin de serie; **série noire** (*roman policier*) policiaca; (*suite de malheurs*) serie de desgracias; **série (télévisée)** serie (televisiva).

sérieux, -euse [seʀjø, jøz] *adj* serio(-a); (*client*) serio(-a), formal; (*moral, rangé*) formal ♦ *nm* seriedad *f*; **garder son ~** mantener su seriedad; **manquer de ~** no tener fundamento; **prendre qch/qn au ~** tomarse algo/a algn en serio; **se prendre au ~** tomarse en serio; **tu es ~?** ¿lo dices en serio?; **c'est ~?** ¿en serio?; **ce n'est pas ~** (*critique*) eso no es serio; **une sérieuse différence/augmentation** una considerable diferencia/aumento.

seringue [s(ə)ʀɛ̃g] *nf* jeringa.

serions [səʀjɔ̃] *vb voir* **être**.

serment [sɛʀmɑ̃] *nm* (*juré*) juramento; (*promesse*) promesa solemne; **prêter ~** prestar juramento; **faire le ~ de** prestar juramento de; **témoigner sous ~** atestiguar bajo juramento.

sermon [sɛʀmɔ̃] *nm* sermón *m*.

serpe [sɛʀp] *nf* podadera.

serpent [sɛʀpɑ̃] *nm* serpiente *f*; **serpent à lunettes/à sonnettes** serpiente de anteojos/de cascabel; **serpent monétaire (européen)** sistema *m* monetario (europeo).

serpenter [sɛʀpɑ̃te] *vi* serpentear.

serpillière [sɛʀpijɛʀ] *nf* bayeta.

serre [sɛʀ] *nf* (*construction*) invernadero; ~s *nfpl* (*griffes*) garras *fpl*; **serre chaude/froide** invernadero templado/frío.

serré, e [seʀe] *adj* apretado(-a); (*habits*) ajustado(-a); (*lutte, match*) reñido(-a); (*café*) fuerte ♦ *adv*: **jouer** ~ jugar sobre seguro; **écrire** ~ escribir con letra apretada; **avoir le cœur** ~ tener el corazón en un puño; **avoir la gorge** ~**e** tener un nudo en la garganta.

serre-livres [sɛʀlivʀ] *nm inv* sujetalibros *m inv*.

serrer [seʀe] *vt* apretar; (*tenir*: *chose*) asir; (: *personne*) abrazar; (*rapprocher*) apretujar; (*frein, robinet*) aprietar; (*automobiliste, cycliste*) arrimarse a ♦ *vi*: ~ **à droite/gauche** pegarse a la derecha/a la izquierda; **se serrer** *vpr* (*se rapprocher*) apretujarse; ~ **la main à qn** estrechar la mano a algn; ~ **qn dans ses bras/contre son cœur** estrechar a algn entre sus brazos/contra su pecho; ~ **la gorge/le cœur à qn** oprimir la garganta/el pecho a algn; ~ **les dents** apretar los dientes; ~ **qn de près** seguir de cerca a algn; ~ **le trottoir** pegarse a la acera; ~ **sa droite/gauche** pegarse a su derecha/izquierda; **se** ~ **contre qn** estrecharse contra algn; **se** ~ **les coudes** prestarse ayuda; **se** ~ **la ceinture** (*fig*) apretarse el cinturón; ~ **la vis à qn** (*fig*) apretar las clavijas a algn; ~ **les rangs** cerrar filas.

serre-tête [sɛʀtɛt] *nm inv* cinta (para la cabeza), diadema.

serrure [seʀyʀ] *nf* cerradura, chapa (*AM*).

serrurier [seʀyʀje] *nm* cerrajero.

sers *etc* [sɛʀ] *vb voir* **servir**.

sert *etc* [sɛʀ] *vb voir* **servir**.

sertir [sɛʀtiʀ] *vt* (*pierre précieuse*) engastar; (*deux pièces métalliques*) encastrar.

sérum [seʀɔm] *nm* suero; **sérum antitétanique** suero antitetánico; **sérum antivenimeux** suero antiofídico; **sérum artificiel** suero artificial; **sérum de vérité** suero de la verdad; **sérum physiologique** suero fisiológico; **sérum sanguin** suero sanguíneo.

servante [sɛʀvɑ̃t] *nf* sirvienta, mucama (*CSUR*), recamarera (*MEX*).

serveur, -euse [sɛʀvœʀ, øz] *nm/f* (*de restaurant*) camarero(-a); (*TENNIS*) *jugador que tiene el servicio*; (*CARTES*) mano *m/f* ♦ *nm*: ~ **de données** (*INFORM*) base *f* de datos ♦ *adj*: **centre** ~ (*INFORM*) banco de datos.

serviable [sɛʀvjabl] *adj* servicial.

service [sɛʀvis] *nm* servicio; (*aide, faveur*) favor *m*; (*REL*) oficio; (*SPORT*) servicio, saque *m*; ~s *nmpl* (*travail, prestations*) servicios *mpl*; (*ÉCON*) sector *m* servicios; ~ **compris/non compris** servicio incluido/no incluido; **faire le** ~ servir; **être en** ~ **chez qn** (*domestique*) estar de servicio en casa de algn; **être au** ~ **de (qn)** estar al servicio de (algn); **pendant le** ~ de servicio; **porte de** ~ puerta de servicio; **premier/second** ~ primer/segundo turno; **rendre** ~ **(à qn)** ayudar (a algn), echar una mano (a algn); (*suj*: *objet*) ser de utilidad (a algn); **il aime rendre** ~ le gusta hacer favores; **rendre un** ~ **à qn** hacer un favor a algn; **reprendre du** ~ volver al servicio activo; **heures de** ~ horas de servicio; **être de** ~ estar de servicio; **avoir 25 ans de** ~ tener 25 años de servicio; **être/mettre en** ~ estar/poner en servicio; **hors** ~ fuera de servicio; **en** ~ **commandé** en comisión de servicio; **service à café/à glaces** servicio de café/de helado; **service après vente** servicio pos(t)-venta; **service à thé** servicio de té; **service d'ordre** servicio de orden; **service funèbre** servicio funerario; **service militaire/public** servicio militar/público; **services secrets/sociaux** servicios secretos/sociales.

serviette [sɛʀvjɛt] *nf* (*de table*) servilleta; (*de toilette*) toalla; (*porte-documents*) cartera, portafolio(s) *m* (*AM*); **serviette éponge** toalla de felpa; **serviette hygiénique** compresa.

servir [sɛʀviʀ] *vt* servir; (*client*: *au magasin*) atender; (*rente, pension*) pagar ♦ *vi* servir; **se servir** *vpr* servirse; **se** ~ **chez qn** servirse en casa de algn; **se** ~ **de** (*plat*) servirse de; (*voiture, outil*) utilizar; (*relations, amis*) valerse de; ~ **à qn** (*suj*: *diplôme, livre*) servir a algn; **ça m'a servi pour faire ...** eso me ha servido para hacer ...; ~ **à qch/faire qch** (*outil*) servir para algo/hacer algo; ~ **qn** (*aider*) ayudar a algn; **qu'est-ce que je vous sers?** ¿qué le sirvo?; **est-ce que je peux vous** ~ **quelque chose?** ¿le sirvo a usted algo?; **vous êtes servi?** ¿le atienden a usted?; **ça peut** ~ eso puede servir; **ça peut encore** ~ todavía puede servir eso; **à quoi cela sert-il (de faire)?** ¿de qué sirve (hacer)?; **cela ne sert à rien** eso no sirve para nada; ~ **(à**

qn) de hacer (a algn) de; ~ **dans l'infanterie** (*être militaire*) servir en infantería; ~ **la messe** ayudar a misa; ~ **une cause** servir a una causa; ~ **les intérêts de qn** servir a los intereses de algn; ~ **à dîner/déjeuner à qn** servir de cenar/almorzar a algn; ~ **le dîner à 18 h** servir la cena a las 6 de la tarde.

serviteur [sɛʀvitœʀ] *nm* servidor *m*.

servitude [sɛʀvityd] *nf* servidumbre *f*.

ses [se] *dét voir* **son**[1].

session [sesjɔ̃] *nf* sesión *f*; (*d'examen*) convocatoria.

set [sɛt] *nm* (*TENNIS*) set *m*; **set de table** juego de mantelería.

seuil [sœj] *nm* umbral *m*; **recevoir qn sur le ~ (de sa maison)** recibir a algn en la puerta (de su casa); **au ~ de** (*fig*) en el umbral de; **seuil de rentabilité** (*COMM*) punto de equilibrio.

seul, e [sœl] *adj* (*sans compagnie*) solo(-a); (*avec nuance affective*: *isolé*) solitario(-a); (*objet, mot etc*) aislado(-a) ♦ *adv*: **vivre ~** vivir solo(-a) ♦ *nm/f*: **j'en veux un(e) seul(e)** quiero sólo uno(-a); **le ~ livre/homme** el único libro/hombre; **lui ~ peut ...** sólo él puede ...; **à lui (tout) ~** sólo a él; **d'un ~ coup** *adv* (*subitement*) de pronto; (*à la fois*) de una vez; **~ ce livre** sólo ese libro; **parler tout ~** hablar solo; **faire qch (tout) ~** hacer algo (completamente) solo; **~ à ~** a solas; **il en reste un(e) ~(e)** queda sólo uno(-a); **pas un(e) ~(e)** ni siquiera uno(-a).

seulement [sœlmɑ̃] *adv*: **~ 5, 5 ~** solamente 5; **~ eux** (*exclusivement*) únicamente ellos; **~ hier/à 10 h** (*pas avant*) sólo ayer/a las 10; **il consent, ~ il demande des garanties** (*toutefois*) consiente, pero pide garantías; **non ~ ... mais aussi** *ou* **encore** no solamente ... pero también *ou* además.

sève [sɛv] *nf* savia.

sévère [sevɛʀ] *adj* severo(-a); (*style, tenue*) austero(-a); (*pertes*) serio(-a), grave.

sévices [sevis] *nmpl* malos tratos *mpl*.

sévir [seviʀ] *vi* (*punir*) castigar severamente; (*suj*: *fléau*) hacer estragos; **~ contre** (*abus, pratiques*) obrar con severidad contra.

sevrer [səvʀe] *vt* destetar; **~ qn de qch** (*fig*) privar a algn de algo.

sexagénaire [sɛksaʒenɛʀ] *adj, nm/f* sexagenario(-a).

sexe [sɛks] *nm* sexo; **le ~ fort/faible** el sexo fuerte/débil.

sexuel, le [sɛksɥɛl] *adj* sexual; **acte ~** acto sexual.

seyant, e [sɛjɑ̃, ɑ̃t] *vb voir* **seoir** ♦ *adj* favorecedor(a).

shampooing [ʃɑ̃pwɛ̃] *nm* (*lavage*) lavado; (*produit*) champú *m*; **se faire un ~** hacerse un lavado con champú; **shampooing colorant/traitant** champú colorante/tratante.

shooter [ʃute] *vi* (*FOOTBALL*) chutar; **se shooter** *vpr* (*drogué*) pincharse.

shopping [ʃɔpiŋ] *nm*: **faire du ~** ir de compras.

short [ʃɔʀt] *nm* pantalón *m* corto, short *m*.

MOT-CLÉ

si [si] *adv* **1** (*oui*) sí; **Paul n'est pas venu? – si!** ¿no ha venido Pablo? – ¡sí!; **mais si!** ¡que sí!; **je suis sûr que si** estoy seguro (de) que sí; **je vous assure que si** le aseguro que sí; **il m'a répondu que si** me contestó que sí; **j'admets que si** reconozco que sí

2 (*tellement*): **si gentil/rapidement** tan amable/rápidamente; **si rapide qu'il soit** por muy rápido que sea

♦ *conj* si; **si tu veux** si quieres; **je me demande si ...** me pregunto si ...; **si seulement** si sólo; **si ce n'est ...** (*sinon*) sino ...; **si ce n'est que ...** excepto que ...; **si tant est que ...** siempre y cuando ...; **(tant et) si bien que** tanto que; **s'il pouvait (seulement) venir!** ¡si (al menos) pudiera venir!; **s'il le fait, c'est que ...** si lo hace, es que ...; **s'il est aimable, eux par contre ...** él es amable, pero en cambio ellos ...; **si j'étais toi ...** yo que tú ...

♦ *nm inv* (*MUS*) si *m*.

siamois, e [sjamwa, waz] *adj* siamés(-esa); **frères ~** hermanos *mpl* siameses.

Sicile [sisil] *nf* Sicilia.

SIDA [sida] *sigle m* (= *syndrome immunodéficitaire acquis*) SIDA *m* (= *Síndrome de Inmunodeficiencia Adquirida*).

sidéré, e [sideʀe] *adj* atónito(-a).

sidérurgie [sideʀyʀʒi] *nf* siderurgia.

siècle [sjɛkl] *nm* siglo *m*; **le ~ des lumières/de l'atome** el siglo de las luces/del átomo.

siège [sjɛʒ] *nm* asiento; (*dans une assemblée*) puesto; (*député*) escaño; (*tribunal, assemblée, organisation*) sede *f*; (*d'une entreprise*) oficina central; (*d'une douleur, maladie*) foco; (*MIL*) sitio; **lever le ~** levantar el sitio; **mettre le ~ devant une ville** sitiar una ciudad; **se présenter par le ~** (*nouveau-né*) nacer de nalgas; **siège arrière/avant** asiento trasero/delantero; **siège baquet** *asiento ajustable de los co-*

ches de carreras; **siège social** sede social.
siéger [sjeʒe] *vi* (*député*) ocupar un escaño; (*assemblée, tribunal*) celebrar sesión; (*résider, se trouver*) residir.
sien, ne [sjɛ̃, sjɛn] *pron*: **le ~, la ~ne** el suyo, la suya; **les ~s, les ~nes** los suyos, las suyas; **y mettre du ~** poner de su parte; **faire des ~nes** (*fam*) hacer de las suyas; **les ~s** (*sa famille*) los suyos.
sieste [sjɛst] *nf* siesta; **faire la ~** dormir la siesta.
sifflement [sifləmɑ̃] *nm* silbido.
siffler [sifle] *vi* silbar; (*train, avec un sifflet*) pitar ♦ *vt* silbar; (*orateur, faute, départ*) pitar; (*fam: verre, bouteille*) soplarse.
sifflet [siflɛ] *nm* (*instrument*) silbato; (*sifflement*) silbido; **~s** *nmpl* (*de mécontentement*) pitidos *mpl*; **coup de ~** pitido.
sigle [sigl] *nm* sigla.
signal, -aux [siɲal, o] *nm* señal *f*; **donner le ~ de** dar la señal de; **signal d'alarme/d'alerte** señal de alarma/de alerta; **signal de détresse** señal de socorro; **signal horaire/optique/sonore** señal horaria/óptica/sonora; **signaux (lumineux)** (*AUTO*) semáforo *msg*; **signaux routiers** señales de circulación.
signalement [siɲalmɑ̃] *nm* descripción *f*.
signaler [siɲale] *vt* señalar; **~ qch à qn/(à qn) que** señalar algo a algn/(a algn) que; **~ qn à la police** advertir a la policía sobre algn; **se signaler (par)** *vpr* distinguirse (por); **se ~ à l'attention de qn** llamar la atención de algn.
signature [siɲatyʀ] *nf* firma.
signe [siɲ] *nm* signo; (*mouvement, geste*) seña; **ne pas donner ~ de vie** no dar señales de vida; **c'est bon/mauvais ~** es buena/mala señal; **c'est ~ que** es señal de que; **faire un ~ de la tête/main** hacer una seña con la cabeza/la mano; **faire ~ à qn** (*fig*) hacer saber algo a algn; **faire ~ à qn d'entrer** hacer señas a algn para que entre; **en ~ de** en señal de; **~s extérieurs de richesse** signos externos de riqueza; **signe de la croix** señal *f* de la cruz; **signe de ponctuation** signo de puntuación; **signe du zodiaque** signo del Zodíaco; **signes particuliers** señas individuales.
signer [siɲe] *vt* firmar; **se signer** *vpr* santiguarse.
signification [siɲifikasjɔ̃] *nf* significado.
signifier [siɲifje] *vt* significar; **~ qch (à qn)** (*faire connaître*) comunicar algo (a algn); **~ qch à qn** (*JUR*) notificar algo a algn.
silence [silɑ̃s] *nm* silencio; (*MUS*) pausa; **garder le ~ sur qch** guardar silencio sobre algo; **passer sous ~** silenciar; **réduire au ~** hacer callar; **"~!"** "¡silencio!"
silencieux, -euse [silɑ̃sjø, jøz] *adj* silencioso(-a) ♦ *nm* silenciador *m*.
silex [silɛks] *nm* sílex *m*.
silhouette [silwɛt] *nf* silueta.
silicium [silisjɔm] *nm*: **plaquette de ~** placa de silicio.
sillage [sijaʒ] *nm* estela; **dans le ~ de** (*fig*) tras los pasos de.
sillon [sijɔ̃] *nm* surco.
sillonner [sijɔne] *vt* (*suj: rides, crevasses*) formar surcos en; (*parcourir en tous sens*) surcar; (*suj: routes, voyageurs*) atravesar.
silo [silo] *nm* silo; **silo lance-missile** silo lanzamisiles.
simagrées [simagʀe] *nfpl* melindres *mpl*.
similaire [similɛʀ] *adj* similar.
similitude [similityd] *nf* semejanza.
simple [sɛ̃pl] *adj* (*aussi péj*) simple; (*peu complexe*) sencillo(-a), simple; (*repas, vie*) sencillo(-a) ♦ *nm* (*TENNIS*): **~ messieurs/dames** individual *m* masculino/femenino; **~s** *nfpl* (*plantes médicinales*) simples *mpl*; **une ~ objection/formalité** una mera objeción/formalidad; **un ~ employé/particulier** un(a) simple empleado/persona; **cela varie du ~ au double** se duplica; **dans le plus ~ appareil** como Dios lo trajo al mundo; **réduit à sa plus ~ expression** reducido a su mínima expresión; **~ course** *adj* (*TRANSPORT*) trayecto de ida; **simple d'esprit** *nm/f* simplón(-ona); **simple soldat** soldado raso.
simplement [sɛ̃pləmɑ̃] *adv* (*seulement*) solamente; (*sans affectation*) de una forma sencilla.
simplifier [sɛ̃plifje] *vt* simplificar.
simulacre [simylakʀ] *nm* simulacro.
simuler [simyle] *vt* fingir; (*suj: substance, revêtement*) simular, imitar; (*vente, contrat*) simular.
simultané, e [simyltane] *adj* simultáneo(-a).
sincère [sɛ̃sɛʀ] *adj* sincero(-a); **mes ~s condoléances** mi más sentido pésame.
sincérité [sɛ̃seʀite] *nf* sinceridad *f*; **en toute ~** con toda franqueza.
sine qua non [sinekwanɔn] *adj*: **condition ~ ~ ~** condición *f* sine qua non.
singe [sɛ̃ʒ] *nm* mono.
singer [sɛ̃ʒe] *vt* imitar.
singulariser [sɛ̃gylaʀize] *vt* singularizar; **se singulariser** *vpr* caracterizarse.
singulier, -ière [sɛ̃gylje, jɛʀ] *adj* singular ♦ *nm* (*LING*) singular *m*.
sinistre [sinistʀ] *adj* siniestro(-a) ♦ *nm* siniestro; **un ~ imbécile/crétin** (*intensif*)

un imbécil/cretino redomado.

sinon [sinɔ̃] *conj* (*autrement, sans quoi*) de lo contrario; (*sauf*) salvo; (*si ce n'est*) si no.

sinueux, -euse [sinɥø, øz] *adj* (*ruelles*) sinuoso(-a); (*fig: raisonnement*) retorcido(-a).

sinus [sinys] *nm* seno.

siphon [sifɔ̃] *nm* sifón *m*.

sire [siʀ] *nm* (*titre*): **S~** señor *m*; **un triste ~** un hombre vil.

sirène [siʀɛn] *nf* sirena; **sirène d'alarme** sirena de alarma.

sirop [siʀo] *nm* (*de fruit etc*) concentrado; (*boisson*) sirope *m*, zumo; (*pharmaceutique*) jarabe *m*; **sirop contre la toux** jarabe contra la tos; **sirop de framboise/de menthe** concentrado de frambuesa/de menta; (*boisson*) sirope *ou* zumo de frambuesa/de menta.

sismique [sismik] *adj* sísmico(-a).

site [sit] *nm* (*paysage, environnement*) paraje *m*; (*d'une ville etc*) emplazamiento; **site (pittoresque)** paisaje *m* (pintoresco); **sites historiques/naturels/touristiques** parajes históricos/naturales/turísticos.

sitôt [sito] *adv*: **~ parti** nada más marcharse (*etc*); **~ après** inmediatamente después; **pas de ~** no tan pronto; **~ (après) que** tan pronto como.

situation [sitɥasjɔ̃] *nf* situación *f*; (*emploi, place*) puesto; **être en ~ de faire qch** estar en situación de hacer algo; **situation de famille** estado civil.

situer [sitɥe] *vt* situar; (*en pensée*) localizar; **se situer** *vpr*: **se ~ à** *ou* **dans/près de** situarse en/cerca de.

six [sis] *adj inv, nm inv* seis *m inv*; *voir aussi* **cinq**.

sixième [sizjɛm] *adj, nm/f* sexto(-a) ♦ *nm* (*partitif*) sexto ♦ *nf* (SCOL) *primer año de educación secundaria en el sistema francés*; *voir aussi* **cinquième**.

ski [ski] *nm* esquí *m*; **une paire de ~s, des ~s** un par de esquís, esquís *mpl*; **faire du ~** esquiar; **aller faire du ~** ir a esquiar; **ski alpin** esquí alpino; **ski de fond/de piste/de randonnée** esquí de fondo/de pista/de paseo; **ski évolutif** método intensivo de esquí; **ski nautique** esquí náutico.

skier [skje] *vi* esquiar.

skieur, -euse [skjœʀ, skjøz] *nm/f* esquiador(a).

slalom [slalɔm] *nm* eslálom *m*; **faire du ~ entre** (*fig*) hacer eslálom entre; **slalom géant/spécial** eslálom gigante/especial.

slip [slip] *nm* (*d'homme*) calzoncillo, slip *m*, calzones *mpl* (*AM*); (*de femme*) braga, calzones *mpl* (*AM*); (*de bain: d'homme*) bañador *m*; (*: de femme*) braga (del bikini).

slogan [slɔgɑ̃] *nm* eslogan *m*.

slow [slo] *nm* baile *m* lento.

SME [ɛsɛmə] *sigle m* (= *Système monétaire européen*) SME *m* (= *Sistema Monetario Europeo*).

SMIC [smik] *sigle m* (= *salaire minimum interprofessionnel de croissance*) *salario mínimo interprofesional*.

smicard, e [smikaʀ, aʀd] *nm/f trabajador que cobra el sueldo base*.

smoking [smɔkiŋ] *nm* esmoquin *m*.

snack [snak] *nm* bar *m*.

SNCF [ɛsɛnseɛf] *sigle f* (= *Société nationale des chemins de fer français*) *red nacional de ferrocarriles franceses*.

snob [snɔb] *adj, nm/f* esnob *m/f*.

sobre [sɔbʀ] *adj* sobrio(-a); **~ de** (*gestes/compliments*) parco(-a) de.

sobriquet [sɔbʀikɛ] *nm* mote *m*.

social, e, -aux [sɔsjal, jo] *adj* social.

socialiser [sɔsjalize] *vt* socializar.

socialisme [sɔsjalism] *nm* socialismo.

socialiste [sɔsjalist] *adj, nm/f* socialista *m/f*.

société [sɔsjete] *nf* sociedad *f*; (*d'abeilles, de fourmis*) comunidad *f*; **rechercher/se plaire dans la ~ de** (*compagnie*) buscar/estar a gusto en la compañía de; **société anonyme/à responsabilité limitée** sociedad anónima/de responsabilidad limitada; **la société d'abondance** la sociedad de la abundancia; **société de capitaux** sociedad de capitales; **la société de consommation** la sociedad de consumo; **société de services** sociedad de servicios; **société d'investissement à capital variable** sociedad inversora de capital variable; **société par actions** sociedad por acciones; **société savante** sociedad cultural.

sociologie [sɔsjɔlɔʒi] *nf* sociología.

sociologue [sɔsjɔlɔg] *nm/f* sociólogo(-a).

socle [sɔkl] *nm* (*de colonne, statue*) pedestal *m*; (*de lampe*) pie *m*.

sœur [sœʀ] *nf* hermana; (*religieuse*) hermana, sor *f*; **~ Elisabeth** (REL) sor Elisabeth; **sœur aînée/cadette/de lait** hermana mayor/menor/de leche.

soi [swa] *pron* sí mismo(-a); **cela va de ~** ni que decir tiene.

soi-disant [swadizɑ̃] *adj inv* supuesto(-a) ♦ *adv* presuntamente.

soie [swa] *nf* seda; (*de porc, sanglier*) cerda; **soie sauvage** seda salvaje.

soient [swa] *vb voir* **être**.

soif [swaf] *nf* sed *f*; **~ du pouvoir** sed de poder; **avoir ~** tener sed; **donner ~ (à qn)** dar sed (a algn).

soigné, e [swaɲe] *adj* (*personne*) cuidado(-a); (*travail*) esmerado(-a); (*fam: rhume, facture etc*) señor(a).
soigner [swaɲe] *vt* cuidar (a); (*maladie*) curar; (*clientèle, invités*) atender (a).
soigneux, -euse [swaɲø, øz] *adj* cuidadoso(-a); ~ **de** cuidadoso(-a) con.
soi-même [swamɛm] *pron* sí-mismo(-a).
soin [swɛ̃] *nm* cuidado; **~s** *nmpl* (*à un malade, aussi hygiène*) cuidados *mpl*; (*attentions, prévenance*) detalles *mpl*; **avoir** *ou* **prendre ~ de qch/qn** ocuparse de algo/algn; **laisser à qn le ~ de faire qch** dejar a algn al cargo de hacer algo; **sans ~** *adj* descuidado(-a) ♦ *adv* descuidadamente; **~s de la chevelure/de beauté/du corps** cuidados del cabello/de belleza/corporales; **les ~s du ménage** los quehaceres domésticos; **les premiers ~s** primeros auxilios *mpl*; **aux bons ~s de** a la atención *ou* al cuidado de; **être aux petits ~s pour qn** tener mil detalles con algn; **confier qn aux ~s de qn** confiar a algn a los cuidados de algn.
soir [swaʀ] *nm* tarde *f*; (*tard*) noche *f* ♦ *adv*: **dimanche ~** el domingo por la tarde; **il fait frais/il travaille le ~** hace fresco/trabaja por la tarde; **ce ~** esta tarde; **"à ce ~!"** "¡hasta la tarde!"; **la veille au ~** la víspera por la noche; **sept heures du ~** las siete de la tarde; **dix heures du ~** las diez de la noche; **le repas du ~** la cena; **le journal du ~** el diario de la tarde; **hier ~** ayer por la noche; **demain ~** mañana por la noche.
soirée [swaʀe] *nf* (*moment de la journée*) tarde *f*; (*: tard*) noche *f*; (*réception*) velada; **donner un film/une pièce en ~** dar una película/una obra de teatro en función de noche.
soit [swa] *vb voir* **être** ♦ *conj* es decir ♦ *adv* (*assentiment*) sea, de acuerdo; **~ ..., ~ ...** sea ... sea ...; **~ un triangle ABC** tenemos un triángulo ABC; **~ que ..., ~ que ...** *ou* **ou que ...** ya sea ... ya sea ... .
soixantaine [swasɑ̃tɛn] *nf* (*nombre*): **la ~** los sesenta; **avoir la ~** rondar los sesenta; **une ~ de ...** unos sesenta ... .
soixante [swasɑ̃t] *adj inv, nm inv* sesenta *m inv*; *voir aussi* **cinq**.
soixante-dix [swasɑ̃tdis] *adj inv, nm inv* setenta *m inv*.
soixante-dixième [swasɑ̃tdizjɛm] *adj, nm/f* septuagésimo(-a) ♦ *nm* (*partitif*) setentavo; *voir aussi* **cinquième**.
soixantième [swasɑ̃tjɛm] *adj, nm/f* sexagésimo(-a) ♦ *nm* (*partitif*) sesentavo; *voir aussi* **cinquième**.
soja [sɔʒa] *nm* soja; **germes de ~** brotes *mpl* de soja.
sol [sɔl] *nm* suelo; (*revêtement*) suelo, piso ♦ *nm inv* (*MUS*) sol *m*.
solaire [sɔlɛʀ] *adj* solar; (*huile, filtre*) bronceador(a); **cadran ~** reloj *m* de sol.
soldat [sɔlda] *nm* soldado; **soldat de plomb** soldadito de plomo; **Soldat inconnu** soldado desconocido.
solde [sɔld] *nf* (*MIL*) sueldo ♦ *nm* (*COMM*) saldo; **~s** *nm ou fpl* (*COMM*) saldos *mpl*; **à la ~ de qn** (*péj*) a sueldo de algn; **en ~** rebajado; **aux ~s** en las rebajas; **solde créditeur/débiteur** *ou* **à payer** saldo acreedor/deudor.
solder [sɔlde] *vt* (*compte: en acquittant le solde*) saldar; (*: en l'arrêtant*) liquidar; (*marchandise*) rebajar; **se ~ par** resultar en; **article soldé (à) 10 F** artículo rebajado a 10 francos.
sole [sɔl] *nf* lenguado.
soleil [sɔlɛj] *nm* sol *m*; (*feu d'artifice*) rueda; (*acrobatie*) vuelta de campana; (*BOT*) girasol *m*; **il y a** *ou* **il fait du ~** hace sol; **au ~** al sol; **en plein ~** a pleno sol; **le soleil couchant** la puesta del sol; **le soleil de minuit** el sol de medianoche; **le soleil levant** la salida del sol.
solennel, le [sɔlanɛl] *adj* solemne.
solfège [sɔlfɛʒ] *nm* solfeo.
solidaire [sɔlidɛʀ] *adj* solidario(-a); (*choses, pièces mécaniques*) interdependiente; **être ~ de** (*compatriotes, collègues*) ser solidario(-a) con; (*mécanisme*) ser interdependiente de.
solidarité [sɔlidaʀite] *nf* solidaridad *f*; (*de mécanismes, phénomènes*) interdependencia; **par ~ (avec)** (*cesser le travail*) por solidaridad (con); **contrat de ~** acuerdo de cooperación.
solide [sɔlid] *adj* sólido(-a); (*personne, estomac*) fuerte ♦ *nm* (*PHYS, GÉOM*) sólido; **un ~ coup de poing** (*fam*) un buen puñetazo; **une ~ engueulade** una buena bronca; **avoir les reins ~s** (*fig*) tener los nervios de acero; **~ au poste** (*fig*) inquebrantable en el trabajo.
solidité [sɔlidite] *nf* solidez *f*.
soliste [sɔlist] *nm/f* solista *m/f*.
solitaire [sɔlitɛʀ] *adj* solitario(-a); (*endroit, maison*) desierto(-a) ♦ *nm/f* solitario(-a) ♦ *nm* (*diamant, jeu*) solitario.
solitude [sɔlityd] *nf* soledad *f*.
solliciter [sɔlisite] *vt* solicitar; (*moteur*) activar; (*suj: attractions etc*) tentar; (*: occupations*) absorber; **~ qn** tentar a algn; **~ qch de qn** solicitar algo de algn.
sollicitude [sɔlisityd] *nf* solicitud *f*.
soluble [sɔlybl] *adj* soluble.
solution [sɔlysjɔ̃] *nf* solución *f*; (*d'une si-*

tuation, crise) desenlace *m*; **solution de continuité** solución de continuidad; **solution de facilité** solución fácil.

solvable [sɔlvabl] *adj* solvente.

solvant [sɔlvɑ̃] *nm* disolvente *m*.

sombre [sɔ̃bʀ] *adj* oscuro(-a); (*fig*) taciturno(-a); (: *avenir*) sombrío(-a); **une ~ brute** un bestia.

sombrer [sɔ̃bʀe] *vi* (*bateau*) zozobrar; **~ corps et biens** desaparecer personas y bienes; **~ dans la misère** caer en la miseria.

sommaire [sɔmɛʀ] *adj* somero(-a) ♦ *nm* sumario; (*en fin ou début de chapitre*) resumen *m*; **faire le ~ de** hacer el resumen de; **exécution ~** ejecución *f* sumaria.

sommation [sɔmasjɔ̃] *nf* (*JUR*) intimación *f*; (*avant de faire feu*) advertencia.

somme [sɔm] *nf* (*MATH, d'argent*) suma; (*fig*) cantidad *f* ♦ *nm*: **faire un ~** echar un sueño; **faire la ~ de** hacer la suma de; **en ~** en resumidas cuentas; **~ toute** en resumen.

sommeil [sɔmɛj] *nm* sueño; **avoir ~** tener sueño; **avoir le ~ léger** tener el sueño ligero; **en ~** (*fig*) en suspenso.

sommelier, -ière [sɔməlje, jɛʀ] *nm/f* camarero(-a) de vino.

sommer [sɔme] *vt*: **~ qn de faire** intimar a algn a que haga.

sommes [sɔm] *vb voir* **être**; *voir aussi* **sommer**.

sommet [sɔmɛ] *nm* cima; (*fig*) cúspide *f*; (*de la perfection, gloire, conférence*) cumbre *f*; (*GÉOM*) vértice *m*; **l'air pur des ~s** el aire puro de las montañas.

sommier [sɔmje] *nm* somier *m*; **sommier à lattes/à ressorts** somier de láminas/de muelles; **sommier métallique** somier de malla metálica.

sommité [sɔ(m)mite] *nf* eminencia.

somnambule [sɔmnɑ̃byl] *nm/f* sonámbulo(-a).

somnifère [sɔmnifɛʀ] *nm* somnífero.

somnoler [sɔmnɔle] *vi* dormitar.

somptueux, -euse [sɔ̃ptɥø, øz] *adj* suntuoso(-a).

son[1], sa [sɔ̃, sa] (*pl* **ses**) *dét* su.

son[2] [sɔ̃] *nm* sonido; (*de blé*) salvado; (*sciure*) serrín *m*; **régler le ~** (*RADIO, TV*) regular el volumen; **son et lumière** luz y sonido.

sondage [sɔ̃daʒ] *nm* sondeo; **sondage (d'opinion)** sondeo (de opinión).

sonde [sɔ̃d] *nf* sonda; (*TECH*) barrena; **sonde à avalanche** sonda para las avalanchas; **sonde spatiale** sonda espacial.

sonder [sɔ̃de] *vt* sondear; (*plaie, malade*) sondar; (*fig: conscience etc*) indagar (en); (: *personne*) tantear; **~ le terrain** (*fig*) tantear el terreno.

songe [sɔ̃ʒ] *nm* sueño.

songer [sɔ̃ʒe]: **~ à** *vt ind* (*rêver à*) soñar con; (*penser à*) pensar en; (*envisager*) considerar; **~ que** considerar que.

songeur, -euse [sɔ̃ʒœʀ, øz] *adj* pensativo; **ça me laisse ~** eso me deja pensativo(-a).

sonner [sɔne] *vi* (*cloche*) tañer; (*réveil, téléphone*) sonar; (*à la porte*) llamar ♦ *vt* (*cloche*) tañer; (*domestique, portier, infirmière*) llamar a; (*messe, réveil, tocsin*) tocar a; (*fam: suj: choc, coup*) dejar sonado(-a); **~ du clairon** tocar la corneta; **~ bien/mal** sonar bien/mal; **~ creux** sonar a hueco; (*résonner*) retumbar; **~ faux** (*instrument*) desafinar; (*rire*) sonar a falso; **~ les heures** dar las horas; **minuit vient de ~** acaban de dar la medianoche; **~ chez qn** llamar a casa de algn.

sonnerie [sɔnʀi] *nf* timbre *m*; (*d'horloge*) campanadas *fpl*; (*mécanisme d'horloge*) mecanismo del reloj; **sonnerie d'alarme** alarma; **sonnerie de clairon** toque *m* de corneta.

sonnette [sɔnɛt] *nf* (*clochette*) campanilla; (*de porte, électrique*) timbre *m*; (*son produit*) tilín *m*; **sonnette d'alarme** timbre de alarma; **sonnette de nuit** timbre nocturno.

sonore [sɔnɔʀ] *adj* sonoro(-a); **effets ~s** efectos *mpl* sonoros.

sonorité [sɔnɔʀite] *nf* sonoridad *f*; **~s** *nfpl* timbre *msg*.

sont [sɔ̃] *vb voir* **être**.

sophistiqué, e [sɔfistike] *adj* sofisticado(-a).

soporifique [sɔpɔʀifik] *adj* soporífico(-a).

soprano [sɔpʀano] *nm* (*voix*) soprano ♦ *nm/f* soprano *m/f*.

sorbet [sɔʀbɛ] *nm* sorbete *m*.

sorcier, -ière [sɔʀsje, jɛʀ] *nm/f* brujo(-a) ♦ *adj*: **ce n'est pas ~** (*fam*) no es nada del otro mundo.

sordide [sɔʀdid] *adj* sórdido(-a); (*avarice, gains, affaire*) mísero(-a).

sornettes [sɔʀnɛt] (*péj*) *nfpl* sandeces *fpl*.

sort [sɔʀ] *vb voir* **sortir** ♦ *nm* (*fortune, destin*) suerte *f*; (*destinée*) destino; (*condition, situation*) fortuna *f*; **jeter un ~** hechizar; **un coup du ~** un golpe de suerte; **c'est une ironie du ~** es una ironía del destino; **le ~ en est jeté** la suerte está echada; **tirer au ~** sortear; **tirer qch au ~** sortear algo.

sorte [sɔʀt] *vb voir* **sortir** ♦ *nf* clase *f*, especie *f*; **une ~ de** una especie de; **de la ~** de este modo; **en quelque ~** en cierto modo; **de ~ à** de modo que; **de (telle) ~ que, en ~ que** de (tal) modo que; (*si bien que*) de tal modo que; **faire en ~ que** procurar que.

sortie [sɔʀti] *nf* salida; (*parole incongrue*) disparate *m*; (*d'un gaz, de l'eau*) escape *m*; **~s** gastos *mpl*; (*INFORM*) salida, output *m*; **faire une ~** (*fig*) hacer una crítica; **à sa ~ ...** a su salida ...; **à la ~ de l'école/l'usine** a la salida del colegio/de la fábrica; **à la ~ de ce nouveau modèle** a la salida al mercado de ese nuevo modelo; **"~ de camions"** "salida de camiones"; **sortie de bain** albornoz *m*; **sortie de secours** salida de emergencia; **sortie papier** copia impresa.

sortilège [sɔʀtilɛʒ] *nm* sortilegio.

sortir [sɔʀtiʀ] *nm*: **au ~ de l'hiver/de l'enfance** al final del invierno/de la infancia ♦ *vi* salir; (*bourgeon, plante*) brotar; (*eau, fumée*) desprenderse ♦ *vt* llevar; (*mener dehors, promener: personne, chien*) sacar; (*produit etc*) salir al mercado; (*fam: expulser: personne*) echar; (*: débiter: boniments, incongruités*) echar; (*INFORM: sur papier*) sacar; **~ de** salir de; (*rails etc, aussi fig*) salirse de; (*famille, université*) proceder de; **se ~ de** (*affaire, situation*) salir de; **~ qch (de)** sacar algo (de); **~ de ses gonds** (*fig*) salirse de sus casillas; **~ qn d'affaire/d'embarras** sacar a algn de un asunto/de un apuro; **~ du système** (*INFORM*) finalizar la sesión; **~ de table** levantarse de la mesa; **s'en ~** (*malade*) reponerse; (*d'une difficulté etc*) salir de apuros.

SOS [ɛsoɛs] *sigle m* SOS *m*.

sosie [sɔzi] *nm* doble *m/f*.

sot, sotte [so, sɔt] *adj, nm/f* necio(-a).

sottise [sɔtiz] *nf*: **la ~** la necedad; **une ~** una tontería.

sou [su] *nm*: **être près de ses ~s** ser un(a) agarrado(-a); **être sans le ~** estar sin blanca; **économiser ~ à ~** ahorrar peseta a peseta; **n'avoir pas un ~ de bon sens** no tener ni una pizca de sentido común; **de quatre ~s** de tres al cuarto.

soubresaut [subʀəso] *nm* (*de peur etc*) sobresalto; (*d'un cheval*) corcovo; (*d'un véhicule*) barquinazo.

souche [suʃ] *nf* (*d'un arbre*) cepa; (*d'un registre, carnet*) matriz *f*; **dormir comme une ~** dormir como un tronco; **de vieille ~** de rancio abolengo; **carnet** *ou* **chéquier à ~(s)** talonario de cheques con resguardo.

souci [susi] *nm* preocupación *f*, inquietud *f*; (*BOT*) caléndula; **se faire du ~** inquietarse; **avoir (le) ~ de** preocuparse por; **soucis financiers** problemas *mpl* financieros.

soucier [susje]: **se ~ de** *vpr* preocuparse por.

soucieux, -euse [susjø, jøz] *adj* preocupado(-a); **~ de son apparence/que le travail soit bien fait** preocupado por su apariencia/por que el trabajo esté bien hecho; **peu ~ de/que ...** poco cuidadoso de/de que ... .

soucoupe [sukup] *nf* platillo; **soucoupe volante** platillo volante.

soudain, e [sudɛ̃, ɛn] *adj* repentino(-a) ♦ *adv* de repente.

soude [sud] *nf* sosa; **soude caustique** sosa cáustica.

souder [sude] *vt* soldar; (*fig: amis, organismes*) unir (a); **se souder** *vpr* (*os*) soldarse.

soudoyer [sudwaje] (*péj*) *vt* sobornar.

soudure [sudyʀ] *nf* soldadura; (*alliage*) aleación *f*; **faire la ~** (*COMM*) hacer durar; (*fig*) empalmar.

souffle [sufl] *nm* soplo; (*respiration*) respiración *f*; (*d'une explosion*) onda expansiva; (*d'un ventilateur*) aire *m*; **retenir son ~** contener la respiración; **avoir du/manquer de ~** tener/faltarle el resuello; **être à bout de ~** estar sin aliento; **avoir le ~ court** faltarle la respiración enseguida; **second ~** (*fig*) fuerzas recobradas; **souffle au cœur** (*MÉD*) soplo en el corazón.

soufflé, e [sufle] *adj* (*CULIN*) inflado(-a); (*fam: ahuri*) alucinado(-a) ♦ *nm* (*CULIN*) suflé *m*.

souffler [sufle] *vi* soplar; (*haleter*) resoplar; (*pour éteindre etc*): **~ sur** soplar ♦ *vt* soplar; (*suj: explosion*) volar; **~ qch à qn** (*dire*) apuntar algo a algn; (*fam: voler*) birlar algo a algn; **~ son rôle à qn** apuntar su papel a algn; **laisser ~** (*fig*) dejar respirar; **ne pas ~ mot** no decir ni pío.

soufflet [suflɛ] *nm* fuelle *m*; (*gifle*) guantazo.

souffrance [sufʀɑ̃s] *nf* sufrimiento; **en ~** (*marchandise*) detenido(-a); (*affaire*) en suspenso.

souffrant, e [sufʀɑ̃, ɑ̃t] *adj* (*personne*) indispuesto(-a); (*air*) doliente.

souffre-douleur [sufʀədulœʀ] *nm inv* chivo expiatorio.

souffrir [sufʀiʀ] *vi* sufrir ♦ *vt* (*faim, soif, torture*) padecer; (*supporter: gén négatif*) sufrir; (*exception, retard*) admitir; **~ de** padecer de; **~ des dents** padecer de los dientes; **ne pas pouvoir ~ qch/que ...** no poder soportar algo/que ...; **faire ~ qn**

(*suj: personne*) hacer sufrir a algn; (: *dents, blessure etc*) hacer padecer a algn.
soufre [sufʀ] *nm* azufre *m*.
souhait [swɛ] *nm* deseo; **tous nos ~s pour la nouvelle année** nuestros mejores deseos para el año nuevo; **tous nos ~s de prompt rétablissement** nuestros mejores deseos de un pronto restablecimiento; **riche** *etc* **à ~** rico *etc* a pedir a boca; **"à vos ~s!"** "¡Jesús!"
souhaitable [swɛtabl] *adj* aconsejable.
souhaiter [swete] *vt* desear; **~ le bonjour à qn** dar los buenos días a algn; **~ la bonne année à qn** desearle un feliz año nuevo a algn; **~ bon voyage** *ou* **bonne route à qn** desear buen viaje a algn; **il est à ~ que** es de desear que.
souiller [suje] *vt* manchar; (*fig*) mancillar.
soûl, e [su, sul] *adj* borracho(-a) ♦ *nm*: **boire/manger tout son ~** beber/comer hasta hartarse.
soulagement [sulaʒmɑ̃] *nm* alivio.
soulager [sulaʒe] *vt* aliviar; (*de remords*) aplacar; **~ qn de** (*fardeau*) aligerar a algn de; **~ qn de son portefeuille** (*hum*) afanar la cartera a algn.
soûler [sule] *vt* emborrachar; (*boisson, fig*) embriagar; **se soûler** *vpr* emborracharse; (*fig*) **se ~ de** (*vitesse, musique*) emborracharse de.
soulèvement [sulɛvmɑ̃] *nm* (*insurrection*) sublevación *f*; (*GÉO*) levantamiento.
soulever [sul(ə)ve] *vt* levantar; (*peuple, province*) sublevar; (*l'opinion*) indignar; (*difficultés*) provocar; (*question, problème, débat*) plantear; **se soulever** *vpr* levantarse; (*peuple, province*) sublevarse; **cela (me) soulève le cœur** eso me revuelve el estómago.
soulier [sulje] *nm* zapato; **une paire de ~s, des ~s** un par de zapatos, unos zapatos; **soulier bas** zapato plano; **souliers plats/à talons** zapatos *mpl* sin tacón/de tacón.
souligner [suliɲe] *vt* subrayar; (*fig*) destacar; (*détail, l'importance de qch*) remarcar.
soumettre [sumɛtʀ] *vt* someter; **se soumettre** *vpr*: **se ~ (à)** someterse (a).
soumis, e [sumi, iz] *pp de* **soumettre** ♦ *adj* (*personne, air*) sumiso(-a); (*peuples*) sometido(-a); **revenus ~ à l'impôt** ganancias sujetas a impuesto.
soumission [sumisjɔ̃] *nf* sumisión *f*; (*COMM*) licitación *f*.
soupape [supap] *nf* válvula; **soupape de sûreté** (*aussi fig*) válvula de seguridad.
soupçon [supsɔ̃] *nm* sospecha; **un ~ de** una pizca de; **avoir ~ de** tener sospecha de; **au dessus de tout ~** por encima de toda sospecha.
soupçonner [supsɔne] *vt* sospechar; **~ que** sospechar que; **je le soupçonne d'être l'assassin** sospecho que es el asesino.
soupe [sup] *nf* sopa; **être ~ au lait** tener genio *ou* prontos; **soupe à l'oignon/de poisson** sopa de cebolla/de pescado; **soupe populaire** sopa de pobres.
souper [supe] *vi* cenar ♦ *nm* cena; **avoir soupé de qch** (*fam*) estar hasta la coronilla de algo.
soupeser [supəze] *vt* sopesar.
soupière [supjɛʀ] *nf* sopera.
soupir [supiʀ] *nm* suspiro; (*MUS*) silencio de negra; **~ d'aise/de soulagement** suspiro de gozo/de alivio; **rendre le dernier ~** exhalar el último suspiro.
soupirail, -aux [supiʀaj, o] *nm* tragaluz *m*.
soupirer [supiʀe] *vi* suspirar; **~ après qch** suspirar por algo.
souple [supl] *adj* flexible; (*fig: caractère*) dócil; (: *démarche, taille*) desenvuelto(-a); **disque(tte) ~** (*INFORM*) disco flexible.
source [suʀs] *nf* fuente *f*; (*point d'eau*) manantial *m*; (*fig: cause, point de départ*) origen *m*; (: *d'une information*) fuente *f*; **~s** *nfpl* (*fig*) fuentes *fpl*; **prendre sa ~ à/dans** (*cours d'eau*) tener su origen/nacer en; **tenir qch de bonne ~/de ~ sûre** saber algo de buena fuente/de buena tinta; **source d'eau minérale** manantial *ou* fuente de agua mineral; **source de chaleur/lumineuse** fuente de calor/de luz; **source thermale** manantial *ou* fuente termal.
sourcil [suʀsi] *nm* ceja.
sourciller [suʀsije] *vi*: **sans ~** sin pestañear.
sourd, e [suʀ, suʀd] *adj* sordo(-a); (*couleur*) mate ♦ *nm/f* sordo(-a); **être ~ à** hacerse el sordo(-a) ante.
sourdine [suʀdin] *nf* (*MUS*) sordina; **en ~** por lo bajo; **mettre une ~ à** (*fig*) contener.
sourd-muet, sourde-muette [suʀmɥɛ, suʀdmɥɛt] (*pl* **~s-~s, sourdes-muettes**) *adj, nm/f* sordomudo(-a).
souriant, e [suʀjɑ̃, jɑ̃t] *vb voir* **sourire** ♦ *adj* sonriente.
souricière [suʀisjɛʀ] *nf* (*aussi fig*) ratonera.
sourire [suʀiʀ] *nm* sonrisa ♦ *vi* sonreír; **faire un ~ à qn** hacer una sonrisa a algn; **garder le ~** mantener la sonrisa; **~ à qn**

sonreír a algn.

souris [suʀi] *vb voir* **sourire** ♦ *nf* (*ZOOL, INFORM*) ratón *m*.

sournois, e [suʀnwa, waz] *adj* disimulado(-a), solapado(-a).

sous [su] *prép* debajo de, bajo; ~ **la pluie/le soleil** bajo la lluvia/el sol; ~ **mes yeux** ante mis ojos; ~ **terre** *adj* bajo tierra ♦ *adv* debajo de la tierra; ~ **vide** *adj* al vacío ♦ *adv* en vacío; ~ **les coups de** por los golpes de; ~ **les critiques** ante las críticas; ~ **le choc** bajo los efectos del choque; ~ **l'influence/l'action de** bajo la influencia/la acción de; ~ **les ordres/la protection de** bajo las órdenes/la protección de; ~ **telle rubrique/lettre** en tal sección/letra; **être** ~ **antibiotiques** estar tomando antibióticos; ~ **Louis XIV** bajo el reinado de Luis XIV; ~ **cet angle** desde este ángulo; ~ **ce rapport** bajo esta perspectiva; ~ **peu** dentro de poco.

sous... [su] *préf* sub... .

sous-alimenté, e [suzalimɑ̃te] (*pl* **~-~s, es**) *adj* desnutrido(-a).

sous-bois [subwa] *nm inv* maleza.

sous-chef [suʃɛf] (*pl* **~-~s**) *nm* subdirector(a) *m*; **sous-chef de bureau** subdirector(a) de oficina.

souscrire [suskʀiʀ]: ~ **à** *vt ind* (*une publication, aussi fig: approuver*) suscribir a.

sous-développé, e [sudevlɔpe] (*pl* **~-~s, es**) *nm/f* subdesarrollado(-a).

sous-directeur, -trice [sudiʀɛktœʀ, tʀis] (*pl* **~-~s, trices**) *nm/f* subdirector(a).

sous-entendre [suzɑ̃tɑ̃dʀ] *vt* sobrentender; ~-~ **que** sobrentender que.

sous-entendu, e [suzɑ̃tɑ̃dy] (*pl* **~-~s, es**) *adj* (*idée, message*) implícito(-a); (*LING*) elíptico(-a) ♦ *nm* insinuación *f*.

sous-estimer [suzɛstime] *vt* subestimar.

sous-jacent, e [suʒasɑ̃, ɑ̃t] (*pl* **~-~s, es**) *adj* (*couche, matériau*) subyacente; (*fig: idée*) latente; (: *difficulté*) de fondo.

sous-lieutenant [suljøtnɑ̃] (*pl* **~-~s**) *nm* subteniente *m*.

sous-louer [sulwe] *vt* subarrendar.

sous-marin, e [sumaʀɛ̃, in] (*pl* **~-~s, es**) *adj* submarino(-a) ♦ *nm* submarino.

sous-officier [suzɔfisje] (*pl* **~-~s**) *nm* suboficial *m*.

sous-préfecture [supʀefɛktyʀ] (*pl* **~-~s**) *nf* subprefectura.

sous-préfet [supʀefɛ] (*pl* **~-~s**) *nm* subprefecto.

sous-pull [supul] (*pl* **~-~s**) *nm camiseta de cuello alto*.

soussigné, e [susiɲe] *adj*: **je** ~ ... yo, el que suscribe ... ♦ *nm/f*: **le/les** ~**(s)** el(los) abajo firmante(s).

sous-sol [susɔl] (*pl* **~-~s**) *nm* sótano; (*GÉO*) subsuelo; **en** ~-~ en el sótano.

sous-titre [sutitʀ] (*pl* **~-~s**) *nm* subtítulo.

soustraction [sustʀaksjɔ̃] *nf* sustracción *f*.

soustraire [sustʀɛʀ] *vt* sustraer; ~ **qch (à qn)** (*dérober*) sustraer algo (a algn); ~ **qn à** alejar a algn de; **se** ~ **à** sustraerse a.

sous-traiter [sutʀete] *vt* (*COMM: affaire*) ceder en subcontrato ♦ *vi* (*devenir sous-traitant*) trabajar como subcontratista; (*faire appel à un sous-traitant*) subcontratar.

sous-vêtement [suvɛtmɑ̃] (*pl* ~-**~s**) *nm* prenda interior; ~-~s *nmpl* ropa interior.

soutane [sutan] *nf* sotana.

soute [sut] *nf* (*aussi*: ~ **à bagages**) bodega.

soutenir [sut(ə)niʀ] *vt* sostener; (*consolider*) reforzar; (*fortifier, remonter*) dar fuerza a; (*réconforter, aider*) apoyar; (*assaut, choc*) resistir; (*intérêt, effort*) mantener; (*thèse*) defender; **se soutenir** *vpr* (*s'aider mutuellement*) apoyarse; (*point de vue*) defenderse; (*dans l'eau, sur ses jambes*) mantenerse, sostenerse; ~ **que** (*assurer*) mantener que; ~ **la comparaison avec** ser comparable con; ~ **le regard de qn** sostener la mirada de algn.

soutenu, e [sut(ə)ny] *pp de* **soutenir** ♦ *adj* (*attention, efforts*) constante; (*style*) elevado(-a); (*couleur*) vivo(-a).

souterrain, e [sutɛʀɛ̃, ɛn] *adj* subterráneo(-a); (*fig*) oculto(-a) ♦ *nm* subterráneo.

soutien [sutjɛ̃] *nm* apoyo; **apporter son** ~ **à** prestar su apoyo a; **soutien de famille** *hijo varón exento del servicio militar por mantener a su familia*.

soutien-gorge [sutjɛ̃gɔʀʒ] (*pl* **~s-~**) *nm* sujetador *m*, corpiño (*AM*).

soutirer [sutiʀe] *vt*: ~ **qch à qn** sonsacar algo a algn.

souvenir [suv(ə)niʀ] *nm* recuerdo; (*réminiscence*) memoria; **se souvenir** *vpr*: **se** ~ **de** recordar, acordarse de; **garder le** ~ **de** conservar el recuerdo de; **en** ~ **de** como recuerdo de; **avec mes affectueux** ~**s, ...** con mis más afectuosos saludos, ...; **avec mes meilleurs** ~**s, ...** con mis mejores recuerdos, ...; **se** ~ **que** recordar que, acordarse de que.

souvent [suvɑ̃] *adv* a menudo, con frecuencia, seguido (*AM*); **peu** ~ pocas veces, con poca frecuencia; **le plus** ~ la mayoría de las veces.

souverain, e [suv(ə)ʀɛ̃, ɛn] *adj* (*aussi fig*) soberano(-a) ♦ *nm/f* soberano(-a); **le souverain pontife** el sumo pontífice.

soviétique [sɔvjetik] *adj* soviético(-a)

♦ *nm/f*: S~ soviético(-a).
soyeux, -euse [swajø, øz] *adj* sedoso(-a).
soyez [swaje] *vb voir* **être**.
soyons [swajɔ̃] *vb voir* **être**.
spacieux, -euse [spasjø, jøz] *adj* espacioso(-a).
spaghettis [spageti] *nmpl* espaguetis *mpl*.
sparadrap [spaʀadʀa] *nm* esparadrapo, curita (*AM*).
spasme [spasm] *nm* espasmo.
spatial, e, -aux [spasjal, jo] *adj* espacial.
speaker, ine [spikœʀ, kʀin] *nm/f* locutor(a).
spécial, e, -aux [spesjal, jo] *adj* especial.
spécialement [spesjalmɑ̃] *adv* especialmente; **pas** ~ no demasiado.
spécialiser [spesjalize]: **se** ~ *vpr* especializarse.
spécialiste [spesjalist] *nm/f* especialista *m/f*.
spécialité [spesjalite] *nf* especialidad *f*; **spécialité médicale/pharmaceutique** especialidad médica/farmacéutica.
spécifier [spesifje] *vt* especificar; ~ **que** especificar que.
spécifique [spesifik] *adj* específico(-a).
spécimen [spesimɛn] *nm* (*exemple représentatif*) espécimen *m*; (*revue etc*) ejemplar *m* gratuito ♦ *adj* modelo(-a).
spectacle [spɛktakl] *nm* espectáculo; **se donner en** ~ (*péj*) dar un espectáculo; **pièce/revue à grand** ~ obra/revista espectacular; **au** ~ **de** ... a la vista de ... .
spectaculaire [spɛktakylɛʀ] *adj* espectacular.
spectateur, -trice [spɛktatœʀ, tʀis] *nm/f* espectador(a).
spectre [spɛktʀ] *nm* espectro; **spectre solaire** espectro solar.
spéculer [spekyle] *vi* especular; ~ **sur** (*FIN, COMM*) especular con; (*réfléchir*) especular sobre; (*fig: compter sur*) contar con.
spéléologie [speleɔlɔʒi] *nf* espeleología.
spermatozoïde [spɛʀmatɔzɔid] *nm* espermatozoide *m*.
sphère [sfɛʀ] *nf* esfera; **sphère d'activité/d'influence** esfera de acción/de influencia.
sphérique [sfeʀik] *adj* esférico(-a).
spirale [spiʀal] *nf* espiral *f*; **en** ~ en espiral.
spirituel, le [spiʀitɥɛl] *adj* espiritual; (*fin, amusant*) ingenioso(-a); **musique ~le** música sacra; **concert** ~ concierto de música sacra.
spiritueux [spiʀitɥø] *nm* licor *m*.
splendide [splɑ̃did] *adj* espléndido(-a); (*effort, réalisation*) extraordinario(-a).
sponsor [spɔ̃sɔʀ] *nm* patrocinador *m*, esponsor *m*.
spontané, e [spɔ̃tane] *adj* espontáneo(-a).
sport [spɔʀ] *nm* deporte *m* ♦ *adj inv* (*vêtement, ensemble*) de sport; (*fair-play*) deportivo(-a); **faire du** ~ hacer deporte; **sport de combat** deporte de combate; **sport d'équipe** deporte de equipo; **sport d'hiver** deporte de invierno; **sport individuel** deporte individual.
sportif, -ive [spɔʀtif, iv] *adj* deportivo(-a) ♦ *nm/f* deportista *m/f*; **les résultats ~s** los resultados deportivos.
spot [spɔt] *nm* (*lampe*) foco; ~ **(publicitaire)** anuncio *ou* spot *m* (publicitario).
sprint [spʀint] *nm* sprint *m*; **gagner au** ~ ganar al sprint; **piquer un** ~ dar un tirón.
square [skwaʀ] *nm* plazoleta.
squash [skwaʃ] *nm* squash *m*.
squelette [skəlɛt] *nm* esqueleto.
squelettique [skəletik] *adj* (*maigreur*) esquelético(-a); (*arbre*) seco(-a); (*fig: exposé*) pobre; (*effectifs*) mermado(-a).
St *abr* (= *saint*) S. (= *San*), Sto. (= *Santo*).
stabiliser [stabilize] *vt* estabilizar.
stable [stabl] *adj* estable.
stade [stad] *nm* estadio.
stage [staʒ] *nm* (*d'études pratiques*) práctica; (*de perfectionnement*) cursillo; (*d'avocat stagiaire*) pasantía.
stagiaire [staʒjɛʀ] *nm/f* persona en periodo de práctica; (*de perfectionnement*) cursillista *m/f* ♦ *adj*: **avocat** ~ pasante *m*.
stagner [stagne] *vi* estancarse.
stand [stɑ̃d] *nm* (*d'exposition*) stand *m*; (*de foire*) puesto; **stand de ravitaillement** (*AUTO, CYCLISME*) puesto de avituallamiento; **stand de tir** (*MIL, SPORT*) galería de tiro; (*à la foire*) puesto de tiro al blanco.
standard [stɑ̃daʀ] *adj inv* estándar ♦ *nm* estándar *m*; (*téléphonique*) central *f* telefónica, conmutador *m* (*AM*).
standardiste [stɑ̃daʀdist] *nm/f* telefonista *m/f*.
standing [stɑ̃diŋ] *nm* nivel *m* de vida; **immeuble de grand** ~ inmueble de lujo.
starter [staʀtɛʀ] *nm* (*AUTO*) estárter *m*; (*SPORT*) juez *m* de salida; **mettre le** ~ poner el estárter.
station [stasjɔ̃] *nf* gasolinera, estación *f*; (*de bus, métro*) parada; (*RADIO, TV*) emisora; (*posture*): **la** ~ **debout** la posición de pie; **station balnéaire** *centro turístico en la costa*; **station de graissage/de lavage**

estación de engrase/de lavado; **station de ski** estación de esquí; **station de sports d'hiver** estación de esquí; **station de taxis** parada de taxis; **station thermale** balneario.
stationnement [stasjɔnmɑ̃] *nm* (*AUTO*) aparcamiento; **zone de ~ interdit** zona de aparcamiento prohibido; **stationnement alterné** aparcamiento alterno.
stationner [stasjɔne] *vi* aparcar.
station-service [stasjɔ̃sɛʀvis] (*pl* **~s-~**) *nf* gasolinera, estación *f* de servicio.
statistique [statistik] *nf* estadística ♦ *adj* estadístico(-a); **~s** *nfpl* estadísticas *fpl*.
statue [staty] *nf* estatua.
statut [staty] *nm* estatuto; **~s** *nmpl* (*JUR, ADMIN*) estatutos *mpl*.
Ste *abr* (= *sainte*) S. (= *Santa*), Sta. (= *Santa*).
Sté *abr* = **société**.
steak [stɛk] *nm* bistec *m*, bife *m* (*ARG*).
stèle [stɛl] *nf* estela.
sténodactylo [stenɔdaktilo] *nm/f* taquimecanógrafo(-a).
sténo(graphie) [stenɔ(gʀafi)] *nf* taquigrafía *f*; **prendre en sténo** taquigrafiar.
stéréo(phonique) [steʀeɔ(fɔnik)] *adj* estéreo(fónico(-a)).
stéréotype [steʀeɔtip] *nm* estereotipo.
stérile [steʀil] *adj* estéril; (*théorie, discussion*) irrelevante; (*effort*) frustrado(-a).
stérilet [steʀilɛ] *nm* espiral *f*.
stériliser [steʀilize] *vt* esterilizar.
stigmates [stigmat] *nmpl* (*REL, gén*) estigmas *mpl*.
stimulant, e [stimylɑ̃, ɑ̃t] *adj* estimulante ♦ *nm* (*MÉD*) estimulante *m*; (*fig*) aliciente *m*, incentivo.
stimuler [stimyle] *vt* estimular.
stipuler [stipyle] *vt* estipular; **~ que** estipular que.
stock [stɔk] *nm* (*COMM*) existencias *fpl*, stock *m*; (*d'or*) reservas *fpl*; (*fig*) reserva; **en ~** en almacén.
stocker [stɔke] *vt* almacenar.
stoïque [stɔik] *adj* estoico(-a).
stop [stɔp] *nm* (*AUTO*: *panneau*) stop *m*; (: *feux arrière*) luz *f* de freno; (*dans un télégramme*) stop; (*auto-stop*) auto-stop *m* ♦ *excl* ¡alto!
stopper [stɔpe] *vt* (*navire, machine*) detener; (*mouvement, attaque*) parar; (*COUTURE*) zurcir ♦ *vi* pararse.
store [stɔʀ] *nm* (*en tissu*) cortinilla; (*en bois*) persiana; (*de magasin*) toldo.
strapontin [stʀapɔ̃tɛ̃] *nm* asiento plegable.
stratagème [stʀataʒɛm] *nm* estratagema.
stratégie [stʀateʒi] *nf* estrategia.
stratégique [stʀateʒik] *adj* estratégico(-a).
stressant, e [stʀesɑ̃, ɑ̃t] *adj* estresante.
strict, e [stʀikt] *adj* estricto(-a); (*parents*) severo(-a); (*tenue*) de etiqueta; (*langage, ameublement, décor*) riguroso(-a); **c'est son droit le plus ~** es su justo derecho; **dans la plus ~e intimité** en la más estricta intimidad; **au sens ~ du mot** en sentido estricto del término; **le ~ nécessaire** *ou* **minimum** lo esencial.
strident, e [stʀidɑ̃, ɑ̃t] *adj* estridente.
strie [stʀi] *nf* estría.
strophe [stʀɔf] *nf* estrofa.
structure [stʀyktyʀ] *nf* estructura; **structures d'accueil** medios *mpl* de acogida; **structures touristiques** infraestructura turística.
studieux, -euse [stydjø, jøz] *adj* estudioso(-a); (*vacances, retraite*) de estudio.
studio [stydjo] *nm* estudio; (*logement*) apartamento-estudio; (*de danse*) sala (de danza).
stupéfait, e [stypefɛ, ɛt] *adj* estupefacto(-a).
stupéfiant, e [stypefjɑ̃, jɑ̃t] *adj, nm* estupefaciente *m*.
stupeur [stypœʀ] *nf* estupor *m*.
stupide [stypid] *adj* estúpido(-a); (*hébété*) atónito(-a).
stupidité [stypidite] *nf* estupidez *f*.
style [stil] *nm* estilo; **meuble/robe de ~** mueble *m*/vestido de estilo; **en ~ télégraphique** en forma telegráfica; **style administratif** estilo administrativo; **style de vie** estilo de vida; **style journalistique** estilo periodístico.
stylisé, e [stilize] *adj* estilizado(-a).
styliste [stilist] *nm/f* (*dessinateur industriel*) diseñador(a); (*écrivain*) estilista *m/f*.
stylo [stilo] *nm*: **~ à encre** *ou* **(à) plume** estilográfica; **stylo (à) bille** bolígrafo, birome *f* (*CSUR*).
stylo-feutre [stilɔføtʀ] (*pl* **~s-~s**) *nm* rotulador *m*.
su, e [sy] *pp de* **savoir** ♦ *nm*: **au ~ de** a sabiendas de.
suave [sɥav] *adj* suave.
subalterne [sybaltɛʀn] *adj, nm/f* subalterno(-a).
subconscient [sypkɔ̃sjɑ̃] *nm* subconsciente *m*.
subir [sybiʀ] *vt* padecer; (*mauvais traitements, revers, modification*) sufrir; (*influence, charme*) experimentar; (*traitement, opération, examen*) pasar; (*personne*) soportar; (*dégâts*) padecer.

subit, e [sybi, it] *adj* repentino(-a).
subitement [sybitmɑ̃] *adv* repentinamente.
subjectif, -ive [sybʒɛktif, iv] *adj* subjetivo(-a).
subjonctif [sybʒɔ̃ktif] *nm* subjuntivo.
subjuguer [sybʒyge] *vt* encantar.
sublime [syblim] *adj* sublime.
submerger [sybmɛʀʒe] *vt* sumergir; (*fig: de travail*) desbordar; (*: par la douleur*) ahogar.
subordonné, e [sybɔʀdɔne] *adj* (*LING*) subordinado(-a) ♦ *nm/f* (*ADMIN, MIL*) subordinado(-a); ~ **à** (*personne*) subordinado a; (*résultats*) supeditado(-a) a.
subrepticement [sybʀɛptismɑ̃] *adv* con disimulo.
subside [sybzid] *nm* subsidio.
subsidiaire [sybzidjɛʀ] *adj*: **question ~** pregunta adicional.
subsistance [sybzistɑ̃s] *nf* subsistencia; **contribuer/pourvoir à la ~ de qn** contribuir/atender al sostenimiento de algn; **moyens de ~** medios de subsistencia.
subsister [sybziste] *vi* (*monument, erreur*) perdurar; (*personne, famille*) subsistir; (*survivre*) sobrevivir.
substance [sypstɑ̃s] *nf* su(b)stancia; (*fig*) esencia; **en ~** en esencia.
substantiel, le [sypstɑ̃sjɛl] *adj* (*aliment, repas*) sustancioso(-a); (*fig*) sustancial.
substituer [sypstitɥe] *vt*: **~ qch/qn à** sustituir algo/a algn por; **se ~ à qn** reemplazar a algn.
substitut [sypstity] *nm* (*JUR*) sustituto; (*succédané*) su(b)stitutivo.
subterfuge [syptɛʀfyʒ] *nm* subterfugio.
subtil, e [syptil] *adj* sutil.
subtiliser [syptilize] *vt*: **~ qch (à qn)** birlar algo (a algn) (*fam*).
subtilité [syptilite] *nf* (*aussi péj*) sutileza.
subvenir [sybvəniʀ]: **~ à** *vt ind* atender a.
subvention [sybvɑ̃sjɔ̃] *nf* subvención *f*.
subventionner [sybvɑ̃sjɔne] *vt* subvencionar.
suc [syk] *nm* (*BOT, d'une viande*) jugo; (*d'un fruit*) zumo; **sucs gastriques** jugos *mpl* gástricos.
succéder [syksede]: **~ à** *vt ind* suceder a; **se succéder** *vpr* sucederse.
succès [syksɛ] *nm* éxito; (*d'un produit, une mode*) auge *m* ♦ *nmpl* (*féminins etc*) conquistas *fpl*; **avec ~** con éxito; **sans ~** sin éxito; **avoir du ~** tener éxito; **à ~** de éxito; **succès de librairie** éxito de librería.
successif, -ive [syksesif, iv] *adj* sucesivo(-a).
succession [syksesjɔ̃] *nf* (*d'événements, d'incidents*) sucesión *f*, serie *f*; (*de formalités etc*) serie; (*patrimoine*) sucesión; **prendre la ~ de** suceder a.
succinct, e [syksɛ̃, ɛ̃t] *adj* breve.
succomber [sykɔ̃be] *vi* sucumbir; **~ à** sucumbir a.
succulent, e [sykylɑ̃, ɑ̃t] *adj* suculento(-a).
succursale [sykyʀsal] *nf* sucursal *f*; **magasin à ~s multiples** almacén *m* con múltiples sucursales.
sucer [syse] *vt* chupar; **~ son pouce** chuparse el dedo.
sucette [sysɛt] *nf* (*bonbon*) piruleta; (*de bébé*) chupete *m*.
sucre [sykʀ] *nm* azúcar *m ou f*; (*morceau de sucre*) terrón *m* de azúcar; **sucre cristallisé** azúcar en polvo; **sucre d'orge** pirulí *m*; **sucre de betterave/de canne** azúcar de remolacha/de caña; **sucre en morceaux/en poudre** azúcar de cortadillo/en polvo; **sucre glace** azúcar glasé.
sucré, e [sykʀe] *adj* con azúcar; (*au goût*) azucarado(-a); (*péj: ton, voix*) meloso(-a).
sucrer [sykʀe] *vt* poner azúcar en *ou* a; (*fam*) quitar; **se sucrer** (*fam*) *vpr* (*le thé etc*) echarse azúcar; (*fig*) forrarse.
sud [syd] *nm* sur *m* ♦ *adj inv* sur *inv*; **au ~** al sur; **au ~ de** al sur de.
sud-africain, e [sydafʀikɛ̃, ɛn] (*pl* **~-~s, es**) *adj* sudafricano(-a) ♦ *nm/f*: **S~-A~, e** sudafricano(-a).
sud-américain, e [sydameʀikɛ̃, ɛn] (*pl* **~-~s, es**) *adj* sudamericano(-a) ♦ *nm/f*: **S~-A~, e** sudamericano(-a).
sud-est [sydɛst] *nm inv* sudeste *m inv* ♦ *adj inv* sudeste *inv*.
sud-ouest [sydwɛst] *nm inv* sudoeste *m inv* ♦ *adj inv* sudoeste *inv*.
Suède [sɥɛd] *nf* Suecia.
suédois, e [sɥedwa, waz] *adj* sueco(-a) ♦ *nm* (*LING*) sueco ♦ *nm/f*: **S~, e** sueco(-a).
suer [sɥe] *vi* sudar ♦ *vt* (*fig*) exhalar; **~ à grosses gouttes** sudar la gota gorda.
sueur [sɥœʀ] *nf* sudor *m*; **en ~** bañado(-a) en sudor; **donner des ~s froides à qn/avoir des ~s froides** dar a algn/tener sudores frios.
suffire [syfiʀ] *vi* bastar; (*intensif*): **il suffit d'une négligence pour que ...** un descuido basta para que ...; **se suffire** *vpr* ser autosuficiente; **il suffit qu'on oublie pour que ...** basta olvidarse para que ...; **cela lui suffit** eso le basta; **cela suffit pour les irriter/qu'ils se fâchent** eso basta para irritarles/para que se enfaden; **"ça suffit!"** "¡basta ya!"

suffisant, e [syfizɑ̃, ɑ̃t] *adj* suficiente; (*air, ton*) de suficiencia.
suffoquer [syfɔke] *vt* sofocar; (*par l'émotion, la colère, les larmes*) ahogar; (*nouvelle etc*) dejar sin respiración ♦ *vi* sofocarse; ~ **de colère/d'indignation** ponerse rojo(-a) de cólera/de indignación.
suffrage [syfʀaʒ] *nm* voto; ~**s** *nmpl* (*du public etc*) votos *mpl*; ~ **universel/direct/indirect** sufragio universal/directo/indirecto; **suffrages exprimés** votos efectivos.
suggérer [sygʒeʀe] *vt* sugerir; ~ **(à qn) que** insinuar (a algn) que; ~ **que/de faire** sugerir que/hacer.
suggestion [sygʒɛstjɔ̃] *nf* sugerencia; (*PSYCH*) sugestión *f*.
suicide [sɥisid] *nm* suicidio ♦ *adj*: **opération** ~ operación *f* suicida.
suicider [sɥiside]: **se** ~ *vpr* suicidarse.
suie [sɥi] *nf* hollín *m*.
suinter [sɥɛ̃te] *vi* (*liquide*) rezumar; (*mur*) exudar.
suis [sɥi] *vb voir* **être**; **suivre**.
Suisse [sɥis] *nf*: **la** ~ Suiza; **la** ~ **allemande/romande** Suiza alemana/francesa.
suisse [sɥis] *adj* suizo(-a) ♦ *nm* (*bedeau*) pertiguero(-a) ♦ *nm/f*: **S**~ suizo(-a).
Suissesse [sɥisɛs] *nf* suiza.
suite [sɥit] *nf* (*continuation*) continuación *f*; (*de maisons, rues, succès*) sucesión *f*; (*MATH, liaison logique*) serie *f*; (*conséquence, résultat*) resultado; (*MUS, appartement*) suite *f*; (*escorte*) séquito; ~**s** *nfpl* (*d'une maladie, chute*) secuelas *fpl*; **prendre la** ~ **de** (*directeur etc*) tomar el relevo de; **donner** ~ **à** dar curso a; **faire** ~ **à** ser continuación de; **(faisant)** ~ **à votre lettre du** ... en respuesta a su carta del ...; **sans** ~ sin pies ni cabeza; **de** ~ (*d'affilée*) seguido(-a); (*immédiatement*) enseguida; **par la** ~ luego; **à la** ~ *adj* seguido(-a) ♦ *adv* a continuación; **à la** ~ **de** (*derrière*) tras; (*en conséquence de*) como consecuencia de; **par** ~ **de** como consecuencia de; **avoir de la** ~ **dans les idées** tener perseverancia en las ideas; **attendre la** ~ **des événements** esperar el curso de los acontecimientos.
suivant, e [sɥivɑ̃, ɑ̃t] *vb voir* **suivre** ♦ *adj* siguiente ♦ *prép* según; ~ **que** según que; **"au ~!"** "¡el siguiente!"
suivre [sɥivʀ] *vt* seguir; (*mari, ami etc*) acompañar; (*suj*: *remords, pensées*) perseguir; (*imagination, fantaisie, goût*) dejarse guiar por; (*cours*) asistir a; (*comprendre*: *programme, leçon*) comprender; (*élève, malade, affaire*) llevar el seguimiento de; (*raisonnement*) seguir el hilo de; (*article*) proveerse de ♦ *vi* (*écouter attentivement*) atender; (*assimiler le programme*) comprender; (*venir après*) seguirse; **se suivre** *vpr* sucederse; (*raisonnement*) ser coherente; ~ **des yeux** seguir con la mirada; **faire** ~ (*lettre*) reexpedir; ~ **son cours** seguir su curso; **"à ~"** "continuará".
sujet, te [syʒɛ, ɛt] *adj*: **être** ~ **à** (*accidents, vertige etc*) ser propenso(-a) a ♦ *nm/f* (*d'un souverain etc*) súbdito(-a) ♦ *nm* tema *m*; (*d'une dispute etc*) motivo, causa; (*élève*) alumno; (*LING*) sujeto; **un** ~ **de dispute/discorde/mécontentement** una causa de riña/discordia/descontento; **c'est à quel ~?** ¿qué se le ofrece?; **avoir** ~ **de se plaindre** tener motivo para quejarse; **un mauvais** ~ (*péj*) una mala persona; **au** ~ **de** a propósito de; ~ **à caution** cuestionable; **sujet de conversation** tema de conversación; **sujet d'examen** (*SCOL*) tema de examen; **sujet d'expérience** conejillo de Indias.
summum [sɔ(m)mɔm] *nm*: **le** ~ **de** el súmmum de.
super [sypeʀ] *adj inv* (*fam*) súper *inv* ♦ *nm* súper *f*.
superbe [sypɛʀb] *adj* espléndido(-a); (*situation, performance*) magnífico(-a) ♦ *nf* soberbia.
supercarburant [sypɛʀkaʀbyʀɑ̃] *nm* supercarburante *m*.
supercherie [sypɛʀʃəʀi] *nf* superchería; (*fraude*) estafa.
superficie [sypɛʀfisi] *nf* superficie *f*; (*fig*) apariencia.
superficiel, le [sypɛʀfisjɛl] *adj* superficial.
superflu, e [sypɛʀfly] *adj* superfluo(-a) ♦ *nm*: **le** ~ lo superfluo.
supérieur, e [sypeʀjœʀ] *adj* superior; (*air, sourire*) de superioridad ♦ *nm* superior *m* ♦ *nm/f* Superior(a); **Mère ~e** madre *f* superiora; **à l'étage** ~ en el piso de arriba; ~ **en nombre** superior en número.
supériorité [sypeʀjɔʀite] *nf* superioridad *f*, **supériorité numérique** superioridad numérica.
supermarché [sypɛʀmaʀʃe] *nm* supermercado.
superposer [sypɛʀpoze] *vt* superponer; **se superposer** *vpr* (*images, souvenirs*) confundirse; **lits superposés** literas *fpl*.
supersonique [sypɛʀsɔnik] *adj* supersónico(-a).
superstitieux, -euse [sypɛʀstisjø, jøz] *adj* supersticioso(-a).
superviser [sypɛʀvize] *vt* supervisar.
supplanter [syplɑ̃te] *vt* (*personne*) su-

plantar; (*méthode, machine*) sustituir.

suppléant, e [syplеɑ̃, ɑ̃t] *adj* (*juge, fonctionnaire*) suplente; (*professeur*) sustituto(-a) ♦ *nm/f* sustituto(-a); **médecin ~** médico suplente.

suppléer [syplee] *vt* suplir; (*remplacer, aussi ADMIN*) sustituir a; **~ à** suplir.

supplément [syplemɑ̃] *nm* suplemento; **un ~ de frites** una porción extra de patatas fritas; **en ~** (*au menu etc*) no incluido; **supplément d'information** suplemento de información.

supplémentaire [syplemɑ̃tɛʀ] *adj* suplementario(-a); (*train etc*) adicional; **contrôles ~s** refuerzo de controles.

supplice [syplis] *nm* suplicio; **être au ~** (*appréhension*) estar atormentado(-a); (*gêne, douleur*) no aguantar más.

supplier [syplije] *vt* suplicar.

support [sypɔʀ] *nm* soporte *m*; **support audio-visuel/publicitaire** soporte audiovisual/publicitario.

supportable [sypɔʀtabl] *adj* soportable.

supporter[1] [sypɔʀtœʀ] *nm* seguidor(a).

supporter[2] [sypɔʀte] *vt* soportar; (*choc*) resistir a; (*équipe*) apoyar.

supposer [sypoze] *vt* suponer; **~ que** suponer que; **en supposant** *ou* **à ~ que** suponiendo que.

supposition [sypozisjɔ̃] *nf* suposición *f*.

suppositoire [sypozitwaʀ] *nm* supositorio.

supprimer [sypʀime] *vt* suprimir; (*personne, témoin gênant*) quitar de en medio, suprimir; **~ qch à qn** quitarle algo a algn.

suppurer [sypyʀe] *vi* supurar.

suprématie [sypʀemasi] *nf* supremacía.

suprême [sypʀɛm] *adj* (*pouvoir etc*) supremo(-a); (*bonheur, habileté*) sumo(-a); **un ~ espoir** (*ultime*) una última esperanza; **les honneurs ~s** los honores póstumos.

MOT-CLÉ

sur[1] [syʀ] *prép* **1** en; (*par dessus, au-dessus*) encima de, sobre; **pose-le sur la table** ponlo en la mesa; **je n'ai pas d'argent sur moi** no llevo dinero encima; **avoir de l'influence/un effet sur ...** tener influencia/un efecto sobre ...; **avoir accident sur accident** tener accidente tras accidente; **sur ce** tras esto

2 (*direction*) hacia; **en allant sur Paris** yendo hacia París; **sur votre droite** a su derecha

3 (*à propos de*) acerca de, sobre; **un livre/une conférence sur Balzac** un libro/una conferencia sobre Balzac

4 (*proportion, mesures*) de entre, de cada; **un sur 10** uno de cada 10; (*SCOL: note*) uno sobre 10; **sur 20, 2 sont venus** de 20, han venido 2; **4 m sur 2** 4 m por 2.

sur[2], **e** [syʀ] *adj* agrio(-a).

sûr, e [syʀ] *adj* seguro(-a); (*renseignement, ami, voiture*) de confianza; (*goût, réflexe etc*) agudo(-a); **peu ~** (*ami etc*) no de mucha confianza; (*méthode*) no muy seguro(-a); (*réflexe etc*) no muy agudo(-a); **être ~ de qn** confiar en algn; **c'est ~ et certain** sin lugar a dudas; **~ de soi** seguro de sí mismo(-a); **le plus ~ est de ...** lo más seguro es ... .

suranné, e [syʀane] *adj* anticuado(-a).

surcharge [syʀʃaʀʒ] *nf* sobrecarga; (*correction, ajout*) tachón *m*; **prendre des passagers en ~** coger pasajeros en exceso; **surcharge de bagages** exceso de equipaje; **surcharge de travail** exceso de trabajo.

surcharger [syʀʃaʀʒe] *vt* (*véhicule*) cargar en exceso; (*personne*) cargar; (*texte*) tachar; (*timbre-poste, fig*) sobrecargar; (*décoration*) recargar.

surchoix [syʀʃwa] *adj inv* seleccionado(-a).

surclasser [syʀklɑse] *vt* (*concurrent*) aventajar a; (*surpasser*) superar.

surcroît [syʀkʀwa] *nm*: **un ~ de** un aumento de; **par** *ou* **de ~** por añadidura; **en ~** en añadidura.

surdité [syʀdite] *nf* sordera; **atteint de ~ totale** que padece de sordera total.

surdoué, e [syʀdwe] *adj* superdotado(-a).

surélever [syʀel(ə)ve] *vt* realzar.

sûrement [syʀmɑ̃] *adv* (*fonctionner etc*) con seguridad; (*certainement*) seguramente; **~ pas** seguro que no.

surenchère [syʀɑ̃ʃɛʀ] *nf* (*aux enchères*) sobrepuja; (*sur prix fixe*) encarecimiento; **~ de violence** subida de violencia.

surenchérir [syʀɑ̃ʃeʀiʀ] *vi* (*COMM*) sobrepujar; (*fig*): **~ sur qn** aventajar a algn.

surent [syʀ] *vb voir* **savoir**.

surestimer [syʀɛstime] *vt* sobreestimar.

sûreté [syʀte] *nf* fiabilidad *f*; (*du goût etc*) agudeza; (*JUR*) garantía; **être/mettre en ~** (*personne*) estar/poner a salvo; (*objet*) estar/poner en lugar seguro; **pour plus de ~** para mayor seguridad; **attentat/crime contre la ~ de l'État** atentado/crimen contra la seguridad del Estado; **la Sûreté (nationale)** *brigada de investigación criminal francesa*.

surf [sœʀf] *nm* surf *m*; **faire du ~** hacer surf.

surface [syʀfas] *nf* superficie *f*; **faire ~** salir a la superficie; **en ~** (*nager, naviguer*) en la superficie; (*fig*) aparentemente; **la pièce fait 100m² de ~** la habitación mide 100m² de superficie; **surface de réparation** (*SPORT*) área de castigo; **surface porteuse** *ou* **de sustentation** (*AVIAT*) plano de sustentación.

surfait, e [syʀfɛ, ɛt] *adj* sobreestimado(-a).

surfin, e [syʀfɛ̃, in] *adj* superfino(-a).

surgelé, e [syʀʒəle] *adj* congelado(-a).

surgir [syʀʒiʀ] *vi* aparecer; (*de terre*) salir; (*fig*) surgir.

surhumain, e [syʀymɛ̃, ɛn] *adj* sobrehumano(-a).

surimpression [syʀɛ̃pʀesjɔ̃] *nf* (*PHOTO*) sobreimpresión *f*; **en ~** en sobreimpresión.

sur-le-champ [syʀləʃɑ̃] *adv* en el acto.

surlendemain [syʀlɑ̃d(ə)mɛ̃] *nm*: **le ~** a los dos días; **le ~ de** dos días después de; **le ~ soir** a los dos días por la noche.

surmenage [syʀmənaʒ] *nm* (*MÉD*) agotamiento; **le surmenage intellectuel** el agotamiento intelectual.

surmener [syʀməne] *vt* agotar; **se surmener** *vpr* agotarse.

surmonter [syʀmɔ̃te] *vt* vencer; (*suj: coupole etc*) coronar.

surnager [syʀnaʒe] *vi* mantenerse a flote.

surnaturel, le [syʀnatyʀɛl] *adj* sobrenatural ♦ *nm*: **le ~** lo sobrenatural.

surnom [syʀnɔ̃] *nm* (*gén*) sobrenombre *m*; (*péj*) apodo.

surnombre [syʀnɔ̃bʀ] *nm*: **être en ~** estar de más.

surnommer [syʀnɔme] *vt* apodar.

surpasser [syʀpɑse] *vt* superar; **se surpasser** *vpr* superarse.

surpeuplé, e [syʀpœple] *adj* superpoblado(-a).

surplace [syʀplas] *nm*: **faire du ~** (*rester en équilibre*) mantener el equilibrio; (*dans un embouteillage etc*) ir a paso de caracol.

surplomber [syʀplɔ̃be] *vi* sobresalir ♦ *vt* destacar sobre.

surplus [syʀply] *nm* (*COMM*) excedente *m*; **~ de bois/tissu** sobrante *m* de leña/de tela; **au ~** por lo demás; **surplus américain** (*magasin*) tienda de excedentes americanos.

surprenant, e [syʀpʀənɑ̃, ɑ̃t] *vb voir* **surprendre** ♦ *adj* sorprendente.

surprendre [syʀpʀɑ̃dʀ] *vt* sorprender; (*secret, conversation*) descubrir; (*voisins, amis etc*) sorprender con una visita; (*fig*) captar; **~ la vigilance/bonne foi de qn** burlar la vigilancia/buena fe de algn; **se ~ à faire qch** sorprenderse haciendo algo.

surpris, e [syʀpʀi, iz] *pp de* **surprendre** ♦ *adj* de sorpresa; **~ de/que** sorprendido(-a) por/de que.

surprise [syʀpʀiz] *nf* sorpresa; **faire une ~ à qn** dar una sorpresa a algn; **voyage sans ~s** viaje sin sobresaltos; **avoir la ~ de** tener la sorpresa de; **par ~** por sorpresa.

sursaut [syʀso] *nm* sobresalto; **en ~** de un sobresalto; **sursaut d'énergie** resuello de energía; **sursaut d'indignation** pronto de indignación.

sursauter [syʀsote] *vi* sobresaltarse.

surseoir [syʀswaʀ]: **~ à** *vt ind* (*JUR*) aplazar.

sursis [syʀsi] *nm* (*JUR: d'une peine*) indulto; (*: à la condamnation à mort*) aplazamiento; (*MIL*): **~ (d'appel** *ou* **d'incorporation)** prórroga (de llamada *ou* de incorporación a filas); (*fig*) periodo de espera; **condamné à 5 mois (de prison) avec ~** condenado a 5 meses (de prisión) con indulto; **on lui a accordé le ~** (*MIL*) se le concedió la prórroga; (*JUR*) se le indultó.

surtaxe [syʀtaks] *nf* sobretasa.

surtout [syʀtu] *adv* sobre todo; **il songe ~ à ses propres intérêts** piensa sobre todo en sus propios intereses; **il aime le sport, ~ le football** le gusta el deporte, sobre todo el fútbol; **~ pas d'histoires/ne dites rien!** ¡sobre todo nada de líos/no diga nada!; **~ pas!** ¡de ninguna manera!; **~ pas lui!** ¡él, de ninguna manera!; **~ que** ... sobre todo porque ... .

surveillance [syʀvɛjɑ̃s] *nf* vigilancia; **être sous la ~ de qn** estar bajo la vigilancia de algn; **sous ~ médicale** bajo control médico; **la surveillance du territoire** ≈ servicio de inteligencia *ou* contraespionaje.

surveillant, e [syʀvɛjɑ̃, ɑ̃t] *nm/f* (*SCOL, de prison*) vigilante *m/f*; (*de travaux*) capataz *m/f*.

surveiller [syʀveje] *vt* (*enfant etc*) cuidar de; (*MIL, gén*) vigilar; (*travaux, cuisson*) atender; **se surveiller** *vpr* controlarse; **~ son langage/sa ligne** cuidar su vocabulario/la línea.

survenir [syʀvəniʀ] *vi* sobrevenir; (*personne*) llegar de improviso.

survêtement [syʀvɛtmɑ̃] *nm* chandal *m ou* chándal *m*.

survie [syʀvi] *nf* supervivencia; **équipement de ~** equipo de supervivencia; **une ~ de quelques mois** una supervivencia de algunos meses.

survivant, e [syʀvivɑ̃, ɑ̃t] *vb voir* **survivre** ♦ *nm/f* superviviente *m/f*; (*JUR*) heredero(-a).

survivre [syʀvivʀ] *vi* sobrevivir; ~ **à** sobrevivir a; **la victime a peu de chances de** ~ la víctima tiene pocas posibilidades de sobrevivir.

survoler [syʀvɔle] *vt* (*lieu*) sobrevolar; (*livre, écrit*) leer por encima; (*question, problèmes*) tratar por encima.

survolté, e [syʀvɔlte] *adj* (*fig: personne*) superexcitado(-a); (: *ambiance*) acalorado(-a); **un appareil** ~ un aparato con exceso de voltaje.

sus[1] [sy] *vb voir* **savoir**.

sus[2] [sy(s)] *prép*: **en** ~ **de** (*JUR, ADMIN*) además de; **en** ~ además; ~ **au tyran!** ¡a por el tirano!

susceptible [sysɛptibl] *adj* susceptible; ~ **de** susceptible de; ~ **d'amélioration** *ou* **d'être amélioré** susceptible de mejora *ou* de ser mejorado; **être** ~ **de faire** (*capacité*) estar capacitado(-a) para hacer; (*probabilité*): **il est** ~ **de devenir** ... es probable que llegue a ser ... .

susciter [sysite] *vt* (*ennuis etc*): ~ **(à qn)** originar (a algn); (*admiration etc*) suscitar.

suspect, e [syspɛ(kt), ɛkt] *adj* sospechoso(-a); (*vin etc*) de poca confianza ♦ *nm/f* sospechoso(-a); **être (peu)** ~ **de** ser (poco) sospechoso(-a) de.

suspecter [syspɛkte] *vt* sospechar; ~ **qn d'être/d'avoir fait qch** sospechar que algn es/que algn ha hecho algo.

suspendre [syspɑ̃dʀ] *vt* suspender; **se suspendre** *vpr*: **se** ~ **à** aferrarse a, colgarse de; ~ **qch (à)** colgar algo (de).

suspendu, e [syspɑ̃dy] *pp de* **suspendre** ♦ *adj* (*accroché*): ~ **à** colgado(-a) de; (*perché*): ~ **au-dessus de** suspendido(-a) sobre; **voiture bien/mal** ~**e** coche con buena/mala suspensión; **être** ~ **aux lèvres de qn** estar pendiente de los labios de algn.

suspens [syspɑ̃]: **en** ~ *adv* suspendido(-a); **tenir en** ~ (*lecteurs, spectateurs*) mantener en suspense.

suspense [syspɛns] *nm* suspense *m*.

suspension [syspɑ̃sjɔ̃] *nf* suspensión *f*; (*lustre*) lámpara de techo; **en** ~ en suspensión; **suspension d'audience** suspensión de la vista.

sut [sy] *vb voir* **savoir**.

suture [sytyʀ] *nf*: **point de** ~ punto de sutura.

svelte [svɛlt] *adj* esbelto(-a).

SVP [ɛsvepe] *abr* (= *s'il vous plaît*) por favor.

syllabe [si(l)lab] *nf* sílaba.

sylviculture [silvikyltyʀ] *nf* silvicultura.

symbole [sɛ̃bɔl] *nm* símbolo; **symbole graphique** (*INFORM*) icono.

symbolique [sɛ̃bɔlik] *adj* simbólico(-a) ♦ *nf* simbolismo.

symboliser [sɛ̃bɔlize] *vt* simbolizar.

symétrie [simetʀi] *nf* simetría; **axe/centre de** ~ eje *m*/centro de simetría.

symétrique [simetʀik] *adj* simétrico(-a).

sympa [sɛ̃pa] *adj inv voir* **sympathique**.

sympathie [sɛ̃pati] *nf* simpatía; (*condoléances*) pésame *m*; **accueillir avec** ~ acoger con gusto; **avoir de la** ~ **pour qn** tener simpatía a algn; **témoignages de** ~ muestras *fpl* de condolencia; **croyez à toute ma** ~ mi más sentido pésame.

sympathique [sɛ̃patik] *adj* (*personne*) simpático(-a); (*déjeuner etc*) agradable.

sympathisant, e [sɛ̃patizɑ̃, ɑ̃t] *nm/f* simpatizante *m/f*.

sympathiser [sɛ̃patize] *vi* simpatizar; ~ **avec qn** simpatizar con algn.

symphonie [sɛ̃fɔni] *nf* sinfonía.

symptôme [sɛ̃ptom] *nm* síntoma *m*.

synagogue [sinagɔg] *nf* sinagoga.

synchroniser [sɛ̃kʀɔnize] *vt* sincronizar.

syncope [sɛ̃kɔp] *nf* (*MÉD*) síncope *m*; (*MUS*) síncopa; **elle est tombée en** ~ le dio un síncope.

syndic [sɛ̃dik] *nm* administrador *m*.

syndical, e, -aux [sɛ̃dikal, o] *adj* sindical; **centrale** ~**e** central *f* sindical.

syndicaliste [sɛ̃dikalist] *nm/f* sindicalista *m/f*.

syndicat [sɛ̃dika] *nm* (*POL*) sindicato; (*autre association d'intérêts*) asociación *f*; **syndicat d'initiative** oficina de turismo; **syndicat de producteurs** unión *f* de productores; **syndicat de propriétaires** comunidad *f* de propietarios; **syndicat patronal** organización *f* patronal.

syndiqué, e [sɛ̃dike] *adj* sindicado(-a); **non syndiqué(e)** no sindicado(-a).

syndrome [sɛ̃dʀom] *nm* síndrome *m*.

synonyme [sinɔnim] *adj* sinónimo(-a) ♦ *nm* sinónimo.

synthèse [sɛ̃tɛz] *nf* síntesis *f inv*; **faire la** ~ **de** hacer la síntesis de.

synthétique [sɛ̃tetik] *adj* sintético(-a); (*méthode, esprit*) de síntesis.

synthétiseur [sɛ̃tetizœʀ] *nm* (*MUS*) sintetizador *m*.

systématique [sistematik] *adj* (*classement, étude*) sistemático(-a); (*exploitation, opposition*) automático(-a); (*péj*) dogmático(-a).

système [sistɛm] *nm* sistema *m*; **utiliser le** ~ **D** (*fam*) utilizar el ingenio; **système**

décimal sistema decimal; **système d'exploitation à disques** (*INFORM*) sistema de operación con discos; **système expert** sistema experto; **système métrique** sistema métrico; **système nerveux/solaire** sistema nervioso/solar.

T, t

t' [t] *pron voir* **te**.
ta [ta] *dét voir* **ton**[1].
tabac [taba] *nm* tabaco ♦ *adj inv*: **(couleur)** ~ (color) tabaco *inv*; **passer qn à** ~ (*fam: battre*) dar una tunda a algn, zurrar a algn; **faire un** ~ (*fam*) tener mucho éxito; **(débit** *ou* **bureau de)** ~ estanco; **tabac à priser** tabaco en polvo, rapé *m*; **tabac blond/brun/gris** tabaco rubio/moreno/picado.
tabagisme [tabaʒism] *nm* tabaquismo.
table [tabl] *nf* mesa; (*invités*) comensales *mpl*; (*liste*) lista; (*numérique*) tabla; **à ~!** ¡a comer!; **se mettre à** ~ sentarse a la mesa; (*fam*) cantar de plano; **mettre** *ou* **dresser/desservir la** ~ poner/quitar la mesa; **faire** ~ **rase de** hacer tabla rasa con; **table à repasser** tabla de planchar; **table basse** mesa baja; **table d'écoute** tablero de interceptaciones telefónicas; **table d'harmonie** tabla de armonía; **table d'hôte** menú *m ou* plato del día; **table de cuisson** cocina (de electricidad *ou* de gas); **table de lecture** (*MUS*) tabla de lectura; **table de multiplication** tabla de multiplicar; **table de nuit** *ou* **de chevet** mesita de noche; **table de toilette** mueble *m* de lavabo; **table des matières** índice *m*; **table ronde** (*débat*) mesa redonda; **table roulante** carro, carrito; **table traçante** (*INFORM*) mesa de trazado.
tableau, x [tablo] *nm* cuadro; (*panneau*) tablero; (*schéma*) cuadro, gráfico; **tableau chronologique** cuadro cronológico; **tableau d'affichage** tablón *m ou* tablero de anuncios; **tableau de bord** (*AUTO*) cuadro de instrumentos; (*AVIAT*) cuadro de mandos; **tableau de chasse** caza; **tableau de contrôle** (*d'une machine*) cuadro de control; (*d'une installation*) cuadro *ou* panel *m* de control; **tableau de maître** obra de maestro; **tableau noir** encerado.
tabler [table]: ~ **sur** *vt ind* contar con.
tablette [tablɛt] *nf* (*planche*) anaquel *m*, tabla; **tablette de chocolat** tableta de chocolate.
tablier [tablije] *nm* delantal *m*; (*du cuisinier*) mandil *m*; (*de pont*) calzada; (: *en bois*) tableado; (*de cheminée*) tapadera.
tabou, e [tabu] *adj, nm* tabú *m*.
tabouret [tabuʀɛ] *nm* taburete *m*.
tac [tak] *nm*: **répondre qch du ~ au ~** saltar con algo.
tache [taʃ] *nf* mancha; (*petite*) manchita; **faire ~ d'huile** extenderse como cosa buena; **tache de rousseur** *ou* **de son** peca; **tache de vin** (*sur la peau*) mancha.
tâche [tɑʃ] *nf* tarea, labor *f*; (*rôle*) papel *m*; **travailler à la** ~ trabajar a destajo.
tacher [taʃe] *vt* manchar; (*réputation*) manchar, mancillar; **se tacher** *vpr* (*fruits*) picarse.
tâcher [tɑʃe] *vi*: ~ **de faire** tratar de hacer, procurar hacer.
tacite [tasit] *adj* tácito(-a).
taciturne [tasityʀn] *adj* taciturno(-a).
tacot [tako] (*péj*) *nm* cacharro.
tact [takt] *nm* tacto; **avoir du** ~ tener tacto.
tactique [taktik] *adj* táctico(-a) ♦ *nf* táctica.
taie [tɛ] *nf*: ~ **(d'oreiller)** funda (de la almohada).
taille [tɑj] *nf* tallado; poda; (*du corps, d'un vêtement*) talle *m*, cintura; (*hauteur*) estatura; (*grandeur*) tamaño; (*COMM*) talla; (*envergure*) dimensión *f*, envergadura; **de ~ à faire** capaz de hacer; **de** ~ importante; **quelle ~ faites-vous?** ¿cuál es su talla?
taille-crayon(s) [tɑjkʀɛjɔ̃] *nm inv* sacapuntas *m inv*.
tailler [tɑje] *vt* (*pierre, diamant*) tallar; (*arbre, plante*) podar; (*vêtement*) cortar; (*crayon*) afilar; **se tailler** *vpr* (*ongles, barbe*) cortarse; (*victoire, réputation*) conseguir; (*fam: s'enfuir*) largarse, pirarse; ~ **dans la chair/le bois** hacer un corte en la carne/madera; ~ **grand/petit** (*suj: vêtement*) estar cortado grande/pequeño.
tailleur [tɑjœʀ] *nm* sastre *m*; (*vêtement pour femmes*) traje *m* de chaqueta; **en ~** a la turca; **tailleur de diamants** lapidario de diamantes.
taillis [taji] *nm* bosque *m* bajo.
taire [tɛʀ] *vt* ocultar ♦ *vi*: **faire ~ qn** hacer callar a algn; **se taire** *vpr* (*s'arrêter de parler*) callarse; (*ne pas parler*) callar(se); (*fig: bruit, voix*) cesar; **tais-toi!** ¡cállate!; **taisez-vous!** ¡callaos!; (*vouvoiement*) ¡cállese!
talc [talk] *nm* talco.
talent [talɑ̃] *nm* talento; **~s** *nmpl* (*personnes*) talentos *mpl*; **avoir du** ~ tener talento.
talkie-walkie [tokiwoki] (*pl* **~s-~s**) *nm* walkie-talkie *m*.
talon [talɔ̃] *nm* (*ANAT, de chaussette*) talón *m*; (*de chaussure*) tacón *m*; (*de jambon,*

pain) extremo; (*de chèque, billet*) matriz *f*; **être sur les ~s de qn** pisarle los talones a algn; **tourner/montrer les ~s** volver la espalda; **talons plats/aiguilles** tacones bajos/muy finos.

talonner [talɔne] *vt* seguir de cerca; (*concurrent*) pisar los talones a, seguir de cerca; (*cheval*) espolear; (*harceler*) acosar; (*RUGBY*) talonar.

talus [taly] *nm* (*GÉO*) talud *m*; **talus de déblai** montón *m* de tierra (*procedente de una excavación*); **talus de remblai** terraplén *m*.

tambour [tɑ̃buʀ] *nm* tambor *m*; (*porte*) cancel *m*; **sans ~ ni trompette** a la chita callando.

tambouriner [tɑ̃buʀine] *vi*: **~ contre** repiquetear en *ou* contra.

tamis [tami] *nm* tamiz *m*, cedazo.

Tamise [tamiz] *nf*: **la ~** el Támesis.

tamisé, e [tamize] *adj* tamizado(-a).

tampon [tɑ̃pɔ̃] *nm* (*de coton, d'ouate, bouchon*) tapón *m*; (*pour nettoyer, essuyer*) muñequilla, bayeta; (*pour étendre*) muñequilla; (*amortisseur*: *RAIL, fig*) tope *m*; (*INFORM*: *aussi mémoire tampon*) tampón *m*; (*cachet, timbre*) matasellos *m inv*; (*CHIM*) disolución *f* reguladora, disolución tampón; **~ (hygiénique)** tampón (higiénico); **tampon à récurer** estropajo metálico; **tampon buvard** secante *m*; **tampon encreur** tampón.

tamponner [tɑ̃pɔne] *vt* (*essuyer*) taponar; (*heurter*) chocar; (*document, lettre*) sellar; **se tamponner** *vpr* (*voitures*) chocar.

tamponneuse [tɑ̃pɔnøz] *adj f*: **autos ~s** coches *mpl* de choque.

tandem [tɑ̃dɛm] *nm* tándem *m*.

tandis [tɑ̃di]: **~ que** *conj* mientras que.

tanguer [tɑ̃ge] *vi* (*NAUT*) cabecear, arfar.

tanière [tanjɛʀ] *nf* guarida.

tank [tɑ̃k] *nm* (*char*) tanque *m*; (*citerne*) tanque, cisterna.

tanner [tane] *vt* curtir.

tant [tɑ̃] *adv* tanto; **~ de** (*sg*) tanto(-a); (*pl*) tantos(-as); **~ que** (*tellement*) tanto que; (*comparatif*) hasta que, mientras que; **~ mieux** mejor; **~ mieux pour lui** mejor para él; **~ pis** (*peu importe*) ¡qué más da!; (*qu'à cela ne tienne*) no tiene importancia; **~ pis pour lui** peor para él; **un ~ soit peu** (*un peu*) un poco; (*même un peu*) algo, por poco que; **s'il est un ~ soit peu subtil, il comprendra** si es algo sutil *ou* por poco sutil que sea, lo entenderá; **~ bien que mal** mal que bien; **~ s'en faut** ni mucho menos.

tante [tɑ̃t] *nf* tía.

tantôt [tɑ̃to] *adv* (*cet après-midi*) esta tarde, por la tarde; **~ ... ~** (*parfois*) unas veces ... otras veces.

tapage [tapaʒ] *nm* alboroto; (*fig*) escándalo; **tapage nocturne** (*JUR*) escándalo nocturno.

tape [tap] *nf* cachete *m*; (*dans le dos*) palmada.

tape-à-l'œil [tapalœj] *adj inv* vistoso(-a), llamativo(-a).

taper [tape] *vt* (*personne*) pegar; (*porte*) cerrar de golpe; (*dactylographier*) escribir a máquina; (*INFORM*) teclear ♦ *vi* (*soleil*) apretar; **se taper** *vpr* (*fam*: *travail*) chuparse, cargarse; (: *boire, manger*) soplarse, zamparse; **~ qn de 10 francs** (*fam*) dar un sablazo de 10 francos a algn; **~ sur qn** pegar a algn; (*fig*) poner como un trapo a algn; **~ sur qch** golpear en algo; **~ à** (*porte etc*) llamar a; **~ dans** (*se servir*) echar mano de; **~ des mains/pieds** palmear/patalear; **~ (à la machine)** escribir a máquina.

tapi, e [tapi] *adj*: **~ dans/derrière** (*blotti*) acurrucado(-a) en/detrás de; (*caché*) agazapado(-a) en/detrás de.

tapis [tapi] *nm* alfombra; (*de table*) tapete *m*; **être/mettre sur le ~** (*fig*) estar/poner sobre el tapete; **aller/envoyer au ~** (*BOXE*) estar/enviar a la lona; **tapis de sol** tela impermeable (de tienda de campaña); **tapis roulant** cinta transportadora, pasillo rodante.

tapisser [tapise] *vt* (*avec du papier peint*) empapelar; **~ qch (de)** (*recouvrir*) revestir algo (con).

tapisserie [tapisʀi] *nf* tapiz *m*; (*travail*) tapizado; (*papier peint*) empapelado; **faire ~** (*fig*) quedarse cruzado(-a) de brazos.

tapissier, -ière [tapisje, jɛʀ] *nm/f*: **~(-décorateur)** tapicero.

tapoter [tapɔte] *vt* dar golpecitos en, golpetear.

taquiner [takine] *vt* pinchar.

tard [taʀ] *adv* tarde ♦ *nm*: **sur le ~** (*à une heure avancée*) tarde; (*vers la fin de la vie*) en la madurez; **au plus ~** a más tardar; **plus ~** más tarde.

tarder [taʀde] *vi* tardar; **~ à faire** tardar en hacer; **il me tarde d'être** estoy impaciente por estar; **sans (plus) ~** sin (más) demora, sin (más) tardar.

tardif, -ive [taʀdif, iv] *adj* tardío(-a).

targuer [taʀge] *vb*: **se ~ de** jactarse de, hacer alarde de.

tarif [taʀif] *nm* tarifa; (*liste*) tarifa, lista de precios; (*prix*) tarifa, precio; **voyager à plein ~/à ~ réduit** viajar con tarifa completa/con tarifa reducida; **tarif douanier** arancel *m* aduanero.

tarir [taRiR] *vi, vt* secarse, agotarse.
tarot(s) [taRo] *nm(pl)* tarot *m*.
tarte [taRt] *nf* tarta; **tarte à la crème/aux pommes** tarta de crema/de manzana.
tartelette [taRtəlɛt] *nf* tartaleta.
tartine [taRtin] *nf* rebanada; **tartine beurrée/de miel** rebanada con mantequilla/con miel.
tartiner [taRtine] *vt* untar; **fromage** *etc* **à ~** queso *etc* para untar.
tartre [taRtR] *nm* sarro.
tas [tɑ] *nm* montón *m*; (*de bois, livres*) pila, montón; **un ~ de** (*beaucoup de*) un montón de; **en ~** amontonado(-a); **dans le ~** (*fig*) a ciegas, a bulto; **formé sur le ~** formado en la práctica.
tasse [tɑs] *nf* taza; **boire la ~** (*en se baignant*) tragar agua; **tasse à café/à thé** taza de café/de té.
tassé, e [tɑse] *adj*: **bien ~** (*café etc*) bien cargado(-a).
tasser [tɑse] *vt* apisonar, pisar; **se tasser** *vpr* (*sol, terrain*) hundirse; (*avec l'âge*) encorvarse; (*problème*) arreglarse; **~ qch dans** amontonar algo en.
tâter [tɑte] *vt* tantear; **se tâter** *vpr* (*hésiter*) reflexionar; **~ de** (*prison etc*) probar; **~ le terrain** tantear el terreno.
tâtonner [tɑtɔne] *vi* andar a tientas; (*fig*) tantear.
tâtons [tɑtɔ̃]: **à ~** *adv*: **chercher/avancer à ~** buscar/avanzar a tientas.
tatouer [tatwe] *vt* tatuar.
taudis [todi] *nm* cuchitril *m*.
taule [tol] (*fam*) *nf* chirona.
taupe [top] *nf* topo.
taureau, x [tɔRo] *nm* (*ZOOL*) toro; **le T~** (*ASTROL*) Tauro; **être (du) T~** ser Tauro.
tauromachie [tɔRɔmaʃi] *nf* tauromaquia.
taux [to] *nm* tasa; (*proportion: d'alcool*) porcentaje *m*; (*: de participation*) índice *m*; **taux d'escompte** porcentaje de descuento; **taux d'intérêt** tipo de interés; **taux de mortalité** índice *ou* tasa de mortalidad.
taverne [tavɛRn] *nf* taberna.
taxe [taks] *nf* tasa, impuesto; (*douanière*) arancel *m*; **toutes ~s comprises** impuestos incluidos; **taxe à** *ou* **sur la valeur ajoutée** impuesto sobre el valor añadido; **taxe de base** (*TÉL*) tarifa base; **taxe de séjour** *suplemento en las estaciones termales o centros turísticos*.
taxer [takse] *vt* (*personne*) gravar con impuestos; (*produit*) tasar; **~ qn de** tachar *ou* calificar a algn de; (*accuser de*) acusar a algn de.
taxi [taksi] *nm* taxi *m*.
tchao [tʃao] (*fam*) *excl* ¡chao!
te [tə] *pron* te.
technicien, ne [tɛknisjɛ̃, jɛn] *nm/f* técnico *m/f*.
technique [tɛknik] *adj* técnico(-a) ♦ *nf* técnica.
technologie [tɛknɔlɔʒi] *nf* tecnología.
tee-shirt [tiʃœRt] (*pl* **~-~s**) *nm* camiseta.
teigneux, -euse [tɛɲø, øz] (*péj*) *adj* (*méchant*) malvado(-a).
teindre [tɛ̃dR] *vt* teñir; **se teindre** *vpr*: **se ~ (les cheveux)** teñirse (el pelo).
teint, e [tɛ̃, tɛ̃t] *pp de* **teindre** ♦ *adj* teñido(-a) ♦ *nm* (*permanent*) tez *f*; (*momentané*) color *m* ♦ *nf*: **une ~e de** (*fig: d'humour etc*) un matiz de; **grand ~** *adj inv* (*tissu*) de color sólido; **bon ~** *adj inv* (*couleur*) sólido; (*catholique, communiste etc*) convencido(-a).
teinté, e [tɛ̃te] *adj* (*verres, lunettes*) ahumado(-a); (*bois*) teñido(-a); **~ acajou** teñido(-a) en caoba; **~ de** teñido(-a) de.
teinter [tɛ̃te] *vt* teñir.
teinture [tɛ̃tyR] *nf* (*opération*) tintura, tinte *m*; (*substance*) tinte; **teinture d'iode/d'arnica** tintura de yodo/de árnica.
teinturerie [tɛ̃tyRRi] *nf* tintorería.
teinturier, -ière [tɛ̃tyRje, jɛR] *nm/f* tintorero(-a).
tel, telle [tɛl] *adj* (*pareil*) tal, semejante; (*indéfini*) tal; **~ un/des ...** tal como.../como ...; **un ~/de ~s ...** un tal/tales ...; **rien de ~** nada como; **~ quel** tal cual; **~ que** tal como.
tél. *abr* (= *téléphone*) tel., tfno. (= *teléfono*).
télé [tele] *nf* tele *f*; **à la ~** en la tele.
télé... [tele] *préf* tele... .
télécabine [telekabin] *nf* teleférico (monocable).
télécarte [telekaRt] *nf* tarjeta de teléfono.
télécommande [telekɔmɑ̃d] *nf* telemando.
télécommunications [telekɔmynikasjɔ̃] *nfpl* telecomunicaciones *fpl*.
télécopie [telekɔpi] *nf* telecopia.
télécopieur [telekɔpjœR] *nm* máquina de fax.
télédiffuser [teledifyze] *vt* teledifundir.
télédiffusion [teledifyzjɔ̃] *nf* teledifusión *f*.
téléférique [telefeRik] *nm* = **téléphérique**.
téléfilm [telefilm] *nm* telefilm *m*.
télégramme [telegRam] *nm* telegrama *m*; **télégramme téléphoné** telegrama por teléfono.
télégraphe [telegRaf] *nm* telégrafo.

télégraphier [telegʀafje] *vt, vi* telegrafiar.
télématique [telematik] *nf* telemática ♦ *adj* telemático(-a).
téléobjectif [teleɔbʒɛktif] *nm* teleobjetivo.
télépathie [telepati] *nf* telepatía.
téléphérique [telefeʀik] *nm* teleférico.
téléphone [telefɔn] *nm* (*appareil*) teléfono; **avoir le ~** tener teléfono; **au ~** al teléfono; **téléphone arabe** *transmisión de noticias de persona a persona*; **téléphone manuel** teléfono automático; **téléphone rouge** teléfono rojo.
téléphoner [telefɔne] *vt, vi* llamar por teléfono; **~ à** llamar por teléfono a.
téléphonique [telefɔnik] *adj* telefónico(-a); **cabine/appareil ~** cabina telefónica/aparato telefónico; **conversation/appel/liaison ~** conversación *f*/llamada/comunicación *f* telefónica.
télescope [telɛskɔp] *nm* telescopio.
télescoper [telɛskɔpe] *vt* chocar de frente; **se télescoper** *vpr* chocarse de frente.
télescopique [telɛskɔpik] *adj* telescópico(-a).
télésiège [telesjɛʒ] *nm* telesilla.
téléski [teleski] *nm* telesquí *m*; **téléski à archets/à perche** telesquí de arcos/de trole.
téléspectateur, -trice [telespɛktatœʀ, tʀis] *nm/f* telespectador(a).
téléviseur [televizœʀ] *nm* televisor *m*.
télévision [televizjɔ̃] *nf* televisión *f*; **(poste de) ~** televisión; **avoir la ~** tener televisión; **à la ~** en la televisión; **télévision par câble** televisión por cable.
télex [telɛks] *nm* télex *m*.
telle [tɛl] *adj voir* **tel**.
tellement [tɛlmɑ̃] *adv* tan; **~ grand/cher (que)** tan grande/caro (que); **~ de** (*sg*) tanto(-a); (*pl*) tantos(-as); **il était ~ fatigué qu'il s'est endormi** estaba tan cansado que se durmió; **il s'est endormi ~ il était fatigué** se durmió de lo cansado que estaba; **je n'ai pas ~ envie d'y aller** no tengo muchas *ou* tantas ganas de ir; **pas ~ fort/lentement** no tan fuerte/lento; **il ne mange pas ~** no come tanto.
téméraire [temeʀɛʀ] *adj* temerario(-a).
témérité [temeʀite] *nf* temeridad *f*.
témoignage [temwaɲaʒ] *nm* testimonio; (*d'affection etc*) muestra.
témoigner [temwaɲe] *vt* (*intérêt, gratitude*) manifestar ♦ *vi* (*JUR*) testimoniar, atestiguar; **~ que** declarar que; (*démontrer*) demostrar que; **~ de** dar pruebas de.
témoin [temwɛ̃] *nm* testigo; (*preuve*) prueba ♦ *adj* testigo *inv*; (*appartement*) piloto *inv* ♦ *adv*: **~ le fait que ...** prueba de ello ...; **être ~ de** ser testigo de; **prendre à ~** tomar como *ou* por testigo; **appartement ~** piso piloto; **témoin à charge** testigo de cargo; **Témoin de Jéhovah** testigo de Jehová; **témoin de moralité** testigo de moralidad; **témoin oculaire** testigo ocular.
tempe [tɑ̃p] *nf* sien *f*.
tempérament [tɑ̃peʀamɑ̃] *nm* temperamento; (*santé*) constitución *f*; **à ~** (*vente*) a plazos; **avoir du ~** tener mucho temperamento.
température [tɑ̃peʀatyʀ] *nf* temperatura; **prendre la ~ de** tomar la temperatura de; (*fig*) tantear; **avoir** *ou* **faire de la ~** tener fiebre; **feuille/courbe de ~** gráfica/curva de temperatura.
tempéré, e [tɑ̃peʀe] *adj* templado(-a).
tempête [tɑ̃pɛt] *nf* (*en mer*) temporal *m*; (*à terre*) tormenta; **vent de ~** viento de tormenta; (*fig*) gran tensión *f*; **tempête d'injures/de mots** torrente *m* de injurias/de palabras; **tempête de neige/de sable** tormenta de nieve/de arena.
temple [tɑ̃pl] *nm* templo.
temporaire [tɑ̃pɔʀɛʀ] *adj* temporal.
temps [tɑ̃] *nm* tiempo; (*époque*) tiempo, época; **les ~ changent/sont durs** los tiempos cambian/son duros; **il fait beau/mauvais ~** hace buen/mal tiempo; **passer/employer son ~ à faire qch** pasar/emplear el tiempo en hacer algo; **avoir le ~/tout le ~/juste le ~** tener tiempo/mucho tiempo/el tiempo justo; **avoir du ~ de libre** tener tiempo libre; **avoir fait son ~** (*fig*) haber pasado a la historia; **en ~ de paix/de guerre** en tiempo de paz/de guerra; **en ~ utile** *ou* **voulu** a su debido tiempo; **de ~ en ~, de ~ à autre** de vez en cuando; **en même ~** al mismo tiempo; **à ~** a tiempo; **pendant ce ~** mientras tanto; **à plein/mi-~** (*travailler*) jornada completa/media jornada; **à ~ partiel** *adv, adj* a tiempo parcial; **dans le ~** hace tiempo, antaño; **de tout ~** de toda la vida; **du ~ que, au/du ~ où** en los tiempos en que, cuando; **temps chaud/froid** tiempo caluroso/frío; **temps d'accès** (*INFORM*) tiempo de acceso; **temps d'arrêt** parada; **temps de pose** tiempo de exposición; **temps mort** (*SPORT*) tiempo muerto; (*COMM*) tiempo de inactividad; **temps partagé/réel** (*INFORM*) tiempo compartido/verdadero *ou* real.
tenace [tənas] *adj* tenaz; (*infection*) persistente.
tenailles [tənɑj] *nfpl* tenazas *fpl*.
tenais *etc* [t(ə)ne] *vb voir* **tenir**.

tenant, e [tənɑ̃, ɑ̃t] *nm/f* (*SPORT*): ~ **du titre** poseedor(a) del título ♦ *nm*: **d'un seul** ~ de una sola pieza; **les ~s et les aboutissants** los detalles nimios.

tendance [tɑ̃dɑ̃s] *nf* tendencia; ~ **à la hausse/baisse** tendencia a la alza/baja; **avoir ~ à** tener tendencia a.

tendeur [tɑ̃dœʀ] *nm* tensor *m*.

tendinite [tɑ̃dinit] *nf* tendinitis *f*.

tendon [tɑ̃dɔ̃] *nm* tendón *m*; **tendon d'Achille** tendón de Aquiles.

tendre [tɑ̃dʀ] *adj* (*à manger*) tierno(-a), blando(-a); (*matière*) blando(-a); (*affectueux*) cariñoso(-a); (*lettre, regard, émotion*) tierno(-a); (*couleur, bleu*) suave ♦ *vt* (*élastique, peau*) extender, estirar; (*muscle, arc*) tensar; (*offrir*) ofrecer; (*piège*) tender; **se tendre** *vpr* tensarse; ~ **à qch/à faire qch** tender a algo/a hacer algo; ~ **qch à qn** alcanzar algo a algn; ~ **l'oreille** aguzar el oído; ~ **le bras/la main** alargar el brazo/extender la mano; ~ **la perche à qn** (*fig*) echar un capote a algn; **tendu de soie** tapizado en seda.

tendrement [tɑ̃dʀəmɑ̃] *adv* tiernamente.

tendresse [tɑ̃dʀɛs] *nf* ternura; **~s** *nfpl* (*caresses*) caricias *fpl*.

tendu, e [tɑ̃dy] *pp de* **tendre** ♦ *adj* (*allongé*) estirado(-a); (*raidi*) tensado(-a).

ténèbres [tenɛbʀ] *nfpl* tinieblas *fpl*.

teneur [tənœʀ] *nf* proporción *f*; (*d'une lettre*) texto; **teneur en cuivre** proporción de cobre.

tenir [t(ə)niʀ] *vt* (*avec la main, un objet*) tener; (*qn: par la main, le cou etc*) agarrar, coger; (*garder, maintenir: position*) mantener; (*maintenir fixé*) sujetar; (*prononcer: propos, discours*) proferir; (*magasin, hôtel*) regentar; (*promesse*) cumplir; (*un rôle*) desempeñar; (*MIL: ville, région*) ocupar; (*fam: un rhume*) estar con; (*AUTO: la route*) agarrarse a ♦ *vi* (*être fixé*) aguantar; (*neige, gel*) cuajar; (*survivre*) aguantar; (*peinture, colle*) agarrar; (*capacité*) caber; **se tenir** *vpr* (*par la main*) cogerse, agarrarse; (*à qch*) agarrarse; (*conférence*) celebrarse; (*personne, monument*) estar; (*récit*) ser coherente; (*se comporter*) comportarse; ~ **à** (*personne, chose*) tener cariño a; (*avoir pour cause*) deberse a; ~ **à faire** tener interés en hacer; ~ **de** (*parent*) salir; ~ **qch pour** considerar algo como; ~ **qn pour** tener a algn por; ~ **qch de qn** (*histoire*) saber algo por algn; ~ **lieu de** servir de; ~ **compte de** tener en cuenta; ~ **le lit** guardar cama; ~ **la solution/le coupable** tener la solución/el culpable; ~ **une réunion/un débat** celebrar una reunión/un debate; ~ **la caisse/les comptes** llevar la contabilidad/las cuentas; ~ **de la place** ocupar espacio; ~ **l'alcool** aguantar el alcohol; ~ **le coup,** ~ **bon** aguantar; ~ **3 jours/2 mois** resistir *ou* aguantar 3 días/2 meses; ~ **au chaud/à l'abri** mantener caliente/protegido(-a); ~ **chaud** (*suj: vêtement*) mantener abrigado; (*: café*) mantener caliente; ~ **prêt** tener listo; ~ **parole** mantener su *etc* palabra; ~ **en respect** mantener a distancia; ~ **sa langue** mantener la boca cerrada; **se ~ debout/droit** tenerse en pie/derecho; **bien/mal se ~** comportarse bien/mal; **s'en ~ à qch** atenerse a algo; **se ~ prêt/sur ses gardes** estar listo/en guardia; **se ~ tranquille** estarse quieto; **ça ne tient qu'à lui** es cosa suya; **il tient cela de son père** en eso ha salido a su padre; **nous ne tenons pas tous à cette table** no cabemos todos en esta mesa; **ça ne tient pas debout** no tiene ni pies ni cabeza; **qu'à cela ne tienne** por eso que no quede; **je n'y tiens pas** no me apetece; **tiens/tenez, voilà le stylo!** ¡toma/tome, aquí está la pluma!; **tiens, Pierre!** ¡anda, Pierre!; **tiens?** ¡anda!; **tiens-toi bien!** ¡agárrate!

tennis [tenis] *nm* tenis *msg*; (*aussi: court de* ~) cancha (de tenis) ♦ *nm ou f pl* (*aussi: chaussures de* ~) playeras *fpl*; **tennis de table** tenis de mesa.

tennisman [tenisman] *nm* tenista *m*.

ténor [tenɔʀ] *nm* tenor *m*; (*de la politique etc*) figura.

tension [tɑ̃sjɔ̃] *nf* tensión *f*; (*concentration, effort*) esfuerzo; **faire** *ou* **avoir de la ~** tener tensión; **tension nerveuse/raciale** tensión nerviosa/racial.

tentacule [tɑ̃takyl] *nm* tentáculo.

tentation [tɑ̃tasjɔ̃] *nf* tentación *f*.

tentative [tɑ̃tativ] *nf* intento; **tentative d'évasion/de suicide** intento de fuga/de suicidio.

tente [tɑ̃t] *nf* tienda; **tente à oxygène** tienda de oxígeno.

tenter [tɑ̃te] *vt* tentar; (*attirer: suj: musique, objet*) encantar; ~ **qch/de faire qch** intentar algo/hacer algo; **être tenté de penser/croire** estar tentado a pensar/creer; ~ **sa chance** tentar la suerte.

tenue [tany] *nf* (*d'un magasin*) dirección *f*; (*d'une promesse*) cumplimiento; (*vêtements*) ropa; (*: pour une occasion*) traje *m*; (*allure*) apariencia; (*comportement*) modales *mpl*; **être en ~** ir vestido(-a) de uniforme; **se mettre en ~** poner(se) el uniforme; **en grande ~** con traje de gala; **en petite ~** en paños menores; **avoir de la ~** (*personne*) tener buenos modales;

(*journal*) ser moralista; (*tissu*) no arrugarse fácilmente; **tenue de combat** uniforme *m* de combate; **tenue de jardinier/pompier** traje de jardinero/bombero; **tenue de route** (*AUTO*) estabilidad *f*; **tenue de soirée** traje de etiqueta; **tenue de sport/de ville/de voyage** ropa de deporte/de calle/de viaje.

ter [tɛʀ] *adj*: **16 ~** 16 C.

térébenthine [teʀebɑ̃tin] *nf*: **(essence de) ~** (esencia de) trementina.

tergal ® [tɛʀgal] *nm* tergal *m*.

tergiverser [tɛʀʒivɛʀse] *vi* andarse con dilaciones.

terme [tɛʀm] *nm* término; (*FIN*) vencimiento; **être en bons/mauvais ~s avec qn** estar en buenos/malos términos con algn; **en d'autres ~s** en otras palabras; **vente/achat à ~** (*COMM*) venta/compra a plazos; **au ~ de** al término de; **à court/moyen/long ~** *adj, adv* a corto/medio/largo plazo; **moyen ~** término medio; **à ~** (*MÉD*) a los nueve meses; **avant ~** (*MÉD*) antes de tiempo; **mettre un ~ à** poner término a; **toucher à son ~** estar acabándose.

terminaison [tɛʀminɛzɔ̃] *nf* (*LING*) terminación *f*.

terminal, e, -aux [tɛʀminal, o] *adj* terminal ♦ *nm* (*INFORM*) terminal *m*; (*pétrolier, gare*) terminal *f*.

terminer [tɛʀmine] *vt* terminar, acabar; **se terminer** *vpr* terminar(se), acabar(se); **se ~ par/en** (*repas, chansons*) acabar *ou* terminar con; (*pointe, boule*) acabar *ou* terminar en.

terminus [tɛʀminys] *nm* final *m* de línea; "~!" "¡última parada!".

termite [tɛʀmit] *nm* termita.

terne [tɛʀn] *adj* apagado(-a); (*personne, style*) insípido(-a).

ternir [tɛʀniʀ] *vt* (*couleur, peinture*) desteñir; (*fig: honneur, réputation*) empañar; **se ternir** *vpr* desteñirse.

terrain [teʀɛ̃] *nm* terreno; (*à bâtir*) solar *m*, terreno; (*SPORT, fig: domaine*) campo; **sur le ~** sobre el terreno; **gagner/perdre du ~** ganar/perder terreno; **terrain d'atterrissage** pista de aterrizaje; **terrain d'aviation** campo de aviación; **terrain d'entente** vía de entendimiento; **terrain de camping** camping *m*; **terrain de football/de golf** *etc* campo de fútbol/de golf *etc*; **terrain de jeu** patio de juego; **terrain vague** solar *m*.

terrasse [teʀas] *nf* terraza; (*sur le toit*) azotea; **culture en ~s** cultivo en bancales.

terrasser [teʀase] *vt* (*adversaire*) derribar; (*suj: maladie etc*) fulminar.

terre [tɛʀ] *nf* tierra; (*population*) mundo; **~s** *nfpl* (*propriété*) tierras *fpl*; **travail de la ~** trabajo del campo; **en ~** de barro; **mettre en ~** enterrar; **à ~, par ~** (*mettre, être*) en el suelo *ou* piso (*AM*); (*jeter, tomber*) al suelo; **~ à ~** *adj inv* prosaico(-a); **la T~** la Tierra; **la T~ promise/Sainte** la Tierra prometida/Santa; **Terre Adélie/de Feu** Tierra de Adelaida/de Fuego; **terre cuite** terracota, arcilla cocida; **terre de bruyère** tierra de brezo; **terre ferme** tierra firme; **terre glaise** arcilla.

terreau [teʀo] *nm* mantillo.

terre-plein [tɛʀplɛ̃] (*pl* **~-~s**) *nm* (*CONSTR*) terraplén *m*.

terrer [teʀe]: **se ~** *vpr* (*personne peu sociable*) encerrarse; (*criminel recherché*) esconderse.

terrestre [teʀɛstʀ] *adj* terrestre; (*REL*) terrenal; (*globe*) terráqueo(-a).

terreur [teʀœʀ] *nf* terror *m*; (*POL*): **régime/politique de la ~** régimen *m*/política del terror.

terrible [teʀibl] *adj* terrible; (*fam*) estupendo(-a), regio(-a).

terrien, ne [teʀjɛ̃, jɛn] *adj* campesino(-a) ♦ *nm/f* (*non martien etc*) terrícola *m/f*; (*qui ne vit pas sur la côte*) hombre *m*/mujer *f* de tierra adentro; **propriétaire ~** terrateniente *m/f*.

terrier [tɛʀje] *nm* madriguera; (*chien*) terrier *m*.

terrifier [teʀifje] *vt* aterrorizar.

terrine [teʀin] *nf* tarro; (*CULIN*) *conserva de carnes en tarro*.

territoire [teʀitwaʀ] *nm* territorio; **Territoire des Afars et des Issas** Territorio de los Afars y de los Isas.

terroir [teʀwaʀ] *nm* (*AGR*) tierra; (*région*) región *f*; **accent/traditions du ~** acento regional/tradiciones *fpl* regionales.

terroriser [teʀɔʀize] *vt* aterrorizar.

terrorisme [teʀɔʀism] *nm* terrorismo.

terroriste [teʀɔʀist] *adj, nm/f* terrorista *m/f*.

tertiaire [tɛʀsjɛʀ] *adj* (*ÉCON, GÉO*) terciario(-a) ♦ *nm* (*ÉCON*) sector *m* servicios.

tertre [tɛʀtʀ] *nm* cerro.

tes [te] *dét voir* **ton**[1].

tesson [tesɔ̃] *nm*: **~ de bouteille** casco de botella.

test [tɛst] *nm* prueba, examen *m*; **test de niveau** prueba de nivel.

testament [tɛstamɑ̃] *nm* testamento; **faire son ~** hacer testamento.

tester [tɛste] *vt* testar; (*personne, produit etc*) someter a prueba.

testicule [tɛstikyl] *nm* testículo.

tétanos [tetanos] *nm* tétano, tétanos *msg*.

tête [tɛt] *nf* cabeza; (*visage*) cara; (*FOOTBALL*) cabezazo; **de ~** *adj* (*wagon, voiture*) delantero(-a); (*concurrent*) en cabeza ♦ *adv* (*calculer*) mentalmente; **par ~** por persona, por cabeza; **être à la ~ de qch** estar al frente de algo; **il fait une ~ de plus que moi** me lleva un palmo; **gagner d'une (courte) ~** ganar por (casi) una cabeza; **prendre la ~ de qch** tomar la dirección de algo; **perdre la ~** perder la cabeza; **ça ne va pas la ~?** (*fam*) ¿no estás bien de la cabeza?; **il s'est mis en ~ de le faire** se le ha metido en la cabeza hacerlo; **tenir ~ à qn** hacer frente a algn; **la ~ la première** de cabeza; **la ~ basse** cabizbajo(-a); **la ~ en bas** cabeza abajo; **avoir la ~ dure** (*fig*) ser duro(-a) de mollera; **faire une ~** (*FOOTBALL*) dar un cabezazo; **faire la ~** estar de morros, poner mala cara; **en ~** (*SPORT*) a la cabeza; (*arriver, partir*) primero(-a); **de la ~ aux pieds** de la cabeza a los pies; **tête brûlée** (*fig*) cabeza loca; **tête chercheuse/d'enregistrement/ d'impression** cabeza buscadora/grabadora/impresora; **tête d'affiche** (*THÉÂTRE etc*) cabecera del reparto; **tête de bétail** res *f*; **tête de lecture** cabeza de lectura; **tête de ligne** (*TRANSPORT*) central *f*; **tête de liste** (*POL*) cabeza de lista; **tête de mort** calavera; **tête de pont** (*MIL, fig*) cabeza de puente; **tête de série** (*TENNIS*) cabeza de serie; **tête de Turc** cabeza de turco; **tête de veau** (*CULIN*) cabeza de ternero.

tête-à-queue [tɛtakø] *nm inv*: **faire un ~-~-~** derrapar y quedar en sentido contrario.

tête-à-tête [tɛtatɛt] *nm inv* (*POL*) cara a cara; (*amoureux*) conversación *f* a solas; (*service à petit-déjeuner*) tú y yo *m*; **en ~-~-~** a solas.

téter [tete] *vt* mamar.

tétine [tetin] *nf* (*de vache*) ubre *f*; (*de biberon*) tetina; (*sucette*) chupete *m*.

têtu, e [tety] *adj* terco(-a), testarudo(-a).

texte [tɛkst] *nm* texto; (*passage*): **~s choisis** textos *mpl* escogidos; **apprendre son ~** (*THÉÂTRE, CINÉ*) aprender el papel; **un ~ de loi** un texto de ley.

textile [tɛkstil] *adj* textil ♦ *nm* tejido; (*industrie*): **le ~** la industria textil.

TGV [teʒeve] *sigle m* (*= train à grande vitesse*) ≈ AVE *m*.

thé [te] *nm* té *m*; **prendre le ~** tomar el té; **faire le ~** hacer un té; **thé au citron/ au lait** té con limón/con leche.

théâtral, e, -aux [teɑtʀal, o] *adj* teatral.

théâtre [teɑtʀ] *nm* teatro; (*fig: lieu*): **le ~ de** el escenario de; **faire du ~** hacer teatro; **théâtre filmé** teatro grabado.

théière [tejɛʀ] *nf* tetera.

thème [tɛm] *nm* tema; (*traduction*) traducción *f* inversa; **thème astral** carta astral.

théologie [teɔlɔʒi] *nf* teología.

théorème [teɔʀɛm] *nm* teorema *m*.

théorie [teɔʀi] *nf* teoría; **en ~** en teoría; **théorie musicale** teoría de la música.

théorique [teɔʀik] *adj* teórico(-a).

thérapie [teʀapi] *nf* terapia.

thermal, e, -aux [tɛʀmal, o] *adj* termal; **station/cure ~e** estación *f*/cura termal.

thermes [tɛʀm] *nmpl* termas *fpl*.

thermomètre [tɛʀmɔmɛtʀ] *nm* termómetro.

thermos ® [tɛʀmos] *nm ou f*: **(bouteille) ~** termo.

thermostat [tɛʀmɔsta] *nm* termostato.

thèse [tɛz] *nf* tesis *f inv*; (*opinion*) teoría; **pièce/roman à ~** obra/novela de tesis.

thon [tɔ̃] *nm* atún *m*.

thorax [tɔʀaks] *nm* tórax *m inv*.

thym [tɛ̃] *nm* tomillo.

tibia [tibja] *nm* tibia.

tic [tik] *nm* (*nerveux*) tic *m*; (*de langage etc*) muletilla.

ticket [tikɛ] *nm* billete *m*, boleto (*AM*); (*de cinéma, théâtre*) entrada; **ticket de caisse** ticket *m ou* tique(t) *m* de compra; **ticket de quai** ticket *ou* tique(t) de andén; **ticket de rationnement** cupón *m* de racionamiento; **ticket modérateur** *porcentaje correspondiente al asegurado en los gastos de la Seguridad social*; **ticket repas** vale *m* (para la comida).

tic-tac [tiktak] *nm inv* tictac *m*.

tiède [tjɛd] *adj* tibio(-a), templado(-a); (*bière*) caliente; (*thé, café*) tibio(-a); (*air*) templado(-a) ♦ *adv*: **boire ~** beber cosas templadas; **recevoir un accueil ~** tener una acogida tibia.

tiédir [tjediʀ] *vi* templarse.

tien, ne [tjɛ̃, tjɛn] *adj* tuyo(-a) ♦ *pron*: **le(la) ~(ne)** el/la tuyo(-a); **les ~s/les ~nes** los tuyos/las tuyas; **les ~s** (*ta famille*) los tuyos.

tienne [tjɛn] *vb voir* **tenir** ♦ *pron voir* **tien**.

tiens [tjɛ̃] *vb, excl voir* **tenir** ♦ *pron voir* **tien**.

tiercé [tjɛʀse] *nm* apuesta triple.

tiers, tierce [tjɛʀ, tjɛʀs] *adj* tercero(-a) ♦ *nm* (*JUR*) tercero; (*fraction*) tercio; **assurance au ~** seguro contra terceros; **une tierce personne** una tercera persona; **le ~ monde** el tercer mundo; **tiers payant** (*MÉD, PHARMACIE*) *sistema en que la compa-*

ñía de seguros paga directamente por la asistencia médica del paciente; **tiers provisionnel** (*FIN*) *pago fraccionado del impuesto sobre la renta.*

tige [tiʒ] *nf* (*de fleur, plante*) tallo; (*branche d'arbre*) rama; (*baguette*) varilla.

tigré, e [tigʀe] *adj* (*tacheté*) picado(-a); (*rayé*) atigrado(-a).

tilleul [tijœl] *nm* (*arbre*) tilo; (*boisson*) tila.

timbale [tɛ̃bal] *nf* cubilete *m*; **~s** *nfpl* (*MUS*) timbales *mpl*.

timbre [tɛ̃bʀ] *nm* timbre *m*; (*aussi*: **~-poste**) sello, estampilla (*AM*); (*cachet de la poste*) sello; **timbre dateur** fechador *m*; **timbre fiscal** timbre fiscal; **timbre tuberculinique** (*MÉD*) *pegatina vendida en la lucha contra la tuberculosis.*

timbré, e [tɛ̃bʀe] *adj* (*enveloppe*) timbrado(-a), sellado(-a); (*voix*) timbrado(-a); (*fam*) tocado(-a) de la cabeza; **papier ~** papel *m* timbrado.

timbrer [tɛ̃bʀe] *vt* (*lettre, paquet*) sellar; (*document, acte*) timbrar.

timide [timid] *adj* tímido(-a); **le soleil est ~** el sol no se atreve a salir.

timidité [timidite] *nf* timidez *f*.

tint *etc* [tɛ̃] *vb voir* **tenir**.

tintamarre [tɛ̃tamaʀ] *nm* escandalera.

tinter [tɛ̃te] *vi* tintinar.

tir [tiʀ] *nm* tiro; (*stand*) tiro al blanco; **tir à l'arc** tiro con arco; **tir au fusil** tiro con fusil; **tir au pigeon** tiro de pichón; **tir de barrage/de mitraillette/d'obus** fuego de barrera/disparo de ametralladora/tiro de obús.

tirage [tiʀaʒ] *nm* (*PHOTO*) revelado; (*TYPO, INFORM*) impresión *f*; (*d'un journal, de livre*) tirada; (: *édition*) edición *f*; (*d'un poêle etc*) tiro; (*de loterie*) sorteo; (*désaccord*) fricción *f*; **tirage au sort** sorteo.

tirailler [tiʀɑje] *vt* dar tirones a; (*corde, moustache, manche*) tirar; (*suj*: *honte etc*) agobiar.

tirant [tiʀɑ̃] *nm*: **~ d'eau** calado.

tire [tiʀ] *nf*: **voleur à la ~** ratero; **vol à la ~** tirón *m*.

tire-au-flanc [tiʀoflɑ̃] (*péj*) *nm inv* vago(-a).

tire-bouchon [tiʀbuʃɔ̃] (*pl* **~-~s**) *nm* sacacorchos *m inv*.

tirelire [tiʀliʀ] *nf* hucha.

tirer [tiʀe] *vt* (*sonnette etc*) tirar de, jalar (*AM*); (*remorque*) arrastrar, jalar (*AM*); (*trait*) trazar; (*porte*) cerrar; (*rideau, panneau*) correr; (*extraire*: *carte, numéro, conclusion*) sacar; (*COMM*: *chèque*) extender; (*loterie*) sortear; (*en faisant feu*) tirar, disparar; (: *animal*) disparar (a); (*journal, livre*) imprimir; (*PHOTO*) revelar; (*FOOTBALL*) sacar, tirar ♦ *vi* (*faire feu*) disparar; (*cheminée, SPORT*) tirar; **se tirer** *vpr* (*fam*) largarse; **~ qch de** sacar algo de; (*le jus d'un citron*) extraer algo de; (*un son d'un instrument*) obtener algo de; **~ une substance d'une matière première** obtener una sustancia de una materia prima; **~ 6 mètres** (*NAUT*) tener 6 metros de calado; **s'en ~** salir bien; **~ sur** tirar de; (*faire feu sur*) disparar a; (*pipe*) fumar en; (*avoisiner*) acercarse a; **~ la langue** sacar la lengua; **~ avantage/parti de** sacar provecho/partido de; **~ son nom/origine de** recibir su nombre/origen de; **~ qn de** (*embarras etc*) sacar a algn de; **~ à l'arc/à la carabine** tirar con arco/con carabina; **~ en longueur** no tener fin; **~ à sa fin** tocar a su fin; **~ les cartes** echar las cartas.

tiret [tiʀɛ] *nm* guión *m*.

tireur, -euse [tiʀœʀ, øz] *nm/f* (*MIL*) tirador(a); (*COMM*) librador(a); **bon ~** buen tirador; **tireur d'élite** tirador de primera; **tireuse de cartes** echadora de cartas.

tiroir [tiʀwaʀ] *nm* cajón *m*.

tiroir-caisse [tiʀwaʀkɛs] (*pl* **~s-~s**) *nm* caja.

tisane [tizan] *nf* tisana, infusión *f*.

tisser [tise] *vt* tejer; (*réseau*) establecer.

tissu[1] [tisy] *nm* tejido; (*fig*) sarta; **tissu de mensonges** sarta de mentiras.

tissu[2]**, e** [tisy] *adj*: **~ de** tejido(-a) de.

titre [titʀ] *nm* título; (*de journal, aussi télévisé*) titular *m*; (*CHIM*: *d'alliage*) ley *f*; (: *de solution*) título; (: *d'alcool*) graduación *f*; **en ~** titular; **à juste ~** con toda razón; **à quel ~?** ¿a título de qué?; **à aucun ~** bajo ninguna razón; **au même ~ (que)** al igual (que); **au ~ de la coopération** *etc* en nombre de la cooperación *etc*; **à ~ d'exemple** como ejemplo; **à ~ d'exercice** como ejercicio; **à ~ exceptionnel** excepcionalmente; **à ~ amical** amistosamente; **à ~ d'information** a modo de información; **à ~ gracieux** gratis; **à ~ provisoire/d'essai** de forma provisional/a modo de ensayo; **à ~ privé/consultatif** a título privado/consultativo; **titre courant** titulillo; **titre de propriété** título de propiedad; **titre de transport** billete *m*.

tituber [titybe] *vi* titubear.

titulaire [titylɛʀ] *adj* titular ♦ *nm* titular *m*; **être ~ de** ser titular de.

titulariser [titylaʀize] *vt* hacer titular a.

toast [tost] *nm* tostada; (*de bienvenue*) brindis *m inv*; **porter un ~ à qn** brindar por algn.

toboggan [tɔbɔgɑ̃] *nm* tobogán *m*; (*AUTO*) paso a desnivel.

toc [tɔk] *nm*: **en** ~ de imitación.
tocsin [tɔksɛ̃] *nm* rebato, toque *m* de alarma.
toi [twa] *pron* tú; ~, **tu n'y vas pas** tú no vas; **c'est** ~? ¿eres tú?; **je veux aller avec** ~ quiero ir contigo; **pour/sans** ~ para/sin ti; **des livres à** ~ libros tuyos.
toile [twal] *nf* tela; (*bâche*) lona; (*tableau*) tela, lienzo; **grosse** ~ tela basta; **tisser sa** ~ tejer su tela; **toile cirée** hule *m*; **toile d'araignée** telaraña; **toile de fond** telón *m* de fondo; **toile de jute** tela de saco; **toile de lin** lienzo; **toile de tente** lona; **toile émeri** tela de esmeril.
toilette [twalɛt] *nf* aseo; (*s'habiller et se préparer*) arreglo; (*habillement*) vestimenta; ~**s** *nfpl* servicios *mpl*; **les** ~**s des dames/messieurs** los servicios de señoras/caballeros; **faire sa** ~ asearse; **faire la** ~ **de** (*animal*) lavar y arreglar a; (*texte*) preparar; **articles de** ~ artículos *mpl* de aseo; **toilette intime** aseo íntimo.
toi-même [twamɛm] *pron* tú mismo.
toison [twazɔ̃] *nf* (*de mouton*) vellón *m*; (*cheveux*) melena.
toit [twa] *nm* techo; (*de bâtiment*) tejado; **toit ouvrant** techo solar.
toiture [twatyʀ] *nf* tejado, techumbre *f*.
tôle [tol] *nf* chapa; **tôle d'acier** chapa de acero; **tôle ondulée** chapa ondulada.
tolérant, e [tɔleʀɑ̃, ɑ̃t] *adj* tolerante.
tolérer [tɔleʀe] *vt* tolerar; (*ADMIN: hors taxe*) autorizar.
tomate [tɔmat] *nf* tomate *m*.
tombe [tɔ̃b] *nf* tumba.
tombeau, x [tɔ̃bo] *nm* tumba; **à** ~ **ouvert** a toda velocidad.
tombée [tɔ̃be] *nf*: **à la** ~ **du jour** *ou* **de la nuit** al atardecer, al anochecer.
tomber [tɔ̃be] *vi* caer; (*accidentellement*) caerse; (*prix, température*) bajar ♦ *vt*: ~ **la veste** (*fam*) quitarse la chaqueta; **laisser** ~ abandonar; ~ **sur** encontrarse con; (*attaquer*) echarse sobre; (*critiquer*) echarse encima de; ~ **de fatigue/de sommeil** caerse de cansancio/de sueño; ~ **à l'eau** (*fig*) irse al garete; ~ **juste** salir bien; ~ **en panne** tener una avería; ~ **en ruine** caerse en ruinas; **le 15 tombe un mardi** el 15 cae en martes; ~ **bien/mal** (*vêtement*) quedar bien/mal; **ça tombe bien/mal** (*fig*) viene bien/mal; **il est bien/mal tombé** (*fig*) le ha ido bien/mal.
tome [tɔm] *nm* tomo.
ton[1], ta [tɔ̃, ta] (*pl* **tes**) *dét* tu.
ton[2] [tɔ̃] *nm* tono; **élever** *ou* **hausser le** ~ levantar la voz; **donner le** ~ llevar la voz cantante; **si vous le prenez sur ce** ~ si lo toma usted así; **de bon** ~ de buen tono; ~ **sur** ~ en la misma gama de color.
tonalité [tɔnalite] *nf* tonalidad *f*; (*au téléphone*) señal *f*.
tondeuse [tɔ̃døz] *nf* (*à gazon*) cortadora de césped; (*de coiffeur*) maquinilla (de cortar el pelo); (*pour la tonte*) esquiladora.
tondre [tɔ̃dʀ] *vt* (*pelouse*) cortar; (*haie*) podar; (*mouton*) esquilar; (*cheveux*) rapar.
tonifier [tɔnifje] *vi* (*air*) vivificar; (*eau*) tonificar ♦ *vt* (*organisme*) entonar; (*peau*) tonificar.
tonique [tɔnik] *adj* (*lotion*) tónico(-a); (*médicament, personne*) estimulante; (*froid*) tonificante; (*air*) vivificador(a) ♦ *nm* (*médicament*) estimulante *m*; (*lotion*) tónico; (*boisson*) tónica ♦ *nf* (*MUS*) tónica.
tonne [tɔn] *nf* tonelada.
tonneau, x [tɔno] *nm* tonel *m*; (*NAUT*): **jauger 2.000** ~**x** tener una capacidad de 2.000 toneladas; **faire des** ~**x** (*voiture*) dar vueltas de campana; (*avion*) hacer rizos.
tonner [tɔne] *vi* tronar; (*parler avec véhémence*): ~ **contre qn/qch** despotricar contra algn/algo; **il tonne** truena.
tonnerre [tɔnɛʀ] *nm* trueno; **du** ~ (*fam*) bárbaro(-a); **coup de** ~ infortunio; **tonnerre d'applaudissements** salva de aplausos.
tonus [tɔnys] *nm*: **avoir du** ~ estar entonado(-a); **donner du** ~ entonar.
top [tɔp] *nm*: **au 3ème** ~ a la tercera señal ♦ *adj*: ~ **secret** top secret ♦ *excl* ¡ya!; **le** ~ **50** ≈ los 40 principales.
toque [tɔk] *nf* gorro; **toque de cuisinier** gorro de cocinero; **toque de jockey** gorra de jockey; **toque de juge** birrete *m* de juez.
toqué, e [tɔke] (*fam*) *adj* tocado(-a).
torche [tɔʀʃ] *nf* antorcha.
torchon [tɔʀʃɔ̃] *nm* trapo; (*à vaisselle*) paño de cocina.
tordre [tɔʀdʀ] *vt* (*chiffon*) estrujar; (*barre*) torcer; (*visage*) retorcer; **se tordre** *vpr* torcerse; (*ver, serpent*) retorcerse; **se** ~ **le pied/bras** torcerse el pie/brazo; **se** ~ **de douleur/de rire** retorcerse de dolor/desternillarse de risa.
torero [tɔʀeʀo] *nm* torero.
tornade [tɔʀnad] *nf* tornado.
torpeur [tɔʀpœʀ] *nf* entorpecimiento.
torpille [tɔʀpij] *nf* torpedo.
torpiller [tɔʀpije] *vt* torpedear.
torréfier [tɔʀefje] *vt* torrefactar.
torrent [tɔʀɑ̃] *nm* torrente *m*; (*fig*): **un** ~ **de** un torrente de; **il pleut à** ~**s** llueve a mares.
torrentiel, le [tɔʀɑ̃sjɛl] *adj* torrencial.

torride [tɔʀid] *adj* tórrido(-a).
torse [tɔʀs] *nm* torso; (*poitrine*) pecho ♦ *adj f voir* **tors**.
torsion [tɔʀsjɔ̃] *nf* torsión *f*.
tort [tɔʀ] *nm* (*défaut*) defecto; (*préjudice*) perjuicio; ~**s** *nmpl* (*JUR*) daños y perjuicios *mpl*; **avoir** ~ estar equivocado(-a); **être dans son** ~ tener la culpa; **donner** ~ **à qn** echar la culpa a algn; (*fig: suj: chose*) perjudicar a algn; **causer du** ~ **à** perjudicar a; **être en** ~ tener la culpa; **à** ~ sin razón; **à** ~ **ou à raison** con razón o sin ella; **à** ~ **et à travers** a tontas y a locas.
torticolis [tɔʀtikɔli] *nm* tortícolis *f inv*.
tortiller [tɔʀtije] *vt* retorcer; **se tortiller** *vpr* retorcerse.
tortue [tɔʀty] *nf* tortuga.
tortueux, -euse [tɔʀtɥø, øz] *adj* tortuoso(-a).
torture [tɔʀtyʀ] *nf* tortura.
torturer [tɔʀtyʀe] *vt* torturar.
tôt [to] *adv* (*au début d'une portion de temps*) temprano; (*au bout de peu de temps*) pronto; ~ **ou tard** tarde o temprano; **si** ~ tan pronto; **au plus** ~ cuanto antes; **plus** ~ antes; **il eut** ~ **fait de faire ...** muy pronto hizo ... .
total, e, -aux [tɔtal, o] *adj* total ♦ *nm* total *m*; **au** ~ en total; (*fig*) en resumidas cuentas; **faire le** ~ hacer el total.
totalement [tɔtalmɑ̃] *adv* totalmente.
totaliser [tɔtalize] *vt* totalizar.
totalité [tɔtalite] *nf* totalidad *f*; **revoir qch en** ~ revisar algo en totalidad.
toubib [tubib] (*fam*) *nm* médico.
touchant, e [tuʃɑ̃, ɑ̃t] *adj* conmovedor(a).
touche [tuʃ] *nf* (*de piano, de machine à écrire*) tecla; (*de violon*) diapasón *m*; (*de télécommande*) botón *m*; (*PEINTURE, fig*) toque *m*; (*RUGBY*) línea lateral; (*FOOTBALL: aussi*: **remise en** ~) saque *m* de banda; (: *ligne de touche*) línea de banda; (*ESCRIME*) tocado; **en** ~ fuera de banda; **avoir une drôle de** ~ (*fam*) tener una pinta extraña; **touche sensitive** *ou* **à effleurement** contol *m* sensible al tacto; **touche de commande/de fonction/de retour** (*INFORM*) tecla de mando/de función/de retorno.
toucher [tuʃe] *nm* tacto; (*MUS*) modo de tocar ♦ *vt* tocar; (*mur, pays*) lindar con; (*atteindre*) alcanzar; (*émouvoir: suj: amour, fleurs*) conmover; (: *catastrophe, malheur, crise*) afectar; (*concerner*) atañer; (*contacter*) contactar con; (*prix, récompense*) recibir; (*salaire, chèque*) cobrar; (*problème, sujet*) abordar; **se toucher** *vpr* tocarse; **au** ~ al tacto; ~ **à qch** tocar algo; (*concerner*) atañer a algo; ~ **au but** llegar a la meta; **je vais lui en** ~ **un mot** le diré dos palabras sobre ello; ~ **à sa fin** *ou* **son terme** tocar a su fin.
touffe [tuf] *nf* (*d'herbe*) mata; (*de poils*) mechón *m*.
touffu, e [tufy] *adj* (*haie, forêt*) frondoso(-a); (*cheveux*) tupido(-a); (*style, texte*) denso(-a).
toujours [tuʒuʀ] *adv* siempre; (*encore*) todavía; ~ **plus** cada vez más; **pour** ~ para siempre; **depuis** ~ desde siempre; ~ **est-il que** lo cierto es que; **essaie** ~ prueba a intentarlo; **il vit** ~ **ici** sigue viviendo aquí.
toupet [tupɛ] *nm* tupé *m*; (*fam*) caradura.
toupie [tupi] *nf* peonza.
tour [tuʀ] *nf* torre *f*; (*appartements*) bloque *m* (de pisos) ♦ *nm* (*promenade*) paseo, vuelta; (*excursion*) excursión *f*; (*SPORT, POL, de vis, de roue*) vuelta; (*d'être servi ou de jouer etc*) turno; (*de la conversation*) giro; (*ruse*) ardid *m*; (*de prestidigitation etc*) número; (*de cartes*) truco; (*de potier, à bois*) torno; **de 3 m de** ~ (*circonférence*) de 3 m de perímetro; **faire le** ~ **de** dar la vuelta a; (*questions, possibilités*) dar vueltas a; **faire un** ~ dar una vuelta; **faire le** ~ **de l'Europe** dar la vuelta a Europa; **faire 2/3** ~**s** dar 2 o 3 vueltas; **fermer à double** ~ cerrar bajo siete llaves; **c'est mon/son** ~ es mi/su turno; **c'est au** ~ **de Philippe** le toca a Philippe; **à** ~ **de rôle,** ~ **à** ~ por turnos, en orden; **à** ~ **de bras** con todas las fuerzas; **en un** ~ **de main** en un santiamén, en un abrir y cerrar de ojos; **tour d'horizon** *nm* (*fig*) panorama; **tour de chant** *nm* recital *m* de canto; **tour de contrôle** *nf* torre de control; **tour de force** *nm* hazaña; **tour de garde** *nm* recorrido de guardia; **tour de lancement** *nf* plataforma de lanzamiento; **tour de lit** *nm* cubrecama *m*; **tour de main** *nm* habilidad *f*; **tour de passe-passe** *nm* juego de manos; **tour de poitrine/de tête** *nm* contorno de pecho/de cabeza; **tour de reins** *nm* lumbago; **tour de taille** *nm* contorno de cintura.
tourbe [tuʀb] *nf* turba.
tourbillon [tuʀbijɔ̃] *nm* (*d'eau, de poussière*) remolino; (*de vent, fig*) torbellino.
tourelle [tuʀɛl] *nf* torrecilla; (*de véhicule*) torreta.
tourisme [tuʀism] *nm* turismo; **office du** ~ oficina de turismo; **avion de** ~ avión *m* de turismo; **voiture de** ~ turismo; **faire du** ~ hacer turismo.
touriste [tuʀist] *nm/f* turista *m/f*.

touristique [tuʀistik] *adj* turístico(-a).
tourment [tuʀmɑ̃] *nm* tormento.
tourmenter [tuʀmɑ̃te] *vt*: **se ~** ♦ *vpr* atormentarse.
tournage [tuʀnaʒ] *nm* rodaje *m*.
tournant, e [tuʀnɑ̃, ɑ̃t] *adj* (*feu, scène*) giratorio(-a); (*chemin*) sinuoso(-a); (*escalier*) de caracol; (*mouvement*) envolvente ♦ *nm* (*de route*) curva; (*fig*) giro; *voir aussi* **grève**; **plaque**.
tourne-disque [tuʀnədisk] (*pl* **~-~s**) *nm* tocadiscos *m inv*.
tournedos [tuʀnədo] *nm* (CULIN) turnedó *m*.
tournée [tuʀne] *nf* (*du facteur*) ronda; (*d'artiste, de politicien*) gira; **payer une ~** pagar una ronda; **faire la ~ de** hacer un recorrido por; **tournée électorale/musicale** gira electoral/musical.
tournemain [tuʀnəmɛ̃]: **en un ~** *adv* en un abrir y cerrar de ojos.
tourner [tuʀne] *vt* girar, voltear (*AM*); (*sauce, mélange*) revolver; (NAUT: *cap*) rodear; (*difficulté etc*) esquivar; (*scène, film*) rodar; (: *produire*) producir; (*jouer dans*) actuar en ♦ *vi* girar, voltear (*AM*); (*vent*) cambiar de dirección; (*moteur*) estar en marcha; (*compteur*) estar andando; (*lait etc*) agriarse; (*chance, vie*) cambiar; (*fonctionner: société etc*) marchar; **se tourner** *vpr* volverse; **se ~ vers** volverse hacia; (*personne: pour demander: aide, conseil*) dirigirse a; (*profession*) inclinarse por; (*question*) detenerse en; **bien/mal ~** salir bien/mal; **~ autour de** dar vueltas alrededor de; (*soleil: suj: terre*) girar alrededor de; (*péj: personne: importuner*) andar rondando a; **~ autour du pot** (*fig*) andarse con rodeos; **~ à/en** volverse, convertirse en; **~ à la pluie/au rouge** volverse lluvioso/ponerse rojo; **~ en ridicule** ridiculizar; **~ le dos à** dar la espalda a; **~ court** desviarse; **se ~ les pouces** (*fig*) estar con los brazos cruzados; **~ la tête** girar la cabeza; **~ la tête à qn** volver loco(-a) a algn; **~ de l'œil** (*fam*) desmayarse; **~ la page** (*fig*) hacer borrón y cuenta nueva.
tournesol [tuʀnəsɔl] *nm* girasol *m*.
tournevis [tuʀnəvis] *nm* destornillador *m*.
tourniquet [tuʀnikɛ] *nm* (*pour arroser*) aspersor *m*; (*portillon*, CHIRURGIE) torniquete *m*; (*présentoir*) soporte *m* giratorio.
tournis [tuʀni] (*fam*) *nm*: **avoir le ~** marearse; **donner le ~** dar mareo(s).
tournoi [tuʀnwa] *nm* (HIST) torneo; **tournoi de bridge/tennis** torneo de bridge/tenis; **tournoi des 5 nations** (RUGBY) campeonato de las 5 naciones.
tournoyer [tuʀnwaje] *vi* (*oiseau*) revolotear; (*fumée*) arremolinarse.
tournure [tuʀnyʀ] *nf* (LING) giro; (*d'une pièce, d'un texte*) carácter *m*, aspecto; **prendre ~** tomar forma; **tournure d'esprit** manera de enfocar las cosas.
tourte [tuʀt] *nf* (CULIN): **~ à la viande** pastel *m* de carne.
tourterelle [tuʀtəʀɛl] *nf* tórtola.
tous [tu] *dét, pron voir* **tout**.
Toussaint [tusɛ̃] *nf*: **la ~** el día de Todos los Santos.
tousser [tuse] *vi* toser.

MOT-CLÉ

tout, e [tu, tut] (*pl* **tous**, *f* **toutes**) *adj* **1** (*avec article*) todo(-a); **tout le lait/l'argent** toda la leche/todo el dinero; **toute la nuit** toda la noche; **tout le livre** todo el libro; **toutes les trois/deux semaines** cada tres/dos semanas; **tout le temps** *adv* todo el tiempo; **tout le monde** *pron* todo el mundo; **c'est tout le contraire** es todo lo contrario; **tout un pain/un livre** un pan/un libro entero; **c'est tout une affaire/une histoire** es todo un caso/una historia; **toutes les nuits** todas las noches; **toutes les fois que ...** todas las veces que ...; **tous les deux** los dos, ambos; **toutes les trois** las tres

2 (*sans article*): **à tout âge/à toute heure** a cualquier edad/hora; **pour toute nourriture, il avait ...** por todo alimento, tenía ...; **à toute vitesse** a toda velocidad; **de tous côtés** *ou* **de toutes parts** de todos (los) lados *ou* de todas partes; **à tout hasard** por si acaso

♦ *pron* todo(-a); **il a tout fait** lo hizo todo; **je les vois toutes** las veo a todas; **nous y sommes tous allés** fuimos todos; **en tout** en total; **tout ce qu'il sait** todo lo que sabe; **en tout et pour tout, ...** en total ...; **tout ou rien** todo o nada; **c'est tout** eso es todo, nada más; **tout ce qu'il y a de plus aimable** el(la) más amable del mundo

♦ *nm* todo; **du tout au tout** del todo; **le tout est de ...** lo importante es ...; **pas du tout** en absoluto

♦ *adv* **1** (**toute** *avant adj f commençant par consonne ou h aspiré*) (*très, complètement*): **elle était tout émue** estaba muy emocionada; **elle était toute petite** era muy pequeñita; **tout à côté** al lado; **tout près** muy cerca; **le tout premier** el primero de todos; **tout seul** solo; **le livre tout entier** el libro entero; **tout en haut/bas** arriba/abajo del todo; **tout droit** todo recto; **tout**

ouvert completamente abierto; **tout rouge** todo rojo; **parler tout bas** hablar muy bajo; **tout simplement** sencillamente; **fais-le tout doucement** hazlo despacito
2: **tout en** mientras; **tout en travaillant il** ... mientras trabaja, ...
3: **tout d'abord** en primer lugar; **tout à coup** de repente; **tout à fait** (*complètement: fini, prêt*) del todo; (*exactement: vrai, juste, identique*) perfectamente; **"tout à fait!"** (*oui*) "¡desde luego!"; **tout à l'heure** (*passé*) hace un rato; (*futur*) luego; **à tout à l'heure!** ¡hasta luego!; **tout de même** sin embargo; **tout de suite** enseguida; **tout terrain** *ou* **tous terrains** *adj inv* todo terreno *inv*.

toutefois [tutfwa] *adv* sin embargo, no obstante.
toutes [tut] *dét, pron voir* **tout**.
toux [tu] *nf* tos *f inv*.
toxicomane [tɔksikɔman] *adj* toxicómano(-a).
toxique [tɔksik] *adj* tóxico(-a).
trac [tʀak] *nm* nerviosismo; **avoir le ~** estar nervioso(-a), estar como un flan.
tracas [tʀaka] *nm* preocupación *f*.
tracasser [tʀakase] *vt* (*suj: problème, idée*) preocupar; (*harceler*) molestar; **se tracasser** *vpr* preocuparse; **il n'a pas été tracassé par la police** no le molestó la policía.
trace [tʀas] *nf* huella; (*de pneu, de brûlure etc*) marca; (*d'encre, indice, quantité minime*) rastro; (*de blessure, de maladie*) secuela; (*d'une civilisation etc*) restos *mpl*; **avoir une ~ d'accent étranger** tener un ligero acento extranjero; **suivre qn à la ~** seguir la pista *ou* el rastro de algn; **traces de freinage/de pneus** marcas de frenada/de neumáticos; **traces de pas** huellas *fpl* de pasos.
tracé [tʀase] *nm* trazado; (*d'une rivière*) recorrido; (*d'une côte*) línea.
tracer [tʀase] *vt* trazar.
tract [tʀakt] *nm* panfleto.
tractations [tʀaktasjɔ̃] *nfpl* negociaciones *fpl*.
tracteur [tʀaktœʀ] *nm* tractor *m*.
tradition [tʀadisjɔ̃] *nf* tradición *f*.
traditionnel, le [tʀadisjɔnɛl] *adj* tradicional.
traducteur, -trice [tʀadyktœʀ, tʀis] *nm/f* traductor(a) ♦ *nm* (*INFORM*) traductor *m*; **traducteur interprète** traductor(a) intérprete.
traduction [tʀadyksjɔ̃] *nf* traducción *f*; **traduction simultanée** traducción simultánea.
traduire [tʀadɥiʀ] *vt* traducir; **se traduire** *vpr*: **se ~ par** traducirse por; **~ en/du français** traducir al/del francés; **~ qn en justice** hacer comparecer a algn ante la justicia.
trafic [tʀafik] *nm* tráfico; **trafic d'armes** tráfico de armas; **trafic de drogue** narcotráfico.
trafiquant, e [tʀafikɑ̃, ɑ̃t] *nm/f* traficante *m/f*.
trafiquer [tʀafike] *vt* (*péj*) amañar ♦ *vi* traficar.
tragédie [tʀaʒedi] *nf* tragedia.
tragique [tʀaʒik] *adj* trágico(-a) ♦ *nm*: **prendre qch au ~** tomar algo por lo trágico.
trahir [tʀaiʀ] *vt* traicionar; (*suj: objet*): **~ qn** descubrir a algn; **~ un manque** revelar una ausencia; **se trahir** *vpr* traicionarse.
trahison [tʀaizɔ̃] *nf* traición *f*.
train [tʀɛ̃] *nm* tren *m*; (*allure*) paso; (*ensemble*) serie *f*; **être en ~ de faire qch** estar haciendo algo; **mettre qch en ~** empezar a hacer algo; **mettre qn en ~** animar a algn; **se mettre en ~** (*commencer*) ponerse manos a la obra; (*faire de la gymnastique*) ponerse en forma; **se sentir en ~** sentirse en forma; **aller bon ~** ir a buen paso; **train à grande vitesse/spécial** tren de alta velocidad/especial; **train arrière/avant** tren trasero/delantero; **train autos-couchettes** tren coche-cama; **train d'atterrissage** tren de aterrizaje; **train de pneus** juego de neumáticos; **train de vie** tren de vida; **train électrique** (*jouet*) tren eléctrico.
traîne [tʀɛn] *nf* cola; **être à la ~** (*en arrière*) ir rezagado(-a); (*en désordre*) estar de cualquier manera.
traîneau, x [tʀɛno] *nm* trineo.
traînée [tʀene] *nf* reguero; (*dans le ciel etc*) estela; (*péj: femme*) perdida.
traîner [tʀene] *vt* tirar de; (*maladie*): **il traîne un rhume depuis l'hiver** lleva arrastrando un resfriado desde el invierno ♦ *vi* rezagarse; (*être en désordre*) estar tirado(-a); (*vagabonder*) callejear; (*durer*) alargarse; **se traîner** *vpr* arrastrarse; (*marcher avec difficulté*) andar con dificultad; (*durer*) alargarse; **se ~ par terre** (*enfant*) arrastrarse por el suelo; **~ qn au cinéma** (*emmener*) arrastrar a algn al cine; **~ les pieds** arrastrar los pies; **~ par terre** (*balayer le sol*) arrastrar por el suelo; **~ qch par terre** arrastrar algo por el suelo; **~ en longueur** ir para largo.
train-train [tʀɛ̃tʀɛ̃] *nm inv* rutina.
traire [tʀɛʀ] *vt* ordeñar.

trait, e [tʀɛ, ɛt] *pp de* **traire** ♦ *nm* trazo; (*caractéristique*) rasgo; (*flèche*) punta; ~s *nmpl* (*du visage*) rasgos *mpl*; **d'un** ~ de un tirón; **boire à longs ~s** beber a grandes tragos; **de** ~ (*animal*) de tiro; **avoir ~ à** referirse a; ~ **pour** ~ punto por punto; **trait d'esprit** agudeza; **trait d'union** guión *m*; (*fig*) lazo; **trait de caractère** rasgo de carácter; **trait de génie** idea luminosa.

traitant [tʀɛtɑ̃] *adj m*: **votre médecin** ~ su médico de cabecera; **shampooing** ~ champú *m* tratante; **crème ~e** crema tratante.

traite [tʀɛt] *nf* (*COMM*) letra de cambio; (*AGR*) ordeño; (*trajet*) trecho; **d'une (seule)** ~ de un (solo) tirón; **traite des blanches/noirs** trata de blancas/negros.

traité [tʀete] *nm* tratado.

traitement [tʀɛtmɑ̃] *nm* tratamiento; (*salaire*) sueldo; **suivre un** ~ seguir un tratamiento; **mauvais ~s** malos tratos *mpl*; **traitement de données/de l'information/par lots** (*INFORM*) procesamiento de datos/de la información/por paquetes; **traitement de texte** (*INFORM*) procesamiento *ou* tratamiento de textos.

traiter [tʀete] *vt, vi* tratar; ~ **qn d'idiot** llamar idiota a algn; ~ **de qch** tratar de algo; **bien/mal** ~ tratar bien/mal.

traiteur [tʀɛtœʀ] *nm* negocio de comidas por encargo *ou* de catering.

traître, -esse [tʀɛtʀ, tʀɛtʀɛs] *adj* traicionero(-a) ♦ *nm/f* traidor(a); **prendre qn en** ~ actuar a traición contra algn.

trajectoire [tʀaʒɛktwaʀ] *nf* trayectoria, recorrido.

trajet [tʀaʒɛ] *nm* trayecto; (*ANAT, fig*) recorrido; (*d'un projectile*) trayectoria.

trame [tʀam] *nf* trama.

tramer [tʀame] *vt* tramar.

tramway [tʀamwɛ] *nm* tranvía *m*.

tranchant, e [tʀɑ̃ʃɑ̃, ɑ̃t] *adj* (*lame*) afilado(-a); (*personne*) resuelto(-a); (*couleurs*) contrastado(-a) ♦ *nm* (*d'un couteau*) filo; (*de la main*) borde *m*; **à double** ~ de doble filo.

tranche [tʀɑ̃ʃ] *nf* (*de pain*) rebanada; (*de jambon, fromage*) loncha; (*de saucisson*) rodaja; (*de gâteau*) porción *f*; (*d'un couteau, livre etc*) canto; (*de travaux*) etapa; (*de temps*) rato; (*COMM*) serie *f*; (*ADMIN*: *de revenues, d'impôts*) zona; ~ **d'âge/de salaires** tramo de edad/de salarios; ~ **(d'émission)** (*LOTERIE*) fase *f* (de emisión); **tranche de vie** periodo de la vida cotidiana; **tranche de silicium** capa de silicio.

tranchée [tʀɑ̃ʃe] *nf* trinchera.

trancher [tʀɑ̃ʃe] *vt* cortar; (*question*) zanjar ♦ *vi*: ~ **avec** *ou* **sur** contrastar con.

tranquille [tʀɑ̃kil] *adj* tranquilo(-a); (*mer*) sereno(-a); **se tenir** ~ estarse quieto(-a); **avoir la conscience** ~ tener la conciencia tranquila; **laisse-moi/laisse-ça** ~! ¡déjame/deja eso en paz!

tranquillisant, e [tʀɑ̃kilizɑ̃, ɑ̃t] *adj* tranquilizador(a) ♦ *nm* (*MÉD*) tranquilizante *m*.

tranquillité [tʀɑ̃kilite] *nf* tranquilidad *f*; **en toute** ~ con toda tranquilidad; **tranquillité d'esprit** tranquilidad de espíritu.

transaction [tʀɑ̃zaksjɔ̃] *nf* (*COMM*) transacción *f*.

transat [tʀɑ̃zat] *nm* tumbona ♦ *nf* regata transatlántica.

transborder [tʀɑ̃sbɔʀde] *vt* transbordar.

transcription [tʀɑ̃skʀipsjɔ̃] *nf* transcripción *f*.

transcrire [tʀɑ̃skʀiʀ] *vt* transcribir.

transe [tʀɑ̃s] *nf*: **être/entrer en** ~ estar/entrar en trance; ~s *nfpl* ansiedad *fsg*.

transférer [tʀɑ̃sfeʀe] *vt* transferir; (*prisonnier, bureaux*) trasladar; (*titre*) transmitir.

transfert [tʀɑ̃sfɛʀ] *nm* transferencia; (*d'un prisonnier, de bureaux*) traslado; (*d'un titre*) transmisión *f*; **transfert de fonds** transferencia de fondos.

transformateur [tʀɑ̃sfɔʀmatœʀ] *nm* transformador *m*.

transformation [tʀɑ̃sfɔʀmasjɔ̃] *nf* transformación *f*; ~s *nfpl* (*travaux*) reformas *fpl*; **industries de** ~ industrias *fpl* de transformación.

transformer [tʀɑ̃sfɔʀme] *vt* transformar; (*maison, magasin, vêtement*) reformar; **se transformer** *vpr* transformarse; ~ **en**: ~ **la houille en énergie** transformar la hulla en energía.

transfusion [tʀɑ̃sfyzjɔ̃] *nf*: ~ **sanguine** transfusión *f* sanguínea.

transgresser [tʀɑ̃sgʀese] *vt* transgredir.

transi, e [tʀɑ̃zi] *adj* helado(-a).

transiger [tʀɑ̃ziʒe] *vi* transigir; ~ **sur** *ou* **avec qch** transigir sobre *ou* con algo.

transistor [tʀɑ̃zistɔʀ] *nm* transistor *m*.

transit [tʀɑ̃zit] *nm* tránsito; **de/en** ~ de/en tránsito.

transitif, -ive [tʀɑ̃zitif, iv] *adj* transitivo(-a).

transition [tʀɑ̃zisjɔ̃] *nf* transición *f*.

transitoire [tʀɑ̃zitwaʀ] *adj* transitorio(-a); (*fugitif*) pasajero(-a).

translucide [tʀɑ̃slysid] *adj* translúcido(-a).

transmetteur [tʀɑ̃smɛtœʀ] *nm* transmisor *m*.

transmettre [tʀɑ̃smɛtʀ] *vt* transmitir; (*secret*) revelar; (*recette*) pasar, dar.

transmission [tʀɑ̃smisjɔ̃] *nf* transmisión *f*; **~s** *nfpl* (*MIL*) (cuerpo de) transmisiones; **transmission de données** (*INFORM*) transmisión de datos; **transmission de pensée** transmisión del pensamiento.

transparaître [tʀɑ̃spaʀɛtʀ] *vi* transparentarse, traslucirse; (*sentiment*) dejarse traslucir.

transparence [tʀɑ̃spaʀɑ̃s] *nf* transparencia; **par ~** al trasluz.

transpercer [tʀɑ̃spɛʀse] *vt* (*suj: arme*) traspasar; (*fig*) penetrar; **~ un vêtement/mur** traspasar un vestido/muro.

transpirer [tʀɑ̃spiʀe] *vi* transpirar; (*information, nouvelle*) trascender.

transplanter [tʀɑ̃splɑ̃te] *vt* (*BOT, MÉD*) trasplantar; (*personne*) desplazar.

transport [tʀɑ̃spɔʀ] *nm* transporte *m*; **~ de colère/joie** arrebato de ira/alegría; **voiture/avion de ~** coche *m*/avión *m* de transporte; **transport aérien** transporte aéreo; **transport de marchandises/de voyageurs** transporte de mercancías/de viajeros; **transports en commun** transportes públicos; **transports routiers** transportes por carretera.

transporter [tʀɑ̃spɔʀte] *vt* llevar; (*voyageurs, marchandises*) transportar; (*TECH: énergie, son*) conducir; **se transporter** *vpr*: **se ~ quelque part** trasladarse a algún sitio; **~ qn à l'hôpital** llevar a algn al hospital; **~ qn de bonheur/joie** colmar a algn de felicidad/alegría.

transporteur [tʀɑ̃spɔʀtœʀ] *nm* transportista *m*.

transvaser [tʀɑ̃svɑze] *vt* transvasar.

transversal, e, -aux [tʀɑ̃svɛʀsal, o] *adj* transversal; **axe ~** (*AUTO*) eje *m* transversal.

trapèze [tʀapɛz] *nm* trapecio.

trappe [tʀap] *nf* (*de cave, grenier*) trampa, trampilla; (*piège*) trampa.

trapu, e [tʀapy] *adj* bajo(-a) y fortachón(-ona).

traquenard [tʀaknaʀ] *nm* cepo.

traquer [tʀake] *vt* acorralar; (*harceler*) acosar.

traumatiser [tʀomatize] *vt* traumatizar.

travail, -aux [tʀavaj, o] *nm* trabajo; (*MÉD*) parto; **travaux** *nmpl* (*de réparation, agricoles*) trabajos *mpl*; (*de construction, sur route*) obras *fpl*; **être/entrer en ~** (*MÉD*) estar de parto/tener las primeras contracciones; **être sans ~** estar sin trabajo; **travail (au) noir** trabajo clandestino; **travail d'intérêt général** trabajo de servicio a la comunidad; **travail de forçat** = **travaux forcés**; **travail posté** trabajo a turnos; **travaux des champs** faenas *fpl* del campo; **travaux dirigés** (*SCOL*) ejercicios *mpl* dirigidos; **travaux forcés** trabajos forzados; **travaux manuels** (*SCOL*) trabajos manuales; **travaux ménagers** tareas *fpl* domésticas; **travaux pratiques** prácticas *fpl*; **travaux publics** obras públicas.

travailler [tʀavaje] *vi* trabajar; (*bois*) alabearse; (*argent*) producir ♦ *vt* trabajar; (*discipline*) estudiar; (*influencer*) ejercer influencia sobre; **cela le travaille** eso le preocupa; **ton imagination travaille de trop** eso son cosas de tu imaginación; **~ la terre** trabajar la tierra; **~ son piano** ejercitarse en el piano; **~ à** trabajar en; (*contribuer à*) contribuir a; **~ à faire** esforzarse en hacer.

travailleur, -euse [tʀavajœʀ, øz] *adj, nm/f* trabajador(a); **travailleur intellectuel** intelectual *m*; **travailleur manuel** *ou* **de force** obrero; **travailleur social** trabajador *m* social; **travailleuse familiale** empleada del servicio doméstico.

travailliste [tʀavajist] *adj, nm/f* laborista.

travers [tʀavɛʀ] *nm* (*défaut*) imperfección *f*; **en ~ (de)** atravesado(-a) (en); **au ~ (de)** a través (de); **de ~** *adj* de través ♦ *adv* oblicuamente; (*fig*) al revés; **à ~** a través; **regarder de ~** (*fig*) mirar de reojo.

traverse [tʀavɛʀs] *nf* (*RAIL*) traviesa; **chemin de ~** atajo.

traversée [tʀavɛʀse] *nf* travesía.

traverser [tʀavɛʀse] *vt* atravesar; (*rue*) cruzar; (*percer. suj: pluie, froid*) traspasar.

traversin [tʀavɛʀsɛ̃] *nm* cabezal *m*.

travestir [tʀavɛstiʀ] *vt* (*vérité*) disfrazar; **se travestir** *vpr* disfrazarse; (*PSYCH, artiste*) travestirse.

trébucher [tʀebyʃe] *vi*: **~ (sur)** tropezar (con).

trèfle [tʀɛfl] *nm* trébol *m*; **trèfle à quatre feuilles** trébol de cuatro hojas.

treillis [tʀeji] *nm* (*métallique*) enrejado; (*toile*) arpillera; (*MIL*) traje *m* de faena.

treize [tʀɛz] *adj inv, nm inv* trece *m inv*; *voir aussi* **cinq**.

treizième [tʀɛzjɛm] *adj, nm/f* decimotercero(-a) ♦ *nm* (*partitif*) treceavo; *voir aussi* **cinquantième**.

tréma [tʀema] *nm* diéresis *f inv*.

tremblement [tʀɑ̃bləmɑ̃] *nm* temblor *m*; **tremblement de terre** temblor de tierra, terremoto.

trembler [tʀɑ̃ble] *vi* temblar; **~ de** (*froid, fièvre*) tiritar de, temblar de; (*peur*) temblar de; **~ pour qn** temer por algn.

trémousser [tʀemuse]: **se ~** *vpr* menearse.

trempe [tʀɑ̃p] *nf* (*fig*): **de cette/sa ~** de este/su temple.

tremper [tʀɑ̃pe] *vt* empapar; (*pain, chemise*) mojar ♦ *vi* estar en remojo; **se tremper** *vpr* zambullirse; **~ dans** (*fig, pej*) estar metido(-a) *ou* implicado(-a) en; **se faire ~** quedarse empapado(-a); **faire ~, mettre à ~** poner en remojo; **~ qch dans** remojar algo en, poner algo en remojo en.

trempette [tʀɑ̃pɛt] *nf*: **faire ~** darse un chapuzón.

tremplin [tʀɑ̃plɛ̃] *nm* trampolín *m*.

trentaine [tʀɑ̃tɛn] *nf* treintena; **avoir la ~** tener unos treinta años; **une ~ (de)** unos(-as) treinta.

trente [tʀɑ̃t] *adj inv, nm inv* treinta *m inv*; *voir aussi* **cinq**; **voir ~-six chandelles** ver las estrellas; **être/se mettre sur son ~ et un** estar/ir vestido de punta en blanco; **trente-trois tours** *nm* disco de 33 revoluciones.

trentième [tʀɑ̃tjɛm] *adj, nm/f* trigésimo(-a) ♦ *nm* (*partitif*) treintavo; *voir aussi* **cinquième**.

trépasser [tʀepɑse] *vi* fallecer.

trépidant, e [tʀepidɑ̃, ɑ̃t] *adj* trepidante.

trépied [tʀepje] *nm* trípode *m*.

trépigner [tʀepiɲe] *vi*: **~ (d'enthousiasme/d'impatience)** patalear (de entusiasmo/de impaciencia).

très [tʀɛ] *adv* muy; **~ beau/bien** muy bonito/bien; **~ critiqué/industrialisé** muy criticado/industrializado; **j'ai ~ envie de** tengo muchas ganas de; **j'ai ~ faim** tengo mucha hambre.

trésor [tʀezɔʀ] *nm* tesoro; (*vertu précieuse*) joya; (*gén pl*: *richesses*) riquezas *fpl*; **Trésor (public)** Tesoro (público).

trésorier, -ière [tʀezɔʀje, jɛʀ] *nm/f* tesorero(-a).

tressaillir [tʀesajiʀ] *vi* (*de peur*) estremecerse; (*de joie, d'émotion*) vibrar; (*s'agiter*) temblar.

tressauter [tʀesote] *vi* sobresaltar.

tresse [tʀɛs] *nf* trenza.

tresser [tʀese] *vt* trenzar.

tréteau, x [tʀeto] *nm* caballete *m*; **les ~x** (*THÉÂTRE*) las tablas.

treuil [tʀœj] *nm* torno.

trêve [tʀɛv] *nf* tregua; **~ de ...** basta de ...; **sans ~** sin tregua; **les États de la T~** los Estados de la Tregua.

tri [tʀi] *nm* selección *f*, (*INFORM*) clasificación *f*, ordenación *f*; **le ~** (*POSTES*: *action*) la clasificación; (: *bureau*) la sala de batalla.

triangle [tʀijɑ̃gl] *nm* triángulo; **triangle équilatéral/isocèle/rectangle** triángulo equilátero/isósceles/rectángulo.

triangulaire [tʀijɑ̃gylɛʀ] *adj* triangular.

tribord [tʀibɔʀ] *nm*: **à ~** a estribor.

tribu [tʀiby] *nf* tribu *f*.

tribunal, -aux [tʀibynal, o] *nm* tribunal *m*; (*bâtiment*) juzgado; **tribunal d'instance/de grande instance** juzgado de paz/de primera instancia; **tribunal de commerce** tribunal de comercio; **tribunal de police/pour enfants** tribunal correccional/de menores.

tribune [tʀibyn] *nf* tribuna; (*d'église, de tribunal*) púlpito; (*de stade*) tribuna, grada; **tribune libre** (*PRESSE*) tribuna libre.

tribut [tʀiby] *nm* tributo; **payer un lourd ~ à** pagar un tributo muy caro a.

tributaire [tʀibytɛʀ] *adj*: **être ~ de** ser tributario(-a) de, ser deudor(a) de.

tricher [tʀiʃe] *vi* (*à un examen*) copiar; (*aux cartes, courses*) hacer trampas.

tricheur, -euse [tʀiʃœʀ, øz] *nm/f* tramposo(-a).

tricolore [tʀikɔlɔʀ] *adj* tricolor; (*français*: *drapeau, équipe*) francés(-esa).

tricot [tʀiko] *nm* punto; (*ouvrage*) prenda de punto; **tricot de corps** camiseta.

tricoter [tʀikɔte] *vt* tricotar; **machine/aiguille à ~** máquina/aguja de hacer punto *ou* de tricotar.

trier [tʀije] *vt* (*classer*) clasificar; (*choisir*) seleccionar; (*fruits, grains*) seleccionar, escoger.

trilingue [tʀilɛ̃g] *adj* trilingüe.

trimbaler [tʀɛ̃bale] *vt* cargar con.

trimestre [tʀimɛstʀ] *nm* trimestre *m*.

trimestriel, le [tʀimɛstʀijɛl] *adj* trimestral.

tringle [tʀɛ̃gl] *nf* barra.

trinquer [tʀɛ̃ke] *vi* chocar los vasos; (*porter un toast*) brindar; (*fam*) pagar el pato; **~ à qch/la santé de qn** brindar por algo/a la salud de algn.

trio [tʀijo] *nm* trío, terceto.

triomphe [tʀijɔ̃f] *nm* triunfo; (*réussite*: *exposition*) éxito; **être reçu/porté en ~** ser recibido con aclamaciones/ser llevado a hombros.

triompher [tʀijɔ̃fe] *vi* triunfar; (*jubiler*) no caber en sí de gozo; (*exceller*) sobresalir; **~ de qch/qn** triunfar sobre algo/algn.

tripes [tʀip] *nfpl* (*CULIN*) callos *mpl*; (*fam*) tripas *fpl*.

triple [tʀipl] *adj* triple ♦ *nm*: **le ~ (de)** el triple (de); **en ~ exemplaire** por triplicado.

triplé [tʀiple] *nm* (*SPORT*) triple éxito; **~s** *nm/fpl* (*bébés*) trillizos *mpl*.

tripler [tʀiple] *vi, vt* triplicar.
tripoter [tʀipɔte] *vt* (*objet*) manosear; (*fam*) sobar ♦ *vi* (*fam*) revolver.
trique [tʀik] *nf* garrote *m*, palo.
triste [tʀist] *adj* triste; **un ~ personnage/une ~ affaire** (*péj*) un personaje mediocre/un asunto turbio; **c'est pas ~!** (*fam*) ¡qué cachondeo!
tristesse [tʀistɛs] *nf* tristeza.
troc [tʀɔk] *nm* trueque *m*.
trognon [tʀɔɲɔ̃] *nm* (*de fruit*) corazón *m*; (*de légume*) troncho.
trois [tʀwɑ] *adj inv, nm inv* tres *m inv*; *voir aussi* **cinq**.
troisième [tʀwɑzjɛm] *adj, nm/f* tercero(-a) ♦ *nf* (AUTO) tercera; (SCOL) *cuarto año de educación secundaria en el sistema francés*; **troisième âge**: **le ~ âge** la tercera edad; *voir aussi* **cinquième**.
trois-quarts [tʀwɑkaʀ] *nmpl*: **les ~-~ de** los tres cuartos de.
trombe [tʀɔ̃b] *nf* tromba; **en ~** en tromba; **des ~s d'eau** trombas *fpl* de agua.
trombone [tʀɔ̃bɔn] *nm* (MUS) trombón *m*; (*de bureau*) clip *m*; **trombone à coulisse** trombón de varas.
trompe [tʀɔ̃p] *nf* trompa; **trompe d'Eustache** trompa de Eustaquio; **trompes utérines** trompas *fpl* de Falopio.
trompe-l'œil [tʀɔ̃plœj] *nm inv*: **en ~-~** con efecto.
tromper [tʀɔ̃pe] *vt* engañar; (*espoir, attente*) frustrar; (*vigilance, poursuivants*) burlar; (*suj*: *distance, ressemblance*) confundir; **se tromper** *vpr* equivocarse; **se ~ de voiture/jour** equivocarse de coche/día; **se ~ de 3 cm/20 F** equivocarse en 3 cm/20 francos.
trompette [tʀɔ̃pɛt] *nf* trompeta; **nez en ~** nariz *f* respingona.
tronc [tʀɔ̃] *nm* (BOT, ANAT) tronco; (*d'église*) cepillo; **tronc commun** (SCOL) ciclo común; **tronc de cône** cono truncado.
tronçon [tʀɔ̃sɔ̃] *nm* tramo.
tronçonner [tʀɔ̃sɔne] *vt* (*arbre*) cortar en trozos; (*pierre*) partir en trozos.
tronçonneuse [tʀɔ̃sɔnøz] *nf* sierra eléctrica.
trône [tʀon] *nm* trono; **monter sur le ~** subir al trono.
tronquer [tʀɔ̃ke] *vt* mutilar.
trop [tʀo] *adv* demasiado; (*devant adverbe*) muy, demasiado; **~ (souvent/longtemps)** demasiado (a menudo/tiempo); **~ de sucre/personnes** demasiado azúcar/demasiadas personas; **ils sont ~** son demasiados; **de ~, en ~**: **des livres en ~** libros *mpl* de sobra; **du lait en ~** leche *f* de sobra; **3 livres/5 F de ~** 3 libras/5 francos de más.
trophée [tʀɔfe] *nm* trofeo.
tropical, e, -aux [tʀɔpikal, o] *adj* tropical.
tropique [tʀɔpik] *nm* trópico; **~s** *nmpl* (*régions*) trópicos *mpl*; **tropique du Cancer/du Capricorne** trópico de Cáncer/Capricornio.
troquer [tʀɔke] *vt*: **~ qch contre qch** trocar algo por algo; (*fig*) cambiar algo por algo.
trot [tʀo] *nm* trote *m*; **aller au ~** ir al trote; **partir au ~** marchar corriendo.
trotter [tʀɔte] *vi* trotar.
trottiner [tʀɔtine] *vi* corretear.
trottoir [tʀɔtwaʀ] *nm* acera, vereda (*AM*), andén (*AM*); **faire le ~** (*péj*) hacer la calle; **trottoir roulant** cinta móvil.
trou [tʀu] *nm* agujero; (*moment de libre*) hueco; **trou d'aération** boca de ventilación; **trou d'air** bache *m*; **trou de la serrure** ojo de la cerradura; **trou de mémoire** fallo de la memoria; **trou noir** (ASTRON) agujero negro.
trouble [tʀubl] *adj* turbio(-a); (*image, mémoire*) confuso(-a) ♦ *adv*: **voir ~** ver borroso ♦ *nm* (*désarroi*) desconcierto; (*émoi sensuel*) trastorno; (*embarras*) confusión *f*; (*zizanie*) desavenencia; **~s** *nmpl* (POL) disturbios *mpl*; (MÉD) trastornos *mpl*; **troubles de la personnalité/de la vision** trastornos de la personalidad/de la visión.
troubler [tʀuble] *vt* turbar; (*impressionner, inquiéter*) perturbar; (*d'émoi amoureux*) trastornar; (*liquide*) enturbiar; (*ordre*) alterar; (*tranquillité*) turbar, alterar; **se troubler** *vpr* turbarse; **~ l'ordre public** alterar el orden público.
trouée [tʀue] *nf* boquete *m*; (GÉO) paso; (MIL) brecha.
trouer [tʀue] *vt* agujerear; (*fig*) atravesar.
trouille [tʀuj] (*fam*) *nf*: **avoir la ~** tener mieditis.
troupe [tʀup] *nf* (MIL) tropa; (*d'écoliers*) grupo; **la ~** (*l'armée*) el ejército; (*les simples soldats*) la tropa; **troupe (de théâtre)** compañía (de teatro); **troupes de choc** fuerzas *fpl* de choque.
troupeau, x [tʀupo] *nm* (*de moutons*) rebaño; (*de vaches*) manada.
trousse [tʀus] *nf* (*étui*) estuche *m*; (*d'écolier*) cartera; (*de docteur*) maletín *m*; **aux ~s de** pisándole los talones a; **trousse à outils** bolsa de herramientas; **trousse de toilette** neceser *m*; **trousse de voyage** bolsa de viaje.
trousseau, x [tʀuso] *nm* ajuar *m*; **trousseau de clefs** manojo de llaves.

trouvaille [tʀuvɑj] *nf* hallazgo; (*fig: idée, expression*) idea.

trouver [tʀuve] *vt* encontrar, hallar; **se trouver** *vpr* (*être*) encontrarse, hallarse; **aller/venir ~ qn** ir/venir a ver a algn; **~ le loyer cher/le prix excessif** parecerle a algn el alquiler caro/el precio excesivo; **je trouve que** me parece que; **~ à boire/critiquer** encontrar algo de beber/algo que criticar; **~ asile/refuge** hallar asilo/refugio; **se ~ loin/à 3 km** encontrarse lejos/a 3 km; **ils se trouvent être frères** resulta que son hermanos; **elles se trouvent avoir le même manteau** resulta que tienen el mismo abrigo; **il se trouve que** resulta que; **se ~ bien/mal** sentirse *ou* encontrarse bien/mal.

truand [tʀyɑ̃] *nm* truhán *m*, timador *m*.

truc [tʀyk] *nm* (*astuce*) maña, artificio; (*de cinéma, magie*) truco; (*fam: machin, chose*) cosa, chisme *m*; **demande à ~** (*fam: personne*) pregunta a ése *ou* ésa; **avoir le ~** coger el tranquillo *ou* truco; **c'est pas son** (*ou* **mon** *etc*) **~** (*fam*) no es lo suyo (*ou* lo mío *etc*).

truelle [tʀyɛl] *nf* llana.

truffe [tʀyf] *nf* (BOT) trufa; (*fam: nez*) napias *fpl*.

truffer [tʀyfe] *vt* (CULIN) trufar; **truffé de** (*fig: erreurs*) repleto de; (*: pièges*) lleno de.

truie [tʀɥi] *nf* cerda, marrana.

truite [tʀɥit] *nf* trucha.

truquage [tʀykaʒ] *nm* trucaje *m*; (CINÉ) efectos *mpl* especiales.

truquer [tʀyke] *vt* trucar; (*élections*) amañar.

TTC [tetese] *abr* (= *toutes taxes comprises*) todo incluido.

tu[1] [ty] *pron* tú ♦ *nm*: **employer le ~** tratar de tú.

tu[2]**, e** [ty] *pp de* **taire**.

tuba [tyba] *nm* tuba; (SPORT) tubo de respiración.

tube [tyb] *nm* tubo; (*chanson, disque*) éxito; **tube à essai** tubo de ensayo; **tube de peinture** tubo de pintura; **tube digestif** tubo digestivo.

tuberculose [tybɛʀkyloz] *nf* tuberculosis *f*.

tuer [tɥe] *vt* matar; (*vie, activité*) acabar con, destruir; (*commerce*) arruinar; (*inspiration, amour*) destruir; **se tuer** *vpr* (*se suicider*) suicidarse; (*dans un accident*) matarse; **se ~ au travail** (*fig*) matarse trabajando.

tuerie [tyʀi] *nf* matanza.

tue-tête [tytɛt]: **à ~-~** *adv* a voz en grito, a grito pelado.

tueur [tɥœʀ] *nm* asesino; **tueur à gages** asesino a sueldo.

tuile [tɥil] *nf* teja; (*fam*) contratiempo, problema *m*.

tulipe [tylip] *nf* tulipán *m*.

tuméfié, e [tymefje] *adj* tumefacto(-a).

tumeur [tymœʀ] *nf* tumor *m*.

tumulte [tymylt] *nm* tumulto.

tumultueux, -euse [tymyltɥø, øz] *adj* tumultuoso(-a); (*passionné*) apasionado(-a).

tunique [tynik] *nf* túnica.

Tunisie [tynizi] *nf* Túnez *m*.

tunisien, ne [tynizjɛ̃, jɛn] *adj* tunecino(-a) ♦ *nm/f*: **T~, ne** tunecino(-a).

tunnel [tynɛl] *nm* túnel *m*.

turban [tyʀbɑ̃] *nm* turbante *m*.

turbine [tyʀbin] *nf* turbina.

turbo [tyʀbo] *nm* turbo; **un moteur ~** un motor turbo.

turbulences [tyʀbylɑ̃s] *nfpl* turbulencias *fpl*.

turbulent, e [tyʀbylɑ̃, ɑ̃t] *adj* revoltoso(-a).

turf [tyʀf] *nm* deporte *m* hípico.

turfiste [tyʀfist] *nm/f* aficionado(-a) a las carreras de caballos.

Turquie [tyʀki] *nf* Turquía.

turquoise [tyʀkwaz] *adj inv* turquesa *inv* ♦ *nf* turquesa.

tut *etc* [ty] *vb voir* **taire**.

tutelle [tytɛl] *nf* tutela; **être/mettre sous la ~ de** estar/poner bajo la tutela de.

tuteur, -trice [tytœʀ, tʀis] *nm/f* (JUR) tutor(a) ♦ *nm* (*de plante*) tutor *m*, rodrigón *m*.

tutoyer [tytwaje] *vt*: **~ qn** tutear a algn.

tuyau, x [tɥijo] *nm* tubo; (*fam: conseil*) consejo; **tuyau d'arrosage** manguera de riego; **tuyau d'échappement** tubo de escape; **tuyau d'incendie** manga de incendios.

TV [teve] *sigle f* (= *télévision*) TV *f*.

TVA [tevea] *sigle f* (= *taxe à la valeur ajoutée*) ≈ IVA *m*.

tweed [twid] *nm* tweed *m*.

tympan [tɛ̃pɑ̃] *nm* tímpano.

type [tip] *nm* tipo; (*fam: homme*) tío ♦ *adj* tipo; **avoir le ~ nordique** tener el tipo nórdico; **le ~ standard** (*modèle*) el tipo *ou* modelo standard; **le ~ travailleur** (*représentant*) el típico trabajador.

typhon [tifɔ̃] *nm* tifón *m*.

typique [tipik] *adj* típico(-a).

tyran [tiʀɑ̃] *nm* tirano.

tyranniser [tiʀanize] *vt* tiranizar.

tzigane [dzigan] *adj* cíngaro(-a), zíngaro(-a) ♦ *nm/f*: **T~** cíngaro(-a), zíngaro(-a).

U, u

ulcère [ylsɛʀ] *nm* úlcera; ~ **à l'estomac** úlcera de estómago.
ulcérer [ylseʀe] *vt* (*MÉD*) ulcerar; (*fig*) herir en lo más hondo.
ultérieur, e [ylteʀjœʀ] *adj* ulterior, posterior; **reporté à une date ~e** aplazado hasta nuevo aviso.
ultimatum [yltimatɔm] *nm* ultimátum *m*.
ultime [yltim] *adj* último(-a).
ultra- [yltʀa] *préf* ultra-.
ultra-moderne [yltʀamɔdɛʀn(ə)] (*pl* **~-~s**) *adj* ultramoderno(-a).
ultra-rapide [yltʀaʀapid] (*pl* **~-~s**) *adj* ultrarrápido(-a).
ultra-sons [yltʀasɔ̃] *nmpl* ultrasonidos *mpl*.
ultra-violet, te [yltʀavjɔlɛ, ɛt] (*pl* **~-~s, tes**) *adj* ultravioleta *inv*.

MOT-CLÉ

un, une [œ̃, yn] *art indéf* un(a); **un garçon/vieillard** un chico/viejo; **une fille** una niña
♦ *pron* uno(-a); **l'un des meilleurs** uno de los mejores; **l'un ..., l'autre ...** uno ..., el otro ...; **les uns ..., les autres ...** (los) unos ..., (los) otros ...; **l'un et l'autre** uno y otro; **l'un ou l'autre** uno u otro; **pas un seul** ni uno; **un par un** uno a uno
♦ *num* uno(-a); **une pomme seulement** una manzana solamente
♦ *nf*: **la une** (*PRESSE*) la primera página; (*chaîne de télévision*) la primera (cadena).

unanime [ynanim] *adj* unánime; **ils sont ~s à penser que ...** piensan de forma unánime que ... .
unanimité [ynanimite] *nf* unanimidad *f*; **à l'~** por unanimidad; **faire l'~** obtener la unanimidad.
unetelle [yntɛl] *nf voir* **untel**.
uni, e [yni] *adj* (*tissu*) uniforme; (*surface, couleur*) liso(-a); (*groupe, pays*) unido(-a) ♦ *nm* tejido liso.
unifier [ynifje] *vt* unificar; **s'unifier** *vpr* unificarse.
uniforme [ynifɔʀm] *adj* (*aussi fig*) uniforme ♦ *nm* uniforme *m*; **être sous l'~** (*MIL*) estar haciendo la mili.
uniformiser [ynifɔʀmize] *vt* uniformizar, uniformar.
unijambiste [yniʒɑ̃bist] *nm/f* cojo(-a) (*por faltarle una pierna*).
union [ynjɔ̃] *nf* unión *f*; mezcla; **l'U~ des républiques socialistes soviétiques** (*HIST*) la Unión de repúblicas socialistas soviéticas; **l'U~ soviétique** (*HIST*) la Unión soviética; **union conjugale** unión conyugal; **union de consommateurs** unión de consumidores; **union douanière** unión aduanera; **union libre** unión libre.
unique [ynik] *adj* único(-a); **ménage à salaire ~** matrimonio con un solo sueldo; **route à voie ~** carretera de una sola dirección; **fils/fille ~** hijo único/hija única; **~ en France** único en Francia.
uniquement [ynikmɑ̃] *adv* únicamente.
unir [yniʀ] *vt* unir; (*couleurs*) mezclar; **s'unir** *vpr* unirse; **~ qch à** unir algo a; **s'~ à** *ou* **avec** unirse a *ou* con.
unité [ynite] *nf* unidad *f*; **unité centrale (de traitement)** (*INFORM*) unidad central (de proceso); **unité d'action** unidad de acción; **unité de valeur** (*SCOL*) ≈ asignatura; **unité de vues** acuerdo de puntos de vista.
univers [ynivɛʀ] *nm* universo.
universel, le [ynivɛʀsɛl] *adj* universal.
universitaire [ynivɛʀsitɛʀ] *adj, nm/f* universitario(-a).
université [ynivɛʀsite] *nf* universidad *f*.
untel, unetelle [œ̃tɛl, yntɛl] *nm/f* uno(-a).
uranium [yʀanjɔm] *nm* uranio.
urbain, e [yʀbɛ̃, ɛn] *adj* urbano(-a).
urbaniser [yʀbanize] *vt* urbanizar.
urgence [yʀʒɑ̃s] *nf* urgencia; **d'~** *adv* urgentemente; **en cas d'~** en caso de urgencia; **service des ~s** servicio de urgencias.
urgent, e [yʀʒɑ̃, ɑ̃t] *adj* urgente.
urine [yʀin] *nf* orina.
uriner [yʀine] *vi* orinar.
urinoir [yʀinwaʀ] *nm* urinario.
urne [yʀn] *nf* urna; **aller aux ~s** ir a las urnas; **urne funéraire** urna funeraria.
urticaire [yʀtikɛʀ] *nf* urticaria.
Uruguay [yʀygwɛ] *nm* Uruguay *m*.
uruguayen, ne [yʀygwajɛ̃, ɛn] *adj* uruguayo(-a) ♦ *nm/f*: **U~, ne** uruguayo(-a).
us [ys] *nmpl*: **~ et coutumes** usos *mpl* y costumbres.
US(A) [yɛs(a)] *sigle mpl* (= *United States (of America)*) EE. UU. *mpl* (= *Estados Unidos*).
usage [yzaʒ] *nm* (*aussi LING*) uso; (*coutume, bonnes manières*) costumbre *f*; **l'~** (*la coutume*) la costumbre; **c'est l'~** es costumbre; **faire ~ de** (*pouvoir, droit*) hacer uso de; **avoir l'~ de** tener uso de; **à l'~** con el uso; **à l'~ de** para uso de; **en ~** en uso; **hors d'~** fuera de uso, en desuso; **à ~ interne/externe** (*MÉD*) de uso interno/externo; **usage de faux** (*JUR*) uso de dine-

ro falso *ou* documentos falsos.

usagé, e [yzaʒe] *adj* usado(-a).

usager, -ère [yzaʒe, ɛʀ] *nm/f* usuario(-a).

usé, e [yze] *adj* usado(-a); (*santé, personne*) desgastado(-a); (*banal, rebattu*) manido(-a); **eaux ~es** aguas *fpl* sucias.

user [yze] *vt* usar; (*consommer*) gastar; (*fig: santé, personne*) desgastar; **s'user** *vpr* (*outil, vêtement*) gastarse; (*fig: facultés, santé*) desgastarse; **il s'use à la tâche** *ou* **au travail** el trabajo le está consumiendo; **~ de** (*moyen, droit, procédé*) servirse de.

usine [yzin] *nf* fábrica; **usine à gaz** planta de gas; **usine atomique/marémotrice** central *f* nuclear/maremotriz.

usité, e [yzite] *adj* empleado(-a); **peu ~** poco empleado(-a).

ustensile [ystɑ̃sil] *nm* utensilio; **ustensile de cuisine** utensilio de cocina.

usuel, le [yzɥɛl] *adj* usual.

usufruit [yzyfʀɥi] *nm*: **avoir l'~ de** tener el usufructo de.

usure [yzyʀ] *nf* desgaste *m*; (*de l'usurier*) usura; **avoir qn à l'~** acabar convenciendo a algn; **usure normale** desgaste normal.

usurper [yzyʀpe] *vt* usurpar; **réputation usurpée** reputación *f* ilegítima.

ut [yt] *nm inv* (*MUS*) do.

utérus [yteʀys] *nm* útero.

utile [ytil] *adj* útil; **~ à qn/qch** útil a algn/para algo; **si cela peut vous être ~,** ... si eso puede serle útil, ...

utilisateur, -trice [ytilizatœʀ, tʀis] *nm/f* usuario(-a).

utilisation [ytilizasjɔ̃] *nf* utilización *f*.

utiliser [ytilize] *vt* utilizar; (*CULIN: restes*) aprovechar; (*consommer*) gastar.

utilitaire [ytilitɛʀ] *adj* (*objet, véhicule*) utilitario(-a); (*préoccupations, but*) interesado(-a).

utilité [ytilite] *nf* utilidad *f*; **jouer les ~s** (*THÉÂTRE*) actuar de figurante; **reconnu d'~ publique** (*ADMIN*) reconocido de utilidad pública; **ce n'est d'aucune/c'est d'une grande ~** no es de ninguna/es de gran utilidad.

utopie [ytɔpi] *nf* utopía.

V, v

va [va] *vb voir* **aller**.

vacance [vakɑ̃s] *nf* (*ADMIN*) vacante *f*; **~s** *nfpl* vacaciones *fpl*; **les grandes ~s** las vacaciones de verano; **prendre des/ses ~s (en juin)** coger las vacaciones (en junio); **aller en ~s** ir de vacaciones; **vacances de Noël/de Pâques** vacaciones de Navidad/de Semana Santa.

vacancier, -ière [vakɑ̃sje, jɛʀ] *nm/f* veraneante *m/f*.

vacant, e [vakɑ̃, ɑ̃t] *adj* vacante; (*appartement*) desocupado(-a).

vacarme [vakaʀm] *nm* alboroto.

vaccin [vaksɛ̃] *nm* vacuna; **vaccin antidiphtérique/antivariolique** vacuna contra la difteria/contra la viruela.

vaccination [vaksinasjɔ̃] *nf* vacunación *f*.

vacciner [vaksine] *vt* vacunar; **~ qn contre** vacunar a algn contra; **être vacciné** (*fig: fam*) estar vacunado(-a).

vache [vaʃ] *nf* vaca; (*cuir*) piel *f* ♦ *adj* (*fam*) duro(-a); **manger de la ~ enragée** pasar las de Caín; **période des ~s maigres** época de vacas flacas; **vache à eau** bolsa de agua; **vache à lait** (*fam: péj*) *persona de la que se abusa*; **vache laitière** vaca lechera.

vachement [vaʃmɑ̃] (*fam*) *adv* super.

vacherie [vaʃʀi] (*fam*) *nf* faena.

vaciller [vasije] *vi* vacilar; (*mémoire, raison*) fallar; **~ dans ses réponses/ses résolutions** vacilar en las respuestas/las soluciones.

va-et-vient [vaevjɛ̃] *nm inv* vaivén *m*; (*ÉLEC*) conmutador *m*.

vagabond, e [vagabɔ̃, ɔ̃d] *adj* vagabundo(-a); (*pensées*) errabundo(-a) ♦ *nm* vagabundo; (*voyageur*) trotamundos *m inv*.

vagabonder [vagabɔ̃de] *vi* vagabundear; (*suj: pensées*) vagar.

vagin [vaʒɛ̃] *nm* vagina.

vague [vag] *nf* ola; (*d'une chevelure etc*) onda ♦ *adj* (*indications*) poco(-a) claro(-a); (*silhouette, souvenir*) vago(-a); (*angoisse*) indefinido(-a); (*manteau, robe*) suelto(-a) ♦ *nm*: **rester dans le ~** hablar con vaguedad; **être dans le ~** estar en el aire; **un ~ cousin** un primo cualquiera; **regarder dans le ~** mirar al vacío; **vague à l'âme** *nm* nostalgia; **vague d'assaut** *nf* (*MIL*) ola de ataques; **vague de chaleur** *nf* ola de calor; **vague de fond** *nf* mar de fondo; **vague de froid** *nf* ola de frío.

vaguement [vagmɑ̃] *adv* vagamente, apenas.

vaillant, e [vajɑ̃, ɑ̃t] *adj* (*courageux*) valeroso(-a), valiente; (*vigoureux*) saludable; **n'avoir plus** *ou* **pas un sou ~** no tener ni un cuarto.

vaille [vaj] *vb voir* **valoir**.

vain, e [vɛ̃, vɛn] *adj* vano(-a); **en ~** en vano.

vaincre [vɛ̃kʀ] *vt* vencer, derrotar.

vaincu, e [vɛ̃ky] *pp de* **vaincre** ♦ *nm/f* vencido(-a), derrotado(-a).

vainqueur [vɛ̃kœʀ] *adj m, nm* ganador *m.*

vais [vɛ] *vb voir* **aller**.

vaisseau, x [vɛso] *nm* (*ANAT*) vaso; (*NAUT*) navío; **enseigne/capitaine de ~** alférez *m*/capitán *m* de navío; **vaisseau spatial** nave *f* espacial.

vaisselier [vɛsəlje] *nm* aparador *m.*

vaisselle [vɛsɛl] *nf* vajilla; (*lavage*) fregado; **faire la ~** fregar los platos.

val [val] (*pl* **vaux** *ou* **~s**) *nm* valle *m.*

valable [valabl] *adj* válido(-a); (*motif, solution*) admisible; (*interlocuteur, écrivain*) aceptable.

valet [valɛ] *nm* criado; (*péj*) lacayo; (*cintre*) colgador *m* de ropa; (*CARTES*) sota; **valet de chambre** ayuda *m* de cámara; **valet de ferme** mozo de labranza; **valet de pied** lacayo.

valeur [valœʀ] *nf* valor *m*; (*prix*) precio; **~s** *nfpl* (*morales*) valores *mpl* morales; **mettre en ~** valorizar; (*fig*) destacar; **avoir/prendre de la ~** tener/adquirir valor; **sans ~** sin valor; **valeur absolue** valor absoluto; **valeur d'échange** valor de cambio; **valeurs mobilières/nominales** valores mobiliarios/nominales.

valeureux, -euse [valœʀø, øz] *adj* valeroso(-a).

valide [valid] *adj* (*personne*) sano(-a); (*passeport, billet*) válido(-a).

valider [valide] *vt* validar.

validité [validite] *nf* validez *f*; **(durée de) ~** (período de) validez.

valise [valiz] *nf* maleta, valija (*AM*); **faire sa ~** hacer la maleta; **la ~ (diplomatique)** la valija (diplomática).

vallée [vale] *nf* valle *m.*

vallon [valɔ̃] *nm* pequeño valle *m.*

vallonné, e [valɔne] *adj* ondulado(-a).

valoir [valwaʀ] *vi* valer ♦ *vt* (*prix, valeur*) valer; (*un effort, détour*) merecer; (*causer, procurer. suj: chose*): **~ qch à qn** valer algo a algn; (*négatif*) costar algo a algn; **se valoir** *vpr* ser equivalente; (*péj*) ser tal para cual; **faire ~** (*ses droits*) hacer valer; (*domaine, capitaux*) valorizar; **faire ~ que** insistir en que; **se faire ~** alardear; **à ~ sur** a cuenta de; **vaille que vaille** mal que bien; **cela ne me dit rien qui vaille** eso me da mala espina; **ce climat** *etc* **ne me vaut rien** este clima *etc* no me sienta nada bien; **~ la peine** merecer la pena; **~ mieux: il vaut mieux se taire/que je fasse comme ceci** más vale callarse/que lo haga así; **ça ne vaut rien** eso no vale nada; **~ cher** costar mucho dinero; **il faut faire ~ que tu as de l'expérience** tienes que conseguir que valoren tu experiencia; **que vaut ce candidat/cette méthode?** ¿qué valor tiene ese candidato/ese método?

valoriser [valɔʀize] *vt* valorizar.

valse [vals] *nf* vals *m*; **la ~ des prix** el baile de precios.

valu, e [valy] *pp de* **valoir**.

valve [valv] *nf* (*ZOOL*) valva; (*TECH, ÉLEC*) válvula.

vampire [vɑ̃piʀ] *nm* vampiro.

vandale [vɑ̃dal] *nm/f* vándalo(-a).

vanille [vanij] *nf* vainilla; **glace/crème à la ~** helado/crema de vainilla.

vanité [vanite] *nf* vanidad *f*; **tirer ~ de** vanagloriarse de.

vaniteux, -euse [vanitø, øz] *adj* vanidoso(-a).

vanne [van] *nf* compuerta; (*fam*) pulla; **lancer une ~ à qn** tirar pullas a algn.

vantard, e [vɑ̃taʀ, aʀd] *adj* jactancioso(-a).

vanter [vɑ̃te] *vt* alabar; **se vanter** *vpr* jactarse; **se ~ de qch** jactarse *ou* presumir de algo; **se ~ d'avoir fait/de pouvoir faire** jactarse *ou* presumir de haber hecho/de poder hacer.

vapeur [vapœʀ] *nf* vapor *m*; (*brouillard, buée*) vaho; **~s** *nfpl* (*bouffées de chaleur*): **j'ai des ~s** tengo sofocos; **les ~s du vin** (*émanation*) los vapores del vino; **machine/locomotive à ~** máquina/locomotora de vapor; **à toute ~** a toda máquina; **renverser la ~** (*TECH, fig*) cambiar de marcha; **cuit à la ~** (*CULIN*) cocinado al vapor.

vaporisateur [vapɔʀizatœʀ] *nm* vaporizador *m.*

vareuse [vaʀøz] *nf* (*blouson*) marinera; (*d'uniforme*) guerrera.

variable [vaʀjabl] *adj* variable; (*TECH*) adaptable; (*résultats*) diverso(-a) ♦ *nf* (*MATH*) variable *f.*

varice [vaʀis] *nf* variz *f.*

varicelle [vaʀisɛl] *nf* varicela.

varié, e [vaʀje] *adj* variado(-a); (*goûts, résultats*) diverso(-a); **hors d'œuvre ~s** entremeses *mpl* variados.

varier [vaʀje] *vi* variar, cambiar; (*différer*) variar ♦ *vt* cambiar; **~ sur** (*différer d'opinion*) discrepar en.

variété [vaʀjete] *nf* variedad *f*; **~s** *nfpl*: **spectacle/émission de ~s** espectáculo/programa de variedades; **une (grande) ~ de** (gran) variedad de.

variole [vaʀjɔl] *nf* viruela.

vas [va] *vb voir* **aller**; **~-y!** ¡venga!; (*quelque part*) ¡ve!

vase [vɑz] *nm* vaso ♦ *nf* fango; **en ~ clos** aislado(-a); **vase de nuit** orinal *m*; **vases communicants** vasos comunicantes.
vaseline [vaz(ə)lin] *nf* vaselina.
vasistas [vazistɑs] *nm* tragaluz *m*.
vaste [vast] *adj* amplio(-a).
vaudrai *etc* [vodʀe] *vb voir* **valoir**.
vaurien, ne [voʀjɛ̃, jɛn] *nm/f* bribón(-ona); (*malfaiteur*) tunante *m*.
vaut [vo] *vb voir* **valoir**.
vautour [votuʀ] *nm* buitre *m*.
vautrer [votʀe]: **se ~** *vpr* revolcarse; **se ~ dans/sur** revolcarse en; (*vice*) hundirse en.
vaux [vo] *nmpl de* **val** ♦ *vb voir* **valoir**.
va-vite [vavit]: **à la ~-~** *adv* de prisa y corriendo.
veau, x [vo] *nm* ternero; (*CULIN*) ternera; (*peau*) becerro; **tuer le ~ gras** echar la casa por la ventana.
vécu, e [veky] *pp de* **vivre** ♦ *adj* vivido(-a).
vedette [vədɛt] *nf* estrella; (*personnalité*) figura; (*canot*) lancha motora; **mettre qn en ~** (*CINÉ etc*) poner a algn en primer plano; **avoir la ~** estar en primera plana.
végétal, e, -aux [veʒetal, o] *adj, nm* vegetal *m*.
végétarien, ne [veʒetaʀjɛ̃, jɛn] *adj, nm/f* vegetariano(-a).
végétatif, -ive [veʒetatif, iv] *adj* (*vie*) vegetativo(-a).
végétation [veʒetasjɔ̃] *nf* vegetación *f*; **~s** *nfpl* (*MÉD*) vegetaciones *fpl*; **opérer qn des ~s** operar a algn de vegetaciones; **végétation arctique/tropicale** vegetación ártica/tropical.
végéter [veʒete] *vi* (*plante, personne*) vegetar; (*affaire*) ir tirando.
véhément, e [veemɑ̃, ɑ̃t] *adj* vehemente.
véhicule [veikyl] *nm* vehículo; **véhicule utilitaire** vehículo utilitario.
veille [vɛj] *nf* vigilancia; (*PSYCH*) vigilia; (*jour*): **la ~ de** el día anterior a; **la ~ au soir** la noche anterior; **à la ~ de** en vísperas de; **l'état de ~** el estado de vigilia.
veillée [veje] *nf* velada; **veillée d'armes** vela de armas; **veillée (mortuaire)** velatorio.
veiller [veje] *vi* velar; (*être vigilant*) vigilar ♦ *vt* velar; **~ à** (*s'occuper de*) velar por; (*faire attention à*) procurar; (*prendre soin de*) cuidar de; **~ à faire/à ce que** ocuparse de hacer/de que; **~ sur** cuidar de.
veilleur [vɛjœʀ] *nm*: **~ de nuit** sereno.
veilleuse [vɛjøz] *nf* (*lampe*) lamparilla de noche; (*AUTO, flamme*) piloto; **en ~** a media luz; (*affaire*) a la espera.
veine [vɛn] *nf* vena; (*du bois, marbre etc*) veta; **avoir de la ~** (*fam*) tener chiripa.
véliplanchiste [veliplɑ̃ʃist] *nm/f* windsurfista *m/f*.
velléités [veleite] *nfpl* veleidades *fpl*.
vélo [velo] *nm* bici *f*; **faire du/aimer le ~** hacer ciclismo/gustarle a uno el ciclismo.
vélomoteur [velɔmɔtœʀ] *nm* velomotor *m*.
velours [v(ə)luʀ] *nm* terciopelo; **velours côtelé** pana; **velours de coton/de laine** veludillo/fieltro; **velours de soie** terciopelo de seda.
velouté, e [vəlute] *adj* (*peau*) aterciopelado(-a); (*lumière, couleurs*) suave; (*au goût*) cremoso(-a); (: *vin*) suave ♦ *nm* (*CULIN*): **~ d'asperges/de tomates** crema de espárragos/sopa de tomate.
velu, e [vəly] *adj* velloso(-a).
venais *etc* [vənɛ] *vb voir* **venir**.
vendange [vɑ̃dɑ̃ʒ] *nf* vendimia; (*raisins récoltés*) cosecha (de uvas).
vendanger [vɑ̃dɑ̃ʒe] *vi, vt* vendimiar.
vendeur, -euse [vɑ̃dœʀ, øz] *nm/f* (*de magasin*) vendedor(a), dependiente(-a); (*COMM*) vendedor(a) ♦ *nm* (*JUR*) vendedor *m*; **vendeur de journaux** vendedor *ou* voceador *m* (*AM*) de periódicos, canillita *m* (*CSUR*).
vendre [vɑ̃dʀ] *vt* vender; **~ qch à qn** vender algo a algn; **cela se vend à la douzaine** se vende por docenas; **cela se vend bien** esto se vende bien; **"à ~"** "en venta".
vendredi [vɑ̃dʀədi] *nm* viernes *m inv*; **Vendredi saint** Viernes Santo; *voir aussi* **lundi**.
vendu, e [vɑ̃dy] *pp de* **vendre** ♦ *adj* (*péj*) vendido(-a).
vénéneux, -euse [venenø, øz] *adj* venenoso(-a).
vénérable [veneʀabl] *adj* venerable.
vénérer [veneʀe] *vt* venerar.
Venezuela [venezɥela] *nm* Venezuela.
vénézuélien, ne [venezɥeljɛ̃, jɛn] *adj* venezolano(-a) ♦ *nm/f*: **V~, ne** venezolano(-a).
vengeance [vɑ̃ʒɑ̃s] *nf* venganza.
venger [vɑ̃ʒe] *vt* vengar; **se venger** *vpr* vengarse; **se ~ de/sur qch/qn** vengarse de/en algo/algn.
venimeux, -euse [vənimø, øz] *adj* venenoso(-a).
venin [vənɛ̃] *nm* veneno.
venir [v(ə)niʀ] *vi* venir, llegar; **~ de** (*lieu*) venir de; (*cause*) proceder de; **~ de faire**: **je viens d'y aller/de le voir** acabo de ir/de verle; **s'il vient à pleuvoir** si llegara a

llover; **en ~ à faire: j'en viens à croire que** llego a pensar que; **il en est venu à mendier** ha llegado a mendigar; **en ~ aux mains** llegar a las manos; **les années/générations à ~** los años/generaciones venideros(-as); **où veux-tu en ~?** ¿hasta dónde quieres llegar?; **je te vois ~** te veo venir; **il me vient une idée** se me ocurre una idea; **il me vient des soupçons** empiezo a sospechar; **laisser ~** esperar antes de actuar; **faire ~** llamar; **d'où vient que ...?** ¿cómo es posible que ...?; **~ au monde** venir al mundo.

vent [vɑ̃] *nm* viento; **il y a du ~** hace viento; **c'est du ~** (*fig*) son palabras al aire; **au ~** a barlovento; **sous le ~** a sotavento; **avoir le ~ debout** *ou* **en face/arrière** *ou* **en poupe** tener viento en contra *ou* de cara/a favor *ou* en popa; **(être) dans le ~** (*fam*) (estar) a la moda; **prendre le ~** (*fig*) tantear el terreno; **avoir ~ de** enterarse de; **contre ~s et marées** contra viento y marea.

vente [vɑ̃t] *nf* venta; **mettre en ~** poner en venta; **vente aux enchères** subasta; **vente de charité** venta de beneficencia; **vente par correspondance** venta por correspondencia.

venteux, -euse [vɑ̃tø, øz] *adj* ventoso(-a).

ventilateur [vɑ̃tilatœʀ] *nm* ventilador *m*.

ventiler [vɑ̃tile] *vt* ventilar; (*total, statistiques*) repartir.

ventouse [vɑ̃tuz] *nf* ventosa.

ventral, e, -aux [vɑ̃tʀal, o] *adj* ventral.

ventre [vɑ̃tʀ] *nm* vientre *m*; (*fig*) panza; **avoir/prendre du ~** tener/echar barriga; **j'ai mal au ~** me duele la barriga.

ventriloque [vɑ̃tʀilɔk] *adj, nm/f* ventrílocuo(-a).

venu, e [v(ə)ny] *pp de* **venir** ♦ *adj*: **être mal ~ à** *ou* **de faire** ser poco oportuno hacer; **mal/bien ~** poco/muy oportuno(-a).

venue [vəny] *nf* venida, llegada.

ver [vɛʀ] *nm* gusano; (*intestinal*) lombriz *f*; (*du bois*) polilla; **ver à soie** gusano de seda; **ver blanc** larva de abejorro; **ver de terre** lombriz *f*; **ver luisant** luciérnaga; **ver solitaire** tenia; *voir aussi* **vers**.

véranda [veʀɑ̃da] *nf* tenaza.

verbal, e, -aux [vɛʀbal, o] *adj* verbal.

verbe [vɛʀb] *nm* verbo; **avoir le ~ sonore** (*voix*) hablar alto; **la magie du ~** (*expression*) la magia del verbo; **le V~** (*REL*) el Verbo.

verdeur [vɛʀdœʀ] *nf* verdor *m*; (*âpreté*) rudeza; (*de fruit, vin*) poca madurez *f*.

verdict [vɛʀdik(t)] *nm* veredicto.

verdir [vɛʀdiʀ] *vi* verdear, verdecer ♦ *vt* pintar de verde.

verdure [vɛʀdyʀ] *nf* (*arbres, feuillages*) verde *m*, verdor *m*; (*légumes verts*) verdura.

verge [vɛʀʒ] *nf* (*ANAT*) verga; (*baguette*) vara.

verger [vɛʀʒe] *nm* huerto.

verglas [vɛʀglɑ] *nm* hielo.

vergogne [vɛʀgɔɲ]: **sans ~** *adv* sin vergüenza.

véridique [veʀidik] *adj* verídico(-a).

vérification [veʀifikasjɔ̃] *nf* (*des comptes etc*) revisión *f*; (*d'une chose par une autre*) verificación *f*; **vérification d'identité** (*POLICE*) identificación *f*.

vérifier [veʀifje] *vt* (*mécanisme, comptes*) revisar; (*hypothèse*) comprobar; (*suj: chose: prouver*) corroborar; (*INFORM*) verificar; **se vérifier** *vpr* verificarse.

véritable [veʀitabl] *adj* verdadero(-a); (*ami, amour*) auténtico(-a); (*or, argent*) de ley; **un ~ désastre/miracle** un auténtico desastre/milagro.

vérité [veʀite] *nf* verdad *f*; (*d'un fait, d'un portrait*) autenticidad *f*; (*sincérité*) sinceridad *f*; **à la** *ou* **en ~** en realidad.

vermillon [vɛʀmijɔ̃] *adj inv* bermejo(-a).

vermine [vɛʀmin] *nf* parásitos *mpl*; (*fig*) chusma.

vermoulu, e [vɛʀmuly] *adj* carcomido(-a).

verni, e [vɛʀni] *adj* barnizado(-a); (*fam*) suertudo(-a); **cuir ~** cuero charolado; **souliers ~s** zapatos *mpl* de charol.

vernir [vɛʀniʀ] *vt* barnizar; (*poteries, ongles*) esmaltar.

vernis [vɛʀni] *nm* barniz *m*; (*fig*) capa; **vernis à ongles** esmalte *m* de uñas.

verrai *etc* [veʀe] *vb voir* **voir**.

verre [vɛʀ] *nm* vidrio, cristal *m*; (*récipient, contenu*) vaso, copa; (*de lunettes*) cristal *m*; **~s** *nmpl* (*lunettes*) gafas *fpl*; **boire** *ou* **prendre un ~** beber *ou* tomar una copa; **verre à dents** vaso de aseo; **verre à liqueur/à vin** copa de *ou* para licor/vino; **verre à pied** copa; **verre armé** cristal reforzado; **verre de lampe** cristal de lámpara; **verre de montre** cristal del reloj; **verre dépoli/trempé/feuilleté** cristal esmerilado/templado/laminado; **verres de contact** lentes *mpl* de contacto, lentillas *fpl*; **verres fumés** cristales *mpl* ahumados.

verrière [vɛʀjɛʀ] *nf* cristalera.

verrons *etc* [vɛʀɔ̃] *vb voir* **voir**.

verrou [veʀu] *nm* cerrojo; (*GÉO, MIL*) bloqueo; **mettre le ~** poner el cerrojo; **mettre qn/être sous les ~s** (*fig*) meter a algn/estar en chirona.

verrouillage [veʀujaʒ] *nm* cierre *m*; **verrouillage central** (*AUTO*) cierre automático.
verrouiller [veʀuje] *vt* (*porte*) cerrar con cerrojo; (*MIL*: *brèche*) bloquear.
verrue [veʀy] *nf* verruga.
vers [vɛʀ] *nm* verso ♦ *prép* hacia; (*dans les environs de*) hacia, cerca de; (*temporel*) alrededor de, sobre ♦ *nmpl* (*poésie*) versos *mpl*.
versant [vɛʀsɑ̃] *nm* ladera.
verse [vɛʀs]: **à ~** *adv* a cántaros; **il pleut à ~** llueve a cántaros.
Verseau [vɛʀso] *nm* (*ASTROL*) Acuario; **être (du) ~** ser (de) Acuario.
versement [vɛʀsəmɑ̃] *nm* pago; (*sur un compte*) ingreso; **en 3 ~s** en 3 plazos.
verser [vɛʀse] *vt* verter, derramar; (*dans une tasse etc*) echar; (*argent*: *à qn*) pagar; (: *sur un compte*) ingresar; (*véhicule*) volcar; (*soldat*: *affecter*): **~ qn dans** destinar a algn a; **~ dans** (*fig*) versar sobre; **~ à un compte** ingresar *ou* abonar en una cuenta.
verset [vɛʀsɛ] *nm* versículo; (*formule récitée ou chantée*) verso.
verseur [vɛʀsœʀ] *adj m voir* **bec**; **bouchon**.
version [vɛʀsjɔ̃] *nf* (*SCOL*: *traduction*) versión *f*; **film en ~ originale** película en versión original.
verso [vɛʀso] *nm* dorso, reverso; **voir au ~** ver al dorso.
vert, e [vɛʀ, vɛʀt] *adj* verde; (*vin*) agraz; (*personne*: *vigoureux*) lozano(-a); (*langage, propos*) fuerte ♦ *nm* verde *m*; **en voir des ~es (et des pas mûres)** (*fam*) pasarlas negras; **en dire des ~es (et des pas mûres)** (*fam*) hablar a las claras; **se mettre au ~** irse a descansar al campo; **vert bouteille/d'eau/pomme** *adj inv* verde botella/agua/manzana *inv*.
vertèbre [vɛʀtɛbʀ] *nf* vértebra.
vertical, e, -aux [vɛʀtikal, o] *adj* vertical.
vertige [vɛʀtiʒ] *nm* vértigo; (*étourdissement*) mareo; (*égarement*) escalofríos *mpl*; **ça me donne le ~** me da vértigo; (*m'impressionne*) me alucina; (*m'égare*) me da escalofríos.
vertigineux, -euse [vɛʀtiʒinø, øz] *adj* vertiginoso(-a).
vertu [vɛʀty] *nf* virtud *f*; **en ~ de** en virtud de.
vertueux, -euse [vɛʀtɥø, øz] *adj* virtuoso(-a); (*femme*) decente; (*conduite*) meritorio(-a).
verveine [vɛʀvɛn] *nf* verbena.
vésicule [vezikyl] *nf* vesícula; **vésicule biliaire** vesícula biliar.
vessie [vesi] *nf* vejiga.
veste [vɛst] *nf* chaqueta, americana, saco (*AM*); **retourner sa ~** (*fig*: *fam*) cambiar de chaqueta; **veste croisée/droite** chaqueta cruzada/recta *ou* sin cruzar.
vestiaire [vɛstjɛʀ] *nm* (*au théâtre etc*) guardarropa; (*de stade etc*) vestuario; **(armoire) ~** taquilla.
vestibule [vɛstibyl] *nm* vestíbulo.
vestige [vɛstiʒ] *nm* vestigio; **~s** *nmpl* (*de ville, civilisation*) vestigios *mpl*.
veston [vɛstɔ̃] *nm* americana.
vêtement [vɛtmɑ̃] *nm* vestido; (*COMM*): **le ~** la confección; **~s** *nmpl* ropa; **vêtements de sport** ropa de sport.
vétéran [veteʀɑ̃] *nm* veterano.
vétérinaire [veteʀinɛʀ] *adj, nm/f* veterinario(-a).
vétille [vetij] *nf* nimiedad *f*.
vêtir [vetiʀ] *vt* vestir; **se vêtir** *vpr* vestirse.
véto [veto] *nm* veto; **droit de ~** derecho de veto; **mettre** *ou* **opposer un ~ à** poner el veto a.
vétuste [vetyst] *adj* vetusto(-a).
veuf, veuve [vœf, vœv] *adj, nm/f* viudo(-a).
veuille *etc* [vœj] *vb voir* **vouloir**.
veuillez *etc* [vœje] *vb voir* **vouloir**.
veut [vø] *vb voir* **vouloir**.
veuve [vœv] *adj f voir* **veuf**.
veux [vø] *vb voir* **vouloir**.
vexations [vɛksasjɔ̃] *nfpl* (*insultes*) humillaciones *fpl*; (*brimades*) molestias *fpl*.
vexer [vɛkse] *vt* ofender, humillar; **se vexer** *vpr* ofenderse.
via [vja] *prép* vía.
viable [vjabl] *adj* viable.
viaduc [vjadyk] *nm* viaducto.
viager, -ère [vjaʒe, ɛʀ] *adj*: **rente viagère** renta vitalicia ♦ *nm*: **mettre en ~** hacer un vitalicio.
viande [vjɑ̃d] *nf* carne *f*; **viande blanche/rouge** carne blanca/roja.
vibration [vibʀasjɔ̃] *nf* vibración *f*.
vibrer [vibʀe] *vi* vibrar ♦ *vt* (*TECH*) someter a vibraciones; **faire ~** hacer vibrar.
vicaire [vikɛʀ] *nm* vicario.
vice [vis] *nm* vicio; **~ de fabrication/construction** defecto de fabricación/construcción; **vice caché** (*COMM*) vicio oculto; **vice de forme** (*JUR*) defecto de forma.
vice... [vis] *préf* vice... .
vice-président, e [vispʀezidɑ̃, ɑ̃t] (*pl* **~-~s, es**) *nm/f* vicepresidente(-a).
vice-versa [visevɛʀsa] *adv* viceversa.
vicieux, -euse [visjø, jøz] *adj* vicio-

so(-a); (*prononciation*) erróneo(-a).
vicinal, e, -aux [visinal, o] *adj* vecinal; **chemin ~** camino vecinal.
vicissitudes [visisityd] *nfpl* vicisitudes *fpl*.
victime [viktim] *nf* víctima; **être (la) ~ de** ser (la) víctima de; **être ~ d'une attaque/d'un accident** ser víctima de un ataque/de un accidente.
victoire [viktwaʀ] *nf* victoria, triunfo.
victorieux, -euse [viktɔʀjø, jøz] *adj* victorioso(-a).
victuailles [viktɥaj] *nfpl* vitualla.
vidange [vidɑ̃ʒ] *nf* (*d'un fossé, réservoir*) vaciado; (*AUTO*) cambio de aceite; (*de lavabo*) desagüe *m*; **~s** *nfpl* (*matières*) aguas *fpl* fecales; **faire la ~** (*AUTO*) cambiar el aceite; **tuyau de ~** tubo de desagüe.
vidanger [vidɑ̃ʒe] *vt* vaciar; **faire ~ la voiture** cambiar el aceite del coche.
vide [vid] *adj* vacío(-a) ♦ *nm* vacío; (*futilité, néant*) nada; **~ de** desprovisto(-a) de; **sous ~** al vacío; **emballé sous ~** envasado al vacío; **regarder dans le ~** mirar al vacío; **avoir peur du ~** tener miedo del vacío; **parler dans le ~** hablar en el aire; **faire le ~** hacer el vacío; **faire le ~ autour de qn** hacer el vacío a algn; **à ~** (*sans occupants*) desocupado(-a); (*sans charge*) vacante; (*TECH*) en falso.
vidéo [video] *nf* vídeo ♦ *adj inv* vídeo; **vidéo inverse** (*INFORM*) vídeo inverso.
vidéocassette [videokasɛt] *nf* videocas(s)et(t)e *m*.
vidéodisque [videodisk] *nm* videodisco.
vide-ordures [vidɔʀdyʀ] *nm inv* vertedero de basuras.
vider [vide] *vt* vaciar; (*lieu*) desalojar; (*bouteille, verre*) beber; (*volaille, poisson*) limpiar; (*querelle*) liquidar; (*fatiguer*) agotar; (*fam*) echar; **se vider** *vpr* vaciarse; **~ les lieux** desalojar el local.
vie [vi] *nf* vida; (*animation*) vitalidad *f*; **être en ~** estar vivo(-a); **sans ~** sin vida; **à ~** para toda la vida, vitalicio(-a); **élu/membre à ~** elegido/miembro vitalicio; **dans la ~ courante** en la vida real; **avoir la ~ dure** tener siete vidas; **mener la ~ dure à qn** hacerle la vida imposible a algn.
vieil [vjɛj] *adj m voir* **vieux**; **vieil or** *adj inv* oro viejo *inv*.
vieillard [vjɛjaʀ] *nm* anciano; **les ~s** los ancianos.
vieille [vjɛj] *adj f voir* **vieux**; **vieille fille** solterona.
vieilleries [vjɛjʀi] *nfpl* antiguallas *fpl*.
vieillesse [vjɛjɛs] *nf* vejez *f*; **la ~** (*vieillards*) los ancianos.
vieillir [vjejiʀ] *vi* envejecer; (*se flétrir*) avejentarse; (*institutions, doctrine*) anticuarse; (*vin*) hacerse añejo(-a) ♦ *vt* avejentar; (*attribuer un âge plus avancé*) envejecer; **se vieillir** *vpr* avejentarse; **il a beaucoup vieilli** ha envejecido mucho.
vieillot, te [vjɛjo, ɔt] *adj* de aspecto viejo.
viendrai *etc* [vjɛ̃dʀe] *vb voir* **venir**.
vienne *etc* [vjɛn] *vb voir* **venir**.
viens *etc* [vjɛ̃] *vb voir* **venir**.
vierge [vjɛʀʒ] *adj* virgen; (*page*) en blanco ♦ *nf* virgen *f*; (*ASTROL*): **la V~** Virgo; **être (de la) V~** ser Virgo; **~ de** sin.
vieux (vieil), vieille [vjø, vjɛj] *adj* viejo(-a); (*ancien*) antiguo(-a) ♦ *nm*: **le vieux et le neuf** lo antiguo y lo nuevo ♦ *nm/f* viejo(-a), anciano(-a) ♦ *nmpl*: **les vieux** los viejos; **un petit vieux** un viejecito; **mon vieux/ma vieille** (*fam*) hombre/mujer; **se faire vieux** hacerse viejo(-a); **un vieux de la vieille** (*fam*) un viejo experimentado; **vieux garçon** solterón; **vieux jeu** *adj inv* chapado(-a) a la antigua; **vieux rose** *adj inv* rosa asalmonado *inv*.
vif, vive [vif, viv] *adj* vivo(-a); (*alerte*) espabilado(-a); (*emporté*) impulsivo(-a); (*air*) tonificante; (*vent, froid*) cortante; (*émotion*) fuerte; (*déception, intérêt*) profundo(-a); **brûlé ~** quemado vivo; **eau vive** agua viva; **source vive** manantial *m*; **de vive voix** de viva voz; **toucher** *ou* **piquer qn au ~** dar a algn en el punto débil; **tailler** *ou* **couper dans le ~** cortar por lo sano; **à ~** en carne viva; **avoir les nerfs à ~** tener los nervios de punta; **sur le ~** (*ART*) del natural; **entrer dans le ~ du sujet** entrar en el meollo de la cuestión.
vigie [viʒi] *nf* (*NAUT: surveillance*) vigilancia; (*personne*) vigía *m*; (*poste*) vigía.
vigilant, e [viʒilɑ̃, ɑ̃t] *adj* vigilante.
vigne [viɲ] *nf* (*plante*) vid *f*; (*plantation*) viña; **vigne vierge** viña loca.
vigneron [viɲ(ə)ʀɔ̃] *nm* viñador *m*.
vignette [viɲɛt] *nf* viñeta; (*AUTO*) pegatina; (*sur médicament*) resguardo de precio.
vignoble [viɲɔbl] *nm* viñedo; (*vignes d'une région*) viñedos *mpl*.
vigoureux, -euse [viguʀø, øz] *adj* vigoroso(-a).
vigueur [vigœʀ] *nf* vigor *m*; (*JUR*): **être/entrer en ~** estar/entrar en vigor; **en ~** vigente.
vilain, e [vilɛ̃, ɛn] *adj* (*laid*) feo(-a); (*affaire, blessure*) malo(-a); (*enfant*) malo(-a) ♦ *nm* (*paysan*) villano; **ça va faire du/tourner au ~** esto va a ponerse feo; **vilain mot** palabrota.

villa [villa] *nf* villa, chalet *m*.
village [vilaʒ] *nm* pueblo; (*aussi*: **petit ~**) aldea; **village de toile** campamento; **village de vacances** lugar *m* de vacaciones.
villageois, e [vilaʒwa, waz] *adj, nm/f* lugareño(-a); (*d'un petit village*) aldeano(-a).
ville [vil] *nf* ciudad *f*, villa, municipio; **habiter en ~** vivir en la ciudad; **aller en ~** ir a la ciudad; **ville nouvelle** ciudad nueva.
villégiature [vi(l)leʒjatyʀ] *nf* veraneo; (*lieu*) lugar *m* de veraneo.
vin [vɛ̃] *nm* vino; (*liqueur*) licor *m*; **il a le ~ gai/triste** la bebida le pone alegre/triste; **vin blanc/rosé/rouge** vino blanco/rosado/tinto; **vin d'honneur** vino de honor; **vin de messe** vino de misa; **vin de pays/de table** vino del país/de mesa; **vin nouveau/ordinaire** vino nuevo/corriente.
vinaigre [vinɛgʀ] *nm* vinagre *m*; **tourner au ~** (*fig*) aguarse; **vinaigre d'alcool/de vin** vinagre de alcohol/de vino.
vinaigrette [vinɛgʀɛt] *nf* vinagreta.
vindicatif, -ive [vɛ̃dikatif, iv] *adj* vindicativo(-a).
vineux, -euse [vinø, øz] *adj* vinoso(-a).
vingt [vɛ̃] *adj inv, nm inv* veinte *m inv*; **~-quatre heures sur ~-quatre** las veinticuatro horas del día; *voir aussi* **cinq**.
vingtaine [vɛ̃tɛn] *nf*: **une ~ (de)** unos veinte.
vingtième [vɛ̃tjɛm] *adj, nm/f* vigésimo(-a) ♦ *nm* (*partitif*) veinteavo; **le ~ siècle** el siglo veinte; *voir aussi* **cinquième**.
vins *etc* [vɛ̃] *vb voir* **venir**.
viol [vjɔl] *nm* violación *f*.
violence [vjɔlɑ̃s] *nf* violencia; **~s** *nfpl* (*actes*) agresiones *fpl*; **la ~** la violencia; **faire ~ à qn** violentar a algn; **se faire ~** contenerse.
violent, e [vjɔlɑ̃, ɑ̃t] *adj* violento(-a); (*besoin, désir*) imperante.
violer [vjɔle] *vt* violar.
violet, te [vjɔlɛ, ɛt] *adj, nm* violeta *m* ♦ *nf* violeta.
violon [vjɔlɔ̃] *nm* violín *m*; (*fam*: *prison*) chirona; **premier ~** (*MUS*) primer violín; **violon d'Ingres** pasatiempo favorito.
violoncelle [vjɔlɔ̃sɛl] *nm* violoncelo, violonchelo.
violoniste [vjɔlɔnist] *nm/f* violinista *m/f*.
vipère [vipɛʀ] *nf* víbora.
virage [viʀaʒ] *nm* (*d'un véhicule*) giro; (*d'une route, piste*) curva; (*CHIM, PHOTO*) virado; (*de cuti-réaction*) *momento en que la reacción cutánea pasa de negativa a positiva*; **prendre un ~** tomar una curva; **virage sans visibilité** (*AUTO*) curva sin visibilidad; **virage sur l'aile** (*AVIAT*) viraje *m* sobre el ala.
virée [viʀe] *nf* vuelta.
virement [viʀmɑ̃] *nm* (*COMM*) transferencia; **virement bancaire/postal** giro bancario/postal.
virent [viʀ] *vb voir* **voir**.
virer [viʀe] *vt*: **~ qch (sur)** (*COMM*: *somme*) hacer una transferencia (a); (*PHOTO*) virar algo (en); (*fam*) echar ♦ *vi* virar; (*MÉD*: *cuti-réaction*) volverse positivo(-a); **~ au bleu/rouge** pasar al azul/rojo; **~ de bord** (*NAUT*) virar de bordo; **~ sur l'aile** (*AVIAT*) virar sobre el ala.
virevolter [viʀvɔlte] *vi* dar vueltas; (*aller en tous sens*) ir de aquí para allá.
virginité [viʀʒinite] *nf* virginidad *f*.
virgule [viʀgyl] *nf* coma; **4 ~ 2** (*MATH*) 4 coma 2; **virgule flottante** decimal *f* flotante.
viril, e [viʀil] *adj* viril; (*énergique, courageux*) viril, varonil.
virilité [viʀilite] *nf* virilidad *f*.
virtuel, le [viʀtɥɛl] *adj* virtual.
virtuose [viʀtɥoz] *adj, nm/f* virtuoso(-a).
virulent, e [viʀylɑ̃, ɑ̃t] *adj* virulento(-a).
virus [viʀys] *nm* virus *m inv*.
vis[1] [vi] *vb voir* **voir; vivre**.
vis[2] [vis] *nf* tornillo; **vis à tête plate/ronde** tornillo de cabeza chata/redonda; **vis platinées** (*AUTO*) platinos *mpl*; **vis sans fin** tornillo sin fin.
visa [viza] *nm* visa, visado; **visa de censure** (*CINÉ*) visado de censura.
visage [vizaʒ] *nm* cara, rostro; (*fig*: *aspect*) cara; **à ~ découvert** a cara descubierta.
vis-à-vis [vizavi] *adv* enfrente de, frente a ♦ *nm inv* (*personne*) persona de enfrente; (*chose*): **nous avons la poste pour ~-~-~** nuestra casa está enfrente de Correos; **~-~-~ de** frente a, enfrente de; (*à l'égard de*) con respecto a; (*en comparaison de*) en comparación con; **en ~-~-~** frente a frente, cara a cara; **sans ~-~-~** (*immeuble*) sin vecinos.
viscères [visɛʀ] *nmpl* vísceras *fpl*.
visée [vize] *nf* (*avec une arme*) puntería; (*ARPENTAGE*) mira; **~s** *nfpl* (*intentions*) objetivos *mpl*; **avoir des ~s sur qch/qn** hacer proyectos sobre algo/algn.
viser [vize] *vi* apuntar ♦ *vt* apuntar; (*carrière etc*) aspirar a; (*concerner*) atañer a; (*apposer un visa sur*) visar; **~ à qch/faire qch** pretender algo/hacer algo.
viseur [vizœʀ] *nm* (*d'arme*) mira; (*PHOTO*) visor *m*.

visibilité [vizibilite] *nf* visibilidad *f*; **bonne/mauvaise ~** buena/mala visibilidad; **sans ~** sin visibilidad.
visible [vizibl] *adj* visible; (*évident*) evidente; (*disponible*): **est-il ~?** ¿está para recibir?
visière [vizjɛʀ] *nf* visera; **mettre sa main en ~** hacer visera con la mano.
vision [vizjɔ̃] *nf* visión *f*; (*conception*) idea; **en première ~** (*CINÉ*) en estreno.
visite [vizit] *nf* visita; (*expertise, d'inspection*) inspección *f*; **la ~** (*MÉD*) la consulta; (*MIL*) la revisión; **faire une ~ à qn** hacer una visita a algn; **rendre ~ à qn** visitar a algn; **être en ~ (chez qn)** estar de visita (en casa de algn); **heures de ~** horas *fpl* de visita; **le droit de ~** (*JUR*) el derecho de visita; **visite de douane** inspección de aduana; **visite domiciliaire** visita domiciliaria; **visite médicale** revisión médica.
visiter [vizite] *vt* visitar.
visiteur, -euse [vizitœʀ, øz] *nm/f* (*touriste*) visitante *m/f*; (*chez qn*): **avoir un ~** tener visita; **visiteur de prison** (*ADMIN*) inspector *m* de prisiones; **visiteur des douanes** inspector de aduanas; **visiteur médical** visitador médico.
vison [vizɔ̃] *nm* visón *m*.
visqueux, -euse [viskø, øz] *adj* viscoso(-a); (*manières*) repulsivo(-a).
visser [vise] *vt* atornillar; (*serrer: couvercle*) enroscar.
visuel, le [vizɥɛl] *adj* visual ♦ *nm* (*INFORM*) unidad *f* de despliegue visual.
vit [vi] *vb voir* **voir; vivre**.
vital, e, -aux [vital, o] *adj* vital.
vitalité [vitalite] *nf* vitalidad *f*; (*d'une tradition*) vigencia.
vitamine [vitamin] *nf* vitamina.
vite [vit] *adv* rápidamente, de prisa; (*sans délai*) pronto; **faire ~** darse prisa; **ce sera ~ fini** pronto estará terminado; **viens ~!** ¡corre!
vitesse [vitɛs] *nf* rapidez *f*; (*d'un véhicule, corps, fluide*) velocidad *f*; **~s** *nfpl* (*AUTO*) marchas *fpl*; **prendre qn de ~** ganar a algn por la mano; **faire de la ~** ir a mucha velocidad; **prendre de la ~** coger velocidad; **à toute ~** a toda marcha; **en perte de ~** (*avion*) perdiendo velocidad; (*fig*) perdiendo fuerza; **changer de ~** (*AUTO*) cambiar de marcha; **en première/deuxième ~** (*AUTO*) en primera/en segunda; **vitesse acquise** velocidad adquirida; **vitesse de croisière** velocidad de crucero; **vitesse de pointe** máximo de velocidad; **vitesse du son** velocidad del sonido.
viticole [vitikɔl] *adj* vitícola.
viticulteur [vitikyltœʀ] *nm* viticultor *m*.
vitrail, -aux [vitʀaj, o] *nm* vidriera; (*technique*) fabricación *f* de vidrieras.
vitre [vitʀ] *nf* vidrio, cristal *m*; (*d'une portière, voiture*) cristal.
vitré, e [vitʀe] *adj* con cristales; **porte ~e** puerta vidriera.
vitrer [vitʀe] *vt* poner cristales en.
vitrine [vitʀin] *nf* escaparate *m*, vidriera (*AM*); (*petite armoire*) vitrina; **mettre un produit en ~** poner un producto en el escaparate; **vitrine publicitaire** panel *m* publicitario.
vitupérer [vitypeʀe] *vi* vituperar; **~ contre qch/qn** despotricar contra algo/algn.
vivable [vivabl] *adj* soportable.
vivace [vivas] *adj* (*arbre, plante*) resistente; (*haine*) tenaz ♦ *adv* (*MUS*) vivace.
vivacité [vivasite] *nf* vivacidad *f*.
vivant, e [vivɑ̃, ɑ̃t] *vb voir* **vivre** ♦ *adj* viviente; (*animé*) vivo(-a) ♦ *nm*: **du ~ de qn** en vida de algn; **les ~s et les morts** los vivos y los muertos.
vive [viv] *adj f voir* **vif** ♦ *vb voir* **vivre** ♦ *excl*: **~ le roi/la république!** ¡viva el rey/la república!; **~ les vacances!** ¡vivan las vacaciones!; **~ la liberté!** ¡viva la libertad!
vivement [vivmɑ̃] *adv* vivamente ♦ *excl*: **~ qu'il s'en aille!** ¡que se vaya pronto!; **~ les vacances!** ¡que lleguen ya las vacaciones!
vivier [vivje] *nm* vivero; (*étang*) criadero.
vivifiant, e [vivifjɑ̃, jɑ̃t] *adj* vivificante.
vivre [vivʀ] *vi* vivir; (*souvenir: demeurer*) subsistir ♦ *vt* vivir ♦ *nm*: **le ~ et le logement** comida y alojamiento; **~s** *nmpl* (*provisions*) víveres *mpl*; **la victime vit encore** la víctima sigue viva; **savoir ~** saber vivir; **se laisser ~** dejarse estar; **ne plus ~** no poder vivir; **apprendre à ~ à qn** meter a algn en cintura; **il a vécu** ha vivido mucho; **cette mode/ce régime a vécu** esta moda/este régimen ha muerto; **il est facile/difficile à ~** tiene buen/mal carácter; **faire ~ qn** mantener a algn; **~ bien/mal** vivir bien/mal; **~ de** vivir de.
VO [veo] *sigle f* (= *version originale*) V.O. (= *versión original*).
vocabulaire [vɔkabylɛʀ] *nm* vocabulario.
vocal, e, -aux [vɔkal, o] *adj* (*organes*) vocal; (*technique*) oral.
vocation [vɔkasjɔ̃] *nf* vocación *f*; **avoir la ~** tener vocación.
vociférer [vɔsifeʀe] *vt, vi* vociferar.
vodka [vɔdka] *nf* vodka *m*.
vœu, x [vø] *nm* deseo; (*à Dieu*) voto; **faire**

~ **de** hacer voto de; **avec tous nos meilleurs ~x** muchas felicidades; **vœux de bonheur/de bonne année** deseos *mpl* de felicidad/felicitaciones *fpl* de año nuevo.

vogue [vɔg] *nf* moda; **en ~** en boga.

voguer [vɔge] *vi* remar.

voici [vwasi] *prép* aquí está; **et ~ que ...** y entonces ...; **il est parti ~ 3 ans** se fue hace tres años; **~ une semaine que je l'ai vue** hace una semana que la vi; **me ~** aquí estoy; *voir aussi* **voilà**.

voie[1] [vwa] *vb voir* **voir**.

voie[2] [vwa] *nf* vía; (*AUTO*) carril *m*; **par ~ buccale** *ou* **orale/rectale** por vía oral/rectal; **suivre la ~ hiérarchique** (*ADMIN*) seguir los medios oficiales; **ouvrir/montrer la ~** abrir/mostrar el camino; **être en bonne ~** estar en el buen camino; **mettre qn sur la ~** encaminar a algn; **être en ~ d'achèvement/de rénovation** estar en vías de acabar/de renovar; **route à 2/3 ~s** carretera de dos/tres carriles; **par la ~ aérienne/maritime** por vía aérea/marítima; **par ~ ferrée** por vía férrea, por ferrocarril; **voie à sens unique** vía de dirección única; **voie d'eau** vía navegable; (*entrée d'eau*) vía de agua; **voie de fait** (*JUR*) vía de hecho; **voie de garage** vía muerta; **voie express** vía urgente; **voie ferrée/navigable** vía férrea/navegable; **voie lactée** vía láctea; **voie prioritaire** (*AUTO*) carril prioritario; **voie privée** camino privado; **voie publique** vía pública.

voilà [vwala] *prép* he ahí, ahí está; **les ~** *ou* **voici** ahí *ou* aquí están; **en ~** *ou* **voici un** ahí *ou* aquí hay *ou* está uno; **~** *ou* **voici deux ans** hace dos años; **~** *ou* **voici deux ans que ...** hace dos años que ...; **et ~!** ¡eso es todo!, ¡ya está!; **~ tout** eso es todo; **"~"** *ou* **"voici"** (*en offrant qch*) "aquí tiene".

voile [vwal] *nm* velo; (*qui dissimule une ouverture etc*) cortina; (*PHOTO*) veladura ♦ *nf* vela; **la ~** (*SPORT*) la vela; **prendre le ~** (*REL*) tomar el velo; **mettre à la ~** (*NAUT*) hacerse a la vela; **voile au poumon** *nm* (*MÉD*) mancha en el pulmón; **voile du palais** *nm* (*ANAT*) velo del paladar.

voiler [vwale] *vt* poner las velas a; (*fig*) velar, ocultar; (*PHOTO*) velar; (*fausser: roue*) alabear; (*: bois*) combar; **se voiler** *vpr* (*lune*) ocultarse; (*regard*) apagarse; (*ciel*) cubrirse; (*TECH*) combarse; **sa voix se voila** se le ahogó la voz; **se ~ la face** cubrirse la cara.

voilier [vwalje] *nm* velero.

voilure [vwalyʀ] *nf* (*d'un voilier*) velamen *m*; (*d'un avion*) planos *mpl* sustentadores; (*d'un parachute*) tela de paracaídas.

voir [vwaʀ] *vi* ver; (*comprendre*): **je vois** comprendo ♦ *vt* ver; (*considérer*) considerar; (*constater*): **~ que/comme** ver que/como; **se voir** *vpr*: **se ~ critiquer** verse criticado(-a); **cela se voit** (*cela arrive*) eso sucede; (*c'est évident*) es evidente; **~ à faire qch** (*veiller à*) aseguarse de hacer algo; **~ loin/venir** ver lejos/venir; **faire ~ qch à qn** enseñar algo a algn; **vois comme il est beau!** ¡mira lo bonito que es!; **en faire ~ à qn** (*fam*) enseñar a algn lo que es bueno; **ne pas pouvoir ~ qn** no poder ver a algn; **regardez-~** mire; **montrez-~** déjeme ver; **dites-~** diga, explíquese; **voyons!** ¡vamos!; **c'est à ~!** ¡habrá que verlo!; **c'est à vous de ~** usted verá; **c'est ce qu'on va ~** eso habrá que verlo; **avoir quelque chose à ~ avec** tener algo que ver con; **cela n'a rien à ~ avec lui** esto no tiene nada que ver con él.

voire [vwaʀ] *adv* incluso.

voisin, e [vwazɛ̃, in] *adj* cercano(-a), próximo(-a); (*contigu*) vecino(-a), próximo(-a); (*ressemblant*) parecido(-a), vecino(-a) ♦ *nm/f* vecino(-a); (*de table etc*) compañero(-a); **nos ~s les Anglais** nuestros vecinos ingleses; **voisin de palier** vecino(-a) de enfrente.

voisinage [vwazinaʒ] *nm* vecindad *f*, proximidad *f*; (*environs*) vecindad, cercanía; (*quartier, voisins*) vecindad; **relations de bon ~** relaciones *fpl* de buena vecindad.

voiture [vwatyʀ] *nf* coche *m*, auto (*esp AM*), carro (*AM*); **en ~!** (*RAIL*) ¡al tren!; **voiture à bras** carro con varales; **voiture d'enfant** cochecito de niño; **voiture d'infirme** coche de inválido; **voiture de sport** coche deportivo.

voix [vwɑ] *nf* voz *f*; (*POL*) voto; **~ passive/active** (*LING*) voz pasiva/activa; **la ~ de la conscience/raison** la voz de la conciencia/ razón; **à haute ~** en voz alta; **à ~ basse** en voz baja; **faire la grosse ~** sacar el vozarrón; **avoir de la ~** tener voz; **rester sans ~** quedarse sin voz; **à 2/4 ~** (*MUS*) a 2/4 voces; **avoir ~ au chapitre** tener voz y voto; **mettre aux ~** poner a votación; **voix de basse/de ténor** voz de bajo/de tenor.

vol [vɔl] *nm* vuelo; (*mode d'appropriation*) robo; (*larcin*) hurto; **un ~ de perdrix** una bandada de perdices; **à ~ d'oiseau** a vuelo de pájaro; **au ~**: **attraper qch au ~** coger algo al vuelo; **saisir une remarque au ~** coger una advertencia al vuelo; **prendre son ~** levantar el vuelo; **de haut ~** de altos vuelos; **en ~** en vuelo; **vol à**

l'étalage hurto en las tiendas; **vol à la tire** tirón *m* (de bolsa); **vol à main armée** robo *ou* atraco a mano armada; **vol à voile** vuelo a vela; **vol avec effraction** robo con infracción; **vol de nuit** vuelo nocturno; **vol en palier** (*AVIAT*) vuelo horizontal; **vol libre/sur aile delta** (*SPORT*) vuelo libre/en ala delta; **vol plané** (*AVIAT*) vuelo planeado; **vol qualifié/simple** (*JUR*) hurto agravado/simple.

volage [vɔlaʒ] *adj* voluble.

volaille [vɔlaj] *nf* (*oiseaux*) aves *fpl* de corral; (*viande, oiseau*) ave *f*.

volant, e [vɔlɑ̃, ɑ̃t] *adj* volante, volador(a) ♦ *nm* volante *m*; (*feuillet détachable*) talón *m*; **le personnel ~, les ~s** (*AVIAT*) la tripulación; **volant de sécurité** margen *m* de seguridad.

volatiliser [vɔlatilize]: **se ~** *vpr* (*CHIM*) volatilizarse; (*fig*) esfumarse.

volcan [vɔlkɑ̃] *nm* volcán *m*.

volée [vɔle] *nf* (*d'oiseaux*) bandada; (*TENNIS*) voleo; **rattraper qch à la ~** coger algo al vuelo; **lancer/semer à la ~** lanzar/sembrar al voleo; **à toute ~** (*sonner les cloches*) al vuelo; (*lancer un projectile*) al voleo; **de haute ~** (*de haut rang*) de alto rango; (*de grande envergure*) de altos vuelos; **volée (de coups)** paliza; **volée de flèches** lluvia de flechas; **volée d'obus** descarga de obuses.

voler [vɔle] *vi* volar; (*voleur*) robar, hurtar ♦ *vt* (*objet*) robar; (*idée*) apropiarse de; **~ en éclats** volar en mil pedazos; **~ de ses propres ailes** volar con sus propias alas; (*fig*) valerse por sí mismo(-a); **~ au vent** flotar al viento; **~ qch à qn** robar algo a algn.

volet [vɔlɛ] *nm* (*de fenêtre*) postigo; (*AVIAT*) flap *m*; (*de feuillet*) hoja; (*d'un plan*) aspecto; **trié sur le ~** muy escogido(-a); **volet de freinage** (*AVIAT*) tren *m* de frenado.

voleur, -euse [vɔlœʀ, øz] *adj, nm/f* ladrón(-ona).

volière [vɔljɛʀ] *nf* pajarera.

volontaire [vɔlɔ̃tɛʀ] *adj* voluntario(-a); (*délibéré*) deliberado(-a); (*caractère*) decidido(-a) ♦ *nm/f* voluntario(-a); **(engagé) ~** (*MIL*) voluntario.

volonté [vɔlɔ̃te] *nf* voluntad *f*; **se servir/boire à ~** servirse/beber a voluntad; **bonne/mauvaise ~** buena/mala voluntad; **les dernières ~s de qn** la última voluntad de algn.

volontiers [vɔlɔ̃tje] *adv* con gusto; (*habituellement*) habitualmente; **"~"** "con mucho gusto".

volt [vɔlt] *nm* voltio.

volte-face [vɔltəfas] *nf inv* media vuelta; (*fig*) cambio; **faire ~-~** dar media vuelta.

voltige [vɔltiʒ] *nf* (*au cirque*) acrobacia (en el aire); (*ÉQUITATION*) acrobacia ecuestre; (*AVIAT*) acrobacia aérea; **numéro de haute ~** número de acrobacia; (*fig*) ejercicio mental.

voltiger [vɔltiʒe] *vi* revolotear.

volubile [vɔlybil] *adj* locuaz.

volume [vɔlym] *nm* volumen *m*.

volumineux, -euse [vɔlyminø, øz] *adj* voluminoso(-a).

volupté [vɔlypte] *nf* voluptuosidad *f*; (*esthétique etc*) gozo.

vomir [vɔmiʀ] *vi* vomitar ♦ *vt* vomitar.

vont [vɔ̃] *vb voir* **aller**.

vorace [vɔʀas] *adj* voraz.

vos [vo] *dét voir* **votre**.

Vosges [voʒ] *nfpl*: **les ~** los Vosgos.

vote [vɔt] *nm* voto; (*suffrage*) voto, votación *f*; (*consultation*) votación; **vote secret** *ou* **à bulletins secrets** votación secreta; **vote à main levée** voto a mano alzada; **vote par correspondance/procuration** voto por correspondencia/poder.

voter [vɔte] *vi, vt* votar.

votre [vɔtʀ] (*pl* **vos**) *dét* vuestro(-a), su.

vôtre [votʀ] *dét*: **le/la ~** el(la) vuestro(-a); **les ~s** los(las) vuestros(-as); (*forme de politesse*) los(las) suyos(-as); **à la ~** ¡salud!

voudrai *etc* [vudʀe] *vb voir* **vouloir**.

voué, e [vwe] *adj*: **~ à l'échec/la faillite** condenado(-a) al fracaso/a la derrota; **taudis ~s à la démolition** cuchitril condenado al derribo.

vouer [vwe] *vt*: **~ qch à Dieu/un saint** consagrar algo a Dios/un santo; **se vouer** *vpr*: **se ~ à** dedicarse a; **~ sa vie/son temps à** consagrar la vida/el tiempo a; **~ une haine/amitié éternelle à qn** profesar odio/amistad eterna a algn.

MOT-CLÉ

vouloir [vulwaʀ] *vt* **1** querer; **voulez-vous du thé?** ¿quiere té?; **que me veut-il?** ¿qué quiere de mí?; **sans le vouloir** sin querer; **je voudrais qch/faire** quería *ou* quisiera algo/hacer; **le hasard a voulu que ...** el azar quiso que ...; **la tradition veut que ...** la tradición es que ...; **vouloir faire/que qn fasse qch** querer hacer/que algn haga algo; **que veux-tu que je te dise?** ¿qué quieres que te diga?

2 (*consentir*): **tu veux venir? – oui, je veux bien** (*bonne volonté*) ¿quieres venir? – sí, me parece bien; **allez, tu viens? – oui, je veux bien** (*concession*) venga, ¿vienes? – ¡bueno!; **oui, si on veut** (*en quelque sorte*) sí, en cierto modo; **si vous voulez** si quiere; **veuillez attendre** tenga la amabilidad de esperar; **veuillez agréer ...** le saluda atentamente ...; **comme vous voudrez** como quiera

3: **en vouloir à**: **en vouloir à qn** estar resentido con algn; **je lui en veux d'avoir fait ça** me sienta muy mal que haya hecho eso; **s'en vouloir d'avoir fait qch** estar arrepentido de haber hecho algo; **il en veut à mon argent** se interesa por mi dinero; **je ne lui veux pas de mal** no le deseo nada malo

4: **vouloir de qch/qn**: **l'entreprise ne veut plus de lui** la empresa ya no le quiere; **elle ne veut pas de son aide** ella no quiere su ayuda

5: **vouloir dire (que)** (*signifier*) querer decir (que)

♦ *nm*: **le bon vouloir de qn** la buena voluntad de algn.

voulu, e [vuly] *pp de* **vouloir** ♦ *adj* (*requis*) requerido(-a); (*délibéré*) deliberado(-a).

vous [vu] *pron* (*sujet*: *pl*: *familier*) vosotros(-as), ustedes (*AM*); (: *forme de politesse*) ustedes; (: *singulier*) usted; (*objet direct*: *pl*) os, les (*AM*); (: *forme de politesse*) les(las) *ou* los; (: *singulier*) le(la) *ou* lo; (*objet indirect*: *pl*) os, les (*AM*); (: *forme de politesse*) les; (: *singulier*) le; (*réfléchi, réciproque*: *direct, indirect*) os; (: *forme de politesse*) se ♦ *nm*: **employer le ~** emplear el usted; **je ~ le jure** os lo juro; (*politesse*) se lo juro; **je ~ prie de ...** os pido que ...; (*politesse*: *pluriel*) les pido que ...; (: *singulier*) le pido que ...; **~ pouvez ~ asseoir** podéis sentaros; (*politesse*: *pluriel*) pueden sentarse; (: *singulier*) puede usted sentarse; **à ~** vuestro(-a), vuestros(-as); (*formule de politesse*) suyo(-a), suyos(-as); **ce livre est à ~** ese libro es vuestro; (*politesse*) ese libro es suyo; **avec/sans ~** con/sin vosotros; (*politesse*: *pluriel*) con/sin ustedes; (: *singulier*) con/sin usted; **je vais chez ~** voy a vuestra casa; (*politesse*) voy a su casa.

vous-même [vumɛm] (*pl* **~-~s**) *pron* (*sujet*) usted mismo(-a); (*après prép*) sí mismo(-a); (*emphatique*): **~-~, vous ...** usted, ...; **~-~s** (*sujet*) vosotros(-as) *ou* (*AM*) ustedes mismos(-as); (*forme de politesse*) ustedes mismos(-as); (*après prép*) sí mismos(-as); (*emphatique*): **~-~s, vous ...** vosotros ..., ustedes ... (*AM*); (*forme de politesse*) ustedes ... .

voûte [vut] *nf* bóveda; **voûte céleste** bóveda celeste; **voûte du palais** velo del paladar; **voûte plantaire** arco plantar.

voûter [vute] *vt* (*ARCHIT*) abovedar; **se voûter** *vpr* (*personne*) encorvarse.

vouvoyer [vuvwaje] *vt*: **~ qn** tratar de usted a algn.

voyage [vwajaʒ] *nm* viaje *m*; **être/partir en ~** estar/ir *ou* salir de viaje; **faire un ~** hacer un viaje; **faire bon ~** hacer un buen viaje; **aimer le ~** gustarle a algn los viajes *ou* viajar; **les gens du ~** los saltimbanquis *mpl*; **voyage d'affaires** viaje de negocios; **voyage d'agrément** viaje de placer; **voyage de noces** viaje de novios; **voyage organisé** viaje organizado.

voyager [vwajaʒe] *vi* viajar.

voyageur, -euse [vwajaʒœʀ, øz] *adj, nm/f* viajero(-a); **un grand ~** un gran viajero; **voyageur (de commerce)** viajante *m/f* (de comercio).

voyais *etc* [vwajɛ] *vb voir* **voir**.

voyant, e [vwajɑ̃, ɑ̃t] *adj* llamativo(-a) ♦ *nm/f* vidente *m/f* ♦ *nm* indicador *m* luminoso.

voyelle [vwajɛl] *nf* vocal *f*.

voyons [vwajɔ̃] *vb voir* **voir**.

voyou [vwaju] *adj, nm* (*enfant*) granuja *m*.

vrac [vʀak]: **en ~** *adj, adv* en desorden; (*COMM*) a granel.

vrai, e [vʀɛ] *adj* verdadero(-a), cierto(-a); (*or, cheveux*) auténtico(-a) ♦ *nm*: **le ~** lo verdadero, lo verídico; **son ~ nom** su auténtico nombre; **un ~ comédien/sportif** un auténtico comediante/deportista; **à dire ~, à ~ dire** a decir verdad; **il est ~ que** cierto que; **être dans le ~** estar en lo cierto.

vraiment [vʀɛmɑ̃] *adv* verdaderamente; **"~?"** "¿de verdad?", "¿es cierto?"; **il est ~ rapide** es realmente rápido.

vraisemblable [vʀɛsɑ̃blabl] *adj* (*plausible*) verosímil; (*probable*) probable.

vrille [vʀij] *nf* (*de plante*) zarcillo; (*outil, hélice*) barrena; **descendre en ~, faire une ~** (*AVIAT*) bajar en barrena, hacer la barrena.

vrombir [vʀɔ̃biʀ] *vi* zumbar.

VTT [vetete] *sigle m* (= *vélo tout terrain*) *bicicleta todo terreno*.

vu[1] [vy] *prép* visto; **~ que** visto que.

vu[2]**, e** [vy] *pp de* **voir** ♦ *adj*: **bien/mal ~** bien/mal visto(-a) ♦ *nm*: **au ~ et au su de tous** a cara descubierta; **ni ~ ni connu** ni visto ni oído; **c'est tout ~** está claro.

vue [vy] *nf* vista; (*spectacle*) visión *f*; **~s** *nfpl* (*idées*) opiniones *fpl*; (*dessein*) proyectos *mpl*; **perdre la ~** perder la vista; **perdre de ~** perder de vista; (*principes, objectifs*) olvidar; **à la ~ de tous** a la vista de todos; **hors de ~** fuera de la vista; **à**

première ~ a primera vista; **connaître qn de** ~ conocer a algn de vista; **à** ~ (*COMM*) a vista; **tirer à** ~ disparar sin dar la voz de alto; **à** ~ **d'œil** a ojos vistas; **avoir** ~ **sur** tener vistas a; **en** ~ a la vista; (*COMM*) en vistas; **avoir qch en** ~ tener algo en vistas; **arriver/être en** ~ **d'un endroit** llegar/estar a la vista de un lugar; **en** ~ **de faire qch** con intención de hacer algo; **vue d'ensemble** vista de conjunto; **vue de l'esprit** teoría pura.

vulgaire [vylgɛʀ] *adj* vulgar; **de** ~**s touristes/chaises de cuisine** simples turistas/sillas de cocina; **nom** ~ (*BOT, ZOOL*) nombre *m* común.

vulgairement [vylgɛʀmɑ̃] *adv* vulgarmente; (*communément*) comúnmente, vulgarmente.

vulgariser [vylgaʀize] *vt* (*connaissances*) divulgar; (*rendre vulgaire*) vulgarizar.

vulnérable [vylneʀabl] *adj* vulnerable; (*stratégiquement*) atacable.

W, w

wagon [vagɔ̃] *nm* vagón *m*.

wagon-lit [vagɔ̃li] (*pl* **~s-~s**) *nm* coche-cama *m*.

wagonnet [vagɔnɛ] *nm* vagoneta.

wagon-restaurant [vagɔ̃ʀɛstɔʀɑ̃] (*pl* **~s-~s**) *nm* coche-restaurante *m*.

walkman ® [wɔkman] *nm* walkman *m* ®.

wallon, ne [walɔ̃, ɔn] *adj* valón(-ona) ♦ *nm* (*LING*) valón *m* ♦ *nm/f*: **W~, ne** valón(-ona).

waters [watɛʀ] *nmpl* servicios *mpl*.

watt [wat] *nm* vatio.

w-c [vese] *nmpl* W-C *mpl*.

week-end [wikɛnd] (*pl* **~-~s**) *nm* fin *m* de semana.

western [wɛstɛʀn] *nm* película del oeste, western *m*.

whisky [wiski] (*pl* **whiskies**) *nm* whisky *m*.

white-spirit [wajtspiʀit] (*pl* **~-~s**) *nm* aguarrás *msg*.

X, x

X [iks] *nm inv*: **plainte contre** ~ (*JUR*) *denuncia contra personas desconocidas*.

xérès [gzeʀɛs] *nm* jerez *m*.

xylophone [gzilɔfɔn] *nm* xilófono.

Y, y

y [i] *adv* allí; (*plus près*) ahí; (*ici*) aquí ♦ *pron* (*la préposition espagnole dépend du verbe employé*) a *ou* de *ou* en él, ella, ello; **nous** ~ **sommes enfin** ya estamos aquí; **j'**~ **pense** (*je n'ai pas oublié*) lo tengo en mente; (*décision à prendre*) me lo estoy pensando; **j'**~ **suis!** ¡ya caigo!; **je n'**~ **suis pour rien** no he tenido nada que ver (en esto); *voir aussi* **aller**; **avoir**.

yacht [jɔt] *nm* yate *m*.

yaourt [jauʀt] *nm* yogur *m*.

yeux [jø] *nmpl de* **œil**.

yoga [jɔga] *nm* yoga *m*.

yoghourt [jɔguʀt] *nm* = **yaourt**.

yougoslave [jugɔslav] *adj* yugoslavo(-a) ♦ *nm/f*: **Y~** yugoslavo(-a).

Yougoslavie [jugɔslavi] *nf* Yugoslavia.

yo-yo [jojo] *nm inv* yoyó.

Z, z

zèbre [zɛbʀ(ə)] *nm* cebra.

zèle [zɛl] *nm* celo; **faire du** ~ (*péj*) pasarse en el celo.

zénith [zenit] *nm* cenit *m*.

zéro [zeʀo] *adj* cero ♦ *nm* (*SCOL*) cero; **au-dessus/au-dessous de** ~ sobre/bajo cero; **trois (buts) à** ~ tres (goles) a cero.

zeste [zɛst] *nm* cáscara; **un** ~ **de citron** un trocito de limón.

zigzag [zigzag] *nm* zigzag *m*.

zigzaguer [zigzage] *vi* zigzaguear.

zinc [zɛ̃g] *nm* (*CHIM*) cinc *m*; (*comptoir*) barra.

zizanie [zizani] *nf*: **mettre** *ou* **semer la** ~ meter *ou* sembrar cizaña.

zodiaque [zɔdjak] *nm* zodíaco.

zone [zon] *nf* zona; (*INFORM*) campo; **la** ~ (*quartiers*) las barriadas marginales; **de seconde** ~ (*fig*) de segunda; **zone bleue** zona azul; **zone d'action** (*MIL*) radio de acción; **zone d'extension** *ou* **d'urbanisation** zona urbanizable; **zone franche** zona franca; **zone industrielle** polígono industrial.

zoo [zo(o)] *nm* zoo.

zoologie [zɔɔlɔʒi] *nf* zoología.

zoologique [zɔɔlɔʒik] *adj* zoológico(-a).

zoom [zum] *nm* (*PHOTO*) zoom *m*.

zut [zyt] *excl* ¡mecachis!

ESPAÑOL–FRANCÉS
ESPAGNOL–FRANÇAIS

A, a

PALABRA CLAVE

a [a] (*a + el = **al***) *prep* **1** (*dirección*) à; **fueron a Madrid/Grecia** ils sont allés à Madrid/en Grèce; **caerse al río** tomber dans la rivière; **subirse a la mesa** monter sur la table; **bajarse a la calle** descendre dans la rue; **llegó a la oficina** il est arrivé au bureau; **me voy a casa** je rentre à la maison *o* chez moi; **mira a la izquierda** regarde à gauche
2 (*distancia*): **está a 15 km de aquí** c'est à 15 km d'ici
3 (*posición*): **estar a la mesa** être à table; **escríbelo al margen** écris-le dans la marge; **al lado de** à côté de
4 (*tiempo*): **a las 10/a medianoche** à 10 heures/à minuit; **a la mañana siguiente** le lendemain matin; **a los pocos días** peu de jours après; **estamos a 9 de julio** nous sommes le 9 juillet; **a los 24 años** à (l'âge de) 24 ans; **una vez a la semana** une fois par semaine
5 (*manera*): **a la francesa** à la française; **a caballo** à cheval; **a cuadros** à carreaux; **a oscuras** à tâtons; **a la plancha** (CULIN) grillé; **a toda prisa** en toute hâte
6 (*medio, instrumento*): **a lápiz** au crayon; **a mano** à la main; **escrito a máquina** tapé à la machine; **le echaron a patadas** ils l'ont flanqué dehors à coups de pied aux fesses
7 (*razón*): **a 30 ptas el kilo** à 30 ptas le kilo; **a más de 50 km/h** à plus de 50 km/h; **se vende lana a peso** laine vendue au poids
8 (*complemento directo: no se traduce*): **ví a Juan/a tu padre** j'ai vu Jean/ton père
9 (*dativo*): **se lo di a Pedro** je l'ai donné à Pierre
10 (*verbo + a + infin*): **empezó a trabajar** il a commencé à travailler; (*no se traduce*): **voy a verle** je vais le voir; **vengo a decírtelo** je viens te le dire
11 (*percepción, sentimientos*): **huele a rosas** ça sent la rose; **miedo a la verdad** peur *f* de la vérité
12 (*simultaneidad*): **al verle, le reconocí inmediatamente** quand je l'ai vu, je l'ai tout de suite reconnu
13 (*n + a + infin*): **el camino a recorrer** le chemin à parcourir; **asuntos a tratar** ordre *m* du jour
14 (*imperativo*): **¡a callar!** taisez-vous!; **¡a comer!** on mange!
15 (*frases adverbiales*): **a no ser que** sauf si; **a lo mejor** peut-être
16 (*desafío*): **¡a que no!** je parie que non!

a [a] *abr* (= *área*) a (= *are*).
abad, esa [a'βað, 'ðesa] *nm/f* abbé(abbesse).
abadía [aβa'ðia] *nf* abbaye *f*.

PALABRA CLAVE

abajo [a'βaxo] *adv* **1** (*posición*) en bas; **allí abajo** là-bas; **el piso de abajo** l'appartement du dessous; **la parte de abajo** le bas; **más abajo** plus bas; (*en texto*) ci-dessous; **desde abajo** d'en bas; **abajo del todo** tout en bas; **Pedro está abajo** Pedro est en bas; **el abajo firmante** le soussigné; **de mil ptas para abajo** au-dessous de mille pesetas
2 (*dirección*): **ir calle abajo** descendre la rue; **río abajo** en descendant le courant, en aval
♦ *prep*: **abajo de** (AM) sous; **abajo de la mesa** sous la table
♦ *excl*: **¡abajo!** descends!; **¡abajo el gobierno!** à bas le gouvernement!

abalanzarse [aβalan'θarse] *vpr*: ~ **sobre/contra** se jeter sur/contre.
abalorios [aβa'lorjos] *nmpl* babioles *fpl*.
abanderado [aβande'raðo] *nm* (*de movimiento, causa*) porte-drapeau *m*.
abandonado, -a [aβando'naðo, a] *adj* abandonné(e).
abandonar [aβando'nar] *vt* abandonner; (*salir de, tb* INFORM) quitter; **abandonarse** *vpr* (*descuidarse*) se laisser aller; **~se a** (*desesperación, dolor*) s'abandonner à; **~se a la bebida** s'adonner à la boisson.
abandono [aβan'dono] *nm* abandon *m*; **por ~** (DEPORTE) par abandon.
abanicar [aβani'kar] *vt* éventer.
abanico [aβa'niko] *nm* éventail *m*.
abarcar [aβar'kar] *vt* (*temas, período*) comprendre; (*rodear con los brazos*) embrasser; (AM: *acaparar*) accaparer; **quien mucho abarca poco aprieta** qui trop em-

brasse mal étreint.

abarrotado, -a [aβarro'taðo, a] *adj*: ~ **(de)** plein(e) à craquer (de).

abarrotar [aβarro'tar] *vt* bourrer.

abarrotería [aβarrote'ria] (*AM*) *nf* (*tienda*) épicerie *f*.

abarrotero, -a [aβarro'tero, a] (*AM*) *nm/f* (*tendero*) épicier(-ière).

abarrotes [aβa'rrotes] (*AM*) *nmpl* (*ultramarinos*) épicerie *fsg*.

abastecer [aβaste'θer] *vt*: ~ **(de)** fournir, approvisionner (en); **abastecerse** *vpr*: ~**se (de)** s'approvisionner (en).

abastecimiento [aβasteθi'mjento] *nm* approvisionnement *m*.

abasto [a'βasto] *nm*: **no dar** ~ être débordé(e); ~**s** *nmpl* provisions *fpl*; **no dar** ~ **a algo** ne pas arriver à qch; **no dar** ~ **a** *o* **para hacer** ne pas arriver à faire.

abatido, -a [aβa'tiðo, a] *adj* (*deprimido*) abattu(e).

abatimiento [aβati'mjento] *nm* (*depresión*) abattement *m*.

abatir [aβa'tir] *vt* abattre; (*asiento*) rabattre; **abatirse** *vpr* se laisser abattre; ~**se sobre** (*águila, avión*) s'abattre sur.

abdicación [aβðika'θjon] *nf* abdication *f*.

abdicar [aβði'kar] *vi*: ~ **(en algn)** abdiquer (en faveur de qn).

abdomen [aβ'ðomen] *nm* abdomen *m*.

abdominal [aβðomi'nal] *adj* abdominal(e); ~**es** *nmpl* (*tb*: **ejercicios** ~**es**) abdominaux *mpl*.

abecedario [aβeθe'ðarjo] *nm* abécédaire *m*.

abedul [aβe'ðul] *nm* bouleau *m*.

abeja [a'βexa] *nf* abeille *f*.

abejorro [aβe'xorro] *nm* bourdon *m*.

aberración [aβerra'θjon] *nf* aberration *f*, absurdité *f*.

abertura [aβer'tura] *nf* ouverture *f*; (*en falda, camisa*) échancrure *f*.

abeto [a'βeto] *nm* sapin *m*.

abierto, -a [a'βjerto, a] *pp de* **abrir** ♦ *adj* ouvert(e); **a campo** ~ en rase campagne.

abigarrado, -a [aβiɣa'rraðo, a] *adj* bigarré(e).

abismal [aβis'mal] *adj* (*diferencia*) colossal(e).

abismo [a'βismo] *nm* abîme *m*; **de sus ideas a las mías hay un** ~ entre ses idées et les miennes, il y a un abîme.

ablandar [aβlan'dar] *vt* ramollir; (*persona*) adoucir; (*carne*) attendrir; **ablandarse** *vpr* se ramollir; s'adoucir.

abnegación [aβneɣa'θjon] *nf* abnégation *f*.

abnegado, -a [aβne'ɣaðo, a] *adj* (*persona*) qui fait preuve d'abnégation.

abocado, -a [aβo'kaðo, a] *adj*: **verse** ~ **al desastre** courir au désastre.

abochornar [aβotʃor'nar] *vt* faire rougir (de honte); **abochornarse** *vpr* rougir (de honte).

abofetear [aβofete'ar] *vt* gifler.

abogacía [aβoɣa'θia] *nf* barreau *m*; **ejercer la** ~ être inscrit(e) au barreau.

abogado, -a [aβo'ɣaðo, a] *nm/f* avocat(e); **abogado defensor** avocat de la défense; **abogado del diablo** avocat du diable; **abogado del Estado** ≈ procureur *m* général; **abogado de oficio** avocat commis d'office.

abogar [aβo'ɣar] *vi*: ~ **por** plaider pour.

abolengo [aβo'lengo] *nm* lignage *m*; **de** ~ (*familia, persona*) de vieille souche.

abolición [aβoli'θjon] *nf* abolition *f*.

abolir [aβo'lir] *vt* abolir.

abolladura [aβoʎa'ðura] *nf* bosse *f*.

abollar [aβo'ʎar] *vt* (*metal*) bosseler; (*coche*) cabosser; **abollarse** *vpr* se bosseler; se cabosser.

abominable [aβomi'naβle] *adj* abominable.

abonado, -a [aβo'naðo, a] *adj* (*deuda etc*) acquitté(e) ♦ *nm/f* abonné(e).

abonar [aβo'nar] *vt* (*deuda etc*) acquitter; (*terreno*) fumer; **abonarse** *vpr*: ~**se a** s'abonner à; ~ **a algn a** abonner qn à; ~ **dinero en una cuenta** verser de l'argent sur un compte.

abono [a'βono] *nm* (*fertilizante*) engrais *msg*; (*suscripción*) abonnement *m*.

abordar [aβor'ðar] *vt* aborder.

aborigen [aβo'rixen] *nm/f* aborigène *m/f*.

aborrecer [aβorre'θer] *vt* abhorrer.

aborrecimiento [aβorreθi'mjento] *nm* aversión *f*.

abortar [aβor'tar] *vi* (*espontáneamente*) faire une fausse couche; (*de manera provocada*) avorter ♦ *vt* (*huelga, golpe de estado*) faire avorter; (*INFORM*) abandonner.

aborto [a'βorto] *nm* (*espontáneo*) fausse couche *f*; (*provocado*) avortement *m*.

abotonar [aβoto'nar] *vt* boutonner; **abotonarse** *vpr* se boutonner.

abrasar [aβra'sar] *vt* brûler ♦ *vi* être très chaud; **abrasarse** *vpr*: ~**se de calor** étouffer (de chaleur); ~**se vivo** griller vif.

abrasivo, -a [aβras'iβo, a] *adj* abrasif(-ive) ♦ *nm* abrasif *m*.

abrazar [aβra'θar] *vt* (*tb fig*) embrasser; **abrazarse** *vpr* s'embrasser.

abrazo [a'βraθo] *nm* accolade *f*; **dar un** ~ **a algn** serrer qn dans ses bras; **"un ~"** (*en carta*) "amitiés".

abrebotellas [aβreβo'teʎas] *nm inv* ouvre-bouteille *m*.

abrecartas [aβre'kartas] *nm inv* coupe-papier *m inv*.
abrelatas [aβre'latas] *nm inv* ouvre-boîte *m*.
abrevadero [aβreβa'ðero] *nm* abreuvoir *m*.
abreviar [aβre'βjar] *vt* abréger ♦ *vi* (*apresurarse*) s'empresser; **bueno, para ~** bon, pour abréger.
abreviatura [aβreβja'tura] *nf* abréviation *f*.
abridor [aβri'ðor] *nm* (*de botellas*) ouvre-bouteille *m*; (*de latas*) ouvre-boîte *m*.
abrigar [aβri'ɣar] *vt* abriter; (*suj: ropa*) couvrir; (*fig: sospechas, dudas*) nourrir ♦ *vi* (*ropa*) tenir chaud; **abrigarse** *vpr* se couvrir.
abrigo [a'βriɣo] *nm* (*prenda*) manteau *m*; (*lugar*) abri *m*; **al ~ de** à l'abri de.
abril [a'βril] *nm* avril *m*; *V tb* **julio**.
abrillantar [aβriʎan'tar] *vt* faire reluire.
abrir [a'βrir] *vt, vi* ouvrir; **abrirse** *vpr* s'ouvrir; **en un ~ y cerrar de ojos** en un clin d'œil; **~ la mano** (*en examen, oposición*) être indulgent(e); **~se a** (*puerta, ventana*) donner sur; **~se paso** se frayer un chemin.
abrochar [aβro'tʃar] *vt* (*con botones*) boutonner; (*con hebilla*) boucler; **abrocharse** *vpr* (*zapatos*) se lacer; (*abrigo*) se boutonner; **~se el cinturón** attacher sa ceinture.
abrumador, a [aβruma'ðor, a] *adj* (*mayoría etc*) écrasant(e).
abrumar [aβru'mar] *vt* (*agobiar*) accabler; (*apabullar*) écraser.
abrupto, -a [a'βrupto, a] *adj* abrupt(e).
absceso [aβs'θeso] *nm* abcès *msg*.
absentismo [aβsen'tismo] *nm* absentéisme *m*.
absolución [aβsolu'θjon] *nf* (*REL*) absolution *f*; (*JUR*) non-lieu *m*.
absoluto, -a [aβso'luto, a] *adj* absolu(e); **en ~** (*para nada*) en aucun cas; (*en respuesta*) pas du tout.
absolver [aβsol'βer] *vt* (*REL, JUR*) absoudre.
absorber [aβsor'βer] *vt* absorber; **absorberse** *vpr*: **~se en algo** s'absorber dans qch.
absorción [aβsor'θjon] *nf* absorption *f*.
absorto, -a [aβ'sorto, a] *pp de* **absorber** ♦ *adj*: **~ en** absorbé(e) par *o* dans.
abstemio, -a [aβs'temjo, a] *adj* abstinent(e).
abstención [aβsten'θjon] *nf* abstention *f*.
abstenerse [aβste'nerse] *vpr* s'abstenir; **~ de algo** se priver de qch; **~ de hacer** s'abstenir de faire.
abstinencia [aβsti'nenθja] *nf* abstinence *f*.
abstracto, -a [aβ'strakto, a] *adj* abstrait(e); **en ~** dans l'abstrait.
abstraer [aβstra'er] *vt* (*problemas, cuestión*) isoler; **abstraerse** *vpr*: **~se (de)** s'abstraire (de).
absuelto [aβ'swelto] *pp de* **absolver**.
absurdo, -a [aβ'surðo, a] *adj* absurde ♦ *nm* absurdité *f*; **lo ~ es que ...** l'absurde, c'est que ... .
abuchear [aβutʃe'ar] *vt* huer.
abucheo [aβu'tʃeo] *nm* huée *f*.
abuelo, -a [a'βwelo, a] *nm* grand-père (grand-mère) *m/f*; **~s** *nmpl* grands-parents *mpl*; (*antepasados*) ancêtres *mpl*.
abulia [a'βulja] *nf* aboulie *f*.
abúlico, -a [a'βuliko, a] *adj* aboulique.
abultado, -a [aβul'taðo, a] *adj* (*mejillas*) bouffi(e); (*facciones*) saillant(e); (*paquete*) volumineux(-euse).
abultar [aβul'tar] *vt* (*importancia, consecuencias*) exagérer ♦ *vi* prendre de la place.
abundancia [aβun'danθja] *nf* abondance *f*; **en ~** en abondance.
abundante [aβun'dante] *adj* abondant(e).
abundar [aβun'dar] *vi* abonder; **~ en** abonder en; **~ en una opinión** abonder dans un sens.
aburguesarse [aβurɣe'sarse] (*pey*) *vpr* s'embourgeoiser.
aburrido, -a [aβu'rriðo, a] *adj* (*hastiado*) saturé(e); (*que aburre*) ennuyeux(-euse).
aburrimiento [aβurri'mjento] *nm* ennui *m*.
aburrir [aβu'rrir] *vt* ennuyer; **aburrirse** *vpr* s'ennuyer; **~se como una almeja** *u* **ostra** s'ennuyer comme un rat mort.
abusar [aβu'sar] *vi*: **~ de** abuser de.
abusivo, -a [aβu'siβo, a] *adj* abusif(-ive).
abuso [a'βuso] *nm* abus *msg*; **abuso de autoridad** abus d'autorité; **abuso de confianza** abus de confiance.
acá [a'ka] *adv* (*esp AM: lugar*) ici; **pasearse de ~ para allá** faire les cent pas; **¡vente para ~!** approche un peu!; **de junio ~** depuis juin; **más ~** en deçà.
acabado, -a [aka'βaðo, a] *adj* (*mueble, obra*) achevé(e), fini(e); (*persona*) usé(e) ♦ *nm* finition *f*.
acabar [aka'βar] *vt* achever, finir; (*comida, bebida*) terminer, finir; (*retocar*) parachever ♦ *vi* finir; **acabarse** *vpr* finir, se terminer; (*gasolina, pan, agua*) être épuisé(e); **~ con** en finir avec; (*destruir*) liquider; **~ en** se terminer en; **~ mal** finir mal; **¡acabáramos!** c'est pas trop tôt!; **esto ~á conmigo** cela va mal finir; **~ de**

hacer venir de faire; ~ **haciendo** *o* **por hacer** finir par faire; **no acaba de gustarme** cela ne me plaît pas vraiment; **¡se acabó!** terminé!; (*¡basta!*) ça suffit!; **se me acabó el tabaco** je n'ai plus de cigarettes.

academia [aka'ðemja] *nf* académie *f*; (*de enseñanza*) école *f* privée; **la Real A~** l'Académie royale d'Espagne; **academia militar** école militaire.

académico, -a [aka'ðemiko, a] *adj* académique ♦ *nm/f* académicien(ne).

acaecer [akae'θer] *vi* survenir.

acallar [aka'ʎar] *vt* faire taire.

acalorado, -a [akalo'raðo, a] *adj* échauffé(e).

acalorarse [akalo'rarse] *vpr* (*fig*) s'échauffer.

acampada [akam'paða] *nf*: **ir de ~** partir camper.

acampar [akam'par] *vi* camper.

acantilado [akanti'laðo] *nm* falaise *f*.

acaparar [akapa'rar] *vt* (*alimentos, gasolina*) accumuler; (*atención*) accaparer.

acápite [a'kapite] (*AM*) *nm* (*párrafo*) paragraphe *m*.

acariciar [akari'θjar] *vt* caresser; (*esperanza*) nourrir.

acarrear [akarre'ar] *vt* transporter; (*fig*) entraîner.

acaso [a'kaso] *adv* peut-être; **por si ~** au cas où; **si ~** à la rigueur; **¿~?** (*AM: fam*) alors ...?; **¿~ es mi culpa?** alors, c'est ma faute?

acatar [aka'tar] *vt* respecter.

acatarrarse [akata'rrarse] *vpr* s'enrhumer.

acaudalado, -a [akauða'laðo, a] *adj* nanti(e).

acaudillar [akauði'ʎar] *vt* (*motín, revolución*) diriger; (*tropas*) commander.

acceder [akθe'ðer] *vi*: ~ **a** accéder à; (*INFORM*) avoir accès à.

accesible [akθe'siβle] *adj* accessible; ~ **a algn** (*comprensible*) accessible à qn.

acceso [ak'θeso] *nm* (*tb MED, INFORM*) accès *msg*; **tener ~ a** avoir accès à; **de ~ múltiple** à accès multiples; **acceso aleatorio/directo/secuencial** (*INFORM*) accès aléatoire/direct/séquentiel.

accesorio, -a [akθe'sorjo, a] *adj* accessoire ♦ *nm* accessoire *m*; **~s** *nmpl* (*prendas de vestir, AUTO*) accessoires *mpl*; (*de cocina*) ustensiles *mpl*.

accidentado, -a [akθiðen'taðo, a] *adj* (*terreno*) accidenté(e); (*viaje, día*) agité(e) ♦ *nm/f* accidenté(e).

accidental [akθiðen'tal] *adj* accidentel(le).

accidentarse [akθiðen'tarse] *vpr* avoir un accident.

accidente [akθi'ðente] *nm* accident *m*; **~s** *nmpl* (*tb:* **~s geográficos**) accidents *mpl* de terrain; **por ~** accidentellement; **tener** *o* **sufrir un ~** avoir un accident; **accidente laboral** *o* **de trabajo/de tráfico** accident du travail/de la circulation.

acción [ak'θjon] *nf* action *f*; **acción liberada** action entièrement libérée; **acción ordinaria/preferente** action ordinaire/de priorité.

accionista [akθjo'nista] *nm/f* actionnaire *m/f*.

acechar [aθe'tʃar] *vt* guetter.

acecho [a'θetʃo] *nm*: **estar al ~ (de)** être à l'affût (de).

aceite [a'θeite] *nm* huile *f*; **aceite de colza/de girasol/de hígado de bacalao/de oliva/de ricino/de soja** huile de colza/de tournesol/de foie de morue/d'olive/de ricin/de soja.

aceitera [aθei'tera] *nf* huilier *m*.

aceitoso, -a [aθei'toso, a] *adj* (*comida*) gras(se); (*consistencia, líquido*) huileux(-euse).

aceituna [aθei'tuna] *nf* olive *f*; **aceituna rellena** olive fourrée.

acelerador [aθelera'ðor] *nm* accélérateur *m*.

acelerar [aθele'rar] *vt, vi* accélérer; ~ **el paso/la marcha** presser le pas/l'allure.

acelga [a'θelɣa] *nf* blette *f*.

acento [a'θento] *nm* accent *m*; ~ **cerrado** fort accent.

acentuar [aθen'twar] *vt* accentuer; **acentuarse** *vpr* s'accentuer.

acepción [aθep'θjon] *nf* acception *f*.

aceptable [aθep'taβle] *adj* acceptable.

aceptar [aθep'tar] *vt* accepter; ~ **hacer algo** accepter de faire qch.

acequia [a'θekja] *nf* canal *m* d'irrigation.

acera [a'θera] *nf* trottoir *m*.

acerca [a'θerka]: ~ **de** *prep* de, sur, à propos de.

acercar [aθer'kar] *vt* approcher; **acercarse** *vpr* approcher; **~se a** s'approcher de.

acero [a'θero] *nm* acier *m*; **acero inoxidable** acier inoxydable.

acérrimo, -a [a'θerrimo, a] *adj* acharné(e).

acertado, -a [aθer'taðo, a] *adj* (*respuesta, medida*) pertinent(e); (*color, decoración*) heureux(-euse).

acertar [aθer'tar] *vt* (*blanco*) atteindre; (*solución, adivinanza*) trouver ♦ *vi* réussir; ~ **a hacer algo** réussir à faire qch; ~ **con** (*camino, calle*) trouver.

acertijo [aθer'tixo] *nm* devinette *f*.

achacar [atʃa'kar] *vt*: ~ **algo a** imputer

qch à.
achacoso, -a [atʃa'koso, a] *adj* souffreteux(-euse).
achaque [a'tʃake] *vb V* **achacar** ♦ *nm* ennui *m* de santé.
achicar [atʃi'kar] *vt* rétrécir; (*humillar*) abaisser; (*NÁUT*) écoper; **achicarse** *vpr* se rétrécir; (*fig*) s'humilier.
achicharrar [atʃitʃa'rrar] *vt* (*comida*) brûler; **achicharrarse** *vpr* (*comida*) attacher; (*planta*) griller; (*persona*) se consumer.
achicoria [atʃi'korja] *nf* chicorée *f*.
achuchón [atʃu'tʃon] *nm* empoignade *f*.
acicalar [aθika'lar] *vt* (*casa*) nettoyer; (*armas*) fourbir; (*persona*) parer; **acicalarse** *vpr* se faire beau(belle).
acicate [aθi'kate] *nm* stimulant *m*.
acidez [aθi'ðeθ] *nf* acidité *f*.
ácido, -a ['aθiðo, a] *adj* acide ♦ *nm* (*tb fam: droga*) acide *m*.
acierto [a'θjerto] *vb V* **acertar** ♦ *nm* (*al adivinar*) découverte *f*; (*éxito, logro*) réussite *f*, idée *f* judicieuse; (*habilidad*) adresse *f*; **fue un ~ suyo** ce fut judicieux de sa part.
aclamación [aklama'θjon] *nf* acclamation *f*; **por ~** par acclamation.
aclamar [akla'mar] *vt* (*aplaudir*) acclamer; (*proclamar*) proclamer.
aclaración [aklara'θjon] *nf* éclaircissement *m*.
aclarar [akla'rar] *vt* éclaircir; (*ropa*) rincer ♦ *vi* (*tiempo*) s'éclaircir; **aclararse** *vpr* (*persona*) s'expliquer; (*asunto*) s'éclaircir; **~se la garganta** s'éclaircir la gorge.
aclaratorio, -a [aklara'torjo, a] *adj* explicatif(-ive).
aclimatar [aklima'tar] *vt* acclimater; **aclimatarse** *vpr* s'acclimater; **~se a algo** s'acclimater à qch, se faire à qch.
acné [ak'ne] *nm o f* acné *f*.
acobardar [akoβar'ðar] *vt* intimider; **acobardarse** *vpr* se laisser intimider; **~se (ante)** reculer (devant).
acodarse [ako'ðarse] *vpr*: **~ en** s'accouder à.
acogedor, a [akoxe'ðor, a] *adj* accueillant(e).
acoger [ako'xer] *vt* accueillir; **acogerse** *vpr*: **~se a** (*ley, norma etc*) se référer à.
acogida [ako'xiða] *nf* accueil *m*.
acojonante [akoxo'nante] (*ESP: fam*) *adj* super.
acolchar [akol'tʃar] *vt* ouater.
acometer [akome'ter] *vt* (*empresa, tarea*) entreprendre ♦ *vi*: **~ (contra)** s'attaquer (à).
acometida [akome'tiða] *nf* attaque *f*; (*de gas, agua*) branchement *m*.
acomodado, -a [akomo'ðaðo, a] *adj* huppé(e).
acomodador, a [akomoða'ðor, a] *nm/f* placeur(ouvreuse).
acomodar [akomo'ðar] *vt* (*paquetes, maletas*) disposer; (*personas*) placer; **acomodarse** *vpr* s'installer; **~se a** s'accommoder à; **¡acomódese a su gusto!** mettez-vous à l'aise!
acompañamiento [akompaɲa'mjento] *nm* accompagnement *m*.
acompañar [akompa'ɲar] *vt* accompagner; **¿quieres que te acompañe?** veux-tu que je t'accompagne?; **~ a algn a la puerta** raccompagner qn à la porte; **le acompaño en el sentimiento** veuillez accepter mes condoléances.
acompasado, -a [akompa'saðo, -a] *adj* régulier(-ère).
acomplejar [akomple'xar] *vt* complexer; **acomplejarse** *vpr* faire des complexes.
acondicionar [akondiθjo'nar] *vt*: **~ (para)** aménager (pour).
acongojar [akongo'xar] *vt* angoisser.
aconsejable [akonse'xaβle] *adj* conseillé(e); **es ~ hacer** il est conseillé de faire.
aconsejar [akonse'xar] *vt* conseiller; **aconsejarse** *vpr*: **~se con** *o* **de** prendre conseil auprès de; **~ a algn hacer** *o* **que haga/que no haga algo** conseiller à qn de faire/de ne pas faire qch.
acontecimiento [akonteθi'mjento] *nm* événement *m*.
acopio [a'kopjo] *nm*: **hacer ~** faire provision de.
acoplamiento [akopla'mjento] *nm* (*TEC*) accouplement *m*.
acoplar [ako'plar] *vt*: **~ (a)** accoupler (à).
acorazado, -a [akora'θaðo, a] *adj* blindé(e) ♦ *nm* cuirassé *m*.
acordar [akor'ðar] *vt* décider; (*precio, condiciones*) convenir de; **acordarse** *vpr*: **~se de (hacer)** se souvenir de (faire); **~ hacer algo** (*resolver*) décider de faire qch.
acorde [a'korðe] *adj* (*MÚS*) accordé(e); (*conforme*) du même avis ♦ *nm* (*MÚS*) accord *m*; **~ (con)** conforme (à).
acordeón [akorðe'on] *nm* accordéon *m*.
acordonar [akorðo'nar] *vt* encercler.
acorralar [akorra'lar] *vt* acculer; (*fig*) intimider.
acortar [akor'tar] *vt* raccourcir; (*cantidad*) réduire; **acortarse** *vpr* raccourcir.
acosar [ako'sar] *vt* traquer; (*fig*) harceler; **~ a algn a preguntas** harceler qn de questions.
acostar [akos'tar] *vt* (*en cama*) coucher; (*en suelo*) allonger; (*barco*) accoster; **acos-**

tarse *vpr* (*para descansar*) s'allonger; (*para dormir*) se coucher; **~se con algn** coucher avec qn.

acostumbrado, -a [akostum'braðo, a] *adj* habituel(le); **~ a** habitué(e) à.

acostumbrar [akostum'brar] *vt*: **~ a algn a hacer algo** habituer qn à faire qch; **acostumbrarse** *vpr*: **~se a** prendre l'habitude de; (*ciudad*) se faire à; **~ (a) hacer algo** prendre l'habitude de faire qch.

acotación [akota'θjon] *nf* (*nota*) annotation *f*; (*GEO*) cote *f*; (*de límite*) délimitation *f*; (*TEATRO*) indication *f* scénique.

acotar [ako'tar] *vt* (*terreno*) délimiter; (*escrito*) annoter.

ácrata ['akrata] *adj*, *nm/f* anarchiste *m/f*.

acre ['akre] *adj* âcre; (*crítica, humor, tono*) mordant(e) ♦ *nm* acre *m*.

acrecentar [akreθen'tar] *vt* accroître; **acrecentarse** *vpr* s'accroître.

acreditar [akreði'tar] *vt* accréditer; (*COM*) créditer; **acreditarse** *vpr*: **~se como** (*propietario*) établir sa qualité de; (*buen médico*) se faire une réputation de; **~ como** reconnaître comme; **~ para** accréditer pour.

acreedor, a [akree'ðor, a] *adj*: **~ a** (*respeto*) digne de ♦ *nm/f* créancier(-ière); **acreedor común** (*COM*) créancier; **acreedor diferido** (*COM*) créancier à terme; **acreedor con garantía** (*COM*) créancier-gagiste.

acribillar [akriβi'ʎar] *vt*: **~ a balazos** cribler de balles; **~ a preguntas** harceler de questions.

acriollado, -a [akrio'ʎaðo, a] (*CSUR*) *adj adapté aux usages d'un pays d'Amérique latine*.

acrobacia [akro'βaθja] *nf* acrobatie *f*; **acrobacia aérea** acrobatie aérienne.

acróbata [a'kroβata] *nm/f* acrobate *m/f*.

acta ['akta] *nf* (*de reunión*) procès-verbal *m*; (*certificado*) certificat *m*; **levantar ~** (*JUR*) dresser procès-verbal; **acta notarial** acte *m* notarié.

actitud [akti'tuð] *nf* attitude *f*; **adoptar una ~ firme** adopter une attitude ferme.

activar [akti'βar] *vt* (*mecanismo*) actionner; (*acelerar*) activer; (*economía, comercio*) relancer.

actividad [aktiβi'ðað] *nf* activité *f*.

activo, -a [ak'tiβo, a] *adj* actif(-ive) ♦ *nm* (*COM*) actif *m*; **el ~ y el pasivo** l'actif et le passif; **estar en ~** (*MIL*) être en activité; **activo circulante/fijo/inmaterial/invisible/realizable** actif circulant/immobilisé/incorporel/invisible/réalisable; **activos bloqueados/congelados** actifs *mpl* gelés.

acto ['akto] *nm* acte *m*; (*ceremonia*) cérémonie *f*; **en el ~** sur-le-champ; **~ seguido** immédiatement; **hacer ~ de presencia** faire acte de présence.

actor [ak'tor] *nm* acteur *m*; (*JUR*) plaignant(e).

actriz [ak'triθ] *nf* actrice *f*.

actuación [aktwa'θjon] *nf* (*acción*) action *f*; (*comportamiento*) comportement *m*; (*JUR*) procédure *f*; (*TEATRO*) jeu *m*.

actual [ak'twal] *adj* actuel(le); **el 6 del ~** le 6 courant.

actualidad [aktwali'ðað] *nf* actualité *f*; **la ~** l'actualité; **en la ~** actuellement; **ser de gran ~** être d'actualité.

actualizar [aktwali'θar] *vt* actualiser, mettre à jour.

actualmente [ak'twalmente] *adv* à l'heure actuelle, actuellement.

actuar [ak'twar] *vi* (*comportarse*) agir; (*actor*) jouer; (*JUR*) entamer une procédure; **~ de** tenir le rôle de.

acuarela [akwa'rela] *nf* aquarelle *f*.

acuario [a'kwarjo] *nm* aquarium *m*; **A~** (*ASTROL*) Verseau *m*; **ser A~** être (du) Verseau.

acuático, -a [a'kwatiko, a] *adj* aquatique.

acuchillar [akutʃi'ʎar] *vt* poignarder; (*TEC*) raboter.

acuciante [aku'θjante] *adj* pressant(e).

acuciar [aku'θjar] *vt* presser.

acuclillarse [akukli'ʎarse] *vpr* s'accroupir.

acudir [aku'ðir] *vi* aller; **~ a** (*amistades etc*) avoir recours à; **~ en ayuda de** venir en aide à; **~ a una cita** aller à un rendez-vous; **~ a una llamada** répondre à un appel; **no tener a quién ~** n'avoir personne à qui faire appel.

acuerdo [a'kwerðo] *vb V* **acordar** ♦ *nm* accord *m*; (*decisión*) décision *f*; **¡de ~!** d'accord!; **de ~ con** en accord avec; (*acción, documento*) conformément à; **de común ~** d'un commun accord; **estar de ~** être d'accord; **llegar a un ~** parvenir à un accord; **tomar un ~** adopter une résolution; **acuerdo de pago respectivo** (*COM*) *convention entre compagnies d'assurances par laquelle chacune s'engage à dédommager son propre client*; **acuerdo general sobre aranceles aduaneros y comercio** (*COM*) accord général sur les tarifs douaniers et le commerce.

acumular [akumu'lar] *vt* accumuler.

acunar [aku'nar] *vt* bercer.

acuñar [aku'ɲar] *vt* (*moneda*) frapper; (*palabra, frase*) consacrer.

acupuntura [akupun'tura] *nf* acupuncture *f.*

acurrucarse [akurru'karse] *vpr* se blottir.

acusación [akusa'θjon] *nf* accusation *f.*

acusado, -a [aku'saðo, a] *adj* (*JUR*) accusé(e); (*acento*) prononcé(e) ♦ *nm/f* (*JUR*) accusé(e).

acusar [aku'sar] *vt* accuser; (*revelar*) manifester; (*suj: aparato*) indiquer; **acusarse** *vpr*: **~se de algo** s'accuser de qch; (*REL*) confesser qch; **~ recibo de** accuser réception de.

acusica [aku'sika], **acusón, -ona** [aku'son, ona] *nm/f* mouchard(e).

acústico, -a [a'kustiko, a] *adj* acoustique ♦ *nf* acoustique *f.*

adaptación [aðapta'θjon] *nf* adaptation *f.*

adaptador [aðapta'ðor] *nm* adaptateur *m.*

adaptar [aðap'tar] *vt*: **~ (a)** adapter (à); **adaptarse** *vpr*: **~se (a)** s'adapter (à).

adecentar [aðeθen'tar] *vt* (*casa, habitación*) mettre un peu d'ordre dans; **adecentarse** *vpr* (*persona*) faire un brin de toilette.

adecuado, -a [aðe'kwaðo, a] *adj* adéquat(e); **el hombre ~ para el puesto** l'homme tout désigné pour le poste.

adecuar [aðe'kwar] *vt*: **~ a** adapter à.

adefesio [aðe'fesjo] (*fam*) *nm*: **estar hecho un ~** être mal ficelé(e).

a. de J.C. *abr* (= *antes de Jesucristo*) av. J.-C. (= *avant Jésus-Christ*).

adelantado, -a [aðelan'taðo, a] *adj* avancé(e); (*reloj*) en avance; **pagar por ~** payer d'avance.

adelantamiento [aðelanta'mjento] *nm* (*AUTO*) dépassement *m.*

adelantar [aðelan'tar] *vt, vi* avancer; (*AUTO*) doubler, dépasser; **adelantarse** *vpr* (*tomar la delantera*) prendre les devants; (*anticiparse*) être en avance; **~se a algn** devancer qn; **~ a algn en algo** devancer qn en qch; **así no adelantas nada** cela ne t'avance à rien.

adelante [aðe'lante] *adv* devant ♦ *excl* (*incitando a seguir*) en avant!; (*autorizando a entrar*) entrez!; **en ~** désormais; **de hoy en ~** à l'avenir; **más ~** (*después*) plus tard; (*más allá*) plus loin.

adelanto [aðe'lanto] *nm* progrès *msg*; (*de dinero, hora*) avance *f*; **los ~s de la ciencia** les progrès de la science.

adelgazar [aðelɣa'θar] *vt* (*persona*) faire maigrir ♦ *vi* maigrir.

ademán [aðe'man] *nm* geste *m*; **ademanes** *nmpl* gestes *mpl*; **en ~ de hacer** en faisant mine de faire; **hacer ~ de hacer** faire mine de faire.

además [aðe'mas] *adv* de plus; **~ de** en plus de.

adentrarse [aðen'trarse] *vpr*: **~ en** pénétrer dans.

adentro [a'ðentro] *adv* dedans; **mar ~** au large; **tierra ~** à l'intérieur des terres; **para sus ~s** dans son for intérieur.

adepto, -a [a'ðepto, a] *nm/f* adepte *m/f.*

aderezar [aðere'θar] *vt* assaisonner.

aderezo [aðe'reθo] *nm* assaisonnement *m.*

adeudar [aðeu'ðar] *vt* (*dinero*) devoir; **adeudarse** *vpr* (*persona*) s'endetter; **~ una suma en una cuenta** débiter une somme sur un compte.

adherir [aðe'rir] *vt*: **~ algo a algo** faire adhérer une chose à une autre; **adherirse** *vpr* (*a propuesta*) adhérer.

adhesión [aðe'sjon] *nf* adhésion *f.*

adhesivo, -a [aðe'siβo, a] *adj* adhésif(-ive) ♦ *nm* adhésif *m.*

adicción [aðik'θion] *nf* (*a drogas etc*) dépendance *f.*

adición [aði'θjon] *nf* addition *f*; (*cosa añadida*) ajout *m.*

adicional [aðiθjo'nal] *adj* supplémentaire.

adicto, -a [a'ðikto, a] *adj* (*MED*) drogué(e); (*a ideología*) acquis(e); (*persona*) dépendant(e) ♦ *nm/f* (*MED*) drogué(e); (*partidario*) fanatique *m/f.*

adiestrar [aðjes'trar] *vt* entraîner; **adiestrarse** *vpr*: **~se (en)** s'entraîner (à).

adinerado, -a [aðine'raðo, a] *adj* fortuné(e).

adiós [a'ðjos] *excl* (*despedida*) au revoir!; (*al pasar*) salut!; (*¡ay!*) aïe!

aditivo [aði'tiβo] *nm* additif *m.*

adivinanza [aðiβi'nanθa] *nf* devinette *f.*

adivinar [aðiβi'nar] *vt* (*pensamientos*) deviner; (*el futuro*) lire.

adivino, -a [aði'βino, a] *nm/f* devin(eresse).

adjetivo [aðxe'tiβo] *nm* adjectif *m.*

adjudicar [aðxuði'kar] *vt* adjuger; **adjudicarse** *vpr*: **~se algo** s'adjuger qch.

adjuntar [aðxun'tar] *vt* joindre.

adjunto, -a [að'xunto, a] *adj* (*documento*) joint(e); (*médico, director etc*) adjoint(e) ♦ *nm/f* (*profesor*) assistant(e) ♦ *adv* ci-joint.

administración [aðministra'θjon] *nf* administration *f*; **A~ pública** fonction *f* publique; **Administración de Correos** Postes et Télécommunications *fpl*; **Administración de Justicia** justice *f.*

administrador, a [aðministra'ðor, a] *nm/f* administrateur(-trice), gérant(e).

administrar [aðminis'trar] *vt* adminis-

trer, gérer; (*medicamento, sacramento*) administrer.
administrativo, -a [aðministra'tiβo, a] *adj* administratif(-ive) ♦ *nm/f* (*de oficina*) préposé(e).
admirable [aðmi'raβle] *adj* admirable.
admiración [aðmira'θjon] *nf* (*estimación*) admiration *f*; (*asombro*) étonnement *m*; (LING) exclamation *f*; **no salgo de mi ~** je n'en reviens pas.
admirar [aðmi'rar] *vt* (*estimar*) admirer; (*asombrar*) étonner; **admirarse** *vpr*: **~se de** s'étonner de; **se admiró de que ...** il s'est étonné que ...; **no es de ~ que ...** rien d'étonnant à ce que ... .
admisible [aðmi'siβle] *adj* acceptable.
admisión [aðmi'sjon] *nf* admission *f*; (*de razones etc*) acceptation *f*.
admitir [aðmi'tir] *vt* (*razonamiento etc*) admettre; (*local*) contenir; (*regalos*) accepter; **esto no admite demora** cela ne peut attendre; **la cuestión no admite dudas** cela ne fait aucun doute.
admonición [aðmoni'θjon] *nf* admonition *f*.
adobar [aðo'βar] *vt* (CULIN) préparer.
adobe [a'ðoβe] *nm* torchis *msg*.
adoctrinar [aðoktri'nar] *vt* endoctriner.
adolecer [aðole'θer] *vi*: **~ de** souffrir de.
adolescente [aðoles'θente] *adj, nm/f* adolescent(e).
adonde [a'ðonðe] (*esp AM*) *conj* où.
adónde [a'ðonde] *adv* où.
adopción [aðop'θjon] *nf* adoption *f*.
adoptar [aðop'tar] *vt* adopter.
adoptivo, -a [aðop'tiβo, a] *adj* adoptif(-ive); (*lengua, país*) d'adoption.
adoquín [aðo'kin] *nm* pavé *m*.
adorar [aðo'rar] *vt* adorer.
adormecer [aðorme'θer] *vt* endormir; **adormecerse** *vpr* somnoler; (*miembro*) s'endormir.
adormilarse [aðormi'larse] *vpr* s'assoupir.
adornar [aðor'nar] *vt* orner; (*habitación, mesa*) décorer.
adorno [a'ðorno] *nm* ornement *m*; **de ~** d'ornement.
adosado, -a [aðo'saðo, a] *adj*: **chalet ~** maison *f* jumelle.
adosar [aðo'sar] *vt*: **~ (algo) a** adosser (qch) à.
adquirir [aðki'rir] *vt* acquérir.
adquisición [aðkisi'θjon] *nf* acquisition *f*.
adrede [a'ðreðe] *adv* exprès, à dessein.
adscribir [aðskri'βir] *vt*: **~ a** (*trabajo, puesto*) assigner à; **le adscribieron al cuerpo diplomático** il a été attaché au corps diplomatique.
adscrito [að'skrito] *pp de* **adscribir**.
aduana [a'ðwana] *nf* douane *f*.
aduanero, -a [aðwa'nero, a] *adj, nm/f* douanier(-ière).
aducir [aðu'θir] *vt* alléguer.
adueñarse [aðwe'ɲarse] *vpr*: **~ de** s'approprier.
adulación [aðula'θjon] *nf* adulation *f*.
adular [aðu'lar] *vt* aduler.
adulterar [aðulte'rar] *vt* (*alimentos, vino*) frelater.
adulterio [aðul'terjo] *nm* adultère *m*.
adúltero, -a [a'ðultero, a] *adj, nm/f* adultère *m/f*.
adulto, -a [a'ðulto, a] *adj, nm/f* adulte *m/f*.
adusto, -a [a'ðusto, a] *adj* (*expresión, carácter*) sévère; (*paisaje, región*) austère.
advenedizo, -a [aðβene'ðiθo, a] *nm/f* intrus(e).
advenimiento [aðβeni'mjento] *nm* avènement *m*; **~ al trono** avènement au trône.
adverbio [að'βerβjo] *nm* adverbe *m*.
adversario, -a [aðβer'sarjo, a] *nm/f* adversaire *m/f*.
adversidad [aðβersi'ðað] *nf* adversité *f*.
adverso, -a [að'βerso, a] *adj* adverse.
advertencia [aðβer'tenθja] *nf* avertissement *m*.
advertir [aðβer'tir] *vt* (*observar*) observer; **~ a algn de algo** avertir qn de qch; **~ a algn que ...** avertir qn que ... .
Adviento [að'βjento] *nm* Avent *m*.
aéreo, -a [a'ereo, a] *adj* aérien(ne); **por vía aérea** par avion.
aeromodelismo [aeromoðel'ismo] *nm* aéromodélisme *m*.
aeromozo, -a [aero'moθo, a] (*AM*) *nm/f* (*AVIAT*) steward(hôtesse de l'air).
aeronáutica [aero'nautika] *nf* aéronautique *f*.
aeronave [aero'naβe] *nf* aéronef *m*.
aeroplano [aero'plano] *nm* aéroplane *m*.
aeropuerto [aero'pwerto] *nm* aéroport *m*.
aerosol [aero'sol] *nm* aérosol *m*.
afable [a'faβle] *adj* affable.
afamado, -a [afa'maðo, a] *adj* renommé(e).
afán [a'fan] *nm* (*ahínco*) ardeur *f*; (*deseo*) soif *f*; **con ~** avec ardeur.
afear [afe'ar] *vt* enlaidir.
afección [afek'θjon] *nf* infection *f*.
afectación [afekta'θjon] *nf* affectation *f*.
afectado, -a [afek'taðo, a] *adj* affecté(e); **~s** *nmpl* (*epidemias*) victimes *fpl*; (*catástrofes*) sinistrés *mpl*.

afectar [afek'tar] *vt* affecter; **por lo que afecta a esto** quant à cela.
afectísimo, -a [afek'tisimo, a] *adj*: **suyo ~** respectueusement vôtre.
afectivo, -a [afek'tiβo, a] *adj* (*problema*) affectif(-ive); (*persona*) affectueux(-euse).
afecto, -a [a'fekto, a] *adj*: **~ a** (*ideología*) acquis(e) à; (*JUR*) soumis(e) à ♦ *nm* (*cariño*) affection *f*; **tenerle ~ a algn** avoir de l'affection pour qn.
afectuoso, -a [afek'twoso, a] *adj* affectueux(-euse); **"un saludo ~"** (*en carta*) "affectueusement".
afeitar [afei'tar] *vt* raser; **afeitarse** *vpr* se raser; **~se la barba/el bigote** se raser la barbe/la moustache.
afeminado, -a [afemi'naðo, a] *adj* efféminé(e).
aferrar [afe'rrar] *vt* se cramponner à; **aferrarse** *vpr*: **~se a** se cramponner à; **~se a una esperanza** se cramponner à un espoir.
afgano, -a [af'ɣano, a] *adj* afghan(e) ♦ *nm/f* Afghan(e).
afianzar [afjan'θar] *vt* (*objeto, conocimientos*) consolider; (*salud*) assurer; **afianzarse** *vpr* se cramponner; (*establecerse*) s'établir; **~se en** (*idea, opinión*) se cramponner à.
afiche [a'fitʃe] (*AM*) *nm* (*cartel*) affiche *f*.
afición [afi'θjon] *nf* goût *m*, penchant *m*; **la ~** les supporters *mpl*; **~ a** goût pour *o* de; **por ~** par goût; **músico de ~** musicien(ne) amateur.
aficionado, -a [afiθjo'naðo, a] *adj, nm/f* amateur *m*; **ser ~ a algo** être amateur de qch.
aficionar [afiθjo'nar] *vt*: **~ a algn a algo** donner à qn le goût pour *o* de qch; **aficionarse** *vpr*: **~se a algo** prendre goût à qch.
afilado, -a [afi'laðo, a] *adj* (*cuchillo*) aiguisé(e); (*lápiz*) bien taillé(e).
afilar [afi'lar] *vt* (*cuchillo*) aiguiser; (*lápiz*) tailler; **afilarse** *vpr* (*cara*) s'affiner.
afiliado, -a [afi'ljaðo, a] *adj, nm/f* affilié(e).
afiliarse [afi'ljarse] *vpr*: **~ (a)** s'affilier (à).
afín [a'fin] *adj* (*carácter*) semblable; (*ideas, opiniones*) voisin(e).
afinar [afi'nar] *vt* (*MÚS*) accorder; (*puntería, TEC*) ajuster; (*motor*) régler ♦ *vi* (*MÚS*) être accordé(e).
afincarse [afin'karse] *vpr*: **~ en** s'établir à.
afinidad [afini'ðað] *nf* affinité *f*; **por ~** par affinité.
afirmación [afirma'θjon] *nf* affirmation *f*.
afirmar [afir'mar] *vt* affirmer; (*objeto*) consolider ♦ *vi* acquiescer; **afirmarse** *vpr* (*recuperar el equilibrio*) se rétablir; **~ haber hecho/que** affirmer avoir fait/que; **~se en lo dicho** confirmer ce qui a été dit.
afirmativo, -a [afirma'tiβo, a] *adj* affirmatif(-ive).
afligir [afli'xir] *vt* affliger; **afligirse** *vpr* s'affliger; **~se (por** *o* **con** *o* **de)** s'affliger (de); **no te aflijas tanto** ne te laisse pas abattre.
aflojar [aflo'xar] *vt* desserrer; (*cuerda*) détendre ♦ *vi* (*tormenta, viento*) se calmer; **aflojarse** *vpr* (*pieza*) prendre du jeu.
aflorar [aflo'rar] *vi* affleurer.
afluencia [aflu'enθja] *nf* affluence *f*; (*de sangre*) afflux *msg*.
afluente [aflu'ente] *nm* affluent *m*.
afluir [aflu'ir] *vi*: **~ a** (*gente, sangre*) affluer à; (*río*) se jeter dans.
afónico, -a [a'foniko, a] *adj*: **estar ~** être aphone.
aforo [a'foro] *nm* (*de teatro*) capacité *f*; **el teatro tiene un ~ de 2.000** ce théâtre a 2 000 places.
afortunado, -a [afortu'naðo, a] *adj* (*persona*) chanceux(-euse); (*coincidencia, hallazgo*) heureux(-euse).
afrancesado, -a [afranθe'saðo, a] (*pey*) *adj partisan des Français (lors de la guerre d'Indépendance, et aux XVIIIe et XIXe siècles).*
afrenta [a'frenta] *nf* affront *m*.
Africa ['afrika] *nf* Afrique *f*; **África del Sur** Afrique du Sud.
africano, -a [afri'kano, a] *adj* africain(e) ♦ *nm/f* Africain(e).
afrontar [afron'tar] *vt* affronter; (*dos personas*) confronter.
afuera [a'fwera] *adv* (*esp AM*) dehors; **~s** *nfpl* banlieue *fsg*.
agachar [aɣa'tʃar] *vt* incliner; **agacharse** *vpr* s'incliner.
agalla [a'ɣaʎa] *nf* (*ZOOL*) ouïe *f*; **tener ~s** (*fam*) ne pas avoir froid aux yeux.
agarradera [aɣarra'ðera] (*AM*) *nf* (*asa*) anse *f*; **~s** *nfpl* (*fam*): **tener (buenas) ~s** être pistonné(e).
agarradero [aɣarra'ðero] *nm* = **agarradera**.
agarrado, -a [aɣa'rraðo, a] *adj* radin(e).
agarrar [aɣa'rrar] *vt* saisir; (*esp AM: recoger*) prendre; (*fam: enfermedad*) attraper ♦ *vi* (*planta*) prendre; **agarrarse** *vpr* (*comida*) coller; (*dos personas*) s'accrocher; **agarró y se fue** (*AM*) sans faire ni une ni deux il a fichu le camp; **~se (a)** s'accro-

cher (à); **agarrársela con algn** (*AM: tenerla tomada con algn*) avoir qn dans le nez.

agarrotar [aɤarro'tar] *vt* (*reo*) faire subir le supplice du garrot à; (*fardo*) ficeler; (*persona*) garrotter; **agarrotarse** *vpr* (*MED*) avoir des crampes; (*motor*) se gripper.

agasajar [aɤasa'xar] *vt* accueillir chaleureusement.

agave [a'ɤaβe] (*AM*) *nf (a veces nm)* agave *m*.

agazapar [aɤaθa'par] *vt* saisir; **agazaparse** *vpr* (*persona, animal*) se tapir.

agencia [a'xenθja] *nf* agence *f*; **agencia de créditos/inmobiliaria** établissement *m* de crédit/agence immobilière; **agencia matrimonial/de publicidad/de viajes** agence matrimoniale/de publicité/de voyages.

agenciar [axen'θjar] *vt* procurer; **agenciarse** *vpr* se procurer; **agenciárselas para hacer algo** se débrouiller pour faire qch.

agenda [a'xenda] *nf* agenda *m*; (*orden del día*) ordre *m* du jour.

agente [a'xente] *nm* agent *m*; **agente acreditado/de bolsa/de negocios/de seguros** agent accrédité/de change/d'affaires/d'assurances; **agente femenino** auxiliaire *f* de police; **agente (de policía)** agent (de police).

ágil ['axil] *adj* agile.

agilidad [axili'ðað] *nf* agilité *f*.

agilizar [axili'θar] *vt* activer.

agitación [axita'θjon] *nf* agitation *f*.

agitado, -a [axi'taðo, a] *adj* (*día, viaje, vida*) agité(e).

agitar [axi'tar] *vt* agiter; (*fig*) troubler, inquiéter; **agitarse** *vpr* s'agiter; (*inquietarse*) se troubler, s'inquiéter.

aglomeración [aɤlomera'θjon] *nf*: ~ **de gente** rassemblement *m*; ~ **de tráfico** embouteillage *m*.

agnóstico, -a [aɤ'nostiko, a] *adj, nm/f* agnostique *m/f*.

agobiante [aɤo'βjante] *adj* étouffant(e).

agobiar [aɤo'βjar] *vt* (*suj: trabajo*) accabler; (*: calor*) accabler, étouffer; **agobiarse** *vpr*: **~se por** *o* **con** crouler sous; **sentirse agobiado por** être accablé(e) de *o* par.

agobio [a'ɤoβjo] *nm* accablement *m*.

agolparse [aɤol'parse] *vpr* (*acontecimientos*) se précipiter; (*problemas*) affluer; (*personas*) se presser, se bousculer.

agonía [aɤo'nia] *nf* agonie *f*.

agonizante [aɤoni'θante] *adj* agonisant(e).

agonizar [aɤoni'θar] *vi* agoniser, être à l'agonie.

agosto [a'ɤosto] *nm* août *m*; **hacer el** *o* **su** ~ faire son beurre; *V tb* **julio**.

agotado, -a [aɤo'taðo, a] *adj* épuisé(e); (*pila*) à plat.

agotar [aɤo'tar] *vt* épuiser; **agotarse** *vpr* s'épuiser; (*libro*) être épuisé(e).

agraciado, -a [aɤra'θjaðo, a] *adj* qui a du charme ♦ *nm/f* (*en sorteo, lotería*) gagnant(e); **el número** ~ (*en sorteo*) le numéro gagnant.

agradable [aɤra'ðaβle] *adj* agréable.

agradar [aɤra'ðar] *vi* plaire; **esto no me agrada** cela ne me plaît pas; **le agrada estar en su compañía** votre compagnie lui est agréable.

agradecer [aɤraðe'θer] *vt* remercier; **¡se agradece!** mille fois merci!; **le ~ía me enviara ...** je vous serais reconnaissant de m'envoyer ...; **te agradezco que hayas venido** je te remercie d'être venu.

agradecido, -a [aɤraðe'θiðo, a] *adj*: ~ **(por/a)** reconnaissant(e) (de/envers); **¡muy ~!** merci beaucoup!, merci bien!

agradecimiento [aɤraðeθi'mjento] *nm* remerciement *m*.

agrado [a'ɤraðo] *nm* agrément *m*, plaisir *m*; (*amabilidad*) amabilité *f*; **ser de tu** *etc* ~ être à ton *etc* goût.

agrandar [aɤran'dar] *vt* agrandir; (*exagerar*) amplifier, grossir; **agrandarse** *vpr* s'agrandir.

agrario, -a [a'ɤrarjo, a] *adj* agraire.

agravar [aɤra'βar] *vt* aggraver; **agravarse** *vpr* s'aggraver.

agraviar [aɤra'βjar] *vt* offenser; (*perjudicar*) faire du tort à; **agraviarse** *vpr* s'offenser.

agravio [a'ɤraβjo] *nm* offense *f*; (*JUR*) appel *m*.

agredir [aɤre'ðir] *vt* agresser; (*verbalmente*) injurier.

agregado [aɤre'ɤaðo] *nm* agrégat *m*; (*profesor*) maître *m* de conférences (*à l'université*), professeur certifié(e) (*dans l'enseignement secondaire*); **agregado comercial/cultural/diplomático/militar** attaché commercial/culturel/diplomatique/militaire.

agregar [aɤre'ɤar] *vt*: ~ **(a)** ajouter (à); (*unir*) associer (à); **agregarse** *vpr*: **~se a** se joindre à.

agresión [aɤre'sjon] *nf* agression *f*.

agresivo, -a [aɤre'siβo, a] *adj* agressif(-ive).

agreste [a'ɤreste] *adj* champêtre.

agriar [a'ɤrjar] *vt* aigrir; (*leche*) faire tourner; **agriarse** *vpr* s'aigrir; (*leche*) tourner.

agrícola [a'ɤrikola] *adj* agricole.

agricultor, a [aɤrikul'tor, a] *nm/f* agriculteur(-trice).

agricultura [aɤrikul'tura] *nf* agriculture *f*.

agridulce [aɤri'ðulθe] *adj* aigre-doux(douce).

agrietarse [aɤrje'tarse] *vpr* se crevasser; (*piel*) se gercer.

agringado, -a [aɤrin'gaðo, a] (*AM*) *adj* américanisé(e).

agrio, -a ['aɤrjo, a] *adj* aigre; (*carácter*) aigri(e), revêche; **~s** *nmpl* agrumes *mpl*.

agrónomo, -a [a'ɤronomo, a] *adj* agronomique ♦ *nm/f* agronome *m/f*.

agropecuario, -a [aɤrope'kwarjo, a] *adj* agricole et de pêche.

agrupación [aɤrupa'θjon] *nf* groupement *m*, regroupement *m*.

agrupar [aɤru'par] *vt* (*personas*) grouper; (*libros, datos*) regrouper; (*INFORM*) grouper, regrouper; **agruparse** *vpr* se regrouper.

agua ['aɤwa] *nf* eau *f*; (*lluvia*) pluie *f*, eau de pluie; **~s** *nfpl* (*de joya*) eau *fsg*; (*mar*) eau *fsg*, eaux *fpl*; **a dos ~s** (*tejado*) à deux pentes; **hacer ~** (*embarcación*) faire eau; **se me hace la boca agua** ça me met l'eau à la bouche; **~s abajo** en aval; **~s arriba** en amont; **nunca digas, "de esta ~ no beberé"** il ne faut pas dire, "Fontaine, je ne boirai pas de ton eau"; **estar con el ~ al cuello** avoir la corde au cou; **estar como pez en el ~** être comme un poisson dans l'eau; **quedar algo en ~ de borrajas** s'en aller en eau de boudin; **romper ~s** (*MED*) perdre les eaux; **tomar las ~s** prendre les eaux; **venir como ~ de mayo** tomber à pic, arriver comme mars en carême; **agua caliente / corriente** eau chaude / courante; **agua de colonia** eau de Cologne; **agua mineral (con/sin gas)** eau minérale (gazeuse/non gazeuse); **aguas jurisdiccionales** eaux territoriales; **aguas residuales** eaux résiduaires; **aguas termales** eaux thermales; **aguas mayores** (*MED*) selles *fpl*; **aguas menores** (*MED*) urine *fsg*.

aguacate [aɤwa'kate] *nm* avocat *m*; (*árbol*) avocatier *m*.

aguacero [aɤwa'θero] *nm* averse *f*.

aguado, -a [a'ɤwaðo, a] *adj* (*leche, vino*) baptisé(e).

aguafiestas [aɤwa'fjestas] *nm/f inv* trouble-fête *m/f inv*, rabat-joie *m/f inv*.

aguafuerte [aɤwa'fwerte] *nf* eau-forte *f*.

aguamiel [aɤwa'mjel] (*CAM, MÉX*) *nm* (*bebida*) eau *f* sucrée.

aguanieve [aɤwa'njeβe] *nf* neige *f* fondue.

aguantar [aɤwan'tar] *vt* supporter, endurer; (*risa, ganas*) réprimer ♦ *vi* (*ropa*) résister; **aguantarse** *vpr* (*persona*) se dominer; **no sé cómo aguanta** je ne sais pas comment il tient le coup.

aguante [a'ɤwante] *nm* (*paciencia*) patience *f*; (*resistencia*) résistance *f*.

aguar [a'ɤwar] *vt* (*leche, vino*) baptiser, couper; **~ la fiesta a algn** gâcher son plaisir à qn.

aguardar [aɤwar'ðar] *vt* attendre ♦ *vi*: **~ (a que)** attendre (que).

aguardiente [aɤwar'ðjente] *nm* eau-de-vie *f*.

aguarrás [aɤwa'rras] *nm* essence *f* de térébenthine.

agudizar [aɤuði'θar] *vt* aiguiser; (*crisis*) intensifier; **agudizarse** *vpr* s'aiguiser; (*crisis*) s'intensifier.

agudo, -a [a'ɤuðo, a] *adj* (*afilado*) tranchant(e), coupant(e); (*vista*) perçant(e); (*oído, olfato*) fin(e); (*sonido, dolor*) aigu(ë); (*ingenioso*) subtil(e).

agüero [a'ɤwero] *nm*: **ser de buen/mal ~** être de bon/mauvais augure; **pájaro de mal ~** oiseau *m* de mauvais augure.

aguijón [aɤi'xon] *nm* (*de insecto*) dard *m*; (*fig: estímulo*) aiguillon *m*.

aguijonear [aɤixone'ar] *vt* aiguillonner; (*persona*) aiguillonner, piquer.

águila ['aɤila] *nf* aigle *m*; **ser un ~** (*fig*) être un as.

aguileño, -a [aɤi'leɲo, a] *adj* (*nariz*) aquilin(e); (*rostro*) allongé(e), long (longue).

aguinaldo [aɤi'naldo] *nm* étrennes *fpl*.

aguja [a'ɤuxa] *nf* aiguille *f*; (*para hacer punto*) aiguille à tricoter; (*para hacer ganchillo*) crochet *m*; (*ARQ*) aiguille, flèche *f*; (*TEC*) percuteur *m*; (*INFORM*) tête *f*; **~s** *nfpl* (*FERRO*) aiguillage *m*; **carne de ~** côtes *fpl*; **buscar una ~ en un pajar** chercher une aiguille dans une botte de foin; **aguja de tejer** (*AM*) aiguille à tricoter.

agujerear [aɤuxere'ar] *vt* (*perforar: ropa, cristal, madera*) trouer.

agujero [aɤu'xero] *nm* trou *m*.

agujetas [aɤu'xetas] *nfpl* courbatures *fpl*.

aguzar [aɤu'θar] *vt* (*herramientas*) aiguiser, affiler; (*ingenio, entendimiento*) aiguillonner, stimuler; **~ el oído/la vista** aiguiser l'ouïe/la vue.

ahí [a'i] *adv* (*lugar*) là; **de ~ que** donc, d'où il s'ensuit que; **~ está el problema** tout le problème est là; **~ llega** le voilà; **por ~** par là; (*lugar indeterminado*) là-bas; **¡hasta**

~ **hemos llegado!** dire qu'on en est arrivé là!; ¡~ **va!** le voilà!; ~ **donde le ve** tel que vous le voyez; ¡~ **es nada!** incroyable!; **200 o por ~** environ 200.

ahijado, -a [ai'xaðo, a] *nm/f* filleul(e).

ahínco [a'inko] *nm*: **con ~** avec acharnement.

ahogado, -a [ao'ɣaðo, a] *adj* (*en agua*) noyé(e); (*de trabajo*) débordé(e); (*grito*) étouffé(e); (*recinto*) renfermé(e) ♦ *nm/f* noyé(e).

ahogar [ao'ɣar] *vt* étouffer; (*en el agua*) noyer; (*grito, sollozo*) contenir, étouffer; (*fig: angustiar*) angoisser; **ahogarse** *vpr* (*en el agua*) se noyer; (*por asfixia*) s'asphyxier.

ahogo [a'oɣo] *nm* oppression *f*, étouffement *m*; (*angustia*) angoisse *f*, oppression; **ahogos económicos** difficultés *fpl* financières.

ahondar [aon'dar] *vt* creuser ♦ *vi*: **~ en** (*problema*) approfondir, creuser.

ahora [a'ora] *adv* maintenant; (*hace poco*) tout à l'heure; **~ bien** *o* **que** cependant, remarquez (que); **~ mismo** à l'instant (même); **~ voy** j'arrive; **¡hasta ~!** à tout de suite!, à bientôt!; **por ~** pour le moment; **de ~ en adelante** désormais, dorénavant.

ahorcado, -a [aor'kaðo, a] *nm/f* pendu(e).

ahorcar [aor'kar] *vt* pendre; **ahorcarse** *vpr* se pendre.

ahorita [ao'rita] (*esp AM: fam*) *adv* tout de suite.

ahorrar [ao'rrar] *vt* économiser, épargner; **ahorrarse** *vpr*: **~se molestias** s'éviter des ennuis; **~ a algn algo** épargner qch à qn; **no ~ esfuerzos/sacrificios** ne pas ménager ses efforts/être avare de sacrifices.

ahorrativo, -a [aorra'tiβo, a] *adj* économe; (*pey*) pingre.

ahorro [a'orro] *nm* économie *f*, épargne *f*; **~s** *nmpl* économies *fpl*.

ahuecar [awe'kar] *vt* (*madera, tronco*) évider; (*voz*) enfler ♦ *vi*: **¡ahueca!** (*fam*) fous le camp!; **ahuecarse** *vpr* (*fig*) être bouffi(e) d'orgueil.

ahumado, -a [au'maðo, a] *adj* fumé(e).

ahumar [au'mar] *vt* fumer; (*llenar de humo*) enfumer; **ahumarse** *vpr* (*habitación*) se remplir de fumée; (*comida*) prendre un goût de fumé.

ahuyentar [aujen'tar] *vt* (*ladrón, fiera*) mettre en fuite; (*fig*) chasser.

aindiado, -a [ain'djaðo, a] (*AM*) *adj* (*FISIOL*) de type indien.

airado, -a [ai'raðo, a] *adj* furieux(-euse).

aire ['aire] *nm* air *m*; **~s** *nmpl*: **darse ~s** se donner des airs; **al ~ libre** en plein air; **cambiar de ~s** changer d'air; **dejar en el ~** laisser sans réponse; **tener ~ de** avoir l'air de; **estar en el ~** (*RADIO*) être sur les ondes; (*fig*) être en suspens; **tener un ~ con** *o* **darse un ~ a** ressembler à; **tomar el ~** prendre l'air; **aire acondicionado** air conditionné; **aire popular** (*MÚS*) air populaire.

airear [aire'ar] *vt* aérer; (*asunto, secreto*) éventer; **airearse** *vpr* prendre l'air.

airoso, -a [ai'roso, a] *adj*: **salir ~ de algo** bien s'en tirer.

aislado, -a [ais'laðo, a] *adj* isolé(e).

aislar [ais'lar] *vt* isoler; **aislarse** *vpr*: **~se (de)** s'isoler (de).

ajardinado, -a [axarði'naðo, a] *adj* aménagé(e).

ajedrez [axe'ðreθ] *nm* échecs *mpl*.

ajeno, -a [a'xeno, a] *adj* d'autrui; **ser ~ a** (*impropio de*) contraire à; **estar ~ a algo** être étranger à qch; **por razones ajenas a nuestra voluntad** pour des raisons indépendantes de notre volonté.

ajetreado, -a [axetre'aðo, a] *adj* (*día*) mouvementé(e).

ajetreo [axe'treo] *nm* agitation *f*.

ají [a'xi] (*AM*) *nm* piment *m* rouge; (*salsa*) sauce *f* au piment.

ajo ['axo] *nm* ail *m*; **estar en el ~** (*fam*) être dans le coup; **ajo blanco** sauce *f* à l'ail.

ajuar [a'xwar] *nm* (*de casa*) mobilier *m*; (*de novia*) trousseau *m*.

ajustado, -a [axus'taðo, a] *adj* (*ropa*) ajusté(e); (*precio*) raisonnable; (*resultado*) serré(e); (*cálculo*) exact(e).

ajustar [axus'tar] *vt* ajuster; (*reloj, cuenta*) régler; (*concertar*) convenir de; (*TEC*) ajuster, régler; (*IMPRENTA*) mettre en pages; (*diferencias*) aplanir ♦ *vi* (*ventana, puerta*) cadrer; **ajustarse** *vpr*: **~se a** se conformer à; **~ algo a algo** ajuster qch à qch; (*fig*) adapter qch à qch; **~ cuentas con algn** régler ses comptes avec qn.

ajuste [a'xuste] *nm* (*de reloj*) réglage *m*; (*FIN*) fixation *f* (des prix); (*acuerdo*) accord *m*; (*INFORM*) correction *f*; **ajuste de cuentas** (*fig*) règlement *m* de comptes.

al [al] (*= a + el*) *V* **a**.

ala ['ala] *nf* aile *f*; (*de sombrero*) bord *m* ♦ *nm/f* (*baloncestista*) ailier *m*; **cortar las ~s a algn** mettre des bâtons dans les roues à qn; **dar ~s a algn** donner à qn l'occasion d'être insolent.

alabanza [ala'βanθa] *nf* éloge *m*, louange *f*.

alabar [ala'βar] *vt* (*persona*) louer, faire

l'éloge de; (*obra etc*) louer, vanter.
alacena [ala'θena] *nf* garde-manger *m inv.*
alacrán [ala'kran] *nm* scorpion *m.*
alado, -a [a'laðo, a] *adj* ailé(e).
alambique [alam'bike] *nm* alambic *m.*
alambrada [alam'braða] *nf,* **alambrado** [alam'braðo] *nm* grillage *m.*
alambre [a'lambre] *nm* fil *m* de fer; ~ **de púas** fil de fer barbelé.
alameda [ala'meða] *nf* peupleraie *f;* (*lugar de paseo*) promenade *f* (*bordée d'arbres*).
álamo ['alamo] *nm* peuplier *m;* **álamo temblón** tremble *m.*
alarde [a'larðe] *nm:* **hacer ~ de** se vanter de, faire étalage de.
alardear [alarðe'ar] *vi:* ~ **de** faire étalage de.
alargador [alarɣa'ðor] *nm* (*ELEC*) rallonge *f.*
alargar [alar'ɣar] *vt* rallonger; (*estancia, vacaciones*) prolonger; (*brazo*) allonger, tendre; (*paso*) presser; **alargarse** *vpr* (*días*) rallonger; (*discurso, reunión*) se prolonger; ~ **algo a algn** tendre qch à qn; **~se a** *o* **hasta** (*persona*) aller jusqu'à; **~se en** (*explicación*) se perdre en.
alarido [ala'riðo] *nm* hurlement *m.*
alarma [a'larma] *nf* (*señal de peligro*) alarme *f,* alerte *f;* **voz de ~** ton *m* alarmé; **dar/sonar la ~** donner/sonner l'alarme; **alarma de incendios** avertisseur *m* d'incendie.
alarmar [alar'mar] *vt* alarmer; **alarmarse** *vpr* s'alarmer.
alba ['alβa] *nf* aube *f.*
albacea [alβa'θea] *nm/f* exécuteur *m* testamentaire.
albahaca [al'βaka] *nf* basilic *m.*
Albania [al'βanja] *nf* Albanie *f.*
albañil [alβa'ɲil] *nm* maçon *m.*
albarán [alβa'ran] *nm* bordereau *m.*
albaricoque [alβari'koke] *nm* abricot *m.*
albedrío [alβe'ðrio] *nm:* **libre ~** libre arbitre *m.*
alberca [al'βerka] *nf* réservoir *m* d'eau; (*AM*) piscine *f.*
albergar [alβer'ɣar] *vt* héberger; (*esperanza*) nourrir; **albergarse** *vpr* s'abriter; (*alojarse*) se faire héberger.
albergue [al'βerɣe] *vb V* **albergar** ♦ *nm* abri *m;* **albergue juvenil** *o* **de juventud** auberge *f* de jeunesse.
albóndigas [al'βondiɣas] *nfpl* boulettes *fpl* de viande.
albornoz [alβor'noθ] *nm* (*para el baño*) sortie *f* de bain; (*de los árabes*) burnous *msg.*
alborotar [alβoro'tar] *vt* agiter; (*amotinar*) ameuter ♦ *vi* faire du tapage; **alborotarse** *vpr* s'agiter.
alboroto [alβo'roto] *nm* tapage *m.*
alborozar [alβoro'θar] *vt* réjouir; **alborozarse** *vpr* se réjouir.
alborozo [alβo'roθo] *nm* réjouissance *f.*
álbum ['alβum] (*pl* **~s** *o* **~es**) *nm* album *m;* **álbum de recortes** recueil *m* de coupures de journaux.
alcachofa [alka'tʃofa] *nf* artichaut *m;* **alcachofa de ducha/de regadera** pomme *f* de douche/d'arrosoir.
alcahueta [alka'weta] *nf* entremetteuse *f.*
alcalde, -esa [al'kalde, alkal'desa] *nm/f* maire *m.*
alcance [al'kanθe] *vb V* **alcanzar** ♦ *nm* portée *f;* (*COM*) solde *m* débiteur; **al ~ de la mano** à portée de main; **estar a mi** *etc***/fuera de mi** *etc* **~** être/ne pas être à ma *etc* portée; **de gran ~** (*MIL*) longue portée; (*fig*) de grande importance.
alcantarilla [alkanta'riʎa] *nf* (*subterránea*) égout *m;* (*en la calle*) caniveau *m.*
alcanzar [alkan'θar] *vt* atteindre; (*persona*) rattraper; (*autobús*) attraper; (*AM: entregar*) passer ♦ *vi* être suffisant(e); (*para todos*) suffire; ~ **a hacer** arriver à faire.
alcaparra [alka'parra] *nf* câpre *f.*
alcatraz [alka'traθ] *nm* pélican *m* (d'Amérique).
alcaucil [alkau'θil] (*CSUR*) *nm* (*alcachofa*) artichaut *m.*
alcayata [alka'jata] *nf* (*clavo*) piton *m.*
alcázar [al'kaθar] *nm* citadelle *f;* (*NÁUT*) dunette *f.*
alcista [al'θista] *adj* (*COM, ECON*): **mercado ~** marché *m* à la hausse ♦ *nm/f* haussier *m;* **la tendencia ~** la tendance à la hausse.
alcoba [al'koβa] *nf* alcôve *f.*
alcohol [al'kol] *nm* alcool *m;* (*tb:* **~ metílico**) alcool à brûler; **no bebe ~** il ne prend pas d'alcool.
alcoholemia [alkoo'lemia] *nf:* **el test de la ~** le test d'alcoolémie.
alcohólico, -a [al'koliko, a] *adj, nm/f* alcoolique *m/f;* **~s anónimos** ligue *fsg* des alcooliques anonymes.
alcoholímetro [alko'limetro] *nm* alcoomètre *m.*
alcoholismo [alko'lismo] *nm* alcoolisme *m.*
alcoholizarse [alkoli'θarse] *vpr* s'alcooliser.
alcornoque [alkor'noke] *nm* chêne-liège *m;* (*fam*) andouille *f.*
alcurnia [al'kurnja] *nf* noble lignée *f.*

aldaba [al'daβa] *nf* heurtoir *m*.
aldea [al'dea] *nf* hameau *m*.
aldeano, -a [alde'ano, a] *adj, nm/f* villageois(e).
aleación [alea'θjon] *nf* alliage *m*.
aleatorio, -a [alea'torjo, a] *adj* aléatoire; **acceso** ~ (*INFORM*) accès *msg* aléatoire.
aleccionar [alekθjo'nar] *vt* instruire; (*regañar*) faire la leçon à.
aledaños [ale'ðaɲos] *nmpl* alentours *mpl*.
alegación [aleɣa'θjon] *nf* allégation *f*.
alegar [ale'ɣar] *vt* alléguer ♦ *vi* (*AM*) discuter; ~ **que ...** alléguer que ... .
alegato [ale'ɣato] *nm* plaidoyer *m*; (*AM*) discussion *f*.
alegoría [aleɣo'ria] *nf* allégorie *f*.
alegrar [ale'ɣrar] *vt* réjouir; (*casa*) égayer; (*fiesta*) animer; (*fuego*) attiser; **alegrarse** *vpr* (*fam*) se griser; **~se de** être heureux(-euse) de.
alegre [a'leɣre] *adj* gai(e), joyeux(-euse); (*fam: con vino*) éméché(e).
alegría [ale'ɣria] *nf* joie *f*, gaîté *f*; **alegría vital** joie de vivre.
alejamiento [alexa'mjento] *nm* éloignement *m*.
alejar [ale'xar] *vt* éloigner; (*ideas*) repousser; **alejarse** *vpr* s'éloigner.
aleluya [ale'luja] *nm* alléluia *m*; ¡~! alléluia!
alemán, -ana [ale'man, ana] *adj* allemand(e) ♦ *nm/f* Allemand(e) ♦ *nm* (*LING*) allemand *m*.
Alemania [ale'manja] *nf* Allemagne *f*; **Alemania Occidental/Oriental** (*HIST*) Allemagne de l'Ouest/de l'Est.
alentador, a [alenta'ðor, a] *adj* encourageant(e).
alentar [alen'tar] *vt* encourager.
alergia [a'lerxja] *nf* allergie *f*.
alerta [a'lerta] *adj inv* vigilant(e) ♦ *nf* alerte *f* ♦ *adv*: **estar** *o* **mantenerse** ~ être sur ses gardes.
aleta [a'leta] *nf* (*pez*) nageoire *f*; (*foca*) aileron *m*; (*nariz*) aile *f*; (*DEPORTE*) palme *f*; (*AUTO*) garde-boue *m inv*.
aletargar [aletar'ɣar] *vt* endormir; **aletargarse** *vpr* s'assoupir.
aletear [alete'ar] *vi* (*ave*) battre des ailes; (*pez*) battre des nageoires; (*individuo*) agiter les bras.
alevín [ale'βin] *nm* alevin *m*.
alevosía [aleβo'sia] *nf*: **con** ~ traîtreusement.
alfabeto [alfa'βeto] *nm* alphabet *m*.
alfalfa [al'falfa] *nf* luzerne *f*.
alfarería [alfare'ria] *nf* poterie *f*; (*tienda*) magasin *m* de poterie.
alfarero, -a [alfa'rero, a] *nm/f* potier *m*.
alféizar [al'feiθar] *nm* embrasure *f*.
alférez [al'fereθ] *nm* (*MIL*) sergent *m*.
alfil [al'fil] *nm* (*AJEDREZ*) fou *m*.
alfiler [alfi'ler] *nm* épingle *f*; (*broche*) broche *f*; **prendido con ~es** précaire; **alfiler de corbata** épingle de cravate; **alfiler de gancho** (*AM: imperdible grande*) (grande) épingle de nourrice.
alfombra [al'fombra] *nf* tapis *msg*.
alfombrar [alfom'brar] *vt* recouvrir d'un tapis.
alfombrilla [alfom'briʎa] *nf* carpette *f*.
alforja [al'forxa] *nf* sacoche *f*.
algarabía [alɣara'βia] (*fam*) *nf* brouhaha *m*.
algas ['alɣas] *nfpl* algues *fpl*.
álgebra ['alxeβra] *nf* algèbre *f*.
álgido, -a ['alxiðo, a] *adj* crucial(e).
algo ['alɣo] *pron* quelque chose; (*una cantidad pequeña*) un peu ♦ *adv* un peu, assez; ~ **así (como)** quelque chose comme; ~ **es** ~ c'est toujours quelque chose; ¿~ **más?** c'est tout?; (*en tienda*) et avec ceci?; **por** ~ **será** il y a bien une raison; **es** ~ **difícil** c'est un peu difficile.
algodón [alɣo'ðon] *nm* coton *m*; **algodón de azúcar** barbe *f* à papa; **algodón hidrófilo** coton hydrophile.
algodonero, -a [alɣoðo'nero, a] *adj* cotonnier(-ière) ♦ *nm* (*BOT*) cotonnier *m*.
alguacil [alɣwa'θil] *nm* (*de juzgado*) huissier *m*; (*de ayuntamiento*) employé *m* municipal; (*TAUR*) officiel *m* à cheval.
alguien ['alɣjen] *pron* quelqu'un.
alguno, -a [al'ɣuno, a] *adj* (*delante de nm*: **algún**) quelque, un(une); (*después de n*): **no tiene talento** ~ il n'a aucun talent ♦ *pron* quelqu'un; ~ **de ellos** l'un d'eux; **algún que otro libro** quelques livres; **algún día iré** j'irai un jour; **sin interés** ~ sans aucun intérêt; ~ **que otro** quelque; **~s piensan** certains pensent.
alhaja [a'laxa] *nf* joyau *m*; (*persona*) perle *f*; (*niño*) bijou *m*.
alhelí [ale'li] *nm* giroflée *f*.
aliado, -a [a'ljaðo, a] *adj, nm/f* allié(e) ♦ *nm* (*CHI: CULIN*) sandwich *m* mixte; (*bebida*) mélange *m*.
alianza [a'ljanθa] *nf* alliance *f*.
aliarse [alj'arse] *vpr*: ~ **(con/a)** s'allier (à).
alias ['aljas] *adv* alias.
alicaído, -a [alika'iðo, a] *adj* abattu(e).
alicatar [alika'tar] *vt* carreler.
alicates [ali'kates] *nmpl* pince *fsg*; **alicates de uñas** coupe-ongles *m inv*.
aliciente [ali'θjente] *nm* stimulant *m*; (*atractivo*) attrait *m*, charme *m*.

alienación [aljena'θjon] *nf* aliénation *f*.
aliento [a'ljento] *vb V* **alentar** ♦ *nm* haleine *f*; (*fig*) courage *m*; **sin ~** hors d'haleine.
aligerar [alixe'rar] *vt* alléger; (*dolor*) soulager; **aligerarse** *vpr*: **~se de** (*ropa*) enlever; (*prejuicios*) se débarrasser de; **~ el paso** presser le pas.
alijo [a'lixo] *nm* saisie *f*.
alimaña [ali'maɲa] *nf* animal *m* nuisible.
alimentación [alimenta'θjon] *nf* alimentation *f*; **tienda de ~** magasin *m* d'alimentation; **alimentación continua** alimentation en continu.
alimentar [alimen'tar] *vt* nourrir, alimenter; (*suj*: *alimento*) nourrir; **alimentarse** *vpr*: **~se de** *o* **con** s'alimenter de.
alimenticio, -a [alimen'tiθjo, a] *adj* (*sustancia*) alimentaire; (*nutritivo*) nourrissant(e).
alimento [ali'mento] *nm* aliment *m*; **~s** *nmpl* (*JUR*) aliments *mpl*.
alimón [ali'mon] *adv*: **al ~** à deux.
alineación [alinea'θjon] *nf* alignement *m*; (*DEPORTE*) formation *f*.
alinear [aline'ar] *vt* aligner; (*DEPORTE*) faire jouer; **alinearse** *vpr* s'aligner; (*DEPORTE*) rentrer.
aliñar [ali'ɲar] *vt* assaisonner.
aliño [a'liɲo] *nm* assaisonnement *m*.
alisar [ali'sar] *vt* lisser; (*madera*) polir.
alistamiento [alista'mjento] *nm* (*MIL*) enrôlement *m*, recrutement *m*.
alistar [ali'star] *vt* inscrire (sur une liste); (*MIL*) enrôler, recruter; **alistarse** *vpr* s'inscrire; (*MIL*) s'enrôler; (*AM*: *prepararse*) se préparer.
aliviar [ali'βjar] *vt* (*carga*) alléger; (*persona*) soulager.
alivio [a'liβjo] *nm* soulagement *m*.
allá [a'ʎa] *adv* là-bas; (*por ahí*) par là; **~ abajo/arriba** tout en bas/en haut; **hacia ~** par là-bas; **más ~** plus loin; **más ~ de** au-delà de; **~ por** vers; **¡~ tú!** tant pis pour toi!; **el más ~** l'au-delà *m*.
allanamiento [aʎana'mjento] *nm*: **~ de morada** violation *f* de domicile.
allanar [aʎa'nar] *vt* aplanir; (*muro*) raser; (*obstáculos*) surmonter; (*entrar a la fuerza en*) forcer; (*JUR*) rentrer par effraction; **allanarse** *vpr*: **~se a** se soumettre à.
allegado, -a [aʎe'ɣaðo, a] *adj* partisan(e) ♦ *nm/f* proche parent(e).
allí [a'ʎi] *adv* (*lugar*) là; **~ mismo** là précisément; **por ~** par là.
alma ['alma] *nf* (*tb TEC*) âme *f*; (*de negocio*) nœud *m*; (*de fiesta*) clou *m*; (*de reunión*) objet *m* principal; **se le cayó el ~ a los pies** les bras lui en sont tombés; **entregar el ~** rendre l'âme; **estar con el ~ en la boca** être à l'agonie; **tener el ~ en un hilo** être mort(e) d'inquiétude; **estar como ~ en pena** être comme une âme en peine; **ir como ~ que lleva el diablo** courir comme un(e) dératé(e); **lo agradezco/lo siento en el ~** je vous remercie/je le regrette infiniment; **no puedo con mi ~** je n'en peux plus (de fatigue); **con toda el ~** du fond du cœur.
almacén [alma'θen] *nm* magasin *m*; (*al por mayor*) magasin de gros; (*AM*) épicerie *f*; **(grandes) almacenes** grands magasins *mpl*; **almacén depositario** (*COM*) dépôt *m*.
almacenamiento [almaθena'mjento] *nm* emmagasinage *m*, stockage *m*; (*INFORM*) mise *f* en mémoire; **almacenamiento temporal en disco** traitement *m* différé.
almacenar [almaθe'nar] *vt* emmagasiner, stocker; (*INFORM*) mémoriser.
almacenero, -a [almaθe'nero, a] (*AM*) *nm* épicier(-ière).
almanaque [alma'nake] *nm* almanach *m*.
almeja [al'mexa] *nf* (*ZOOL*) clovisse *f*; (*CULIN*) palourde *f*.
almenas [al'menas] *nfpl* créneaux *mpl*.
almendra [al'mendra] *nf* amande *f*; **almendras garrapiñadas** pralines *fpl*.
almendro [al'mendro] *nm* amandier *m*.
almíbar [al'miβar] *nm* sirop *m*; **en ~** au sirop.
almibarado, -a [almiβa'raðo, a] *adj* (*persona*) mielleux(-euse).
almidón [almi'ðon] *nm* amidon *m*.
almidonar [almiðo'nar] *vt* (*tela, prenda*) amidonner, empeser.
almirante [almi'rante] *nm* amiral *m*.
almirez [almi'reθ] *nm* mortier *m*.
almizcle [al'miθkle] *nm* musc *m*.
almohada [almo'aða] *nf* oreiller *m*; (*funda*) taie *f* d'oreiller; **lo consultaré** *etc* **con la ~** la nuit porte conseil.
almohadilla [almoa'ðiʎa] *nf* (*para sentarse*) coussinet *m*; (*para planchar*) pattemouille *f*; (*para sellar*) tampon *m* encreur; (*en los arreos*) tapis *msg* de selle; (*AM*) pelote *f* à épingles.
almohadillado, -a [almoaði'ʎaðo, a] *adj* rembourré(e).
almohadón [almoa'ðon] *nm* coussin *m*; (*funda de almohada*) taie *f* d'oreiller.
almorranas [almo'rranas] *nfpl* hémorroïdes *fpl*.
almorzar [almor'θar] *vt*: **~ una tortilla** déjeuner d'une omelette ♦ *vi* déjeuner.
almuerzo [al'mwerθo] *vb V* **almorzar** ♦ *nm* déjeuner *m*.
aló [a'lo] (*AM*) *excl* (*TELEC*) allô!

alocado, -a [alo'kaðo, a] *adj* écervelé(e); (*acción*) irréfléchi(e).

alojamiento [aloxa'mjento] *nm* logement *m*; (*de visitante*) hébergement *m*.

alojar [alo'xar] *vt* loger; **alojarse** *vpr*: **~se en** (*persona*) loger à; (*bala, proyectil*) se loger dans.

alondra [a'londra] *nf* alouette *f*.

alpaca [al'paka] *nf* maillechort *m*; (*ZOOL*) alpaga *m*.

alpargata [alpar'ɣata] *nf* espadrille *f*.

Alpes ['alpes] *nmpl*: **los ~** les Alpes *fpl*.

alpinismo [alpi'nismo] *nm* alpinisme *m*.

alpinista [alpi'nista] *nm/f* alpiniste *m/f*.

alpino, -a [al'pino, a] *adj* alpin(e).

alpiste [al'piste] *nm* alpiste *m*; (*AM: fam: dinero*) fric *m*.

alquilar [alki'lar] *vt* louer; **"se alquila casa"** "maison à louer".

alquiler [alki'ler] *nm* location *f*; (*precio*) loyer *m*; **de ~** à louer; **alquiler de coches/automóviles** location de voitures.

alquimia [al'kimja] *nf* alchimie *f*.

alquitrán [alki'tran] *nm* goudron *m*.

alrededor [alreðe'ðor] *adv* autour; **~es** *nmpl* environs *mpl*; **~ de** autour de; (*aproximadamente*) environ; **a su ~** autour de lui; **mirar a su ~** regarder autour de soi.

alta ['alta] *nf*: **dar a algn de ~** (*MED*) déclarer qn guéri; (*en empleo*) autoriser qn à reprendre son travail (*après un congé de maladie*); **darse de ~** (*MED*) se déclarer guéri(e); (*en club, asociación*) devenir membre.

altanero, -a [altanero, a] *adj* hautain(e).

altar [al'tar] *nm* autel *m*; **altar mayor** maître-autel *m*.

altavoz [alta'βoθ] *nm* haut-parleur *m*.

alteración [altera'θjon] *nf* altération *f*; (*alboroto*) altercation *f*; (*agitación*) agitation *f*; **alteración del orden público** trouble *m* de l'ordre public.

alterar [alte'rar] *vt* modifier; (*persona*) perturber; (*alimentos, medicinas*) altérer; **alterarse** *vpr* (*persona*) se troubler; (*enfadarse*) se fâcher; **~ el orden público** troubler l'ordre public.

altercado [alter'kaðo] *nm* altercation *f*.

alternar [alter'nar] *vt*: **~ algo con** *o* **y algo** alterner une chose et une autre ♦ *vi* fréquenter des gens; **alternarse** *vpr* se relayer; **~ con** fréquenter.

alternativo, -a [alterna'tiβo, a] *adj* alternatif(-ive); (*hojas, ángulo*) alterne ♦ *nf* alternative *f*; **no tener otra alternativa** ne pas avoir le choix.

alterno, -a [al'terno, a] *adj* (*días*) tous les deux; (*ELEC*) alternatif(-ive); (*BOT, MAT*) alterne.

alteza [al'teθa] *nf* altesse *f*.

altibajos [alti'βaxos] *nmpl* (*del terreno*) inégalités *fpl*; (*fig*) des hauts et des bas *mpl*.

altillo [al'tiʎo] *nm* butte *f*; (*AM: buhardilla*) combles *mpl*.

altitud [alti'tuð] *nf* altitude *f*; **a una ~ de** à une altitude de.

altivo, -a [al'tiβo, a] *adj* hautain(e), altier(-ière).

alto, -a ['alto, a] *adj* haut(e); (*persona*) grand(e); (*sonido*) aigu(ë); (*precio, ideal, clase*) élevé(e) ♦ *nm* haut *m*; (*AM*) tas *msg*; (*MÚS*) alto *m* ♦ *adv* haut; (*río*) en crue ♦ *excl* halte!; **la pared tiene 2 metros de ~** le mur fait 2 mètres de haut; **alta costura** haute couture; **alta fidelidad/frecuencia** haute fidélité/fréquence; **en alta mar** en haute mer; **alta tensión** haute tension; **en voz alta** à voix haute; **a altas horas de la noche** à une heure avancée de la nuit; **en lo ~ de** en haut de, tout en haut de; **hacer un ~** faire une halte; **pasar por ~** passer outre; **por todo lo ~** sur un grand pied; **poner la radio más ~** mettre la radio plus fort; **¡más ~, por favor!** plus fort, s'il vous plaît!; **declarar/respetar el ~ el fuego** déclarer/observer le cessez-le-feu; **dar el ~** crier "Halte-là!".

altoparlante [altopar'lante] (*AM*) *nm* haut-parleur *m*.

altruismo [al'truismo] *nm* altruisme *m*.

altura [al'tura] *nf* hauteur *f*; (*de persona*) taille *f*; (*altitud*) altitude *f*; **~s** *nfpl* hauteurs *fpl*; **la pared tiene 1.80 de ~** le mur fait 1 mètre 80 de hauteur *o* de haut; **a estas ~s del año** à cette époque de l'année; **estar a la ~ de las circunstancias** être à la hauteur des circonstances; **ha sido un partido de gran ~** cela a été un grand match; **a estas ~s** à l'heure qu'il est.

alubias [a'luβjas] *nfpl* haricots *mpl*.

alucinación [aluθina'θjon] *nf* hallucination *f*.

alucinante [aluθi'nante] (*fam*) *adj* hallucinant(e).

alucinar [aluθi'nar] *vi* avoir des hallucinations ♦ *vt* halluciner.

alud [a'luð] *nm* avalanche *f*.

aludir [alu'ðir] *vi*: **~ a** faire allusion à; **darse por aludido** se sentir visé.

alumbrado [alum'braðo] *nm* éclairage *m*.

alumbrar [alum'brar] *vt* éclairer; (*MED*) accoucher de ♦ *vi* éclairer.

aluminio [alu'minjo] *nm* aluminium *m*.

alumno, -a [a'lumno, a] *nm/f* élève *m/f*.

alusión [alu'sjon] *nf* allusion *f*.

alusivo, -a [alu'siβo, a] *adj* allusif(-ive).
aluvión [alu'βjon] *nm* (*de agua*) inondation *f*; (*de gente, noticias*) déluge *m*; ~ **de improperios** torrent *m* d'injures.
alvéolo [al'βeolo] *nm* alvéole *m o f*.
alverja [al'verxa] (*AM*) *nf* pois *msg* de senteur.
alza ['alθa] *nf* hausse *f*; **estar en** ~ (*precio*) être en hausse; (*estimación*) être bien coté(e); **jugar al** ~ jouer à la hausse; **cotizarse en** ~ être coté(e) à la hausse; **alza telescópica** hausse télescopique; **alzas fijas/graduables** hausses fixes/graduées.
alzado, -a [al'θaðo, a] *adj* relevé(e); (*COM*: *precio*) forfaitaire; (: *quiebra*) frauduleux(-euse) ♦ *nm* (*ARQ*) élévation *f*; **por un tanto** ~ à forfait.
alzamiento [alθa'mjento] *nm* (*rebelión*) soulèvement *m*; (*de precios*) relèvement *m*; (*de muro*) élévation *f*; (*en subasta*) surenchère *f*.
alzar [al'θar] *vt* (*tb castigo*) lever; (*precio, muro, monumento*) élever; (*cuello de abrigo*) relever; (*poner derecho*) redresser; (*AGR*) rentrer; (*TIP*) assembler; **alzarse** *vpr* s'élever; (*rebelarse*) se soulever; (*COM*) faire banqueroute; (*JUR*) interjeter appel; ~ **la voz** élever la voix; **~se con el premio** remporter le gros lot; **~se en armas** prendre les armes.
ama ['ama] *nf* maîtresse *f* (de maison), propriétaire *f*; (*criada*) gouvernante *f*; (*madre adoptiva*) mère *f* adoptive; **ama de casa** ménagère *f*; **ama de cría** *o* **leche** nourrice *f*; **ama de llaves** gouvernante.
amabilidad [amaβili'ðað] *nf* amabilité *f*.
amable [a'maβle] *adj* aimable; **es Vd muy** ~ c'est très aimable à vous.
amaestrar [amaes'trar] *vt* dresser.
amago [a'maɣo] *nm* menace *f*; (*gesto*) ébauche *f*, commencement *m*; (*MED*) symptôme *m*; **hizo un** ~ **de levantarse** il commença à se lever.
amainar [amai'nar] *vt* (*NÁUT*) amener ♦ *vi* tomber.
amalgama [amal'ɣama] *nf* amalgame *m*.
amalgamar [amalɣa'mar] *vt* amalgamer.
amamantar [amaman'tar] *vt* allaiter, donner le sein à.
amanecer [amane'θer] *vi*: **amanece** le jour se lève ♦ *nm* lever *m* du jour; **el niño amaneció con fiebre** l'enfant s'est réveillé avec de la fièvre; **amanecimos en Lugo** à l'aube nous sommes arrivés à Lugo.
amanerado, -a [amane'raðo, a] *adj* maniéré(e); (*lenguaje*) affecté(e).
amansar [aman'sar] *vt* apprivoiser; (*persona*) amadouer; **amansarse** *vpr* (*persona*) s'amadouer; (*aguas, olas*) s'apaiser.
amante [a'mante] *adj*: ~ **de** amoureux(-euse) de ♦ *nm/f* amant(maîtresse).
amañar [ama'ɲar] *vt* (*pey*: *resultado*) fausser; **amañarse** *vpr*: **~se (para)** se débrouiller (pour); **amañárselas (para hacer)** se débrouiller (pour faire).
amapola [ama'pola] *nf* coquelicot *m*.
amar [a'mar] *vt* aimer.
amargado, -a [amar'ɣaðo, a] *adj* amer(-ère), aigri(e).
amargar [amar'ɣar] *vt* (*comida*) rendre amer(-ère); (*fig*: *estropear*) gâcher ♦ *vi* (*naranja*) se gâter; **amargarse** *vpr* s'aigrir; ~ **la vida a algn** empoisonner la vie de qn.
amargo, -a [a'marɣo, a] *adj* amer(-ère).
amargor [amar'ɣor] *nm* amertume *f*.
amargura [amar'ɣura] *nf* (*tristeza*) chagrin *m*; (*amargor*) amertume *f*.
amarillento, -a [amari'ʎento, a] *adj* jaunâtre; (*tez*) jaune.
amarillo, -a [ama'riʎo, a] *adj* (*color*) jaune ♦ *nm* jaune *m*; **la prensa amarilla** la presse à sensation.
amarra [a'marra] *nf* amarre *f*; **~s** *nfpl* piston *msg*; **tener buenas ~s** être pistonné(e); **soltar ~s** larguer les amarres.
amarrar [ama'rrar] *vt* (*NÁUT*) amarrer; (*atar*) ficeler, ligoter.
amasar [ama'sar] *vt* (*masa*) pétrir; (*yeso, mortero*) gâcher; (*fig*) tramer; ~ **una fortuna** amasser une fortune.
amasia [a'masja] (*MÉX*) *nf* (*querida*) maîtresse *f*.
amasijo [ama'sixo] *nm* (*fig*) ramassis *msg*; (*CULIN*) pétrissage *m*.
amateur ['amatur] *nm/f* amateur *m*.
amazona [ama'θona] *nf* amazone *f*, cavalière *f*.
Amazonas [ama'θonas] *nm*: **el (Río)** ~ l'Amazone *f*.
ámbar ['ambar] *nm* ambre *m* (jaune).
ambición [ambi'θjon] *nf* ambition *f*.
ambicionar [ambiθjo'nar] *vt* ambitionner; ~ **hacer** ambitionner de faire.
ambicioso, -a [ambi'θjoso, a] *adj* ambitieux(-ieuse).
ambientación [ambjenta'θjon] *nf* (*CINE, TEATRO, TV*) cadre *m*.
ambientador [ambjenta'ðor] *nm* désodorisant *m*.
ambientar [ambjen'tar] *vt* (*escenario*) créer l'atmosphère requise pour; (*novela, película*) situer (l'action de); (*fiesta*) mettre de l'ambiance dans; **ambientarse** *vpr* s'adapter.
ambiente [am'bjente] *nm* (*atmósfera, tb fig*) atmosphère *f*; (*entorno*) air *m* am-

biant, milieu *m*.
ambigüedad [ambiɣwe'ðað] *nf* ambiguïté *f*.
ambiguo, -a [am'biɣwo, a] *adj* ambigu(ë).
ámbito ['ambito] *nm* domaine *m*; (*fig*) cercle *m*.
ambos, -as ['ambos, as] *adj pl* les deux ♦ *pron pl* tous(toutes) les deux.
ambulancia [ambu'lanθja] *nf* ambulance *f*.
ambulante [ambu'lante] *adj* ambulant(e).
ambulatorio [ambula'torio] *nm* dispensaire *m*.
amedrentar [ameðren'tar] *vt* effrayer; **amedrentarse** *vpr* s'effrayer.
amén [a'men] *excl* amen!; ~ **de** outre; **en un decir** ~ en un clin d'œil; **decir** ~ **a todo** dire amen à tout.
amenaza [ame'naθa] *nf* menace *f*.
amenazar [amena'θar] *vt* menacer; ~ **con (hacer)** menacer de (faire); ~ **de muerte** menacer de mort.
ameno, -a [a'meno, a] *adj* amène.
América [a'merika] *nf* Amérique *f*; **América Central/Latina** Amérique centrale/latine; **América del Norte/del Sur** Amérique du Nord/du Sud.
americano, -a [ameri'kano, a] *adj* américain(e) ♦ *nm/f* Américain(e).
ameritar [ameri'tar] (*esp* MÉX) *vt* (*merecer*) mériter.
ametralladora [ametraʎa'ðora] *nf* mitrailleuse *f*.
amianto [a'mjanto] *nm* amiante *m*.
amigable [ami'ɣaβle] *adj* amical(e).
amigo, -a [a'miɣo, a] *adj* ami(e) ♦ *nm/f* (*gen*) ami(e); (*amante*) petit(e) ami(e); **hacerse ~s** devenir amis; **ser ~ de algo** être un ami de qch; **ser muy ~s** être très amis; **amigo corresponsal** correspondant *m*; **amigo íntimo** *o* **de confianza** ami intime.
amilanar [amila'nar] *vt* effrayer; **amilanarse** *vpr* s'effrayer.
aminorar [amino'rar] *vt* (*velocidad etc*) ralentir ♦ *vi* (*calor, odio*) diminuer.
amistad [amis'tað] *nf* amitié *f*; **~es** *nfpl* (*amigos*) amis *mpl*; **romper las ~es** se brouiller; **trabar ~ con** se lier d'amitié avec.
amistoso, -a [ami'stoso, a] *adj* amical(e).
amnesia [am'nesja] *nf* amnésie *f*.
amnistía [amnis'tia] *nf* amnistie *f*.
amnistiar [amni'stjar] *vt* amnistier.
amo ['amo] *nm* (*dueño*) maître *m* (de maison), propriétaire *m*; (*jefe*) patron *m*; **hacerse el ~ (de algo)** prendre la direction (de qch).
amodorrarse [amoðo'rrarse] *vpr* s'assoupir.
amoldar [amol'dar] *vt*: ~ **a** adapter à; **amoldarse** *vpr*: **~se (a)** (*prenda, zapatos*) prendre la forme (de); **~se a** s'adapter à.
amonestar [amone'star] *vt* admonester; (REL) publier les bans de.
amoniaco [amo'njako], **amoníaco** [amo'niako] *nm* ammoniac *m*.
amontonar [amonto'nar] *vt* entasser, amonceler; (*riquezas etc*) accumuler, amasser; **amontonarse** *vpr* (*gente*) se masser; (*hojas, nieve etc*) s'entasser; (*trabajo*) s'accumuler.
amor [a'mor] *nm* amour *m*; **de mil ~es** très volontiers; **hacer el ~** faire l'amour; (*cortejar*) faire la cour; **tener ~es con algn** avoir une liaison avec qn; **hacer algo por ~ al arte** faire qch pour l'amour de l'art; **¡por (el) ~ de Dios!** pour l'amour de Dieu!; **estar al ~ de la lumbre** être au coin du feu; **amor interesado/libre/platónico** amour intéressé/libre/platonique; **amor a primera vista** coup *m* de foudre; **amor propio** amour-propre *m*.
amoratado, -a [amora'taðo, a] *adj* (*por frío*) violacé(e); (*por golpes*) couvert(e) de bleus; **ojo ~** œil *m* au beurre noir.
amordazar [amorða'θar] *vt* bâillonner; (*fig*) faire taire.
amorfo, -a [a'morfo, a] *adj* amorphe.
amoríos [amo'rios] *nmpl* amourette *fsg*.
amoroso, -a [amo'roso, a] *adj* amoureux(-euse); (*carta*) d'amour.
amortajar [amorta'xar] *vt* recouvrir d'un linceul.
amortiguador [amortiɣwa'ðor] *nm* (*dispositivo*) amortisseur *m*; (*parachoques*) pare-chocs *m inv*; (*silenciador*) silencieux *msg*; **~es** *nmpl* (AUTO) suspension *fsg*.
amortiguar [amorti'ɣwar] *vt* amortir; (*dolor*) atténuer; (*color*) neutraliser; (*luz*) baisser.
amortizar [amorti'θar] *vt* amortir.
amotinar [amoti'nar] *vt* ameuter; **amotinarse** *vpr* se mutiner.
amparar [ampa'rar] *vt* secourir; (*suj: ley*) protéger; **ampararse** *vpr* se mettre à l'abri; **~se en** (*ley, costumbre*) se prévaloir de.
amparo [am'paro] *nm* protection *f*; **al ~ de** grâce à.
amperio [am'perjo] *nm* ampère *m*.
ampliación [amplja'θjon] *nf* agrandissement *m*; (*de capital*) augmentation *f*; (*de estudios*) approfondissement *m*; (*cosa añadida*) extension *f*.

ampliar [am'pljar] *vt* agrandir; (*estudios*) approfondir; (*sonido*) amplifier.
amplificador [amplifika'ðor] *nm* amplificateur *m*.
amplificar [amplifi'kar] *vt* amplifier.
amplio, -a ['ampljo, a] *adj* (*habitación*) vaste; (*ropa, consecuencias*) ample; (*calle*) large.
amplitud [ampli'tuð] *nf* étendue *f*; (*FÍS*) amplitude *f*; **de gran ~** de grande envergure; **amplitud de miras** largeur *f* d'esprit.
ampolla [am'poʎa] *nf* ampoule *f*.
ampolleta [ampo'ʎeta] (*AM*) *nf* (*bombilla*) ampoule *f*.
amputar [ampu'tar] *vt* amputer.
amueblar [amwe'βlar] *vt* meubler.
amuleto [amu'leto] *nm* amulette *f*.
amurallar [amura'ʎar] *vt* fortifier.
anaconda [ana'konda] *nf* anaconda *m*.
anacronismo [anakro'nismo] *nm* anachronisme *m*.
anagrama [ana'ɣrama] *nm* anagramme *f*.
analfabeto, -a [analfa'βeto, a] *adj, nm/f* analphabète *m/f*.
analgésico [anal'xesiko] *nm* analgésique *m*.
análisis [a'nalisis] *nm inv* analyse *f*; **análisis clínico** analyse médicale; **análisis de costos-beneficios** analyse coûts-avantages; **análisis de mercados** étude *f* de marché; **análisis de sangre** analyse de sang.
analista [ana'lista] *nm/f* analyste *m/f*; **analista de sistemas** (*INFORM*) analyste-programmeur *m*.
analizar [anali'θar] *vt* analyser.
analogía [analo'xia] *nf* analogie *f*; **por ~ con** par analogie avec.
analógico, -a [ana'loxico, a] *adj* analogique.
análogo, -a [a'naloɣo, a] *adj* analogue; **~ a** analogue à.
ananá(s) [ana'na(s)] *nm* ananas *msg*.
anaquel [ana'kel] *nm* rayon *m*.
anaranjado, -a [anaran'xaðo, a] *adj* orangé(e).
anarquía [anar'kia] *nf* anarchie *f*.
anarquismo [anar'kismo] *nm* anarchisme *m*.
anarquista [anar'kista] *nm/f* anarchiste *m/f*.
anatema [ana'tema] *nm* anathème *m*.
anatomía [anato'mia] *nf* anatomie *f*.
anca ['anka] *nf* (*de animal*) croupe *f*; **~s** *nfpl* (*fam*) cuisses *fpl*; **ancas de rana** (*CULIN*) cuisses de grenouille.
ancestral [anθes'tral] *adj* ancestral(e).
ancho, -a ['antʃo, a] *adj* large ♦ *nm* largeur *f*; (*FERRO*) écartement *m*; **~ de miras** large d'esprit; **a lo ~** sur toute la largeur; **me está** *o* **queda ~ el vestido** je nage dans cette robe; **estar a sus anchas** être à l'aise; **ir muy ~s** prendre de grands airs; **ponerse ~** prendre un air de supériorité; **le viene muy ~ el cargo** il n'est pas à la hauteur pour ce poste.
anchoa [an'tʃoa] *nf* anchois *msg*.
anchura [an'tʃura] *nf* largeur *f*.
anciano, -a [an'θjano, a] *adj* vieux(vieille) ♦ *nm/f* personne *f* âgée.
ancla ['ankla] *nf* ancre *f*; **echar/levar ~s** jeter/lever l'ancre.
ancladero [ankla'ðero] *nm* mouillage *m*.
anclar [an'klar] *vi* mouiller l'ancre.
andadas [an'daðas] *nfpl* traces *fpl*; **volver a las ~** refaire les mêmes erreurs.
Andalucía [andalu'θia] *nf* Andalousie *f*.
andaluz, a [anda'luθ, a] *adj* andalou(se) ♦ *nm/f* Andalou(se).
andamio [an'damjo] *nm* échafaudage *m*.
andante [an'dante] *adj*: **caballero ~** chevalier *m* errant.

PALABRA CLAVE

andar [an'dar] *vt* parcourir
♦ *vi* **1** (*persona, animal*) marcher; (*coche*) rouler; **andar a caballo/en bicicleta** aller à cheval/à vélo
2 (*funcionar: máquina, reloj*) marcher
3 (*estar*) être; **¿qué tal andas?** comment vas-tu?; **andar mal de dinero/de tiempo** être à court d'argent/de temps; **andar haciendo algo** être en train de faire qch; **anda (metido) en asuntos sucios** il est impliqué dans des affaires louches; **siempre andan a gritos** ils sont tout le temps en train de crier; **anda por los cuarenta** il a environ quarante ans; **no sé por dónde anda** je ne sais pas où il est; **anda tras un empleo** il cherche du travail
4 (*revolver*): **no andes ahí/en mi cajón** ne touche pas à ça/à mon tiroir
5 (*obrar*): **andar con cuidado** *o* **con pies de plomo** faire bien attention, regarder où l'on met les pieds
andarse *vpr*: **no te andes en la herida** ne retourne pas le couteau dans la plaie; **andarse con rodeos** *o* **por las ramas** tourner autour du pot; **andarse con historias** raconter des histoires; **todo se andará** chaque chose en son temps
♦ *excl*: **¡anda!** (*sorpresa*) eh bien!; (*para animar*) allez!; **¡anda (ya)!** (*incredulidad*) allons donc!
♦ *nm*: **andares** démarche *f*.

andén [an'den] *nm* quai *m*; (AM) trottoir *m*.
Andes ['andes] *nmpl*: **los** ~ les Andes *fpl*.
andino, -a [an'dino, a] *adj* andin(e).
Andorra [an'dorra] *nf* Andorre *f*.
andrajo [an'draxo] *nm* loque *f*, haillon *m*; (*prenda*) guenilles *fpl*; (*persona*) loque *f*.
andrajoso, -a [andra'xoso, a] *adj* dépenillé(e), loqueteux(-euse).
anduve *etc* [an'duβe] *vb V* **andar**.
anécdota [a'nekðota] *nf* anecdote *f*.
anegar [ane'ɣar] *vt* (*lugar*) inonder; (*ahogar*) noyer; (*fig*): ~ **de** écraser de; **anegarse** *vpr* être inondé(e); **~se en llanto** fondre en larmes.
anejo, -a [a'nexo, a] *adj* annexe ♦ *nm* = **anexo**; annexe *f*; **llevar** ~ comprendre.
anemia [a'nemja] *nf* anémie *f*.
anémico, -a [a'nemiko, a] *adj* anémique.
anestesia [anes'tesja] *nf* anesthésie *f*; **anestesia general/local** anesthésie générale/locale.
anestesiar [aneste'sjar] *vt* anesthésier.
anexión [anek'sjon] *nf* annexion *f*.
anexionar [aneksjo'nar] *vt* (POL) annexer; **anexionarse** *vpr* s'annexer.
anexo, -a [a'nekso, a] *adj* annexe ♦ *nm* annexe *f*.
anfibio, -a [an'fiβjo, a] *adj* amphibie ♦ *nm* amphibien *m*.
anfiteatro [anfite'atro] *nm* amphithéâtre *m*.
anfitrión, -ona [anfi'trjon, ona] *nm/f* amphitryon *m*, hôte(sse); **el equipo** ~ (DEPORTE) l'équipe qui reçoit.
ángel ['anxel] *nm* ange *m*; **tener** ~ avoir du charme; **ángel de la guarda** ange gardien.
angelical [an'xelikal] *adj* angélique.
angina [an'xina] *nf*: **tener ~s** avoir une angine; **angina de pecho** angine *f* de poitrine.
anglicano, -a [angli'kano, a] *adj, nm/f* anglican(e).
anglicismo [angli'θismo] *nm* anglicisme *m*.
anglosajón, -ona [anglosa'xon, ona] *adj* anglo-saxon(ne) ♦ *nm/f* Anglo-Saxon(ne).
angosto, -a [an'gosto, a] *adj* étroit(e), resserré(e).
anguila [an'gila] *nf* anguille *f*; **~s** *nfpl* (NÁUT) savates *fpl*.
angulas [an'gulas] *nfpl* civelles *fpl*.
ángulo ['angulo] *nm* angle *m*; (*rincón*) coin *m*; **ángulo agudo/obtuso/recto** angle aigu/obtus/droit.
angustia [an'gustja] *nf* angoisse *f*; (*agobio*) anxiété *f*.
angustiar [angus'tjar] *vt* angoisser; **angustiarse** *vpr* s'angoisser.
anhelar [ane'lar] *vt* être avide de; ~ **hacer** mourir d'envie de faire.
anhelo [a'nelo] *nm* désir *m* ardent.
anhídrido [an'iðriðo] *nm*: ~ **carbónico** dioxyde *m* de carbone.
anidar [ani'ðar] *vt* (*fig*) loger ♦ *vi* nicher.
anilla [a'niʎa] *nf* anneau *m*; **~s** *nfpl* (*gimnasia*) anneaux *mpl*.
anillo [a'niʎo] *nm* bague *f*; **venir como ~ al dedo** venir à point nommé; **anillo de boda** alliance *f*; **anillo de compromiso** bague de fiançailles.
ánima ['anima] *nf* âme *f*; **las ~s** l'angélus *msg*.
animación [anima'θjon] *nf* animation *f*.
animado, -a [ani'maðo, a] *adj* (*vivaz*) plein(e) de vie *o* d'entrain; (*fiesta, conversación*) animé(e); (*alegre*) joyeux(-euse); **dibujos ~s** dessins *mpl* animés.
animador, a [anima'ðor, a] *nm/f* (TV, DEPORTE) animateur(-trice); (*persona alegre*) boute-en-train *m inv*; **animador cultural** animateur culturel.
animal [ani'mal] *adj* animal(e) ♦ *nm* animal *m*; **ser un** ~ (*fig*) être un animal.
animar [ani'mar] *vt* animer; (*dar ánimo a*) encourager; (*habitación, vestido*) égayer; (*fuego*) ranimer; **animarse** *vpr* s'égayer; ~ **a algn a hacer/para que haga** encourager qn à faire; **~se a hacer** se décider à faire.
ánimo ['animo] *nm* courage *m*; (*mente*) esprit *m* ♦ *excl* courage!; **cobrar** ~ reprendre courage; **apaciguar los ~s** calmer les esprits; **dar ~(s) a algn** encourager qn; **tener ~(s) (para)** être d'humeur (à); **con/sin ~ de hacer** avec l'intention/sans intention de faire.
aniñado, -a [ani'ɲaðo, a] *adj* enfantin(e).
aniquilar [aniki'lar] *vt* anéantir; (*salud*) ruiner.
anís [a'nis] *nm* anis *msg*.
aniversario [aniβer'sarjo] *nm* anniversaire *m*.
ano ['ano] *nm* anus *msg*.
anoche [a'notʃe] *adv* hier soir, la nuit dernière; **antes de** ~ avant-hier soir.
anochecer [anotʃe'θer] *vi* commencer à faire nuit ♦ *nm* crépuscule *m*; **al** ~ à la tombée de la nuit.
anodino, -a [ano'ðino, a] *adj* (*película, novela*) insipide; (*persona*) insignifiant(e).
anomalía [anoma'lia] *nf* anomalie *f*.
anonadado, -a [ano'naðaðo, a] *adj* abattu(e).
anonimato [anoni'mato] *nm* anonymat *m*.
anónimo, -a [a'nonimo, a] *adj* anonyme

♦ *nm* lettre *f* anonyme.
anorak [ano'rak] (*pl* **~s**) *nm* anorak *m*.
anormal [anor'mal] *adj* anormal(e) ♦ *nm/f* débile *m/f* mental(e).
anotación [anota'θjon] *nf* annotation *f*.
anotar [ano'tar] *vt* annoter.
anquilosarse [ankilo'sarse] *vpr* s'ankyloser; (*fig*) vieillir.
ansia ['ansja] *nf* (*deseo*) avidité *f*; (*ansiedad*) angoisse *f*.
ansiar [an'sjar] *vt* être avide de; ~ **hacer** brûler de faire.
ansiedad [ansje'ðað] *nf* angoisse *f*.
ansioso, -a [an'sjoso, a] *adj* (*codicioso*) avide; (*preocupado*) anxieux(-euse); ~ **de** *o* **por (hacer)** avide de (faire).
antagónico, -a [anta'ɣoniko, a] *adj* antagonique.
antaño [an'taɲo] *adv* jadis, autrefois.
Antártico [an'tartiko] *nm*: **el** ~ l'Antarctique *m*.
Antártida [an'tartiða] *nf* Antarctide *f*.
ante ['ante] *prep* devant; (*enemigo, peligro, en comparación con*) face à; (*datos, cifras*) en présence de ♦ *nm* daim *m*; ~ **todo** avant tout.
anteanoche [antea'notʃe] *adv* avant-hier soir.
anteayer [antea'jer] *adv* avant-hier.
antebrazo [ante'βraθo] *nm* avant-bras *m inv*.
antecedente [anteθe'ðente] *adj* antérieur(e) ♦ *nm* antécédent *m*; ~**s** *nmpl* antécédents *mpl*; **no tener ~s** avoir un casier judiciaire vierge; **estar en ~s** être au courant; **poner a algn en ~s** mettre *o* tenir qn au courant; **antecedentes penales** casier *msg* judiciaire.
anteceder [anteθe'ðer] *vt*: ~ **a** précéder.
antecesor, a [anteθe'sor, a] *nm/f* prédécesseur *m*.
antelación [antela'θjon] *nf*: **con** ~ à l'avance.
antemano [ante'mano]: **de** ~ *adv* d'avance.
antena [an'tena] *nf* antenne *f*; **antena parabólica** antenne parabolique.
anteojeras [anteo'xeras] *nfpl* œillères *fpl*.
anteojo [ante'oxo] *nm* lunette *f*; ~**s** *nmpl* (*esp AM*) lunettes *fpl*.
antepasados [antepa'saðos] *nmpl* ancêtres *mpl*.
anteponer [antepo'ner] *vt*: ~ **algo a algo** faire passer une chose avant une autre.
anteproyecto [antepro'jekto] *nm* avant-projet *m*; (*anteproyecto de ley*) avant-projet de loi.
anterior [ante'rjor] *adj*: ~ **(a)** (*en orden*) qui précède; (*en el tiempo*) antérieur(e) (à).
anterioridad [anterjori'ðað] *nf*: **con ~ a** préalablement à, avant.
antes ['antes] *adv* avant; (*primero*) d'abord; (*con prioridad*) avant tout; (*hace tiempo*) autrefois ♦ *prep*: ~ **de** (*antiguamente*) avant ♦ *conj*: ~ **de ir/de que te vayas** avant d'aller/que tu ne partes; ~ **bien** plutôt; ~ **de nada** avant tout; **dos días** ~ deux jours plus tôt; **la tarde de** ~ la veille au soir; **no quiso venir** ~ il n'a pas voulu venir plus tôt; **mucho** ~ longtemps auparavant; **poco** ~ peu avant; ~ **muerto que esclavo** plutôt la mort que l'esclavage; **tomo el avión ~ que el barco** je préfère l'avion au bateau; ~ **que yo** avant moi; **lo ~ posible** au plus tôt; **cuanto ~ mejor** le plus tôt sera le mieux.
antesala [ante'sala] *nf* antichambre *f*; **estar en la ~ de** (*fig*) être au seuil de.
antiaéreo, -a [antia'ereo, a] *adj* antiaérien(ne).
antibalas [anti'βalas] *adj inv*: **chaleco** ~ gilet *m* pare-balles.
antibiótico [anti'βjotiko] *nm* antibiotique *m*.
anticiclón [antiθi'klon] *nm* anticyclone *m*.
anticipado, -a [antiθi'paðo, a] *adj* anticipé(e); **por** ~ d'avance, par anticipation.
anticipar [antiθi'par] *vt* anticiper; **anticiparse** *vpr* (*estación*) être en avance; **~se (a)** (*adelantarse*) devancer; (*prever*) prévenir; **~se a su época** être en avance sur son temps.
anticipo [anti'θipo] *nm* avance *f*; **ser un ~ de** être un avant-goût de.
anticonceptivo, -a [antikonθep'tiβo, a] *adj* contraceptif(-ive) ♦ *nm* contraceptif *m*; **métodos ~s** méthodes *fpl* contraceptives.
anticuado, -a [anti'kwaðo, a] *adj* (*ropa, estilo*) démodé(e); (*máquina, término*) vieillot(te), vieux(vieille).
anticuario [anti'kwarjo] *nm* antiquaire *m/f*.
anticuerpo [anti'kwerpo] *nm* anticorps *msg*.
antidoping [anti'ðopin] *adj* antidopage.
antídoto [an'tiðoto] *nm* antidote *m*; (*fig*): **ser el ~ de** *o* **contra** être l'antidote contre.
antiestético, -a [anties'tetiko, a] *adj* inesthétique.
antifaz [anti'faθ] *nm* masque *m*.
antigás [anti'gas] *adj inv*: **careta** *o* **máscara ~** masque *m* à gaz.
antiguamente [an'tiɣwamente] *adv*

autrefois, jadis.

antigüedad [antiɣwe'ðað] *nf* antiquité *f*; (*en empleo*) ancienneté *f*; **~es** *nfpl* antiquités *fpl*.

antiguo, -a [an'tiɣwo, a] *adj* ancien(ne), vieux(vieille) ♦ *nm*: **los ~s** les Anciens *mpl*; **a la antigua** à l'ancienne.

antílope [an'tilope] *nm* antilope *f*.

antinatural [antinatu'ral] *adj* anormal(e); (*perverso*) contre nature; (*afectado*) forcé(e).

antipatía [antipa'tia] *nf* antipathie *f*; (*a cosa*) répugnance *f*.

antipático, -a [anti'patiko, a] *adj* antipathique; (*gesto etc*) déplaisant(e).

antiquísimo, -a [anti'kisimo, a] *adj* très ancien(ne).

antirrobo [anti'rroβo] *adj inv* antivol.

antiterrorista [antiterro'rista] *adj* antiterroriste; **la lucha ~** la lutte antiterroriste; **Ley A~** (*JUR*) loi *f* antiterroriste.

antítesis [an'titesis] *nf inv*: **ser la ~ de** être l'antithèse de.

antojarse [anto'xarse] *vpr*: **se me antoja comprarlo** j'ai envie de me l'acheter; **se me antoja que** j'imagine que.

antojo [an'toxo] *nm* caprice *m*, lubie *f*; (*ANAT, de embarazada, lunar*) envie *f*; **hacer algo a su ~** faire qch à sa guise.

antología [antolo'xia] *nf* anthologie *f*.

antonomasia [antono'masja] *nf*: **por ~** par excellence.

antorcha [an'tortʃa] *nf* torche *f*.

antro ['antro] *nm* (*fig*) antre *m*; **~ de perdición** (*fig*) lieu *m* de perdition.

antropófago, -a [antro'pofaɣo, a] *adj, nm/f* anthropophage *m/f*.

antropología [antropolo'xia] *nf* anthropologie *f*.

anual [a'nwal] *adj* annuel(le).

anualidad [anwali'ðað] *nf* annuité *f*; **anualidad vitalicia** rente *f* viagère.

anuario [a'nwarjo] *nm* annuaire *m*.

anudar [anu'ðar] *vt* nouer; **anudarse** *vpr* s'emmêler; **se me anudó la voz/la garganta** j'eus la gorge serrée.

anulación [anula'θjon] *nf* annulation *f*; (*ley*) abrogation *f*; (*persona*) annihilation *f*.

anular [anu'lar] *vt* annuler; (*ley*) abroger; (*persona*) annihiler ♦ *nm* (*tb*: **dedo ~**) annulaire *m*; **anularse** *vpr* (*MAT*) s'annuler.

anunciación [anunθja'θjon] *nf* (*REL*): **la A~** l'Annonciation *f*.

anunciante [anun'θjante] *nm/f* (*COM*) annonceur *m* (publicitaire) ♦ *adj*: **empresa ~** annonceur.

anunciar [anun'θjar] *vt* annoncer; (*COM*) faire de la publicité pour.

anuncio [a'nunθjo] *nm* annonce *f*; (*pronóstico*) signe *m*; (*COM*) publicité *f*; (*cartel*) panneau *m* publicitaire; (*TEATRO, CINE*) affiche *f*; (*señal*) pancarte *f*; **anuncios por palabras** petites annonces *fpl*.

anzuelo [an'θwelo] *nm* hameçon *m*; (*fig*) appât *m*; **caer en el ~** tomber dans le piège; **tragarse el ~** mordre à l'hameçon.

añadido [aɲa'ðiðo] *nm* addition *f*.

añadidura [aɲaði'ðura] *nf* ajout *m*; (*vestido*) rallonge *f*; **por ~** par surcroît.

añadir [aɲa'ðir] *vt* ajouter; (*prenda*) rallonger.

añejo, -a [a'ɲexo, a] *adj* (*vino*) vieux(vieille); (*pey: tocino, jamón*) rance.

añicos [a'ɲikos] *nmpl* morceaux *mpl*; **hacer ~** (*cosa*) mettre en morceaux; **hacerse ~** briser en mille morceaux; (*cristal*) voler en éclats.

añil [a'ɲil] *nm* indigo *m*.

año ['aɲo] *nm* an *m*; (*duración*) année *f*; **el ~ que viene** l'année prochaine, l'an prochain; **los ~s 80** les années 80; **¡Feliz A~ Nuevo!** Bonne et heureuse année!; **en el ~ de la nana** il y a des siècles; **entrado en ~s** d'un certain âge; **estar de buen ~** être en pleine forme; **hace ~s** il y a des années; **tener 15 ~s** avoir 15 ans; **año académico** *o* **escolar/bisiesto/sabático** année scolaire *o* universitaire/ bissextile/sabbatique; **año económico** *o* **fiscal** exercice *m* financier; **año entrante** année qui commence; **año-luz** année-lumière *f*.

añoranza [aɲo'ranθa] *nf* nostalgie *f*.

añorar [aɲo'rar] *vt* avoir la nostalgie de.

apabullar [apaβu'ʎar] *vt* sidérer.

apacentar [apaθen'tar] *vt* faire paître.

apache [a'patʃe] *adj* apache ♦ *nm/f* Apache *m/f*.

apacible [apa'θiβle] *adj* paisible; (*clima*) doux(douce); (*lluvia*) fin(e).

apaciguar [apaθi'ɣwar] *vt* apaiser, calmer; **apaciguarse** *vpr* s'apaiser, se calmer.

apadrinar [apaðri'nar] *vt* (*REL*) être le parrain de; (*fig*) parrainer.

apagado, -a [apa'ɣaðo, a] *adj* éteint(e); (*color*) terne; (*sonido*) étouffé(e); (*tímido*) effacé(e); **estar ~** être éteint.

apagar [apa'ɣar] *vt* éteindre; (*sonido*) étouffer; (*sed*) étancher; (*INFORM*) débrancher; **apagarse** *vpr* s'éteindre; (*sonido*) se perdre; **~ el sistema** (*INFORM*) sortir du système.

apagón [apa'ɣon] *nm* panne *f*.

apaisado, -a [apai'saðo, a] *adj* (*cuaderno, fotografía*) en largeur.

apalabrar [apala'βrar] *vt* (*persona*) engager; (*piso*) convenir (verbalement) de.

apalear [apale'ar] *vt* rosser; (*fruta*) gauler; (*grano*) éventer.

apañado, -a [apa'ɲaðo, a] *adj* habile; (*útil*) pratique; (*arreglado*) tiré(e) à quatre épingles; **estar ~** être fichu; **¡estaríamos ~s!** il ne manquerait plus que ça!

apañar [apa'ɲar] (*fam*) *vt* (*arreglar*) rafistoler; (*vestido*) raccommoder; (*robar*) piquer; **apañarse** *vpr*: **~se (con)** se débrouiller (avec); **~se** *o* **apañárselas (para hacer)** se débrouiller (pour faire); **apañárselas por su cuenta** se débrouiller tout(e) seul(e).

apaño [a'paɲo] *nm (fam)* rafistolage *m*; (*vestido*) raccommodage *m*; (*chanchullo*) magouille *f*; (*lío amoroso*) liaison *f*; **esto no tiene ~** c'est fichu.

aparador [apara'ðor] *nm* buffet *m*; (*escaparate*) vitrine *f*.

aparato [apa'rato] *nm* appareil *m*; (*RADIO, TV*) poste *m*; (*boato*) apparat *m*; **~s** *nmpl* (*gimnasia*) agrès *mpl*; **aparato circulatorio/digestivo/respiratorio** appareil circulatoire/digestif/respiratoire; **aparato de facsímil** télécopieur *m*; **aparatos de mando** (*AVIAT etc*) commandes *fpl*.

aparatoso, -a [apara'toso, a] *adj* spectaculaire.

aparcamiento [aparka'mjento] *nm* (*lugar*) parking *m*; (*maniobra*) stationnement *m*.

aparcar [apar'kar] *vt* garer ♦ *vi* se garer.

aparecer [apare'θer] *vi* apparaître; (*publicarse*) paraître; (*ser encontrado*) être trouvé(e); **aparecerse** *vpr* apparaître; **apareció borracho** il est revenu soûl.

aparejado, -a [apare'xaðo, a] *adj*: **llevar** *o* **traer ~** entraîner; **ir ~ con** aller de pair avec.

aparejador, a [aparexa'ðor, a] *nm/f* (*ARQ*) *aide-architecte*.

aparejo [apa'rexo] *nm* (*de pesca*) matériel *m* (de pêche); (*de caballería*) harnachement *m*; (*NÁUT*) gréement *m*; (*de poleas*) moufle *f*; **~s** *nmpl* matériel *msg*.

aparentar [aparen'tar] *vt* (*edad*) faire ♦ *vi* se faire remarquer; **~ hacer** faire semblant de faire; **~ tristeza** faire semblant d'être triste.

aparente [apa'rente] *adj* apparent(e); (*fam*: *atractivo*) attrayant(e).

aparición [apari'θjon] *nf* apparition *f*; (*de libro*) parution *f*.

apariencia [apa'rjenθja] *nf* apparence *f*; **~s** *nfpl* (*aspecto*) apparences *fpl*; **en ~** en apparence; **tener (la) ~ de** avoir l'apparence de; **guardar las ~s** sauver les apparences.

apartado, -a [apar'taðo, a] *adj* (*lugar*) éloigné(e); (*aislado*: *persona*) à l'écart ♦ *nm* paragraphe *m*, alinéa *m*; **apartado (de correos)** boîte *f* postale.

apartamento [aparta'mento] *nm* studio *m*.

apartar [apar'tar] *vt* écarter; (*quitar*) retirer; (*comida, dinero*) mettre de côté; **apartarse** *vpr* s'écarter; **~ a algn de** écarter qn de; (*de estudios, vicio*) détourner qn de; **~se de** s'éloigner de, se retirer de; (*de creencia, partido*) prendre ses distances vis-à-vis de; **¡aparta!** ôte-toi de là!

aparte [a'parte] *adv* (*en otro sitio*) de côté; (*en sitio retirado*) à l'écart; (*además*) en outre ♦ *prep*: **~ de** à part ♦ *nm* aparté *m*; (*tipográfico*) paragraphe *m* ♦ *adj* à part; **~ de que** sans compter que, en plus du fait que; **"punto y ~"** "point à la ligne"; **dejar ~** laisser de côté.

apasionado, -a [apasjo'naðo, a] *adj* passionné(e); (*pey*: *persona*) partial(e); **~ de/por** passionné(e) de/par.

apasionante [apasjo'nante] *adj* passionnant(e).

apasionar [apasjo'nar] *vt*: **le apasiona el fútbol** c'est un passionné de football; **apasionarse** *vpr* se passionner; **~se por** se passionner pour; (*persona*) être passionnément amoureux(-euse) de; (*deporte, política*) être mordu(e) de.

apatía [apa'tia] *nf* indolence *f*.

apático, -a [a'patiko, a] *adj* apathique.

apátrida [a'patriða] *adj* apatride.

Apdo. *abr* (= *Apartado (de Correos)*) B.P. (= *boîte postale*).

apeadero [apea'ðero] *nm* (*FERRO*) halte *f*; (*alojamiento*) pied-à-terre *m inv*.

apear [ape'ar] *vt*: **~ (de)** faire descendre (de); (*objeto*) descendre; **apearse** *vpr*: **~se (de)** descendre (de); **no ~se del burro** ne pas en démordre.

apechugar [apetʃu'ɣar] *vi*: **~ con algo** se coltiner qch.

apedrear [apeðre'ar] *vt* lapider.

apegarse [ape'ɣarse] *vpr*: **~ a** (*a persona*) s'attacher à; (*a cargo*) prendre à cœur.

apego [a'peɣo] *nm*: **~ a/por** (*persona*) attachement *m* à/pour; (*cargo*) intérêt *m* pour; (*objeto*) attachement à.

apelación [apela'θjon] *nf* appel *m*; **interponer/presentar ~** faire/interjeter appel.

apelar [ape'lar] *vi*: **~ (contra)** (*JUR*) faire appel (de); **~ a** faire appel à; (*justicia*) avoir recours à.

apellidarse [apeʎi'ðarse] *vpr*: **se apellida Pérez** il s'appelle Pérez.

apellido [ape'ʎiðo] *nm* nom *m* de famille.

apelmazarse [apelma'θarse] *vpr* (*masa*) se tasser; (*arroz*) se coller; (*prenda*) rétrécir.

apelotonar [apeloto'nar] *vt* entasser; **apelotonarse** *vpr* s'entasser.

apenar [ape'nar] *vt* peiner, faire de la peine à; (*AM: avergonzar*) faire honte à; **apenarse** *vpr* avoir de la peine; (*AM*) avoir honte.

apenas [a'penas] *adv* à peine, presque pas ♦ *conj* dès que; ~ **si podía levantarse** c'est à peine s'il pouvait se lever.

apéndice [a'pendiθe] *nm* appendice *m*.

apendicitis [apendi'θitis] *nf* appendicite *f*.

apercibir [aperθi'βir] *vt* (*preparar*) disposer; (*avisar*) avertir; (*JUR*) mettre en garde; (*AM*) apercevoir; **apercibirse** *vpr*: ~**se de** s'apercevoir de.

aperitivo [aperi'tiβo] *nm* apéritif *m*.

aperos [a'peros] *nmpl* (*utensilios*) matériel *msg*; (*AGR*) matériel agricole.

apertura [aper'tura] *nf* ouverture *f*; (*de curso*) rentrée *f* (des classes); (*de parlamento*) rentrée parlementaire; ~ **de un juicio hipotecario** (*COM*) ouverture d'un jugement hypothécaire; **apertura centralizada** (*AUTO*) verrouillage *m* centralisé (des portières).

apesadumbrar [apesaðum'brar] *vt* attrister; **apesadumbrarse** *vpr*: ~**se (con** *o* **por)** s'affliger (de).

apestar [apes'tar] *vt* empester ♦ *vi*: ~ **(a)** empester; **estar apestado de** être infesté de.

apestoso, -a [apes'toso, a] *adj* puant(e); (*asqueroso*) repoussant(e).

apetecer [apete'θer] *vt*: **¿te apetece una tortilla?** as-tu envie d'une omelette?

apetecible [apete'θiβle] *adj* appétissant(e); (*olor*) agréable; (*objeto*) séduisant(e).

apetito [ape'tito] *nm* appétit *m*; **despertar** *o* **abrir el** ~ réveiller *o* ouvrir l'appétit, mettre en appétit.

apetitoso, -a [apeti'toso, a] *adj* alléchant(e).

apiadarse [apja'ðarse] *vpr*: ~ **de** s'apitoyer sur.

ápice ['apiθe] *nm* (*fig*) summum *m*; **ni un** ~ pas le moins du monde; **no ceder un** ~ ne pas céder d'un pouce.

apicultura [apikul'tura] *nf* apiculture *f*.

apilar [api'lar] *vt* empiler; **apilarse** *vpr* s'empiler.

apiñar [api'ɲar] *vt* entasser; **apiñarse** *vpr* se presser.

apio ['apjo] *nm* céleri *m*.

apisonadora [apisona'ðora] *nf* rouleau *m* compresseur.

aplacar [apla'kar] *vt* apaiser; (*sed*) étancher; (*entusiasmo*) refroidir; **aplacarse** *vpr* s'apaiser; (*entusiasmo*) se refroidir.

aplanar [apla'nar] *vt* aplanir; **aplanarse** *vpr* s'effondrer.

aplastar [aplas'tar] *vt* écraser.

aplatanarse [aplata'narse] (*fam*) *vpr* se ramollir.

aplaudir [aplau'ðir] *vt, vi* applaudir.

aplauso [a'plauso] *nm* applaudissement *m*; (*fig*) éloge *m*.

aplazamiento [aplaθa'mjento] *nm* ajournement *m*.

aplazar [apla'θar] *vt* (*reunión*) ajourner.

aplicación [aplika'θjon] *nf* application *f*; **aplicaciones** *nfpl* applications *fpl*; **aplicaciones de gestión** gestion *f*.

aplicado, -a [apli'kaðo, a] *adj* appliqué(e), studieux(-euse).

aplicar [apli'kar] *vt* mettre en pratique; (*ley, norma*) appliquer; **aplicarse** *vpr* s'appliquer; ~ **(a)** appliquer (à); ~ **el oído a una puerta** écouter à une porte.

aplique [a'plike] *vb V* **aplicar** ♦ *nm* applique *f*.

aplomo [a'plomo] *nm* aplomb *m*.

apocado, -a [apo'kaðo, a] *adj* timoré(e).

apocalipsis [apoka'lipsis] *nm* (*fig*) apocalypse *f*.

apócope [a'pokope] *nm* apocope *f*.

apodar [apo'ðar] *vt* surnommer.

apoderado [apoðe'raðo] *nm* (*JUR, COM*) mandataire *m*, fondé *m* de pouvoir.

apoderar [apoðe'rar] *vt* (*JUR*) déléguer des pouvoirs à, nommer comme fondé de pouvoir; **apoderarse** *vpr*: ~**se de** s'emparer de, s'approprier.

apodo [a'poðo] *nm* surnom *m*.

apogeo [apo'xeo] *nm* apogée *m*.

apolillado, -a [apoli'ʎaðo, a] *adj* (*prenda*) mité(e); (*madera*) vermoulu(e); (*fig*) dépassé(e).

apolillarse [apoli'ʎarse] *vpr* (*ropa*) être mangé(e) par les mites; (*madera*) être vermoulu(e); (*fig*) se rouiller.

apología [apolo'xia] *nf* apologie *f*; ~ **del terrorismo** apologie du terrorisme.

apoltronarse [apoltro'narse] *vpr* se prélasser.

apoplejía [apople'xia] *nf* apoplexie *f*.

apoquinar [apoki'nar] (*fam*) *vt* abouler.

aporrear [aporre'ar] *vt* cogner sur.

aportación [aporta'θjon] *nf* apport *m*, contribution *f*.

aportar [apor'tar] *vt* (*datos*) fournir; (*dinero*) apporter ♦ *vi* (*NÁUT*) aborder; **aportarse** *vpr* (*AM*) arriver.

aposento [apo'sento] *nm* appartement

m.

apósito [a'posito] *nm* pansement *m.*

aposta [a'posta] *adv* à dessein, exprès.

apostar [apos'tar] *vt* (*dinero*) parier; (*tropas*) poster ♦ *vi* parier; **apostarse** *vpr* se poster; **¿qué te apuestas a que ...?** on parie combien que ...?

apostatar [aposta'tar] *vi*: ~ **(de)** apostasier.

apostilla [apos'tiʎa] *nf* apostille *f.*

apóstol [a'postol] *nm* apôtre *m.*

apóstrofo [a'postrofo] *nm* apostrophe *f.*

apoteósico, -a [apote'osiko, a] *adj* sensationnel(le).

apoyar [apo'jar] *vt* appuyer; **apoyarse** *vpr*: **~se en** s'appuyer *o* reposer sur; **~ algo en/contra** appuyer qch sur/contre.

apoyo [a'pojo] *nm* appui *m*; (*fundamento*) fondement *m.*

apreciación [apreθja'θjon] *nf* appréciation *f.*

apreciar [apre'θjar] *vt* apprécier.

aprecio [a'preθjo] *nm* estime *f*; (*COM*) estimation *f*; **tener ~ a/sentir ~ por** avoir/ressentir de l'estime pour.

aprehender [apreen'der] *vt* (*armas, drogas*) saisir; (*persona*) appréhender.

apremiar [apre'mjar] *vt, vi* presser; **apremiaba conseguirlo** il était urgent d'y parvenir; **~ a algn a hacer/para que haga** presser qn de faire/pour qu'il fasse.

apremio [a'premjo] *nm* urgence *f*; **apremio de pago** avertissement *m.*

aprender [apren'der] *vt, vi* apprendre; **aprenderse** *vpr*: **~se algo** apprendre qch; **~ a conducir** apprendre à conduire; **~ de memoria/de carretilla** apprendre par cœur; **para que aprendas** ça t'apprendra.

aprendiz, a [apren'diθ, a] *nm/f* apprenti(e); (*recadero*) galopin *m.*

aprendizaje [aprendi'θaxe] *nm* apprentissage *m.*

aprensión [apren'sjon] *nm* appréhension *f*; **aprensiones** *nfpl* appréhensions *fpl*; **dar ~ (hacer)** avoir des scrupules (à faire).

aprensivo, -a [apren'siβo, a] *adj* appréhensif(-ive), méfiant(e).

apresar [apre'sar] *vt* (*delincuente*) incarcérer; (*contrabando*) saisir; (*soldado*) mettre aux arrêts.

aprestar [apres'tar] *vt* apprêter; **aprestarse** *vpr*: **~se a (hacer)** s'apprêter à (faire); **~ el oído** prêter l'oreille.

apresurado, -a [apresu'raðo, a] *adj* (*decisión*) hâtif(-ive); (*persona*) pressé(e).

apresuramiento [apresura'mjento] *nm* hâte *f.*

apresurar [apresu'rar] *vt* hâter, presser; **apresurarse** *vpr* se presser; **~se (a hacer)** se hâter (de faire); **me apresuré a sugerir que ...** je me suis empressé de suggérer que ... .

apretado, -a [apre'taðo, a] *adj* serré(e); (*estrecho de espacio*) à l'étroit; (*programa*) chargé(e); **íbamos muy ~s en el autobús** nous étions à l'étroit dans l'autobus; **vivir ~** vivre à l'étroit.

apretar [apre'tar] *vt* serrer; (*labios*) pincer; (*gatillo, botón*) appuyer sur ♦ *vi* (*calor etc*) redoubler; (*zapatos, ropa*) serrer, être trop juste; **apretarse** *vpr* se serrer; **~ la mano a algn** serrer la main à qn; **~ el paso** presser le pas; **la apretó contra su pecho** il la serra contre lui; **~se el cinturón** (*fig*) se serrer la ceinture.

apretón [apre'ton] *nm*: **~ de manos** poignée *f* de main; **apretones** *nmpl* cohue *fsg.*

apretujar [apretu'xar] *vt* presser très fort; **apretujarse** *vpr* se serrer.

aprieto [a'prjeto] *vb V* **apretar** ♦ *nm* gêne *f*, embarras *msg*; **estar en un ~** être dans l'embarras; **estar en ~s** traverser des moments difficiles; **ayudar a algn a salir de un ~** aider qn à se tirer d'embarras.

aprisa [a'prisa] *adv* vite.

aprisionar [aprisjo'nar] *vt* (*poner en prisión*) emprisonner; (*sujetar*) serrer.

aprobación [aproβa'θjon] *nf* approbation *f*; **dar su ~** donner son approbation.

aprobado [apro'βaðo] *nm* (*nota*) passable.

aprobar [apro'βar] *vt* (*decisión*) approuver; (*examen, materia*) être reçu(e) à ♦ *vi* (*en examen*) réussir; **~ por mayoría/por unanimidad** approuver à la majorité/à l'unanimité; **~ por los pelos** réussir de justesse.

apropiación [apropja'θjon] *nf* appropriation *f.*

apropiado, -a [apro'pjaðo, a] *adj* approprié(e).

apropiarse [apro'pjarse] *vpr*: **~ de** s'approprier, s'emparer de.

aprovechable [aproβe'tʃaβle] *adj* utilisable.

aprovechado, -a [aproβe'tʃaðo, a] *adj* (*estudiante*) appliqué(e); (*económico*) économe; (*día, viaje*) bien employé(e) ♦ *nm/f* (*pey: persona*) profiteur(-euse).

aprovechamiento [aproβetʃa'mjento] *nm* exploitation *f*, utilisation *f*; (*académico*) progrès *mpl.*

aprovechar [aproβe'tʃar] *vt* profiter de; (*tela, comida, ventaja*) tirer profit de ♦ *vi* progresser; **aprovecharse** *vpr*: **~se de**

(*pey*) profiter de; **¡que aproveche!** bon appétit!; ~ **la ocasión para hacer** profiter de l'occasion pour faire.

aprovisionar [aproβisjo'nar] *vt* approvisionner; **aprovisionarse** *vpr* se ravitailler.

aproximado, -a [aproksi'maðo, a] *adj* approximatif(-ive).

aproximar [aproksi'mar] *vt*: ~ **(a)** approcher (de); **aproximarse** *vpr* (s')approcher.

aptitud [apti'tuð] *nf*: ~ **(para)** aptitude *f* (pour), dispositions *fpl* (pour); ~ **para los negocios** dispositions pour les affaires.

apto, -a ['apto, a] *adj*: ~ **(para)** apte (à), capable (de); (*apropiado*) qui convient (à) ♦ *nm* (*ESCOL*) mention *f* "passable"; ~/**no apto para menores** (*CINE*) convient/interdit aux moins de 18 ans.

apuesta [a'pwesta] *nf* pari *m*.

apuesto, -a [a'pwesto, a] *vb V* **apostar** ♦ *adj* élégant(e).

apuntador [apunta'ðor] *nm* (*TEATRO*) souffleur *m*.

apuntalar [apunta'lar] *vt* étayer.

apuntar [apun'tar] *vt* (*con arma*) viser; (*con dedo*) montrer *o* désigner du doigt; (*datos*) noter; (*TEATRO*) souffler; (*posibilidad*) émettre; (*persona: en examen*) noter; **apuntarse** *vpr* (*tanto, victoria*) remporter; (*en lista, registro*) s'inscrire; ~ **una cantidad en la cuenta de algn** mettre *o* verser une somme sur le compte de qn; ~**se en un curso** s'inscrire à un cours; **¡yo me apunto!** je marche!

apunte [a'punte] *nm* croquis *msg*; (*TEATRO: voz*) voix *fsg* du souffleur; (: *texto*) texte *m* du souffleur; ~**s** *nmpl* (*ESCOL*) notes *fpl*; **tomar ~s** prendre des notes.

apuñalar [apuɲa'lar] *vt* poignarder.

apurado, -a [apu'raðo, a] *adj* (*necesitado*) dans la gêne; (*situación*) difficile, délicat(e); (*AM: con prisa*) pressé(e); **estar en una situación apurada** traverser un moment difficile, être dans une situation critique; **estar** ~ (*avergonzado*) être embarrassé(e); (*en peligro*) être en mauvaise posture.

apurar [apu'rar] *vt* (*bebida, cigarillo*) finir; (*recursos*) épuiser; (*persona: agobiar*) mettre à bout; (: *causar vergüenza a*) mettre dans l'embarras; (: *apresurar*) presser; **apurarse** *vpr* s'inquiéter; (*esp AM: darse prisa*) se dépêcher; **no se apure Vd** ne vous inquiétez pas.

apuro [a'puro] *nm* (*aprieto, vergüenza*) gêne *f*, embarras *msg*; (*penalidad*) affliction *f*; (*AM: prisa*) hâte *f*; **estar en ~s** (*dificultades*) avoir des ennuis; (*falta de dinero*) être dans la gêne; **poner a algn en un** ~ mettre qn dans l'embarras.

aquejado, -a [ake'xaðo, a] *adj*: ~ **de** (*MED*) atteint(e) de.

aquel, aquella [a'kel, a'keʎa] (*mpl* **aquellos**, *fpl* **aquellas**) [a'keʎos, as] *adj* ce(cette); (*pl*) ces.

aquél, aquélla [a'kel, a'keʎa] (*mpl* **aquéllos**, *fpl* **aquéllas**) [a'keʎos, as] *pron* celui-là(celle-là); (*pl*) ceux-là(celles-là).

aquello [a'keʎo] *pron* cela; ~ **que hay allí** ce qu'il y a là-bas.

aquí [a'ki] *adv* ici; (*entonces*) alors; ~ **abajo/arriba** en bas/là-haut; ~ **mismo** ici même; ~ **yace** ci-gît; **de ~ en adelante** désormais; **de ~ a poco** d'ici peu; **de ~ a siete días** d'ici sept jours; **de ~ que ...** de là que ...; **hasta** ~ jusqu'ici; **por** ~ par ici.

aquietar [akje'tar] *vt* apaiser.

árabe ['araβe] *adj* arabe ♦ *nm/f* Arabe *m/f* ♦ *nm* (*LING*) arabe *m*.

arado [a'raðo] *nm* charrue *f*.

Aragón [ara'ɣon] *nm* Aragon *m*.

aragonés, -esa [araɣo'nes, esa] *adj* aragonais(e) ♦ *nm/f* Aragonais(e) ♦ *nm* (*LING*) aragonais *msg*.

arancel [aran'θel] *nm* (*tb:* ~ **de aduanas**) tarif *m* douanier.

arandela [aran'dela] *nf* rondelle *f*; (*de vela*) bobèche *f*; (*adorno de vestido*) ruche *f*; (*AM: volante*) volant *m*.

araña [a'raɲa] *nf* araignée *f*; (*lámpara*) lustre *m*.

arañar [ara'ɲar] *vt* (*herir*) griffer; (*raspar*) érafler; **arañarse** *vpr* s'égratigner.

arañazo [ara'ɲaθo] *nm* égratignure *f*.

arar [a'rar] *vt* labourer.

arbitrar [arβi'trar] *vt* arbitrer; (*recursos*) concevoir ♦ *vi* arbitrer.

arbitrario, -a [arβi'trarjo, a] *adj* arbitraire.

arbitrio [ar'βitrjo] *nm* volonté *f*; (*JUR*) arbitrage *m*; **quedar al ~ de algn** dépendre de la volonté de qn.

árbitro, -a ['arβitro, a] *nm/f* arbitre *m*.

árbol ['arβol] *nm* (*BOT, TEC*) arbre *m*; (*NÁUT*) mât *m*; **árbol de Navidad** arbre de Noël; **árbol frutal** arbre fruitier; **árbol genealógico** arbre généalogique.

arbolado, -a [arβo'laðo, a] *adj* boisé(e); (*camino*) bordé(e) d'arbres ♦ *nm* bois *msg*.

arboleda [arβo'leða] *nf* bois *msg*, bosquet *m*.

arbusto [ar'βusto] *nm* arbuste *m*.

arca ['arka] *nf* coffre *m*; ~**s** *nfpl* (*públicas*) caisses *fpl* de l'État, trésor *msg* public; **A~ de la Alianza** arche *f* d'alliance; **A~ de Noé** Arche de Noé.

arcada [ar'kaða] *nf* arcade *f*; (*de puente*)

arche *f*; ~s *nfpl* (*MED*) nausées *fpl*; **me dieron ~s, me dio una ~** j'ai été pris(e) de nausées.
arcaico, -a [ar'kaiko, a] *adj* archaïque.
arcángel [ar'kanxel] *nm* archange *m*.
arcén [ar'θen] *nm* (*de autopista*) accotement *m*; (*de carretera*) bas-côté *m*.
archipiélago [artʃi'pjelaɣo] *nm* archipel *m*.
archivador [artʃiβa'ðor] *nm* classeur *m*.
archivar [artʃi'βar] *vt* archiver.
archivo [ar'tʃiβo] *nm* archives *fpl*; (*INFORM*) fichier *m*; **A~ Nacional** Archives nationales; **nombre de ~** (*INFORM*) nom *m* de fichier; **archivo de transacciones** (*INFORM*) fichier mouvements; **archivo maestro** (*INFORM*) fichier maître; **archivos policíacos** archives de la police.
arcilla [ar'θiʎa] *nf* argile *f*.
arco ['arko] *nm* arc *m*; (*MÚS*) archet *m*; (*AM*: *DEPORTE*) but *m*; **arco iris** arc-en-ciel *m*.
arcón [ar'kon] *nm* grand coffre *m*.
arder [ar'ðer] *vi* brûler; **~ en deseos de hacer** mourir d'envie de faire; **~ sin llama** se consumer; **estar que arde** (*fam*) bouillir de rage; **esto está que arde** (*fig*) ça sent le brûlé.
ardid [ar'ðið] *nm* ruse *f*.
ardiente [ar'ðjente] *adj* ardent(e); **ser un ~ defensor/partidario de** être un ardent défenseur/partisan de.
ardilla [ar'ðiʎa] *nf* écureuil *m*.
ardor [ar'ðor] *nm* ardeur *f*; **con ~** (*fig*) avec ardeur; **ardor de estómago** brûlures *fpl* d'estomac.
arduo, -a ['arðwo, a] *adj* ardu(e).
área ['area] *nf* (*zona*) surface *f*; (*medida*) are *m*; (*DEPORTE*) zone *f*; **área de excedentes** (*INFORM*) zone de débordement; **área de servicios** (*AUTO*) aire *f* de service.
arena [a'rena] *nf* sable *m*; (*de una lucha*) arène *f*; (*TAUR*) arènes *fpl*; **arenas movedizas** sables mouvants.
arenga [a'renga] *nf* harangue *f*.
arengar [aren'gar] *vt* haranguer.
arenisca [are'niska] *nf* grès *msg*.
arenque [a'renke] *nm* hareng *m*.
arepa [a'repa] (*AM*) *nf* (*torta de maíz*) galette *f* de maïs.
argamasa [arɣa'masa] *nf* mortier *m*.
Argelia [ar'xelja] *nf* Algérie *f*.
argelino, -a [arxe'lino, a] *adj* algérien(ne) ♦ *nm/f* Algérien(ne).
Argentina [arxen'tina] *nf* Argentine *f*.
argentino, -a [arxen'tino, a] *adj* argentin(e) ♦ *nm/f* Argentin(e).
argolla [ar'ɣoʎa] *nf* anneau *m*; (*AM*: *anillo de matrimonio*) alliance *f*.
argot [ar'ɣo] (*pl* **~s**) *nm* argot *m*.
argucia [ar'ɣuθja] *nf* argutie *f*.
argüir [ar'ɣwir] *vt* arguer; (*argumentar*) arguer (de); (*indicar*) sous-entendre ♦ *vi* argumenter; **~ a favor/en contra de** argumenter en faveur de/contre; **~ que** (*alegar*) arguer que; (*deducir*) déduire que.
argumentar [arɣumen'tar] *vt* argumenter; (*deducir*) déduire ♦ *vi* discuter; **~ que** (*alegar*) avancer que; **~ a favor/en contra de** avancer des arguments en faveur de/contre.
argumento [arɣu'mento] *nm* argument *m*; (*CINE, TV*) scénario *m*.
aria ['arja] *nf* aria *f*.
aridez [ari'ðeθ] *nf* aridité *f*.
árido, -a ['ariðo, a] *adj* aride.
Aries ['arjes] *nm* (*ASTROL*) Bélier *m*; **ser ~** être (du) Bélier.
ario, -a ['arjo, a] *adj* aryen(ne).
arisco, -a [a'risko, a] *adj* (*persona*) bourru(e); (*animal*) farouche.
aristocracia [aristo'kraθja] *nf* aristocratie *f*.
aristócrata [aris'tokrata] *nm/f* aristocrate *m/f*.
aritmético, -a [arit'metiko, a] *adj* arithmétique ♦ *nm/f* arithméticien(ne) ♦ *nf* arithmétique *f*.
arma ['arma] *nf* arme *f*; **~s** *nfpl* (*MIL*) armes *fpl*; **rendir las ~s** rendre les armes; **ser de ~s tomar** ne pas être commode; **arma blanca** (*cuchillo*) arme blanche; (*espada*) épée *f*; **arma de doble filo** (*fig*) arme à double tranchant; **arma de fuego** arme à feu; **armas cortas** armes légères.
armada [ar'maða] *nf* marine *f* de guerre; (*flota*) flotte *f*.
armador [arma'ðor] *nm* (*NÁUT*: *dueño*) armateur *m*; (*TEC*) monteur *m*.
armadura [arma'ðura] *nf* (*MIL*) armure *f*; (*TEC, FÍS*) armature *f*; (*tejado*) charpente *f*; (*de gafas*) monture *f*; (*ZOOL*) ossature *f*.
armamento [arma'mento] *nm* armement *m*.
armar [ar'mar] *vt* armer; (*MEC, TEC*) monter; (*ruido, escándalo*) faire, provoquer; **armarse** *vpr*: **~se (con/de)** s'armer (de); **~ la gorda** (*fam*) faire du barouf; **~la** faire un esclandre; **~se un lío** s'arracher les cheveux; **~se de valor/paciencia** s'armer de courage/patience.
armario [ar'marjo] *nm* armoire *f*; **armario de cocina** garde-manger *m inv*; **armario de luna** armoire à glace; **armario empotrado** placard *m*.
armatoste [arma'toste] *nm* (*fam*) monument *m*.

armazón [arma'θon] *nf, nm* armature *f*; (*ARQ*) échafaudage *m*; (*AUTO*) châssis *msg*.
armiño [ar'miɲo] *nm* hermine *f*; **de ~** d'hermine.
armisticio [armis'tiθjo] *nm* armistice *m*.
armonía [armo'nia] *nf* harmonie *f*.
armónica [ar'monika] *nf* harmonica *m*.
armónico, -a [ar'moniko, a] *adj* harmonique.
armonioso, -a [armo'njoso, a] *adj* harmonieux(-euse).
armonizar [armoni'θar] *vt* harmoniser ♦ *vi*: **~ con** (*fig*) être en harmonie avec.
aro ['aro] *nm* cercle *m*, anneau *m*; (*juguete*) cerceau *m*; (*AM*: *pendiente*) anneau; **entrar** *o* **pasar por el ~** mettre les pouces.
aroma [a'roma] *nm* arôme *m*, parfum *m*.
aromático, -a [aro'matiko, a] *adj* aromatique.
arpa ['arpa] *nf* harpe *f*.
arpía [ar'pia] *nf* (*fig*) harpie *f*, mégère *f*.
arpillera [arpi'ʎera] *nf* serpillière *f*.
arpón [ar'pon] *nm* harpon *m*.
arquear [arke'ar] *vt*, **arquearse** *vpr* fléchir.
arqueología [arkeolo'xia] *nf* archéologie *f*.
arqueólogo, -a [arke'oloɣo, a] *nm/f* archéologue *m/f*.
arquero [ar'kero] *nm* archer *m*; (*AM*: *DEPORTE*) gardien *m* de but.
arquetipo [arke'tipo] *nm* archétype *m*.
arquitecto, -a [arki'tekto, a] *nm/f* architecte *m/f*; **arquitecto paisajista** *o* **de jardines** paysagiste *m/f*.
arquitectura [arkitek'tura] *nf* architecture *f*.
arrabal [arra'βal] *nm* faubourg *m*; (*barrio bajo*) bas quartiers *mpl*; **~es** *nmpl* (*afueras*) faubourgs *mpl*.
arraigado, -a [arrai'ɣaðo, a] *adj* enraciné(e).
arraigar [arrai'ɣar] *vi* prendre racine; (*ideas, costumbres*) s'enraciner, prendre racine; (*persona*) s'installer, s'établir; **arraigarse** *vpr* (*costumbre*) s'enraciner, prendre racine; (*persona*) s'installer, s'établir.
arraigo [a'rraiɣo] *nm* enracinement *m*; (*persona*) établissement *m*; **hombre de ~** homme *m* respecté et estimé.
arrancar [arran'kar] *vt* arracher; (*árbol*) déraciner; (*carteles, colgaduras*) retirer; (*esparadrapo*) enlever; (*suspiro*) pousser; (*AUTO, máquina*) mettre en marche; (*INFORM*) démarrer ♦ *vi* (*AUTO*) démarrer; (*persona*) s'en aller; **~ información a algn** soutirer un renseignement à qn; **~ de** (*fig*) provenir de; **~ de raíz** déraciner.
arranque [a'rranke] *vb V* **arrancar** ♦ *nm* (*AUTO*) démarrage *m*; (*de enfermedad*) début *m*; (*de tradición*) origine *f*; (*fig*: *arrebato*) élan *m*.
arrasar [arra'sar] *vt* aplanir; (*derribar*) raser ♦ *vi* (*fig*) faire un triomphe *o* tabac (*fam*).
arrastrado, -a [arras'traðo, a] *adj* misérable; (*AM*: *servil*) servile ♦ *nm/f* (*fam*: *bribón*) coquin(-ine).
arrastrar [arras'trar] *vt* traîner; (*suj*: *agua, viento, tb fig*) entraîner ♦ *vi* traîner; **arrastrarse** *vpr* se traîner; (*fig*) s'abaisser; **llevar algo arrastrando** traîner qch depuis longtemps.
arrastre [a'rrastre] *nm* remorquage *m*; (*PESCA*) chalutage *m*; **estar para el ~** (*fam*) être foutu(e); **~ de papel por fricción/por tracción** (*en impresora*) entraînement *m* par friction/par ergots.
arre ['arre] *excl* hue!
arrear [arre'ar] *vt* exciter; (*fam*) flanquer ♦ *vi* (*fam*) se grouiller.
arrebatar [arreβa'tar] *vt* arracher; (*fig*) transporter; **arrebatarse** *vpr* s'emporter.
arrebato [arre'βato] *nm* emportement *m*; (*éxtasis*) transport *m*; **~ de cólera/entusiasmo** élan *m* *o* mouvement *m* de colère/d'enthousiasme.
arrebujar [arreβu'xar] *vt* (*ropa*) chiffonner; (*niño*) emmitoufler; **arrebujarse** *vpr* s'emmitoufler.
arreciar [arre'θjar] *vi* décupler; (*lluvia*) tomber dru.
arrecife [arre'θife] *nm* récif *m*; (*tb*: **~ de coral**) récif de corail.
arreglado, -a [arre'ɣlaðo, a] *adj* (*persona*) soigné(e); (*vestido*) impeccable; (*habitación*) ordonné(e), en ordre; (*conducta*) réglé(e); **¡estamos ~s!** nous voilà bien avancés!
arreglar [arre'ɣlar] *vt* ranger, mettre en ordre; (*persona*) préparer; (*algo roto*) réparer, arranger; (*problema*) régler; (*entrevista*) fixer; **arreglarse** *vpr* s'arranger, se régler; (*acicalarse*) se pomponner; **~se (para hacer)** se préparer (à faire); **arreglárselas** (*fam*) se débrouiller, s'en sortir; **~se el pelo/las uñas** s'arranger les cheveux/se faire les ongles.
arreglo [a'rreɣlo] *nm* rangement *m*, ordre *m*; (*acuerdo*) arrangement *m*, accord *m*; (*MÚS*) arrangement; (*INFORM*) tableau *m*; (*de algo roto*) réparation *f*; (*de persona*) toilette *f*, soin *m*; **con ~ a** conformément à; **llegar a un ~** parvenir à un accord; **~ de cuentas** (*fig*) règlement *m* de comptes.
arrellanarse [arreʎa'narse] *vpr*: **~ en** (*si-*

llón) se carrer *o* se prélasser dans.

arremangar [arreman'gar] *vt* relever, retrousser; **arremangarse** *vpr* retrousser ses manches.

arremeter [arreme'ter] *vi*: ~ **contra** se jeter à l'assaut de, fondre sur; (*fig*) s'en prendre à, s'attaquer à.

arrendamiento [arrenda'mjento] *nm* location *f*; (*contrato*) bail *m*; (*precio*) loyer *m*.

arrendar [arren'dar] *vt* louer.

arrendatario, -a [arrenda'tarjo, a] *nm/f* locataire *m/f*.

arreos [a'rreos] *nmpl* harnais *msg*; (*fig*) attirail *m*.

arrepentimiento [arrepenti'mjento] *nm* repentir *m*; **sentir/tener** ~ éprouver du repentir.

arrepentirse [arrepen'tirse] *vpr*: ~ **(de)** se repentir (de); ~ **de haber hecho algo** se repentir d'avoir fait qch; **mostrarse arrepentido** regretter, être navré(e).

arrestar [arres'tar] *vt* arrêter; (*MIL*) mettre aux arrêts.

arresto [a'rresto] *nm* arrestation *f*; (*MIL*) arrêts *mpl*; ~**s** *nmpl* (*audacia*) audace *fsg*; **arresto domiciliario** assignation *f* à domicile; **arresto menor** *détention d'une durée d'un à trente jours*; **arresto mayor** *détention d'une durée d'un à six mois*.

arriar [a'rrjar] *vt* amener; (*un cable*) mollir.

PALABRA CLAVE

arriba [a'rriβa] *adv* **1** (*posición*) en haut; **allí arriba** là-haut; **el piso de arriba** l'appartement du dessus; **la parte de arriba** le haut; **la orden vino de arriba** (*fig*) l'ordre est venu d'en haut; **más arriba** plus haut; **desde arriba** d'en haut; **arriba del todo** tout en haut; **Juan está arriba** Juan est en haut; **lo arriba mencionado** ce qui est mentionné ci-dessus; **de cien pesetas para arriba** au-dessus de cent pesetas; **peseta arriba, peseta abajo** à quelques pesetas près

2 (*dirección*): **ir calle arriba** remonter la rue; **río arriba** en amont

3: **mirar a algn de arriba abajo** regarder qn de haut en bas

♦ *prep*: **arriba de** (*AM*) sur, au-dessus de; **arriba de 200 pesetas** plus de 200 pesetas

♦ *excl*: **¡arriba!** (*¡levanta!*) debout!; (*ánimo*) courage!; **¡manos arriba!** haut les mains!; **¡arriba España!** vive l'Espagne!

arribista [arri'βista] *nm/f* arriviste *m/f*.

arriendo [a'rrjendo] *vb V* **arrendar** ♦ *nm* = **arrendamiento**.

arriero [a'rrjero] *nm* muletier *m*.

arriesgado, -a [arrjes'ɣaðo, a] *adj* (*peligroso*) risqué(e), hasardeux(-euse); (*audaz: persona*) audacieux(-euse).

arriesgar [arrjes'ɣar] *vt*, **arriesgarse** *vpr* risquer; ~ **el pellejo** risquer sa peau; ~**se a hacer algo** se risquer à faire qch.

arrimar [arri'mar] *vt* (*acercar*): ~ **a** approcher de; (*dejar de lado*) abandonner, laisser tomber; **arrimarse** *vpr*: ~**se a** (*acercarse*) s'approcher de; (*apoyarse*) s'appuyer sur; (*fig*) se rapprocher de, se placer sous la protection de; ~ **el hombro** (*ayudar*) donner un coup de main; (*trabajar*) travailler dur; ~**se al sol que más calienta** se ranger du côté du plus fort; **arrímate a mí** approche-toi de moi.

arrinconar [arrinko'nar] *vt* (*algo viejo*) mettre dans un coin, mettre au rebut; (*enemigo*) acculer; (*fig: persona*) laisser tomber, délaisser.

arrodillarse [arroði'ʎarse] *vpr* s'agenouiller.

arrogancia [arro'ɣanθja] *nf* arrogance *f*.

arrogante [arro'ɣante] *adj* arrogant(e).

arrojadizo, -a [arroxa'ðiθo, a] *adj*: **arma arrojadiza** arme *f* de jet.

arrojar [arro'xar] *vt* (*piedras*) jeter; (*pelota*) lancer; (*basura*) jeter, déverser; (*humo*) cracher; (*persona*) chasser, mettre dehors; (*COM*) totaliser; **arrojarse** *vpr* se jeter.

arrollador, a [arroʎa'ðor, a] *adj* (*éxito*) retentissant(e); (*fuerza*) irrésistible; (*mayoría*) écrasant(e).

arrollar [arro'ʎar] *vt* (*suj: vehículo*) renverser; (: *agua*) emporter, rouler; (*DEPORTE*) écraser ♦ *vi* (*tener éxito electoral*) avoir une majorité écrasante.

arropar [arro'par] *vt* couvrir; **arroparse** *vpr* se couvrir.

arroyo [a'rrojo] *nm* ruisseau *m*; (*de la calle*) caniveau *m*; **recoger a algn del** ~ tirer qn du ruisseau.

arroz [a'rroθ] *nm* riz *m*; **arroz blanco** (*CULIN*) riz blanc; **arroz con leche** riz au lait.

arrozal [arro'θal] *nm* rizière *f*.

arruga [a'rruɣa] *nf* ride *f*; (*en ropa*) pli *m*.

arrugar [arru'ɣar] *vt* (*piel*) rider; (*ropa, papel*) froisser; (*ceño, frente*) froncer; **arrugarse** *vpr* se rider; (*ropa*) se froisser; (*persona*) se froisser.

arruinar [arrwi'nar] *vt* ruiner; **arruinarse** *vpr* se ruiner.

arrullar [arru'ʎar] *vt* bercer ♦ *vi* roucouler.

arsenal [arse'nal] *nm* (*MIL*) arsenal *m*; (*NÁUT*) chantier *m* naval.

arsénico [ar'seniko] *nm* arsenic *m*.

arte ['arte] *nm* (*gen m en sg y siempre f en pl*) art *m*; (*maña*) don *m*; ~s *nfpl* arts *mpl*; **~s y oficios** arts et métiers; **por amor al ~** pour l'amour de l'art; **por ~ de magia** comme par enchantement; **Bellas A~s** Beaux-Arts *mpl*; **con malas ~s** par des moyens peu orthodoxes; **no tener ~ ni parte en algo** n'être pour rien dans qch, n'avoir rien à voir avec qch; **arte abstracto** art abstrait; **artes plásticas** arts plastiques.

artefacto [arte'fakto] *nm* engin *m*, machine *f*; (*ARQUEOLOGÍA*) objet *m* (fabriqué); (*explosivo*) engin explosif.

arteria [ar'terja] *nf* artère *f*.

arterial [arte'rjal] *adj* artériel(le).

artesanía [artesa'nia] *nf* artisanat *m*; **de ~** artisanal(e).

artesano, -a [arte'sano, a] *nm/f* artisan(e).

ártico, -a ['artiko, a] *adj* arctique ♦ *nm*: **el Á~** l'Arctique *m*.

articulación [artikula'θjon] *nf* articulation *f*.

articular [artiku'lar] *vt* articuler.

artículo [ar'tikulo] *nm* article *m*; ~s *nmpl* (*COM*) articles *mpl*; **artículo de fondo** article de fond; **artículos de escritorio/tocador** articles de bureau/toilette; **artículos de lujo/marca/primera necesidad** articles de luxe/marque/première nécessité.

artífice [ar'tifiθe] *nm/f* artisan(e); (*fig*) auteur *m*.

artificial [artifi'θjal] *adj* artificiel(le); (*fig*) artificiel(le), forcé(e).

artificio [arti'fiθjo] *nm* appareil *m*, engin *m*; (*artesanía*) art *m*; (*truco*) artifice *m*.

artillería [artiʎe'ria] *nf* artillerie *f*.

artillero [arti'ʎero] *nm* artilleur *m*.

artilugio [arti'luxjo] *nm* engin *m*; (*ardid*) subterfuge *m*.

artimaña [arti'maɲa] *nf* (*ardid*) stratagème *m*; (*astucia*) astuce *f*, ruse *f*.

artista [ar'tista] *nm/f* artiste *m/f*; **artista de cine** artiste de cinéma; **artista de teatro** comédien(ne).

artístico, -a [ar'tistiko, a] *adj* artistique.

artritis [ar'tritis] *nf* arthrite *f*.

arveja [ar'βexa] (*AM*: *guisante*) *nf* pois *msg*.

arzobispo [arθo'βispo] *nm* archevêque *m*.

as [as] *nm* as *m*; **ser un ~ (de)** (*fig*) être un as (de); **~ del fútbol** as du football.

asa ['asa] *nf* anse *f*.

asado [a'saðo] *nm* (*carne*) rôti *m*; (*CSUR*: *barbacoa*) barbecue *m*.

asador [asa'ðor] *nm* (*varilla*) broche *f*; (*aparato*) rôtissoire *f*; (*restaurante*) grill *m*.

asaduras [asa'ðuras] *nfpl* (*CULIN*) abats *mpl*.

asalariado, -a [asala'rjaðo, a] *adj, nm/f* salarié(e).

asaltar [asal'tar] *vt* (*banco etc*) attaquer; (*persona, fig*) assaillir; (*MIL*) prendre d'assaut.

asalto [a'salto] *nm* (*a banco*) hold-up *m inv*; (*a persona*) agression *f*; (*MIL*) assaut *m*; (*BOXEO*) round *m*; **tomar por ~** prendre d'assaut.

asamblea [asam'blea] *nf* (*corporación*) assemblée *f*, rassemblement *m*; (*reunión*) assemblée.

asar [a'sar] *vt* rôtir (*au four*), griller (*au feu de bois, au grill*); **asarse** *vpr* (*fig*) cuire; **~ a preguntas** harceler de questions; **me aso de calor** (*fig*) j'étouffe de chaleur; **~ al horno/a la parrilla** rôtir au four/sur le gril; **aquí se asa uno vivo** on cuit ici!

ascender [asθen'der] *vi* monter; (*DEPORTE*) monter, passer; (*en puesto de trabajo*) monter en grade ♦ *vt* faire monter; **~ a** s'élever à; **ascendió a general** il a accédé au grade de général, il est passé général.

ascendiente [asθen'djente] *nm* ascendant *m*; ~s *nmpl* ascendants *mpl*

ascensión [asθen'sjon] *nf* ascension *f*; **la A~** (*REL*) l'Ascension.

ascenso [as'θenso] *nm* promotion *f*.

ascensor [asθen'sor] *nm* ascenseur *m*.

asco ['asko] *nm*: **¡qué ~!** (que) c'est dégoûtant!; **el ajo me da ~** j'ai horreur de l'ail; **hacer ~s a algo** faire la fine bouche devant qch; **estar hecho un ~** être dégoûtant(e); **poner a algn de ~** (*AM*) abreuver qn d'injures; **ser un ~** (*clase, libro*) être nul(le); (*película*) être un navet; **morirse de ~** s'ennuyer à mourir.

ascua ['askwa] *nf* braise *f*; **arrimar el ~ a su sardina** tirer la couverture à soi; **estar en** *o* **sobre ~s** être sur des charbons ardents.

aseado, -a [ase'aðo, a] *adj* (*persona*) impeccable, bien mis(e); (*casa*) impeccable.

asear [ase'ar] *vt* (*casa*) arranger; (*persona*) arranger, faire la toilette de; **asearse** *vpr* (*persona*) s'arranger, faire sa toilette.

asediar [ase'ðjar] *vt* assiéger; (*fig*) assaillir.

asedio [a'seðjo] *nm* siège *m*; (*COM*) forte demande *f*.

asegurado, -a [aseɣu'raðo, a] *adj, nm/f* assuré(e).

asegurador, a [aseɣura'ðor, a] *nm/f* assureur *m* ♦ *nf* (*tb*: **compañia ~a**) compagnie *f* d'assurances.

asegurar [aseɣu'rar] *vt* assurer; (*cuerda,*

clavo) fixer; (*maleta*) bien fermer; (*afirmar*) assurer, certifier; (*garantizar*) garantir; **asegurarse** *vpr*: **~se (de)** s'assurer (de); **~se (contra)** (*COM*) s'assurer (contre), prendre une assurance (contre); **se lo aseguro** je vous assure.

asemejarse [aseme'xarse] *vpr*: **~ a** ressembler à.

asentar [asen'tar] *vt* (*sentar*) asseoir; (*poner*) placer; (*alisar*) aplatir; (*golpe*) assener; (*instalar*) installer; (*asegurar*) assurer; (*COM*) inscrire; **asentarse** *vpr* (*persona*) s'établir; (*líquido, polvo*) se déposer.

asentimiento [asenti'mjento] *nm* assentiment *m*.

asentir [asen'tir] *vi* acquiescer; **~ con la cabeza** acquiescer d'un signe de tête.

aseo [a'seo] *nm* hygiène *f*, toilette *f*; (*orden*) soin *m*; **~s** *nmpl* (*servicios*) toilettes *fpl*; **cuarto de ~** cabinet *m* de toilette; **aseo personal** hygiène personnelle.

asequible [ase'kiβle] *adj* (*precio*) abordable; (*meta*) accessible; (*persona*) accessible, abordable; **~ a** (*comprensible*) accessible à, à la portée de.

aserradero [aserra'ðero] *nm* scierie *f*.

aserrar [ase'rrar] *vt* scier.

asesinar [asesi'nar] *vt* assassiner.

asesinato [asesi'nato] *nm* assassinat *m*.

asesino [ase'sino] *nm* assassin *m*.

asesor, a [ase'sor, a] *nm/f* conseiller(-ère), consultant(e); (*COM*) consultant(e); **asesor administrativo** conseiller en gestion; **asesor de imagen** conseiller en relations publiques.

asesorar [aseso'rar] *vt* (*JUR, COM*) conseiller; **asesorarse** *vpr*: **~se con** *o* **de** prendre conseil de.

asesoría [aseso'ria] *nf* (*cargo*) conseil *m*; (*oficina*) cabinet *m* d'expert-conseil.

asestar [ases'tar] *vt* (*golpe*) assener; (*tiro*) envoyer.

aseverar [aseβe'rar] *vt* assurer, affirmer.

asfalto [as'falto] *nm* bitume *m*.

asfixia [as'fiksja] *nf* asphyxie *f*.

asfixiante [asfi'ksjante] *adj* (*gas*) asphyxiant(e); (*calor*) étouffant(e).

asfixiar [asfik'sjar] *vt* (*suj: persona*) asphyxier; (: *calor*) étouffer; **asfixiarse** *vpr* être asphyxié(e), être étouffé(e); **~se de calor** étouffer de chaleur.

así [a'si] *adv* (*de esta manera*) ainsi; (*aunque*) même si; (*tan pronto como*) dès que ♦ *conj (+ subj)* même si; **~, ~** comme ci comme ça, couci-couça; **~ de grande** grand(e) comme ça; **~ llamado** soi-disant, prétendu; **~ es la vida** c'est la vie; **¡~ sea!** ainsi soit-il!; **y ~ sucesivamente** et ainsi de suite; **~ y todo** malgré tout; **¿no es ~?** n'est-ce pas (vrai)?; **mil pesetas o ~** à peu près mille pesetas; **~ como** (*también*) ainsi que, de même que; (*en cuanto*) dès que; **~ pues** ainsi donc; **~ que** (*en cuanto*) dès que; (*por consiguiente*) donc.

Asia ['asja] *nf* Asie *f*.

asiático, -a [a'sjatiko, a] *adj* asiatique ♦ *nm/f* Asiatique *m/f*.

asidero [asi'ðero] *nm* anse *f*.

asiduo, -a [a'siðwo, a] *adj* assidu(e) ♦ *nm/f* habitué(e).

asiento [a'sjento] *vb V* **asentar; asentir** ♦ *nm* siège *m*; (*de silla etc*) assise *f*; (*de cine, tren*) place *f*; (*COM*) inscription *f*; **tomar ~** prendre place; **asiento delantero/trasero** siège avant/arrière.

asignación [asiɣna'θjon] *nf* attribution *f*; (*reparto*) assignation *f*; (*paga*) traitement *m*; (*COM*) allocation *f*; **asignación de presupuesto** crédit *m* budgétaire; **asignación (semanal)** salaire *m* (hebdomadaire); (*a un hijo*) argent *m* de poche.

asignar [asiɣ'nar] *vt* assigner; (*cantidad*) allouer, attribuer.

asignatura [asiɣna'tura] *nf* matière *f*, discipline *f*; **asignatura pendiente** épreuve *f* à repasser; (*fig*) partie *f* remise.

asilo [a'silo] *nm* asile *m*; **derecho de ~** droit *m* d'asile; **pedir/dar ~ a algn** demander/donner asile à qn; **asilo de ancianos** asile de vieillards, hospice *m*; **asilo de pobres** hospice des pauvres; **asilo político** asile politique.

asimilación [asimila'θjon] *nf* assimilation *f*.

asimilar [asimi'lar] *vt* assimiler; **asimilarse** *vpr*: **~se a** s'assimiler à.

asimismo [asi'mismo] *adv* tout autant, pareillement.

asir [a'sir] *vt* saisir; **asirse** *vpr*: **~se a** *o* **de** se saisir de, s'accrocher à.

asistencia [asis'tenθja] *nf* assistance *f*; (*tb:* **~ médica**) soins *mpl* médicaux; **asistencia social/técnica** assistance sociale/technique.

asistenta [asis'tenta] *nf* femme *f* de ménage.

asistente [asis'tente] *nm/f* assistant(e) ♦ *nm* (*MIL*) ordonnance *f*; **los ~s** les assistants; **asistente social** employé(e) des services sociaux; (*mujer*) assistante *f* sociale.

asistir [asis'tir] *vt* (*MED*) assister, soigner; (*ayudar*) assister, secourir; (*acompañar*) assister ♦ *vi*: **~ (a)** assister (à).

asma ['asma] *nf* asthme *m*.

asno ['asno] *nm* (*tb fig*) âne *m*.

asociación [asoθja'θjon] *nf* association *f*; **asociación de ideas** association d'idées.

asociado, -a [aso'θjaðo, a] *adj, nm/f* associé(e).
asociar [aso'θjar] *vt* associer; **asociarse** *vpr*: **~se (a)** s'associer (à).
asolar [aso'lar] *vt* dévaster, ravager.
asomar [aso'mar] *vt* sortir, mettre dehors ♦ *vi* (*sol*) poindre, se montrer; (*barco*) apparaître; **asomarse** *vpr*: **~se a** *o* **por** se montrer à, se mettre à; **~ la cabeza por la ventana** se mettre à la fenêtre, mettre la tête à la fenêtre.
asombrar [asom'brar] *vt* (*causar asombro*) étonner; (*causar admiración*) stupéfier; **asombrarse** *vpr*: **~se (de)** (*sorprenderse*) s'étonner (de); (*asustarse*) s'effrayer (de).
asombro [a'sombro] *nm* (*sorpresa*) étonnement *m*, stupéfaction *f*; (*susto*) frayeur *f*; **no salir de su ~** ne pas en revenir.
asombroso, -a [asom'broso, a] *adj* étonnant(e), stupéfiant(e).
asomo [a'somo] *nm* signe *m*, ombre *f*; **ni por ~** pas le moins du monde, en aucune manière.
aspa ['aspa] *nf* croix *fsg* de Saint André; (*de molino*) aile *f*; **en ~** en forme de X.
aspaviento [aspa'βjento] *nm* gestes *mpl* outranciers; **hacer ~s** faire des simagrées.
aspecto [as'pekto] *nm* aspect *m*, air *m*; (*de salud*) mine *f*; (*fig*) aspect; **bajo este ~** vu(e) sous cet angle; **tener buen/mal ~** (*persona*) avoir bonne/mauvaise mine; **en todos los ~s** sous tous les rapports.
áspero, -a ['aspero, a] *adj* rugueux(-euse); (*sabor*) âpre.
aspersor [asper'sor] *nm* arroseur *m*.
aspiración [aspira'θjon] *nf* aspiration *f*; **aspiraciones** *nfpl* (*ambiciones*) aspirations *fpl*.
aspiradora [aspira'ðora] *nf* aspirateur *m*.
aspirante [aspi'rante] *nm/f* candidat(e).
aspirar [aspi'rar] *vt* aspirer ♦ *vi*: **~ a (hacer)** aspirer à (faire).
aspirina [aspi'rina] *nf* aspirine *f*.
asquear [aske'ar] *vt* écœurer; **asquearse** *vpr*: **~se (de)** être dégoûté(e) (de).
asquerosidad [askerosi'ðað] *nf* (*suciedad*) saleté *f* repoussante; (*dicho*) grossièreté *f*; (*truco*) tour *m* de cochon.
asqueroso, -a [aske'roso, a] *adj, nm/f* dégoûtant(e).
asta ['asta] *nf* hampe *f*; **~s** *nfpl* (*ZOOL*) bois *mpl*; **a media ~** en berne.
asterisco [aste'risko] *nm* astérisque *m*.
asteroide [aste'roiðe] *nm* astéroïde *m*.
astilla [as'tiʎa] *nf* éclat *m*; (*de leña*) écharde *f*; (*de hueso*) esquille *f*; **~s** *nfpl* (*para fuego*) petit bois *m*; **hacer ~s** briser; **de tal palo tal ~** tel père, tel fils.
astillarse [asti'ʎarse] *vpr* voler en éclats, se briser.
astilleros [asti'ʎeros] *nmpl* chantier *m* naval; (*de la Armada*) arsenal *m*.
astro ['astro] *nm* astre *m*.
astrología [astrolo'xia] *nf* astrologie *f*.
astrólogo, -a [as'troloɣo, a] *nm/f* astrologue *m/f*.
astronauta [astro'nauta] *nm/f* astronaute *m/f*.
astronomía [astrono'mia] *nf* astronomie *f*.
astronómico, -a [astro'nomiko, a] *adj* astronomique; (*conocimientos*) en astronomie.
astrónomo, -a [as'tronomo, a] *nm/f* astronome *m/f*.
astucia [as'tuθja] *nf* astuce *f*.
asturiano, -a [astu'rjano, a] *adj* asturien(ne) ♦ *nm/f* Asturien(ne).
Asturias [as'turjas] *nfpl* Asturies *fpl*; **Príncipe de ~** prince *m* des Asturies.
astuto, -a [as'tuto, a] *adj* astucieux(-euse); (*taimado*) rusé(e).
asueto [a'sweto] *nm*: **día/semana/tarde de ~** jour *m*/semaine *f*/après-midi *m o f inv* de congé.
asumir [asu'mir] *vt* assumer.
asunción [asun'θjon] *nf* prise *f* de possession; **la A~** l'Assomption *f*.
asunto [a'sunto] *nm* (*tema*) sujet *m*; (*negocio*) affaire *f*; (*argumento*) thème *m*; **¡eso es ~ mío!** cela me regarde!; **~s a tratar** affaires à régler; **ir al ~** en venir aux choses sérieuses; **Asuntos Exteriores** Affaires étrangères.
asustar [asus'tar] *vt* faire peur à; (*ahuyentar*) mettre en fuite; **asustarse** *vpr*: **~se (de** *o* **por)** avoir peur (de).
atacar [ata'kar] *vt* attaquer; (*teoría*) s'attaquer à.
atadura [ata'ðura] *nf* attache *f*, lien *m*; (*impedimento*) entrave *f*, lien.
atajar [ata'xar] *vt* (*interrumpir*) couper court à, interrompre; (*cortar el paso a*) barrer la route à; (*enfermedad*) enrayer; (*riada, sublevación*) endiguer; (*incendio*) maîtriser; (*discurso*) interrompre; (*DEPORTE*) plaquer ♦ *vi* prendre un raccourci.
atajo [a'taxo] *nm* raccourci *m*; (*DEPORTE*) plaquage *m*; **son un ~ de cobardes/ladrones** c'est une bande de lâches/voleurs; **soltar un ~ de mentiras** débiter un tissu de mensonges.
atañer [ata'ɲer] *vi*: **~ a** (*persona*) concerner; (*gobierno*) incomber à; **en lo que atañe a eso** en ce qui concerne cela.
ataque [a'take] *vb V* **atacar** ♦ *nm* (*MIL*) attaque *f*, raid *m*; (*MED*) attaque; (*de ira, ner-*

vios, risa) crise *f*; **¡al ~!** à l'attaque!; **ataque cardíaco** crise cardiaque.

atar [a'tar] *vt* attacher, ligoter; **atarse** *vpr* (*zapatos*) attacher; (*corbata*) nouer; **~ la lengua a algn** (*fig*) réduire qn au silence; **~ cabos** déduire par recoupements; **~ corto a algn** tenir la bride haute à qn.

atardecer [atarðe'θer] *vi*: **atardece a las 8** la nuit tombe à 8 h ♦ *nm* tombée *f* du jour; **al ~** à la tombée du jour.

atareado, -a [atare'aðo, a] *adj* affairé(e).

atascar [atas'kar] *vt* boucher; **atascarse** *vpr* se boucher; (*coche*) s'embourber; (*motor*) se gripper; (*fig: al hablar*) bafouiller; (*en problema*) s'enliser.

atasco [a'tasko] *nm* obstruction *f*; (*AUTO*) bouchon *m*.

ataúd [ata'uð] *nm* cercueil *m*, bière *f*.

ataviar [ata'βjar] *vt* parer; **ataviarse** *vpr* se parer.

ateísmo [ate'ismo] *nm* athéisme *m*.

atemorizar [atemori'θar] *vt* faire peur à; **atemorizarse** *vpr*: **~se (de *o* por)** s'effrayer (de).

Atenas [a'tenas] *n* Athènes.

atenazar [atena'θar] *vt* tenailler.

atención [aten'θjon] *nf* attention *f* ♦ *excl* attention!; **atenciones** *nfpl* (*amabilidad*) attentions *fpl*, égards *mpl*; **en ~ a esto** eu égard à cela; **llamar la ~ a algn** (*despertar curiosidad*) attirer l'attention de qn; (*reprender*) rappeler qn à l'ordre; **prestar ~** prêter attention; **"a la ~ de ..."** (*en carta*) "à l'attention de ...".

atender [aten'der] *vt* (*consejos*) tenir compte de; (*TEC*) entretenir; (*enfermo, niño*) s'occuper de, soigner; (*petición*) accéder à ♦ *vi*: **~ a** se soucier de; (*detalles*) s'arrêter sur; **~ al teléfono** répondre au téléphone; **~ a la puerta** aller ouvrir la porte.

atenerse [ate'nerse] *vpr*: **~ a** s'en tenir à; **~ a las consecuencias** penser aux conséquences.

atentado [aten'taðo] *nm* attentat *m*; (*delito*) atteinte *f*, attentat; **~ contra la vida de algn** attentat à la vie de qn; **atentado contra el pudor** attentat à la pudeur; **atentado contra la salud pública** atteinte à la santé publique; **atentado golpista** coup *m* d'État.

atentamente [a'tentamente] *adv* attentivement; **le saluda ~** (*en carta*) recevez mes salutations distinguées.

atentar [aten'tar] *vi*: **~ a *o* contra** (*seguridad*) attenter à; (*moral, derechos*) porter atteinte à; **~ contra** (*POL*) attenter à la vie de, commettre un attentat contre.

atento, -a [a'tento, a] *adj* attentif(-ive); (*cortés*) attentionné(e); **~ a** attentif(-ive) à; **su atenta (carta)** (*COM*) votre courrier.

atenuante [ate'nwante] *adj*: **circunstancias ~s** (*JUR*) circonstances *fpl* atténuantes.

atenuar [ate'nwar] *vt* atténuer; **atenuarse** *vpr* s'atténuer.

ateo, -a [a'teo, a] *adj, nm/f* athée *m/f*.

aterido, -a [ate'riðo, a] *adj*: **~ de frío** transi(e).

aterrador, a [aterra'ðor, a] *adj* épouvantable, effroyable.

aterrar [ate'rrar] *vt* effrayer; (*aterrorizar*) terrifier; **aterrarse** *vpr*: **~se de *o* por** être terrifié(e) par.

aterrizaje [aterri'θaxe] *nm* (*AVIAT*) atterrissage *m*; **aterrizaje forzoso** atterrissage forcé.

aterrizar [aterri'θar] *vi* atterrir.

aterrorizar [aterrori'θar] *vt* terroriser; **aterrorizarse** *vpr*: **~se (de *o* por)** être terrorisé(e) (par).

atesorar [ateso'rar] *vt* amasser; (*fig*) accumuler.

atestado, -a [ates'taðo, a] *adj* (*testarudo*) entêté(e) ♦ *nm* (*JUR*) procès-verbal *m*; **~ de** plein(e) à craquer de.

atestiguar [atesti'ɣwar] *vt* (*JUR*) témoigner; (*fig: dar prueba de*) témoigner de.

atiborrar [atiβo'rrar] *vt* envahir; **atiborrarse** *vpr*: **~se (de)** se gaver (de).

ático ['atiko] *nm* attique *m*; **ático de lujo** *appartement de grand standing construit sur le toit d'un immeuble*.

atildar [atil'dar] *vt* (*TIP*) accentuer; **atildarse** *vpr* se pomponner.

atinado, -a [ati'naðo, a] *adj* approprié(e); (*sensato*) sensé(e).

atinar [ati'nar] *vi* viser juste; (*fig*) deviner juste; **~ con *o* en** (*solución*) trouver; **~ a hacer** réussir à faire.

atisbar [atis'βar] *vt* épier; (*vislumbrar*) percevoir.

atizar [ati'θar] *vt* (*fuego, fig*) attiser; (*horno etc*) alimenter; (*DEPORTE*) battre à plate couture; (*fam: golpe*) flanquer.

atlántico, -a [at'lantiko, a] *adj* atlantique ♦ *nm*: **el (Océano) A~** l'(océan *m*) Atlantique *m*.

atlas ['atlas] *nm* atlas *m*.

atleta [at'leta] *nm/f* athlète *m/f*.

atlético, -a [at'letiko, a] *adj* (*competición*) d'athlétisme; (*persona*) athlétique.

atletismo [atle'tismo] *nm* athlétisme *m*.

atmósfera [at'mosfera] *nf* atmosphère *f*.

atmosférico, -a [atmos'feriko, a] *adj* atmosphérique.

atolladero [atoʎa'ðero] *nm* (*fig*) impasse *f*; **estar en un ~** être dans une impasse;

sacar a algn de un ~ tirer qn d'embarras.

atolondrado, -a [atolon'draðo, a] *adj* étourdi(e).

atolondrarse [atolon'drarse] *vpr* perdre la tête; (*por golpe*) être étourdi(e).

atómico, -a [a'tomiko, a] *adj* atomique.

átomo ['atomo] *nm* atome *m*.

atónito, -a [a'tonito, a] *adj* pantois(e).

atontado, -a [aton'taðo, a] *adj* étourdi(e); (*bobo*) stupide ♦ *nm/f* abruti(e).

atontar [aton'tar] *vt* abrutir; **atontarse** *vpr* s'abêtir.

atormentar [atormen'tar] *vt* tourmenter, torturer; **atormentarse** *vpr* se tourmenter.

atornillar [atorni'ʎar] *vt* visser.

atorón [ato'ron] (*MÉX*) *nm* (*AUTO*: *atasco*) embouteillage *m*.

atosigar [atosi'ɣar] *vt* empoisonner; **atosigarse** *vpr* être obsédé(e).

atracadero [atraka'ðero] *nm* débarcadère *m*.

atracador, a [atraka'ðor, a] *nm/f* malfaiteur *m*.

atracar [atra'kar] *vt* (*NÁUT*) amarrer; (*atacar*) attaquer à main armée ♦ *vi* amarrer; **atracarse** *vpr*: **~se (de)** se bourrer (de).

atracción [atrak'θjon] *nf* attirance *f*; **atracciones** *nfpl* (*diversiones*) attractions *fpl*; **sentir ~ por** éprouver de l'attirance pour; **centro/punto de ~** centre *m*/point *m* d'attraction.

atraco [a'trako] *nm* agression *f*; (*en banco*) hold-up *m inv*; **atraco a mano armada** attaque *f* à main armée.

atracón [atra'kon] *nm*: **darse** *o* **pegarse un ~ (de)** (*fam*) s'empiffrer (de), se bourrer (de).

atractivo, -a [atrak'tiβo, a] *adj* attirant(e) ♦ *nm* attrait *m*.

atraer [atra'er] *vt* attirer; **atraerse** *vpr* s'attirer; **dejarse ~ por** se laisser attirer par; **~se a algn** conquérir qn.

atragantarse [atraɣan'tarse] *vpr*: **~ (con)** s'étrangler (avec); **se me ha atragantado el chico ése** je ne peux pas le voir, celui-là; **se me ha atragantado el inglés** l'anglais et moi, ça fait deux.

atrancar [atran'kar] *vt* (*puerta*) barricader; (*desagüe*) boucher; **atrancarse** *vpr* (*desagüe*) se boucher; (*mecanismo*) se gripper; (*fig*: *al hablar*) bafouiller.

atrapar [atra'par] *vt* attraper.

atrás [a'tras] *adv* (*posición*) derrière, en arrière; (*dirección*) derrière; **~ de** *prep* (*AM*: *detrás de*) derrière; **años/meses ~** des années/mois auparavant; **días ~** cela fait des jours et des jours; **asiento/parte de ~** siège *m*/partie *f* arrière; **cuenta ~** compte *m* à rebours; **marcha ~** marche *f* arrière; **echarse para ~** se rejeter en arrière; **ir hacia ~** (*movimiento*) aller en arrière; (*dirección*) aller derrière; **estar ~** être *o* se trouver derrière *o* en arrière; **está más ~** c'est plus loin derrière; **volverse ~** revenir en arrière, reculer; (*desdecirse*) se dédire.

atrasado, -a [atra'saðo, a] *adj* (*pago*) arriéré(e); (*país*) sous-développé(e); (*trabajo*) en retard; (*costumbre*) passé(e); (*mode*) dépassé(e); **el reloj está** *o* **va ~** la pendule retarde; **ir ~** (*ESCOL*) être en retard; **poner fecha atrasada a** antidater.

atrasar [atra'sar] *vi, vt* retarder; **atrasarse** *vpr* (*persona*) s'attarder; (*tren*) avoir du retard; (*reloj*) retarder.

atraso [a'traso] *nm* retard *m*; **~s** *nmpl* (*COM*) arriérés *mpl*.

atravesado, -a [atraβe'saðo, a] *adj* (*persona*) pervers(e); **~ (en)** en travers (de).

atravesar [atraβe'sar] *vt* traverser; (*poner al través*) barrer; **atravesarse** *vpr* se mettre en travers de; **ese tipo se me ha atravesado** je ne peux pas souffrir ce type.

atrayente [atra'jente] *adj* alléchant(e).

atreverse [atre'βerse] *vpr*: **~ a (hacer)** oser (faire).

atrevido, -a [atre'βiðo, a] *adj* (*audaz*) audacieux(-euse); (*descarado*) insolent(e); (*moda, escote*) osé(e) ♦ *nm/f* audacieux(-euse), insolent(e).

atrevimiento [atreβi'mjento] *nm* (*audacia*) audace *f*; (*descaro*) insolence *f*.

atribución [atriβu'θjon] *nf* attribution *f*; **atribuciones** *nfpl* (*POL, ADMIN*) attributions *fpl*.

atribuir [atriβu'ir] *vt*: **~ a** attribuer à; **atribuirse** *vpr* s'attribuer.

atributo [atri'βuto] *nm* attribut *m*, apanage *m*; (*emblema*) attributs *mpl*.

atril [a'tril] *nm* pupitre *m*; (*MÚS*) lutrin *m*.

atrincherar [atrintʃe'rar] *vt* (*MIL*) retrancher; **atrincherarse** *vpr* se retrancher; **~se en** (*fig*) se retrancher dans.

atrio ['atrjo] *nm* (*REL*) parvis *msg*.

atrocidad [atroθi'ðað] *nf* atrocité *f*; **~es** *nfpl* (*disparates*) énormités *fpl*.

atrofiar [atro'fjar] *vt* atrophier; **atrofiarse** *vpr* s'atrophier.

atronador, a [atrona'ðor, a] *adj* (*ruido*) assourdissant(e); (*voz*) tonitruant(e).

atropellado, -a [atrope'ʎaðo, a] *adj* précipité(e).

atropellar [atrope'ʎar] *vt* écraser; (*derribar*) renverser; (*empujar*) bousculer;

(*agraviar*) malmener; **atropellarse** *vpr* s'embrouiller.
atropello [atro'peʎo] *nm* (*AUTO*) collision *f*; (*contra propiedad, derechos*) violation *f*; (*empujón*) bousculade *f*; (*agravio*) insulte *f*; (*atrocidad*) atrocité *f*.
atroz [a'troθ] *adj* atroce; (*frío*) terrible; (*hambre*) de loup; (*sueño*) irrésistible; (*película, comida*) épouvantable.
A.T.S. *sigla m/f* (= *Ayudante Técnico Sanitario*) infirmier(-ère).
atuendo [a'twendo] *nm* tenue *f*.
atún [a'tun] *nm* thon *m*.
aturdir [atur'ðir] *vt* assommer; (*suj: ruido*) assourdir; (*: vino*) étourdir; (*: droga*) abrutir; (*: noticia*) laisser sans voix; **aturdirse** *vpr* être assourdi(e); (*por órdenes contradictorias*) être décontenancé(e).
audacia [au'ðaθja] *nf* audace *f*.
audaz [au'ðaθ] *adj* audacieux(-euse).
audible [au'ðiβle] *adj* audible.
audición [auði'θjon] *nf* audition *f*; **audición radiofónica** audition radiophonique.
audiencia [au'ðjenθja] *nf* audience *f*; **audiencia pública** (*POL*) audience publique.
audífono [au'ðifono] *nm* audiophone *m*.
audiovisual [auðjoβi'swal] *adj* audiovisuel(le).
auditivo, -a [auði'tiβo, a] *adj* auditif(-ive).
auditor [auði'tor] *nm* (*JUR*) assesseur *m*; (*COM*) commissaire *m* aux comptes.
auditoría [auðito'ria] *nf* audit *m*.
auditorio [auði'torjo] *nm* auditoire *m*; (*sala*) auditorium *m*.
auge ['auxe] *nm* apogée *m*; (*COM, ECON*) essor *m*; **estar en ~** être en plein essor.
augurar [auɣu'rar] *vt* (*suj: hecho*) laisser présager; (*: persona*) prédire.
augurio [au'ɣurjo] *nm* présage *m*.
aula ['aula] *nf* (*en colegio*) salle *f* de classe, classe *f*; (*en universidad*) salle de cours; **aula magna** amphithéâtre *m*.
aullar [au'ʎar] *vi* grogner; (*fig: viento*) hurler.
aullido [au'ʎiðo] *nm* hurlement *m*.
aumentar [aumen'tar] *vt* augmenter; (*vigilancia*) redoubler de; (*FOTO*) agrandir; (*con microscopio*) grossir ♦ *vi* augmenter; (*vigilancia*) redoubler.
aumento [au'mento] *nm* augmentation *f*; (*vigilancia*) redoublement *m*; **en ~** (*precios*) en hausse.
aun [a'un] *adv* même; **~ así** même ainsi; **~ cuando** même si.
aún [a'un] *adv* (*todavía*) encore, toujours; **~ no** pas encore, toujours pas; **~ más** encore plus; **¿no ha venido ~?** il n'est pas encore arrivé?, il n'est toujours pas arrivé?
aunque [a'unke] *conj* bien que, même si.
aúpa [a'upa] *adj*: **de ~** (*fam: catarro*) carabiné(e); (*: chica*) bien roulé(e); (*: espectáculo*) sensass.
aupar [au'par] *vt* soulever; (*fig*) porter aux nues.
aura ['aura] *nf* (*fig*) aura *f*.
aureola [aure'ola] *nf* auréole *f*.
auricular [auriku'lar] *nm* (*TELEC*) écouteur *m*; **~es** *nmpl* écouteurs *mpl*.
aurora [au'rora] *nf* aurore *f*; **aurora boreal(is)** aurore boréale.
auscultar [auskul'tar] *vt* ausculter.
ausencia [au'senθja] *nf* absence *f*; **brillar por su ~** briller par son absence.
ausentarse [ausen'tarse] *vpr*: **~ (de)** s'absenter (de).
ausente [au'sente] *adj* absent(e) ♦ *nm/f* (*ESCOL*) absent(e); (*JUR*) personne *f* portée disparue.
auspiciar [auspi'θjar] (*AM*) *vt* (*patrocinar*) patronner.
austeridad [austeri'ðað] *nf* (*de vida*) austérité *f*; (*de mirada*) sévérité *f*.
austero, -a [aus'tero, a] *adj* austère; (*lenguaje*) dépouillé(e).
austral [aus'tral] *adj* austral(e) ♦ *nm* (*AM: 1985-1991*) austral *m*.
Australia [aus'tralja] *nf* Australie *f*.
australiano, -a [austra'ljano, a] *adj* australien(ne) ♦ *nm/f* Australien(ne).
Austria ['austrja] *nf* Autriche *f*.
austriaco, -a [aus'trjako, a], **austríaco, -a** [aus'triako, a] *adj* autrichien(ne) ♦ *nm/f* Autrichien(ne).
auténtico, -a [au'tentiko, a] *adj* authentique; (*cuero*) véritable; **es un ~ campeón** c'est un vrai champion.
autentificar [autentifi'kar] *vt* authentifier.
auto ['auto] *nm* (*coche*) auto *f*; (*JUR*) arrêté *m*; **~s** *nmpl* (*JUR*) pièces *fpl* d'un dossier; (*: acta*) procédure *f* judiciaire; **auto de comparecencia** assignation *f*; **auto de ejecución** titre *m* exécutoire; **auto sacramental** *drame religieux espagnol des 16ème et 17ème siècles, comparable aux mystères français du Moyen Âge*.
autoadhesivo, -a [autoaðe'siβo, a] *adj* autocollant(e).
autobiografía [autoβjoɣra'fia] *nf* autobiographie *f*.
autobús [auto'βus] *nm* autobus *m*; **autobús de línea** car *m*.
autocar [auto'kar] *nm* autocar *m*; **autocar de línea** car *m*.
autócrata [au'tokrata] *nm/f* autocrate *m*.
autóctono, -a [au'toktono, a] *adj*

autochtone.

autodefensa [autoðe'fensa] *nf* autodéfense *f.*

autodeterminación [autoðetermina'θjon] *nf* autodétermination *f.*

autodidacta [autoði'ðakta] *adj, nm/f* autodidacte *m/f.*

autoescuela [autoes'kwela] *nf* auto-école *f.*

autógrafo [au'toɣrafo] *nm* autographe *m.*

autómata [au'tomata] *nm* (*persona*) automate *m.*

automático, -a [auto'matiko, a] *adj* automatique; (*reacción*) machinal(e) ♦ *nm* bouton-pression *m.*

automatizar [automati'θar] *vt* automatiser.

automóvil [auto'moβil] *nm* automobile *f.*

automovilista [automoβi'lista] *nm/f* (*conductor*) automobiliste *m/f.*

automovilístico, -a [automoβi'listiko, a] *adj* (*industria*) automobile.

autonomía [autono'mia] *nf* autonomie *f*; (*territorio*) région *f* autonome.

autonómico, -a [auto'nomiko, a] (*ESP*) *adj* (*elecciones*) des communautés autonomes; (*política*) d'autonomie des régions; **gobierno ~** gouvernement *m* régional autonome.

autónomo, -a [au'tonomo, a] *adj* (*POL, INFORM*) autonome; (*trabajador*) indépendant(e).

autopista [auto'pista] *nf* autoroute *f*; **autopista de peaje** autoroute à péage.

autopsia [au'topsja] *nf* autopsie *f.*

autor, a [au'tor, a] *nm/f* auteur *m*; **los ~es del atentado** les auteurs de l'attentat.

autoría [auto'ria] *nf* (*de libro etc*) paternité *f*; (*de crimen*) responsabilité *f.*

autoridad [autori'ðað] *nf* autorité *f*, **~es** *nfpl* (*POL*) autorités *fpl*; **la ~ política/judicial** les autorités politiques/judiciaires; **ser una ~ en física/matemáticas** faire autorité en matière de physique/de mathématiques; **tener ~ sobre algn** avoir autorité sur qn; **autoridad local** autorité locale.

autoritario, -a [autori'tarjo, a] *adj* autoritaire.

autorización [autoriθa'θjon] *nf* autorisation *f.*

autorizar [autori'θar] *vt* autoriser; **~ a hacer** autoriser à faire.

autorretrato [autorre'trato] *nm* autoportrait *m.*

autoservicio [autoser'βiθjo] *nm* (*tienda*) libre-service *m*; (*restaurante*) self-service *m.*

autostop [auto'stop] *nm* auto-stop *m*; **hacer ~** faire de l'auto-stop.

autostopista [autosto'pista] *nm/f* autostoppeur(-euse).

autosuficiencia [autosufi'θjenθja] *nf* autosuffisance *f*; (*económica*) autarcie *f.*

autosuficiente [autosufi'θjente] *adj* (*economía*) autarcique; (*país*) économiquement indépendant(e); (*pey: persona*) suffisant(e).

autovía [auto'βia] *nf* route *f* à quatre voies.

auxiliar [auksi'ljar] *vt* secourir, venir en aide à ♦ *adj* auxiliaire; (*profesor*) suppléant(e) ♦ *nm/f* auxiliaire *m/f.*

auxilio [auk'siljo] *nm* aide *f*, secours *msg* ♦ *excl* au secours!; **primeros ~s** premiers secours *mpl*; **prestar ~ a algn** venir en aide à qn, porter secours à qn; **auxilio en carretera** secours *mpl* d'urgence.

aval [a'βal] *nm* aval *m*; (*garantía*) garantie *f*, **aval bancario** garantie bancaire.

avalancha [aβa'lantʃa] *nf* avalanche *f.*

avalar [aβa'lar] *vt* (*COM*) avaliser; (*fig*) garantir.

avance [a'βanθe] *vb V* **avanzar** ♦ *nm* (*de tropas*) avance *f*, progression *f*; (*de la ciencia*) progrès *msg*; (*pago*) avance; (*TV: de noticias*) flash *m* (d'information); (*del tiempo*) prévisions *fpl* météorologiques; (*CINE*) bande-annonce *f.*

avanzar [aβan'θar] *vt* avancer ♦ *vi* avancer, progresser; (*proyecto*) avancer; (*alumno*) avancer, faire des progrès.

avaricia [aβa'riθja] *nf* avarice *f.*

avaricioso, -a [aβari'θjoso, a] *adj* avaricieux(-euse).

avaro, -a [a'βaro, a] *adj, nm/f* avare *m/f.*

avasallador, a [aβasaʎa'ðor, a] *adj* (*triunfo, fuerza*) écrasant(e); (*persona*) dominateur(-trice).

avasallar [aβasa'ʎar] *vt* asservir, faire ployer.

avatares [aβa'tares] *nmpl* avatars *mpl.*

AVE ['aβe] *sigla m* (= *Alta Velocidad Española*) ≈ TGV *m* (= *train à grande vitesse*).

ave ['aβe] *nf* oiseau *m*; **ave de rapiña** oiseau de proie; **aves de corral** oiseaux *mpl* de basse-cour, volaille *f.*

avecinarse [aβeθi'narse] *vpr* approcher.

avejentar [aβexen'tar] *vt* vieillir; **avejentarse** *vpr* vieillir.

avellana [aβe'ʎana] *nf* noisette *f.*

avellano [aβe'ʎano] *nm* noisetier *m*, coudrier *m.*

avemaría [aβema'ria] *nm* Ave (Maria) *m.*

avena [a'βena] *nf* avoine *f.*

avenida [aβe'niða] *nf* avenue *f*; (*de río*)

crue *f*.

avenido, -a [aβe'niðo, a] *adj*: **bien/mal ~** uni(e)/désuni(e).

avenir [aβe'nir] *vt* mettre d'accord; **avenirse** *vpr* (*personas*) s'entendre; **~se a hacer** consentir à faire; **~se a razones** se rendre à la raison.

aventajar [aβenta'xar] *vt*: **~ a algn (en algo)** surpasser qn (en qch).

aventura [aβen'tura] *nf* aventure *f*.

aventurar [aβentu'rar] *vt* (*opinión*) hasarder; (*capital*) aventurer; **aventurarse** *vpr* s'aventurer; **~se a hacer algo** s'aventurer à faire qch.

aventurero, -a [aβentu'rero, a] *adj, nm/f* aventurier(-ère).

avergonzar [aβerɣon'θar] *vt* faire honte à; **avergonzarse** *vpr*: **~se de (hacer)** avoir honte de (faire).

avería [aβe'ria] *nf* (*TEC*) panne *f*, avarie *f*; (*AUTO*) panne.

averiado, -a [aβe'rjaðo, a] *adj* en panne; "~" "en panne".

averiar [aβe'rjar] *vt* endommager, faire tomber en panne; **averiarse** *vpr* tomber en panne.

averiguar [aβeri'ɣwar] *vt* enquêter sur; (*descubrir*) découvrir.

aversión [aβer'sjon] *nf* aversion *f*; **cobrar ~ a** prendre en aversion.

avestruz [aβes'truθ] *nm* autruche *f*.

aviación [aβja'θjon] *nf* aviation *f*.

aviador, a [aβja'ðor, a] *nm/f* aviateur(-trice).

avícola [a'βikola] *adj* avicole.

avicultura [aβikul'tura] *nf* aviculture *f*.

avidez [aβi'ðeθ] *nf*: **~ de** *o* **por** empressement *m* à; (*pey*) avidité *f* de; **con ~** avec avidité.

ávido, -a ['aβiðo, a] *adj*: **~ de** *o* **por** avide de.

avinagrarse [aβina'ɣrarse] *vpr* s'aigrir.

avión [a'βjon] *nm* avion *m*; (*ave*) martinet *m*; **por ~** (*CORREOS*) par avion; **avión de caza** avion de chasse, chasseur *m*; **avión de combate/de hélice/de reacción** avion de combat/à hélice/à réaction.

avioneta [aβjo'neta] *nf* avion *m* léger.

avisar [aβi'sar] *vt* (*ambulancia, fontanero*) appeler; (*médico*) prévenir; **~ (de)** (*advertir*) avertir (de); (*informar*) avertir (de), faire part (de); **~ a algn con antelación** prévenir qn.

aviso [a'βiso] *nm* avis *msg*; (*COM*) commande *f*; (*INFORM*) message *m* d'incitation; **estar/poner sobre ~** être sur ses gardes/mettre en garde; **hasta nuevo ~** jusqu'à nouvel ordre; **sin previo ~** sans préavis; **aviso escrito** notification *f* par écrit.

avispa [a'βispa] *nf* guêpe *f*.

avispado, -a [aβis'paðo, a] *adj* éveillé(e).

avispero [aβis'pero] *nm* guêpier *m*; **meterse en un ~** se fourrer dans un guêpier.

avistar [aβis'tar] *vt* distinguer.

avituallar [aβitwa'ʎar] *vt* ravitailler.

avivar [aβi'βar] *vt* aviver; (*paso*) presser; **avivarse** *vpr* se raviver; (*discusión*) s'animer.

avizor [aβi'θor] *adj*: **estar ojo ~** ouvrir l'œil.

axila [ak'sila] *nf* aisselle *f*.

axioma [ak'sjoma] *nm* axiome *m*.

ay [ai] *excl* aïe!; (*aflicción*) hélas!; **¡~ de mí!** pauvre de moi!

ayer [a'jer] *adv, nm* hier (*m*); **antes de ~** avant-hier; **~ por la tarde** hier après-midi.

ayote [a'jote] (*MÉX: calabaza*) *nm* courge *f*.

ayuda [a'juða] *nf* aide *f*; (*MED*) lavement *m* ♦ *nm*: **~ de cámara** valet *m* de chambre.

ayudante, -a [aju'ðante, a] *nm/f* adjoint(e); (*ESCOL*) assistant(e); (*MIL*) adjudant *m*.

ayudar [aju'ðar] *vt* aider; **~ a algn a hacer algo** aider qn à faire qch.

ayunar [aju'nar] *vi* jeûner.

ayunas [a'junas] *nfpl*: **estar en ~** être à jeun; (*fig*) ne rien savoir.

ayuno [a'juno] *nm* jeûne *m*.

ayuntamiento [ajunta'mjento] *nm* (*concejo*) municipalité *f*, mairie *f*; (*edificio*) mairie, hôtel *m* de ville.

azabache [aθa'βatʃe] *nm* jais *msg*.

azada [a'θaða] *nf* houe *f*.

azafata [aθa'fata] *nf* hôtesse *f* de l'air; (*de congreso*) hôtesse d'accueil.

azafrán [aθa'fran] *nm* safran *m*.

azahar [aθa'ar] *nm* fleur *f* d'oranger.

azar [a'θar] *nm* (*casualidad*) hasard *m*; (*desgracia*) malheur *m*; **al/por ~** au/par hasard; **juegos de ~** jeux *mpl* de hasard.

azaroso, -a [aθa'roso, a] *adj* mouvementé(e).

azorar [aθo'rar] *vt* faire honte; **azorarse** *vpr* se troubler.

azotaina [aθo'taina] *nf* raclée *f*.

azotar [aθo'tar] *vt* fouetter; (*suj: lluvia*) fouetter, cingler; (*fig*) sévir.

azote [a'θote] *nm* coup *m* de fouet; (*a niño*) fessée *f*; (*fig*) fléau *m*; (*látigo*) fouet *m*.

azotea [aθo'tea] *nf* terrasse *f*; **andar** *o* **estar mal de la ~** travailler du chapeau.

azteca [aθ'teka] *adj* aztèque ♦ *nm/f* Aztèque *m/f*.

azúcar [a'θukar] *nm o f* sucre *m*; **azúcar**

glaseado sucre glace.
azucarado, -a [aθuka'raðo, a] *adj* sucré(e).
azucarero, -a [aθuka'rero, a] *adj* (*industria*) sucrier(-ère); (*comercio*) du sucre ♦ *nm* sucrier *m*.
azucena [aθu'θena] *nf* lys *m*.
azufre [a'θufre] *nm* soufre *m*.
azul [a'θul] *adj* bleu(e) ♦ *nm* bleu *m*; **azul celeste/marino** bleu ciel/marine.
azulejo [aθu'lexo] *nm* carreau *m* (*au mur*).
azuzar [aθu'θar] *vt* exciter.

B, b

baba ['baβa] *nf* bave *f*; **caérsele la ~ a algn** (*fig*) baver d'admiration.
babear [baβe'ar] *vi* baver.
babero [ba'βero], *nm* bavoir *m*.
babi [babi] *nm* blouse *f*.
Babia ['baβja] *nf*: **estar en ~** être dans la lune.
bable ['baβle] *nm* (*LING*) asturien *m*.
babor [ba'βor] *nm*: **a** *o* **por ~** à bâbord.
baboso, -a [ba'βoso, a] (*AM*: *fam*) *adj*, *nm/f* idiot(e), imbécile *m/f*.
baca ['baka] *nf* (*AUTO*) galerie *f*.
bacalao [baka'lao] *nm* morue *f*; **cortar el ~** (*fig*) être le grand manitou.
bache ['batʃe] *nm* nid *m* de poule; (*fig*) crise *f* passagère; **bache de aire** trou *m* d'air.
bachillerato [batʃiʎe'rato] *nm* baccalauréat *m*; **B~ Unificado Polivalente** *classes de troisième, seconde, première.*
bacteria [bak'terja] *nf* bactérie *f*.
bacteriológico, -a [bakterjo'loxico, a] *adj* bactériologique.
bádminton ['baðminton] *nm* badminton *m*.
baf(f)le ['baf(f)le] *nm* baffle *m*.
bagaje [ba'ɣaxe] *nm* (*de ejército*) barda *m*; (*fig*) bagage *m*; **~ cultural** bagage *m* culturel.
bahía [ba'ia] *nf* baie *f*.
bailar [bai'lar] *vt* danser; (*peonza, trompo*) faire tourner ♦ *vi* danser; (*peonza, trompo*) tourner; **te bailan los pies en esos zapatos** tu nages dans ces souliers.
bailarín, -ina [baila'rin, ina] *nm/f* danseur(-euse).
baile ['baile] *nm* danse *f*; (*fiesta*) bal *m*; **baile de disfraces** bal masqué; **baile de salón** danse de salon; **baile flamenco** flamenco *m*; **baile regional** danse folklorique.
baja ['baxa] *nf* baisse *f*; (*MIL*) perte *f*; **dar de ~ a algn** (*soldado*) réformer qn; (*empleado*) congédier qn; (*miembro de club*) exclure qn; **darse de ~** (*de trabajo*) démissionner; (*por enfermedad*) se faire porter malade; (*de club*) se retirer; **estar de ~** (*enfermo*) être en congé de maladie; **jugar a la ~** (*BOLSA*) jouer à la baisse.
bajada [ba'xaða] *nf* baisse *f*; (*declive, camino*) pente *f*; **bajada de aguas** gouttière *f*; **bajada de bandera** (*en taxi*) prise *f* en charge.
bajar [ba'xar] *vi* descendre; (*temperatura, precios, calidad*) baisser ♦ *vt* baisser; (*escalera, maletas*) descendre; (*persiana*) abaisser; **bajarse** *vpr*: **~se de** descendre de; **~ de** (*de coche, autobús*) descendre de; **los coches han bajado de precio** le prix des voitures a baissé; **~le los humos a algn** rabattre son caquet à qn.
bajeza [ba'xeθa] *nf* bassesse *f*.
bajío [ba'xio] (*AM*) *nm* banc *m* de sable.
bajo, -a ['baxo, a] *adj* (*piso*) inférieur(e); (*empleo*) médiocre; (*persona, animal*) petit(e); (*ojos*) baissé(e); (*sonido*) faible ♦ *adv* bas ♦ *prep* sous ♦ *nm* (*MÚS*) basse *f*; (*en edificio*) rez-de-chaussée *m inv*; **~s** *nmpl* (*de falda, de pantalón*) bas *msg*; **~ en** à faible teneur en; **hablar en voz baja** parler à voix basse; **caer ~** (*fig*) tomber bas; **de clase baja** (*pey*) de bas étage; **~ la lluvia** sous la pluie; **~ su punto de vista** de son point de vue.
bajón [ba'xon] *nm* chute *f*; (*de salud*) aggravation *f*; **dar** *o* **pegar un ~** (*fam*) chuter.
bala ['bala] *nf* (*proyectil*) balle *f*; **como una ~** comme l'éclair.
balacera [bala'θera] (*AM*) *nf* échange *m* de coups de feu.
balance [ba'lanθe] *nm* (*COM*) bilan *m*; (: *libro*) livre *m* de comptes; **hacer ~ de** faire le point de; **balance consolidado** bilan consolidé; **balance de comprobación** balance *f* de vérification.
balancear [balanθe'ar] *vt* (*suj*: *viento, olas*) balancer; **balancearse** *vpr* se balancer.
balanza [ba'lanθa] *nf* balance *f*; (*ASTROL*): **B~** Balance; **balanza comercial** balance commerciale; **balanza de pagos** balance des paiements; **balanza de poder(es)** équilibre *m* des pouvoirs.
balar [ba'lar] *vi* bêler.
balazo [ba'laθo] *nm* (*disparo*) coup *m* de feu; (*herida*) blessure *f* par balle.
balbucear [balβuθe'ar] *vi*, *vt* balbutier.
balbuceo [balβu'θeo] *nm* balbutiement *m*.
balbucir [balβu'θir] = **balbucear**.

Balcanes [bal'kanes] *nmpl*: **los (Montes) ~** les Balkans *mpl*; **la Península de los ~** la péninsule des Balkans.
balcón [bal'kon] *nm* balcon *m*.
balda ['balda] *nf* rayon *m*.
baldado, -a [bal'daðo, a] *adj*: **estar ~** (*fig*) être éreinté(e).
balde ['balde] *nm* (*esp AM*) seau *m*; **de ~** gratis; **en ~** en vain.
baldío, -a [bal'dio, a] *adj* en friche; (*esfuerzo, ruego*) vain(e).
baldosa [bal'dosa] *nf* (*para suelos*) carreau *m*; (*azulejo*) petit carreau en faïence.
baldosín [baldo'sin] *nm* (*de pared*) petit carreau en faïence.
balear [bale'ar] *adj* des Baléares ♦ *nm/f* natif(-ive) *o* habitant(e) des Baléares ♦ *vt* (*AM*) abattre.
Baleares [bale'ares] *nfpl*: **las (Islas) ~** les (îles) Baléares *fpl*.
balido [ba'liðo] *nm* bêlement *m*.
balística [ba'listika] *nf* balistique *f*.
baliza [ba'liθa] *nf* (*AVIAT, NÁUT*) balise *f*.
ballena [ba'ʎena] *nf* baleine *f*.
ballesta [ba'ʎesta] *nf* (*AUTO*) suspension *f*.
ballet [ba'le] (*pl* **~s**) *nm* ballet *m*.
balneario, -a [balne'arjo, a] *adj*: **estación balnearia** station *f* balnéaire ♦ *nm* station balnéaire.
balón [ba'lon] *nm* ballon *m*.
balonazo [balo'naθo] *nm*: **le dio un ~ en la cara** il lui a jeté le ballon à la figure.
baloncesto [balon'θesto] *nm* basket-ball *m*.
balonmano [balon'mano] *nm* hand-ball *m*.
balonvolea [balombo'lea] *nm* volley-ball *m*.
balsa ['balsa] *nf* (*NÁUT*) radeau *m*; (*charca*) mare *f*; **estar como ~ de aceite** (*mar*) être d'huile; **ser una ~ de aceite** (*fig*) être de tout repos.
bálsamo ['balsamo] *nm* baume *m*.
báltico, -a ['baltiko, a] *adj* baltique; **el (Mar) B~** la (mer) Baltique.
bambolearse [bambole'arse] *vpr* osciller; (*silla*) branler; (*persona*) tituber.
bamboleo [bambo'leo] *nm* (*movimiento*) ballottement *m*.
bambú [bam'bu] *nm* bambou *m*.
banal [ba'nal] *adj* banal(e).
banana [ba'nana] (*AM*) *nf* banane *f*.
banano [ba'nano] (*AM*) *nm* bananier *m*.
banca ['banka] *nf* (*AM: asiento*) banc *m*; (*COM*) banque *f*; **la gran ~** la grande banque.
bancario, -a [ban'karjo, a] *adj* bancaire; **giro ~** virement *m* bancaire.
bancarrota [banka'rrota] *nf* faillite *f*; (*fraudulenta*) banqueroute *f*; **hacer** *o* **declararse en ~** faire faillite.
banco ['banko] *nm* banc *m*; (*de carpintero*) établi *m*; (*COM*) banque *f*; **banco comercial** banque *f* commerciale; **banco de arena** banc de sable; **banco de crédito** établissement *m* de crédit; **banco de datos** (*INFORM*) banque de données; **banco de hielo** banquise *f*; **banco de sangre** banque du sang; **banco mercantil** banque d'affaires; **Banco Mundial** Banque mondiale; **banco por acciones** banque de dépôt.
banda ['banda] *nf* bande *f*; (*honorífica*) écharpe *f*; (*MÚS*) fanfare *f*; (*para el pelo*) ruban *m*; (*bandada*) volée *f*, bande; **la B~ Oriental** (*esp UR*) l'Uruguay *m*; **cerrarse en ~** ne rien vouloir entendre; **fuera de ~** (*DEPORTE*) en touche; **banda de sonido** bande sonore; **banda sonora** (*CINE*) bande son; **banda transportadora** tapis *m* roulant.
bandada [ban'daða] *nf* (*de pájaros*) volée *f*; (*de peces*) banc *m*.
bandazo [ban'daθo] *nm*: **dar ~s** (*coche*) faire des embardées.
bandeja [ban'dexa] *nf* plateau *m*; **servir algo en ~** (*fig*) servir qch sur un plateau d'argent; **bandeja de entrada/salida** corbeille *f* arrivée/départ.
bandera [ban'dera] *nf* drapeau *m*; **izar (la) ~** hisser les couleurs; **arriar (la) ~** amener les couleurs; **jurar ~** prêter serment au drapeau; **bandera blanca** drapeau blanc.
banderilla [bande'riʎa] *nf* (*TAUR*) banderille *f*; (*tapa*) apéritif *m*.
banderín [bande'rin] *nm* (*para la pared*) fanion *m*.
bandido [ban'diðo] *nm* bandit *m*.
bando ['bando] *nm* arrêt *m*; (*facción*) faction *f*; **los ~s** *nmpl* (*REL*) les bans *mpl*; **pasar al otro ~** passer à l'ennemi.
bandolera [bando'lera] *nf* (*bolso*) cartouchière *f*; **llevar en ~** porter en bandoulière.
bandolero [bando'lero] *nm* brigand *m*.
banquero [ban'kero] *nm* banquier *m*.
banqueta [ban'keta] *nf* banquette *f*; (*AM*) trottoir *m*.
banquete [ban'kete] *nm* banquet *m*; **banquete de bodas** repas *msg* de noces.
banquillo [ban'kiʎo] *nm* (*JUR*) banc *m* des accusés; (*DEPORTE*) gradin *m*, banquette *f*.
bañador [baɲa'ðor] *nm* maillot *m* de bain.

bañar [ba'ɲar] *vt* baigner; (*objeto*) tremper; **bañarse** *vpr* se baigner; (*en la bañera*) prendre un bain; **bañado en** baigné(e) de; ~ **en** *o* **de** (*de pintura*) enduire de; (*chocolate*) enrober de.
bañera [ba'ɲera] *nf* baignoire *f*.
bañista [ba'ɲista] *nm/f* baigneur(-euse).
baño ['baɲo] *nm* bain *m*; (*en río, mar, piscina*) baignade *f*; (*cuarto*) salle *f* de bains; (*bañera*) baignoire *f*; (*capa*) couche *f*; **tomar ~s de sol** prendre des bains de soleil; **baño (de) María** bain-marie *m*; **baño de vapor** bain de vapeur; **baño turco** bain turc.
baqueano, -a [ba'keano, a], **baquiano, -a** [ba'kjano, a] (*AM*) *nm/f* guide *m/f*.
baqueta [ba'keta] *nf* (*MÚS*) baguette *f*.
bar [bar] *nm* bar *m*; **ir de ~es** faire la tournée des bars.
barahúnda [bara'unda] *nf* tapage *m*.
baraja [ba'raxa] *nf* jeu *m* de cartes.
barajar [bara'xar] *vt* battre; (*fig*) envisager; (*datos*) brasser.
baranda [ba'randa], **barandilla** [baran'ðiʎa] *nf* (*en escalera*) rampe *f*; (*en balcón*) balustrade *f*.
baratija [bara'tixa] *nf* babiole *f*; **~s** *nfpl* (*COM*) camelote *f*.
barato, -a [ba'rato, a] *adj* bon marché *inv* ♦ *adv* bon marché; **lo ~ sale caro** mieux vaut ne pas lésiner sur le prix.
barba ['barβa] *nf* barbe *f*; (*mentón*) menton *m*; **tener ~** avoir de la barbe; **reírse en las ~s de algn** rire au nez de qn; **salir algo a 500 ptas por ~** (*fam*) revenir à 500 pesetas par tête de pipe; **con ~ de tres días** avec une barbe de trois jours; **subirse a las ~s de algn** prendre des libertés avec qn; **se rió en mis propias ~s** il m'a ri au nez.
barbacoa [barβa'koa] *nf* barbecue *m*.
barbaridad [barβari'ðað] *nf* atrocité *f*; (*imprudencia, temeridad*) témérité *f*; (*disparate*) énormité *f*; **come una ~** (*fam*) il mange énormément; **¡qué ~!** (*fam*) quelle horreur!; **cuesta una ~** (*fam*) cela coûte les yeux de la tête; **decir ~es** dire des énormités.
barbarie [bar'βarje] *nf* barbarie *f*.
bárbaro, -a ['barβaro, a] *adj* barbare; (*osado*) audacieux(euse); (*fam: estupendo*) sensass; (*éxito*) monstre ♦ *nm/f* (*pey: salvaje*) barbare *m/f* ♦ *adv*: **lo pasamos ~** (*fam*) ça a été génial; **¡qué ~!** c'est formidable!; **es un tipo ~** (*fam*) c'est un type sensass.
barbecho [bar'βetʃo] *nm* (*terreno*) jachère *f*.
barbero [bar'βero] *nm* barbier *m*, coiffeur *m*.
barbilla [bar'βiʎa] *nf* collier *m* (de barbe).
barbitúrico [barβi'turiko] *nm* barbiturique *m*.
barbo ['barβo] *nm* barbeau *m*; **barbo de mar** rouget *m*.
barbudo, -a [bar'βuðo, a] *adj* barbu(e).
barca ['barka] *nf* barque *f*; **barca de pasaje** bac *m*; **barca pesquera** barque de pêche.
barcaza [bar'kaθa] *nf* péniche *f*; **barcaza de desembarco** péniche de débarquement.
Barcelona [barθe'lona] *n* Barcelone.
barcelonés, -esa [barθelo'nes, esa] *adj* barcelonais(e) ♦ *nm/f* Barcelonais(e), natif(-ive) *o* habitant(e) de Barcelone.
barco ['barko] *nm* bateau *m*; (*buque*) bâtiment *m*; **ir en ~** aller en bateau; **barco de carga** cargo *m*; **barco de guerra** bateau de guerre; **barco de vela** bateau à voiles; **barco mercante** navire *m* marchand.
baremo [ba'remo] *nm* barème *m*.
barítono [ba'ritono] *nm* baryton *m*.
barniz [bar'niθ] *nm* (*tb fig*) vernis *msg*; **barniz de uñas** vernis à ongles.
barnizar [barni'θar] *vt* vernir.
barómetro [ba'rometro] *nm* baromètre *m*.
barquero [bar'kero] *nm* barreur *m*.
barquillo [bar'kiʎo] *nm* (*dulce*) cornet *m*.
barra ['barra] *nf* (*tb JUR*) barre *f*; (*de un bar, café*) comptoir *m*; (*de pan*) pain *m* long; (*palanca*) levier *m*; **no pararse en ~s** ne reculer devant rien; **barra americana** bar *m* américain; **barra de espaciado** (*INFORM*) barre d'espacement; **barra de labios** bâton *m* de rouge à lèvres; **barra libre** (*en bar*) boissons *fpl* à volonté; **barras paralelas** barres *fpl* parallèles.
barraca [ba'rraka] *nf* baraque *f*; (*en feria*) stand *m*; (*en Valencia*) *sorte de chaumière des rizières de la région de Valence*.
barracón [barra'kon] *nm* grande baraque *f*.
barranca [ba'rranka] *nf* ravin *m*.
barranco [ba'rranko] *nm* précipice *m*; (*rambla*) fossé *m*.
barrena [ba'rrena] *nf* mèche *f* (*pour percer*); **entrar en ~** (*AER*) descendre en vrille.
barrenar [barre'nar] *vt* forer.
barrendero, -a [barren'dero, a] *nm/f* balayeur(-euse).
barreno [ba'rreno] *nm* mine *f*.
barreño [ba'rreɲo] *nm* bassine *f*, cuvette *f*.

barrer [ba'rrer] *vt* balayer; (*niebla, nubes*) dissiper; (*fig*) balayer ♦ *vi* balayer; (*fig*) tout rafler; ~ **para dentro** tirer la couverture à soi.

barrera [ba'rrera] *nf* barrière *f*; (*MIL*) barrage *m*; (*obstáculo*) obstacle *m*; **poner ~s a** faire obstacle à; **barrera arancelaria** (*COM*) barrière douanière; **barrera del sonido** mur *m* du son; **barrera generacional** conflit *m* des générations.

barriada [ba'rrjaða] *nf* quartier *m*.

barricada [barri'kaða] *nf* barricade *f*.

barriga [ba'rriɣa] *nf* panse *f*, ventre *m*; **rascarse** *o* **tocarse la** ~ (*fam*) se tourner les pouces; **echar** ~ prendre du ventre.

barrigón, -ona [barri'ɣon, ona], **barrigudo, -a** [barri'ɣuðo, a] *adj* bedonnant(e).

barril [ba'rril] *nm* baril *m*; **cerveza de** ~ bière *f* pression.

barrio ['barrjo] *nm* quartier *m*; (*en las afueras*) faubourg *m*; (*VEN*: *de chabolas*) bidonville *m*; **irse al otro** ~ (*fam*) passer l'arme à gauche; **de** ~ (*cine, tienda*) de quartier; **barrio chino** quartier des prostituées; **barrios bajos** bas quartiers *mpl*.

barriobajero, -a [barrjoba'xero, a] (*pey*) *adj* faubourien(ne).

barro ['barro] *nm* boue *f*; (*arcilla*) terre *f* (glaise).

barroco, -a [ba'rroko, a] *adj* (*tb fig*) baroque ♦ *nm* baroque *m*.

barrote [ba'rrote] *nm* (*de ventana etc*) barreau *m*.

barruntar [barrun'tar] *vt* (*conjeturar*) deviner; (*presentir*) pressentir.

bartola [bar'tola]: **a la** ~ *adv*: **tirarse** *o* **tumbarse a la** ~ prendre ses aises.

bártulos ['bartulos] *nmpl* attirail *m*.

barullo [ba'ruʎo] *nm* tohu-bohu *m inv*; (*desorden*) pagaille *f*; **¡qué ~!** quelle pagaille!; **a** ~ (*fam*) en pagaille.

basar [ba'sar] *vt*: ~ **algo en** (*fig*) fonder qch sur; **basarse** *vpr*: **~se en** se fonder sur.

basca ['baska] *nf* (*tb*: **~s**) haut-le-cœur *m inv*; (*fam*: *pandilla*) bande *f*; **le dio una** ~ il lui prit soudain une lubie.

báscula ['baskula] *nf* bascule *f*; **báscula biestable** (*INFORM*) bascule.

base ['base] *nf* base *f* ♦ *adj* (*color, salario*) de base; **~s** *nfpl* (*de concurso, juego*) règlement *msg*; **a ~ de** (*mediante*) grâce à; **a ~ de bien** on ne peut mieux; **de** ~ (*militante, asamblea*) de base; **carecer de** ~ être dénué(e) de fondement; **partir de la ~ de que ...** partir du principe que ...; **base aérea/espacial/militar/naval** base aérienne/spatiale/militaire/navale; **base de datos** (*INFORM*) base de données; **base de operaciones** base d'opérations; **base imponible** (*FIN*) assiette *f* de l'impôt.

básico, -a ['basiko, a] *adj* (*elemento, norma, condición*) de base.

basílica [ba'silika] *nf* basilique *f*.

PALABRA CLAVE

bastante [bas'tante] *adj* **1** (*suficiente*) assez de; **bastante dinero** assez d'argent; **bastantes libros** assez de livres

2 (*valor intensivo*): **bastante gente** pas mal de gens; **hace bastante tiempo que ocurrió** cela fait assez longtemps que c'est arrivé

♦ *adv* **1** (*suficiente*) assez; **¿hay bastante?** il y en a assez?; **(lo) bastante inteligente (como) para hacer algo** assez intelligent pour faire qch

2 (*valor intensivo*) assez; **bastante rico** assez riche; **voy a tardar bastante** je serai assez long.

bastar [bas'tar] *vi* suffire; **bastarse** *vpr*: **~se (por sí mismo)** se suffire (à soi-même); ~ **para hacer** suffire pour faire; **¡basta!** ça suffit!; **me basta con 5** 5 me suffisent; **basta (ya) de ...** arrêtez de ... .

bastardo, -a [bas'tarðo, a] *adj, nm/f* bâtard(e).

bastidor [basti'ðor] *nm* (*de costura*) métier *m* à broder; (*de coche, ARTE*) châssis *msg*; **entre ~es** en coulisse.

bastión [bas'tjon] *nm* bastion *m*.

basto, -a ['basto, a] *adj* rustre; (*tela*) grossier(-ière); **~s** *nmpl* (*NAIPES*) *l'une des quatre couleurs d'un jeu de cartes espagnol.*

bastón [bas'ton] *nm* (*cayado*) canne *f*; (*vara*) bâton *m*; (*tb*: ~ **de esquí**) bâton de ski; **bastón de mando** bâton de commandement.

bastoncillo [baston'θiʎo] *nm* (*de algodón*) bâtonnet *m*.

basura [ba'sura] *nf* ordures *fpl*; (*tb*: **cubo de la ~**) boîte *f* à ordures.

basurero [basu'rero] *nm* (*persona*) éboueur *m*; (*lugar*) décharge *f*; (*cubo*) poubelle *f*.

bata ['bata] *nf* robe *f* de chambre; (*MED, TEC, ESCOL*) blouse *f*.

batacazo [bata'kaθo] *nm*: **darse un** ~ faire une chute.

batalla [ba'taʎa] *nf* bataille *f*; **de** ~ de tous les jours; **batalla campal** bataille rangée.

batallón [bata'ʎon] *nm* bataillon *m*; **un ~ de gente** une multitude de gens.

batata [ba'tata] *nf* (*AM*: *BOT, CULIN*) patate *f*

douce.

bate ['bate] *nm* (*DEPORTE*) batte *f*.

batería [bate'ria] *nf* batterie *f* ♦ *nm/f* (*persona*) batteur *m*; **aparcar/estacionar en ~** se garer/stationner en épi; **batería de cocina** batterie de cuisine.

batiburrillo [batiβu'rriʎo] *nm* fouillis *msg*.

batido, -a [ba'tiðo, a] *adj* (*camino*) battu(e); (*mar*) agité(e) ♦ *nm* (*de chocolate, frutas*) milk-shake *m*.

batidora [bati'ðora] *nf* mixeur *m*; **batidora eléctrica** batteur *m* électrique.

batín [ba'tin] *nm* veste *f* d'intérieur.

batir [ba'tir] *vt* battre ♦ *vi*: **~ (contra)** battre (contre); **batirse** *vpr*: **~se en duelo** se battre en duel; **~se en retirada** battre en retraite; **~ palmas** battre des mains.

batuta [ba'tuta] *nf* (*MÚS*) baguette *f*; **llevar la ~** mener la danse.

baúl [ba'ul] *nm* malle *f*; (*AM*: *AUTO*) coffre *m*.

bautismo [bau'tismo] *nm* (*REL*) baptême *m*; **bautismo de fuego** baptême du feu.

bautizar [bauti'θar] *vt* baptiser.

bautizo [bau'tiθo] *nm* baptême *m*.

bayeta [ba'jeta] *nf* (*para limpiar*) chiffon *m* à poussière; (*AM*: *pañal*) lange *m*.

bayoneta [bajo'neta] *nf* baïonnette *f*.

baza ['baθa] *nf* (*NAIPES*) pli *m*; (*fig*) atout *m*; **meter ~** mettre son grain de sel.

bazar [ba'θar] *nm* (*comercio*) bazar *m*.

bazo ['baθo] *nm* (*ANAT*) rate *f*.

bazofia [ba'θofja] *nf*: **es una ~** c'est infect; **esa novela es una ~** ce roman est nul.

beatificar [beatifi'kar] *vt* béatifier.

beatífico, -a [bea'tifiko, a] *adj* (*sonrisa, actitud*) béat(e).

beato, -a [be'ato, a] *adj, nm/f* (*pey*) bigot(e); (*REL*) bienheureux(-euse).

beba ['beβa] (*CSUR*) *nf* (*nena*) bébé *m*.

bebe ['beβe] (*AM*) *nm* bébé *m*.

bebé [be'βe] (*pl* **~s**) *nm* bébé *m*.

bebedor, a [beβe'ðor, a] *adj, nm/f* buveur(-euse).

bebé-probeta [be'βe-pro'βeta] (*pl* **~s-~**) *nm/f* bébé-éprouvette *m*.

beber [be'βer] *vt, vi* boire; **~ por** (*brindar*) boire à; **~ a sorbos** boire à petites gorgées; **se lo bebió todo** il a tout bu; **~ como un cosaco** boire comme un trou; **no digas de esta agua no ~é** il ne faut jamais dire "Fontaine, je ne boirai pas de ton eau".

bebido, -a [be'βiðo, a] *adj* ivre ♦ *nf* boisson *f*.

beca ['beka] *nf* bourse *f*.

becado, -a [be'kaðo, a] *adj* boursier(-ière).

becario, -a [be'karjo, a] *nm/f* boursier(-ière).

becerro, -a [be'θerro, a] *nm/f* (*ZOOL*) veau *m*.

bechamel [betʃa'mel] *nf* = **besamel**.

bedel [be'ðel] *nm* (*ESCOL, UNIV*) appariteur *m*.

beicon [bei'kon] *nm* bacon *m*.

beige ['beix], **beis** ['beis] *adj, nm* beige *m*.

béisbol ['beisβol] *nm* base-ball *m*.

Belén [be'len] *n* Bethléem.

belén [be'len] *nm* crèche *f*.

belga ['belɣa] *adj* belge ♦ *nm/f* Belge *m/f*.

Bélgica ['belxika] *nf* Belgique *f*.

bélico, -a ['beliko, a] *adj* (*armamento, preparativos*) de guerre; (*conflicto*) armé(e); (*actitud*) belliqueux(-euse).

belicoso, -a [beli'koso, a] *adj* belliqueux(-euse).

beligerante [belixe'rante] *adj* belligérant(e).

belleza [be'ʎeθa] *nf* beauté *f*.

bello, -a ['beʎo, a] *adj* beau(belle); **Bellas Artes** beaux-arts *mpl*.

bellota [be'ʎota] *nf* gland *m*.

bemol [be'mol] *nm* bémol *m*; **esto tiene ~es** (*fam*) c'est pas de la tarte.

bencina [ben'θina] (*CHI*) *nf* (*gasolina*) essence *f*.

bendecir [bende'θir] *vt*: **~ la mesa** bénir la table.

bendición [bendi'θjon] *nf* bénédiction *f*; **ser una ~** être une bénédiction; **dar** *o* **echar la ~** donner sa bénédiction.

bendiga *etc* [ben'diɣa], **bendije** *etc* [ben'dixe] *vb V* **bendecir**.

bendito, -a [ben'dito, a] *pp de* **bendecir** ♦ *adj* bénit(e); (*feliz*) bienheureux(-euse) ♦ *nm/f* brave homme/femme; (*ingenuo*) benêt *m*; **¡~ sea Dios!** Dieu soit loué!

beneficencia [benefi'θenθja] *nf* (*tb*: **~ pública**) assistance *f* publique.

beneficiar [benefi'θjar] *vt* profiter à; **beneficiarse** *vpr*: **~se (de** *o* **con)** bénéficier (de).

beneficiario, -a [benefi'θjarjo, a] *nm/f* bénéficiaire *m/f*.

beneficio [bene'fiθjo] *nm* (*bien*) bienfait *m*; (*ganancia*) bénéfice *m*; **a/en ~ de** au bénéfice de; **sacar ~ de** tirer profit de; **en ~ propio** dans son propre intérêt; **beneficio bruto/neto/por acción** bénéfice brut/net/(net) par action.

beneficioso, -a [benefi'θjoso, a] *adj* salutaire; (*ECON*) rentable.

benéfico, -a [be'nefiko, a] *adj* (*organización, festival*) de bienfaisance; **sociedad**

benéfica œuvre *f* de bienfaisance.
beneplácito [bene'plaθito] *nm* accord *m*; **dar el ~** donner son accord.
benevolencia [beneβo'lenθja] *nf* bienveillance *f*.
benévolo, -a [be'neβolo, a] *adj* bienveillant(e).
bengala [ben'gala] *nf* (*MIL*) fusée *f* éclairante; (*luz*) feu *m* de Bengale.
benigno, -a [be'niɣno, a] *adj* bienveillant(e); (*clima*) clément(e); (*resfriado, MED*) bénin(bénigne).
benjamín [benxa'min] *nm* benjamin *m*; (*botella*) quart *m*.
beodo, -a [be'oðo, a] *adj* ivre ♦ *nm/f* ivrogne *m/f*.
berberecho [berβe'retʃo] *nm* coque *f*.
berenjena [beren'xena] *nf* aubergine *f*.
berenjenal [berenxe'nal] *nm* champ *m* d'aubergines; **meterse en un ~** (*fam*) être dans le pétrin.
Berlín [ber'lin] *n* Berlin.
berlinés, -esa [berli'nes, esa] *adj* berlinois(e) ♦ *nm/f* Berlinois(e).
bermudas [ber'muðas] *nfpl o nmpl* bermuda *msg*.
berrear [berre'ar] *vi* mugir; (*niño*) brailler.
berrido [be'rriðo] *nm* mugissement *m*; (*niño*) braillement *m*.
berrinche [be'rrintʃe] (*fam*) *nm* petite colère *f*; (*disgusto*) rogne *f*; **llevarse un ~** se mettre en rogne.
berro ['berro] *nm* cresson *m*.
berza ['berθa] *nf* chou *m*; **berza lombarda** chou rouge.
besamel [besa'mel] *nf* béchamel *f*.
besar [be'sar] *vt* embrasser; (*fig: tocar*) effleurer; **besarse** *vpr* s'embrasser.
beso ['beso] *nm* baiser *m*.
bestia ['bestja] *nf* bête *f*; (*fig*) brute *f*; **¡no seas ~!** ne sois pas si vache!; (*idiota*) ne sois pas si bête!; **a lo ~** comme une brute; **mala ~** peau de vache; **bestia de carga** bête de somme.
bestial [bes'tjal] *adj* (*inhumano*) bestial(e); (*fam: calor*) accablant(e); (*error*) aberrant(e).
bestialidad [bestjali'ðað] *nf* bestialité *f*; (*fam*) énormité *f*.
besugo [be'suɣo] *nm* daurade *f*; (*fam*) bourrique *f*.
besuquear [besuke'ar] *vt* bécoter; **besuquearse** *vpr* se bécoter.
bético, -a ['betiko, a] *adj* andalou(se).
betún [be'tun] *nm* cirage *m*; (*QUÍM*) bitume *m*; **quedar a la altura del ~** (*fam*) passer pour un(e) minable.
biberón [biβe'ron] *nm* biberon *m*.
Biblia ['biβlja] *nf* Bible *f*.
bíblico, -a ['biβliko, a] *adj* biblique.
bibliografía [biβljoɣra'fia] *nf* bibliographie *f*.
biblioteca [biβljo'teka] *nf* bibliothèque *f*; **biblioteca de consulta** bibliothèque de consultation.
bibliotecario, -a [biβljote'karjo, a] *nm/f* bibliothécaire *m/f*.
bicarbonato [bikarβo'nato] *nm* bicarbonate *m*.
bíceps ['biθeps] *nm inv* biceps *msg*.
bicho ['bitʃo] *nm* bestiole *f*; (*fam*) bête *f*; (*TAUR*) taureau *m*; **~ raro** (*fam*) drôle d'oiseau *m*; **mal ~** (*fam*) chameau *m*.
bici ['biθi] (*fam*) *nf* vélo *m*.
bicicleta [biθi'kleta] *nf* bicyclette *f*.
bicoca [bi'koka] *nf* (*fam*) bonne affaire *f*.
bidé [bi'ðe] *nm* bidet *m*.
bidón [bi'ðon] *nm* bidon *m*.

PALABRA CLAVE

bien [bjen] *nm* bien *m*; **te lo digo por tu bien** je te le dis pour ton bien; **el bien y el mal** (*moral*) le bien et le mal; **hacer el bien** faire le bien; **bienes** (*posesiones*) *nmpl* biens *mpl*; **bienes de consumo** biens de consommation; **bienes de equipo** biens d'équipement; **bienes gananciales** biens communs; **bienes inmuebles/muebles** biens immeubles/meubles; **bienes raíces** biens-fonds *mpl*

♦ *adv* **1** (*de manera satisfactoria, correcta*) bien; **trabaja/come bien** il travaille/mange bien; **huele bien** cela sent bon; **sabe bien** cela a bon goût; **contestó bien** il a bien répondu; **lo pasamos muy bien** nous nous sommes bien amusés; **hiciste bien en llamarme** tu as bien fait de m'appeler; **el paseo te sentará bien** la promenade te fera du bien; **no me siento bien** je ne me sens pas bien; **viven bien** (*económicamente*) ils vivent bien

2 (*valor intensivo*) bien; **un café bien caliente** un café bien chaud; **¡es bien caro!** c'est bien cher!; **¡tienes bien de regalos!** tu en as des cadeaux!

3: **estar bien**: **estoy muy bien aquí** je suis très bien ici; **¿estás bien?** ça va (bien)?; **ese chico está muy bien** il est très beau, ce garçon; **ese libro está muy bien** ce livre est très bien, c'est un très bon livre; **está bien que vengan** c'est bien qu'ils viennent; **¡eso no está bien!** ce n'est pas bien!; **se está bien aquí** on est bien ici; **el traje me está bien** le costume me va bien; **¡ya está bien!** là, ça va!; **¡pues sí que estamos bien!** qu'est-ce qu'on est bien!; **¡está bien! lo haré** c'est bon! je le

ferai
4 (*de buena gana*): **yo bien que iría pero ...** moi, j'irais bien, mais ...
5 (*ya*): **bien se ve que ...** on voit bien que ...; **¡bien podías habérmelo dicho!** tu aurais pu me le dire!
6: **no quiso o bien no pudo venir** il n'a pas voulu venir, ou plutôt il n'a pas pu
♦ *excl* (*aprobación*) bien!; **¡muy bien!** très bien!; **¡qué bien!** comme c'est bien!
♦ *adj inv* (*matiz despectivo*): **niño bien** fils *msg* de bonne famille; **gente bien** gens *mpl* bien
♦ *conj* **1**: **bien ... bien**: **bien en coche bien en tren** soit en voiture soit en train
2: **ahora bien** mais, cependant
3: **no bien** (*esp AM*): **no bien llegue te llamaré** dès que j'arrive, je t'appelle
4: **si bien** si; *V tb* **más**.

bienal [bje'nal] *adj* biennal(e).
bienaventurado, -a [bjenaβentu'raðo, a] *adj* bienheureux(-euse); (*cándido, bonachón*) bonasse.
bienestar [bjenes'tar] *nm* bien-être *m*; (*económico*) confort *m*; **el Estado del B~** l'État-providence *m*.
bienvenido, -a [bjembe'niðo, a] *adj*: ~ **(a)** bienvenu(e) (à) ♦ *excl* bienvenue! ♦ *nf* bienvenue *f*.
bies ['bjes] *nm*: **al ~** (*COSTURA*) en biais.
bife ['bife] (*AM*) *nm* bifteck *m*.
bifurcación [bifurka'θjon] *nf* bifurcation *f*.
bifurcarse [bifur'karse] *vpr* bifurquer.
bigamia [bi'ɣamja] *nf* bigamie *f*.
bígamo, -a ['biɣamo, a] *adj, nm/f* bigame *m/f*.
bígaro ['biɣaro] *nm* (*ZOOL*) bigorneau *m*.
bigote [bi'ɣote] *nm* (*tb*: **~s**) moustache *f*.
bigotudo, -a [biɣo'tuðo, a] *adj* moustachu(e).
bigudí [biɣu'ði] *nm* bigoudi *m*.
bikini [bi'kini] *nm* bikini *m*; (*CULIN*) *sandwich au jambon et au fromage passé au four*.
bilateral [bilate'ral] *adj* bilatéral(e).
bilingüe [bi'lingwe] *adj* bilingue.
bilis ['bilis] *nf inv* bile *f*.
billar [bi'ʎar] *nm* billard *m*; **billar americano** billard américain.
billete [bi'ʎete] *nm* billet *m*; (*en autobús, metro*) ticket *m*; **sacar (un) ~** prendre un billet; **un ~ de 5 libras** un billet de 5 livres; **medio ~** billet demi-tarif; **billete de ida** aller *m* simple; **billete de ida y vuelta** aller-retour *m*.
billetera [biʎe'tera] *nf*, **billetero** [biʎe'tero] *nm* portefeuille *m*.
billón [bi'ʎon] *nm* billion *m*.
bimensual [bimen'swal] *adj* bimensuel(le).
bimotor [bimo'tor] *adj, nm* bimoteur *m*.
bingo ['bingo] *nm* bingo *m*.
binomio [bi'nomjo] *nm* (*MAT*) binôme *m*.
biodegradable [bioðeɣra'ðaβle] *adj* biodégradable.
biografía [bjoɣra'fia] *nf* biographie *f*.
biográfico, -a [bio'ɣrafiko, a] *adj* biographique.
biología [biolo'xia] *nf* biologie *f*.
biológico, -a [bio'loxiko, a] *adj* biologique; **guerra biológica** guerre *f* biologique.
biólogo, -a [bi'oloɣo, a] *nm/f* biologiste *m/f*.
biombo ['bjombo] *nm* paravent *m*.
biopsia [bi'opsja] *nf* biopsie *f*.
bioquímico, -a [bio'kimiko, a] *adj* biochimique ♦ *nm/f* biochimiste *m/f* ♦ *nf* (*ciencia*) biochimie *f*.
biquini [bi'kini] *nm* = **bikini**.
birlar [bir'lar] (*fam*) *vt* faucher.
birome [bi'rome] (*ARG*) *nf (a veces nm)* stylo *m*.
birria ['birrja] *nf*: **ser una ~** être un(e) rien du tout; (*película*) être un navet; (*libro*) être un torchon.
bis [bis] *adv* bis; **viven en el 27 ~** ils habitent au 27 bis; **artículo 47 ~** article 47 bis.
bisabuelo, -a [bisa'βwelo, a] *nm/f* arrière-grand-père (arrière-grand-mère); **~s** *nmpl* arrière-grands-parents *mpl*.
bisagra [bi'saɣra] *nf* charnière *f*.
bisbisar [bisβi'sar], **bisbisear** [bisβise'ar] *vt* marmonner.
bisexual [bisek'swal] *adj* bisexuel(le).
bisiesto, -a [bi'sjesto, a] *adj V* **año**.
bisnieto, -a [bis'njeto, a] *nm/f* arrière-petit-fils(arrière-petite-fille); **~s** *nmpl* arrière-petits-enfants *mpl*.
bisonte [bi'sonte] *nm* (*ZOOL*) bison *m*.
bisté [bis'te], **bistec** [bis'tek] (*pl* **~s**) *nm* bifteck *m*.
bisturí [bistu'ri] (*pl* **~es**) *nm* bistouri *m*.
bisutería [bisute'ria] *nf* bijoux *mpl* en toc; **pendientes/collar de ~** boucles *fpl* d'oreille/collier *m* en toc.
bit [bit] *nm* (*INFORM*) bit *m*; **bit de parada/de paridad** bit d'arrêt/de parité.
bitácora [bi'takora] *nf* (*NÁUT*) habitacle *m*; **cuaderno de ~** livre *m* de bord.
bizantino, -a [biθan'tino, a] *adj* byzantin(e); **discusión bizantina** dialogue *m* de sourds.
bizco, -a ['biθko, a] *adj* qui louche ♦ *nm/f* personne *f* qui louche; **dejar a**

algn ~ (*fam*) en boucher un coin à qn.
bizcocho [biθ'kotʃo] *nm* biscuit *m*.
biznieto, -a [biθ'nieto, a] *nm/f* = **bisnieto**.
bizquear [biθke'ar] *vi* loucher.
blanco, -a ['blanko, a] *adj* blanc (blanche) ♦ *nm/f* (*individuo*) Blanc (Blanche) ♦ *nm* blanc *m*; (*MIL*) cible *f* ♦ *nf* (*MÚS*) blanche *f*; **cheque en ~** chèque *m* en blanc; **noche en ~** nuit *f* blanche; **dejar algo en ~** laisser qch en blanc; **dar en el ~** faire mouche; **hacer ~ (en)** frapper (sur); **poner los ojos en ~** rouler les yeux; **quedarse en ~** (*mentalmente*) avoir un trou; **ser el ~ de las burlas** être l'objet des railleries; **votar en ~** voter blanc; **blanco del ojo** blanc *m* de l'œil.
blancura [blan'kura] *nf* blancheur *f*.
blandengue [blan'denge] (*fam*) *adj* faible.
blandir [blan'dir] *vt* brandir.
blando, -a ['blando, a] *adj* mou(molle); (*padre, profesor*) indulgent(e); (*carne, fruta*) tendre ♦ *nm/f* poule *f* mouillée; **~ de corazón** au cœur tendre.
blandura [blan'dura] *nf* mollesse *f*; (*de padre, profesor*) indulgence *f*.
blanquear [blanke'ar] *vt* blanchir ♦ *vi* pâlir.
blanqueo [blan'keo] *nm* blanchiment *m*; (*de dinero*) blanchissement *m*.
blasfemar [blasfe'mar] *vi*: **~ (contra)** blasphémer (contre).
blasfemia [blas'femja] *nf* blasphème *m*.
blasfemo, -a [blas'femo, a] *adj* blasphématoire ♦ *nm/f* (*persona*) blasphémateur(-trice).
blasón [bla'son] *nm* blason *m*; (*fig*) gloire *f*.
bledo ['bleðo] *nm*: **(no) me importa un ~** ça ne me fait ni chaud ni froid.
blindado, -a [blin'daðo, a] *adj* blindé(e) ♦ *nm* (*MIL*) blindé *m*; **coche** (*ESP*) *o* **carro** (*AM*) **~** véhicule *m* blindé.
bloc [blok] (*pl* **~s**) *nm* bloc-notes *msg*; (*cuaderno*) bloc *m*; **bloc de dibujo** bloc à dessin.
bloque ['bloke] *nm* bloc *m*; (*de noticias*) rubrique *f*; (*de expedición*) gros *m*; **en ~** en bloc; **bloque de cilindros** bloc-cylindres *msg*.
bloquear [bloke'ar] *vt* bloquer; (*MIL*) faire le blocus de; **fondos bloqueados** fonds *mpl* bloqués.
bloqueo [blo'keo] *nm* blocage *m*; (*MIL*) blocus *msg*; **bloqueo informativo** black-out *m inv*; **bloqueo mental** blocage.
blusa ['blusa] *nf* blouse *f*; (*de mujer*) chemisier *m*.
boa ['boa] *nf* boa *m*.
boato [bo'ato] *nm* faste *m*.
bobada [bo'βaða] *nf* sottise *f*; **decir ~s** dire des bêtises.
bobería [boβe'ria] *nf* = **bobada**.
bobina [bo'βina] *nf* bobine *f*.
bobo, -a ['boβo, a] *adj* (*tonto*) sot(sotte); (*cándido*) naïf(naïve) ♦ *nm/f* sot(sotte) ♦ *nm* (*TEATRO*) bouffon *m*; **hacer el ~** faire le pitre.
boca ['boka] *nf* bouche *f*; (*de animal carnívoro, horno*) gueule *f*; (*de crustáceo*) pince *f*; (*de vasija*) bec *m*; (*INFORM*) fente *f*; (*de puerto, túnel, cueva*) entrée *f*; **~ abajo** sur le ventre; **~ arriba** sur le dos; **hacerle a algn el ~ a ~** faire du bouche à bouche à qn; **se me hace la ~ agua** j'en ai l'eau à la bouche; **todo salió a pedir de ~** tout s'est parfaitement déroulé; **en ~ de todos** sur toutes les lèvres; **andar de ~ en ~** circuler de bouche en bouche; **¡cállate la ~!** (*fam*) la ferme!; **meterse en la ~ del lobo** se jeter dans la gueule du loup; **partirle la ~ a algn** casser la gueule à qn; **quedarse con la ~ abierta** en rester bouche bée; **no abrir la ~** ne pas piper mot; **boca de dragón** (*BOT*) gueule-de-loup *f*; **boca de incendios** bouche d'incendie; **boca de metro** bouche de métro; **boca de riego** prise *f* d'eau; **boca del estómago** creux *msg* de l'estomac.
bocacalle [boka'kaʎe] *nf*: **una ~ de la avenida** une rue qui donne dans l'avenue; **la primera ~ a la derecha** la première à droite.
bocadillo [boka'ðiʎo] *nm* sandwich *m*.
bocado [bo'kaðo] *nm* bouchée *f*; (*para caballo*) mors *msg*; (*mordisco*) coup *m* de dent; **no probar ~** ne rien manger; **bocado de Adán** pomme *f* d'Adam.
bocajarro [boka'xarro]: **a ~** *adv* à brûle-pourpoint; **decir algo a ~** dire qch sans mâcher ses mots.
bocanada [boka'naða] *nf* bouffée *f*; (*de líquido*) gorgée *f*; **a ~s** (*salir, llegar, entrar*) par à-coups.
bocata [bo'kata] (*fam*) *nm* casse-croûte *m inv*.
bocazas [bo'kaθas] (*fam*) *nm/f inv*: **ser un ~** être une grande gueule.
boceto [bo'θeto] *nm* esquisse *f*; (*plano*) ébauche *f*.
bochorno [bo'tʃorno] *nm* (*vergüenza*) honte *f*; (*calor*): **hace ~** il fait lourd.
bochornoso, -a [botʃor'noso, a] *adj* (*día*) lourd(e); (*situación*) orageux(-euse).
bocina [bo'θina] *nf* (*MÚS*) corne *f*; (*AUTO*) klaxon *m*; (*megáfono*) porte-voix *m inv*; **tocar la ~** klaxonner.

boda ['boðа] *nf* (*tb:* ~s) noce *f*, mariage *m*; (*fiesta*) noce; **bodas de oro** noces *fpl* d'or; **bodas de plata** noces d'argent.
bodega [bo'ðeɣa] *nf* (*de vino*) cave *f*; (*esp AM*) bistro(t) *m*; (*granero*) grenier *m*; (*establecimiento*) marchand *m* de vin; (*de barco*) cale *f*.
bodegón [boðe'ɣon] *nm* taverne *f*; (*ARTE*) nature morte *f*.
bodrio [bo'ðrio] *nm*: **el libro es un ~** ce livre ne vaut rien.
B.O.E. ['boe] *sigla m* (= *Boletín Oficial del Estado*) ≈ JO *m* (= *Journal officiel*).
bofe ['bofe] *nm* (*tb:* ~s: *de res*) mou *m*; **echar los ~s** (*fam*) trimer.
bofetada [bofe'taða] *nf* gifle *f*; **dar de ~s a algn** bourrer qn de coups.
boga ['boɣa] *nf*: **en ~** en vogue.
bogar [bo'ɣar] *vi* ramer.
bogavante [boɣa'βante] *nm* homard *m*.
Bogotá [boɣo'ta] *n* Bogota.
bogotano, -a [boɣo'tano, a] *adj* de Bogota ♦ *nm/f* natif(-ive) *o* habitant(e) de Bogota.
bohemio, -a [bo'emjo, a] *adj*, *nm/f* bohémien(ne).
boicot [boi'ko(t)] (*pl* **~s**) *nm* boycott *m*; **hacer el ~ a** boycotter.
boicotear [boikote'ar] *vt* boycotter.
boina ['boina] *nf* béret *m*.
bol [bol] *nm* bol *m*.
bola ['bola] *nf* boule *f*; (*canica*) bille *f*; (*pelota*) balle *f*, ballon *m*; (*NAIPES*) chelem *m*; (*betún*) cirage *m*; (*fam*) bobard *m*; (*AM: rumor*) rumeur *f*; **~s** *nfpl* (*AM: CAZA*) bolas *fpl*; **no dar pie con ~** faire tout de travers; **bola de billar** boule de billard; **bola de naftalina** boule de naphtaline; **bola de nieve** boule de neige; **bola del mundo** globe *m* terrestre.
boleadoras [bolea'ðoras] (*AM*) *nfpl* bolas *fpl*.
bolera [bo'lera] *nf* bowling *m*.
bolero [bo'lero] *nm* (*MÚS*) boléro *m*.
boleta [bo'leta] (*AM*) *nf* (*billete*) laissez-passer *m inv*; (*permiso*) bon *m*; (*cédula para votar*) bulletin *m* de vote.
boletería [bolete'ria] (*AM*) *nf* (*taquilla*) guichet *m*.
boletín [bole'tin] *nm* bulletin *m*; **boletín informativo** *o* **de noticias** informations *fpl*; **boletín de pedido** bulletin de commande; **boletín de precios** tarifs *mpl*; **boletín de prensa** communiqué *m* de presse; **boletín escolar** (*ESP*) bulletin scolaire.
boleto [bo'leto] *nm* billet *m*; **boleto de apuestas** coupon *m* de pari.
boli ['boli] (*fam*) *nm* stylo *m*.
boliche [bo'litʃe] *nm* cochonnet *m*; (*juego*) jeu *m* de quilles; (*lugar*) bowling *m*; (*AM: tienda*) échoppe *f*.
bolígrafo [bo'liɣrafo] *nm* stylo bille *m*, stylo *m* à bille.
bolívar [bo'liβar] *nm* bolivar *m*.
Bolivia [bo'liβja] *nf* Bolivie *f*.
boliviano, -a [boli'βjano, a] *adj* bolivien(ne) ♦ *nm/f* Bolivien(ne).
bollo ['boʎo] *nm* petit pain *m*; (*de bizcocho*) brioche *f*; (*abolladura*) bosse *f*; **~s** *nmpl* (*AM: apuros*) ennuis *mpl*; (*fam*) gnon *m*; **no está el horno para ~s** ce n'est vraiment pas le moment.
bolo ['bolo] *nm* quille *f* ♦ *adj* (*CAM, CU, MÉX*) ivre, soûl(e); **(juego de) ~s** (jeu *m* de) quilles *fpl*.
bolsa ['bolsa] *nf* sac *m*, poche *f*; (*tela*) sacoche *f*; (*AM: bolsillo*) poche; (*ESCOL*) bourse *f*; (*ANAT, MINERÍA*) poche; **La B~** la Bourse; **hacer ~s** faire de faux plis; **jugar a la B~** jouer à la Bourse; **bolsa de agua caliente** bouillotte *f*; **bolsa de aire** poche d'air; **bolsa de deportes** sac de sport; **bolsa de dormir** (*AM*) sac de couchage; **bolsa de estudios** bourse d'études; **bolsa de la compra** panier *m* de la ménagère; **"Bolsa de la propiedad"** "Marché *m* immobilier"; **bolsa de papel/plástico** sac en papier/plastique; **Bolsa de trabajo** Bourse du travail; **bolsa de viaje** sac de voyage.
bolsillo [bol'siʎo] *nm* poche *f*; (*cartera*) porte-monnaie *m inv*; **de ~** de poche; **meterse a algn en el ~** mettre qn dans sa poche; **lo pagó de su ~** il l'a payé de sa poche.
bolso ['bolso] *nm* sac *m*; (*de mujer*) sac à main.
boludo, -a [bo'luðo, a] (*CSUR: fam!*) *nm/f* con(ne) (*fam!*).
bomba ['bomba] *nf* (*MIL*) bombe *f*; (*TEC*) pompe *f* ♦ *adj* (*fam*): **noticia ~** nouvelle *f* sensationnelle ♦ *adv* (*fam*): **pasarlo ~** s'amuser comme un fou *o* des petits fous; **a prueba de ~** à l'épreuve des bombes; **caer algo como una ~** faire l'effet d'une bombe; **bomba atómica** bombe atomique; **bomba de agua/de gasolina/de incendios** pompe à eau/à essence/à incendie; **bomba de efecto retardado/de neutrones** bombe à retardement/à neutrons; **bomba de humo** fumigène *m*; **bomba lacrimógena** bombe lacrymogène.
bombardear [bombar'ðe'ar] *vt* bombarder; **~ a preguntas** bombarder de questions.
bombardeo [bombar'ðeo] *nm* bombardement *m*.

bombear [bombe'ar] *vt* (*agua*) pomper; (*MIL*) bombarder; (*DEPORTE*) lober; **bombearse** *vpr* (se) gondoler.
bombero [bom'bero] *nm* pompier *m*; **(cuerpo de) ~s** (corps *msg* des sapeurs-) pompiers *mpl*.
bombilla [bom'biʎa] *nf* (*ESP*), **bombillo** [bom'biʎo] *nm* (*ARG*) ampoule *f*.
bombo ['bombo] *nm* (*MÚS*) grosse caisse *f*; (*TEC*) tambour *m*; **hacer algo a ~ y platillo** faire qch en grande pompe; **tengo la cabeza hecha un ~** j'en ai la tête grosse comme ça; **dar ~ a** (*a persona*) ne pas tarir d'éloges sur; (*asunto*) faire du tam-tam autour de.
bombón [bom'bon] *nm* (*CULIN*) crotte *f* de chocolat, chocolat *m*; **ser un ~** (*fam*) être un canon.
bombona [bom'bona] *nf* bouteille *f*.
bonachón, -ona [bona'tʃon, ona] *adj* bon enfant *inv* ♦ *nm/f* bonne pâte *f*.
bonaerense [bonae'rense] *adj* de Buenos Aires ♦ *nm/f* natif(-ive) *o* habitant(e) de Buenos Aires.
bonanza [bo'nanθa] *nf* (*NÁUT*) bonace *f*; (*fig*) prospérité *f*; (*MINERÍA*) riche filon *m*.
bondad [bon'dað] *nf* bonté *f*; **tenga la ~ de** veuillez avoir l'amabilité de.
bondadoso, -a [bonda'ðoso, a] *adj* bon(bonne).
bonito, -a [bo'nito, a] *adj* joli(e) ♦ *adv* (*AM*: *fam*) gentiment ♦ *nm* (*atún*) thon *m*; **un ~ sueldo/una bonita cantidad** un beau salaire/une coquette somme.
bono ['bono] *nm* bon *m*; **bonos del Estado** obligations *fpl* de l'État; **bono del Tesoro** bon du Trésor.
bonobús [bono'βus] *nm* (*ESP*) *carte de transport (en autobus urbain)*.
boom ['bum] *nm* boom *m*.
boquerón [boke'ron] *nm* anchois *msg*; (*agujero*) large brèche *f*.
boquete [bo'kete] *nm* brèche *f*.
boquiabierto, -a [bokia'βjerto, a] *adj*: **quedarse ~** en rester bouche bée; **nos dejó ~s** nous sommes restés bouche bée.
boquilla [bo'kiʎa] *nf* (*de manguera*) prise *f* d'eau; (*mechero*) bec *m*; (*calentador*) brûleur *m*; (*para cigarro*) fume-cigarette *m*; (*MÚS*) bec; **de ~** en l'air.
borbotón [borβo'ton] *nm*: **salir a borbotones** jaillir à gros bouillons.
borda ['borða] *nf* (*NÁUT*) bord *m*; **echar** *o* **tirar algo por la ~** jeter *o* lancer qch par-dessus bord.
bordado [bor'ðaðo] *nm* broderie *f* ♦ *adj*: **el cuadro le quedó** *o* **salió ~** il a réussi ce tableau à la perfection.
bordar [bor'ðar] *vt* broder.
borde ['borðe] *nm* bord *m*; **al ~ de** (*fig*) au bord de; **ser ~** (*ESP*: *fam*) ne pas se prendre pour n'importe qui.
bordear [borðe'ar] *vt* longer.
bordillo [bor'ðiʎo] *nm* (*en acera*) bord *m*; (*en carretera*) accotement *m*.
bordo ['borðo] *nm*: **a ~ (de)** à bord (de).
borinqueño, -a [borin'keɲo, a] *adj* portoricain(e) ♦ *nm/f* Portoricain(e).
borla ['borla] *nf* gland *m*; (*para polvos*) houppette *f*.
borrachera [borra'tʃera] *nf* ivresse *f*; (*juerga*) orgie *f*.
borracho, -a [bo'rratʃo, a] *adj* (*persona*) soûl(e), saoul(e); (: *por costumbre*) ivrogne; **bizcocho ~** baba *m* au rhum ♦ *nm/f* (*temporalmente*) soûlard(e); (*habitualmente*) ivrogne *m/f*.
borrador [borra'ðor] *nm* (*de escrito, carta*) brouillon *m*; (*cuaderno*) cahier *m* de brouillon; (*goma*) gomme *f*; (*COM*) main *f* courante; (*para pizarra*) chiffon *m* à effacer.
borraja [bo'rraxa] *nf*: **quedar(se) en agua de ~s** s'en aller en eau de boudin.
borrar [bo'rrar] *vt* gommer; (*de lista*) barrer; (*tachar*) raturer; (*cinta, INFORM*) effacer; (*POL etc*) éliminer; **borrarse** *vpr* (*de club, asociación*) quitter; (*recuerdo, imagen*) s'effacer.
borrasca [bo'rraska] *nf* tempête *f*.
borrego, -a [bo'rreɣo, a] *nm/f* agneau *m*; (*fig*) lavette *f*.
borrico, -a [bo'rriko, a] *nm/f* âne(ânesse); (*fig*) bourrique *f*.
borrón [bo'rron] *nm* tache *f* d'encre; **hacer ~ y cuenta nueva** tourner la page.
borroso, -a [bo'rroso, a] *adj* flou(e); (*escritura*) indécis(e).
Bosnia ['bosnja] *nf* Bosnie *f*.
bosnio, -a ['bosnjo, a] *adj* bosniaque ♦ *nm/f* Bosniaque *m/f*.
bosque ['boske] *nm* bois *msg*, forêt *f*.
bosquejar [boske'xar] *vt* ébaucher.
bosquejo [bos'kexo] *nm* ébauche *f*, esquisse *f*.
bostezar [boste'θar] *vi* bâiller.
bostezo [bos'teθo] *nm* bâillement *m*.
bota ['bota] *nf* botte *f*; (*de vino*) gourde *f*; **ponerse las ~s** (*fam*) s'en mettre plein les poches; (*comer mucho y bien*) s'en mettre plein la panse; **botas de esquí** chaussures *fpl* de ski; **botas de agua** *o* **goma** bottes *fpl* en caoutchouc; **botas de montar** bottes d'équitation.
botana(s) [bo'tana(s)] (*AM*) *nf(pl)* (*tapa(s)*) amuse-gueule *m*.
botánico, -a [bo'taniko, a] *adj* botanique

♦ *nm/f* botaniste *m/f* ♦ *nf* botanique *f*.
botar [bo'tar] *vt* (*balón*) faire rebondir; (*NÁUT*) lancer, mettre à la mer; (*fam*) mettre à la porte; (*esp AM: fam*) jeter, balancer ♦ *vi* (*persona*) bondir; (*balón*) rebondir.
bote ['bote] *nm* bond *m*; (*tarro*) pot *m*; (*lata*) boîte *f* de conserve; (*en bar*) pourboire *m*; (*embarcación*) canot *m*; (*en juego*) cagnotte *f*; **de ~ en ~** plein à craquer; **dar un ~** laisser un pourboire; **dar ~s** (*AUTO etc*) cahoter; **tener a algn en el ~** avoir qn dans sa poche; **un ~ de tomate** des tomates en conserve; **bote de la basura** (*AM*) poubelle *f*; **bote salvavidas** canot de sauvetage.
botella [bo'teʎa] *nf* bouteille *f*; **botella de oxígeno** bouteille d'oxygène; **botella de vino** bouteille de vin.
botellín [bote'ʎin] *nm* petite bouteille *f*.
botijo [bo'tixo] *nm* cruche *f*.
botín [bo'tin] *nm* (*calzado*) bottine *f*; (*polaina*) guêtre *f*; (*MIL, de atraco, robo*) butin *m*.
botiquín [boti'kin] *nm* armoire *f* à pharmacie; (*portátil*) trousse *f* à pharmacie; (*enfermería*) infirmerie *f*.
botón [bo'ton] *nm* bouton *m*; **pulsar el ~** appuyer sur le bouton; **botón de arranque** (*AUTO*) démarreur *m*; **botón de oro** bouton *m* d'or.
botones [bo'tones] *nm inv* groom *m*.
bóveda ['boβeða] *nf* (*ARQ*) voûte *f*; **bóveda celeste** voûte céleste.
bovino, -a [bo'βino, a] *adj V* **ganado**.
box [boks] (*AM*) *nm* boxe *f*.
boxeador, a [boksea'ðor, ɑ] *nm/f* boxeur *m*.
boxear [bokse'ar] *vi* boxer.
boxeo [bok'seo] *nm* boxe *f*.
boya ['boja] *nf* (*NÁUT*) bouée *f*; (*en red*) flotteur *m*.
boyante [bo'jante] *adj* (*NÁUT*) lège; (*feliz*) débordant(e) de joie; (*negocio*) prospère.
bozal [bo'θal] *nm* (*de perro*) muselière *f*; (*de caballo*) licou *m*.
bracero, -a [bra'θero, a] *nm/f* journalier(-ière).
braga ['braɣa] *nf* (*tb:* **~s**) culotte *f*; (*cuerda*) corde *f*; (*de bebé*) couche *f*.
bragueta [bra'ɣeta] *nf* braguette *f*.
braille [breil] *nm* braille *m*.
bramar [bra'mar] *vi* (*toro, viento, mar*) mugir; (*venado*) bramer; (*elefante*) barrir.
bramido [bra'miðo] *nm* (*de toro, viento, lluvia*) mugissement *m*; (*del venado*) bramement *m*; (*del elefante*) barrissement *m*; (*de persona*) hurlement *m*.
brandy ['brandi] *nm* brandy *m*.
branquia ['brankja] *nf* branchie *f*.
brasa ['brasa] *nf* braise *f*; **a la ~** (*carne, pescado*) braisé(e).
brasero [bra'sero] *nm* (*para los pies*) brasero *m*; (*AM: chimenea*) cheminée *f*.
Brasil [bra'sil] *nm* Brésil *m*.
brasileño, -a [brasi'leɲo, a] *adj* brésilien(ne) ♦ *nm/f* Brésilien(ne).
bravata [bra'βata] *nf* bravade *f*.
bravío, -a [bra'βio, a] *adj* féroce.
bravo, -a ['braβo, a] *adj* (*soldado*) vaillant(e); (*animal: feroz*) féroce; (*: salvaje*) sauvage; (*toro*) de combat; (*mar*) déchaîné(e); (*terreno*) accidenté(e); (*AM: fam*) en colère ♦ *excl* bravo!; **patatas bravas** (*CULIN*) *pommes de terre frites accommodées avec une sauce relevée.*
braza ['braθa] *nf*: **nadar a (la) ~** nager la brasse.
brazada [bra'θaða] *nf* brasse *f*; (*de hierba, leña*) brassée *f*.
brazalete [braθa'lete] *nm* bracelet *m*; (*banda*) brassard *m*.
brazo ['braθo] *nm* bras *msg*; (*ZOOL*) patte *f* de devant, antérieur *m*; (*BOT, POL*) branche *f*; **~s** *nmpl* journaliers *mpl*; **cogidos del ~** bras dessus, bras dessous; **cruzarse de ~s** rester les bras croisés; **no dar su ~ a torcer** ne pas en démordre; **ir del ~** se donner le bras; **luchar a ~ partido** combattre corps à corps; **ser el ~ derecho de algn** (*fig*) être le bras droit de qn; **tener/llevar en ~s a algn** tenir/prendre qn dans ses bras; **huelga de ~s caídos** grève *f* sur le tas; **brazo de gitano** roulé *m*.
brea ['brea] *nf* brai *m*.
brebaje [bre'βaxe] *nm* breuvage *m*.
brecha ['bretʃa] *nf* brèche *f*; (*en la cabeza*) blessure *f*; (*MIL*) percée *f*; **hacer** *o* **abrir ~ en** faire impression sur.
bregar [bre'ɣar] *vi* se disputer; (*con obstáculos*) se démener; (*trabajar mucho*) se décarcasser.
brete ['brete] *nm* (*cepo*) entraves *fpl*; **estar en un ~** ne pas savoir comment se tirer d'affaire; **le puso en un ~** il l'a coincé.
breva ['breβe] *nf* figue *f* fraîche; (*puro*) cigare *m* aplati; **¡no caerá esa ~!** ce serait trop beau!
breve ['breβa] *adj* (*pausa, encuentro, discurso*) bref(brève) ♦ *nf* (*MÚS*) brève *f*; **en ~** d'ici peu; (*en pocas palabras*) en bref.
brevedad [breβe'ðað] *nf* brièveté *f*; **a la mayor ~ posible** dans les meilleurs délais; **con la mayor ~** au plus tôt.
brezal [bre'θal], **brezo** ['breθo] *nm* bruyère *f*.

bribón, -ona [bri'βon, ona] *nm/f* fripouille *f*; (*pillo*) coquin(e).
bricolaje [briko'laxe] *nm* bricolage *m*.
brida ['briða] *nf* bride *f*; **a toda ~** à bride abattue.
brigada [bri'ɣaða] *nf* brigade *f* ♦ *nm* (*MIL*) brigadier *m*; **Brigada de Estupefacientes** brigade des stupéfiants; **Brigada de Investigación Criminal** police *f* judiciaire.
brillante [bri'ʎante] *adj* brillant(e) ♦ *nm* (*joya*) brillant *m*.
brillantez [briʎan'teθ] *nf* (*de color, discurso*) éclat *m*; (*de estudiante*) talent *m*.
brillantina [briʎan'tina] *nf* brillantine *f*.
brillar [bri'ʎar] *vi* briller; **~ por su ausencia** briller par son absence.
brillo ['briʎo] *nm* éclat *m*; **dar** *o* **sacar ~ a** faire reluire.
brincar [brin'kar] *vi* (*persona, animal*) bondir; **~ de** (*de alegría etc*) bondir de; **está que brinca** il(elle) est fou(folle) de rage.
brinco ['brinko] *nm* (*salto*) bond *m*; **de un ~** en moins de deux; **dar** *o* **pegar un ~** faire un bond; **dar** *o* **pegar ~s de alegría** bondir de joie.
brindar [brin'dar] *vi*: **~ a** *o* **por** porter un toast à ♦ *vt* (*oportunidad, amistad*) offrir; **brindarse** *vpr*: **~se a hacer algo** s'offrir pour faire qch; **lo cual brinda la ocasión de ...** ceci me permet de ...
brindis ['brindis] *nm inv* (*al beber, frase*) toast *m*; (*TAUR*) hommage *m*.
brío ['brio] *nm* (*tb*: **~s**) énergie *f*, brio *m*; **con ~** avec brio.
brisa ['brisa] *nf* brise *f*.
británico, -a [bri'taniko, a] *adj* britannique ♦ *nm/f* Britannique *m/f*.
brizna ['briθna] *nf* brin *m*; (*paja*) fétu *m*; **no tener ni ~ de sentido común** ne pas avoir un grain de bon sens.
broca ['broka] *nf* (*COSTURA*) broche *f*; (*TEC*) foret *m*; (*clavo*) broquette *f*.
brocado [bro'kaðo] *nm* brocart *m*.
brocha ['brotʃa] *nf* (*de pintar*) brosse *f*; (*de afeitar*) blaireau *m*; **pintor de ~ gorda** (*de paredes*) peintre *m* en bâtiment; (*fig*) barbouilleur *m*.
broche ['brotʃe] *nm* (*en vestido*) agrafe *f*; (*joya*) broche *f*.
broma ['broma] *nf* plaisanterie *f*; **de** *o* **en ~** pour rire; **gastar una ~ a algn** faire une blague à qn; **ni en ~** en aucun cas; **tomar algo a ~** ne pas prendre qch au sérieux; **broma pesada** plaisanterie *f* de mauvais goût.
bromear [brome'ar] *vi* plaisanter.
bromista [bro'mista] *adj, nm/f* farceur(-euse).
bronca ['bronka] *nf* dispute *f*; (*regañina*) réprimande *f*; **armar una ~** faire une scène; **buscar ~** chercher querelle; **echar una ~ a algn** passer un savon à qn.
bronce ['bronθe] *nm* bronze *m*.
bronceado, -a [bronθe'aðo, a] *adj* bronzé(e) ♦ *nm* bronzage *m*.
bronceador, a [bronθea'ðor] *adj* solaire ♦ *nm* produit *m* solaire.
broncearse [bronθe'arse] *vpr* se faire bronzer.
bronco, -a ['bronko, a] *adj* (*modales*) bourru(e); (*voz*) rauque.
bronquio ['bronkjo] *nm* bronche *f*.
bronquitis [bron'kitis] *nf inv* bronchite *f*.
brotar [bro'tar] *vi* (*BOT*) pousser; (*aguas, lágrimas*) jaillir; (*MED*) se déclarer.
brote ['brote] *nm* (*BOT*) pousse *f*; (*MED*) accès *msg*; (*de insurrección, huelga*) vague *f*; **brotes de soja** germes *mpl* de soja.
bruces ['bruθes]: **de ~** *adv* sur le ventre, à plat ventre; **acostarse de ~** se coucher sur le ventre; **estar de ~** être sur le ventre, être à plat ventre; **caer de ~** s'étaler de tout son long; **darse de ~ con algn** tomber nez à nez avec qn.
brujería [bruxe'ria] *nf* sorcellerie *f*.
brujo, -a ['bruxo, a] *nm/f* sorcier(-ière).
brújula ['bruxula] *nf* boussole *f*.
bruma ['bruma] *nf* brume *f*.
brumoso, -a [bru'moso, a] *adj* brumeux(-euse).
bruñir [bru'ɲir] *vt* polir.
brusco, -a ['brusko, a] *adj* brusque.
Bruselas [bru'selas] *n* Bruxelles.
brutal [bru'tal] *adj* brutal(e); (*fam*: *tremendo*) énorme.
brutalidad [brutali'ðað] *nf* brutalité *f*.
bruto, -a ['bruto, a] *adj* (*persona*) brutal(e); (*estúpido*) imbécile; (*metal, piedra, peso*) brut(e) ♦ *nm* brute *f*; **a la bruta, a lo ~** à la va-vite; **en ~** brut(e).
bucal [bu'kal] *adj* buccal(e); **por vía ~** par voie orale.
bucear [buθe'ar] *vi* plonger; **~ en** (*documentos, pasado*) fouiller dans.
buceo [bu'θeo] *nm* plongée *f*, plongeon *m*; **buceo de altura** plongée en haute mer.
buche ['butʃe] *nm* jabot *m*; (*fam*) ventre *m*.
bucle ['bukle] *nm* boucle *f*; (*de carretera*) tournant *m*; (*INFORM*) boucle *f*, cycle *m*.
budismo [bu'ðismo] *nm* bouddhisme *m*.
buen [bwen] *adj V* **bueno**.
buenaventura [bwenaβen'tura] *nf* chance *f*; (*adivinación*) bonne aventure *f*; **decir** *o* **echar la ~ a algn** dire la bonne aventu-

re à qn.

PALABRA CLAVE

bueno, -a ['bweno, a] *adj* (*antes de nmsg:* **buen**) **1** (*excelente etc*) bon(ne); **es un libro bueno** *o* **es un buen libro** c'est un bon livre; **tiene buena voz** il a une belle voix; **hace bueno/buen tiempo** il fait beau/beau temps; **ya está bueno** (*de salud*) il va bien maintenant; **lo bueno fue que** le meilleur c'est que

2 (*bondadoso*): **es buena persona** c'est quelqu'un de bien; **el bueno de Paco** ce bon Paco; **fue muy bueno conmigo** il a été très gentil avec moi

3 (*apropiado*): **ser bueno para** être bien pour; **es un buen momento (para)** c'est le moment (de); **creo que vamos por buen camino** je crois que nous sommes sur la bonne voie

4 (*grande*): **un buen trozo** un bon bout; **un buen número de** bon nombre de; **le di un buen rapapolvo** je lui ai passé un savon

5 (*irónico*): **¡buen conductor estás hecho!** comme tu conduis bien!; **¡estaría bueno que ...!** il ne manquerait plus que...!; **una pelea de las buenas** une sacrée bagarre

6 (*sabroso*): **está bueno este bizcocho** ce gâteau est très bon

7 (*atractivo*: *fam*): **Carmen está muy buena** Carmen est vachement mignonne

8 (*saludos*): **¡buenos días!** bonjour!; **¡buenas tardes!** bonjour!; (*más tarde*) bonsoir!; **¡buenas noches!** bonne nuit!; **¡buenas!** salut!

9 (*otras locuciones*): **un buen día** un beau jour; **estar de buenas** être de bonne humeur; **por las buenas o por las malas** de gré ou de force; **de buenas a primeras** tout d'un coup; **¡la ha liado buena ...!** il(elle) a mis une belle pagaille!

♦ *excl* bon!; **bueno, ¿y qué?** bon, et alors?

Buenos Aires [bweno'saires] *n* Buenos Aires.
buey [bwei] *nm* bœuf *m*.
búfalo ['bufalo] *nm* buffle *m*.
bufanda [bu'fanda] *nf* cache-nez *m inv*.
bufar [bu'far] *vi* (*caballo*) souffler; (*gato*) cracher; ~ **de rabia** pester.
bufet [bu'fet] (*pl* ~**s**) *nm* = **buffet**.
bufete [bu'fete] *nm* étude *f*, cabinet *m*.
buffet [bu'fe] (*pl* ~**s**) *nm* buffet *m*; **buffet libre** buffet.
bufón [bu'fon] *nm* bouffon(ne).
buhardilla [buar'ðiʎa] *nf* mansarde *f*; (*ventana*) lucarne *f*.
búho ['buo] *nm* hibou *m*; (*fig*: *persona*) ours *m inv*.
buitre ['bwitre] *nm* vautour *m*.
bujía [bu'xia] *nf* (*vela*, ELEC, AUTO) bougie *f*.
bula ['bula] *nf* bulle *f*.
bulbo ['bulβo] *nm* (BOT) bulbe *m*; **bulbo raquídeo** bulbe rachidien.
buldozer [bul'doθer] *nm* bulldozer *m*.
bulevar [bule'βar] *nm* boulevard *m*.
Bulgaria [bul'ɣarja] *nf* Bulgarie *f*.
búlgaro, -a ['bulɣaro, a] *adj* bulgare ♦ *nm/f* Bulgare *m/f*.
bulla ['buʎa] *nf* raffut *m*; (*follón*) pagaille *f*; **armar** *o* **meter** ~ faire du raffut.
bulldozer [bul'doθer] *nm* = **buldozer**.
bullicio [bu'ʎiθjo] *nm* brouhaha *m*; (*movimiento*) bousculade *f*.
bullir [bu'ʎir] *vi* (*líquido*) bouillonner; ~ **(de)** (*muchedumbre, público*) bouillir (de); (*insectos*) grouiller (de).
bulo ['bulo] *nm* faux bruit *m*.
bulto ['bulto] *nm* paquet *m*; (*en superficie*, MED) grosseur *f*; (*silueta*) masse *f*; **hacer** ~ prendre de la place; **escurrir el** ~ se dérober; **a** ~ au jugé; **de** ~ (*error*) de taille; (*argumento*) de poids.
búnker ['bunker] (*pl* ~**s**) *nm* blockhaus *m*.
buñuelo [bu'ɲwelo] *nm* beignet *m*; (*fig*) travail *m* d'amateur.
BUP [bup] (ESP) *sigla m* (ESCOL: *= Bachillerato Unificado y Polivalente*) *troisième, seconde, première.*
buque ['buke] *nm* navire *m*; **buque cisterna** bateau-citerne; **buque escuela** navire-école; **buque insignia** vaisseau *m* amiral; **buque mercante** bateau de commerce; **buque de guerra** navire de guerre.
burbuja [bur'βuxa] *nf* bulle *f*; **hacer ~s** pétiller.
burbujear [burβuxe'ar] *vi* pétiller.
burdel [bur'ðel] *nm* bordel *m*.
Burdeos [bur'ðeos] *n* Bordeaux.
burdo, -a ['burðo, a] *adj* grossier(-ière).
burgués, -esa [bur'ɣes, esa] *adj* (*tb pey*) bourgeois(e) ♦ *nm/f* bourgeois(e); **pequeño** ~ petit(e)-bourgeois(e); (POL, *pey*) bourgeois(e).
burguesía [burɣe'sia] *nf* bourgeoisie *f*.
burla ['burla] *nf* moquerie *f*; (*broma*) blague *f*; **hacer ~ a algn/de algo** se moquer de qn/de qch; **hacer ~ a algn** faire la nique à qn.
burladero [burla'ðero] *nm* (TAUR) palissade *f*.
burlar [bur'lar] *vt* (*persona*) tromper; (*vigilancia*) déjouer; (*seducir*) séduire; **burlarse** *vpr*: **~se (de)** se moquer (de).
burlón, -ona [bur'lon, ona] *adj* moqueur(-euse).

burocracia [buro'kraθja] *nf* bureaucratie *f*.
burócrata [bu'rokrata] *nm/f* bureaucrate *m*.
burrada [bu'rraða] (*fam*) *nf*: **decir/hacer/soltar ~s** dire/faire/lâcher des âneries; **una ~** (*mucho*) une flopée.
burro, -a ['burro, a] *nm/f* âne(ânesse); (*fig*: *ignorante*) âne *m*; (: *bruto*) abruti *m* ♦ *adj* crétin(e); **caerse del ~** reconnaître ses erreurs; **hacer el ~** faire l'âne; **no ver tres en un ~** être myope comme une taupe; **burro de carga** (*fig*) bourreau *m* de travail.
bursátil [bur'satil] *adj* boursier(-ière).
bus [bus] *nm* bus *msg*.
busca ['buska] *nf*: **en ~ de** à la recherche de ♦ *nm* (TELEC) bip-(bip) *m*.
buscar [bus'kar] *vt* chercher; (*beneficio*) rechercher ♦ *vi* chercher; **ven a ~me a la oficina** viens me chercher au bureau; **~ una aguja en un pajar** chercher une aiguille dans une botte de foin; **~le 3 pies al gato** chercher midi à quatorze heures; **"~ y reemplazar"** (INFORM) "recherche-remplacement"; **se busca secretaria** on demande une secrétaire; **se la buscó** c'est bien fait pour lui; **~ camorra** chercher noise.
busque *etc* ['buske] *vb V* **buscar**.
búsqueda ['buskeða] *nf* recherche *f*.
busto ['busto] *nm* (ANAT, ARTE) buste *m*.
butaca [bu'taka] *nf* fauteuil *m*; **butaca de patio** fauteuil d'orchestre.
butano [bu'tano] *nm* butane *m*; **bombona de ~** bouteille *f* de butane; **color ~** orangé(e).
butifarra [buti'farra] *nf* saucisse *f* catalane.
buzo ['buθo] *nm* (*mono*) bleu *m* (de travail); (AM: *chándal*) survêtement *m* ♦ *nm/f* (*persona*) plongeur(-euse), homme *m* grenouille.
buzón [bu'θon] *nm* boîte *f* aux lettres; **echar al ~** mettre dans la boîte aux lettres.

C, c

C. *abr* (= *centígrado*) C (= *Celsius*).
C/ *abr* = **calle**.
cabal [ka'βal] *adj* (*peso, precio*) juste; (*definición*) exact(e); (*honrado*) bien.
cábala ['kaβala] *nf* cabale *f*; **~s** *nfpl* (*suposiciones*): **hacer ~s** faire des suppositions.
cabales [ka'βales] *nmpl*: **no estar en sus ~** ne pas avoir toute sa tête.
cabalgar [kaβal'ɣar] *vt* monter ♦ *vi* chevaucher.
cabalgata [kaβal'ɣata] *nf* défilé *m*; **la ~ de los Reyes Magos** le défilé des Rois mages.
caballa [ka'βaʎa] *nf* maquereau *m*.
caballería [kaβaʎe'ria] *nf* monture *f*; (MIL) cavalerie *f*; **caballería andante** chevalerie *f* errante.
caballeriza [kaβaʎe'riθa] *nf* écurie *f*.
caballero [kaβa'ʎero] *nm* gentleman *m*; (*de la orden de caballería*) chevalier *m*; (*en trato directo*) monsieur *m*; **de ~** d'homme, pour homme; **"C~s"** "Messieurs"; **caballero andante** chevalier errant.
caballerosidad [kaβaʎerosi'ðað] *nf* courtoisie *f*.
caballete [kaβa'ʎete] *nm* (*de pintor*) chevalet *m*; (*de pizarra*) support *m*; (*de mesa*) tréteau *m*; (*de tejado*) faîte *m*.
caballito [kaβa'ʎito] *nm* cheval *m* à bascule; **~s** *nmpl* chevaux *mpl* de bois; **montar a los ~s** faire un tour de manège; **caballito del diablo** demoiselle *f*; **caballito de mar** hippocampe *m*.
caballo [ka'βaʎo] *nm* cheval *m*; (AJEDREZ, NAIPES) cavalier *m*; **a ~** à cheval; **a ~ entre** à cheval sur; **es su ~ de batalla** c'est son cheval de bataille; **caballo blanco** bailleur *m* de fonds; **caballo de carreras** cheval de course; **caballo de vapor** cheval-vapeur *m*.
cabaña [ka'βaɲa] *nf* cabane *f*.
cabaré, cabaret [kaβa're] (*pl* **~s**) *nm* cabaret *m*.
cabecear [kaβeθe'ar] *vt*: **~ el balón** faire une tête ♦ *vi* (*caballo*) encenser; (*dormitar*) piquer du nez.
cabecera [kaβe'θera] *nf* (*de mesa, tribunal*) bout *m*; (*de cama*) tête *f*; (*en libro*) frontispice *m*; (*periódico*) manchette *f*, gros titre *m*; (*de río*) source *f*; **médico de ~** médecin *m* traitant.
cabecilla [kaβe'θiʎa] *nm* chef *m* de file, meneur(-euse).
cabellera [kaβe'ʎera] *nf* chevelure *f*; (*de cometa*) queue *f*.
cabello [ka'βeʎo] *nm* cheveu *m*; **cabello de ángel** cheveux *mpl* d'ange.
cabelludo, -a [kaβe'ʎuðo, a] *adj*: **cuero ~** cuir *m* chevelu.
caber [ka'βer] *vi* tenir, rentrer; (MAT) faire; **caben 3 más** on peut encore en mettre 3; **no cabe duda** cela ne fait pas de doute; **dentro de lo que cabe** autant que possible; **cabe la posibilidad de que** il est possible que; **me cupo el honor de** il m'est revenu l'honneur de; **no cabe en sí de alegría** il ne se tient plus de joie.
cabestrillo [kaβes'triʎo] *nm*: **en ~** en

écharpe.

cabeza [ka'βeθa] *nf* tête *f*; (*POL*) chef *m*; **caer de ~** tomber la tête la première; **~ abajo/arriba** tête en bas/en haut; **a la ~ de** (*de pelotón*) en tête de; (*de empresa*) à la tête de; **tirarse de ~** plonger; **tocamos a 3 por ~** ça fait 3 par tête; **romperse la ~** se creuser la tête; **sentar la ~** se ranger; **se me va la ~** je perds la tête; **cabeza atómica/nuclear** tête atomique/ogive *f* nucléaire; **cabeza cuadrada** tête de mule; **cabeza de ajo** tête d'ail; **cabeza de escritura** tête d'écriture; **cabeza de familia** chef de famille; **cabeza de ganado** tête de bétail; **cabeza de impresión/de lectura** tête d'impression/de lecture; **cabeza de partido** chef-lieu *m* d'arrondissement; **cabeza de turco** tête de turc; **cabeza impresora** tête imprimante; **cabeza loca** *o* **de chorlito** tête de linotte.

cabezada [kaβe'θaða] *nf* coup *m* de tête; **dar ~s** piquer du nez; **echar una ~** faire un somme.

cabezal [kaβe'θal] *nm* tête *f*; **~ impresor** tête d'impression.

cabezazo [kaβe'θaθo] *nm* coup *m* de tête; (*FÚTBOL*) tête *f*.

cabezón, -ona [kaβe'θon, ona] *adj* qui a une grosse tête; (*vino*) capiteux(-euse); (*terco*) entêté(e).

cabezota [kaβe'θota] *adj inv* têtu(e).

cabezudo, -a [kaβe'θuðo, a] *adj* qui a une grosse tête; (*obstinado*) cabochard(e) ♦ *nm*: **gigantes y ~s** grosses têtes *fpl*.

cabida [ka'βiða] *nf* capacité *f*; (*depósito*) contenance *f*; **dar ~ a** admettre; **tener ~ para** avoir une capacité de.

cabildo [ka'βildo] *nm* (*de iglesia*) chapitre *m*; (*POL*) conseil *m* municipal.

cabina [ka'βina] *nf* cabine *f*; **cabina de mandos** cabine de pilotage; **cabina telefónica** cabine téléphonique.

cabizbajo, -a [kaβiθ'βaxo, a] *adj* tête basse *inv*.

cable ['kaβle] *nm* câble *m*; (*de electrodoméstico*) fil *m*; **conectar con ~** connecter par câble.

cabo ['kaβo] *nm* bout *m*; (*MIL*) caporal *m*; (*de policía*) brigadier *m*; (*NÁUT*) cordage *m*; (*GEO*) cap *m*; **al ~ de 3 días** au bout de 3 jours; **al fin y al ~** en fin de compte; **de ~ a rabo** (*contar, saber*) de bout en bout; (*leer*) d'un bout à l'autre; **llevar a ~** mener à bien; **atar ~s** faire des rapprochements; **no dejar ~s sueltos** ne rien laisser en suspens; **las Islas de C~ Verde** les îles *fpl* du Cap-Vert; **Cabo de Buena Esperanza** cap de Bonne Espérance; **Cabo de Hornos** cap Horn.

cabra ['kaβra] *nf* chèvre *f*; **estar como una ~** être timbré(e); **cabra montés** chèvre sauvage.

cabré *etc* [ka'βre] *vb V* **caber**.

cabrear [kaβre'ar] (*fam*) *vt* énerver; **cabrearse** (*fam*) *vpr* s'emporter; **estar cabreado** être en colère.

cabrío, -a [ka'βrio, a] *adj*: **macho ~** bouc *m*; *V* **ganado**.

cabriola [ka'βrjola] *nf* cabriole *f*; **hacer ~s** faire des cabrioles.

cabritilla [kaβri'tiʎa] *nf*: **de ~** en chevreau.

cabrito [ka'βrito] *nm* chevreau *m*; (*fam!*) vache *f* (*fam!*).

cabrón [ka'βron] (*fam!*) *nm* salaud *m* (*fam!*).

caca ['kaka] (*fam*) *nf* caca *m* ♦ *excl*: **no toques, ¡~!** ne touche pas à ça, c'est caca!

cacahuete [kaka'wete] (*ESP*) *nm* cacahuète *f*.

cacao [ka'kao] *nm* cacao *m*, chocolat *m*; (*BOT*) cacaoyer *m*; (*tb*: **crema de ~**) beurre *m* de cacao; (*follón*) boucan *m*.

cacarear [kakare'ar] *vt* s'enorgueillir de ♦ *vi* caqueter.

cacatúa [kaka'tua] *nf* cacatoès *msg*; (*mujer*) pipelette *f*.

cacería [kaθe'ria] *nf* partie *f* de chasse.

cacerola [kaθe'rola] *nf* casserole *f*, marmite *f*.

cacha ['katʃa] *nf* (*de arma*) crosse *f*; (*cuchillo*) manche *m*; **~s** *nfpl* (*fam*) fesses *fpl* ♦ *adj inv*: **estar ~** être baraqué(e).

cachalote [katʃa'lote] *nm* cachalot *m*.

cacharro [ka'tʃarro] *nm* ustensile *m*; (*trasto*) machin *m*, truc *m*; (*de cerámica*) poterie *f*; (*AM*: *fam*) taule *f*.

cachear [katʃe'ar] *vt* fouiller.

cachemir [katʃe'mir] *nm*, **cachemira** [katʃe'mira] *nf* cachemire *m*; **de ~** en cachemire.

cachete [ka'tʃete] *nm* claque *f*.

cachiporra [katʃi'porra] *nf* massue *f*.

cachivache [katʃi'βatʃe] *nm* truc *m*, machin *m*.

cacho, -a ['katʃo, a] *nm* morceau *m*; (*AM*) corne *f*.

cachondeo [katʃon'deo] (*fam*) *nm* rigolade *f*; **estar de ~** plaisanter, blaguer; **tomarse algo a ~** prendre qch à la rigolade.

cachondo, -a [ka'tʃondo, a] (*fam*) *adj* marrant(e), rigolo(te); **estar ~** être excité(e).

cachorro, -a [ka'tʃorro, a] *nm/f* chiot *m*; (*de león*) lionceau *m*; (*de lobo*) louveteau *m*.

cacique [ka'θike] *nm* (*AM*) cacique *m*;

(*POL*) personnage *m* influent; (*fig*) petit chef *m*.

caciquismo [kaθi'kismo] *nm* caciquisme *m*.

caco ['kako] *nm* filou *m*.

cacto ['kakto] *nm*, **cactus** ['kaktus] *nm inv* cactus *m inv*.

cada ['kaða] *adj inv* chaque; (*antes de número*) tous les; ~ **día** tous les jours; ~ **dos días** tous les deux jours; ~ **cual/uno** chacun; ~ **vez más/menos** de plus en plus/de moins en moins; ~ **vez que** chaque fois que; **uno de** ~ **diez** un sur dix; **¿~ cuánto?** tous les combien?; **¡tienes ~ idea!** tu as de ces idées!

cadalso [ka'ðalso] *nm* échafaud *m*.

cadáver [ka'ðaβer] *nm* cadavre *m*.

cadena [ka'ðena] *nf* chaîne *f*; **~s** *nfpl* (*AUTO*) chaînes *fpl*; **reacción en** ~ réaction *f* en chaîne; **trabajo en** ~ travail *m* à la chaîne; **tirar de la** ~ **del wáter** tirer la chasse d'eau; **cadena de caracteres** chaîne de caractères; **cadena de montaje** chaîne de montage; **cadena montañosa** chaîne de montagnes; **cadena perpetua** (*JUR*) emprisonnement *m* à perpétuité.

cadera [ka'ðera] *nf* hanche *f*.

cadete [ka'ðete] *nm* cadet *m*.

Cádiz ['kaðiθ] *n* Cadix.

caducar [kaðu'kar] *vi* expirer.

caducidad [kaðuθi'ðað] *nf*: **fecha de** ~ date *f* de péremption.

caduco, -a [ka'ðuko, a] *adj* dépassé(e); **de hoja caduca** à feuilles caduques.

caer [ka'er] *vi* tomber; (*precios*) baisser; (*sol*) se coucher; **caerse** *vpr* tomber; **dejar** ~ laisser tomber; **dejarse** ~ s'écrouler, se laisser tomber; **dejarse** ~ **por** passer; **estar al** ~ être sur le point d'arriver; **¡no caigo!** je ne vois pas; **¡ya caigo!** j'y suis!; **me cae bien/mal** (*persona*) je le trouve sympathique/antipathique; (*vestido*) ça me va bien/ça ne me va pas; (*alimento*) ça me réussit/ça ne me réussit pas; ~ **en desgracia** tomber en disgrâce; ~ **en la cuenta** saisir, se rendre compte; ~ **en la trampa** tomber dans le panneau; ~ **enfermo** tomber malade; **su cumpleaños cae en viernes** son anniversaire tombe un vendredi; **mi casa cae por aquí/a la derecha** ma maison se trouve par ici/à droite; **se me cayó el libro** j'ai fait tomber le livre.

café [ka'fe] (*pl* **~s**) *nm* café *m*; **café con leche** café crème, café au lait; **café solo** *o* **negro** café (noir).

cafetera [kafe'tera] *nf* cafetière *f*.

cafetería [kafete'ria] *nf* cafétéria *f*.

cafetero, -a [kafe'tero, a] *adj* de café; **ser muy** ~ boire beaucoup de café, être grand amateur de café.

cagalera [kaɣa'lera] (*fam!*) *nf* chiasse *f* (*fam!*).

cagar [ka'ɣar] (*fam!*) *vi* chier (*fam!*); **cagarse** *vpr* se dégonfler; **¡la hemos cagado!** on a fait une gaffe!; **~se de miedo** avoir la trouille; **¡me cago en diez** *o* **en la mar!** Bon Dieu!

cague *etc* ['kaɣe] *vb V* **cagar**.

caída ['kaiða] *nf* chute *f*; (*declive*) pente *f*; (*de tela*) tombée *f*; (*de precios, moneda*) baisse *f*; **a la** ~ **del sol/de la tarde** à la tombée du jour/de la nuit; **sufrir una** ~ faire une chute; **caída libre** chute libre.

caído, -a [ka'iðo, a] *adj* tombant(e) ♦ *nm/f*: **los ~s** les morts *mpl*; ~ **del cielo** tombé(e) du ciel.

caiga *etc* ['kaiɣa] *vb V* **caer**.

caimán [kai'man] *nm* caïman *m*.

caja ['kaxa] *nf* boîte *f*, caisse *f*; (*para reloj*) boîtier *m*; (*TIP*) casse *f*; **ingresar en** ~ encaisser; **caja de ahorros** caisse d'épargne; **caja de cambios** boîte de vitesses; **caja de caudales** coffre *m* fort; **caja de fusibles** boîte à fusibles; **caja de música** boîte à musique; **caja de resonancia** caisse de résonance; **caja fuerte** coffre fort; **caja negra** (*AVIAT*) boîte noire.

cajero, -a [ka'xero, a] *nm/f* caissier(-ière) ♦ *nm*: **cajero automático** distributeur *m* automatique.

cajetilla [kaxe'tiʎa] *nf* paquet *m*.

cajón [ka'xon] *nm* caisse *f*; (*de mueble*) tiroir *m*; **¡es de ~!** ça va de soi!; **cajón de embalaje** caisse d'emballage.

cal [kal] *nf* chaux *fsg*; **cerrar algo a** ~ **y canto** fermer qch à double tour; **cal viva** chaux vive.

cala ['kala] *nf* crique *f*; (*de barco*) cale *f*.

calabacín [kalaβa'θin] *nm*, **calabacita** [kalaβa'θita] *nf* (*AM*) courgette *f*.

calabaza [kala'βaθa] *nf* courge *f*, citrouille *f*; **dar ~s a** (*en examen*) recaler; (*novio*) envoyer promener.

calabozo [kala'βoθo] *nm* taule *f*; (*celda*) cachot *m*.

calado, -a [ka'laðo, a] *adj* ajouré(e) ♦ *nm* broderie *f* ajourée; (*de barco*) tirant *m* d'eau; (*de las aguas*) profondeur *f*; **estoy** ~ **(hasta los huesos)** je suis trempé(e) (jusqu'aux os).

calamar [kala'mar] *nm* calmar *m*; **~es a la romana** calmars *mpl* à la Romaine.

calambre [ka'lambre] *nm* crampe *f*; **dar** ~ envoyer une décharge.

calamidad [kalami'ðað] *nf* calamité *f*; **es una** ~ (*persona*) c'est un(e) bon(ne) à rien.

calar [ka'lar] *vt* transpercer; (*AUTO*) caler; (*melón, sandía*) couper pour goûter; (*ideas, palabras*) saisir, comprendre; **calarse** *vpr* (*motor*) caler; (*mojarse*) se tremper; (*gafas*) chausser; (*sombrero*) enfoncer; **¡le tengo calado!** (*fam*) je le connais sur le bout des doigts.
calavera [kala'βera] *nf* tête *f* de mort ♦ *nm* (*pey*) noceur *m*.
calcar [kal'kar] *vt* décalquer; (*imitar*) calquer; **es calcado a su abuelo** c'est tout le portrait de son grand-père.
calcetín [kalθe'tin] *nm* chaussette *f*.
calcinar [kalθi'nar] *vt* calciner.
calcio ['kalθjo] *nm* calcium *m*.
calco ['kalko] *nm* calque *m*.
calcomanía [kalkoma'nia] *nf* décalcomanie *f*.
calculador, a [kalkula'ðor, a] *adj* calculateur(-trice) ♦ *nf* calculatrice *f*.
calcular [kalku'lar] *vt* calculer; (*gastos, pérdidas*) évaluer, calculer; **calculo que ...** je pense que ... .
cálculo ['kalkulo] *nm* calcul *m*; **según mis ~s** d'après mes calculs; **obrar con mucho ~** agir avec beaucoup de prudence; **cálculo de costo** calcul du prix; **cálculo diferencial** calcul différentiel.
caldear [kalde'ar] *vt* chauffer; (*ánimos*) réchauffer.
caldera [kal'dera] *nf* chaudière *f*.
calderilla [kalde'riʎa] *nf* ferraille *f*.
caldero [kal'dero] *nm* chaudron *m*.
caldo ['kaldo] *nm* bouillon *m*; (*vino*) cru *m*; **poner a ~ a algn** passer un savon à qn; **caldo de cultivo** bouillon de culture.
caldoso, -a [kal'doso, a] *adj* qui a beaucoup de sauce *o* de jus.
calé [ka'le] *adj* gitan(e).
calefacción [kalefak'θjon] *nf* chauffage *m*; **calefacción central** chauffage central.
caleidoscopio [kaleiðos'kopjo] *nm* kaléidoscope *m*.
calendario [kalen'darjo] *nm* calendrier *m*.
calentador [kalenta'ðor] *nm* calorifère *m*; **calentador de agua** chauffe-eau *m inv*.
calentar [kalen'tar] *vt* faire chauffer; (*habitación*) réchauffer; (*motor*) faire tourner; (*ánimos*) échauffer; (*sexualmente*) exciter; (*pegar*) flanquer une calotte à; (*AM: enfurecer*) échauffer ♦ *vi* chauffer; **calentarse** *vpr* se chauffer, se réchauffer; (*motor*) chauffer; (*discusión, ánimos*) s'échauffer.
calentura [kalen'tura] *nf* fièvre *f*; (*de boca*) bouton *m* de fièvre.
calenturiento, -a [kalentu'rjento, a] *adj*: **imaginación/mente calenturienta** imagination *f*/esprit *m* fébrile.
calibrar [kali'βrar] *vt* (*TEC*) calibrer; (*consecuencias*) évaluer; (*importancia*) jauger.
calibre [ka'liβre] *nm* calibre *m*; (*fig*) calibre, envergure *f*.
calidad [kali'ðað] *nf* qualité *f*; **de ~** de qualité; **en ~ de** en qualité de; **ser de primera ~** être de premier choix; **calidad de carta** *o* **de correspondencia** qualité courrier; **calidad texto** (*INFORM*) qualité de texte.
cálido, -a ['kaliðo, a] *adj* chaud(e); (*palabras, aplausos*) chaleureux(-euse).
caliente [ka'ljente] *vb V* **calentar** ♦ *adj* chaud(e); **estar/ponerse ~** (*fam*) être excité(e)/s'exciter; **en ~** à chaud.
califa [ka'lifa] *nm* calife *m*.
calificación [kalifika'θjon] *nf* qualification *f*; (*en examen*) note *f*; **calificación de sobresaliente** mention *f* très bien.
calificar [kalifi'kar] *vt* noter; **~ como/de** traiter de.
caligrafía [kaliɣra'fia] *nf* calligraphie *f*.
calima [ka'lima], **calina** [ka'lina] *nf* (*neblina*) brume *f* de chaleur; (*calor*) chaleur *f* caniculaire.
calisita(s) [kale'sita(s)] (*CSUR*) *nf(pl)* (*tiovivo*) manège *m*.
cáliz ['kaliθ] *nm* calice *m*.
calizo, -a [ka'liθo, a] *adj* calcaire ♦ *nf* pierre *f* à chaux.
callado, -a [ka'ʎaðo, a] *adj*: **estar ~** être silencieux(-euse); **ser ~** être peu bavard(e).
callar [ka'ʎar] *vt* taire; (*persona, oposición*) faire taire ♦ *vi* se taire; **callarse** *vpr* se taire; **¡calla!** silence!; **¡cállate!** tais-toi!; **¡cállate la boca!** la ferme!
calle ['kaʎe] *nf* rue *f*; (*DEPORTE*) couloir *m*; **la ~** (*en conjunto*) la rue; **salir** *o* **irse a la ~** sortir; **poner a algn (de patitas) en la ~** mettre qn à la porte, flanquer qn dehors; **ir ~ abajo/arriba** descendre/remonter la rue; **calle de sentido único** rue à sens unique; **calle mayor** grand-rue *f*.
callejear [kaʎexe'ar] *vi* flâner.
callejero, -a [kaʎe'xero, a] *adj* ambulant(e); (*verbena*) en plein air; (*riña*) de rue; (*persona*) flâneur(-euse); (*perro*) errant(e) ♦ *nm* plan *m*.
callejón [kaʎe'xon] *nm* passage *m*, couloir *m*; **~ sin salida** impasse *f*, voie *f* sans issue; (*fig*) impasse.
callejuela [kaʎe'xwela] *nf* ruelle *f*, venelle *f*.
callo ['kaʎo] *nm* (*en pies*) cor *m*; (*en manos*) durillon *m*; **~s** *nmpl* (*CULIN*) tripes *fpl*.
calma ['kalma] *nf* calme *m*; **hacer algo**

con ~ faire qch calmement; ~ **chicha** calme plat; **perder la** ~ perdre son calme; ¡~!, ¡**con** ~! du calme!

calmante [kal'mante] *adj* calmant(e) ♦ *nm* calmant *m*, tranquillisant *m*.

calmar [kal'mar] *vt* calmer ♦ *vi* (*tempestad, viento*) se calmer; **calmarse** *vpr* se calmer.

caló [ka'lo] *nm* parler *m* des gitans.

calor [ka'lor] *nm* chaleur *f*; **entrar en** ~ se réchauffer; (*DEPORTE*) s'échauffer; **hace** ~ il fait chaud; **tener** ~ avoir chaud.

caloría [kalo'ria] *nf* calorie *f*.

calumnia [ka'lumnja] *nf* calomnie *f*.

calumniar [kalum'njar] *vt* calomnier.

caluroso, -a [kalu'roso, a] *adj* chaud(e); (*acogida, aplausos*) chaleureux(-euse).

calvario [kal'βarjo] *nm* calvaire *m*.

calvicie [kal'βiθje] *nf* calvitie *f*.

calvo, -a ['kalβo, a] *adj, nm/f* chauve *m/f*.

calzada [kal'θaða] *nf* chaussée *f*.

calzado, -a [kal'θaðo, a] *adj* chaussé(e) ♦ *nm* chaussure *f*.

calzador [kalθa'ðor] *nm* chausse-pied *m*.

calzar [kal'θar] *vt* chausser; (*TEC*) caler; **calzarse** *vpr*: ~**se los zapatos** se chausser; ¿**qué (número) calza?** quelle est votre pointure?

calzón [kal'θon] *nm* (*tb*: **calzones**) caleçon *m*; (*AM*: *de hombre*) slip *m*; (: *de mujer*) culotte *f*.

calzoncillos [kalθon'θiʎos] *nmpl* slip *msg*.

cama ['kama] *nf* lit; **estar en** ~ être alité(e); **guardar** ~ garder le lit; **hacer la** ~ faire le lit; **hacer la** ~ **a algn** jouer un tour de cochon à qn; **cama individual/de matrimonio** lit simple/double; **cama nido** lit gigogne; **cama en petaca** lit en portefeuille.

camada [ka'maða] *nf* portée *f*, nichée *f*.

camaleón [kamale'on] *nm* caméléon *m*.

cámara ['kamara] *nf* chambre *f*; (*CINE, TV*) caméra *f*; (*fotográfica*) appareil-photo *m*; (*de vídeo*) caméscope *m* ♦ *nm/f* (*CINE, TV*) caméraman *m*; **a** ~ **lenta** au ralenti; **música de** ~ musique *f* de chambre; **cámara alta/baja** Chambre haute/basse; **cámara de aire** chambre à air; **cámara de comercio** chambre de commerce; **cámara de gas** chambre à gaz; **cámara frigorífica** chambre froide; **cámara nupcial/oscura** chambre nuptiale/noire.

camarada [kama'raða] *nm/f* camarade *m/f*; (*de trabajo*) collègue *m/f*.

camarero, -a [kama'rero, a] *nm/f* (*en restaurante*) serveur(-euse); (*en bar*) garçon *m* de cafe(serveuse); ¡**camarera, por favor!** mademoiselle, s'il vous plaît!

camarilla [kama'riʎa] *nf* clique *f*; (*POL*) groupe *m* de pression, lobby *m*.

camarón [kama'ron] *nm* crevette *f* grise.

camarote [kama'rote] *nm* cabine *f*.

cambiar [kam'bjar] *vt, vi* changer; (*fig*) échanger; **cambiarse** *vpr* (*de casa*) changer; (*de ropa*) se changer; ~ **algo por algo** changer qch pour *o* contre qch; ~ **de coche/de idea/de trabajo** changer de voiture/d'idée/de travail; ~ **de marcha** changer de vitesse; ~**(se) de sitio** changer de place.

cambiazo [kam'bjaθo] *nm*: **dar el** ~ **a algn** donner le change à qn; (*hum*) faire une entourloupette à qn.

cambio ['kambjo] *nm* changement *m*; (*de dinero, impresiones*) échange *m*; (*COM*: *tipo de cambio*) change *m*; (*dinero menudo*) monnaie *f*; **a** ~ **de** en échange de; **en** ~ (*por otro lado*) en revanche, par contre; (*en lugar de eso*) à la place; **cambio a término** change à terme; **cambio de divisas** change de devises; **cambio de domicilio** changement de domicile; **cambio de la guardia** relève *f* de la garde; **cambio de línea/de página** (*INFORM*) changement de ligne/de page; **cambio de marchas** *o* **de velocidades** changement de vitesses; **cambio de vía** aiguillage *m*.

camelar [kame'lar] (*fam*) *vt* baratiner; **camelarse** *vpr* entortiller, embobeliner.

camelia [ka'melia] *nf* camélia *m*.

camello [ka'meʎo] *nm* chameau *m*; (*fam*) dealer *m*.

camelo [ka'melo] (*fam*) *nm* entourloupette *f*; (*mentira*) baratin *m*.

camerino [kame'rino] *nm* loge *f*.

camilla [ka'miʎa] *nf* civière *f*, brancard *m*; (*mesa*) guéridon *m*.

camillero, -a [kami'ʎero, a] *nm/f* brancardier(-ière).

caminante [kami'nante] *nm/f* marcheur(-euse).

caminar [kami'nar] *vi* marcher, cheminer ♦ *vt* faire à pied.

caminata [kami'nata] *nf* trotte *f* (*fam*).

camino [ka'mino] *nm* (*tb INFORM*) chemin *m*; **a medio** ~ à mi-chemin; **en el** ~ en chemin, chemin faisant; ~ **de** vers; **estar/ponerse en** ~ être/se mettre en route; **C~s, Canales y Puertos** (*UNIV*) Ponts *mpl* et Chaussées; **ir por buen/mal** ~ (*fig*) être sur la bonne/mauvaise voie; **camino de cabras** sentier *m* de chèvres; **Camino de Santiago** chemin de Saint-Jacques; **camino particular** voie *f* privée; **camino vecinal** chemin vicinal.

camión [ka'mjon] *nm* camion *m*, poids

msg lourd; **estar como un ~** (*fam: mujer*) être bien roulée; **camión cisterna** camion citerne; **camión de la basura** camion des éboueurs; **camión de mudanzas** camion de déménagement.

camionero [kamjo'nero] *nm* camionneur *m*, routier *m*.

camioneta [kamjo'neta] *nf* camionnette *f*.

camisa [ka'misa] *nf* chemise *f*; **camisa de fuerza** camisole *f* de force.

camiseta [kami'seta] *nf* tee-shirt *m*; (*ropa interior*) maillot *m* de corps; (*de deportista*) maillot.

camisón [kami'son] *nm* chemise *f* de nuit.

camorra [ka'morra] *nf*: **armar ~** faire un scandale; **buscar ~** chercher querelle.

camote [ka'mote] (*AM*) *nm* patate *f* douce.

campamento [kampa'mento] *nm* colonie *f* de vacances; (*MIL*) camp *m*.

campana [kam'pana] *nf* cloche *f*; (*CSUR*) campagne *f*; **campana de cristal** cloche de verre.

campanada [kampa'naða] *nf* coup *m* de cloche; **dar la ~** se faire remarquer.

campanario [kampa'narjo] *nm* clocher *m*.

campante [kam'pante] *adj*: **seguir/quedarse/estar tan ~** continuer/faire/se conduire comme si de rien n'était.

campaña [kam'paɲa] *nf* campagne *f*; **hacer ~ (en pro de/contra)** faire campagne (en faveur de *o* pour/contre); **campaña de venta** campagne commerciale; **campaña electoral/publicitaria** campagne électorale/publicitaire.

campechano, -a [kampe'tʃano, a] *adj* sans façon; **es muy ~** il est très nature.

campeón, -ona [kampe'on, ona] *nm/f* champion(ne).

campeonato [kampeo'nato] *nm* championnat *m*; **de ~** (*fam*) du tonnerre, formidable.

campera [kam'pera] (*CSUR*) *nf* blouson *m*.

campesino, -a [kampe'sino, a] *adj* champêtre; (*gente*) de la campagne ♦ *nm/f* paysan(ne).

campestre [kam'pestre] *adj* champêtre.

camping ['kampin] (*pl* **~s**) *nm* camping *m*; **ir de** *o* **hacer ~** aller en camping, faire du camping.

campo ['kampo] *nm* campagne *f*; (*AGR, ELEC, FÍS*) champ *m*; (*INFORM*) champ, zone *f*; (*MIL, de fútbol, rugby*) terrain *m*; (*ámbito*) domaine *m*; **a ~ traviesa** *o* **través** à travers champs; **dormir a ~ raso** dormir à la belle étoile; **trabajo de ~** travaux *mpl* pratiques (sur le terrain); **campo de batalla** champ de bataille; **campo de concentración** camp *m* de concentration; **campo de deportes/de golf** terrain de sports/de golf; **campo de minas** champ de mines; **campo de trabajo** champ de travail; **campo magnético** champ magnétique; **campo petrolífero** champ pétrolifère, gisement *m* de pétrole; **campo raso** rase campagne *f*; **campo visual** champ visuel.

campus ['kampus] *nm inv* campus *m inv*.

camuflaje [kamu'flaxe] *nm* camouflage *m*.

camuflar [kamu'flar] *vt* camoufler.

can [kan] *nm* chien *m*.

cana ['kana] *nf* cheveu *m* blanc; **tener ~s** avoir des cheveux blancs; **echar una ~ al aire** se payer une partie de plaisir; *V tb* **cano**.

Canadá [kana'ða] *nm* Canada *m*.

canadiense [kana'ðjense] *adj* canadien(ne) ♦ *nm/f* Canadien(ne).

canal [ka'nal] *nm* canal *m*; (*de televisión*) chaîne *f*; (*de tejado*) chéneau *m*, gouttière *f*; **abrir algo en ~** ouvrir qch de haut en bas; **canal de distribución** réseau *m* de distribution; **Canal de la Mancha** la Manche; **Canal de Panamá** canal de Panama.

canalizar [kanali'θar] *vt* canaliser.

canalla [ka'naʎa] *nm* canaille *f*.

canapé [kana'pe] (*pl* **~s**) *nm* (*tb CULIN*) canapé *m*.

Canarias [ka'narjas] *nfpl*: **las (Islas) ~** les (îles) Canaries *fpl*.

canario, -a [ka'narjo, a] *adj* des (îles) Canaries ♦ *nm/f* natif(-ive) *o* habitant(e) des (îles) Canaries ♦ *nm* (*ZOOL*) canari *m*, serin *m*; **amarillo ~** jaune canari *inv*, jaune serin *inv*.

canasta [ka'nasta] *nf* corbeille *f*; (*en baloncesto*) panier *m*; (*NAIPES*) canasta *f*; **hacer ~** réussir un panier.

canastilla [kanas'tiʎa] *nf* trousse *f* à couture; (*de niño*) layette *f*.

canasto [ka'nasto] *nm* corbeille *f*.

cancelación [kanθela'θjon] *nf* (*ver vt*) annulation *f*, résiliation *f*, suppression *f*, acquittement *m*.

cancelar [kanθe'lar] *vt* (*visita, vuelo*) annuler; (*contrato*) résilier; (*permiso*) supprimer; (*deuda*) s'acquitter de; (*cuenta corriente*) fermer.

cáncer ['kanθer] *nm* cancer *m*; **C~** (*ASTROL*) Cancer; **ser C~** être (du) Cancer.

cancerígeno, -a [kanθe'rixeno, a] *adj* cancérigène.

cancha ['kantʃa] *nf* terrain *m*; (*de tenis*) court *m* ♦ *excl* (*CSUR*) dégagez!, faites place!

canciller [kanθi'ʎer] *nm* chancelier *m*; (*AM*) ministre *m* des Affaires étrangères.

Cancillería [kanθiʎe'ria] *nf* chancellerie *f*; (*AM*) ministère *m* des Affaires étrangères.

canción [kan'θjon] *nf* chanson *f*; **canción de cuna** berceuse *f*; **canción infantil** comptine *f*; **canción popular** chanson populaire.

candado [kan'daðo] *nm* cadenas *msg*.

candelabro [kande'laβro] *nm* candélabre *m*.

candelero [kande'lero] *nm*: **estar en ~** être en vedette.

candente [kan'dente] *adj* chauffé(e) au rouge; (*tema, problema*) brûlant(e).

candidato, -a [kandi'ðato, a] *nm/f* candidat(e); (*para puesto*) candidat(e), postulant(e).

candidatura [kandiða'tura] *nf* candidature *f*.

cándido, -a ['kandiðo, a] *adj* candide, innocent(e).

candil [kan'dil] *nm* lampe *f* à huile.

candilejas [kanði'lexas] *nfpl* (*TEATRO*) rampe *fsg*.

candor [kan'dor] *nm* candeur *f*.

canela [ka'nela] *nf* cannelle *f*; **canela en rama** cannelle en branche.

canelones [kane'lones] *nmpl* cannelloni *mpl*.

cangrejo [kan'grexo] *nm* crabe *m*; (*de río*) écrevisse *f*.

canguro [kan'guro] *nm* kangourou *m*; (*de niños*) baby-sitter *m/f*; **hacer de ~** garder des enfants.

caníbal [ka'niβal] *adj, nm/f* cannibale *m/f*.

canica [ka'nika] *nf* bille *f*.

caniche [ka'nitʃe] *nm* caniche *m*.

canijo, -a [ka'nixo, a] *adj* chétif(-ive).

canino, -a [ka'nino, a] *adj* canin(e) ♦ *nm* canine *f*; **tener un hambre canina** avoir une faim de loup.

canje [kan'xe] *nm* (*de rehenes, prisioneros*) échange *m*; (*COM*) change *m*.

canjear [kanxe'ar] *vt*: **~ (por)** échanger (pour); (*COM*) changer (pour).

cano, -a ['kano, a] *adj* (*pelo, cabeza*) blanc(blanche).

canoa [ka'noa] *nf* canoë *m*.

canon ['kanon] *nm* canon *m*; (*COM*) taxe *f*, impôt *m*.

canónico, -a [ka'noniko, a] *adj*: **derecho ~** droit *m* canon.

canonizar [kanoni'θar] *vt* canoniser.

canoso, -a [ka'noso, a] *adj* grisonnant(e), aux cheveux blancs; (*pelo*) grisonnant(e).

cansado, -a [kan'saðo, a] *adj* fatigué(e); (*viaje, trabajo*) fatigant(e); **estoy ~ de hacerlo** j'en ai assez de faire ça.

cansancio [kan'sanθjo] *nm* fatigue *f*; **hasta el ~** à satiété.

cansar [kan'sar] *vt* fatiguer; (*aburrir*) ennuyer; (*hartar*) lasser; **cansarse** *vpr*: **~se (de hacer)** se lasser (de faire).

cantábrico, -a [kan'taβriko, a] *adj* cantabrique; **Mar C~** golfe *m* de Gascogne.

cántabro, -a ['kantaβro, a] *adj* de la province de Santander ♦ *nm/f* natif(-ive) *o* habitant(e) de la province de Santander.

cantante [kan'tante] *nm/f* chanteur(-euse).

cantaor, a [kanta'or, a] *nm/f* chanteur(-euse) de flamenco.

cantar [kan'tar] *vt* chanter ♦ *vi* chanter; (*fam: criminal*) se mettre à table; (*: oler mal*) puer, cocoter ♦ *nm* chanson *f*; **estaba cantado** c'était à prévoir; **~ de plano** passer aux aveux; **en menos que canta un gallo** en un rien de temps; **~le a algn las cuarenta** dire à qn ses quatre vérités; **~ a dos voces** chanter en duo.

cántara ['kantara] *nf* bidon *m*.

cántaro ['kantaro] *nm* cruche *f*.

cante ['kante] *nm*: **~ jondo** chant *m* flamenco.

cantera [kan'tera] *nf* (*lugar*) carrière *f*; (*fig: de profesionales, futbolistas*) mine *f*.

cantidad [kanti'ðað] *nf* quantité *f* ♦ *adv* (*fam*) plein; **el café me gusta ~** j'adore le café, je raffole du café; **~ alzada** forfait *m*; **gran ~ de** une grande quantité de, bon nombre de; **en ~** en quantité.

cantimplora [kantim'plora] *nf* gourde *f*.

cantina [kan'tina] *nf* cantine *f*; (*de estación*) buffet *m*; (*esp AM: taberna*) café *m*.

canto ['kanto] *nm* chant *m*; (*de mesa, moneda*) bord *m*; (*de libro*) tranche *f*; (*de cuchillo*) dos *msg*; **faltó el ~ de un duro** il s'en est fallu d'un cheveu; **de ~** de côté, sur le côté; **canto rodado** galet *m*.

canturrear [kanturre'ar] *vi* chantonner.

canutas [ka'nutas] *nfpl*: **pasarlas ~** en voir des vertes et des pas mûres, en voir de toutes les couleurs.

canuto [ka'nuto] *nm* petit tube *m*; (*fam: droga*) joint *m*.

caña ['kaɲa] *nf* (*BOT*) tige *f*; (*: especie*) roseau *m*; (*de hueso*) os *msg* long; (*vaso*) verre *m*; (*de cerveza*) demi *m*; (*AM*) alcool *m* de canne à sucre; **dar** *o* **meter ~** (*fam: a un coche*) appuyer sur le champignon; (*: a algn*) secouer; **caña de azúcar/de pescar** canne *f* à sucre/à pêche.

cañada [ka'ɲaða] *nf* vallon *m*; (*de gana-*

do) chemin *m* de transhumance.
cáñamo ['kaɲamo] *nm* chanvre *m*.
cañería [kaɲe'ria] *nf* tuyauterie *f*.
cañón [ka'ɲon] *nm* canon *m*; (*GEO*) canyon *m*.
caoba [ka'oβa] *nf* acajou *m*.
caos ['kaos] *nm* chaos *msg*.
caótico, -a [ka'otiko, a] *adj* chaotique.
C.A.P. *sigla m* (= *Certificado de Aptitud Pedagógica*) *certificat d'aptitude à l'enseignement*.
capa ['kapa] *nf* (*prenda*) cape *f*; (*CULIN, GEO*) couche *f*; (*de polvo*) pellicule *f*; **defender a ~ y espada** défendre avec acharnement; **capa de ozono** couche d'ozone; **capas sociales** couches *fpl* sociales.
capacho [ka'patʃo] *nm* cabas *msg*.
capacidad [kapaθi'ðað] *nf* contenance *f*, capacité *f*; **este teatro tiene una ~ de mil espectadores** ce théâtre peut contenir mille spectateurs; **tener ~ para los idiomas/las matemáticas** être doué(e) pour les langues/les mathématiques; **tener ~ de adaptación/de trabajo** avoir une capacité d'adaptation/de travail; **capacidad adquisitiva** pouvoir *m* d'achat.
capacitado, -a [kapaθi'taðo, a] *adj* qualifié(e); **~ para algo** (*JUR*) habilité(e) à faire qch.
capacitar [kapaθi'tar] *vt*: **~ a algn para** préparer qn à.
capar [ka'par] *vt* castrer.
caparazón [kapara'θon] *nm* (*de ave*) carcasse *f*; (*de tortuga*) carapace *f*.
capataz [kapa'taθ] *nm* contremaître *m*.
capaz [ka'paθ] *adj* capable; **ser ~ de (hacer)** être capable de (faire); **es ~ que venga mañana** (*AM*) il viendra probablement demain.
capea [ka'pea] *nf* (*TAUR*) course *f* de vachettes.
capellán [kape'ʎan] *nm* aumônier *m*; (*sacerdote*) chapelain *m*.
caperuza [kape'ruθa] *nf* capuche *f*; (*de bolígrafo*) capuchon *m*.
capicúa [kapi'kua] *adj inv* palindrome ♦ *nf* nombre *m* palindrome.
capilar [kapi'lar] *adj, nm* capillaire *m*.
capilla [ka'piʎa] *nf* chapelle *f*; **capilla ardiente** chapelle ardente.
capital [kapi'tal] *adj* capital(e) ♦ *nm* capital *m* ♦ *nf* capitale *f*; **inversión de ~es** investissement *m* de capitaux; **capital activo** capital circulant *o* d'exploitation; **capital arriesgado** *o* **riesgo** capital-risques *msg*; **capital autorizado** *o* **social** capital social; **capital emitido** capital émis; **capital en acciones** capital en actions; **capital improductivo/pagado** capital improductif/versé; **capital invertido** *o* **utilizado** capital investi, mise *f* de fonds.
capitalino, -a [kapita'lino, a] (*AM*) *adj* de la capitale ♦ *nm/f* natif(-ive) *o* habitant(e) de la capitale.
capitalismo [kapita'lismo] *nm* capitalisme *m*.
capitalista [kapita'lista] *adj, nm/f* capitaliste *m/f*.
capitán [kapi'tan] *nm* capitaine *m*; **capitán general** ≈ général *m* de corps d'armée.
capitanear [kapitane'ar] *vt* commander; (*equipo*) être le capitaine de; (*pandilla, expedición*) être à la tête de.
capitel [kapi'tel] *nm* chapiteau *m*.
capitular [kapitu'lar] *vi* capituler.
capítulo [ka'pitulo] *nm* chapitre *m*.
capó [ka'po] *nm* capot *m*.
capón [ka'pon] *nm* (*pollo*) chapon *m*; (*golpe*) tape *f* sur la tête.
capota [ka'pota] *nf* (*de coche*) capote *f*.
capote [ka'pote] *nm* (*de militar*) capote *f*; (*de torero*) cape *f*; **echar un ~ a algn** prêter main forte à qn.
capricho [ka'pritʃo] *nm* caprice *m*; **darse un ~** s'offrir un caprice.
caprichoso, -a [kapri'tʃoso, a] *adj* capricieux(-euse).
Capricornio [kapri'kornjo] *nm* (*ASTROL*) Capricorne *m*; **ser ~** être (du) Capricorne.
cápsula ['kapsula] *nf* capsule *f*; **cápsula espacial** capsule spatiale.
captar [kap'tar] *vt* (*indirecta, sentido*) saisir; (*RADIO*) capter; (*atención, apoyo*) attirer.
captura [kap'tura] *nf* capture *f*.
capturar [kaptu'rar] *vt* capturer.
capucha [ka'putʃa] *nf*, **capuchón** [kapu'tʃon] *nm* capuche *f*; (*de bolígrafo*) capuchon *m*.
capullo [ka'puʎo] *nm* (*ZOOL*) cocon *m*; (*BOT*) bouton *m*; (*fam!*) corniaud *m*; **capullo de rosa** bouton de rose.
caqui ['kaki] *adj inv* kaki *inv* ♦ *nm* (*fruta*) kaki *m*.
cara ['kara] *nf* visage *m*, face *f*; (*expresión*) mine *f*; (*de disco, papel*) face; (*fam*: *descaro*) culot *m*, toupet *m* ♦ *adv*: **(de) ~ a** vis à vis de, face à; **de ~** de face; **decir algo ~ a ~** dire qch en face; **mirar ~ a ~** regarder bien en face; **dar la ~** ne pas se dérober; **echar algo en ~ a algn** reprocher qch à qn; **¿~ o cruz?** pile ou face?; **poner/tener ~ de** prendre/avoir un air de; **¡qué ~ más dura!** quel culot!, en voilà du toupet!; **tener buena/mala ~** avoir bonne/

mauvaise mine; (*herida, asunto, guiso*) avoir bon/mauvais aspect; **tener mucha ~** avoir un culot monstre; **de una ~** (*disquete*) d'une seule face.

carabina [kara'βina] *nf* carabine *f*; (*persona*) chaperon *m*.

Caracas [ka'rakas] *n* Caracas.

caracol [kara'kol] *nm* escargot *m*; (*concha*) coquille *f* d'escargot; (*rizo*) boucle *f*; (*esp AM*) coquillage *m*; **escalera de ~** escalier *m* en colimaçon.

caracola [kara'kola] *nf* coquillage *m*.

carácter [ka'rakter] (*pl* **caracteres**) *nm* caractère *m*; **tener buen/mal ~** avoir bon/mauvais caractère; **carácter alfanumérico** caractère alphanumérique; **carácter de cambio de página** (*INFORM*) caractère de changement de page; **caracteres de imprenta** caractères *mpl* d'imprimerie.

característico, -a [karakte'ristiko, a] *adj* caractéristique ♦ *nf* caractéristique *f*.

caracterizar [karakteri'θar] *vt* caractériser; (*TEATRO*) bien interpréter; **caracterizarse** *vpr* (*TEATRO*) se mettre en costume; **~se por** se caractériser par.

carajillo [kara'xiʎo] *nm* café *m* mêlé de cognac.

carajo [ka'raxo] (*fam!*) *nm*: **¡~!** merde! (*fam!*); **¡qué ~!** et quoi encore!, mon œil!; **me importa un ~** je m'en fous pas mal!; **¡vete al ~!** va te faire voir!

caramba [ka'ramba] *excl* dis donc!, mince alors!

carámbano [ka'rambano] *nm* glaçon *m*.

carambola [karam'bola] *nf* (*en billar*) carambolage *m*; **por ~** par pur hasard.

caramelo [kara'melo] *nm* bonbon *m*; (*azúcar fundido*) caramel *m*.

carantoñas [karan'toɲas] *nfpl*: **hacer ~** faire des mamours.

caraqueño, -a [kara'keɲo, a] *adj* de Caracas ♦ *nm/f* natif(-ive) *o* habitant(e) de Caracas.

caravana [kara'βana] *nf* caravane *f*; (*de vehículos, gente*) file *f*; (*AUTO*) bouchon *m*.

caray [ka'rai] *excl* dis donc!, mince alors!

carbón [kar'βon] *nm* charbon *m*; **papel ~** carbone *m*; **al ~** au charbon; **carbón de leña** *o* **vegetal** charbon de bois.

carboncillo [karβon'θiʎo] *nm* fusain *m*.

carbonilla [karβo'niʎa] *nf* poussière *f* de charbon.

carbonizar [karβoni'θar] *vt* carboniser; **quedar carbonizado** être réduit en cendres.

carbono [kar'βono] *nm* carbone *m*.

carburador [karβura'ðor] *nm* carburateur *m*.

carburante [karβu'rante] *nm* carburant *m*.

carca ['karka] (*fam*) *adj inv* vieux jeu *inv*, rétro *inv* ♦ *nm/f inv* vieux schnock(vieille taupe).

carcajada [karka'xaða] *nf* éclat *m* de rire; **reír(se) a ~s** éclater de rire.

cárcel ['karθel] *nf* prison *f*, maison *f* d'arrêt.

carcoma [kar'koma] *nf* termite *m*.

carcomer [karko'mer] *vt* manger, ronger; (*salud, confianza*) miner; **carcomerse** *vpr*: **~se de** être rongé(e) par.

cardar [kar'ðar] *vt* carder.

cardenal [karðe'nal] *nm* cardinal *m*; (*MED*) bleu *m*.

cardiaco, -a [kar'ðjako, a], **cardíaco, -a** [kar'ðiako, a] *adj* cardiaque; **estar ~** (*fam*) être énervé(e).

cardinal [karði'nal] *adj* (*GRAMÁTICA*) cardinal(e); **puntos ~es** points *mpl* cardinaux.

cardiólogo, -a [kar'ðjoloɣo, a] *nm/f* cardiologue *m/f*.

cardo ['karðo] *nm* (*comestible*) cardon *m*; (*espinoso*) chardon *m*; **ser un ~** (*fam*) être laid(e) comme un pou; (*arisco*) être grincheux(-euse).

carear [kare'ar] *vt* confronter.

carecer [kare'θer] *vi*: **~ de** manquer de.

carencia [ka'renθja] *nf* manque *m*; (*escasez*) carence *f*.

carente [ka'rente] *adj*: **~ de** dépourvu(e) de.

careo [ka'reo] *nm* confrontation *f*.

carero, -a [ka'rero, a] (*fam*) *adj* chérot.

carestía [kares'tia] *nf* (*COM*) cherté *f*; (*escasez*) pénurie *f*; **época de ~** période *f* de pénurie.

careta [ka'reta] *nf* masque *m*; **quitarle a algn la ~** démasquer qn; **careta antigás** masque à gaz.

carezca *etc* [ka'reθka] *vb V* **carecer**.

carga ['karɣa] *nf* charge *f*; (*de barco, camión*) chargement *m*, cargaison *f*; (*de bolígrafo, pluma*) cartouche *f*, recharge *f*; (*INFORM*) chargement; **de ~** (*animal*) de charge; **buque de ~** cargo *m*; **la ~ fiscal** la charge fiscale; **zona de ~ y descarga** zone *f* de livraisons; **carga aérea** fret *m* aérien; **carga afectiva** charge affective; **carga explosiva** charge explosive; **carga útil** charge utile.

cargado, -a [kar'ɣaðo, a] *adj* chargé(e); (*café, té*) serré(e), fort(e); (*ambiente*) raréfié(e), vicié(e); **~ de hombros/espalda** les épaules voûtées/le dos voûté.

cargamento [karɣa'mento] *nm* chargement *m*, cargaison *f*.

cargante [kar'ɣante] (*fam*) *adj* agaçant(e).

cargar [kar'ɣar] *vt* charger; (*impuesto*) imposer, taxer; (*COM*) débiter ♦ *vi* charger; **cargarse** *vpr* (*fam: estropear*) bousiller; (*: matar*) liquider; (*: ley, proyecto*) supprimer; (*: suspender*) recaler, coller; (*ELEC*) se charger; (*cielo, nubes*) se couvrir; **te la vas a ~** (*fam*) cela va te coûter cher; **~ las tintas** forcer la note; **~ (contra)** charger (contre); **~ con** porter; (*responsabilidad*) assumer; **los indecisos me cargan** les gens indécis me portent sur les nerfs; **~ a** *o* **en la espalda** prendre sur son dos; **~se de** (*de dinero*) se munir de; (*de paquetes*) se charger de; (*de obligaciones*) assumer.

cargo ['karɣo] *nm* (*COM etc*) débit *m*; (*puesto*) charge *f*; **~s** *nmpl* (*JUR*) accusations *fpl*; **altos ~s** (*COM*) cadres *mpl* supérieurs; (*POL*) autorités *fpl*; **una cantidad en ~ a algn** une somme portée au compte de qn; **estar a(l) ~ de** être à (la) charge de; **hacerse ~ de** (*de deudas, poder*) assumer; (*darse cuenta de*) se rendre compte de; **me da ~ de conciencia** cela me donne de remords.

carguero [kar'ɣero] *nm* cargo *m*; (*avión*) avion-cargo *m*.

Caribe [ka'riβe] *nm*: **el ~** les Caraïbes *fpl*.

caribeño, -a [kari'βeɲo, a] *adj* des Caraïbes.

caricatura [karika'tura] *nf* caricature *f*.

caricia [ka'riθja] *nf* caresse *f*.

caridad [kari'ðað] *nf* charité *f*; **obras de ~** œuvres *fpl* de charité; **vivir de la ~** vivre de la charité.

caries ['karjes] *nf inv* carie *f*.

cariño [ka'riɲo] *nm* affection *f*; **sí, ~** oui, chéri; **sentir ~ por/tener ~ a** ressentir/avoir de l'affection pour; **tomar ~ a algn** s'attacher à qn; **hacer algo con ~** prendre plaisir à faire qch.

cariñoso, -a [kari'ɲoso, a] *adj* affectueux(-euse); **"saludos ~s"** "affectueusement".

carisma [ka'risma] *nm* charisme *m*.

carismático, -a [karis'matiko, a] *adj* charismatique.

caritativo, -a [karita'tiβo, a] *adj* charitable.

cariz [ka'riθ] *nm* (*de los acontecimientos*) tournure *f*.

carmín [kar'min] *nm* carmin *m*; **carmín (de labios)** rouge *m* (à lèvres).

carnada [kar'naða] *nf* amorce *f*, appât *m*.

carnal [kar'nal] *adj* charnel(le); **primo ~** cousin *m* germain.

carnaval [karna'βal] *nm* carnaval *m*.

carne ['karne] *nf* chair *f*; (*CULIN*) viande *f*; **~s** *nfpl* (*fam*) graisse *fsg*; **en ~ viva** à vif; **en ~ y hueso** en chair et en os; **carne de cañon** chair à canon; **carne de cerdo/de cordero** viande de porc/d'agneau; **carne de gallina** chair de poule; **carne de membrillo** gelée *f* de coing; **carne de ternera/de vaca** viande de veau/de bœuf; **carne picada** viande hachée.

carné [kar'ne] *nm* = **carnet**.

carnero [kar'nero] *nm* veau *m*.

carnet [kar'ne] (*pl* **~s**) *nm*: **carnet de conducir** permis *msg* de conduire; **carnet de identidad** carte *f* d'identité; **carnet de socio** carte de membre.

carnicería [karniθe'ria] *nf* boucherie *f*.

carnicero, -a [karni'θero, a] *adj* carnassier(-ière); (*pájaro, ave*) de proie ♦ *nm/f* boucher(-ère).

cárnico, -a ['karniko, a] *adj* (*productos, industria*) de la viande.

carnívoro, -a [kar'niβoro, a] *adj* carnivore ♦ *nm* carnivore *m*.

carnoso, -a [kar'noso, a] *adj* charnu(e).

caro, -a ['karo, a] *adj* cher(chère) ♦ *adv* cher; **te costará/lo pagarás ~** (*fig*) cela te coûtera/tu le paieras cher.

carozo [ka'roθo] (*AM*) *nm* noyau *m*.

carpa ['karpa] *nf* carpe *f*; (*de circo*) chapiteau *m*; (*AM*) tente *f*.

carpeta [kar'peta] *nf* dossier *m*, chemise *f*; **~ (de anillas)** classeur *m*.

carpintería [karpinte'ria] *nf* menuiserie *f*.

carpintero [karpin'tero] *nm* menuisier *m*; **pájaro ~** pic *m*.

carraspear [karraspe'ar] *vi* (*toser*) se racler la gorge, s'éclaircir la gorge.

carrera [ka'rrera] *nf* course *f*; (*UNIV*) études *fpl*; (*profesión*) carrière *f*; **tienes una ~ en las medias** tes bas sont filés; **aqui se recogen ~s a las medias** ici on reprise les bas; **a la ~** à toute vitesse; **darse** *o* **echar** *o* **pegar una ~** filer à toute allure *o* à toutes jambes; **de ~s** de course; **en una ~** d'une traite; **carrera de armamentos/de obstáculos** course aux armements/d'obstacles.

carrerilla [karre'riʎa] *nf*: **decir algo de ~** réciter qch comme un perroquet; **tomar ~** prendre son élan.

carreta [ka'rreta] *nf* charrette *f*.

carrete [ka'rrete] *nm* pellicule *f*; (*TEC*) bobine *f*.

carretera [karre'tera] *nf* route *f*; **carretera de circunvalación** boulevard *m* périphérique; **carretera nacional/secundaria** route nationale/secondaire.

carretilla [karre'tiʎa] *nf* brouette *f*.

carril [ka'rril] *nm* chemin *m*; (*de autopista*)

file *f*, voie *f*; (*FERRO*) voie.

carrillo [ka'riʎo] *nm* joue *f*.

carro ['karro] *nm* chariot *m*; (*con dos ruedas*) charrette *f*; (*AM*) voiture *f*; **¡para el ~!** arrête là!, c'est bon, ça suffit!; **carro blindado/de combate** char *m* d'assaut/de combat.

carrocería [karroθe'ria] *nf* carrosserie *f*.

carroña [ka'roɲa] *nf* charogne *f*.

carroza [ka'rroθa] *nf* carrosse *m*; (*en desfile*) char *m* ♦ *nm/f* croulant(e), vieux schnock(vieille taupe).

carrusel [karru'sel] *nm* manège *m*.

carta ['karta] *nf* lettre *f*; (*NAIPES*) carte *f*; (*JUR*) charte *f*; **a la ~** à la carte; **dar ~ blanca a algn** donner carte blanche à qn; **echar una ~ (al correo)** mettre une lettre (à la poste); **echar las ~s a algn** tirer les cartes à qn; **tomar ~s en el asunto** intervenir dans l'affaire; **carta certificada** lettre recommandée; **carta de ajuste** (*TV*) mire *f*; **carta de crédito documentaria** lettre de crédit; **carta de crédito irrevocable** (*COM*) lettre de crédit irrévocable; **carta de pedido** bon *m* de commande; **carta de vinos** carte des vins; **carta marítima** carte marine; **carta urgente** lettre urgente; **carta verde** carte verte.

carta-bomba ['karta-'bomba] (*pl* **~s-~**) *nf* lettre *f* piégée.

cartabón [karta'βon] *nm* équerre *f*.

cartel [kar'tel] *nm* affiche *f*; (*COM*) cartel *m*, trust *m*; **en ~** à l'affiche.

cártel ['kartel] *nm* (*COM*) = **cartel**.

cartelera [karte'lera] *nf* rubrique *f*; (*en la calle*) panneau *m* d'affichage; (*en París*) colonne *f* Morris; **lleva mucho/poco tiempo en ~** il est à l'affiche depuis longtemps/peu.

cartera [kar'tera] *nf* (*tb:* **~ de bosillo**) portefeuille *m*; (*de cobrador*) serviette *f*; (*de colegial*) cartable *m*; (*AM*) sac à main *m*; **ministro sin ~** (*POL*) ministre *m* sans portefeuille; **ocupa la ~ de Agricultura** il occupe le portefeuille de l'Agriculture; **tener algo en ~** avoir qch de prévu; **efectos en ~** (*ECON*) avoirs *mpl* fonciers; **cartera de mano** serviette, porte-documents *m inv*; **cartera de pedidos** carnet *m* de commandes; *V tb* **cartero**.

carterista [karte'rista] *nm/f* pickpocket *m*, voleur(-euse) à la tire.

cartero, -a [kar'tero] *nm/f* facteur(-trice).

cartílago [kar'tilaɣo] *nm* cartilage *m*.

cartilla [kar'tiʎa] *nf* livret *m* scolaire; **cartilla de ahorros** livret de caisse d'épargne; **cartilla de racionamiento** carte *f* de rationnement.

cartografía [kartoɣra'fia] *nf* cartographie *f*.

cartón [kar'ton] *nm* carton *m*; (*de tabaco*) cartouche *f*; **de ~** en carton; **cartón piedra** papier *m* mâché.

cartucho [kar'tutʃo] *nm* cartouche *f*; (*cucurucho*) cornet *m*; **cartucho de datos** (*INFORM*) chargeur *m*.

cartulina [kartu'lina] *nf* bristol *m*.

casa ['kasa] *nf* maison *f*; **sentirse como en su ~** se sentir comme chez soi; **ir a ~** rentrer chez soi; **salir de ~** sortir de chez soi; **irse de ~** faire sa malle; **él es como de la ~** c'est comme s'il était de la famille; **llevar la ~** tenir sa maison; **echar la ~ por la ventana** (*gastar*) jeter l'argent par les fenêtres; (*recibir a lo grande*) mettre les petits plats dans les grands; **casa consistorial** hôtel *m* de ville, mairie *f*; **casa de campo** maison de campagne; **casa de citas/de discos** maison de rendez-vous/de disques; **casa de fieras** ménagerie *f*; **casa de huéspedes** pension *f* de famille; **casa de la moneda** hôtel des monnaies; **casa de socorro** dispensaire *m*.

casado, -a [ka'saðo, a] *adj, nm/f* marié(e).

casamiento [kasa'mjento] *nm* mariage *m*.

casar [ka'sar] *vt* marier ♦ *vi*: **~ (con)** aller bien (avec); **casarse** *vpr*: **~se (con)** se marier (avec); **~se por lo civil/por la Iglesia** se marier civilement/religieusement.

cascabel [kaska'βel] *nm* grelot *m*; (*ZOOL*) serpent *m* à sonnettes.

cascada [kas'kaða] *nf* cascade *f*; **en ~** en cascade.

cascanueces [kaska'nweθes] *nm inv* casse-noisettes *msg*.

cascar [kas'kar] *vt* casser; (*fam: golpear*) tabasser ♦ *vi* (*fam*) papoter; (*: morir*) clamser; **cascarse** *vpr* se casser; (*voz*) s'érailler.

cáscara ['kaskara] *nf* coquille *f*; (*de fruta*) pelure *f*; (*de patata*) épluchure *f*; (*de limón, naranja*) écorce *f*.

cascarón [kaska'ron] *nm* coquille *f* d'œuf.

cascarrabias [kaska'rraβjas] (*fam*) *nm/f inv* grognon(ne).

casco ['kasko] *nm* casque *m*; (*NÁUT*) coque *f*; (*ZOOL*) sabot *m*; (*pedazo roto*) tesson *m*; **~s** *nmpl* (*fam: cabeza*) cervelle *fsg*; (*: auriculares*) écouteurs *mpl*; **el ~ antiguo** la vieille ville; **el ~ urbano** le centre ville.

caserío [kase'rio] *nm* hameau *m*; (*casa*) manoir *m*.

casero, -a [ka'sero, a] *adj* (*cocina*) maison; (*remedio*) de bonne femme; (*trabajos*) domestique ♦ *nm/f* propriétaire *m/f*; (COM) syndic *m*; **"comida casera"** "cuisine maison"; **pan ~** pain *m* de ménage; **ser muy ~** être très casanier(-ière).

caserón [kase'ron] *nm* bâtisse *f*.

caseta [ka'seta] *nf* baraque *f*; (*de perro*) niche *f*; (*para bañista*) cabine *f*; (*de feria*) stand *m*.

casete [ka'sete] *nm* magnétophone *m* ♦ *nf* cassette *f*.

casi ['kasi] *adv* presque; **~ nunca/nada** presque jamais/rien; **~ te caes** tu as manqué (de) *o* failli tomber.

casilla [ka'siʎa] *nf* casier *m*; (AJEDREZ, *en crucigrama*) case *f*; **sacar a algn de sus ~s** faire sortir qn de ses gonds; **Casilla de Correo(s)** (AM) boîte *f* postale.

casillero [kasi'ʎero] *nm* casier *m*; (*marcador*) tableau *m*, marqueur *m*.

casino [ka'sino] *nm* casino *m*; (*asociación*) cercle *m*, club *m*.

caso ['kaso] *nm* cas *msg*; **en ~ de ...** en cas de ...; **en ~ (de) que venga** au cas où il viendrait; **el ~ es que** le fait est que; **en el mejor/peor de los ~s** dans le meilleur/pire des cas; **en ese ~** dans ce cas; **en todo ~** en tout cas; **en último ~** en dernier recours; **¡eres un ~!** tu es un cas!; **(no) hacer ~ a** *o* **de algo/algn** (ne pas) faire cas de qch/qn; **hacer ~ omiso de** faire fi de; **hacer** *o* **venir al ~** venir à propos; **yo en tu ~ ...** moi, à ta place ..., moi, si j'étais à ta place ... .

caspa ['kaspa] *nf* (*en pelo*) pellicule *f*.

cassette [ka'set] = **casete**.

casta ['kasta] *nf* race *f*; (*clase social*) caste *f*; (*de persona*) lignée *f*.

castaña [kas'taɲa] *nf* châtaigne *f*, marron *m*; (*fam*: *tb*: **castañazo**) gnon *m*, marron; (: AUT) gnon; (: *puñetazo*) châtaigne, coup *m* de poing; **castaña pilonga** châtaigne sèche.

castaño, -a [kas'taɲo, a] *adj* marron; (*pelo*) brun(e) ♦ *nm* châtaignier *m*, marronnier *m*; **castaño de Indias** marronnier des Indes.

castañuelas [kasta'ɲwelas] *nfpl* castagnettes *fpl*.

castellano, -a [kaste'ʎano, a] *adj* castillan(e) ♦ *nm/f* (*persona*) Castillan(e) ♦ *nm* (LING) castillan *m*.

castidad [kasti'ðað] *nf* chasteté *f*.

castigar [kasti'ɣar] *vt* punir, châtier; (*cuerpo, campos*) affecter; (DEPORTE) pénaliser.

castigo [kas'tiɣo] *nm* punition *f*; (DEPORTE) pénalisation *f*; (*fig*) enfer *m*.

Castilla [kas'tiʎa] *nf* Castille *f*.

castillo [kas'tiʎo] *nm* château *m*; **hacer ~s en el aire** bâtir des châteaux en Espagne; **castillo de popa** dunette *f*.

castizo, -a [kas'tiθo, a] *adj* (LING) pur(e); (*auténtico*) de pure souche.

casto, -a ['kasto, a] *adj* chaste.

castor [kas'tor] *nm* castor *m*.

castrar [kas'trar] *vt* châtrer.

castrense [kas'trense] *adj* militaire.

casual [ka'swal] *adj* fortuit(e).

casualidad [kaswali'ðað] *nf* hasard *m*; **dar la ~ (de) que** se trouver que; **se da la ~ que ...** il se trouve que ...; **por ~** par hasard; **¡qué ~!** quel hasard!

cataclismo [kata'klismo] *nm* cataclysme *m*.

catacumbas [kata'kumbas] *nfpl* catacombes *fpl*.

catalán, -ana [kata'lan, ana] *adj* catalan(e) ♦ *nm/f* Catalan(e) ♦ *nm* (LING) catalan *m*.

catalizador [kataliθa'ðor] *nm* catalyseur *m*.

catalogar [katalo'ɣar] *vt* cataloguer; **~ a algn de** cataloguer qn comme.

catálogo [ka'taloɣo] *nm* catalogue *m*.

Cataluña [kata'luɲa] *nf* Catalogne *f*.

catapulta [kata'pulta] *nf* catapulte *f*.

catar [ka'tar] *vt* goûter.

catarata [kata'rata] *nf* cataracte *f*.

catarro [ka'tarro] *nm* rhume *m*.

catarsis [ka'tarsis] *nf* catharsis *fsg*.

catástrofe [ka'tastrofe] *nf* catastrophe *f*.

catear [kate'ar] (*fam*) *vt* recaler, coller.

catecismo [kate'θismo] *nm* catéchisme *m*.

cátedra ['kateðra] *nf* chaire *f*; **sentar ~ sobre un argumento** argumenter comme un expert; (*pey*) étaler sa science.

catedral [kate'ðral] *nf* cathédrale *f*.

catedrático, -a [kate'ðratiko, a] *nm/f* professeur *m*.

categoría [kateɣo'ria] *nf* catégorie *f*; **de ~** de classe; **de segunda ~** de seconde catégorie; **un empleo de baja ~** un emploi subalterne; **no tiene ~** il n'a aucune classe.

categórico, -a [kate'ɣoriko, a] *adj* catégorique.

catequesis [kate'kesis] *nf* catéchisme *m*.

cateto, -a [ka'teto, a] *nm/f* (*pey*) rustre *m*, péquenaud(e) (*fam*) ♦ *nm* (GEOM) côté *m*.

catolicismo [katoli'θismo] *nm* catholicisme *m*.

católico, -a [ka'toliko, a] *adj, nm/f* catholique *m/f*.

catorce [ka'torθe] *adj inv, nm inv* quatorze *m inv*; *V tb* **seis**.

cauce ['kauθe] *nm* (*de río*) lit *m*; (*fig*) voie

f.

caucho ['kautʃo] *nm* caoutchouc *m*; (*AM*) pneu *m*; **de ~** en caoutchouc.

caudal [kau'ðal] *nm* débit *m*; (*fortuna*) fortune *f*, capital *m*; (*abundancia*) abondance *f*.

caudaloso, -a [kauða'loso, a] *adj* à fort débit.

caudillo [kau'ðiʎo] *nm* chef *m*; **el C~** le Caudillo, *le général Franco*.

causa ['kausa] *nf* cause *f*; **a/por ~ de** à/pour cause de.

causante [kau'sante] *nm/f*: **ser el** *o* **la ~ de** être la cause de.

causar [kau'sar] *vt* causer.

cautela [kau'tela] *nf* précaution *f*, prudence *f*.

cauteloso, -a [kaute'loso, a] *adj* prudent(e).

cautivar [kauti'βar] *vt* captiver.

cautiverio [kauti'βerjo] *nm*, **cautividad** [kautiβi'ðað] *nf* captivité *f*.

cautivo, -a [kau'tiβo, a] *adj, nm/f* captif(-ive).

cauto, -a ['kauto, a] *adj* prudent(e), avisé(e).

cava ['kaβa] *nm* cava *m*, *équivalent du "champagne" français* ♦ *nf* cave *f*.

cavar [ka'βar] *vt, vi* creuser.

caverna [ka'βerna] *nf* caverne *f*.

caviar [ka'βjar] *nm* caviar *m*.

cavidad [kaβi'ðað] *nf* cavité *f*.

cavilar [kaβi'lar] *vi*: **~ (sobre)** méditer (sur).

cayendo *etc* [ka'jendo] *vb V* **caer**.

cayo ['kajo] *nm* (*isleta rasa*) banc *m* de sable, banc de coraux, récif *m*.

caza ['kaθa] *nf* chasse *f* ♦ *nm* (*AVIAT*) chasseur *m*; **dar ~ a** faire la chasse à; **ir de ~** aller à la chasse; **andar a la ~ de algo/algn** être à l'affût de qch/qn; **caza furtiva** braconnage *m*; **caza mayor/menor** gros/menu gibier *m*.

cazabe [ka'θaβe] (*AM*) *nm* (*CULIN*) cassave *f*.

cazador, a [kaθa'ðor, a] *adj, nm/f* chasseur(-euse); **cazador furtivo** braconnier *m*.

cazadora [kaθa'ðora] *nf* blouson *m*.

cazar [ka'θar] *vt* (*buscar*) chasser; (*perseguir*) pourchasser; (*coger*) attraper; (*indirecta, intención*) saisir; (*marido*) dénicher; **~las al vuelo** ne rien laisser passer.

cazo ['kaθo] *nm* (*cacerola*) poêlon *m*; (*cucharón*) louche *f*.

cazuela [ka'θwela] *nf* (*vasija*) marmite *f*, (*guisado*) ragoût *m*.

cazurro, -a [ka'θurro, a] *adj* têtu(e).

CC.OO. *abr* (= *Comisiones Obreras*) *syndicat*.

CE *sigla m* (= *Consejo de Europa*) CE *m* (= *Conseil de l'Europe*) ♦ *sigla f* (= *Comunidad Europea*) CE *f* (= *Communauté européenne*).

cebada [θe'βaða] *nf* orge *f*.

cebar [θe'βar] *vt* (*animal*) gaver, engraisser; (*persona*) gaver; (*anzuelo*) amorcer; (*MIL, TEC*) charger; **cebarse** *vpr* se gaver; **~se en/con** s'acharner sur/à; **estar cebado** être gros comme une barrique.

cebiche [θe'βitʃe] (*AM*) *nm* (*CULIN*) *marinade de poisson o de fruits de mer*.

cebo ['θeβo] *nm* appât *m*, amorce *f*; (*fig*) appât, leurre *m*.

cebolla [θe'βoʎa] *nf* oignon *m*.

cebolleta [θeβo'ʎeta] *nf* oignon *m* nouveau; (*en vinagre*) petit oignon blanc.

cebra ['θeβra] *nf* zèbre *m*; **paso de ~** passage *m* pour piétons.

cecear [θeθe'ar] *vi* zézayer.

ceceo [θe'θeo] *nm* zézaiement *m*.

ceder [θe'ðer] *vt* céder ♦ *vi* céder; (*disminuir*) diminuer; (*fiebre*) tomber; (*dolor*) s'apaiser; **"ceda el paso"** "cédez le passage".

cedro ['θeðro] *nm* cèdre *m*.

cédula ['θeðula] *nf* cédule *f*; **cédula de identidad** (*AM*) carte *f* d'identité; **cédula en blanco** billet *m* en blanc; **cédula hipotecaria** cédule hypothécaire.

CEE *sigla f* (= *Comunidad Económica Europea*) CEE *f* (= *Communauté économique européenne*).

cegar [θe'ɣar] *vt* aveugler; (*tubería, ventana*) boucher; **cegarse** *vpr* (*fig*) s'aveugler; **~se de ira** se fâcher tout rouge.

ceguera [θe'ɣera] *nf* cécité *f*.

CEI *sigla f* (= *Comunidad de Estados Independientes*) CEI *f* (= *Communauté des États indépendants*).

ceja ['θexa] *nf* sourcil *m*; **~s pobladas** sourcils *mpl* fournis; **arquear las ~s** écarquiller les yeux; **fruncir las ~s** froncer les sourcils.

cejar [θe'xar] *vi*: **(no) ~ en su empeño/propósito** (ne pas) renoncer à son engagement/dessein.

celador, a [θela'ðor, a] *nm/f* (*de hospital*) gardien(ne); (*de cárcel*) gardien(ne) de prison.

celda ['θelda] *nf* cellule *f*, (*de abejas*) cellule, alvéole *m o f*.

celebración [θeleβra'θjon] *nf* célébration *f*.

celebrar [θele'βrar] *vt* célébrer ♦ *vi* (*REL*) officier; **celebrarse** *vpr* se célébrer; **celebro que sigas bien** je suis ravi(e) que tu ailles bien.

célebre ['θeleβre] *adj* célèbre.
celeste [θe'leste] *adj* (*tb*: **azul** ~) bleu(e) ciel; (*cuerpo, bóveda*) céleste.
celestial [θeles'tjal] *adj* céleste.
celibato [θeli'βato] *nm* célibat *m*.
celo ['θelo] *nm* zèle *m*; (®: *tb*: **papel** ~) papier *m* collant, scotch *m* ®; **~s** *nmpl* (*de niño, amante*) jalousie *fsg*; **dar ~s a algn** rendre qn jaloux(-ouse); **tener ~s de algn** être jaloux(-ouse) de qn; **estar en** ~ être en chaleur.
celofán [θelo'fan] *nm* cellophane *f*.
celoso, -a [θe'loso, a] *adj* jaloux(-ouse); ~ **en** (*el trabajo, cumplimiento*) zélé(e) dans.
celta ['θelta] *adj* celte ♦ *nm/f* Celte *m/f*.
célula ['θelula] *nf* cellule *f*; **célula fotoeléctrica** cellule photoélectrique.
celulitis [θelu'litis] *nf* cellulite *f*.
celulosa [θelu'losa] *nf* cellulose *f*.
cementerio [θemen'terjo] *nm* cimetière *m*; **cementerio de coches** cimetière de voitures, casse *f*.
cemento [θe'mento] *nm* (*argamasa*) mortier *m*; (*para construcción*) ciment *m*; (*AM*: *cola*) colle *f*; **cemento armado** ciment armé.
cena ['θena] *nf* dîner *m*, souper *m*.
cenar [θe'nar] *vt*: ~ **algo** manger qch pour le dîner ♦ *vi* souper, dîner.
cencerro [θen'θerro] *nm* sonnaille *f*; **estar como un** ~ travailler du chapeau.
cenefa [θe'nefa] *nf* (*en tela*) liseré *m*; (*en pared*) frise *f*.
cenicero [θeni'θero] *nm* cendrier *m*.
cenit [θe'nit] *nm* zénith *m*; (*de carrera*) sommet *m*, faîte *m*.
ceniza [θe'niθa] *nf* cendre *f*; **~s** *nfpl* (*de persona*) cendres *fpl*.
censar [θen'sar] *vt* recenser.
censo ['θenso] *nm* recensement *m*; **censo electoral** recensement électoral.
censura [θen'sura] *nf* censure *f*.
censurar [θensu'rar] *vt* censurer.
centavo, -a [θen'taβo, a] *adj* centième ♦ *nm* (*moneda*) centime *m*; (*parte*) centième *m*.
centella [θen'teʎa] *nf* étincelle *f*; (*rayo*) foudre *f*; **como una** ~ comme la foudre.
centellear [θenteʎe'ar] *vi* étinceler; (*estrella*) scintiller.
centena [θen'tena] *nf* centaine *f*.
centenar [θente'nar] *nm* centaine *f*.
centenario, -a [θente'narjo, a] *adj, nm* centenaire *m*.
centeno [θen'teno] *nm* seigle *m*.
centésimo, -a [θen'tesimo, a] *adj, nm/f* centième *m*.
centígrado [θen'tiɣraðo] *adj* centigrade.
centilitro [θenti'litro] *nm* centilitre *m*.
centímetro [θen'timetro] *nm* centimètre *m*; **centímetro cuadrado/cúbico** centimètre carré/cube.
céntimo ['θentimo] *nm* centime *m*.
centinela [θenti'nela] *nm* sentinelle *f*; **estar de** ~ être de garde; **hacer de** ~ monter la garde.
centollo [θen'toʎo] *nm* araignée *f* de mer.
central [θen'tral] *adj* central(e) ♦ *nf* centrale *f*; **central eléctrica/nuclear** centrale électrique/nucléaire; **central sindical** centrale syndicale; **central térmica** centrale thermique.
centralita [θentra'lita] *nf* standard *m*.
centralizar [θentrali'θar] *vt* centraliser.
centrar [θen'trar] *vt* centrer; (*interés, atención*) attirer; (*esfuerzo, trabajo*) concentrer ♦ *vi* (*DEPORTE*) centrer; **centrarse** *vpr* s'adapter.
céntrico, -a ['θentriko, a] *adj* central(e); **zona céntrica** zone *f* centrale, quartier *m* central.
centrifugar [θentrifu'ɣar] *vt* essorer.
centro ['θentro] *nm* centre *m*; **ser del** ~ (*POL*) être au centre; **ser el ~ de las miradas** être le point de mire; **centro comercial** centre commercial; **centro de beneficios** (*COM*) centre de profit; **centro de computación** centre de calcul; **centro (de determinación) de costes** centre (de détermination) des coûts; **centro de gravedad** centre de gravité; **centro de mesa** surtout *m* de table; **centro de salud** centre de santé; **centro docente** centre d'enseignement; **centro social** foyer *m* socio-éducatif; **centro turístico** centre touristique.
centroamericano, -a [θentroameri'kano, a] *adj* d'Amérique centrale ♦ *nm/f* natif(-ive) *o* habitant(e) d'Amérique centrale.
ceñido, -a [θe'ɲiðo, a] *adj* cintré(e).
ceñir [θe'ɲir] *vt* serrer; **ceñirse** *vpr* (*vestido*) coller; **~se a algo/a hacer algo** s'en tenir à qch/à faire qch.
ceño ['θeɲo] *nm* froncement *m*; **fruncir el** ~ froncer les sourcils.
CEOE *sigla f* (= *Confederación Española de Organizaciones Empresariales*) ≈ CNPF *m* (= *Conseil national du patronat français*).
cepa ['θepa] *nf* (*de vid*) cep *m*; (*de árbol*) souche *f*; **de pura** ~ de pure souche.
cepillar [θepi'ʎar] *vt* brosser; (*madera*) raboter; **cepillarse** *vpr* (*fam*) liquider; (: *acostarse con algn*) se faire.
cepillo [θe'piʎo] *nm* brosse *f*; (*para madera*) rabot *m*; (*REL*) tronc *m*; **cepillo de**

dientes brosse à dents.
cepo ['θepo] *nm* piège *m*; (*AUT*) sabot *m* de Denver.
ceporro, -a [θe'porro, a] *nm/f* cruche *f*.
cera ['θera] *nf* cire *f*; (*del oído*) cérumen *m*; **cera de abejas** cire d'abeilles.
cerámica [θe'ramika] *nf* céramique *f*; **de ~** en céramique.
cerca ['θerka] *nf* haie *f* ♦ *adv* (*en el espacio*) près; (*en el tiempo*) bientôt ♦ *prep*: **~ de** (*cantidad*) près de, environ; (*distancia*) près de; **de ~** de près; **por aquí ~** tout près d'ici.
cercanía [θerka'nia] *nf* proximité *f*; **~s** *nfpl* (*de ciudad*) alentours *mpl*; **tren de ~s** train *m* de banlieue.
cercano, -a [θer'kano, a] *adj* proche; (*pueblo etc*) voisin(e); **~ a** proche de; **C~ Oriente** Proche-Orient *m*.
cercar [θer'kar] *vt* clôturer; (*manifestantes*) encercler; (*MIL*) assiéger.
cerciorar [θerθjo'rar] *vt* (*asegurar*) assurer; **cerciorarse** *vpr*: **~se (de)** s'assurer (de).
cerco ['θerko] *nm* cercle *m*; (*de ventana, puerta*) cadre *m*; (*AM*) clôture *f*; (*MIL*) siège *m*.
cerdada [θer'ðaða] (*fam*) *nf* vacherie *f*.
cerdo, -a ['θerðo, a] *nm/f* cochon(truie); (*fam*: *persona sucia*) cochon(ne); (: *sin escrúpulos*) salaud *m*, salope *f*; **(carne de) ~** (viande *f* de) porc *m*.
cereal [θere'al] *nm* céréale *f*; **~es** *nmpl* (*CULIN*) céréales *fpl*.
cerebral [θere'βral] *adj* cérébral(e).
cerebro [θe'reβro] *nm* cerveau *m*; **ser un ~** être un cerveau; **es el ~ de la banda** c'est le cerveau de la bande.
ceremonia [θere'monja] *nf* cérémonie *f*; **hablar sin ~s** parler sans cérémonies.
ceremonial [θeremo'njal] *adj* (*traje*) de cérémonie; (*danza*) cérémoniel(le) ♦ *nm* cérémonial *m*.
ceremonioso, -a [θeremo'njoso, a] *adj* cérémonieux(-euse).
cereza [θe'reθa] *nf* cerise *f*.
cerilla [θe'riʎa] *nf*, **cerillo** [θe'riʎo] (*AM*) *nm* allumette *f*.
cerner [θer'ner] *vt* (*CULIN*) tamiser; **cernerse** *vpr*: **~se sobre** (*tempestad*) menacer; (*desgracia*) planer sur.
cero ['θero] *nm* zéro *m*; **8 grados bajo ~** 8 degrés au dessous de zéro; **15 a ~** 15 à zéro; **a partir de ~** à zéro; **ser un ~ a la izquierda** être un zéro.
cerrado, -a [θe'rraðo, a] *adj* fermé(e); (*cielo*) couvert(e); (*curva*) en épingle à cheveux; (*poco sociable*) renfermé(e); (*bruto*) borné(e); (*acento*) marqué(e), prononcé(e); (*noche*) obscur(e); (*barba*) dru(e), fourni(e); **a puerta cerrada** à huis-clos.
cerradura [θerra'ðura] *nf* serrure *f*.
cerrar [θe'rrar] *vt* fermer; (*paso, entrada*) barrer; (*sobre*) cacheter, fermer; (*debate, plazo*) clore, clôturer; (*cuenta*) clore, fermer ♦ *vi* fermer; **cerrarse** *vpr* se fermer; (*herida*) se refermer; **~ con llave** fermer à clef; **~ la marcha** fermer la marche; **~ el sistema** (*INFORM*) fermer *o* boucler le système; **~ un trato** conclure un marché; **¡cierra la boca!** la ferme!; **~se a algo** se refuser à qch, s'opposer à qch.
cerro ['θerro] *nm* tertre *m*; **irse por los ~s de Ubeda** divaguer, s'éloigner du sujet.
cerrojo [θe'rroxo] *nm* verrou *m*; **echar *o* correr el ~** verrouiller.
certamen [θer'tamen] *nm* concours *msg*.
certero, -a [θer'tero, a] *adj* adroit(e).
certeza [θer'teθa] *nf* = **certidumbre**.
certidumbre [θerti'ðumbre] *nf* certitude *f*; **tener la ~ de que** avoir la certitude que.
certificado, -a [θertifi'kaðo, a] *adj* recommandé(e) ♦ *nm* certificat *m*; **certificado médico** certificat médical.
certificar [θertifi'kar] *vt* certifier; (*CORREOS*) envoyer en recommandé.
cervatillo [θerβa'tiʎo] *nm* faon *m*.
cervecería [θerβeθe'ria] *nf* brasserie *f*.
cerveza [θer'βeθa] *nf* bière *f*.
cesantear [θesan'tear] (*CSUR*) *vt* renvoyer.
cesantía [θesan'tia] (*AM*) *nf* chômage *m*.
cesar [θe'sar] *vi* cesser; (*empleado*) se démettre de ses fonctions ♦ *vt* (*funcionario, ministro*) démettre de ses fonctions; **~ de hacer** arrêter de faire; **sin ~** sans cesse.
cesárea [θe'sarea] *nf* césarienne *f*.
cese ['θese] *nm* fin *f*; (*despido*) révocation *f*.
césped ['θespeð] *nm* gazon *m*, pelouse *f*; (*DEPORTE*) gazon.
cesta ['θesta] *nf* panier *m*; **cesta de la compra** panier à provisions.
cesto ['θesto] *nm* panier *m*, corbeille *f*.
cetro ['θetro] *nm* sceptre *m*.
chabacano, -a [tʃaβa'kano, a] *adj* vulgaire ♦ *nm* (*MÉX*) abricot *m*.
chabola [tʃa'βola] *nf* cabane *f*; **~s** *nfpl* (*zona*) bidonville *m*.
chacal [tʃa'kal] *nm* chacal *m*.
chacha ['tʃatʃa] (*fam*) *nf* bonne *f*.
cháchara ['tʃatʃara] *nf*: **estar de ~** parler à bâtons rompus.
chacra ['tʃakra] (*AND, CSUR*) *nf* ferme *f*.
chafar [tʃa'far] *vt* (*pelo*) aplatir; (*hierba*) coucher; (*ropa*) chiffonner; (*fig*: *planes*)

bouleverser.
chaflán [tʃa'flan] *nm* chanfrein *m*; (*en edificio*) biseau *m*; **hacer ~** faire le coin.
chal [tʃal] *nm* châle *m*.
chalado, -a [tʃa'laðo, a] (*fam*) *adj* taré(e); **estar ~ por algn** en pincer pour qn.
chalé [tʃa'le] (*pl* **~s**) *nm* villa *f*; (*en la montaña*) chalet *m*.
chaleco [tʃa'leko] *nm* gilet *m*; **chaleco antibala** gilet pare-balles; **chaleco salvavidas** gilet de sauvetage.
chalet [tʃa'le] (*pl* **~s**) *nm* = **chalé**.
chamba ['tʃamba] (*MÉX*: *fam*) *nf* boulot *m*.
chamizo [tʃa'miθo] *nm* chaumière *f*.
champán [tʃam'pan], **champaña** [tʃam'paɲa] *nm* champagne *m*.
champiñón [tʃampi'ɲon] *nm* champignon *m*.
champú [tʃam'pu] (*pl* **~es, ~s**) *nm* shampooing *m*.
chamuscar [tʃamus'kar] *vt* roussir.
chamusquina [tʃamus'kina] *nf*: **oler a ~** paraître louche.
chance ['tʃanθe] (*AM*) *nm o f* occasion *f*.
chancho, -a ['tʃantʃo, a] (*AM*) *nm/f* porc *m*.
chanchullo [tʃan'tʃuʎo] (*fam*) *nm* magouille *f*.
chancla ['tʃankla] *nf* sandale *f*.
chancleta [tʃan'kleta] *nf* tong *f*.
chandal [tʃan'dal] *nm* survêtement *m*.
changa ['tʃanga] (*CSUR*) *nf* petits travaux *mpl*.
chantaje [tʃan'taxe] *nm* chantage *m*; **hacer ~ a algn** faire chanter qn.
chantajista [tʃanta'xista] *nm/f* maître chanteur *m*.
chao [tʃao] (*esp AM*: *fam*) *excl* ciao.
chapa ['tʃapa] *nf* (*de metal, insignia*) plaque *f*; (*de madera*) planche *f*; (*de botella*) capsule *f*; (*AM*) serrure *f*; **de 3 ~s** (*madera*) en 3 épaisseurs; **chapa (de matrícula)** (*CSUR*) plaque d'immatriculation.
chaparro, -a [tʃa'parro, a] (*esp AM*) *adj* petit(e).
chaparrón [tʃapa'rron] *nm* averse *f*.
chapotear [tʃapote'ar] *vi* patauger.
chapucero, -a [tʃapu'θero, a] (*pey*) *adj* (*trabajo*) bâclé(e) ♦ *nm/f*: **ser (un) ~** bâcler son travail.
chapurr(e)ar [tʃapurr(e)'ar] *vt* (*idioma*) baragouiner.
chapuza [tʃa'puθa] *nf* bricole *f*; (*pey*) travail *m* bâclé; (*trabajo extra*) travail supplémentaire.
chapuzón [tʃapu'θon] *nm*: **darse un ~** faire trempette.
chaqué [tʃa'ke] *nm* queue *f* de pie.
chaqueta [tʃa'keta] *nf* (*de lana*) gilet *m*; (*de traje*) veste *f*; **cambiar de ~** (*fig*) retourner sa veste.
chaquetón [tʃake'ton] *nm* veste *f*.
charca ['tʃarka] *nf* mare *f*.
charco ['tʃarko] *nm* flaque *f*.
charcutería [tʃarkute'ria] *nf* charcuterie *f*.
charla ['tʃarla] *nf* bavardage *m*; (*conferencia*) petit discours *msg*.
charlar [tʃar'lar] *vi* bavarder.
charlatán, -ana [tʃarla'tan, ana] *adj* bavard(e) ♦ *nm/f* bavard(e); (*estafador*) charlatan *m*.
charol [tʃa'rol] *nm* cuir *m* verni; (*AM*) plateau *m*; **de ~** verni(e).
charola [tʃa'rola] (*AM*) *nf* plateau *m*.
chasco ['tʃasko] *nm* (*desengaño*) déception *f*; (*broma*) tour *m*; **me llevé un ~** ça m'a fait l'effet d'une douche froide.
chasis ['tʃasis] *nm inv* châssis *msg*.
chasquear [tʃaske'ar] *vt* faire claquer.
chasquido [tʃas'kiðo] *nm* claquement *m*; (*de madera*) craquement *m*.
chatarra [tʃa'tarra] *nf* ferraille *f*; **estar hecho** *o* **ser una ~** ne plus être qu'un vieux tas de ferraille.
chatarrero, -a [tʃata'rrero, a] *nm/f* ferrailleur(-euse).
chato, -a ['tʃato, a] *adj* (*persona*) au nez épaté; (*nariz*) épaté(e); (*PE, CHI*: *bajito*) petit(e) ♦ *nm* petit verre *m* (de vin); **hola, ~** salut, vieux; **beber unos ~s** boire un pot.
chau [tʃau] (*esp AM*: *fam*) *excl* = **chao**.
chaucito [tʃau'θito] (*AM*: *fam*) *excl* salut!
chaval, a [tʃa'βal, a] *nm/f* gars *msg*, fille *f*; **estás hecho un ~** tu ne fais pas ton âge.
che [tʃe] (*fam*) *excl* (*CSUR*) dis donc!
checo, -a ['tʃeko, a] *adj* tchèque ♦ *nm/f* Tchèque *m/f* ♦ *nm* (*LING*) tchèque *m*.
checo(e)slovaco, -a [tʃeko(e)slo'βako, a] *adj* tchécoslovaque ♦ *nm/f* Tchécoslovaque *m/f*.
chepa ['tʃepa] *nf* bosse *f*.
cheque ['tʃeke] *nm* chèque *m*; **cheque abierto/cruzado/en blanco** chèque non barré/à ordre/en blanc; **cheque al portador** chèque au porteur; **cheque de viaje** chèque de voyage; **cheque sin fondos** chèque sans provision.
chequeo [tʃe'keo] *nm* (*MED*) bilan *m* de santé; (*AUTO*) vérification *f*.
chequera [tʃe'kera] (*AM*) *nf* chéquier *m*.
chicano, -a [tʃi'kano, a] *adj*, *nm/f* Chicano *m*.
chícharo ['tʃitʃaro] (*MÉX*) *nm* (*guisante*) petit pois *msg*.
chichón [tʃi'tʃon] *nm* bosse *f* (à la tête).
chicle ['tʃikle] *nm* chewing-gum *m*.

chico, -a ['tʃiko, a] *adj* (*esp AM*) petit(e) ♦ *nm/f* garçon *m*/fille *f*.
chiflado, -a [tʃi'flaðo, a] (*fam*) *adj* givré(e) ♦ *nm/f* taré(e); **estar ~ por algn** être fou(folle) de qn.
chiflar [tʃi'flar] *vi* siffler; **le chiflan los helados** il raffole des glaces; **nos chifla montar en moto** on adore faire de la moto.
Chile ['tʃile] *nm* Chili *m*.
chile ['tʃile] *nm* piment *m* fort.
chileno, -a [tʃi'leno, a] *adj* chilien(ne) ♦ *nm/f* Chilien(ne).
chillar [tʃi'ʎar] *vi* (*persona*) pousser des cris aigus; (*animal*) glapir.
chillido [tʃi'ʎiðo] *nm* (*de persona*) cri *m* aigu; (*de animal*) glapissement *m*.
chillón, -ona [tʃi'ʎon, ona] *adj* (*niño*) brailleur(-euse); (*voz, color*) criard(e).
chimenea [tʃime'nea] *nf* cheminée *f*; **~ de ventilación** bouche *f* d'aération.
chimpancé [tʃimpan'θe] (*pl* **~s**) *nm* chimpanzé *m*.
China ['tʃina] *nf*: **la ~** la Chine.
china ['tʃina] *nf* caillou *m*; (*porcelana*) porcelaine *f*; (*CSUR*: *india*) indienne *f*; (: *criada*) domestique *f*; **te tocó la ~** tu as gagné le gros lot (*iron*); *V tb* **chino**.
chinche ['tʃintʃe] *nm/f* punaise *f*; **morirse como ~s** tomber comme des mouches.
chincheta [tʃin'tʃeta] *nf* punaise *f*.
chingado, -a [tʃin'gaðo, a] (*CAM, MÉX*: *fam!*) *adj* foutu(e) (*fam!*) ♦ *nf*: **hijo de la chingada** fils *msg* de pute (*fam!*).
chingón, -ona [tʃin'gon, ona] (*MÉX*: *fam*) *nm/f* exploiteur(-euse).
chino, -a ['tʃino, a] *adj* chinois(e) ♦ *nm/f* Chinois(e) ♦ *nm* (*LING*) chinois *msg*; (*AND, CSUR*: *indio*) indien *m*; (: *criado*) domestique *m*; (*MÉX*) boucle *f*; **trabajar como un ~** trimer.
chipirón [tʃipi'ron] *nm* petit calmar *m*.
chiquillo, -a [tʃi'kiʎo, a] (*fam*) *nm/f* môme *m/f*.
chirigota [tʃiri'ɣota] *nf*: **tomarse algo a ~** prendre qch à la rigolade.
chirimbolo [tʃirim'bolo] *nm* truc *m*; (*remate*) bric-à-brac *m inv*; **~s** *nmpl* (*bártulos*) attirail *msg*.
chirimoya [tʃiri'moja] *nf* (*BOT*) anone *f*.
chiringuito [tʃirin'gito] *nm* kiosque *m*.
chiripa [tʃi'ripa] *nf*: **por** *o* **de ~** sur un coup de pot.
chirola [tʃi'rola] (*AM*), **chirona** [tʃi'rona] (*fam*) *nf* tôle *f*; **estar/meter en ~** être/mettre en tôle.
chirriar [tʃi'rrjar] *vi* (*goznes*) grincer; (*pájaros*) piailler.
chirrido [tʃi'rriðo] *nm* grincement *m*.
chisme ['tʃisme] *nm* ragot *m*; (*fam*) truc *m*.
chismoso, -a [tʃis'moso, a] *adj* cancanier(-ère) ♦ *nm/f* commère *f*.
chispa ['tʃispa] *nf* étincelle *f*; (*de lluvia*) petite goutte *f*; **una ~** (*fam*) un tout petit peu; **estar que echa ~s** être énervé(e); **no tiene ni ~ de gracia** il n'a pas le moindre sens de l'humour.
chispazo [tʃis'paθo] *nm* étincelle *f*.
chispear [tʃispe'ar] *vi* étinceler; (*lloviznar*) pleuvoter.
chistar [tʃistar] *vi*: **lo hizo sin ~** il l'a fait sans broncher.
chiste ['tʃiste] *nm* histoire *f* drôle; **chiste verde** histoire cochonne.
chistera [tʃis'tera] *nf* haut-de-forme *m*.
chistoso, -a [tʃis'toso, a] *adj* (*situación*) comique; (*persona*) spirituel(le).
chivarse [tʃi'βarse] (*fam*) *vpr* manger le morceau.
chivatazo [tʃiβa'taθo] (*fam*) *nm* mouchardage *m*; **dar el/un ~** moucharder.
chivato, -a [tʃi'βato, a] *adj, nm/f* rapporteur(-euse).
chivo, -a ['tʃiβo, a] *nm/f* chevreau(-vrette); **chivo expiatorio** tête *f* de turc.
chocante [tʃo'kante] *adj* (*sorprendente*) choquant(e); (*gracioso*) drôle; **es ~ que sea así** c'est choquant que ce soit comme ça.
chocar [tʃo'kar] *vi* (*coches etc*) cogner; (*MIL, fig*) s'affronter ♦ *vt* (*copas*) s'entrechoquer; (*sorprender*) choquer; **~ con** rentrer dans; (*fig*) s'accrocher avec; **¡chócala!** (*fam*) tope là!
chochear [tʃotʃe'ar] *vi* devenir gâteux(-euse).
chocho, -a ['tʃotʃo, a] *adj* gâteux(-euse); **estar ~ por algn/algo** raffoler de qn/qch.
choclo ['tʃoklo] (*AND, CSUR*) *nm* maïs *msg*.
chocolate [tʃoko'late] *adj* (*AM*) chocolat *inv* ♦ *nm* chocolat *m*; (*fam*: *hachís*) hasch *m*.
chocolatería [tʃokolate'ria] *nf* chocolaterie *f*.
chocolatina [tʃokola'tina] *nf* chocolat *m*.
chofer [tʃo'fer], **chófer** ['tʃofer] *nm* chauffeur *m*.
chollo ['tʃoʎo] (*fam*) *nm* bon plan *m*.
cholo, -a [tʃolo, a] (*AND*) *adj* eurasien(ne) ♦ *nm/f* Eurasien(ne).
chomba ['tʃomba], **chompa** ['tʃompa] (*AM*) *nf* pull *m*.
chopo ['tʃopo] *nm* peuplier *m*.
choque ['tʃoke] *vb V* **chocar** ♦ *nm* choc *m*; (*impacto*) impact *m*; (*fig*: *disputa*) heurt *m*.

chorizo [tʃo'riθo] *nm* chorizo *m*; (*fam*) voyou *m*.
chorrada [tʃo'rraðа] *nf* connerie *f*; **decir ~s** dire des conneries.
chorrear [tʃorre'ar] *vt* dégouliner ♦ *vi* dégouliner; (*gotear*) goutter; **estar chorreando** être trempé(e).
chorrito [tʃo'rrito] *nm*: **un ~ de** (*de vino*) un doigt de; (*de agua*) une gorgée de.
chorro ['tʃorro] *nm* (*de líquido*) jet *m*; (*de luz*) filet *m*; (*fig*) flot *m*; **a ~s** à flots; **llover a ~s** pleuvoir des cordes; **salir a ~s** couler à flots; **propulsión a ~** propulsion *f* par réaction.
choto ['tʃoto] *nm* chevreau *m*.
choza ['tʃoθa] *nf* hutte *f*.
chubasco [tʃu'βasko] *nm* bourrasque *f*.
chubasquero [tʃuβas'kero] *nm* ciré *m*.
chuchería [tʃutʃe'ria] *nf* babiole *f*; (*para comer*) amuse-gueule *m inv*.
chucho ['tʃutʃo] *nm* bâtard *m*.
chufa ['tʃufa] *nf* orge *f*; **horchata de ~s** sirop *m* d'orgeat.
chuleta [tʃu'leta] *nf* côte *f*; (*ESCOL etc*: *fam*) pompe *f*.
chulo, -a ['tʃulo, a] *adj* (*fam*: *bonito*) classe; (*MÉX*) beau(belle); (*pey*) effronté(e) ♦ *nm* effronté *m*; (*matón*) frimeur *m*; (*madrileño*) *type des bas-fonds de Madrid*; (*tb*: **~ de putas**) maquereau *m*; (*AND*) vautour *m*; **ponerse ~ (con algn)** faire l'insolent(e) (avec qn).
chumbera [tʃum'bera] *nf* figuier *m* de Barbarie.
chumbo ['tʃumbo] *nm* (*tb*: **higo ~**) figue *f* de Barbarie.
chungo, -a ['tʃungo, a] (*fam*) *adj* nul(le); (*mala persona*) mauvais(e).
chupado, -a [tʃu'paðo, a] *adj* émacié(e); **está ~** (*fam*) c'est fastoche.
chupar [tʃu'par] *vt* (*líquido*) aspirer; (*caramelo*) sucer; (*absorber*) absorber; **chuparse** *vpr* (*dedo*) sucer; (*mano*) se lécher; (*MED*) s'émacier; **para ~se los dedos** à s'en lécher les babines.
chupete [tʃu'pete] *nm* sucette *f*.
churrería [tʃurre'ria] *nf* ≈ marchand *m* de beignets.
churro ['tʃurro] *nm* ≈ beignet *m*; (*fam*) bricolage *m*; (*AND, CSUR*: *fam*) beau mec(belle fille).
churruscar [tʃurrus'kar] *vt* roussir.
chusma ['tʃusma] (*pey*) *nf* foule *f*.
chutar [tʃu'tar] *vi* (*DEPORTE*) shooter; **esto va que chuta** (*fam*) ça marche comme sur des roulettes; **con 3.000 vas que chutas** (*fam*) tu auras assez avec 3 000 pesetas.
cianuro [θja'nuro] *nm* (*QUÍM*) cyanure *m*.
cibernética [θiβer'netika] *nf* cybernétique *f*.
cicatriz [θika'triθ] *nf* cicatrice *f*.
cicatrizar [θikatri'θar] *vt, vi* cicatriser; **cicatrizarse** *vpr* se cicatriser.
cíclico, -a ['θikliko, a] *adj* cyclique.
ciclismo [θi'klismo] *nm* cyclisme *m*.
ciclista [θi'klista] *adj, nm/f* cycliste *m/f*; **vuelta ~** course *f* cycliste.
ciclo ['θiklo] *nm* cycle *m*.
ciclomotor [θiklomo'tor] *nm* cyclomoteur *m*.
ciclón [θi'klon] *nm* cyclone *m*.
ciego, -a ['θjeɣo, a] *vb V* **cegar** ♦ *adj* aveugle; (*CONSTR*) bouché(e) ♦ *nm/f* aveugle *m/f*; **a ciegas** à l'aveuglette; **quedarse ~** devenir aveugle; **~ de ira** aveuglé(e) par la colère.
cielo ['θjelo] *nm* ciel *m*; (*ARQ*: *tb*: **~ raso**) faux-plafond *m*; **sí, ~** oui, mon ange; **¡~s!** Mon Dieu!, juste ciel!; **vimos el ~ abierto** la solution nous est apparue; **cielo de la boca** voûte *f* palatine.
ciempiés [θjem'pjes] *nm inv* mille-pattes *m inv*.
cien [θjen] *adj inv, nm inv* cent *m*; **al ~ por ~** à cent pour cent.
ciénaga ['θjenaɣa] *nf* marécage *m*.
ciencia ['θjenθja] *nf* science *f*; **saber algo a ~ cierta** être sûr(e) et certain(e) de qch; **ciencias empresariales** études *fpl* de commerce; **ciencias exactas** sciences *fpl* exactes, mathématiques *fpl*; **ciencias ocultas** sciences occultes.
ciencia-ficción ['θjenθjafik'θjon] *nf* science-fiction *f*.
científico, -a [θjen'tifiko, a] *adj, nm/f* scientifique *m/f*.
ciento ['θjento] *adj, nm* cent *m*; **~ cuarenta** cent quarante; **el diez por ~** dix pour cent.
cierne ['θjerne] *vb V* **cerner** ♦ *nm*: **en ~s** en herbe.
cierre ['θjerre] *vb V* **cerrar** ♦ *nm* fermeture *f*; (*pulsera*) fermoir *m*; (*de emisión*) fin *f*; **precio de ~** cours *msg* de clôture; **~ del sistema** (*INFORM*) clôture *f* du système; **cierre de cremallera** fermeture éclair; **cierre relámpago** (*AND, CSUR*) fermeture éclair.
cierto, -a ['θjerto, a] *adj* certain(e); **~ hombre/día** un certain homme/jour; **ciertas personas** certaines personnes; **sí, es ~** oui, c'est certain; **por ~** à propos; **lo ~ es que ...** ce qui est sûr c'est que ...; **estar en lo ~** avoir raison.
ciervo ['θjerβo] *nm* cerf *m*.
cierzo ['θjerθo] *nm* bise *f*.
cifra ['θifra] *nf* chiffre *m*; **en ~** codé(e); **ci-**

fra de negocios/de venta chiffre d'affaires/de ventes; **cifra de referencia** prix *msg* de base; **cifra global** chiffre global.

cifrar [θi'frar] *vt* coder; (*esperanzas, felicidad*) placer; **cifrarse** *vpr*: **~se en** s'élever à.

cigala [θi'ɣala] *nf* langoustine *f*.

cigarra [θi'ɣarra] *nf* cigale *f*.

cigarrillo [θiɣa'rriʎo] *nm* cigarette *f*.

cigarro [θi'ɣarro] *nm* cigarette *f*; (*puro*) cigare *m*.

cigüeña [θi'ɣweɲa] *nf* cigogne *f*.

cigüeñal [θiɣwe'ɲal] *nm* vilebrequin *m*.

cilíndrico, -a [θi'lindriko, a] *adj* cylindrique.

cilindro [θi'lindro] *nm* cylindre *m*.

cima ['θima] *nf* sommet *m*, cime *f*; (*de árbol*) cime; (*apogeo*) sommet.

cimbrearse [θimbre'arse] *vpr* se déhancher; (*ramas, tallos*) ployer.

cimentar [θimen'tar] *vt* (*edificio*) jeter les fondations de; (*consolidar*) cimenter; **cimentarse** *vpr*: **~se en** se fonder sur.

cimientos [θi'mjentos] *nmpl* fondations *fpl*; (*fig*) fondements *mpl*.

cinc [θink] *nm* zinc *m*.

cincel [θin'θel] *nm* ciseau *m*.

cincelar [θinθe'lar] *vt* ciseler.

cincha ['θintʃa] *nf* sangle *f*.

cinco ['θinko] *adj inv, nm inv* cinq *m inv*; *V tb* **seis**.

cincuenta [θin'kwenta] *adj inv, nm inv* cinquante *m inv*; *V tb* **sesenta**.

cine ['θine] *nm* cinéma *m*; **hacer ~** faire du cinéma; **cine de estreno** cinéma d'exclusivité; **el cine mudo** le cinéma muet.

cineasta [θine'asta] *nm/f* cinéaste *m/f*.

cinematográfico, -a [θinemato'ɣrafiko, a] *adj* cinématographique.

cínico, -a ['θiniko, a] *adj, nm/f* cynique *m/f*; (*desvergonzado*) effronté(e).

cinismo [θi'nismo] *nm* (*ver adj*) cynisme *m*; effronterie *f*.

cinta ['θinta] *nf* ruban *m*, bande *f*; **cinta adhesiva/aislante** ruban adhésif/isolant; **cinta de carbón** ruban carbone; **cinta de múltiples impactos** bande d'impacts multiple; **cinta de vídeo** cassette *f* vidéo; **cinta magnética** (*INFORM*) bande magnétique; **cinta métrica** mètre *m* à ruban; **cinta transportadora** convoyeur *m*, stéréoduc *m*; **cinta virgen** cassette vierge.

cinto ['θinto] *nm* ceinture *f*.

cintura [θin'tura] *nf* taille *f*; **meter a algn en ~** faire entendre raison à qn.

cinturón [θintu'ron] *nm* ceinture *f*; **cinturón de miseria** (*MÉX*) bidonville *m*; **cinturón de seguridad** ceinture de sécurité; **cinturón industrial** zone *f* industrielle; **cinturón salvavidas** ceinture de sauvetage.

cipote [θi'pote] (*CAM: fam*) *nm* gamin(e).

ciprés [θi'pres] *nm* cyprès *m*.

circo ['θirko] *nm* cirque *m*.

circuito [θir'kwito] *nm* circuit *m*; **TV por ~ cerrado** télévision *f* en circuit fermé; **circuito impreso** circuit imprimé; **circuito lógico** (*INFORM*) porte *f*, circuit logique.

circulación [θirkula'θjon] *nf* circulation *f*; **"cerrado a la ~ rodada"** "fermé au trafic routier"; **poner algo en ~** mettre qch en circulation.

circular [θirku'lar] *adj, nf* circulaire *f* ♦ *vt* (*orden*) faire circuler ♦ *vi* circuler; **¡circulen!** circulez!

círculo ['θirkulo] *nm* cercle *m*; **en ~** en cercle, en rond; **en ~s políticos** dans les cercles politiques; **círculo vicioso** cercle vicieux.

circuncisión [θirkunθi'sjon] *nf* circoncision *f*.

circundar [θirkun'dar] *vt* entourer.

circunferencia [θirkunfe'renθja] *nf* circonférence *f*.

circunscribir [θirkunskri'βir] *vt* (*actuación, discurso*) circonscrire; **circunscribirse** *vpr* se circonscrire; **~se a (hacer)** se limiter *o* s'en tenir à (faire).

circunspecto, -a [θirkuns'pekto, a] *adj* circonspect(e).

circunstancia [θirkuns'tanθja] *nf* circonstance *f*; **~s agravantes/atenuantes** circonstances *fpl* aggravantes/atténuantes; **estar a la altura de las ~s** être à la hauteur des circonstances; **poner cara de ~s** faire une figure de circonstance.

circunvalación [θirkumbala'θjon] *nf V* **carretera**.

cirio ['θirjo] *nm* cierge *m*.

cirrosis [θi'rrosis] *nf* cirrhose *f*.

ciruela [θi'rwela] *nf* prune *f*; **ciruela claudia** reine *f* claude; **ciruela pasa** pruneau *m*.

cirugía [θiru'xia] *nf* chirurgie *f*; **cirugía estética/plástica** chirurgie esthétique/plastique.

cirujano, -a [θiru'xano, a] *nm/f* chirurgien(ne).

cisma ['θisma] *nm* schisme *m*.

cisne ['θisne] *nm* cygne *m*; **canto de ~** chant *m* du cygne.

cisterna [θis'terna] *nf* chasse *f* d'eau; (*depósito*) citerne *f*.

cita ['θita] *nf* rendez-vous *m inv*; (*referencia*) citation *f*; **acudir/faltar a una ~** se rendre à/manquer un rendez-vous.

citación [θita'θjon] *nf* citation *f*.
citadino, -a [θita'ðino, a] (*AM*) *adj, nm/f* citadin(e).
citar [θi'tar] *vt* donner rendez-vous à; (*JUR*) citer; **citarse** *vpr*: **~se (con)** prendre rendez-vous (avec).
citología [θitolo'xia] *nf* cytologie *f*.
cítrico, -a ['θitriko, a] *adj* citrique ♦ *nm*: ~s agrumes *mpl*.
ciudad [θju'ðað] *nf* ville *f*; **ciudad universitaria** cité *f* universitaire; **la Ciudad Condal** Barcelone; **Ciudad del Cabo** le Cap; **ciudad dormitorio** cité-dortoir *f*; **ciudad perdida** (*MÉX*) bidonville *m*; **ciudad satélite** ville satellite.
ciudadanía [θjuðaða'nia] *nf* citoyenneté *f*.
ciudadano, -a [θjuða'ðano, a] *adj, nm/f* citadin(e).
cívico, -a ['θiβiko, a] *adj* civique; (*persona*) civil(e).
civil [θi'βil] *adj* civil(e) ♦ *nm* civil *m*; **casarse por lo ~** se marier civilement.
civilización [θiβiliθa'θjon] *nf* civilisation *f*.
civilizar [θiβili'θar] *vt* civiliser.
civismo [θi'βismo] *nm* civisme *m*.
cizaña [θi'θaɲa] *nf*: **meter/sembrar ~** mettre/semer la zizanie.
clamar [kla'mar] *vt* clamer ♦ *vi* crier; **~ venganza** crier vengeance.
clamor [kla'mor] *nm* clameur *f*.
clamoroso, -a [klamo'roso, a] *adj* retentissant(e).
clan ['klan] *nm* clan *m*.
clandestino, -a [klandes'tino, a] *adj* clandestin(e).
clara ['klara] *nf* (*de huevo*) blanc *m*.
claraboya [klara'βoja] *nf* lucarne *f*.
clarete [kla'rete] *nm* rosé *m*.
claridad [klari'ðað] *nf* clarté *f*.
clarificar [klarifi'kar] *vt* éclaircir.
clarinete [klari'nete] *nm* clarinette *f*.
clarividencia [klariβi'ðenθja] *nf* clairvoyance *f*.
claro, -a ['klaro, a] *adj* clair(e) ♦ *nm* éclaircie *f*; (*entre asientos*) place *f* libre ♦ *adv* clairement ♦ *excl* bien sûr!; **estar ~** être clair(e); **lo tengo muy ~** pour moi c'est clair; **no lo tengo muy ~** je ne sais pas vraiment; **hablar ~** parler haut et clair, parler franchement; **a las claras** clairement; **no sacamos nada en ~** nous n'avons rien tiré au clair; **~ que sí/no** bien sûr que oui/non.
clase ['klase] *nf* genre *m*, classe *f*; (*lección*) cours *msg*; **la ~ dirigente** la classe dirigeante; **dar ~(s)** (*profesor*) faire cours, donner des cours; (*alumno*) avoir cours; **tener ~** avoir de la classe; **de toda(s) ~(s)** de toute(s) sorte(s); **clase alta/media/obrera/social** classe dominante/moyenne/ouvrière/sociale; **clases particulares** cours particuliers.
clásico, -a ['klasiko, a] *adj* classique.
clasificación [klasifika'θjon] *nf* classement *m*; (*de cartas, líneas*) tri *m*.
clasificar [klasifi'kar] *vt* classer; (*cartas*) trier; (*INFORM*) classifier, trier; **clasificarse** *vpr* se qualifier.
clasista [kla'sista] (*pey*) *adj* élitiste.
claudicar [klauði'kar] *vi* céder.
claustro ['klaustro] *nm* cloître *m*; (*UNIV, ESCOL*) conseil *m*; (*: junta*) assemblée *f*, réunion *f*.
cláusula ['klausula] *nf* clause *f*.
clausura [klau'sura] *nf* clôture *f*; **de ~** (*REL*) claustral; (*: monja*) cloîtré(e).
clausurar [klausu'rar] *vt* clore; (*local*) fermer.
clavado, -a [kla'βaðo, a] *pp de* **clavar** ♦ *adj*: **ser ~ a algn** être tout le portrait de qn, être qn tout craché(e); **llegó a las 5 clavadas** il est arrivé à 5 heures sonnantes.
clavar [kla'βar] *vt* enfoncer; (*clavo*) clouer; (*alfiler*) épingler; (*mirada*) fixer; (*fam: cobrar caro*) arnaquer; **clavarse** *vpr* s'enfoncer.
clave ['klaβe] *nf* clef *f* ♦ *adj inv* clé; **en ~** (*mensaje*) codé(e); **clave de búsqueda/de clarificación** clef de recherche/de classement.
clavel [kla'βel] *nm* œillet *m*.
clavícula [kla'βikula] *nf* clavicule *f*.
clavija [kla'βixa] *nf* cheville *f*; (*ELEC*) fiche *f*.
clavo ['klaβo] *nm* clou *m*; (*BOT, CULIN*) clou de girofle; **dar en el ~** mettre dans le mille, faire mouche.
claxon ['klakson] (*pl* **~s**) *nm* klaxon *m*; **tocar el ~** klaxonner.
clemencia [kle'menθja] *nf* clémence *f*.
clérigo ['kleriɣo] *nm* ecclésiastique *m*.
clero ['klero] *nm* clergé *m*.
cliché [kli'tʃe] *nm* cliché *m*.
cliente, -a ['kljente, a] *nm/f* client(e).
clientela [kljen'tela] *nf* clientèle *f*.
clima ['klima] *nm* climat *m*.
climatizado, -a [klimati'θaðo, a] *adj* climatisé(e).
clímax ['klimaks] *nm inv* apogée *m*, point *m* culminant; (*sexual*) orgasme *m*.
clínico, -a ['kliniko, a] *adj* clinique ♦ *nf* clinque *f*.
clip [klip] (*pl* **~s**) *nm* trombone *m*; (*de pelo*) barrette *f*.
clítoris ['klitoris] *nm inv* clitoris *m inv*.

cloaca [klo'aka] *nf* égout *m*.
cloro ['kloro] *nm* chlore *m*.
clorofila [kloro'fila] *nf* chlorophylle *f*.
club [klub] (*pl* **~s** *o* **~es**) *nm* club *m*.
C.N.T. *sigla f* (*ESP*: = *Confederación Nacional de Trabajo*) *syndicat*; (*AM*: = *Confederación Nacional de Trabajadores*) *syndicat*.
coacción [koak'θjon] *nf* contrainte *f*.
coaccionar [koakθjo'nar] *vt* contraindre.
coagular [koaɣu'lar] *vt* coaguler; **coagularse** *vpr* se coaguler.
coágulo [ko'aɣulo] *nm* caillot *m*.
coalición [koali'θjon] *nf* coalition *f*.
coartada [koar'taða] *nf* alibi *m*.
coartar [koar'tar] *vt* limiter.
coba ['koβa] *nf*: **dar ~ a algn** passer de la pommade à qn.
cobarde [ko'βarðe] *adj* lâche ♦ *nm/f* lâche *m/f*, peureux(-euse).
cobardía [koβar'ðia] *nf* lâcheté *f*.
cobaya [ko'βaja] *nm o f* cobaye *m*.
cobertura [koβer'tura] *nf* couverture *f*; **~ de dividendo** rapport *m* dividendes-résultat.
cobija [ko'βixa] (*AM*) *nf* couverture *f*.
cobijar [koβi'xar] *vt* héberger, loger; **cobijarse** *vpr*: **~se (de)** se protéger (de); **~ (de)** protéger (de).
cobijo [ko'βixo] *nm* abri *m*; **dar ~ a algn** héberger qn.
cobra ['koβra] *nf* cobra *m*.
cobrador, a [koβra'ðor, a] *nm/f* receveur(-euse).
cobrar [ko'βrar] *vt* (*cheque*) toucher, encaisser; (*sueldo*) toucher; (*precio*) faire payer; (*deuda, alquiler, gas*) encaisser; (*caza*) rapporter; (*fama, importancia*) acquérir; (*cariño*) prendre en; (*fuerza, valor*) reprendre ♦ *vi* toucher son salaire; **cóbrese** payez-vous; **cóbrese al entregar** paiement *m* à la livraison; **¡vas a ~!** qu'est-ce que tu vas prendre!; **a ~** à encaisser; **cantidades por ~** sommes *fpl* dues.
cobre ['koβre] *nm* cuivre *m*; **~s** *nmpl* (*MÚS*) cuivres *mpl*; **sin un ~** (*AM*: *fam*) sans un sou.
cobro ['koβro] *nm* (*de cheque*) encaissement *m*; (*pago*) paiement *m*; **presentar al ~** encaisser; *V tb* **llamada**.
coca ['koka] *nf* coca *m*; (*hoja*) feuille *f* de coca; (*fam*: *cocaína*) coco *f*, coke *f*.
cocaína [koka'ina] *nf* cocaïne *f*.
cocción [kok'θjon] *nf* cuisson *f*.
cocer [ko'θer] *vt* (faire) cuire ♦ *vi* cuire; (*agua*) bouillir; **cocerse** *vpr* cuire; (*tramarse*) mijoter.
coche ['kotʃe] *nm* voiture *f*; (*para niños*) poussette *f*; **coche blindado** voiture blindée; **coche celular** fourgon *m* cellulaire; **coche comedor** wagon-restaurant *m*; **coche de bomberos** voiture des pompiers; **coche de carreras** voiture de course; **coches de choque** autos *fpl* tamponneuses; **coche de línea** autocar *m*; **coche fúnebre** corbillard *m*.
coche-cama ['kotʃe'kama] (*pl* **~s-~**) *nm* wagon *m* lit.
cochera [ko'tʃera] *nf* garage *m*; (*de autobuses*) dépôt *m*.
cochinillo [kotʃi'niʎo] *nm* cochon *m* de lait.
cochino, -a [ko'tʃino, a] *adj* dégoûtant(e) ♦ *nm/f* cochon(truie); (*persona*) cochon(ne).
cocido, -a [ko'θiðo, a] *adj* (*patatas*) bouilli(e); (*huevos*) dur(e) ♦ *nm* pot-au-feu *m inv*.
cociente [ko'θjente] *nm* quotient *m*.
cocina [ko'θina] *nf* cuisine *f*; (*aparato*) cuisinière *f*; **~ casera** cuisine maison; **~ eléctrica/de gas** cuisinière électrique/à gaz; **~ francesa** cuisine française.
cocinar [koθi'nar] *vt, vi* cuisiner.
cocinero, -a [koθi'nero, a] *nm/f* cuisinier(-ière).
coco ['koko] *nm* noix *fsg* de coco; (*fam*) citrouille *f*; **el ~** le grand méchant loup.
cocodrilo [koko'ðrilo] *nm* crocodile *m*.
cóctel ['koktel] *nm* cocktail *m*; **cóctel molotov** cocktail Molotov.
coctelera [kokte'lera] *nf* shaker *m*.
codazo [ko'ðaθo] *nm*: **dar un ~ a algn** donner un coup de coude à qn; **abrirse paso a ~s** jouer des coudes.
codearse [koðe'arse] *vpr*: **~ con** côtoyer.
codicia [ko'ðiθja] *nf* convoitise *f*.
codiciar [koði'θjar] *vt* convoiter.
codicioso, -a [koði'θjoso, a] *adj* avide; (*expresión*) de convoitise.
codificar [koðifi'kar] *vt* (*mensaje*) coder; (*leyes*) codifier.
código ['koðiɣo] *nm* code *m*; **código binario** code binaire; **código civil/postal** code civil/postal; **código de barras** code (à) barres; **código de caracteres/de control** code à caractères/de contrôle; **código de (la) circulación** code de la route; **código máquina/de operación** code machine *inv*/d'opération; **código militar/penal** code militaire/pénal.
codo ['koðo] *nm* coude *m*; **hablar por los ~s** bavarder comme une pie; **~ a ~** coude à coude.
codorniz [koðor'niθ] *nf* caille *f*.
coeficiente [koefi'θjente] *nm* coefficient

m; **coeficiente intelectual** *o* **de inteligencia** quotient *m* intellectuel *o* mental.

coerción [koer'θjon] *nf* coercition *f*.

coetáneo, -a [koe'taneo, a] *nm/f* contemporain(e).

coexistir [koeksis'tir] *vi*: ~ **(con)** coexister (avec).

cofia ['kofja] *nf* coiffe *f*.

cofradía [kofra'ðia] *nf* confrérie *f*.

cofre ['kofre] *nm* coffre *m*; (*de joyas*) coffret *m*; (*MÉX*) voiture *f*.

cogedor [koxe'ðor] *nm* pelle *f*.

coger [ko'xer] *vt* prendre; (*objeto caído*) ramasser; (*pelota*) attraper; (*frutas*) cueillir; (*sentido, indirecta*) comprendre, saisir; (*tomar prestado*) emprunter; (*AM*: *fam!*) baiser (*fam!*); **cogerse** *vpr* se prendre; ~ **a algn desprevenido** prendre qn au dépourvu; ~ **cariño a algn** prendre qn en affection; ~ **celos de algn** être jaloux(-ouse) de qn; ~ **manía a algn** prendre qn en grippe; **~se a** s'accrocher à, s'agripper à; **iban cogidos de la mano** ils se tenaient par la main.

cogollo [ko'ɣoʎo] *nm* cœur *m*.

cogorza [ko'ɣorθa] (*fam*) *nf* cuite *f*.

cogote [ko'ɣote] *nm* nuque *f*.

cohabitar [koaβi'tar] *vi* cohabiter.

cohecho [ko'etʃo] *nm* subornation *f*.

coherente [koe'rente] *adj* cohérent(e); ser ~ **con** être en accord avec.

cohesión [koe'sjon] *nf* cohésion *f*.

cohete [ko'ete] *nm* fusée *f*, pétard *m*; (*tb*: ~ **espacial**) fusée.

cohibido, -a [koi'βiðo, a] *adj*: **estar/sentirse** ~ être/se sentir gêné(e); (*tímido*) être/se sentir intimidé(e).

cohibir [koi'βir] *vt* intimider; (*reprimir*) réprimer; **cohibirse** *vpr* se retenir.

coima ['koima] (*CSUR*: *fam*) *nf* pot *m* de vin.

coincidencia [koinθi'ðenθja] *nf* coïncidence *f*.

coincidir [koinθi'ðir] *vi* (*en lugar*) se rencontrer; **coincidimos en ideas** nous partageons les mêmes idées; ~ **con** coïncider avec.

coito ['koito] *nm* coït *m*.

cojear [koxe'ar] *vi* boiter; (*mueble*) être bancal(e).

cojera [ko'xera] *nf* claudication *f*.

cojín [ko'xin] *nm* coussin *m*.

cojo, -a ['koxo, a] *vb V* **coger** ♦ *adj* boiteux(-euse); (*mueble*) bancal(e) ♦ *nm/f* (*persona*) boiteux(-euse); **ir a la pata coja** aller à cloche-pied.

cojón [ko'xon] (*fam!*) *nm* couille *f* (*fam!*); **¡cojones!** putain! (*fam!*); **lo hizo por cojones** il a fallu qu'il le fasse.

cojonudo, -a [koxo'nuðo, a] (*ESP*: *fam!*) *adj* super.

col [kol] *nf* chou *m*; **coles de Bruselas** choux *mpl* de Bruxelles.

cola ['kola] *nf* queue *f*; (*para pegar*) colle *f*; (*de vestido*) traine *f*; **estar/ponerse a la** ~ être/se mettre à la queue; **hacer** ~ faire la queue; **traer** ~ avoir des suites.

colaborador, a [kolaβora'ðor, a] *nm/f* collaborateur(-trice).

colaborar [kolaβo'rar] *vi*: ~ **con** collaborer avec.

colación [kola'θjon] *nf*: **sacar** *o* **traer a** ~ faire mention de.

colada [ko'laða] *nf*: **hacer la** ~ faire la lessive.

colador [kola'ðor] *nm* (*de té*) passoire *f*; (*para verduras*) écumoire *f*.

colapso [ko'lapso] *nm* collapsus *msg*; (*de circulación*) embouteillage *m*; (*en producción*) effondrement *m*; **colapso cardíaco** collapsus cardiovasculaire.

colar [ko'lar] *vt* filtrer ♦ *vi* (*mentira*) prendre, passer; **colarse** *vpr* (*en cola*) se glisser, se faufiler; (*viento, lluvia*) s'engouffrer; (*fam*: *equivocarse*) se gourer; **~se en** (*concierto, cine*) se faufiler dans.

colcha ['koltʃa] *nf* couvre-lit *m*.

colchón [kol'tʃon] *nm* matelas *m*; **colchón inflable/neumático** matelas gonflable/pneumatique.

colchoneta [coltʃo'neta] *nf* tapis *msg*.

cole ['kole] (*fam*) *nm* = **colegio**.

colección [kolek'θjon] *nf* collection *f*.

coleccionar [kolekθjo'nar] *vt* collectionner.

coleccionista [kolekθjo'nista] *nm/f* collectionneur(-euse).

colecta [ko'lekta] *nf* collecte *f*.

colectivo, -a [kolek'tiβo, a] *adj* collectif(-ive) ♦ *nm* collectif *m*; (*AM*) autobus *msg*; (: *taxi*) taxi *m*.

colega [ko'leɣa] *nm/f* collègue *m/f*; (*POL*) homologue *m*; (*amigo*) copain(copine).

colegial, a [kole'xjal, a] *adj, nm/f* collégien(ne).

colegiarse [kole'xjarse] *vpr* s'inscrire dans une corporation, s'affilier à un ordre.

colegio [ko'lexjo] *nm* collège *m*; (*de abogados, médicos*) ordre *m*; **ir al** ~ aller à l'école *o* au collège; **colegio electoral** collège électoral; **colegio mayor** résidence *f* universitaire.

colegir [kole'xir] *vt* déduire.

cólera ['kolera] *nf* colère *f* ♦ *nm* choléra *m*; **montar en** ~ se mettre en colère, s'emporter.

colesterol [koleste'rol] *nm* cholestérol *m*.

coleta [ko'leta] *nf* queue *f*, couette *f*; **cortarse la ~** abandonner l'arène.
coletilla [kole'tiʎa] *nf* addition *f*.
colgante [kol'ɣante] *adj* pendant(e), suspendu(e) ♦ *nm* pendentif *m*; *V tb* **puente**.
colgar [kol'ɣar] *vt* accrocher; (*teléfono*) raccrocher; (*ropa*) étendre; (*ahorcar*) pendre ♦ *vi* raccrocher; **~ de** pendre à, être suspendu(e) à; **no cuelgue** ne raccrochez pas.
cólico ['koliko] *nm* colique *f*.
coliflor [koli'flor] *nf* chou *m* fleur.
colilla [ko'liʎa] *nf* mégot *m*.
colina [ko'lina] *nf* colline *f*.
colindante [kolin'dante] *adj* limitrophe, contigu(-güe).
colisión [koli'sjon] *nf* collision *f*; (*de intereses, ideas*) conflit *m*.
colitis [ko'litis] *nf* diarrhée *f*.
collar [ko'ʎar] *nm* collier *m*.
colmar [kol'mar] *vt* remplir à ras bord; (*ansias, exigencias*) satisfaire; **~ a algn de regalos/de atenciones** combler qn de cadeaux/d'attentions.
colmena [kol'mena] *nf* ruche *f*.
colmillo [kol'miʎo] *nm* canine *f*; (*de elefante*) défense *f*; (*de perro*) croc *m*.
colmo ['kolmo] *nm*: **ser el ~ de la locura/frescura/insolencia** être le comble de la folie/du toupet/de l'insolence; **para ~ (de desgracias)** pour comble (de malheurs); **¡eso es ya el ~!** ça c'est le comble!
colocar [kolo'kar] *vt* (*piedra*) poser; (*cuadro*) accrocher; (*poner en empleo*) placer; **colocarse** *vpr* se placer; (*DEPORTE*) se classer; (*fam: drogarse*) se défoncer; (*conseguir trabajo*): **~se (de)** trouver du travail (comme).
colofón [kolo'fon] *nm*: **como ~ de las conversaciones** en guise de conclusion aux conversations.
Colombia [ko'lombja] *nf* Colombie *f*.
colombiano, -a [kolom'bjano, a] *adj* colombien(ne) ♦ *nm/f* Colombien(ne).
colon ['kolon] *nm* côlon *m*.
colón [ko'lon] *nm* (*moneda*) colon *m*.
colonia [ko'lonja] *nf* colonie *f*; (*tb:* **agua de ~**) eau *f* de cologne; (*MÉX*) quartier *m*; **colonia de verano** colonie de vacances; **colonia proletaria** (*MÉX*) bidonville *m*.
colonización [koloniθa'θjon] *nf* colonisation *f*.
colonizar [koloni'θar] *vt* coloniser.
colono [ko'lono] *nm* colon *m*.
coloquio [ko'lokjo] *nm* colloque *m*.
color [ko'lor] *nm* couleur *f*; **de ~** de couleur; **de ~ amarillo/azul/naranja** de couleur jaune/bleue/orange; **de ~es** (*lápices*) de couleurs; **en ~** en couleur; **a todo ~** tout en couleur; **le salieron los ~es** il s'est mis à rougir; **dar ~ a** donner du relief à.
colorado, -a [kolo'raðo, a] *adj* rouge; (*AM: chiste*) grivois(e); **ponerse ~** rougir.
colorante [kolo'rante] *nm* colorant *m*.
colorar [kolo'rar], **colorear** [kolore'ar] *vt* colorer.
colorete [kolo'rete] *nm* fard *m*.
colorido [kolo'riðo] *nm* coloris *msg*.
columna [ko'lumna] *nf* colonne *f*; **columna blindada** colonne blindée; **columna vertebral** colonne vertébrale.
columpiar [kolum'pjar] *vt* balancer; **columpiarse** *vpr* se balancer.
columpio [ko'lumpjo] *nm* balançoire *f*.
coma ['koma] *nf* virgule *f* ♦ *nm* (*MED*) coma *m*.
comadre [ko'maðre] (*esp AM: fam*) *nf* marraine *f*; (*cotilla*) commère *f*; (*vecina*) voisine *f*; **~s** *nfpl* commères *fpl*.
comadrear [komaðre'ar] (*esp AM: fam*) *vi* faire des commérages.
comadreja [koma'ðrexa] *nf* belette *f*.
comadrona [koma'ðrona] *nf* sage-femme *f*.
comandante [koman'dante] *nm* commandant *m*.
comando [ko'mando] *nm* commando *m*; (*INFORM*) commande *f*; **~ de búsqueda** (*INFORM*) commande recherche.
comarca [ko'marka] *nf* contrée *f*.
comarcal [komar'kal] *adj* départemental(e).
comba ['komba] *nf* courbure *f*, corde *f*; **saltar a la ~** sauter à la corde; **no pierde ~** il n'en perd pas une.
combar [kom'bar] *vt* courber; **combarse** *vpr* se courber.
combate [kom'bate] *nm* combat *m*; **fuera de ~** hors de combat; (*BOXEO*) knock-out; (*fam*) groggy.
combatir [komba'tir] *vt, vi* combattre; **~ por** combattre pour.
combinación [kombina'θjon] *nf* combinaison *f*.
combinado, -a [kombi'naðo, a] *adj*: **plato ~** assiette *f* garnie ♦ *nm* cocktail *m*.
combinar [kombi'nar] *vt* combiner; (*esfuerzos*) unir.
combustible [kombus'tiβle] *adj, nm* combustible *m*.
combustión [kombus'tjon] *nf* combustion *f*.
comedia [ko'meðja] *nf* comédie *f*, **hacer ~** faire la comédie.
comediante [kome'ðjante] *nm/f* comédien(ne).

comedido, -a [kome'ðiðo, a] *adj* modéré(e).
comedor [kome'ðor] *nm* salle *f* à manger; (*de colegio, hotel*) réfectoire *m*.
comentar [komen'tar] *vt* commenter; **comentó que ...** il a observé *o* remarqué que ... .
comentario [komen'tarjo] *nm* commentaire *m*; **~s** *nmpl* (*chismes*) commentaires *mpl*; **dar lugar a ~s** donner lieu à des commentaires, prêter à commentaires; **comentario de texto** commentaire de texte.
comentarista [komenta'rista] *nm/f* commentateur(-trice).
comenzar [komen'θar] *vt, vi* commencer; **~ a/por hacer** commencer à/par faire.
comer [ko'mer] *vt* manger; (*DAMAS, AJEDREZ*) souffler; (*metal, madera*) manger, ronger ♦ *vi* manger; (*almorzar*) manger, déjeuner; **comerse** *vpr* manger; **le come la envidia** l'envie le ronge; **dar de ~ a algn** donner à manger à qn; **está para ~sela** elle est belle à croquer; **~ el coco a algn** (*fam*) bourrer le crâne à qn; **~se el coco** (*fam*) se faire du mouron.
comercial [komer'θjal] *adj* commercial(e).
comercializar [komerθjali'θar] *vt* commercialiser.
comerciante, -a [komer'θjante, a] *nm/f* commerçant(e); **comerciante exclusivo** concessionnaire *m/f*.
comerciar [komer'θjar] *vi*: **~ en** faire le commerce de; **~ con** avoir des relations commerciales avec; (*pey*) faire commerce de.
comercio [ko'merθjo] *nm* commerce *m*; **comercio autorizado** commerce autorisé; **comercio exterior/interior** commerce extérieur/intérieur.
comestible [komes'tiβle] *adj* comestible ♦ *nm*: **~s** aliments *mpl*; **tienda de ~s** épicerie *f*, alimentation *f*.
cometa [ko'meta] *nm* comète *f* ♦ *nf* cerf-volant *m*.
cometer [kome'ter] *vt* commettre.
cometido [kome'tiðo] *nm* rôle *m*; (*deber*) devoir *m*.
comezón [kome'θon] *nf* démangeaison *f*.
cómic ['komik] *nm* bande *f* dessinée.
comicios [ko'miθjos] *nmpl* comices *mpl*.
cómico, -a ['komiko, a] *adj* comique ♦ *nm/f* (*de TV, cabaret*) comique *m/f*; (*de teatro*) comédien(ne).
comida [ko'miða] *vb V* **comedirse** ♦ *nf* nourriture *f*; (*almuerzo*) repas *msg*; (*esp AM*) dîner *m*.
comidilla [komi'ðiʎa] *nf*: **ser la ~ del barrio** être sur toutes les lèvres.
comienzo [ko'mjenθo] *vb V* **comenzar** ♦ *nm* commencement *m*; **dar ~ a un acto** commencer une cérémonie; **~ del archivo** (*INFORM*) tête *f* du fichier.
comillas [ko'miʎas] *nfpl* guillemets *mpl*; **entre ~** entre guillemets.
comilona [komi'lona] (*fam*) *nf* gueuleton *m*.
comino [ko'mino] *nm* cumin *m*; **(no) me importa un ~** je m'en balance.
comisaría [komisa'ria] *nf* (*tb:* **~ de Policía**) commissariat *m*.
comisario [komi'sarjo] *nm* commissaire *m*.
comisión [komi'sjon] *nf* commission *f*; **comisión mixta/permanente** commission paritaire/permanente; **comisiones bancarias** commissions bancaires; **Comisiones Obreras** (*ESP*) *syndicat ouvrier*.
comisura [komi'sura] *nf*: **~ de los labios** commissure *f* des lèvres.
comité [komi'te] (*pl* **~s**) *nm* comité *m*; **~ de empresa** comité d'entreprise.
comitiva [komi'tiβa] *nf* suite *f*, cortège *m*.
como ['komo] *adv* comme; (*en calidad de*) en ♦ *conj* (*condición*) si; (*causa*) comme; **lo hace ~ yo** il le fait comme moi; **tan grande ~** aussi grand que; **¡tanto ~ eso ...!** pas tant que ça!; **eran ~ diez** ils devaient être 10; **llegó ~ a las cuatro** il est arrivé vers les 4 heures; **sabe ~ a cebolla** ça a comme un goût d'oignon; **~ testigo** en tant que témoin; **~ ser** (*AM*: *tal como*) comme; **a ~ dé/diera lugar** (*CAM, MÉX*) à tout prix; **~ quieras** comme tu voudras; **~ llueva no salimos** s'il pleut on reste à la maison; **~ ella no llegaba me fui** comme elle n'arrivait pas, je suis parti; **¡~ no quieras cien pesetas ...!** à moins que tu ne veuilles cent pesetas!; **así fue ~ ocurrió** c'est ainsi que ça s'est passé; **es ~ para echarse a llorar** ça donne envie de pleurer; **¡~ que lo voy a permitir!** et vous croyez que je vais permettre cela?; **~ si estuviese ciego** comme s'il était aveugle; **~ si lo viera** comme si je le voyais; **~ si nada** *o* **tal cosa** comme si de rien n'était.
cómo ['komo] *adv* comment ♦ *excl* comment! ♦ *nm*: **el ~ y el porqué** le pourquoi et le comment; **¿~ (ha dicho)?** comment?, vous avez dit?; **¿~ está Ud?** comment allez-vous?; **¿~ son?** comment sont-ils?; **¿a ~ están?** combien coûtent-ils?; **¡~ no!** bien sûr!; (*esp AM*: *¡claro!*) pardi!; **¡~ corre!** comme il cavale!
cómoda ['komoða] *nf* commode *f*.

comodidad [komoði'ðað] *nf* confort *m*; (*conveniencia*) avantage *m*; **~es** *nfpl* aises *fpl*.
comodín [komo'ðin] *nm* (*NAIPES*) joker *m*; (*INFORM*) caractère *m* de remplacement.
cómodo, -a ['komoðo, a] *adj* confortable; (*máquina, herramienta*) pratique; **estar/ponerse/sentirse ~** être/se mettre/se sentir à l'aise.
comodón, -ona [komo'ðon, ona] *adj* pantouflard(e).
comoquiera [como'kjera] *conj*: **~ que** étant donné que; **~ que sea** quoi qu'il en soit.
compacto, -a [kom'pakto, a] *adj* compact(e).
compadecer [kompaðe'θer] *vt* plaindre; **compadecerse** *vpr*: **~se de** se plaindre de.
compadre [kom'paðre] *nm* parrain *m*; (*en oración directa*) (mon) vieux; (*esp AM: fam*) copain *m*.
compaginar [kompaxi'nar] *vt*: **~ algo con algo** concilier une chose avec une autre; **compaginarse** *vpr*: **~se con** être compatible avec.
compañerismo [kompaɲe'rismo] *nm* amitié *f*, esprit *m* d'équipe.
compañero, -a [kompa'ɲero, a] *nm/f* collègue *m/f*; (*en juego*) partenaire *m/f*; (*en estudios*) camarade *m/f*; (*novio*) compagnon(compagne); **compañero de clase** camarade de classe; **compañero de equipo** coéquipier(-ère); **compañero de trabajo** collègue de travail.
compañía [kompa'ɲia] *nf* compagnie *f*; **en ~ de** en compagnie de; **malas ~s** mauvaises fréquentations *fpl*; **hacer ~ a algn** tenir compagnie à qn; **compañía afiliada** filiale *f*; **compañía concesionaria/inversionista** compagnie concessionnaire/actionnaire; **compañía (no) cotizable** compagnie (non) cotée en Bourse; **compañía de seguros** compagnie d'assurance.
comparación [kompara'θjon] *nf* comparaison *f*; **en ~ con** par comparaison à.
comparar [kompa'rar] *vt*: **~ a/con** comparer à/avec.
comparecer [kompare'θer] *vi* comparaître.
comparsa [kom'parsa] *nm/f* (*TEATRO, CINE*) figurant(e) ♦ *nf* (*de carnaval etc*) mascarade *f*.
compartimento [komparti'mento], **compartimiento** [komparti'mjento] *nm* compartiment *m*; **compartimento estanco** compartiment étanche.
compartir [kompar'tir] *vt* partager.
compás [kom'pas] *nm* (*MÚS*) rythme *m*; (*para dibujo*) compas *msg*; **al ~** au même rythme; **llevar el ~** battre la mesure; **compás de espera** (*fig*) attente *f*.
compasión [kompa'sjon] *nf* compassion *f*; **sin ~** sans pitié.
compasivo, -a [kompa'siβo, a] *adj* compatissant(e).
compatible [kompa'tiβle] *adj*: **~ (con)** compatible (avec).
compatriota [kompa'trjota] *nm/f* compatriote *m/f*.
compendio [kom'pendjo] *nm* abrégé *m*.
compenetración [kompenetra'θjon] *nf* entente *f*.
compenetrarse [kompene'trarse] *vpr* (*personas*) s'entendre sur tout; **estamos muy compenetrados** nous nous entendons à merveille.
compensación [kompensa'θjon] *nf* compensation *f*, dédommagement *m*; (*JUR, COM*) compensation; **en ~** en compensation, à titre de dédommagement.
compensar [kompen'sar] *vt* (*persona*) compenser; (*contrarrestar: pérdidas*) compenser, contrebalancer; (: *peso, balanza*) compenser, équilibrer; (*indemnizar*) dédommager ♦ *vi* (*esfuerzos, trabajo*) récompenser.
competencia [kompe'tenθja] *nf* compétition *f*, concurrence *f*; (*JUR, habilidad*) compétence *f*; **~s** *nfpl* (*POL*) compétences *fpl*; **la ~** (*COM*) la compétition *o* concurrence; **hacer la ~ a** faire concurrence à; **ser de la ~ de algn** être de la compétence de qn.
competente [kompe'tente] *adj* compétent(e).
competer [kompe'ter] *vi*: **~ a (algn)** être de la compétence de (qn).
competición [kompeti'θjon] *nf* compétition *f*.
competir [kompe'tir] *vi* concourir; **~ en** (*fig*) rivaliser en; **~ por** rivaliser pour; (*DEPORTE*) être en compétition pour, concourir pour.
competitivo, -a [kompeti'tiβo, a] *adj* compétitif(-ive).
compilar [kompi'lar] *vt* compiler.
compinche [kom'pintʃe] (*fam*) *nm* acolyte *m*.
complacer [kompla'θer] *vt* faire plaisir à; **complacerse** *vpr*: **~se en (hacer)** se complaire à (faire).
complaciente [kompla'θjente] *adj* complaisant(e); **ser ~ con** *o* **para con** montrer de la complaisance envers.
complejo, -a [kom'plexo, a] *adj* complexe ♦ *nm* (*PSICO*) complexe *m*; **com-**

plejo deportivo cité *f* des sports; **complejo industrial** complexe industriel.

complementario, -a [komplemen'tarjo, a] *adj* complémentaire.

complementarse [komplemen'tarse] *vpr* se compléter.

complemento [komple'mento] *nm* complément *m*.

completar [komple'tar] *vt* compléter.

completo, -a [kom'pleto, a] *adj* complet(-ète); (*persona*) accompli(e), parfait(e); (*éxito, fracaso*) total(e) ♦ *nm* salle *f* comble; **al ~** au complet; **por ~** complètement; (*CHI: CULIN*) hot-dog *m*.

complicado, -a [kompli'kaðo, a] *adj* compliqué(e); **estar ~ en** être impliqué(e) dans.

complicar [kompli'kar] *vt* compliquer; **complicarse** *vpr* se compliquer; **~ a algn en** impliquer qn dans; **~se la vida (con)** se compliquer la vie *o* l'existence (avec).

cómplice ['kompliθe] *nm/f* complice *m/f*.

complot [kom'plo(t)] (*pl* **~s**) *nm* complot *m*.

componente [kompo'nente] *adj* composant(e) ♦ *nm* composant *m*.

componer [kompo'ner] *vt* composer; (*algo roto*) réparer; **componerse** *vpr* (*MÉX*) se remettre; **~se de** se composer de; **componérselas para hacer algo** s'arranger pour faire qch.

comportamiento [komporta'mjento] *nm* comportement *m*.

comportar [kompor'tar] *vt* comporter; **comportarse** *vpr* se comporter.

composición [komposi'θjon] *nf* composition *f*.

compra ['kompra] *nf* achat *m*; **hacer/ir a la ~** faire/aller faire les courses; **ir de ~s** faire les magasins; **~ a granel** (*COM*) achat en vrac; **~ proteccionista** (*COM*) achat de soutien; **compra a plazos** achat à crédit.

comprar [kom'prar] *vt* acheter; **comprarse** *vpr* s'acheter.

comprender [kompren'der] *vt* comprendre; **hacerse ~** se faire comprendre.

comprensión [kompren'sjon] *nf* compréhension *f*.

comprensivo, -a [kompren'siβo, a] *adj* compréhensif(-ive).

compresa [kom'presa] *nf* (*tb:* **~ higiénica**) serviette *f* hygiénique; (*MED*) compresse *f*.

comprimido, -a [kompri'miðo, a] *adj* comprimé(e) ♦ *nm* (*MED*) comprimé *m*, cachet *m*.

comprimir [kompri'mir] *vt* comprimer; (*INFORM*) compresser, comprimer.

comprobación [komproβa'θjon] *nf* vérification *f*.

comprobante [kompro'βante] *nm* (*COM*) reçu *m*, récépissé *m*; (*JUR*) pièce *f* justificative *o* à l'appui.

comprobar [kompro'βar] *vt* vérifier; (*INFORM*) vérifier, contrôler.

comprometer [komprome'ter] *vt* compromettre; **comprometerse** *vpr* se compromettre; **~ a algn a hacer** mettre qn dans l'obligation de faire; **~se a hacer** s'engager à faire.

compromiso [kompro'miso] *nm* (*acuerdo*) compromis *msg*; (*obligación*) engagement *m*; (*situación difícil*) embarras *msg*; **libre de ~** (*COM*) sans engagement; **poner a algn en un ~** mettre qn dans l'embarras.

compuesto, -a [kom'pwesto, a] *pp de* **componer** ♦ *adj* composé(e) ♦ *nm* composé *m*; **~ de** composé(e) de.

compulsivo, -a [kompul'siβo, a] *adj* compulsif(-ive).

compungido, -a [kompun'xido, a] *adj* contrit(e).

computador [komputa'ðor] *nm*, **computadora** [komputa'ðora] *nf* ordinateur *m*; **~ central** ordinateur central; **~ especializado** ordinateur spécialisé.

cómputo ['komputo] *nm* calcul *m*.

comulgar [komul'ɣar] *vi* (*REL*) communier; **~ con** (*con ideas, valores*) partager.

común [ko'mun] *adj* commun(e) ♦ *nm*: **el ~ de las gentes** le commun des mortels; **por lo ~** généralement; **en ~** en commun; **hacer/poner algo en ~** faire/mettre qch en commun.

comuna [ko'muna] *nf* commune *f*.

comunicación [komunika'θjon] *nf* communication *f*; **comunicaciones** *nfpl* (*transportes, TELEC*) communications *fpl*; **vía de ~** voie *f* de communication.

comunicado [komuni'kaðo] *nm* communiqué *m*; **comunicado de prensa** communiqué de presse.

comunicar [komuni'kar] *vt* communiquer ♦ *vi* (*teléfono*) être occupé; **comunicarse** *vpr* communiquer; **~ con** communiquer avec; **está comunicando** (*TELEC*) c'est occupé.

comunidad [komuni'ðað] *nf* communauté *f*; **en ~** en communauté; **comunidad autónoma** (*POL*) communauté autonome; **comunidad de vecinos** copropriétaires *mpl*, association *f* de copropriétaires; **Comunidad (Económica) Europea** Communauté (économique) européenne.

comunión [komu'njon] *nf* communion *f*; **primera ~** première communion.

comunismo [komu'nismo] *nm* communisme *m*.
comunista [komu'nista] *adj, nm/f* communiste *m/f*.
comunitario, -a [komuni'tarjo, a] *adj* communautaire.

PALABRA CLAVE

con [kon] *prep* **1** (*medio, compañía, modo*) avec; **comer con cuchara** manger avec une cuillère; **café con leche** café au lait; **con habilidad** avec habileté; **pasear con algn** se promener avec qn
2 (*actitud, situación*): **piensa con los ojos cerrados** il pense les yeux fermés; **estoy con un catarro** j'ai un rhume
3 (*contenido*): **una libreta con direcciones** un carnet d'adresses; **una maleta con ropa** une valise contenant des vêtements
4 (*a pesar de*): **con todo, merece nuestros respetos** malgré tout, il mérite notre respect
5 (*relación, trato*): **es muy bueno (para) con los niños** il sait s'y prendre avec les enfants
6 (*+ infin*): **con llegar tan tarde se quedó sin comer** comme il est arrivé très tard, il n'a pas pu manger; **con estudiar un poco apruebas** en étudiant un peu tu y arriveras
7 (*queja*): **¡con las ganas que tenía de hacerlo!** moi qui avais tellement envie de le faire!
♦ *conj* **1**: **con que**: **será suficiente con que le escribas** il suffit que tu lui écrives
2: **con tal (de) que** du moment que.

conato [ko'nato] *nm* tentative *f*; (*de incendio*) début *m*.
cóncavo, -a ['konkaβo, a] *adj* concave.
concebir [konθe'βir] *vt, vi* concevoir; **¡no lo concibo!** je n'arrive pas à le comprendre!
conceder [konθe'ðer] *vt* accorder; (*premio*) décerner.
concejal, -a [konθe'xal, a] *nm/f* conseiller *m* municipal.
concentración [konθentra'θjon] *nf* concentration *f*.
concentrar [konθen'trar] *vt* concentrer; (*personas*) rassembler; **concentrarse** *vpr* se concentrer; **~se (en)** se concentrer (sur).
concéntrico, -a [kon'θentriko, a] *adj* concentrique.
concepción [konθep'θjon] *nf* conception *f*.
concepto [kon'θepto] *nm* (*idea*) concept *m*; **en ~ de** (*COM*) à *o* au titre de; **tener buen/mal ~ de algn** avoir bonne/mauvaise opinion de qn; **bajo ningún ~** en aucun cas.
concernir [konθer'nir] *vi* concerner; **en lo que concierne a** en ce qui concerne.
concertar [konθer'tar] *vt* (*precio*) se mettre d'accord sur; (*entrevista*) fixer; (*tratado, paz*) conclure; (*esfuerzos*) associer; (*MÚS*) accorder ♦ *vi* (*MÚS*) être en harmonie; (*concordar*): **~ con** concorder avec.
concesión [konθe'sjon] *nf* (*COM: adjudicación*) concession *f*; **hacer concesiones** faire des concessions; **sin concesiones** sans concessions.
concesionario, -a [konθesjo'narjo, a] *nm/f* (*COM*) concessionnaire *m/f*.
concha ['kontʃa] *nf* (*de molusco*) coquille *f*; (*de tortuga*) carapace *f*; (*AM: fam!: coño*) moule *f* (*fam!*).
conchabarse [kontʃa'βarse] *vpr* conspirer, comploter.
conchudo, -a [kon'tʃuðo, a] (*CSUR: fam!*) *nm/f* connard(-asse) (*fam!*).
conciencia [kon'θjenθja] *nf* conscience *f*; **libertad de ~** liberté *f* de conscience; **hacer algo a ~** faire qch consciencieusement; **tener/tomar ~ de** avoir/prendre conscience de; **tener la ~ limpia** *o* **tranquila** avoir la conscience tranquille; **tener plena ~ de** avoir pleine conscience de.
concienciar [konθjen'θjar] *vt* faire prendre conscience à; **concienciarse** *vpr* prendre conscience.
concienzudo, -a [konθjen'θuðo, a] *adj* consciencieux(-euse).
concierto [kon'θjerto] *nm* (*MÚS: acto*) concert *m*; (*: obra*) concerto *m*; (*convenio*) accord *m*.
conciliar [konθi'ljar] *vt* concilier ♦ *adj* (*REL*) conciliaire; **~ el sueño** trouver le sommeil.
concilio [kon'θiljo] *nm* concile *m*.
conciso, -a [kon'θiso, a] *adj* concis(e).
concluir [konklu'ir] *vt* conclure ♦ *vi* (se) terminer; **concluirse** *vpr* prendre fin, se terminer; **todo ha concluido** c'est terminé.
conclusión [konklu'sjon] *nf* conclusion *f*; **llegar a la ~ de que ...** en arriver à la conclusion que ... .
concordancia [konkor'ðanθja] *nf* concordance *f*; (*LING, MÚS*) accord *m*.
concordar [konkor'ðar] *vi*: **~ (con)** concorder (avec).
concretar [konkre'tar] *vt* concrétiser; (*fecha, día*) fixer; **concretarse** *vpr*: **~se a (hacer)** s'en tenir à (faire).
concreto, -a [kon'kreto, a] *adj*

concret(-ète); (*determinado*) précis(e) ♦ *nm* (*AM: hormigón*) béton *m*; **en ~** en somme; (*específicamente*) en particulier; **un día ~** un jour précis; **no hay nada en ~** il n'y a rien de concret.

concurrencia [konku'rrenθja] *nf* assistance *f*; (*de sucesos, factores*) concours *m*.

concurrido, -a [konku'rriðo, a] *adj* fréquenté(e).

concurrir [konku'rrir] *vi* (*sucesos*) coïncider; (*factores*) concourir; (*ríos*) confluer; (*avenidas*) converger; (*público*) assister.

concursante [konkur'sante] *nm/f* concurrent(e); (*para proyecto, trabajo*) candidat(e).

concursar [konkur'sar] *vi* concourir; (*TV, RADIO*) participer; (*para proyecto*) être candidat.

concurso [kon'kurso] *nm* concours *m*.

condado [kon'daðo] *nm* comté *m*.

conde ['konde] *nm* comte *m*.

condecoración [kondekora'θjon] *nf* décoration *f*.

condecorar [kondeko'rar] *vt* décorer.

condena [kon'dena] *nf* condamnation *f*; **cumplir una ~** purger une peine.

condenar [konde'nar] *vt* condamner; **condenarse** *vpr* (*JUR*) se reconnaître coupable; (*REL*) se damner; **~ (a)** condamner (à); **~ a algn a hacer** condamner qn à faire qch.

condensar [konden'sar] *vt* condenser; **condensarse** *vpr* se condenser.

condesa [kon'desa] *nf* comtesse *f*.

condescender [kondesθen'der] *vi*: **~ (a hacer)** condescendre (à faire).

condición [kondi'θjon] *nf* condition *f*; (*modo de ser*) caractère *m*; (*estado*) état *m*; **condiciones** *nfpl* capacités *fpl*, aptitudes *fpl*; **a ~ de que ...** à condition que ...; **no estar en condiciones de hacer** ne pas être en état de faire; **las condiciones del contrato** les conditions du contrat; **condiciones de trabajo/venta/vida** conditions de travail/vente/vie.

condicional [kondiθjo'nal] *adj* conditionnel(le); *V* **libertad**.

condicionar [kondiθjo'nar] *vt* conditionner; **estar condicionado a** dépendre de.

condimento [kondi'mento] *nm* condiment *m*.

condolencia [kondo'lenθja] *nf* condoléances *fpl*.

condominio [kondo'minjo] *nm* (*AM: apartamento*) appartement *m*; (*COM*) condominium *f*.

condón [kon'don] *nm* préservatif *m*.

conducción [konduk'θjon] *nf* conduite *f*.

conducir [kondu'θir] *vt* conduire; (*suj: camino, escalera, negocio*) conduire, mener; ♦ *vi* conduire; **conducirse** *vpr* se conduire; **esto no conduce a nada/ninguna parte** cela ne mène à rien/nulle part.

conducta [kon'dukta] *nf* conduite *f*.

conducto [kon'dukto] *nm* conduit *m*; **por ~ oficial** par voie officielle.

conductor, a [konduk'tor, a] *adj* (*FÍS, ELEC*) conducteur(-trice) ♦ *nm* conducteur *m* ♦ *nm/f* conducteur(-trice).

conduje *etc* [kon'duxe] *vb V* **conducir**.

conduzca *etc* [kon'duθka] *vb V* **conducir**.

conectar [konek'tar] *vt* relier; (*tubos*) raccorder; (*TELEC*) brancher; (*enchufar*) connecter, brancher; (*INFORM*) connecter ♦ *vi*: **~ (con)** (*TV, RADIO*) donner l'antenne (à); (*fam: personas*) être sur la même longueur d'ondes (que).

conejillo [kone'xiʎo] *nm*: **~ de Indias** cochon *m* d'Inde; (*fig*) cobaye *m*.

conejo [ko'nexo] *nm* lapin *m*.

conexión [konek'sjon] *nf* connexion *f*; **conexiones** *nfpl* (*amistades*) contacts *mpl*.

confabular [konfaβu'lar] *vi* comploter; **confabularse** *vpr*: **~se (para hacer algo)** conspirer (pour faire qch).

confección [konfek'θjon] *nf* confection *f*; **ropa de ~** prêt-à-porter *m*; **~ de caballero/señora** prêt-à-porter pour hommes/femmes.

confeccionar [konfe(k)θjo'nar] *vt* confectionner.

conferencia [konfe'renθja] *nf* conférence *f*; (*TELEC*) communication *f* interurbaine; **conferencia a cobro revertido** (*TELEC*) appel *m* en PCV; **conferencia de prensa** conférence de presse.

conferir [konfe'rir] *vt* conférer; (*fig*) conférer.

confesar [konfe'sar] *vt* confesser, avouer ♦ *vi* (*REL*) confesser; (*JUR*) avouer; **confesarse** *vpr* se confesser; **he de ~ que** je dois avouer que.

confesión [konfe'sjon] *nf* confession *f*, aveu *m*; (*REL*) confession.

confesionario [konfesjo'narjo] *nm* (*REL*) confessionnal *m*.

confeti [kon'feti] *nm* confetti *m*.

confiado, -a [kon'fiaðo, a] *adj* confiant(e); **está ~ en que aprobará** il est confiant de son succès.

confianza [kon'fjanθa] *nf* confiance *f*; (*familiaridad*) familiarité *f*; **de ~** (*persona*) de confiance; (*alimento*) de qualité; **en ~** en (toute) confiance; **margen de ~** marge *f* de confiance; **tener ~ con algn** être intime avec qn; **tomarse ~s con algn** (*pey*) se permettre des familiarités avec qn; **ha-**

blar con ~ parler en toute confiance.

confiar [kon'fjar] *vt* confier ♦ *vi* avoir confiance; **confiarse** *vpr* être confiant(e); ~ **en** avoir confiance en; ~ **en hacer/que** compter faire/que.

confidencia [konfi'ðenθja] *nf* confidence *f*.

confidencial [konfiðen'θjal] *adj* confidentiel(le); "~" (*en sobre*) "confidentiel".

confidente [konfi'ðente] *nm/f* (*amigo*) confident(e); (*policial*) informateur(-trice), indicateur(-trice).

confirmación [konfirma'θjon] *nf* confirmation *f*.

confirmar [konfir'mar] *vt* confirmer; **confirmarse** *vpr* se confirmer; (REL) faire sa confirmation; **la excepción confirma la regla** l'exception confirme la règle.

confiscar [konfis'kar] *vt* confisquer.

confite [kon'fite] *nm* confiserie *f*.

confitería [konfite'ria] *nf* (*tienda*) confiserie *f*; (CSUR: *café*) café *m*.

confitura [konfi'tura] *nf* confiture *f*.

conflictivo, -a [konflik'tiβo, a] *adj* conflictuel(le); (*situación*) conflictuel(e); (*época*) de conflit.

conflicto [kon'flikto] *nm* conflit *m*; (*fig: problema*) problème *m*; **estar en un** ~ être dans l'embarras; ~ **laboral** conflit social *o* du travail.

confluir [konflu'ir] *vi* (*ríos, personas*) confluer; (*carreteras*) se rejoindre.

conformar [konfor'mar] *vt* (*carácter, paisaje*) façonner; (*persona*) contenter, satisfaire ♦ *vi*: ~ **con** être conforme à; **conformarse** *vpr*: **~se con** se contenter de; (*resignarse*) se résigner à; ~ **algo a** *o* **con** adapter qch à; **~se con hacer** se contenter de faire.

conforme [kon'forme] *adj* conforme; (*de acuerdo*) d'accord; (*satisfecho*) content(e), satisfait(e) ♦ *conj* (*tal como*) tel que, comme; (*a medida que*) à mesure que ♦ *excl* d'accord ♦ *prep*: ~ **a** conformément à; ~ **con** content(e) *o* satisfait(e) de.

conformidad [konformi'ðað] *nf* conformité *f*; (*aprobación*) accord *m*, approbation *f*; (*resignación*) résignation *f*; **en** ~ **con** conformément à; **dar su** ~ donner son accord.

conformismo [konfor'mismo] *nm* conformisme *m*.

confort [kon'for] (*pl* **~s**) *nm* confort *m*.

confortable [konfor'taβle] *adj* confortable.

confortar [konfor'tar] *vt* réconforter.

confrontación [konfronta'θjon] *nf* (*enfrentamiento*) confrontation *f*.

confrontar [konfron'tar] *vt* confronter; (*situación, peligro*) affronter; **confrontarse** *vpr* s'affronter; **~se con** affronter.

confundir [konfun'dir] *vt* confondre; (*persona: embrollar*) embrouiller; (: *desconcertar*) confondre; **confundirse** *vpr* (*equivocarse*) se tromper; (*hacerse borroso*) se confondre; (*turbarse*) être confondu(e); (*mezclarse*) se confondre; ~ **algo/algn con** confondre qch/qn avec; **~se de** se tromper de.

confusión [konfu'sjon] *nf* confusion *f*.

confuso, -a [kon'fuso, a] *adj* confus(e).

congelado, -a [konxe'laðo, a] *adj* (*carne, pescado*) congelé(e); **~s** *nmpl* (CULIN) surgelés *mpl*.

congelador [konxela'ðor] *nm* congélateur *m*.

congelar [konxe'lar] *vt* congeler; (COM, FIN) geler; **congelarse** *vpr* se congeler; (*fam: persona*) se geler; (*sangre, grasa*) se figer.

congeniar [konxe'njar] *vi*: ~ **(con)** s'entendre (avec).

congénito, -a [kon'xenito, a] *adj* congénital(e).

congestión [konxes'tjon] *nf* (*de tráfico*) encombrement *m*; (MED) congestion *f*.

congestionar [konxestjo'nar] *vt* congestionner; **congestionarse** *vpr* se congestionner.

congoja [kon'goxa] *nf* chagrin *m*.

congraciarse [kongra'θjarse] *vpr*: ~ **con** s'attirer les bonnes grâces de.

congregación [kongreɣa'θjon] *nf* congrégation *f*.

congregar [kongre'ɣar] *vt* réunir, rassembler; **congregarse** *vpr* se réunir, se rassembler.

congreso [kon'greso] *nm* congrès *m*; **Congreso de los Diputados** (ESP: POL) ≈ Assemblée nationale.

congrio ['kongrjo] *nm* congre *m*.

congruente [kon'grwente] *adj*: ~ **(con)** en accord (avec).

cónico, -a ['koniko, a] *adj* conique.

conjetura [konxe'tura] *nf* conjecture *f*; **sólo podemos hacer ~s** nous en sommes réduits aux conjectures.

conjeturar [konxetu'rar] *vt* conjecturer.

conjugación [konxuɣa'θjon] *nf* conjugaison *f*.

conjugar [konxu'ɣar] *vt* conjuguer.

conjunción [konxun'θjon] *nf* (LING) conjonction *f*; (*de esfuerzos, cualidades*) conjugaison *f*.

conjunto, -a [kon'xunto, a] *adj* commun(e) ♦ *nm* ensemble *m*; (*de circunstancias*) concours *msg*; (*de música pop*) groupe *m*; **de** ~ (*visión, estudio*) d'ensem-

ble; **en ~** dans l'ensemble.
conjura [kon'xura], **conjuración** [konxura'θjon] *nf* conjuration *f*.
conjurar [konxu'rar] *vt, vi* conjurer; **conjurarse** *vpr* se conjurer.
conjuro [kon'xuro] *nm* conjuration *f*.
conllevar [konʎe'βar] *vt* supporter; (*riesgo, problema*) comporter.
conmemoración [konmemora'θjon] *nf* commémoration *f*.
conmemorar [konmemo'rar] *vt* commémorer.
conmigo [kon'miɣo] *pron* avec moi.
conminar [konmi'nar] *vt* sommer; **~ a algn a hacer** sommer qn de faire.
conmoción [konmo'θjon] *nf* commotion *f*; (*en sociedad, costumbres*) bouleversement *m*; **~ cerebral** (*MED*) commotion cérébrale.
conmover [konmo'βer] *vt* émouvoir; (*suj: terremoto, estrépito*) ébranler; **conmoverse** *vpr* s'émouvoir.
conmutador [konmuta'ðor] *nm* (*AM: TELEC*) central *m* téléphonique.
connotación [konnota'θjon] *nf* connotation *f*.
cono ['kono] *nm* (*GEOM*) cône *m*; **Cono Sur** (*GEO*) *Chili, Argentine, Uruguay*.
conocer [kono'θer] *vt* connaître; (*reconocer*) reconnaître; **conocerse** *vpr* se connaître; **dar a ~** faire connaître *o* savoir; **darse a ~** se faire connaître; **se conoce que ...** il semble *o* paraît que ... .
conocido, -a [kono'θiðo, a] *adj* connu(e) ♦ *nm/f* (*persona*) connaissance *f*.
conocimiento [konoθi'mjento] *nm* connaissance *f*; (*de la madurez*) jugeote *f*; (*NÁUT: tb:* **~ de embarque**) connaissement *m*; **~s** *nmpl* (*saber*) connaissances *fpl*; **hablar con ~ de causa** parler en connaissance de cause; **perder/recobrar el ~** perdre/reprendre connaissance; **poner en ~ de algn** faire savoir à qn; **tener ~ de** avoir connaissance de; **conocimiento (de embarque) aéreo** (*COM*) lettre *f* de transport aérien.
conozca *etc* [ko'noθka] *vb V* **conocer**.
conque ['konke] *conj* ainsi donc, alors.
conquista [kon'kista] *nf* conquête *f*.
conquistador, a [konkista'ðor, a] *adj, nm/f* conquérant(e) ♦ *nm* (*de América*) conquistador *m*; (*seductor*) séducteur *m*.
conquistar [konkis'tar] *vt* conquérir; (*puesto*) obtenir; (*simpatía, fama*) conquérir; (*enamorar*) conquérir, faire la conquête de.
consagrado, -a [konsa'ɣraðo, a] *adj* (*REL, escritor*) consacré(e).
consagrar [konsa'ɣrar] *vt* consacrer; **consagrarse** *vpr*: **~se a** se consacrer à; **~ como** (*acreditar*) sacrer; **~se como** se confirmer comme.
consciente [kons'θjente] *adj* conscient(e); **estar ~** être conscient(e); **ser ~ de** être conscient(e) de.
consecuencia [konse'kwenθja] *nf* conséquence *f*; **a ~ de** par suite de; **en ~** en conséquence.
consecuente [konse'kwente] *adj*: **~ (con)** conséquent(e) (avec).
consecutivo, -a [konseku'tiβo, a] *adj* consécutif(-ive).
conseguir [konse'ɣir] *vt* obtenir; (*sus fines*) parvenir à; **~ hacer** arriver à faire.
consejería [konsexe'ria] *nf* (*POL*) *ministère dans une communauté autonome*.
consejero, -a [konse'xero, a] *nm/f* (*persona*) conseiller(-ère); (*POL*) *ministre dans une communauté autonome*.
consejo [kon'sexo] *nm* conseil *m*; **dar un ~** donner un conseil; **consejo de administración** (*COM*) conseil d'administration; **Consejo de Europa** Conseil de l'Europe; **consejo de guerra/de ministros** conseil de guerre/des ministres.
consenso [kon'senso] *nm* consensus *m*.
consentimiento [konsenti'mjento] *nm* consentement *m*; **dar su ~** donner son consentement.
consentir [konsen'tir] *vt* consentir; (*mimar*) gâter ♦ *vi*: **~ en hacer** consentir à faire; **~ a algn hacer algo/que algn haga algo** permettre à qn de faire qch/que qn fasse qch.
conserje [kon'serxe] *nm* concierge *m*.
conserva [kon'serβa] *nf* conserve *f*; **~s** *nfpl* conserves *fpl*; **en ~** en conserve.
conservador, a [konserβa'ðor, a] *adj, nm/f* conservateur(-trice).
conservante [konser'βante] *nm* conservateur *m*.
conservar [konser'βar] *vt* (*gen*) conserver; (*costumbre, figura*) garder; **conservarse** *vpr*: **~se bien** (*comida etc*) bien se conserver; **~se joven** être bien conservé.
conservatorio [konserβa'torjo] *nm* (*MÚS*) conservatoire *m*; (*AM*) serre *f*.
considerable [konsiðe'raβle] *adj* (*importante*) important(e); (*grande*) considérable.
consideración [konsiðera'θjon] *nf* considération *f*; **de ~** (*herida, daño*) grave; **tomar en ~** prendre en considération; **¡qué falta de ~!** quel manque de considération!; **de mi/nuestra (mayor) ~** (*AM: ADMIN*) Madame, Monsieur,
considerado, -a [konsiðe'raðo, a] *adj* (*atento*) attentionné(e); (*respetado*) respec-

té(e); **estar bien/mal** ~ être bien/mal vu(e).
considerar [konsiðe'rar] *vt* considérer.
consigna [kon'siɣna] *nf* consigne *f*.
consigo [kon'siɣo] *vb V* **conseguir** ♦ *pron* (*m*) avec lui; (*f*) avec elle; (*usted(es)*) avec vous; ~ **mismo** avec soi-même.
consiguiente [konsi'ɣjente] *adj*: **el** ~ **susto/nerviosismo** la peur/nervosité qui en résulte; **por** ~ par conséquent.
consistente [konsis'tente] *adj* consistant(e); (*material, pared, teoría*) solide; ~ **en** qui consiste en.
consistir [konsis'tir] *vi*: ~ **en** consister en.
consola [kon'sola] *nf* console *f*; ~ **de mando** (*INFORM*) console; ~ **de visualización** console de visualisation.
consolar [konso'lar] *vt* consoler; **consolarse** *vpr*: **~se (con)** se consoler (avec); **~se haciendo** se consoler en faisant.
consolidar [konsoli'ðar] *vt* consolider.
consomé [konso'me] (*pl* **~s**) *nm* (*CULIN*) consommé *m*.
consonante [konso'nante] *nf* consonne *f* ♦ *adj* consonantique.
consorcio [kon'sorθjo] *nm* (*COM*) consortium *m*.
consorte [kon'sorte] *nm/f* conjoint(e).
conspiración [konspira'θjon] *nf* conspiration *f*.
conspirar [konspi'rar] *vi* conspirer.
constancia [kons'tanθja] *nf* constance *f*; (*testimonio*) témoignage *m*; **dejar** ~ **de algo** faire état de qch.
constante [kons'tante] *adj* constant(e) ♦ *nf* (*MAT, fig*) constante *f*.
constar [kons'tar] *vi*: ~ **(en)** figurer (dans); ~ **de** se composer de; **hacer** ~ manifester; **me consta que ...** je suis conscient que ...; **(que) conste que lo hice por ti** n'oublie pas que c'est pour toi que je l'ai fait.
constatar [konsta'tar] *vt* constater.
consternar [konster'nar] *vt* consterner.
constipado, -a [konsti'paðo, a] *adj*: **estar** ~ être enrhumé(e) ♦ *nm* rhume *m*.
constiparse [konsti'parse] *vpr* s'enrhumer.
constitución [konstitu'θjon] *nf* constitution *f*; (*de tribunal, equipo etc*) composition *f*.
constituir [konstitu'ir] *vt* constituer; **constituirse** *vpr* se constituer.
constreñir [konstre'ɲir] *vt* (*limitar*) restreindre; (*obligar*) contraindre.
construcción [konstruk'θjon] *nf* construction *f*.
constructor, a [konstruk'tor, a] *nm/f* constructeur(-trice) ♦ *nf* entrepreneur *m*.
construir [konstru'ir] *vt* construire.
consuelo [kon'swelo] *vb V* **consolar** ♦ *nm* consolation *f*; **sin** ~ inconsolable.
cónsul ['konsul] *nm* consul *m*.
consulado [konsu'laðo] *nm* consulat *m*.
consulta [kon'sulta] *nf* consultation *f*; (*MED: consultorio*) cabinet *m*; **horas de** ~ heures *fpl* de consultation; **obra de** ~ ouvrage *m* de référence.
consultar [konsul'tar] *vt* consulter; ~ **algo con algn** consulter qn au sujet de qch; ~ **un archivo** (*INFORM*) consulter un fichier.
consultor, a [konsul'tor, a] *nm/f*: ~ **en dirección de empresas** consultant *m*, expert-conseil *m*.
consultorio [konsul'torjo] *nm* (*MED*) cabinet *m*; (*en periódico etc*) courrier *m* du cœur.
consumado, -a [konsu'maðo, a] *adj* (*bribón*) fieffé(e); (*actor*) accompli(e); **hecho** ~ fait *m* accompli.
consumar [konsu'mar] *vt* consommer; (*sentencia*) exécuter.
consumición [konsumi'θjon] *nf* consommation *f*; ~ **mínima** prix *m* minimum de la consommation.
consumidor, a [konsumi'ðor, a] *nm/f* consommateur(-trice).
consumir [konsu'mir] *vt* consommer; **consumirse** *vpr* se consumer; (*caldo*) réduire; (*persona*) dépérir; **~se (de celos/de envidia/de rabia)** se consumer (de jalousie/d'envie/de rage).
consumismo [konsu'mismo] *nm* (*COM*) surconsommation *f*.
consumo [kon'sumo] *nm* consommation *f*; **bienes/sociedad de** ~ biens *mpl*/société *f* de consommation.
contabilidad [kontaβili'ðað] *nf* comptabilité *f*; **contabilidad de costes** *o* **analítica** comptabilité analytique; **contabilidad de doble partida/por partida simple** comptabilité en partie double/en partie simple; **contabilidad de gestión** comptabilité de gestion.
contabilizar [kontaβi'liθar] *vt* comptabiliser.
contable [kon'taβle] *nm/f* comptable *m/f*; **contable de costos** analyste *m/f* des coûts.
contactar [kontak'tar] *vi*: ~ **con algn** contacter qn.
contacto [kon'takto] *nm* contact *m*; **estar/ponerse en** ~ **con algn** être/se mettre en contact avec qn; **perder** ~ (*amigos*) se perdre de vue.
contado, -a [kon'taðo, a] *adj*: **en casos**

~s dans de rares cas ♦ *nm*: **al ~** au comptant; **pagar al ~** payer comptant.

contador, a [konta'ðor, a] *nm/f* (*AM*: *contable*) comptable *m/f* ♦ *nm* (*aparato*) compteur *m*.

contagiar [konta'xjar] *vt* (*enfermedad*) passer; (*persona*) contaminer; (*fig*: *entusiasmo*) transmettre; **contagiarse** *vpr* (*sentimiento*) se transmettre; **~se de la gripe** attraper la grippe.

contagio [kon'taxjo] *nm* contagion *f*.

contagioso, -a [konta'xjoso, a] *adj* (*tb fig*) contagieux(-euse).

contaminación [kontamina'θjon] *nf* (*de alimentos*) contamination *f*; (*del agua, ambiente*) pollution *f*.

contaminar [kontami'nar] *vt* (*aire, agua*) polluer; (*fig*) contaminer.

contar [kon'tar] *vt* (*dinero etc*) compter; (*historia etc*) conter ♦ *vi* compter; **contarse** *vpr* (*calcularse*) se compter; (*incluirse*) compter; **~ con** (*persona*) compter avec; (*disponer de*: *plazo etc*) disposer de; (: *habitantes*) compter; **sin ~** sans compter; **le cuento entre mis amigos** il est de mes amis; **¿qué (te) cuentas?** comment tu vas?

contemplación [kontempla'θjon] *nf* contemplation *f*; **contemplaciones** *nfpl* (*miramientos*) égards *mpl*; **no andarse con contemplaciones** ne pas faire de façons.

contemplar [kontem'plar] *vt* contempler; (*considerar*) envisager; (*mimar*) être aux petits soins pour.

contemporáneo, -a [kontempo'raneo, a] *adj, nm/f* contemporain(e).

contendiente [konten'djente] *adj, nm/f* (*persona, país*) rival(e); (*DEPORTE*) adversaire *m/f*.

contenedor [kontene'ðor] *nm* conteneur *m*.

contener [konte'ner] *vt* contenir; (*risa, caballo etc*) retenir; **contenerse** *vpr* se retenir.

contenga *etc* [kon'tenga] *vb V* **contener**.

contenido, -a [konte'niðo, a] *adj* contenu(e) ♦ *nm* contenu *m*.

contentar [konten'tar] *vt* faire plaisir à; **contentarse** *vpr*: **~se (con)** se contenter (de); **~se con hacer** se contenter de faire.

contento, -a [kon'tento, a] *adj*: **~ (con/de)** content(e) (de).

contestación [kontesta'θjon] *nf* réponse *f*; **~ a la demanda** (*JUR*) plaidoyer *m*.

contestador [kontesta'ðor] *nm*: **~ automático** répondeur *m*.

contestar [kontes'tar] *vt* répondre; (*JUR*) plaider ♦ *vi* répondre; **~ a una pregunta/a un saludo** répondre à une question/à un salut.

contexto [kon'teksto] *nm* contexte *m*.

contigo [kon'tiɣo] *pron* avec toi.

contiguo, -a [kon'tiɣwo, a] *adj*: **~ (a)** contigu(ë) (à).

continental [kontinen'tal] *adj* continental(e).

continente [konti'nente] *nm* continent *m*.

contingente [kontin'xente] *adj* contingent(e); (*posible*) possible ♦ *nm* (*MIL, COM*) contingent *m*.

continuación [kontinwa'θjon] *nf* (*de trabajo, estancia, obras*) poursuite *f*; (*de novela, película, calle*) suite *f*; **a ~** juste après.

continuar [konti'nwar] *vt* continuer, poursuivre; (*reanudar*) reprendre ♦ *vi* (*permanecer*) rester; (*mantenerse, prolongarse*) continuer; (*telenovela etc*) reprendre; **~ haciendo** continuer de *o* à faire; **~ siendo** être toujours.

continuo, -a [kon'tinwo, a] *adj* continu(e); (*llamadas, quejas*) continuel(le).

contorno [kon'torno] *nm* (*silueta*) contours *mpl*; (*en dibujo*) contour *m*; **~s** *nmpl* (*alrededores*) environs *mpl*.

contra ['kontra] *prep* contre ♦ *adj* (*NIC*) contra ♦ *adv*: **en ~ (de)** contre ♦ *nm/f* contra *m/f* ♦ *nf*: **la C~ (nicaragüense)** les Contras *mpl* ♦ *nm V* **pro**.

contraataque [kontraa'take] *nm* contre-attaque *f*.

contrabajo [kontra'βaxo] *nm* contrebasse *f*.

contrabando [kontra'βando] *nm* contrebande *f*; **de ~** de contrebande; **llevar/pasar algo de ~** passer qch en contrebande; **contrabando de armas** contrebande d'armes.

contracción [kontrak'θjon] *nf* contraction *f*.

contracorriente [kontrako'rrjente]: **a ~** *adv* à contre-courant.

contradecir [kontraðe'θir] *vt* contredire; **contradecirse** *vpr* se contredire; **esto se contradice con ...** ceci est en contradiction avec ... .

contradicción [kontraðik'θjon] *nf* contradiction *f*; **el espíritu de la ~** l'esprit de contradiction; **en ~ con** en contradiction avec.

contradictorio, -a [kontraðik'torjo, a] *adj* contradictoire.

contraer [kontra'er] *vt* contracter; **contraerse** *vpr* se contracter; **~ matrimonio con** épouser.

contraespionaje [kontraespjo'naxe] *nm* contre-espionnage *m*.

contraluz [kontra'luθ] *nm* (*FOTO*) contre-

jour *m*; **a ~** à contre-jour.
contrapartida [kontrapar'tiða] *nf* (COM) contrepartie *f*; **como ~ (de)** en contrepartie (de).
contrapelo [kontra'pelo]: **a ~** *adv* à rebrousse-poil.
contrapeso [kontra'peso] *nm* contrepoids *msg*; (COM) contrepartie *f*.
contraproducente [kontraproðu'θente] *adj* qui n'a pas l'effet escompté.
contrariar [kontra'rjar] *vt* contrarier.
contrariedad [kontrarje'ðað] *nf* contretemps *msg*; (*disgusto*) contrariété *f*.
contrario, -a [kon'trarjo, a] *adj*: **~ (a)** opposé(e) (à); (*equipo etc*) adverse ♦ *nm/f* adversaire *m/f*; **al ~** au contraire; **por el ~** tout au contraire; **ser ~ a** être opposé(e) à; (*a intereses, opinión*) être contraire à; **llevar la contraria** contredire; **de lo ~** sinon; **salvo indicación contraria** sauf indication contraire; **todo lo ~** tout le contraire.
contrarrestar [kontrarres'tar] *vt* compenser.
contrasentido [kontrasen'tiðo] *nm*: **es un ~ que él ...** cela n'a pas de sens qu'il ... .
contraseña [kontra'seɲa] *nf* mot *m* de passe.
contrastar [kontras'tar] *vi*: **~ (con)** trancher (avec) ♦ *vt* (*comprobar*) vérifier.
contraste [kon'traste] *nm* contraste *m*.
contrata [kon'trata] *nf* (JUR) contrat *m*; (*empleo*) engagement *m*.
contratar [kontra'tar] *vt* engager, recruter; (*servicios*) faire appel à.
contratiempo [kontra'tjempo] *nm* contretemps *msg*; **a ~** (*fig*) à contretemps.
contrato [kon'trato] *nm* contrat *m*; **contrato a precio fijo** forfait *m*; **contrato a término/de compraventa/de trabajo** contrat à terme/de vente/de travail.
contravenir [kontraβe'nir] *vt* contrevenir.
contraventana [kontraβen'tana] *nf* volet *m*.
contrayente [kontra'jente] *nm/f* époux(-ouse).
contribución [kontriβu'θjon] *nf* contribution *f*; **exento de contribuciones** exonéré d'impôts; **contribución territorial** impôt *m* foncier; **contribución urbana** impôts *mpl* locaux.
contribuir [kontriβu'ir] *vi*: **~ (a)** contribuer (à); **~ con** participer à raison de.
contribuyente [kontriβu'jente] *nm/f* contribuable *m/f*.
contrincante [kontrin'kante] *nm* concurrent(e).
control [kon'trol] *nm* contrôle *m*; (*dominio: de nervios, impulsos*) maîtrise *f*; (*tb:* **~ de policía**) contrôle; **llevar el ~** (*de situación*) maîtriser; (*en asunto*) diriger; **perder el ~** perdre le contrôle; **control de calidad/de cambios/de costos/de existencia/de precios** (COM) contrôle de qualité/des changes/des coûts/du stock/des prix; **control de créditos** encadrement *m* du crédit; **control de (la) natalidad** contrôle des naissances; **control de pasaportes** contrôle des passeports.
controlador, a [kontrola'ðor, a] *nm/f*: **~ aéreo** contrôleur *m* aérien.
controlar [kontro'lar] *vt* contrôler; (*nervios, impulsos*) maîtriser; **controlarse** *vpr* se maîtriser.
contundente [kontun'dente] *adj* (*prueba*) indiscutable; (*fig: argumento etc*) radical(e); (*arma*) contendant(e).
contusión [kontu'sjon] *nf* contusion *f*.
contuve *etc* [kon'tuβe] *vb V* **contener**.
convalecencia [kombale'θenθja] *nf* convalescence *f*.
convaleciente [kombale'θjente] *adj, nm/f* convalescent(e).
convalidar [kombali'ðar] *vt* valider.
convencer [komben'θer] *vt* convaincre; **convencerse** *vpr*: **~se (de)** se persuader (de); **~ a algn de (que haga) algo** convaincre qn de (faire) qch; **~ a algn para que haga** convaincre qn de faire; **esto no me convence (nada)** cela ne me convainc pas (du tout).
convencimiento [kombenθi'mjento] *nm* certitude *f*; **llegar al/tener el ~ de que ...** arriver à/avoir la certitude que ... .
convención [komben'θjon] *nf* convention *f*.
convencional [kombenθjo'nal] *adj* conventionnel(le); (*ceremonia*) formel(le).
conveniente [kombe'njente] *adj* opportun(e); (*útil*) pratique; **(no) es ~ (hacer)** il (n')est (pas) bon (de faire).
convenio [kom'benjo] *nm* accord *m*; **convenio colectivo/salarial** accord collectif/salarial.
convenir [kombe'nir] *vt* convenir de ♦ *vi* convenir; **~ (en) hacer** convenir de faire; **"sueldo a ~"** "salaire négociable"; **conviene recordar que ...** il convient de rappeler que ...; **no te conviene salir** tu ne devrais pas sortir.
convento [kom'bento] *nm* couvent *m*.
convenza *etc* [kom'benθa] *vb V* **convencer**.
converger [komber'xer], **convergir** [komber'xir] *vi* converger.
conversación [kombersa'θjon] *nf* con-

versation *f*; **conversaciones** *nfpl* (*POL*) pourparlers *mpl*.
conversar [komber'sar] *vi* discuter.
convertir [komber'tir] *vt* transformer; (*REL*): ~ **a** convertir à; (*COM*): ~ **(en)** changer (en); **convertirse** *vpr* (*REL*): **~se (a)** se convertir (à).
convexo, -a [kom'bekso, a] *adj* convexe.
convicción [kombik'θjon] *nf* conviction *f*; **convicciones** *nfpl* (*ideas*) convictions *fpl*.
convidar [kombi'ðar] *vt*: ~ **(a)** convier (à); ~ **a algn a hacer** inviter qn à faire.
convite [kom'bite] *nm* (*banquete*) banquet *m*; (*invitación*) invitation *f*.
convivencia [kombi'βenθja] *nf* cohabitation *f*.
conviviente [kombi'βjente] *nm/f* (*CHI*) concubin(e).
convivir [kombi'βir] *vi* cohabiter.
convocar [kombo'kar] *vt* convoquer; ~ **(a)** (*personas*) convoquer (à); (*huelga*) appeler à.
convocatoria [komboka'torja] *nf* convocation *f*; (*huelga*) appel *m*.
convoy [kom'boj] *nm* convoi *m*.
convulsión [kombul'sjon] *nf* (*MED*) convulsion *f*; (*política*) bouleversement *m*.
conyugal [konju'ɣal] *adj* conjugal(e); **vida** ~ vie *f* conjugale.
cónyuge ['konyuxe] *nm/f* conjoint(e).
coñac [ko'ɲak] (*pl* **~s**) *nm* cognac *m*.
coñazo [ko'ɲaθo] (*fam!*) *nm*: **ser un** ~ être chiant (*fam!*); **dar el** ~ faire chier (*fam!*).
coño ['koɲo] (*fam!*) *nm* con *m* (*fam!*) ♦ *excl* merde! (*fam!*); **¡qué ~!** merde! (*fam!*)
cooperación [koopera'θjon] *nf* coopération *f*.
cooperar [koope'rar] *vi* coopérer.
cooperativa [koopera'tiβa] *nf* coopérative *f*; **cooperativa agrícola** coopérative agricole.
coordinación [koorðina'θjon] *nf* coordination *f*.
coordinador, a [koorðina'ðor, a] *nm/f* coordinateur(-trice) ♦ *nf* bureau *m* de coordination.
coordinar [koorði'nar] *vt* coordonner.
copa ['kopa] *nf* (*recipiente*) verre *m* à pied; (*de champán, DEPORTE*) coupe *f*; (*de árbol*) cime *f*; (*de sombrero*) calotte *f*; **~s** *nfpl* (*NAIPES*) *l'une des quatre couleurs d'un jeu de cartes espagnol*; **tomar una** ~ prendre un verre *o* un pot; **ir de ~s** aller prendre un pot; **sombrero de** ~ haut-de-forme *m*; **huevo a la** ~ (*CHI*) œuf *m* à la coque.
copar [ko'par] *vt* (*puestos*) remporter.
COPE *sigla f* (= *Cadena de Ondas Populares Españolas*) *station de radio*.
copetín [kope'tin] *nm* (*CSUR*) apéritif *m*.
copia ['kopja] *nf* copie *f*; (*llave*) double *m*; **hacer ~ de seguridad** (*INFORM*) faire une sauvegarde; **copia de respaldo** *o* **de seguridad** (*INFORM*) sauvegarde *f*; **copia de trabajo** (*INFORM*) fichier *m* de travail; **copia impresa** (*INFORM*) tirage *m* papier; **copia vaciada** (*INFORM*) vidage *m*.
copiar [ko'pjar] *vt* copier; (*INFORM*) faire une copie de; ~ **al pie de la letra** copier mot pour mot.
copiloto [kopi'loto] *nm* copilote *m*.
copla ['kopla] *nf* (*canción*) couplet *m*; (*LIT*) strophe *f*.
copo ['kopo] *nm*: ~ **de nieve** flocon *m* de neige; **~s de avena** flocons *mpl* d'avoine.
cópula ['kopula] *nf* (*BIO*) copulation *f*; (*LING*) copule *f*.
COPYME [ko'pime] *sigla f* (= *Confederación de la Pequeña y Mediana Empresa*) ≈ CGPME *f* (= *Confédération générale des petites et moyennes entreprises*).
coquetear [kokete'ar] *vi* flirter.
coqueto, -a [ko'keto, a] *adj* coquet(te) ♦ *nf* (*meuble*) coiffeuse *f*.
coraje [ko'raxe] *nm* courage *m*; (*esp AM*) colère *f*; **le da ~ hacer ...** ça l'énerve de faire ... .
coral [ko'ral] *adj* (*MÚS*) de chœur ♦ *nf* (*MÚS*) chorale *f* ♦ *nm* (*ZOOL*) corail *m*; **de** ~ en corail.
coraza [ko'raθa] *nf* cuirasse *f*; (*ZOOL*) carapace *f*.
corazón [kora'θon] *nm* cœur *m*; (*BOT*) noyau *m*; **corazones** *nmpl* (*NAIPES*) cœur *msg*; **ser de buen** ~ avoir bon cœur; **de (todo)** ~ de tout cœur; **estar mal del** ~ être malade du cœur.
corazonada [koraθo'naða] *nf* pressentiment *m*.
corbata [kor'βata] *nf* cravate *f*.
Córcega ['korθeɣa] *nf* Corse *f*.
corcel [kor'θel] *nm* coursier *m*.
corchea [kor'tʃea] *nf* (*MÚS*) croche *f*.
corchete [kor'tʃete] *nm* agrafe *f*; **~s** *nmpl* (*TIP*) crochets *mpl*.
corcho ['kortʃo] *nm* liège *m*; (*PESCA, tapón*) bouchon *m*; **de** ~ en liège.
corcholata [kortʃo'lata] *nf* (*MÉX*: *tapón*) bouchon *m*.
cordel [kor'ðel] *nm* corde *f*.
cordero [kor'ðero] *nm* agneau *m*; **cordero lechal** agneau de lait.
cordial [kor'ðjal] *adj* cordial(e) ♦ *nm* cordial *m*.
cordialidad [korðjali'ðað] *nf* cordialité *f*.

cordillera [korði'ʎera] *nf* cordillère *f*.

Córdoba ['korðoβa] *n* Cordoue.

córdoba ['korðoβa] *nm* (*NIC*) *monnaie du Nicaragua*.

cordobés, -esa [korðo'βes, esa] *adj* de Cordoue ♦ *nm/f* natif(-ive) *o* habitant(e) de Cordoue.

cordón [kor'ðon] *nm* (*cuerda*) ficelle *f*; (*de zapatos*) lacet *m*; (*ELEC, policial*) cordon *m*; (*CSUR*) bord *m* du trottoir; **cordón umbilical** cordon ombilical.

cordura [kor'ðura] *nf* sagesse *f*; (*MED*) santé *f* mentale; **con ~** avec sagesse.

corear [kore'ar] *vt* entonner.

coreografía [koreogra'fia] *nf* chorégraphie *f*.

cornada [kor'naða] *nf* coup *m* de corne.

córner ['korner] (*pl* **corners**) *nm* (*DEPORTE*) corner *m*.

corneta [kor'neta] *nf* (*MÚS*) cornet *m*; (*MIL*) clairon *m*.

cornisa [kor'nisa] *nf* corniche *f*.

cornudo, -a [kor'nuðo, a] *adj* à cornes; (*marido*) cocu(e).

coro ['koro] *nm* chœur *m*; **a ~** (*responder etc*) en chœur.

corona [ko'rona] *nf* couronne *f*; (*de santo*) auréole *f*; **la ~** (*POL*) la Couronne; **corona de laurel** couronne de laurier.

coronación [korona'θjon] *nf* couronnement *m*.

coronar [koro'nar] *vt* couronner.

coronel [koro'nel] *nm* colonel *m*.

coronilla [koro'niʎa] *nf* sommet *m* du crâne; **estar hasta la ~ (de)** en avoir jusque-là (de).

corpiño [kor'piɲo] *nm* corsage *m*; (*AM*) soutien-gorge *m*.

corporación [korpora'θjon] *nf* corporation *f*.

corporal [korpo'ral] *adj* (*ejercicio*) physique; (*castigo, higiene*) corporel(le).

corpulento, -a [korpu'lento, a] *adj* (*persona*) corpulent(e); (*árbol, tronco*) énorme.

corral [ko'rral] *nm* (*patio*) cour *f*; (*de animales*) basse-cour *f*; (*de niño*) parc *m*.

correa [ko'rrea] *nf* courroie *f*; (*cinturón*) ceinture *f*; (*de perro*) laisse *f*; **correa del ventilador** (*AUTO*) courroie du ventilateur.

corrección [korrek'θjon] *nf* correction *f*; **corrección (de pruebas)** (*TIP*) correction (d'épreuves); **corrección en pantalla** correction sur écran.

correccional [korrekθjo'nal] *nm* pénitencier *m*; **correccional de menores** maison *f* de correction.

correcto, -a [ko'rrekto, a] *adj* correct(e).

corredor, a [korre'ðor, a] *nm/f* coureur(-euse) ♦ *nm* (*pasillo*) corridor *m*; (*balcón corrido*) galerie *f*; (*COM*) courtier *m*; **corredor de apuestas** bookmaker *m*; **corredor de bolsa/de fincas** agent *m* de change/immobilier.

corregir [korre'xir] *vt* corriger; **corregirse** *vpr* se corriger; **se le ha corregido la miopía** on lui a corrigé sa myopie.

correlación [korrela'θjon] *nf* corrélation *f*; **guardar ~ con** être proportionnel(le) à.

correo [ko'rreo] *nm* courrier *m*; (*servicio*) poste *f*; **C~s** *nmpl* (*servicio*) la Poste, les PTT *fpl*; (*edificio*) la Poste; **a vuelta de ~** par retour de courrier; **echar al ~** mettre à la poste; **correo aéreo** courrier par avion; **correo electrónico/urgente/certificado** courrier électronique/"urgent"/recommandé.

correoso, -a [ko'rreoso, a] *adj* rassis(rassie).

correr [ko'rrer] *vt* (*mueble etc*) déplacer; (*riesgo*) courir; (*suerte*) risquer; (*aventura*) vivre; (*cortinas: cerrar*) fermer; (*: abrir*) ouvrir; (*cerrojo*) tourner ♦ *vi* (*persona, rumor*) courir; (*coche, agua, viento*) aller vite; (*tiempo*) passer; (*apresurarse*) se presser; **correrse** *vpr* (*persona, terreno*) se déplacer; (*colores*) couler; (*fam: tener orgasmo*) jouir; **echar a ~** se mettre à courir; **~ con los gastos** payer; **~ mundo** parcourir le monde; **eso corre de mi cuenta** je m'en occupe; **nos corrimos una juerga** (*fam*) on s'est bien éclaté; **a todo ~** à toute vitesse.

correrías [korre'rias] *nfpl* escapades *fpl*.

correspondencia [korrespon'denθja] *nf* correspondance *f*; **~ directa** (*COM*) correspondance directe.

corresponder [korrespon'der] *vi* (*dinero, tarea*) revenir; (*en amor*) aimer en retour; **corresponderse** *vpr* (*amarse*) bien s'entendre; **~ a** (*invitación*) répondre à; (*a favor, cariño*) rendre; (*convenir, ajustarse, pertenecer*) correspondre à; **al gobierno le corresponde ...** le gouvernement a pour tâche de ...; **~se con** correspondre à; **"a quien corresponda"** "à qui de droit".

correspondiente [korrespon'djente] *adj* (*respectivo*) correspondant(e); **~ (a)** (*adecuado*) qui correspond (à).

corresponsal [korrespon'sal] *nm/f* correspondant(e); (*COM*) agent *m*.

corrida [ko'rriða] *nf* corrida *f*; (*carrera corta*) sprint *m*; (*CHI*) file *f*.

corrido, -a [ko'rriðo, a] *adj* (*avergonzado*) contrit(e); (*balcón etc*) extérieur(e) ♦ *nm* (*MÉX*) ballade *f*; **de ~** couramment; **un kilo ~** un bon kilo.

corriente [ko'rrjente] *adj* courant(e); (*su-*

ceso, costumbre) habituel(le); (*común*) commun(e) ♦ *nf* courant *m*; (*tb:* ~ **de aire**) courant d'air ♦ *nm*: **el 16 del** ~ le 16 courant; **las ~s artísticas** les courants artistiques; **estar al** ~ **de** être au courant de; **seguir la** ~ **a algn** ne pas contrarier qn; **poner/tener al** ~ mettre/tenir au courant; **corriente alterna/contínua** courant alternatif/continu; **corriente sanguínea** flux *msg* sanguin.

corrija *etc* [ko'rrixa] *vb V* **corregir**.

corrillo [ko'rriʎo] *nm* petit groupe *m*.

corro ['korro] *nm* cercle *m*; **hacer** ~ **aparte** faire bande à part; **jugar al** ~ faire la ronde.

corroborar [korroβo'rar] *vt* corroborer.

corroer [korro'er] *vt* corroder; (*suj: envidia*) ronger; **corroerse** *vpr* se désagréger.

corromper [korrom'per] *vt* pourrir; (*aguas*) polluer; (*fig: costumbres, moral*) corrompre; (*: juez etc*) corrompre, soudoyer; **corromperse** *vpr* pourrir; (*costumbres*) se corrompre; (*persona, justicia*) se laisser soudoyer.

corrupción [korrup'θjon] *nf* putréfaction *f*; (*fig*) corruption *f*.

corrupto, -a [ko'rrupto, a] *adj* corrompu(e)

cortado, -a [kor'taðo, a] *adj* (*leche*) tourné(e); (*con cuchillo*) coupé(e); (*piel, labios*) craquelé(e); (*tímido*) coincé(e) ♦ *nm* café *m* avec un nuage de lait; **estar** ~ être coincé(e); **quedarse** ~ rester sans voix.

cortapisa [korta'pisa] *nf* obstacle *m*, difficulté *f*; **sin ~s** sans ambages.

cortar [kor'tar] *vt* couper; (*discusión*) interrompre; (*piel, labios*) fendre ♦ *vi* couper; (*viento*) être glacial(e); (*AM: TELEC*) raccrocher; **cortarse** *vpr* se couper; (*turbarse*) se troubler; (*TELEC*) s'interrompre; (*leche*) tourner; ~ **el paso (a algn)** barrer le passage (à qn); ~ **por lo sano** trancher dans le vif; ~ **de raíz** tuer dans l'œuf; **~se el pelo** se (faire) couper les cheveux; **~se el dedo** se couper le doigt; **se le cortan los labios** ses lèvres se gercent.

cortaúñas [korta'uɲas] *nm inv* coupe-ongles *m inv*.

corte ['korte] *nm* coupure *f*; (*de pelo, vestido*) coupe *f*; (*de tela*) pièce *f*; (*de helado*) tranche *f* napolitaine ♦ *nf* (*real*) cour *f*; **me da** ~ **pedírselo** cela m'embête de le lui demander; **¡qué** ~ **le di!** je lui ai rabattu son caquet!; **las C~s** *le parlement espagnol*; **hacer la** ~ **a algn** faire la cour à qn; **corte de corriente/de luz** coupure de courant/d'électricité; **corte de mangas** bras *m* d'honneur; **Corte Internacional de Justicia** Cour internationale de justice; **corte y confección** confection *f*.

cortejar [korte'xar] *vt* courtiser.

cortejo [kor'texo] *nm* cortège *m*; **cortejo fúnebre** cortège funèbre.

cortés [kor'tes] *adj* courtois(e), poli(e).

cortesía [korte'sia] *nf* courtoisie *f*, politesse *f*; **de** ~ (*visita, carta*) de courtoisie.

corteza [kor'teθa] *nf* (*de árbol*) écorce *f*; (*de pan, queso*) croûte *f*; (*de fruta*) peau *f*; **corteza terrestre** écorce *o* croûte terrestre.

cortijo [kor'tixo] *nm* ferme *f*.

cortina [kor'tina] *nf* rideau *m*; **cortina de humo** rideau de fumée.

corto, -a ['korto, a] *adj* court(e); (*tímido*) timide, timoré(e); (*tonto*) bouché(e) ♦ *nm* (*CINE*) court-métrage *m*; ~ **de luces** bête; ~ **de oído** dur(e) d'oreille; ~ **de vista** myope; **quedarse** ~ ne pas être à la hauteur.

cortocircuito [kortoθir'kwito] *nm* court-circuit *m*.

cortometraje [kortome'traxe] *nm* court-métrage *m*.

cosa ['kosa] *nf* chose *f*; (*asunto*) affaire *f*; **es** ~ **de una hora** c'est l'affaire d'une heure; **como si tal** ~ comme si de rien n'était; **eso es** ~ **mía** c'est mon affaire; **llévate tus ~s** prends tes affaires; **es poca** ~ ce n'est pas grand-chose; **¡qué** ~ **más rara!** comme c'est drôle!; **eso son ~s de la edad** c'est de son *o* leur âge; **tal como están las ~s** vu l'état actuel des choses; **lo que son las ~s** c'est drôle, la vie; **las ~s como son** les choses étant ce qu'elles sont.

coscorrón [kosko'rron] *nm* coup *m* sur la tête; **darse un** ~ se cogner la tête.

cosecha [ko'setʃa] *nf* récolte *f*; (*de vino*) cru *m*.

cosechadora [kosetʃa'ðora] *nf* moissonneuse-batteuse *f*.

cosechar [kose'tʃar] *vt* récolter ♦ *vi* faire la récolte.

coser [ko'ser] *vt* coudre; ~ **algo a algo** coudre qch à qch.

cosmético, -a [kos'metiko, a] *adj, nm* cosmétique *m* ♦ *nf* cosmétique *f*.

cosmos ['kosmos] *nm* cosmos *m*.

cosquillas [kos'kiʎas] *nfpl*: **hacer** ~ chatouiller; **tener** ~ être chatouilleux(-euse).

cosquilleo [koski'ʎeo] *nm* chatouillement *m*.

costa ['kosta] *nf* (*GEO*) côte *f*; **~s** *nfpl* (*JUR*) dépens *mpl*; **a** ~ (*COM*) au coût; **a** ~ **de** aux dépens de; (*trabajo*) à force de; (*grandes esfuerzos*) au prix de; (*su vida*) au péril de; **a toda** ~ coûte que coûte, à tout prix; **Costa Brava/del Sol** Costa Brava/del Sol; **Costa Azul/Cantábrica/de Marfil** Côte d'Azur/cantabrique/d'Ivoire.

costado [kos'taðo] *nm* côté *m*; **de ~** (*dormir etc*) sur le côté; **español por los 4 ~s** espagnol jusqu'au bout des ongles; **rodeado por los 4 ~s** encerclé de tous côtés.

costanera [kosta'nera] (*AM*) *nf* chemin *m* côtier.

costar [kos'tar] *vt, vi* coûter; **me cuesta hablarle** j'ai du mal à lui parler; **¿cuánto cuesta?** combien ça coûte?; **te ~á caro** (*fig*) cela va ta coûter cher.

Costa Rica [kosta'rika] *nf* Costa Rica *f*.

costarricense [kostarri'θense], **costarriqueño, -a** [kostarri'keɲo, a] *adj* costaricien(ne), de Costa Rica ♦ *nm/f* Costaricien(ne).

coste ['koste] *nm* (*COM*): **~ promedio** prix *msg* moyen; **a precio de ~** à prix coûtant; **el ~ de la vida** le coût de la vie; **costes fijos** prix *mpl* fixes; *V tb* **costo**.

costear [koste'ar] *vt* payer; (*COM*) financer; (*NÁUT*) longer la côte de; **costearse** *vpr* rentrer dans ses frais, couvrir ses frais.

costeño, -a [kos'teɲo, a] (*AM*) *adj* (*persona*) de la côte ♦ *nm/f* natif(-ive) *o* habitant(e) de la côte.

costero, -a [kos'tero, a] *adj* côtier(-ière).

costilla [kos'tiʎa] *nf* (*ANAT*) côte *f*; (*CULIN*) côtelette *f*.

costo ['kosto] *nm* coût *m*, prix *msg*; **costo directo/de expedición/de sustitución** coût direct/d'expédition/de remplacement; **costo unitario** prix unitaire; *V tb* **coste**.

costoso, -a [kos'toso, a] *adj* coûteux(-euse); (*difícil*) difficile.

costra ['kostra] *nf* (*de suciedad*) couche *f*; (*MED, de cal etc*) croûte *f*.

costumbre [kos'tumbre] *nf* coutume *f*, habitude *f*; (*tradición*) coutume; **como de ~** comme d'habitude.

costura [kos'tura] *nf* couture *f*.

costurera [kostu'rera] *nf* couturière *f*.

costurero [kostu'rero] *nm* boîte *f* à couture.

cota ['kota] *nf* (*GEO*) cote *f*; (*fig*) niveau *m*, degré *m*.

cotarro [ko'tarro] *nm*: **dirigir el ~** mener la danse.

cotejar [kote'xar] *vt*: **~ (con)** comparer (à *o* avec).

cotidiano, -a [koti'ðjano, a] *adj* quotidien(ne).

cotilla [ko'tiʎa] *nm/f* commère *f*.

cotillear [kotiʎe'ar] *vi* faire des commérages.

cotización [kotiθa'θjon] *nf* (*COM*) cours *m*; (*de club, del trabajador*) cotisation *f*.

cotizar [koti'θar] *vt* (*COM*) coter; (*pagar*) cotiser ♦ *vi* (*trabajador*) cotiser; **cotizarse** *vpr* (*fig*) être bien coté; **~se a** (*COM*) être coté à.

coto ['koto] *nm* (*tb*: **~ de caza**) réserve *f*; (*CHI*) goitre *m*; **poner ~ a** mettre fin à.

cotorra [ko'torra] *nf* (*loro*) perruche *f*; (*fam*: *persona*) pie *f*.

COU [kou] (*ESP*) *sigla m* (= *Curso de Orientación Universitario*) *Terminale*.

coyote [ko'jote] *nm* coyote *m*; (*MÉX*: *fam*) guide *m*.

coz [koθ] *nf* ruade *f*.

cráneo ['kraneo] *nm* crâne *m*; **ir de ~** aller droit au désastre.

cráter ['krater] *nm* cratère *m*.

creación [krea'θjon] *nf* création *f*.

crear [kre'ar] *vt* créer; **crearse** *vpr* se créer.

creativo, -a [krea'tiβo, a] *adj* créatif(-ive).

crecer [kre'θer] *vi* grandir; (*pelo*) pousser; (*ciudad*) s'agrandir; (*río*) grossir; (*riqueza, odio*) augmenter; (*cólera*) monter; **crecerse** *vpr* s'enorgueillir.

creces ['kreθes]: **con ~** *adv* (*pagar*) au centuple.

crecida [kre'θiða] *nf* crue *f*.

crecimiento [kreθi'mjento] *nm* croissance *f*; (*de planta*) pousse *f*; (*de ciudad*) agrandissement *m*.

credenciales [kreðen'θjales] *nfpl* lettres *fpl* de créance.

credibilidad [kreðiβili'ðað] *nf* crédibilité *f*.

crédito ['kreðito] *nm* crédit *m*; **a ~** à crédit; **dar ~ a** accorder crédit à, croire; **~ al consumido** crédit à la consommation; **ser digno de ~** être digne de confiance; **~ rotativo** *o* **renovable** crédit à renouvellement automatique.

credo ['kreðo] *nm* credo *m*.

crédulo, -a ['kreðulo, a] *adj* crédule.

creer [kre'er] *vt, vi* croire; **creerse** *vpr* (*considerarse*) se croire; (*aceptar*) croire; **~ en** croire en; **¡ya lo creo!** je crois *o* pense bien; **creo que no/sí** je crois que non/oui; **no se lo cree** il n'y croit pas; **se cree alguien** il a une bonne opinion de lui.

creído, -a [kre'iðo, a] *adj* présomptueux(-euse).

crema ['krema] *adj inv* (*color*) crème *inv* ♦ *nf* crème *f*; (*para zapatos*) cirage *m*; **la ~ de la sociedad** la crème de la société; **crema de afeitar** crème à raser; **crema de cacao** beurre *m* de cacao; **crema de champiñones/de espárragos** velouté *m* de champignons/d'asperges; **crema hidratante** crème hydratante; **crema paste-**

lera crème pâtissière.
cremallera [krema'ʎera] *nf* fermeture *f* éclair ®.
crematorio [krema'torjo] *nm* (*tb:* **horno ~**) four *m* crématoire.
cremoso, -a [kre'moso, a] *adj* crémeux(-euse).
crep, crêpe ['krepe] *nf* crêpe *f*.
crepitar [krepi'tar] *vi* crépiter.
crepúsculo [kre'puskulo] *nm* crépuscule *m*.
crespón [kres'pon] *nm* crépon *m*, crêpe *m*.
cresta ['kresta] *nf* crête *f*.
cretino, -a [kre'tino, a] *adj* crétin(e).
creyente [kre'jente] *nm/f* croyant(e).
creyó *etc* [kre'jo] *vb V* **creer**.
crezca *etc* ['kreθka] *vb V* **crecer**.
cría ['kria] *vb V* **criar** ♦ *nf* (*de animales*) élevage *m*; (*cachorro*) petit *m*; *V tb* **crío**.
criado, -a [kri'aðo, a] *nm* domestique *m* ♦ *nf* domestique *f*, bonne *f*.
crianza [kri'anθa] *nf* allaitement *m*; (*formación*) éducation *f*; (*de animales*) élevage *m*; **vino de ~** grand cru *m*.
criar [kri'ar] *vt* allaiter, nourrir; (*educar*) éduquer, élever; (*parásitos*) produire; (*animales*) élever ♦ *vi* avoir des petits; **criarse** *vpr* être élevé; (*formarse*) se former.
criatura [kria'tura] *nf* créature *f*; (*niño*) gosse *m*.
criba ['kriβa] *nf* crible *m*; (*fig*) crible, tamis *m*.
crimen ['krimen] *nm* crime *m*; **crimen pasional** crime passionnel.
criminal [krimi'nal] *adj* criminel(le); (*tiempo, viaje etc*) horrible ♦ *nm/f* criminel(le).
crin [krin] *nf* (*tb:* **~es**) crinière *f*.
crío, -a ['krio, a] (*fam*) *nm/f* bébé *m*; (*más mayor*) marmot *m*.
crisis ['krisis] *nf inv* crise *f*; **crisis nerviosa** dépression *f* nerveuse.
crisma ['krisma] *nf*: **romperle la ~ a algn** (*fam*) casser la figure à qn.
crisol [kri'sol] *nm* (TEC) creuset *m*; (*fig*) fonte *f*.
crispación [krispa'θjon] *nf* crispation *f*.
crispar [kris'par] *vt* crisper; **crisparse** *vpr* se crisper; **ese ruido me crispa los nervios** ce bruit me porte sur les nerfs.
cristal [kris'tal] *nm* verre *m*; (QUÍM) cristal *m*; (*de ventana*) vitre *f*; **~es** *nmpl* (*trozos rotos*) bouts *mpl* de verre; **de ~** en verre; **cristal ahumado** verre fumé; **cristal de roca** cristal de roche.
cristalera [krista'lera] *nf* verrière *f*.
cristalino, -a [krista'lino, a] *adj* cristallin(e) ♦ *nm* cristallin *m*.
cristalizar [kristali'θar] *vi* cristalliser; (*fig*) se cristalliser; **cristalizarse** *vpr* se cristalliser.
cristiandad [kristjan'dað] *nf* chrétienté *f*.
cristianismo [kristja'nismo] *nm* christianisme *m*.
cristiano, -a [kris'tjano, a] *adj, nm/f* chrétien(ne); **hablar en ~** parler espagnol; (*fig*) parler clairement.
Cristo ['kristo] *nm* le Christ; (*crucifijo*) crucifix *m*; **armar un ~** faire du chahut.
criterio [kri'terjo] *nm* critère *m*; (*opinión*) avis *m*; (*discernimiento*) discernement *m*, jugement *m*; (*enfoque*) attitude *f*, démarche *f*; **lo dejo a su ~** la décision vous appartient.
criticar [kriti'kar] *vt* (*censurar*) critiquer; (*novela, película*) faire la critique de ♦ *vi* critiquer.
crítico, -a ['kritiko, a] *adj, nm/f* critique *m/f*.
Croacia [kro'aθja] *n* Croatie *f*.
croar [kro'ar] *vi* coasser.
croata [kro'ata] *adj* croate ♦ *nm/f* Croate *m/f*.
croissan(t) [krwa'san] *nm* (CULIN) croissant *m*.
crol ['krol] *nm* crawl *m*.
cromo ['kromo] *nm* chrome *m*; (*para niños*) vignette *f*.
cromosoma [kromo'soma] *nm* chromosome *m*.
crónica ['kronika] *nf* chronique *f*; **crónica deportiva/de sociedad** rubrique *f* sportive/mondaine.
crónico, -a ['kroniko, a] *adj* chronique.
cronología [kronolo'xia] *nf* chronologie *f*.
cronológico, -a [krono'loxiko, a] *adj*: **orden ~** ordre *m* chronologique.
cronometrar [kronome'trar] *vt* chronométrer.
cronómetro [kro'nometro] *nm* chronomètre *m*.
croqueta [kro'keta] *nf* croquette *f*.
cruce ['kruθe] *vb V* **cruzar** ♦ *nm* croisement *m*; (*miradas*) rencontre *f*; (*de carreteras*) carrefour *m*; (TELEC *etc*) interférence *f*; **luces de ~** feux *mpl* de croisement; **cruce de peatones** passage *m* clouté.
crucero [kru'θero] *nm* (*barco*) croiseur *m*; (*viaje*) croisière *f*.
crucial [kru'θjal] *adj* crucial(e).
crucificar [kruθifi'kar] *vt* crucifier.
crucifijo [kruθi'fixo] *nm* crucifix *msg*.
crucigrama [kruθi'ɣrama] *nm* mots *mpl* croisés.

crudo, -a ['kruðo, a] *adj* cru(e); (*invierno etc*) rigoureux(-euse) ♦ *nm* pétrole *m* brut; (*PE*) serpillière *f*.
cruel [krwel] *adj* cruel(le).
crueldad [krwel'ðað] *nf* cruauté *f*.
crujido [kru'xiðo] *nm* craquement *m*.
crujiente [kru'xjente] *adj* (*galleta*) croquant(e); (*pan*) croustillant(e).
crujir [kru'xir] *vi* craquer; (*dientes*) grincer; (*nieve, arena*) crisser.
crustáceo [krus'taθeo] *nm* crustacé *m*.
cruz [kruθ] *nf* croix *fsg*; (*de moneda*) pile *f*; **con los brazos en ~** les bras en croix; **cruz gamada** croix gammée; **Cruz Roja** Croix-Rouge *f*.
cruzada [kru'θaða] *nf* croisade *f*; *V tb* **cruzado**.
cruzado, -a [kru'θaðo, a] *adj* croisé(e); (*en calle, carretera*) de travers ♦ *nm* croisé *m*.
cruzar [kru'θar] *vt* croiser; (*calle, desierto*) traverser; (*palabras*) échanger; **cruzarse** *vpr* se croiser; **~le la cara a algn** donner une gifle à qn; **~se con algn** croiser qn; **~se de brazos** (*tb fig*) se croiser les bras.
cuaderno [kwa'ðerno] *nm* bloc *m* notes; (*de escuela*) cahier *m*; **cuaderno de bitácora** (*NÁUT*) livre *m* de bord.
cuadra ['kwaðra] *nf* écurie *f*; (*AM*: *ARQ*) pâté *m* de maisons.
cuadrado, -a [kwa'ðraðo, a] *adj* carré(e) ♦ *nm* (*MAT*) carré *m*; **metro/kilómetro ~** mètre *m*/kilomètre *m* carré.
cuadrar [kwa'ðrar] *vt* (*MAT*) élever au carré; (*PE*) garer ♦ *vi* (*TIP*) justifier; **cuadrarse** *vpr* (*soldado*) se mettre au garde-à-vous; **~ (con)** (*informaciones*) correspondre (à); (*cuentas*) s'accorder (avec); **~ por la derecha/izquierda** (*TIP*) justifier à droite/gauche.
cuadrícula [kwa'ðrikula] *nf* quadrillage *m*.
cuadriculado, -a [kwaðriku'laðo, a] *adj*: **papel ~** papier *m* quadrillé.
cuadrilátero [kwaðri'latero] *nm* (*DEPORTE*) ring *m*; (*GEOM*) quadrilatère *m*.
cuadrilla [kwa'ðriʎa] *nf* (*de obreros etc*) équipe *f*; (*de ladrones, amigos*) bande *f*.
cuadro ['kwaðro] *nm* tableau *m*; (*cuadrado*) carré *m*; (*DEPORTE, MED*) équipe *f*; (*POL, MIL, tb de bicicleta*) cadre *m*; **a/de ~s** à carreaux; **cuadro de mandos** tableau de bord.
cuadruplicar [kwaðrupli'kar] *vt*, **cuadruplicarse** *vpr* quadrupler.
cuajada [kwa'xaða] *nf* lait *m* caillé; *V tb* **cuajado**.
cuajar [kwa'xar] *vt* (*leche*) cailler; (*sangre*) coaguler; (*huevo*) faire durcir ♦ *vi* (*CULIN, nieve*) prendre; (*fig*: *planes*) aboutir; (: *acuerdo*) marcher; (: *idea*) se réaliser; **cuajarse** *vpr* (*leche*) se cailler; **~ algo de** remplir qch de.
cuajo ['kwaxo] *nm*: **de ~** (*arrancar etc*) à la racine.
cual [kwal] *adv* comme, tel que, tel un ♦ *pron*: **el/la ~** lequel(laquelle), qui; **los/las ~es** lesquels(lesquelles), qui; **lo ~** ce qui, ce que; **allá cada ~** chacun ses goûts; **son a ~ más gandul** ils sont tous plus fainéants les uns que les autres; **cada ~** chacun; **con** *o* **por lo ~** c'est pourquoi; **del ~** duquel, dont; **tal ~** tel quel.
cuál [kwal] *pron* (*interrogativo*) lequel, laquelle, lesquels, lesquelles ♦ *adj* (*esp AM*: *fam*): **¿~es primos?** quels cousins?
cualesquier(a) [kwales'kjer(a)] *pl de* **cualquier(a)**.
cualidad [kwali'ðað] *nf* qualité *f*.
cualificado, -a [kwalifi'kaðo, a] *adj* qualifié(e).
cualquier(a) [kwal'kjer(a)] (*pl* **cualesquiera**) *adj* (*indefinido*) n'importe quel(le); (*tras sustantivo*) quelconque ♦ *pron*: **~a** quiconque, n'importe qui; (*a la hora de escoger*) n'importe lequel(laquelle); **~ día de estos** un de ces jours; **no es un hombre ~** ce n'est pas n'importe qui; **en ~ momento** à n'importe quel moment; **en ~ parte** n'importe où; **eso ~a lo sabe hacer** ça, n'importe qui peut le faire; **es un ~a** c'est un pas-grand-chose; **~a que sea** (*objeto*) quel(le) que ce soit; (*persona*) qui que ce soit.
cuán [kwan] *adv* combien, comme.
cuando ['kwando] *adv* quand ♦ *conj* quand, lorsque; (*puesto que*) puisque, du moment que; (*si*) si ♦ *prep*: **yo, ~ niño ...** moi, quand j'étais petit ...; **aun ~** même si, même quand; **aun ~ no sea así** même si ce n'est pas le cas; **~ más/menos** tout au plus/au moins; **de ~ en ~** de temps en temps, de temps à autre; **ven ~ quieras** viens quand tu voudras.
cuándo ['kwando] *adv* quand, lorsque; **¿desde ~?, ¿de ~ acá?** depuis quand?
cuantía [kwan'tia] *nf* montant *m*; (*valía*) qualité *f*, importance *f*; **de mayor/menor ~** important/sans importance.
cuantioso, -a [kwan'tjoso, a] *adj* considérable.

PALABRA CLAVE

cuanto, -a ['kwanto, a] *adj* **1** (*todo*): **tiene todo cuanto desea** il a tout ce qu'il veut; **le daremos cuantos ejemplares necesite** nous vous donnerons autant

d'exemplaires qu'il vous en faudra; **cuantos hombres la ven la admiran** tous les hommes qui la voient l'admirent
2: **unos cuantos**: **había unos cuantos periodistas** il y avait quelques journalistes
3 (+ *más*): **cuanto más vino bebas peor te sentirás** plus tu boiras de vin plus tu te sentiras mal; **cuanto más tiempo estemos mejor** plus on reste mieux c'est
♦ *pron* **1**: **tome cuanto/cuantos quiera** prends-en autant que tu voudras
2: **unos cuantos** quelques-uns
♦ *adv*: **en cuanto**: **en cuanto profesor es excelente** comme professeur, il est excellent; **en cuanto a mí** quant à moi; *V tb* **antes**
♦ *conj* **1**: **cuanto más lo pienso menos me gusta** plus j'y pense moins ça ne me plaît
2: **en cuanto**: **en cuanto llegue/llegué** dès qu'il arrive/arriva.

cuánto, -a ['kwanto, a] *adj* (*exclamativo*) que de, quel(le); (*interrogativo*) combien de ♦ *pron, adv* combien; **¡cuánta gente!** que de gens!; **¿~ tiempo?** combien de temps?; **¿~ cuesta?** combien ça coûte?; **¿a ~s estamos?** le combien sommes-nous?; **¿~ hay de aquí a Bilbao?** combien y-a-t'il d'ici à Bilbao?; **¡~ me alegro!** comme je suis content!; **Señor no sé ~s** Monsieur Untel.
cuarenta [kwa'renta] *adj inv, nm inv* quarante *m inv*; *V tb* **sesenta**.
cuarentena [kwaren'tena] *nf* quarantaine *f*.
cuaresma [kwa'resma] *nf* carême *m*.
cuarta ['kwarta] *nf* empan *m*; (*MÚS*) quarte *f*; *V tb* **cuarto**.
cuartear [kwarte'ar] *vt* dépecer; **cuartearse** *vpr* se lézarder; (*pared*) se fendre; (*piel*) se crevasser; (*pintura*) s'écailler.
cuartel [kwar'tel] *nm* caserne *f*; **no dar ~** ne pas faire de quartier; **cuartel general** quartier *m* général.
cuarteto [kwar'teto] *nm* quatuor *m*.
cuartilla [kwar'tiʎa] *nf* feuillet *m*.
cuarto, -a ['kwarto, a] *adj* quatrième ♦ *nm* (*MAT*) quart *m*; (*habitación*) chambre *f*, pièce *f*; (*ZOOL*) quartier *m*; **no tener un ~** ne pas avoir un sou; **cuarto creciente/menguante** premier/dernier quartier; **cuarto de baño/de estar** salle *f* de bains/de séjour; **cuartos de final** (*DEPORTE*) quarts *mpl* de finale; **cuarto de hora** quart d'heure; **cuarto de huéspedes** chambre d'amis; **cuarto de kilo** demi-livre *f*; **cuarto delantero/trasero** avant-/arrière-train *m*.
cuarzo ['kwarθo] *nm* quartz *m*.
cuate, -a ['kwate, a] *nm/f* (*CAM, MÉX*) jumeau(-elle); (*fam*) copain(copine).
cuatro ['kwatro] *adj inv, nm inv* quatre *m inv*; *V tb* **seis**.
cuatrocientos, -as [kwatro'θjentos, as] *adj* quatre cents.
Cuba ['kuβa] *nf* Cuba *m*.
cuba ['kuβa] *nf* cuve *f*, tonneau *m*; (*tina*) cuve; **estar como una ~** (*fam*) être rond(e).
cubalibre [kuβa'liβre] *nm* rhum *m* coca.
cubano, -a [ku'βano, a] *adj* cubain(e) ♦ *nm/f* Cubain(e).
cubata [ku'βata] *nm* (*fam*) long drink *m*.
cubertería [kuβerte'ria] *nf* ménagère *f*.
cúbico, -a ['kuβiko, a] *adj* cubique.
cubierta [ku'βjerta] *nf* couverture *f*; (*neumático*) pneu *m*; (*NÁUT*) pont *m*.
cubierto, -a [ku'βjerto, a] *pp de* **cubrir** ♦ *adj* couvert(e); (*vacante*) pourvu(e) ♦ *nm* couvert *m*; **~ de** couvert(e) de, recouvert(e) de; **a** *o* **bajo ~** à l'abri; **precio del ~** prix *msg* par personne.
cubilete [kuβi'lete] *nm* gobelet *m*, cornet *m*.
cubito [ku'βito] *nm*: **~ de hielo** glaçon *m*.
cubo ['kuβo] *nm* (*MAT, GEOM*) cube *m*; (*recipiente*) seau *m*; (*TEC*) tambour *m*; **cubo de la basura** poubelle *f*.
cubrir [ku'βrir] *vt* couvrir; (*esconder*) cacher; (*polvo, nieve*) recouvrir, couvrir; (*vacante*) pourvoir à; **cubrirse** *vpr* se couvrir; **lo cubrieron las aguas** les eaux l'ont englouti; **el agua casi me cubría** je n'avais presque pas pied; **~ de** couvrir de; **~se de** se couvrir de, se recouvrir de; **~se de gloria** se couvrir de gloire.
cucaracha [kuka'ratʃa] *nf* cafard *m*.
cuchara [ku'tʃara] *nf* cuiller *f o* cuillère *f*; (*TEC*) benne *f* preneuse.
cucharada [kutʃa'raða] *nf* cuillerée *f*; **cucharada colmada/rasa** cuiller *f o* cuillère *f* pleine à ras bord/rase.
cucharilla [kutʃa'riʎa] *nf* petite cuiller *f o* cuillère *f*.
cucharón [kutʃa'ron] *nm* louche *f*.
cuchichear [kutʃitʃe'ar] *vi* chuchoter.
cuchilla [ku'tʃiʎa] *nf* lame *f*.
cuchillo [ku'tʃiʎo] *nm* couteau *m*.
cuchitril [kutʃi'tril] (*pey*) *nm* taudis *msg*, bouge *m*.
cuclillas [ku'kliʎas] *nfpl*: **en ~** accroupi(e).
cuco, -a ['kuko, a] *adj* (*mono*) joli(e); (*astuto*) malin(-igne) ♦ *nm* coucou *m*.
cucurucho [kuku'rutʃo] *nm* cornet *m*; **helado de ~** cornet de glace.
cuelgue *etc* ['kwelɣe] *vb V* **colgar**.

cuello ['kweʎo] *nm* cou *m*; (*de ropa*) col *m*; (*de botella*) goulot *m*; **cuello a la caja/alto/de pico** col rond/roulé/en V; **cuello uterino** col de l'utérus.

cuenca ['kwenka] *nf* (*tb*: ~ **del ojo**) orbite *f*; (*GEO*: *valle*) vallée *f*; (: *fluvial*) bassin *m*.

cuenco ['kwenko] *nm* bol *m*.

cuenta ['kwenta] *vb V* **contar** ♦ *nf* compte *m*; (*en restaurante*) addition *f*; (*de collar*) grain *m*; **a fin de ~s** au bout du compte; **en resumidas ~s** en bref; **ajustar las ~s a algn** régler son compte à qn; **caer en la ~** y être; **llevar la ~ de algo** faire le compte de qch; **eso corre de mi ~** c'est moi qui m'en charge *o* occupe; (*yo pago*) c'est moi qui paie; **dar ~ de** rendre compte de; **darse ~ de algo** se rendre compte de qch; **echar ~s** faire le point; **perder la ~ de** ne pas se rappeler; **tener en ~** tenir compte de; **por la ~ que me** *etc* **trae** j'ai *etc* intérêt; **trabajar por su ~** travailler à son compte; **abonar una cantidad en ~ a algn** créditer le compte de qn d'une somme; **liquidar una ~** régler un compte; **más de la ~** (*fam*) plus que de raison; **cuenta a plazo (fijo)** compte de dépôt; **cuenta atrás** compte à rebours; **cuenta común** compte joint; **cuenta corriente** compte courant; **cuenta de ahorros** compte épargne; **cuenta de asignación** compte d'affectation; **cuenta de caja/de capital/de crédito** compte caisse/capital/client; **cuenta de gastos e ingresos** compte de dépenses et de recettes; **cuenta por cobrar/por pagar** somme *f* à percevoir/à payer.

cuentagotas [kwenta'ɣotas] *nm inv* compte-gouttes *m inv*; **a** *o* **con ~** (*fam, fig*) au compte-gouttes.

cuentakilómetros [kwentaki'lometros] *nm inv* compteur *m* kilométrique; (*velocímetro*) compteur de vitesse.

cuento ['kwento] *vb V* **contar** ♦ *nm* conte *m*; (*patraña*) histoire *f*; **es el ~ de nunca acabar** c'est une histoire à n'en plus finir; **eso no viene a ~** ceci n'a rien à voir; **tener mucho ~** être très comédien; **vivir del ~** vivre de l'air du temps; **cuento chino** histoire à dormir debout; (*fam*) bobard *m*; **cuento de hadas** conte de fées.

cuerda ['kwerða] *nf* corde *f*; (*de reloj*) ressort *m*; **dar ~ a un reloj** remonter une montre; **cuerda floja** corde raide; **cuerdas vocales** cordes vocales; *V tb* **cuerdo**.

cuerdo, -a ['kwerðo, a] *adj* sensé(e); (*prudente*) sage, prudent(e).

cuerno ['kwerno] *nm* corne *f*; (*MÚS*) cor *m*; **mandar a algn al ~** envoyer qn paître; **¡y un ~!** mon œil!; **poner los ~s a** (*fam*) faire porter des cornes à; **cuerno de caza** corne de chasse.

cuero ['kwero] *nm* cuir *m*; (*CARIB*: *fam!*) pute *f* (*fam!*); **en ~s** tout(e) nu(e); **cuero cabelludo** cuir chevelu.

cuerpo ['kwerpo] *nm* corps *msg*; (*GEOM*) solide *m*; (*fig*) partie *f* principale; **a ~** sans manteau; **luchar ~ a ~** lutter corps à corps; **tomar ~** (*plan etc*) prendre corps; **cuerpo de bomberos** régiment *m* de sapeurs-pompiers; **cuerpo diplomático** corps diplomatique.

cuervo ['kwerβo] *nm* corbeau *m*; (*CSUR*) vautour *m*.

cuesta ['kwesta] *vb V* **costar** ♦ *nf* pente *f*; (*en camino etc*) côte *f*; **ir ~ arriba/abajo** monter/descendre; **este trabajo se me hace muy ~ arriba** (*fig*) j'ai du mal à faire ce travail; **a ~s** sur le dos.

cuestión [kwes'tjon] *nf* question *f*; (*riña*) dispute *f*, querelle *f*; **en ~ de** en matière de; **eso es otra ~** ça c'est une autre histoire; **es ~ de** c'est une question de.

cuestionar [kwestjo'nar] *vt* contester.

cuestionario [kwestjo'narjo] *nm* questionnaire *m*.

cueva ['kweβa] *nf* grotte *f*, caverne *f*; **~ de ladrones** caverne de voleurs.

cuidado, -a [kwi'ðaðo] *adj* soigné(e) ♦ *nm* précaution *f*; (*preocupación*) souci *m*; (*de los niños etc*) soin *m* ♦ *excl* attention!; **eso me trae sin ~** ça je m'en fiche; **estar al ~ de** s'occuper de; **tener ~** faire attention; **~ con el perro** attention au chien; **cuidados intensivos** soins *mpl* intensifs.

cuidadoso, -a [kwiða'ðoso, a] *adj* soigneux(-euse); (*prudente*) prudent(e).

cuidar [kwi'ðar] *vt* soigner; (*niños, casa*) s'occuper de ♦ *vi*: **~ de** prendre soin de; **cuidarse** *vpr* prendre soin de soi; **~se de hacer** prendre soin de faire; **¡cuídate!** prends soin de toi!, fais attention à toi!

culata [ku'lata] *nf* crosse *f*; **le salió el tiro por la ~** ça a été l'arroseur arrosé.

culebra [ku'leβra] *nf* couleuvre *f*.

culebrón [kule'βron] *nm* (*fam*) série *f* télévisée.

culinario, -a [kuli'narjo, a] *adj* culinaire.

culminación [kulmina'θjon] *nf* point *m* culminant.

culminar [kulmi'nar] *vi* culminer.

culo ['kulo] *nm* (*fam!*) cul *m* (*fam!*); (*en botella*: *final*) fond *m*; **¡vamos de ~!** (*fam*) nous voilà bien!; **¡vete a tomar por ~!** (*fam!*) va te faire enculer! (*fam!*).

culpa ['kulpa] *nf* faute *f*; (*JUR*) culpabilité *f*; **~s** *nfpl* (*REL*) fautes *fpl*; **echar la ~ a algn** accuser qn; **por ~ de** à cause de; **tengo la ~** c'est de ma faute.

culpable [kul'paβle] *adj, nm/f* coupable *m/f*; **ser ~ (de)** être coupable (de); **confesarse ~** plaider coupable; **declarar ~ a algn** déclarer qn coupable.
culpar [kul'par] *vt* accuser.
cultivar [kulti'βar] *vt* cultiver; (*amistad*) entretenir.
cultivo [kul'tiβo] *nm* culture *f*; (*cosecha*) récolte *f*.
culto, -a ['kulto, a] *adj* cultivé(e); (*lenguaje*) choisi(e); (*palabra*) savant(e) ♦ *nm* culte *m*; **rendir ~ a** (*REL, fig*) rendre un culte à.
cultura [kul'tura] *nf* culture *f*; **la ~** la culture.
cultural [kultu'ral] *adj* culturel(le).
culturismo [kultu'rismo] *nm* culturisme *m*.
cumbre ['kumbre] *nf* sommet *m*.
cumpleaños [kumple'aɲos] *nm inv* anniversaire *m*; **¡feliz ~!** joyeux anniversaire!
cumplido, -a [kum'pliðo, a] *adj* (*cortés*) poli(e); (*plazo*) échu(e); (*información*) complet; (*tamaño*) grand(e) ♦ *nm* compliment *m*; **~s** *nmpl* (*amabilidades*) politesses *fpl*; **con el servicio militar ~** dégagé des obligations militaires; **visita de ~** visite *f* de politesse.
cumplimiento [kumpli'mjento] *nm* accomplissement *m*; (*de norma*) respect *m*.
cumplir [kum'plir] *vt* accomplir; (*ley*) respecter; (*promesa*) tenir; (*años*) avoir ♦ *vi* (*pago*) arriver à échéance; (*plazo*) expirer; **cumplirse** *vpr* (*plazo*) expirer; (*plan, pronósticos*) se réaliser, s'accomplir; **~ con** (*deber*) faire, remplir; (*persona*) ne pas manquer à; **hoy cumple dieciocho años** aujourd'hui il a dix-huit ans; **hacer algo por ~** faire qch pour la forme, faire qch par politesse; **hoy se cumplen dos años/tres meses de** ça fait aujourd'hui deux ans/trois mois que.
cuna ['kuna] *nf* berceau *m*; **canción de ~** berceuse *f*.
cundir [kun'dir] *vi* (*rumor, pánico*) se répandre, se propager; (*trabajo*) avancer, progresser; (*aceite, hilo*) durer.
cuneta [ku'neta] *nf* fossé *m*.
cuña ['kuɲa] *nf* (*TEC*) coin *m*; (*MED*) bassin *m*; **tener ~s** (*AM*) avoir du piston; **cuña publicitaria** message *m* publicitaire.
cuñado, -a [ku'ɲaðo, a] *nm/f* beau-frère(belle-sœur).
cuño ['kuɲo] *nm* (*para acuñar*) coin *m*; (*sello*) empreinte *f*.
cuota ['kwota] *nf* quota *m*; (*parte proporcional*) quote-part *f*; (*de club etc*) cotisation *f*; **de ~** (*AM: carretera*) à péage.
cupo ['kupo] *vb V* **caber** ♦ *nm* quote-part *f*; (*MIL*) contingent *m*; **cupo de importación** (*COM*) contingent d'importation; **cupo de ventas** quota *m* de ventes; *V* **excedente**.
cupón [ku'pon] *nm* billet *m*; (*de resguardo*) bon *m*; (*COM*) coupon *m*.
cúpula ['kupula] *nf* coupole *f*.
cura ['kura] *nf* guérison *f*; (*tratamiento*) soin *m* ♦ *nm* curé *m*; **cura de desintoxicación** cure *f* de désintoxication; **cura de urgencia** soins *mpl* d'urgence.
curación [kura'θjon] *nf* guérison *f*; (*tratamiento*) traitement *m*.
curandero, -a [kuran'dero, a] *nm/f* guérisseur(-euse).
curar [ku'rar] *vt* (*enfermo, enfermedad: herida*) guérir; (*: con apósitos*) panser; (*CULIN*) faire sécher; (*cuero*) tanner; **curarse** *vpr* (*persona*) se rétablir; (*herida*) se guérir.
curia ['kurja] *nf* (*tb:* **~ romana**) curie *f*.
curiosear [kurjose'ar] *vt* fouiner dans ♦ *vi* fouiner.
curiosidad [kurjosi'ðað] *nf* curiosité *f*; **sentir** *o* **tener ~ por** *o* **de (hacer)** être curieux(-euse) de (faire).
curioso, -a [ku'rjoso, a] *adj* curieux(-euse); (*aseado*) propre, soigné(e) ♦ *nm/f* (*pey*) curieux(-euse); **¡qué ~!** comme c'est étrange!
currante [ku'rrante] *nm/f* (*fam*) bosseur(-euse).
currar [ku'rrar], **currelar** [kurre'lar] *vi* (*fam*) bosser, trimer.
currículo [ku'rrikulo], **currículum** [ku'rrikulum] *nm* (*tb:* **~ vitae**) curriculum *m* (vitae).
curro ['kurro] *nm* (*fam*) job *m*.
cursar [kur'sar] *vt* (*ESCOL*) suivre; (*orden etc*) transmettre.
cursi ['kursi] *adj* de mauvais goût; (*afectado*) maniéré(e).
cursilería [kursile'ria] *nf* (*cosa*) objet *m* de mauvais goût; (*del cursi*) manières *fpl*.
cursillo [kur'siʎo] *nm* cours *msg*; (*de reciclaje etc*) stage *m*; (*de conferencias*) cycle *m*.
curso ['kurso] *nm* cours *msg*; (*ESCOL, UNIV*) année *f*; **en ~** (*año, proceso*) en cours; **dar ~ a** donner suite à; **moneda de ~ legal** monnaie *f* à cours légal; **en el ~ de** au cours de; **curso acelerado/por correspondencia** cours accéléré/par correspondance.
cursor [kur'sor] *nm* (*INFORM*) curseur *m*; (*TEC*) curseur, coulisseau *m*.
curtir [kur'tir] *vt* (*pieles*) tanner, corroyer; (*suj: sol, viento*) tanner; (*fig*) endurcir, aguerrir; **curtirse** *vpr* (*fig*) s'endurcir,

s'aguerrir.

curva ['kurβa] *nf* virage *m*, tournant *m*; (*MAT*) courbe *f*; **curva de rentabilidad** (*COM*) courbe de rentabilité.

curvo, -a ['kurβo, a] *adj* courbe.

cúspide ['kuspiðe] *nf* sommet *m*; (*fig*) faîte *m*, comble *m*.

custodia [kus'toðja] *nf* surveillance *f*; (*de hijos*) garde *f*; (*JUR*) détention *f*; **estar bajo la ~ policial** être en garde à vue.

custodiar [kusto'ðjar] *vt* surveiller.

cutáneo, -a [ku'taneo, a] *adj* cutané(e).

cutis ['kutis] *nm inv* peau *f*.

cutre ['kutre] (*fam*) *adj* minable.

cuyo, -a ['kujo, a] *pron* (*complemento de sujeto*) dont le, dont la; (: *plural*) dont les; (*complemento de objeto*) dont; (*tras preposición*) de qui, duquel, de laquelle; (: *plural*) desquels, desquelles; **la señora en cuya casa me hospedé** la dame chez qui j'étais logé; **el asunto ~s detalles conoces** l'affaire dont tu connais les détails; **por ~ motivo** c'est pourquoi; **en ~ caso** auquel cas.

D, d

D. *abr* (= *Don*) (*con apellido*) Monsieur *m*; (*sólo con nombre*) Don *m*.

dactilar [dakti'lar] *adj*: **huellas ~es** empreintes *fpl* digitales.

dádiva ['daðiβa] *nf* (*donación*) don *m*; (*regalo*) présent *m*.

dado, -a ['daðo, a] *pp de* **dar** ♦ *adj*: **en un momento ~** à un moment donné ♦ *nm* (*para juego*) dé *m*; **~s** *nmpl* (*juego*) dés *mpl*; **ser ~ a hacer algo** être enclin(e) à faire qch; **~ que** étant donné que.

dalia ['dalja] *nf* dahlia *m*.

daltónico, -a [dal'toniko, a] *adj, nm/f* daltonien(ne).

dama ['dama] *nf* dame *f*; **~s** *nfpl* (*juego*) dames *fpl*; **primera ~** (*TEATRO*) premier rôle *m* féminin; (*POL*) première dame; **dama de honor** (*de novia*) demoiselle *f* d'honneur; (*de reina*) dame d'honneur; (*en concurso*) dauphine *f*.

damnificado, -a [damnifi'kaðo, a] *nm/f*: **los ~s** les victimes *fpl*.

danés, -esa [da'nes, esa] *adj* danois(e) ♦ *nm/f* Danois(e) ♦ *nm* (*LING*) danois *m*.

danta ['danta] (*AM*) *nf* tapir *m*.

danza ['danθa] *nf* danse *f*.

danzar [dan'θar] *vt* danser ♦ *vi* danser; (*fig*: *moverse*) s'agiter.

dañar [da'ɲar] *vt* (*mueble, cuadro, motor*) abîmer; (*cosecha*) endommager; (*salud, reputación*) nuire à; **dañarse** *vpr* (*cosecha*) se gâter.

dañino, -a [da'ɲino, a] *adj* (*sustancia*) nocif(-ive); (*animal*) nuisible.

daño ['daɲo] *nm* (*a mueble, máquina*) dommage *m*; (*a cosecha, región*) dégât *m*; (*a persona, animal*) mal *m*; **~s y perjuicios** (*JUR*) dommages *mpl* et intérêts *mpl*; **hacer ~** (*alimento*) ne pas réussir; **hacer ~ a algn** (*producir dolor*) faire mal à qn; (*fig*: *ofender*) blesser qn; **eso me hace ~** ça ne me réussit pas; **hacerse ~** se faire mal.

PALABRA CLAVE

dar [dar] *vt* **1** donner; **dar algo a algn** donner qch à qn; **dar un golpe/una patada** donner un coup/un coup de pied; **dar clase** faire la classe; **dar la luz** allumer (la lumière); **dar las gracias** remercier; **dar olor** répandre une odeur; **dar de beber a algn** donner à boire à qn; *V tb* **paseo** *y otros sustantivos*

2 (*causar*: *alegría*) donner; (: *problemas*) causer; (: *susto*) faire

3 (*+ n = perífrasis de verbo*): **me da pena/asco** cela me désole/dégoûte; **da gusto escucharle** c'est bien agréable de l'écouter; **me da no sé qué** (*reparo*) cela m'embête un peu

4 (*considerar*): **dar algo por descontado** considérer qch comme chose faite; **lo doy por hecho/terminado** je considère que c'est fait/terminé

5 (*hora*): **el reloj dio las 6** la pendule sonna 6 heures; *V tb* **más**

6 (*dar a + infin*): **dar a conocer** faire connaître

♦ *vi* **1**: **dar a** (*ventana, habitación*) donner sur; (*botón etc*) appuyer sur

2: **dar con**: **dimos con él dos horas más tarde** nous l'avons rencontré deux heures plus tard; **al final di con la solución** finalement j'ai trouvé la solution

3: **dar en** (*blanco*) atteindre; **dar en el suelo** tomber par terre; **el sol me da en la cara** j'ai le soleil dans la figure

4: **dar de sí** (*zapatos, ropa*) s'élargir

5: **dar para**: **el sueldo no da para más** ce salaire est très juste

6: **le dio por comprarse ...** il s'est mis en tête de s'acheter ...

7: **dar que** (*+ infin*): **dar que pensar** donner à penser; **el niño da mucho que hacer** cet enfant donne beaucoup de travail

8: **me da igual** *o* **lo mismo** ça m'est égal; **¿qué más te da?** qu'est-ce que ça peut te faire?

darse *vpr* **1** se donner; **darse un baño** prendre un bain; **darse un golpe** se cogner

2: (*occurir*): **se han dado muchos casos** il y a eu de nombreux cas
3: **darse a**: **darse a la bebida** s'adonner à la boisson
4: **darse por**: **darse por vencido** se déclarer vaincu; **darse por satisfecho** s'estimer satisfait
5: **se me dan bien/mal las ciencias** je suis bon/mauvais en sciences
6: **dárselas de**: **se las da de experto** il joue les experts.

dardo ['darðo] *nm* dard *m*.
datar [da'tar] *vi*: ~ **de** dater de.
dátil ['datil] *nm* datte *f*.
dato ['dato] *nm* (*detalle*) fait *m*; (*MAT*) donnée *f*; **~s** *nmpl* (*información, INFORM*) données *fpl*; **~s de entrada/de salida** données en entrée/en sortie; **~s personales** identité *fsg*.
dcha. *abr* (= *derecha*) dr. (= *droite*).
d. de J. C. *abr* (= *después de Jesucristo*) ap. J.-C. (= *après Jésus-Christ*).

PALABRA CLAVE

de [de] (*de + el* = **del**) *prep* **1** (*gen*: *complemento de n*) de, d'; **la casa de Isabel/de mis padres/de los Alvarez** la maison d'Isabelle/de mes parents/des Alvarez; **una copa de vino** un verre de vin; **clases de inglés** cours *mpl* d'anglais
2 (*posesión*: *con ser*) **es de ellos** c'est à eux
3 (*origen, distancia*) de; **soy de Gijón** je suis de Gijón; **salir del cine/de la casa** sortir du cinéma/de la maison; **de lado** de côté; **de atrás/delante** de derrière/devant
4 (*materia*) en; **un abrigo de lana** un manteau en laine; **de madera** en bois
5 (*uso*) à; **una máquina de coser/escribir** une machine à coudre/écrire
6 (*traje, aspecto*): **ir vestido de gris** être habillé en gris, être vêtu de gris; **la niña del vestido azul** la fille en robe bleue; **la del pelo negro** celle qui a les cheveux noirs
7 (*profesión*): **trabaja de profesora** elle travaille comme professeur
8 (*hora, tiempo*): **a las 8 de la mañana** à 8 heures du matin; **de día/de noche** le jour/la nuit; **de hoy en ocho días** aujourd'hui en huit; **de niño era gordo** quand il était petit, il était gros
9 (*medida, distribución*): **5 metros de largo/ancho** 5 mètres de long/large; **de 2 en 2** de 2 en 2; **uno de cada tres** un sur trois
10 (*comparaciones*): **más/menos de cien personas** plus/moins de 100 personnes; **el más caro de la tienda** le plus cher du magasin; **menos/más de lo pensado** moins/plus qu'on ne pensait
11 (*adj + de + inf*): **es difícil de creer** c'est difficile à croire; **eso es difícil de hacer** il est difficile de faire cela
12 (*causa, modo*): **no puedo dormir del calor que hace** je ne peux pas dormir à cause de la chaleur; **de puro tonto se le olvidó coger dinero** il est si bête qu'il a oublié de prendre de l'argent; **temblar de miedo/de frío** trembler de peur/de froid; **de un trago** d'un coup; **de un solo golpe** d'un seul coup
13 (*condicional + infin*): **de no ser así** si ce n'était pas comme ça; **de ser posible** si c'est possible; **de no terminarlo hoy** si ce n'est pas fini aujourd'hui
14: **el pobre de Juan** le pauvre Juan; **el tonto de Carlos** cet idiot de Carlos
15: **de no** (*AM*: *si no*) sinon; **¡hazlo, de no ...!** fais-le sinon ...!

dé [de] *vb V* **dar**.
deambular [deambu'lar] *vi* (*persona*) déambuler; (*animal*) vagabonder.
debajo [de'βaxo] *adv* dessous; ~ **de** sous; **por ~ de** en dessous de.
debate [de'βate] *nm* débat *m*.
debatir [deβa'tir] *vt* débattre (de) ♦ *vi* débattre; **debatirse** *vpr* (*forcejear*) se débattre.
debe ['deβe] *nm* (*en cuenta*) débit *m*; **el ~ y el haber** l'actif *m* et le passif.
deber [de'βer] *nm* (*obligación*) devoir *m* ♦ *vt* devoir; **~es** *nmpl* (*ESCOL*) devoirs *mpl*; **deberse** *vpr*: **~se a** être dû(due) à; **debo hacerlo** je dois le faire; **~ía dejar de fumar** il devrait arrêter de fumer; **debe (de) ser canadiense** il doit être canadien; **¿qué/cuánto le debo?** qu'est ce que/combien est-ce que je vous dois?; **queda a ~ 500 pesetas** il reste à payer 500 pesetas; **como debe ser** comme il se doit.
debido, -a [de'βiðo, a] *adj* (*cuidado, respeto*) dû(due); ~ **a** en raison de; **a su ~ tiempo** en temps voulu; **como es ~** comme il convient.
débil ['deβil] *adj* faible.
debilidad [deβili'ðað] *nf* faiblesse *f*; **tener ~ por algn/algo** avoir un faible pour qn/qch.
debilitar [deβili'tar] *vt* (*persona, resistencia*) affaiblir; (*cimientos*) ébranler; **debilitarse** *vpr* s'affaiblir.
debut [de'βu] *nm* (*artístico, profesional*) débuts *mpl*.
debutar [deβu'tar] *vi* (*en actuación*) dé-

buter.

década ['dekaðа] *nf* décennie *f*.

decadencia [deka'ðenθja] *nf* (*de edificio*) délabrement *m*; (*de persona*) déchéance *f*; (*de sociedad*) décadence *f*.

decaer [deka'er] *vi* (*espectáculo*) perdre de son attrait; (*negocio*) dépérir; (*civilización, imperio*) devenir décadent(e); (*costumbres*) tomber en désuétude; (*éxito, afición, interés*) retomber; (*salud*) décliner.

decaído, -a [deka'iðo, a] *adj*: **estar ~** (*desanimado*) être abattu(e).

decano, -a [de'kano, a] *nm/f* doyen(ne).

decantar [dekan'tar] *vt* décanter; **decantarse** *vpr*: **~se por** se tourner vers.

decapitar [dekapi'tar] *vt* décapiter.

decena [de'θena] *nf*: **una ~** une dizaine.

decencia [de'θenθja] *nf* décence *f*.

decenio [de'θenjo] *nm* décennie *f*.

decente [de'θente] *adj* décent(e); (*honesto*) convenable.

decepción [deθep'θjon] *nf* déception *f*.

decepcionar [deθepθjo'nar] *vt* décevoir.

decidido, -a [deθi'ðiðo, a] *adj* décidé(e); **estoy ~ a hacerlo** je suis décidé(e) à le faire.

decidir [deθi'ðir] *vt* décider (de) ♦ *vi* décider; **decidirse** *vpr*: **~se (a hacer algo)** se décider (à faire qch); **¡decídete!** décide-toi!; **~se por** se décider pour.

decimal [deθi'mal] *adj* décimal(e).

décimo, -a ['deθimo, a] *adj, nm* dixième *m*; *V tb* **sexto**.

decir [de'θir] *vt* dire; (*fam*: *llamar*) appeler ♦ *nm*: **es un ~** disons; **decirse** *vpr*: **se dice que ...** on dit que ...; **¡no me digas!** (*sorpresa*) non!; **~ para sí** se dire; **~ (de)** (*revelar*) en dire long (sur); **~ por ~** dire comme ça; **querer ~** vouloir dire; **es ~** c'est-à-dire; **ni que ~ tiene que ...** il va sans dire que ...; **como quien dice, como si dijéramos** comme qui dirait; **que digamos, que se diga** vraiment; **¡quién lo diría!** qui l'eût cru!; **por así ~lo** pour ainsi dire; **el qué dirán** le qu'en dira-t-on; **¡diga!, ¡dígame!** (*TELEC*) allô!; **le dije que fuera más tarde** je lui ai dit d'y aller plus tard; **dicho sea de paso** soit dit en passant; **que ya es ~** ce n'est pas peu dire; **por no ~** pour ne pas dire; **¿cómo se dice "cursi" en francés?** comment dit-on "cursi" en français?

decisión [deθi'sjon] *nf* décision *f*; **tomar una ~** prendre une décision.

decisivo, -a [deθi'siβo, a] *adj* décisif(-ive).

declamar [dekla'mar] *vt* déclamer ♦ *vi* (*recitar*) réciter; (*pey*) déclamer.

declaración [deklara'θjon] *nf* déclaration *f*; (*JUR*) déposition *f*; **falsa ~** (*JUR*) faux témoignage *m*; **prestar ~** (*JUR*) faire une déposition; **tomar ~ a algn** (*JUR*) prendre la déposition de qn; **declaración de derechos** (*POL*) déclaration des droits; **declaración de la renta** déclaration de revenus; **declaración fiscal** déclaration d'impôts; **declaración jurada** déposition.

declarar [dekla'rar] *vt* déclarer ♦ *vi* (*para la prensa, en público*) faire une déclaration; (*JUR*) faire une déposition; **declararse** *vpr* (*a una chica*) déclarer son amour; (*guerra, incendio*) se déclarer; **~ culpable/inocente a algn** déclarer qn coupable/innocent; **~se culpable/inocente** se déclarer coupable/innocent.

declinar [dekli'nar] *vt* décliner ♦ *vi* (*poder*) décliner; (*fiebre*) baisser.

declive [de'kliβe] *nm* pente *f*; (*fig*) déclin *m*; **en ~** en pente; (*fig*: *imperio, economía*) en déclin.

decodificador [dekoðifika'ðor] *nm* décodeur *m*.

decolorar [dekolo'rar] *vt* décolorer.

decomisar [dekomi'sar] *vt* confisquer.

decomiso [deko'miso] *nm* confiscation *f*.

decoración [dekora'θjon] *nf* décoration *f*; (*TEATRO*) décor *m*; **decoración de escaparates/de interiores** décoration de vitrines/d'intérieur.

decorado [deko'raðo] *nm* décor *m*.

decorar [deko'rar] *vt* décorer.

decorativo, -a [dekora'tiβo, a] *adj* décoratif(-ive).

decoro [de'koro] *nm* (*en comportamiento etc*) correction *f*.

decoroso, -a [deko'roso, a] *adj* correct(e); (*digno*) respectable.

decrecer [dekre'θer] *vi* diminuer; (*nivel de agua*) baisser; (*días*) raccourcir.

decretar [dekre'tar] *vt* décréter.

decreto [de'kreto] *nm* décret *m*.

decreto-ley [de'kreto'lei] (*pl* **~s-~es**) *nm* décret-loi *m*.

dedal [de'ðal] *nm* (*para costura*) dé *m*; (*fig*: *medida*) doigt *m*.

dedicación [deðika'θjon] *nf* (*a trabajo etc*) engagement *m*; (*de persona*) dévouement *m*; **con ~ exclusiva** *o* **plena** à plein temps.

dedicar [deði'kar] *vt* dédicacer; (*tiempo, dinero, esfuerzo*) consacrer; **dedicarse** *vpr*: **~se a** se consacrer à; **¿a qué se dedica usted?** qu'est-ce que vous faites dans la vie?

dedicatoria [deðika'torja] *nf* dédicace *f*.

dedillo [de'ðiʎo] *nm*: **saber algo al ~** savoir qch sur le bout des doigts.

dedo ['deðo] *nm* doigt *m*; **~ (del pie)** orteil *m*; **contar con los ~s** compter sur les doigts; **chuparse los ~s** se régaler; **a ~** (*entrar, nombrar*) avec du piston; **hacer ~** (*fam*) faire du stop; **poner el ~ en la llaga** toucher le point sensible; **no tiene dos ~s de frente** il n'est pas très futé; **estar a dos ~s de** être à deux doigts de; **dedo anular** annulaire *m*; **dedo corazón** majeur *m*; **dedo gordo** pouce *m*; (*en pie*) gros orteil; **dedo índice** index *msg*; **dedo meñique** auriculaire *m*.

deducción [deðuk'θjon] *nf* déduction *f*.

deducir [deðu'θir] *vt* déduire.

defecto [de'fekto] *nm* défaut *m*; **por ~** (*INFORM*) par défaut.

defectuoso, -a [defek'twoso, a] *adj* défectueux(-euse).

defender [defen'der] *vt* défendre; **defenderse** *vpr*: **~se de algo** se défendre de qch; **~se contra algo/algn** se défendre contre qch/qn; **~se bien** (*en profesión etc*) bien se défendre; **me defiendo en inglés** (*fig*) je ne me défends pas mal en anglais.

defensa [de'fensa] *nf* défense *f*; (*de tesis, ideas*) soutien *m* ♦ *nm* (*DEPORTE*) défense *f*; **~s** *nfpl* (*MED*) défenses *fpl*; **en ~ propia** en légitime défense.

defensiva [defen'siβa] *nf*: **a la ~** sur la défensive.

defensor, a [defen'sor, a] *adj* (*persona*) qui défend ♦ *nm/f* (*tb*: **abogado ~**) avocat(e) de la défense; (*protector*) défenseur *m*; **defensor del pueblo** (*ESP*) défenseur du peuple.

deferencia [defe'renθja] *nf* déférence *f*.

deficiencia [defi'θjenθja] *nf* défaut *m*; **deficiencia mental** déficience *f* mentale.

deficiente [defi'θjente] *adj* (*trabajo*) insuffisant(e); (*salud*) déficient(e) ♦ *nm/f*: **ser un ~ mental/físico** être handicapé mental/physique ♦ *nm* (*ESCOL*) mauvaise note *f*; **~ en** insuffisant(e) en.

déficit ['defiθit] (*pl* **~s**) *nm* déficit *m*; **déficit presupuestario** déficit budgétaire.

deficitario, -a [defiθi'tarjo, a] *adj* déficitaire.

definición [defini'θjon] *nf* définition *f*.

definir [defi'nir] *vt* définir.

definitivo, -a [defini'tiβo, a] *adj* définitif(-ive); **en definitiva** définitivement; (*en conclusión, resumen*) en définitive.

deformación [deforma'θjon] *nf* déformation *f*; **deformación profesional** déformation professionnelle.

deformar [defor'mar] *vt* déformer; **deformarse** *vpr* se déformer.

deforme [de'forme] *adj* difforme.

defraudar [defrau'ðar] *vt* (*a personas*) tromper; (*a Hacienda*) frauder.

defunción [defun'θjon] *nf* décès *m*; **"cerrado por ~"** "fermé pour cause de décès".

degeneración [dexenera'θjon] *nf* dégradation *f*.

degenerar [dexene'rar] *vi* dégénérer; **~ en** dégénérer en.

degollar [deɣo'ʎar] *vt* égorger.

degradar [deɣra'ðar] *vt* (*tb MIL*) dégrader; (*INFORM*: *datos*) altérer; **degradarse** *vpr* se dégrader.

degustación [deɣusta'θjon] *nf* dégustation *f*.

dejado, -a [de'xaðo, a] *adj* négligent(e).

dejar [de'xar] *vt* laisser; (*persona, empleo, pueblo*) quitter ♦ *vi*: **~ de** arrêter de; **dejarse** *vpr* se laisser aller; **~ a algn (hacer algo)** laisser qn (faire qch); **~ de fumar** arrêter de fumer; **no dejes de visitarles** continue à leur rendre visite; **le dejó su novia** sa fiancée l'a quitté; **no dejes de comprar un billete** n'oublie pas d'acheter un billet; **¡déjame en paz!** laisse-moi tranquille!; **~ a un lado** laisser de côté; **~ caer** (*objeto*) laisser tomber; (*fig*: *insinuar*) glisser; **~ atrás a algn** dépasser qn; **~ entrar/salir** laisser entrer/sortir; **~ pasar** laisser passer; **¡déjalo!** laisse tomber!; **te dejo en tu casa** je te laisse chez toi; (*a un pasajero*) je te dépose chez toi; **~ a algn sin algo** laisser qn sans qch; **deja mucho que desear** cela laisse beaucoup à désirer; **~se persuadir** se laisser convaincre; **~se llevar por algn/algo** se laisser entraîner par qn/qch; **¡déjate de tonterías!** arrête de dire des bêtises!

del [del] = (*de + el*) *V* **de**.

delantal [delan'tal] *nm* tablier *m*.

delante [de'lante] *adv* devant ♦ *prep*: **~ de** devant; **la parte de ~** la partie avant; **estando otros ~** devant d'autres personnes; **por ~ (de)** par devant; **~ mío/nuestro** (*esp CSUR*: *fam*) devant moi/nous.

delantero, -a [delan'tero, a] *adj* (*asiento, balcón*) avant; (*vagón*) de tête; (*patas de animal*) de devant ♦ *nm* (*DEPORTE*) avant *m* ♦ *nf*: **llevar la delantera (a algn)** mener (devant qn); **delantero centro** avant-centre *m*.

delatar [dela'tar] *vt* dénoncer; (*sonrisa, gesto, ropas*) trahir; **los delató a la policía** il les a dénoncés à la police.

delator, a [dela'tor, a] *adj* (*gesto, sonrisa*) révélateur(-trice) ♦ *nm/f* dénonciateur(-trice).

delegación [deleɣa'θjon] *nf* délégation *f*; (*MÉX*: *comisaría*) commissariat *m*; (: *ayuntamiento*) mairie *f*; **Delegación de Educación/de Hacienda/de Trabajo** ≈ ministère *m* de l'Éducation/des Finances/du Travail.

delegar [dele'ɣar] *vt*: ~ **algo en algn** déléguer qch à qn.

deleitar [delei'tar] *vt* enchanter; **deleitarse** *vpr*: **~se con** *o* **en** prendre grand plaisir à.

deleite [de'leite] *nm* ravissement *m*.

deletrear [deletre'ar] *vt* épeler ♦ *vi* articuler.

deleznable [deleθ'naβle] *adj* (*calidad*) mauvais(e); (*argumento*) inconsistant(e).

delfín [del'fin] *nm* dauphin *m*.

delgadez [delɣa'ðeθ] *nf* maigreur *f*; (*fineza*) minceur *f*.

delgado, -a [del'ɣaðo, a] *adj* maigre; (*fino*) mince.

deliberación [deliβera'θjon] *nf* délibération *f*.

deliberar [deliβe'rar] *vi*: ~ **(sobre)** délibérer (sur).

delicadeza [delika'ðeθa] *nf* délicatesse *f*; **tener la ~ de hacer** avoir la délicatesse de faire.

delicado, -a [deli'kaðo, a] *adj* délicat(e).

delicia [de'liθja] *nf* délice *m*.

delicioso, -a [deli'θjoso, a] *adj* délicieux(-euse).

delimitar [delimi'tar] *vt* délimiter.

delincuencia [delin'kwenθja] *nf* délinquance *f*; **delincuencia juvenil** délinquance juvénile.

delincuente [delin'kwente] *nm/f* délinquant(e); **delincuente habitual** délinquant(e) récidiviste; **delincuente juvenil** jeune délinquant(e).

delineante [deline'ante] *nm/f* dessinateur(-trice).

delinear [deline'ar] *vt* (*proyecto*) délimiter; (*plano*) tracer.

delinquir [delin'kir] *vi* commettre un délit.

delirar [deli'rar] *vi* délirer.

delirio [de'lirjo] *nm* délire *m*; **con ~** (*fam*) à la folie; **sentir/tener ~ por algo/algn** aimer qch/qn à la folie; **delirios de grandeza** folie *f* des grandeurs.

delito [de'lito] *nm* délit *m*.

delta ['delta] *nm* delta *m*.

demacrado, -a [dema'kraðo, a] *adj* émacié(e).

demagogia [dema'ɣoxja] *nf* démagogie *f*.

demanda [de'manda] *nf* (*tb* COM, JUR) demande *f*; (*reivindicación*) requête *f*; **hay poca/mucha ~ de este producto** la demande pour ce produit est faible/forte; **en ~ de** pour demander; **entablar ~** (JUR) intenter une action en justice; **presentar ~ de divorcio** demander le divorce; **demanda de mercado** (COM) demande du marché; **demanda de pago** avertissement *m*; **demanda final** (COM) dernier rappel *m*; **demanda indirecta** (COM) demande induite.

demandar [deman'dar] *vt* demander; (JUR) poursuivre; **~ a algn por calumnia/por daños y perjuicios** poursuivre qn en diffamation/en dommages-intérêts.

demás [de'mas] *adj*: **los ~ niños** les autres enfants *mpl* ♦ *pron*: **los/las ~** les autres; **lo ~** le reste; **por lo ~** à part cela; **por ~** en vain; **y ~** et cetera.

demasía [dema'sia] *nf*: **en ~** en trop; **comer/beber en ~** manger/boire trop.

demasiado, -a [dema'sjaðo, a] *adj*: **~ vino** trop de vin ♦ *adv* trop; **~s libros** trop de livres; **¡es ~!** c'est trop!; **es ~ pesado para levantarlo** c'est trop lourd pour être soulevé; **~ lo sé** je ne le sais que trop bien; **hace ~ calor** il fait trop chaud.

demencia [de'menθja] *nf* démence *f*; **demencia senil** démence sénile.

demencial [demen'θjal] *adj* démentiel(le).

demente [de'mente] *adj, nm/f* dément(e).

democracia [demo'kraθja] *nf* démocratie *f*.

demócrata [de'mokrata] *adj, nm/f* démocrate *m/f*.

democrático, -a [demo'kratiko, a] *adj* démocratique.

demográfico, -a [demo'ɣrafiko, a] *adj* démographique; (*instituto*) de démographie; **la explosión demográfica** l'explosion *f* démographique.

demoledor, a [demole'ðor, a] *adj* (*argumento, crítica*) destructeur(-trice); (*ataque, fuerza*) dévastateur(-trice).

demoler [demo'ler] *vt* démolir.

demolición [demoli'θjon] *nf* démolition *f*.

demonio [de'monjo] *nm* démon *m*; **¡~s!** mince!; **¿cómo ~s?** comment diable?; **¿qué ~s será?** (*fam*) qu'est-ce que ça peut bien être?; **¿dónde ~ lo habré dejado?** où diable l'ai-je laissé?

demora [de'mora] *nf* retard *m*.

demorar [demo'rar] *vt* retarder ♦ *vi*: **~ en** (AM) mettre du temps à; **demorarse** *vpr* s'attarder; **~se al** *o* **en hacer algo** prendre du retard en faisant qch.

demos ['demos] *vb V* **dar**.

demostración [demostra'θjon] *nf* démonstration *f*; (*de sinceridad*) preuve *f*.

demostrar [demos'trar] *vt* (*sinceridad*)

prouver; (*afecto, fuerza*) montrer; (*funcionamiento, aplicación*) démontrer.
den [den] *vb V* **dar**.
denegar [dene'ɣar] *vt* refuser; (*demanda, recurso*) rejeter.
dengue ['dengue] *nm* dengue *f*.
denigrar [deni'ɣrar] *vt* dénigrer; (*humillar*) humilier.
denodado, -a [deno'ðaðo, a] *adj* (*persona*) fougueux(-euse); (*esfuerzos*) intense.
denominación [denomina'θjon] *nf* dénomination *f*; ~ **de origen** appellation *f* d'origine.
denotar [deno'tar] *vt* dénoter.
densidad [densi'ðað] *nf* densité *f*; **densidad de caracteres** (INFORM) espacement *m* des caractères; **densidad de población** densité de population.
denso, -a ['denso, a] *adj* dense; (*humo, niebla*) épais(se); (*novela, discurso*) complexe.
dentadura [denta'ðura] *nf* denture *f*; **dentadura postiza** dentier *m*.
dental [den'tal] *adj* dentaire; **hilo** *o* **seda** ~ fil *m* dentaire.
dentera [den'tera] *nf* frisson *m*; **me da** ~ ça me fait frémir.
dentífrico, -a [den'tifriko, a] *adj*: **crema** *o* **pasta dentífrica** pâte *f* dentifrice ♦ *nm* dentifrice *m*.
dentista [den'tista] *nm/f* dentiste *m/f*.
dentro ['dentro] *adv* dedans ♦ *prep*: ~ **de** dans; **allí** ~ à l'intérieur; **mirar por** ~ regarder à l'intérieur; ~ **de lo posible** dans la mesure du possible; ~ **de lo que cabe** relativement; ~ **de tres meses** dans trois mois; ~ **de poco** sous peu.
denuncia [de'nunθja] *nf* plainte *f*; **hacer** *o* **poner una** ~ déposer une plainte.
denunciar [denun'θjar] *vt* (*en comisaría*) déposer une plainte contre; (*en prensa etc*) dénoncer.
deparar [depa'rar] *vt* (*oportunidad*) fournir; (*suj: futuro, destino*) réserver; **los placeres que nos deparó el viaje** les plaisirs *mpl* que ce voyage nous a procurés.
departamento [departa'mento] *nm* département *m*; (AM) appartement *m*; (*en mueble*) compartiment *m*; ~ **de envíos** (COM) service *m* des expéditions.
departir [depar'tir] *vi* s'entretenir.
dependencia [depen'denθja] *nf* dépendance *f*; (POL) bureau *m*; (COM) succursale *f*; ~**s** *nfpl* dépendances *fpl*.
depender [depen'der] *vi*: ~ **de** dépendre de; **todo depende** tout dépend; **no depende de mí** cela ne dépend pas de moi; **depende de lo que haga él** cela dépend de ce qu'il fait.
dependienta [depen'djenta] *nf* vendeuse *f*.
dependiente [depen'djente] *adj*: ~ **(de)** dépendant(e) (de) ♦ *nm* vendeur *m*.
depilación [depila'θjon] *nf* épilation *f*.
depilar [depi'lar] *vt* épiler; **depilarse** *vpr* s'épiler.
deplorar [deplo'rar] *vt* déplorer.
deponer [depo'ner] *vt* (*rey, gobernante*) déposer; (*actitud*) laisser libre cours à; ~ **las armas** déposer les armes.
deportación [deporta'θjon] *nf* déportation *f*.
deportar [depor'tar] *vt* déporter.
deporte [de'porte] *nm* sport *m*; **hacer** ~ faire du sport.
deportista [depor'tista] *adj, nm/f* sportif(-ive); **ser muy** ~ être très sportif(-ive); **ser poco** ~ ne pas être très sportif(-ive).
deportivo, -a [depor'tiβo, a] *adj* sportif(-ive) ♦ *nm* voiture *f* de sport.
depositar [deposi'tar] *vt* déposer; **depositarse** *vpr* se déposer; ~ **la confianza en algn** accorder sa confiance à qn.
depositario, -a [deposi'tarjo, a] *nm/f*: ~ **de** dépositaire *m/f* de; **depositario judicial** administrateur(-trice) judiciaire.
depósito [de'posito] *nm* dépôt *m*; (*de agua, gasolina etc*) réserve *f*; **dejar dinero en** ~ laisser de l'argent en dépôt; **depósito de cadáveres** morgue *f*.
depravado, -a [depra'βaðo, a] *adj, nm/f* dépravé(e).
depreciación [depreθja'θjon] *nf* dépréciation *f*.
depreciar [depre'θjar] *vt* déprécier; **depreciarse** *vpr* se déprécier.
depresión [depre'sjon] *nf* dépression *f*; **depresión nerviosa** dépression nerveuse.
depresivo, -a [depre'siβo, a] *adj* (*clima, ambiente*) déprimant(e); (*persona, carácter*) dépressif(-ive).
deprimir [depri'mir] *vt*, **deprimirse** *vpr* déprimer.
deprisa [de'prisa] *adv* vite; ¡~! vite!; ~ **y corriendo** vite fait bien fait.
depuradora [depura'ðora] *nf* station *f* d'épuration.
depurar [depu'rar] *vt* épurer; (INFORM) décontaminer.
derecha [de'retʃa] *nf* main *f* droite; (POL) droite *f*; **a la** ~ à droite; **a** ~**s** (*hacer*) bien; **de** ~**s** (POL) de droite.
derecho, -a [de'retʃo, a] *adj* droit(e) ♦ *nm* droit *m*; (*lado*) côté *m* droit ♦ *adv* droit; ~**s** *nmpl* droits *mpl*; **a mano derecha** à droite; **Facultad de D~** Faculté *f* de Droit; **estudiante de D~** étudiant(e) en Droit; **"reservados todos los ~s"** "tous

droits réservés"; **¡no hay ~!** il n'y a pas de justice!; **tener ~ a algo** avoir droit à qch; **tener ~ a hacer algo** avoir le droit de faire qch; **estar en su ~** être dans son droit; **derecho a voto** droit de vote; **derechos civiles** droits civiques; **derechos de patente** propriété *f* industrielle; **derecho de propiedad literaria** copyright *m*; **derecho de timbre** (*COM*) droit de timbre; **derechos humanos/de autor** droits de l'homme/d'auteur; **derecho mercantil/penal/de retención** droit commercial/pénal/de rétention; **derechos portuarios/de muelle** (*COM*) droit de mouillage/de bassin.

deriva [de'riβa] *nf*: **ir/estar a la ~** (*tb fig*) aller/être à la dérive.

derivado, -a [deri'βaðo, a] *adj* dérivé(e) ♦ *nm* dérivé *m*.

derivar [deri'βar] *vt* (*conclusión*) arriver à; (*conversación*) dévier ♦ *vi* dévier; **derivarse** *vpr*: **~se de** dériver de.

derogar [dero'ɣar] *vt* abroger; (*contrato*) annuler.

derramamiento [derrama'mjento] *nm*: **~ de sangre** épanchement *m* de sang.

derramar [derra'mar] *vt* (*verter*) verser; (*esparcir*) renverser; **derramarse** *vpr* se répandre; **~ lágrimas** verser *o* répandre des larmes.

derrame [de'rrame] *nm* écoulement *m*; (*MED*) épanchement *m*; **derrame cerebral** hémorragie *f* cérébrale.

derrapar [derra'par] *vi* déraper.

derredor [derre'ðor] *adv*: **en ~** autour.

derretir [derre'tir] *vt* fondre; **derretirse** *vpr* fondre; (*fig*) se mourir d'amour; **~se de calor** être en nage.

derribar [derri'βar] *vt* faire tomber; (*construcción*) abattre; (*gobierno, político*) renverser.

derribo [de'rriβo] *nm* démolition *f*; **~s** *nmpl* (*escombros*) décombres *mpl*; **materiales de ~** gravats *mpl*.

derrocar [derro'kar] *vt* (*gobierno*) renverser; (*ministro*) destituer.

derrochador, a [derrotʃa'ðor, a] *adj, nm/f* dépensier(-ère).

derrochar [derro'tʃar] *vt* dilapider; (*energía, salud*) déborder de.

derroche [de'rrotʃe] *nm* gaspillage *m*; (*de salud, alegría*) débordement *m*.

derrota [de'rrota] *nf* déroute *f*; (*DEPORTE, POL*) défaite *f*; **sufrir una grave ~** subir un échec grave.

derrotar [derro'tar] *vt* vaincre; (*enemigo*) mettre en déroute; (*DEPORTE, POL*) battre.

derruir [derru'ir] *vt* démolir.

derrumbar [derrum'bar] *vt* démolir; **derrumbarse** *vpr* s'écrouler; (*esperanzas*) s'effondrer; (*persona*) se laisser aller.

des [des] *vb V* **dar**.

desabotonar [desaβoto'nar] *vt* déboutonner; **desabotonarse** *vpr* se déboutonner.

desabrigado, -a [desaβri'ɣaðo, a] *adj* peu couvert(e); (*lugar*) ouvert(e) aux quatre vents.

desabrigar [desaβri'ɣar] *vt* découvrir; **desabrigarse** *vpr* se découvrir; **me desabrigué en la cama** je me suis retrouvé sans couvertures.

desabrochar [desaβro'tʃar] *vt* défaire; **desabrocharse** *vpr* (*cinturón*) défaire.

desacatar [desaka'tar] *vt* passer outre.

desacato [desa'kato] *nm* manque *m* de respect; (*JUR*) outrage *m*; **desacato a la autoridad** outrage à agent de la force publique.

desacertado, -a [desaθer'taðo, a] *adj* erroné(e); (*inoportuno*) mal à propos.

desacierto [desa'θjerto] *nm* erreur *f*.

desaconsejar [desakonse'xar] *vt*: **~ algo a algn** déconseiller qch à qn.

desacreditar [desakreði'tar] *vt* discréditer.

desactivar [desakti'βar] *vt* désamorcer.

desacuerdo [desa'kwerðo] *nm* désaccord *m*; (*disconformidad*) contradiction *f*; **en ~** en désaccord.

desafiar [desa'fjar] *vt* affronter; **~ a algn a hacer** mettre qn au défi de faire.

desafinar [desafi'nar] *vi* détonner; **desafinarse** *vpr* se désaccorder.

desafío [desa'fio] *nm* défi *m*.

desafortunado, -a [desafortu'naðo, a] *adj* malheureux(-euse); (*inoportuno*) inopportun(e).

desagradable [desaɣra'ðaβle] *adj* désagréable; **ser ~ con algn** être désagréable avec qn; **es ~ tener que hacerlo** il est désagréable d'avoir à le faire.

desagradar [desaɣra'ðar] *vi* indisposer; **me desagrada hacerlo** je n'aime pas le faire.

desagradecido, -a [desaɣraðe'θiðo, a] *adj* ingrat(e).

desagrado [desa'ɣraðo] *nm* mécontentement *m*; **con ~** de mauvaise grâce.

desagraviar [desaɣra'βjar] *vt* se racheter.

desagravio [desa'ɣraβjo] *nm* réparation *f*; **en (señal de) ~** en (guise de) réparation.

desagüe [de'saɣwe] *nm* écoulement *m*; (*de lavadora*) vidange *f*; **tubo de ~** tuyau *m* d'écoulement.

desaguisado [desaɣi'saðo] *nm* dommage

m.

desahogado, -a [desao'ɣaðo, a] *adj* aisé(e); (*espacioso*) spacieux(-euse).

desahogar [desao'ɣar] *vt* laisser libre cours à; **desahogarse** *vpr* se soulager; **se desahogó conmigo** il s'est défoulé sur moi.

desahogo [desa'oɣo] *nm* soulagement *m*; (*comodidad*) commodité *f*; **vivir con ~** vivre dans l'aisance.

desahuciar [desau'θjar] *vt* (*enfermo*) condamner; (*inquilino*) expulser.

desahucio [de'sauθjo] *nm* expulsion *f*.

desairar [desai'rar] *vt* dédaigner.

desaire [des'aire] *nm* mépris *m*; **hacer un ~ a algn** faire un affront à qn; **¿me va usted a hacer ese ~?** vous n'allez pas me faire cet affront?

desalentar [desalen'tar] *vt* décourager; **desalentarse** *vpr* se décourager.

desaliento [desa'ljento] *vb V* **desalentar** ♦ *nm* découragement *m*.

desaliñado, -a [desali'ɲaðo, a] *adj* (*descuidado*) négligé(e); (*persona*) négligent(e).

desalmado, -a [desal'maðo, a] *adj* méchant(e), cruel(le).

desalojar [desalo'xar] *vt* (*salir de*) quitter; (*expulsar*) déloger; (*líquido, aire*) déplacer; **la policía desalojó el local** la police a évacué les locaux.

desamparado, -a [desampa'raðo, a] *adj* (*persona*) désemparé(e); (*lugar: expuesto*) exposé(e); (: *desierto*) déserté(e).

desamueblado, -a [desamwe'βlaðo, a] *adj* démeublé(e).

desandar [desan'dar] *vt*: **~ lo andado** *o* **el camino** revenir sur ses pas.

desangelado, -a [desanxe'laðo, a] *adj* tristounet(te).

desangrar [desan'grar] *vt* saigner; **desangrarse** *vpr* se vider de son sang; (*morir*) rendre l'âme.

desanimado, -a [desani'maðo, a] *adj* déprimé(e); (*espectáculo, fiesta*) boudé(e).

desanimar [desani'mar] *vt* décourager; (*deprimir*) déprimer; **desanimarse** *vpr* se décourager.

desánimo [de'sanimo] *nm* manque *m* d'entrain; (*desaliento*) découragement *m*.

desapacible [desapa'θiβle] *adj* orageux(-euse); (*carácter*) désagréable.

desaparecer [desapare'θer] *vi* disparaître ♦ *vt* (*AM: POL*) faire disparaître; **~ de vista** (*fig*) disparaître de la circulation.

desaparecido, -a [desapare'θiðo, a] *adj* disparu(e) ♦ *nm/f* (*AM: POL*) disparu(e); **~s** *nmpl* disparus *mpl*.

desaparición [desapari'θjon] *nf* disparition *f*.

desapego [desa'peɣo] *nm* indifférence *f*; (*a dinero*) désintéressement *m*.

desapercibido, -a [desaperθi'βiðo, a] *adj*: **pasar ~** passer inaperçu(e); **me cogió ~** il m'a pris au dépourvu.

desaprensivo, -a [desapren'siβo, a] *adj* sans scrupules ♦ *nm/f* personne *f* sans scrupules.

desaprobar [desapro'βar] *vt* désapprouver.

desaprovechar [desaproβe'tʃar] *vt* (*oportunidad, tiempo*) perdre; (*comida, tela*) ne pas apprécier; (*talento*) gâcher.

desarmador [desarma'ðor] (*MÉX*) *nm* tournevis *msg*.

desarmar [desar'mar] *vt* désarmer; (*mueble, máquina*) démonter; **desarmarse** *vpr* (*romperse*) se casser; (*ser desarmable*) se démonter.

desarme [de'sarme] *nm* désarmement *m*; **~ nuclear** désarmement nucléaire.

desarraigar [desarrai'ɣar] *vt* (*tb fig*) déraciner; **desarraigarse** *vpr* se déraciner.

desarraigo [desa'rraiɣo] *nm* déracinement *m*.

desarreglo [desa'rreɣlo] *nm* désordre *m*; (*en horarios*) irrégularité *f*; **~s** *nmpl* (*MED*) troubles *mpl*.

desarrollar [desarro'ʎar] *vt* développer; (*planta, semilla*) faire pousser; (*plan etc*) mettre au point; **desarrollarse** *vpr* se développer; (*hechos, reunión*) se dérouler; **la acción se desarrolla en Roma** l'action *f* se déroule à Rome.

desarrollo [desa'rroʎo] *nm* développement *m*; (*de acontecimientos*) déroulement *m*; **país en vías de ~** pays *msg* en voie de développement; **la industria está en pleno ~** l'industrie *f* est en plein essor.

desarropar [desarro'par] *vt* découvrir; **desarroparse** *vpr* se découvrir.

desarticular [desartiku'lar] *vt* (*huesos*) disloquer; (*mecanismo, bomba*) désamorcer; (*grupo terrorista*) démanteler.

desaseado, -a [desase'aðo, a] *adj* malpropre; (*desaliñado*) négligent(e).

desasir [desa'sir] *vt* (*soltar*) lâcher; **desasirse** *vpr*: **~se (de)** se défaire (de).

desasistir [desasis'tir] *vt* négliger.

desasosiego [desaso'sjeɣo] *vb V* **desasosegar** ♦ *nm* inquiétude *f*; (*POL*) agitation *f*.

desastrado, -a [desas'traðo, a] *adj* (*desaliñado*) négligé(e); (*descuidado*) négligent(e).

desastre [de'sastre] *nm* désastre *m*; (*fam: persona*) catastrophe *f*; **¡qué ~!** quel désastre!; **la función fue un ~** le spectacle a été un désastre; **ir hecho un ~** être négligé.

desastroso, -a [desas'troso, a] *adj* désastreux(-euse); **ser ~ para (hacer)** être nul quand il s'agit de (faire).

desatar [desa'tar] *vt* (*nudo*) défaire; (*cordones, cuerda*) dénouer; (*perro, prisionero*) détacher; (*protesta, odio*) déchaîner; **desatarse** *vpr* se défaire; (*perro, prisionero*) se détacher; (*tormenta*) se déchaîner; **~se en injurias** se répandre en injures; **se le desató la lengua** ça lui a délié la langue.

desatascar [desatas'kar] *vt* (*cañería*) déboucher; (*carro, ruedas*) libérer; **desatascarse** *vpr* (*cañería*) se déboucher; (*tráfico*) se fluidifier.

desatender [desaten'der] *vt* (*consejos, súplicas*) ignorer; (*trabajo, hijo*) négliger.

desatento, -a [desa'tento, a] *adj* impoli(e); **estar ~** être distrait(e).

desatino [desa'tino] *nm* folie *f*; (*falta de jucio*) manque *m* de jugement; **decir ~s** raconter des bêtises.

desatornillar [desatorni'ʎar] *vt* (*tornillo*) dévisser; (*estructura*) démonter; **desatornillarse** *vpr* (*ver vt*) se dévisser; se démonter.

desatrancar [desatran'kar] *vt* (*puerta*) débarrer; (*cañería*) déboucher.

desautorizar [desautori'θar] *vt* (*oficial*) désavouer; (*informe, declaraciones*) désapprouver; (*huelga, manifestación*) interdire.

desavenencia [desaβe'nenθja] *nf* désaccord *m*; (*discordia*) conflit *m*.

desavenido, -a [desaβe'niðo, a] *adj* désuni(e); **ellos están ~s** ils ne s'entendent pas.

desayunar [desaju'nar] *vt*: **~ algo** prendre qch au petit déjeuner ♦ *vi* prendre le petit déjeuner; **desayunarse** *vpr* prendre le petit déjeuner; **~ con café** prendre du café au petit déjeuner.

desayuno [desa'juno] *nm* petit déjeuner *m*.

desazón [desa'θon] *nf* malaise *m*; (*fig*) contrariété *f*.

desbancar [desβan'kar] *vt* (*campeón, director*) détrôner; (*en cariño, estima*) supplanter.

desbandada [desβan'daða] *nf* débandade *f*; **~ general** panique *f* générale; **a la *o* en ~** (*salir etc*) à la débandade.

desbandarse [desβan'darse] *vpr* se débander.

desbarajuste [desβara'xuste] *nm* pagaille *f*; **¡qué ~!** quelle pagaille!

desbaratar [desβara'tar] *vt* déranger; (*plan*) bouleverser; **desbaratarse** *vpr* (*máquina*) se dérégler; (*peinado*) se défaire.

desbarrar [desβa'rrar] *vi* divaguer.

desbloquear [desβloke'ar] *vt* (*COM, negociaciones*) débloquer; (*tráfico*) rétablir.

desbocado, -a [desβo'kaðo, a] *adj* (*caballo*) emballé(e); (*cuello*) détendu(e); (*herramienta*) émoussé(e); (*fig*) galopant(e).

desbordante [desβor'ðante] *adj* (*fig*) débordant(e); **estar ~ de** être débordant(e) de; (*local*) être plein(e) à craquer de.

desbordar [desβor'ðar] *vt* déborder; (*fig: paciencia, tolerancia*) pousser à bout; (*: previsiones, expectativas*) dépasser ♦ *vi* déborder; **desbordarse** *vpr*: **~se (de)** déborder (de); **estar desbordado de trabajo** être débordé de travail; **~se de alegría** déborder de joie.

descabalgar [deskaβal'ɣar] *vi*: **~ (de)** descendre (de).

descabellado, -a [deskaβe'ʎaðo, a] *adj* fantaisiste.

descabezar [deskaβe'θar] *vt*: **~ un sueño** faire un petit somme; **descabezarse** *vpr* (*fam*) s'arracher les cheveux.

descafeinado, -a [deskafei'naðo, a] *adj* décaféiné(e); (*fam: obra, proyecto*) qui manque de corps ♦ *nm* décaféiné *m*.

descalificar [deskalifi'kar] *vt* (*DEPORTE*) disqualifier; (*desacreditar*) discréditer.

descalzar [deskal'θar] *vt* déchausser; (*zapato*) ôter; **descalzarse** *vpr* se déchausser.

descalzo, -a [des'kalθo, a] *adj* (*persona*) pieds nus; (*fig*) sans un sou; **estar/ir (con los pies) ~(s)** être/aller pieds nus.

descambiar [deskam'bjar] *vt* (*COM*) échanger.

descaminado, -a [deskami'naðo, a] *adj*: **estar *o* ir ~** se leurrer; **en eso no anda usted muy ~** sur ce point vous ne vous trompez pas tout à fait.

descampado [deskam'paðo] *nm* terrain *m* vague; **comer al ~** pique-niquer.

descansado, -a [deskan'saðo, a] *adj* reposant(e); (*oficio, actividad*) facile; **estar/sentirse ~** être/se sentir reposé(e).

descansar [deskan'sar] *vt* reposer ♦ *vi* (*reposar*) se reposer; (*no trabajar*) faire une pause; (*dormir*) se coucher; (*cadáver, restos*) reposer; **~ (sobre *o* en)** (*mueble, muro*) reposer (contre *o* sur); **¡que descanse!** reposez-vous bien!; **¡descansen!** (*MIL*) repos!; **descanse en paz** qu'il repose en paix.

descansillo [deskan'siʎo] *nm* palier *m*.

descanso [des'kanso] *nm* repos *msg*; (*en el trabajo*) pause *f*; (*alivio*) soulagement *m*; (*TEATRO, CINE*) entracte *m*; (*DEPORTE*) mi-temps *fsg*; **día de ~** jour *m* de congé; **~ por enfermedad/maternidad** congé *m* maladie/de maternité; **tomarse unos días de** ~ prendre quelques jours de congé.

descapotable [deskapo'taβle] *nm* (*tb:* **coche** ~) décapotable *f*.

descarado, -a [deska'raðo, a] *adj* éhonté(e); (*insolente*) effronté(e).

descarga [des'karɣa] *nf* déchargement *m*; (*MIL*) décharge *f*.

descargar [deskar'ɣar] *vt* décharger; (*golpe*) envoyer; (*nube, tormenta*) déverser; (*cólera*) faire passer; (*de una obligación*) libérer de; (*de culpa*) déclarer innocent ♦ *vi* décharger; (*tormenta*) éclater; (*nube*) crever; ~ **en** (*río*) se jeter dans; **descargarse** *vpr* se décharger; **~se de** (*penas*) se soulager de; (*responsabilidades*) se décharger de.

descargo [des'karɣo] *nm* (*de obligación*) libération *f*; (*COM*) crédit *m*; (*de conciencia*) soulagement *m*; (*JUR*) décharge *f*; ~ **de una acusación** réfutation *f* d'une accusation.

descarnado, -a [deskar'naðo, a] *adj* (*mejillas*) creux(-euse); (*brazos*) décharné(e); (*reportaje, estilo*) cru(e).

descaro [des'karo] *nm* effronterie *f*; (*insolencia*) impudence *f*; **¡qué ~!** quel toupet!

descarriar [deska'rrjar] *vt* (*fig*) dévergonder; **descarriarse** *vpr* se dévergonder.

descarrilamiento [deskarrila'mjento] *nm* déraillement *m*.

descarrilar [deskarri'lar] *vi* dérailler.

descartar [deskar'tar] *vt* rejeter; **descartarse** *vpr* (*NAIPES*) se défausser.

descascarillado, -a [deskaskari'ʎaðo, a] *adj* écaillé(e).

descendencia [desθen'denθja] *nf* (*estirpe*) lignée *f*; (*hijos*) descendance *f*; **morir sin dejar** ~ mourir sans laisser d'enfants.

descender [desθen'der] *vt* descendre ♦ *vi* descendre; (*temperatura, nivel*) baisser; (*agua, lava*) couler; ~ **de** descendre de; ~ **de categoría** se déclasser.

descenso [des'θenso] *nm* descente *f*; (*de temperatura, fiebre*) baisse *f*; (*DEPORTE*) déclassement *m*; (*en un trabajo*) rétrogradation *f*.

descentrado, -a [desθen'traðo, a] *adj* décentré(e); (*rueda*) désaxé(e); (*persona*) mal intégré(e); **todavía está algo** ~ il est encore un peu désorienté.

descentralizar [desθentrali'θar] *vt* décentraliser.

descifrar [desθi'frar] *vt* déchiffrer; (*motivo, actitud*) comprendre; (*problema*) cerner; (*misterio*) élucider.

desclavar [deskla'βar] *vt* déclouer.

descocado, -a [desko'kaðo, a] *adj* (*atrevido*) osé(e); (*desvergonzado*) culotté(e).

descolgar [deskol'ɣar] *vt* décrocher; (*con cuerdas*) descendre à l'aide de cordes; **descolgarse** *vpr* se laisser glisser; (*lámpara, cortina*) se décrocher; **~se por** descendre de; **~se de** (*esp DEPORTE*) se détacher de; **dejó el teléfono descolgado** il a décroché le téléphone.

descollar [desko'ʎar] *vi* (*sobresalir*) dominer; (*fig: persona*) se démarquer; **ese alumno descuella entre los demás** cet élève surpasse tous les autres.

descolocar [deskolo'kar] *vt* enlever.

descolorido, -a [deskolo'riðo, a] *adj* (*tela, cuadro*) passé(e); (*persona*) pâlot(te).

descompensar [deskompen'sar] *vt* déséquilibrer.

descomponer [deskompo'ner] *vt* décomposer; (*desordenar*) déranger; (*estropear*) casser; (*facciones*) altérer; (*estómago*) détraquer; (*persona: molestar*) énerver; (*: irritar*) exaspérer; **descomponerse** *vpr* se décomposer; (*estómago*) se détraquer; (*encolerizarse*) se mettre en colère; (*MÉX*) se casser.

descomposición [deskomposi'θjon] *nf* décomposition *f*; **descomposición de vientre** diarrhée *f*.

descompostura [deskompos'tura] *nf* laisser-aller *m*; (*MÉX*) panne *f*.

descompuesto, -a [deskom'pwesto, a] *pp de* **descomponer** ♦ *adj* (*alimento*) pourri(e); (*vino*) frelaté(e); (*MÉX: máquina*) en panne; (*persona, rostro*) décomposé(e); (*con diarrea*) dérangé(e).

descomulgar [deskomul'ɣar] *vt* excommunier.

descomunal [deskomu'nal] *adj* énorme.

desconcentrar [deskonθen'trar] *vt* déconcentrer; **desconcentrarse** *vpr* se déconcentrer.

desconcertado, -a [deskonθer'taðo, a] *adj* déconcerté(e).

desconcertar [deskonθer'tar] *vt* déconcerter; **desconcertarse** *vpr* se déconcerter.

desconchar [deskon'tʃar] *vt* (*pintura*) écailler; (*loza*) ébrécher; **desconcharse** *vpr* s'écailler.

desconchón [deskon'tʃon] *nm*: **hay un ~ en la pared** la peinture du mur s'est écaillée.

desconcierto [deskon'θjerto] *vb V* **desconcertar** ♦ *nm* désorientation *f*; (*confusión*) discorde *f*; **sembrar el** ~ semer la discorde.

desconectado, -a [deskonek'taðo, a] *adj* (*ELEC*) déconnecté(e); (*INFORM*) non connecté(e); **estar ~ de** (*fig*) être déconnecté(e) de.

desconectar [deskonek'tar] *vt* déconnecter; (*desenchufar*) débrancher; (*apagar*) éteindre; (*INFORM*) désélectionner ♦ *vi* (*perder atención*) déconnecter.

desconfiado, -a [deskon'fjaðo, a] *adj* méfiant(e).

desconfianza [deskon'fjanθa] *nf* méfiance *f*.

desconfiar [deskon'fjar] *vi*: **~ de algn/algo** se méfier de qn/qch; **~ de que algn/algo haga algo** (*dudar*) craindre que qn/qch (ne) fasse qch; **"desconfíe de las imitaciones"** (*COM*) "méfiez-vous des imitations".

descongelar [deskonxe'lar] *vt* décongeler; (*POL, COM*) dégeler; **descongelarse** *vpr* se décongeler; se dégeler.

descongestionar [desconxestjo'nar] *vt* décongestionner.

desconocer [deskono'θer] *vt* (*dato*) ignorer; (*persona*) ne pas connaître.

desconocido, -a [deskono'θiðo, a] *adj, nm/f* inconnu(e); **está ~** (*persona*) il est transformé; (*lugar*) c'est transformé; **el soldado ~** le soldat inconnu.

desconocimiento [deskonoθi'mjento] *nm* ignorance *f*.

desconsiderado, -a [deskonsiðe'raðo, a] *adj* irrespectueux(-euse); (*insensible*) ingrat(e).

desconsolar [deskonso'lar] *vt* affliger; **desconsolarse** *vpr* s'affliger.

desconsuelo [deskon'swelo] *vb V* **desconsolar** ♦ *nm* affliction *f*, chagrin *m*.

descontado, -a [deskon'taðo, a] *adj*: **por ~** c'est certain; **dar por ~ (que)** escompter (que).

descontar [deskon'tar] *vt* (*deducir*) déduire; (*rebajar*) faire une remise de.

descontento, -a [deskon'tento, a] *adj* mécontent(e) ♦ *nm* mécontentement *m*.

descontrol [deskon'trol] (*fam*) *nm* pagaille *f*.

descontrolado, -a [deskontro'laðo, a] *adj* incontrôlé(e).

desconvocar [deskombo'kar] *vt* annuler.

descorazonar [deskoraθo'nar] *vt* décourager; **descorazonarse** *vpr* perdre courage.

descorchar [deskor'tʃar] *vt* déboucher.

descorrer [desko'rrer] *vt* (*cortina, cerrojo*) tirer.

descortés [deskor'tes] *adj* discourtois(e); (*grosero*) grossier(-ière).

descortesía [deskorte'sia] *nf* manque *m* de courtoisie; **una ~** un manque de courtoisie.

descoser [desko'ser] *vt* découdre; **descoserse** *vpr* se découdre.

descrédito [des'kreðito] *nm* discrédit *m*; **caer en ~** se discréditer; **ir en ~ de** discréditer.

descreído, -a [deskre'iðo, a] *adj* incrédule.

descremado, -a [deskre'maðo, a] *adj* écrémé(e).

describir [deskri'βir] *vt* décrire.

descripción [deskrip'θjon] *nf* description *f*.

descriptivo, -a [deskrip'tiβo, a] *adj* descriptif(-ive).

descrito, -a [des'krito, a] *pp de* **describir**.

descuartizar [deskwarti'θar] *vt* (*CULIN: cerdo*) équarrir; (*: pollo*) dépecer; (*cuerpo, persona*) écorcher.

descubierto, -a [desku'βjerto, a] *pp de* **descubrir** ♦ *adj* découvert(e); (*coche*) décapoté(e); (*campo*) nu(e) ♦ *nm* (*COM: en el presupuesto*) déficit *m*; (*: bancario*) découvert *m*; **al ~** en plein air; **poner al ~** révéler; **quedar al ~** rester à découvert; **estar en ~** (*COM*) être à découvert.

descubrimiento [deskuβri'mjento] *nm* découverte *f*; (*de secreto*) divulgation *f*; (*de estatua*) inauguration *f*.

descubrir [desku'βrir] *vt* découvrir; (*placa, estatua*) inaugurer; (*poner al descubierto*) révéler; (*delatar*) dénoncer; **descubrirse** *vpr* se découvrir; (*fig*) éclater; **~se ante** tirer son chapeau à.

descuento [des'kwento] *vb V* **descontar** ♦ *nm* remise *f*; **hacer un ~ del 3%** faire une remise de 3%; **con ~** avec remise; **~ por pago al contado/par volumen de compras** (*COM*) remise pour paiement comptant/sur la quantité.

descuidado, -a [deskwi'ðaðo, a] *adj* négligé(e); (*desordenado*) négligent(e); (*jardín, casa*) à l'abandon; **estar ~** être pris(e) au dépourvu; **coger** *o* **pillar a algn ~** prendre qn au dépourvu.

descuidar [deskwi'ðar] *vt* négliger ♦ *vi* ne plus y penser; **descuidarse** *vpr* (*despistarse*) ne pas faire attention; (*abandonarse*) s'oublier; **¡descuida!** n'y pense plus!

descuido [des'kwiðo] *nm* négligence *f*; **al menor ~** à la moindre négligence; **con ~** sans faire attention; **en un ~** dans un moment d'inattention; **por ~** par inadvertance.

PALABRA CLAVE

desde ['desðe] *prep* **1** (*lugar, posición*) depuis; **desde Burgos hasta mi casa hay 30 km** de Burgos à chez moi il y a 30 km; **hablaba desde el balcón** il parlait du bal-

con
2 (*tiempo*) depuis; **desde ahora** à partir de maintenant; **desde entonces** depuis ce temps-là; **desde niño** depuis qu'il est tout petit; **desde 3 años atrás** depuis 3 ans; **nos conocemos desde 1987/desde hace 20 años** nous nous connaissons depuis 1987/depuis 20 ans; **no le veo desde 1992/desde hace 5 años** je ne le vois plus depuis 1992/depuis 5 ans; **¿desde cuándo vives aquí?** depuis quand est-ce que tu habites ici?
3 (*gama*): **desde los más lujosos hasta los más económicos** des plus luxueux aux plus avantageux
4: **desde luego (que no/sí)** bien sûr (que non/si); **desde luego, no hay quien te entienda!** qu'est-ce que tu peux être compliqué!
♦ *conj*: **desde que**: **desde que recuerdo** aussi loin que je m'en souvienne; **desde que llegó no ha salido** depuis qu'il est rentré il n'est pas sorti.

desdecir [desðe'θir] *vi*: ~ **de** ne pas être à la hauteur de; (*no corresponder*) ne pas aller avec; **desdecirse** *vpr*: ~**se de** se dédire de.
desdén [des'ðen] *nm* dédain *m*.
desdeñable [desðe'ɲaβle] *adj* négligeable.
desdeñar [desðe'ɲar] *vt* dédaigner.
desdibujar [desðiβu'xar] *vt* effacer; **desdibujarse** *vpr* s'effacer.
desdicha [des'ðitʃa] *nf* malheur *m*.
desdichado, -a [desði'tʃaðo, a] *adj* (*sin suerte*) infortuné(e); (*infeliz*) malheureux(-euse) ♦ *nm/f* miséreux(-euse).
desdoblar [desðo'βlar] *vt* (*extender*) déplier; (*convertir en dos*) dédoubler.
desear [dese'ar] *vt* désirer; **¿qué desea?** (*en tienda*) que désirez-vous?; **te deseo mucha suerte** je te souhaite bonne chance; **dejar mucho que** ~ laisser beaucoup à désirer; **estoy deseando que esto termine** je souhaite que ça se termine.
desecar [dese'kar] *vt* assécher; **desecarse** *vpr* se dessécher.
desechar [dese'tʃar] *vt* jeter; (*oferta*) rejeter.
desecho [de'setʃo] *nm* déchet *m*; ~**s** *nmpl* ordures *fpl*; **de** ~ (*materiales*) de rebut; (*ropa*) à jeter.
desembalar [desemba'lar] *vt* déballer.
desembarazar [desembara'θar] *vt* débarrasser; **desembarazarse** *vpr*: ~**se de** se débarrasser de.
desembarcar [desembar'kar] *vt* débarquer.
desembarco [desem'barko] *nm* débarquement *m*.
desembocadura [desemboka'ðura] *nf* (*de río*) embouchure *f*; (*de calle*) bout *m*.
desembocar [desembo'kar] *vi*: ~ **en** (*río*) se jeter dans; (*fig*) déboucher sur.
desembolsar [desembol'sar] *vt* débourser.
desembragar [desembra'ɣar] *vt, vi* débrayer.
desembrollar [desembro'ʎar] *vt* débrouiller.
desembuchar [desembu'tʃar] *vt* (*fam: secretos*) confesser; (*suj: aves*) dégorger ♦ *vi* (*fam: confesar*) avouer, se mettre à table; **¡desembucha!** avoue!
desemejanza [deseme'xanθa] *nf* dissemblance *f*.
desempañar [desempa'ɲar] *vt* (*cristal*) nettoyer.
desempaquetar [desempake'tar] *vt* déballer.
desempatar [desempa'tar] *vi*: **volvieron a jugar para** ~ ils ont joué à nouveau pour se départager.
desempate [desem'pate] *nm* (FÚTBOL) belle *f*; (TENIS) tie-break *m*; **partido de** ~ belle; **gol de** ~ but *m* de la victoire.
desempeñar [desempe'ɲar] *vt* (*cargo, función*) occuper; (*papel*) jouer; (*deber*) accomplir; (*lo empeñado*) dégager; **desempeñarse** *vpr* (*de deudas*) s'acquitter; ~ **un papel** (*fig*) jouer un rôle.
desempleado, -a [desemple'aðo, a] *adj* au chômage ♦ *nm/f* chômeur(-euse).
desempleo [desem'pleo] *nm* chômage *m*.
desempolvar [desempol'βar] *vt* dépoussiérer; (*recuerdos*) rassembler; (*volver a usar*) ressortir.
desencadenar [desenkaðe'nar] *vt* (*preso, perro*) désenchaîner; (*ira, conflicto*) déchaîner; (*guerra*) déclencher; **desencadenarse** *vpr* (*conflicto, tormenta*) se déchaîner; (*guerra*) se déclencher.
desencajar [desenka'xar] *vt* (*mandíbula*) décrocher; (*hueso, pieza*) déboîter; **desencajarse** *vpr* se déboîter.
desencanto [desen'kanto] *nm* désenchantement *m*.
desenchufar [desentʃu'far] *vt* débrancher.
desencolarse [desenko'larse] *vpr* se décoller.
desencuadernarse [desenkwader'narse] *vpr* se décoller.
desenfadado, -a [desenfa'ðaðo, a] *adj* décontracté(e).
desenfado [desen'faðo] *nm* décontraction *f*.

desenfocar [desenfo'kar] *vt* (*FOTO*) rendre flou(e).

desenfrenado, -a [desenfre'naðo, a] *adj* (*pasión*) sans bornes; (*lenguaje, conducta*) débridé(e); (*multitud*) déchaîné(e).

desenfreno [desen'freno] *nm* (*libertinaje*) libertinage *m*; (*falta de control*) déchaînement *m*.

desenfundar [desenfun'dar] *vt* (*pistola*) dégainer.

desenganchar [desengan'tʃar] *vt* décrocher; (*caballerías*) dételer; (*TEC*) déclencher; **desengancharse** *vpr* (*fam: de drogas*) décrocher.

desengañar [desenga'ɲar] *vt* désillusionner; (*abrir los ojos a*) détromper; **desengañarse** *vpr*: **~se (de)** perdre ses illusions (sur); **¡desengáñate!** détrompe-toi!

desengaño [desen'gaɲo] *nm* désillusion *f*; **llevarse un ~ (con algn)** être déçu(e) (par qn); **sufrir un ~ amoroso** avoir une déception amoureuse.

desengrasar [desengra'sar] *vt* dégraisser.

desenlace [desen'laθe] *vb V* **desenlazar** ♦ *nm* dénouement *m*.

desenmarañar [desenmara'ɲar] *vt* (*fig*) débrouiller.

desenmascarar [desenmaska'rar] *vt* (*fig*) démasquer.

desenredar [desenre'ðar] *vt* débrouiller.

desenrollar [desenro'ʎar] *vt* dérouler; **desenrollarse** *vpr* se dérouler.

desenroscar [desenros'kar] *vt* dévisser; **desenroscarse** *vpr* se dévisser.

desentenderse [desenten'derse] *vpr*: **~ de** se désintéresser de; **me desentiendo del asunto** je me désintéresse de l'affaire.

desenterrar [desente'rrar] *vt* déterrer.

desentonar [desento'nar] *vi* détonner.

desentrañar [desentra'ɲar] *vt* (*misterio*) percer; (*sentido*) éclaircir.

desentrenado, -a [desentre'naðo, a] *adj* rouillé(e).

desentumecer [desentume'θer] *vt* (*pierna*) dégourdir; (*DEPORTE*) échauffer; **desentumecerse** *vpr* se dégourdir.

desenvainar [desembai'nar] *vt* (*espada*) dégainer.

desenvoltura [desembol'tura] *nf* désinvolture *f*.

desenvolver [desembol'βer] *vt* défaire; **desenvolverse** *vpr* se dérouler; **~se bien/mal** bien/mal se débrouiller; **~se en la vida** se débrouiller dans la vie.

desenvuelto, -a [desem'bwelto, a] *pp de* **desenvolver** ♦ *adj* désinvolte.

deseo [de'seo] *nm* désir *m*; **~ de (hacer)** désir de (faire); **arder en ~s de hacer algo** désirer ardemment faire qch.

deseoso, -a [dese'oso, a] *adj*: **estar ~ de (hacer)** être désireux(-euse) de (faire).

desequilibrado, -a [desekili'βraðo, a] *adj, nm/f* déséquilibré(e).

desequilibrar [desekili'βrar] *vt* déséquilibrer; **desequilibrarse** *vpr* (*mentalmente*) se déséquilibrer.

desequilibrio [deseki'liβrio] *nm* déséquilibre *m*; **desequilibrio mental** déséquilibre mental.

desertar [deser'tar] *vi* (*soldado*) déserter; **~ de** (*sus deberes*) manquer à; (*una organización*) déserter.

desértico, -a [de'sertiko, a] *adj* désertique.

desertor, a [deser'tor, a] *nm/f* déserteur *m*.

desesperación [desespera'θjon] *nf* désespoir *m*; (*irritación*) exaspération *f*; **es una ~ tener que ...** c'est malheureux de devoir ... .

desesperada [desespe'raða] *nf*: **hacer algo a la ~** faire qch en désespoir de cause.

desesperado, -a [desespe'raðo, a] *adj* (*sin esperanza*) désespéré(e) ♦ *nm*: **como un ~** comme un fou.

desesperar [desespe'rar] *vt* désespérer; (*exasperar*) exaspérer ♦ *vi*: **~ (de)** désespérer (de); **desesperarse** *vpr* perdre espoir; (*impacientarse*) s'impatienter; **~ de hacer** désespérer de faire.

desestabilizar [desestaβili'θar] *vt* déstabiliser.

desestimar [desesti'mar] *vt* (*menospreciar*) mésestimer; (*rechazar*) rejeter.

desfachatez [desfatʃa'teθ] *nf* aplomb *m*; **¡qué ~!** quel culot!; **tener la ~ de hacer** avoir l'aplomb de faire.

desfalco [des'falko] *nm* détournement *m* de fonds.

desfallecer [desfaʎe'θer] *vi* défaillir; **~ de agotamiento** défaillir de fatigue; **~ de hambre/sed** mourir de faim/soif.

desfasado, -a [desfa'saðo, a] *adj* déphasé(e); (*costumbres*) vieux jeu *inv*.

desfase [des'fase] *nm* (*en mecanismo*) déphasage *m*; (*entre ideas, circunstancias*) décalage *m*; **desfase horario** décalage horaire.

desfavorable [desfaβo'raβle] *adj* défavorable.

desfavorecer [desfaβore'θer] *vt* (*sentar mal*) aller mal à; (*perjudicar*) défavoriser.

desfigurar [desfiɣu'rar] *vt* défigurer.

desfiladero [desfila'ðero] *nm* défilé *m*.

desfilar [desfi'lar] *vi* défiler; **~on ante el**

general ils ont défilé devant le général.

desfile [des'file] *nm* défilé *m*; ~ **de modelos** défilé de mode.

desfogar [desfo'ɣar] *vt* (*ira*) décharger; **desfogarse** *vpr* (*fig*) se défouler.

desgajar [desɣa'xar] *vt* arracher; (*naranja*) cueillir; **desgajarse** *vpr* (*rama*) s'arracher.

desgana [des'ɣana] *nf* (*falta de apetito*) manque *m* d'appétit; (*falta de entusiasmo*) manque d'entrain; **hacer algo a** *o* **con** ~ faire qch à contrecœur.

desganado, -a [desɣa'naðo, a] *adj*: **estar** ~ (*sin apetito*) ne pas avoir d'appétit; (*sin entusiasmo*) manquer d'entrain.

desgañitarse [desɣaɲi'tarse] *vpr* s'époumoner.

desgarbado, -a [desɣar'βaðo, a] *adj* dégingandé(e).

desgarrar [desɣa'rrar] *vt* déchirer; (*carne*) déchiqueter; **desgarrarse** *vpr* (*prenda*) se déchirer; (*carne*) partir en lambeaux.

desgarrón [desɣa'rron] *nm* déchirure *f*.

desgastar [desɣas'tar] *vt* user; **desgastarse** *vpr* s'user.

desgaste [des'ɣaste] *nm* usure *f*; ~ **físico** déchéance *f* physique.

desglosar [desɣlo'sar] *vt* disjoindre; (*tema, escrito*) décomposer.

desgobierno [desɣo'βjerno] *nm* désordre *m* politique.

desgracia [des'ɣraθja] *nf* malheur *m*; **por** ~ malheureusement, par malchance; **no hubo que lamentar ~s personales** il n'y a pas eu de victimes à déplorer; **caer en** ~ tomber en disgrâce; **tener la** ~ **de** avoir le malheur de.

desgraciado, -a [desɣra'θjaðo, a] *adj* malheureux(-euse); (*miserable*) infortuné(e); (*AM: fam*) infâme ♦ *nm/f* (*miserable*) infortuné(e); (*infeliz*) malheureux(-euse); ¡~! (*insulto*) malheureux(-euse)!; **es un pobre** ~ c'est un pauvre malheureux.

desgranar [desɣra'nar] *vt* égrener; (*frases, insultos*) cracher.

desgravación [desɣraβa'θjon] *nf* (*COM*): ~ **fiscal** dégrèvement *m* fiscal.

desgravar [desɣra'βar] *vt* dégrever ♦ *vi* (*FIN*) détaxer; **acciones/operaciones que desgravan** actions *fpl*/opérations *fpl* qui donnent droit à un dégrèvement.

desgreñado, -a [desɣre'ɲaðo, a] *adj* dépeigné(e).

desguace [des'ɣwaθe] *nm* destruction *f*; (*lugar*) casse *f*.

desguazar [desɣwa'θar] *vt* (*coche, barco*) mettre à la casse.

deshabitado, -a [desaβi'taðo, a] *adj* (*edificio*) inhabité(e); (*zona*) déserté(e).

deshacer [desa'θer] *vt* défaire; (*proyectos*) ruiner; (*TEC*) démonter; (*familia, grupo*) désunir; (*enemigo*) détruire; (*disolver*) dissoudre; (*derretir*) fondre; (*contrato*) annuler; (*intriga*) dénouer; **deshacerse** *vpr* se défaire; (*planes*) s'écrouler; (*familia, grupo*) se désunir; (*disolverse*) se dissoudre; (*derretirse*) fondre; **~se de** se défaire de; (*COM: existencias*) liquider; **~se en cumplidos/atenciones/lágrimas** se répandre en compliments/être plein d'attentions/fondre en larmes; **~se por algo** se démener pour qch.

deshecho, -a [de'setʃo, a] *pp de* **deshacer** ♦ *adj* défait(e); (*roto*) cassé(e); (*helado, pastel*) fondu(e); **estoy** ~ (*cansado*) je suis mort(e) de fatigue; (*deprimido*) je suis abattu(e).

deshelar [dese'lar] *vt* dégeler; **deshelarse** *vpr* se dégeler.

desheredar [desere'ðar] *vt* déshériter.

deshidratar [desiðra'tar] *vt* déshydrater; **deshidratarse** *vpr* se déshydrater.

deshielo [des'jelo] *vb V* **deshelar** ♦ *nm* dégel *m*.

deshilachar [desila'tʃar] *vt* effilocher; **deshilacharse** *vpr* s'effilocher.

deshinchar [desin'tʃar] *vt* (*neumático*) dégonfler; (*herida*) désenfler; **deshincharse** *vpr* se dégonfler; se désenfler.

deshipotecar [desipote'kar] *vt* déshypothéquer.

deshojar [deso'xar] *vt* effeuiller; **deshojarse** *vpr* (*flor*) s'effeuiller; (*árbol*) perdre ses feuilles.

deshonesto, -a [deso'nesto, a] *adj* malhonnête.

deshonor [deso'nor] *nm*, **deshonra** [de'sonra] *nf* déshonneur *m*.

deshora [de'sora]: **a ~(s)** *adv* (*llegar*) au mauvais moment; (*hablar*) quand il ne faut pas; (*acostarse, comer*) à des heures impossibles.

desidia [de'siðja] *nf* laisser-aller *m*.

desierto, -a [de'sjerto, a] *adj* déserté(e) ♦ *nm* désert *m*; **declarar** ~ **un premio** ne pas décerner un prix (*à cause du niveau insuffisant des candidats*).

designación [desiɣna'θjon] *nf* désignation *f*.

designar [desiɣ'nar] *vt* désigner; ~ **(para)** (*nombrar*) désigner (pour).

designio [de'siɣnjo] *nm* dessein *m*; **designios divinos** volonté *f* divine.

desigual [desi'ɣwal] *adj* inégal(e); (*tamaño, escritura*) irrégulier(-ière).

desilusión [desilu'sjon] *nf* désillusion *f*.

desilusionar [desilusjo'nar] *vt* désillu-

sionner; (*decepcionar*) décevoir; **desilusionarse** *vpr* perdre ses illusions.
desinfectar [desinfek'tar] *vt* désinfecter.
desinflar [desin'flar] *vt* dégonfler; **desinflarse** *vpr* se dégonfler.
desintegrar [desinte'ɣrar] *vt* (*grupo, familia*) diviser; (*átomo, roca*) désintégrer; **desintegrarse** *vpr* se désintégrer.
desinterés [desinte'res] *nm* (*altruismo*) désintéressement *m*; ~ **por** (*familia, actividad*) désintérêt *m* pour.
desinteresado, -a [desintere'saðo, a] *adj* désintéressé(e).
desintoxicar [desintoksi'kar] *vt* désintoxiquer; **desintoxicarse** *vpr* se désintoxiquer.
desistir [desis'tir] *vi* renoncer; ~ **de (hacer)** renoncer à (faire).
desleal [desle'al] *adj* déloyal(e).
deslealtad [desleal'tað] *nf* déloyauté *f*.
desleír [desle'ir] *vt* diluer.
deslenguado, -a [deslen'gwaðo, a] *adj* (*grosero*) fort(e) en gueule.
desliar [des'ljar] *vt* délier; (*paquete*) dénouer; **desliarse** *vpr* se dénouer.
desligar [desli'ɣar] *vt* (*separar*) séparer; (*desatar*) délier; **desligarse** *vpr* se détacher.
deslindar [deslin'dar] *vt* délimiter.
desliz [des'liθ] *nm* (*fig*) impair *m*; **cometer un** ~ commettre un impair.
deslizar [desli'θar] *vt* glisser; **deslizarse** *vpr* glisser; (*aguas mansas, lágrimas*) couler; (*horas*) passer; (*con disimulo: entrar, salir*) se glisser.
deslucir [deslu'θir] *vt* (*color, metal*) ternir; **deslucirse** *vpr* se ternir.
deslumbrar [deslum'brar] *vt* éblouir.
deslustrar [deslus'trar] *vt* ternir.
desmadrarse [desma'ðrarse] (*fam*) *vpr* se défouler.
desmadre [des'maðre] (*fam*) *nm* bazar *m*.
desmán [des'man] *nm* abus *msg*.
desmandarse [desman'darse] *vpr* (*descontrolarse*) se rebeller.
desmano [des'mano]: **a** ~ *adv*: **me coge** *o* **pilla a** ~ ça me fait faire un détour.
desmantelar [desmante'lar] *vt* démanteler; (*casa, fábrica*) vider; (*NÁUT*) démâter.
desmaquillar [desmaki'ʎar] *vt* démaquiller; **desmaquillarse** *vpr* se démaquiller.
desmarcarse [desmar'karse] *vpr* se démarquer.
desmayado, -a [desma'jaðo, a] *adj* (*sin sentido*) sans connaissance; (*fig: sin energía*) découragé(e); (*color*) passé(e).
desmayar [desma'jar] *vi* (*perder ánimo*) faiblir; **desmayarse** *vpr* perdre connaissance.
desmayo [des'majo] *nm* (*MED*) évanouissement *m*; (*desaliento*) découragement *m*; **sufrir un** ~ perdre connaissance; **sin** ~ sans relâche.
desmedido, -a [desme'ðiðo, a] *adj* démesuré(e).
desmedirse [desme'ðirse] *vpr* perdre toute retenue.
desmejorado, -a [desmexo'raðo, a] *adj*: **está muy desmejorada** (*MED*) elle est très affaiblie.
desmembrar [desmem'brar] *vt* démembrer; **desmembrarse** *vpr* (*imperio*) se morceler.
desmemoriado, -a [desmemo'rjaðo, a] *adj* distrait(e).
desmentir [desmen'tir] *vt* démentir; **desmentirse** *vpr* se dédire.
desmenuzar [desmenu'θar] *vt* (*pan*) émietter; (*roca*) effriter; (*carne*) couper en morceaux; (*asunto, teoría*) examiner en détail; **desmenuzarse** *vpr* (*pan*) s'émietter; (*roca*) s'effriter.
desmerecer [desmere'θer] *vi* (*marca*) baisser; (*belleza*) se flétrir; ~ **de** (*cosa*) ne pas être à la hauteur de; (*persona*) ne pas être digne de.
desmesurado, -a [desmesu'raðo, a] *adj* (*ambición, egoísmo*) démesuré(e); (*habitación, gafas*) énorme.
desmigajar [desmiɣa'xar] *vt* émietter; **desmigajarse** *vpr* s'émietter.
desmilitarizar [desmilitari'θar] *vt* démilitariser.
desmontar [desmon'tar] *vt* démonter; (*escopeta*) désarmer; (*tierra*) aplatir; (*quitar los árboles a*) déboiser; (*jinete*) descendre de cheval ♦ *vi* (*de caballería*) mettre pied à terre.
desmoralizar [desmorali'θar] *vt* démoraliser; **desmoralizarse** *vpr* se démoraliser; **estar desmoralizado** être démoralisé.
desmoronamiento [desmorona'mjento] *nm* écroulement *m*.
desmoronar [desmoro'nar] *vt* saper; **desmoronarse** *vpr* s'écrouler; (*convicción, ilusión*) s'ébranler.
desmovilizar [desmoβili'θar] *vt* (*MIL*) démobiliser.
desnacionalizar [desnaθjonali'θar] *vt* dénationaliser.
desnatado, -a [desna'taðo, a] *adj* écrémé(e).
desnaturalizar [desnaturali'θar] *vt* dénaturer; (*MED: nervio*) dévitaliser.
desnivel [desni'βel] *nm* (*de terreno*) dénivellation *f*; (*económico, cultural*) différence *f*; (*de fuerzas*) déséquilibre *m*.

desnivelar [desniβe'lar] *vt* (*terreno*) déniveler; (*balanza, fig*) déséquilibrer; **desnivelarse** *vpr* (*superficie*) devenir inégal(e); (*mesa*) branler.
desnudar [desnu'ðar] *vt* dénuder; **desnudarse** *vpr* se dénuder; ~ **(de)** (*despojarse*) se dépouiller (de).
desnudo, -a [des'nuðo, a] *adj* nu(e); (*árbol*) dépouillé(e); (*paisaje*) dénudé(e) ♦ *nm* (*ARTE*) nu *m*; ~ **de** dénué(e) de; **poner al ~** mettre à nu; **ir medio ~** se balader à moitié nu(e).
desnutrición [desnutri'θjon] *nf* malnutrition *f*.
desnutrido, -a [desnu'triðo, a] *adj* mal nourri(e).
desobedecer [desoβeðe'θer] *vt, vi* désobéir.
desobediencia [desoβe'ðjenθja] *nf* désobéissance *f*; **desobediencia civil** désobéissance civile.
desobediente [desoβe'ðjente] *adj* désobéissant(e).
desocupado, -a [desoku'paðo, a] *adj* (*persona*: *ocioso*) désœuvré(e); (: *desempleado*) sans emploi; (*casa*) inoccupé(e); (*asiento, servicios*) libre.
desocupar [desoku'par] *vt* (*vivienda*) libérer; (*local*) vider; **desocuparse** *vpr* se libérer.
desodorante [desoðo'rante] *nm* déodorant *m*.
desoír [deso'ir] *vt* passer outre.
desolación [desola'θjon] *nf* désolation *f*.
desolar [deso'lar] *vt* (*región*) dévaster; (*afligir*) affliger.
desollar [deso'ʎar] *vt* (*quitar la piel a*) écorcher; ~ **vivo a** (*criticar*) écorcher vif.
desorbitado, -a [desorβi'taðo, a] *adj* (*deseos*) démesuré(e); (*precio*) exorbitant(e); **con los ojos ~s** les yeux exorbités.
desorbitar [desorβi'tar] *vt* (*exagerar*) exagérer; **desorbitarse** *vpr* (*asunto*) prendre des proportions démesurées; (*ojos*) s'exorbiter.
desorden [de'sorðen] *nm* désordre *m*; (*en escrito*) confusion *f*; (*en horarios*) irrégularité *f*; **desórdenes** *nmpl* (*POL*) troubles *mpl*; (*excesos*) excès *mpl*; **ir en ~** (*gente*) marcher dans le plus grand désordre; **estar en ~** (*cabellos, habitación*) être en désordre.
desordenado, -a [desorðe'naðo, a] *adj* (*habitación, objetos*) en désordre; (*persona*) désordonné(e).
desordenar [desorðe'nar] *vt* (*papeles, objetos*) mettre en désordre; (*cuarto, cajón*) mettre sens dessus dessous.
desorganización [desorɣaniθa'θjon] *nf* désorganisation *f*.
desorganizado, -a [desorɣani'θaðo, a] *adj* (*persona*) mal organisé(e); (*oficina*) désordonné(e).
desorientar [desorjen'tar] *vt* (*extraviar*) égarer; (*desconcertar*) désorienter; (*al electorado*) confondre; **desorientarse** *vpr* s'égarer.
despabilado, -a [despaβi'laðo, a] *adj* (*despierto*) réveillé(e); (*fig*) éveillé(e).
despabilar [despaβi'lar] *vt* réveiller; (*fig*) secouer ♦ *vi* se réveiller; (*fig*) s'éveiller; **despabilarse** *vpr* se réveiller; **¡despabílate!** (*date prisa*) réveille-toi!
despachar [despa'tʃar] *vt* (*negocio*) expédier; (*trabajo*) terminer; (*correspondencia*) s'occuper de; (*fam*: *comida*) se taper; (: *bebida*) descendre; (*mensaje, carta*) envoyer; (*en tienda*: *cliente*) servir; (*entradas*) distribuer; (*empleado*) se débarrasser de; (*visitas*) décliner; (*matar*) descendre; (*ARG*: *maletas*) enregistrer ♦ *vi* (*en tienda*) servir; **despacharse** *vpr* se dépêcher; **está despachando con el jefe** il discute avec le chef; **~se de algo** se débarrasser de qch; **~se a su gusto con algn** soulager sa conscience auprès de qn.
despacho [des'patʃo] *nm* bureau *m*; (*envío*) dépêche *f*; (*COM*: *venta*) envoi *m*; (*comunicación oficial*) dépêche; (: *a distancia*) ordre *m*; ~ **de billetes** *o* **boletos** (*AM*) bureau de tabac; ~ **de localidades** guichet *m*; **mesa de ~** bureau; **muebles de ~** mobilier *m* de bureau.
despachurrar [despatʃu'rrar] *vt* (*aplastar*) éplucher.
despacio [des'paθjo] *adv* lentement; (*cuidadosamente, AM*: *en voz baja*) doucement; ¡~! doucement!; **ya hablaremos más ~** on parlera plus longuement.
despacito [despa'θito] (*fam*) *adv* (*lentamente*) tout doucement; (*suavemente*) doucement.
desparpajo [despar'paxo] *nm* (*desenvoltura*) aisance *f*; (*pey*) insolence *f*.
desparramar [desparra'mar] *vt* répandre.
despavorido, -a [despaβo'riðo, a] *adj* terrorisé(e).
despechado, -a [despe'tʃaðo, a] *adj* dépité(e).
despecho [des'petʃo] *nm* dépit *m*; **a ~ de** en dépit de; **por ~** par dépit.
despectivo, -a [despek'tiβo, a] *adj* (*tono, modo*) condescendant(e); (*LING*) péjoratif(-ive).
despedazar [despeða'θar] *vt* réduire en miettes; **despedazarse** *vpr* tomber en

miettes.
despedida [despe'ðiða] *nf* (*adiós*) congé *m*; (*antes de viaje*) adieux *mpl*; (*en carta*) formule *f* de politesse; **regalo/cena de ~** cadeau *m*/dîner *m* d'adieu; **hacer una ~ a algn** fêter le départ de qn; **hacer su ~ de soltero/soltera** enterrer sa vie de garçon/jeune fille.
despedir [despe'ðir] *vt* (*decir adiós a*) dire au revoir à; (*empleado*) renvoyer; (*arrojar*) lancer, jeter; (*olor, calor*) dégager; **despedirse** *vpr* quitter son emploi; **~se de algn** dire au revoir à qn; **se despidieron** ils se sont dit au revoir; **salir despedido** être lancé(e); **ir a ~ a algn** aller prendre congé de qn.
despegar [despe'ɣar] *vt, vi* décoller; **despegarse** *vpr* se décoller; **sin ~ los labios** sans piper mot.
despego [des'peɣo] *nm* = **desapego**.
despegue [des'peɣe] *vb V* **despegar** ♦ *nm* décollage *m*.
despeinar [despei'nar] *vt* dépeigner; **despeinarse** *vpr* se dépeigner.
despejar [despe'xar] *vt* dégager; (*desalojar*) vider; (*misterio*) éclaircir; (*MAT: incógnita*) isoler; (*mente*) rafraîchir ♦ *vi* s'éclaircir; **despejarse** *vpr* s'éclaircir; (*persona*) émerger; **¡despejen!** évacuez les lieux!; **salir a ~se** sortir pour se changer les idées.
despellejar [despeʎe'xar] *vt* (*animal*) écorcher; (*fig*) ne pas ménager.
despenalizar [despenali'θar] *vt* dépénaliser.
despensa [des'pensa] *nf* armoire *f* à provisions.
despeñadero [despeɲa'ðero] *nm* précipice *m*.
despeñar [despe'ɲar] *vt* précipiter; **despeñarse** *vpr* basculer.
desperdiciar [desperði'θjar] *vt* gaspiller; (*oportunidad*) manquer.
desperdicio [desper'ðiθjo] *nm* gaspillage *m*; (*residuo*) déchet *m*; **~s** *nmpl* (*basura*) ordures *fpl*; (*residuos*) déchets *mpl*; (*de comida*) restes *mpl*; **el libro no tiene ~** le livre est excellent du début à la fin.
desperdigar [desperði'ɣar] *vt* disperser; **desperdigarse** *vpr* se disperser; (*semillas etc*) s'éparpiller; **andar desperdigados** être dispersés.
desperezarse [despere'θarse] *vpr* s'étirer.
desperfecto [desper'fekto] *nm* (*deterioro*) dommage *m*; (*defecto*) imperfection *f*.
despersonalizado, -a [despersonali'θaðo, a] *adj* impersonnel(le).
despertador [desperta'ðor] *nm* réveil *m*.
despertar [desper'tar] *vt* réveiller; (*sospechas, admiración*) éveiller; (*apetito*) aiguiser ♦ *vi* se réveiller ♦ *nm* (*de persona*) réveil *m*; (*día, era*) aube *f*; **despertarse** *vpr* se réveiller.
despiadado, -a [despja'ðaðo, a] *adj* impitoyable.
despido [des'piðo] *vb V* **despedir** ♦ *nm* (*de trabajador*) licenciement *m*; **despido improcedente** licenciement abusif; **despido injustificado** renvoi *m* injustifié; **despido libre** faculté *f* de licencier arbitrairement; **despido voluntario** chômage *m* volontaire.
despierto, -a [des'pjerto, a] *vb V* **despertar** ♦ *adj* réveillé(e); (*fig*) éveillé(e).
despilfarrar [despilfa'rrar] *vt* gaspiller.
despilfarro [despil'farro] *nm* gaspillage *m*.
despistado, -a [despis'taðo, a] *adj* (*distraído*) distrait(e); (*desorientado*) dérouté(e) ♦ *nm/f* distrait(e).
despistar [despis'tar] *vt* (*perseguidor*) semer; (*desorientar*) dérouter; **despistarse** *vpr* (*distraerse*) être distrait(e).
despiste [des'piste] *nm* distraction *f*; (*confusión*) confusion *f*; **tiene un terrible ~** il est terriblement distrait.
desplazamiento [desplaθa'mjento] *nm* déplacement *m*; (*INFORM*) défilement *m*; **~ hacia arriba/abajo** (*INFORM*) déplacement vers le haut/bas; **gastos de ~** frais *mpl* de déplacement.
desplazar [despla'θar] *vt* déplacer; (*tropas*) transférer; (*fig*) supplanter; (*INFORM*) faire défiler; **desplazarse** *vpr* se déplacer.
desplegar [desple'ɣar] *vt* déployer; (*tela, papel*) déplier; **desplegarse** *vpr* (*MIL*) se déployer.
despliegue [des'pljeɣe] *vb V* **desplegar** ♦ *nm* déploiement *m*.
desplomarse [desplo'marse] *vpr* s'écrouler; **se ha desplomado el techo** le toit s'est effondré.
desplumar [desplu'mar] *vt* (*ave*) déplumer; (*fam*) plumer.
despoblado, -a [despo'βlaðo, a] *adj* (*sin habitantes*) vide; (*con pocos habitantes*) dépeuplé(e) ♦ *nm* terrain *m* vague.
despoblarse [despo'βlarse] *vpr* se dépeupler.
despojar [despo'xar] *vt* (*casa*) dépouiller; **~ de** (*persona: de sus bienes*) dépouiller de; (*: de título, derechos*) retirer; (*: de su cargo*) relever; **despojarse** *vpr*: **~se de** (*ropa*) enlever; (*posesiones*) se dépouiller de.
despojo [des'poxo] *nm* (*usurpación*) spoliation *f*; (*botín*) butin *m*; **~s** *nmpl* (*CULIN*)

abats *mpl*; (*de banquete*) reliefs *mpl*; (*cadáver*) dépouille *fsg*.
desportillarse [desporti'ʎarse] *vpr* s'ébrécher.
desposar [despo'sar] *vt* (*suj: sacerdote*) marier; **desposarse** *vpr* se marier.
desposeer [despose'er] *vt*: ~ **(de)** déposséder (de); ~ **a algn de su autoridad** priver qn de son autorité.
déspota ['despota] *nm/f* despote *m*.
despotismo [despo'tismo] *nm* despotisme *m*.
despotricar [despotri'kar] *vi*: ~ **(contra)** pester (contre).
despreciar [despre'θjar] *vt* mépriser; (*oferta, regalo*) dédaigner.
desprecio [des'preθjo] *nm* dédain *m*; **un ~** un affront; **le hicieron el ~ de no acudir** ils lui ont fait l'affront de ne pas venir.
desprender [despren'der] *vt* ôter; (*olor, calor*) dégager; (*chispas*) jeter; **desprenderse** *vpr* se détacher; (*olor, perfume*) se dégager; ~ **(de)** (*separar*) ôter (de); **~se de algo** se défaire de qch; **de ahí se desprende que** il en découle que.
desprendido, -a [despren'dido, a] *adj* (*persona*) généreux(-euse).
despreocupado, -a [despreoku'paðo, a] *adj*: **estar ~** (*sin preocupación*) ne pas s'inquiéter; **ser ~** être insouciant(e).
despreocuparse [despreoku'parse] *vpr*: ~ **(de)** (*dejar de inquietarse*) ne plus s'occuper (de); (*desentenderse*) se désintéresser (de).
desprestigiar [despresti'xjar] *vt* discréditer; **desprestigiarse** *vpr* se discréditer.
desprestigio [despres'tixjo] *nm* discrédit *m*.
desprevenido, -a [despreβe'niðo, a] *adj* dépourvu(e); **coger** (*ESP*) *o* **agarrar** (*AM*) **a algn ~** prendre qn au dépourvu.
desproporcionado, -a [desproporθjo'naðo, a] *adj* disproportionné(e).
despropósito [despro'posito] *nm* (*salida de tono*) propos *msg* outrancier; (*disparate*) remarque *f* inopportune.
desprovisto, -a [despro'βisto, a] *adj*: ~ **de** dépourvu(e) de; **estar ~ de** être dépourvu(e) de.
después [des'pwes] *adv* après; (*desde entonces*) dès lors; (*entonces*) alors ♦ *prep*: ~ **de** après ♦ *conj*: ~ **(de) que** après que; **poco ~** peu après; **un año ~** un an après; ~ **se debatió el tema** puis on a discuté de l'affaire; ~ **de comer** après manger; ~ **de corregir el texto** après avoir corrigé le texte; ~ **de esa fecha** (*pasado*) après cette date; (*futuro*) passée cette date; ~ **de todo** après tout; ~ **de verlo** après l'avoir vu; **mi nombre está ~ del tuyo** mon nom vient après le tien; ~ **(de) que lo escribí** après que je l'eus écrit.
despuntar [despun'tar] *vt* (*lápiz*) tailler ♦ *vi* (*plantas*) pointer; (*flores, alba, día*) poindre; (*persona: sobresalir*) briller.
desquiciar [deski'θjar] *vt* (*puerta*) sortir de ses gonds; (*planes*) bouleverser; (*persona*) rendre fou(folle); **el pobre está desquiciado** le pauvre est ébranlé.
desquitarse [deski'tarse] *vpr*: ~ **(de)** (*resarcirse*) être récompensé(e) (de); (*vengarse*) se venger (de); ~ **de una pérdida** compenser une perte.
desquite [des'kite] *nm*: **tomarse el ~ (de)** prendre sa revanche (sur).
destacado, -a [desta'kaðo, a] *adj* (*persona*) célèbre; (*hechos, noticias*) marquant(e); **ocupar un lugar ~** (*fig*) occuper le devant de la scène.
destacamento [destaka'mento] *nm* (*MIL*) détachement *m*.
destacar [desta'kar] *vt* (*ARTE*) mettre en relief; (*fig*) souligner; (*MIL*) détacher ♦ *vi* (*sobresalir: montaña, figura*) ressortir; (*: obra, persona*) se démarquer; **destacarse** *vpr* se démarquer; **quiero ~ que ...** je veux souligner que ...; ~ **en/por algo** briller en/par qch; **~(se) de** *o* **entre los demás** se démarquer des autres.
destajo [des'taxo] *nm*: **trabajar a ~** (*por pieza*) travailler à la pièce; (*mucho*) travailler d'arrache-pied.
destapar [desta'par] *vt* découvrir; (*botella*) déboucher; (*cacerola*) ôter le couvercle de; **destaparse** *vpr* (*botella*) se déboucher; (*en la cama*) se découvrir.
destartalado, -a [destarta'laðo, a] *adj* (*casa*) délabré(e); (*coche*) démantibulé(e).
destellar [deste'ʎar] *vi* (*diamante, estrella*) scintiller; (*metal*) étinceler.
destello [des'teʎo] *nm* (*de diamante, metal*) scintillement *m*; (*de estrella*) scintillation *f*; (*de faro*) lueur *f*; **un ~ de lucidez/genio** un éclair de lucidité/génie.
destemplar [destem'plar] *vt* (*MÚS*) désaccorder; **destemplarse** *vpr* (*MÚS*) se désaccorder; (*persona: alterarse*) perdre toute mesure; (*MED*) être indisposé(e).
desteñir [deste'ɲir] *vt* (*sol, lejía*) passer ♦ *vi* (*tejido*) déteindre; **desteñirse** *vpr* déteindre; **esta tela no destiñe** cette toile ne déteint pas.
desternillarse [desterni'ʎarse] *vpr*: ~ **de risa** se tordre de rire.
desterrar [deste'rrar] *vt* exiler; (*pensamiento, tristeza*) chasser; (*sospechas*) ban-

nir.
destetar [deste'tar] *vt* sevrer.
destiempo [des'tjempo]: **a ~** *adv* mal à propos.
destierro [des'tjerro] *vb V* **desterrar** ♦ *nm* (*expulsión*) interdiction *f* de séjour; (*exilio*) exil *m*; **vivir en el ~** vivre en exil.
destilar [desti'lar] *vt, vi* distiller.
destilería [destile'ria] *nf* distillerie *f*.
destinar [desti'nar] *vt* (*funcionario, militar*) affecter; (*habitación, tarea*) assigner; **~ a** *o* **para** (*fondos*) destiner à; **es un libro destinado a los niños** c'est un livre pour enfants; **una carta que viene destinada a usted** une lettre qui vous est adressée.
destino [des'tino] *nm* (*suerte*) destin *m*; (*de viajero*) destination *f*; (*función*) fonction *f*; (*de funcionario, militar*) poste *m*; **con ~ a** à destination de; **salir con ~ a** partir pour.
destituir [destitu'ir] *vt*: **~ (de)** destituer (de).
destornillador [destorniʎa'ðor] *nm* tournevis *msg*.
destreza [des'treθa] *nf* dextérité *m*; (*maña*) adresse *f*.
destronar [destro'nar] *vt* détrôner.
destrozar [destro'θar] *vt* (*romper*) casser; (*planes, campaña, persona*) anéantir; (*nervios*) mettre à vif; **está destrozado por la noticia** il est anéanti par la nouvelle.
destrozo [des'troθo] *nm* destruction *f*; **~s** *nmpl* (*daños*) dégâts *mpl*.
destrucción [destruk'θjon] *nf* destruction *f*.
destructor, a [destruk'tor, a] *adj* = **destructivo** ♦ *nm* (*NÁUT*) torpilleur *m*.
destruir [destru'ir] *vt* détruire; (*persona: moralmente*) briser; (*negocio, comarca*) ruiner; (*político, competidor, ilusiones*) anéantir; (*argumento*) démolir.
desubicar [desuβi'kar] (*CSUR*) *vt* désorienter.
desunir [desu'nir] *vt* (*familia, países*) désunir; (*piezas*) séparer; **desunirse** *vpr* se désunir.
desuso [de'suso] *nm* non utilisation *f*; **caer en ~** tomber en désuétude; **estar en ~** être inusité(e); **una expresión (caída) en ~** une expression tombée en désuétude.
desvalido, -a [desβa'liðo, a] *adj* déshérité(e); **niños ~s** enfants *mpl* déshérités.
desvalijar [desβali'xar] *vt* dévaliser; (*coche*) cambrioler.
desván [des'βan] *nm* grenier *m*.
desvanecer [desβane'θer] *vt* (*disipar*) dissiper; (*borrar*) effacer; **desvanecerse** *vpr* (*MED*) s'évanouir; (*fig*) se dissiper; (*borrarse*) s'effacer.
desvariar [desβa'rjar] *vi* délirer.
desvarío [desβa'rio] *nm* délire *m*; **~s** *nmpl* (*disparates*) absurdités *fpl*.
desvelar [desβe'lar] *vt* (*suj: café, preocupación*) tenir éveillé(e); **desvelarse** *vpr* rester éveillé(e); **~se por algo** se démener pour qch; **~se por los demás** se donner du mal pour autrui.
desvelos [des'βelos] *nmpl* soucis *mpl*.
desvencijar [desβenθi'xar] *vt* casser; (*máquina*) détraquer; **desvencijarse** *vpr* se casser; (*máquina*) se détraquer.
desventaja [desβen'taxa] *nf* inconvénient *m*; **estar en** *o* **llevar ~** être désavantagé(e).
desventura [desβen'tura] *nf* malheur *m*.
desvergonzado, -a [desβerɣon'θaðo, a] *adj, nm/f* dévergondé(e); (*descarado*) effronté(e).
desvergüenza [desβer'ɣwenθa] *nf* dévergondage *m*; (*descaro*) toupet *m*; **¡qué ~!** quel toupet!; **tener la ~ de hacer** avoir le toupet de faire.
desvestir [desβes'tir] *vt* déshabiller; **desvestirse** *vpr* se déshabiller.
desviación [desβja'θjon] *nf* (*de río*) détournement *m*; (*AUTO*) déviation *f*; (*de la conducta*) écart *m*; **desviación de la columna** (*MED*) scoliose *f*.
desviar [des'βjar] *vt* dévier; (*de objetivo*) écarter; (*río, mirada*) détourner; **desviarse** *vpr* (*apartarse del camino*) s'égarer; (*rumbo*) faire un détour; (*AUTO*) faire une embardée; **~se de un tema** s'éloigner du sujet.
desvincular [desβinku'lar] *vt* (*de una obligación*) délier; (*de una organización*) détacher; **desvincularse** *vpr* (*de partido, familia*) se détacher.
desvío [des'βio] *vb V* **desviar** ♦ *nm* (*AUTO*) détour *m*.
desvirgar [desβir'ɣar] *vt* dépuceler.
desvirtuar [desβir'twar] *vt* (*actuación, labor*) nuire à; (*argumento*) démolir; (*sentido*) affaiblir; **desvirtuarse** *vpr* perdre sa signification première.
desvivirse [desβi'βirse] *vpr*: **~ por algo/algn** se mettre en quatre pour qch/qn; **~ por hacer** se tuer à faire.
detallar [deta'ʎar] *vt* détailler.
detalle [de'taʎe] *nm* détail *m*; (*delicadeza*) attention *f*; **narrar con (todo) ~** raconter en détail; **no pierde ~** il n'en perd pas une miette; **tener un ~ con algn** avoir une attention pour qn; **¡qué ~!** comme c'est gentil!; **al ~** (*COM*) au détail; **comercio al ~** commerce *m* de détail; **vender al ~** vendre au détail; **detalle de cuenta** détail d'un compte.

detallista [deta'ʎista] *adj* méticuleux(-euse) ♦ *nm/f* (*COM*) détaillant(e).
detectar [detek'tar] *vt* (*investigador*) détecter.
detective [detek'tiβe] *nm/f* détective *m*; **detective privado** détective privé.
detector [detek'tor] *nm* (*NÁUT*) détecteur *m*; (*TEC*) détecteur radio; **detector de mentiras/de metales/de minas** détecteur de mensonges/à métaux/de mines.
detención [deten'θjon] *nf* arrêt *m*; (*retraso*) lenteur *f*; (*JUR*) arrestation *f*; (*detenimiento*) soin *m*.
detener [dete'ner] *vt* arrêter; (*retrasar*) ralentir; **detenerse** *vpr* s'arrêter; (*demorarse*) s'attarder; **¡deténgase!** arrêtez-vous!; **~se a hacer algo** s'attarder à faire qch.
detenga *etc* [de'tenga] *vb V* **detener**.
detenido, -a [dete'niðo, a] *adj* arrêté(e); (*minucioso*) minutieux(-euse); (*preso*) détenu(e) ♦ *nm/f* détenu(e).
detenimiento [deteni'mjento] *nm*: **con ~** avec soin.
detentar [deten'tar] *vt* détenir; (*sin derecho*) s'approprier.
detergente [deter'xente] *nm* détergent *m*.
deteriorar [deterjo'rar] *vt* détériorer; **deteriorarse** *vpr* se détériorer.
deterioro [dete'rjoro] *nm* détérioration *f*.
determinación [determina'θjon] *nf* détermination *f*; (*decisión*) décision *f*.
determinar [determi'nar] *vt* déterminer; **determinarse** *vpr*: **~se a hacer** se déterminer à faire; **el reglamento determina que...** le règlement prévoit que ...; **aquello determinó la caída del gobierno** cela a déterminé la chute du gouvernement.
detestable [detes'taβle] *adj* (*persona, sabor*) détestable; (*acto*) odieux(-euse); (*obra*) très mauvais(e).
detestar [detes'tar] *vt* détester.
detonación [detona'θjon] *nf* détonation *f*.
detonante [deto'nante] *nm* (*fig*) détonateur *m*.
detonar [deto'nar] *vi* détoner.
detractor, a [detrak'tor, a] *nm/f* détracteur(-trice).
detrás [de'tras] *adv* derrière; (*en sucesión*) après ♦ *prep*: **~ de** derrière; **hacer algo por ~ de algn** faire qch dans le dos de qn; **ir ~ de algn/algo** être derrière qn/qch; **por ~** par derrière; **~ mio/nuestro** (*esp CSUR*) derrière moi/nous.
detrimento [detri'mento] *nm*: **en ~ de** au détriment de.
detritus [de'tritus] *nm* détritus *msg*.
detuve *etc* [de'tuβe] *vb V* **detener**.
deuda [de'uða] *nf* dette *f*; **estar en ~ con algn** (*fig*) avoir une dette envers qn; **contraer ~s** contracter des dettes; **deuda a largo plazo** dette à long terme; **deuda exterior/pública** dette extérieure/publique.
deudor, a [deu'ðor, a] *nm/f* débiteur(-trice); **~ hipotecario** débiteur hypothécaire; **~ moroso** mauvais payeur *m*.
devaluación [deβalwa'θjon] *nf* dévaluation *f*.
devaluar [deβalu'ar] *vt* dévaluer.
devanar [deβa'nar] *vt* rembobiner; **devanarse** *vpr*: **~se los sesos** se ronger les sangs.
devaneo [deβa'neo] *nm* flirt *m*.
devastar [deβas'tar] *vt* dévaster.
devengar [deβen'gar] *vt* (*retribuciones*) toucher; (*intereses*) rapporter.
devoción [deβo'θjon] *nf* dévotion *f*; **sentir ~ por algn/algo** avoir de la dévotion pour qn/qch.
devolución [deβolu'θjon] *nf* restitution *f*; (*de carta*) retour *m*; (*de dinero*) remboursement *m*; **no se admiten devoluciones** (*COM*) ni repris ni échangé.
devolver [deβol'βer] *vt* rendre; (*a su sitio*) remettre; (*producto, carta, favor*) retourner; (*regalo, factura*) renvoyer; (*fam: vomitar*) rendre ♦ *vi* (*fam*) rendre; **devolverse** *vpr* (*AM*) revenir; **~ la pelota a algn** (*fig*) renvoyer la balle à qn.
devorar [deβo'rar] *vt* dévorer; (*fig: fortuna*) manger; **~ a algn con los ojos** dévorer qn des yeux; **todo lo devoró el fuego** il fut dévoré par les flammes; **le devoran los celos** il est dévoré de jalousie.
devoto, -a [de'βoto, a] *adj* (*REL*) dévot(e); (*amigo*) dévoué(e) ♦ *nm/f* dévot(e); (*adepto*) adepte *m/f*; **~ de** (*REL*) dévot(e) à; (*muy aficionado a*) adepte de; **su ~ servidor** votre dévoué serviteur.
devuelto [de'βwelto] *pp de* **devolver**.
devuelva *etc* [de'βwelβa] *vb V* **devolver**.
D.F. (*MÉX*) *sigla m* (= *Distrito Federal*) Mexico (*ville*).
di [di] *vb V* **dar; decir**.
día ['dia] *nm* (*24 horas*) journée *f*; (*lo que no es noche*) jour *m*; **¿qué ~ es?** quel jour est-on?; **estar/poner al ~** (*cuentas*) être/mettre à jour; (*persona*) être/mettre au courant; **el ~ de mañana** demain; **el ~ menos pensado te haremos una visita** quand tu t'y attendras le moins, nous te rendrons visite; **hoy (en) ~** aujourd'hui; **al ~ siguiente** le jour suivant; **tener un mal ~** passer une mauvaise journée; **~ a ~** jour après jour; **¡cualquier ~ se mata!**

il va finir par se tuer!; **todos los ~s** tous les jours; **un ~ de estos** un de ces jours; **un ~ sí y otro no** tous les deux jours; **vivir al ~** vivre au jour le jour; **es de ~** il fait jour; **del ~** (*estilos*) au goût du jour; (*pan*) frais(fraîche); (*menú*) du jour; **de un ~ para otro** d'un jour à l'autre; **en pleno ~** en plein jour; **en su ~** en son temps; **¡hasta otro ~!** à un autre jour!; **¡buenos ~s!** bonjour!; **~ domingo/lunes** *etc* (*AM*) dimanche/lundi *etc*; **día de los (santos) inocentes** (*28 diciembre*) jour des Saints Innocents, ≈ le premier avril; **día de precepto** jour du Seigneur; **Día de Reyes** Epiphanie *f*; **día festivo** *o* **feriado** (*AM*) *o* **de fiesta** jour férié; **día hábil/inhábil** jour ouvrable/chômé; **día laborable** jour de travail; **día lectivo/libre** jour de classe/de congé.

diabetes [dja'βetes] *nf* diabète *m*.

diabético, -a [dja'βetiko, a] *nm/f* diabétique *m/f*.

diablo ['djaβlo] *nm* diable *m*; **¿cómo/qué ~s ...?** comment/que diable ...?; **pobre ~** pauvre diable; **hace un frío de mil ~s** *o* **de todos los ~s** il fait un froid de tous les diables; **mandar algo/a algn al ~** envoyer qch/qn au diable; **¡al ~ con ...!** au diable ...!

diablura [dja'βlura] *nf* diablerie *f*.

diadema [dja'ðema] *nf* diadème *m*.

diafragma [dja'fraɣma] *nm* diaphragme *m*.

diagnosticar [djaɣnosti'kar] *vt* diagnostiquer.

diagnóstico [djaɣ'nostiko] *nm* diagnostic *m*.

diagonal [djaɣo'nal] *adj* oblique ♦ *nf* diagonale *f*; **en ~** en diagonale.

diagrama [dja'ɣrama] *nm* diagramme *m*; **~ de barras** diagramme en bâtons; **~ de flujo** (*INFORM*) organigramme *m*.

dial [di'al] *nm* (*de radio*) bande *f* de fréquence.

dialéctica [dja'lektika] *nf* dialectique *f*.

dialecto [dja'lekto] *nm* dialecte *m*.

dialogar [djalo'ɣar] *vi* dialoguer; **~ con** (*POL*) s'entretenir avec.

diálogo ['djaloɣo] *nm* dialogue *m*.

diamante [dja'mante] *nm* diamant *m*; **~s** *nmpl* (*NAIPES*) carreau *msg*; **diamante (en) bruto** diamant brut; (*fig*) perle *f* rare.

diámetro [di'ametro] *nm* diamètre *m*; **3 m de ~** 3 m de diamètre.

diana ['djana] *nf* (*MIL*) réveil *m*; (*de blanco*) mouche *f*; **hacer ~** faire mouche.

diapositiva [djaposi'tiβa] *nf* (*FOTO*) diapositive *f*.

diario, -a ['djarjo, a] *adj* quotidien(ne) ♦ *nm* quotidien *m*; (*para memorias*) journal *m*; (*COM*) livre *m* journal; **a ~** tous les jours; **de** *o* **para ~** de tous les jours; **diario de navegación** (*NÁUT*) journal de bord; **diario de sesiones** *compte rendu d'une session du Parlement*; **diario hablado** (*RADIO*) journal.

diarrea [dja'rrea] *nf* diarrhée *f*.

dibujante [diβu'xante] *nm/f* dessinateur(-trice); (*TEC*) dessinateur(-trice) industriel(le); **~ de publicidad** dessinateur(-trice) publicitaire.

dibujar [diβu'xar] *vt, vi* dessiner; **dibujarse** *vpr* (*emoción*) se peindre; **~se en el horizonte/a lo lejos** se dessiner à l'horizon/au loin.

dibujo [di'βuxo] *nm* dessin *m*; **dibujos animados** dessins *mpl* animés; **dibujo artístico** dessin d'art; **dibujo lineal/técnico** dessin industriel.

diccionario [dikθjo'narjo] *nm* dictionnaire *m*; **diccionario enciclopédico** dictionnaire encyclopédique.

dicharachero, -a [ditʃara'tʃero, a] *adj* jovial(e).

dicho, -a ['ditʃo, a] *pp de* **decir** ♦ *adj*: **en ~s países** dans ces pays ♦ *nm* proverbe *m*; **mejor ~** plutôt; **propiamente ~** proprement dit; **~ y hecho** aussitôt dit, aussitôt fait; **~ sea de paso** soit dit en passant.

dichoso, -a [di'tʃoso, a] *adj* heureux(-euse); **¡aquel ~ coche!** (*fam*) cette sacrée voiture!

diciembre [di'θjembre] *nm* décembre *m*; *V tb* **julio**.

dictado [dik'taðo] *nm* dictée *f*; **escribir al ~** écrire sous la dictée; **los ~s de la conciencia** ce que dicte la conscience.

dictador [dikta'ðor] *nm* dictateur *m*.

dictadura [dikta'ðura] *nf* dictature *f*.

dictamen [dik'tamen] *nm* expertise *f*; **dictamen contable** rapport *m* comptable; **dictamen facultativo** (*MED*) diagnostic *m*.

dictar [dik'tar] *vt* dicter; (*decreto*) prendre; (*ley*) édicter; (*AM*: *clase*) faire; (: *conferencia*) donner.

didáctico, -a [di'ðaktiko, a] *adj* didactique; (*educativo*) éducatif(-ive).

diecinueve [djeθinu'eβe] *adj inv, nm inv* dix-neuf *m inv*; **el siglo ~** le dix-neuvième siècle; *V tb* **seis**.

dieciocho [djeθi'otʃo] *adj inv, nm inv* dix-huit *m inv*; *V tb* **seis**.

dieciséis [djeθi'seis] *adj inv, nm inv* seize *m inv*; *V tb* **seis**.

diecisiete [djeθi'sjete] *adj inv, nm inv* dix-sept *m inv*; *V tb* **seis**.

diente ['djente] *nm* dent *f*; **enseñar los ~s** (*fig*) grincer des dents; **hablar entre ~s**

parler entre ses dents; **hincarle el ~ a** (*comida*) mordre à belles dents dans; (*fig: asunto*) s'attaquer à; **diente de ajo** gousse *f* d'ail; **diente de leche** dent de lait; **diente de león** pissenlit *m*; **dientes postizos** fausses dents.

diera *etc* ['djera] *vb V* **dar**.

diéresis [di'eresis] *nf* diérèse *f*.

diesel ['disel] *adj*: **motor ~** (moteur *m*) diesel *m*.

diestro, -a ['djestro, a] *adj* droit(e); (*hábil*) adroit(e) ♦ *nm* (TAUR) matador *m*; **a ~ y siniestro** au hasard.

dieta ['djeta] *nf* régime *m*; **~s** *nfpl* (*de viaje, hotel*) frais *mpl*; **la ~ mediterránea** la cuisine méditerranéenne; **estar a ~** être au régime.

dietético, -a [dje'tetiko, a] *adj* diététique ♦ *nm/f* diététicien(ne) ♦ *nf* diététique *f*.

diez [djeθ] *adj inv, nm inv* dix *m inv*; *V tb* **seis**.

diezmar [djeθ'mar] *vt* décimer.

difamar [difa'mar] *vt* diffamer.

diferencia [dife'renθja] *nf* différence *f*; **~s** *nfpl* (*desacuerdos*) différend *msg*; **a ~ de** à la différence de; **hacer ~ entre** faire la différence entre; **diferencia salarial** inégalité *f* de salaire.

diferenciar [diferen'θjar] *vt*: **~ (de)** distinguer (de); (*hacer diferente*) différencier ♦ *vi*: **~ entre A y B** distinguer A de B; **diferenciarse** *vpr*: **~se (de)** se distinguer (de); **¿en qué se diferencian?** en quoi sont-ils différents?

diferente [dife'rente] *adj* différent(e) ♦ *adv* différemment.

diferido [dife'riðo] *nm*: **en ~** (*TV*) en différé.

diferir [dife'rir] *vt, vi* différer.

difícil [di'fiθil] *adj* difficile; **es un hombre ~ (de tratar)** c'est quelqu'un de difficile; **ser ~ de hacer/entender/explicar** être difficile à faire/comprendre/expliquer.

dificultad [difikul'tað] *nf* difficulté *f*; **~es** *nfpl* (*problemas*) difficultés *fpl*; **poner ~es (a algn)** faire des difficultés (à qn).

dificultar [difikul'tar] *vt* (*explicación, labor*) rendre difficile; (*visibilidad*) brouiller.

dificultoso, -a [difikul'toso, a] *adj* ardu(e); (*avance*) laborieux(-euse); (*relaciones*) tumultueux(-euse).

difuminar [difumi'nar] *vt* (ARTE) ombrer.

difundir [difun'dir] *vt* (*calor, noticia*) diffuser; (*doctrina, rumores*) répandre; **difundirse** *vpr* se diffuser; (*doctrina*) se répandre.

difunto, -a [di'funto, a] *adj, nm/f* défunt(e).

difusión [difu'sjon] *nf* diffusion *f*; (*de teoría*) généralisation *f*; **un programa de gran ~** une émission à grande diffusion.

difuso, -a [di'fuso, a] *adj* diffus(e); (*explicación*) vague.

diga *etc* ['diɣa] *vb V* **decir**.

digerir [dixe'rir] *vt* digérer.

digestión [dixes'tjon] *nf* digestion *f*; **corte de ~** crampe *f* d'estomac.

digestivo, -a [dixes'tiβo, a] *adj* digestif(-ive) ♦ *nm* digestif *m*.

digital [dixi'tal] *adj* digital(e).

dignarse [diɣ'narse] *vpr*: **~ (a) hacer** daigner faire.

dignatario, -a [diɣna'tarjo, a] *nm/f* dignitaire *m/f*.

dignidad [diɣni'ðað] *nf* dignité *f*; **hacer algo con ~** faire qch avec dignité.

digno, -a ['diɣno, a] *adj* (*sueldo, nivel de vida*) décent(e); (*comportamiento, actitud*) digne; **~ de** digne de; **es ~ de mención** ça mérite d'être mentionné; **es ~ de verse** ça mérite d'être vu; **poco ~** peu digne.

dije ['dixe] *vb V* **decir** ♦ *adj* (*CHI: fam*) sympa.

dilapidar [dilapi'ðar] *vt* dilapider.

dilatación [dilata'θjon] *nf* dilatation *f*.

dilatar [dila'tar] *vt* dilater; (*prolongar, aplazar*) prolonger; **dilatarse** *vpr* se dilater.

dilema [di'lema] *nm* dilemme *m*.

diligencia [dili'xenθja] *nf* diligence *f*; (*trámite*) acte *m* de procédure; **~s** *nfpl* (JUR) formalités *fpl*; **diligencias judiciales/previas** enquête *fsg* judiciaire/préliminaire.

diligente [dili'xente] *adj* diligent(e); **poco ~** pas très sérieux(-euse).

dilucidar [diluθi'ðar] *vt* élucider.

diluir [dilu'ir] *vt* diluer.

diluvio [di'luβjo] *nm* déluge *m*; **un ~ de cartas** (*fig*) un déluge de lettres.

dimanar [dima'nar] *vi*: **~ de** émaner de.

dimensión [dimen'sjon] *nf* dimension *f*; (*de catástrofe*) proportions *fpl*; **dimensiones** *nfpl* (*tamaño*) dimensions *fpl*; **tomar las dimensiones de** prendre les dimensions de.

diminutivo [diminu'tiβo] *nm* (LING) diminutif *m*.

diminuto, -a [dimi'nuto, a] *adj* tout(e) petit(e).

dimisión [dimi'sjon] *nf* démission *f*.

dimitir [dimi'tir] *vi*: **~ (de)** démissionner (de).

dimos ['dimos] *vb V* **dar**.

Dinamarca [dina'marka] *nf* Danemark *m*.

dinámico, -a [di'namiko, a] *adj* dynamique.

dinamismo [dina'mismo] *nm* dynamisme *m*.

dinamita [dina'mita] *nf* dynamite *f*.

dinamitar [dinami'tar] *vt* dynamiter.

dinamo [di'namo], **dínamo** ['dinamo] *nf, nm en AM* dynamo *f*.

dinastía [dinas'tia] *nf* dynastie *f*.

dineral [dine'ral] *nm* fortune *f*.

dinero [di'nero] *nm* argent *m*; **es hombre de ~** c'est un homme riche; **andar mal de ~** être sans le sou; **dinero caro** (*COM*) argent cher; **dinero contante (y sonante)** espèces *fpl*; **dinero efectivo** *o* **en métalico** liquide *m*; **dinero suelto** menue monnaie *f*.

dinosaurio [dino'saurjo] *nm* dinosaure *m*.

dintel [din'tel] *nm* linteau *m*.

diñar [di'ɲar] (*fam*) *vt*: **~la** clamser.

dio [djo] *vb V* **dar**.

diócesis ['djoθesis] *nf inv* diocèse *m*.

Dios [djos] *nm* Dieu *m*; **~ mediante** si Dieu le veut; **¡gracias a ~!** grâce à Dieu!; **a la buena de ~** au petit bonheur la chance; **armar** *o* **armarse la de ~ (es Cristo)** (*fam*) foutre la pagaille; **como ~ manda** comme il faut; **¡~ mío!** mon Dieu!; **¡por ~!** grand Dieu!; **estar dejado de la mano de ~** être abandonné de Dieu; **¡sabe ~!** Dieu seul le sait!; **¡que sea lo que ~ quiera!** advienne que pourra!; **si ~ quiere** si Dieu le veut; **~ te lo pague** Dieu te le rendra; **ni ~** (*fam*) pas un chat; **¡válgame ~!** que Dieu me protège!; **¡vaya por ~!** grand Dieu!

dios [djos] *nm* dieu *m*.

diosa ['djosa] *nf* déesse *f*.

diploma [di'ploma] *nm* diplôme *m*.

diplomacia [diplo'maθja] *nf* diplomatie *f*.

diplomado, -a [diplo'maðo, a] *adj, nm/f* diplômé(e).

diplomático, -a [diplo'matiko, a] *adj* diplomatique ♦ *nm/f* diplomate *m/f*.

diptongo [dip'tongo] *nm* diphtongue *f*.

diputación [diputa'θjon] *nf* ≈ conseil *m* général.

diputado, -a [dipu'taðo, a] *nm/f* député *m*.

dique ['dike] *nm* digue *f*; **dique de contención** barrage *m*.

diré *etc* [di're] *vb V* **decir**.

dirección [direk'θjon] *nf* direction *f*; (*fig: tendencia*) tendance *f*; (*señas*) adresse *f*; (*CINE, TEATRO*) mise *f* en scène; **ir/salir con ~ a** aller/sortir en direction de; **cambio de ~** déviation *f*; **dirección absoluta/relativa** (*INFORM*) adresse absolue/relative; **dirección administrativa** administration *f*; **dirección asistida** (*AUTO*) direction assistée; **Dirección General de Seguridad/de Turismo** ≈ ministère *m* de la Sécurité et des Transports/du Tourisme; **dirección prohibida/única** sens *m* interdit/unique.

direccionales [direkθjo'nales] (*MÉX*) *nmpl* (*AUTO*) clignotant *msg*.

directiva [direk'tiβa] *nf* comité *m* directeur.

directivo [direc'tiβo] *nm* (*COM*) cadre *m* dirigeant.

directo, -a [di'rekto, a] *adj* direct(e); (*traducción*) exact(e); **transmitir en ~** (*TV*) diffuser en direct.

director, a [direk'tor, a] *adj* directeur(-trice) ♦ *nm/f* directeur(-trice); (*CINE, TV*) metteur *m* en scène; (*de orquesta*) chef *m*; **director adjunto** directeur adjoint; **director comercial** directeur commercial; **director de sucursal** directeur de succursale; **director ejecutivo** directeur exécutif; **director general** *o* **gerente** directeur général.

directrices [direk'triθes] *nfpl* lignes *fpl* directrices.

dirigente [diri'xente] *adj, nm/f* dirigeant(e).

dirigir [diri'xir] *vt* diriger; (*carta, pregunta*) adresser; (*obra de teatro, film*) mettre en scène; (*sublevación*) prendre la tête de; (*esfuerzos*) concentrer; **dirigirse** *vpr*: **~se a** s'adresser à; **~ a** *o* **hacia** diriger vers; **no ~ la palabra a algn** ne pas adresser la parole à qn; **~se a algn solicitando algo** s'adresser à qn pour solliciter qch; **"diríjase a ..."** "s'adresser à ...".

dirija *etc* [di'rixa] *vb V* **dirigir**.

dirimir [diri'mir] *vt* (*contrato, matrimonio*) annuler; (*disputa*) trancher.

discar [dis'kar] (*AND, CSUR*) *vt* (*TELEC*) composer.

discernir [disθer'nir] *vt* discerner ♦ *vi*: **~ entre ... y ...** discerner ... de ... .

disciplina [disθi'plina] *nf* discipline *f*.

disciplinar [disθipli'nar] *vt* discipliner; **disciplinarse** *vpr* se discipliner.

discípulo, -a [dis'θipulo, a] *nm/f* disciple *m*.

disco ['disko] *nm* disque *m*; (*AUTO*) feu *m*; **disco compacto** disque compact; **disco de arranque** disquette *f* d'initialisation; **disco de densidad doble/sencilla** disquette double densité/densité simple; **disco de una cara/dos caras** disquette simple face/double face; **disco de freno** disque (de frein); **disco de larga duración** 33 tours *m inv*; **disco de reserva** disquette

de sauvegarde; **disco de sistema** disque système; **disco duro** *o* **rígido/flexible** *o* **floppy** disque dur/disquette; **disco maestro** disque d'exploitation; **disco sencillo** 45 tours *m inv*; **disco virtual** zone *f* disque en mémoire.
discografía [diskoɣra'fia] *nf* enregistrement *m*.
discográfico, -a [disko'ɣrafiko, a] *adj* (*casa*) de disques; (*industria, éxito*) du disque; **sello ~** étiquette *f*.
díscolo, -a ['diskolo, a] *adj* rebelle.
disconforme [diskon'forme] *adj* non conforme; **estar ~ (con)** ne pas être conforme (à).
discontinuo, -a [diskon'tinwo, a] *adj* discontinu(e).
discordante [diskor'ðante] *adj* (*sonido*) discordant(e); (*opiniones*) divergent(e).
discordia [dis'korðja] *nf* désaccord *m*.
discoteca [disko'teka] *nf* discothèque *f*.
discreción [diskre'θjon] *nf* discrétion *f*; (*prudencia*) prudence *f*; **añadir azúcar a ~** (CULIN) rajouter du sucre à volonté; **comer/beber a ~** manger/boire à volonté.
discrecional [diskreθjo'nal] *adj* (*uso, poder*) discrétionnaire; (*servicio*) optionnel(le).
discrepancia [diskre'panθja] *nf* différence *f*; (*desacuerdo*) différend *m*.
discrepar [diskre'par] *vi* diverger.
discreto, -a [dis'kreto, a] *adj* discret(-ète); (*sensato*) judicieux(-euse); (*mediano*) décent(e).
discriminación [diskrimina'θjon] *nf* discrimination *f*.
discriminar [diskrimi'nar] *vt* discriminer; (*personas*) faire de la discrimination contre.
disculpa [dis'kulpa] *nf* excuse *f*; **pedir ~s a/por** demander pardon à/pour.
disculpar [diskul'par] *vt* pardonner; **disculparse** *vpr*: **~se (de/por)** s'excuser (de/pour).
discurrir [disku'rrir] *vt* échafauder ♦ *vi* réfléchir; (*el tiempo*) s'écouler; **~ (por)** (*gente, río*) passer (par).
discurso [dis'kurso] *nm* discours *msg*; **pronunciar un ~** prononcer un discours; **discurso de clausura** discours de clôture.
discusión [disku'sjon] *nf* discussion *f*; **tener una ~** avoir une discussion.
discutido, -a [disku'tiðo, a] *adj* rebattu(e).
discutir [disku'tir] *vt* discuter ♦ *vi* discuter; (*disputar*): **~ (con)** se disputer (avec); **~ de política** discuter politique; **¡no discutas!** ne discute pas!
disecar [dise'kar] *vt* (*animal*) empailler; (*planta*) sécher.
diseminar [disemi'nar] *vt* éparpiller; (*fig*) répandre.
disentir [disen'tir] *vi*: **~ (de)** être en désaccord (sur).
diseñador, a [diseɲa'ðor, a] *nm/f* designer *m*.
diseñar [dise'ɲar] *vt* créer.
diseño [di'seɲo] *nm* (TEC) conception *f*; (*boceto*) ébauche *f*; (COSTURA) dessin *m*; **de ~ italiano** de création italienne; **traje/objetos de ~** costume *m*/objets *mpl* de créateur; **diseño asistido por ordenador** conception assistée par ordinateur; **diseño de modas** dessin de mode; **diseño gráfico/industrial** conception graphique/industrielle.
disertar [diser'tar] *vi*: **~ (sobre)** discourir *o* disserter (sur).
disfraz [dis'fraθ] *nm* déguisement *m*; (*fig*) prétexte *m*; **bajo el ~ de** sous le prétexte de.
disfrazar [disfra'θar] *vt* déguiser; **disfrazarse** *vpr* se déguiser; **~se de** se déguiser en.
disfrutar [disfru'tar] *vt* jouir de ♦ *vi* prendre beaucoup de plaisir; **¡que disfrutes!** profites-en!; **~ de buena salud** jouir d'une bonne santé; **~ de la vida** profiter de la vie.
disgregar [disɣre'ɣar] *vt* (*manifestantes*) disperser; (*familia, imperio*) diviser; **disgregarse** *vpr* (*muchedumbre*) se disperser; (*imperio, país*) se diviser.
disgustar [disɣus'tar] *vt* déplaire à; **disgustarse** *vpr* être contrarié(e); (*dos personas*) s'accrocher; **estaba muy disgustado con ella/con el asunto** elle/l'affaire l'avait beaucoup contrarié.
disgusto [dis'ɣusto] *nm* désagrément *m*; (*pesadumbre*) contrariété *f*; (*desgracia*) malheur *m*; (*riña*) accrochage *m*; **dar un ~ a algn** donner un choc à qn; **hacer algo a ~** faire qch à contre-cœur; **sentirse/estar a ~** se sentir/être mal à l'aise; **matar a algn a ~s** faire mourir qn de chagrin; **llevarse un ~** avoir un choc.
disidente [disi'ðente] *adj, nm/f* dissident(e).
disimular [disimu'lar] *vt* dissimuler ♦ *vi* faire comme si de rien n'était.
disimulo [disi'mulo] *nm* dissimulation *f*; **con ~** avec dissimulation.
disipar [disi'par] *vt* dissiper; (*fortuna*) dilapider; **disiparse** *vpr* se dissiper.
diskette [dis'ket] *nm* (INFORM) disquette *f*.
dislexia [dis'leksja] *nf* dyslexie *f*.
dislocar [dislo'kar] *vt* (*articulación*) dé-

boîter; (*hechos*) déformer; **dislocarse** *vpr* se déboîter.

disminución [disminu'θjon] *nf* diminution *f*; **ir en ~** aller en diminuant.

disminuido, -a [disminu'iðo, a] *nm/f*: **~ mental/físico** handicapé(e) mental/ physique.

disminuir [disminu'ir] *vt* (*gastos, cantidad, dolor*) diminuer; (*temperatura, velocidad, población*) réduire ♦ *vi* (*días, población, número*) diminuer; (*precios, temperatura, memoria*) baisser; (*velocidad*) décroître.

disociar [diso'θjar] *vt* dissocier; **disociarse** *vpr*: **~se (de)** se dissocier (de).

disolución [disolu'θjon] *nf* dissolution *f*; (*de costumbres*) renonciation *f*.

disolvente [disol'βente] *nm* dissolvant *m*.

disolver [disol'βer] *vt* dissoudre; (*manifestación*) disperser; (*contrato*) dénoncer; **disolverse** *vpr* se dissoudre; (*manifestantes*) se disperser.

disparado, -a [dispa'raðo, a] *adj*: **entrar/salir/ir ~** entrer/sortir/aller en coup de vent.

disparador [dispara'ðor] *nm* (*de arma*) gâchette *f*; (*FOTO, TEC*) déclencheur *m*.

disparar [dispa'rar] *vt, vi* tirer; **dispararse** *vpr* (*precios*) monter en flèche; (*persona: al hablar o actuar*) s'emporter; **se disparó el arma** le coup de feu est parti tout seul.

disparatado, -a [dispara'taðo, a] *adj* (*precios*) astronomique; (*idea*) absurde.

disparate [dispa'rate] *nm* bêtise *f*; (*error*) absurdité *f*; **decir ~s** dire des bêtises; **¡qué ~!** quelle imprudence!

disparo [dis'paro] *nm* tir *m*; **~s** *nmpl* (*tiroteo*) coups *mpl* de feu.

dispensar [dispen'sar] *vt* dispenser; (*bienvenida*) souhaiter; **¡usted dispense!** je vous prie de m'excuser!; **~ a algn de hacer algo** dispenser qn de faire qch.

dispensario [dispen'sarjo] *nm* dispensaire *m*.

dispersar [disper'sar] *vt* éparpiller; (*manifestación, fig*) disperser; (*MIL: enemigo*) mettre en déroute; **dispersarse** *vpr* se disperser; (*luz*) se répandre.

disperso, -a [dis'perso, a] *adj* dispersé(e).

disponer [dispo'ner] *vt* disposer; (*mandar*) ordonner ♦ *vi*: **~ de** disposer de; **disponerse** *vpr*: **~se a** *o* **para hacer** se disposer à faire; **la ley dispone que ...** la loi stipule que ...; **no puede ~ de esos bienes** il ne peut disposer librement de ces biens; **puede ~ de mí** vous pouvez disposer de moi.

disponible [dispo'niβle] *adj* disponible; **no estar ~** ne pas être disponible.

disposición [disposi'θjon] *nf* disposition *f*; **última ~** dernières volontés *fpl*; **~ para** (*aptitud*) dispositions *fpl* pour; **a (la) ~ de** à (la) disposition de; **a su ~** à votre disposition; **no estar en ~ de hacer** ne pas être en état de faire; **disposición de ánimo** disposition d'esprit.

dispositivo [disposi'tiβo] *nm* dispositif *m*; **dispositivo de alimentación** silo *m*; **dispositivo de almacenaje** (*INFORM*) unité *f* de stockage; **dispositivo de seguridad** dispositif de sécurité; **dispositivo intrauterino** dispositif intra-utérin; **dispositivo periférico** (*INFORM*) périphérique *m*; **dispositivo policial** dispositif policier.

dispuesto, -a [dis'pwesto, a] *pp de* **disponer** ♦ *adj* (*preparado*) préparé(e); (*capaz*) capable; **estar ~/poco ~ a hacer** être disposé(e)/peu disposé(e) à faire.

disputa [dis'puta] *nf* dispute *f*; **sin ~** sans aucun doute.

disputar [dispu'tar] *vt* (*DEPORTE, premio, derecho*) disputer ♦ *vi* discuter; **disputarse** *vpr* se disputer; **~ por** disputer.

disquete [dis'kete] *nm* (*INFORM*) = **diskette**.

disquetera [diske'tera] *nf* (*INFORM*) lecteur *m* de disquette.

disquisiciones [diskisi'θjones] *nfpl* discussions *fpl*.

distancia [dis'tanθja] *nf* distance *f*; (*en el tiempo*) écart *m*; (*entre opiniones*) différence *f*; **a ~** à distance; **a gran** *o* **a larga ~** à grande distance; **¿a qué ~ está?** c'est à quelle distance?; **a 20 m de ~** à 20 m de distance; **guardar las ~s** garder ses distances; **distancia de seguridad** (*AUTO*) distance de sécurité; **distancia focal** distance focale.

distanciamiento [distanθja'mjento] *nm* (*entre personas*) éloignement *m*; (*entre opiniones*) divergence *f*.

distanciar [distan'θjar] *vt* distancer; (*amigos, hermanos*) éloigner; **distanciarse** *vpr* (*enemistarse*) se distancier; **~se (de)** (*alejarse*) s'éloigner (de).

distante [dis'tante] *adj* distant(e).

distar [dis'tar] *vi*: **dista 5 kms de aquí** c'est à 5 km d'ici; **no dista mucho de aquí** ce n'est pas très loin d'ici; **dista mucho de la verdad** c'est loin d'être vrai.

diste ['diste], **disteis** ['disteis] *vb V* **dar**.

distender [disten'der] *vt* détendre.

distensión [disten'sjon] *nf* détente *f*.

distinción [distin'θjon] *nf* distinction *f*; **a ~ de** à la différence de; **sin ~ de** sans distinction de; **no hacer distinciones** ne pas faire de distinction.

distinguido, -a [distin'giðo, a] *adj* distingué(e).

distinguir [distin'gir] *vt* distinguer ♦ *vi*: ~ **(entre)** distinguer (entre); **distinguirse** *vpr* se distinguer; ~ **X de Y** distinguer X de Y; **a lo lejos no se distingue** de loin cela ne se voit pas.

distintivo, -a [distin'tiβo, a] *adj* distinctif(-ive) ♦ *nm* (*insignia*) insigne *m*; (*fig*) point *m* fort.

distinto, -a [dis'tinto, a] *adj*: ~ **(a** *o* **de)** distinct(e) (de); ~**s** (*varios*) plusieurs.

distorsión [distor'sjon] *nf* (*ANAT, de la verdad*) entorse *f*; (*RADIO etc*) distorsion *f*.

distorsionar [distorsjo'nar] *vt* déformer ♦ *vi* se distordre.

distracción [distrak'θjon] *nf* distraction *f*.

distraer [distra'er] *vt* distraire; (*fondos*) détourner ♦ *vi* distraire; **distraerse** *vpr* (*entretenerse*) se distraire; (*perder la concentración*) être distrait(e); ~ **a algn de su pensamiento** tirer qn de ses pensées.

distraído, -a [distra'iðo, a] *adj* distrait(e); (*entretenido*) amusé(e); (*que entretiene*) amusant(e) ♦ *nm*: **hacerse el** ~ faire la sourde oreille; **con aire** ~ d'un air distrait; **me miró distraída** elle m'a regardé distraitement.

distraiga *etc* [dis'traɣa], **distraje** *etc* [dis'traixe], **distrajera** *etc* [distra'jera], **distrayendo** *etc* [distra'jendo] *vb V* **distraer**.

distribución [distriβu'θjon] *nf* (*de beneficios*) répartition *f*; (*a domicilio*) distribution *f*; (*COM*) livraison *f*; (*ARQ*) conception *f*; ~ **de premios** distribution des prix.

distribuidor, a [distriβui'ðor, a] *nm/f* (*persona*) distributeur(-trice) ♦ *nf* (*COM*) concessionnaire *m*; (*CINE*) distributeur *m*; **su ~ habitual** votre concessionnaire habituel.

distribuir [distriβu'ir] *vt* (*riqueza, beneficio*) répartir; (*cartas, trabajo*) distribuer; (*ARQ*) concevoir.

distrito [dis'trito] *nm* district *m*; **distrito electoral** circonscription *f* électorale; **distrito judicial** district; **distrito postal** secteur *m* postal; **distrito universitario** ≈ académie *f*.

disturbio [dis'turβjo] *nm* troubles *mpl*; **disturbios callejeros** agitations *fpl* de rue; **disturbio de orden público** trouble *m* de l'ordre public.

disuadir [diswa'ðir] *vt*: ~ **(de)** dissuader (de); ~ **a algn de hacer** dissuader qn de faire.

disuasión [diswa'sjon] *nf* dissuasion *f*; **poder/capacidad de** ~ pouvoir *m*/capacité *f* de dissuasion.

disuasivo, -a [diswa'siβo, a] *adj* dissuasif(-ive); **arma disuasiva** arme *f* dissuasive.

disuelto [di'swelto] *pp de* **disolver**.

disyuntiva [disjun'tiβa] *nf* alternative *f*.

DIU ['diu] *sigla m* (= *dispositivo intrauterino*) stérilet *m*.

diurno, -a ['djurno, a] *adj* de jour; (*ZOOL*) diurne.

diva ['diβa] *nf* diva *f*.

divagar [diβa'ɣar] *vi* divaguer.

diván [di'βan] *nm* divan *m*.

divergencia [diβer'xenθja] *nf* divergence *f*.

divergir [diβer'xir] *vi* diverger; (*personas*): ~ **en** ne pas être d'accord sur.

diversidad [diβersi'ðað] *nf* diversité *f*.

diversificar [diβersifi'kar] *vt* diversifier; **diversificarse** *vpr* se diversifier.

diversión [diβer'sjon] *nf* distraction *f*.

diverso, -a [di'βerso, a] *adj* (*variado*) varié(e); (*diferente*) distinct(e) ♦ *nm*: ~**s** (*COM*) articles *mpl* divers; ~**s libros** plusieurs livres; ~**s colores** couleurs *fpl* variées.

divertido, -a [diβer'tiðo, a] *adj* amusant(e); (*fiesta*) réussi(e); (*película, libro*) divertissant(e).

divertir [diβer'tir] *vt* amuser; **divertirse** *vpr* s'amuser.

dividendo [diβi'ðendo] *nm* (*COM*): ~**s** dividendes *mpl*; **dividendo definitivo** superdividende *m*; **dividendos por acción** taux *mpl* de rendement d'une action.

dividir [diβi'ðir] *vt* partager; (*separar*) séparer; (*partido, opinión pública*) diviser; (*MAT*): ~ **(por** *o* **entre)** diviser (par) ♦ *vi* (*MAT*) diviser; **dividirse** *vpr* se diviser.

divino, -a [di'βino, a] *adj* (*REL, fam*) divin(e).

divisa [di'βisa] *nf* devise *f*; ~**s** *nfpl* (*COM*) devises *fpl*; **control/mercado de ~s** contrôle *m*/marché *m* des changes.

divisar [diβi'sar] *vt* deviner.

división [diβi'sjon] *nf* division *f*; (*de herencia*) partage *m*.

divisorio, -a [diβi'sorjo, a] *adj* (*línea*) de démarcation; **línea divisoria de las aguas** ligne *f* de partage des eaux.

divorciado, -a [diβor'θjaðo, a] *adj, nm/f* divorcé(e).

divorciar [diβor'θjar] *vt* prononcer le divorce de; **divorciarse** *vpr*: ~**se (de)** divorcer (de).

divorcio [di'βorθjo] *nm* divorce *m*.

divulgación [diβulɣa'θjon] *nf* divulgation *f*; (*popularización*) vulgarisation *f*;

programa/revista de ~ científica émission *f*/revue *f* scientifique.

divulgar [diβul'ɣar] *vt* divulguer; (*popularizar*) vulgariser.

dizque ['diθke] (*AM: fam*) *adv* que l'on dit.

DNI (*ESP*) *sigla m* (= *Documento Nacional de Identidad*) *V* **documento**.

Dña. *abr* (= *Doña*) Mme (= *Madame*).

do [do] *nm* (*MÚS*) do *m*.

dobladillo [doβla'ðiʎo] *nm* ourlet *m*.

doblaje [do'βlaxe] *nm* (*CINE*) doublage *m*.

doblar [do'βlar] *vt* plier; (*cantidad, CINE*) doubler ♦ *vi* (*campana*) sonner le glas; **doblarse** *vpr* se plier; **~ la esquina** tourner au coin de la rue; **~ a la derecha/izquierda** tourner à droite/gauche; **~le en edad a algn** avoir le double de l'âge de qn.

doble ['doβle] *adj* double ♦ *nm*: **el ~** le double ♦ *nm/f* (*TEATRO, CINE*) double *m*; **~s** *nmpl* (*DEPORTE*): **partido de ~s** double *msg*; **~ o nada** quitte ou double; **a ~ página** à double page; **con ~ sentido** à double sens; **es tu ~** c'est ton sosie; **su sueldo es el ~ del mío** il gagne deux fois plus que moi; **trabaja el ~ que tú** il travaille deux fois plus que toi; **~ cara/densidad** (*INFORM*) double face *f*/densité *f*; **~ espacio** espace *m* double.

doblegar [doβle'ɣar] *vt* obliger; **doblegarse** *vpr* (*ceder*) se plier.

doblez [do'βleθ] *nm* (*pliegue*) pli *m* ♦ *nf* (*falsedad*) fausseté *f*.

doce ['doθe] *adj inv, nm inv* douze *m inv*; **las ~** midi; minuit; *V tb* **seis**.

docena [do'θena] *nf* douzaine *f*; **por ~s** (*fig*) par douzaines.

docencia [do'θenθja] *nf* enseignement *m*.

docente [do'θente] *adj*: **centro/personal ~** centre *m*/personnel *m* d'enseignement; **cuerpo ~** corps *msg* enseignant.

dócil ['doθil] *adj* docile.

docto, -a ['dokto, a] *adj*: **~ en** versé(e) en.

doctor, a [dok'tor, a] *nm/f* (*médico*) médecin *m*; (*UNIV*) docteur *m*; **~ en filosofía** docteur en philosophie.

doctorado [dokto'raðo] *nm* doctorat *m*.

doctorarse [dokto'rarse] *vpr* passer son doctorat.

doctrina [dok'trina] *nf* doctrine *f*.

documentación [dokumenta'θjon] *nf* documentation *f*.

documental [dokumen'tal] *adj, nm* documentaire *m*.

documentar [dokumen'tar] *vt* documenter; **documentarse** *vpr* se documenter.

documento [doku'mento] *nm* (*certificado*) justificatif *m*; (*histórico*) document *m*; (*fig: testimonio*) témoignage *m*; **~s** *nmpl* (*de identidad*) papiers *mpl*; **documento justificativo** justificatif; **documento nacional de identidad** carte *f* d'identité.

dogma ['doɣma] *nm* dogme *m*; **el ~ católico/marxista** le dogme catholique/la doctrine marxiste.

dogmático, -a [doɣ'matiko, a] *adj* dogmatique.

dólar ['dolar] *nm* dollar *m*.

dolencia [do'lenθja] *nf* maladie *f*.

doler [do'ler] *vi* faire mal; (*fig*) peiner; **dolerse** *vpr* se plaindre; (*de las desgracias ajenas*) compatir; **me duele el brazo** mon bras me fait mal; **esta inyección no duele** cette piqûre ne fait pas mal; **no me duele el dinero** ce n'est pas l'argent qui compte; **¡ahí le duele!** (*fig*) c'est donc ça!

dolido, -a [do'liðo, a] *adj* contrarié(e).

dolor [do'lor] *nm* douleur *f*; **dolor agudo/sordo** douleur aiguë/sourde; **dolor de cabeza** mal *m* de tête; **dolor de estómago** maux *mpl* d'estomac; **dolor de muelas** mal de dents; **dolor de oídos** maux d'oreilles.

dolorido, -a [dolo'riðo, a] *adj* endolori(e); (*fig*) affligé(e); **la parte dolorida** la partie endolorie.

doloroso, -a [dolo'roso, a] *adj* douloureux(-euse).

domador, a [doma'ðor, a] *nm/f* dompteur(-euse).

domar [do'mar] *vt* dompter.

domesticar [domesti'kar] *vt* domestiquer.

doméstico, -a [do'mestiko, a] *adj, nm/f* domestique *m/f*; **economía doméstica** économie *f* domestique.

domiciliación [domiθilja'θjon] *nf*: **~ de pagos** virement *m* automatique.

domiciliar [domiθi'ljar] *vt* domicilier; **domiciliarse** *vpr* élire domicile.

domicilio [domi'θiljo] *nm* domicile *m*; **servicio a ~** service *m* à domicile; **sin ~ fijo** sans domicile fixe; **domicilio particular** domicile particulier; **domicilio social** (*COM*) siège *m* social.

dominante [domi'nante] *adj* dominant(e); (*persona*) dominateur(-trice).

dominar [domi'nar] *vt* dominer; (*adversario, caballo, idioma*) maîtriser; (*epidemia*) enrayer ♦ *vi* dominer; **dominarse** *vpr* se dominer; **tener dominado a algn** tenir qn à sa merci.

domingo [do'mingo] *nm* dimanche *m*; **D~ de Ramos/de Resurrección** dimanche des Rameaux/de Pâques; *V tb* **sábado**.

dominguero, -a [domin'gero, a] (*pey*) *nm/f* conducteur(-trice) du dimanche.

dominical [domini'kal] *adj* (*descanso*) dominical(e); (*programación*) du dimanche ♦ *nm* journal *m* du dimanche.

dominicano, -a [domini'kano, a] *adj* dominicain(e) ♦ *nm/f* Dominicain(e).

dominio [do'minjo] *nm* domination *f*; (*territorio*) dominion *m*; (*de las pasiones, de idioma*) maîtrise *f*; **~s** *nmpl* (*tierras*) domaine *msg*; **ser del ~ público** relever du domaine public.

dominó [domi'no] *nm* domino *m*; (*juego*) dominos *mpl*.

don [don] *nm* don *m*; (*tratamiento: con apellido*) Monsieur *m*; (*: sólo con nombre*) Don *m*, ≈ Monsieur; **D~ Juan Gómez** Monsieur Juan Gómez; **tener ~ de gentes** savoir s'y prendre avec les gens; **un ~ de la naturaleza** un don de la nature; **tener ~ de mando** être organisateur(-trice) dans l'âme; **tener un ~ para el dibujo/la música** être doué(e) pour le dessin/la musique.

donación [dona'θjon] *nf* don *m*.

donante [do'nante] *nm/f*: **~ de sangre** donneur(-euse) de sang.

donar [do'nar] *vt* faire un don de; (*sangre*) donner.

donativo [dona'tiβo] *nm* don *m*.

doncella [don'θeʎa] *nf* (*criada*) bonne *f*.

donde ['donde] *adv* où ♦ *prep*: **el coche está allí ~ el farol** la voiture est là-bas, près du réverbère; (*fam*): **se fue ~ sus tíos** il est allé chez ses vieux; **por ~** par où; **a/en ~** où; **~ sea** où que ce soit; **está ~ el médico** il est chez le médecin.

dónde ['donde] *adv* où; **¿a ~ vas?** où vas-tu?; **¿de ~ vienes?** d'où viens-tu?; **¿en ~?** où?; **¿por ~?** par où?; **¿hasta ~?** jusqu'où?

dondequiera [donde'kjera] *adv* n'importe où ♦ *conj*: **~ que** où que.

donjuán [don'xwan] *nm* don Juan *m*.

donostiarra [donos'tjarra] *adj* de Saint Sébastien ♦ *nm/f* natif(-ive) *o* habitant(e) de Saint Sébastien.

donus ['donus], **donut** ® ['donut] *nm* beignet *m*.

doña ['doɲa] *nf* (*tratamiento: con apellido*) Madame *f*; (*: sólo con nombre*) Doña *f*, ≈ Madame.

dopar [do'par] *vt* (DEPORTE) doper; **doparse** *vpr* se doper.

doping ['dopin] *nm* dopage *m*.

doquier [do'kjer] *adv*: **por ~** partout.

dorado, -a [do'raðo, a] *adj* doré(e) ♦ *nm* dorure *f*.

dorar [do'rar] *vt* dorer; **~ la píldora** dorer la pilule.

dormilón [dormi'lon] *nm* marmotte *f*.

dormir [dor'mir] *vt* endormir ♦ *vi* dormir; **dormirse** *vpr* s'endormir; **~ la siesta** faire la sieste; **se me ha dormido el brazo/la pierna** j'ai eu des fourmis dans le bras/la jambe; **~la** *o* **~ la mona** (*fam*) cuver son vin; **~ como un lirón/tronco** dormir comme un loir/une souche; **~ a pierna suelta** avoir un sommeil de plomb; **~ con algn** (*eufemismo*) coucher avec qn; **~se en los laureles** s'endormir sur ses lauriers; **quedarse dormido** être endormi(e); **estar medio dormido** être à moitié endormi(e).

dormitar [dormi'tar] *vi* somnoler.

dormitorio [dormi'torjo] *nm* chambre *f*; (*en una residencia*) dortoir *m*.

dorsal [dor'sal] *adj* dorsal(e) ♦ *nm* (DEPORTE) dossard *m*.

dorso ['dorso] *nm* dos *m*; **escribir algo al ~** écrire qch au dos; **"véase al ~"** "voir au dos".

dos [dos] *adj inv, nm inv* deux *inv*; **los ~** les deux; **cada ~ por tres** toutes les trente secondes; **de ~ en ~** deux par deux; **~ piezas** deux-pièces *m inv*; **estar a ~** (TENIS) faire un double; *V tb* **seis**.

doscientos, -as [dos'θjentos, as] *adj* deux cents; *V tb* **seiscientos**.

dosel [do'sel] *nm* dais *m*.

dosificar [dosifi'kar] *vt* doser.

dosis ['dosis] *nf inv* dose *f*.

dossier [do'sjer] *nm* dossier *m*.

dotación [dota'θjon] *nf* apport *m*; (*personal*) personnel *m*; (NÁUT) équipage *m*.

dotado, -a [do'taðo, a] *adj* doué(e); **~ de** doté(e) de.

dotar [do'tar] *vt* équiper; **~ de** *o* **con** (*proveer: de inteligencia, simpatía*) douer de; (*: de dinero*) allouer; (*: de personal, maquinaria*) doter de.

dote ['dote] *nf* dot *f*; **~s** *nfpl* (*aptitudes*) dons *mpl*.

doy [doj] *vb V* **dar**.

dragaminas [draɣa'minas] *nm inv* dragueur *m* de mines.

dragón [dra'ɣon] *nm* dragon *m*.

drama ['drama] *nm* drame *m*.

dramático, -a [dra'matiko, a] *adj* dramatique; **obra dramática** œuvre *f* dramatique.

dramatizar [dramati'θar] *vt, vi* dramatiser.

drástico, -a ['drastiko, a] *adj* drastique.

drenar [dre'nar] *vt* drainer.

droga ['droɣa] *nf* drogue *f*; **~ dura/blanda** drogue dure/douce; **el problema de la ~** le problème de la drogue.

drogadicto, -a [droɣa'ðikto, a] *nm/f* drogué(e).

drogar [dro'ɣar] *vt* droguer; (DEPORTE) do-

per; **drogarse** *vpr* se droguer.
droguería [droɤe'ria] *nf* droguerie *f*.
dromedario [drome'ðarjo] *nm* dromadaire *m*.
dubitativo, a [duβita'tiβo, a] *adj* sceptique.
ducha ['dutʃa] *nf* douche *f*; **darse una ~** prendre une douche.
ducharse [du'tʃarse] *vpr* se doucher.
ducho, -a ['dutʃo, a] *adj*: **~ en** fort(e) en.
duda ['duða] *nf* doute *m*; **sin ~** sans aucun doute; **¡sin ~!** sûrement!; **no cabe ~** il n'y a pas de doute; **no le quepa ~** cela va de soi; **poner algo en ~** mettre qch en doute; **para salir de ~s** pour en avoir le cœur net; **¿alguna ~?** des questions?; **tengo mis ~s** je n'en suis pas si sûr(e).
dudar [du'ðar] *vt, vi* douter; **~ (de)** douter (de); **dudó entre ...** il a hésité entre ...; **dudó si comprarlo o no** il a hésité à l'acheter; **dudo que sea cierto** je crains que ce ne soit pas vrai.
dudoso, -a [du'ðoso, a] *adj* douteux(-euse).
duelo ['dwelo] *vb V* **doler** ♦ *nm* duel *m*; (*ceremonia*) deuil *m*; **batirse en ~** se battre en duel.
duende ['dwende] *nm* lutin *m*; **tiene ~** (*en flamenco*) elle a de la classe.
dueño, -a ['dweɲo, a] *nm/f* (*propietario*) propriétaire *m/f*; (*empresario*) patron(ne); **ser ~ de sí mismo** être maître de soi; **eres (muy) ~ de hacer como te parezca** tu es libre de faire comme bon te semblera; **hacerse ~ de una situación** se rendre maître de la situation.
duerma *etc* ['dwerma] *vb V* **dormir**.
dulce ['dulθe] *adj* doux(douce) ♦ *nm* gourmandise *f*; (*pastel*) douceur *f*; **dulce de almíbar** fruit *m* confit.
dulcificar [dulθifi'kar] *vt* (*fig*) apaiser.
dulzón, -ona [dul'θon, ona] *adj* écœurant(e); (*fig*) à l'eau de rose *inv*.
dulzura [dul'θura] *nf* douceur *f*; **con ~** avec douceur.
duna ['duna] *nf* dune *f*.
dúo ['duo] *nm* duo *m*; **a ~** en duo; **hacer algo a ~** faire qch en duo.
duodécimo, -a [duo'deθimo, a] *adj, nm/f* douzième *m/f*; *V tb* **sexto**.
duodeno [duo'ðeno] *nm* duodénum *m*.
dúplex ['dupleks] *pl inv nm* (*piso,* TELEC) duplex *m*; (INFORM) bidirectionnel *m*.
duplicado [dupli'kaðo] *nm* (*de llave etc*) double *m*; (*documento*) duplicata *m*; **por ~** en double.
duplicar [dupli'kar] *vt* (*llave, documento*) faire un double de; (*cantidad*) doubler; **duplicarse** *vpr* se multiplier par deux.
duque ['duke] *nm* duc *m*.
duquesa [du'kesa] *nf* duchesse *f*.
duración [dura'θjon] *nf* durée *f*; (*de máquina*) durée de vie; **de larga ~** (*enfermedad*) de longue durée; (*pila, disco*) longue durée; **de corta ~** de courte durée.
duradero, -a [dura'ðero, a] *adj* (*material*) résistant(e); (*fe, paz*) durable.
durante [du'rante] *adv* pendant; **~ toda la noche** pendant toute la nuit; **habló ~ una hora** il a parlé pendant une heure.
durar [du'rar] *vi* durer; (*persona: en cargo*) rester.
durazno [du'raθno] (AM) *nm* pêche *f*; (*árbol*) pêcher *m*.
durex ® ['dureks] (AM) *nm* scotch *m* ®.
dureza [du'reθa] *nf* dureté *f*; (*de clima*) rigueur *f*; (*callosidad*) callosité *f*.
duro, -a ['duro, a] *adj* dur(e) ♦ *adv* dur ♦ *nm pièce de cinq pesetas*; **a duras penas** à grand-peine; **estar ~** être dur(e); **un tipo ~** un dur; **el sector ~ del partido** la faction dure du parti; **ser ~ con algn** être dur(e) avec qn; **~ de mollera** (*torpe*) dur(e) à la détente; **~ de oído** dur(e) d'oreille; **es ~ de pelar** il faut se le farcir; **trabajar ~** travailler dur; **estar sin un ~** être sans le sou.

E, e

E *abr* (= *este*) E (= *est*).
e [e] *conj* (*delante de* i– *e* **hi-**, *pero no* **hie-**) et; *V tb* **y**.
ebanista [eβa'nista] *nm/f* ébéniste *m/f*.
ébano ['eβano] *nm* ébène *m*.
ebrio, -a ['eβrjo, a] *adj* ivre.
ebullición [eβuʎi'θjon] *nf* ébullition *f*; **punto de ~** point *m* d'ébullition.
eccema [ek'θema] *nm* eczéma *m*.
echar [e'tʃar] *vt* (*lanzar*) jeter; (*verter*) verser; (*gasolina, carta, freno*) mettre; (*sal, especias*) ajouter; (*comida*) servir; (*dientes*) pousser; (*expulsar*) mettre dehors; (*empleado*) renvoyer; (*hojas*) pousser; (*despedir: humo*) rejeter; (: *agua*) cracher; (*reprimenda*) faire; (*cerrojo*) fermer; (*película*) passer ♦ *vi*: **~ a andar/volar/correr** se mettre à marcher/voler/courir; **echarse** *vpr* s'allonger; **~ a cara o cruz algo** jouer qch à pile ou face; **~ abajo** (*gobierno*) renverser; (*edificio*) abattre; **~ una carrera/una siesta** faire une course/une sieste; **~ un trago** avaler une gorgée; **~ la buenaventura a algn** dire la bonne aventure à qn; (*echar las cartas a algn*) tirer les cartes

à qn; ~ **cuentas** faire ses comptes; ~ **la culpa a** accuser; ~ **chispas** jeter des éclairs; ~ **por tierra** s'écrouler; ~ **de menos** regretter; **la echo de menos** elle me manque; ~ **mano a** mettre la main sur; ~ **a suertes** décider à pile ou face; **~se atrás** se pencher en arrière; (*fig*) se dédire; **~se a llorar/reír/temblar** se mettre à pleurer/rire/trembler; **~se novia/novio** se fiancer; **~se a perder** (*alimento*) se gâter; (*persona*) dégénérer.

eclesiástico, -a [ekle'sjastiko, a] *adj* ecclésiastique ♦ *nm* ecclésiastique *m*.

eclipsar [eklip'sar] *vt* éclipser.

eclipse [e'klipse] *nm* éclipse *f*.

eco ['eko] *nm* écho *m*; **encontrar un ~ en** trouver un écho dans; **hacerse ~ de una opinión** se faire l'écho d'une opinion; **tener ~** faire écho.

ecografía [ekoɤra'fia] *nf* échographie *f*.

ecología [ekolo'xia] *nf* écologie *f*.

ecológico, -a [eko'loxiko, a] *adj* écologique.

ecologista [ekolo'xista] *adj, nm/f* écologiste *m/f*.

economía [ekono'mia] *nf* économie *f*; (*de empresa*) situation *f* économique; **hacer ~s** faire des économies; **economías de escala** économies d'échelle; **economía de mercado** économie de marché; **economía dirigida/doméstica/mixta/sumergida** économie dirigée/nationale/mixte/souterraine.

económico, -a [eko'nomiko, a] *adj* économique; (*persona*) économe.

economista [ekono'mista] *nm/f* économiste *m/f*.

economizar [ekonomi'θar] *vt, vi* économiser.

ecosistema [ekosis'tema] *nm* écosystème *m*.

ecu ['eku] *nm* écu *m*.

ecuación [ekwa'θjon] *nf* équation *f*.

ecuador [ekwa'ðor] *nm* équateur *m*; **(el) E~** (l')Équateur.

ecuánime [e'kwanime] *adj* (*carácter*) juste; (*juicio*) impartial(e).

ecuatorial [ekwato'rjal] *adj* équatorial(e).

ecuatoriano, -a [ekwato'rjano, a] *adj* équatorien(ne) ♦ *nm/f* Équatorien(ne).

ecuestre [e'kwestre] *adj* équestre.

eczema [ek'θema] *nm* = **eccema**.

edad [e'ðað] *nf* âge *m*; **¿qué ~ tienes?** quel âge as-tu?; **tiene ocho años de ~** il a huit ans; **de corta ~** en culottes courtes; **ser de mediana ~** être d'âge mûr; **ser de ~ avanzada** être âgé(e); **ser mayor/menor de ~** être majeur/mineur; **(no) estar en ~ de algo** (ne pas) être en âge de faire qch; **la E~ Media** le Moyen-Âge; **tercera ~** troisième âge; **la ~ del pavo** l'âge ingrat; **Edad de Hierro/Piedra** âge de fer/de pierre.

edición [eði'θjon] *nf* édition *f*; **"al cerrar la ~"** (*TIP*) "nouvelles de dernière heure"; **última ~** dernière édition.

edicto [e'ðikto] *nm* décret *m*.

edificar [edifi'kar] *vt* édifier.

edificio [eði'fiθjo] *nm* édifice *m*, bâtiment *m*; **edificio público** bâtiment public.

editar [eði'tar] *vt* éditer; (*preparar textos*) mettre en page.

editor, a [eði'tor, a] *nm/f* éditeur(-trice); (*redactor*) rédacteur(-trice) ♦ *adj*: **casa ~a** maison d'édition.

editorial [eðito'rjal] *adj* éditorial(e) ♦ *nm* éditorial *m* ♦ *nf* (*tb*: **casa ~**) maison *f* d'édition.

edredón [eðre'ðon] *nm* couette *f*.

educación [eðuka'θjon] *nf* éducation *f*; **ser de buena/mala ~** être bien/mal élevé(e); **sin ~** sans aucune éducation; **¡qué falta de ~!** quel manque d'éducation!

educado, -a [eðu'kaðo, a] *adj* poli(e); **mal ~** mal élevé(e).

educar [eðu'kar] *vt* éduquer.

educativo, -a [eðuka'tiβo, a] *adj* éducatif(-ive).

eduque *etc* [e'ðuke] *vb V* **educar**.

EE.UU. *sigla mpl* (= *Estados Unidos*) EU *mpl* (= *États-Unis*), US(A) *mpl* (= *United States (of America)*).

efectista [efek'tista] *adj* spectaculaire.

efectivamente [efek'tiβamente] *adv* effectivement.

efectivo, -a [efek'tiβo, a] *adj* effectif(-ive) ♦ *nm*: **en ~** (*COM*) en espèces; **~s** *nmpl* (*de policía, ejército*) effectifs *mpl*; **hacer ~ un cheque** encaisser un chèque.

efecto [e'fekto] *nm* effet *m*; **~s** *nmpl* (*tb*: **~s personales**) effets *mpl*; (*COM*) actif *m*; (*ECON*) valeurs *fpl*; **hacer** *o* **surtir ~** (*medida*) avoir de l'effet; (*medicamento*) faire de l'effet; **hacer** *o* **causar ~** faire de l'effet; **al** *o* **a tal ~** à cet effet; **a ~s de** à des fins de; **en ~** en effet; **tener ~** avoir lieu; **efectos a cobrar** effets à recevoir; **efectos especiales** effets spéciaux; **efectos secundarios** (*MED*) effets secondaires; (*COM*) retombées *fpl*; **efectos sonoros** effets de son.

efectuar [efek'twar] *vt* effectuer; **efectuarse** *vpr* avoir lieu.

efervescente [eferβes'θente] *adj* gazeux(-euse).

eficacia [efi'kaθja] *nf* efficacité *f*.

eficaz [efi'kaθ] *adj* efficace.

eficiente [efi'θjente] *adj* efficace.
efigie [e'fixje] *nf* effigie *f*.
efímero, -a [e'fimero, a] *adj* éphémère.
efusivo, -a [efu'siβo, a] *adj* expansif(-ive); **mis más efusivas gracias** mes plus vifs remerciements.
EGB *sigla f* (*ESP*: = *Educación General Básica*) *enseignement primaire et premier cycle de l'enseignement secondaire.*
egipcio, -a [e'xipθjo, a] *adj* égyptien(ne) ♦ *nm/f* Égyptien(ne).
Egipto [e'xipto] *nm* Egypte *f*.
egoísmo [eɣo'ismo] *nm* égoïsme *m*.
egoísta [eɣo'ista] *adj, nm/f* égoïste *m/f*.
eje ['exe] *nm* axe *m*.
ejecución [exeku'θjon] *nf* exécution *f*; (*JUR*) saisie *f*; **poner en ~** (*plan*) mettre à exécution.
ejecutar [exeku'tar] *vt* exécuter; (*JUR*) saisir.
ejecutivo, -a [exeku'tiβo, a] *adj* exécutif (-ive) ♦ *nm/f* exécutif *m* ♦ *nf* comité *m* exécutif; **el ~** l'exécutif; **el poder ~** le pouvoir exécutif.
ejemplar [exem'plar] *adj* exemplaire ♦ *nm* (*ZOOL etc*) spécimen *m*; (*de libro, periódico*) exemplaire *m*; **ejemplar de regalo** exemplaire offert à titre gracieux.
ejemplificar [exemplifi'kar] *vt* illustrer.
ejemplo [e'xemplo] *nm* exemple *m*; **por ~** par exemple; **dar ~** donner l'exemple.
ejercer [exer'θer] *vt* exercer ♦ *vi*: **~ de** exercer le métier de.
ejercicio [exer'θiθjo] *nm* exercice *m*; **hacer ~** prendre de l'exercice; **ejercicio acrobático** (*AVIAT*) exercice acrobatique; **ejercicio comercial** exercice; **ejercicios espirituales** retraite *fsg*.
ejercitar [exerθi'tar] *vt* exercer; **ejercitarse** *vpr*: **~se en** s'exercer en.
ejército [e'xerθito] *nm* armée *f*; **entrar en el ~** entrer dans l'armée; **ejército de ocupación** troupes *fpl* d'occupation; **Ejército de Tierra/del Aire** armée de terre/de l'air.
ejido [e'xiðo] (*esp MÉX*) *nm terres exploitées en commun.*
ejote [e'xote] (*AM*) *nm* haricot *m* vert.

PALABRA CLAVE

el [el] (*f* **la**, *pl* **los** *o* **las**) *art def* **1** le, la, les; **el libro/la mesa/los estudiantes/las flores** le livre/la table/les étudiants/les fleurs; **el amor/la juventud** l'amour/la jeunesse; **me gusta el fútbol** j'aime le football; **está en la cama** il est au lit
2: **romperse el brazo** se casser le bras; **levantó la mano** il leva la main; **se puso el sombrero** il mit son chapeau
3 (*en descripción*): **tener la boca grande/los ojos azules** avoir une grande bouche/les yeux bleus
4 (*con días*): **me iré el viernes** je m'en irai vendredi; **los domingos suelo ir a nadar** le dimanche je vais nager
5 (*en exclamación*): **¡el susto que me diste!** tu m'as fait une de ces peurs!
♦ *pron demos*: **mi libro y el de usted** mon livre et le vôtre; **las de Pepe son mejores** celles de Pepe sont mieux; **no la(s) blanca(s) sino la(s) gris(es)** pas la(les) blanche(s), la(les) grise(s)
♦ *pron rel* **1**: **el/la/los/las + que** (*sujeto*) celui/celle/ceux/celles qui; (: *objeto*) celui/celle/ceux/celles que; **el/la que quiera que se vaya** que celui/celle qui le veut s'en aille; **el que sea** n'importe qui; **llévese el que más le guste** emportez celui que vous préférez; **el que compré ayer** celui que j'ai acheté hier; **la que está debajo** celle qui est dessous
2: **el/la/los/las + que** (*con preposición*) lequel / laquelle / lesquels / lesquelles; **la persona con la que hablé** la personne avec laquelle j'ai parlé
♦ *conj*: **el que sea tan vago me molesta** ça m'ennuie qu'il soit si paresseux.

él [el] *pron pers* (*sujeto*) il; (*con preposición*) lui; **para ~** pour lui; **es ~** c'est lui.
elaboración [elaβora'θjon] *nf* élaboration *f*; **~ de presupuestos** élaboration du budget.
elaborar [elaβo'rar] *vt* élaborer; (*madera etc*) travailler.
elástico, -a [e'lastiko, a] *adj, nm* élastique *m*.
elección [elek'θjon] *nf* élection *f*; (*selección*) choix *m*; (*alternativa*) alternative *f*; **elecciones** *nfpl* élections *fpl*; **elecciones generales** élections.
elector, a [elek'tor, a] *nm/f* électeur(-trice).
electorado [elekto'raðo] *nm* électorat *m*.
electoral [elekto'ral] *adj* électoral(e).
electricidad [elektriθi'ðað] *nf* électricité *f*.
electricista [elektri'θista] *nm/f* électricien(ne).
eléctrico, -a [e'lektriko, a] *adj* électrique.
electro... [elektro] *pref* électro... .
electrocardiograma [elektrocarðjo'ɣrama] *nm* électrocardiogramme *m*.
electrochoque [elektro'tʃoke] *nm* électrochoc *m*.
electrocutar [elektroku'tar] *vt* électrocuter; **electrocutarse** *vpr* s'électrocuter.

electrodo [elek'troðo] *nm* électrode *f*.
electrodoméstico [elektroðo'mestiko] *nm* électroménager *m*.
electromagnético, -a [elektromaɣ'netiko, a] *adj* électromagnétique.
electrón [elek'tron] *nm* électron *m*.
electrónico, -a [elek'troniko, a] *adj* électronique ♦ *nf* électronique *f*; **proceso ~ de datos** (*INFORM*) traitement *m* électronique des données.
electrotécnico, -a [elektro'tekniko, a] *nm/f* électrotechnicien(ne).
elefante [ele'fante] *nm* éléphant *m*.
elegancia [ele'ɣanθja] *nf* élégance *f*.
elegante [ele'ɣante] *adj* (*de buen gusto*) élégant(e); (*fino*) raffiné(e); **estar** *o* **ir ~** être élégant(e).
elegía [ele'xia] *nf* élégie *f*.
elegir [ele'xir] *vt* choisir; (*por votación*) élire.
elemental [elemen'tal] *adj* élémentaire.
elemento [ele'mento] *nm* élément *m*; (*AM: fam*) type *m*; **~s** *nmpl* (*de una ciencia*) rudiments *mpl*; (*de la naturaleza*) éléments *mpl*; **estar en su ~** être dans son élément; **~s de juicio** éléments de jugement; **¡menudo ~!** bon à rien!
elenco [e'lenko] *nm* (*TEATRO*) distribution *f*; (*AM: DEPORTE*) équipe *f*.
elepé [ele'pe] (*pl* **~s**) *nm* 33 tours *m inv*.
elevación [eleβa'θjon] *nf* élévation *f*.
elevado, -a [ele'βaðo, a] *adj* (*precio, fig*) élevé(e); (*montículo, torre*) haut(e).
elevador [eleβa'ðor] (*AM*) *nm* ascenseur *m*.
elevar [ele'βar] *vt* élever; (*producción*) augmenter; **elevarse** *vpr* s'élever; **~se a** s'élever à.
elija *etc* [e'lixa] *vb V* **elegir**.
eliminar [elimi'nar] *vt* éliminer; (*MED*) enlever; (*INFORM*) supprimer.
eliminatoria [elimina'torja] *nf* épreuve *f* éliminatoire; (*DEPORTE*) éliminatoires *mpl*.
élite ['elite] *nf* élite *f*.
elitista [eli'tista] *adj* élitiste.
elixir [elik'sir] *nm* élixir *m*.
ella ['eʎa] *pron* elle; **de ~** à elle.
ello ['eʎo] *pron* cela; **es por ~ que ...** c'est pour cela que ... .
ellos, -as ['eʎos, as] *pron* ils(elles); (*después de prep*) eux(elles); **de ~** à eux(elles).
elocuencia [elo'kwenθja] *nf* éloquence *f*.
elogiar [elo'xjar] *vt* louer.
elogio [e'loxjo] *nm* éloge *m*; **hacer ~s a** *o* **de** faire l'éloge de; **deshacerse en ~s** ne pas tarir d'éloges.
elote [e'lote] (*AM*) *nm* épi *m* de maïs.
El Salvador [elsalβa'ðor] *nm* Le Salvador.
eludir [elu'ðir] *vt* (*deber*) faillir à; (*responsabilidad*) rejeter; (*justicia*) se soustraire à; (*respuesta*) éluder.
emanar [ema'nar] *vi*: **~ de** émaner de; (*situación*) découler de.
emancipar [emanθi'par] *vt* affranchir; **emanciparse** *vpr* s'émanciper; (*siervo*) s'affranchir.
embadurnar [embaður'nar] *vt*: **~ (de)** badigeonner (de); **embadurnarse** *vpr*: **~se (de)** se badigeonner (de).
embajada [emba'xaða] *nf* ambassade *f*; (*mensaje*) dépêche *f*.
embajador, a [embaxa'ðor, a] *nm/f* ambassadeur(-drice).
embalar [emba'lar] *vt* emballer; **embalarse** *vpr* s'emballer.
embalsamar [embalsa'mar] *vt* embaumer.
embalse [em'balse] *nm* réservoir *m*.
embarazada [embara'θaða] *adj f* enceinte ♦ *nf* femme *f* enceinte.
embarazo [emba'raθo] *nm* (*de mujer*) grossesse *f*; (*estorbo, vergüenza*) embarras *m*.
embarazoso, -a [embara'θoso, a] *adj* embarrassant(e).
embarcación [embarka'θjon] *nf* embarcation *f*; **~ de arrastre** chalutier *m*.
embarcadero [embarka'ðero] *nm* embarcadère *m*.
embarcar [embar'kar] *vt* embarquer; **embarcarse** *vpr* s'embarquer; **~ a algn en una empresa** (*fig*) embarquer qn dans une affaire; **~(se) en** (*AM: tren, avión*) monter dans.
embargar [embar'ɣar] *vt* (*JUR*) saisir; **me embargaba la emoción** l'émotion m'envahissait.
embargo [em'barɣo] *nm* (*JUR*) saisie *f*; (*COM, POL*) embargo *m*; **sin ~** cependant.
embarque [em'barke] *vb V* **embarcar** ♦ *nm* embarquement *m*; **tarjeta/sala de ~** carte *f*/salle *f* d'embarquement.
embarrancar [embarran'kar] *vi* (*NÁUT*) échouer; (*fig*) caler.
embarullar [embaru'ʎar] *vt* embrouiller.
embate [em'bate] *nm* rugissement *m*.
embaucar [embau'kar] *vt* enjôler.
embebido, -a [embe'βiðo, a] *adj*: **~ en** plongé(e) dans.
embelesar [embele'sar] *vt* captiver; **embelesarse** *vpr*: **~se (con)** être captivé(e) (par).
embellecer [embeʎe'θer] *vt* embellir; **embellecerse** *vpr* embellir.
embestida [embes'tiða] *nf* charge *f*.
embestir [embes'tir] *vt* charger ♦ *vi* charger; (*olas*) rugir.

emblema [em'blema] *nm* emblème *m*.
embobado, -a [embo'βaðo, a] *adj* bouche bée.
embolado [embo'laðo] (*fam*) *nm* (*mentira*) bobard *m*; (*lío*) pétrin *m*.
embolador [embola'ðor] (*COL*) *nm* cireur *m* (de chaussures).
embolia [em'bolja] *nf* embolie *f*; **embolia cerebral** embolie cérébrale.
émbolo ['embolo] *nm* piston *m*.
embolsar [embol'sar] *vt* empocher; **embolsarse** *vpr* empocher.
emboquillado, -a [emboki'ʎaðo, a] *adj* filtre.
emborrachar [emborra'tʃar] *vt* soûler; **emborracharse** *vpr* se soûler.
emboscada [embos'kaða] *nf* embuscade *f*.
embotar [embo'tar] *vt* (*sentidos*) émousser; (*facultades*) diminuer.
embotellamiento [emboteʎa'mjento] *nm* embouteillage *m*.
embotellar [embote'ʎar] *vt* mettre en bouteille; (*tráfico*) embouteiller; **embotellarse** *vpr* être embouteillé(e).
embozo [em'boθo] *nm* rabat *m*.
embragar [embra'ɣar] *vi* embrayer.
embrague [em'braɣe] *vb V* **embragar** ♦ *nm* embrayage *m*.
embravecido, -a [embraβe'θiðo, a] *adj* furieux(-euse); (*mar*) déchaîné(e).
embriagar [embrja'ɣar] *vt* soûler; (*fig*) griser; **embriagarse** *vpr* se soûler.
embriaguez [embrja'ɣeθ] *nf* ivresse *f*.
embrión [em'brjon] *nm* embryon *m*; **en ~** (*proyecto*) à l'état embryonnaire.
embrollar [embro'ʎar] *vt* embrouiller; **embrollarse** *vpr* s'embrouiller.
embrollo [em'broʎo] *nm* enchevêtrement *m*; (*fig*: *lío*) beaux draps *mpl*.
embrujar [embru'xar] *vt* ensorceler.
embrujo [em'bruxo] *nm* ensorcellement *m*.
embrutecer [embrute'θer] *vt* abrutir; **embrutecerse** *vpr* s'abrutir.
embudo [em'buðo] *nm* entonnoir *m*.
embuste [em'buste] *nm* mensonge *m*.
embustero, -a [embus'tero, a] *adj, nm/f* menteur(-euse).
embutido [embu'tiðo] *nm* (*CULIN*) charcuterie *f*; (*TEC*) emboutissage *m*.
embutir [embu'tir] *vt* (*chorizo etc*) préparer; **~ (en)** (*encajar*) fourrer (dans); (*introducir*) enfoncer (dans).
emergencia [emer'xenθja] *nf* urgence *f*; (*surgimiento*) émergence *f*.
emerger [emer'xer] *vi* émerger.
emigración [emiɣra'θjon] *nf* (*de personas*) émigration *f*; (*de pájaros*) migration *f*; **la ~** (*emigrantes*) l'émigration.
emigrante [emi'ɣrante] *adj* qui émigre ♦ *nm/f* émigrant(e).
emigrar [emi'ɣrar] *vi* (*personas*) émigrer; (*pájaros*) migrer.
eminencia [emi'nenθja] *nf*: **ser una ~ (en algo)** être un génie (en qch); (*en títulos*): **Su/Vuestra E~** (*REL*) Son/Votre Eminence.
eminente [emi'nente] *adj* éminent(e).
emisario [emi'sarjo] *nm* émissaire *m*.
emisión [emi'sjon] *nf* émission *f*; **emisión de acciones/de valores** (*COM*) émission d'actions/de titres; **emisión gratuita de acciones** (*COM*) émission prioritaire.
emisor, a [emi'sor, a] *nm* émetteur *m* ♦ *nf* station *f* d'émission.
emitir [emi'tir] *vt* émettre; (*voto*) exprimer; **~ una señal sonora** émettre un signal sonore.
emoción [emo'θjon] *nf* (*excitación*) excitation *f*; (*sentimiento*) émotion *f*; **¡qué ~!** quelle émotion!
emocionado, -a [emoθjo'naðo, a] *adj* ému(e).
emocionante [emoθjo'nante] *adj* excitant(e); (*conmovedor*) émouvant(e).
emocionar [emoθjo'nar] *vt* exciter; (*conmover, impresionar*) émouvoir; **emocionarse** *vpr* s'émouvoir.
emotivo, -a [emo'tiβo, a] *adj* (*escena*) émouvant(e); (*persona*) émotif(-ive).
empacar [empa'kar] *vt* empaqueter; (*en caja*) mettre dans des caisses.
empachar [empa'tʃar] *vt* donner une indigestion à; **empacharse** *vpr* avoir une indigestion.
empacho [em'patʃo] *nm* indigestion *f*; (*fig*) scrupule *m*.
empadronarse [empaðro'narse] *vpr* se faire recenser.
empalagar [empala'ɣar] *vt, vi* (*suj*: *dulce*) écœurer; (*fig*: *suj*: *persona*) être écœurant(e); (: *música*) rendre malade.
empalagoso, -a [empala'ɣoso, a] *adj* (*alimento*) écœurant(e); (*fig*: *persona*) mielleux(-euse); (: *estilo*) à l'eau de rose.
empalizada [empali'θaða] *nf* palissade *f*.
empalmar [empal'mar] *vt* (*cable*) rallonger; (*carretera*) rejoindre; (*sesión*) prolonger ♦ *vi* (*dos caminos*) se rejoindre; **~ con** (*tren*) assurer la correspondance avec.
empalme [em'palme] *nm* (*TEC*) jointure *f*; (*de carreteras*) croisement *m*; (*de trenes*) correspondance *f*.
empanada [empa'naða] *nf* *sorte de chausson salé fourré de tomates, viande etc.*
empanar [empa'nar] *vt* (*con pan rallado*)

paner; (*en masa*) *faire la pâte (d'un chausson)*.

empantanarse [empanta'narse] *vpr* être inondé(e); (*fig*) être dans une impasse.

empañar [empa'ɲar] *vt* embuer; **empañarse** *vpr* s'embuer.

empapar [empa'par] *vt* mouiller; (*suj: toalla, esponja etc*) absorber; **empaparse** *vpr*: **~se (de)** (*persona*) être trempé(e) (par); (*esponja, comida*) absorber.

empapelar [empape'lar] *vt* tapisser.

empaquetar [empake'tar] *vt* empaqueter.

emparedado [empare'ðaðo] *nm* sandwich *m*.

emparejar [empare'xar] *vt* mettre ensemble.

emparentado, -a [emparen'taðo, a] *adj*: **estar ~ con** avoir un lien de parenté avec.

empastar [empas'tar] *vt* plomber.

empaste [em'paste] *nm* plombage *m*.

empatar [empa'tar] *vi* faire match nul ♦ *vt* (*VEN*) assembler; **empatar on a 1** il y a eu 1 partout; **estar empatados** (*dos equipos*) être à égalité.

empate [em'pate] *nm* match *m* nul; **un ~ a cero** zéro partout.

empedernido, -a [empeðer'niðo, a] *adj* invétéré(e).

empedrar [empe'ðrar] *vt* paver.

empeine [em'peine] *nm* (*de pie*) cou-de-pied *m*; (*de zapato*) empeigne *m*.

empellón [empe'ʎon] *nm* coup *m*; **dar empellones a algn** rouer qn de coups; **abrirse paso a empellones** se frayer un chemin à coups de coude.

empeñar [empe'ɲar] *vt* mettre en gage; **empeñarse** *vpr* s'endetter; **~se en hacer** s'acharner à faire.

empeño [em'peɲo] *nm* acharnement *m*; (*cosa prendada*) gage *m*; **casa de ~s** établissement *m* de prêts sur gages, mont-de-piété *m*; **con ~** avec acharnement; **poner ~ en hacer algo** mettre de l'acharnement à faire qch; **tener ~ en hacer algo** être déterminé(e) à faire qch.

empeoramiento [empeora'mjento] *nm* dégradation *f*.

empeorar [empeo'rar] *vt, vi* empirer.

emperador [empera'ðor] *nm* empereur *m*.

emperatriz [empera'triθ] *nf* impératrice *f*.

empezar [empe'θar] *vt* commencer ♦ *vi* commencer; **empezó a llover** il a commencé à pleuvoir; **bueno, para ~** voyons, pour commencer; **~ a hacer** commencer à faire; **~ por (hacer)** commencer par (faire).

empiece *etc* [em'pjeθe] *vb V* **empezar**.

empinado, -a [empi'naðo, a] *adj* en pente.

empinar [empi'nar] *vt* redresser; **empinarse** *vpr* (*persona*) se mettre sur la pointe des pieds; (*animal*) se mettre sur ses pattes de derrière; (*camino*) grimper; **~ el codo** (*fam*) lever le coude.

empírico, -a [em'piriko, a] *adj* empirique.

emplazamiento [emplaθa'mjento] *nm* emplacement *m*; (*JUR*) citation *f*.

emplazar [empla'θar] *vt* construire; (*JUR*) citer à comparaître; (*citar*) citer.

empleado, -a [emple'aðo, a] *adj, nm/f* employé(e); **le está bien ~** c'est bien fait pour lui; **empleada del hogar** employée de maison; **empleado público** fonctionnaire *m*.

emplear [emple'ar] *vt* employer; **emplearse** *vpr*: **~se de** *o* **como** trouver un emploi de, se faire embaucher comme; **~ mal el tiempo** mal gérer son temps.

empleo [em'pleo] *nm* emploi *m*; **"modo de ~"** "mode d'emploi".

emplomar [emplo'mar] (*CSUR*) *vt* (*diente*) plomber.

empobrecer [empoβre'θer] *vt* appauvrir; **empobrecerse** *vpr* s'appauvrir.

empobrecimiento [empoβreθi'mjento] *nm* appauvrissement *m*.

empollar [empo'ʎar] *vt, vi* (*ZOOL*) couver; (*ESCOL: fam*) bûcher.

empollón, -ona [empo'ʎon, ona] (*fam*) *nm/f* (*ESCOL*) bûcheur(-euse).

emporio [em'porjo] *nm* centre *m* commercial; (*AM*) grand magasin *m*.

empotrado, -a [empo'traðo, a] *adj V* **armario**.

empotrar [empo'trar] *vt* encastrer.

emprendedor, a [emprende'ðor, a] *adj* entreprenant(e).

emprender [empren'der] *vt* entreprendre; **~la con algn** (*fam*) s'en prendre à qn; **~la a bofetadas/golpes (con algn)** commencer à gifler/taper (qn).

empresa [em'presa] *nf* entreprise *f*; (*esp TEATRO*) direction *f*; **la libre ~** la libre entreprise; **~ filial/matriz** filiale *f*/société *f* mère.

empresario, -a [empre'sarjo, a] *nm/f* (*COM*) chef *m* d'entreprise; (*TEATRO, MÚS*) impresario *m*; **~ de pompas fúnebres** entrepreneur *m* de pompes funèbres.

empréstito [em'prestito] *nm* emprunt *m*; (*COM*) capital *m* d'emprunt.

empujar [empu'xar] *vt* pousser; **~ a algn a hacer** pousser qn à faire.

empuje [em'puxe] *nm* poussée *f*; (*fig*) brio *m*.
empujón [empu'xon] *nm* coup *m*; **abrirse paso a empujones** se frayer un chemin à coups de coude.
empuñar [empu'ɲar] *vt* empoigner; ~ **las armas** (*fig*) prendre les armes.
emular [emu'lar] *vt* imiter.

PALABRA CLAVE

en [en] *prep* **1** (*posición*) dans; (: *sobre*): **en la mesa** sur la table; (: *dentro*): **está en el cajón** c'est dans le tiroir; **en el periódico** dans le journal; **en el suelo** par terre; **en Argentina/Francia/España** en Argentine/France/Espagne; **en La Paz/París/Londres** à La Paz/Paris/Londres; **en casa** à la maison; **en la oficina/el colegio** au bureau/à l'école; **en el quinto piso** au cinquième étage
2 (*dirección*) dans; **entró en el aula** il est entré dans la salle de classe; **la pelota cayó en el tejado** le ballon est tombé sur le toit
3 (*tiempo*) en; **en 1605/invierno** en 1605/hiver; **en el mes de enero** au mois de janvier; **caer en martes** tomber un mardi; **en aquella ocasión/época** à cette occasion/époque; **en ese momento** à ce moment; **en tres semanas** dans trois semaines; **en la mañana** (*AM*) le matin
4 (*manera*): **en avión/autobús** en avion/autobus; **viajar en tren** voyager en train; **escrito en inglés** écrit en anglais; **en broma** pour rire; **en un susurro** dans un murmure
5 (*forma*): **en espiral** en spirale; **en punta** pointu
6 (*tema, ocupación*): **experto en la materia** expert en la matière; **trabaja en la construcción** il travaille dans la construction
7 (*precio*) pour; **lo vendió en 20 dólares** il l'a vendu pour 20 dollars
8 (*diferencia*) de; **reducir/aumentar en una tercera parte/en un 20 por ciento** diminuer/augmenter d'un tiers/de 20 pour cent
9 (*después de vb que indica gastar etc*) en; **se le va la mitad del sueldo en comida** il dépense la moitié de son salaire en nourriture
10 (*adj + en + infin*): **lento en reaccionar** lent à réagir
11: **¡en marcha!** en route!

enaguas [e'naɣwas] (*AM*) *nfpl* combinaison *f*.
enajenación [enaxena'θjon] *nf* aliénation *f*; (*tb*: ~ **mental**) aliénation (mentale).
enajenamiento [enaxena'mjento] *nm* = **enajenación**.
enajenar [enaxe'nar] *vt* aliéner; (*fig*) déranger.
enamorado, -a [enamo'raðo, a] *adj, nm/f* amoureux(-euse); **estar ~ (de)** être amoureux(-euse) (de); **ser un ~ de** (*fig*) être un amoureux de.
enamorar [enamo'rar] *vt* rendre amoureux(-euse); **enamorarse** *vpr*: **~se (de)** tomber amoureux(-euse) (de).
enano, -a [e'nano, a] *adj* nain(e); (*fam: muy pequeño*) de poupée ♦ *nm/f* nain(e).
enarbolar [enarβo'lar] *vt* brandir.
enardecer [enarðe'θer] *vt* (*incitar*) inciter; (*entusiasmar*) enflammer; **enardecerse** *vpr* (*excitarse*) s'enhardir; (*exaltarse*) s'enflammer.
encabezamiento [enkaβeθa'mjento] *nm* en-tête *m*; (*de periódico*) titre *m*; ~ **normal** (*TIP etc*) titre courant.
encabezar [enkaβe'θar] *vt* (*movimiento*) prendre la tête de; (*lista*) être en tête de; (*carta, libro*) commencer.
encabritarse [enkaβri'tarse] *vpr* se cabrer.
encadenar [enkaðe'nar] *vt* enchaîner; (*bicicleta*) attacher; **encadenarse** *vpr* s'enchaîner; (*fig*) s'assujettir.
encajar [enka'xar] *vt* encastrer, emboîter; (*fam: golpe*) envoyer; (: *broma, mala noticia*) encaisser ♦ *vi* s'encastrer, s'emboîter; **encajarse** *vpr* (*mecanismo*) se coincer; (*un sombrero*) mettre; ~ **con** (*fig*) cadrer avec.
encaje [en'kaxe] *nm* encastrement *m*.
encalar [enka'lar] *vt* blanchir à la chaux.
encallar [enka'ʎar] *vi* (*NÁUT*) échouer.
encallecerse [enkaʎe'θerse] *vpr* (*manos*) devenir calleux(-euse).
encaminado, -a [enkami'naðo, a] *adj*: **medidas encaminadas a ...** mesures tendant à ...; **estar** *o* **ir bien ~** prendre la bonne voie.
encaminar [enkami'nar] *vt*: ~ **(a)** diriger (vers); **encaminarse** *vpr*: **~se a** *o* **hacia** se diriger vers.
encandilar [enkandi'lar] *vt* (*fig*) aveugler.
encantado, -a [enkan'taðo, a] *adj* enchanté(e); **¡~!** enchanté(e)!; **estar ~ con algn/algo** être charmé(e) par qn/qch.
encantador, a [enkanta'ðor, a] *adj, nm/f* charmeur(-euse); **encantador de serpientes** charmeur de serpents.
encantar [enkan'tar] *vt* enchanter; **me encantan los animales** j'adore les animaux; **le encanta esquiar** il adore skier.
encanto [en'kanto] *nm* (*atractivo*) charme

m; (*magia*) enchantement *m*; (*expresión de ternura*) ravissement *m*; **como por ~** comme par enchantement.

encapotado, -a [enkapo'taðo, a] *adj* (*cielo*) couvert(e).

encapricharse [enkapri'tʃarse] *vpr*: **~ con algo** s'emballer pour qch; **~ con algn** s'amouracher de qn.

encapuchado, -a [enkapu'tʃaðo, a] *adj* masqué(e) ♦ *nm/f* homme masqué(femme masquée).

encaramar [enkara'mar] *vt* hisser; **encaramarse** *vpr*: **~se (a)** se hisser (sur).

encarar [enka'rar] *vt* affronter; **encararse** *vpr*: **~se con** (*persona*) avoir une prise de bec avec.

encarcelar [enkarθe'lar] *vt* emprisonner.

encarecer [enkare'θer] *vt* augmenter le prix de; (*importancia*) souligner ♦ *vi* augmenter; **encarecerse** *vpr* augmenter; **le encareció que hiciera** il a insisté pour qu'il fasse.

encargado, -a [enkar'ɣaðo, a] *adj* chargé(e) ♦ *nm/f* (*gerente*) gérant(e); (*responsable*) responsable *m/f*; **encargado de negocios** responsable commercial(e).

encargar [enkar'ɣar] *vt* charger; (*COM*) commander; **encargarse** *vpr*: **~se de** se charger de; **~ a algn que haga algo** charger qn de faire qch.

encargo [en'karɣo] *nm* requête *f*; (*COM*) commande *f*; **hecho de ~** fait sur mesure.

encariñarse [enkari'ɲarse] *vpr*: **~ con** se prendre d'affection pour.

encarnación [enkarna'θjon] *nf* incarnation *f*.

encarnado, -a [enkar'naðo, a] *adj* écarlate; **ponerse ~** devenir écarlate.

encarnar [enkar'nar] *vt* incarner; **encarnarse** *vpr* s'incarner.

encarnizado, -a [enkarni'θaðo, a] *adj* (*lucha*) sanglant(e).

encasillar [enkasi'ʎar] *vt* (*TEATRO*) attribuer une place à; (*pey*) caser.

encasquetar [enkaske'tar] *vt* (*sombrero*) mettre; (*fig*) imposer; **encasquetarse** *vpr* se mettre.

encauzar [enkau'θar] *vt* diriger; (*fig*) orienter.

encendedor [enθende'ðor] (*esp AM*) *nm* briquet *m*.

encender [enθen'der] *vt* allumer; (*entusiasmo, cólera*) déclencher; **encenderse** *vpr* s'allumer; (*de cólera*) s'enflammer.

encendido, -a [enθen'diðo, a] *adj* allumé(e); (*mejillas*) en feu; (*mirada*) enflammé(e) ♦ *nm* allumage *m*.

encerado, -a [enθe'raðo, a] *adj* (*suelo*) ciré(e) ♦ *nm* (*ESCOL*) tableau *m*.

encerar [enθe'rar] *vt* (*suelo*) cirer.

encerrar [enθe'rrar] *vt* (*persona, animal*) enfermer; (*libros, documentos*) serrer; (*fig*) renfermer; **encerrarse** *vpr* s'enfermer; (*fig*) se réfugier; **~ en** (*POL*) occuper.

encerrona [enθe'rrona] *nf* piège *m*.

encestar [enθes'tar] *vi* faire un panier.

encharcar [entʃar'kar] *vt* détremper; **encharcarse** *vpr* être inondé(e).

enchilada [entʃi'laða] (*MÉX*) *nf* enchilada *f*, *crêpe de maïs fourrée à la viande et au piment*.

enchufar [entʃu'far] *vt* (*ELEC*) brancher; (*TEC*) assembler; (*fam: persona*) pistonner.

enchufe [en'tʃufe] *nm* (*ELEC: clavija*) prise *f* mâle; (*: toma*) prise femelle; (*TEC*) jointure *f*; (*fam: recomendación*) piston *m*; (*: puesto*) *poste obtenu par piston*; **tiene un ~ en el ministerio** il est pistonné par quelqu'un au ministère.

encía [en'θia] *nf* gencive *f*.

enciclopedia [enθiklo'peðja] *nf* encyclopédie *f*.

encienda *etc* [en'θjenda] *vb V* **encender**.

encierro [en'θjerro] *vb V* **encerrar** ♦ *nm* retraite *f*; (*TAUR*) *lâchage des taureux dans les rues avant une corrida*; **el ~ en la fábrica** (*POL*) l'occupation *f* de l'usine.

encima [en'θima] *adv* (*en la parte de arriba*) en-haut; (*además*) en plus; **~ de** (*sobre*) sur; (*además de*) en plus de; **por ~ de** plus haut que; (*fig*) plus haut placé(e) que; **por ~ de todo** par-dessus tout; **leer/mirar algo por ~** lire/regarder qch distraitement; **¿llevas dinero ~?** as-tu de l'argent sur toi?; **se me vino ~** il est venu me voir à l'improviste; **~ mío/nuestro** *etc* (*esp CSUR: fam*) au-dessus de moi/nous *etc*.

encina [en'θina] *nf* chêne *m* vert.

encinta [en'θinta] *adj f* enceinte.

enclave [en'klaβe] *nm* enclave *f*.

enclenque [en'klenke] *adj* malingre.

encoger [enko'xer] *vt* (*ropa*) rétrécir; (*piernas*) étendre; (*músculos*) bander; (*fig*) intimider ♦ *vi* rétrécir; **encogerse** *vpr* rétrécir; (*fig*) être intimidé(e); **~se de hombros** hausser les épaules.

encolar [enko'lar] *vt* recoller.

encolerizar [enkoleri'θar] *vt* mettre en colère; **encolerizarse** *vpr* se mettre en colère.

encomendar [enkomen'dar] *vt* remettre; **encomendarse** *vpr*: **~se a** s'en remettre à.

encomiar [enko'mjar] *vt* faire l'éloge de.

encomienda [enko'mjenda] *vb V* **encomendar** ♦ *nf* (*AM*) colis *m*; **~ postal** colis postal.

encono [en'kono] *nm* animosité *f*.

encontrar [enkon'trar] *vt* trouver; **en-**

contrarse *vpr* (*reunirse*) se retrouver; (*estar*) se trouver; (*sentirse*) se sentir; (*entrar en conflicto*) s'opposer; ~ **a algn bien/cambiado** trouver qn bien/changé; ~**se con algn/algo** tomber sur qn/qch; ~**se bien (de salud)** aller bien.

encontronazo [enkontro'naθo] *nm* rencontre *f* explosive; (*fig*) altercation *f*.

encorvar [enkor'βar] *vt* courber; **encorvarse** *vpr* se plier.

encrespar [enkres'par] *vt* faire moutonner; **encresparse** *vpr* moutonner.

encrucijada [enkruθi'xaða] *nf* croisement *m*; **encontrarse** *o* **estar en una** ~ (*fig*) ne plus savoir sur quel pied danser.

encuadernación [enkwaðerna'θjon] *nf* reliure *f*; (*taller*) atelier *m* de relieur.

encuadernar [enkwaðer'nar] *vt* relier.

encuadrar [enkwa'ðrar] *vt* encadrer; (*FOTO*) cadrer.

encubrimiento [enkuβri'mjento] *nm* (*JUR*) complicité *f*.

encubrir [enku'βrir] *vt* cacher; (*JUR*) couvrir.

encuentro [en'kwentro] *vb V* **encontrar** ♦ *nm* rencontre *f*; (*MIL*) choc *m*; (*discusión*) discussion *f*; **ir/salir al** ~ **de algn** aller/sortir à la rencontre de qn.

encuesta [en'kwesta] *nf* sondage *m*; (*investigación*) enquête *f*; **encuesta de opinión** sondage d'opinion; **encuesta judicial** enquête judiciaire.

encumbrar [enkum'brar] *vt* élever; **encumbrarse** *vpr* s'élever.

endeble [en'deβle] *adj* (*argumento*) mauvais(e); (*persona*) faible.

endémico, -a [en'demiko, a] *adj* endémique.

enderezar [endere'θar] *vt* redresser; (*enmendar*) corriger; **enderezarse** *vpr* se redresser.

endeudarse [endeu'ðarse] *vpr* s'endetter.

endiablado, -a [endja'βlaðo, a] *adj* (*hum*: *genio, carácter*) espiègle; (: *problema*) diabolique; (: *tiempo*) de chien.

endibia [en'diβja] *nf* endive *f*.

endilgar [endil'ɣar] (*fam*) *vt*: ~ **algo a algn** fourguer qch à qn; ~ **un sermón a algn** balancer un sermon à qn.

endiñar [endi'ɲar] (*fam*) *vt* refiler.

endosar [endo'sar] *vt* endosser; ~ **algo a algn** (*fam*) refiler qch à qn.

endulzar [endul'θar] *vt* (*café*) sucrer; (*salsa, fig*) adoucir; **endulzarse** *vpr* (*ver vt*) sucrer; adoucir, s'adoucir.

endurecer [endure'θer] *vt* durcir; (*fig*: *persona*) endurcir; **endurecerse** *vpr* (*ver vt*) se durcir; s'endurcir.

enema [e'nema] *nm* lavement *m*.

enemigo, -a [ene'miɣo, a] *adj, nm/f* ennemi(e); **ser** ~ **de** être l'ennemi(e) de.

enemistad [enemis'tað] *nf* aversion *f*.

enemistar [enemis'tar] *vt* séparer; **enemistarse** *vpr*: ~**se (con)** se fâcher (avec).

energía [ener'xia] *nf* énergie *f*; **energía atómica/nuclear/solar** énergie atomique/nucléaire/solaire.

enérgico, -a [e'nerxiko, a] *adj* énergique.

energúmeno, -a [ener'ɣumeno, a] *nm/f* énergumène *m/f*; **ponerse como un** ~ **con algo** se mettre dans une colère noire pour qch.

enero [e'nero] *nm* janvier *m*; *V tb* **julio**.

enervar [ener'βar] *vt* énerver.

enésimo, -a [e'nesimo, a] *adj* énième; **por enésima vez** (*fig*) pour la énième fois.

enfadado, -a [enfa'ðaðo, a] *adj* en colère.

enfadar [enfa'ðar] *vt* fâcher; **enfadarse** *vpr* se fâcher.

enfado [en'faðo] *nm* colère *f*.

énfasis ['enfasis] *nm* emphase *f*; **con** ~ avec emphase; **poner** ~ **en** mettre l'accent sur.

enfático, -a [en'fatiko, a] *adj* emphatique.

enfermar [enfer'mar] *vt* rendre malade ♦ *vi* tomber malade; **enfermarse** *vpr* (*esp AM*) tomber malade; **su actitud me enferma** (*fam*) son attitude me rend malade; ~ **del corazón** souffrir d'une maladie de cœur.

enfermedad [enferme'ðað] *nf* maladie *f*.

enfermería [enferme'ria] *nf* infirmerie *f*.

enfermero, -a [enfer'mero, a] *nm/f* infirmier(-ère); **enfermera jefa** infirmière en chef.

enfermizo, -a [enfer'miθo, a] *adj* maladif(-ive).

enfermo, -a [en'fermo, a] *adj* malade ♦ *nm/f* malade *m/f*; (*en hospital*) patient(e); ~ **del corazón/hígado** malade du cœur/foie; **caer** *o* **ponerse** ~ tomber malade; **¡me pone ~!** (*fam*) il me rend malade!

enfilar [enfi'lar] *vi*: ~ **hacia** *o* **por** se diriger vers.

enfocar [enfo'kar] *vt* (*luz, foco*) diriger; (*persona, objeto*) diriger le projecteur sur; (*FOTO*) faire la mise au point sur; (*fig*: *problema*) envisager.

enfoque [en'foke] *vb V* **enfocar** ♦ *nm* (*FOTO*) objectif *m*; (*fig*) point *m* de vue.

enfrascado, -a [enfras'kaðo, a] *adj*: **estar** ~ **en algo** être absorbé(e) dans qch.

enfrascarse [enfras'karse] *vpr*: ~ **en la lectura** s'absorber dans sa lecture.
enfrentamiento [enfrenta'mjento] *nm* affrontement *m*.
enfrentar [enfren'tar] *vt* (*peligro*) affronter; (*contendientes*) confronter; **enfrentarse** *vpr* s'affronter; (*dos equipos*) se rencontrer; ~**se a** *o* **con** (*problema*) se trouver face à; (*enemigo*) faire face à.
enfrente [en'frente] *adv* en face; ~ **de** devant; **la casa de** ~ la maison d'en face; ~ **mío/nuestro** *etc* (*esp CSUR*: *fam*) devant moi/nous *etc*.
enfriamiento [enfria'mjento] *nm* rafraîchissement *m*; (*MED*) refroidissement *m*.
enfriar [enfri'ar] *vt* (*algo caliente, amistad*) refroidir; (*habitación*) rafraîchir; **enfriarse** *vpr* se refroidir; (*habitación*) se rafraîchir; (*MED*) prendre froid.
enfundar [enfun'dar] *vt* rengainer.
enfurecer [enfure'θer] *vt* rendre furieux(-euse); **enfurecerse** *vpr* devenir furieux(-euse); (*mar*) se déchaîner.
engalanar [engala'nar] *vt* (*persona*) habiller; (*ciudad, calle*) décorer; **engalanarse** *vpr* bien s'habiller.
enganchar [engan'tʃar] *vt* (*persona, dos vagones*) accrocher; (*caballos*) atteler; (*teléfono, electricidad*) mettre; (*fam*: *persona*) mettre le grappin sur; (*pez*) ferrer; (*TAUR*) encorner; **engancharse** *vpr* (*MIL*) s'engager; ~**se (en)** (*ropa*) s'accrocher (à); ~**se (a)** (*fam*: *drogas*) devenir accro (à); **se le enganchó la falda en el clavo** elle a accroché sa jupe au clou.
enganche [en'gantʃe] *nm* (*TEC*) crochet *m*; (*FERRO*) accrochage *m*; (*MIL*) recrutement *m*; (*MÉX*: *COM*) dépôt *m*.
enganchón [engan'tʃon] *nm* accroc *m*.
engañar [enga'ɲar] *vt* tromper; (*estafar*) escroquer ♦ *vi* tromper; **engañarse** *vpr* se tromper; ~ **el hambre** tromper la faim; **las apariencias engañan** les apparences sont trompeuses.
engaño [en'gaɲo] *nm* (*mentira*) mensonge *m*; (*trampa*) piège *m*; (*estafa*) escroquerie *f*; **estar en** *o* **padecer un** ~ être trompé(e); **inducir** *o* **llevar a** ~ prêter à confusion.
engañoso, -a [enga'ɲoso, a] *adj* trompeur(-euse).
engarzar [engar'θar] *vt* (*joya*) sertir; (*cuentas*) enfiler; (*fig*) associer.
engatusar [engatu'sar] (*fam*) *vt* enjôler.
engendrar [enxen'drar] *vt* procréer; (*fig*) engendrer.
engendro [en'xendro] (*pey*) *nm* monstre *m*; (*novela, cuadro etc*) monstruosité *f*.
englobar [englo'βar] *vt* englober.
engomar [engo'mar] *vt* engommer.
engordar [engor'ðar] *vt* faire grossir ♦ *vi* grossir; ~ **un kilo** prendre un kilo; **los dulces engordan** les sucreries, ça fait grossir.
engorro [en'gorro] (*fam*) *nm* ennui *m*.
engorroso, -a [engo'rroso, a] *adj* empoisonnant(e).
engranaje [engra'naxe] *nm* engrenage *m*.
engrasar [engra'sar] *vt* graisser.
engrase [en'grase] *nm* graissage *m*.
engreído, -a [engre'iðo, a] *adj* suffisant(e).
engrosar [engro'sar] *vt* (*manuscrito*) grossir; (*muro*) épaissir; (*capital, filas*) augmenter ♦ *vi* grossir.
engrudo [en'gruðo] *nm* colle *f*.
engullir [engu'ʎir] *vt* engloutir.
enhebrar [ene'βrar] *vt* enfiler.
enhorabuena [enora'βwena] *nf*: **dar la** ~ **a algn** féliciter qn; ¡~! félicitations!
enigma [e'niɣma] *nm* énigme *f*.
enigmático, -a [eniɣ'matiko, a] *adj* énigmatique.
enjabonar [enxaβo'nar] *vt* savonner; **enjabonarse** *vpr* se savonner; ~**se la barba/las manos** se savonner la barbe/les mains.
enjambre [en'xamβre] *nm* essaim *m*; (*fig*) meute *f*.
enjaular [enxau'lar] *vt* mettre en cage; (*fam*: *persona*) mettre en taule.
enjuagar [enxwa'ɣar] *vt* rincer; **enjuagarse** *vpr* se rincer.
enjuague [en'xwaɣe] *vb V* **enjuagar** ♦ *nm* rinçage *m*; (*fig*) magouille *f*.
enjugar [enxu'ɣar] *vt* éponger; (*lágrimas*) essuyer; **enjugarse** *vpr*: ~**se el sudor** s'éponger; ~**se las lágrimas** essuyer ses larmes.
enjuiciar [enxwi'θjar] *vt* (*JUR*) instruire; (*opinar sobre*) juger.
enlace [en'laθe] *vb V* **enlazar** ♦ *nm* (*relación*) lien *m*; (*tb*: ~ **matrimonial**) union *f*; (*de trenes*) liaison *f*; **enlace de datos** enchaînement *m* des faits; **enlace policial** contact *m*; **enlace sindical** délégué(e) syndical(e); **enlace telefónico** liaison téléphonique.
enlatado, -a [enla'taðo, a] *adj* (*comida*) en conserve; (*fam, pey*: *música*) en conserve.
enlazar [enla'θar] *vt* attacher; (*conceptos, organizaciones*) faire le lien entre; (*AM*) prendre au lasso ♦ *vi*: ~ **con** faire le lien avec.
enloquecer [enloke'θer] *vt* rendre fou(folle) ♦ *vi* devenir fou(folle); **me enlo-**

quece el chocolate (*fig*) je raffole du chocolat; ~ **de** (*fig*) devenir fou(folle) de.
enlutado, -a [enlu'taðo, a] *adj* en deuil.
enmarañar [enmara'ɲar] *vt* emmêler; (*fig*) embrouiller; **enmarañarse** *vpr* s'embrouiller.
enmarcar [enmar'kar] *vt* encadrer; (*fig*) constituer le cadre de.
enmascarar [enmaska'rar] *vt* masquer; **enmascararse** *vpr* se mettre un masque.
enmendar [enmen'dar] *vt* (*escrito*) modifier; (*constitución, ley*) amender; (*comportamiento*) améliorer; **enmendarse** *vpr* (*persona*) s'améliorer.
enmienda [en'mjenda] *vb V* **enmendar** ♦ *nf* amendement *m*; (*de carácter*) amélioration *f*; **no tener** ~ être incorrigible.
enmohecerse [enmoe'θerse] *vpr* (*metal*) s'oxyder; (*muro, plantas, alimentos*) moisir.
enmudecer [enmuðe'θer] *vi* rester muet(te); (*perder el habla*) devenir muet(te).
ennoblecer [ennoβle'θer] *vt* faire honneur à.
enojadizo, -a [enoxa'ðiθo, a] *adj* soupe-au-lait *adj inv*.
enojado, -a [eno'xaðo, a] (*esp AM: fam*) *adj* furax *adj inv*.
enojar [eno'xar] *vt* mettre en colère; (*disgustar*) contrarier; **enojarse** *vpr* (*ver vt*) se mettre en colère; être contrarié(e).
enojo [e'noxo] *nm* colère *f*; (*disgusto*) contrariété *f*.
enorgullecer [enorɣuʎe'θer] *vt* enorgueillir; **enorgullecerse** *vpr* s'enorgueillir.
enorme [e'norme] *adj* énorme.
enormidad [enormi'ðað] *nf* énormité *f*.
enrarecido, -a [enrare'θiðo, a] *adj* raréfié(e).
enredadera [enreða'ðera] *nf* plante *f* grimpante.
enredar [enre'ðar] *vt* emmêler; (*fig: asunto*) embrouiller ♦ *vi* (*molestar*) faire des bêtises; (*trastear*) tripoter; **enredarse** *vpr* s'emmêler; (*fig*) s'embrouiller; ~ **a algn en** (*fig: implicar*) mêler qn à; **~se en** se prendre dans; (*fig*) se mêler à; **~se con algn** (*fam*) s'amouracher de qn.
enredo [en'reðo] *nm* nœud *m*; (*fig: lío*) pétrin *m*; (*: amorío*) amourette *f*.
enrejado [enre'xaðo] *nm* grille *f*; (*en jardín*) treillis *m*.
enrevesado, -a [enreβe'saðo, a] *adj* épineux(-euse).
enriquecer [enrike'θer] *vt* enrichir ♦ *vi* s'enrichir; **enriquecerse** *vpr* s'enrichir.
enrojecer [enroxe'θer] *vt, vi* rougir; **enrojecerse** *vpr* rougir.
enrolar [enro'lar] *vt* enrôler; **enrolarse** *vpr* s'enrôler.
enrollar [enro'ʎar] *vt* enrouler; **enrollarse** *vpr* (*fam: al hablar*) s'éterniser; **~se con algn** (*fam*) sortir avec qn; **~se bien/mal** (*fam*) être très/peu causant(e).
enroscar [enros'kar] *vt* (*tornillo, tuerca*) visser; (*cable, cuerda*) lover; **enroscarse** *vpr* (*serpiente*) se lover; (*planta*) se vriller.
ensalada [ensa'laða] *nf* salade *f*; **ensalada mixta/rusa** salade mixte/russe.
ensaladilla [ensala'ðiʎa] *nf* (*tb:* ~ **rusa**) salade *f* russe.
ensalzar [ensal'θar] *vt* encenser.
ensambladura [ensambla'ðura] *nf* (*TEC: acoplamiento*) assemblage *m*; (*: pieza*) joint *m*.
ensamblaje [ensam'blaxe] *nm* = **ensambladura**.
ensamblar [ensam'blar] *vt* assembler.
ensanchar [ensan'tʃar] *vt* élargir; **ensancharse** *vpr* s'élargir; (*fig: persona*) se rengorger.
ensanche [en'santʃe] *nm* élargissement *m*; (*zona*) terrain *m* à lotir.
ensangrentar [ensangren'tar] *vt* ensanglanter.
ensañarse [ensa'ɲarse] *vpr:* ~ **con** tourmenter.
ensartar [ensar'tar] *vt* enfiler; ~ **(con)** (*atravesar*) transpercer (de).
ensayar [ensa'jar] *vt* essayer; (*TEATRO*) répéter ♦ *vi* répéter.
ensayo [en'sajo] *nm* essai *m*; (*TEATRO, MÚS*) répétition *f*; (*ESCOL*) dissertation *f*; **pedido de** ~ (*COM*) commande *f* d'essai; ~ **general** répétition générale.
enseguida [ense'ɣuiða] *adv* = **en seguida**.
ensenada [ense'naða] *nf* crique *f*.
enseña [en'seɲa] *nf* enseigne *f*.
enseñanza [ense'ɲanθa] *nf* enseignement *m*; **enseñanza primaria/media/superior** enseignement primaire/secondaire/supérieur.
enseñar [ense'ɲar] *vt* enseigner; (*mostrar*) montrer; (*señalar*) signaler; ~ **a algn a hacer** montrer à qn comment faire.
enseres [en'seres] *nmpl* effets *mpl*; (*útiles*) matériel *msg*.
ensillar [ensi'ʎar] *vt* seller.
ensimismarse [ensimis'marse] *vpr* s'absorber; (*AM*) se vanter; ~ **en** s'absorber dans.
ensombrecer [ensombre'θer] *vt* assombrir; **ensombrecerse** *vpr* (*fig: rostro*) s'assombrir.
ensoñación [ensoɲa'θjon] *nf* illusion *f*.

ensordecer [ensorðe'θer] *vt* assourdir ♦ *vi* devenir sourd(e).
ensortijado, -a [ensorti'xaðo, a] *adj* (*pelo*) frisé(e).
ensuciar [ensu'θjar] *vt* salir; **ensuciarse** *vpr* se salir.
ensueño [en'sweɲo] *nm* rêve *m*; (*fantasía*) illusion *f*; **de ~** de rêve.
entablar [enta'βlar] *vt* (*suelo, hueco*) plancheier; (*AJEDREZ, DAMAS*) disposer; (*conversación, lucha*) engager; (*pleito, negociaciones*) entamer.
entallado, -a [enta'ʎaðo, a] *adj* déchiré(e).
entallar [enta'ʎar] *vt* (*traje*) ajuster.
entarimado [entari'maðo] *nm* plancher *m*.
ente ['ente] *nm* entité *f*; (*ser*) être *m*; (*fam*) phénomène *m*; **ente público** (*ESP*) télévision *f* espagnole.
entender [enten'der] *vt, vi* comprendre ♦ *nm*: **a mi ~** d'après moi; **entenderse** *vpr* (*a sí mismo*) se comprendre; (*2 personas*) s'entendre; **~ de** s'y entendre en; **~ algo de** avoir quelques notions de; **~ por** entendre par; **dar a ~ que ...** donner à entendre que ...; **~se bien/mal (con algn)** s'entendre bien/mal (avec qn); **¿entiendes?** tu comprends?; **yo me entiendo** (*fam*) je me comprends.
entendido, -a [enten'diðo, a] *adj* (*experto*) compétent(e); (*informado*) informé(e) ♦ *nm/f* connaisseur(-euse) ♦ *excl* entendu!
entendimiento [entendi'mjento] *nm* entente *f*; (*inteligencia*) entendement *m*.
enterado, -a [ente'raðo, a] *adj* informé(e); **estar ~ de** être au courant de; **no darse por ~** jouer les ignorants.
enterarse [ente'rarse] *vpr*: **~ (de)** apprendre; **no se entera de nada** (*fam*) il ne se rend compte de rien; **para que te enteres ...** (*fam*) je te ferais remarquer ... .
entereza [ente'reθa] *nf* droiture *f*; (*fortaleza*) courage *m*; (*integridad*) intégrité *f*; (*firmeza*) fermeté *f*.
enterito [ente'rito] (*ARG*) *nm* bleu *m* de travail.
enternecer [enterne'θer] *vt* attendrir; **enternecerse** *vpr* s'attendrir.
entero, -a [en'tero, a] *adj* (*íntegro*) au complet; (*no roto, fig*) entier(-ère) ♦ *nm* (*MAT*) entier *m*; (*COM*) point *m*; (*AM*) versement *m*; (*ARG*) bleu *m* de travail; **las acciones han subido dos ~s** les actions ont augmenté de deux points; **por ~** entièrement.
enterrador [enterra'ðor] *nm* fossoyeur *m*.
enterrar [ente'rrar] *vt* enterrer.
entidad [enti'ðað] *nf* (*empresa*) entreprise *f*; (*organismo, FILOS*) entité *f*; (*sociedad*) société *f*; **de menor/poca ~** de moindre importance/de peu d'importance.
entienda *etc* [en'tjenda] *vb V* **entender**.
entierro [en'tjerro] *vb V* **enterrar** ♦ *nm* enterrement *m*.
entonación [entona'θjon] *nf* intonation *f*.
entonar [ento'nar] *vt* entonner; (*colores*) harmoniser; (*MED*) fortifier ♦ *vi* (*al cantar*) donner le ton; **entonarse** *vpr* (*MED*) se fortifier; **~ con** (*colores*) se marier bien avec.
entonces [en'tonθes] *adv* alors; **desde ~** depuis; **en aquel ~** en ce temps-là; **(pues) ~** (et) alors; **¡(pues) ~!** et alors!
entontecer [entonte'θer] *vt* abrutir; **entontecerse** *vpr* s'abrutir.
entornar [entor'nar] *vt* (*puerta, ventana*) entrebâiller; (*los ojos*) garder mi-clos.
entorno [en'torno] *nm* environnement *m*; **~ de redes** (*INFORM*) environnement de réseaux.
entorpecer [entorpe'θer] *vt* gêner; (*mente, persona*) abrutir.
entrada [en'traða] *nf* entrée *f*; (*de año, libro*) début *m*; (*ingreso, COM*) recette *f*; **~s** *nfpl* (*COM*) recettes *fpl*; **~s brutas** recettes brutes; **~s y salidas** (*COM*) recettes et dépenses; **~ de aire** (*TEC*) entrée d'air; **de ~** d'entrée; "**~ gratis**" "entrée gratuite"; **dar ~ a algn** admettre qn; **tener ~s** avoir le front dégarni.
entrado, -a [en'traðo, a] *adj*: **~ en años** d'un âge avancé; **(una vez) ~ el verano** l'été venu.
entramparse [entram'parse] *vpr* s'endetter.
entrante [en'trante] *adj* prochain(e) ♦ *nm* encaissement *m*; (*CULIN*) entrée *f*.
entrañable [entra'ɲaβle] *adj* (*amigo*) cher(-ère); (*trato*) cordial(e).
entrañar [entra'ɲar] *vt* renfermer.
entrañas [en'traɲas] *nfpl* entrailles *fpl*; **sin ~** (*fig*) sans merci.
entrar [en'trar] *vt* mettre; (*INFORM*) entrer ♦ *vi* entrer; (*caber: anillo, zapato*) aller; (*: tornillo, personas*) rentrer; (*año, temporada*) commencer; (*en profesión etc*) entrer; (*en categoría, planes*) rentrer; **le ~on ganas de reír** il eut envie de rire; **me entró sueño/frío** j'ai eu sommeil/froid; **~ en acción** entrer en action; (*entrar en funcionamiento*) commencer à fonctionner; **no me entra** je ne saisis pas; **~ a** (*AM*) entrer dans.
entre ['entre] *prep* (*dos cosas*) entre; (*más

de dos cosas) parmi; **se abrieron paso ~ la multitud** ils se frayèrent un passage à travers la foule; **~ otras cosas** entre autres; **lo haremos ~ todos** nous le ferons tous ensemble; **~ más estudia, más aprende** (*esp AM: fam*) plus il étudie, plus il apprend.

entreabrir [entrea'βrir] *vt* entrouvrir.

entreacto [entre'akto] *nm* entracte *m*.

entrecejo [entre'θexo] *nm*: **fruncir el ~** froncer les sourcils.

entrecortado, -a [entrekor'taðo, a] *adj* entrecoupé(e).

entrecruzarse [entrekru'θarse] *vpr* (*caminos*) se croiser; (*hilos*) s'entrecroiser.

entredicho [entre'ðitʃo] *nm* (*JUR*) interdiction *f*; **poner/estar en ~** mettre/être mis en doute.

entrega [en'treɣa] *nf* (*de mercancías*) livraison *f*; (*de premios*) remise *f*; (*de novela, serial*) épisode *m*; (*dedicación*) ardeur *f*; "**~ a domicilio**" "livraison à domicile"; **novela por ~s** roman-feuilleton *m*.

entregar [entre'ɣar] *vt* livrer; (*dar*) remettre; **entregarse** *vpr* se livrer; **a ~** (*COM*) à livrer; **~se a** (*al trabajo*) se consacrer à; (*al vicio*) se livrer à.

entrelazar [entrela'θar] *vt* entrelacer.

entremedias [entre'meðjas] *adv* (*en medio*) au milieu; (*mientras tanto*) entretemps.

entremeses [entre'meses] *nmpl* entrées *fpl*.

entremezclar [entremeθ'klar] *vt* mélanger; **entremezclarse** *vpr* se mélanger.

entrenador, a [entrena'ðor, a] *nm/f* entraîneur(-euse).

entrenamiento [entrena'mjento] *nm* entraînement *m*.

entrenar [entre'nar] *vt* entraîner ♦ *vi* (*DEPORTE*) s'entraîner; **entrenarse** *vpr* s'entraîner.

entrepierna [entre'pjerna] *nf* entrejambes *msg*.

entresijos [entre'sixos] *nmpl* méandres *mpl*.

entresuelo [entre'swelo] *nm* entresol *m*.

entretanto [entre'tanto] *adv* entretemps.

entretejer [entrete'xer] *vt* entrelacer.

entretela [entre'tela] *nf* renfort *m*.

entretener [entrete'ner] *vt* amuser; (*retrasar*) retenir; (*distraer*) distraire; (*fig*) entretenir; **entretenerse** *vpr* s'amuser; (*retrasarse*) s'attarder; (*distraerse*) se distraire; **no le entretengo más** je ne vous retiendrai pas plus longtemps.

entretenido, -a [entrete'niðo, a] *adj* amusant(e); (*tarea*) prenant(e).

entretenimiento [entreteni'mjento] *nm* distraction *f*.

entretiempo [entre'tjempo] *nm*: **de ~** (*ropa*) demi-saison.

entrever [entre'βer] *vt* entrevoir.

entrevista [entre'βista] *nf* entrevue *f*; (*para periódico, TV*) interview *f*.

entrevistar [entreβis'tar] *vt* interviewer; **entrevistarse** *vpr*: **~se (con)** avoir une entrevue (avec).

entristecer [entriste'θer] *vt* attrister; **entristecerse** *vpr* s'attrister.

entrometerse [entrome'terse] *vpr*: **~ (en)** se mêler de.

entrometido, -a [entrome'tiðo, a] *adj, nm/f* indiscret(-ète).

entumecer [entume'θer] *vt* engourdir; **entumecerse** *vpr* s'engourdir.

enturbiar [entur'βjar] *vt* (*agua*) troubler; (*alegría*) gâter; **enturbiarse** *vpr* (*ver vt*) se troubler; retomber.

entusiasmar [entusjas'mar] *vt* enthousiasmer; **entusiasmarse** *vpr*: **~se (con** *o* **por)** s'enthousiasmer (pour).

entusiasmo [entu'sjasmo] *nm*: **~ (por)** enthousiasme *m* (pour); **con ~** avec enthousiasme.

entusiasta [entu'sjasta] *adj, nm/f* enthousiaste *m/f*; **~ de** enthousiaste de.

enumerar [enume'rar] *vt* énumérer.

enunciación [enunθja'θjon] *nf* énonciation *f*.

enunciar [enun'θjar] *vt* énoncer.

envalentonar [embalento'nar] (*pey*) *vt* stimuler; **envalentonarse** *vpr* se vanter.

envanecer [embane'θer] *vt* monter à la tête; **envanecerse** *vpr*: **~se de hacer/de haber hecho** se vanter de faire/d'avoir fait.

envasar [emba'sar] *vt* conditionner; **envasado al vacío** conditionné sous vide.

envase [em'base] *nm* (*recipiente*) récipient *m*; (*botella*) bouteille *f*; (*lata*) boîte *f* de conserve; (*bolsa*) poche *f*; (*acción*) conditionnement *m*.

envejecer [embexe'θer] *vt, vi* vieillir.

envejecimiento [embexeθi'mjento] *nm* vieillissement *m*.

envenenamiento [embenena'mjento] *nm* empoisonnement *m*.

envenenar [embene'nar] *vt* empoisonner; (*fig: relaciones*) envenimer.

envergadura [emberɣa'ðura] *nf* envergure *f*; **de gran ~** de grande envergure.

envés [em'bes] *nm* envers *m*.

enviado, -a [em'bjaðo, a] *nm/f* (*POL*) envoyé(e); **enviado especial** envoyé(e) spécial(e).

enviar [em'bjar] *vt* envoyer; **~ a algn a**

hacer envoyer qn faire.
enviciar [embi'θjar] *vt* corrompre; **enviciarse** *vpr*: **~se (con)** s'intoxiquer (avec).
envidia [em'biðja] *nf* envie *f*; (*celos*) jalousie *f*; **tiene ~ de nuestro coche** notre voiture lui fait envie.
envidiar [embi'ðjar] *vt* envier; (*tener celos de*) jalouser.
envidioso, -a [embi'ðjoso, a] *adj* envieux(-euse).
envilecer [embile'θer] *vt* avilir; **envilecerse** *vpr* s'avilir.
envío [em'bio] *nm* envoi *m*; (*en barco*) expédition *f*; **gastos de ~** frais *mpl* d'envoi; **~ contra reembolso** envoi contre remboursement.
envite [em'bite] *nm* (*NAIPES*) mise *f*.
enviudar [embju'ðar] *vi* devenir veuf(veuve).
envoltorio [embol'torjo] *nm* paquet *m*.
envoltura [embol'tura] *nf* enveloppe *f*.
envolver [embol'βer] *vt* envelopper; (*enemigo*) encercler; **envolverse** *vpr*: **~se en** s'envelopper dans; **~ a algn en** (*implicar*) impliquer qn dans.
envuelto *etc* [em'bwelto], **envuelva** *etc* [em'bwelβa] *vb V* **envolver**.
enyesar [enje'sar] *vt* plâtrer.
enzarzarse [enθar'θarse] *vpr*: **~ en** se mêler à.
enzima [en'θima] *nf* enzyme *m o f*.
epicentro [epi'θentro] *nm* épicentre *m*.
épico, -a ['epiko, a] *adj* épique.
epidemia [epi'ðemja] *nf* épidémie *f*.
epidermis [epi'ðermis] *nf* épiderme *m*.
epilepsia [epi'lepsja] *nf* épilepsie *f*.
epiléptico, -a [epi'leptiko, a] *nm/f* épileptique *m/f*.
epílogo [e'piloɣo] *nm* épilogue *m*.
episodio [epi'soðjo] *nm* épisode *m*.
epístola [e'pistola] *nf* lettre *f*.
epitafio [epi'tafjo] *nm* épitaphe *f*.
epíteto [e'piteto] *nm* épithète *f*.
época ['epoka] *nf* époque *f*; **de ~** d'époque; **hacer ~** faire époque.
epopeya [epo'peja] *nf* épopée *f*; **ser una ~** (*fam*) être épique.
equilibrar [ekili'βrar] *vt* équilibrer.
equilibrio [eki'liβrjo] *nm* équilibre *m*; **mantener/perder el ~** garder/perdre l'équilibre; **equilibrio político** équilibre politique.
equilibrista [ekili'βrista] *nm/f* équilibriste *m/f*.
equino, -a [e'kino, a] *adj* (*ganadería*) de chevaux; (*raza*) équin(e).
equinoccio [eki'nokθjo] *nm* équinoxe *m*.
equipaje [eki'paxe] *nm* bagages *mpl*; **hacer el ~** faire ses bagages; **equipaje de mano** bagages à main.
equipar [eki'par] *vt*: **~ (con** *o* **de)** équiper (de).
equiparar [ekipa'rar] *vt*: **~ algo/a algn a** *o* **con** (*igualar*) mettre qch/qn sur un pied d'égalité avec; (*comparar*) comparer qch/qn à; **equipararse** *vpr*: **~se con** se comparer à.
equipo [e'kipo] *nm* (*grupo, DEPORTE*) équipe *f*; (*instrumentos*) matériel *m*, équipement *m*; **trabajo en ~** travail *m* d'équipe; **equipo de alta fidelidad** matériel de haute fidélité; **equipo de música** chaîne *f* stéréo; **equipo de rescate** équipe de sauvetage.
equitación [ekita'θjon] *nf* équitation *f*.
equitativo, -a [ekita'tiβo, a] *adj* équitable.
equivalencia [ekiβa'lenθja] *nf* équivalence *f*.
equivaler [ekiβa'ler] *vi*: **~ a (hacer)** équivaloir à (faire).
equivocación [ekiβoka'θjon] *nf* erreur *f*.
equivocado, -a [ekiβo'kaðo, a] *adj* (*decisión, camino*) mauvais(e); **estás (muy) ~** tu te trompes (sur toute la ligne).
equivocarse [ekiβo'karse] *vpr* se tromper; **~ de camino/número** se tromper de chemin/numéro.
equívoco, -a [e'kiβoko, a] *adj* équivoque ♦ *nm* (*ambigüedad*) ambiguïté *f*; (*malentendido*) quiproquo *m*.
era ['era] *vb V* **ser** ♦ *nf* ère *f*; (*AGR*) aire *f*.
erais ['erais] *vb V* **ser**.
éramos ['eramos] *vb V* **ser**.
eran ['eran] *vb V* **ser**.
erario [e'rarjo] *nm* biens *mpl*.
eras ['eras] *vb V* **ser**.
erección [erek'θjon] *nf* érection *f*.
eres ['eres] *vb V* **ser**.
ergonomía [erɣono'mia] *nf* ergonomie *f*.
erguir [er'ɣir] *vt* (*alzar*) lever; (*poner derecho*) redresser; **erguirse** *vpr* se redresser.
erigir [eri'xir] *vt* ériger; **erigirse** *vpr*: **~se en** s'ériger en.
erizarse [eri'θarse] *vpr* se hérisser.
erizo [e'riθo] *nm* hérisson *m*; (*tb*: **~ de mar**) oursin *m*.
ermita [er'mita] *nf* ermitage *m*.
ermitaño, -a [ermi'taɲo, a] *nm/f* ermite *m/f*.
erosión [ero'sjon] *nf* érosion *f*.
erosionar [erosjo'nar] *vt* éroder.
erótico, -a [e'rotiko, a] *adj* érotique.
erotismo [ero'tismo] *nm* érotisme *m*.
erradicar [erraði'kar] *vt* éradiquer.
errado, -a [e'rraðo, a] *adj* dans l'erreur.
errar [e'rrar] *vi* errer; (*equivocarse*) se tromper ♦ *vt*: **~ el camino** s'égarer; **~ el**

tiro manquer son coup.
errata [e'rrata] *nf* errata *m inv.*
erróneo, -a [e'rroneo, a] *adj* erroné(e).
error [e'rror] *nm* erreur *f*; **estar en un ~** être dans l'erreur; **error de escritura/de lectura** (*INFORM*) erreur d'écriture/de lecture; **error de imprenta** erreur d'impression; **error judicial** erreur judiciaire.
eructar [eruk'tar] *vi* roter.
eructo [e'rukto] *nm* rot *m.*
erudición [eruði'θjon] *nf* érudition *f.*
erudito, -a [eru'ðito, a] *adj, nm/f* érudit(e); **los ~s en esta materia** les experts en la matière.
erupción [erup'θjon] *nf* éruption *f*; (*de violencia*) explosion *f.*
es [es] *vb V* **ser**.
esa ['esa] *adj demos V* **ese²**.
ésa ['esa] *pron V* **ése**.
esas ['esas] *adj demos V* **ese²**.
ésas ['esas] *pron V* **ése**.
esbelto, -a [es'βelto, a] *adj* svelte.
esbirro [es'βirro] *nm* sbire *m.*
esbozar [esβo'θar] *vt* ébaucher.
esbozo [es'βoθo] *nm* ébauche *f.*
escabeche [eska'βetʃe] *nm* escabèche *f*; **en ~** à l'escabèche.
escabroso, -a [eska'βroso, a] *adj* (*accidentado*) accidenté(e); (*fig: complicado*) épineux(-euse); (*: atrevido*) scabreux (-euse).
escabullirse [eskaβu'ʎirse] *vpr* s'esquiver; (*de entre los dedos*) filer.
escacharrar [eskatʃa'rrar] (*fam*) *vt* détraquer; **escacharrarse** *vpr* se détraquer.
escafandra [eska'fandra] *nf* (*tb:* **~ autónoma**) scaphandre *m* (autonome); **escafandra espacial** scaphandre spatial.
escala [es'kala] *nf* échelle *f*; (*tb:* **~ de cuerda**) échelle de corde; (*AVIAT, NÁUT*) escale *f*; **en gran/pequeña ~** à grande/ petite échelle; **una investigación a ~ nacional** une enquête à l'échelon national; **reproducir a ~** reproduire à l'échelle; **hacer ~ en** faire escale à; **escala móvil** échelle mobile; **escala salarial** échelle des salaires.
escalada [eska'laða] *nf* escalade *f.*
escalafón [eskala'fon] *nm* (*en empresa*) échelle *f* des salaires; (*en organismo público*) échelons *mpl* de solde; **subir en el ~** monter en grade.
escalar [eska'lar] *vt* escalader; (*fig*) monter ♦ *vi* faire de l'escalade; (*fig*) monter en grade.
escaldar [eskal'dar] *vt* ébouillanter; **escaldarse** *vpr* s'ébouillanter; **salir escaldado** (*fig*) se faire échauder.
escalera [eska'lera] *nf* escalier *m*; (*tb:* **~ de mano**) marchepied *m*; (*NAIPES*) suite *f*; **escalera de caracol/de incendios** escalier en colimaçon/de secours; **escalera de tijera** escabeau *m*; **escalera mecánica** escalier roulant.
escalerilla [eskale'riʎa] *nf* passerelle *f.*
escalfar [eskal'far] *vt* pocher.
escalinata [eskali'nata] *nf* perron *m.*
escalofriante [eskalo'frjante] *adj* d'horreur.
escalón [eska'lon] *nm* marche *f*; (*de escalera de mano, fig*) échelon *m.*
escalonar [eskalo'nar] *vt* échelonner; (*tierra*) terrasser.
escalope [eska'lope] *nm* escalope *f.*
escama [es'kama] *nf* écaille *f*; (*de jabón*) paillette *f.*
escamar [eska'mar] *vt* (*pez*) écailler; (*producir recelo*) rendre soupçonneux(-euse).
escamotear [eskamote'ar] *vt* (*sueldo*) subtiliser; (*verdad*) cacher.
escampar [eskam'par] *vi* se dégager.
escanciar [eskan'θjar] *vt* verser à boire.
escandalizar [eskandali'θar] *vt* scandaliser; **escandalizarse** *vpr* se scandaliser.
escándalo [es'kandalo] *nm* scandale *m*; **armar un ~** faire un scandale; **¡es un ~!** c'est un scandale!
escandaloso, -a [eskanda'loso, a] *adj* scandaleux(-euse); (*niño*) turbulent(e).
Escandinavia [eskandi'naβja] *nf* Scandinavie *f.*
escandinavo, -a [eskandi'naβo, a] *adj* scandinave ♦ *nm/f* Scandinave *m/f.*
escáner [es'kaner] *nm* scanner *m.*
escaño [es'kaɲo] *nm* siège *m.*
escapada [eska'paða] *nf* escapade *f*; (*DEPORTE*) échappée *f*; **en una ~** le temps d'une escapade.
escapar [eska'par] *vi*: **~ (de)** (*de encierro*) s'échapper (de); (*de peligro*) échapper à; (*DEPORTE*) faire une échappée; **escaparse** *vpr*: **~se (de)** s'échapper (de); (*agua, gas*) fuir; **dejar ~ una oportunidad** laisser échapper une occasion; **se le escapó el secreto** il a vendu la mèche; **se le escapó la risa** un rire lui a échappé; **no se le escapa un detalle** pas un détail ne lui échappe.
escaparate [eskapa'rate] *nm* vitrine *f.*
escapatoria [eskapa'torja] *nf*: **no tener ~** (*fig*) n'avoir aucune échappatoire.
escape [es'kape] *nm* (*de agua, gas*) fuite *f*; (*tb:* **tubo de ~**) pot *m* d'échappement; **salir a ~** sortir à toute vitesse; **tecla de ~** touche *f* d'échappement.
escaquearse [eskake'arse] (*fam*) *vpr* se tirer d'affaire, faire faux bond.
escarabajo [eskara'βaxo] *nm* scarabée

m.

escaramuza [eskara'muθa] *nf* escarmouche *f.*

escarbar [eskar'βar] *vt* ratisser ♦ *vi* fouiller; **escarbarse** *vpr*: **~se los dientes** se curer les dents; **~ en** (*en asunto*) démêler.

escarceos [eskar'θeos] *nmpl* (*fig*) écarts *mpl*; **~ amorosos** ébats *mpl* amoureux.

escarcha [es'kartʃa] *nf* rosée *f.*

escarchado, -a [eskar'tʃaðo, a] *adj* glacé(e).

escardar [eskar'ðar] *vt* désherber.

escarlata [eskar'lata] *adj* écarlate.

escarmentar [eskarmen'tar] *vt* punir ♦ *vi* comprendre la leçon; **¡para que escarmientes!** ça t'apprendra!

escarmiento [eskar'mjento] *vb V* **escarmentar** ♦ *nm* punition *f*; (*aviso*) leçon *f.*

escarnio [es'karnjo] *nm* raillerie *f*; (*insulto*) quolibet *m.*

escarola [eska'rola] *nf* scarole *f.*

escarpado, -a [eskar'paðo, a] *adj* escarpé(e).

escasear [eskase'ar] *vi* être rare.

escasez [eska'seθ] *nf* (*falta*) manque *m*; (*pobreza*) misère *f*; **vivir con ~** vivre pauvrement.

escaso, -a [es'kaso, a] *adj* faible; (*posibilidades*) compté(e); (*recursos*) insuffisant(e); (*público*) peu nombreux(-euse); **estar ~ de algo** être à cours de qch; **duró una hora escasa** cela a duré une heure à peine.

escatimar [eskati'mar] *vt* (*sueldo, tela*) lésiner sur; (*elogios, esfuerzos*) ménager; **no ~ esfuerzos (para)** ne pas ménager ses efforts (pour).

escayola [eska'jola] *nf* plâtre *m.*

escayolar [eskajo'lar] *vt* plâtrer.

escena [es'θena] *nf* scène *f*; **poner en ~** mettre en scène; **hacer una ~** (*fam*) faire une scène.

escenario [esθe'narjo] *nm* scène *f*; **el ~ del crimen** les lieux du crime.

escenificar [esθenifi'kar] *vt* mettre en scène.

escenografía [esθenoɣra'fia] *nf* scénographie *f.*

escepticismo [esθepti'θismo] *nm* scepticisme *m.*

escéptico, -a [es'θeptiko, a] *adj, nm/f* sceptique *m/f.*

escindir [esθin'dir] *vt* scinder; **escindirse** *vpr* se scinder; **~se en** se scinder en.

escisión [esθi'sjon] *nf* (*BIO*) excision *f*; (*de partido*) scission *f*; **~ nuclear** fission nucléaire.

esclarecer [esklare'θer] *vt* éclaircir.

esclavitud [esklaβi'tuð] *nf* esclavage *m.*

esclavizar [esklaβi'θar] *vt* asservir.

esclavo, -a [es'klaβo, a] *adj, nm/f* esclave *m/f.*

esclusa [es'klusa] *nf* écluse *f.*

escoba [es'koβa] *nf* balai *m*; **pasar la ~** passer le balai.

escobazo [esko'βaθo] *nm* coup *m* de balai; **echar a algn a ~s** chasser qn à coups de balai.

escobilla [esko'βiʎa] *nf* (*del wáter*) balayette *f*; (*esp AM*) brosse *f.*

escocer [esko'θer] *vi* brûler; **escocerse** *vpr* s'irriter; **me escuece mucho la herida** ma blessure me brûle.

escocés, -esa [esko'θes, esa] *adj* écossais(e) ♦ *nm/f* Écossais(e); **falda escocesa** kilt *m*; **tela escocesa** tissu *m* écossais.

Escocia [es'koθja] *nf* Écosse *f.*

escoger [esko'xer] *vt* choisir.

escogido, -a [esko'xiðo, a] *adj* choisi(e).

escolar [esko'lar] *adj, nm/f* scolaire *m/f.*

escollo [es'koʎo] *nm* écueil *m.*

escolta [es'kolta] *nf* escorte *f.*

escoltar [eskol'tar] *vt* escorter.

escombros [es'kombros] *nmpl* décombres *mpl.*

esconder [eskon'der] *vt* cacher; **esconderse** *vpr* se cacher.

escondidas [eskon'diðas] *nfpl* (*AM*) cache-cache *m inv*; **a ~** en cachette; **hacer algo a ~ de algn** faire qch en cachette de qn.

escondite [eskon'dite] *nm* cachette *f*; (*juego*) cache-cache *m inv.*

escondrijo [eskon'drixo] *nm* cachette *f.*

escopeta [esko'peta] *nf* fusil *m*; **escopeta de aire comprimido** fusil à air comprimé.

escorar [esko'rar] *vi* donner de la bande.

escorbuto [eskor'βuto, a] *nm* scorbut *m.*

escoria [es'korja] *nf* (*mineral*) scorie *f*; (*fig*) lie *f.*

Escorpio [es'korpjo] *nm* (*ASTROL*) Scorpion *m*; **ser ~** être (du) Scorpion.

escorpión [eskor'pjon] *nm* scorpion *m.*

escotado, -a [esko'taðo, a] *adj* décolleté(e); **ir muy ~** porter des vêtements très décolletés.

escote [es'kote] *nm* décolleté *m*; **pagar a ~** payer son écot.

escotilla [esko'tiʎa] *nf* (*NÁUT*) écoutille *f.*

escozor [esko'θor] *nm* cuisson *f.*

escribir [eskri'βir] *vt, vi* écrire; **escribirse** *vpr* s'écrire; **~ a máquina** taper à la machine; **¿cómo se escribe?** comment ça s'écrit?

escrito, -a [es'krito, a] *pp de* **escribir** ♦ *adj* écrit(e) ♦ *nm* (*documento*) écrit *m*;

(*manifiesto*) manifeste *m*; **por ~** par écrit.
escritor, a [eskri'tor, a] *nm/f* écrivain *m/f*.
escritorio [eskri'torjo] *nm* (*mueble*) secrétaire *m*; (*oficina*) bureau *m*.
escritura [eskri'tura] *nf* écriture *f*; (*JUR*) écrit *m*; **~ de propiedad** titre *m* de propriété; **Sagrada E~** l'Écriture.
escrúpulo [es'krupulo] *nm*: **me da ~ (hacer)** j'ai des scrupules (à faire); **~s** *nmpl* (*dudas*) scrupules *mpl*.
escrupuloso, -a [eskrupu'loso, a] *adj* scrupuleux(-euse); (*aprensivo*) maniaque.
escrutar [eskru'tar] *vt* scruter; (*votos*) dépouiller le scrutin.
escrutinio [eskru'tinjo] *nm* examen *m* attentif; (*de votos*) scrutin *m*.
escuadra [es'kwaðra] *nf* équerre *f*; (*MIL*) escouade *f*; (*NÁUT*) escadre *f*.
escuadrilla [eskwa'ðriʎa] *nf* escadrille *f*.
escuadrón [eskwa'ðron] *nm* escadron *m*.
escuálido, -a [es'kwaliðo, a] *adj* efflanqué(e).
escucha [es'kutʃa] *nf*: **estar a la ~ (de)** être à l'écoute (de) ♦ *nm/f* (*TELEC, RADIO*) *personne chargée des écoutes radio et téléphoniques*; **escuchas telefónicas** écoutes téléphoniques.
escuchar [esku'tʃar] *vt* écouter; (*esp AM*: *oír*) entendre ♦ *vi* écouter; **escucharse** *vpr* (*AM*: *TELEC*): **~se muy mal** entendre très mal.
escudarse [esku'ðarse] *vpr*: **~ en** se réfugier derrière.
escudería [eskuðe'ria] *nf* écurie *f*.
escudero [esku'ðero] *nm* écuyer *m*.
escudo [es'kuðo] *nm* bouclier *m*; (*insignia*) écusson *m*; (*moneda*) écu *m*; **escudo de armas** armes *fpl*.
escudriñar [eskuðri'ɲar] *vt* scruter.
escuela [es'kwela] *nf* école *f*; **~ de arquitectura/Bellas Artes/idiomas** école d'architecture/des Beaux Arts/de langues; **escuela normal** école normale.
escueto, -a [es'kweto, a] *adj* (*estilo*) dépouillé(e); (*explicación*) concis(e).
escuincle [es'kwinkle] (*MÉX*: *fam*) *nm* gosse *m*.
esculpir [eskul'pir] *vt* sculpter.
escultor, a [eskul'tor, a] *nm/f* sculpteur *m*.
escultura [eskul'tura] *nf* sculpture *f*.
escupidera [eskupi'ðera] *nf* crachoir *m*; (*orinal*) pot *m* de chambre.
escupir [esku'pir] *vt, vi* cracher; **~ (a la cara) a algn** (*fig*) abreuver qn d'injures.
escupitajo [eskupi'taxo] *nm* crachat *m*.
escurreplatos [eskurre'platos] *nm inv* égouttoir *m*.
escurridizo, -a [eskurri'ðiθo, a] *adj* glissant(e); (*fig*: *persona*) fuyant(e).
escurridor [eskurri'ðor] *nm* essoreuse *f*.
escurrir [esku'rrir] *vt* (*ropa*) essorer; (*verduras*) égoutter; (*platos*) laisser s'égoutter; (*líquidos*) verser la dernière goutte de ♦ *vi* (*ropa, botella*) goutter; (*líquidos*) couler; **escurrirse** *vpr* (*líquido*) s'écouler; (*ropa, platos*) s'égoutter; (*resbalarse*) glisser; (*escaparse*) s'esquiver; **~ el bulto** (*fig*) se dérober.
ese[1] ['ese] *nf* (*letra*) S, s *m*; **hacer ~s** (*en carretera*) faire des zigzags; (*borracho*) avancer en zigzags.
ese[2] ['ese], **esa** ['esa], **esos** ['esos], **esas** ['esas] *adj* (*demostrativo*: *sg*) ce(cette); (: *pl*) ces.
ése ['ese], **ésa** ['esa], **ésos** ['esos], **ésas** ['esas] *pron* (*sg*) celui-là(celle-là); (*pl*) ceux-là(celles-là); **~ ... éste ...** celui-ci ... celui-là ...; **¡no me vengas con ésas!** tu ne vas pas revenir là-dessus.
esencia [e'senθja] *nf* essence *f*; (*de doctrina*) essentiel *m*; **en ~** par essence.
esencial [esen'θjal] *adj* essentiel(le); **lo ~** l'essentiel *m*.
esfera [es'fera] *nf* sphère *f*; (*de reloj*) cadran *m*; **esfera impresora** boule *f* d'impression; **esfera profesional/social** sphère professionnelle/sociale; **esfera terrestre** globe *m* terrestre.
esférico, -a [es'feriko, a] *adj* sphérique.
esfinge [es'finxe] *nf* sphinx *m*.
esforzarse [esfor'θarse] *vpr* s'efforcer; **~ por hacer** s'efforcer de faire.
esfuerzo [es'fwerθo] *vb V* **esforzarse** ♦ *nm* effort *m*; **hacer un ~ (para hacer)** faire un effort (pour faire); **con/sin ~** avec/sans effort.
esfumarse [esfu'marse] *vpr* (*persona*) s'évanouir dans la nature; (*esperanzas*) partir en fumée.
esgrima [es'ɣrima] *nf* escrime *f*.
esgrimir [esɣri'mir] *vt* (*arma*) manier; (*argumento*) déployer.
esguince [es'ɣinθe] *nm* entorse *f*.
eslabón [esla'βon] *nm* maillon *m*; **el ~ perdido** (*BIO, fig*) le chaînon manquant.
eslálom [es'lalom] *nm* slalom *m*.
eslavo, -a [es'laβo, a] *adj* slave ♦ *nm/f* Slave *m/f* ♦ *nm* (*LING*) langue *f* slave.
eslogan [es'loɣan] (*pl* **~s**) *nm* = **slogan**.
eslora [es'lora] *nf* (*NÁUT*) longueur *f*.
eslovaco, -a [eslo'βako, a] *adj* slovaque ♦ *nm/f* Slovaque *m/f* ♦ *nm* (*LING*) slovaque *m*.
Eslovaquia [eslo'βakja] *nf* Slovaquie *f*.
esmaltar [esmal'tar] *vt* émailler.
esmalte [es'malte] *nm* émail *m*; **esmalte**

de uñas vernis *m* à ongles.
esmerado, -a [esme'raðo, a] *adj* soigné(e).
esmeralda [esme'ralda] *nf* émeraude *f* ♦ *adj* émeraude.
esmerarse [esme'rarse] *vpr*: ~ **(en)** se donner du mal (pour).
esmero [es'mero] *nm* soin *m*; **con** ~ avec soin.
esmirriado, -a [esmi'rrjaðo, a] *adj* chétif(-ive).
esmoquin [es'mokin] *nm* smoking *m*.
esnob [es'nob] *adj inv, nm/f* snob *m/f*.
esnobismo [esno'βismo] *nm* snobisme *m*.
eso ['eso] *pron* ce, cela; ~ **de su coche** cette histoire avec sa voiture; ~ **de ir al cine** cette histoire d'aller au cinéma; **a ~ de las cinco** vers cinq heures; **en** ~ sur ce; **por** ~ c'est pour ça; ~ **es** c'est cela; ~ **mismo** cela-même; **nada de** ~ rien de tout ça; **no es** ~ ce n'est pas cela; **¡~ sí que es vida!** ça, c'est la vie!; **por ~ te lo dije** c'est pour cela que je te l'ai dit; **y ~ que llovía** pourtant il pleuvait!
esófago [e'sofaɣo] *nm* œsophage *m*.
esos ['esos] *adj demos V* **ese**[2].
ésos ['esos] *pron V* **ése**.
esotérico, -a [eso'teriko, a] *adj* ésotérique.
espabilado, -a [espaβi'laðo, a] *adj* éveillé(e).
espabilar [espaβi'lar] *vt* = **despabilar**.
espachurrar [espatʃu'rrar] *vt* écraser; **espachurrarse** *vpr* être écrasé(e).
espacial [espa'θjal] *adj* spatial(e).
espaciar [espa'θjar] *vt* espacer.
espacio [es'paθjo] *nm* espace *m*; (*MÚS*) interligne *m*; **el** ~ l'espace; **ocupar mucho** ~ prendre beaucoup de place; **a dos ~s, a doble** ~ (*TIP*) à double interligne; **en el ~ de una hora/de 3 días** en l'espace d'une heure/de 3 jours; **por ~ de** durant; **espacio aéreo/exterior** espace aérien/extérieur.
espacioso, -a [espa'θjoso, a] *adj* spacieux(-euse).
espada [es'paða] *nf* épée *f* ♦ *nm* (*TAUR*) épée; **~s** *nfpl* (*NAIPES*) *l'une des quatre couleurs d'un jeu de cartes espagnol*; **estar entre la ~ y la pared** être entre le marteau et l'enclume.
espaguetis [espa'ɣetis] *nmpl* spaghettis *mpl*.
espalda [es'palda] *nf* dos *msg*; (*NATACIÓN*) dos crawlé; **a ~s de algn** dans le dos de qn; **a (las) ~s de** (*de edificio*) derrière; **dar la ~ a algn** tourner le dos à qn; **estar de ~s** être de dos; **por la** ~ (*atacar*) par derrière; (*disparar*) dans le dos; **ser cargado de ~s** être voûté; **tenderse de ~s** s'allonger sur le dos; **volver la ~ a algn** tourner le dos à qn.
espaldarazo [espalda'raθo] *nm* coup *m* d'épaule.
espalderas [espal'deras] *nfpl* espalier *m*.
espantajo [espan'taxo] *nm*, **espantapájaros** [espanta'paxaros] *nm inv* épouvantail *m*.
espantar [espan'tar] *vt* (*persona*) effrayer; (*animal*) faire fuir; (*fig*) chasser; **espantarse** *vpr* s'effrayer; (*ahuyentar*) déguerpir; (*fig*) se dissiper.
espanto [es'panto] *nm* frayeur *f*; (*terror*) panique *f*; **de** ~ (*frío*) de canard; (*ruido*) assourdissant(e); **¡qué ~!** quelle horreur!
espantoso, -a [espan'toso, a] *adj* effrayant(e); (*fam: desmesurado*) terrible; (*: feísimo*) repoussant(e).
España [es'paɲa] *nf* Espagne *f*.
español, a [espa'ɲol, a] *adj* espagnol(e) ♦ *nm/f* Espagnol(e) ♦ *nm* (*LING*) espagnol *m*.
esparadrapo [espara'ðrapo] *nm* sparadrap *m*.
esparcimiento [esparθi'mjento] *nm* éparpillement *m*; (*fig*) divertissement *m*.
esparcir [espar'θir] *vt* (*objetos*) éparpiller; (*semillas*) semer; (*líquido, noticia*) répandre; **esparcirse** *vpr* s'éparpiller; (*noticia*) se répandre; (*divertirse*) se divertir.
espárrago [es'parraɣo] *nm* asperge *f*; **¡vete a freír ~s!** (*fam*) va te faire cuire un œuf!; **espárrago triguero** asperge sauvage.
esparto [es'parto] *nm* alfa *m*.
espasmo [es'pasmo] *nm* spasme *m*.
espátula [es'patula] *nf* spatule *f*.
especia [es'peθja] *nf* condiment *m*.
especial [espe'θjal] *adj* spécial(e); **en** ~ spécialement.
especialidad [espeθjali'ðað] *nf* spécialité *f*; (*ESCOL*) spécialisation *f*.
especialista [espeθja'lista] *nm/f* spécialiste *m/f*; (*CINE*) cascadeur(-euse).
especializado, -a [espeθjali'θaðo, a] *adj* spécialisé(e).
especie [es'peθje] *nf* espèce *f*; **una ~ de** une espèce de; **pagar en** ~ payer en espèces.
especificar [espeθifi'kar] *vt* spécifier.
específico, -a [espe'θifiko, a] *adj* spécifique.
espécimen [es'peθimen] (*pl* **especímenes**) *nm* spécimen *m*; (*muestra*) échantillon *m*.
espectacular [espektaku'lar] *adj* spectaculaire.

espectáculo [espek'takulo] *nm* spectacle *m*; **dar un ~** se donner en spectacle.
espectador, a [espekta'ðor, a] *nm/f* spectateur(-trice); (*de incidente*) badaud *m*; **los ~es** (*TEATRO*) les spectateurs.
espectro [es'pektro] *nm* spectre *m*; (*fig*: *gama*) gamme *f*.
especulación [espekula'θjon] *nf* spéculation *f*; **~ bursátil** spéculation boursière.
especular [espeku'lar] *vi* (*meditar*): **~ sobre** spéculer sur; **~ (en)** (*COM*) spéculer (en).
espejismo [espe'xismo] *nm* mirage *m*.
espejo [es'pexo] *nm* miroir *m*; **mirarse al ~** se regarder dans la glace; **espejo retrovisor** rétroviseur *m*.
espeleología [espeleolo'xia] *nf* spéléologie *f*.
espeluznante [espeluθ'nante] *adj* à faire dresser les cheveux sur la tête.
espera [es'pera] *nf* attente *f*; (*JUR*) délai *m* de grâce; **a la** *o* **en ~ de** dans l'attente de; **en ~ de su contestación/carta** dans l'attente de votre réponse/lettre.
esperanza [espe'ranθa] *nf* espoir *m*; **hay pocas ~s de que venga** il y a peu de chances pour qu'il vienne; **dar ~s a algn** donner de l'espoir à qn; **esperanza de vida** espérance *f* de vie.
esperanzado, -a [esperan'θaðo, a] *adj* plein(e) d'espoir.
esperar [espe'rar] *vt* attendre; (*desear, confiar*) espérer ♦ *vi* attendre; **esperarse** *vpr*: **como podía ~se** comme on pouvait s'y attendre; **hacer ~ a algn** faire attendre qn; **ir a ~ a algn** aller attendre qn; **espero que venga** j'espère qu'il va venir; **~ un bebé** attendre un enfant; **es de ~ que** il faut espérer que.
esperma [es'perma] *nm* sperme *m* ♦ *nf* (*CARIB, COL*) bougie *f*.
espermatozoide [espermato'θoiðe] *nm* spermatozoïde *m*.
esperpento [esper'pento] *nm* épouvantail *m*.
espesar [espe'sar] *vt* épaissir; **espesarse** *vpr* s'épaissir.
espeso, -a [es'peso, a] *adj* épais(se).
espesor [espe'sor] *nm* épaisseur *f*; (*densidad*) densité *f*.
espesura [espe'sura] *nf* fourrés *mpl*.
espía [es'pia] *nm/f* espion(ne).
espiar [espi'ar] *vt* espionner ♦ *vi*: **~ para** être un espion à la solde de.
espiga [es'piɣa] *nf* épi *m*.
espina [es'pina] *nf* (*BOT*) épine *f*; (*de pez*) arête *f*; **me da mala ~** ça ne me dit rien qui vaille; **espina dorsal** épine dorsale.
espinaca [espi'naka] *nf* (*BOT*) épinard *m*; **~s** (*CULIN*) épinards *mpl*.
espinazo [espi'naθo] *nm* épine *f* dorsale.
espinilla [espi'niʎa] *nf* (*ANAT*) tibia *m*; (*MED*) point *m* noir.
espino [es'pino] *nm* aubépine *f*.
espinoso, -a [espi'noso, a] *adj* épineux(euse).
espionaje [espjo'naxe] *nm* espionnage *m*.
espiral [espi'ral] *adj* en spirale ♦ *nf* spirale *f*; (*anticonceptivo*) stérilet *m*; **la ~ inflacionista** la spirale inflationniste; **en ~** en spirale.
espirar [espi'rar] *vt, vi* expirer.
espiritismo [espiri'tismo] *nm* spiritisme *m*.
espiritista [espiri'tista] *adj, nm/f* spirite *m/f*.
espíritu [es'piritu] *nm* esprit *m*; **espíritu de cuerpo/de equipo** esprit de corps/d'équipe; **espíritu de lucha** naturel *m* bagarreur; **Espíritu Santo** Saint-Esprit *m*.
espiritual [espiri'twal] *adj* spirituel(le).
espita [es'pita] *nf* robinet *m*.
espléndido, -a [es'plendiðo, a] *adj* (*magnífico*) splendide; (*generoso*) généreux (-euse).
esplendor [esplen'dor] *nm* splendeur *f*; (*apogeo*) apogée *m*.
espliego [es'pljeɣo] *nm* lavande *f*.
espolear [espole'ar] *vt* éperonner; (*fig*: *persona*) tanner.
espoleta [espo'leta] *nf* goupille *f*.
espolón [espo'lon] *nm* (*de ave*) ergot *m*; (*malecón*) jetée *f*.
espolvorear [espolβore'ar] *vt* saupoudrer.
esponja [es'ponxa] *nf* éponge *f*; **beber como** *o* **ser una ~** boire comme un trou; **esponja de baño** éponge de toilette.
esponjoso, -a [espon'xoso, a] *adj* spongieux(-euse); (*bizcocho*) imbibé(e).
espontaneidad [espontanei'ðað] *nf* spontanéité *f*.
espontáneo, -a [espon'taneo, a] *adj* spontané(e) ♦ *nm/f* (*esp TAUR*) *spectateur qui s'élance dans l'arène pour participer à la corrida*.
espora [es'pora] *nf* spore *f*.
esporádico, -a [espo'raðiko, a] *adj* sporadique.
esposar [espo'sar] *vt* passer les menottes à.
esposo, -a [es'poso, a] *nm/f* époux (-ouse); **esposas** *nfpl* (*para detenidos*) menottes *fpl*.
espuela [es'pwela] *nf* éperon *m*.
espuma [es'puma] *nf* mousse *f*; (*sobre olas*) écume *f*; **echar ~ por la boca** (*perro*)

baver; (*fig: persona*) écumer de rage; **espuma de afeitar** mousse à raser.
espumadera [espuma'ðera] *nf* écumoire *f*.
espumoso, -a [espu'moso, a] *adj* moussant(e).
esputo [es'puto] *nm* expectoration *f*.
esqueje [es'kexe] *nm* (*BOT*) greffe *f*.
esquela [es'kela] *nf*: ~ **mortuoria** avis *msg* de décès.
esquelético, -a [eske'letiko, a] (*fam*) *adj* décharné(e).
esqueleto [eske'leto] *nm* squelette *m*.
esquema [es'kema] *nm* schéma *m*; (*guión*) plan *m*; **en** ~ schématiquement.
esquemático, -a [eske'matiko] *adj* schématique.
esquí [es'ki] (*pl* **~s**) *nm* ski *m*; **esquí acuático** ski nautique.
esquiar [es'kjar] *vi* skier.
esquilar [eski'lar] *vt* tondre.
esquimal [esqui'mal] *adj* esquimau(de) ♦ *nm/f* Esquimau(de).
esquina [es'kina] *nf* coin *m*; **doblar la** ~ tourner au coin de la rue; **hacer ~ con** faire le coin avec.
esquinazo [eski'naθo] *nm*: **dar ~ a algn** planter là qn.
esquirla [es'kirla] *nf* fragment *m*.
esquirol [eski'rol] *nm* briseur *m* de grève.
esquivar [eski'βar] *vt* esquiver.
esquivo, -a [es'kiβo, a] *adj* (*huraño*) asocial(e); (*desdeñoso*) dédaigneux(-euse).
esta ['esta] *adj V* **este**[2].
está [es'ta] *vb V* **estar**.
ésta ['esta] *pron V* **éste**.
estabilidad [estaβili'ðað] *nf* stabilité *f*.
estabilizar [estaβili'θar] *vt* stabiliser; **estabilizarse** *vpr* se stabiliser.
estable [es'taβle] *adj* stable.
establecer [estaβle'θer] *vt* établir; **establecerse** *vpr* s'établir; **~se de** *o* **como médico** s'établir comme médecin.
establecimiento [estaβleθi'mjento] *nm* établissement *m*.
establo [es'taβlo] *nm* étable *f*; (*granero*) grange *f*.
estaca [es'taka] *nf* (*palo*) piquet *m*; (*con punta*) pieu *m*.
estación [esta'θjon] *nf* gare *f*; (*del año*) saison *f*; (*REL*) station *f*; **estación de autobuses/de ferrocarril** gare routière/de chemin de fer; **estación de esquí** station de sports d'hiver; **estación de metro** station de métro; **estación de radio** station d'émission; **estación de servicio** station-service *f*; **estación de trabajo** station de travail; **estación de visualización** visuel *m*; **estación meteorológica** station météorologique.
estacionamiento [estaθjona'mjento] *nm* stationnement *m*.
estacionar [estaθjo'nar] *vt* (*AUT*) garer; **estacionarse** *vpr* (*AUT*) se garer; (*MED*) se stabiliser.
estacionario, -a [estaθjo'narjo, a] *adj* (*estado*) stationnaire; (*mercado*) calme.
estada [es'taða] (*AM*) *nf* séjour *m*.
estadía [esta'ðia] (*AM*) *nf* = **estada**.
estadio [es'taðjo] *nm* stade *m*.
estadístico, -a [esta'ðistiko, a] *adj* statistique ♦ *nf* statistique *f*.
estado [es'taðo] *nm* état *m*; **el E~** l'Etat; **estar en ~ (de buena esperanza)** attendre un heureux événement; **estado civil** état civil; **estado de ánimo** état d'âme; **estado de cuenta(s)** relevé *m* de compte; **estado de emergencia** *o* **excepción** état d'urgence; **estado de pérdidas y ganancias** compte *m* de profits et pertes; **estado de sitio** état de siège; **estado financiero** bilan *m* financier; **estado mayor** (*MIL*) état-major *m*; **Estados Unidos** Etats-Unis.
estadounidense [estaðouni'ðense] *adj* américain(e) ♦ *nm/f* Américain(e).
estafa [es'tafa] *nf* escroquerie *f*.
estafar [esta'far] *vt* escroquer; **les ~on 8 millones** ils les ont escroqués de 8 millions.
estafeta [esta'feta] *nf* bureau *m* de poste.
estalactita [estalak'tita] *nf* stalactite *f*.
estalagmita [estalaɣ'mita] *nf* stalagmite *f*.
estallar [esta'ʎar] *vi* (*bomba*) exploser; (*volcán*) entrer en éruption; (*vidrio*) voler en éclats; (*bolsa, fig*) éclater; ~ **(de)** (*de ira*) exploser de; (*de curiosidad*) être pris(e) de; ~ **en llanto** fondre en larmes.
estallido [esta'ʎiðo] *nm* explosion *f*; (*fig: de guerra*) déclenchement *m*.
estambre [es'tambre] *nm* fibres *fpl*; (*BOT*) étamine *f*.
estamento [esta'mento] *nm* classe *f*.
estampa [es'tampa] *nf* estampe *f*; (*porte*) allure *f*; **ser la viva ~ de** être l'image même de.
estampado, -a [estam'paðo, a] *adj* imprimé(e) ♦ *nm* (*dibujo*) imprimé *m*.
estampar [estam'par] *vt* imprimer; (*metal*) estamper; (*fam: beso*) plaquer; (*: bofetada*) envoyer; ~ **algo contra la pared** (*fam*) écraser qch contre le mur.
estampida [estam'piða] (*esp AM*) *nf* débandade *f*.
estampido [estam'piðo] *nm* détonation *f*.
estampilla [estam'piʎa] *nf* estampille *f*;

(*AM*: *CORREOS*) timbre *m*.

están [es'tan] *vb V* **estar**.

estancamiento [estanka'mjento] *nm* ralentissement *m*.

estancar [estan'kar] *vt* stagner; (*asunto, negociación*) paralyser; **estancarse** *vpr* stagner; (*fig*: *progreso*) piétiner; (*persona*): **~se en** s'enliser dans.

estancia [es'tanθja] *nf* séjour *m*; (*sala*) salle *f*; (*AM*) ferme *f* d'élevage.

estanciera [estan'θjera] (*ARG*) *nf* (*AUTO*) fourgonnette *f*.

estanciero [estan'θjero] (*AM*) *nm* (*AGR*) éleveur *m*.

estanco, -a [es'tanko, a] *adj*: **compartimento ~** compartiment *m* étanche ♦ *nm* bureau *m* de tabac.

estándar [es'tandar] *adj* normal(e); (*medio*) standard ♦ *nm* standard *m*.

estandarizar [estandari'θar] *vt* standardiser; **estandarizarse** *vpr* se standardiser.

estandarte [estan'darte] *nm* étendard *m*.

estanque [es'tanke] *vb V* **estancar** ♦ *nm* bassin *m*; (*CHI*) réservoir *m*.

estanquero, -a [estan'kero, a] *nm/f* buraliste *m/f*.

estante [es'tante] *nm* (*de mueble*) rayonnage *m*; (*adosado*) étagère *f*; (*AM*: *soporte*) étai *m*.

estantería [estante'ria] *nf* rayonnage *m*.

estaño [es'taɲo] *nm* étain *m*.

PALABRA CLAVE

estar [es'tar] *vi* **1** (*posición*) être; **está en la Plaza Mayor** il est sur la Plaza Mayor; **¿está Juan?** (est-ce que) Juan est là?; **estamos a 30 km de Junín** nous sommes à 30 km de Junín

2 (*+ adj o adv*: *estado*) être; **estar enfermo** être malade; **estar lejos** être loin; **está roto** c'est cassé; **está muy elegante** il est très élégant; **¿cómo estás?** comment vas-tu?; *V tb* **bien**

3 (*+ gerundio*) être en train de; **estoy leyendo** je suis en train de lire

4 (*uso pasivo*): **está condenado a muerte** il est condamné à mort; **está envasado en ...** c'est enveloppé dans ...

5 (*tiempo*): **estamos en octubre/1994** nous sommes en octobre/1994

6 (*estar listo*): **¿está la comida?** le repas est prêt?; **¿estará para mañana?** ce sera prêt pour demain?; **ya está** ça y est; **en seguida está** tout de suite

7 (*sentar*) aller; **el traje le está bien** le costume lui va bien

8: **estar a** (*con fechas*): **¿a cuántos estamos?** nous sommes le combien?; **estamos a 5 de mayo** nous sommes le 5 mai; (*con precios*): **las manzanas están a cien** les pommes sont à cent pesetas; (*con grados*): **estamos a 25º** il fait 25º; **está a régimen** il est au régime

9: **estar con**: **está con gripe** il a la grippe; (*apoyar*): **estoy con él** je suis (d'accord) avec lui

10: **estar de** (*ocupación*): **estar de vacaciones/viaje** être en vacances/voyage; (*trabajo*): **está de camarero** il travaille comme garçon de café; (*actitud*): **está de mal humor** il est de mauvaise humeur

11: **estar en** (*consistir*) résider dans

12: **estar para** (*a punto de*): **está para salir** il est prêt à sortir; (*disponible*): **no estoy para nadie** je n'y suis pour personne; (*con humor de*): **no estoy para bromas** je ne suis pas d'humeur à plaisanter

13: **estar por** (*a favor de*) être pour; **estoy por dejarlo** je suis pour le laisser tomber; (*sin hacer*): **está por limpiar** ça reste à nettoyer

14: **estar que**: **¡está que trina!** il en est fumasse!; **estoy que me caigo de sueño** c'est que je tombe de sommeil

15: **estar sin**: **estar sin dinero** ne pas avoir d'argent; **la casa está sin terminar** la maison n'est pas finie

16 (*locuciones*): **¡y a estuvo!** (*AM*: *fam*) ça suffit!; **¿estamos?** (*¿de acuerdo?*) d'accord?; **¡y a está bien!** bon, ça va!

♦ **estarse** *vpr*: **se estuvo en la cama toda la tarde** il est resté au lit tout l'après-midi; **¡estáte quieto!** reste tranquille!

estárter [es'tarter] *nm* starter *m*.

estas ['estas] *adj demos V* **este**[2].

estás [es'tas] *vb V* **estar**.

éstas ['estas] *pron V* **éste**.

estatal [esta'tal] *adj* (*política*) gouvernemental(e); (*enseñanza*) public(-ique).

estático, -a [es'tatiko, a] *adj* statique.

estatua [es'tatwa] *nf* statue *f*.

estatura [esta'tura] *nf* stature *f*.

estatus [es'tatus] *pl inv nm* statut *m* social.

estatuto [esta'tuto] *nm* statut *m*; **estatutos sociales** (*COM*) statuts.

este[1] ['este] *adj* est; (*viento*) d'est ♦ *nm* est *m*; **los paises del E~** les pays *mpl* de l'Est.

este[2] ['este], **esta** ['esta], **estos** ['estos], **estas** ['estas] *adj* (*demostrativo*: *sg*) ce(cette); (: *pl*) ces ♦ *excl* (*AM*: *fam*: *esto*) euh!

esté [es'te] *vb V* **estar**.

éste ['este], **ésta** ['esta], **éstos** ['estos], **éstas** ['estas] *pron* (*sg*) celui-ci(celle-ci); (*pl*) ceux-ci(celles-ci); **ése ... ~ ...** celui-ci

... celui-là ... .
estela [es'tela] *nf* sillage *m*.
estelar [este'lar] *adj* (*ASTRON*) stellaire; (*actuación*) de star; (*reparto*) prestigieux(-euse).
estén [es'ten] *vb V* **estar**.
estepa [es'tepa] *nf* steppe *f*.
estera [es'tera] *nf* sparterie *f*.
estercolero [esterko'lero] *nm* tas *msg* de fumier; (*fig*) porcherie *f*.
estéreo [es'tereo] *adj inv, nm* stéréo *f*; **en ~** en stéréo.
estereofónico, -a [estereo'foniko, a] *adj* stéréophonique.
estereotipo [estereo'tipo] (*pey*) *nm* stéréotype *m*.
estéril [es'teril] *adj* stérile.
esterilidad [esterili'ðað] *nf* stérilité *f*.
esterilizar [esterili'θar] *vt* stériliser.
esterilla [este'riʎa] *nf* natte *f*.
esterlina [ester'lina] *adj*: **libra ~** livre *f* sterling.
esternón [ester'non] *nm* sternum *m*.
estertor [ester'tor] *nm* stertor *m*.
estés [es'tes] *vb V* **estar**.
estética [es'tetika] *nf* esthétique *f*.
esteticista [esteti'θista] *nm/f* esthéticien(ne).
estético, -a [es'tetiko, a] *adj* esthétique.
estibador [estiβa'ðor] *nm* docker *m*.
estiércol [es'tjerkol] *nm* fumier *m*.
estigma [es'tiɣma] *nm* (*esp REL*) stigmates *mpl*; (*fig*) stigmate *m*.
estilarse [esti'larse] *vpr* être en vogue.
estilete [esti'lete] *nm* stylet *m*.
estilizar [estili'θar] *vt* styliser.
estilo [es'tilo] *nm* style *m*; (*NATACIÓN*) nage *f*; **~ de vida** style de vie; **al ~ de** à la mode de; **por el ~** de ce genre; **tener ~** avoir du style.
estilográfica [estilo'ɣrafika] *nf* stylo-plume *m*.
estima [es'tima] *nf* estime *f*; **le tiene en mucha ~** il a beaucoup d'estime pour lui.
estimación [estima'θjon] *nf* (*valoración*) estimation *f*; (*estima*) estime *f*.
estimado, -a [esti'maðo, a] *adj* estimé(e); **"E~ Señor"** "cher monsieur".
estimar [esti'mar] *vt* estimer; **~ algo en** (*valorar*) estimer qch à.
estimulante [estimu'lante] *adj* stimulant(e) ♦ *nm* stimulant *m*.
estimular [estimu'lar] *vt* stimuler.
estímulo [es'timulo] *nm* stimulation *f*.
estío [es'tio] *nm* été *m*.
estipulación [estipula'θjon] *nf* stipulation *f*.
estipular [estipu'lar] *vt* stipuler.
estirado, -a [esti'raðo, a] *adj* tendu(e); (*engreído*) infatué(e).
estirar [esti'rar] *vt* étirer; (*brazo, pierna*) tendre; (*fig: dinero*) faire durer ♦ *vi* tirer; **estirarse** *vpr* s'étirer; **~ la pata** (*fam*) partir les pieds devant; **~ las piernas** (*fig*) se dégourdir les jambes.
estirón [esti'ron] *nm* étirement *m*; **dar** *o* **pegar un ~** pousser comme une asperge.
estirpe [es'tirpe] *nf* souche *f*.
estival [esti'βal] *adj* estival(e).
esto ['esto] *pron* cela, ça, c' ♦ *excl* (*fam*) euh!; **~ de la boda** cette affaire de la noce; **~ es, ...** c'est-à-dire, ...; **en ~** sur ce; **por ~** c'est pour ça.
estocada [esto'kaða] *nf* (*TAUR*) estocade *f*.
Estocolmo [esto'kolmo] *n* Stockolm.
estofa [es'tofa] *nf*: **de baja ~** de condition modeste.
estofado, -a [esto'faðo, a] *adj* cuit(e) à l'étouffée ♦ *nm* estouffade *f*.
estofar [esto'far] *vt* cuire à l'étouffée.
estoico, -a [es'toiko, a] *adj* stoïque.
estola [es'tola] *nf* étole *f*.
estómago [es'tomaɣo] *nm* estomac *m*; **tener ~** (*fig*) avoir de l'estomac; **revolverle el ~ a algn** (*fam*) retourner les sangs à qn.
estoque [es'toke] *nm* (*TAUR*) estoc *m*.
estorbar [estor'βar] *vt* gêner; (*planes*) paralyser ♦ *vi* gêner.
estorbo [es'torβo] *nm* gêne *f*.
estornudar [estornu'ðar] *vi* éternuer.
estornudo [estor'nuðo] *nm* éternuement *m*.
estos ['estos] *adj V* **este**[2].
éstos ['estos] *pron V* **éste**.
estoy [es'toi] *vb V* **estar**.
estrado [es'traðo] *nm* estrade *f*; **~s** *nmpl* (*JUR*) salles *fpl* d'audience.
estrafalario, -a [estrafa'larjo, a] *adj* extravagant(e).
estrago [es'traɣo] *nm*: **hacer** *o* **causar ~s** en faire des ravages parmi.
estrambótico, -a [estram'botiko, a] *adj* extravagant(e).
estrangulación [estrangula'θjon], **estrangulamiento** [estrangula'mjento] *nf* strangulation *f*.
estrangular [estrangu'lar] *vt* étrangler; (*MED*) obstruer.
estraperlo [estra'perlo] *nm* contrebande *f*.
Estrasburgo [estras'βurɣo] *n* Strasbourg.
estratagema [estrata'xema] *nf* stratagème *m*.
estrategia [estra'texja] *nf* stratégie *f*.
estratégico, -a [estra'texiko, a] *adj* stra-

tégique.

estrato [es'trato] *nm* strate *f*; **estrato social** couche *f* sociale.

estratosfera [estratos'fera] *nf* stratosphère *f*.

estrechar [estre'tʃar] *vt* rétrécir; (*persona*) serrer; (*lazos de amistad*) resserrer; **estrecharse** *vpr* se rétrécir; (*dos personas*) se rapprocher; (*fam: en asiento*) se serrer; ~ **la mano** serrer la main.

estrechez [estre'tʃeθ] *nf* étroitesse *f*; **estrecheces** *nfpl* (*apuros*) difficultés *fpl* financières.

estrecho, -a [es'tretʃo, a] *adj* étroit(e); (*amistad*) intime ♦ *nm* détroit *m*; ~ **de miras** borné(e); **estar/ir muy ~s** être très serrés; **E~ de Gibraltar** détroit de Gibraltar.

estrella [es'treʎa] *nf* étoile *f*; (*CINE etc*) star *f*; **tener (buena)/mala ~** être né(e) sous une (bonne)/mauvaise étoile; **ver las ~s** (*fam*) voir trente-six chandelles; **estrella de mar** étoile de mer; **estrella fugaz** étoile filante; **Estrella Polar** étoile polaire.

estrellado, -a [estre'ʎaðo, a] *adj* en forme d'étoile; (*cielo*) étoilé(e); (*huevos*) sur le plat.

estrellar [estre'ʎar] *vt* briser en mille morceaux; (*huevos*) faire cuire sur le plat; **estrellarse** *vpr* se briser en mille morceaux; (*coche*) s'écraser; (*fracasar*) échouer; **se estrellaron en la carretera** ils sont morts dans un accident de voiture.

estrellato [estre'ʎato] *nm* sommet *m*.

estremecer [estreme'θer] *vt* bouleverser; (*suj: miedo, frío*) faire frissonner; **estremecerse** *vpr* frissonner; (*edificio*) trembler; **~se de** frissonner de.

estremecimiento [estremeθi'mjento] *nm* frisson *m*.

estrenar [estre'nar] *vt* (*vestido*) étrenner; (*casa*) pendre la crémaillère; (*película, obra de teatro*) donner la première de; **estrenarse** *vpr*: **~se como** (*persona*) faire ses débuts de.

estreno [es'treno] *nm* inauguration *f*; (*CINE, TEATRO*) première *f*.

estreñido, -a [estre'ɲiðo, a] *adj* constipé(e).

estreñimiento [estreɲi'mjento] *nm* constipation *f*.

estrépito [es'trepito] *nm* fracas *msg*.

estrepitoso, -a [estrepi'toso, a] *adj* (*caída*) spectaculaire; (*gritos*) perçant(e); (*fracaso, victoria*) fracassant(e); **aplausos ~s** un tonnerre d'applaudissements.

estrés [es'tres] *nm* stress *m*.

estría [es'tria] *nf* (*en tronco*) strie *f*; (*columna*) striure *f*; **~s** (*en la piel*) vergetures *fpl*.

estribación [estriβa'θjon] *nf* (*GEO, frec pl*) contrefort *m*.

estribar [estri'βar] *vi*: ~ **en** reposer sur; **la dificultad estriba en el texto** la difficulté se situe dans le texte.

estribillo [estri'βiʎo] *nm* refrain *m*.

estribo [es'triβo] *nm* (*de jinete*) étrier *m*; (*de tren*) marchepied *m*; (*de oído*) osselet *m*; (*de puente, cordillera*) contrefort *m*; **perder los ~s** (*fig*) monter sur ses grands chevaux.

estribor [estri'βor] *nm* (*NÁUT*) tribord *m*.

estricto, -a [es'trikto, a] *adj* strict(e).

estridente [estri'ðente] *adj* (*color*) criard(e); (*voz*) strident(e).

estrofa [es'trofa] *nf* strophe *f*.

estropajo [estro'paxo] *nm* lavette *f*.

estropajoso, -a [estropa'xoso, a] *adj* (*carne*) dur(e) comme de la semelle; (*lengua*) râpeux(-euse).

estropeado, -a [estrope'aðo, a] *adj* en panne.

estropear [estrope'ar] *vt* (*material*) abîmer; (*máquina, coche*) casser; (*planes*) détruire; (*cosecha*) gâter; (*persona*) ravager; **estropearse** *vpr* tomber en panne; (*envejecer*) vieillir.

estropicio [estro'piθjo] (*fam*) *nm*: **hacer un ~** faire un beau désordre.

estructura [estruk'tura] *nf* structure *f*.

estructurar [estruktu'rar] *vt* structurer.

estruendo [es'trwendo] *nm* vacarme *m*.

estrujar [estru'xar] *vt* (*limón*) presser; (*bayeta, papel*) tordre; (*persona*) serrer; **estrujarse** *vpr* (*personas*) se serrer; **~se la cabeza** *o* **los sesos** se ronger les sangs.

estuario [es'twarjo] *nm* estuaire *m*.

estuche [es'tutʃe] *nm* trousse *f*.

estudiante [estu'ðjante] *nm/f* étudiant(e).

estudiantil [estuðjan'til] *adj* estudiantin(e).

estudiar [estu'ðjar] *vt* étudier; (*carrera*) faire des études de ♦ *vi* étudier; ~ **para abogado** faire des études pour devenir avocat.

estudio [es'tuðjo] *nm* étude *f*; (*proyecto*) projet *m*; (*piso*) atelier *m*; (*RADIO, TV etc: local*) studio *m*; **~s** *nmpl* études *fpl*; **cursar** *o* **hacer ~s** faire des études; ~ **de desplazamientos y tiempos/de motivación** étude des cadences/enquête *f* sur la motivation; ~ **del trabajo/de viabilidad** étude du travail/de faisabilité.

estudioso, -a [estu'ðjoso, a] *adj* studieux(-euse) ♦ *nm/f*: ~ **de** spécialiste *m/f* de.

estufa [es'tufa] *nf* radiateur *m.*
estupefaciente [estupefa'θjente] *adj* stupéfiant(e) ♦ *nm* stupéfiant *m.*
estupefacto, -a [estupe'fakto, a] *adj*: **quedarse ~** être stupéfait(e); **me dejó ~** il m'a laissé stupéfait; **me miró ~** il m'a regardé avec stupéfaction.
estupendamente [estu'pendamente] (*fam*) *adv*: **estoy** *o* **me encuentro ~** je suis en pleine forme; **llevarse ~** s'entendre à merveille; **le salió ~** il l'a fait haut la main.
estupendo, -a [estu'pendo, a] *adj* formidable; ¡~! super!
estupidez [estupi'ðeθ] *nf* stupidité *f.*
estúpido, -a [es'tupiðo, a] *adj* stupide.
estupor [estu'por] *nm* stupeur *f.*
estupro [es'tupro] *nm* détournement *m* de mineure.
estuve *etc* [es'tuβe] *vb V* **estar**.
ETA ['eta] *sigla f* (*POL* = *Euskadi Ta Askatasuna*) ETA *m.*
etapa [e'tapa] *nf* étape *f*; **por ~s** par étapes; **quemar ~s** brûler les étapes.
etarra [e'tarra] *adj, nm/f* membre *m/f* de l'ETA.
etc. *abr* (= *etcétera*) etc. (= *et c(a)etera*).
etcétera [et'θetera] *adv* et cetera.
etéreo, -a [e'tereo, a] *adj* éthéré(e).
eternidad [eterni'ðað] *nf* éternité *f*; **una ~** (*fam*) une éternité.
eternizarse [eterni'θarse] *vpr*: **~ en hacer algo** mettre une éternité à faire qch.
eterno, -a [e'terno, a] *adj* éternel(le); (*fam*: *larguísimo*) à n'en plus finir.
ético, -a ['etiko, a] *adj* éthique.
etílico, -a [e'tiliko, a] *adj* éthylique.
etiqueta [eti'keta] *nf* étiquette *f*; **traje de ~** tenue *f* de soirée.
etnia ['etnja] *nf* ethnie *f.*
étnico, -a ['etniko, a] *adj* ethnique.
EUA (*AM*) *sigla mpl* (= *Estados Unidos de América*) USA *mpl* (= *United States of America*).
eucalipto [euka'lipto] *nm* eucalyptus *m.*
Eucaristía [eukaris'tia] *nf* Eucharistie *f.*
eufemismo [eufe'mismo] *nm* euphémisme *m.*
euforia [eu'forja] *nf* euphorie *f.*
eufórico, -a [eu'foriko, a] *adj* euphorique.
eunuco [eu'nuko] *nm* eunuque *m.*
eurodiputado, -a [euroðipu'taðo, a] *nm/f* député(e) européen(ne).
Europa [eu'ropa] *nf* Europe *f.*
europeo, -a [euro'peo, a] *adj* européen(ne) ♦ *nm/f* Européen(ne).
Euskadi [eus'kaði] *nm* pays *m* basque.
euskera [eus'kera], **eusquera** [eus'kera] *nm* basque *m.*
eutanasia [euta'nasja] *nf* euthanasie *f.*
evacuación [eβakwa'θjon] *nf* évacuation *f.*
evacuar [eβa'kwar] *vt* évacuer.
evadir [eβa'ðir] *vt* éviter; (*impuesto*) frauder; **evadirse** *vpr* s'évader.
evaluación [eβalwa'θjon] *nf* appréciation *f.*
evaluar [eβa'lwar] *vt* (*valorar*) évaluer; (*calificar*) noter.
evangélico, -a [eβan'xeliko, a] *adj* évangélique.
evangelio [eβan'xeljo] *nm* Évangile *m.*
evaporación [eβapora'θjon] *nf* évaporation *f.*
evaporar [eβapo'rar] *vt* faire évaporer; **evaporarse** *vpr* s'évaporer; (*fam*: *persona*) se volatiliser.
evasión [eβa'sjon] *nf* évasion *f*; **de ~** (*novela, película*) d'évasion; **evasión de capitales** évasion des capitaux; **evasión fiscal** *o* **de impuestos** évasion fiscale.
evasivo, -a [eβa'siβo, a] *adj* évasif(-ive).
eventual [eβen'twal] *adj* (*circunstancias*) éventuel(le); (*trabajo*) temporaire.
eventualidad [eβentwali'ðað] *nf* éventualité *f.*
evidencia [eβi'ðenθja] *nf* évidence *f*; **poner en ~** (*a algn*) tourner en ridicule; (*algo*) mettre en évidence; **ponerse en ~** se montrer sous son vrai jour.
evidente [eβi'ðente] *adj* évident(e).
evitar [eβi'tar] *vt* éviter; (*molestia*) épargner; (*tentación*) résister à; **~ hacer** éviter de faire; **si puedo ~lo** si je peux faire autrement.
evocar [eβo'kar] *vt* évoquer.
evolución [eβolu'θjon] *nf* évolution *f*; **evoluciones** *nfpl* (*giros*) évolutions *fpl.*
evolucionar [eβoluθjo'nar] *vi* évoluer.
ex [eks] *prep* ex; **el ~ ministro** l'ex-ministre.
exabrupto [eksa'βrupto] *nm* réplique *f* cinglante.
exacerbar [eksaθer'βar] *vt* exacerber; (*persona*) exaspérer.
exactitud [eksakti'tuð] *nf* exactitude *f*; (*fidelidad*) fidélité *f.*
exacto, -a [ek'sakto, a] *adj* exact(e); ¡~! exactement!; **eso no es del todo ~** ce n'est pas tout à fait exact; **para ser ~** pour être exact.
exageración [eksaxera'θjon] *nf* exagération *f.*
exagerado, -a [eksaxe'raðo, a] *adj* exagéré(e); (*persona, gesto*) outrancier(-ère).
exagerar [eksaxe'rar] *vt, vi* exagérer.
exaltado, -a [eksal'taðo, a] *adj, nm/f*

exalté(e).
exaltar [eksal'tar] *vt* exalter; **exaltarse** *vpr* s'exalter.
examen [ek'samen] *nm* examen *m*; **examen de conciencia** examen de conscience; **examen de conducir** épreuve *f* de conduite; **examen de ingreso** examen d'entrée; **examen eliminatorio** épreuve éliminatoire; **examen final** examen final.
examinar [eksami'nar] *vt* examiner; (*ESCOL*) faire passer un examen à; **examinarse** *vpr*: **~se (de)** passer un examen (de).
exasperación [eksaspera'θjon] *nf* exaspération *f*.
exasperar [eksaspe'rar] *vt* exaspérer; **exasperarse** *vpr* s'irriter.
excarcelar [ekskarθe'lar] *vt* libérer de prison.
excavación [ekskaβa'θjon] *nf* excavation *f*.
excavador, a [ekskaβa'ðor, a] *nm/f* (*persona*) mineur *m* ♦ *nf* (*TEC*) excavateur *m*, excavatrice *f*.
excavar [ekska'βar] *vt, vi* excaver.
excedencia [eksθe'ðenθja] *nf*: **estar en ~** être en congé sabbatique; **pedir** *o* **solicitar la ~** demander *o* solliciter un congé sabbatique.
excedente [eksθe'ðente] *adj* (*producto, dinero*) excédentaire; (*funcionario*) en disponibilité ♦ *nm* excédent *m*; **excedente de cupo** exempté *m* de service militaire.
exceder [eksθe'ðer] *vt* surpasser; **excederse** *vpr* dépasser; **~se en gastos** faire trop de dépenses; **~se en sus funciones** outrepasser ses pouvoirs.
excelencia [eksθe'lenθja] *nf* excellence *f*; **E~** (*tratamiento*) Excellence; **por ~** par excellence.
excelente [eksθe'lente] *adj* excellent(e).
excéntrico, -a [eks'θentriko, a] *adj, nm/f* excentrique *m/f*.
excepción [eksθep'θjon] *nf*: **ser/hacer una ~** être/faire une exception; **a** *o* **con ~ de** à l'exception de; **sin ~** sans exception; **de ~** d'exception.
excepcional [eksθepθjo'nal] *adj* exceptionnel(le).
excepto [eks'θepto] *adv* excepté.
exceptuar [eksθep'twar] *vt* excepter.
excesivo, -a [eksθe'siβo, a] *adj* excessif(-ive).
exceso [eks'θeso] *nm* excès *msg*; (*COM*) excédent *m*; **~s** *nmpl* (*desórdenes*) excès *mpl*; **con** *o* **en ~** à l'excès; **exceso de equipaje/peso** excédent de bagages/poids; **exceso de velocidad** excès de vitesse.
excitación [eksθita'θjon] *nf* excitation *f*.
excitar [eksθi'tar] *vt* exciter; **excitarse** *vpr* s'exciter; **me excita los nervios** il me porte sur les nerfs.
exclamación [eksklama'θjon] *nf* exclamation *f*.
exclamar [ekskla'mar] *vt, vi* s'exclamer.
excluir [eksklu'ir] *vt* (*descartar*) exclure; (*no incluir*): **~ (de)** exclure (de).
exclusión [eksklu'sjon] *nf* exclusion *f*; **con ~ de** à l'exclusion de.
exclusiva [eksklu'siβa] *nf* exclusivité *f*; **modelo en ~** modèle *m* exclusif.
exclusive [eksklu'siβe] *adv* non compris.
exclusivo, -a [eksklu'siβo, a] *adj* exclusif(-ive); **trabajar con dedicación exclusiva por** travailler exclusivement pour; **derecho ~** droit *m* exclusif.
excomulgar [ekskomul'ɣar] *vt* excommunier.
excomunión [ekskomu'njon] *nf* excommunion *f*.
excrementos [ekskre'mentos] *nmpl* excréments *mpl*.
exculpar [ekskul'par] *vt*: **~ a algn de algo** disculper qn de qch; (*JUR*) acquitter qn de qch.
excursión [ekskur'sjon] *nf* (*por el campo*) randonnée *f*; (*viaje*) excursion *f*; **ir de ~** faire une excursion.
excursionista [ekskursjo'nista] *nm/f* (*por campo*) randonneur(-euse); (*en excursión de un día*) excursionniste *m/f*.
excusa [eks'kusa] *nf* excuse *f*; **presentar sus ~s** présenter ses excuses.
excusar [eksku'sar] *vt* excuser; **excusarse** *vpr* s'excuser; **~ (de hacer)** (*eximir*) excuser (de faire).
exención [eksen'θjon] *nf* exemption *f*.
exento, -a [ek'sento, a] *pp de* **eximir** ♦ *adj*: **~ de** exempté(e) de; (*libre*) libre de.
exequias [ek'sekjas] *nfpl* obsèques *fpl*.
exhalar [eksa'lar] *vt* exhaler.
exhaustivo, -a [eksaus'tiβo, a] *adj* exhaustif(-ive).
exhausto, -a [ek'sausto, a] *adj* épuisé(e).
exhibición [eksiβi'θjon] *nf* exhibition *f*; (*de película*) projection *f*.
exhibicionista [eksiβiθjo'nista] *adj, nm/f* exhibitionniste *m/f*.
exhibir [eksi'βir] *vt* exhiber; (*película*) projeter; **exhibirse** *vpr* s'exhiber.
exhortar [eksor'tar] *vt*: **~ a** exhorter à.
exhumar [eksu'mar] *vt* exhumer.
exigencia [eksi'xenθja] *nf* exigence *f*; **~s del trabajo/de la situación** exigences du travail/de la situation.
exigente [eksi'xente] *adj* exigeant(e); **ser ~ con algn** être exigeant(e) avec qn.

exigir [eksi'xir] *vt* (*reclamar*) exiger; (*necesitar*) demander ♦ *vi* être exigeant(e).
exiguo, -a [ek'siɤwo, a] *adj* exigu(-uë).
exiliado, -a [eksi'ljaðo, a] *adj, nm/f* exilé(e).
exilio [ek'siljo] *nm* exil *m*.
eximir [eksi'mir] *vt*: ~ **a algn (de)** exempter qn (de).
existencia [eksis'tenθja] *nf* existence *f*; ~s *nfpl* (*artículos*) stock *m*; ~ **de mercancías** (*COM*) stock de marchandises; **en** ~ (*COM*) en stock; **amargar la ~ a algn** (*fam*) empoisonner la vie de qn.
existir [eksis'tir] *vi* exister; (*vivir*) vivre.
éxito ['eksito] *nm* succès *m*; **tener** ~ avoir du succès; **éxito editorial** best-seller *m*.
éxodo ['eksoðo] *nm* exode *m*; **el ~ rural/veraniego** l'exode rural/estival.
exorbitante [eksorβi'tante] *adj* exorbitant(e).
exorcismo [eksor'θismo] *nm* exorcisme *m*.
exótico, -a [ek'sotiko, a] *adj* exotique.
expandir [ekspan'dir] *vt* (*FÍS*) dilater; (*noticia*) répandre; (*COM*) se développer; **expandirse** *vpr* (*ver vt*) se dilater; se répandre.
expansión [ekspan'sjon] *nf* expansion *f*; (*diversión*) distraction *f*; **economía en** ~ économie *f* en expansion; **expansión económica** expansion économique.
expansionarse [ekspansjo'narse] *vpr* (*gas*) se dilater; (*recrearse*) s'amuser; (*desahogarse*) s'épancher.
expansivo, -a [ekspan'siβo, a] *adj* (*onda*) de propagation; (*carácter*) expansif(-ive).
expatriarse [ekspa'trjarse] *vpr* s'expatrier.
expectación [ekspekta'θjon] *nf* attente *f*; (*curiosidad*) curiosité *f*.
expectativa [ekspekta'tiβa] *nf* expectative *f*; (*perspectiva*) perspective *f*; **estar a la ~** être dans l'expectative.
expedición [ekspeði'θjon] *nf* expédition *f*; **gastos de ~** frais *mpl* d'expédition.
expedientar [ekspeðjen'tar] *vt* établir le dossier de.
expediente [ekspe'ðjente] *nm* (*JUR*: *procedimiento*) procédure *f*; (: *papeles*) démarches *fpl*; (*ESCOL*: *tb*: ~ **académico**) dossier *m* scolaire; **abrir/formar ~ a algn** ouvrir un dossier au nom de qn/instruire le dossier de qn; **cubrir el ~** (*fam*) pratiquer la politique du moindre effort.
expedir [ekspe'ðir] *vt* (*carta, mercancías*) expédier; (*documento*) délivrer; (*cheque*) établir.
expeditivo, -a [ekspeði'tiβo, a] *adj* expéditif(-ive).
expeler [ekspe'ler] *vt* rejeter.
expendedor, a [ekspende'ðor, a] *nm/f* vendeur(-euse); (*TEATRO*) ouvreur(-euse) ♦ *nm* (*tb*: ~ **automático**) guichet *m* automatique; **expendedor de cigarrillos** distributeur *m* de cigarettes.
expendio [eks'pendjo] (*AM*) *nm* boutique *f*.
expensas [eks'pensas] *nfpl* (*JUR*) frais *mpl*; **a ~ de** aux frais de.
experiencia [ekspe'rjenθja] *nf* expérience *f*.
experimental [eksperimen'tal] *adj* expérimental(e).
experimentar [eksperimen'tar] *vt* (*en laboratorio*) expérimenter; (*probar*) tester; (*deterioro, aumento*) connaître; (*sensación*) ressentir.
experimento [eksperi'mento] *nm* expérience *f*.
experto, -a [eks'perto, a] *adj, nm/f* expert(e).
expiar [ekspi'ar] *vt* expier.
expirar [ekspi'rar] *vi* expirer.
explanada [ekspla'naða] *nf* esplanade *f*.
explayarse [ekspla'jarse] *vpr* s'étendre; (*fam*: *divertirse*) se changer les idées; (*desahogarse*) se soulager; ~ **con algn** se confier à qn.
explicación [eksplika'θjon] *nf* explication *f*.
explicar [ekspli'kar] *vt* expliquer; **explicarse** *vpr* s'expliquer; **~se algo** s'expliquer qch; **no me lo explico** je ne me l'explique pas.
explícito, -a [eks'pliθito, a] *adj* explicite.
exploración [eksplora'θjon] *nf* exploration *f*.
explorador, a [eksplora'ðor, a] *nm/f* explorateur(-trice); (*MIL*) éclaireur(-euse) ♦ *nm* (*MED*) explorateur *m*; (*radar*) détecteur *m* de radar.
explorar [eksplo'rar] *vt* explorer; ~ **el terreno** (*fig*) tâter le terrain.
explosión [eksplo'sjon] *nf* explosion *f*; ~ **atómica/nuclear** explosion atomique/nucléaire.
explosivo, -a [eksplo'siβo, a] *adj* explosif(-ive) ♦ *nm* explosif *m*.
explotación [eksplota'θjon] *nf* exploitation *f*; ~ **agrícola/minera/petrolífera** exploitation agricole/minière/pétrolifère.
explotar [eksplo'tar] *vt* exploiter ♦ *vi* exploser.
exponer [ekspo'ner] *vt* exposer; **exponerse** *vpr*: **~se a (hacer) algo** s'exposer à (faire) qch.
exportación [eksporta'θjon] *nf* exporta-

tion *f*.
exportador, a [eksporta'ðor, a] *adj, nm/f* exportateur(-trice).
exportar [ekspor'tar] *vt* exporter.
exposición [eksposi'θjon] *nf* exposition *f*; **Exposición Universal** exposition universelle.
expresar [ekspre'sar] *vt* exprimer; **expresarse** *vpr* s'exprimer.
expresión [expre'sjon] *nf* expression *f*; **expresión corporal** expression corporelle.
expresivo, -a [ekspre'siβo, a] *adj* (*vivo*) expressif(-ive); (*cariñoso*) expansif(-ive).
expreso, -a [eks'preso, a] *adj* (*explícito*) exprès(-esse); (*claro*) explicite; (*tren*) express ♦ *nm* (*FERRO*) express *msg*.
exprimidor [eksprimi'ðor] *nm* presse-citrons *msg*.
exprimir [ekspri'mir] *vt* presser; (*fig: explotar*) sucer jusqu'à la moëlle; **exprimirse** *vpr*: **~se el cerebro** *o* **los sesos** se ronger les sangs.
ex profeso [ekspro'feso] *adv* ex professo.
expropiar [ekspro'pjar] *vt* exproprier.
expuesto, -a [eks'pwesto, a] *pp de* **exponer** ♦ *adj* exposé(e); **estar ~ a** être exposé(e) à; **según lo ~ arriba** d'après ce qui a été dit plus haut.
expulsar [ekspul'sar] *vt* expulser; (*humo*) cracher.
expulsión [ekspul'sjon] *nf* expulsion *f*; (*de humo*) émission *f*.
expurgar [ekspur'ɣar] *vt* censurer.
exquisito, -a [ekski'sito, a] *adj* exquis(e).
extasiarse [eksta'sjarse] *vpr* s'extasier.
éxtasis ['ekstasis] *nm* extase *f*.
extender [eksten'der] *vt* étendre; (*mantequilla, pintura*) étaler; (*certificado, documento*) délivrer; (*cheque, recibo*) établir; **extenderse** *vpr* s'étendre; (*en el tiempo*) se prolonger; (*costumbre, rumor*) se répandre.
extendido, -a [eksten'diðo, a] *adj* étendu(e); (*costumbre, creencia*) répandu(e).
extensión [eksten'sjon] *nf* étendue *f*; (*TELEC*) poste *m*; (*COM: de plazo*) prolongation *f*; **en toda la ~ de la palabra** dans tous les sens du terme; **por ~** par extension.
extenso, -a [eks'tenso, a] *adj* étendu(e).
extenuar [ekste'nwar] *vt* exténuer.
exterior [ekste'rjor] *adj* extérieur(e) ♦ *nm* extérieur *m*; (*aspecto*) aspect *m*; (*países extranjeros*) étranger *m*; **~es** *nmpl* (*CINE*) extérieurs *mpl*; **Asuntos E~es** Affaires *fpl* etrangères; **al ~** à l'extérieur; **en el ~** en extérieur.
exteriorizar [eksterjori'θar] *vt* extérioriser.
exterminar [ekstermi'nar] *vt* exterminer.
exterminio [ekster'minjo] *nm* extermination *f*.
externo, -a [eks'terno, a] *adj* externe; (*culto*) extérieur(e) ♦ *nm/f* externe *m/f*; **de uso ~** (*MED*) à usage externe.
extinción [ekstin'θjon] *nf* extinction *f*.
extinguido, -a [ekstin'giðo, a] *adj* (*animal*) disparu(e); (*volcán*) éteint(e).
extinguir [ekstin'gir] *vt* (*fuego*) éteindre; (*raza*) provoquer l'extinction de; **extinguirse** *vpr* s'éteindre.
extinto, -a [eks'tinto, a] *adj* disparu(e).
extintor [ekstin'tor] *nm* (*tb:* **~ de incendios**) extincteur *m*.
extirpación [ekstirpa'θjon] *nf* extirpation *f*.
extirpar [ekstir'par] *vt* (*mal*) déraciner; (*MED*) extirper.
extorsión [ekstor'sjon] *nf* extorsion *f*; (*molestia*) gêne *f*.
extra ['ekstra] *adj inv* (*tiempo, paga*) supplémentaire; (*chocolate*) extra; (*calidad*) super ♦ *nm/f* (*CINE*) figurant(e) ♦ *nm* (*bono*) bonus *m inv*; (*de menú, cuenta*) supplément *m*; (*periódico*) édition *f* spéciale.
extra... ['ekstra] *pref* extra... .
extracción [ekstrak'θjon] *nf* extraction *f*; (*en lotería*) tirage *m*.
extracto [eks'trakto] *nm* résumé *m*; (*de café, hierbas*) extrait *m*.
extractor [ekstrak'tor] *nm*: **~ de humos** bouche *f* d'aération.
extradición [ekstraði'θjon] *nf* extradition *f*.
extraditar [ekstraði'tar] *vt* extrader.
extraer [ekstra'er] *vt* extraire.
extraescolar [ekstraesko'lar] *adj*: **actividad ~** activité *f* extrascolaire.
extrafino, -a [ekstra'fino, a] *adj* extrafin(e); **azúcar ~** sucre *m* semoule *inv*.
extralimitarse [ekstralimi'tarse] *vpr*: **~ (en)** dépasser les limites (de).
extranjería [ekstranxe'ria] *nf*: **ley de ~** statut *m* d'étranger.
extranjero, -a [ekstran'xero, a] *adj, nm/f* étranger(-ère) ♦ *nm* étranger *m*; **en el ~** à l'étranger.
extranjis [eks'tranxis] (*fam*): **de ~** *adv* sans tambour ni trompette.
extrañar [ekstra'ɲar] *vt* étonner; (*AM: echar de menos*) regretter; (*algo nuevo*) ne pas reconnaître; **extrañarse** *vpr*: **~se (de)** s'étonner (de); **me extraña** ça m'étonne; **te extraño mucho** tu me manques beaucoup.

extraño, -a [eks'traɲo, a] *adj* étranger(-ère); (*raro*) bizarre ♦ *nm/f* étranger(-ère); ... **lo que por ~ que parezca** ... ce qui, aussi bizarre que cela puisse paraître.
extraoficial [ekstraofi'θjal] *adj* officieux(-euse).
extraordinario, -a [ekstraorði'narjo, a] *adj* extraordinaire; (*edición*) spécial(e) ♦ *nm* (*de periódico*) numéro *m* spécial; **horas extraordinarias** heures *fpl* supplémentaires.
extrarradio [ekstra'rraðjo] *nm* banlieue *f*.
extraterrestre [ekstrate'rrestre] *nm/f* extraterrestre *m/f*.
extravagancia [ekstraβa'ɣanθja] *nf* extravagance *f*.
extravagante [ekstraβa'ɣante] *adj* extravagant(e).
extraviar [ekstra'βjar] *vt* (*objeto*) égarer; **extraviarse** *vpr* s'égarer.
extremado, -a [ekstre'maðo, a] *adj* extrême.
Extremadura [ekstrema'ðura] *nf* Estrémadure *f*.
extremar [ekstre'mar] *vt* pousser à l'extrême; **extremarse** *vpr*: **~se en** se surpasser dans.
extremaunción [ekstremaun'θjon] *nf* extrême-onction *f*.
extremeño, -a [ekstre'meɲo, a] *adj* d'Estrémadure ♦ *nm/f* natif(-ive) *o* habitant(e) d'Estrémadure.
extremidad [ekstremi'ðað] *nf* extrémité *f*; **~es** *nfpl* (*ANAT*) extrémités *fpl*.
extremista [ekstre'mista] *adj, nm/f* (*POL*) extrémiste *m/f*.
extremo, -a [eks'tremo, a] *adj* extrême ♦ *nm* (*punta*) extrémité *f*; (*fig*) extrême *m*; **en último ~** en dernière extrémité; **pasar de un ~ a otro** (*fig*) passer d'un extrême à l'autre; **con** *o* **por ~** extrêmement; **la extrema derecha/izquierda** (*POL*) l'extrême droite/gauche; **extremo derecho/izquierdo** (*DEPORTE*) aile *f* droite/gauche; **Extremo Oriente** Extrême-Orient *m*.
extrovertido, -a [ekstroβer'tiðo, a] *adj, nm/f* extraverti(e).
exuberancia [eksuβe'ranθja] *nf* exubérance *f*.
exuberante [eksuβe'rante] *adj* exubérant(e).
exudar [eksu'ðar] *vt, vi* exsuder.
exvoto [eks'βoto] *nm* (*REL*) ex-voto *m*.
eyaculación [ejakula'θjon] *nf* éjaculation *f*.

F, f

fa [fa] *nm* fa *m*.
fabada [fa'βaða] *nf potage mijoté avec des haricots et du chorizo.*
fábrica ['faβrika] *nf* usine *f*; (*fabricación*) fabrique *f*; **de ~** (*ARQ*) en brique; **marca/precio de ~** marque *f*/prix *m* de fabrique; **fábrica de cerveza** brasserie *f*; **fábrica de textil** manufacture *f* textile; **Fábrica de Moneda y Timbre** ≈ Hôtel *m* de la monnaie.
fabricación [faβrika'θjon] *nf* fabrication *f*; **de ~ casera** fait(e) maison; **de ~ nacional** de fabrication nationale; **fabricación en serie** fabrication en série.
fabricante [faβri'kante] *nm/f* fabricant(e).
fabricar [faβri'kar] *vt* fabriquer; (*fig: cuento*) monter; **~ en serie** fabriquer en série.
fábula ['faβula] *nf* fable *f*.
fabuloso, -a [faβu'loso, a] *adj* fabuleux(-euse).
facción [fak'θjon] *nf* (*POL*) faction *f*; **facciones** *nfpl* (*del rostro*) traits *mpl*.
faceta [fa'θeta] *nf* facette *f*.
facha ['fatʃa] (*fam*) *adj, nm/f* (*pey*) facho *m/f* ♦ *nf* (*aspecto*) aspect *m*; **estar hecho una ~** ressembler à un épouvantail; **¡qué ~ tienes!** tu es grotesque!
fachada [fa'tʃaða] *nf* façade *f*.
facial [fa'θjal] *adj* (*rasgos, expresión*) du visage; (*crema*) pour le visage.
fácil ['faθil] *adj* facile; **es ~ que venga** il est probable qu'il vienne; **~ de hacer** facile à faire; **~ de usar** (*INFORM*) convivial(e).
facilidad [faθili'ðað] *nf* facilité *f*; **~es** *nfpl* (*condiciones favorables*) facilités *fpl*; **tener ~ para las matemáticas** avoir des facilités en mathématiques; **"~es de pago"** (*COM*) "facilités de paiement"; **facilidad de palabra** facilité d'élocution.
facilitar [faθili'tar] *vt* faciliter; (*proporcionar*) fournir; **le agradecería me ~a ...** je vous serais reconnaissant de bien vouloir me fournir ... .
facsímil [fak'simil] *nm* fac-similé *m*.
factible [fak'tiβle] *adj* faisable.
fáctico, -a ['faktiko, a] *adj*: **los poderes ~s** le pouvoir de fait.
factor [fak'tor] *nm* facteur *m*; (*COM*) agent *m*; (*FERRO*) préposé *m* au fret; **factor sorpresa** facteur surprise.
factoría [fakto'ria] *nf* (*fábrica*) fabrique *f*; (*agencia*) succursale *f*.

factura [fak'tura] *nf* facture *f*; **presentar ~ a** présenter sa facture à.
facturación [faktura'θjon] *nf* (*COM*) facturation *f*; (: *ventas*) chiffre *m* d'affaires; **facturación de equipajes** enregistrement *m* des bagages.
facturar [faktu'rar] *vt* (*COM*) facturer; (*equipaje*) enregistrer.
facultad [fakul'tað] *nf* faculté *f*; **tener/no tener ~ para hacer algo** avoir/ne pas avoir la faculté de faire qch; **facultades mentales** facultés *fpl* mentales.
facultativo, -a [fakulta'tiβo, a] *adj* facultatif(-ive); (*funcionario, cuerpo*) de faculté ♦ *nm/f* médecin *m*; **prescripción facultativa** ordonnance *f*.
faena [fa'ena] *nf* tâche *f*; (*CHI*) équipe *f* d'ouvriers; **~s domésticas** tâches *fpl* domestiques; **hacerle una ~ a algn** (*fam*) ficher la frousse à qn.
fagot [fa'ɣot] *nm* trompe *f*.
faisán [fai'san] *nm* faisan *m*.
faja ['faxa] *nf* (*para la cintura*) ceinture *f*; (*de mujer*) gaine *f*; (*de tierra, libro etc*) bande *f*.
fajo ['faxo] *nm* liasse *f*.
falacia [fa'laθja] *nf* fausseté *f*.
falange [fa'lanxe] *nf* phalange *f*; **la F~** (*POL*) la phalange espagnole.
falda ['falda] *nf* jupe *f*; (*GEO*) versant *m*; (*de mesa, camilla*) couverture *f*; (*regazo*) genoux *mpl*; **~s** *nfpl* (*fam: mujeres*) bonnes femmes *fpl*; **falda escocesa** kilt *m*; **falda pantalón** jupe-culotte *f*.
fálico, -a ['faliko, a] *adj* phallique.
falla ['faʎa] *nf* (*GEO*) faille *f*; (*defecto*) défaillance *f*.
fallar [fa'ʎar] *vt* (*JUR*) prononcer; (*blanco*) manquer ♦ *vi* échouer; (*cuerda, rama*) céder; (*motor*) tomber en panne; (*frenos*) lâcher; **~ a algn** décevoir qn; **le falló la memoria** il a eu un trou de mémoire; **le ~on las piernas** les jambes lui ont manqué; **sin ~** sans faute; **~ en favor/en contra** (*JUR*) se prononcer en faveur/contre.
fallecer [faʎe'θer] *vi* décéder.
fallecimiento [faʎeθi'mjento] *nm* décès *m*.
fallido, -a [fa'ʎiðo, a] *adj* avorté(e).
fallo ['faʎo] *nm* (*JUR*) jugement *m*; (*defecto, INFORM*) défaut *m*; (*error*) erreur *f*; (*de motor*) défaillance *f*; (*DEPORTE*) faute *f*; **fallo cardíaco** crise *f* cardiaque.
falo ['falo] *nm* phallus *m*.
falsear [false'ar] *vt* (*hechos*) altérer; (*cifras*) maquiller ♦ *vi* (*MÚS*) se désaccorder.
falsedad [false'ðað] *nf* fausseté *f*; (*mentira*) mensonge *m*.
falsete [fal'sete] *nm* (*MÚS*) fausset *m*.
falsificación [falsifika'θjon] *nf* falsification *f*; (*objeto*) contrefaçon *f*.
falsificar [falsifi'kar] *vt* falsifier.
falso, -a ['falso, a] *adj* faux(fausse); (*puerta*) dérobé(e); **declarar en ~** faire une fausse déclaration; **dar un paso en ~** (*tb fig*) faire un faux pas.
falta ['falta] *nf* (*carencia*) manque *m*; (*defecto, en comportamiento*) défaut *m*; (*ausencia*) absence *f*; (*en examen, ejercicio, DEPORTE*) faute *f*; (*JUR*) erreur *f*; **echar en ~** (*persona, clima*) regretter; **echo en ~ mis gafas** j'aurais bien besoin de mes lunettes; **hace ~ hacerlo** il faut le faire; **no hace ~ que vengas** il n'est pas nécessaire que tu viennes; **me hace ~ un lápiz** j'ai besoin d'un crayon; **sin ~** sans faute; **a/por ~ de** faute de; **falta de asistencia** non-assistance *f*; **falta de educación** manque d'éducation; **falta de ortografía** faute d'orthographe; **falta de respeto** manque de respect.
faltar [fal'tar] *vi* manquer; (*escasear*) se faire rare; **le falta algo** il lui manque qch; **¿falta algo?** il manque qch?; **falta mucho todavía** il reste encore beaucoup de temps; **¿falta mucho?** c'est encore loin?; **faltan 2 horas para llegar** il reste encore 2 heures avant que l'on arrive; **falta poco para que termine** c'est presque fini; **~ al respeto a algn** manquer de respect à qn; **~ a una cita/a clase** manquer un rendez-vous/la classe; **~ al trabajo** ne pas aller à son travail; **faltó a su palabra/promesa** il a manqué à sa parole/promesse; **~ por hacer** rester à faire; **~ a la verdad** faire une entorse à la vérité; **¡no faltaba** *o* **~ía más!** (*naturalmente*) mais comment donc!; (*¡ni hablar!*) pas question!; **¡lo que faltaba!** c'est le bouquet!
falto, -a ['falto, a] *adj*: **está ~ de** il(elle) manque de.
fama ['fama] *nf* (*celebridad*) célébrité *f*; (*reputación*) réputation *f*; **tener ~ de** avoir la réputation de; **tener mala ~** avoir mauvaise réputation.
famélico, -a [fa'meliko, a] *adj* famélique.
familia [fa'milja] *nf* famille *f*; **de buena ~** de bonne famille; **estamos (como) en ~** on est en famille; **familia numerosa** famille nombreuse; **familia política** famille politique.
familiar [fami'ljar] *adj* familial(e); (*conocido, informal*) familier(-ère) ♦ *nm/f* parent(e).
familiaridad [familjari'ðað] *nf* familiari-

té *f*; ~es *nfpl* (*pey*) familiarités *fpl*.
familiarizarse [familjari'θarse] *vpr*: ~ **con** se familiariser avec.
famoso, -a [fa'moso, a] *adj* célèbre.
fan [fan] (*pl* **~s**) *nm/f* fan *m/f*.
fanático, -a [fa'natiko, a] *adj, nm/f* fanatique *m/f*; **ser un ~ de** être un fanatique de.
fanatismo [fana'tismo] *nm* fanatisme *m*.
fanfarrón, -ona [fanfa'rron, ona] *adj, nm/f* fanfaron(ne).
fanfarronear [fanfarrone'ar] *vi* fanfaronner.
fango ['fango] *nm* fange *f*.
fantasear [fantase'ar] *vi* rêver.
fantasía [fanta'sia] *nf* fantaisie *f*; **~s** *nfpl* (*ilusiones*) illusions *fpl*; **joyas de ~** bijoux *mpl* fantaisie.
fantasma [fan'tasma] *nm* fantôme *m*; (*pey: presuntuoso*) frimeur *m*; **compañía ~** société *f* fantôme.
fantástico, -a [fan'tastiko, a] *adj* fantastique.
faquir [fa'kir] *nm* fakir *m*.
farándula [fa'randula] *nf* théâtre *m*.
faraón [fara'on] *nm* pharaon *m*.
fardar [far'ðar] (*fam*) *vi* se pavanner; **~ de** se vanter de.
fardo ['farðo] *nm* balluchon *m*.
farfullar [farfu'ʎar] *vt* balbutier.
faringe [fa'rinxe] *nf* pharynx *m*.
farmacéutico, -a [farma'θeutiko, a] *adj* pharmaceutique ♦ *nm/f* pharmacien(ne).
farmacia [far'maθja] *nf* pharmacie *f*; **farmacia de guardia** pharmacie de garde.
fármaco ['farmako] *nm* médicament *m*.
faro ['faro] *nm* (NÁUT, AUTO) phare *m*; (*señal*) feu *m*; **faros antiniebla/delanteros/traseros** feux *mpl* antibrouillard/avant/arrière.
farol [fa'rol] *nm* lanterne *f*; (FERRO) feu *m*; (*poste*) réverbère *m*; **echarse** *o* **tirarse un ~** (*fam*) frimer.
farola [fa'rola] *nf* réverbère *m*.
farolillo [faro'liʎo] *nm* lampion *m*.
farra ['farra] (*esp* ARG) *nf* foire *f*.
farruco, -a [fa'rruko, a] (*fam*) *adj*: **estar** *o* **ponerse ~** jouer les fiers-à-bras.
farsa ['farsa] *nf* farce *f*; **¡es una ~!** (*fig*) quelle farce!
farsante [far'sante] *nm/f* farceur(-euse).
fascículo [fas'θikulo] *nm* fascicule *m*.
fascinación [fasθina'θjon] *nf* fascination *f*.
fascinar [fasθi'nar] *vt* fasciner.
fascismo [fas'θismo] *nm* fascisme *m*.
fascista [fas'θista] *adj, nm/f* fasciste *m/f*.
fase ['fase] *nf* phase *f*.
fastidiar [fasti'ðjar] *vt* (*molestar*) ennuyer; (*estropear*) gâcher; **fastidiarse** *vpr* prendre sur soi; **¡no fastidies!** tu n'y penses pas!; **¡no te fastidia!** tu imagines!; **ando fastidiado del estómago** mon estomac me fait souffrir.
fastidio [fas'tiðjo] *nm* ennui *m*; **¡qué ~!** c'est trop bête!
fastuoso, -a [fas'twoso, a] *adj* fastueux(-euse).
fatal [fa'tal] *adj* fatal(e); (*fam: malo*) dur(e) ♦ *adv* très mal; **lo pasó ~** il l'a très mal vécu.
fatalidad [fatali'ðað] *nf* fatalité *f*.
fatiga [fa'tiɣa] *nf* fatigue *f*; **~s** *nfpl* (*penalidades*) tracas *mpl*.
fatigar [fati'ɣar] *vt* fatiguer; (*molestar*) ennuyer; **fatigarse** *vpr* se fatiguer.
fatuo, -a ['fatwo, a] *adj* fat.
fauces ['fauθes] *nfpl* mandibules *fpl*.
fauna ['fauna] *nf* faune *f*.
favor [fa'βor] *nm* faveur *f*; **haga el ~ de ...** faites-moi le plaisir de ...; **por ~** s'il vous plaît; **a ~** pour; **a ~ de** en faveur de; (COM) à l'ordre de; **en ~ de** en faveur de; **gozar del ~ de algn** jouir de l'estime de qn.
favorable [faβo'raβle] *adj* favorable; **ser ~ a algo** être favorable à qch.
favorecer [faβore'θer] *vt* favoriser; (*suj: vestido, peinado*) avantager.
favorito, -a [faβo'rito, a] *adj, nm/f* favori(te).
fax [faks] *nm* fax *m*.
faz [faθ] *nf* visage *m*; **la ~ de la tierra** la face de la terre.
fe [fe] *nf* foi *f*; **de buena/mala ~** de bonne/mauvaise foi; **dar ~ de** faire foi de; **tener ~ en algo/algn** avoir foi en qch/qn; **fe de bautismo/de vida** certificat *m* de baptême/de vie; **fe de erratas** errata *m*.
fealdad [feal'dað] *nf* laideur *f*.
febrero [fe'βrero] *nm* février *m*; *V tb* **julio**.
febril [fe'βril] *adj* fiévreux(-euse); (*fig*) fébrile.
fecal [fe'kal] *adj* fécal(e).
fecha ['fetʃa] *nf* date *f*; **en ~ próxima** prochainement; **hasta la ~** jusqu'à aujourd'hui; **por estas ~s** aux alentours de cette date; **fecha de caducidad** (*de alimentos*) date limite de consommation; (*de contrato*) terme *m*; **fecha de vencimiento** (COM) date d'échéance; **fecha límite** *o* **tope** date limite.
fechar [fe'tʃar] *vt* dater.
fechoría [fetʃo'ria] *nf* méfait *m*.
fécula ['fekula] *nf* fécule *f*.
fecundación [fekunda'θjon] *nf* fécondation *f*; **fecundación artificial/in vitro** fé-

condation artificielle/in vitro.
fecundar [fekun'dar] *vt* féconder.
fecundo, -a [fe'kundo, a] *adj* (*mujer, fig*) fécond(e); (*tierra*) fertile.
federación [feðera'θjon] *nf* fédération *f*.
federal [feðe'ral] *adj* fédéral(e).
federarse [feðe'rarse] *vpr* se fédérer.
fehaciente [fea'θjente] *adj* probant(e).
felicidad [feliθi'ðað] *nf* bonheur *m*; (*dicha*) félicité *f*; **~es** tous mes *etc* vœux.
felicitación [feliθita'θjon] *nf* (*enhorabuena*) vœux *mpl*; (*tarjeta*) carte *f* de vœux; **~ navideña** *o* **de Navidad** carte de Noël.
felicitar [feliθi'tar] *vt*: **~ (por)** féliciter (pour); **me felicitó por mi cumpleaños** il me souhaita un bon anniversaire; **~ las Pascuas** souhaiter un joyeux Noël; **¡te felicito!** je te félicite!, tous mes vœux!
feligrés, -esa [feli'ɣres, esa] *nm/f* fidèle *m/f*.
felino, -a [fe'lino, a] *adj* félin(e).
feliz [fe'liθ] *adj* heureux(-euse); **¡~ cumpleaños!** bon anniversaire!; **¡felices Pascuas!/Navidades!** joyeux Noël!
felpa ['felpa] *nf* velours *msg*.
felpudo [fel'puðo] *nm* paillasson *m*.
femenino, -a [feme'nino, a] *adj* féminin(e); (*ZOOL, BIO*) femelle ♦ *nm* (*LING*) féminin *m*.
feminismo [femi'nismo] *nm* féminisme *m*.
feminista [femi'nista] *adj, nm/f* féministe *m/f*.
fémur ['femur] *nm* fémur *m*.
fenomenal [fenome'nal] *adj* (*fam: enorme*) phénoménal(e); (*: estupendo*) sensationnel(le) ♦ *adv* vachement bien.
fenómeno [fe'nomeno] *nm* phénomène *m* ♦ *adv*: **lo pasamos ~** on s'est vachement bien amusé ♦ *excl* super!
feo, -a ['feo, a] *adj* laid(e) ♦ *nm*: **hacer un ~ a algn** faire un sale coup à qn; **esto se está poniendo ~** ça va mal tourner; **más ~ que Picio** laid comme un pou.
féretro ['feretro] *nm* cercueil *m*.
feria ['ferja] *nf* foire *f*; (*AM: mercado de pueblo*) marché *m*; (*MÉX: cambio*) monnaie *f*; **~s** *nfpl* (*fiestas*) fêtes *fpl*; **feria comercial/de muestras** marché *m*/salon *m*.
fermentar [fermen'tar] *vi* fermenter.
fermento [fer'mento] *nm* ferment *m*.
feroz [fe'roθ] *adj* féroce; (*fam: hambre*) de loup; (*ganas*) dingue.
férreo, -a ['ferreo, a] *adj* ferreux(-euse); (*fig*) de fer; **vía férrea** voie *f* ferrée.
ferretería [ferrete'ria] *nf* ferronnerie *f*.
ferrocarril [ferroka'rril] *nm* chemin *m* de fer; **ferrocarril de vía estrecha/única** chemin de fer à voie étroite/unique.
ferroviario, -a [ferro'vjarjo, a] *adj* ferroviaire ♦ *nm/f* employé(e) des chemins de fer.
fértil ['fertil] *adj* (*tierra, fig*) fertile; (*persona*) fécond(e).
fertilidad [fertili'ðað] *nf* (*de tierra*) fertilité *f*; (*de persona*) fécondité *f*.
fertilizante [fertili'θante] *nm* engrais *msg*.
fertilizar [fertili'θar] *vt* fertiliser.
ferviente [fer'βjente] *adj* fervent(e).
fervor [fer'βor] *nm* ferveur *f*.
festejar [feste'xar] *vt* fêter.
festejo [fes'texo] *nm* fête *f*; **~s** *nmpl* (*fiestas*) festivités *fpl*.
festín [fes'tin] *nm* festin *m*.
festival [festi'βal] *nm* festival *m*.
festividad [festiβi'ðað] *nf* festivité *f*.
festivo, -a [fes'tiβo, a] *adj* festif(-ive); (*alegre*) joyeux(-euse); **día ~** jour *m* de fête.
fétido, -a ['fetiðo, a] *adj* fétide.
feto ['feto] *nm* fœtus *msg*.
feudal [feu'ðal] *adj* féodal(e).
fiable [fi'aβle] *adj* (*persona*) digne de confiance; (*máquina*) fiable; (*criterio, versión*) valable.
fiador, a [fja'ðor, a] *nm/f* garant(e); **salir ~ por algn** se porter garant de qn.
fiambre ['fjambre] *adj* (*CULIN*) froid(e) ♦ *nm* (*CULIN*) charcuterie *f*; (*fam*) macchabée *m*.
fiambrera [fjam'brera] *nf* panier-repas *msg*.
fianza ['fjanθa] *nf* caution *f*; **libertad bajo ~** (*JUR*) liberté *f* sous caution.
fiar [fi'ar] *vt* vendre à crédit; (*salir garante de*) se porter garant de ♦ *vi* vendre à crédit; **fiarse** *vpr*: **~se de algn/algo** avoir confiance en qn/qch; **es de ~** on peut se fier à lui.
fibra ['fiβra] *nf* fibre *f*; (*fig*) punch *m*; **fibra de vidrio** fibre de verre; **fibra óptica** (*INFORM*) fibre optique.
ficción [fik'θjon] *nf* fiction *f*; **literatura/obra de ~** littérature *f*/œuvre *f* de fiction.
ficha ['fitʃa] *nf* fiche *f*; (*en juegos, casino*) jeton *m*; **ficha policial** fiche de police; **ficha técnica** (*CINE*) fiche technique.
fichaje [fi'tʃaxe] *nm* (*DEPORTE*) recrue *f*; (*: suma de dinero*) investissement *m*; **ser un buen ~** être une bonne recrue.
fichar [fi'tʃar] *vt* ficher; (*DEPORTE*) recruter; (*fig*) classer ♦ *vi* (*deportista*) se faire recruter; (*trabajador*) pointer; **estar fichado** être fiché.
fichero [fi'tʃero] *nm* fichier *m*; **nombre**

de ~ (*INFORM*) nom *m* de fichier; **fichero activo/archivado/indexado** (*INFORM*) fichier actif/archivé/indexé; **fichero de reserva** (*INFORM*) fichier de sauvegarde.
ficticio, -a [fik'tiθjo, a] *adj* (*imaginario*) fictif(-ive); (*falso*) simulé(e).
ficus ['fikus] *pl inv nm* ficus *msg*.
fidedigno, -a [fiðe'ðiɣno, a] *adj* authentique.
fidelidad [fiðeli'ðað] *nf* fidélité *f*; **alta ~** haute fidélité.
fideos [fi'ðeos] *nmpl* vermicelles *mpl*.
fiebre ['fjeβre] *nf* fièvre *f*; **tener ~** avoir de la fièvre; **fiebre amarilla** fièvre jaune; **fiebre del heno** rhume *m* des foins; **fiebre palúdica** paludisme *m*.
fiel [fjel] *adj* fidèle ♦ *nm* aiguille *f*; **los ~es** (*REL*) les fidèles *mpl*.
fieltro ['fjeltro] *nm* feutre *m*.
fiera ['fjera] *nf* bête *f* féroce; **ponerse hecho una ~** devenir féroce; **ser un(a) ~ en** *o* **para algo** être un crack de qch.
fiero, -a ['fjero, a] *adj* féroce.
fierro ['fjerro] (*AM*) *nm* fer *m*.
fiesta ['fjesta] *nf* fête *f*; (*vacaciones*: *tb*: **~s**) fêtes *fpl*; **hoy/mañana es ~** aujourd'hui/demain c'est fête; **estar de ~** faire la fête; **fiesta de guardar** (*REL*) Fête d'obligation; **fiesta nacional** fête nationale.
figura [fi'ɣura] *nf* figure *f*; (*forma, imagen*) silhouette *f*; (*de porcelana, cristal*) figurine *f*; **figura retórica** figure de réthorique.
figurado, -a [fiɣu'raðo, a] *adj* figuré(e).
figurante [fiɣu'rante] *nm/f* (*TEATRO*) figurant(e).
figurar [fiɣu'rar] *vt, vi* figurer; **figurarse** *vpr* se figurer; **¡figúrate!** figure-toi!; **ya me lo figuraba** je l'avais bien dit.
fijación [fixa'θjon] *nf* fixation *f*.
fijador [fixa'ðor] *nm* fixateur *m*.
fijar [fi'xar] *vt* fixer; (*sellos*) coller; (*cartel*) afficher; (*residencia*) établir; **fijarse** *vpr*: **~se (en)** observer; **~ algo a** attacher qch à; **¡fíjate!** figure-toi!
fijo, -a ['fixo, a] *adj* fixe; (*sujeto*): **~ (a)** fixé(e) (à) ♦ *adv*: **mirar ~** regarder fixement; **de ~** assurément.
fila ['fila] *nf* file *f*; (*DEPORTE, TEATRO*) rang *m*; (*fig*: *facción*) faction *f*; **~s** *nfpl* (*MIL*) service *m* militaire; **ponerse en ~** se mettre en file; **en primera ~** au premier rang; **alistarse** *o* **incorporarse a ~s** être incorporé dans l'armée; **fila india** file indienne.
filamento [fila'mento] *nm* filament *m*.
filántropo, -a [fi'lantropo, a] *nm/f* philanthrope *m/f*.
filarmónica [filar'monika] *nf* philharmonique *f*.
filatelia [fila'telja] *nf* philatélie *f*.
filatélico, -a [fila'teliko, a] *adj* philatélique ♦ *nm/f* philatéliste *m/f*.
filete [fi'lete] *nm* filet *m*.
filial [fi'ljal] *adj* filial(e) ♦ *nf* filiale *f*.
filigrana [fili'ɣrana] *nf* filigrane *f*.
filipino, -a [fili'pino, a] *adj* philippin(e) ♦ *nm/f* Philippin(e).
filmación [filma'θjon] *nf* tournage *m*.
filmar [fil'mar] *vt* filmer.
filme ['filme] *nm* = **film**.
filmografía [filmoɣra'fia] *nf* filmographie *f*.
filmoteca [filmo'teka] *nf* (*cine*) cinémathèque *f*; (*archivo*) filmothèque *f*.
filo ['filo] *nm* fil *m*; **sacar ~ a** aiguiser; **al ~ de la medianoche** à minuit sonnante; **arma de doble ~** (*fig*) arme *f* à double tranchant.
filología [filolo'xia] *nf* philologie *f*; **~ francesa/inglesa/alemana** (*UNIV*) philologie française/anglaise/germanique.
filón [fi'lon] *nm* filon *m*.
filoso, -a [fi'loso, a] (*AM*) *adj* aiguisé(e).
filosofía [filoso'fia] *nf* philosophie *f*; **tomarse algo con mucha ~** prendre qch avec philosophie.
filósofo, -a [fi'losofo, a] *nm/f* philosophe *m/f*.
filtrar [fil'trar] *vt* filtrer ♦ *vi* s'infiltrer; **filtrarse** *vpr* (*líquido*) s'infiltrer; (*luz, noticia*) filtrer; (*fig*: *dinero*) s'envoler.
filtro ['filtro] *nm* filtre *m*; (*papel*) buvard *m*; **filtro de aceite** (*AUTO*) filtre à huile.
fin [fin] *nm* fin *f*; **a ~ de cuentas** en fin de compte; **al ~** à la fin; **al ~ y al cabo** finalement; **a ~ de (que)** afin que; **a ~es de** à la fin de; **por/en ~** enfin; **dar** *o* **poner ~ a algo** mettre fin à qch; **con el ~ de** dans le but de; **sin ~** tant qu'on en veut; **llegar a ~ de mes** (*fig*) boucler ses fins de mois; **fin de año** fin d'année; **fin de archivo** (*INFORM*) fin de fichier; **fin de registro** (*INFORM*) fin de sauvegarde; **fin de semana** fin de semaine.
final [fi'nal] *adj* final(e) ♦ *nm* (*de partido, tarde*) fin *f*; (*de calle, novela*) bout *m* ♦ *nf* (*DEPORTE*) finale *f*; **al ~** à la fin; **a ~es de mayo** fin mai.
finalidad [finali'ðað] *nf* finalité *f*.
finalista [fina'lista] *nm/f* finaliste *m/f*.
finalizar [finali'θar] *vt* terminer ♦ *vi* toucher à sa fin; **~ la sesión** (*INFORM*) clore la session.
financiación [finanθja'θjon] *nf* financement *m*.
financiar [finan'θjar] *vt* financer.
financiero, -a [finan'θjero, a] *adj* financier(-ère) ♦ *nm/f* financier *m*.

financista [finan'θista] (*AM*) *nm/f* financier *m*.
finanzas [fi'nanθas] *nfpl* affaires *fpl*.
finca ['finka] *nf* (*rústica*) ferme *f*; (*urbana*) propriété *f*.
fingir [fin'xir] *vt* feindre ♦ *vi* mentir; **fingirse** *vpr*: **~se dormido** faire semblant de dormir; **~se un sabio** se donner des airs de savant.
finiquito [fini'kito] *nm* solde *m*.
finito, -a [fi'nito, a] *adj* fini(e).
finlandés, -esa [finlan'des, esa] *adj* finlandais(e) ♦ *nm/f* Finlandais(e) ♦ *nm* (*LING*) finnois *m*.
Finlandia [fin'landja] *nf* Finlande *f*.
fino, -a ['fino, a] *adj* fin(e); (*tipo*) mince; (*de buenas maneras*) délicat(e) ♦ *nm* (*jerez*) xérès *m*.
firma ['firma] *nf* signature *f*; (*COM*) firme *f*.
firmamento [firma'mento] *nm* firmament *m*.
firmante [fir'mante] *adj, nm/f* signataire *m/f*; **los abajo ~s** les soussignés.
firmar [fir'mar] *vt, vi* signer; **~ un contrato** signer un contrat; **firmado y sellado** signé et scellé.
firme ['firme] *adj* solide; (*fig*) ferme ♦ *nm* chaussée *f*; **mantenerse ~** (*fig*) tenir ferme; **de ~** avec acharnement; **¡~s!** (*MIL*) garde-à-vous!; **oferta en ~** (*COM*) offre *f* ferme.
fiscal [fis'kal] *adj* fiscal(e) ♦ *nm* (*JUR*) avocat *m* général.
fisco ['fisko] *nm* fisc *m*; **declarar algo al ~** déclarer qch au fisc.
fisgar [fis'ɣar] *vt* fouiner dans ♦ *vi* fouiner.
fisgón, -ona [fis'ɣon, ona] *adj* fouineur(-euse).
fisgonear [fisɣone'ar] *vt* fureter dans ♦ *vi* fureter.
físico, -a ['fisiko, a] *adj* physique ♦ *nm* physique *m* ♦ *nm/f* physicien(ne) ♦ *nf* physique *f*.
fisiología [fisjolo'xia] *nf* physiologie *f*.
fisioterapia [fisjote'rapja] *nf* physiothérapie *f*.
fisonomía [fisono'mia] *nf* physionomie *f*.
fisura [fi'sura] *nf* fissure *f*; (*MED*) fracture *f*.
flác(c)ido, -a ['fla(k)θiðo, a] *adj* flasque.
flaco, -a ['flako, a] *adj* (*delgado*) maigre; (*débil*) faible; **punto ~** point *m* faible.
flagrante [fla'ɣrante] *adj* flagrant(e); **en ~ delito** en flagrant délit.
flamante [fla'mante] (*fam*) *adj* (*vistoso*) voyant(e); (*nuevo*) flambant neuf (neuve).
flamear [flame'ar] *vt* (*CULIN*) flamber.
flamenco, -a [fla'menko, a] *adj* (*de Flandes*) flamand(e); (*baile, música*) flamenco ♦ *nm/f* Flamand(e) ♦ *nm* flamenco *m*; (*LING*) flamand *m*; (*ZOOL*) flamant *m*; **los ~s** les Flamands; **ponerse ~** frimer.
flan [flan] *nm* flan *m* au caramel; **flan de arroz/verduras** boule *f* de riz/légumes.
flanco ['flanko] *nm* flanc *m*.
flaquear [flake'ar] *vi* flancher.
flash [flas] (*pl* **~es**) *nm* (*FOTO*) flash *m*.
flato ['flato] *nm* ballonnement *m*.
flatulencia [flatu'lenθja] *nf* flatulence *f*.
flauta ['flauta] *nf* flûte *f* ♦ *nm/f* douillet(te); **¡la gran ~!** (*AM*: *fam*) flûte!; **de la gran ~** (: *bárbaro*) du tonnerre; **hijo de la gran ~** (*AM*: *fam!*) fils *m* de pute (*fam!*); **flauta dulce** flûte à bec; **flauta travesera** flûte traversière.
flautista [flau'tista] *nm/f* flûtiste *m/f*.
flecha ['fletʃa] *nf* flèche *f*.
flechazo [fle'tʃaθo] *nm* (*enamoramiento*) coup *m* de foudre; (*disparo*) tir *m* de flèche.
fleco ['fleko] *nm* frange *f*.
flema ['flema] *nm* flegme *m*.
flemático, -a [fle'matiko, a] *adj* flegmatique.
flemón [fle'mon] *nm* (*MED*) abcès *m*.
flequillo [fle'kiʎo] *nm* frange *f*.
fletar [fle'tar] *vt* (*barco, avión*) affréter; (*autocar, camión*) fréter; (*mercancías*) transporter.
flete ['flete] *nm* fret *m*; **flete debido/sobre compras** (*COM*) port *m* dû/payé.
flexible [flek'siβle] *adj* (*material*) souple; (*fig*) flexible.
flexión [flek'sjon] *nf* flexion *f*.
flexo ['flekso] *nm* lampe *f* de bureau.
flirtear [flirte'ar] *vi* flirter.
flojear [floxe'ar] *vi* flancher.
flojo, -a ['floxo, a] *adj* (*cuerda, nudo*) lâche; (*persona, COM*: *sin fuerzas*) faible; (*perezoso*: *esp AM*) paresseux(-euse); (*viento, vino, trabajo*) léger(-ère); (*estudiante*) faible; (*conferencia*) ennuyeux(-euse); **está ~ en matemáticas** il est faible en mathématiques.
flor [flor] *nf* fleur *f*; **en ~** en fleur; **la ~ y nata de la sociedad** (*fig*) la crème de la société; **en la ~ de la vida** dans la fleur de l'âge; **a ~ de piel** (*fig*) à fleur de peau; **es ~ de amigo** (*AND, CSUR*) c'est un super ami.
flora ['flora] *nf* flore *f*.
florecer [flore'θer] *vi* fleurir.
florero [flo'rero] *nm* pot *m* de fleurs.
florista [flo'rista] *nm/f* fleuriste *m/f*.
floristería [floriste'ria] *nf* fleuriste *m*.
flota ['flota] *nf* flotte *f*.
flotador [flota'ðor] *nm* flotteur *m*; (*para*

nadar) bouée *f*.

flotar [flo'tar] *vi* flotter.

flote ['flote] *nm*: **a ~** à flot; **salir a ~** (*fig*) être remis(e) à flot.

flotilla [flo'tiʎa] *nf* flottille *f*.

fluctuar [fluk'twar] *vi* fluctuer.

fluidez [flui'ðeθ] *nf* fluidité *f*; **con ~** avec fluidité.

fluido, -a [flu'iðo, a] *adj*, *nm* fluide *m*.

fluir [flu'ir] *vi* couler; (*fig: ideas*) venir.

flujo ['fluxo] *nm* flux *m*; (*MED*) écoulement *m*; **~ y reflujo** flux et reflux; **~ de efectivo** (*COM*) marge *f* brute d'autofinancement.

flúor ['fluor] *nm* fluor *m*.

fluorescente [flwores'θente] *adj* fluorescent(e) ♦ *nm* (*tb:* **tubo ~**) néon *m*.

fluvial [fluβi'al] *adj* fluvial(e); **vía ~** voie *f* fluviale.

fobia ['fobja] *nf* phobie *f*.

foca ['foka] *nf* phoque *m*; (*fam: persona gorda*) gros tas *m*.

foco ['foko] *nm* foyer *m*; (*AM: bombilla*) ampoule *f*; (*: farola*) réverbère *m*; **foco de infección** (*MED*) foyer d'infection.

fofo, -a ['fofo, a] *adj* (*esponjoso*) mou (molle); (*carnes*) flasque.

fogata [fo'ɣata] *nf* feu *m* de bois.

fogón [fo'ɣon] *nm* (*de cocina*) plaque *f*.

fogoso, -a [fo'ɣoso, a] *adj* fougueux(-euse).

foja ['foja] (*AM*) *nf* feuille *f*; **foja de servicios** (*ADMIN*) fiche *f*.

folio ['foljo] *nm* feuille *f* de papier; (*IMPRENTA*) folio *m*; **de tamaño ~** en feuillet.

folklore [fol'klore] *nm* folklore *m*.

folklórico, -a [fol'kloriko, a] *adj* folklorique.

follaje [fo'ʎaxe] *nm* feuillage *m*.

follar [fo'ʎar] (*fam!*) *vt, vi* baiser (*fam!*).

folletín [foʎe'tin] *nm* feuilleton *m*; (*fig*) mélodrame *m*.

folleto [fo'ʎeto] *nm* (*de propaganda*) prospectus *msg*; (*informativo*) dépliant *m*; (*con instrucciones*) livret *m*.

follón [fo'ʎon] (*fam*) *nm* bordel *m*; **armar un ~** faire du bordel; **se armó un ~** ça a été la panique.

fomentar [fomen'tar] *vt* promouvoir; (*odio, envidia*) fomenter.

fomento [fo'mento] *nm* promotion *f*.

fonda ['fonda] *nf* auberge *f*.

fondear [fonde'ar] *vt* (*NÁUT: sondear*) sonder; (*CHI: ahogar*) jeter à la mer ♦ *vi* jeter l'ancre.

fondo ['fondo] *nm* fond *m*; (*profundidad*) profondeur *f*; (*AM: prenda*) combinaison *f*; **~s** *nmpl* (*COM, de museo, biblioteca*) fonds *msg*; **a/de ~** à/de fond; **a ~ perdido** à fonds perdu; **al ~ de la calle/del pasillo** au bout de la rue/au fond du couloir; **en el ~** au fond; **tener buen ~** avoir un bon fond; **los bajos ~s** les bas-fonds *mpl*; **fondo común** fonds *msg* commun; **fondo de amortización** (*COM*) fonds *mpl* d'amortissement; **fondo del mar** fond de la mer; **Fondo Monetario Internacional** Fonds *msg* monétaire international.

fonética [fo'netika] *nf* phonétique *f*.

fonología [fonolo'xia] *nf* phonologie *f*.

fontanero [fonta'nero] *nm* plombier *m*.

forajido [fora'xiðo] *nm* fugitif *m*.

foral [fo'ral] *adj* local(e).

foráneo, -a [fo'raneo, a] *adj* étranger(-ère).

forastero, -a [foras'tero, a] *nm/f* étranger(-ère).

forcejear [forθexe'ar] *vi* lutter.

forcejeo [forθe'xeo] *nm* lutte *f*.

fórceps ['forθeps] *pl inv nm* forceps *msg*.

forense [fo'rense] *nm/f* (*tb:* **médico ~**) médecin *m* légiste.

forestal [fores'tal] *adj* forestier(-ère).

forjar [for'xar] *vt* forger; (*imperio, fortuna*) bâtir; **forjarse** *vpr* (*porvenir*) s'assurer; (*ilusiones*) se faire; **hierro forjado** fer *m* forgé.

forma ['forma] *nf* forme *f*; (*manera*) façon *f*, manière *f*; **~s** *nfpl* (*del cuerpo*) formes *fpl*; **en (plena) ~** en (pleine) forme; **en baja ~ (física)** pas en bonne forme; **en ~ de** en forme de; **~ de pago** (*COM*) mode de paiement; **guardar las ~s** se tenir convenablement; **de ~ que ...** de sorte que ...; **de todas ~s** de toute façon.

formación [forma'θjon] *nf* formation *f*; **~ a cargo de la empresa** formation continue; **formación profesional** formation professionnelle.

formal [for'mal] *adj* (*defecto*) de forme; (*requisito, promesa*) formel(le); (*persona: de fiar*) sérieux(-euse).

formalidad [formali'ðað] *nf* sérieux *m*; (*trámite*) formalité *f*.

formalizar [formali'θar] *vt* officialiser; **formalizarse** *vpr* se ranger.

formar [for'mar] *vt* former; (*hacer*) faire ♦ *vi* (*MIL*) se mettre en formation; (*DEPORTE*) se placer; **formarse** *vpr* se former; (*jaleo, lío*) se produire; **~ parte de** faire partie de.

formatear [formate'ar] *vt* (*INFORM*) formater.

formativo, -a [forma'tiβo, a] *adj* formateur(-trice).

formato [for'mato] *nm* format *m*; **sin ~** (*disco, texto*) non formaté(e); **formato de registro** format d'enregistrement.

Formica ® [for'mika] *nf* formica ® *m*.

formidable [formi'ðaβle] *adj* formidable.
fórmula ['formula] *nf* formule *f*; (*fig*: *método*) solution *f*; **hacer algo por (pura) ~** faire qch pour la forme; **fórmula de cortesía** formule de courtoisie; **fórmula uno** (*AUTO*) formule un.
formular [formu'lar] *vt* formuler; (*idea*) émettre.
formulario [formu'larjo] *nm* formulaire *m*; **rellenar un ~** remplir un formulaire; **formulario de pedido** (*COM*) bon *m* de commande; **formulario de solicitud** (*COM*) formulaire de demande.
fornicar [forni'kar] *vi* forniquer.
fornido, -a [for'niðo, a] *adj* corpulent(e).
foro ['foro] *nm* forum *m*; (*JUR*) barreau *m*.
forofo, -a [fo'rofo, a] *nm/f* fan *m/f*.
forrado, -a [fo'rraðo, a] *adj* (*ropa*) doublé(e); (*fam*: *de dinero*) plein(e) aux as.
forraje [fo'rraxe] *nm* fourrage *m*.
forrar [fo'rrar] *vt* (*abrigo*) doubler; (*libro, sofá*) recouvrir; (*puerta*) blinder; **forrarse** *vpr* (*fam*) amasser une petite fortune.
forro ['forro] *nm* (*de abrigo*) doublure *f*; (*de libro*) couverture *f*; (*de sofá*) tissu *m*.
fortalecer [fortale'θer] *vt* fortifier; (*músculos*) endurcir; **fortalecerse** *vpr* se fortifier; (*músculos*) s'endurcir.
fortaleza [forta'leθa] *nf* (*MIL*) forteresse *f*; (*fuerza*) force *f*.
fortificación [fortifika'θjon] *nf* fortification *f*.
fortificar [fortifi'kar] *vt* fortifier.
fortuito, -a [for'twito, a] *adj* fortuit(e).
fortuna [for'tuna] *nf* fortune *f*; **por ~** par hasard; **probar ~** tenter sa chance.
forzado, -a [for'θaðo, a] *adj* forcé(e); **trabajos ~s** travaux *mpl* forcés.
forzar [for'θar] *vt* forcer; (*proceso*) accélérer; (*violar*) violer; (*vista*) aiguiser; **~ a algn a hacer algo** forcer qn à faire qch.
forzoso, -a [for'θoso, a] *adj* forcé(e).
forzudo, -a [for'θuðo, a] *adj* (*persona*) d'une force peu commune.
fosa ['fosa] *nf* fosse *f*; **fosas nasales** fosses *fpl* nasales.
fosfato [fos'fato] *nm* phosphate *m*.
fosforescente [fosfores'θente] *adj* phosphorescent(e); (*ojos*) brillant(e).
fósforo ['fosforo] *nm* phosphore *m*; (*AM*: *cerilla*) allumette *f*.
fósil ['fosil] *adj, nm* fossile *m*.
foso ['foso] *nm* (*hoyo, AUTO*) fosse *f*; (*TEATRO*) fosse d'orchestre; (*de castillo*) douves *fpl*.
foto ['foto] *nf* photo *f*; **sacar** *o* **hacer una ~** faire une photo.
fotocopia [foto'kopja] *nf* photocopie *f*.
fotocopiadora [fotokopja'ðora] *nf* photocopieuse *f*.
fotocopiar [fotoko'pjar] *vt* photocopier.
fotogénico, -a [foto'xeniko, a] *adj* photogénique.
fotografía [fotoɣra'fia] *nf* photographie *f*.
fotografiar [fotoɣra'fjar] *vt* photographier.
fotógrafo, -a [fo'toɣrafo, a] *nm/f* photographe *m/f*.
fotomatón [fotoma'ton] *nm* photomaton *m*.
fotonovela [fotono'βela] *nf* roman-photo *m*.
frac [frak] (*pl* **~s** *o* **fraques**) *nm* frac *m*.
fracasado, -a [fraka'saðo, a] *adj* (*persona*) infortuné(e); (*tentativa*) manqué(e) ♦ *nm/f* raté(e).
fracasar [fraka'sar] *vi* échouer.
fracaso [fra'kaso] *nm* échec *m*; (*desastre*) catastrophe *f*; (*revés*) revers *msg*.
fracción [frak'θjon] *nf* fraction *f*; (*POL*) scission *f*.
fraccionamiento [frakθjona'mjento] (*AM*) *nm* lotissement *m*.
fractura [frak'tura] *nf* fracture *f*; (*grieta*) cassure *f*.
fracturarse [frəktu'rarse] *vpr* (*MED*) se fracturer.
fragancia [fra'ɣanθja] *nf* parfum *m*.
fragante [fra'ɣante] *adj* parfumé(e).
fraganti [fra'ɣanti]: **in ~** *adv* en flagrant délit.
fragata [fra'ɣata] *nf* frégate *f*.
frágil ['fraxil] *adj* fragile.
fragmento [fraɣ'mento] *nm* fragment *m*; (*MÚS*) morceau *m* choisi.
fragor [fra'ɣor] *nm* clameur *f*.
fragua ['fraɣwa] *nf* forge *f*.
fraguar [fra'ɣwar] *vt* forger ♦ *vi* prendre.
fraile ['fraile] *nm* moine *m*.
frambuesa [fram'bwesa] *nf* framboise *f*.
francés, -esa [fran'θes, esa] *adj* français(e) ♦ *nm/f* Français(e) ♦ *nm* (*LING*) français *m*.
Francia ['franθja] *nf* France *f*.
franco, -a ['franko, a] *adj* franc(-che); (*COM*: *exento*: *entrada, puerto*) franco ♦ *nm* franc *m*; **~ de derechos** (*COM*) hors taxe; **~ al costado del buque** (*COM*) franco long du bord; **~ puesto sobre vagón** (*COM*) franco wagon; **~ a bordo** (*COM*) franco à bord; **~ en fábrica** (*COM*) départ usine; **de ~** (*CSUR*) en permission.
francotirador, a [frankotira'ðor, a] *nm/f* franc-tireur *m*.
franela [fra'nela] *nf* flanelle *f*.
franja ['franxa] *nf* (*en vestido, bandera*)

frange *f*; (*de tierra, luz*) bande *f*.
franquear [franke'ar] *vt* (*paso, entrada*) débarrasser; (*carta etc*) affranchir; (*obstáculo*) franchir; **franquearse** *vpr*: **~se con algn** parler à coeur ouvert avec qn.
franqueo [fran'keo] *nm* affranchissement *m*.
franqueza [fran'keθa] *nf* franchise *f*; **con ~** avec franchise.
franquicia [fran'kiθja] *nf* franchise *f*; **franquicia aduanera** franchise douanière.
franquismo [fran'kismo] *nm* franquisme *m*.
franquista [fran'kista] *adj, nm/f* franquiste *m/f*.
frasco ['frasko] *nm* flacon *m*.
frase ['frase] *nf* phrase *f*; (*locución*) expression *f*; **frase hecha** expression *f* figée; (*despectivo*) cliché *m*.
fraternal [frater'nal] *adj* fraternel(le).
fraternizar [fraterni'θar] *vi*: **~ (con)** fraterniser (avec).
fraterno, -a [fra'terno, a] *adj* fraternel(le).
fraude ['frauðe] *nm* fraude *f*.
fraudulento, -a [frauðu'lento, a] *adj* frauduleux(-euse).
frazada [fra'θaða] (*AM*) *nf* couvre-lit *m*.
frecuencia [fre'kwenθja] *nf* fréquence *f*; **con ~** fréquemment; **frecuencia de red/del reloj** (*INFORM*) fréquence d'alimentation/d'horloge.
frecuentar [frekwen'tar] *vt* fréquenter.
frecuente [fre'kwente] *adj* fréquent(e); (*habitual*) habituel(le).
fregadero [freɣa'ðero] *nm* lave-vaisselle *m*.
fregado, -a [fre'ɣaðo, a] (*fam*) *adj* (*AM: molesto*) embêtant(e) ♦ *nm* dispute *f*.
fregar [fre'ɣar] *vt* laver; (*AM: fam*) énerver.
fregón, -ona [fre'ɣon, ona] (*AM: fam*) *adj* énervant(e).
fregona [fre'ɣona] *nf* serpillière *f*; (*pey: sirvienta*) boniche *f*.
freidora [frei'ðora] *nf* friteuse *f*.
freír [fre'ir] *vt* frire; **freírse** *vpr* frire; **~ a preguntas a algn** assommer qn de questions.
fréjol ['frexol] *nm* = **fríjol**.
frenar [fre'nar] *vt, vi* freiner; **~ en seco** freiner brusquement.
frenazo [fre'naθo] *nm* coup *m* de frein.
frenesí [frene'si] *nm* frénésie *f*.
frenético, -a [fre'netiko, a] *adj* frénétique; (*persona*) hors de soi; **ponerse ~** se mettre en colère.
freno ['freno] *nm* frein *m*; (*de cabalgadura*) mors *m*; **poner ~ a algo** (*fig*) réfréner qch; **freno de mano** frein à main.
frente ['frente] *nm* front *m*; (*ARQ, de objeto*) devant *m* ♦ *nf* front ♦ *adv* (*esp CSUR: fam*): **~ mío/nuestro** *etc* en face de moi/nous *etc*; **hacer ~ común con algn** faire cause commune avec qn; **~ a** en face de; (*en comparación con*) par rapport à; **~ a ~** face à face; **chocar de ~** se heurter de front; **hacer ~ a** faire face à; **ir/ponerse al ~ de** être/se mettre à la tête de; **frente de batalla** front de bataille; **frente único** front commun.
fresa ['fresa] *nf* (*ESP*) fraise *f*; (*de dentista*) roulette *f*.
fresco, -a ['fresko, a] *adj* frais(fraîche); (*ropa*) léger(ère); (*descarado*) insolent(e); (*descansado*) frais(fraîche) et dispos(e) ♦ *nm* (*aire*) frais *m*; (*ARTE*) fresque *f*; (*AM*) boisson *f* fraîche ♦ *nm/f* (*fam: descarado*) insolent(e); (: *desvergonzado*) effronté(e); **al ~** au frais; **hace ~** il fait frais; **estar/quedarse tan ~** demeurer imperturbable; **tomar el ~** prendre le frais; **¡qué ~!** quelle insolence!
frescor [fres'kor] *nm* fraîcheur *f*.
frescura [fres'kura] *nf* fraîcheur *f*; (*descaro*) insolence *f*.
fresno ['fresno] *nm* frêne *m*.
fresón [fre'son] *nm* grosse fraise *f*.
frialdad [frjal'dað] *nf* froideur *f*; (*indiferencia*) froideur glaciale.
fricción [frik'θjon] *nf* friction *f*.
friega ['frjeɣa] *vb V* **fregar** ♦ *nf* (*MED*) friction *f*.
friendo *etc* [fri'endo] *vb V* **freír**.
frigider [frixi'ðer] (*CSUR*) *nm* frigidaire ® *m*.
frígido, -a ['frixiðo, a] *adj* frigide.
frigorífico, -a [friɣo'rifiko, a] *adj* frigorifique ♦ *nm* réfrigérateur *m*; **camión ~** camion *m* frigorifique.
frijol [fri'xol] (*AM*) *nm* haricot *m* sec; (*verde*) haricot vert.
frió [fri'o] *vb V* **freír**.
frío, -a ['frio, a] *adj* froid(e); (*fig: poco entusiasta*) pas très chaud(e); (*relaciones*) tendu(e) ♦ *nm* froid *m*; **coger ~** prendre froid; **tener ~** avoir froid; **hace ~** il fait froid; **¡qué ~!** il fait un de ces froids!; **quedarse ~** commencer à avoir froid.
friolento [frjo'lento, a] (*AM*) *adj* = **friolero**.
friolero, -a [frjo'lero, a] *adj* frileux(-euse).
fritanga [fri'tanga] *nf* (*AM*) *aliments frits*; (*pey*) graillon *m*.
frito, -a ['frito, a] *pp de* **freír** ♦ *adj* (*CULIN*) frit(e) ♦ *nm*: **~s** (*CULIN*) friture *f*; **me tiene** *o* **trae ~ ese hombre** (*fam*) ce type est bar-

bant; **quedarse** ~ (*fam*) s'endormir.

fritura [fri'tura] *nf* friture *f*.

frívolo, -a ['friβolo, a] *adj* frivole.

frondoso, -a [fron'doso, a] *adj* touffu(e).

frontal [fron'tal] *adj* frontal(e); (*choque*) de front.

frontera [fron'tera] *nf* frontière *f*; **sin ~s** sans limite.

fronterizo, -a [fronte'riθo, a] *adj* (*pueblo, paso*) frontalier(-ère); (*países*) limitrophe.

frontón [fron'ton] *nm* (*cancha*) fronton *m*; (*juego*) pelote *f* basque.

frotar [fro'tar] *vt, vi* frotter; **frotarse** *vpr*: **~se las manos** se frotter les mains.

fructífero, -a [fruk'tifero, a] *adj* fructueux(-euse).

frugal [fru'ɣal] *adj* frugal(e).

frunce ['frunθe], **fruncido** [frun'θiðo] *nm* fronce *f*.

fruncir [frun'θir] *vt* froncer; (*labios*) plisser.

frustración [frustra'θjon] *nf* frustration *f*.

frustrado, -a [frus'traðo, a] *adj* frustré(e); (*intento*) avorté(e).

frustrar [frus'trar] *vt* frustrer; **frustrarse** *vpr* (*plan etc*) échouer.

fruta ['fruta] *nf* fruit *m*; **fruta del tiempo** fruit de saison; **fruta escarchada** fruit confit.

frutal [fru'tal] *adj* fruitier(-ère) ♦ *nm* arbre *m* fruitier.

frutería [frute'ria] *nf* boutique *f* de fruits et légumes.

frutero, -a [fru'tero, a] *adj* fruitier(-ère) ♦ *nm/f* marchand(e) de fruits et légumes ♦ *nm* compotier *m*.

frutilla [fru'tiʎa] (*AND, CSUR*) *nf* fraise *f*.

fruto ['fruto] *nm* fruit *m*; **dar** *o* **producir** ~ porter ses fruits; **frutos secos** fruits *mpl* secs.

fue [fwe] *vb V* **ser; ir**.

fuego ['fweɣo] *nm* feu *m*; **prender ~ a** mettre le feu à; **a ~ lento** à petit feu; **¡alto el ~!** cessez le feu!; **estar entre dos ~s** être pris(e) entre deux feux; **¿tienes ~?** t'as du feu?; **fuegos artificiales** *o* **de artificio** feux *mpl* d'artifice.

fuelle ['fweʎe] *nm* soufflet *m*.

fuel-oil [fuel'oil] *nm* fioul *m*.

fuente ['fwente] *nf* fontaine *f*; (*bandeja*) plateau *m*; (*fig*) source *f*; **de buena ~** de source sûre; **de ~s fidedignas** de sources bien informées; **fuente de alimentación** (*INFORM*) source d'alimentation; **fuente de soda** (*AM*) buvette *f*.

fuera ['fwera] *vb V* **ser; ir** ♦ *adv* dehors; (*de viaje*) en voyage ♦ *prep*: **~ de** hors de; (*fig*) sauf; **¡~!** dehors!; **~ de alcance** hors de portée; **~ de combate** hors de combat; (*BOXEO*) K.O.; (*FÚTBOL*) hors jeu; **~ de la ley** hors-la-loi; **estar ~ de lugar** ne pas être à sa place; **~ de serie/servicio/temporada** hors série/service/saison; **~ de sí** hors de soi; **~ de (toda) duda/sospecha** au-dessus de tout soupçon; **por ~** au dehors; **los de ~** les étrangers *mpl*.

fuera-borda [fwera'βorða] *nm inv* hors-bord *m*.

fuero ['fwero] *nm* droit *m* local; (*jurisdicción*) droit; (*fig*): **en mi** *etc* **~ interno** en mon *etc* for intérieur.

fuerte ['fwerte] *adj* fort(e); (*resistente*) solide; (*chocant*) choquant(e) ♦ *adv* (*sujetar*) solidement; (*golpear*) violemment; (*llover*) à verse; (*gritar*) fort ♦ *nm* (*MIL*) fort *m*; (*fig*): **el canto no es mi ~** le chant, ce n'est pas mon fort.

fuerza ['fwerθa] *vb V* **forzar** ♦ *nf* force *f*; (*MIL*: *tb*: **~s**) forces *fpl*; **a ~ de** à force de; **cobrar ~s** prendre des forces; **empujar/tirar con ~/con todas sus ~s** pousser/tirer avec force/de toutes ses forces; **tener ~** avoir de la force; **tener ~s para hacer** avoir la force de faire; **a** *o* **por la ~** de force; **con ~ legal** (*COM*) à force de loi; **por ~** forcément; **fuerzas aéreas/armadas** forces aériennes/armées; **fuerza bruta** force brute; **fuerza de arrastre** (*TEC*) effort *m* de traction; **fuerzas de Orden Público** forces de l'ordre; **fuerza de voluntad** volonté *f*; **fuerza mayor** force majeure; **fuerza vital** énergie *f* vitale.

fuete ['fwete] (*AM*) *nm* fouet *m*.

fuga ['fuɣa] *nf* fugue *f*; (*de gas, agua*) fuite *f*; **fuga de capitales** (*ECON*) fuite des capitaux; **fuga de cerebros** (*fig*) fuite des cerveaux.

fugarse [fu'ɣarse] *vpr* s'enfuir; (*amantes*) faire une fugue.

fugaz [fu'ɣaθ] *adj* fugitif(-ive).

fugitivo, -a [fuxi'tiβo, a] *adj* en fuite ♦ *nm/f* fugitif(-ive).

fui *etc* [fwi] *vb V* **ser; ir**.

fulano, -a [fu'lano, a] *nm/f* un(e) tel(le).

fulgor [ful'ɣor] *nm* scintillement *m*.

fulminante [fulmi'nante] *adj* explosif(-ive); (*MED, fig*) foudroyant(e); (*fam*: *éxito*) fulgurant(e).

fulminar [fulmi'nar] *vt*: **caer fulminado por un rayo** être foudroyé; **~ a algn con la mirada** foudroyer qn du regard.

fumador, a [fuma'ðor, a] *nm/f* fumeur(-euse); **no ~** non fumeur(-euse).

fumar [fu'mar] *vt, vi* fumer; **fumarse** *vpr* fumer; (*fam*: *herencia*) manger; (: *clases, trabajo*) manquer; **~ en pipa** fumer la pipe.

fumigar [fumi'ɣar] *vt* soumettre à des fumigations, fumiger.

funambulista [funambu'lista], **funámbulo, -a** [fu'nambulo, a] *nm/f* funambule *m/f*.

función [fun'θjon] *nf* fonction *f*; (*TEATRO etc*) représentation *f*; **entrar en funciones** entrer en fonction; ~ **de tarde/de noche** matinée *f*/soirée *f*; **en ~ de** en fonction de; **presidente/director en funciones** président/directeur par intérim.

funcional [funθjo'nal] *adj* fonctionnel(le).

funcionamiento [funθjona'mjento] *nm* fonctionnement *m*; **en ~** (*COM*) en fonctionnement; **entrar/poner en ~** commencer à/faire fonctionner.

funcionar [funθjo'nar] *vi* fonctionner; **"no funciona"** "en panne".

funcionario, -a [funθjo'narjo, a] *nm/f* fonctionnaire *m/f*.

funda ['funda] *nf* étui *m*; (*de almohada*) taie *f*; (*de disco*) pochette *f*.

fundación [funda'θjon] *nf* fondation *f*.

fundado, -a [fun'daðo, a] *adj* (*justificado*) fondé(e).

fundamental [fundamen'tal] *adj* fondamental(e).

fundamento [funda'mento] *nm* fondement *m*; **~s** *nmpl* (*de ciencia, arte*) fondements *mpl*; **eso carece de ~** ça ne tient pas debout.

fundar [fun'dar] *vt* fonder; (*fig: basar*): **~ en** fonder sur; **fundarse** *vpr*: **~se en** se fonder sur.

fundición [fundi'θjon] *nf* (*fábrica*) fonderie *f*; (*de metal, TIP*) fonte *f*.

fundillo [fun'diʎo] (*AM*) *nm* (*fam: de pantalón*) fond *m*; (*fam!*) cul *m* (*fam!*).

fundir [fun'dir] *vt* fondre; (*COM, fig*) fusionner; **fundirse** *vpr* (*colores etc*) se fondre; (*ELEC, nieve, mantequilla*) fondre; (*fig*) fusionner.

fundo ['fundo] (*AND, CHI*) *nm* ferme *f*.

fúnebre ['funeβre] *adj* funèbre; (*fig*) sombre.

funeral [fune'ral] *nm* funérailles *fpl*.

funeraria [fune'rarja] *nf* pompes *fpl* funèbres.

funesto, -a [fu'nesto, a] *adj* funeste.

fungir [fun'xir] (*AM*) *vi*: **~ de** faire office de; **va a ~ de padrino** il sera le parrain.

funicular [funiku'lar] *nm* funiculaire *m*.

furgón [fur'ɣon] *nm* (*camión*) camion *m*; (*FERRO*) wagon *m*.

furgoneta [furɣo'neta] *nf* fourgonnette *f*.

furia ['furja] *nf* furie *f*; **hecho una ~** comme une furie.

furibundo, -a [furi'βundo, a] *adj* furibond(e).

furioso, -a [fu'rjoso, a] *adj* furieux(-euse); (*violento*) violent(e).

furor [fu'ror] *nm* fureur *f*; **hacer ~** faire fureur.

furtivo, -a [fur'tiβo, a] *adj* furtif(-ive); (*cazador*) braconnier *m*.

fusible [fu'siβle] *nm* fusible *m*.

fusil [fu'sil] *nm* fusil *m*.

fusilamiento [fusila'mjento] *nm* exécution *f*.

fusilar [fusi'lar] *vt* fusiller.

fusión [fu'sjon] *nf* fusion *f*.

fusionar [fusjo'nar] *vt* fusionner; **fusionarse** *vpr* (*COM*) fusionner.

fusta ['fusta] *nf* cravache *f*.

fustigar [fusti'ɣar] *vt* cravacher; (*persona*) fustiger.

fútbol ['futβol] *nm* football *m*.

futbolín [futβo'lin] *nm* baby-foot *m*.

futbolista [futβo'lista] *nm/f* footballeur(-euse).

fútil ['futil] *adj* futile.

futuro, -a [fu'turo, a] *adj* futur(e) ♦ *nm* avenir *m*; (*LING*) futur *m*; **~s** *nmpl* (*COM*) opérations *fpl* à terme; **futura madre** future maman *f*.

G, g

gabacho, -a [ga'βatʃo, a] (*pey*) *adj* français(e) ♦ *nm/f* Français(e).

gabardina [gaβar'ðina] *nf* imperméable *m*; (*tela*) gabardine *f*.

gabinete [gaβi'nete] *nm* cabinet *m*; (*de abogados*) étude *f*; **gabinete de consulta/de lectura** salle *f* de consultation/de lecture.

gacela [ga'θela] *nf* gazelle *f*.

gaceta [ga'θeta] *nf* gazette *f*.

gaditano, -a [gaði'tano, a] *adj* de Cadix ♦ *nm/f* natif(-ive) *o* habitant(e) de Cadix.

gaélico, -a [ga'eliko, a] *adj* gaélique ♦ *nm/f* Celte *m/f* ♦ *nm* (*LING*) gaélique *m*.

gafas ['gafas] *nfpl* lunettes *fpl*; **gafas de sol** lunettes de soleil.

gafe ['gafe] *adj*: **ser ~** porter la poisse.

gaita ['gaita] *nf* cornemuse *f*; (*cosa engorrosa*) fardeau *m*.

gaitero, -a [gai'tero, a] *nm/f* joueur(-euse) de cornemuse.

gajes ['gaxes] *nmpl*: **~ del oficio** aléas *mpl* du métier.

gajo ['gaxo] *nm* (*de naranja*) quartier *m*; (*racimo*) grappe *f*.

gala ['gala] *nf* gala *m*; **~s** *nfpl* (*atuendo*) atours *mpl*; **de ~** de gala; **vestir de ~** mettre sa tenue de gala; (*MIL*) être en grand uniforme; **hacer ~ de** se targuer de; **tener algo a ~** mettre un point d'honneur à faire qch; **con sus mejores ~s** de ses plus beaux atours.

galaico, -a [ga'laiko, a] *adj* galicien(ne).

galán [ga'lan] *nm* don Juan *m*; (*TEATRO*) jeune premier *m*.

galante [ga'lante] *adj* galant(e).

galantear [galante'ar] *vt* courtiser.

galantería [galante'ria] *nf* galanterie *f*; (*cumplido*) courtoisie *f*.

galápago [ga'lapaɣo] *nm* tortue *f* marine.

galardón [galar'ðon] *nm* récompense *f*.

galardonar [galarðo'nar] *vt* récompenser.

galaxia [ga'laksja] *nf* galaxie *f*.

galbana [gal'βana] *nf* flemme *f*.

galeote [gale'ote] *nm* galérien *m*.

galera [ga'lera] *nf* (*nave*) galère *f*; (*TIP*) galée *f*; ~s *nfpl* (*castigo*) galères *fpl*.

galería [gale'ria] *nf* galerie *f*; (*para cortina*) tringle *f*; **hacer algo para la ~** faire qch pour sauver les apparences; **galería comercial** galerie commerciale; **galería secreta** passage *m* secret.

Gales ['gales] *nm*: **(el País de) ~** le pays de Galles.

galés, -esa [ga'les, esa] *adj* gallois(e) ♦ *nm/f* Gallois(e) ♦ *nm* gallois *msg*.

galgo, -a ['galɣo, a] *nm/f* lévrier(levrette).

Galia ['galja] *nf* Gaule *f*.

Galicia [ga'liθja] *nf* Galice *f*, Galicie *f*.

galicismo [gali'θismo] *nm* (*LING*) gallicisme *m*.

galimatías [galima'tias] *nm inv* galimatias *msg*.

gallardía [gaʎar'ðia] *nf* (*en aspecto*) grâce *f*; (*al actuar*) vaillance *f*.

gallardo, -a [ga'ʎarðo, a] *adj* (*en aspecto*) gracieux(-euse); (*al actuar*) vaillant(e).

gallego, -a [ga'ʎeɣo, a] *adj* galicien(ne); (*AM*: *pey*) espagnol(e) ♦ *nm/f* Galicien(ne); (*AM*: *pey*) Espingouin *m* ♦ *nm* (*LING*) galicien *m*.

galleta [ga'ʎeta] *nf* galette *f*; (*fam*: *bofetada*) baffe *f*.

gallina [ga'ʎina] *nf* poule *f* ♦ *nm* (*fam*) poule mouillée; **carne de ~** chair *f* de poule; **gallina ciega** colin-maillard *m*; **gallina clueca** poule pondeuse.

gallinero [gaʎi'nero] *nm* poulailler *m*; (*donde se vocea*) volière *f*.

gallito [ga'ʎito] (*pey*) *nm* jeune coq *m*.

gallo ['gaʎo] *nm* coq *m*; (*pescado*) raie *f*; (*MÚS*) couac *m*; **en menos que canta un ~** en un clin d'œil; **otro ~ nos cantara** ça serait tout autre chose.

galo, -a ['galo, a] *adj* gaulois(e); (*francés*) français(e) ♦ *nm/f* Gaulois(e).

galón [ga'lon] *nm* galon *m*.

galopante [galo'pante] *adj* galopant(e).

galopar [galo'par] *vi* galoper.

galope [ga'lope] *nm* galop *m*; **a ~** (*carrera*) de galop; (*fig*) au galop; **a ~ tendido** au triple galop.

galpón [gal'pon] (*CSUR*) *nm* entrepôt *m*.

gama ['gama] *nf* gamme *f*; (*ZOOL*) femelle *f* du daim.

gamba ['gamba] *nf* crevette *f*.

gamberro, -a [gam'berro, a] *nm/f* vandale *m/f*, voyou *m*.

gamo ['gamo] *nm* daim *m*.

gamuza [ga'muθa] *nf* chamois *msg*; (*bayeta*) peau *f* de chamois.

gana ['gana] *nf* (*deseo*) envie *f*; (*apetito*) faim *f*; **de buena/mala ~** volontiers/à contrecœur; **me dan ~s de hacer** ça me donne envie de faire; **tener ~s de (hacer)** avoir envie de (faire); **me quedé con las ~s de ir** j'y serais bien allé; **no me da la (real) ~** je n'en ai pas (vraiment) envie; **son ~s de molestar** c'est vraiment pour le plaisir d'embêter le monde; **hacer algo con/sin ~s** faire qch volontiers/à contrecœur.

ganadería [ganaðe'ria] *nf* bétail *m*; (*cría*) élevage *m*; (*comercio*) commerce *m* du bétail.

ganadero, -a [gana'ðero, a] *adj* (*industria*) de l'élevage; (*zona*) d'élevage ♦ *nm* éleveur *m*.

ganado [ga'naðo] *nm* bétail *m*; **ganado bovino** *o* **vacuno** bovins *mpl*; **ganado caballar/cabrío** cheveaux *mpl*/chèvres *fpl*; **ganado lanar/porcino** moutons *mpl*/porcs *mpl*.

ganador, a [gana'ðor, a] *adj, nm/f* gagnant(e).

ganancia [ga'nanθja] *nf* gain *m*; **~s** *nfpl* (*ingresos*) revenus *mpl*; (*beneficios*) gains *mpl*; **pérdidas y ~s** profits et pertes; **sacar ~ de** tirer profit de; **ganancia bruta/líquida** bénéfice *m* brut/net; **ganancias de capital** plus-values *fpl* (de capital).

ganancial [ganan'θjal] *adj*: **bienes ~es** biens *mpl* communs.

ganar [ga'nar] *vt* gagner; (*fama, experiencia*) acquérir; (*premio*) remporter; (*peso*) prendre; (*apoyo*) s'assurer ♦ *vi* (*DEPORTE*) gagner; (*mejorar*) améliorer; **ganarse** *vpr*: **~se la vida** gagner sa vie; **le gana en simpatía** il est plus sympathique; **~ a algn para una causa** rallier qn à une cause; **se lo ha ganado** il l'a bien gagné; **~ tiempo** gagner du temps; **salir ganando** sortir gagnant.

ganchillo [gan'tʃiʎo] *nm* crochet *m*; **hacer ~** faire du crochet; **aguja de ~** crochet.
gancho ['gantʃo] *nm* crochet *m*; (*fam*: *atractivo*) charme *m*; **usar algo/a algn como ~** utiliser qch/qn comme appât.
gandul, a [gan'dul, a] *adj, nm/f* feignant(e).
ganga ['ganga] *nf* (*COM*) affaire *f*.
gángster ['ganster] (*pl* **~s**) *nm* gangster *m*.
ganso, -a ['ganso, a] *nm/f* jars(oie); (*fam*) tarte *f*; **hacer el ~** faire l'imbécile.
ganzúa [gan'θua] *nf* crochet *m*.
garabato [gara'βato] *nm* gribouillage *m*; **~s** *nmpl* (*escritura*) pattes *fpl* de mouche.
garaje [ga'raxe] *nm* garage *m*; **plaza de ~** place *f* de parking.
garantía [garan'tia] *nf* garantie *f*; **de máxima ~** garanti(e) à cent pour cent.
garantizar [garanti'zar] *vt* garantir; **te garantizo que no vendrá** je te garantis qu'il ne viendra pas.
garbanzo [gar'βanθo] *nm* pois *msg* chiche; **garbanzo negro** (*fig*) brebis *fsg* galeuse.
garbeo [gar'βeo] *nm*: **darse un ~** faire un tour.
garbo ['garβo] *nm* allure *f*; (*gracia*) grâce *f*; **andar con ~** avoir une démarche élégante.
garete [ga'rete] *nm*: **irse al ~** (*fig*) aller à la dérive.
garfio ['garfjo] *nm* (*TEC*) crochet *m*; (*ALPINISMO*) piton *m*.
garganta [gar'ɣanta] *nf* gorge *f*; **se me hizo un nudo en la ~** j'ai eu la gorge nouée.
gargantilla [garɣan'tiʎa] *nf* collier *m*.
gárgara ['garɣara] *nf* gargarisme *m*; **hacer ~s** faire des gargarismes; **¡vete a hacer ~s!** (*fam*) va te faire voir!
garita [ga'rita] *nf* guérite *f*.
garito [ga'rito] *nm* tripot *m*; (*fam*: *bar*) bistrot *m*.
garra ['garra] *nf* griffe *f*; (*de ave*) serre *f*; **caer en las ~s de algn** tomber entre les griffes de qn.
garrafa [ga'rrafa] *nf* carafe *f*.
garrafal [garra'fal] *adj* (*error*) monumental(e).
garrapata [garra'pata] *nf* puce *f*.
garrapiñado, -a [garrapi'ɲaðo, a] *adj*: **almendras garrapiñadas** pralines *fpl*.
garrotazo [garro'taθo] *nm* (*de palo*) coup *m* de gourdin; (*de porra*) coup de massue.
garrote [ga'rrote] *nm* (*palo*) gourdin *m*; (*porra*) massue *f*; (*ejecución*) garrot *m*.
garúa [ga'rua] (*AM*) *nf* bruine *f*.
garza ['garθa] *nf* héron *m*.
gas [gas] *nm* gaz *m*; **~es** *nmpl* (*MED*) gaz *mpl*; **a todo ~** plein gaz; **gases lacrimógenos** gaz *mpl* lacrymogènes; **gas natural** gaz *m* naturel.
gasa ['gasa] *nf* gaze *f*; (*de pañal*) couche *f*.
gaseoso, -a [gase'oso, a] *adj* gazeux(-euse).
gasoil [ga'soil], **gasóleo** [ga'soleo] *nm* gas oil *m*.
gasolina [gaso'lina] *nf* essence *f*.
gasolinera [gasoli'nera] *nf* station-service *f*.
gastado, -a [gas'taðo, a] *adj* (*ropa*) usé(e); (*mechero*) fini(e); (*bolígrafo*) qui n'a plus d'encre; (*fig*: *político*) dépassé(e).
gastar [gas'tar] *vt* dépenser; (*malgastar*) perdre; (*desgastar*) user; (*usar*) porter; (*fig*: *persona*) user; **gastarse** *vpr* s'user; **~ bromas** faire des blagues; **¿qué número gastas?** quelle est ta pointure?
gasto ['gasto] *nm* dépense *f*; **~s** *nmpl* (*desembolsos*) dépenses *fpl*; (*costes*) frais *mpl*; **cubrir ~s** couvrir les frais; **meterse en ~s** faire des frais inutiles; **gasto corriente/fijo** (*COM*) dépenses courantes/frais fixes; **gastos de desplazamiento** frais de déplacement; **gastos de distribución/representación** (*COM*) frais de distribution/représentation; **gastos de mantenimiento** frais de maintenance; **gastos de tramitación** (*COM*) frais de dossier; **gastos generales** frais généraux; **gastos vencidos** (*COM*) frais à payer.
gástrico, -a ['gastriko, a] *adj* gastrique.
gastronomía [gastrono'mia] *nf* gastronomie *f*.
gatear [gate'ar] *vi* marcher à quatre pattes.
gatillo [ga'tiʎo] *nm* gâchette *f*.
gato, -a ['gato, a] *nm/f* chat(te) ♦ *nm* (*TEC*) cric *m*; **andar a gatas** marcher à quatre pattes; **dar a algn ~ por liebre** rouler qn; **aquí hay ~ encerrado** il y a anguille sous roche; **gato de Angora** chat Angora; **gato montés/siamés** chat sauvage/siamois.
gaucho, -a ['gautʃo, a] *adj* gaucho ♦ *nm/f* Gaucho *m*.
gavilán [gaβi'lan] *nm* épervier *m*.
gaviota [ga'βjota] *nf* mouette *f*.
gay [ge] *adj, nm* homo *m*.
gazmoño, -a [gaθ'moɲo, a] *adj* prude.
gazpacho [gaθ'patʃo] *nm* gaspacho *m* (*soupe froide espagnole*).
géiser ['xeiser] *nm* geyser *m*.
gel [xel] *nm* (*de ducha*) gel *m*; (*de baño*) bain *m* moussant.
gelatina [xela'tina] *nf* gélatine *f*.
gema ['xema] *nf* gemme *f*.

gemelo, -a [xe'melo, a] *adj, nm/f* jumeau(-elle); ~s *nmpl* (*de camisa*) boutons *mpl* de manchette; (*anteojos*) jumelles *fpl*; **gemelos de campo/de teatro** jumelles de campagne/de spectacle.
gemido [xe'miðo] *nm* gémissement *m*.
Géminis ['xeminis] *nm* (*ASTROL*) Gémeaux *mpl*; **ser ~** être (des) Gémeaux.
gemir [xe'mir] *vi* gémir; (*animal*) geindre.
gen [xen] *nm* gène *m*.
genealógico, -a [xenea'loxiko, a] *adj*: **árbol ~** arbre *m* généalogique.
generación [xenera'θjon] *nf* génération *f*; **primera/segunda** *etc* **~** (*INFORM*) première/deuxième *etc* génération.
generador [xenera'ðor] *nm* générateur *m*; **generador de programas** (*INFORM*) générateur de programmes.
general [xene'ral] *adj* général(e) ♦ *nm* général *m*; **en** *o* **por lo ~** en général; **general de brigada/de división** général de brigade/de division.
Generalitat [xenerali'tat] *nf gouvernement catalan*.
generalizar [xenerali'θar] *vt, vi* généraliser; **generalizarse** *vpr* se généraliser.
generar [xene'rar] *vt* (*energía*) générer; (*interés*) provoquer.
genérico, -a [xe'neriko, a] *adj* générique.
género ['xenero] *nm* genre *m*; (*COM*) article *m*; ~s *nmpl* (*productos*) articles *mpl*; **género chico** (*zarzuela*) *comédie musicale espagnole*; **géneros de punto** tricots *mpl*; **género humano** genre humain; **género literario** genre littéraire.
generosidad [xenerosi'ðað] *nf* générosité *f*.
generoso, -a [xene'roso, a] *adj* généreux(-euse).
génesis ['xenesis] *nf* genèse *f*.
genético, -a [xe'netiko, a] *adj* génétique ♦ *nf* génétique *f*.
genial [xe'njal] *adj* (*artista, obra*) de génie; (*fam: idea*) génial(e); (*: persona*) spirituel(le).
genio ['xenjo] *nm* tempérament *m*; (*mal carácter*) mauvais caractère *m*; (*persona, en cuentos*) génie; **tener mal ~** être soupe au lait *inv*, être emporté(e); **tener un ~ vivo** être un peu vif(vive), être soupe au lait *inv*.
genital [xeni'tal] *adj* génital(e) ♦ *nm*: ~es organes *mpl* génitaux.
genocidio [xeno'θiðjo] *nm* génocide *m*.
gente ['xente] *nf* gens *mpl*; (*fam: familia*) petite famille *f*; (*AM: fam*): **una ~ como usted** quelqu'un comme vous; **es buena ~** (*fam*) c'est un bon gars; **gente baja/bien** petits gens/gens bien; **gente de la calle** gens comme vous et moi; **gente gorda** (*fig*) les grosses légumes *fpl*; **gente menuda** les tout petits.
gentil [xen'til] *adj* gentil(le); (*porte*) gracieux(-euse); (*REL*) païen(ne).
gentileza [xenti'leθa] *nf*: **tener la ~ de hacer** avoir la gentillesse de faire; **por ~ de** avec l'aimable autorisation de.
gentilicio [xenti'liθjo] *nm nom des habitants d'une ville, d'une province ou d'un pays*.
gentío [xen'tio] *nm* foule *f*; **¡qué ~!** quel peule!
gentuza [xen'tuθa] (*pey*) *nf* (*mala gente*) racaille *f*; (*chusma*) masse *f*.
genuflexión [xenuflek'sjon] *nf* génuflexion *f*.
genuino, -a [xe'nwino, a] *adj* authentique.
geografía [xeoɣra'fia] *nf* géographie *f*.
geográfico, -a [xeo'ɣrafiko, a] *adj* géographique; (*accidente*) de terrain.
geología [xeolo'xia] *nf* géologie *f*.
geológico, -a [xeo'loxiko, a] *adj* géologique.
geometría [xeome'tria] *nf* géométrie *f*.
geométrico, -a [xeo'metriko, a] *adj* géométrique.
geranio [xe'ranjo] *nm* géranium *m*.
gerente [xe'rente] *nm/f* (*supervisor*) gérant(e); (*jefe*) directeur(-trice).
geriatría [xerja'tria] *nf* gériatrie *f*.
geriátrico, -a [xer'jatriko, a] *adj* de gérontologie.
germánico, -a [xer'maniko, a] *adj* germanique.
germano, -a [xer'mano, a] *adj* germain(e) ♦ *nm/f* Germain(e).
germen ['xermen] *nm* germe *m*.
germinar [xermi'nar] *vi* germer.
gerundense [xerun'dense] *adj* de Gérone ♦ *nm/f* natif(-ive) *o* habitant(e) de Gérone.
gerundio [xe'rundjo] *nm* gérondif *m*.
gesta ['xesta] *nf* exploit *m*.
gestación [xesta'θjon] *nf* gestation *f*.
gestarse [xes'tarse] *vpr* germer.
gesticulación [xestikula'θjon] *nf* gesticulation *f*; (*mueca*) grimace *f*.
gesticular [xestiku'lar] *vi* gesticuler; (*hacer muecas*) faire des grimaces.
gestión [xes'tjon] *nf* gestion *f*; (*trámite*) démarche *f*; **hacer las gestiones preliminares** faire les démarches préliminaires; **gestión de cartera/de riesgos** (*COM*) gestion de portefeuille/des risques; **gestión de personal** gestion du personnel; **ges-**

tión financiera (*COM*) gestion financière; **gestión interna** (*INFORM*) gestion des disques.

gestionar [xestjo'nar] *vt* s'occuper de.

gesto ['xesto] *nm* geste *m*; (*mueca*) grimace *f*; **hacer ~s** faire des gestes; **hacer ~s a algn** faire de grands gestes à qn.

gestor, a [xes'tor, a] *adj* de (la) gestion ♦ *nm/f* gérant(e).

gestoría [xesto'ria] *nf* cabinet *m* d'affaires.

gibraltareño, -a [xiβralta'reɲo, a] *adj* de Gibraltar ♦ *nm/f* natif(-ive) *o* habitant(e) de Gibraltar.

gigante [xi'ɣante] *adj* géant(e) ♦ *nm/f* géant(e); (*fig*) génie *m*.

gigantesco, -a [xiɣan'tesko, a] *adj* gigantesque.

gil, -a [xil, 'xila] (*CSUR*: *fam*) *nm/f* con(ne).

gilipollas [xili'poʎas] (*fam!*) *adj inv, nm/f inv* con(ne) (*fam!*).

gilipollez [xilipo'ʎez] (*fam!*) *nf* connerie *f* (*fam!*).

gimnasia [xim'nasja] *nf* gymnastique *f*; **hacer ~** faire de la gymnastique.

gimnasio [xim'nasjo] *nm* gymnase *m*.

gimnasta [xim'nasta] *nm/f* gymnaste *m/f*.

gimotear [ximote'ar] *vi* pleurnicher.

Ginebra [xi'neβra] *n* Genève.

ginebra [xi'neβra] *nf* genièvre *m*.

ginecólogo, -a [xine'koloɣo, a] *nm/f* gynécologue *m/f*.

gintonic [jin'tonik] *nm* gin-tonic *m*.

gira ['xira] *nf* excursion *f*; (*de grupo*) tournée *f*.

girar [xi'rar] *vt* (*hacer girar*) faire tourner; (*dar la vuelta*) tourner; (*giro postal, letra de cambio*) virer ♦ *vi* tourner; **~ (a/hacia)** (*torcer*) virer (à); **~ en torno a** (*conversación*) s'orienter vers; **~ alrededor de algo** tourner autour de qch; **~ en descubierto** être à découvert.

girasol [xira'sol] *nm* tournesol *m*.

giratorio, -a [xira'torjo, a] *adj* tournant(e).

giro ['xiro] *nm* tour *m*; (*COM*) virement *m*; (*tb*: **~ postal**) mandat (postal) *m*; **dar un ~** tourner; **dar un ~ de 180 grados** (*fig*) faire un demi-tour; **giro a la vista** (*COM*) virement à vue; **giro bancario** virement bancaire.

gis [xis] (*MÉX*) *nm* craie *f*.

gitano, -a [xi'tano, a] *adj* gitan(e) ♦ *nm/f* Gitan(e).

glaciación [glaθja'θjon] *nf* glaciation *f*.

glacial [gla'θjal] *adj* (*zona*) glaciaire; (*frío, fig*) glacial(e).

glaciar [gla'θjar] *nm* glacier *m*.

gladiolo [gla'ðjolo] *nm* glaïeul *m*.

glándula ['glandula] *nf* glande *f*.

global [glo'βal] *adj* global(e).

globo ['gloβo] *nm* globe *m*; (*para volar, juguete*) ballon *m*; **globo ocular** globe oculaire; **globo terráqueo** *o* **terrestre** globe terrestre.

glóbulo ['gloβulo] *nm*: **~ blanco/rojo** globule *m* blanc/rouge.

gloria ['glorja] *nf* gloire *f*; (*REL*) paradis *m*; **estar en la ~** être aux anges; **es una ~** (*fam*) quel délice; **saber a ~** être délicieux(-euse).

glorieta [glo'rjeta] *nf* (*de jardín*) tonnelle *f*; (*AUTO, plaza*) rond-point *m*.

glorificar [glorifi'kar] *vt* glorifier.

glorioso, -a [glo'rjoso, a] *adj* glorieux(-euse).

glosa ['glosa] *nf* glose *f*.

glosario [glo'sarjo] *nm* glossaire *m*.

glotón, -ona [glo'ton, ona] *adj, nm/f* glouton(ne).

glotonería [glotone'ria] *nf* gloutonnerie *f*.

glucosa [glu'kosa] *nf* glucose *m*.

glúteos ['gluteos] *nmpl* fesses *fpl*.

gnomo ['nomo] *nm* gnome *m*.

gobernación [goβerna'θjon] *nf* gouvernement *m*.

gobernador, a [goβerna'ðor, a] *nm/f* gouverneur *m*; **Gobernador civil** *représentant du gouvernement au niveau local*; **Gobernador militar** gouverneur militaire.

gobernante [goβer'nante] *adj* gouvernant(e) ♦ *nm* gouvernant *m*.

gobernar [goβer'nar] *vt* gouverner; (*nave*) piloter; (*fam*) dominer ♦ *vi* gouverner; (*NÁUT*) piloter; **~ mal** mal gouverner.

gobierno [go'βjerno] *vb V* **gobernar** ♦ *nm* gouvernement *m*; (*NÁUT*) pilotage *m*; **G~ Vasco/de Aragón** gouvernement basque/d'Aragon; **Gobierno Civil** *institution représentant le gouvernement au niveau local*.

goce ['goθe] *vb V* **gozar** ♦ *nm* jouissance *f*.

godo, -a ['goðo, a] *nm/f* Goth *m*; (*AM*: *pey*) Espagnol(e).

gol [gol] *nm* but *m*; **meter un ~** marquer un but.

goleta [go'leta] *nf* goélette *f*.

golf [golf] *nm* golf *m*.

golfa ['golfa] (*fam*) *nf* pute *f*; *V tb* **golfo**.

golfista [gol'fista] *nm/f* golfeur(-euse).

golfo[1] ['golfo] *nm* golfe *m*.

golfo[2] ['golfo] *nm* voyou *m*; (*gamberro*) casse-pieds *m inv*; (*hum*: *pillo*) radin *m*.

golondrina [golon'drina] *nf* hirondelle *f*.

golosina [golo'sina] *nf* gourmandise *f*.

goloso, -a [go'loso, a] *adj* gourmand(e); (*empleo*) de rêve.

golpe ['golpe] *nm* coup *m*; **no dar ~** ne pas en ficher une rame; **dar el ~** faire sensation; **darse un ~** se cogner; **de un ~** en un clin d'œil; **de ~ y porrazo** tout d'un coup; **cerrar una puerta de ~** claquer la porte; **golpe bajo** coup bas; **golpe de fortuna/de maestro** coup du destin/de maître; **golpe de gracia** coup de grâce; **golpe de tos** quinte *f* de toux.

golpear [golpe'ar] *vt* frapper, heurter ♦ *vi* cogner; (*lluvia*) tomber dru; (*puerta*) battre; **golpearse** *vpr* se cogner.

golpista [gol'pista] *adj* (*tentativa*) de coup d'État ♦ *nm/f* auteur *m* d'un coup d'État.

goma ['goma] *nf* gomme *f*; (*gomita, COSTURA*) élastique *m*; **goma de mascar** chewing-gum *m*; **goma de pegar** colle *f*; **goma dos** (*explosivo*) plastic *m*.

goma-espuma [gomaes'puma] *nf* caoutchouc *m* mousse.

gomina [go'mina] *nf* gomina *f*.

góndola ['gondola] *nf* gondole *f*; (*AND, CHI*) bus *msg*.

gong [gon] (*pl* **~s**) *nm* gong *m*.

gordinflón, -ona [gorðin'flon, ona] *adj* empâté(e) ♦ *nm/f* gros homme(grosse femme).

gordito, -a [gor'ðito, a] (*CHI: fam*) *nm/f*: ¡~! chéri(e)!

gordo, -a ['gorðo, a] *adj* gros(se); (*libro, árbol, tela*) épais(se); (*fam: problema*) de taille; (*accidente*) catastrophique ♦ *nm/f* gros homme(grosse femme) ♦ *nm* (*tb: premio* ~) gros lot *m*; (*de la carne*) gras *msg*; ¡~! (*CHI: fam*) chéri(e)!; **ese tipo me cae ~** ce type ne me revient pas.

gordura [gor'ðura] *nf* obésité *f*; (*grasa*) graisse *f*.

gorgorito [gorɣo'rito] *nm* couac *m*.

gorila [go'rila] *nm* gorille *m*; (*CSUR: fam: jefe militar*) chef *m*.

gorjeo [gor'xeo] *nm* trille *f*.

gorra ['gorra] *nf* casquette *f*, béret *m*; (*de niño*) bonnet *m*; **de ~** (*sin pagar*) à l'œil; **gorra de montar** bombe *f*; **gorra de paño** béret de laine; **gorra de visera** casquette à visière.

gorrión [go'rrjon] *nm* moineau *m*.

gorro ['gorro] *nm* bonnet *m*; **estoy hasta el ~** j'en ai par-dessus la tête; **gorro de baño** bonnet de bain; **gorro de punto** bonnet tricoté.

gorrón, -ona [go'rron, ona] *nm/f* parasite *m/f*.

gorronear [gorrone'ar] (*fam*) *vi* être un parasite.

gota ['gota] *nf* goutte *f*; **~s** *nfpl* (*de medicamento*) gouttes *fpl*; **una ~, unas ~s** (*un poco*) une goutte; **~ a ~** (*caer*) goutte à goutte; (*MED*) goutte-à-goutte *m inv*; **ni ~** pas une miette; **la ~ que colma el vaso** la goutte d'eau qui fait déborder le vase; **como dos ~s de agua** comme deux gouttes d'eau; **caer unas** *o* **cuatro ~s** tomber deux ou trois gouttes.

gotear [gote'ar] *vi* goutter; (*lloviznar*) pleuvoter.

gotera [go'tera] *nf* gouttière *f*; (*mancha*) tache *f* d'humidité.

gótico, -a ['gotiko, a] *adj* gothique.

gozar [go'θar] *vi* jouir; **~ de** jouir de; **~ con algo** jouir de qch; **~ haciendo algo** éprouver un immense plaisir à faire qch.

gozne ['goθne] *nm* gond *m*.

gozo ['goθo] *nm* (*alegría*) plaisir *m*; (*placer*) jouissance *f*; **¡mi ~ en un pozo!** adieu veau, vache, cochon, couvée!

grabación [graβa'θjon] *nf* enregistrement *m*.

grabado, -a [gra'βaðo, a] *adj* (*MÚS*) enregistré(e) ♦ *nm* gravure *f*; **grabado al agua fuerte** gravure à l'eau-forte; **grabado en cobre/madera** gravure sur cuivre/bois.

grabadora [graβa'ðora] *nf* magnétophone *m*; *V tb* **grabador**.

grabar [gra'βar] *vt* (*en piedra, ARTE*) graver; (*discos, en video, INFORM*) enregistrer; **lo tengo grabado en la memoria** ça reste gravé dans ma mémoire.

gracejo [gra'θexo] *nm* humour *m*.

gracia ['graθja] *nf* grâce *f*; (*chiste*) plaisanterie *f*; (: *irónico*) plaisanterie lourde; (*humor*) humour *m*; **¡muchas ~s!** merci beaucoup!; **~s a** grâce à; **¡~s a Dios!** grâce à Dieu!; **caerle en ~ a algn** être dans les bonnes grâces de qn; **tener ~** (*chiste etc*) être amusant(e); (*irónico*) être très amusant(e); **¡qué ~!** (*gracioso*) comme c'est drôle!; (*irónico*) très drôle!; **no me hace ~ (hacer)** ça ne m'amuse pas (de faire); **dar las ~s a algn por algo** remercier qn de *o* pour qch.

grácil ['graθil] *adj* (*movimientos*) délicat(e); (*figura*) gracile.

gracioso, -a [gra'θjoso, a] *adj* amusant(e) ♦ *nm/f* (*TEATRO*) bouffon(e); **su graciosa Majestad** sa gracieuse Majesté; **¡qué ~!** (*irónico*) très amusant!; **es ~ que ...** c'est curieux que ... .

grada ['graða] *nf* marche *f*; **~s** *nfpl* (*de estadio*) gradins *mpl*.

gradación [graða'θjon] *nf* dégradé *m*.

gradería [graðe'ria] *nf* gradins *mpl*; **gradería cubierta** stade *m* couvert.

grado ['graðo] *nm* degré *m*; (*ESCOL*) classe *f*; (*UNIV*) titre *m*; (*MIL*) grade *m*; **de buen ~** de bon gré; **quemaduras de primer/segundo ~** brûlures *fpl* au premier/second degré; **en sumo ~** au plus haut degré; **grado centígrado/Fahrenheit** degré centigrade/Fahrenheit.

graduación [graðwa'θjon] *nf* (*medición en grados*) gradation *f*; (*escala*) échelle *f*; (*del alcohol*) degré *m*; (*UNIV*) remise *f* du diplôme; (*MIL*) grade *m*; **de alta ~** de haut rang.

graduado, -a [gra'ðwaðo, a] *adj* gradué(e) ♦ *nm/f* (*UNIV*) diplômé(e) ♦ *nm*: **~ escolar** ≈ brevet *m* des collèges; **graduado social** ≈ B.T.S. *m* d'assistance sociale.

gradual [gra'ðwal] *adj* progressif(-ive).

graduar [gra'ðwar] *vt* graduer; (*volumen*) mesurer; (*MIL*): **~ a algn de** conférer à qn le grade de; **graduarse** *vpr* (*UNIV*) être diplômé(e); (*MIL*): **~se (de)** obtenir son grade (de); **~se la vista** se faire vérifier la vue.

gráfico, -a ['grafiko, a] *adj* graphique; (*revista*) d'art; (*expresivo*) vivant(e) ♦ *nm* graphique *m*; **~s** *nmpl* graphiques *mpl*; **gráfico de barras** (*COM*) graphique à barres; **gráfico de sectores** *o* **de tarta** (*COM*) camembert *m*; **gráficos empresariales** (*COM*) graphiques de l'entreprise.

grafiti [gra'fiti] *nm* graffiti *m*.

grafología [grafolo'xia] *nf* graphologie *f*.

gragea [gra'xea] *nf* (*MED*) pilule *f*; (*caramelo*) dragée *f*.

grajo ['graxo] *nm* corbeau *m*.

gramática [gra'matika] *nf* grammaire *f*; *V tb* **gramático**.

gramatical [gramati'kal] *adj* grammatical(e).

gramo ['gramo] *nm* gramme *m*.

gran [gran] *adj V* **grande**.

grana ['grana] *adj*, *nf* écarlate *f*; **ponerse como la ~** devenir rouge comme une pivoine.

granada [gra'naða] *nf* grenade *f*; **granada de mano** grenade à main.

granadino, -a [grana'ðino, a] *adj* de Grenade ♦ *nm/f* natif(-ive) *o* habitant(e) de Grenade.

granar [gra'nar] *vi* germer.

granate [gra'nate] *adj* grenat *adj inv* ♦ *nm* grenat *m*.

Gran Bretaña [grambre'taɲa] *nf* Grande-Bretagne *f*.

Gran Canaria [granka'narja] *nf* la Grande Canarie.

grancanario, -a [grankana'rjo, a] *adj* de la Grande Canarie ♦ *nm/f* natif(-ive) *o* habitant(e) de la Grande Canarie.

grande ['grande] *adj* grand(e); (*ARG*: *fam*: *gracioso*) rigolo ♦ *nm* grand *m*; **gran miedo** grand peur; **¿cómo es de ~?** c'est grand comment?; **a lo ~** dans le faste; **pasarlo en ~** faire une fête grandiose; **los zapatos le están** *o* **quedan ~s** ces chaussures sont trop grandes pour lui.

grandeza [gran'deθa] *nf* grandeur *f*.

grandioso, -a [gran'djoso, a] *adj* grandiose.

grandullón, -ona [granðu'ʎon, ona] *adj*, *nm/f* grande perche *f*.

granel [gra'nel] *nm*: **a ~** (*COM*) en vrac.

granero [gra'nero] *nm* grenier *m*.

granito [gra'nito] *nm* granit *m*; **poner/aportar su ~ de arena** apporter sa modeste contribution; *V tb* **grano**.

granizado [grani'θaðo] *nm* jus *m* de fruit glacé; **~ de café** café *m* frappé.

granizar [grani'θar] *vi* grêler.

granizo [gra'niθo] *nm* grêlon *m*.

granja ['granxa] *nf* ferme *f*; **granja avícola** ferme avicole.

granjear [granxe'ar] *vt* (*amistad, simpatía*) gagner; **granjearse** *vpr* gagner.

granjero, -a [gran'xero, a] *nm/f* fermier(-ère).

grano ['grano] *nm* grain *m*; (*MED*) bouton *m*; **ir al ~** aller droit au but.

granuja [gra'nuxa] *nm* (*bribón*) fripouille *f*; (*golfillo*) filou *m*.

grapa ['grapa] *nf* agrafe *f*; (*CSUR*: *aguardiente barato*) tord-boyaux *m inv*.

grapadora [grapa'ðora] *nf* agrafeuse *f*.

grasa ['grasa] *nf* graisse *f*; (*sebo*) gras *m*; **~s** *nfpl* (*de persona*) graisse; **grasa de ballena/de pescado** graisse de baleine/de poisson.

grasiento, -a [gra'sjento, a] *adj* gras(se); (*sucio*) graisseux(-euse).

graso, -a ['graso, a] *adj* gras(se).

gratificación [gratifika'θjon] *nf* gratification *f*.

gratificar [gratifi'kar] *vt* (*recompensar*) gratifier; **"se ~á"** "récompense".

gratinar [grati'nar] *vt* gratiner.

gratis ['gratis] *adj inv*, *adv* gratis *inv*.

gratitud [grati'tuð] *nf* gratitude *f*.

grato, -a ['grato, a] *adj* agréable; **ser ~ de hacer** être heureux(-euse) de faire; **nos es ~ informarle que ...** nous sommes heureux de vous informer que ...; **persona non-grata** persona *f* non grata.

gratuito, -a [gra'twito, a] *adj* gratuit(e).

grava ['graβa] *nf* gravier *m*.

gravamen [gra'βamen] *nm* (*carga*) poids *msg*; (*impuesto*) servitude *f*, hypothèque *f*;

libre de ~ (*ECON*) non grevé(e) d'hypothèques.
gravar [gra'βar] *vt* (*JUR: propiedad*) grever; ~ **(con impuesto)** (*producto*) imposer.
grave ['graβe] *adj* grave; **estar** ~ être grave; **herida** ~ blessure *f* grave.
gravedad [graβe'ðað] *nf* gravité *f*.
gravilla [gra'βiʎa] *nf* gravillon *m*.
gravitación [graβita'θjon] *nf* gravitation *f*.
gravitar [graβi'tar] *vi* graviter; ~ **sobre algn** peser sur qn.
gravoso, -a [gra'βoso, a] *adj* (*pesado*) pesant(e); (*costoso*) coûteux(-euse).
graznar [graθ'nar] *vi* (*cuervo*) croasser; (*pato*) cancaner.
graznido [graθ'niðo] *nm* (*de cuervo*) croassement *m*; (*de ganso*) cancanement *m*; (*pey*) voix *fsg* discordante.
Grecia ['greθja] *nf* Grèce *f*.
gregario, -a [gre'ɣarjo, a] *adj* grégaire; **instinto** ~ instinct *m* grégaire.
gremio ['gremjo] *nm* corporation *f*.
greña ['greɲa] *nf* (*tb:* ~**s**) tignasse *f*; **andar a la** ~ se disputer.
gresca ['greska] *nf* altercation *f*.
griego, -a ['grjeɣo, a] *adj* grec(que) ♦ *nm/f* Grec(que) ♦ *nm* (*LING*) grec *m*.
grieta ['grjeta] *nf* (*en pared, madera*) fente *f*; (*en terreno, MED*) crevasse *f*.
grifero, -a [gri'fero, a] (*PE*) *nm/f* employé(e).
grifo ['grifo] *nm* robinet *m*; (*AND*) station-service *f*.
grillado, -a [gri'ʎaðo, a] (*fam*) *adj* givré(e).
grilletes [gri'ʎetes] *nmpl* fers *mpl*.
grillo ['griʎo] *nm* grillon *m*; ~**s** *nmpl* (*de preso*) fers *mpl*.
grima ['grima] *nf* dégoût *m*; **me da** ~ ça me dégoûte.
gringada [grin'gaða] (*AM: fam*) *nf* vacherie *f*; (*grupo de gringos*) groupe *m* d'étrangers.
gringo, -a ['gringo, a] (*AM: pey*) *adj* (*extranjero*) étranger(-ère); (*norteamericano, idioma*) ricain(e) ♦ *nm/f* (*extranjero*) étranger(-ère); (*norteamericano*) Ricain(e).
gripe ['gripe] *nf* grippe *f*.
gris [gris] *adj* gris(e); (*vida*) triste; (*personaje*) terne; (*estudiante*) médiocre ♦ *nm* gris *msg*; **gris marengo/perla** gris anthracite/perle.
grisáceo, -a [gri'saθeo, a] *adj* grisâtre.
gritar [gri'tar] *vt, vi* crier; **¡no (me) grites!** ne crie pas (après moi)!
griterío [grite'rio] *nm* brouhaha.
grito ['grito] *nm* cri *m*; **a ~ pelado** en hurlant; **a ~s** en criant; **dar ~s** pousser des cris; **poner el ~ en el cielo** pousser des hauts cris; **es el último** ~ (*de moda*) c'est le dernier cri.
Groenlandia [groen'landja] *nf* Groenland *m*.
grosella [gro'seʎa] *nf* groseille *f*; **grosella negra** cassis *msg*.
grosería [grose'ria] *nf* grossièreté *f*.
grosero, -a [gro'sero, a] *adj* grossier(-ère).
grosor [gro'sor] *nm* grosseur *f*.
grotesco, -a [gro'tesko, a] *adj* grotesque.
grúa ['grua] *nf* grue *f*; **grúa corrediza** *o* **móvil** pont *m* roulant; **grúa de pescante** grue à flèche; **grúa de torre** grue de chantier; **grúa puente** grue à chevalet.
grueso, -a ['grweso, a] *adj* épais(se); (*persona*) corpulent(e); (*mar*) fort(e) ♦ *nm* grosseur *f*; **el ~ de** le gros de.
grulla ['gruʎa] *nf* grue *f*.
grumete [gru'mete] *nm* (*NÁUT*) mousse *m*.
grumo ['grumo] *nm* grumeau *m*.
gruñido [gru'ɲiðo] *nm* grognement *m*.
gruñir [gru'ɲir] *vi* grogner.
gruñón, -ona [gru'ɲon, ona] *adj, nm/f* grognon *m/f*.
grupa ['grupa] *nf* (*ZOOL*) croupe *f*.
grupo ['grupo] *nm* groupe *m*; **grupo de presión** groupe de pression; **grupo sanguíneo** groupe sanguin.
grupúsculo [gru'puskulo] *nm* (*POL*) groupuscule *m*.
gruta ['gruta] *nf* grotte *f*.
gua- [gwa] *V* **hua-**.
guacho, -a ['gwatʃo, a] (*AND, CSUR*) *nm/f* orphelin(e); (*hijo natural*) fils(fille) naturel(le).
guadaña [gwa'ðaɲa] *nf* serpe *f*.
guagua ['gwaɣwa] *nf* (*ANT, CANARIAS*) autobus *msg*; (*AND, CSUR*) bébé *m*.
guano ['gwano] *nm* engrais *msg*.
guantada [gwan'taða] *nf* claque *f*.
guantazo [gwan'taθo] *nm* = **guantada**.
guante ['gwante] *nm* gant *m*; **se ajusta como un** ~ il te/lui *etc* va comme un gant; **más suave que un** ~ doux(douce) comme un agneau; **arrojar el ~ a algn** jeter le gant à qn; **echar el ~ a algn** prendre qn au collet; **con ~ blanco** (*fig*) en prenant des gants; **guantes de goma** gants de caoutchouc.
guantera [gwan'tera] *nf* (*AUTO*) boîte *f* à gants.
guapo, -a ['gwapo, a] *adj* beau(belle) ♦ *nm* (*AND: fam*) beau gosse *m*; **estar** ~ être beau; **¡ven, ~!** (*a niños*) viens, mon mignon!; **¿quién será el ~ que se atreva?**

alors, qui est chiche d'y aller?

guarache [gwa'ratʃe] (*MÉX*) *nm* sandale *f*.

guaraní [gwara'ni] *adj* guarani ♦ *nm/f* Guarani *m/f* ♦ *nm* (*LING, moneda*) guarani *m*.

guarapo [gwa'rapo] (*AM*) *nm sucre de canne fermenté*.

guarda ['gwarða] *nm/f* gardien(ne) ♦ *nf* garde *f*; **guarda forestal** garde *m* forestier; **guarda jurado** vigile *m*.

guardabarros [gwarða'βarros] *nm inv* garde-boue *m inv*.

guardabosques [gwarda'βoskes] *nm/f inv* garde *m* forestier.

guardacostas [gwarda'kostas] *nm inv* garde *m* côte.

guardaespaldas [gwardaes'paldas] *nm/f inv* garde *m/f* du corps.

guardameta [gwarða'meta] *nm* gardien *m* de but.

guardamuebles [gwarða'mweβles] *nm inv* garde-meuble *m*.

guardar [gwar'ðar] *vt* garder; (*poner: en su sitio*) mettre; (*: en sitio seguro*) ranger; (*ley*) observer; **guardarse** *vpr* garder; (*ocultar*) garder (pour soi); ~ **de** garder de; ~ **cama/silencio** garder le lit/le silence; ~ **el sitio** (*en cola*) garder la place; ~ **las apariencias** sauver les apparences; **~se de** (*evitar*) se garder de; **~se de hacer** (*abstenerse*) se garder de faire; **se la tengo guardada** il me le paiera.

guardarropa [gwarða'rropa] *nm* (*armario*) armoire *f*; (*en establecimiento*) vestiaire *m*; (*ropas*) garde-robe *f*.

guardería [gwarðe'ria] *nf* garderie *f*.

guardia ['gwarðja] *nf* garde *f* ♦ *nm/f* (*de tráfico, municipal etc*) agent *m*; (*policía*) policier(femme policier); **estar de** ~ être de garde; **estar/ponerse en** ~ être sur ses gardes/se mettre en garde; **montar** ~ monter la garde; **la Guardia Civil** *la Garde Civile espagnole*; **un guardia civil** ≈ un gendarme; **guardia de tráfico** agent de la circulation; **guardia municipal** *o* **urbana** agent de police; **Guardia Nacional** (*NIC, PAN*) ≈ gendarmerie *f* nationale.

guardián, -ana [gwar'ðjan, ana] *nm/f* gardien(ne).

guarecer [gware'θer] *vt* héberger; **guarecerse** *vpr*: **~se (de)** s'abriter (de).

guarida [gwa'riða] *nf* abri *m*; (*fig: de delincuentes*) repaire *m*.

guarismo [gwa'rismo] *nm* chiffre *m*.

guarnición [gwarni'θjon] *nf* (*de vestimenta*) ornement *m*; (*de piedra preciosa*) chaton *m*; (*CULIN*) garniture *f*; (*arneses*) harnachement *m*; (*MIL*) garnison *f*.

guarrada [gwa'rraða] (*fam*) *nf* saleté *f*; (*mala jugada*) saloperie *f*.

guarro, -a ['gwarro, a] *adj* (*fam*) sale ♦ *nm/f* cochon(truie); (*fam: persona*) cochon(ne).

guarura [gwa'rura] (*MÉX: fam*) *nm* gorille *m*.

guasa ['gwasa] *nf* blague *f*; **con** *o* **de** ~ pour rire; *V tb* **guaso**.

guasón, -ona [gwa'son, ona] *adj, nm/f* blagueur(-euse).

guateado, -a [gwate'aðo, a] *adj* ouaté(e).

Guatemala [gwate'mala] *nf* Guatemala *m*.

guatemalteco, -a [gwatemal'teko, a] *adj* guatémaltèque ♦ *nm/f* Guatémaltèque *m/f*.

guau [gwau] *excl*: ¡~, ~! ouah, ouah!

guay [gwai] *excl* génial!

Guayana [gwa'jana] *nf* Guyane *f*.

gubernamental [guβernamen'tal] *adj* gouvernemental(e).

gubernativo, -a [guβerna'tiβo, a] *adj* du gouvernement.

güero, -a ['gwero, a] (*esp MÉX*) *adj, nm/f* roux(rousse).

guerra ['gerra] *nf* guerre *f*; ~ **a muerte** guerre à mort; **Primera/Segunda G~ Mundial** Première/Deuxième Guerre mondiale; **estar en** ~ être en guerre; **dar** ~ donner du fil à retordre; **guerra atómica /bacteriológica /nuclear /psicológica** guerre atomique/bactériologique/nucléaire/psychologique; **guerra civil/fría** guerre civile/froide; **guerra de guerrillas** guérilla *f*, guerre de partisans; **guerra de precios** (*COM*) guerre des prix.

guerrear [gerre'ar] *vi* guerroyer.

guerrero, -a [ge'rrero, a] *adj, nm/f* guerrier(-ière).

guerrilla [ge'rriʎa] *nf* guérilla *f*.

guerrillero, -a [gerri'ʎero, a] *nm/f* guérillero *m*.

gueto ['geto] *nm* ghetto *m*.

guía ['gia] *vb V* **guiar** ♦ *nm/f* (*persona*) guide *m/f* ♦ *nf* (*libro*) guide *m*; (*BOT*) élagage *m*; (*INFORM*) message *m*; **guía de ferrocarriles** horaire *m* des trains; **guía telefónica** annuaire *m*; **guía turística** (*libro*) guide *m* touristique; **guía turístico** (*persona*) guide *m/f*.

guiar [gi'ar] *vt* guider; (*AUTO*) diriger; **guiarse** *vpr*: **~se por** suivre.

guijarro [gi'xarro] *nm* caillou *m*.

guillotina [giʎo'tina] *nf* guillotine *f*; (*para papel*) coupe-papier *m inv*.

guinda ['ginda] *nf* griotte *f*.

guindar [gin'dar] (*fam*) *vt* faucher.

guindilla [gin'diʎa] *nf* piment *m*.

guiñapo [gi'ɲapo] *nm* (*harapo*) haillon *m*;

(*persona*) chiffe *f* molle; **estar hecho un ~** être lessivé.
guiñar [gi'ɲar] *vt* cligner de.
guiño ['giɲo] *nm* clin *m* d'œil; **hacer un ~ a algn** faire un clin d'œil à qn.
guiñol [gi'ɲol] *nm* (TEATRO) guignol *m*.
guión [gi'on] *nm* (LING) tiret *m*; (*esquema*) plan *m*; (CINE) scénario *m*.
guionista [gjo'nista] *nm/f* scénariste *m/f*.
guiri ['giri] (*pey*) *nm/f* métèque *m*.
guirnalda [gir'nalda] *nf* guirlande *f*.
guisado [gi'saðo] *nm* ragoût *m*.
guisante [gi'sante] *nm* petit pois *msg*.
guisar [gi'sar] *vt, vi* faire cuire; (*fig*) tramer.
guiso ['giso] *nm* plat *m*.
guita ['gita] (*fam*) *nf* blé *m*.
guitarra [gi'tarra] *nf* guitare *f*.
guitarrista [gita'rrista] *nm/f* guitariste *m/f*.
gula ['gula] *nf* gloutonnerie *f*.
gusano [gu'sano] *nm* vers *msg*; (*de mariposa, pey*) larve *f*; (*ser despreciable*) larve; (CU: *pey*) *réfugié cubain*; **gusano de seda** vers à soie.
gustar [gus'tar] *vt* goûter ♦ *vi* plaire; **~ de hacer** prendre plaisir à faire; **me gustan las uvas** j'aime le raisin; **le gusta nadar** il aime nager; **me gusta ese chico/esa chica** j'aime bien ce garçon/cette fille; **¿usted gusta?** vous en prendrez bien?; **como usted guste** comme il vous plaira.
gustazo [gus'taθo] *nm*: **darse el ~ de hacer algo** avoir le plaisir de faire qch.
gusto ['gusto] *nm* goût *m*; (*agrado, placer*) plaisir *m*; (*afición*) intérêt *m*; **a su** *etc* **~** à votre *etc* aise; **hacer algo con ~** faire qch avec plaisir; **dar ~ a algn** faire plaisir à qn; **que da ~** bien agréable; **tiene un ~ amargo** ça a un goût amer; **tener buen/mal ~** avoir bon/mauvais goût; **sobre ~s no hay nada escrito** chacun ses goûts; **de buen/mal ~** de bon/mauvais goût; **darse el ~ de hacer algo** se faire le plaisir de faire qch; **estar/sentirse a ~** être/se sentir à l'aise; **¡mucho** *o* **tanto ~ (en conocerle)!** enchanté(e) *o* ravi(e) de faire votre connaissance!; **el ~ es mío** tout le plaisir est pour moi; **coger** *o* **tomar ~ a algo** prendre goût à qch.

H, h

ha [a] *vb V* **haber**.
haba ['aβa] *nf* fève *f*; **en todas partes cuecen ~s** ça peut arriver à tout le monde.
Habana [a'βana] *nf*: **la ~** la Havane.
habanero, -a [aβa'nero, a] *adj* havanais(e) ♦ *nm/f* Havanais(e).
habano [a'βano] *nm* havane *m*.

PALABRA CLAVE

haber [a'βer] *vb aux* **1** (*tiempos compuestos*) avoir; (*con verbos pronominales y de movimiento*) être; **he/había comido** j'ai/j'avais mangé; **antes/después de haberlo visto** avant/après l'avoir vu; **si lo hubiera sabido, habría ido** si j'avais su, j'y serais allé; **se ha sentado** il s'est assis; **ella había salido** elle était sortie; **¡haberlo dicho antes!** il fallait le dire plus tôt!
2: **haber de** (+ *infin*): **he de hacerlo** je dois le faire; **ha de llegar mañana** il doit arriver demain; **no ha de tardar** (AM) il arrivera bientôt; **has de estar loco** (AM) tu dois être tombé sur la tête
♦ *vb impers* **1** (*existencia*) avoir; **hay un hermano/dos hermanos** il y a un frère/deux frères; **¿cuánto hay de aquí a Sucre?** il y a combien d'ici à Sucre?; **habrá unos 4° (de temperatura)** il doit faire 4°; **no hay cintas blancas, pero sí las hay rojas** il n'y a pas de rubans blancs, mais il y en a des rouges; **¡no hay quien le entienda!** personne n'arrive à le comprendre!; **no hay nada como un buen filete** il n'y a rien de tel qu'un bon filet
2 (*tener lugar*): **hubo mucha sequía/una guerra** il y a eu une grande sécheresse/une guerre; **¿hay partido mañana?** il y a un match demain?
3: **¡no hay de** *o* **por** (AM) **qué!** il n'y a pas de quoi!
4: **¿qué hay?** (*¿qué pasa?*) qu'est-ce qu'il y a?; (*¿qué tal?*) ça va?; **¡qué hubo!, ¡qué húbole!** (*esp* MÉX, CHI: *fam*) salut!
5 (*haber que + infin*): **hay que apuntarlo para acordarse** il faut le marquer pour s'en souvenir; **¡habrá que decírselo!** il faudra le lui dire!
6: **¡hay que ver!** il faut voir!
7: **he aquí las pruebas** voici les preuves
8: **¡habráse visto!** (*fam*) eh bien dis *o* dites donc!; **¡hubiera visto ...!** (MÉX: *si hubiera visto*) si vous aviez vu ...!
♦ **haberse** *vpr*: **voy a habérmelas con él** je vais m'expliquer avec lui
nm **1** (COM) crédit *m*; **¿cuánto tengo en el haber?** j'ai combien sur mon compte?; **tiene varias novelas en su haber** il a plusieurs romans à son actif
2: **haberes** *nmpl* avoirs *mpl*.

habichuela [aβi'tʃwela] *nf* haricot *m*.
hábil ['aβil] *adj* habile; **día ~** jour *m* ouvrable.

habilidad [aβili'ðað] *nf* habileté *f*; **~es** *nfpl* (*aptitudes*) aptitudes *fpl*; **tener ~ manual** être habile de ses mains.
habilitado [aβili'taðo] *nm* trésorier-payeur *m*.
habilitar [aβili'tar] *vt* (*autorizar, JUR*) habiliter; (*financiar*) financer; **~ (para)** (*casa, local*) aménager (pour); **~ a algn para hacer** habiliter qn à faire.
habitable [aβi'taβle] *adj* habitable.
habitación [aβita'θjon] *nf* pièce *f*; (*dormitorio*) chambre *f*; **habitación doble** *o* **de matrimonio** chambre double; **habitación sencilla** *o* **individual** chambre simple.
habitante [aβi'tante] *nm/f* habitant(e).
habitar [aβi'tar] *vt, vi* habiter.
hábitat ['aβitat] (*pl* **~s**) *nm* habitat *m*.
hábito ['aβito] *nm* (*costumbre*) habitude *f*; (*traje*) habit *m*; **tener el ~ de hacer algo** avoir l'habitude de faire qch.
habitual [aβi'twal] *adj* habituel(le).
habituar [aβi'twar] *vt*: **~ a algn a (hacer)** habituer qn à (faire); **habituarse** *vpr*: **~se a (hacer)** s'habituer à (faire).
habla ['aβla] *nf* (*capacidad de hablar*) parole *f*; (*forma de hablar*) langage *m*; (*dialecto*) parler *m*; **perder el ~** perdre l'usage de la parole; **de ~ francesa/española** de langue française/espagnole; **estar/ponerse al ~** être en train de parler/se mettre à parler; **estar al ~** (*TELEC*) être à l'appareil; **¡González al ~!** (*TELEC*) González à l'appareil!
hablador, a [aβla'ðor, a] *adj, nm/f* bavard(e).
habladuría [aβlaðu'ria] *nf* commérage *m*; **~s** *nfpl* (*chismes*) commérages *mpl*.
hablante [a'βlante] *nm/f* (*LING*) locuteur(-trice); **los ~s de catalán** les personnes parlant catalan.
hablar [a'βlar] *vt, vi* parler; **hablarse** *vpr* se parler; **~lo (con algn)** en parler (avec qn); **~ con** parler avec; **¡ya puede ~!** (*TELEC*) à vous!; **¡ni ~!** pas question!; **~ alto/claro** parler fort/clairement; **dar que ~** faire jaser; **~ por los codos** bavarder comme une pie; **~ entre dientes** marmonner; **~ de** parler de; **~ mal/bien de algn** dire du mal/du bien de qn; **~ de tú/de usted** tutoyer/vouvoyer; **"se habla francés"** "on parle français"; **no se hablan** ils ne se parlent plus; **no me hablo con mi hermana** je ne parle plus à ma sœur.
habré *etc* [a'βre] *vb V* **haber**.
hacendado, -a [aθen'daðo, a] *adj* propriétaire ♦ *nm* propriétaire *m* terrien.
hacendoso, -a [aθen'doso, a] *adj* travailleur(-euse).

PALABRA CLAVE

hacer [a'θer] *vt* **1** (*producir, ejecutar*) faire; **hacer una película/un ruido** faire un film/un bruit; **hacer la compra** faire les courses; **hacer la comida** faire à manger; **hacer la cama** faire le lit
2 (*obrar*) faire; **¿qué haces?** qu'est-ce que tu fais?; **eso no se hace** ça ne se fait pas; **¡así se hace!** c'est comme ça que l'on fait!; **¡bien hecho!** bravo!; **¿cómo has hecho para llegar tan rápido?** comment as-tu fait pour arriver si vite?; **no hace más que criticar** il ne fait que critiquer; **¡eso está hecho!** tout de suite!; **hacer el papel del malo** (*TEATRO*) avoir le rôle du méchant; **hacer el tonto/el ridículo** faire l'idiot/le pitre
3 (*dedicarse a*) faire de; **hacer teatro** faire du théâtre; **hacer español/económicas** faire de l'espagnol/de l'économie; **hacer yoga/gimnasia/deporte** faire du yoga/de la gym/du sport
4 (*causar*): **hacer ilusión** faire plaisir; **hacer gracia** faire rire
5 (*conseguir*): **hacer amigos** se faire des amis; **hacer una fortuna** faire une fortune
6 (*dar aspecto de*): **ese peinado te hace más joven** cette coiffure te rajeunit
7 (*cálculo*): **esto hace 100** et voilà 100
8 (*como sustituto de vb*) faire; **él bebió y yo hice lo mismo** il a bu et j'ai fait la même chose
9 (*+ inf, + que*): **les hice venir** je les ai fait venir; **hacer trabajar a los demás** faire travailler les autres; **aquello me hizo comprender** cela m'a fait comprendre; **hacer reparar algo** faire réparer qch; **esto nos hará ganar tiempo** ça nous fera gagner du temps; **harás que no quiera venir** tu vas lui ôter l'envie de venir
10 (*+ adj*) rendre; **~ feliz a algn** rendre qn heureux
♦ *vi* **1**: **hiciste bien en decírmelo** tu as bien fait de me le dire
2 (*convenir*): **si os hace** si ça vous dit; **¿hace?** ça vous dit?
3: **no le hace** (*AM*: *no importa*) ça ne fait rien
4: **haz como que no lo sabes** fais comme si tu ne savais rien
5: **hacer de** (*objeto*) servir de; **la tabla hace de mesa** la planche sert de table; **hacer de madre** jouer le rôle de mère; (*pey*) jouer les mères poules; (*TEATRO*): **hacer de Otelo** jouer Othello
♦ *vb impers* **1**: **hace calor/frío** il fait chaud/froid; *V tb* **bueno**; **sol**; **tiempo**

2 (*tiempo*): **hace 3 años** il y a 3 ans; **hace un mes que voy/no voy** cela fait un mois que j'y vais/je n'y vais plus; **desde hace mucho** depuis longtemps; **no lo veo desde hace mucho** cela fait longtemps que je ne l'ai pas vu
hacerse *vpr* **1** (*volverse*) se faire; **hacerse viejo** se faire vieux; **se hicieron amigos** ils sont devenus amis
2 (*resultar*): **se me hizo muy duro el viaje** j'ai trouvé le voyage très pénible
3 (*acostumbrarse*): **hacerse a** se faire à; **hacerse a una idea** se faire à une idée
4 (*obtener*): **hacerse de** *o* **con algo** obtenir qch
5 (*fingir*): **hacerse el sordo** *o* **el sueco** faire la sourde oreille
6: **hacerse idea de algo** se faire une idée de qch; **hacerse ilusiones** se faire des illusions
7: **se me hace que** (*AM: me parece que*) il me semble que.

hacha ['atʃa] *nf* hache *f*; (*antorcha*) mèche *f*; **ser un ~** (*fig*) être un as.
hachazo [a'tʃaθo] *nm* coup *m* de hache.
hachís [a'tʃis] *nm* haschich *m*.
hacia ['aθja] *prep* vers; (*actitud*) envers; **~ adelante/atrás/dentro/fuera** devant/derrière/dedans/dehors; **~ abajo/arriba** en bas/haut; **mira ~ acá** regarde par ici; **~ mediodía/finales de mayo** vers midi/la fin mai.
hacienda [a'θjenda] *nf* (*propiedad*) propriété *f*; (*finca*) ferme *f*; (*AM*) hacienda *f*; **(Ministerio de) H~** (ministère *m* des) Finances *fpl*; **hacienda pública** trésor *m* public.
hacinamiento [aθina'mjento] *nm* attroupement *m*.
hacinar [aθi'nar] *vt* (*cosas*) empiler; (*personas*) entasser; **hacinarse** *vpr* (*en una vivienda*) s'entasser.
hada ['aða] *nf* fée *f*; **hada madrina** fée marraine.
hado ['aðo] *nm* destin *m*.
haga *etc* ['aɣa] *vb V* **hacer**.
hala ['ala] *excl* (*para dar prisa*) allez!; (*para dar ánimo*) allons!; (*tras exageración*) eh oh!
halagar [ala'ɣar] *vt* flatter; (*agradar*) réjouir.
halago [a'laɣo] *nm* flatterie *f*.
halagüeño, -a [ala'ɣweɲo, a] *adj* réjouissant(e); (*lisonjero*) flatteur(-euse).
halcón [al'kon] *nm* faucon *m*.
hale ['ale] *excl* allez!
hallar [a'ʎar] *vt* trouver; **hallarse** *vpr* se trouver; **se halla fuera** il est dehors.
hallazgo [a'ʎaθɣo] *nm* trouvaille *f*.
halo ['alo] *nm* halo *m*.
halógeno [a'loxeno] *adj*: **faro ~** phare *m* halogène.
halterofilia [altero'filja] *nf* haltérophilie *f*.
hamaca [a'maka] *nf* hamac *m*; (*asiento*) chaise *f* longue.
hambre ['ambre] *nf* faim *f*; **~ de** (*fig*) faim de; **tener ~** avoir faim; **pasar ~** souffrir de la faim.
hambriento, -a [am'brjento, a] *adj, nm/f* affamé(e); **los ~s** les affamés; **~ de** (*fig*) affamé(e) de.
hambruna [am'bruna] *nf* faim *f*.
hamburguesa [ambur'ɣesa] *nf* hamburger *m*.
hampa ['ampa] *nf* pègre *f*.
han [an] *vb V* **haber**.
handicap ['xandikap] (*pl* **handicaps**) *nm* handicap *m*.
haraganear [araɣane'ar] *vi* fainéanter.
harapiento, -a [ara'pjento, a] *adj* en haillons.
harapos [a'rapos] *nmpl* haillons *mpl*.
haré *etc* [a're] *vb V* **hacer**.
harén [a'ren] *nm* harem *m*.
harina [a'rina] *nf* farine *f*; **eso es ~ de otro costal** c'est une autre paire de manches; **harina de maíz/de trigo** farine de maïs/de blé.
hartar [ar'tar] *vt* (*de comida*) gaver; (*saturar*) saturer; (*fastidiar*) fatiguer; **hartarse** *vpr* (*cansarse*) se lasser; (*de comida*): **~se (de)** se gaver (de); **~se de leer/reír** se lasser de lire/rire; **¡me estás hartando!** tu m'ennuies!
hartazgo [ar'taθɣo] *nm*: **darse un ~ (de)** avoir son content (de).
harto, -a ['arto, a] *adj*: **~ (de)** rassasié(e) (de); (*cansado*) fatigué(e) (de) ♦ *adv* (*bastante*) assez; (*muy*) bien assez; **estar ~ de hacer/algn** en avoir marre de faire/qn; **¡estoy ~ de decírtelo!** je te l'ai assez dit!; **¡me tienes ~!** tu me fatigues!
hartura [ar'tura] *nf* excès *msg*.
has [as] *vb V* **haber**.
hasta ['asta] *adv* même, voire ♦ *prep* jusqu'à ♦ *conj*: **~ que** jusqu'à ce que; (*CAM, COL, MÉX: no ... hasta*): **viene ~ las cuatro** il ne vient pas avant quatre heures; **~ luego** *o* **ahora** (*fam*), **~ siempre** (*ARG*) salut!; **~ mañana/el sábado** à demain/samedi; **~ la fecha/ahora** jusqu'à aujourd'hui/maintenant; **~ nueva orden** jusqu'à nouvel ordre; **¿~ qué punto?** à quel point?; **~ tal punto que ...** à tel point que ...; **¿~ cuándo/dónde?** on se voit quand/où?; **~ ayer empezó** (*AM*) cela n'a commencé

qu'hier.
hastiar [as'tjar] *vt* fatiguer; **hastiarse** *vpr*: **~se de (hacer)** se lasser de (faire).
hastío [as'tio] *nm* ennui *m*.
hatajo [a'taxo] *nm*: **un ~ de gamberros/de idiotas** un tas de voyous/d'idiots.
hay [ai] *vb V* **haber**.
haya ['aja] *vb V* **haber** ♦ *nf* hêtre *m*.
haz [aθ] *vb V* **hacer** ♦ *nm* botte *f*; (*de luz*) faisceau *m* ♦ *nf* (*de tela*) endroit *m*.
hazaña [a'θaɲa] *nf* exploit *m*.
hazmerreír [aθmerre'ir] *nm inv*: **ser/convertirse en el ~ de** être/devenir la risée de.
he [e] *vb V* **haber** ♦ *adv*: **~ aquí** voici; **~ aquí por qué ...** voici pourquoi ... .
hebilla [e'βiʎa] *nf* boucle *f*.
hebra ['eβra] *nf* fil *m*; (*de carne*) nerf *m*; (*de tabaco*) fibre *f*; **pegar la ~** tailler une bavette.
hebreo, -a [e'βreo, a] *adj* hébreu (*sólo m*), hébraïque ♦ *nm/f* Hébreu *m* ♦ *nm* (LING) hébreu *m*.
hechicero, -a [etʃi'θero, a] *nm/f* ensorceleur(-euse).
hechizar [etʃi'θar] *vt* ensorceler.
hechizo [e'tʃiθo] *nm* sorcellerie *f*; (*encantamiento*) enchantement *m*; (*fig*) fascination *f*.
hecho, -a ['etʃo, a] *pp de* **hacer** ♦ *adj* fait(e); (*hombre, mujer*) mûr(e); (*vino*) arrivé(e) à maturation; (*ropa*) de prêt-à-porter ♦ *nm* fait *m*; (*factor*) facteur *m* ♦ *excl* c'est fait!; **¡bien ~!** bravo!, bien joué!; **muy/poco ~** (CULIN) très/peu cuit(e); **estaba ~ una fiera/un mar de lágrimas** il était dans une colère noire/en larmes; **bien/mal ~** bien/mal fait(e); **estar ~ a algo** s'être fait(e) à qch; **~ a la medida** fait(e) sur mesure; **de ~** de fait; **el ~ es que ...** le fait est que ...; **el ~ de que ...** le fait que ... .
hechura [e'tʃura] *nf* (*confección*) confection *f*; (*corte, forma*) coupe *f*; (TEC) fabrication *f*.
hectárea [ek'tarea] *nf* hectare *m*.
heder [e'ðer] *vi* puer.
hediondo, -a [e'ðjondo, a] *adj* puant(e); (*fig*) dégoûtant(e).
hedor [e'ðor] *nm* puanteur *f*.
hegemonía [exemo'nia] *nf* hégémonie *f*.
helada [e'laða] *nf* gelée *f*; **caer una ~** geler.
heladera [ela'ðera] (CSUR) *nf* réfrigérateur *m*.
heladería [elaðe'ria] *nf* marchand *m* de glaces.
helado, -a [e'laðo, a] *adj* congelé(e); (*muy frío*) gelé(e); (*fig*) de glace ♦ *nm* glace *f*; **¡estoy ~ (de frío)!** je gèle!; **dejar ~ a algn** épater qn; **quedarse ~** être abasourdi(e).
helar [e'lar] *vt* congeler; (BOT) geler; (*dejar atónito*) abasourdir ♦ *vi* geler; **helarse** *vpr* geler; **~se de frío** mourir de froid; **ha helado esta noche** il a gelé cette nuit.
helecho [e'letʃo] *nm* fougère *f*.
helénico, -a [e'leniko, a] *adj* hellénique.
hélice ['eliθe] *nf* hélice *f*.
helicóptero [eli'koptero] *nm* hélicoptère *m*.
helio ['eljo] *nm* hélium *m*.
helvético, -a [el'βetiko, a] *adj* helvétique ♦ *nm/f* Helvète *m/f*.
hematoma [ema'toma] *nm* hématome *m*.
hembra ['embra] *nf* femelle *f*; (*mujer*) femme *f*; **un elefante ~** un éléphant femelle.
hemiciclo [emi'θiklo] *nm* (POL) hémicycle *m*.
hemisferio [emis'ferjo] *nm* hémisphère *m*.
hemofilia [emo'filja] *nf* hémophilie *f*.
hemorragia [emo'rraxja] *nf* hémorragie *f*; **hemorragia nasal** saignement *m* de nez.
hemorroides [emo'rroiðes] *nfpl* hémorroïdes *fpl*.
hemos ['emos] *vb V* **haber**.
henchir [en'tʃir] *vt* (*pulmones*) gonfler; **henchido de orgullo** bouffi d'orgueil.
hender [en'der] *vt* fendre.
hendidura [endi'ðura] *nf* fente *f*; (GEO) faille *f*.
heno ['eno] *nm* foin *m*.
hepático, -a [e'patiko, a] *adj* hépatique.
hepatitis [epa'titis] *nf* hépatite *f*.
herbicida [erβi'θiða] *nm* herbicide *m*.
herbívoro, -a [er'βiβoro, a] *adj* herbivore.
herboristería [erβoriste'ria] *nf* herboristerie *f*.
heredar [ere'ðar] *vt* hériter.
heredero, -a [ere'ðero, a] *nm/f* héritier(-ère); **príncipe ~** prince *m* héritier; **heredero del trono** héritier du trône.
hereditario, -a [ereði'tarjo, a] *adj* héréditaire.
hereje [e'rexe] *nm/f* hérésiarque *m/f*.
herejía [ere'xia] *nf* hérésie *f*.
herencia [e'renθja] *nf* héritage *m*; (BIO) hérédité *f*.
herido, -a [e'riðo, a] *adj, nm/f* blessé(e) ♦ *nf* blessure *f*; **resultar ~** être blessé(e); **sentirse ~** (*fig*) se sentir blessé(e).
herir [e'rir] *vt* blesser; (*vista, oídos*) irriter; **herirse** *vpr* se blesser.

hermana [er'mana] *nf* sœur *f*; **hermana gemela** sœur jumelle; **hermana política** belle-sœur.
hermanastro, -a [erma'nastro, a] *nm/f* demi-frère(demi-sœur).
hermandad [erman'dað] *nf* congrégation *f*; (*fraternidad*) fraternité *f*.
hermano, -a [er'mano, a] *adj* (*ciudad*) jumeau(jumelle) ♦ *nm* frère *m*; **él y ella son ~s** ils sont frère et sœur; **hermano gemelo** frère jumeau; **hermano político** beau-frère; *V tb* **hermana**.
hermético, -a [er'metiko, a] *adj* hermétique.
hermoso, -a [er'moso, a] *adj* beau (belle); (*espacioso*) spacieux(-euse).
hermosura [ermo'sura] *nf* beauté *f*; **ese niño es una ~** c'est un beau bébé.
hernia ['ernja] *nf* hernie *f*; **hernia discal** hernie discale.
herniarse [er'njarse] *vpr* se faire une hernie; (*fam*) se fatiguer.
héroe ['eroe] *nm* héros *msg*.
heroico, -a [e'roiko, a] *adj* héroïque.
heroína [ero'ina] *nf* (*mujer, droga*) héroïne *f*.
heroinómano, -a [eroi'nomano, a] *nm/f* héroïnomane *m/f*.
heroísmo [ero'ismo] *nm* héroïsme *m*.
herpes ['erpes] *nm/fpl* herpès *msg*; **herpes labial** herpès labial.
herradura [erra'ðura] *nf* fer *m* à cheval.
herramienta [erra'mjenta] *nf* outil *m*.
herrería [erre'ria] *nf* forge *f*.
herrero [e'rrero] *nm* forgeron *m*.
herrumbre [e'rrumbre] *nf* rouille *f*.
hervidero [erβi'ðero] *nm* (*fig: de personas*) foule *f*; (*: de animales*) troupeau *m*; (*: de pasiones*) déchaînement *m*.
hervir [er'βir] *vt* (faire) bouillir ♦ *vi* bouillir; (*fig*): **~ de** bouillir de; **~ en deseos de** brûler du désir de.
heterogéneo, -a [etero'xeneo, a] *adj* hétérogène.
heterosexual [eterosek'swal] *adj, nm/f* hétérosexuel(le).
hibernación [iβerna'θjon] *nf* hibernation *f*.
híbrido, -a ['iβriðo, a] *adj* hybride.
hice *etc* ['iθe] *vb V* **hacer**.
hidalgo [i'ðalɣo] *nm* hidalgo *m*.
hidratación [iðrata'θjon] *nf* hydratation *f*.
hidratar [iðra'tar] *vt* hydrater.
hidrato [i'ðrato] *nm*: **~s de carbono** hydrates *mpl* de carbone.
hidráulico, -a [i'ðrauliko, a] *adj* hydraulique.
hidro... [iðro] *pref* hydro... .
hidroeléctrico, -a [iðroe'lektriko, a] *adj* hydroélectrique.
hidrógeno [i'ðroxeno] *nm* hydrogène *m*.
hiedra ['jeðra] *nf* lierre *m*.
hielo ['jelo] *vb V* **helar** ♦ *nm* glace *f*; (*fig*) froideur *f*; **~s** *nmpl* (*escarcha*) gelées *fpl*; **romper el ~** (*fig*) rompre la glace.
hiena ['jena] *nf* hyène *f*.
hiera *etc* ['jera] *vb V* **herir**.
hierba ['jerβa] *nf* herbe *f*; **mala ~** mauvaise herbe; (*fig*) mauvaise graine *f*.
hierbabuena [jerβa'βwena] *nf* menthe *f*.
hierro ['jerro] *nm* fer *m*; (*trozo, pieza*) bout *m* de fer; **de ~** en fer; (*fig: persona*) fort(e) comme un bœuf; (*: voluntad, salud*) de fer; **hierro colado/forjado/fundido** fer coulé/forgé/fondu.
hierva *etc* ['jerβa] *vb V* **hervir**.
hígado ['iɣaðo] *nm* foie *m*; **echar los ~s** se décarcasser.
higiene [i'xjene] *nf* hygiène *f*.
higiénico, -a [i'xjeniko, a] *adj* hygiénique.
higo ['iɣo] *nm* figue *f*; **de ~s a brevas** tous les 36 du mois; **estar hecho un ~** (*fam*) être tout chiffonné; **higo chumbo** figue de Barbarie; **higo seco** figue sèche.
higuera [i'gera] *nf* figuier *m*.
hija ['ixa] *nf* fille *f*; (*uso vocativo*) ma fille; **hija política** belle-fille.
hijastro, -a [i'xastro, a] *nm/f* beau-fils (belle-fille); **~s** beaux-enfants *mpl*.
hijo ['ixo] *nm* (*retoño*) fils *msg*; (*uso vocativo*) fiston *m*, mon garçon; **~s** *nmpl* (*hijos e hijas*) enfants *mpl*; (*descendientes*) enfants et petits-enfants *mpl*; **sin ~s** sans enfants; **cada ~ de vecino** tout un chacun; **hijo adoptivo** fils adoptif; **hijo de mamá/papá** fils à maman/papa; **hijo de puta** (*fam!*) fils de pute (*fam!*); **hijo ilegítimo** fils illégitime; **hijo político** gendre *m*; **hijo pródigo** fils prodigue.
hilar [i'lar] *vt* filer; **~ delgado** *o* **fino** (*fig*) jouer finement.
hilera [i'lera] *nf* rangée *f*.
hilo ['ilo] *nm* fil *m*; (*de metal*) filon *m*; (*de agua, luz, voz*) filet *m*; **colgar de un ~** (*fig*) ne tenir qu'à un fil; **perder/seguir el ~** (*de relato, pensamientos*) perdre/suivre le fil; **traje de ~** costume *m* de toile.
hilván [il'βan] *nm* (COSTURA) ourlet *m*.
hilvanar [ilβa'nar] *vt* (COSTURA) ourler; (*bosquejar*) esquisser; (*precipitadamente*) ébaucher.
himno ['imno] *nm* hymne *m*; **himno nacional** hymne national.
hincapié [inka'pje] *nm*: **hacer ~ en** mettre l'accent sur.
hincar [in'kar] *vt* planter; **hincarse** *vpr*

s'enfoncer; **~le el diente a** (*comida*) mordre à belles dents dans; (*fig: asunto*) s'attaquer à; **~se de rodillas** s'agenouiller.

hincha ['intʃa] *nm/f* (*fam: DEPORTE*) fan *m/f* ♦ *nf*: **tenerle ~ a algn** avoir une dent contre qn.

hinchar [in'tʃar] *vt* gonfler; (*fig*) exagérer; **hincharse** *vpr* (*MED*) s'enflammer; (*fig: engreírse*) se rengorger; **~se de (hacer)** en avoir marre de (faire).

hindú [in'du] *adj* hindou(e) ♦ *nm/f* Hindou(e).

hinojo [i'noxo] *nm* fenouil *m*; **de ~s** sur les genoux.

hinque *etc* ['inke] *vb V* **hincar**.

hipermercado [ipermer'kaðo] *nm* hypermarché *m*.

hípico, -a ['ipiko, a] *adj* (*concurso*) hippique; (*carrera*) de chevaux; **club ~** club *m* d'équitation.

hipnotismo [ipno'tismo] *nm* hypnotisme *m*.

hipnotizar [ipnoti'θar] *vt* hypnotiser.

hipo ['ipo] *nm* hoquet *m*; **me ha entrado ~** j'ai le hoquet; **tener ~** avoir le hoquet; **quitar el ~ a algn** (*fig*) couper le sifflet à qn.

hipocresía [ipokre'sia] *nf* hypocrisie *f*.

hipócrita [i'pokrita] *adj, nm/f* hypocrite *m/f*.

hipódromo [i'poðromo] *nm* hippodrome *m*.

hipopótamo [ipo'potamo] *nm* hippopotame *m*.

hipoteca [ipo'teka] *nf* hypothèque *f*; **pagar la ~** rembourser l'hypothèque.

hipotecar [ipote'kar] *vt* hypothéquer.

hipótesis [i'potesis] *nf inv* hypothèse *f*.

hipotético, -a [ipo'tetiko, a] *adj* hypothétique.

hiriendo *etc* [i'rjendo] *vb V* **herir**.

hiriente [i'rjente] *adj* blessant(e).

hirviendo *etc* [ir'βjendo] *vb V* **hervir**.

hispánico, -a [is'paniko, a] *adj* hispanique.

hispano, -a [is'pano, a] *adj* espagnol(e); (*en EEUU*) hispano-américain(e) ♦ *nm/f* Espagnol(e); (*en EEUU*) Hispano-Américain(e).

Hispanoamérica [ispanoa'merika] *nf* Amérique *f* latine.

hispanoamericano, -a [ispanoameri'kano, a] *adj* hispano-américain(e) ♦ *nm/f* Hispano-Américain(e).

hispanohablante [ispanoa'βlante], **hispanoparlante** [ispanopar'lante] *adj* hispanophone.

histeria [is'terja] *nf* hystérie *f*; **~ colectiva** hystérie collective.

histérico, -a [is'teriko, a] *adj* hystérique.

historia [is'torja] *nf* histoire *f*; **~s** *nfpl* (*chismes*) histoires *fpl* drôles; **¡la ~ de siempre!**, **¡la misma ~!** c'est toujours la même histoire!; **déjate de ~s** ne me raconte pas d'histoires; **pasar a la ~** passer à la postérité; **historia antigua/contemporánea** histoire ancienne/contemporaine; **historia natural** histoire naturelle.

historiador, a [istorja'ðor, a] *nm/f* historien(ne).

historial [isto'rjal] *nm* (*profesional*) curriculum vitae *m inv*; (*MED*) antécédents *mpl*.

histórico, -a [is'toriko, a] *adj* historique; (*estudios*) d'histoire.

historieta [isto'rjeta] *nf* bande *f* dessinée.

hito ['ito] *nm* (*fig*) fait *m* historique; **mirar a algn de ~ en ~** regarder fixement qn.

hizo ['iθo] *vb V* **hacer**.

hocico [o'θiko] *nm* museau *m*; **estar de ~s** faire la tête; **torcer el ~** faire la moue; **meter el ~ en algo** mettre son nez dans qch.

hockey ['xoki] *nm* hockey *m*; **hockey sobre hielo/patines** hockey sur glace/patins.

hogar [o'ɣar] *nm* foyer *m*; **labores del ~** tâches *fpl* domestiques; **crear/formar un ~** créer/fonder une famille.

hogareño, -a [oɣa'reɲo, a] *adj* (*ambiente*) familial(e); (*escena*) de famille; (*persona*) casanier(-ère).

hogaza [o'ɣaθa] *nf* miche *f*.

hoguera [o'ɣera] *nf* feu *m* de bois; (*para herejes*) bûcher *m*.

hoja ['oxa] *nf* feuille *f*; (*de flor*) pétale *m*; (*de cuchillo*) lame *f*; (*de puerta, ventana*) battant *m*; **de ~ caduca/perenne** à feuille caduque/persistante; **hoja de afeitar** lame de rasoir; **hoja electrónica** *o* **de cálculo** feuille de calcul (électronique); **hoja de pedido** bon *m* de commande; **hoja de servicios** états *mpl* de service; **hoja de trabajo** (*INFORM*) feuille de programmation; **hoja informativa** circulaire *f*.

hojalata [oxa'lata] *nf* fer *m* blanc.

hojaldre [o'xaldre] *nm* pâte *f* feuilletée.

hojear [oxe'ar] *vt* feuilleter.

hola ['ola] *excl* salut!

Holanda [o'landa] *nf* Hollande *f*.

holandés, -esa [olan'des, esa] *adj* hollandais(e) ♦ *nm/f* Hollandais(e) ♦ *nm* (*LING*) hollandais *msg*.

holgado, -a [ol'ɣaðo, a] *adj* (*prenda*) ample; (*situación*) aisé(e); **iban muy ~s en el coche** ils étaient au large dans la voiture.
holgar [ol'ɣar] *vi*: **huelga decir que** inutile de dire que.
holgazán, -ana [olɣa'θan, ana] *adj, nm/f* paresseux(-euse).
holgura [ol'ɣura] *nf* ampleur *f*; (*TEC*) jeu *m*; **vivir con ~** vivre dans l'aisance; **cabemos con ~** on a largement la place.
hollín [o'ʎin] *nm* suie *f*.
hombre ['ombre] *nm* homme *m*; (*raza humana*): **el ~** l'homme ♦ *excl* dis donc!; **hacerse ~** devenir un homme; **buen ~** bon gars *msg*; **pobre ~** pauvre homme; **¡sí, ~!** mais si!; **de ~ a ~** d'homme à homme; **ser muy ~** être un homme, un vrai; **hombre de bien** homme de bien; **hombre de confianza** homme de confiance; **hombre de estado** homme d'Etat; **hombre de la calle** homme de la rue; **hombre de letras** homme de lettres; **hombre de mundo** homme du monde; **hombre de negocios** homme d'affaires; **hombre de palabra** homme de parole; **hombre-rana** (*pl* **~s-rana**) homme-grenouille *m*.
hombrera [om'brera] *nf* épaulette *f*.
hombro ['ombro] *nm* épaule *f*; **al ~** sur l'épaule; **arrimar el ~** se mettre au travail; **encogerse de ~s** hausser les épaules; **llevar/traer a ~s** porter sur les épaules; **mirar a algn por encima del ~** regarder qn de haut.
homenaje [ome'naxe] *nm* hommage *m*; **un partido (de) ~** un match d'adieu.
homenajear [omenaxe'ar] *vt* rendre hommage.
homeopatía [omeopa'tia] *nf* homéopathie *f*.
homicida [omi'θiða] *adj* (*arma*) du crime; (*carácter*) meurtrier(-ère) ♦ *nm/f* meurtrier(-ère).
homicidio [omi'θiðjo] *nm* homicide *m*.
homilía [omi'lia] *nf* sermon *m*.
homogéneo, -a [omo'xeneo, a] *adj* homogène.
homologar [omolo'ɣar] *vt* homologuer.
homosexual [omosek'swal] *adj, nm/f* homosexuel(le).
honda ['onda] *nf* fronde *f*.
hondo, -a ['ondo, a] *adj* profond(e); **en lo ~ de** au fin fond de.
hondura [on'dura] *nf* profondeur *f*.
Honduras [on'duras] *nf* Honduras *m*.
hondureño, -a [ondu'reɲo, a] *adj* du Honduras ♦ *nm/f* natif(-ive) *o* habitant(e) du Honduras.
honesto, -a [o'nesto, a] *adj* honnête; (*decente*) vertueux(-euse).
hongo ['ongo] *nm* champignon *m*; (*sombrero*) couvre-chef *m*; **~s** *nmpl* (*MED*) champignons *mpl*, mycose *f*; **hongos del pie** mycose au pied.
honor [o'nor] *nm* honneur *m*; **en ~ a la verdad ...** la vérité est que ...; **hacer ~ a algo/algn** faire honneur à qch/qn; **en ~ de algn** en l'honneur de qn; **es un ~ para mí ...** c'est un honneur pour moi ...; **rendir los ~es a algn** rendre les honneurs à qn; **hacer los ~es** (*suj*: *anfitrión*) faire les honneurs de la maison; **honor profesional** honneur professionnel.
honorario, -a [ono'rarjo, a] *adj* honoraire ♦ *nm*: **~s** honoraires *mpl*.
honorífico, -a [ono'rifiko, a] *adj* honorifique.
honra ['onra] *nf* honneur *m*; (*renombre*) prestige *m*; **tener algo a mucha ~** s'enorgueillir de qch; **honras fúnebres** honneurs funèbres.
honradez [onra'ðeθ] *nf* honnêteté *f*; (*de mujer*) vertu *f*.
honrado, -a [on'raðo, a] *adj* honnête; (*mujer*) vertueux(-euse).
honrar [on'rar] *vt* honorer; **honrarse** *vpr*: **~se con algo/de hacer algo** s'enorgueillir de qch/de faire qch; **nos honró con su presencia/amistad** il nous a honorés de sa présence/son amitié.
hora ['ora] *nf* heure *f*; **¿qué ~ es?** quelle heure est-il?; **¿tienes ~?** tu as l'heure?; **¿a qué ~?** à quelle heure?; **media ~** une demi-heure; **a la ~ de comer/del recreo** à l'heure du repas/de la récréation; **a primera/última ~** à la première/dernière heure; **a última ~** à la fin; **~ tras ~** heure après heure; **"última ~"** "dernière heure"; **¡es la ~!** c'est l'heure!; **noticias de última ~** nouvelles *fpl* de dernière heure; **a altas ~s (de la noche)** à des heures tardives; **a estas ~s** à l'heure qu'il est; **a la ~ en punto** à l'heure pile; **entre ~s** (*comer*) entre les repas; **por ~s** à l'heure; **¡a buena(s) ~(s) me lo dices!** c'est maintenant que tu me le dis!; **a todas ~s** à toute heure; **en mala ~** par malchance; **me han dado ~ para mañana** ils m'ont fixé rendez-vous pour demain; **dar la ~** donner l'heure; **pasarse las ~s muertas haciendo algo** passer son temps à faire qch; **pedir ~** demander l'heure; **poner el reloj en ~** mettre sa montre à l'heure; **no ver la ~ de** avoir hâte de; **¡ya era ~!** il était temps!; **horas de oficina/de trabajo/de visita** heures de bureau/de travail/de visite; **horas extra** heures sup; **horas extraordinarias** heures supplémen-

taires; **hora punta** *o* **pico** (*MÉX*) heure de pointe.

horadar [ora'ðar] *vt* forer.

horario, -a [o'rarjo, a] *adj, nm* horaire *m*; **horario comercial** heures *fpl* ouvrables.

horca ['orka] *nf* potence *f*; (*AGR*) fourche *f*.

horcajadas [orka'xaðas]: **a ~** *adv* à califourchon.

horchata [or'tʃata] *nf* ≈ sirop *m* d'orgeat.

horda ['orða] *nf* horde *f*.

horizontal [oriθon'tal] *adj* horizontal(e).

horizonte [ori'θonte] *nm* horizon *m*.

horma ['orma] *nf* forme *f*; **de ~ estrecha/ancha** (*zapatos*) large/étroit(e).

hormiga [or'miɣa] *nf* fourmi *f*.

hormigón [ormi'ɣon] *nm* béton *m*; **~ armado** béton armé.

hormiguero [ormi'ɣero] *nm* fourmilière *f*.

hormona [or'mona] *nf* hormone *f*.

hornada [or'naða] *nf* fournée *f*.

hornillo [or'niʎo] *nm* réchaud *m*; **hornillo de gas** réchaud à gaz.

horno ['orno] *nm* four *m*; (*CULIN*) four, fourneau *m*; **alto(s) ~(s)** haut(s) fourneau(x); **al ~** (*CULIN*) au four; **no estar el ~ para bollos** ne pas être d'humeur à plaisanter; **¡este lugar es un ~!** c'est pire que dans un four!; **horno crematorio** four crématoire; **horno microondas** four à micro-ondes.

horóscopo [o'roskopo] *nm* horoscope *m*.

horquilla [or'kiʎa] *nf* peigne *m*; (*AGR*) fourche *f*.

horrendo, -a [o'rrendo, a] *adj* affreux(-euse).

horrible [o'rriβle] *adj* horrible.

horripilar [orripi'lar] *vt* horripiler.

horror [o'rror] *nm* horreur *f*; **~es** *nmpl* (*atrocidades*) horreurs *fpl*; **¡qué ~!** (*fam*) quelle horreur!; **me da ~** cela me fait horreur; **tener ~ a (hacer)** avoir horreur de (faire); **me gusta ~es** j'en raffole.

horrorizar [orrori'θar] *vt* horrifier; **horrorizarse** *vpr*: **se horrorizó de pensarlo** il a été horrifié à cette idée; **estar horrorizado** être horrifié.

horroroso, -a [orro'roso, a] *adj* affreux(-euse); (*hambre, sueño*) terrible.

hortaliza [orta'liθa] *nf* légume *m*.

hortelano, -a [orte'lano, a] *nm/f* maraîcher(-ère).

hortera [or'tera] (*fam*) *adj, nm/f* plouc *m/f*.

horticultor, a [ortikul'tor, a] *nm/f* horticulteur(-trice).

hortofrutícola [ortofru'tikola] *adj* (*productos*) maraîcher(-ère).

hosco, -a ['osko, a] *adj* (*persona*) antipathique; (*lugar*) exécrable.

hospedar [ospe'ðar] *vt* loger; **hospedarse** *vpr* se loger.

hospicio [os'piθjo] *nm* (*para niños*) orphelinat *m*.

hospital [ospi'tal] *nm* hôpital *m*; **hospital clínico** clinique *f*.

hospitalario, -a [ospita'larjo, a] *adj* hospitalier(-ère).

hospitalidad [ospitali'ðað] *nf* hospitalité *f*.

hospitalizar [ospitali'θar] *vt* hospitaliser; **estar hospitalizado** être hospitalisé.

hostal [os'tal] *nm* pension *f*.

hostelería [ostele'ria] *nf* hôtellerie *f*.

hostia ['ostja] *nf* (*REL*) ostie *f*; (*fam!*) beigne *f* (*fam!*) ♦ *excl*: **¡~(s)!** (*fam!*) putain! (*fam!*); **¡es la ~!** (*fam!*: *como crítica*) c'est nul!; (: *apreciativo*) c'est d'enfer!; **está (de) la ~** (*fam!*) il est vachement mignon; **está de mala ~** (*fam!*: *mal humor*) il fait la gueule (*fam!*); **tiene mala ~** (*fam!*: *mala intención*) c'est un salaud (*fam!*); **a toda ~** (*fam!*) à toute berzingue (*fam!*).

hostigar [osti'ɣar] *vt* (*MIL, fig*) harceler; (*caballería*) cravacher.

hostil [os'til] *adj* hostile.

hostilidad [ostili'ðað] *nf* hostilité *f*; **~es** *nfpl*: **iniciar/romper las ~es** engager/cesser les hostilités.

hotel [o'tel] *nm* hôtel *m*.

hoy [oi] *adv* aujourd'hui; **~ mismo** aujourd'hui même; **~ (en) día, el día de ~** (*AM*) aujourd'hui; **~ por ~** aujourd'hui; **por ~** pour aujourd'hui; **de ~ en ocho días** aujourd'hui en huit; **de ~ en adelante** dorénavant.

hoyo ['ojo] *nm* fosse *f*; (*GOLF*) trou *m*.

hoyuelo [oj'welo] *nm* fossette *f*.

hoz [oθ] *nf* faux *fsg*; (*GEO*) gorge *f*.

huachafería [watʃafe'ria] (*PE*: *fam*) *nf* snobisme *m*.

huachafo, -a [wa'tʃafo, a] (*PE*: *fam*) *adj* snob.

huasipungo [wasi'pungo] (*AND*) *nm* (*AGR*) bout *m* de terrain.

huaso, -a ['waso, a] (*AND, CSUR*) *adj, nm/f* paysan(ne).

huayco ['waiko] (*PE*) *nm* glissement *m* de terrain.

huayno ['waino] (*PE*) *nm chant et danse traditionnels du Pérou*.

hube *etc* ['uβe] *vb V* **haber**.

hucha ['utʃa] *nf* tirelire *f*.

hueco, -a ['weko, a] *adj* creux(-euse); (*persona, estilo*) vain(e) ♦ *nm* creux *msg*;

(*espacio*) place *f*; **hacerle (un) ~ a algn** faire une place à qn; **tener un ~** avoir un trou; **hueco de la escalera/del ascensor** cage *f* d'escalier/d'ascenseur; **hueco de la mano** creux de la main.

huela *etc* ['wela] *vb V* **oler**.

huelga ['welɣa] *vb V* **holgar** ♦ *nf* grève *f*; **declararse/estar en ~** se mettre/être en grève; **huelga de brazos caídos** grève sur le tas; **huelga de celo** grève du zèle; **huelga de hambre** grève de la faim; **huelga general** grève générale.

huelguista [wel'ɣista] *nm/f* gréviste *m/f*.

huella ['weʎa] *nf* trace *f*; **sin dejar ~** sans laisser de traces; **perder las ~s** perdre la trace; **seguir las ~s de algn** (*fig*) marcher sur les traces de qn; **huella dactilar** trace de doigt; **huella digital** empreinte *f* digitale.

huérfano, -a ['werfano, a] *adj*: **~ (de)** orphelin(e) (de) ♦ *nm/f* orphelin(e); **quedar(se) ~** devenir orphelin(e).

huerta ['werta] *nf* verger *m*; (*en Murcia, Valencia*) huerta *f*.

huerto ['werto] *nm* (*de verduras*) jardin *m* potager; (*de árboles frutales*) verger *m*.

hueso ['weso] *nm* os *msg*; (*de fruta*) noyau *m*; (*MÉX*: *fam*) sinécure *f*; **estar en los ~s** être sur les genoux; **estar calado** *o* **mojado hasta los ~s** être trempé jusqu'aux os; **ser un ~** (*profesor*) être un tyran; **un ~ duro de roer** (*persona*) un(e) dur(e) à cuire; **de color ~** blanc cassé.

huésped, a ['wespeð, a] *nm/f* hôte *m/f*; (*en hotel*) client(e).

huevas ['weβas] *nfpl* œufs *mpl* de poisson; (*CHI*: *fam!*) couilles *fpl* (*fam!*).

huevo ['weβo] *nm* œuf *m*; (*fam!*) couille *f* (*fam!*); **me costó un ~** (*fam!*: *caro*) ça m'a coûté la peau des fesses (*fam!*); (: *difícil*) ça a été coton; **tener ~s** (*fam!*) avoir des couilles (*fam!*); **huevo duro/escalfado/frito** œuf dur/poché/au plat; **huevo estrellado** œuf sur le plat; **huevos revueltos** œufs *mpl* brouillés; **huevo pasado por agua** *o* (*AM*) **tibio** *o* (*AND, CSUR*) **a la copa** œuf à la coque.

huida [u'iða] *nf* fuite *f*; **~ de capitales** (*COM*) fuite des capitaux.

huir [u'ir] *vt, vi* fuir; **~ de** fuir.

hule ['ule] (*esp AM*) *nm* (*goma*) gomme *f*; (*encerado*) toile *f* cirée.

hulla ['uʎa] *nf* houille *f*.

humanidad [umani'ðað] *nf* humanité *f*; **~es** *nfpl* (*UNIV, ESCOL*) lettres *fpl*.

humanitario, -a [umani'tarjo, a] *adj* humanitaire.

humano, -a [u'mano, a] *adj* humain(e) ♦ *nm* humain *m*; **ser ~** être humain.

humareda [uma'reða] *nf* nuage *m* de fumée.

humear [ume'ar] *vi* fumer.

humedad [ume'ðað] *nf* humidité *f*; **a prueba de ~** résiste à l'humidité.

humedecer [umeðe'θer] *vt* humidifier; **humedecerse** *vpr* s'humidifier.

húmedo, -a ['umeðo, a] *adj* humide.

humildad [umil'dað] *nf* humilité *f*.

humilde [u'milde] *adj* humble.

humillación [umiʎa'θjon] *nf* humiliation *f*.

humillante [umi'ʎante] *adj* humiliant(e).

humillar [umi'ʎar] *vt* humilier; **humillarse** *vpr*: **~se (ante)** s'humilier (devant); **sentirse humillado** se sentir humilié.

humita [u'mita] (*AND, CSUR*) *nf* (*CULIN*) *plat à base de maïs et de piment, enveloppé dans une feuille de maïs.*

humo ['umo] *nm* fumée *f*; **~s** *nmpl* (*fig*: *altivez*) air *m* hautain; **echar ~** fumer; **bajar los ~s a algn** rabattre son caquet à qn; **hacerse ~** (*AND, CSUR*: *fam*) s'évanouir dans la nature.

humor [u'mor] *nm* humeur *f*; **de buen/mal ~** de bonne/mauvaise humeur; **(no) estar de ~ para (hacer) algo** (ne pas) être d'humeur à (faire) qch.

humorismo [umo'rismo] *nm* humour *m*.

humorista [umo'rista] *nm/f* humoriste *m/f*.

hundimiento [undi'mjento] *nm* (*de barco*) naufrage *m*; (*de edificio*) écroulement *m*; (*de tierra*) éboulement *m*; (*del terreno*) creux *msg*.

hundir [un'dir] *vt* (*barco, negocio*) couler; (*edificio*) raser; (*pavimento*) enfoncer; (*fig*: *persona*) abattre; **hundirse** *vpr* (*barco, negocio*) couler; (*edificio*) s'écrouler; (*terreno, cama*) s'affaisser; (*economía, precios*) s'effondrer; **~se en la miseria** sombrer dans la misère.

húngaro, -a ['ungaro, a] *adj* hongrois(e) ♦ *nm/f* Hongrois(e) ♦ *nm* (*LING*) hongrois *m*.

Hungría [un'gria] *nf* Hongrie *f*.

huracán [ura'kan] *nm* ouragan *m*; **pasar/entrar como un ~** passer/entrer en trombe.

huraño, -a [u'raɲo, a] *adj* désagréable; (*poco sociable*) peu sociable.

hurgar [ur'ɣar] *vt* remuer ♦ *vi*: **~ (en)** fouiner (dans); **hurgarse** *vpr*: **~se (las narices)** se curer (le nez); **~ en la herida** (*fig*) remuer le couteau dans la plaie.

hurra ['urra] *excl* hourra!

hurtadillas [urta'ðiʎas]: **a ~** *adv* à la dérobée.

hurtar [ur'tar] *vt* dérober; **hurtarse** *vpr*:

~**se** a se dérober.
hurto ['urto] *nm* vol *m*.
husmear [usme'ar] *vt* humer ♦ *vi* fouiner; ~ **en** (*fam*) se mêler de.
huso ['uso] *nm* fuseau *m*; **huso horario** fuseau horaire.
huy ['ui] *excl* (*dolor, sorpresa*) aïe!; (*asombro*) eh bien!; (*reparo*) oh mon Dieu!
huyendo *etc* [u'jendo] *vb V* **huir**.

I, i

iba *etc* ['iβa] *vb V* **ir**.
ibérico, -a [i'βeriko, a] *adj* ibérique; **la Península ibérica** la Péninsule Ibérique.
iberoamericano, -a [iβeroameri'kano, a] *adj* latino-américain(e) ♦ *nm/f* Latino-américain(e).
ice *etc* ['iθe] *vb V* **izar**.
iceberg [iθe'ber] (*pl* ~**s**) *nm* iceberg *m*.
icono [i'kono] *nm* (*tb* INFORM) icône *f*.
I+D *sigla f* (= *Investigación y Desarrollo*) R-D *f* (= *Recherche-Développement*).
ida ['iða] *nf* aller *m*; ~ **y vuelta** aller et retour; ~**s y venidas** allées *fpl* et venues.
idea [i'ðea] *nf* idée *f*; (*propósito*) intention *f*; ~**s** *nfpl* (*manera de pensar*) idées *fpl*; **a mala** ~ dans l'intention de nuire; **no tengo la menor** ~ je n'en ai pas la moindre idée; **hacerse a la** ~ **(de que)** se faire à l'idée (que); **cambiar de** ~ changer d'idée; **¡ni** ~**!** aucune idée!; **tener** ~ **de (hacer) algo** avoir l'intention de (faire) qch; **tener mala** ~ être malintentionné(e); **idea genial** idée géniale.
ideal [iðe'al] *adj* idéal(e) ♦ *nm* idéal *m*.
idealista [iðea'lista] *adj, nm/f* idéaliste *m/f*.
idealizar [iðeali'θar] *vt* idéaliser.
idear [iðe'ar] *vt* concevoir.
idéntico, -a [i'ðentiko, a] *adj*: ~ **(a)** identique (à).
identidad [iðenti'ðað] *nf* identité *f*; ~ **corporativa** image *f* de l'entreprise.
identificar [iðentifi'kar] *vt* identifier; **identificarse** *vpr*: ~**se (con)** s'identifier (à).
ideología [iðeolo'xia] *nf* idéologie *f*.
idilio [i'ðiljo] *nm* idylle *f*.
idioma [i'ðjoma] *nm* langue *f*.
idiota [i'ðjota] *adj, nm/f* idiot(e).
idiotez [iðjo'teθ] *nf* idiotie *f*.
idolatrar [iðola'trar] *vt* idolâtrer.
ídolo ['iðolo] *nm* (*tb fig*) idole *f*.
idóneo, -a [i'ðoneo, a] *adj* idéal(e); ~ **para (hacer)** idéal(e) pour (faire).
iglesia [i'ɣlesja] *nf* église *f*; **la I~ católica** l'église catholique; **iglesia parroquial** église paroissiale.
iglú [i'ɣlu] *nm* igloo *m*.
ignominia [iɣno'minja] *nf* ignominie *f*.
ignorancia [iɣno'ranθja] *nf* ignorance *f*.
ignorante [iɣno'rante] *adj, nm/f* ignorant(e).
ignorar [iɣno'rar] *vt* ignorer; **ignoramos su paradero** nous ignorons où il se trouve.

PALABRA CLAVE

igual [i'ɣwal] *adj* **1** (*idéntico*) pareil(le); **Pedro es igual que tú** Pedro est comme toi; **X es igual a Y** (MAT) X est égal à Y; **son iguales** ils sont pareils; **van iguales** (*en carrera, competición*) ils sont à égalité; **él, igual que tú, está convencido de que** ... comme toi, il est convaincu que ...; **¡es igual!** (*no importa*) ça ne fait rien!; **me da igual** ça m'est égal
2 (*liso: terreno, superficie*) égal(e)
3 (*constante: velocidad, ritmo*) égal(e)
4: **al igual que** comme
♦ *nm/f* (*persona*) égal(e); **no tener igual** ne pas avoir d'égal; **sin igual** sans égal; **de igual a igual** d'égal à égal
♦ *adv* **1** (*de la misma manera*) de la même façon, pareil (*fam*); **visten igual** ils s'habillent de la même façon
2 (*fam: a lo mejor*) peut-être que; **igual no lo saben todavía** peut-être qu'ils ne le savent pas encore
3 (*esp* CSUR: *fam: a pesar de todo*) quand même; **era inocente pero me expulsaron igual** j'étais innocent mais ils m'ont renvoyé quand même.

igualar [iɣwa'lar] *vt* égaliser; **igualarse** *vpr* (*diferencias*) s'aplanir; ~**se (con)** (*compararse*) se comparer (avec).
igualdad [iɣwal'dað] *nf* égalité *f*; **en** ~ **de condiciones** dans les mêmes conditions.
igualmente [i'ɣwalmente] *adv* également; (*en comparación*) aussi; **¡felices vacaciones!** – ~ bonnes vacances! – à toi aussi.
ikurriña [iku'rriɲa] *nf drapeau basque*.
ilegal [ile'ɣal] *adj* illégal(e).
ilegible [ile'xiβle] *adj* illisible.
ilegítimo, -a [ile'xitimo, a] *adj* illégitime.
ileso, -a [i'leso, a] *adj*: **resultar** *o* **salir** ~ **(de)** sortir indemne (de), sortir sain(e) et sauf(sauve) (de).
ilícito, -a [i'liθito, a] *adj* illicite.
ilimitado, -a [ilimi'taðo, a] *adj* illimité(e).
ilógico, -a [i'loxiko, a] *adj* illogique.

iluminación [ilumina'θjon] *nf* illumination *f*, éclairage *m*; (*de local, habitación*) éclairage.
iluminar [ilumi'nar] *vt* illuminer, éclairer; (*adornar con luces*) illuminer; (*colorear: ilustración*) enluminer; (*fig: inspirar*) éclairer; **iluminarse** *vpr*: **se le iluminó la cara** son visage s'est illuminé.
ilusión [ilu'sjon] *nf* illusion *f*; (*alegría*) joie *f*; (*esperanza*) espoir *m*; (*emoción*) émotion *f*; **hacerle ~ a algn** faire plaisir à qn; **hacerse ilusiones** se faire des illusions; **no te hagas ilusiones** ne te fais pas d'illusions; **tener ~ por (hacer)** se réjouir de (faire).
ilusionar [ilusjo'nar] *vt* réjouir; **ilusionarse** *vpr*: **~se (con)** se réjouir (de).
ilusionista [ilusjo'nista] *nm/f* illusionniste *m/f*.
iluso, -a [i'luso, a] *adj* naïf(-ïve) ♦ *nm/f* rêveur(-euse).
ilusorio, -a [ilu'sorjo, a] *adj* illusoire.
ilustración [ilustra'θjon] *nf* illustration *f*; (*cultura*) instruction *f*, culture *f*; **servir como** *o* **de ~** servir d'exemple; **la I~** le Siècle des lumières.
ilustrar [ilus'trar] *vt* illustrer; (*instruir*) instruire, cultiver; **ilustrarse** *vpr* s'instruire, se cultiver.
ilustre [i'lustre] *adj* illustre, célèbre.
imagen [i'maxen] *nf* image *f*; **ser la viva ~ de** être le portrait tout craché de; **a su ~** à son image.
imaginación [imaxina'θjon] *nf* imagination *f*; **imaginaciones** *nfpl* (*suposiciones*) idées *fpl*; **no se me pasó por la ~ que ...** je n'aurais jamais imaginé que ... .
imaginar [imaxi'nar] *vt* imaginer; (*idear*) imaginer, concevoir; **imaginarse** *vpr* s'imaginer; **~ que ...** (*suponer*) imaginer que ...; **¡imagínate!** tu te rends compte!; **imagínese que ...** figurez-vous que ...; **me imagino que sí** j'imagine que oui.
imaginario, -a [imaxi'narjo, a] *adj* imaginaire.
imán [i'man] *nm* aimant *m*.
iman(t)ar [ima'n(t)ar] *vt* aimanter.
imbécil [im'beθil] *adj, nm/f* imbécile *m/f*.
imborrable [imbo'rraβle] *adj* ineffaçable, indélébile; (*recuerdo*) indélébile.
imbuir [imbu'ir] *vt*: **~ (de)** imbiber (de).
imitación [imita'θjon] *nf* imitation *f*; (*parodia*) imitation, pastiche *m*; (*COM*) contrefaçon *f*; **a ~ de** sur le modèle de; **de ~** en imitation; **desconfíe de las imitaciones** (*COM*) méfiez-vous des contrefaçons.
imitar [imi'tar] *vt* imiter; (*parodiar*) imiter, pasticher.
impacientar [impaθjen'tar] *vt* (*inquietar*) tracasser; (*enfadar*) impatienter; **impacientarse** *vpr* s'impatienter; (*inquietarse*) se tracasser.
impaciente [impa'θjente] *adj* impatient(e); **estar ~** se tracasser; (*deseoso*) être impatient; **estar ~ (por hacer)** être impatient (de faire), avoir hâte (de faire).
impacto [im'pakto] *nm* impact *m*; (*esp AM: fig*) impression *f*.
impar [im'par] *adj* impair(e) ♦ *nm* impair *m*.
imparcial [impar'θjal] *adj* impartial(e).
impartir [impar'tir] *vt* (*clases*) donner; (*orden*) intimer.
impasible [impa'siβle] *adj* impassible.
impecable [impe'kaβle] *adj* impeccable.
impedido, -a [impe'ðiðo, a] *adj*: **estar ~** être handicapé(e) ♦ *nm/f*: **ser un ~ físico** être handicapé moteur.
impedimento [impeði'mento] *nm* empêchement *m*, obstacle *m*.
impedir [impe'ðir] *vt* (*imposibilitar*) empêcher; (*estorbar*) gêner; **~ a algn hacer** *o* **que haga algo** empêcher qn de faire qch; **~ el tráfico** bloquer la circulation.
impeler [impe'ler] *vt* (*tb fig*) pousser.
impenetrable [impene'traβle] *adj* impénétrable.
imperante [impe'rante] *adj* répandu(e).
imperar [impe'rar] *vi* régner; (*fig*) dominer, prévaloir.
imperativo, -a [impera'tiβo, a] *adj* impératif(-ive) ♦ *nm* (*LING*) impératif *m*; **~s** *nmpl* (*exigencias*) impératifs *mpl*.
imperceptible [imperθep'tiβle] *adj* imperceptible.
imperdible [imper'ðiβle] *nm* épingle *f* à nourrice.
imperdonable [imperðo'naβle] *adj* impardonnable.
imperfección [imperfek'θjon] *nf* (*en prenda, joya, vasija*) défaut *m*; (*de persona*) imperfection *f*.
imperfecto, -a [imper'fekto, a] *adj* défectueux(-euse); (*tarea, LING*) imparfait(e) ♦ *nm* (*LING*) imparfait *m*.
imperial [impe'rjal] *adj* impérial(e).
imperialismo [imperja'lismo] *nm* impérialisme *m*.
imperialista [imperja'lista] *adj, nm/f* impérialiste *m/f*.
imperio [im'perjo] *nm* empire *m*; **el ~ de la ley/justicia** le règne de la loi/justice; **vale un ~** (*fig*) cela vaut son pesant d'or.
imperioso, -a [impe'rjoso, a] *adj* impérieux(-euse).
impermeable [imperme'aβle] *adj, nm* imperméable *m*.

impersonal [imperso'nal] *adj* impersonnel(le).
impertinencia [imperti'nenθja] *nf* impertinence *f*.
impertinente [imperti'nente] *adj* impertinent(e).
imperturbable [impertur'βaβle] *adj* imperturbable.
ímpetu ['impetu] *nm* (*violencia*) violence *f*; (*energía*) énergie *f*; (*impetuosidad*) fougue *f*.
impetuoso, -a [impe'twoso, a] *adj* impétueux(-euse); (*paso, ritmo*) soutenu(e).
impida *etc* [im'piða] *vb V* **impedir**.
impío, -a [im'pio, a] *adj* (*sin fe*) impie; (*irreverente*) irrévérencieux(-euse); (*cruel*) impitoyable.
implacable [impla'kaβle] *adj* implacable.
implantar [implan'tar] *vt* implanter; **implantarse** *vpr* s'implanter.
implicar [impli'kar] *vt* impliquer; **~ a algn en algo** impliquer qn dans qch; **eso no implica que ...** cela n'implique pas que ... .
implícito, -a [im'pliθito, a] *adj* (*tácito*) tacite; (*sobreentendido*) implicite; **llevar ~** comporter implicitement.
implorar [implo'rar] *vt* implorer.
imponente [impo'nente] *adj* imposant(e); (*fam*) sensationnel(le) ♦ *nm/f* (*COM*) déposant(e).
imponer [impo'ner] *vt* imposer; (*respeto*) inspirer; (*COM*) placer, déposer ♦ *vi* en imposer; **imponerse** *vpr* (*moda, costumbre*) s'imposer; (*razón, equipo*) l'emporter; **~se (a)** s'imposer (à); **~se (hacer)** s'imposer (de faire); **~se un deber** s'imposer un devoir.
importación [importa'θjon] *nf* importation *f*.
importancia [impor'tanθja] *nf* importance *f*; **no dar ~ a** ne pas attacher d'importance à; **darse ~** faire l'important; **sin ~** sans importance; **no tiene ~** ce n'est pas important.
importante [impor'tante] *adj* important(e); **lo ~ es hacer .../que haga ...** l'important c'est de faire .../qu'il fasse ... .
importar [impor'tar] *vt* importer; (*ascender a: cantidad*) se monter à, coûter ♦ *vi* importer; **me importa un bledo** *o* **rábano** je m'en fiche pas mal; **¿le importa que fume?** ça vous ennuie si je fume?; **¿te importa prestármelo?** ça ne te dérange pas de me le prêter?; **¿y a tí qué te importa?** qu'est-ce que ça peut (bien) te faire?; **¿qué importa?** qu'est-ce que ça peut faire?; **no importa** ce n'est pas grave, ça ne fait rien; **no le importa** ça ne le regarde pas; **"no importa precio"** "prix indifférent".
importe [im'porte] *nm* (*coste*) coût *m*; (*total*) montant *m*.
importunar [importu'nar] *vt* importuner.
imposibilitado, -a [imposiβili'taðo, a] *adj*: **verse ~ para hacer algo** se voir dans l'impossibilité de faire qch; **estar/quedar ~** être/rester paralysé(e).
imposible [impo'siβle] *adj, nm* impossible *m*; **es ~** c'est impossible; **es ~ de predecir** c'est impossible à prévoir; **hacer lo ~ por** faire l'impossible pour.
impostor, a [impos'tor, a] *nm/f* imposteur *m*.
impotencia [impo'tenθja] *nf* impuissance *f*.
impotente [impo'tente] *adj* impuissant(e) ♦ *nm* impuissant *m*.
imprecación [impreka'θjon] *nf* imprécation *f*.
impreciso, -a [impre'θiso, a] *adj* imprécis(e).
impredecible [impreðe'θiβle] *adj* imprévisible.
impregnar [impreɣ'nar] *vt* imprégner; **impregnarse** *vpr* s'imprégner.
impremeditado, -a [impremeði'taðo, a] *adj* irréfléchi(e).
imprenta [im'prenta] *nf* imprimerie *f*; (*aparato*) presse *f*; **letra de ~** caractère *m* d'imprimerie.
imprescindible [impresθin'diβle] *adj* indispensable; **es ~ hacer/que haga ...** il est indispensable de faire/qu'il fasse ... .
impresión [impre'sjon] *nf* impression *f*; (*marca*) empreinte *f*; **tengo** *o* **me da la ~ de que no va a venir** j'ai (bien) l'impression qu'il ne viendra pas; **cambio de impresiones** échange *m* de vues; **impresión digital** empreinte digitale.
impresionar [impresjo'nar] *vt* impressionner; (*conmover*) bouleverser, toucher; **impresionarse** *vpr* être impressionné(e); **se impresiona con facilidad** il ne faut pas grand-chose pour l'impressionner.
impresionista [impresjo'nista] *adj, nm/f* (*ARTE*) impressionniste *m/f*.
impreso, -a [im'preso, a] *pp de* **imprimir** ♦ *adj* imprimé(e) ♦ *nm* (*solicitud*) imprimé *m*, formulaire *m*; **~s** *nmpl* (*material impreso*) imprimés *mpl*; **impreso de solicitud** formulaire de demande.
impresora [impre'sora] *nf* (*INFORM*) imprimante *f*; **impresora de chorro de tinta** imprimante à jet d'encre; **impresora de línea** imprimante ligne par ligne; **impresora de margarita** imprimante à margue-

rite; **impresora de matriz (de agujas)** imprimante matricielle; **impresora de rueda** imprimante à marguerite; **impresora (por) láser** imprimante laser.

imprevisto, -a [impre'βisto, a] *adj* imprévu(e) ♦ *nm* imprévu *m*.

imprimir [impri'mir] *vt* imprimer.

improbable [impro'βaβle] *adj* improbable.

improcedente [improθe'ðente] *adj* inopportun(e); (*JUR*) irrégulier(-ère).

improductivo, -a [improðuk'tiβo, a] *adj* improductif(-ive).

improperio [impro'perjo] *nm* insulte *f*, injure *f*.

impropio, -a [im'propjo, a] *adj* impropre; ~ **de** *o* **para** peu approprié(e) à.

improvisación [improβisa'θjon] *nf* improvisation *f*.

improvisado, -a [improβi'saðo, a] *adj* improvisé(e).

improvisar [improβi'sar] *vt, vi* improviser.

improviso [impro'βiso] *adv*: **de ~** à l'improviste.

imprudencia [impru'ðenθja] *nf* imprudence *f*; (*indiscreción*) indiscrétion *f*; **imprudencia temeraria** (*JUR*) imprudence.

imprudente [impru'ðente] *adj* imprudent(e); (*indiscreto*) indiscret(-ète).

impúdico, -a [im'puðiko, a] *adj* impudique, indécent(e).

impuesto, -a [im'pwesto, a] *pp de* **imponer** ♦ *adj*: **estar ~ en** s'y connaître en ♦ *nm* impôt *m*; (*derecho*) droit *m*, taxe *f*; **anterior al ~** avant impôt; **libre de ~s** exonéré(e) d'impôt; **sujeto a ~** soumis(e) à l'impôt; **impuesto de lujo** taxe de luxe; **impuesto de plusvalía** impôt sur les plus-values; **impuesto de transferencia de capital** droit de mutation; **impuesto de venta** taxe à l'achat; **impuesto directo/indirecto** impôt direct/indirect; **impuesto sobre el valor añadido** *o* (*AM*) **agregado** taxe à la valeur ajoutée; **impuesto sobre la propiedad** impôt foncier; **impuesto sobre la renta/sobre la renta de las personas físicas** impôt sur le revenu/sur le revenu des personnes physiques; **impuesto sobre la riqueza** impôt sur la fortune.

impugnar [impuɣ'nar] *vt* contester; (*refutar*) réfuter.

impulsar [impul'sar] *vt* propulser; (*economía*) stimuler; **él me impulsó a hacerlo** *o* **a que lo hiciera** il m'a poussé à le faire.

impulsivo, -a [impul'siβo, a] *adj* impulsif(-ive).

impulso [im'pulso] *nm* impulsion *f*; (*fuerza*) élan *m*; **a ~s del miedo** poussé(e) par la peur; **dar ~ a** donner une impulsion à.

impureza [impu'reθa] *nf* impureté *f*; **~s** *nfpl* (*de agua, aire*) impuretés *fpl*.

impuro, -a [im'puro, a] *adj* impur(e).

impuse *etc* [im'puse] *vb V* **imponer**.

imputar [impu'tar] *vt* imputer.

inaccesible [inakθe'siβle] *adj* inaccessible; (*fig*: *precio*) inabordable.

inactivo, -a [inak'tiβo, a] *adj* inactif(-ive); (*período*) d'inaction; (*COM*) inutilisé(e); **la población inactiva** les inactifs.

inadaptado, -a [inaðap'taðo, a] *adj, nm/f* inadapté(e).

inadmisible [inaðmi'siβle] *adj* inadmissible.

inadvertido, -a [inaðβer'tiðo, a] *adj*: **pasar ~** passer inaperçu(e).

inagotable [inaɣo'taβle] *adj* inépuisable, intarissable.

inaguantable [inaɣwan'taβle] *adj* insupportable.

inalámbrico, -a [ina'lambriko, a] *adj* sans fil.

inalcanzable [inalkan'θaβle] *adj* inaccessible.

inalienable [inalje'naβle] *adj* inaliénable.

inalterable [inalte'raβle] *adj* inaltérable; (*persona*) entier(-ère).

inamovible [inamo'βiβle] *adj* inamovible.

inapetente [inape'tente] *adj*: **estar ~** manquer d'appétit.

inapreciable [inapre'θjaβle] *adj* (*poco importante*) insignifiant(e); (*de gran valor*) inestimable; (*invisible*: *objeto*) invisible.

inaudito, -a [inau'ðito, a] *adj* inouï(e).

inauguración [inauɣura'θjon] *nf* inauguration *f*.

inaugurar [inauɣu'rar] *vt* inaugurer.

inca ['inka] *adj* inca *inv* ♦ *nm/f* Inca *m/f*.

incalculable [inkalku'laβle] *adj* incalculable.

incansable [inkan'saβle] *adj* infatigable.

incapacidad [inkapaθi'ðað] *nf* incapacité *f*; **~ para hacer** incapacité à faire; **incapacidad física** incapacité physique; **incapacidad laboral** incapacité de travail; **incapacidad mental** incapacité mentale.

incapacitar [inkapaθi'tar] *vt*: **~ (para)** (*inhabilitar*) rendre inapte (à); (*descalificar*) déclarer inapte (à).

incapaz [inka'paθ] *adj* incapable; **~ de hacer algo** incapable de faire qch.

incautarse [inkau'tarse] *vpr*: **~ de** s'emparer de.

incauto, -a [in'kauto, a] *adj* (*imprudente*) imprudent(e); (*crédulo*) crédule.

incendiar [inθen'djar] *vt* incendier; **incendiarse** *vpr* prendre feu, brûler.
incendio [in'θendjo] *nm* incendie *m*.
incentivo [inθen'tiβo] *nm* stimulation *f*, aiguillon *m*.
incertidumbre [inθerti'ðumbre] *nf* incertitude *f*.
incesante [inθe'sante] *adj* incessant(e).
incesto [in'θesto] *nm* inceste *m*.
incidencia [inθi'ðenθja] *nf* (*repercusión*) incidence *f*; (*suceso*) incident *m*.
incidente [inθi'ðente] *nm* incident *m*.
incidir [inθi'ðir] *vi*: ~ **en** affecter; ~ **en un error** tomber dans l'erreur.
incienso [in'θjenso] *nm* encens *msg*.
incierto, -a [in'θjerto, a] *adj* incertain(e).
incineración [inθinera'θjon] *nf* incinération *f*.
incinerar [inθine'rar] *vt* incinérer.
incisión [inθi'sjon] *nf* incision *f*.
inciso [in'θiso] *nm* (*en texto*) incise *f*; (*al hablar*) parenthèse *f*.
incitar [inθi'tar] *vt* inciter; ~ **a algn a hacer** inciter qn à faire, pousser qn à faire.
inclemencia [inkle'menθja] *nf* sévérité *f*; **~s** *nfpl* (*del tiempo*) rigueurs *fpl*.
inclinación [inklina'θjon] *nf* inclinaison *f*; (*fig*) inclination *f*, penchant *m*; **tener ~ por algn/algo** avoir un penchant pour qn/qch.
inclinar [inkli'nar] *vt* incliner; (*cabeza, cuerpo*) incliner, pencher; **inclinarse** *vpr* pencher; (*persona*) se pencher; **~se ante** s'incliner devant; **me inclino a pensar que ...** j'incline à penser que ... .
incluir [inklu'ir] *vt* (*abarcar*) comprendre; (*meter*) inclure; **todo incluido** (*COM*) tout compris.
inclusive [inklu'siβe] *adv* (*incluido*) inclus, y compris; (*incluso*) même.
incluso, -a [in'kluso, a] *adv, prep* même.
incógnita [in'koɣnita] *nf* (*MAT*) inconnue *f*; (*fig*) énigme *f*.
incógnito [in'koɣnito]: **de ~** *adv* incognito.
incoherencia [inkoe'renθja] *nf* incohérence *f*.
incoherente [inkoe'rente] *adj* incohérent(e).
incoloro, -a [inko'loro, a] *adj* incolore.
incomible [inko'miβle] *adj* immangeable.
incomodar [inkomo'ðar] *vt* incommoder; **incomodarse** *vpr* se fâcher.
incomodidad [inkomoði'ðað] *nf* ennui *m*; (*de vivienda, asiento*) manque *m* de confort.
incómodo, -a [in'komoðo, a] *adj* (*vivienda*) inconfortable; (*asiento*) peu confortable; (*molesto*) incommodant(e); **sentirse ~** se sentir mal à l'aise.
incomparable [inkompa'raβle] *adj* incomparable.
incompatible [inkompa'tiβle] *adj*: **~ (con)** incompatible (avec).
incompetencia [inkompe'tenθja] *nf* incompétence *f*.
incompetente [inkompe'tente] *adj* incompétent(e).
incompleto, -a [inkom'pleto, a] *adj* incomplet(-ète).
incomprendido, -a [inkompren'diðo, a] *adj* incompris(e).
incomunicado, -a [inkomuni'kaðo, a] *adj* (*aislado: persona*) isolé(e); (*: pueblo*) coupé(e) de tout; (*preso*) mis(e) au régime cellulaire.
inconcebible [inkonθe'βiβle] *adj* inconcevable.
incondicional [inkondiθjo'nal] *adj* inconditionnel(le).
inconexo, -a [inko'nekso, a] *adj* décousu(e).
inconformista [inkonfor'mista] *adj* non-conformiste.
inconfundible [inkonfun'diβle] *adj* caractéristique.
incongruente [inkon'grwente] *adj* incongru(e); **~ (con)** (*actitud*) en désaccord (avec).
inconsciente [inkons'θjente] *adj* inconscient(e); **~ de** inconscient(e) de.
inconsecuente [inkonse'kwente] *adj*: **~ (con)** inconséquent(e) (avec).
inconstante [inkons'tante] *adj* inconstant(e).
inconstitucional [inkonstituθjo'nal] *adj* inconstitutionnel(le).
incontable [inkon'taβle] *adj* innombrable, incalculable.
incontinencia [inkonti'nenθja] *nf* incontinence *f*.
incontrolado, -a [inkontro'laðo, a] *adj* incontrôlé(e).
inconveniente [inkombe'njente] *adj* déplacé(e) ♦ *nm* inconvénient *m*; **el ~ es que ...** l'inconvénient, c'est que ...; **no hay ~ en *o* para hacer eso** il n'y a pas d'inconvénient à faire cela; **no tengo ~** je n'y vois pas d'inconvénients.
incordiar [inkor'ðjar] (*fam*) *vt* emmerder (*fam!*).
incordio [in'korðjo] (*fam*) *nm* emmerdement *m* (*fam!*).
incorporar [inkorpo'rar] *vt* incorporer; (*enderezar*) lever; **incorporarse** *vpr* se lever; **~se a** (*puesto*) se présenter à; (*grupo, manifestación*) s'incorporer à.

incorrección [inkorrek'θjon] *nf* incorrection *f*.
incorrecto, -a [inko'rrekto, a] *adj* incorrect(e).
incorregible [inkorre'xiβle] *adj* incorrigible.
incrédulo, -a [in'kreðulo, a] *adj* incrédule.
increíble [inkre'iβle] *adj* incroyable.
incrementar [inkremen'tar] *vt* augmenter; **incrementarse** *vpr* augmenter.
incremento [inkre'mento] *nm* augmentation *f*.
increpar [inkre'par] *vt* admonester.
incriminar [inkrimi'nar] *vt* (*JUR*) incriminer.
incruento, -a [in'krwento, a] *adj* sans effusion de sang.
incrustar [inkrus'tar] *vt* incruster; **incrustarse** *vpr*: **~se (en)** s'incruster (dans).
incubadora [inkuβa'ðora] *nf* incubateur *m*.
incubar [inku'βar] *vt* couver.
inculcar [inkul'kar] *vt* inculquer.
inculpar [inkul'par] *vt* inculper.
inculto, -a [in'kulto, a] *adj* inculte ♦ *nm/f* ignorant(e).
incumbencia [inkum'benθja] *nf*: **no es de mi ~** ce n'est pas de mon ressort.
incumbir [inkum'bir] *vi*: **~ a** incomber à; **no me incumbe a mí** ce n'est pas de mon ressort.
incumplimiento [inkumpli'mjento] *nm* (*de promesa*) manquement *m*; (*COM*) rupture *f*; **por ~** par défaut; **incumplimiento de contrato** rupture de contrat.
incurable [inku'raβle] *adj* incurable.
incurrir [inku'rrir] *vi*: **~ en** (*error*) tomber dans; (*crimen*) en arriver à; (*enfado*) risquer de.
incursión [inkur'sjon] *nf* incursion *f*.
indagar [inda'ɣar] *vt* rechercher; (*policía*) enquêter sur.
indecente [inde'θente] *adj* indécent(e); (*indigno*) peu convenable; (*ruin*: *comportamiento*) incorrect(e).
indecible [inde'θiβle] *adj* indicible; **sufrir lo ~** souffrir atrocement.
indeciso, -a [inde'θiso, a] *adj* indécis(e).
indecoroso, -a [indeko'roso, a] *adj* indécent(e).
indefenso, -a [inde'fenso, a] *adj* (*animal, persona*) sans défense; (*ciudad*) indéfendable.
indefinible [indefi'niβle] *adj* indéfinissable.
indefinido, -a [indefi'niðo, a] *adj* (*indeterminado*) indéfini(e); (*ilimitado*) indéterminé(e).
indemne [in'demne] *adj*: **salir ~ de** sortir indemne de.
indemnización [indemniθa'θjon] *nf* (*compensación*) indemnisation *f*; (*suma*) indemnité *f*; **doble ~** double indemnité; **indemnización de cese** *o* **de despido** prime *f* de licenciement.
indemnizar [indemni'θar] *vt*: **~ (de)** indemniser (de).
independencia [indepen'denθja] *nf* indépendance *f*; **con ~ de** indépendamment de.
independiente [indepen'djente] *adj* indépendant(e); (*INFORM*) autonome.
independizar [independi'θar] *vt* accorder l'indépendance à; **independizarse** *vpr* devenir indépendant(e).
indescifrable [indesθi'fraβle] *adj* (*MIL*: *código*) indéchiffrable; (*fig*: *misterio*) énigmatique.
indescriptible [indeskrip'tiβle] *adj* indescriptible.
indeseable [indese'aβle] *adj, nm/f* indésirable *m/f*.
indestructible [indestruk'tiβle] *adj* indestructible.
indeterminado, -a [indetermi'naðo, a] *adj* indéterminé(e).
India ['indja] *nf*: **la ~** l'Inde *f*.
indicación [indika'θjon] *nf* indication *f*; (*señal*: *de persona*) signe *m*; **indicaciones** *nfpl* (*instrucciones*) indications *fpl*.
indicado, -a [indi'kaðo, a] *adj* indiqué(e).
indicador [indika'ðor] *nm* indicateur *m*; (*AUTO*) panneau *m* de signalisation; **~ de encendido** (*INFORM*) voyant *m* "sous tension".
indicar [indi'kar] *vt* indiquer.
indicativo, -a [indika'tiβo, a] *adj*: **~ (de)** révélateur(-trice) (de) ♦ *nm* (*RADIO, LING*) indicatif *m*.
índice ['indiθe] *nm* index *m*; **índice de materias** table *f* des matières; **índice de natalidad** taux *msg* de natalité; **índice de precios al por menor** (*COM*) indice *m* des prix de détail; **índice del coste de (la) vida** indice du coût de la vie.
indicio [in'diθjo] *nm* indice *m*; (*INFORM*) repère *m*.
indiferente [indife'rente] *adj*: **~ (a)** indifférent(e) (à); **es ~ que viva en Madrid o Valencia** peu importe qu'il habite à Madrid ou à Valence; **me es ~ hacerlo hoy o mañana** cela m'est égal de le faire aujourd'hui ou demain; **a Alfonso le era ~ Carmen** Carmen laissait Alfonso indifférent.
indígena [in'dixena] *adj, nm/f* indigène

m/f.
indigencia [indi'xenθja] *nf* indigence *f.*
indigestar [indixes'tar] *vt* (*suj: comida*) donner une indigestion à; **indigestarse** *vpr* (*persona*) avoir une indigestion; (*comida*) donner une indigestion; **se me ha indigestado ese tipo/la física** (*fam*) je ne supporte plus ce type/la physique.
indigestión [indixes'tjon] *nf* indigestion *f.*
indigesto, -a [indi'xesto, a] *adj* indigeste; (*persona*) insupportable.
indignación [indiɣna'θjon] *nf* indignation *f.*
indignar [indiɣ'nar] *vt* indigner; **indignarse** *vpr*: **~se (por)** s'indigner (de).
indigno, -a [in'diɣno, a] *adj*: **~ (de)** indigne (de).
indio, -a ['indjo, a] *adj* indien(ne) ♦ *nm/f* Indien(ne); **hacer el ~** faire l'imbécile; **subírsele** *o* **asomarle el ~** (*CSUR: fam*) s'exciter.
indirecto, -a [indi'rekto, a] *adj* indirect(e) ♦ *nf* allusion *f.*
indisciplina [indisθi'plina] *nf* indiscipline *f.*
indiscreción [indiskre'θjon] *nf* indiscrétion *f*; **..., si no es ~** ..., si ce n'est pas indiscret.
indiscreto, -a [indis'kreto, a] *adj* indiscret(-ète).
indiscriminado, -a [indiskrimi'naðo, a] *adj* (*golpes*) distribué(e) au hasard; **de un modo ~** sans discrimination.
indiscutible [indisku'tiβle] *adj* indiscutable.
indisoluble [indiso'luβle] *adj* indissoluble.
indispensable [indispen'saβle] *adj* indispensable.
indisponer [indispo'ner] *vt* indisposer; **indisponerse** *vpr* (*MED*) se sentir indisposé(e); **~se con** *o* **contra algn** se brouiller avec qn.
indispuesto, -a [indis'pwesto, a] *pp de* **indisponer** ♦ *adj* indisposé(e); **estar/sentirse ~** être/se sentir indisposé(e).
indistinto, -a [indis'tinto, a] *adj* indistinct(e); **es ~ que hables tú o ella** peu importe que ce soit toi ou elle qui parle.
individual [indiβi'ðwal] *adj* individuel(le); (*habitación, cama*) simple ♦ *nm* (*DEPORTE*) simple *m.*
individuo [indi'βiðwo] *nm* individu *m.*
indocumentado, -a [indokumen'taðo, a] *adj* sans papiers; (*ignorante*) ignorant(e).
índole ['indole] *nf* (*naturaleza*) nature *f*; (*clase*) caractère *m.*
indolencia [indo'lenθja] *nf* indolence *f.*
inducción [induk'θjon] *nf* induction *f*; **por ~** par induction.
inducir [indu'θir] *vt* induire; **~ a algn a hacer** inciter qn à faire; **~ a algn a error** induire qn en erreur.
indudable [indu'ðaβle] *adj* indubitable; **es ~ que ...** il n'y a aucun doute que ... .
indulgencia [indul'xenθja] *nf* indulgence *f*; **proceder sin ~ contra** se montrer implacable envers.
indultar [indul'tar] *vt* gracier; **~ (de)** (*JUR*) dispenser (de).
indulto [in'dulto] *nm* grâce *f.*
indumentaria [indumen'tarja] *nf* tenue *f.*
industria [in'dustrja] *nf* industrie *f*; (*habilidad*) adresse *f*; **industria agropecuaria** industrie agricole et de la pêche; **industria pesada** industrie lourde; **industria petrolífera** industrie du pétrole.
industrial [indus'trjal] *adj* industriel(le) ♦ *nm* industriel *m.*
industrializar [industrjali'θar] *vt* industrialiser; **industrializarse** *vpr* s'industrialiser.
inédito, -a [i'neðito, a] *adj* inédit(e).
ineficaz [inefi'kaθ] *adj* (*medida, medicamento*) inefficace; (*persona*) peu efficace.
INEM ['inem] (*ESP*) *sigla m* (= *Instituto Nacional de Empleo*) ≈ ANPE *f* (= *Agence nationale pour l'emploi*).
inepto, -a [i'nepto, a] *adj* inepte ♦ *nm/f* incapable *m/f.*
inercia [i'nerθja] *nf* inertie *f*; **por ~** (*fig*) par habitude.
inerte [i'nerte] *adj* inerte.
inesperado, -a [inespe'raðo, a] *adj* inattendu(e).
inestable [ines'taβle] *adj* instable.
inestimable [inesti'maβle] *adj* inestimable; **de valor ~** d'une valeur inestimable.
inevitable [ineβi'taβle] *adj* inévitable.
inexacto, -a [inek'sakto, a] *adj* inexact(e).
inexorable [inekso'raβle] *adj* inexorable.
inexperiencia [inekspe'rjenθja] *nf* inexpérience *f.*
inexperto, -a [ineks'perto, a] *adj* inexpérimenté(e).
inexplicable [inekspli'kaβle] *adj* inexplicable.
infalible [infa'liβle] *adj* infaillible.
infame [in'fame] *adj* infâme.
infamia [in'famja] *nf* infamie *f.*
infancia [in'fanθja] *nf* enfance *f*; **jardín de la ~** jardin *m* d'enfants.
infanta [in'fanta] *nf* infante *f.*
infantería [infante'ria] *nf* infanterie *f*; **in-**

fantería de marina infanterie de marine.

infantil [infan'til] *adj* (*programa, juego*) pour les enfants; (*población*) enfantin(e); (*pey*) puéril(e).

infarto [in'farto] *nm* (*tb:* ~ **de miocardio**) infarctus *msg*.

infección [infek'θjon] *nf* infection *f*.

infeccioso, -a [infek'θjoso, a] *adj* (*MED*) infectieux(-euse); (*fig*) contagieux(-euse).

infectar [infek'tar] *vt* infecter; **infectarse** *vpr* s'infecter.

infecundo, -a [infe'kundo, a] *adj* infécond(e).

infeliz [infe'liθ] *adj, nm/f* malheureux(-euse).

inferior [infe'rjor] *adj, nm/f* inférieur(e); ~ **(a)** inférieur(e) (à); **un número ~ a 9** un chiffre inférieur à 9; **una cantidad ~** une quantité moindre.

inferioridad [inferjori'ðað] *nf* infériorité *f*; **complejo de ~** complexe *m* d'infériorité; **estar en ~ de condiciones** être désavantagé(e).

infernal [infer'nal] *adj* infernal(e).

infestar [infes'tar] *vt* infester.

infidelidad [infiðeli'ðað] *nf* infidélité *f*; **~es** *nfpl* (*adulterios*) infidélités *fpl*; **infidelidad conyugal** infidélité conjugale.

infiel [in'fjel] *adj, nm/f* infidèle *m/f*.

infierno [in'fjerno] *nm* (*REL*) enfer *m*; **ser un ~** (*fig*) être un enfer; **¡vete al ~!** va-t'en au diable!; **está en el quinto ~** il est à l'autre bout du monde.

infiltrar [infil'trar] *vt* infiltrer; **infiltrarse** *vpr* s'infiltrer.

ínfimo, -a ['infimo, a] *adj* infime.

infinidad [infini'ðað] *nf*: **una ~ de** une infinité de; **una ~ de veces** un nombre incalculable de fois.

infinitivo [infini'tiβo] *nm* infinitif *m*.

infinito, -a [infi'nito, a] *adj* infini(e) ♦ *adv* infiniment ♦ *nm* infini *m*; **hasta lo ~** jusqu'à l'infini.

inflación [infla'θjon] *nf* (*ECON*) inflation *f*.

inflamación [inflama'θjon] *nf* inflammation *f*.

inflamar [infla'mar] *vt* enflammer; **inflamarse** *vpr* s'enflammer; (*hincharse*) s'enfler.

inflar [in'flar] *vt* gonfler; (*fig*) exagérer; **inflarse** *vpr* s'enfler; **~se de** (*chocolate etc*) se bourrer de.

inflexible [inflek'siβle] *adj* (*material*) indéformable; (*persona*) inflexible.

infligir [infli'xir] *vt* infliger.

influencia [in'flwenθja] *nf* influence *f*.

influenciar [inflwen'θjar] *vt* influencer.

influir [influ'ir] *vt* influencer ♦ *vi* agir; ~ **en** *o* **sobre** influer sur, influencer.

influjo [in'fluxo] *nm* influence *f*; **influjo de capitales** afflux *msg* de capitaux.

influyente [influ'jente] *adj* influent(e).

información [informa'θjon] *nf* (*sobre un asunto, INFORM*) information *f*; (*noticias, informe*) informations *fpl*; (*JUR*) enquête *f*; **I~** (*oficina, TELEC*) Renseignements *mpl*; (*mostrador*) Information; **abrir una ~** (*JUR*) ouvrir une enquête; **información deportiva** nouvelles *fpl* sportives.

informal [infor'mal] *adj* (*persona*) peu sérieux(-euse); (*estilo, lenguaje*) informel(le).

informante [infor'mante] *nm/f* informateur(-trice).

informar [infor'mar] *vt* informer; (*dar forma a*) donner forme à ♦ *vi* (*dar cuenta de*): ~ **de/sobre** informer de/sur; **informarse** *vpr*: **~se (de)** s'informer (de); ~ **(contra)** (*JUR*) plaider (contre); **(les) informó que ...** il (les) a informé(s) que ... .

informático, -a [infor'matiko, a] *adj, nf* informatique *f*.

informativo, -a [informa'tiβo, a] *adj* (*programa, artículo*) d'information ♦ *nm* (*RADIO, TV*) journal *m*.

informatizar [informati'θar] *vt* informatiser.

informe [in'forme] *adj* informe ♦ *nm* rapport *m*; (*JUR*) plaidoyer *m*; **~s** *nmpl* (*referencias*) références *fpl*; **informe anual** rapport annuel.

infortunio [infor'tunjo] *nm* infortune *f*.

infracción [infrak'θjon] *nf* infraction *f*.

infraestructura [infraestruk'tura] *nf* infrastructure *f*.

in fraganti [infra'ɣanti] *adv*: **pillar a algn ~ ~** prendre qn sur le fait.

infranqueable [infranke'aβle] *adj* infranchissable.

infrarrojo, -a [infra'rroxo, a] *adj* infrarouge.

infravalorar [infraβalo'rar] *vt* sous-estimer.

infringir [infrin'xir] *vt* transgresser.

infructuoso, -a [infruk'twoso, a] *adj* infructueux(-euse).

infundado, -a [infun'daðo, a] *adj* peu fondé(e).

infundir [infun'dir] *vt*: ~ **ánimo** *o* **valor** insuffler du courage; ~ **respeto** inspirer le respect; ~ **miedo** inspirer de la crainte.

infusión [infu'sjon] *nf* infusion *f*; **infusión de manzanilla** infusion de camomille.

ingeniar [inxe'njar] *vt* inventer; **ingeniarse** *vpr*: **~se** *o* **ingeniárselas para hacer** se débrouiller pour faire.

ingeniería [inxenje'ria] *nf* ingénierie *f*; **ingeniería de sistemas** (*INFORM*) développement *m* de systèmes.

ingeniero, -a [inxe'njero, a] *nm/f* ingénieur *m*; (*esp MÉX: título de cortesía: tb:* I~) Monsieur(Madame); **ingeniero agrónomo** ingénieur agronome; **ingeniero de caminos** ingénieur des travaux publics; **ingeniero de montes** ingénieur des Eaux et Forêts; **ingeniero de sonido** ingénieur du son; **ingeniero naval** ingénieur des constructions navales.

ingenio [in'xenjo] *nm* génie *m*; (*TEC*) engin *m*; **aguzar el ~** faire travailler sa matière grise; **ingenio azucarero** raffinerie *f* de sucre.

ingenioso, -a [inxe'njoso, a] *adj* (*hábil*) ingénieux(-euse); (*divertido*) spirituel(le).

ingente [in'xente] *adj* (*cantidad*) considérable.

ingenuo, -a [in'xenwo, a] *adj* ingénu(e).

ingerir [inxe'rir] *vt* ingérer.

ingiera *etc* [in'xjera], **ingiriendo** *etc* [inxi'rjendo] *vb V* **ingerir**.

Inglaterra [ingla'terra] *nf* Angleterre *f*.

ingle ['ingle] *nf* aine *f*.

inglés, -esa [in'gles, esa] *adj* anglais(e) ♦ *nm/f* Anglais(e) ♦ *nm* (*LING*) anglais *msg*.

ingratitud [ingrati'tuð] *nf* ingratitude *f*.

ingrato, -a [in'grato, a] *adj* ingrat(e).

ingrediente [ingre'ðjente] *nm* ingrédient *m*; **~s** *nmpl* (*AM*) tapas *fpl*.

ingresar [ingre'sar] *vt* (*dinero*) déposer; (*enfermo*) faire entrer ♦ *vi*: **~ (en)** (*en facultad, escuela*) être admis(e) (à); (*en club etc*) s'inscrire (à); (*en ejército*) entrer (dans); (*en hospital*) entrer (à); **~ a** (*esp AM*) rentrer dans.

ingreso [in'greso] *nm* admission *f*; (*en ejército*) entrée *f*; **~s** *nmpl* (*dinero*) revenus *mpl*; (: *COM*) recettes *fpl*; **~ gravable** revenu imposable; **~s accesorios** avantages *mpl* en nature; **~s brutos** revenus bruts; **~s devengados** revenus salariaux; **~s exentos de impuestos** revenus non imposables; **~s personales disponibles** revenus disponibles.

inhabilitar [inaβili'tar] *vt*: **~ a algn para** déclarer qn inapte à.

inhabitable [inaβi'taβle] *adj* inhabitable.

inhalar [ina'lar] *vt* inhaler.

inherente [ine'rente] *adj*: **~ a** inhérent(e) à.

inhibición [iniβi'θjon] *nf* inhibition *f*.

inhibir [ini'βir] *vt* (*MED*) inhiber; **inhibirse** *vpr*: **~se (de hacer)** s'abstenir (de faire).

inhóspito, -a [i'nospito, a] *adj* inhospitalier(-ère).

inhumano, -a [inu'mano, a] *adj* inhumain(e).

inicial [ini'θjal] *adj* initial(e); (*letra*) premier(-ère) ♦ *nf* initiale *f*.

iniciar [ini'θjar] *vt* commencer; **~ (en)** (*persona*) initier (à); **~ a algn en un secreto** mettre qn dans le secret; **~ la sesión** (*INFORM*) ouvrir la session.

iniciativa [iniθja'tiβa] *nf* initiative *f*; **la ~ privada** l'initiative privée; **por ~ propia** de sa *etc* propre initiative.

inicio [i'niθjo] *nm* début *m*.

inimitable [inimi'taβle] *adj* inimitable.

ininterrumpido, -a [ininterrum'piðo, a] *adj* ininterrompu(e).

injerencia [inxe'renθja] *nf* ingérence *f*.

injertar [inxer'tar] *vt* greffer.

injerto [in'xerto] *nm* greffe *f*; (*producto*) greffon *m*; **injerto de piel** greffe de la peau.

injuria [in'xurja] *nf* injure *f*.

injuriar [inxu'rjar] *vt* injurier.

injurioso, -a [inxu'rjoso, a] *adj* injurieux(-euse).

injusticia [inxus'tiθja] *nf* injustice *f*; **con ~** injustement.

injusto, -a [in'xusto, a] *adj* injuste.

inmaculado, -a [inmaku'laðo, a] *adj* immaculé(e).

inmaduro, -a [inma'ðuro, a] *adj* immature; (*fruta*) vert(e).

inmediaciones [inmeðja'θjones] *nfpl* environs *mpl*.

inmediato, -a [inme'ðjato, a] *adj* immédiat(e); (*contiguo*) contigu(ë); **~ a** contigu(ë) à; **de ~** (*esp AM*) tout de suite.

inmejorable [inmexo'raβle] *adj* excellent(e).

inmenso, -a [in'menso, a] *adj* immense.

inmerecido, -a [inmere'θiðo, a] *adj* (*críticas*) injustifié(e); (*premio*) immérité(e).

inmersión [inmer'sjon] *nf* immersion *f*.

inmerso, -a [in'merso, a] *adj*: **~ en** immergé(e) dans.

inmigración [inmiɣra'θjon] *nf* immigration *f*.

inmigrante [inmi'ɣrante] *adj, nm/f* immigrant(e).

inminente [inmi'nente] *adj* imminent(e).

inmiscuirse [inmisku'irse] *vpr*: **~ (en)** s'immiscer (dans).

inmobiliario, -a [inmoβi'ljarjo, a] *adj* immobilier(-ère) ♦ *nf* (*tb*: **agencia inmobiliaria**) agence *f* immobilière.

inmolar [inmo'lar] *vt* immoler.

inmoral [inmo'ral] *adj* immoral(e).

inmortal [inmor'tal] *adj* immortel(le).

inmortalizar [inmortali'θar] *vt* immortaliser.

inmóvil [in'moβil] *adj* immobile.
inmovilizar [inmoβili'θar] *vt* immobiliser; (*brazo, pierna*) paralyser; **inmovilizarse** *vpr*: **se le ha inmovilizado la pierna** il a eu la jambe paralysée.
inmueble [in'mweβle] *adj*: **bienes ~s** biens *mpl* immeubles ♦ *nm* immeuble *m*.
inmundo, -a [in'mundo, a] *adj* (*lugar*) immonde; (*lenguaje*) vulgaire.
inmune [in'mune] *adj*: **~ (a)** immunisé(e) (contre).
inmunidad [inmuni'ðað] *nf* immunité *f*; **inmunidad diplomática/parlamentaria** immunité diplomatique/parlementaire.
inmunizar [inmuni'θar] *vt* immuniser.
inmutarse [inmu'tarse] *vpr* se troubler; **siguió sin ~** il poursuivit sans se troubler le moins du monde.
innato, -a [in'nato, a] *adj* inné(e).
innecesario, -a [inneθe'sarjo, a] *adj* pas nécessaire.
innoble [in'noβle] *adj* ignoble.
innovación [innoβa'θjon] *nf* innovation *f*.
innovar [inno'βar] *vi* innover.
innumerable [innume'raβle] *adj* incalculable.
inocencia [ino'θenθja] *nf* innocence *f*.
inocentada [inoθen'taða] *nf* (*broma*) ≈ poisson *m* d'avril; **gastar una ~ a algn** ≈ faire un poisson d'avril à qn.
inocente [ino'θente] *adj, nm/f* innocent(e); **día de los (Santos) I~s** jour *m* des (saints) Innocents.
inocular [inoku'lar] *vt* inoculer.
inocuo, -a [i'nokwo, a] *adj* inoffensif(-ive).
inodoro, -a [ino'ðoro, a] *adj* inodore ♦ *nm* cabinet *m*.
inofensivo, -a [inofen'siβo, a] *adj* inoffensif(-ive).
inolvidable [inolβi'ðaβle] *adj* inoubliable.
inopia [i'nopja] *nf*: **estar en la ~** (*fig*) être dans la lune.
inoportuno, -a [inopor'tuno, a] *adj* inopportun(e).
inoxidable [inoksi'ðaβle] *adj* inoxydable; **acero ~** acier *m* inoxydable.
inquietar [inkje'tar] *vt* inquiéter; **inquietarse** *vpr* s'inquiéter.
inquieto, -a [in'kjeto, a] *adj* inquiet(-ète); (*niño*) turbulent(e); **estar ~ por** être inquiet(-ète) de.
inquietud [inkje'tuð] *nf* inquiétude *f*; (*agitación*) dissipation *f*.
inquilino, -a [inki'lino, a] *nm/f* locataire *m/f*; (*COM*) preneur(-euse) à bail.
inquirir [inki'rir] *vt* s'enquérir de.
insaciable [insa'θjaβle] *adj* insatiable.
insalubre [insa'luβre] *adj* insalubre.
insano, -a [in'sano, a] *adj* malsain(e).
insatisfecho, -a [insatis'fetʃo, a] *adj* insatisfait(e); (*descontento*) mécontent(e).
inscribir [inskri'βir] *vt* inscrire; **inscribirse** *vpr* (*ESCOL etc*) s'inscrire.
inscripción [inskrip'θjon] *nf* inscription *f*.
inscrito [ins'krito] *pp de* **inscribir**.
insecticida [insekti'θiða] *nm* insecticide *m*.
insecto [in'sekto] *nm* insecte *m*.
inseguridad [inseɣuri'ðað] *nf* insécurité *f*; (*inestabilidad*) instabilité *f*; (*de carácter*) manque *m* de confiance; (*indecisión*) indécision *f*; **inseguridad ciudadana** insécurité urbaine.
inseguro, -a [inse'ɣuro, a] *adj* incertain(e); (*persona*) pas sûr(e) de soi; (*lugar*) peu sûr(e); (*terreno*) instable; (*escalera*) branlant(e); **sentirse ~** ne pas se sentir en sécurité.
inseminación [insemina'θjon] *nf*: **~ artificial** insémination *f* artificielle.
insensato, -a [insen'sato, a] *adj* insensé(e).
insensibilizar [insensiβili'θar] *vt* insensibiliser; **insensibilizarse** *vpr*: **~se a** (*a sufrimiento*) demeurer insensible à.
insensible [insen'siβle] *adj* insensible.
inseparable [insepa'raβle] *adj* inséparable.
insertar [inser'tar] *vt* insérer; **insertarse** *vpr*: **~se en** s'insérer dans.
inservible [inser'βiβle] *adj* inutilisable.
insigne [in'siɣne] *adj* insigne.
insignia [in'siɣnja] *nf* (*emblema*) insigne *m*; (*estandarte*) enseigne *f*; **buque ~** vaisseau *m* amiral.
insignificante [insiɣnifi'kante] *adj* insignifiant(e).
insinuar [insi'nwar] *vt* insinuer; **insinuarse** *vpr*: **él se me insinuó** il me fit des avances.
insípido, -a [in'sipiðo, a] *adj* insipide.
insistencia [insis'tenθja] *nf* insistance *f*; **con ~** avec insistance.
insistente [insis'tente] *adj* insistant(e).
insistir [insis'tir] *vi*: **~ (en)** insister (sur).
insociable [inso'θjaβle] *adj* insociable.
insolación [insola'θjon] *nf* insolation *f*.
insolencia [inso'lenθja] *nf* insolence *f*.
insolente [inso'lente] *adj* insolent(e).
insólito, -a [in'solito, a] *adj* insolite.
insoluble [inso'luβle] *adj* (*problema*) insoluble; **~ (en)** (*sustancia*) insoluble (dans).
insolvencia [insol'βenθja] *nf* (*COM*) insolvabilité *f*.

insomnio [in'somnjo] *nm* insomnie *f*.
insonorizar [insonori'θar] *vt* insonoriser.
insoportable [insopor'taβle] *adj* insupportable.
insospechado, -a [insospe'tʃaðo, a] *adj* insoupçonné(e).
insostenible [insoste'niβle] *adj* insoutenable.
inspección [inspek'θjon] *nf* inspection *f*.
inspeccionar [inspekθjo'nar] *vt* inspecter; (*INFORM*) contrôler.
inspector, a [inspek'tor, a] *nm/f* inspecteur(-trice).
inspiración [inspira'θjon] *nf* inspiration *f*; **de ~ clásica/romántica** d'inspiration classique/romantique.
inspirar [inspi'rar] *vt* inspirer; **inspirarse** *vpr*: **~se en** s'inspirer de.
instalación [instala'θjon] *nf* installation *f*; **instalaciones** *nfpl* (*de centro deportivo, hotel*) installations *fpl*; **instalación eléctrica** installation électrique.
instalar [insta'lar] *vt* installer; **instalarse** *vpr* s'installer.
instancia [ins'tanθja] *nf* instance *f*; **a ~s de** à la requête de; **en última ~** en dernier ressort.
instantáneo, -a [instan'taneo, a] *adj* instantané(e) ♦ *nf* instantané *m*; **café ~** café *m* instantané.
instante [ins'tante] *nm* instant *m*; **a cada ~** à tout instant; **al ~** à l'instant.
instar [ins'tar] *vt*: **~ a algn a hacer** *o* **para que haga** prier instamment qn de faire.
instaurar [instau'rar] *vt* instaurer.
instigador, a [instiɣa'ðor, a] *nm/f* instigateur(-trice); **instigador de un delito** (*JUR*) instigateur d'un délit.
instigar [insti'ɣar] *vt*: **~ a algn a (hacer)** inciter qn à (faire).
instintivo, -a [instin'tiβo, a] *adj* instinctif(-ive).
instinto [ins'tinto] *nm* instinct *m*; **por ~** d'instinct; **instinto de conservación** instinct de conservation; **instinto maternal/sexual** instinct maternel/sexuel.
institución [institu'θjon] *nf* institution *f*; **instituciones** *nfpl* (*de un país*) institutions *fpl*; **~ benéfica** société *f* de bienfaisance.
institucional [instituθjo'nal] *adj* institutionnel(le).
instituir [institu'ir] *vt* instituer.
instituto [insti'tuto] *nm* (*ESCOL*) lycée *m*; (*de investigación, cultural etc*) institut *m*; **I~ de Bachillerato** (*ESP*) lycée.
institutriz [institu'triθ] *nf* préceptrice *f*.
instrucción [instruk'θjon] *nf* instruction *f*; (*DEPORTE*) entraînement *m*; (*INFORM*) instruction; **instrucciones** *nfpl* (*normas de uso, órdenes*) instructions *fpl*; **instrucciones de funcionamiento** (*INFORM*) guide *m* de l'utilisateur; **instrucción del sumario** (*JUR*) instruction.
instructivo, -a [instruk'tiβo, a] *adj* instructif(-ive).
instruir [instru'ir] *vt* (*tb JUR*) instruire.
instrumento [instru'mento] *nm* instrument *m*; (*COM*) effet *m*; **instrumento de cuerda/de percusión/de viento** instrument à cordes/à percussion/à vent.
insubordinarse [insuβorði'narse] *vpr*: **~ (contra)** se rebeller (contre).
insuficiencia [insufi'θjenθja] *nf* insuffisance *f*; **insuficiencia cardíaca/renal** insuffisance cardiaque/rénale.
insuficiente [insufi'θjente] *adj* insuffisant(e) ♦ *nm* (*ESCOL*) note *f* inférieure à la moyenne.
insular [insu'lar] *adj* insulaire.
insulina [insu'lina] *nf* insuline *f*.
insulso, -a [in'sulso, a] *adj* (*comida, persona*) fade, insipide; (*novela, película*) insipide, ennuyeux(-euse).
insultar [insul'tar] *vt* insulter.
insulto [in'sulto] *nm* insulte *f*.
insumiso, -a [insu'miso, a] *adj* insoumis(e) ♦ *nm* (*ESP*: *MIL*) *personne qui refuse de faire le service militaire et d'être objecteur de conscience*; **~s** *nmpl* (*esp MÉX*: *ECON*) recettes *fpl*.
insuperable [insupe'raβle] *adj* (*excelente*) incomparable; (*invencible*) insurmontable.
insurrección [insurrek'θjon] *nf* insurrection *f*.
insustituible [insusti'twiβle] *adj* irremplaçable.
intachable [inta'tʃaβle] *adj* irréprochable.
intacto, -a [in'takto, a] *adj* intact(e).
integral [inte'ɣral] *adj* intégral(e); (*idiota*) parfait(e); **pan ~** pain *m* complet.
integrante [inte'ɣrante] *adj* intégrant(e) ♦ *nm/f* (*de equipo*) membre *m/f*; (*de conjunto*) composant(e).
integrar [inte'ɣrar] *vt* composer; (*MAT*) intégrer; **integrarse** *vpr* s'intégrer.
integridad [inteɣri'ðað] *nf* intégrité *f*; **en su ~** dans son intégralité.
íntegro, -a ['inteɣro, a] *adj* intègre; (*texto*) intégral(e).
intelecto [inte'lekto] *nm* intellect *m*.
intelectual [intelek'twal] *adj, nm/f* intellectuel(le).
inteligencia [inteli'xenθja] *nf* intelligence *f*; **inteligencia artificial** intelligence ar-

tificielle.

inteligente [inteli'xente] *adj* intelligent(e).

inteligible [inteli'xiβle] *adj* intelligible.

intemperie [intem'perje] *nf* intempérie *f*; **a la ~** sans abri.

intempestivo, -a [intempes'tiβo, a] *adj* intempestif(-ive).

intención [inten'θjon] *nf* intention *f*; **con segundas intenciones** avec des intentions cachées; **con ~** à dessein, intentionnellement; **buena/mala ~** bonne/mauvaise intention; **de buena/mala ~** bien/mal intentionné(e).

intencionado, -a [intenθjo'naðo, a] *adj* intentionnel(le); **bien/mal ~** bien/mal intentionné(e).

intendencia [inten'denθja] *nf* (*MIL*) intendance *f*; (: *tb:* **cuerpo de ~**) Intendance.

intendente [inten'dente] *nm* (*CSUR: alcalde*) gouverneur *m*, maire *m*; (*CHI*) gouverneur (*d'une province*); (*MÉX*) inspecteur *m* de police.

intensidad [intensi'ðað] *nf* intensité *f*; **llover con ~** pleuvoir dru.

intensivo, -a [inten'siβo, a] *adj* intensif(-ive); **curso ~** cours *m* intensif.

intenso, -a [in'tenso, a] *adj* intense.

intentar [inten'tar] *vt*: **~ (hacer)** essayer *o* tenter de (faire).

intento [in'tento] *nm* essai *m*, tentative *f*; (*propósito*) intention *f*; **al primer/segundo ~** à la première/seconde tentative.

intentona [inten'tona] *nf* tentative *f*; **intentona golpista** (*POL*) tentative *f* de coup d'Etat.

interactivo, -a [interak'tiβo, a] *adj* (*INFORM*) interactif(-ive).

intercalar [interka'lar] *vt* intercaler.

intercambio [inter'kambjo] *nm* échange *m*.

interceder [interθe'ðer] *vi*: **~ (por)** intercéder (en faveur de).

interceptar [interθep'tar] *vt* intercepter; (*tráfico*) entraver.

interceptor [interθep'tor] *nm* (*TEC*) intercepteur *m*.

intercesión [interθe'sjon] *nf* intercession *f*.

interés [inte'res] *nm* intérêt *m*; **intereses** *nmpl* (*dividendos, aspiraciones*) intérêts *mpl*; (*patrimonio*) biens *mpl*; **con un ~ de 9 por ciento** à 9 pour cent d'intérêt; **dar a ~** prêter à *o* avec intérêt; **devengar ~** rapporter un intérêt; **sentir/tener ~ en** éprouver/avoir de l'intérêt pour; **tipo de ~** (*COM*) taux *msg* d'intérêt; **intereses acumulados** intérêts cumulés; **interés compuesto/simple** intérêt composé/simple; **intereses creados** coalition *f* d'intérêts; **intereses por cobrar/por pagar** intérêts à percevoir/à verser; **interés propio** intérêt personnel.

interesado, -a [intere'saðo, a] *adj, nm/f* intéressé(e); **~ en/por** intéressé(e) par.

interesante [intere'sante] *adj* intéressant(e); **hacerse el/la ~** faire l'intéressant(e).

interesar [intere'sar] *vt* intéresser; (*MED*) affecter ♦ *vi* être intéressant(e); **interesarse** *vpr*: **~se en** *o* **por** s'intéresser à; **no me interesan los toros** les courses de taureaux ne m'intéressent pas.

interface [inter'faθe] *nm* (*INFORM*) interface *f*; **~ hombre/máquina/por menús** interface homme/machine/par menus.

interfaz [inter'faθ] *nm* = **interface**.

interferencia [interfe'renθja] *nf* (*RADIO, TV, TELEC*) interférence *f*; **~ (en)** (*injerencia*) ingérence *f* (dans).

interferir [interfe'rir] *vt* (*TELEC*) brouiller ♦ *vi* (*persona*): **~ (en)** s'immiscer (dans).

interfiera *etc* [inter'fjera], **interfiriendo** *etc* [interfi'rjendo] *vb V* **interferir**.

interino, -a [inte'rino, a] *adj* intérimaire ♦ *nm/f* intérimaire *m/f*; (*MED*) remplaçant(e).

interior [inte'rjor] *adj* intérieur(e) ♦ *nm* intérieur *m*; (*DEPORTE*) inter *m*; (*COL, VEN: tb:* **~es**) caleçon *m*; **Ministerio del I~** ministère *m* de l'Intérieur; **dije para mi ~** je me suis dit en mon for intérieur; **habitación ~** chambre *f* de derrière; **ropa ~** linge *m* de corps; **vida ~** vie *f* intérieure.

interjección [interxek'θjon] *nf* interjection *f*.

interlocutor, a [interloku'tor, a] *nm/f* interlocuteur(-trice); **mi ~** mon interlocuteur.

intermediario, -a [interme'ðjarjo, a] *adj, nm/f* intermédiaire *m/f*.

intermedio, -a [inter'meðjo, a] *adj* intermédiaire ♦ *nm* (*TEATRO, CINE*) intervalle *m*.

interminable [intermi'naβle] *adj* interminable.

intermitente [intermi'tente] *adj* intermittent(e) ♦ *nm* (*AUTO*) clignotant *m*.

internacional [internaθjo'nal] *adj* international(e).

internado [inter'naðo] *nm* internat *m*.

internamiento [interna'mjento] *nm* internement *m*.

internar [inter'nar] *vt* interner; **internarse** *vpr* (*penetrar*): **~se en** pénétrer dans.

interno, -a [in'terno, a] *adj* interne; (*POL etc*) intérieur(e) ♦ *nm/f* (*alumno*) interne

m/f; (*médico*) généraliste *m/f*; **medicina interna** médecine *f* générale.
interpelar [interpe'lar] *vt* (*tb POL*) interpeller.
interponer [interpo'ner] *vt* interposer; (*JUR: apelación*) interjeter; **interponerse** *vpr* s'interposer; ~ **(entre)** interposer (entre); ~ **recurso (contra)** interjeter appel (contre).
interpretación [interpreta'θjon] *nf* interprétation *f*; **mala** ~ mauvaise *o* fausse interprétation.
interpretar [interpre'tar] *vt* interpréter; ~ **mal** mal interpréter.
intérprete [in'terprete] *nm/f* interprète *m/f*.
interpuesto *etc* [inter'pwesto], **interpuse** *etc* [inter'puse] *vb V* **interponer**.
interrogación [interroɣa'θjon] *nf* interrogation *f*; (*tb:* **signo de** ~) point *m* d'interrogation.
interrogante [interro'ɣante] *adj* interrogateur(-trice) ♦ *nm* question *f*.
interrogar [interro'ɣar] *vt* interroger.
interrogativo, -a [interroɣa'tiβo, a] *adj* (*LING*) interrogatif(-ive).
interrogatorio [interroɣa'torjo] *nm* interrogatoire *m*.
interrumpir [interrum'pir] *vt* interrompre.
interrupción [interrup'θjon] *nf* interruption *f*.
interruptor [interrup'tor] *nm* (*ELEC*) interrupteur *m*.
intersección [intersek'θjon] *nf* intersection *f*.
interurbano, -a [interur'βano, a] *adj* interurbain(e); **llamada/conferencia interurbana** appel *m* interurbain/communication *f* interurbaine.
intervalo [inter'βalo] *nm* intervalle *m*; **a** ~**s** à intervalles.
intervención [interβen'θjon] *nf* intervention *f*; (*TELEC*) écoute *f* téléphonique; **la política de no** ~ la politique de non-intervention; **intervención quirúrgica** intervention chirurgicale.
intervendré *etc* [interβen'dre], **intervenga** *etc* [inter'βenga] *vb V* **intervenir**.
intervenir [interβe'nir] *vt* (*MED*) pratiquer une intervention sur; (*suj: policía*) saisir; (*teléfono*) placer sous écoute téléphonique; (*cuenta bancaria*) bloquer ♦ *vi* intervenir.
interviú [inter'βju] *nf* interview *f*.
intestino [intes'tino] *nm* intestin *m*; **intestino delgado/grueso** intestin grêle/gros intestin.
intimidad [intimi'ðað] *nf* intimité *f*; (*amistad*) amitié *f*; **en la** ~ dans l'intimité.
intimidar [intimi'ðar] *vt* intimider.
íntimo, -a ['intimo, a] *adj* intime.
intolerable [intole'raβle] *adj* intolérable.
intolerancia [intole'ranθja] *nf* intolérance *f*.
intoxicación [intoksika'θjon] *nf* intoxication *f*; **intoxicación alimenticia** intoxication alimentaire.
intranquilizar [intrankili'θar] *vt* inquiéter; **intranquilizarse** *vpr* s'inquiéter.
intranquilo, -a [intran'kilo, a] *adj* inquiet(-ète).
intransferible [intransfe'riβle] *adj* intransmissible.
intransigente [intransi'xente] *adj* intransigeant(e).
intransitivo, -a [intransi'tiβo, a] *adj* intransitif(-ive).
intrascendente [intrasθen'dente] *adj* sans importance.
intrépido, -a [in'trepiðo, a] *adj* intrépide.
intriga [in'triɣa] *nf* intrigue *f*.
intrigar [intri'ɣar] *vt, vi* intriguer.
intrínseco, -a [in'trinseko, a] *adj* intrinsèque.
introducción [introðuk'θjon] *nf* introduction *f*.
introducir [introðu'θir] *vt* introduire; **introducirse** *vpr* s'introduire.
intromisión [intromi'sjon] *nf* intromission *f*.
introvertido, -a [introβer'tiðo, a] *adj, nm/f* introverti(e).
intruso, -a [in'truso, a] *nm/f* intrus(e).
intuición [intwi'θjon] *nf* intuition *f*; **por** ~ par intuition; **tener una gran** ~ avoir beaucoup d'intuition.
intuir [intu'ir] *vt* pressentir.
intuitivo, -a [intwi'tiβo, a] *adj* intuitif(-ive).
inundación [inunda'θjon] *nf* inondation *f*.
inundar [inun'dar] *vt* inonder; **inundarse** *vpr* s'inonder.
inusitado, -a [inusi'taðo, a] *adj* (*espectáculo*) insolite; (*hora, calor*) inhabituel(le).
inusual [inu'swal] *adj* inhabituel(le).
inútil [i'nutil] *adj* (*herramienta*) inutilisable; (*esfuerzo*) inutil(e); (*persona: minusválido*) handicapé(e); (*: pey*) bon(ne) à rien, inepte; **declarar** ~ **a algn** (*MIL*) réformer qn.
inutilizar [inutili'θar] *vt* rendre inutilisable.
invadir [imba'ðir] *vt* envahir.
invalidar [imbali'ðar] *vt* invalider.
inválido, -a [im'baliðo, a] *adj* invalide

♦ *nm/f* handicapé(e).
invariable [imba'rjable] *adj* invariable.
invasión [imba'sjon] *nf* invasion *f*.
invasor, a [imba'sor, a] *adj* envahissant(e) ♦ *nm/f* envahisseur *m*.
invencible [imben'θiβle] *adj* invincible.
inventar [imben'tar] *vt* inventer.
inventario [imben'tarjo] *nm* inventaire *m*; **hacer ~ de** faire l'inventaire de.
invento [im'bento] *nm* invention *f*.
inventor, a [imben'tor, a] *nm/f* inventeur(-trice).
invernadero [imberna'ðero] *nm* serre *f*.
invernal [imber'nal] *adj* hivernal(e).
invernar [imber'nar] *vi* hiverner.
inverosímil [imbero'simil] *adj* invraisemblable.
inversión [imber'sjon] *nf* (*COM*) investissement *m*; **inversión de capitales** investissement de capitaux; **inversiones extranjeras** investissements étrangers.
inverso, -a [im'berso, a] *adj* inverse; **en orden ~** dans l'ordre inverse; **a la inversa** à l'inverse; **traducción inversa** thème *m*.
inversor, a [imber'sor, a] *nm/f* (*COM*) investisseur *m*.
invertebrado, -a [imberte'βraðo, a] *adj* invertébré(e) ♦ *nm* invertébré *m*.
invertir [imber'tir] *vt* (*COM*) investir; (*poner del revés*) intervertir; (*tiempo*) consacrer.
investidura [imbesti'ðura] *nf* investiture *f*.
investigación [imbestiɣa'θjon] *nf* recherche *f*; **investigación de los medios de publicidad** recherche sur les supports publicitaires; **investigación del mercado** étude *f* de marché; **investigación y desarrollo** (*COM*) recherche et développement.
investigar [imbesti'ɣar] *vt* (*indagar*) chercher; (*estudiar*) faire des recherches en.
investir [imbes'tir] *vt*: **~ (con/de)** investir (de).
invidente [imbi'ðente] *adj* aveugle ♦ *nm/f* aveugle *m/f*, non-voyant(e).
invierno [im'bjerno] *nm* hiver *m*.
invierta *etc* [im'bjerta] *vb V* **invertir**.
inviolable [imbjo'laβle] *adj* inviolable.
invirtiendo *etc* [imbir'tjendo] *vb V* **invertir**.
invisible [imbi'siβle] *adj* invisible; **exportaciones/importaciones ~s** exportations *fpl*/importations *fpl* invisibles.
invitación [imbita'θjon] *nf* invitation *f*.
invitado, -a [imbi'taðo, a] *nm/f* invité(e).
invitar [imbi'tar] *vt* inviter; **~ a algn a hacer algo** inviter qn à faire qch; **~ a algo** inviter à qch; **te invito a un café** je te paie un café; **invito yo** c'est moi qui invite *o* paie.
invocar [imbo'kar] *vt* (*tb INFORM*) invoquer.
involucrar [imbolu'krar] *vt*: **~ a algn en** impliquer qn dans; **involucrarse** *vpr*: **~se en** s'impliquer dans.
involuntario, -a [imbolun'tarjo, a] *adj* involontaire.
invulnerable [imbulne'raβle] *adj* invulnérable.
inyección [injek'θjon] *nf* piqûre *f*, injection *f*; **poner una ~ a algn** faire une piqûre à qn; **ponerse una ~** se faire une piqûre; **inyección intramuscular** injection intramusculaire; **inyección intravenosa** injection intraveineuse, intraveineuse *f*.
inyectar [injek'tar] *vt* (*MED*) injecter; **~ (en)** (*introducir*) injecter (dans).
IPC (*ESP*) *sigla m* (= *Índice de Precios al Consumo*) IPC *m* (= *indice des prix à la consommation*).

PALABRA CLAVE

ir [ir] *vi* **1** aller; **ir andando** marcher; **fui en tren** j'y suis allé en train; **voy a la calle** je sors; **¡(ahora) voy!** j'y vais!; **ir desde X a Y** (*extenderse*) aller de X à Y; **ir de pesca/de vacaciones** aller à la pêche/en vacances

2: **ir (a) por**: **ir (a) por el médico** aller chercher le docteur

3 (*progresar*) aller; **el trabajo va muy bien** le travail marche très bien; **¿cómo te va?** tu t'y fais?; **¿cómo te va en el trabajo?** comment ça va au travail?; **me va muy bien** ça va très bien; **le fue fatal** ça n'a pas du tout été

4 (*funcionar*): **el coche no va muy bien** la voiture ne marche pas très bien

5 (*sentar*): **me va estupendamente** (*ropa, color*) cela me va à merveille; (*medicamento*) c'est exactement ce qu'il me fallait

6 (*aspecto*): **ir con zapatos negros** porter des chaussures noires; **iba muy bien vestido** il était très bien habillé

7 (*combinar*): **ir con algo** aller avec qch

8 (*excl*): **¡que va!** (*no*) mais non!; **¿qué tal? – ¡vaya!** ça va? – à peu près!; **vamos, no llores** allons, ne pleure pas; **vamos a ver** voyons voir; **¡vaya coche!** (*admiración*) quelle super voiture!; (*desprecio*) quelle voiture minable!; **que le vaya bien** (*esp AM: despedida*) salut!; **¡vete a saber!** allez savoir!

9: **ir a mejor/peor** aller mieux/mal; **ir de mal en peor** aller de mal en pis; **va para**

largo ça va prendre du temps; **en esta casa cada uno va a lo suyo** dans cette maison c'est chacun pour soi; **¡a eso voy!** j'y viens!; **eso no va por tí** ça ne s'applique pas à toi; **ni me va ni me viene** ça ne me regarde pas
10: **no vaya a ser**: **tienes que correr, no vaya a ser que pierdas el tren** il faut que tu te dépêches, sinon tu vas rater ton train
♦ *vb aux* **1**: **ir a**: **voy/iba a hacerlo hoy** je vais/j'allais le faire aujourd'hui
2 (*+ gerundio*): **iba anocheciendo** il commençait à faire nuit; **todo se me iba aclarando** tout devenait clair pour moi
3 (*+ pp = pasivo*): **van vendidos 300 ejemplares** 300 exemplaires ont déjà été vendus
irse *vpr* **1**: **¿por dónde se va al parque?** comment va-t-on au parc?
2: **irse (de)** (*marcharse*) s'en aller (de); **ya se habrán ido** ils doivent être déjà partis; **¡vete!** vas-y!; (*con enfado*) va-t-en!; **¡vámonos!** allons-y!, on y va!; **¡nos fuimos!** (*AM*: *vámonos*) on y va!

ira ['ira] *nf* colère *f*.
Irak [i'rak] *nm* = **Iraq**.
Irán [i'ran] *nm* Iran *m*.
iraní [ira'ni] *adj* iranien(ne) ♦ *nm/f* Iranien(ne).
Iraq [i'rak] *nm* Irak *m*.
iraquí [ira'ki] *adj* irakien(ne), iraquien(ne) ♦ *nm/f* Irakien(ne), Iraquien(ne).
irascible [iras'θiβle] *adj* irascible.
iris ['iris] *nm inv* (*arco iris*) arc-en-ciel *m*; (*ANAT*) iris *msg*.
Irlanda [ir'landa] *nf* Irlande *f*; ~ **del Norte** Irlande du Nord.
irlandés, -esa [irlan'des, esa] *adj* irlandais(e) ♦ *nm/f* Irlandais(e) ♦ *nm* (*LING*) irlandais *msg*.
ironía [iro'nia] *nf* ironie *f*.
irónico, -a [i'roniko, a] *adj* ironique.
IRPF (*ESP*) *sigla m* (= *Impuesto sobre la Renta de las Personas Físicas*) ≈ IRPP *m* (= *impôt sur le revenu des personnes physiques*).
irracional [irraθjo'nal] *adj* irrationnel(le).
irreal [irre'al] *adj* irréel(le).
irreconocible [irrekono'θiβle] *adj* méconnaissable.
irrecuperable [irrekupe'raβle] *adj* irrécupérable.
irreflexivo, -a [irreflek'siβo, a] *adj* irréfléchi(e).
irregular [irreɣu'lar] *adj* irrégulier(-ère).
irregularidad [irreɣulari'ðað] *nf* irrégularité *f*.
irremediable [irreme'ðjaβle] *adj* irrémédiable.
irreprochable [irrepro'tʃaβle] *adj* irréprochable.
irresistible [irresis'tiβle] *adj* irrésistible.
irrespetuoso, -a [irrespe'twoso, a] *adj* irrespectueux(-euse).
irrespirable [irrespi'raβle] *adj* irrespirable.
irresponsable [irrespon'saβle] *adj* irresponsable.
irreversible [irreβer'siβle] *adj* irréversible.
irrevocable [irreβo'kaβle] *adj* irrévocable.
irrigar [irri'ɣar] *vt* irriguer.
irrisorio, -a [irri'sorjo, a] *adj* dérisoire.
irritable [irri'taβle] *adj* irritable.
irritación [irrita'θjon] *nf* irritation *f*.
irritar [irri'tar] *vt* irriter; **irritarse** *vpr* s'irriter.
irrompible [irrom'piβle] *adj* incassable.
irrumpir [irrum'pir] *vi*: ~ **en** faire irruption dans.
irrupción [irrup'θjon] *nf* irruption *f*.
IRTP (*ESP*) *sigla m* (= *impuesto sobre los rendimientos del trabajo personal*) *charges sociales*.
isla ['isla] *nf* île *f*; **las I~s Filipinas/Malvinas/Canarias** les îles Philippines/Malouines/Canaries.
Islam [is'lam] *nm* Islam *m*.
islámico, -a [is'lamiko, a] *adj* islamique.
islandés, -esa [islan'des, esa] *adj* islandais(e) ♦ *nm/f* Islandais(e) ♦ *nm* (*LING*) islandais *msg*.
Islandia [is'landja] *nf* Islande *f*.
isleño, -a [is'leɲo, a] *adj, nm/f* insulaire *m/f*.
isleta [is'leta] *nf* (*AUTO*) refuge *m*.
islote [is'lote] *nm* îlot *m*.
Israel [isra'el] *nm* Israël *m*.
israelí [israe'li] *adj* israélien(ne) ♦ *nm/f* Israélite *m/f*.
Italia [i'talja] *nf* Italie *f*.
italiano, -a [ita'ljano, a] *adj* italien(ne) ♦ *nm/f* Italien(ne) ♦ *nm* (*LING*) italien *m*.
itinerante [itine'rante] *adj* itinérant(e).
itinerario [itine'rarjo] *nm* itinéraire *m*.
IVA ['iβa] (*ESP*) *sigla m* (*COM* = *Impuesto sobre el Valor Añadido*) TVA *f* (= *taxe à la valeur ajoutée*).
izar [i'θar] *vt* hisser.
izda. *abr* (= *izquierda*) g (= *gauche*).
izquierdo, -a [iθ'kjerðo, a] *adj* gauche.

J, j

jabalí [xaβa'li] *nm* sanglier *m*.
jabalina [xaβa'lina] *nf* javelot *m*.
jabón [xa'βon] *nm* savon *m*; **dar ~ a algn** passer de la pommade à qn; **jabón de afeitar** savon à barbe; **jabón de baño** savon liquide; **jabón de tocador** savon de toilette; **jabón en polvo** savon en poudre.
jabonar [xaβo'nar] *vt* savonner; **jabonarse** *vpr* se savonner.
jabonera [xaβo'nera] *nf* boîte *f* à savon.
jaca ['xaka] *nf* bidet *m*; (*yegua*) petite jument *f*.
jactarse [xak'tarse] *vpr*: **~ (de)** se vanter (de).
jadear [xaðe'ar] *vi* haleter.
jadeo [xa'ðeo] *nm* halètement *m*.
jaguar [xa'ɣwar] *nm* jaguar *m*.
jalea [xa'lea] *nf* gelée *f*.
jaleo [xa'leo] *nm* (*barullo*) tapage *m*; (*riña*) grabuge *m*; **armar un ~** faire (toute) une histoire; **me armé un ~ con las fechas** je me suis embrouillé dans ces dates; **¡qué ~!** quelle pagaille!
jalón [xa'lon] *nm* (AM: *estirón*) coup *m*; (*estaca, fig*) jalon *m*.
jalonar [xalo'nar] *vt* jalonner.
Jamaica [xa'maika] *nf* Jamaïque *f*.
jamás [xa'mas] *adv* jamais; **¿se vio ~ tal cosa?** a-t-on jamais vu cela?
jamón [xa'mon] *nm* jambon *m*; **¡y un ~!** (*fam*) mon œil!; **jamón serrano/de York** jambon cru/cuit.
Japón [xa'pon] *nm* Japon *m*.
japonés, -esa [xapo'nes, esa] *adj* japonais(e) ♦ *nm/f* Japonais(e) ♦ *nm* (LING) japonais *msg*.
jaque ['xake] *nm* (AJEDREZ) échec *m*; **dar ~** mettre en échec; **tener en ~ a algn** tracasser qn; **jaque mate** échec et mat.
jaqueca [xa'keka] *nf* migraine *f*.
jarabe [xa'raβe] *nm* sirop *m*; **~ para la tos** sirop contre la toux.
jarana [xa'rana] *nf* fête *f*; **andar/ir de ~** faire la fête; **armar ~** faire du tapage.
jardín [xar'ðin] *nm* jardin *m*; **~ botánico** jardin botanique; **~ de (la) infancia** *o* **de infantes** (AM) jardin d'enfants.
jardinería [xarðine'ria] *nf* jardinage *m*.
jardinero, -a [xarði'nero, a] *nm/f* jardinier(-ère).
jarra ['xarra] *nf* jarre *f*; (*de leche*) cruchon *m*; (*de cerveza*) chope *f*; **de** *o* **en ~s** les poings sur les hanches.
jarro ['xarro] *nm* broc *m*; **ser un ~ de agua fría** faire l'effet d'une douche froide.
jarrón [xa'rron] *nm* vase *m*.
jaspeado, -a [xaspe'aðo, a] *adj* jaspé(e).
jaula ['xaula] *nf* cage *f*; (*embalaje*) cageot *m*.
jauría [xau'ria] *nf* meute *f*.
jazmín [xaθ'min] *nm* jasmin *m*.
jefa ['xefa] *nf V* **jefe**.
jefatura [xefa'tura] *nf* (*liderato*) commandement *m*; (*sede*) direction *f*; **J~ de la aviación civil** Direction de l'aviation civile; **jefatura de policía** préfecture *f* de police.
jefe, -a ['xefe, a] *nm/f* chef *m*; **ser el ~** (*fig*) être le chef; **comandante en ~** commandant *m* en chef; **~ ejecutivo** (COM) directeur *m* des ventes; **jefe de estación** chef de gare; **jefe de estado** chef d'état; **jefe de estado mayor** chef d'état major; **jefe de estudios** surveillant *m* général; **jefe de gobierno** chef de gouvernement; **jefe de negociado** chef de service; **jefe de oficina/de producción** (COM) chef de bureau/de production; **jefe de redacción** rédacteur *m* en chef.
jengibre [xen'xiβre] *nm* gingembre *m*.
jeque ['xeke] *nm* cheik *m*.
jerarquía [xerar'kia] *nf* hiérarchie *f*; (*persona*) supérieur *m*.
jerárquico, -a [xe'rarkiko, a] *adj* hiérarchique.
jerez [xe'reθ] *nm* xérès *msg*, jerez *msg*; **J~ de la Frontera** Jerez.
jerga ['xerɣa] *nf* jargon *m*; **jerga informática** jargon informatique.
jergón [xer'ɣon] *nm* paillasse *f*.
jeringa [xe'ringa] *nf* seringue *f*; (*esp* AM: *fam*) ennui *m*; **jeringa de engrase** graisseur *m*.
jeringuilla [xerin'guiʎa] *nf* seringue *f*.
jeroglífico [xero'ɣlifiko] *nm* hiéroglyphe *m*; (*pasatiempo*) rébus *m*.
jersey [xer'sei] (*pl* **~s** *o* **jerséis**) *nm* pullover *m*.
Jerusalén [xerusa'len] *n* Jérusalem.
Jesucristo [xesu'kristo] *nm* Jésus-Christ *m*.
jesuita [xe'swita] *adj, nm* jésuite *m*.
Jesús [xe'sus] *nm* Jésus *m*; **¡~!** mon Dieu!; (*al estornudar*) à tes *o* vos souhaits!
jeta ['xeta] *nf* museau *m*; (*fam*: *cara*) culot *m*, toupet *m*; **¡que ~ tienes!** (*fam*) que tu es culotté(e)!
jilguero [xil'ɣero] *nm* chardonneret *m*.
jinete [xi'nete] *nm* cavalier *m*; **ser buen/mal ~** être un bon/mauvais cavalier.
jipijapa [xipi'xapa] (AM) *nm* panama *m*.
jirafa [xi'rafa] *nf* girafe *f*.
jirón [xi'ron] *nm* lambeau *m*; (PE: *calle*)

rue *f*.

jitomate [xito'mate] (*CAM, MÉX*) *nm* tomate *f*.

jocoso, -a [xo'koso, a] *adj* cocasse.

joder [xo'ðer] (*fam!*) *vt* baiser (*fam!*); (*fig*) emmerder (*fam!*); **joderse** *vpr* (*plan, fiesta*) s'en aller en eau de boudin; (*persona*) se faire chier (*fam!*); ¡~! merde!, putain! (*fam!*); **las moscas te joden todo el tiempo** les mouches t'enquiquinent sans arrêt; **se jodió todo** tout est foutu.

jodido, -a [xo'ðiðo, a] (*fam!*) *adj* (*difícil*) coton *inv*, duraille (*fam!*); (*AM: pesado*) chiant(e) (*fam!*); **estoy ~** je suis foutu(e).

jolgorio [xol'ɣorjo] *nm* fête *f*.

jornada [xor'naða] *nf* journée *f*; (*DEPORTE*) étape *f*; **~ de 8 horas** journée de 8 heures; **(trabajar a) ~ intensiva/partida** (faire la) journée continue/discontinue.

jornal [xor'nal] *nm* journée *f*.

jornalero [xorna'lero] *nm* journalier *m*.

joroba [xo'roβa] *nf* bosse *f*.

jorobado, -a [xoro'βaðo, a] *adj, nm/f* bossu(e).

jorobar [xoro'βar] *vt* enquiquiner; **jorobarse** *vpr* se débrouiller; **¡que se jorobe!** tant pis pour lui!; **¡hay que ~se!** quelle poisse!; **esto me joroba** ça m'emmerde.

jota ['xota] *nf* (*letra*) j *m inv*; (*danza*) jota *f*; **no entiendo ni ~** je n'y pige rien; **no sabe ni ~** il n'en sait rien; **no veo ni ~** je n'y vois rien.

joven ['xoβen] *adj* jeune ♦ *nm* jeune homme *m*; (*MÉX: COM: señor*) monsieur *m* ♦ *nf* jeune fille *f*; **¡oiga, ~!** eh, jeune homme!

jovial [xo'βjal] *adj* jovial(e).

joya ['xoja] *nf* bijou *m*; (*persona*) perle *f*; **joyas de fantasía** bijoux *mpl* fantaisie.

joyería [xoje'ria] *nf* bijouterie *f*.

joyero [xo'jero] *nm* bijoutier *m*; (*caja*) coffret *m* à bijoux.

juanete [xwa'nete] *nm* (*del pie*) oignon *m*.

jubilación [xuβila'θjon] *nf* retraite *f*.

jubilado, -a [xuβi'lado, a] *adj, nm/f* retraité(e).

jubilar [xuβi'lar] *vt* mettre à la retraite; (*fam: algo viejo*) mettre au rancart; **jubilarse** *vpr* prendre sa retraite.

júbilo ['xuβilo] *nm* joie *f*.

judaísmo [xuða'ismo] *nm* judaïsme *m*.

judía [xu'ðia] *nf* haricot *m*; **judía verde** haricot vert; **judía blanca** flageolet *m*; *V tb* **judío**.

judicial [xuði'θjal] *adj* judiciaire.

judío, -a [xu'ðio, a] *adj, nm/f* juif(-ive).

judo ['juðo] *nm* judo *m*.

juego ['xweɣo] *vb V* **jugar** ♦ *nm* jeu *m*; (*vajilla*) service *m*; (*herramientas*) assortiment *m*; **estar en ~** être en jeu; **fuera de ~** hors-jeu; **hacer ~ con** aller avec, faire pendant à; **hacerle el ~ a algn** faire le jeu de qn; **por ~** par jeu, pour jouer; **juego de azar** jeu de hasard; **juego de café** service à café; **juego de caracteres** (*INFORM*) jeu de caractères; **juego de cartas** *o* **de naipes** jeu de cartes; **juego de palabras** jeu de mots; **juego de programas** (*INFORM*) jeu de programmes; **juego limpio** jeu franc, fair-play *m*; **juegos malabares** jongleries *fpl*; **Juegos Olímpicos** Jeux olympiques; **juego sucio** jeu déloyal.

juegue *etc* ['xweɣe] *vb V* **jugar**.

juerga ['xwerɣa] *nf* fête *f*; **ir de ~** faire la fête; **tomar a ~ algo** ne pas prendre qch au sérieux.

juerguista [xwer'ɣista] *nm/f* noceur (-euse).

jueves ['xweβes] *nm inv* jeudi *m*; **la fiesta no fue nada del otro ~** la fête n'était pas géniale; *V tb* **sábado**.

juez [xweθ] *nm/f* (*f tb:* **jueza**) juge *m*; **juez de instrucción** juge d'instruction; **juez de línea** juge de touche; **juez de paz** juge de paix; **juez de salida** starter *m*.

jugada [xu'ɣaða] *nf* (*en juego*) coup *m*; (*fig*) mauvais tour *m*; **buena/mala ~** bon/mauvais tour.

jugador, a [xuɣa'ðor, a] *nm/f* joueur(-euse).

jugar [xu'ɣar] *vt, vi* jouer; **jugarse** *vpr* (*partido*) se jouer; (*lotería*) être tiré(e); (*vida, puesto, futuro*) jouer; **~ a** jouer à; **~(se) algo a cara o cruz** jouer qch à pile ou face; **~ sucio** ne pas jouer franc jeu; **¿quién juega?** à qui le tour?; **¡me la han jugado!** (*fam*) on m'a eu!, on m'a refait!; **~se el todo por el todo** jouer le tout pour le tout.

jugarreta [xuɣa'rreta] *nf* mauvais tour *m*; **hacer una ~ a algn** jouer un mauvais tour à qn.

juglar [xu'ɣlar] *nm* jongleur *m*.

jugo ['xuɣo] *nm* jus *msg*; (*fig: de artículo etc*) suc *m*; **sacarle ~ a algo** (*fig*) profiter au maximum de qch; **jugo de naranja/de piña** jus d'orange/d'ananas.

jugoso, -a [xu'ɣoso, a] *adj* juteux(-euse); (*fig*) savoureux(-euse).

jugué *etc* [xu'ɣe], **juguemos** *etc* [xu'ɣemos] *vb V* **jugar**.

juguete [xu'ɣete] *nm* jouet *m*.

juguetear [xuɣete'ar] *vi* jouer.

juguetería [xuɣete'ria] *nf* magasin *m* de jouets.

juguetón, -ona [xuɣe'ton, ona] *adj* joueur(-euse).

juicio ['xwiθjo] *nm* jugement *m*; (*sensatez*)

esprit *m*; (*opinión*) avis *msg*; (*JUR*) procès *msg*; **a mi** *etc* ~ à mon *etc* avis; **estar fuera de** ~ avoir perdu l'esprit; **estar algn en su (sano)** ~ avoir tous ses esprits; **perder el** ~ perdre la tête; **poner algo en tela de** ~ remettre qch en question; **Juicio Final** jugement dernier.

juicioso, -a [xwi'θjoso, a] *adj* sage.

julio ['xuljo] *nm* juillet *m*; **el uno de** ~ le premier juillet; **el dos/once de** ~ le deux/onze juillet; **a primeros/finales de** ~ début/fin juillet.

junco ['xunko] *nm* jonc *m*; (*NÁUT*) jonque *f*.

jungla ['xungla] *nf* jungle *f*.

junio ['xunjo] *nm* juin *m*; *V tb* **julio**.

junta ['xunta] *nf* comité *m*; (*organismo*) assemblée *f*, conseil *m*; (*TEC: punto de unión*) joint *m*; (*: arandela*) joint, rondelle *f*; **junta constitutiva** (*COM*) comité constitutif; **junta de culata** (*AUTO*) joint de culasse; **junta directiva** équipe *f* de direction; **junta general extraordinaria** assemblée générale extraordinaire; **junta militar** junte *f* militaire.

juntar [xun'tar] *vt* (*grupo, dinero*) rassembler; (*rodillas, pies*) joindre; **juntarse** *vpr* (*ríos, carreteras*) se rejoindre; (*personas*) se rassembler; (*: citarse*) se voir; (*: acercarse*) se rapprocher; (*: vivir juntos*) vivre à la colle; **~se a** *o* **con algn** rejoindre qn.

junto, -a ['xunto, a] *adj* ensemble ♦ *adv*: **todo** ~ tout ensemble; ~ **a** (*cerca de*) à côté de; (*además de*) avec; ~ **con** ci-joint; **~s** ensemble; (*próximos*) rapprochés; (*en contacto*) joints.

juntura [xun'tura] *nf* jointure *f*.

jura ['xura] *nf* serment *m*; **jura de bandera** *serment de fidélité à la patrie*.

jurado [xu'raðo] *nm* jury *m*; (*individuo: JUR*) juré *m*; (*: de concurso*) membre *m* du jury.

juramento [xura'mento] *nm* serment *m*; (*maldición*) juron *m*; **bajo** ~ sous la foi du serment; **prestar** ~ prêter serment; **tomar** ~ **a** faire prêter serment de.

jurar [xu'rar] *vt, vi* jurer; ~ **en falso** se parjurer; **jurársela(s) a algn** garder un chien de sa chienne à qn.

jurídico, -a [xu'riðiko, a] *adj* juridique.

justicia [xus'tiθja] *nf* justice *f*; **en** ~ en toute justice; **hacer** ~ rendre la justice; **ser de** ~ être juste; **su físico hacía** ~ **a su imagen** son physique correspondait à l'image qu'on se faisait de lui.

justiciero, -a [xusti'θjero, a] *adj* justicier(-ère).

justificante [xustifi'kante] *nm* justificatif *m*.

justificar [xustifi'kar] *vt* justifier; **justificarse** *vpr* se justifier.

justo, -a ['xusto, a] *adj* juste; (*exacto*) exact(e); (*preciso*) précis(e) ♦ *adv* précisément; ¡~! juste!; **llegaste muy** ~ tu es arrivé juste à temps; **venir muy** ~ (*dinero, comida*) être (tout) juste suffisant; **me viene** *o* **está muy justa esta falda** cette jupe est un peu juste pour moi; **vivir muy** ~ parvenir tout juste à joindre les deux bouts.

juvenil [xuβe'nil] *adj* juvénile; (*equipo*) junior; (*moda, club*) de jeunes; (*aspecto*) jeune.

juventud [xuβen'tuð] *nf* jeunesse *f*; (*jóvenes*) jeunes *mpl*.

juzgado [xuθ'ɣaðo] *nm* tribunal *m*; **juzgado de instrucción/de primera instancia** tribunal *m* de police/de première instance.

juzgar [xuθ'ɣar] *vt* juger; (*opinar*) penser; **a** ~ **por** ... à en juger par ...; ~ **mal** se méprendre (sur); **júzguelo usted mismo** jugez-en vous-même; **la juzgo muy capaz de hacerlo** j'estime qu'elle est très capable de le faire; **lo juzgo mi deber** j'estime que c'est mon devoir.

K, k

karate [ka'rate], **kárate** ['karate] *nm* karaté *m*.

Kg., kg. *abr* (= *kilogramo(s)*) kg, K (= *kilogramme(s)*).

kilo ['kilo] *nm* kilo *m*; (*fam*) million *m* de pesetas.

kilogramo [kilo'ɣramo] *nm* kilogramme *m*.

kilometraje [kilome'traxe] *nm* kilométrage *m*.

kilómetro [ki'lometro] *nm* kilomètre *m*.

kilovatio [kilo'βatjo] *nm* kilowatt *m*.

km *abr* (= *kilómetro(s)*) km (= *kilomètre(s)*).

kurdo, -a [kurðo, a] *adj* kurde ♦ *nm/f* Kurde *m/f*.

Kuwait [ku'βait] *nm* Koweit *m*.

kuwaití [kuβai'ti] *adj* koweitien(ne) ♦ *nm/f* Koweitien(ne).

L, l

la [la] *art def* la ♦ *pron* (*a ella*) la, l'; (*usted*) vous; (*cosa*) la ♦ *nm* (*MÚS*) la *m inv*; **está en** ~ **cárcel** il est en prison; ~ **del sombrero rojo** celle qui porte un chapeau rouge.

laberinto [laβe'rinto] *nm* labyrinthe *m*.
labia ['laβja] *nf* (*locuacidad*) volubilité *f*; (*pey*) bagout *m*; **tener mucha ~** avoir du bagout.
labio ['laβjo] *nm* lèvre *f*; (*de vasija etc*) bord *m*; **labio inferior/superior** lèvre inférieure/supérieure.
labor [la'βor] *nf* travail *m*, labeur *m*; (*AGR*) labour *m*; (*obra*) travail; (*COSTURA, de punto*) ouvrage *m*; **labor de equipo** travail d'équipe; **labor de ganchillo** ouvrage au crochet; **labores domésticas** *o* **del hogar** tâches *fpl* domestiques.
laborable [laβo'raβle] *adj* (*AGR*) labourable; **día ~** jour *m* ouvrable.
laboral [laβo'ral] *adj* du travail.
laboralista [laβora'lista] *adj*: **abogado ~** avocat *m* du travail.
laboratorio [laβora'torjo] *nm* laboratoire *m*.
laborioso, -a [laβo'rjoso, a] *adj* (*persona*) travailleur(-euse); (*negociaciones, trabajo*) laborieux(-euse).
laborista [laβo'rista] (*BRIT*) *adj*: **Partido L~** parti *m* travailliste ♦ *nm/f* travailliste *m/f*.
labrador, a [laβra'ðor, a] *nm/f* cultivateur(-trice).
labranza [la'βranθa] *nf* labour *m*.
labrar [la'βrar] *vt* (*tierra*) labourer; (*madera, cuero*) travailler; (*metal, cristal*) ciseler; (*porvenir, ruina*) courir à.
laca ['laka] *nf* laque *f*; **laca de uñas** vernis *msg* à ongles.
lacayo [la'kajo] *nm* laquais *msg*.
lacio, -a ['laθjo, a] *adj* raide.
lacón [la'kon] *nm* (*CULIN*) épaule *f* de porc.
lacónico, -a [la'koniko, a] *adj* laconique.
lacra ['lakra] *nf* cicatrice *f*; (*fig*) fléau *m*; **lacra social** fléau de la société.
lacrar [la'krar] *vt* cacheter.
lacre ['lakre] *nm* cire *f* (à cacheter).
lacrimógeno, -a [lakri'moxeno, a] *adj* (*fig*) gnangnan *adj inv*; **gas ~** gaz *m* lacrymogène.
lactancia [lak'tanθja] *nf* allaitement *m*.
lácteo, -a ['lakteo, a] *adj*: **productos ~s** produits *mpl* laitiers.
ladear [laðe'ar] *vt* pencher; **ladearse** *vpr* se pencher; (*AVIAT*) virer sur l'aile.
ladera [la'ðera] *nf* versant *m*.
ladino, -a [la'ðino, a] *adj* (*astuto*) malin(e); (*CAM: indio*) qui parle espagnol ♦ *nm/f* (*CAM: indio*) *Indien parlant espagnol*; (*: mestizo*) métis(se).
lado ['laðo] *nm* côté *m*; (*de cuerpo, MIL*) flanc *m*; **~ izquierdo/derecho** côté gauche/droit; **al ~ (de)** à côté (de); **estar/ponerse del ~ de algn** être/se mettre du côté de qn; **hacerse a un ~** se mettre sur le côté; **poner de ~** mettre *o* placer de côté; **poner a un ~** mettre à côté; **me da de ~** je m'en fiche; **por un ~ ..., por otro ~ ...** d'un côté ..., d'un autre côté ...; **por todos ~s** de tous les côtés.
ladrar [la'ðrar] *vi* aboyer.
ladrido [la'ðriðo] *nm* aboiement *m*.
ladrillo [la'ðriʎo] *nm* brique *f*; **este libro es un ~** (*fig*) ce livre est un pavé.
ladrón, -ona [la'ðron, ona] *nm/f* voleur(-euse) ♦ *nm* (*ELEC*) prise *f* multiple.
lagar [la'ɣar] *nm* pressoir *m*.
lagartija [laɣar'tixa] *nf* lézard *m*.
lagarto [la'ɣarto] *nm* lézard *m*; (*AM: caimán*) caïman *m*.
lago ['laɣo] *nm* lac *m*.
lágrima ['laɣrima] *nf* larme *f*; **lágrimas de cocodrilo** larmes de crocodile.
lagrimal [laɣri'mal] *nm* coin *m* interne de l'œil.
laguna [la'ɣuna] *nf* lagune *f*; (*en escrito, conocimientos*) lacune *f*.
laico, -a ['laiko, a] *adj, nm/f* laïque *m/f*.
lamentable [lamen'taβle] *adj* (*desastroso*) déplorable; (*lastimoso*) lamentable.
lamentar [lamen'tar] *vt* (*desgracia, pérdida*) pleurer; **lamentarse** *vpr*: **~se (de)** se lamenter (sur); **lamento tener que decirle ...** je regrette d'avoir à vous dire ...; **lamento que no haya venido** je regrette qu'il ne soit pas venu; **lo lamento mucho** je regrette beaucoup.
lamento [la'mento] *nm* plainte *f*.
lamer [la'mer] *vt* lécher.
lámina ['lamina] *nf* (*de metal, papel*) feuille *f*; (*ilustración, de madera*) planche *f*.
lámpara ['lampara] *nf* lampe *f*; (*mancha*) tache *f*; **lámpara de alcohol/de gas** lampe à alcool/à gaz; **lámpara de pie** lampe de chevet.
lamparilla [lampa'riʎa] *nf* chandelle *f*.
lana ['lana] *nf* laine *f*; (*AM: fam: dinero*) fric *m*; **de ~** en laine.
lance ['lanθe] *vb V* **lanzar** ♦ *nm* (*DEPORTE, TAUR*) passe *f*; (*suceso*) épisode *m*.
lanceta [lan'θeta] (*AM*) *nf* dard *m*.
lancha ['lantʃa] *nf* canot *m*, vedette *f*; **lancha de socorro** canot de sauvetage; **lancha motora** canot à moteur; **lancha neumática** canot pneumatique; **lancha torpedera** vedette lance-torpilles.
langosta [lan'gosta] *nf* (*insecto*) sauterelle *f*; (*crustáceo*) langouste *f*.
langostino [langos'tino] *nm* langoustine *f*.
languidecer [langiðe'θer] *vi* languir.
lánguido, -a ['langiðo, a] *adj* languissant(e).

lanza ['lanθa] *nf* lance *f*.
lanzadera [lanθa'ðera] *nf* navette *f*.
lanzado, -a [lan'θaðo, a] *adj*: **ser ~** être impétueux(-euse); **ir ~** voler.
lanzallamas [lanθa'ʎamas] *nm inv* lance-flammes *m inv*.
lanzamiento [lanθa'mjento] *nm* lancer *m*; (*de cohete, COM*) lancement *m*; **lanzamiento de pesos** lancer du poids.
lanzar [lan'θar] *vt* lancer; **lanzarse** *vpr*: **~se a** se jeter à; (*al vacío*) se jeter dans; (*fig*) se lancer à; **~se contra algn/algo** se lancer contre qn/qch.
lapa ['lapa] *nf* bernicle *f*, bernique *f*; **pegarse como** *o* **ser una ~** (*fam*) être pot de colle.
lapicero [lapi'θero] *nm* crayon *m*; (*AM*: *bolígrafo*) stylo *m*.
lápida ['lapiða] *nf* pierre *f* tombale; **lápida conmemorativa** plaque *f* commémorative.
lapidar [lapi'ðar] *vt* lapider.
lápiz ['lapiθ] *nm* crayon *m* (à papier); **a ~** au crayon; **lápiz de color** crayon de couleur; **lápiz de labios/de ojos** rouge *m* à lèvres/crayon pour les yeux; **lápiz óptico** *o* **luminoso** crayon optique.
lapsus ['lapsus] *nm inv* lapsus *msg*.
largar [lar'ɣar] *vt* (*NÁUT*: *cable*) larguer; (*fam*: *dinero, bofetada*) allonger; (: *discurso*) infliger; (*AM*) lancer ♦ *vi* (*fam*: *hablar*) causer; **largarse** *vpr* (*fam*) se casser; **~se a** (*AM*) se mettre à.
largavistas [larɣa'βistas] (*CSUR*) *nm inv* (*TEC*) jumelles *fpl*.
largo, -a ['larɣo, a] *adj* long(longue); (*persona*: *alta*) grand(e); (: *generosa*) large ♦ *nm* longueur *f*; (*MÚS*) largo *m*; **dos horas largas** deux bonnes heures; **a ~ plazo** à long terme; **tiene 9 metros de ~** il fait 9 mètres de long; **¡~ (de aquí)!** (*fam*) fous le camp!; **~ y tendido** (*hablar*) en long et en large; **a lo ~** (*posición*) en long; **a lo ~ de** (*espacio*) le long de; (*tiempo*) pendant; **hacerse muy ~** traîner en longueur; **a la larga** à la fin; **me dio largas con la promesa de que ...** il s'est débarrassé de moi en promettant que ... .
largometraje [larɣome'traxe] *nm* long métrage *m*.
larguero [lar'ɣero] *nm* (*ARQ*) poutre *f* maîtresse; (*de puerta*) chambranle *m*; (*en cama, DEPORTE*) barre *f* transversale.
larguirucho, -a [larɣi'rutʃo, a] *adj* dégingandé(e).
largura [lar'ɣura] *nf* longueur *f*.
laringe [la'rinxe] *nf* larynx *msg*.
larva ['larβa] *nf* larve *f*.
las [las] *art def, pron* les; **~ que cantan** celles qui chantent.
lasca ['laska] *nf* (*de piedra*) éclat *m*; (*de jamón*) tranche *f*.
lascivo, -a [las'θiβo, a] *adj* lascif(-ive).
láser ['laser] *nm* laser *m*; **rayo ~** rayon *m* laser.
lástima ['lastima] *nf* pitié *f*; **dar ~** faire pitié; **es una ~ que** quel dommage que; **¡qué ~!** quel dommage!; **estar hecho una ~** faire pitié à voir.
lastimar [lasti'mar] *vt* (*herir*) blesser; (*ofender*) peiner; **lastimarse** *vpr* se blesser.
lastre ['lastre] *nm* (*TEC, NÁUT*) leste *m*; (*fig*) poids *msg* mort.
lata ['lata] *nf* (*metal*) fer *m* blanc; (*envase*) boîte *f* de conserve; (*fam*) plaie *f*; **en ~** en conserve; **dar (la) ~** enquiquiner; **¡qué ~!** quelle plaie!
latente [la'tente] *adj* latent(e).
lateral [late'ral] *adj* latéral(e) ♦ *nm* (*de iglesia, camino*) côté *m*; (*DEPORTE*) aile *f*.
latido [la'tiðo] *nm* (*del corazón*) battement *m*.
latifundio [lati'fundjo] *nm* latifundio *m*, latifundium *m*.
látigo ['latiɣo] *nm* fouet *m*.
latiguillo [lati'ɣiʎo] *nm* phrase *f* stéréotypée.
latín [la'tin] *nm* (*LING*) latin *m*; **saber (mucho) ~** (*fam*) ne pas être né(e) de la dernière pluie.
latino, -a [la'tino, a] *adj* latin(e).
Latinoamérica [latinoa'merika] *nf* Amérique *f* latine.
latinoamericano, -a [latinoameri'kano, a] *adj* latino-américain(e) ♦ *nm/f* Latino-américain(e).
latir [la'tir] *vi* battre.
latitud [lati'tuð] *nf* latitude *f*; **~es** *nfpl* (*región*) latitudes *fpl*.
latón [la'ton] *nm* laiton *m*.
latoso, -a [la'toso, a] *adj* enquiquinant(e).
laucha ['lautʃa] (*CSUR*) *nf* souris *f*.
laúd [la'uð] *nm* (*MÚS*) luth *m*.
laurel [lau'rel] *nm* laurier *m*; **dormirse en los ~es** s'endormir sur ses lauriers.
lava ['laβa] *nf* lave *f*.
lavable [la'βaβle] *adj* lavable.
lavabo [la'βaβo] *nm* lavabo *m*; (*servicio*) toilettes *fpl*.
lavado [la'βaðo] *nm* nettoyage *m*; (*de cuerpo*) toilette *f*; **lavado de cerebro** lavage *m* de cerveau; **lavado de estómago** lavage d'estomac.
lavadora [laβa'ðora] *nf* machine *f* à laver.
lavandería [laβande'ria] *nf* blanchisserie

f; **lavandería automática** laverie *f* automatique.
lavaplatos [laβa'platos] *nm inv* lave-vaisselle *m inv*.
lavar [la'βar] *vt* laver; **lavarse** *vpr* se laver; ~ **y marcar** (*pelo*) faire un shampooing et une mise en plis; ~ **en seco** nettoyer à sec; ~**se las manos** se laver les mains; (*fig*) s'en laver les mains.
lavaseco [laβa'seko] (*CHI*) *nm* teinturier *m*.
lavavajillas [laβaβa'xiʎas] *nm inv* = **lavaplatos**.
laxante [lak'sante] *nm* laxatif *m*.
lazarillo [laθa'riʎo] *nm* guide *m/f* d'aveugle; **perro** ~ chien *m* d'aveugle.
lazo ['laθo] *nm* nœud *m*; (*para animales*) lasso *m*; (*trampa*) piège *m*; (*vínculo*) lien *m*; **lazo corredizo** nœud coulant; **lazos de amistad/de parentesco** liens *mpl* d'amitié/de parenté.
le [le] *pron* (*directo*) le; (: *usted*) vous; (*indirecto*) lui; (: *usted*) vous.
leal [le'al] *adj* loyal(e).
lealtad [leal'tað] *nf* loyauté *f*.
lección [lek'θjon] *nf* leçon *f*; **dar lecciones de** donner des leçons de; **dar una** ~ **a algn** (*fig*) donner une bonne leçon à qn; **lección práctica** leçon de choses.
leche ['letʃe] *nf* lait *m*; **dar una** ~ **a algn** (*fam*) filer un gnon à qn; **darse una** ~ (*fam*) se filer un gnon; ¡~! (*fam*) putain! (*fam!*); **tener** *o* **estar de mala** ~ (*fam*) être de mauvais poil; **leche condensada/descremada** *o* **desnatada** lait condensé/écrémé; **leche en polvo** lait en poudre.
lechero, -a [le'tʃero, a] *adj, nm/f* laitier(-ère).
lecho ['letʃo] *nm* lit *m*, couche *f*; **lecho de muerte** lit de mort; **lecho de río** lit de la rivière.
lechuga [le'tʃuɣa] *nf* laitue *f*.
lechuza [le'tʃuθa] *nf* chouette *f*.
lectivo, -a [lek'tiβo, a] *adj* (*día, horas*) de cours.
lector, a [lek'tor, a] *nm/f* lecteur(-trice) ♦ *nm* (*INFORM*) lecteur *m* ♦ *nf*: ~**a de fichas** (*INFORM*) lecteur de cartes; **lector óptico de caracteres** (*INFORM*) lecteur optique de caractères.
lectura [lek'tura] *nf* lecture *f*.
leer [le'er] *vt* lire; ~ **algo en los ojos/la cara de algn** lire qch dans les yeux/sur le visage de qn; ~ **entre líneas** lire entre les lignes.
legado [le'ɣaðo] *nm* (*JUR, fig*) legs *msg*; (*enviado*) légat *m*.
legal [le'ɣal] *adj* légal(e); (*fam: persona*) réglo *adj inv*.
legalidad [leɣali'ðað] *nf* légalité *f*; (*normas*) législation *f*.
legalizar [leɣali'θar] *vt* légaliser.
legaña [le'ɣaɲa] *nf* chassie *f*.
legar [le'ɣar] *vt* (*JUR, fig*) léguer.
legendario, -a [lexen'darjo, a] *adj* légendaire.
legión [le'xjon] *nf* (*MIL, fig*) légion *f*; **L~ Extranjera** Légion étrangère.
legionario [lexjo'narjo, a] *nm* légionnaire *m*.
legislación [lexisla'θjon] *nf* législation *f*; **legislación antimonopolio** lois *fpl* antitrust.
legislar [lexis'lar] *vi* légiférer.
legislativo, -a [lexisla'tiβo, a] *adj* législatif(-ive); **(elecciones) legislativas** (élections) législatives *fpl*.
legislatura [lexisla'tura] *nf* législature *f*.
legitimar [lexiti'mar] *vt* légitimer.
legítimo, -a [le'xitimo, a] *adj* (*genuino*) véritable; (*legal*) légitime; **en legítima defensa** en légitime défense.
legua ['leɣwa] *nf* lieue *f*; **se ve** *o* **se nota a la** ~ ça se voit comme le nez au milieu de la figure.
legumbres [le'ɣumbres] *nfpl* légumes *mpl*.
lejanía [lexa'nia] *nf* éloignement *m*.
lejano, -a [le'xano, a] *adj* éloigné(e); **Lejano Oriente** Extrême-Orient *m*.
lejía [le'xia] *nf* lessive *f*.
lejísimos [le'xisimos] *adv* très loin.
lejos ['lexos] *adv* loin; **a lo** ~ au loin; **de** *o* **desde** ~ de loin; **está muy** ~ c'est très loin; **¿está ~?** c'est loin?; **ir demasiado** ~ (*fig*) aller trop loin; **sin ir más** ~ sans aller plus loin; **llegar** ~ (*fig*) aller loin; ~ **de** loin de.
lelo, -a ['lelo, a] *adj* bébête ♦ *nm/f* sot(te).
lema ['lema] *nm* devise *f*; (*POL*) slogan *m*.
lempira [lem'pira] (*HON*) *nm monnaie du Honduras*.
lencería [lenθe'ria] *nf* linge *m*; (*ropa interior*) lingerie *f*.
lengua ['lengwa] *nf* langue *f*; **dar a la** ~ causer; **irse de la** ~ avoir la langue bien pendue; **morderse la** ~ (*fig*) se mordre les doigts; **lenguas clásicas** langues mortes; **lengua de tierra** (*GEO*) langue de terre; **lengua materna** langue maternelle.
lenguado [len'gwaðo] *nm* sole *f*.
lenguaje [len'gwaxe] *nm* langage *m*; **en** ~ **llano** simplement; **lenguaje comercial** langage commercial; **lenguaje de programación** (*INFORM*) langage de programmation; **lenguaje ensamblador** *o* **de bajo nivel** (*INFORM*) assembleur *m*; **lenguaje má-**

quina (*INFORM*) langage machine; **lenguaje periodístico** langage journalistique.

lengüeta [len'gweta] *nf* (*de zapatos, MÚS*) languette *f*.

lente ['lente] *nf* lentille *f*; (*lupa*) loupe *f*; ~s *nmpl* (*gafas*) lorgnon *m*; **lentes de contacto** lentilles de contact.

lenteja [len'texa] *nf* lentille *f*.

lentejuela [lente'xwela] *nf* paillette *f*.

lentilla [len'tiʎa] *nf* lentille *f*.

lentitud [lenti'tuð] *nf* lenteur *f*; **con ~** avec lenteur.

lento, -a ['lento, a] *adj* lent(e).

leña ['leɲa] *nf* (*para el fuego*) bois *msg*; **dar** *o* **repartir ~ a** distribuer des coups à; **echar ~ al fuego** (*fig*) mettre de l'huile sur le feu.

leñador, a [leɲa'ðor, a] *nm/f* bûcheron(ne).

leño ['leɲo] *nm* tronc *m*; (*fig*) crétin *m*.

Leo ['leo] *nm* (*ASTROL*) Lion *m*; **ser ~** être (du) Lion.

león [le'on] *nm* lion *m*; **león marino** otarie *f*.

leopardo [leo'parðo] *nm* léopard *m*.

leotardos [leo'tarðos] *nmpl* collants *mpl*.

lépero, -a ['lepero, a] (*CAM, MÉX*) *adj* grossier(-ère) ♦ *nm/f* malotru(e).

lepra ['lepra] *nf* lèpre *f*.

leproso, -a [le'proso, a] *nm/f* lépreux(-euse).

les [les] *pron* (*directo*) les; (: *ustedes*) vous; (*indirecto*) leur; (: *ustedes*) vous.

lesbiana [les'βjana] *nf* lesbienne *f*.

leseras [le'seras] (*CSUR*) *nfpl* idioties *fpl*.

lesión [le'sjon] *nf* lésion *f*.

lesionar [lesjo'nar] *vt* blesser; **lesionarse** *vpr* se blesser.

letal [le'tal] *adj* létal(e).

letanía [leta'nia] *nf* (*REL*) litanie *f*; (*retahíla*) chapelet *m*.

letargo [le'tarɣo] *nm* léthargie *f*.

Letonia [le'tonja] *nf* Lettonie *f*.

letra ['letra] *nf* lettre *f*; (*escritura*) écriture *f*; (*COM*) traite *f*; (*MÚS: de canción*) paroles *fpl*; **L~s** *nfpl* (*UNIV, ESCOL*) Lettres *fpl*; **escribir 4 ~s a algn** écrire un petit mot à qn; **letra bancaria** traite bancaire; **letra bastardilla/negrita** (*TIP*) italique *m*/caractères *mpl* gras; **letra de cambio** (*COM*) lettre de change; **letra de imprenta** *o* **de molde** caractère *m* d'imprimerie; **letra de patente** (*COM*) brevet *m* d'invention; **letra inicial** initiale *f*; **letra mayúscula/minúscula** lettre majuscule/minuscule.

letrado, -a [le'traðo, a] *adj* instruit(e) ♦ *nm/f* avocat(e).

letrero [le'trero] *nm* panneau *m*; (*anuncio*) écriteau *m*.

letrina [le'trina] *nf* latrines *fpl*.

leucemia [leu'θemja] *nf* leucémie *f*.

leucocito [leuko'θito] *nm* leucocyte *m*.

levadizo, -a [leβa'ðiθo, a] *adj*: **puente ~** pont *m* basculant; (*HIST*) pont-levis *m*.

levadura [leβa'ðura] *nf* levure *f*; **levadura de cerveza** levure de bière.

levantamiento [leβanta'mjento] *nm* soulèvement *m*; (*de castigo, orden*) levée *f*; **levantamiento de pesos** haltérophilie *f*.

levantar [leβan'tar] *vt* lever; (*velo, telón*) relever; (*paquete, niño*) soulever; (*voz*) élever; (*mesa*) débarrasser; (*polvo*) soulever; (*construir*) élever; **levantarse** *vpr* se lever; (*desprenderse*) s'enlever; (*sesión*) être levé(e).

levante [le'βante] *nm* (*GEO*) levant *m*; (*viento*) vent *m* d'Est; **el L~** le Levant.

levar [le'βar] *vt*: **~ anclas** lever l'ancre.

leve ['leβe] *adj* léger(-ère).

levita [le'βita] *nf* redingote *f*.

levitación [leβita'θjon] *nf* lévitation *f*.

léxico, -a ['leksiko, a] *adj* lexical(e) ♦ *nm* lexique *m*.

ley [lei] *nf* loi *f*; (*de sociedad*) règlement *m*; **de ~** (*oro, plata*) au titre; **vivir fuera de la ~** vivre en dehors des lois; **según la ~** d'après la loi; **aplicar la ~ del embudo** faire deux poids, deux mesures.

leyenda [le'jenda] *nf* légende *f*.

leyendo *etc* [le'jendo] *vb V* **leer**.

liar [li'ar] *vt* (*atar*) lier; (*enredar*) embrouiller; (*cigarrillo*) rouler; (*envolver*) enrouler; **liarse** *vpr* (*fam*) s'embrouiller; **~ a algn en algo** (*fam*) embarquer qn dans qch; **~se a palos** se taper dessus; **~se a hacer algo** se mettre à faire qch; **~se haciendo algo** se plonger dans qch; **~se con algn** (*fam*) avoir une liaison avec qn; **¡la que has liado!** tu te rends compte de ce que tu as fait?

Líbano ['liβano] *nm*: **el ~** le Liban.

libelo [li'βelo] *nm* libelle *m*.

libélula [li'βelula] *nf* libellule *f*.

liberación [liβera'θjon] *nf* libération *f*.

liberal [liβe'ral] *adj, nm/f* (*POL, ECON*) libéral(e); **profesiones ~es** professions *fpl* libérales.

liberar [liβe'rar] *vt* libérer; **liberarse** *vpr* se libérer.

libertad [liβer'tað] *nf* liberté *f*; **~es** *nfpl* (*pey*) libertés *fpl*; **estar en ~** être en liberté; **poner a algn en ~** remettre qn en liberté; **libertad bajo fianza/bajo palabra** liberté sous caution/sur parole; **libertad condicional** liberté conditionnelle; **libertad de comercio** libre-échange *m*; **libertad de culto/de expresión/de prensa** liberté du culte/d'expression/de presse; **libertad provisional** liberté provisoire.

libertinaje [liβerti'naxe] *nm* libertinage *m*.

Libia ['liβja] *nf* Libye *f*.

libido [li'βiðo] *nf* libido *f*.

libra ['liβra] *nf* livre *f*; **L~** (*ASTROL*) Balance *f*; **ser L~** être (de la) Balance; **libra esterlina** livre sterling.

librar [li'βrar] *vt* (*de castigo, obligación*) soustraire; (*de peligro*) sauver; (*batalla*) livrer; (*cheque*) virer; (*JUR*) exempter ♦ *vi* avoir un jour de congé; **librarse** *vpr*: **~se de algn/algo** échapper à qn/qch; **libro los domingos** je ne travaille pas le dimanche; **de buena nos hemos librado** nous l'avons échappé belle.

libre ['liβre] *adj* libre; **~ a bordo** (*COM*) franco à bord; **~ de impuestos** exonéré(e) d'impôts; **~ de preocupaciones** libre de toute préoccupation; **tiro ~** coup *m* franc; **los 100 metros ~s** le 100 mètres nage libre; **al aire ~** à l'air libre; **entrada ~** entrée *f* libre; **día ~** jour *m* de congé; **¿estás ~?** tu es libre?

librería [liβre'ria] *nf* librairie *f*; (*estante*) bibliothèque *f*; **librería de ocasión** librairie de livres d'occasion.

librero, -a [li'βrero, a] *nm/f* libraire *m/f* ♦ *nm* (*MÉX*) librairie *f*.

libreta [li'βreta] *nf* cahier *m*; **libreta de ahorros** livret *m* de caisse d'épargne.

libro ['liβro] *nm* livre *m*; **libro azul/blanco** (*POL*) livre bleu/blanc; **libro de actas** minutes *fpl*; **libro de bolsillo** livre de poche; **libro de caja/de caja auxiliar** (*COM*) livre de caisse/de petite caisse; **libro de cocina** livre de cuisine; **libro de consulta** ouvrage *m* de référence; **libro de cuentas** livre de comptes; **libro de cuentos** livre de contes; **libro de entradas y salidas** (*COM*) main *f* courante; **libro de familia** (*JUR*) livret *m* de famille; **libro de honor** livre d'or; **libro de reclamaciones** registre des réclamations; **libro de texto** manuel *m*; **libro mayor** (*COM*) grand livre.

Lic. *abr = Licenciado, a.*

licencia [li'θenθja] *nf* (*ADMIN, JUR*) licence *f*, autorisation *f*; **licencia de apertura** licence; **licencia de armas/de caza** permis *msg* de port d'arme/de chasse; **licencia de exportación** (*COM*) licence d'exportation; **licencia de obras** permis de construire; **licencia fiscal** patente *f*; **licencia poética** figures *fpl* de réthorique.

licenciado, -a [liθen'θjaðo, a] *adj* (*soldado*) libéré(e); (*UNIV*) titulaire d'une maîtrise ♦ *nm/f* titulaire *m/f* d'une maîtrise; **L~** (*esp MÉX: título*) Professeur; **L~ en Filosofía y Letras** titulaire d'une maîtrise de Lettres.

licenciar [liθen'θjar] *vt* (*soldado*) libérer; **licenciarse** *vpr* terminer son service militaire; (*UNIV*) passer sa maîtrise; **~se en letras** obtenir une maîtrise de lettres.

licenciatura [liθenθja'tura] *nf* maîtrise *f*.

liceo [li'θeo] (*esp AM*) *nm* lycée *m*.

licitación [liθita'θjon] *nf* vente *f* aux enchères; (*oferta*) enchère *f*.

lícito, -a ['liθito, a] *adj* (*legal*) licite; (*justo*) juste; (*permisible*) permis(e).

licor [li'kor] *nm* liqueur *f*.

licuadora [likwa'ðora] *nf* mixeur *m*.

licuar [li'kwar] *vt* passer au mixeur.

líder ['liðer] *nm/f* leader *m*.

liderato [liðe'rato] *nm*, **liderazgo** [liðe'raθɣo] *nm* leadership *m*.

lidia ['liðja] *nf* (*TAUR*) combat *m*; (*: una lidia*) corrida *f*; **toros de ~** taureaux *mpl* de combat.

lidiar [li'ðjar] *vt* combattre ♦ *vi*: **~ con** (*dificultades, enemigos*) batailler avec.

liebre ['ljeβre] *nf* lièvre *m*; (*CHI: microbús*) minibus *msg*; **dar gato por ~** rouler.

lienzo ['ljenθo] *nm* toile *f*; (*ARQ*) mur *m*.

liga ['liɣa] *nf* (*de medias*) porte-jarretelles *m inv*; (*DEPORTE*) compétition *f*; (*POL*) ligue *f*.

ligamento [liɣa'mento] *nm* ligament *m*.

ligar [li'ɣar] *vt* lier; (*MED*) ligaturer ♦ *vi* (*fam: persona*) draguer; (*: 2 personas*) se faire du gringue; **ligarse** *vpr* (*fig*) se lier; **~ con** (*fam*) draguer; **estar muy ligado a algn/algo** être très attaché à qn/qch; **~se a algn** (*fam*) draguer qn.

ligero, -a [li'xero, a] *adj* léger(-ère) ♦ *adv* (*andar*) d'un pas léger; (*moverse*) avec légèreté; **a la ligera** à la légère.

ligue ['liɣe] *vb V* **ligar** ♦ *nm* (*fam*): **ir de ~** draguer.

liguero [li'ɣero] *nm* porte-jarretelles *m inv*.

lija ['lixa] *nf* (*pez*) roussette *f*; (*tb:* **papel de ~**) papier *m* de verre.

lijar [li'xar] *vt* poncer.

lila ['lila] *adj inv* lilas *adj inv* ♦ *nf* (*BOT*) lilas *msg* ♦ *nm* (*color*) lilas *msg*; (*fam: tonto*) crétin.

lima ['lima] *nf* (*herramienta, BOT*) lime *f*; **comer como una ~** manger comme quatre; **lima de uñas** lime à ongles.

limar [li'mar] *vt* limer; **~ asperezas** (*fig*) passer l'éponge.

limbo ['limbo] *nm*: **estar en el ~** (*fig*) être dans la lune.

limeño, -a [li'meɲo, a] *adj* de Lima ♦ *nm/f* natif(-ive) *o* habitant(e) de Lima.

limitación [limita'θjon] *nf* limitation *f*;

limitaciones *nfpl* (*carencias*) limites *fpl*; **limitación de velocidad** limitation de vitesse.

limitar [limi'tar] *vt* limiter; (*terreno, tiempo*) délimiter ♦ *vi*: ~ **con** (*GEO*) faire frontière avec; **limitarse** *vpr*: ~**se a (hacer)** se limiter à (faire).

límite ['limite] *nm* limite *f*; ~**s** *nmpl* (*de finca, país*) limites *fpl*; **fecha** ~ date *f* limite; **situación** ~ situation *f* limite; **no tener** ~**s** être sans limite; **límite de crédito** découvert *m* autorisé; **límite de página** fin *f* de page; **límite de velocidad** limitation *f* de vitesse.

limítrofe [li'mitrofe] *adj* limitrophe.

limón [li'mon] *nm* citron *m* ♦ *adj*: **amarillo** ~ jaune citron *inv*.

limonada [limo'naða] *nf* limonade *f*.

limosna [li'mosna] *nf* aumône *f*; **pedir** ~ demander l'aumône, mendier; **vivir de la** ~ vivre de mendicité.

limpia ['limpja] (*CAM, MÉX*) *nf* propreté *f*.

limpiabotas [limpja'βotas] *nm/f inv* cireur(-euse) (de chaussures).

limpiacristales [limpjakris'tales] *nm inv* produit *m* pour les vitres.

limpiaparabrisas [limpjapara'βrisas] *nm inv* essuie-glace *m*.

limpiar [lim'pjar] *vt* nettoyer; (*fam: robar*) soulager (de); **limpiarse** *vpr*: ~**se la cara/los pies** se laver la figure/les pieds; ~ **en seco** nettoyer à sec.

limpieza [lim'pjeθa] *nf* propreté *f*; (*acto, POLICÍA*) nettoyage *m*; (*habilidad*) adresse *f*; **operación de** ~ (*MIL*) opération *f* de nettoyage; **limpieza en seco** nettoyage à sec; **limpieza étnica** purification *f* ethnique.

limpio, -a ['limpjo, a] *adj* propre; (*conducta, negocio*) net(te); (*cielo, pared*) dégagé(e); (*aire*) pur(e); (*agua*) clair(e); (*conciencia*) tranquille ♦ *adv*: **jugar** ~ (*fig*) jouer franc jeu; **pasar a** ~ mettre au propre; **gana 200.000 ptas limpias** il gagne 200 000 pesetas net; **sacar algo en** ~ tirer qch au clair; ~ **de** libre de; **a grito/puñetazo** ~ avec force cris/coups de poing.

linaje [li'naxe] *nm* lignée *f*.

lince ['linθe] *nm* lynx *msg*; **ser un** ~ (*observador*) ne pas avoir les yeux dans sa poche; (*astuto*) être rusé(e) comme un renard.

linchar [lin'tʃar] *vt* lyncher.

lindar [lin'dar] *vi*: ~ **con** border; (*fig*) friser.

lindo, -a ['lindo, a] *adj* joli(e) ♦ *adv* (*AM*) bien; **canta muy** ~ (*AM*) il chante très bien; **de lo** ~ (*fam: muy bien*) vachement; **disfrutar/divertirse de lo** ~ vachement bien s'amuser.

línea ['linea] *nf* ligne *f*; (*estilo: esp COM*) style *m*; **en** ~ (*INFORM*) en ligne; **de primera** ~ en première ligne; **en** ~**s generales** globalement; **guardar la** ~ garder la ligne; **fuera de** ~ (*INFORM*) déconnecté(e); **línea aérea** ligne aérienne; **línea de fuego** (*MIL*) ligne de tir; **línea de meta** (*DEPORTE*) ligne de touche; (: *de carrera*) ligne d'arrivée; **línea discontinua** (*AUTO*) ligne discontinue; **línea dura** (*POL*) noyau *m* dur; **líneas enemigas** (*MIL*) lignes ennemies; **línea recta** ligne droite.

lineal [line'al] *adj* linéaire.

lingote [lin'gote] *nm* lingot *m*.

lingüística [lin'gwistika] *nf* linguistique *f*.

lino ['lino] *nm* lin *m*.

linterna [lin'terna] *nf* lampe *f* de poche.

lío ['lio] *nm* paquet *m*; (*desorden*) fatras *msg*; (*fam: follón*) bordel *m*; (: *relación amorosa*) liaison *f*; **armar un** ~ foutre le bordel; **hacerse un** ~ s'emmêler les pédales; **meterse en un** ~ se fourrer dans un drôle de pétrin; **tener un** ~ **con algn** avoir une liaison avec qn.

lipotimia [lipo'timja] *nf* lipothymie *f*.

liquen ['liken] *nm* lichen *m*.

liquidación [likiða'θjon] *nf* (*de empresa*) dépôt *m* de bilan; (*de salario*) prime *f*; (*de existencias, cuenta, deuda*) liquidation *f*.

liquidar [liki'ðar] *vt* liquider.

liquidez [liki'ðeθ] *nf* (*ECON*) liquidités *fpl*.

líquido, -a ['likiðo, a] *adj* liquide; (*ganancia*) net(te) ♦ *nm* liquide *m*; (*COM: ganancia*) bénéfice *m* net; **líquido de frenos** liquide de frein.

lira ['lira] *nf* (*MÚS*) lyre *f*; (*moneda*) lire *f*.

lírico, -a ['liriko, a] *adj* lyrique.

lirio ['lirjo] *nm* iris *msg*.

lirón [li'ron] *nm* loir *m*; **dormir como un** ~ dormir comme un loir.

Lisboa [lis'βoa] *n* Lisbonne.

lisiado, -a [li'sjaðo, a] *adj, nm/f* estropié(e).

liso, -a ['liso, a] *adj* (*superficie, cabello*) lisse; (*tela, color*) uni(e); (*AND, CSUR: grosero*) grossier(-ère); **lisa y llanamente** purement et simplement.

lisonja [li'sonxa] *nf* flatterie *f*.

lisonjero, -a [lison'xero, a] *adj, nm/f* (*persona*) flatteur(-euse).

lista ['lista] *nf* liste *f*; (*franja*) rayure *f*; **pasar** ~ faire la liste; **tela a** ~**s** tissu *m* rayé; **lista de correos** poste *f* restante; **lista de direcciones** fichier *m* d'adresses; **lista de espera** liste d'attente; **lista de platos** carte *f*; **lista de precios** tarif *m*; **lista electoral** liste électorale.

listado, -a [lis'taðo, a] *adj* à rayures ♦ *nm* (*COM, INFORM*) listing *m*, listage *m*; ~ **paginado** (*INFORM*) listing *o* listage paginé.

listín [lis'tin] *nm*: ~ **telefónico** listing *m* téléphonique.

listo, -a ['listo, a] *adj* intelligent(e); (*preparado*) prêt(e); ~ **para empezar** prêt(e) à commencer; **¿estás ~?** tu es prêt(e)?; **pasarse de ~** se tromper lourdement.

listón [lis'ton] *nm* planche *f*.

lisura [li'sura] (*AND, CSUR*) *nf* grossièreté *f*.

litera [li'tera] *nf* (*en barco, tren*) couchette *f*; (*en dormitorio*) lit *m* superposé.

literal [lite'ral] *adj* littéral(e).

literario, -a [lite'rarjo, a] *adj* littéraire.

literatura [litera'tura] *nf* littérature *f*.

litigar [liti'ɣar] *vi* (*JUR*) plaider; (*fig*) être en conflit.

litigio [li'tixjo] *nm* (*JUR, fig*) litige *m*; **en ~ con** en litige avec.

litoral [lito'ral] *adj* littoral(e) ♦ *nm* littoral *m*.

litro ['litro] *nm* litre *m*.

Lituania [li'twanja] *nf* Lituanie *f*.

liturgia [li'turxja] *nf* liturgie *f*.

liviano, -a [li'βjano, a] *adj* (*sin importancia*) trivial(e); (*AM: de poco peso*) léger(-ère).

lívido, -a ['liβiðo, a] *adj* livide.

living ['liβin] (*esp AM*) (*pl* **~s**) *nm* living *m*.

Ll, ll ['eʎe] *nf ancienne lettre de l'alphabet espagnol.*

llaga ['ʎaɣa] *nf* plaie *f*.

llama ['ʎama] *nf* flamme *f*; (*ZOOL*) lama *m*; **en ~s** en flammes.

llamada [ʎa'maða] *nf* (*telefónica*) appel *m*; (*a la puerta*) coup *m*; (*: timbre*) coup de sonnette; (*en un escrito*) renvoi *m*; **llamada a cobro revertido** appel en PCV; **llamada al orden** *o* **de atención** rappel *m* à l'ordre; **llamada interurbana** appel interurbain.

llamado [ʎa'maðo] (*AM*), **llamamiento** [ʎama'mjento] *nm* appel *m*.

llamar [ʎa'mar] *vt* appeler; (*convocar*) convoquer ♦ *vi* (*a la puerta*) frapper; (*al timbre*) sonner; **llamarse** *vpr* s'appeler; **¿cómo te llamas?** comment t'appelles-tu?; ~ **la atención** attirer l'attention; ~ **por teléfono** appeler, téléphoner; **me han llamado payaso/cobarde** ils m'ont traité de clown/lâche; **¿quién llama?** (*TELEC*) qui est à l'appareil?; ~ **al orden** rappeler à l'ordre.

llamarada [ʎama'raða] *nf* flambée *f*; (*rubor*) rougeur *f* passagère.

llamativo, -a [ʎama'tiβo, a] *adj* voyant(e); (*color*) criard(e).

llamear [ʎame'ar] *vi* flamber.

llano, -a ['ʎano, a] *adj* (*superficie*) plat(e); (*persona, estilo*) simple ♦ *nm* plaine *f*; **Los L~s** (*VEN*) les Plaines.

llanta ['ʎanta] *nf* jante *f*; (*AM: cámara*) chambre *f* à air.

llanto ['ʎanto] *nm* pleurs *mpl*, larmes *fpl*.

llanura [ʎa'nura] *nf* plaine *f*.

llave ['ʎaβe] *nf* clé *f*, clef *f*; (*de gas, agua*) robinet *m*; (*MEC*) clé; (*de la luz*) interrupteur *m*; (*TIP*) crochet *m*; **cerrar con ~** *o* **echar la ~** fermer à clé; **llave de contacto** (*AUTO*) clé de contact; **llave de judo** prise *f* de judo; **llave de paso** robinet d'arrêt; **llave inglesa** clé anglaise; **llave maestra** passe-partout *m inv*.

llavero [ʎa'βero] *nm* porte-clefs *msg*.

llegada [ʎe'ɣaða] *nf* arrivée *f*.

llegar [ʎe'ɣar] *vi* arriver; (*ruido*) parvenir; (*bastar*) suffire; **llegarse** *vpr*: **~se a** aller à; ~ **a** arriver à; **llegó a pegarme** il est allé jusqu'à me frapper; ~ **a saber** finir par savoir; ~ **a (ser) famoso/jefe** devenir célèbre/le patron; ~ **a las manos** en venir aux mains; ~ **a las manos de algn** tomber entre les mains de qn; **no llegues tarde** ne rentre pas trop tard; **esta cuerda no llega** cette corde n'est pas assez longue.

llegue *etc* ['ʎeɣe] *vb V* **llegar**.

llenar [ʎe'nar] *vt* remplir; (*superficie*) couvrir; (*tiempo*) faire passer; (*satisfacer*) combler ♦ *vi* rassasier; **llenarse** *vpr*: **~se (de)** se remplir (de); (*al comer*) se rassasier (de).

lleno, -a ['ʎeno, a] *adj* plein(e), rempli(e); (*persona: de comida*) rassasié(e) ♦ *nm* (*TEATRO*) salle *f* comble; ~ **de polvo/de gente/de errores** rempli(e) de poussière/de gens/d'erreurs; **dar de ~ contra algo** heurter qch de plein fouet.

llevadero, -a [ʎeβa'ðero, a] *adj* supportable.

llevar [ʎe'βar] *vt* porter; (*en coche*) emmener; (*transportar*) transporter; (*ruta*) suivre; (*dinero*) avoir sur soi; (*coche, moto*) conduire; (*soportar*) supporter; (*negocio*) diriger; (*ritmo, compás*) mener; (*MAT*) retenir; **llevarse** *vpr* (*estar de moda*) se porter beaucoup; **me llevó una hora hacerlo** j'ai mis une heure à le faire; **llevamos dos días aquí** nous sommes ici depuis deux jours; **llevo un año estudiando** cela fait un an que j'étudie; ~ **hecho/vendido/estudiado** avoir fait/vendu/étudié; **él me lleva 2 años** il a 2 ans de plus que moi; ~ **a** (*suj: camino*) mener à; ~ **adelante** (*fig*) faire avancer; ~ **la contraria/la corriente a algn** contredire/suivre qn; ~ **ventaja**

avoir l'avantage; ~ **los libros** (*COM*) tenir les registres; ~ **una vida tranquila** mener une vie paisible; **nos llevó a cenar fuera** il nous a emmenés dîner; ~ **de paseo** emmener faire un tour; **~se el dinero/coche** prendre l'argent/la voiture; **~se algo/a algn por delante** (*atropellar*) percuter qch/qn; **~se un susto/disgusto/sorpresa** être effrayé(e)/mécontent(e)/surpris(e); **~se bien/mal (con algn)** bien/ne pas s'entendre (avec qn); **dejarse** ~ **por algo/algn** se laisser emporter par qch/se laisser faire par qn.

llorar [ʎo'rar] *vt, vi* pleurer; ~ **a moco tendido** (*fam*) pleurer toutes les larmes de son corps; ~ **de risa** pleurer de rire.

lloriquear [ʎorike'ar] *vi* pleurnicher.

lloro ['ʎoro] *nm* pleur *m*.

llover [ʎo'βer] *vi* pleuvoir; ~ **a cántaros** *o* **a cubos** *o* **a mares** pleuvoir à seaux *o* des cordes; **como llovido(-a) del cielo** tombé(e) du ciel; **llueve sobre mojado** les catastrophes se succèdent.

llovizna [ʎo'βiθna] *nf* bruine *f*.

lloviznar [ʎoβiθ'nar] *vi* pleuvoter.

llueve *etc* ['ʎweβe] *vb V* **llover**.

lluvia ['ʎuβja] *nf* pluie *f*; **día de** ~ jour *m* pluvieux *o* de pluie; **lluvia radioactiva** pluie radioactive.

lluvioso, -a [ʎu'βjoso, a] *adj* pluvieux(-euse).

PALABRA CLAVE

lo [lo] *art def* **1**: **lo bueno/caro** ce qui est bon/cher; **lo mejor/peor** le mieux/pire; **lo gracioso fue que ...** ce qui est drôle, c'est que ...; **lo mío** ce qui est à moi; **olvidaste lo esencial** tu as oublié l'essentiel; **¡no sabes lo aburrido que es!** tu ne peux pas savoir comme c'est ennuyeux!; **con lo poco que gana** avec le peu d'argent qu'il gagne

2: **lo + de** (*pron dem*): **¿sabes lo del presidente?** tu es au courant pour le président?; **olvida lo de ayer** oublie ce qui s'est passé hier; **(a) lo de** (*CSUR: a casa de*) chez; (+ *inf*): **¿a quién se le ocurrió lo de esperar aquí?** qui a eu l'idée d'attendre ici?

3: **lo que** (*pron rel*): **lo que yo pienso** ce que je pense; **lo que más me gusta** ce que j'aime le plus; **lo que pasa es que ...** ce qu'il y a, c'est que ...; **más de lo que crees** plus que tu ne crois; **en lo que se refiere a** pour ce qui est de; **lo que quieras** ce que tu veux *o* voudras; **lo que sea** quoi que ce soit; **(a) lo que** (*AM: en cuanto*) dès que

4: **lo cual**: **lo cual es lógico** ce qui est logique

♦ *pron pers* **1** (*a él*) le, l'; **lo han despedido** ils l'ont renvoyé; **no lo conozco** je ne le connais pas

2 (*a usted*) vous; **lo escucho señor** je vous écoute, monsieur

3 (*cosa, animal*) le, l'; **te lo doy** je te le donne; **no lo veo** je ne le vois pas

4 (*concepto*) le, l'; **no lo sabía** je ne le savais pas; **voy a pensarlo** je vais y réfléchir; **es fácil, pero no lo parece** c'est facile, mais ça n'en a pas l'air.

loable [lo'aβle] *adj* louable.

lobo ['loβo] *nm* loup *m*; **lobo de mar** (*fig*) loup de mer; **lobo marino** phoque *m*.

lóbrego, -a ['loβreɣo, a] *adj* sombre.

lóbulo ['loβulo] *nm* lobe *m*.

local [lo'kal] *adj* local(e) ♦ *nm* local *m*; (*bar*) bar *m*.

localidad [lokali'ðað] *nf* localité *f*; (*TEATRO*) place *f*.

localizar [lokali'θar] *vt* localiser; **localizarse** *vpr* (*dolor*) être localisé(e).

loción [lo'θjon] *nf* lotion *f*; **loción capilar** lotion capillaire.

loco, -a ['loko, a] *adj, nm/f* (*MED*) fou(folle); ~ **de atar** *o* **remate,** ~ **rematado** fou(folle) à lier; **a lo** ~ comme un(e) fou(folle); **ando** ~ **con el examen** l'examen me rend malade; **estar** ~ **de alegría** être fou(folle) de joie; **estar** ~ **con algo/por algn** être fou(folle) de qch/de qn; **como un** ~ comme un fou; **me vuelve** ~ (*me gusta mucho*) j'en suis fou(folle); (*me marea*) il me rend fou(folle).

locomoción [lokomo'θjon] *nf* locomotion *f*.

locomotora [lokomo'tora] *nf* locomotive *f*.

locuaz [lo'kwaθ] *adj* loquace.

locución [loku'θjon] *nf* (*LING*) locution *f*.

locura [lo'kura] *nf* folie *f*; **con** ~ follement.

locutor, a [loku'tor, a] *nm/f* (*RADIO, TV*) speaker(ine).

locutorio [loku'torjo] *nm* cabine *f* téléphonique.

lodo ['lodo] *nm* boue *f*.

logia ['loxja] *nf* loge *f*.

lógico, -a ['loxiko, a] *adj* logique; **es** ~ **que ...** il est logique que ... .

logístico, -a [lo'xistiko, a] *adj* de logistique.

logotipo [loɣo'tipo] *nm* logo *m*.

logrado, -a [lo'ɣraðo, a] *adj* réussi(e).

lograr [lo'ɣrar] *vt* réussir; (*victoria*) remporter; ~ **hacer algo** réussir à faire qch;

~ **que algn venga** réussir à faire venir qn.
logro ['loɣro] *nm* réussite *f*.
loma ['loma] *nf* colline *f*.
lombriz [lom'briθ] *nf* (*ZOOL*) ver *m* de terre; (*MED*) ver.
lomo ['lomo] *nm* (*de animal*) dos *msg*, échine *f*; (*CULIN*: *de cerdo*) épaule *f*; (: *de vaca*) entrecôte *f*; (*de libro*) dos; **a ~s de** (*caballo*) à dos de; **lomo de burro** (*ARG*: *fam*) ralentisseur *m*.
lona ['lona] *nf* toile *f* cirée.
loncha ['lontʃa] *nf* tranche *f*.
lonche ['lontʃe] (*AM*) *nm* petit-déjeuner *m*.
lonchería [lontʃe'ria] (*AM*) *nf* cafétéria *f*.
londinense [londi'nense] *adj* londonien(ne) ♦ *nm/f* Londonien(ne).
Londres ['londres] *n* Londres.
longaniza [longa'niθa] *nf sorte de merguez*.
longitud [lonxi'tuð] *nf* longueur *f*; (*GEO*) longitude *f*; **tener 3 metros de ~** faire 3 mètres de long; **salto de ~** (*DEPORTE*) saut *m* en longueur; **longitud de onda** (*FÍS*) longueur d'onde.
lonja ['lonxa] *nf* (*edificio*) halle *f*; (*de jamón, embutido*) tranche *f*; **lonja de pescado** halle *f* au poisson.
loro ['loro] *nm* perroquet *m*.
los [los] *art def* les ♦ *pron* les; (*ustedes*) vous; **mis libros y ~ de usted** mes livres et les vôtres; **~ de Ana son verdes** ceux d'Ana sont verts.
losa ['losa] *nf* dalle *f*; **losa sepulcral** pierre *f* tombale.
lote ['lote] *nm* (*de libros, COM, INFORM*) lot *m*; (*de comida*) portion *f*.
lotería [lote'ria] *nf* loterie *f*; **le tocó la ~** il a gagné le gros lot; **lotería nacional** loterie nationale; **lotería primitiva** (*ESP*) ≈ Loto *m*.
loto ['loto] *nm* (*BOT*) lotus *msg* ♦ *nf* (*lotería*) ≈ Loto *m*.
loza ['loθa] *nf* (*material*) faïence *f*; (*vajilla*) vaisselle *f*.
lozano, -a [lo'θano, a] *adj* vigoureux(-euse).
LSD *sigla m* (= *Dietilamida del Acido Lisérgico*) LSD *m* (= *acide lysergique diéthilamide*).
lubina [lu'βina] *nf* bar *m*.
lubricante [luβri'kante] *adj* lubrifiant(e) ♦ *nm* lubrifiant *m*.
lubricar [luβri'kar] *vt*, **lubrificar** [luβrifi'kar] *vt* lubrifier.
lucero [lu'θero] *nm* (*ASTRON*) étoile *f*; (*de ojos*) éclat *m*; **~ del alba/de la tarde** étoile du matin/du soir.
luces ['luθes] *nfpl de* **luz**.
lucha ['lutʃa] *nf* lutte *f*; **~ contra/por** lutte contre/pour; **lucha de clases** lutte des classes; **lucha libre** lutte libre.
luchar [lu'tʃar] *vi* lutter; **~ contra/por** (*problema*) lutter contre/pour.
lucido, -a [lu'θiðo, a] *adj* (*representación, cortejo*) réussi(e); (*intervención, actuación, fiesta*) brillant(e).
lúcido, -a ['luθiðo, a] *adj* lucide; **estar ~** être lucide.
luciérnaga [lu'θjernaɣa] *nf* ver *m* luisant.
lucio ['luθjo] *nm* brochet *m*.
lucir [lu'θir] *vt* (*vestido, coche*) étrenner; (*conocimientos*) étaler; (*habilidades*) exhiber ♦ *vi* briller; (*AM*: *parecer*) sembler; **lucirse** *vpr* (*presumir*) se montrer; **¡te has lucido!** (*irónico*) bien joué!; **no me luce lo que trabajo** mon travail n'est pas productif; **la casa luce limpia** (*AM*) la maison a l'air très propre.
lucrativo, -a [lukra'tiβo, a] *adj* lucratif(-ive); **no lucrativa** à but non lucratif.
lucro ['lukro] (*pey*) *nm* lucre *m*; **el afán** *o* **ánimo de ~** le goût du lucre; **organización sin ánimo de ~** organisation *f* à but non lucratif.
lúdico, -a ['luðiko, a] *adj* ludique.
luego ['lweɣo] *adv* (*después*) après; (*más tarde*) puis; (*AM*: *fam*: *en seguida*) tout de suite ♦ *conj* (*consecuencia*) donc; **desde ~** évidemment; **¡hasta ~!** à plus tard!, salut!; **¿y ~?** et maintenant?; **~ lo sabía** donc, il le savait; **~ luego** (*esp MÉX*) dare-dare.
lugar [lu'ɣar] *nm* lieu *m*, endroit *m*; (*en lista*) place *f*; **en ~ de** au lieu de; **en primer ~** en premier lieu; **dar ~ a** donner lieu à; **hacer ~** faire de la place; **fuera de ~** (*comentario, comportamiento*) déplacé(e); **tener ~** avoir lieu; **yo en su ~** moi, à sa place; **sin ~ a dudas** sans aucun doute; **lugar común** lieu commun.
lugareño, -a [luɣa'reɲo, a] *nm/f* villageois(e).
lugarteniente [luɣarte'njente] *nm* remplaçant *m*.
lúgubre ['luɣuβre] *adj* lugubre.
lujo ['luxo] *nm* luxe *m*; **de ~** de luxe; **permitirse el ~ de hacer** se permettre le luxe de faire; **con todo ~ de detalles** avec force détails.
lujoso, -a [lu'xoso, a] *adj* luxueux(-euse).
lujuria [lu'xurja] *nf* luxure *f*.
lumbago [lum'baɣo] *nm* lumbago *m*.
lumbre ['lumbre] *nf* feu *m* (de bois); **a la ~** près du feu.
lumbrera [lum'brera] *nf* (*genio*) lumière

f.
luminoso, -a [lumi'noso, a] *adj* lumineux(-euse).
luna ['luna] *nf* lune *f*; (*vidrio*) glace *f*; **media ~** demi-lune; **estar en la ~** être dans la lune; **pedir la ~** demander la lune; **luna creciente/menguante** lune croissante/décroissante; **luna de miel** lune de miel; **luna llena/nueva** pleine/nouvelle lune.
lunar [lu'nar] *adj* lunaire ♦ *nm* grain *m* de beauté; (*diseño*) pois *msg*; **tela de ~es** tissu *m* à pois.
lunático, -a [lu'natiko, a] *nm/f* fou(folle).
lunes ['lunes] *nm inv* lundi *m*; *V tb* **sábado**.
lupa ['lupa] *nf* loupe *f*.
lustrabotas [lustra'βotas] (*AND, CSUR*) *nm inv* cireur *m* (de chaussures).
lustrar [lus'trar] *vt* lustrer; (*AM: zapatos*) cirer.
lustre ['lustre] *nm* lustre *m*; (*fig*) éclat *m*; **dar ~ a algo** faire briller qch.
lustro ['lustro] *nm* lustre *m*.
luterano, -a [lute'rano, a] *adj* luthérien(ne).
luto ['luto] *nm* deuil *m*; **ir** *o* **vestirse de ~** porter des habits de deuil; **luto oficial** deuil national.
Luxemburgo [luksem'burɣo] *nm* Luxembourg *m*.
luz [luθ] (*pl* **luces**) *nf* lumière *f*; **dar a ~ un niño** mettre un enfant au monde; **dar la ~** donner de la lumière; **encender** (*ESP*) *o* **prender** (*esp AM*)/**apagar la ~** allumer/éteindre la lumière; **les cortaron la ~** ils leur ont coupé l'électricité; **a la ~ de** (*tb fig*) à la lumière de; **a todas luces** de toute évidence; **a media ~** dans la pénombre; **se hizo la ~ sobre ...** la lumière se fit sur ...; **sacar a la ~** tirer au clair; **el Siglo de las Luces** le Siècle des Lumières; **tener pocas luces** ne pas être une lumière; **luz de cruce** feu *m* de croisement; **luz de la luna** clair *m* de lune; **luz eléctrica** lumière électrique; **luz intermitente** lumière intermittente; (*AUTO*) clignotant *m*; **luz roja/verde** (*AUTO*) feu rouge/vert; **luz solar** *o* **del sol** lumière du jour; **luz trasera/de freno** feu arrière/de stop.
luzca *etc* ['luθka] *vb V* **lucir**.

M, m

M. *abr* (= *mujer*) F (= *féminin*); (= *Metro*) M(o) (= *métro*).
M.ª *abr* = *María*.
macabro, -a [ma'kaβro, a] *adj* macabre.
macanudo, -a [maka'nuðo, a] (*esp AM: fam*) *adj* génial(e).
macarra [ma'karra] (*fam*) *nm* maquereau *m* ♦ *nm/f* zonard(e).
macarrones [maka'rrones] *nmpl* (*CULIN*) macarons *mpl*.
macedonia [maθe'ðonja] *nf*: **~ de frutas** macédoine *f* de fruits.
macerar [maθe'rar] *vt* macérer.
maceta [ma'θeta] *nf* pot *m* de fleurs.
macetero [maθe'tero] *nm* support *m* de pot de fleurs.
machacar [matʃa'kar] *vt* (*ajos*) réduire en purée; (*asignatura*) rabâcher; (*enemigo*) écraser ♦ *vi* insister.
machete [ma'tʃete] *nm* machette *f*.
machismo [ma'tʃismo] *nm* machisme *m*.
machista [ma'tʃista] *adj, nm/f* machiste *m/f*.
macho ['matʃo] *adj* (*BOT, ZOOL*) mâle; (*fam*) macho ♦ *nm* mâle *m*; (*fig*) macho *m*; (*fam: apelativo*) mec *m*; (*TEC*) cheville *f*; (*ELEC*) prise *f* mâle; (*COSTURA*) crochet *m*.
macizo, -a [ma'θiθo, a] *adj* massif(-ive) ♦ *nm* (*GEO, de flores*) massif *m*; **¡qué chica más maciza!** (*fam*) quelle belle plante!
macramé [makra'me] *nm* macramé *m*.
macrobiótico, -a [makro'βjotiko, a] *adj* macrobiotique.
mácula ['makula] *nf* tache *f*.
macuto [ma'kuto] *nm* (*MIL*) musette *f*.
madeja [ma'ðexa] *nf* (*de lana*) écheveau *m*.
madera [ma'ðera] *nf* bois *msg*; **una ~** un morceau de bois; **~ contrachapada** *o* **laminada** contre-plaqué *m*; **de ~** en bois; **tiene buena ~** il a de bonnes dispositions; **tiene ~ de profesor** il a l'étoffe d'un professeur.
madero [ma'ðero] *nm* madrier *m*.
madrastra [ma'ðrastra] *nf* belle-mère *f*.
madre ['maðre] *adj* (*lengua*) maternel(le); (*acequia*) maîtresse ♦ *nf* mère *f*; (*de vino etc*) lie *f*; **¡~ mía!** mon Dieu!; **¡tu ~!** (*fam!*) va te faire foutre! (*fam!*); **salirse de ~** (*río*) sortir de son lit; (*persona*) dépasser les bornes; **madre adoptiva/de alquiler/soltera** mère adoptive/porteuse/célibataire; **madre patria** mère patrie; **madre política** belle-mère *f*.
madreperla [maðre'perla] *nf* nacre *f*.
madreselva [maðre'selβa] *nf* chèvrefeuille *m*.
Madrid [ma'ðrið] *n* Madrid.
madriguera [maðri'ɣera] *nf* terrier *m*.
madrileño, -a [maðri'leɲo, a] *adj* madrilène ♦ *nm/f* Madrilène *m/f*.
madrina [ma'ðrina] *nf* marraine *f*; **~ de boda** demoiselle *f* d'honneur.

madrugada [maðru'ɣaða] *nf* aube *f*; **de ~** de bon matin; **a las 4 de la ~** à 4 heures du matin.
madrugador, a [maðruɣa'ðor, a] *adj* lève-tôt *inv*.
madrugar [maðru'ɣar] *vi* se lever tôt; (*anticiparse*) s'avancer.
madurar [maðu'rar] *vt, vi* mûrir.
madurez [maðu'reθ] *nf* maturité *f*.
maduro, -a [ma'ðuro, a] *adj* mûr(e); (*hombre, mujer*) d'âge mûr; **poco ~** immature.
maestría [maes'tria] *nf* maestria *f*, (*ESCOL: grado*) maîtrise *f*.
maestro, -a [ma'estro, a] *adj* maître(sse) ♦ *nm/f* (*de escuela*) maître(sse) (d'école), instituteur(-trice); (*en la vida*) maître *m* ♦ *nm* maître *m*; (*MÚS*) maestro *m*; **~ albañil** maître maçon *m*; **~ de obras** maître d'ouvrage.
mafia ['mafja] *nf* mafia *f*, **la M~** (*italiana*) la Mafia.
mafioso, -a [ma'fjoso] *adj* maffieux(-euse) ♦ *nm* mafioso.
magia ['maxja] *nf* magie *f*, **magia negra** magie noire.
mágico, -a ['maxiko, a] *adj* magique.
magisterio [maxis'terjo] *nm* (*enseñanza*) études *fpl* d'instituteur(-trice); (*profesión*) métier *m* d'instituteur(-trice); (*maestros*) corps *msg* des instituteurs.
magistrado [maxis'traðo] *nm* (*JUR*) magistrat *m*; **primer M~** (*AM*) président *m*.
magistral [maxis'tral] *adj* magistral(e).
magistratura [maxistra'tura] *nf* magistrature *f*, **Magistratura del Trabajo** (*ESP*) ≈ Conseil *m* des prud'hommes.
magnánimo, -a [maɣ'nanimo, a] *adj* magnanime.
magnate [maɣ'nate] *nm* magnat *m*; **~ de la prensa** magnat de la presse.
magnesio [maɣ'nesjo] *nm* magnésium *m*.
magnético, -a [maɣ'netiko, a] *adj* magnétique.
magnetofón [maɣneto'fon] *nm* magnétophone *m*.
magnetofónico, -a [maɣneto'fonico, a] *adj*: **cinta magnetofónica** bande *f* magnétique.
magnífico, -a [maɣ'nifiko, a] *adj* magnifique; (*carácter*) exceptionnel(le); (*tratamiento: rector*) *titre honorifique du recteur*; ¡~! magnifique!
magnitud [maɣni'tuð] *nf* (*física*) grandeur *f*, (*de problema etc*) ampleur *f*.
mago, -a ['maɣo, a] *nm/f* mage *m*; **los Reyes M~s** les Rois *mpl* Mages.
magro, -a ['maɣro, a] *adj, nm* maigre *m*.
magullar [maɣu'ʎar] *vt* contusionner; (*lastimar*) abîmer; **magullarse** *vpr* se faire une *o* des contusion(s).
mahometano, -a [maome'tano, a] *adj* mahométan(e) ♦ *nm/f* Mahométan(e).
mahonesa [mao'nesa] *nf* = **mayonesa**.
maicena ® [mai'θena] *nf* maïzena *f*.
maíz [ma'iθ] *nm* maïs *msg*.
majadero, -a [maxa'ðero, a] *adj* imbécile.
majareta [maxa'reta], **majara** [ma'xara] (*fam*) *adj* givré(e).
majestad [maxes'tað] *nf* majesté *f*, **Su M~** Sa Majesté; **(Vuestra) M~** (Votre) Majesté.
majestuoso, -a [maxes'twoso, a] *adj* majestueux(-euse).
majo, -a ['maxo, a] *adj* beau(belle); (*persona, apelativo*) mignon(ne); (: *elegante*) classe *inv*; (*apelativo cariñoso*) mignon(ne).
mal [mal] *adv* mal; (*oler, saber*) mauvais ♦ *adj* = **malo** ♦ *nm*: **el ~** le mal; (*desgracia*) le malheur ♦ *conj*: **~ que le pese** qu'il le veuille ou non; **me entendió ~** il m'a mal compris; **haces ~ en callarte** tu as tort de te taire; **hablar ~ de algn** dire du mal de qn; **ir de ~ en peor** aller de mal en pis; **si ~ no recuerdo** si mes souvenirs sont exacts; **¡menos ~!** heureusement!; **menos ~ que** heureusement que; **~ que bien** tant bien que mal; **mal de ojo** mauvais œil *m*.
malabarismo [malaβa'rismo] *nm* jonglerie *f*, **hacer ~s** (*fig*) louvoyer.
malabarista [malaβa'rista] *nm/f* jongleur(-euse).
malaria [ma'larja] *nf* malaria *f*.
malcriar [mal'krjar] *vt* mal élever.
maldad [mal'dað] *nf* méchanceté *f*.
maldecir [malde'θir] *vt, vi* maudire; **~ de** maudire.
maldición [maldi'θjon] *nf* malédiction *f*; ¡~! malédiction!
maldiga *etc* [mal'ðiɣa], **maldije** *etc* [mal'dixe] *vb V* **maldecir**.
maldito, -a [mal'dito, a] *adj* maudit(e); **¡~ sea!** (*fam*) maudit(e) soit ...!; **¡malditas las ganas que tengo de verle!** (*fam*) comme si j'avais envie de le voir!
maleable [male'aβle] *adj* (*metal, carácter*) malléable; (*plástico, cuero*) souple.
maleante [male'ante] *nm/f* malfaiteur *m*, criminel(le).
malecón [male'kon] *nm* digue *f*, (*para atracar*) môle *m*.
maledicencia [maleði'θenθja] *nf* médisance *f*.
maleducado, -a [maleðu'kaðo, a] *adj*

mal élevé(e).
maleficio [male'fiθjo] *nm* maléfice *m*.
malentendido [malenten'diðo] *nm* malentendu *m*.
malestar [males'tar] *nm* malaise *m*.
maleta [ma'leta] *nf* valise *f*; **hacer la ~** faire sa valise.
maletera [male'tera] (*AM*) *nf*, **maletero** [male'tero] *nm* (*AUTO*) coffre *m*.
maletín [male'tin] *nm* (*de uso profesional*) serviette *f*; (*de viaje*) mallette *f*.
malévolo, -a [ma'leβolo, a] *adj* malveillant(e).
maleza [ma'leθa] *nf* (*hierbas malas*) mauvaises herbes *fpl*; (*arbustos*) fourré *m*.
malgastar [malɣas'tar] *vt* gaspiller; (*oportunidades*) laisser passer; (*salud*) abîmer.
malhechor, a [male'tʃor, a] *nm/f* malfaiteur *m*.
malherido, -a [male'riðo, a] *adj* gravement blessé(e).
malhumorado, -a [malumo'raðo, a] *adj* de mauvaise humeur.
malicia [ma'liθja] *nf* méchanceté *f*; (*de niño*) malice *f*.
malicioso, -a [mali'θjoso, a] *adj* malicieux(-euse); (*con mala intención*) méchant(e); (*de malpensado*) mauvais(e).
maligno, -a [ma'liɣno, a] *adj* (*MED*) malin(maligne); (*ser*) méchant(e).
malla [ma'ʎa] *nf* maille *f*; (*esp AM*) maillot *m* de bain; (*tb*: **~s**) collants *mpl*.
Mallorca [ma'ʎorka] *nf* Majorque *f*.
malnutrido, -a [malnu'triðo, a] *adj* mal nourri(e).
malo, -a ['malo, a] *adj* (*antes de nmsg*: **mal**) mauvais(e); (*niño*) méchant(e) ♦ *nm/f* (*en cuentos, cine*) méchant(e); **estar ~** (*persona*) être malade; (*comida*) être mauvais(e); **ser ~ de** (*entender, hacer*) être difficile à; **ser ~ haciendo/en algo** ne pas savoir faire qch/être mauvais(e) en qch; **estar de malas** être fâché(e); **lo ~ es que ...** le problème, c'est que ...; **por las malas** de force.
malograr [malo'ɣrar] *vt* (*juventud, carrera*) gâcher; (*plan*) faire tomber à l'eau; **malograrse** *vpr* (*plan*) tomber à l'eau; (*cosecha*) être gâché(e); (*carrera profesional*) se briser; (*PE*: *fam*) s'abîmer; **el malogrado actor** l'acteur mort prématurément.
maloliente [malo'ljente] *adj* malodorant(e).
malparado, -a [malpa'raðo, a] *adj*: **salir ~** s'en tirer mal.
malpensado, -a [malpen'saðo, a] *adj* malveillant(e).
malsano, -a [mal'sano, a] *adj* malsain(e).
malta ['malta] *nf* malt *m*.
maltraer [maltra'er] *vt*: **llevar a ~** mener la vie dure.
maltratar [maltra'tar] *vt* maltraiter; **niños maltratados** enfants *mpl* maltraités.
maltrecho, -a [mal'tretʃo, a] *adj* en mauvais état.
malva ['malβa] *adj* mauve ♦ *nf* (*BOT*) mauve *f* ♦ *nm* (*color*) mauve *m*; **como una ~** doux(douce) comme un agneau; **malva loca** rose *f* trémière.
malvado, -a [mal'βaðo, a] *adj* méchant(e).
malversación [malβersa'θjon] *nf*: **~ de fondos** détournement *m* de fonds.
malversar [malβer'sar] *vt* détourner.
Malvinas [mal'βinas] *nfpl*: **las (Islas) ~** les (îles) Malouines *fpl*.
malvivir [malβi'βir] *vi* vivre à l'étroit.
mama ['mama] *nf* mamelle *f*.
mamá [ma'ma] *nf* (*fam*) maman *f*; (*CAM, CARIB, MÉX*: *cortesía*) mère *f*; **mamá grande** (*COL*) grand-maman *f*.
mamadera [mama'ðera] (*AM*) *nf* biberon *m*.
mamar [ma'mar] *vt* (*pecho*) téter; (*ideas*) se nourrir de ♦ *vi* téter; **dar de ~** allaiter.
mamarracho [mama'rratʃo] *nm* (*persona despreciable*) rien-du-tout *m/f inv*; (*por su apariencia física*) original(e).
mambo ['mambo] *nm* (*MÚS*) mambo *m*.
mamífero, -a [ma'mifero, a] *adj, nm* mammifère *m*.
mamotreto [mamo'treto] *nm* (*libro*) pavé *m*; (*objeto*) horreur *f*.
mampara [mam'para] *nf* (*entre habitaciones*) cloison *f*; (*biombo*) écran *m*.
mampostería [mamposte'ria] *nf* maçonnerie *f*.
mamut [ma'mut] *nm* mammouth *m*.
maná [ma'na] *nm* manne *f*.
manada [ma'naða] *nf* (*de leones, lobos*) horde *f*; (*de búfalos, elefantes*) troupeau *m*; **llegaron en ~** (*fam*) ils sont arrivés en bande.
Managua [ma'naɣwa] *n* Managua.
manantial [manan'tjal] *nm* source *f*.
manar [ma'nar] *vt* laisser couler ♦ *vi* jaillir.
mancha ['mantʃa] *nf* tache *f*; **la M~** la Manche.
manchar [man'tjar] *vt, vi* tacher; **mancharse** *vpr* se tacher.
manchego, -a [man'tʃeɣo, a] *adj* de la Manche ♦ *nm/f* natif(-ive) *o* habitant(e) de la Manche.
mancillar [manθi'ʎar] *vt* souiller.
manco, -a ['manko, a] *adj* manchot(e);

(*incompleto*) incomplet(-ète); **no ser ~** (*fig*) être dégourdi(e).

mancomunidad [mankomuni'ðað] *nf* (*de bienes*) copropriété *f*; (*de personas, JUR*) association *f*; (*de municipios*) syndicat *m*.

mandado [man'daðo] *nm* commission *f*; **ser un ~** être (un) commis.

mandamiento [manda'mjento] *nm* (*REL*) commandement *m*; **mandamiento judicial** mandat *m* d'arrêt.

mandar [man'dar] *vt* ordonner; (*MIL*) commander; (*enviar*) envoyer ♦ *vi* commander; (*en un país*) diriger; **mandarse** *vpr*: **~se mudar** (*AM: fam*) se casser; **¿mande?** je vous demande pardon?; **¿manda usted algo más?** désirez-vous autre chose?; **se lo ~emos por correo** nous vous l'enverrons par courrier; **~ hacer un traje** se faire faire un costume; **~ a algn a hacer algo** ordonner à qn de faire qch; **~ a algn a paseo** *o* **a la porra** envoyer qn au diable.

mandarina [manda'rina] *nf* mandarine *f*.

mandato [man'dato] *nm* (*orden*) ordre *m*; (*POL*) mandat *m*; (*INFORM*) commande *f*; **mandato judicial** mandat d'arrêt.

mandíbula [man'diβula] *nf* mandibule *f*.

mandil [man'dil] *nm* tablier *m*.

mando ['mando] *nm* (*MIL*) commandement *m*; (*de organización, país*) direction *f*; (*TEC*) commande *f*; **los (altos) ~s** les chefs *mpl*; **el alto ~** le haut commandement; **al ~ (de)** sous la responsabilité (de); **tomar el ~** prendre le commandement; **mando a distancia** télécommande *f*.

manecilla [mane'θiʎa] *nf* (*de reloj*) aiguille *f*.

manejable [mane'xaβle] *adj* maniable; (*libro*) peu encombrant(e); (*persona*) facile.

manejar [mane'xar] *vt* manier; (*máquina*) manœuvrer; (*caballo*) mener; (*pey: a personas*) manœuvrer; (*casa, negocio*) mener; (*dinero, números*) brasser; (*idioma*) maîtriser; (*AM: AUTO*) conduire ♦ *vi* (*AM: AUTO*) conduire; **manejarse** *vpr* se débrouiller; **"~ con cuidado"** "manipuler avec précaution".

manejo [ma'nexo] *nm* maniement *m*; (*de máquinas*) manœuvre *f*; (*AM: de negocio*) conduite *f*; (*soltura*) aisance *f*; **~s** *nmpl* (*pey*) manœuvres *fpl*.

manera [ma'nera] *nf* manière *f*, façon *f*; **~s** *nfpl* (*modales*) manières *fpl*; **~ de pensar/de ser** façon de penser/d'être; **a mi ~** à ma façon; **de qualquier ~** de toute manière; (*pey*) n'importe comment; **de mala ~** (*fam*) brutalement; **¡de ninguna ~!** en aucun cas!; **de otra ~** autrement; **de todas ~s** de toute manière; **en gran ~** largement; **sobre ~** énormément; **a mi ~ de ver** d'après moi; **no hay ~ de persuadirle** il n'y a pas moyen de le persuader; **de ~ que** de sorte que.

manga ['manga] *nf* manche *f*; (*GEO*) tuyau *m*; **de ~ corta/larga** à manches courtes/longues; **en ~s de camisa** en bras de chemise; **andar ~ por hombro** être débraillé(e); **tener ~ ancha** être très ouvert(e); **manga de pastelero** douille *f* (de pâtissier); **manga de riego** tuyau d'irrigation; **manga de viento** manche *f* à air.

mangante [man'gante] (*fam*) *adj, nm/f* voyou *m*.

mangar [man'gar] (*fam*) *vt* piquer.

mango ['mango] *nm* manche *m*; (*BOT*) mangue *f*; **~ de escoba** manche à balai.

mangonear [mangone'ar] (*pey*) *vt* commander ♦ *vi* se mêler de tout.

manguera [man'gera] *nf* lance *f* d'arrosage; **~ de incendios** lance d'incendie.

maní [ma'ni] (*pl* **~es** *o* **manises**) (*AM*) *nm* cacahuète *f*; (*planta*) arachide *f*.

manía [ma'nia] *nf* manie *f*; **tiene sus ~s** il a ses petites manies; **tener ~ a algn/algo** avoir de l'antipathie pour qn/qch.

maníaco, -a [ma'niako, a] *adj, nm/f* maniaque *m/f*.

maniatar [manja'tar] *vt* ligoter.

maniático, -a [ma'njatiko, a] *adj, nm/f* maniaque *m/f*.

manicomio [mani'komjo] *nm* asile *m* (de fous).

manicura [mani'kura] *nf* manucure *f*.

manido, -a [ma'niðo, a] *adj* rebattu(e).

manifestación [manifesta'θjon] *nf* manifestation *f*; (*declaración*) déclaration *f*.

manifestar [manifes'tar] *vt* manifester; (*declarar*) déclarer; **manifestarse** *vpr* (*POL*) manifester; (*interés, dolor*) se manifester.

manifiesto, -a [mani'fjesto, a] *pp de* **manifestar** ♦ *adj* manifeste ♦ *nm* (*ARTE, POL*) manifeste *m*; **poner (algo) de ~** mettre (qch) en évidence.

manigua [ma'niɣwa] (*CAM, CARIB, MÉX*) *nf* broussailles *fpl*.

manilla [ma'niʎa] *nf* (*de reloj*) aiguille *f* (de montre); (*AM*) levier *m*; **~s** *nfpl*: **~s (de hierro)** fers *mpl*.

manillar [mani'ʎar] *nm* guidon *m*.

maniobra [ma'njoβra] *nf* manœuvre *f*; **~s** *nfpl* (*MIL, pey*) manœuvres *fpl*.

maniobrar [manio'βrar] *vi* manœuvrer; (*MIL*) faire des manœuvres.

manipular [manipu'lar] *vt* manipuler.

maniquí [mani'ki] *nm/f* mannequin *m/f* ♦ *nm* (*de escaparate*) mannequin *m*.

manitas [ma'nitas] *adj inv* adroit(e) ♦ *nm/f inv*: **ser un(a) ~** être très adroit(e).
manivela [mani'βela] *nf* manivelle *f*.
manjar [man'xar] *nm* mets *msg*.
mano ['mano] *nf* main *f*; (*ZOOL*) patte *f*, griffe *f*; (*CULIN*) pied *m*; (*de pintura*) couche *f* ♦ *nm* (*MÉX*: *fam*) copain *m*; **a ~** à la main; **estar/tener algo a ~** être/avoir qch à portée de la main; **a ~ derecha/izquierda** à (main) droite/gauche; **hecho a ~** fait à la main; **a ~s llenas** à pleines mains; **de primera ~** de première main; **de segunda ~** d'occasion; **robo a ~ armada** vol *m* à main armée; **Pedro es mi ~ derecha** Pedro est mon bras droit; **darse la(s) ~(s)** se donner la main; **echar una ~** donner un coup de main; **hacer algo ~ a ~** faire qch en tête à tête; **echar ~ a algn** mettre la main sur qn; **echar ~ de algo** (*para usarlo*) recourir à qch; **estrechar la ~ a algn** serrer la main à qn; **dar algo en ~** donner qch en mains propres; **ir de la ~** échapper; **tener buena/mala ~ para algo** être doué(e)/peu doué(e) pour qch; **meter ~** (*fam*) peloter; **traer** *o* **llevar algo entre ~s** avoir qch entre les mains; **estar en ~s de algn** être entre les mains de qn; **estar en buenas ~s** être en de bonnes mains; **se le fue la ~** il n'y est pas allé de main morte; (*con ingredientes*) il a eu la main un peu lourde; **haré lo que esté en mi ~** je ferai mon possible; **¡~s a la obra!** au travail!; **pillar/coger/sorprender a algn con las ~s en la masa** prendre qn la main dans le sac; **mano de obra** main-d'œuvre *f*; **mano dura** sévérité *f*.
manojo [ma'noxo] *nm* (*de hierbas*) brassée *f*; (*de llaves*) trousseau *m*; **ser un ~ de nervios** être un paquet de nerfs.
manopla [ma'nopla] *nf* moufle *f*; **manopla de cocina** poignée *f*.
manosear [manose'ar] *vt* (*libro*) manipuler; (*flores*) écraser; (*tema, asunto*) rebattre; (*fam*: *una persona*) tripoter.
manotazo [mano'taθo] *nm* gifle *f*.
manotear [manote'ar] *vi* gesticuler.
mansalva [man'salβa]: **a ~** *adv* sans risque.
mansedumbre [manse'ðumbre] *nf* (*de persona*) douceur *f*; (*de animal*) docilité *f*.
mansión [man'sjon] *nf* demeure *f*.
manso, -a ['manso, a] *adj* (*persona*) doux(douce); (*animal*) apprivoisé(e); (*aguas*) tranquille; (*CHI*: *fam*) énorme.
manta ['manta] *nf* couvre-lit *m*; (*AM*) poncho *m*; **una ~ de azotes/palos** une volée de coups de fouet/de bâton; **a ~** (*llover*) des cordes; (*reirse*) aux larmes.
manteca [man'teka] *nf* (*de cerdo*) saindoux *m*; (*de cacao, AM*) beurre *m*; (*de leche*) crème *f*.
mantecado [mante'kaðo] *nm* (*pasta*) *sorte de gâteau au saindoux*; (*helado*) glace *f*.
mantecoso, -a [mante'koso, a] *adj* crémeux(-euse).
mantel [man'tel] *nm* nappe *f*.
mantelería [mantele'ria] *nf* linge *m* de table.
mantener [mante'ner] *vt* maintenir; (*familia*) subvenir aux besoins de; (*TEC*) assurer la maintenance (de); (*actividad*) conserver; (*edificio*) soutenir; **mantenerse** *vpr* (*edificio*) être soutenu(e); (*no ceder*) se maintenir; **~ la línea** garder la ligne; **~ el equilibrio** garder l'équilibre; **~ algo encendido/caliente** laisser qch allumé(e)/garder qch au chaud; **~ a algn informado** tenir qn au courant; **~ a algn con vida** maintenir qn en vie; **~se a distancia** garder ses distances; **~se (de** *o* **con)** vivre (de); **~se en forma** garder la forme; **~se en pie** rester debout; **~se firme** rester ferme.
mantenga *etc* [man'tenga] *vb V* **mantener**.
mantenimiento [manteni'mjento] *nm* (*TEC*) maintenance *f*; (*de orden, relaciones*) maintien *m*; (*sustento*) subsistance *f*; **ejercicios de ~** exercices *mpl* de gymnastique.
mantequería [manteke'ria] *nf* crémerie *f*.
mantequilla [mante'kiʎa] *nf* beurre *m*.
mantilla [man'tiʎa] *nf* mantille *f*; (*de bebé*) lange *m*; **estar en ~s** (*persona*) être naïf(-ïve); (*proyecto*) être à l'état d'embryon.
manto ['manto] *nm* cape *f*.
mantón [man'ton] *nm* châle *m*; **mantón de manila** châle en soie brodée.
mantuve *etc* [man'tuβe] *vb V* **mantener**.
manual [ma'nwal] *adj* manuel(le) ♦ *nm* manuel *m*.
manubrio [ma'nubrjo] (*AM*) *nm* (*AUTO*) volant *m*.
manufactura [manufak'tura] *nf* manufacture *f*.
manuscrito, -a [manus'krito, a] *adj* manuscrit(e) ♦ *nm* manuscrit *m*.
manutención [manuten'θjon] *nf* (*de persona*) subsistance *f*; (*de alimentos, dinero*) conservation *f*.
manzana [man'θana] *nf* pomme *f*; (*de edificios*) pâté *m*; **~ de la discordia** (*fig*) pomme de discorde.
manzanilla [manθa'niʎa] *nf* camomille *f*; (*vino*) manzanilla *m*.

manzano [man'θano] *nm* pommier *m*.
maña ['maɲa] *nf* adresse *f*; **~s** *nfpl* (*artimañas*) ruses *fpl*; **con ~** avec adresse; **darse (buena) ~ para hacer algo** être doué(e) pour faire qch.
mañana [ma'ɲana] *adv* demain ♦ *nm*: **(el) ~** (le) lendemain ♦ *nf* matin *m*; **de** *o* **por la ~** le matin; **¡hasta ~!** à demain!; **pasado ~** après-demain; **~ por la ~** demain matin; **a las 3 de la ~** à 3 heures du matin; **a media ~** tard dans la matinée.
mañoso, -a [ma'ɲoso, a] *adj* adroit(e).
mapa ['mapa] *nm* carte *f*.
maqueta [ma'keta] *nf* maquette *f*.
maquillaje [maki'ʎaxe] *nm* maquillage *m*.
maquillar [maki'ʎar] *vt* maquiller; **maquillarse** *vpr* se maquiller.
máquina ['makina] *nf* machine *f*; (*de tren*) locomotive *f*; (*CAM, CU*) voiture *f*; **a toda ~** à toute allure; **escrito a ~** tapé à la machine; **máquina de coser/de escribir/de vapor** machine à coudre/à écrire/à vapeur; **máquina fotográfica** appareil *m* photographique; **máquina herramienta** machine-outil *f*; **máquina tragaperras** machine à sous.
maquinación [makina'θjon] *nf* machination *f*.
maquinal [maki'nal] *adj* machinal(e).
maquinar [maki'nar] *vt, vi* comploter.
maquinaria [maki'narja] *nf* machinerie *f*.
maquinilla [maki'niʎa] *nf* (*tb:* **~ de afeitar**) rasoir *m*; **maquinilla eléctrica** rasoir électrique.
maquinista [maki'nista] *nm* mécanicien *m*.
mar [mar] *nm o f* mer *f*; **~ de fondo** lame *f* de fond; (*fig*) malaise *m*; **~ gruesa** mer forte; **~ adentro** au large; **en alta ~** en haute mer; **por ~** par mer; **hacerse a la ~** partir en mer; **a ~es** (*llover*) à verse; (*llorar*) comme une madeleine; **estar hecho un ~ de lágrimas** pleurer comme une fontaine; **es la ~ de guapa** elle est très jolie; **la ~ de bien** très bien; **el M~ Negro/Báltico** la Mer Noire/Baltique; **el M~ Muerto/Rojo** la Mer Morte/Rouge; **el M~ del Norte** la Mer du Nord.
maraca [ma'raka] *nf* (*MÚS*) maraca *f*.
maratón [mara'ton] *nm* marathon *m*.
maravilla [mara'βiʎa] *nf* merveille *f*; (*BOT*) souci *m*; **¡qué ~!** quelle merveille!; **hacer ~s** faire des merveilles; **a (las mil) ~s** à merveille.
maravillar [maraβi'ʎar] *vt* émerveiller; **maravillarse** *vpr*: **~se (de)** s'émerveiller (de).
maravilloso, -a [maraβi'ʎoso, a] *adj* merveilleux(-euse); **¡es ~!** c'est merveilleux!
marca ['marka] *nf* marque *f*; (*acto*) marquage *m*; (*DEPORTE*) record *m*; **de ~** (*COM*) de marque; **marca de fábrica** marque; **marca propia/registrada** marque propre/déposée.
marcador [marka'ðor] *nm* (*DEPORTE*) tableau *m*.
marcapasos [marka'pasos] *nm inv* stimulateur *m* cardiaque.
marcar [mar'kar] *vt* marquer; (*número de teléfono*) composer; (*COM*) étiqueter ♦ *vi* (*DEPORTE*) marquer; (*TELEC*) composer le numéro; (*en peluquería*) faire une mise en plis; **mi reloj marca las 2** à ma montre il est 2 heures; **~ el compás** (*MÚS*) battre la mesure; **~ el paso** marquer le pas; **lavar y ~** faire un shampooing et une mise en plis.
marcha ['martʃa] *nf* marche *f*; (*AUTO*) vitesse *f*; (*dirección*) tournure *f*; (*fam: animación*) fête *f*; **dar ~ atrás** (*AUTO, fig*) faire marche arrière; **estar en ~** être en marche; (*negocio*) marcher; **hacer algo sobre la ~** faire qch au fur et à mesure; **poner en ~** faire démarrer; **ponerse en ~** se mettre en marche; **a ~s forzadas** (*fig*) en quatrième vitesse; **¡en ~!** (*MIL*) en avant, marche!; (*fig*) allons-y!; **una persona/una ciudad/un bar con (mucha) ~** une personne (très) dynamique/une ville/un bar (très) animé(e).
marchante, -a [mar'tʃante, a] *nm/f* marchand(e) de tableaux.
marchar [mar'tʃar] *vi* marcher; (*ir*) partir; **marcharse** *vpr* s'en aller; **todo marcha bien** tout va bien.
marchitar [martʃi'tar] *vt* faner; **marchitarse** *vpr* se faner.
marchoso, -a [mar'tʃoso, a] (*fam*) *adj* animé(e).
marcial [mar'θjal] *adj* martial(e).
marciano, -a [mar'θjano, a] *nm/f* martien(ne).
marco ['marko] *nm* cadre *m*; (*moneda*) Mark *m*.
marea [ma'rea] *nf* marée *f*; **~ alta/baja** marée haute/basse; **una ~ de gente** une marée humaine; **marea negra** marée noire.
marear [mare'ar] *vt* harceler; (*MED*) donner mal au cœur à; **marearse** *vpr* avoir le mal de mer; (*desmayarse*) s'évanouir; (*estar aturdido*) être abruti(e); (*emborracharse*) se soûler; *V tb* **mareo**.
marejada [mare'xaða] *nf* mer *f* agitée.
maremoto [mare'moto] *nm* raz-de-marée

m inv.
mareo [ma'reo] *nm* mal *m* au cœur; (*en barco*) mal de mer; (*en avión*) mal de l'air; (*en coche*) mal des transports; (*desmayo*) évanouissement *m*; (*aturdimiento*) abrutissement *m*; (*fam*: *lata*) ennui *m*.
marfil [mar'fil] *nm* ivoire *m*.
margarina [marɣa'rina] *nf* margarine *f*.
margarita [marɣa'rita] *nf* marguerite *f*.
margen ['marxen] *nm o f* (*de río, camino*) bord *m*; (*de página*) marge *f* ♦ *nm* marge; ~ **de beneficio** *o* **de ganancia** marge bénéficiaire; ~ **de confianza** marge de confiance; **dar ~ para** donner l'occasion de; **dejar a algn al ~** laisser qn en plan; **mantenerse al ~** rester en marge; **al ~ de lo que digas** quoi que tu dises.
marginado, -a [marxi'naðo, a] *adj, nm/f* marginal(e).
marginal [marxi'nal] *adj* marginal(e).
marginar [marxi'nar] *vt* (*socialmente*) marginaliser.
marica [ma'rika] *nm* (*fam!*: *homosexual*) pédé *m* (*fam!*); (: *cobarde*) poule *f* mouillée.
maricón [mari'kon] *nm* (*fam!*: *homosexual*) pédé *m* (*fam!*); (: *insulto*) connard *m* (*fam!*).
marido [ma'riðo] *nm* mari *m*.
marihuana [mari'wana] *nf* marijuana *f*.
marimacho [mari'matʃo] *nf* (*fam!*) garçon *m* manqué.
marina [ma'rina] *nf* (MIL) marine *f*; ~ **mercante** marine marchande.
marinero, -a [mari'nero, a] *adj* marin(e) ♦ *nm* marin *m*.
marino, -a [ma'rino, a] *adj* marin(e) ♦ *nm* marin *m*.
marioneta [marjo'neta] *nf* marionnette *f*.
mariposa [mari'posa] *nf* papillon *m*; (TEC) veilleuse *f*; (*en natación*) brasse *f* papillon.
mariposear [maripose'ar] *vi* papillonner.
mariquita [mari'kita] *nm* (*fam!*) pédé *m* (*fam!*) ♦ *nf* coccinelle *f*.
marisco [ma'risko] *nm* fruit *m* de mer.
marítimo, -a [ma'ritimo, a] *adj* maritime.
marketing ['marketin] *nm* marketing *m*.
mármol ['marmol] *nm* marbre *m*.
marmota [mar'mota] *nf* marmotte *f*.
maroma [ma'roma] *nf* cordage *m*.
marqués, -esa [mar'kes, esa] *nm/f* marquis(e).
marquesina [marke'sina] *nf* (*de parada*) abri *m*; (*de estación*) toit *m*; (*de puerta*) marquise *f*.
marquetería [markete'ria] *nf* marqueterie *f*.
marranada [marra'naða] *nf* (*fam*) saleté *f*; (*acción*) bassesse *f*.
marrano, -a [ma'rrano, a] *adj* (*fam*) sale ♦ *nm/f* cochon(truie); (*persona sucia*; *fam*) cochon(ne).
marrón [ma'rron] *adj* marron.
marroquí [marro'ki] *adj* marocain(e) ♦ *nm/f* Marocain(e) ♦ *nm* (*cuero*) maroquin *m*.
Marruecos [ma'rrwekos] *nm* Maroc *m*.
marta ['marta] *nf* martre *f*.
Marte ['marte] *nm* Mars *fsg*.
martes ['martes] *nm inv* mardi *m*; **martes de carnaval** Mardi-Gras *msg*; *V tb* **sábado**.
martillazo [marti'ʎaθo] *nm* coup *m* de marteau.
martillo [mar'tiʎo] *nm* marteau *m*; **martillo neumático** marteau-piqueur *m*.
mártir ['martir] *nm/f* martyr(e).
martirio [mar'tirjo] *nm* martyre *m*.
martirizar [martiri'θar] *vt* martyriser.
marxismo [mark'sismo] *nm* marxisme *m*.
marxista [mark'sista] *adj, nm/f* marxiste *m/f*.
marzo ['marθo] *nm* mars *msg*; *V tb* **julio**.
mas [mas] *conj* mais.

PALABRA CLAVE

más [mas] *adv* **1** (*compar*) plus; **más grande/inteligente** plus grand/intelligent; **trabaja más (que yo)** il travaille plus (que moi); **más de mil** plus de mille; **más de lo que yo creía** plus que je ne croyais
2 (*+ sustantivo*) plus de; **más libros** plus de livres; **más tiempo** plus longtemps
3 (*tras sustantivo*) en plus, de plus; **3 personas más (que ayer)** 3 personnes de plus (qu'hier)
4 (*superl*): **el más ...** le plus ...; **el más inteligente (de)** le plus intelligent (de); **el coche más grande** la voiture la plus grande; **el que más corre** le plus rapide; **puedo hacerlo como el que más** je peux le faire comme personne
5 (*adicional*): **deme una más** donnez m'en encore une; **un poco más** encore un peu; **¿qué más?** quoi d'autre?, quoi encore?; **¿quién más?** qui d'autre?; **¿quieres más?** en veux-tu plus *o* davantage?
6 (*negativo*): **no tengo más dinero** je n'ai plus d'argent; **no viene más por aquí** il ne vient plus par ici; **no sé más** je n'en sais pas plus *o* davantage; **nunca más** plus jamais; **no hace más que hablar** il ne fait que parler; **no lo sabe nadie más**

que él il n'y a que lui qui le sache
7 (*+ adj: valor intensivo*): **¡qué perro más sucio!** comme ce chien est sale!; **¡es más tonto!** qu'est-ce qu'il est bête!
8 (*locuciones*): **más o menos** plus ou moins; **ni más ni menos** ni plus ni moins; **los más** la plupart; **es más, acabamos pegándonos** on a même fini par se battre; **más aún** mieux encore; **más bien** plutôt; **¡más te vale!** ça vaut mieux pour toi!; **más vale tarde que nunca** mieux vaut tard que jamais; **a más tardar** au plus tard; **a más y mejor** à qui mieux mieux; **¡qué más da!** qu'est-ce que cela fait!; *V tb* **cada**
9: **de más**: **veo que aquí estoy de más** je vois que je suis de trop ici; **tenemos uno de más** nous en avons un de trop
10 (*AM*): **no más** seulement; **así no más** comme ça; **ayer no más** pas plus tard qu'hier
11: **por más**: **por más que lo intento** j'ai beau essayer; **por más que quisiera ...** j'ai beau vouloir ...
12 (*MAT*): **2 más 2 son 4** 2 plus 2 font 4
♦ *nm* (*MAT: signo*) signe *m* plus; **este trabajo tiene sus más y sus menos** ce travail a de bons et de mauvais côtés.

masa ['masa] *nf* masse *f*; (*CSUR*) gâteau *m*; **las ~s** *nmpl* (*POL*) les masses *fpl*; **en ~** en masse.
masacre [ma'sakre] *nf* massacre *m*.
masaje [ma'saxe] *nm* massage *m*.
masajista [masa'xista] *nm/f* masseur(-euse).
mascar [mas'kar] *vt, vi* mâcher; **hay que dárselo todo mascado** (*fig*) il faut toujours lui mâcher le travail.
máscara ['maskara] *nf* masque *m* ♦ *nm/f* personne *f* masquée; **máscara antigás/de oxígeno** masque à gaz/à oxygène.
mascarilla [maska'riʎa] *nf* (*MED, en cosmética*) masque *m*.
mascota [mas'kota] *nf* mascotte *f*.
masculino, -a [masku'lino, a] *adj* masculin(e); (*BIO*) masculin(e), mâle ♦ *nm* (*LING*) masculin *m*.
mascullar [masku'ʎar] *vt* bredouiller.
masificación [masifika'θjon] *nf* encombrement *m*.
masivo, -a [ma'siβo, a] *adj* massif(-ive).
masón [ma'son] *nm* franc-maçon *m*.
masonería [masone'ria] *nf* franc-maçonnerie *f*.
masoquista [maso'kista] *adj, nm/f* masochiste *m/f*.
máster ['master] *nm* (*ESCOL*) mastère *m*.
masticar [masti'kar] *vt, vi* mastiquer.
mástil ['mastil] *nm* mât *m*; (*de guitarra*) manche *m*.
mastín [mas'tin] *nm* mâtin *m*.
mastodonte [masto'ðonte] *nm* mastodonte *m*.
masturbación [masturβa'θjon] *nf* masturbation *f*.
masturbarse [mastur'βarse] *vpr* se masturber.
mata ['mata] *nf* (*esp AM*) arbuste *m*; (*de espinas*) brassée *f*; (*de perejil*) bouquet *m*; **~s** *nfpl* (*matorral*) fourrés *mpl*; **mata de pelo** touffe *f* de cheveux.
matadero [mata'ðero] *nm* abattoir *m*.
matador, a [mata'ðor, a] *adj* laid(e) à faire peur ♦ *nm* (*TAUR*) matador *m*.
matamoscas [mata'moskas] *nm inv* tue-mouches *m inv*.
matanza [ma'tanθa] *nf* (*de gente*) massacre *m*; (*de cerdo: acción*) abattage *m* du cochon; (*: época*) *saison de l'abattage du cochon*; (*: carne*) *viande du cochon abattu*.
matar [ma'tar] *vt* tuer; (*hambre, sed*) apaiser ♦ *vi* tuer; **matarse** *vpr* se tuer; **~ a algn a disgustos** faire mourir qn d'inquiétude; **~las callando** agir en douce; **~se trabajando** *o* **a trabajar** se tuer au travail; **~se por hacer algo** se tuer à faire qch.
matasellos [mata'seʎos] *nm inv* cachet *m* de la poste.
mate ['mate] *adj* mat(e) ♦ *nm* (*en ajedrez*) mat *m*; (*AND, CSUR: hierba, infusión*) maté *m*, thé *m* des Jésuites; (*: vasija*) récipient *m* pour le maté; **mate de coca/de menta** thé à la coca/à la menthe.
matemáticas [mate'matikas] *nfpl* mathématiques *fpl*, maths *fpl*; *V tb* **matemático**.
matemático, -a [mate'matiko, a] *adj* mathématique ♦ *nm/f* mathématicien(ne); **¡es ~!** c'est mathématique!
materia [ma'terja] *nf* matière *f*, **en ~ de** en matière de; **entrar en ~** entrer en matière; **materia prima** matière première.
material [mate'rjal] *adj* matériel(le); (*autor*) corporel(le) ♦ *nm* matière *f*, matériau *m*; (*dotación*) matériel *m*; (*cuero*) peau *f*; **~ de construcción** matériau de construction; **~es de derribo** décombres *mpl*; **no tener tiempo ~ para algo** ne pas avoir le temps matériel de faire qch.
materialista [materja'lista] *adj* matérialiste.
maternal [mater'nal] *adj* maternel(le).
maternidad [materni'ðað] *nf* maternité *f*.
materno, -a [ma'terno, a] *adj* mater-

nel(le).

matinal [mati'nal] *adj* matinal(e).

matiz [ma'tiθ] *nm* nuance *f*; **un (cierto) ~ irónico** une (légère) nuance d'ironie.

matizar [mati'θar] *vt, vi* préciser.

matón [ma'ton] *nm* dur *m*.

matorral [mato'rral] *nm* buisson *m*.

matrícula [ma'trikula] *nf* (*ESCOL*) inscription *f*; (*AUTO*) immatriculation *f*; (: *placa*) plaque *f* d'immatriculation; **matrícula de honor** ≈ mention *f* très bien.

matricular [matriku'lar] *vt* (*coche*) immatriculer; (*alumno*) inscrire; **matricularse** *vpr* s'inscrire.

matrimonial [matrimo'njal] *adj* (*contrato*) de mariage; (*vida*) conjugal(e).

matrimonio [matri'monjo] *nm* (*pareja*) couple *m*; (*boda*) mariage *m*; **~ civil/clandestino** mariage civil/clandestin; **contraer ~ (con)** se marier (avec).

matriz [ma'triθ] *nf* (*ANAT*) utérus *msg*; (*TEC, MAT*) matrice *f*; **casa ~** (*COM*) maison *f* mère.

matrona [ma'trona] *nf* matrone *f*.

maullar [mau'ʎar] *vi* miauler.

mausoleo [mauso'leo] *nm* mausolée *m*.

maxilar [maksi'lar] *adj, nm* maxillaire *m*.

máxima ['maksima] *nf* maxime *f*.

máxime ['maksime] *adv* particulièrement.

máximo, -a ['maksimo, a] *adj* maximal(e), maximum; (*longitud, altitud*) maximal(e); (*galardón*) supérieur(e) ♦ *nm* maximum *m*; **como ~** au plus; **al ~** au maximum; **lo ~** le maximum; **~ líder** *o* **jefe, líder ~** (*esp AM*) président *m*.

maxisingle [maksi'singel] *nm* maxi 45 tours *msg*.

maya ['maja] *adj* maya ♦ *nm/f* Maya *m/f*.

mayo ['majo] *nm* mai *m*; *V tb* **julio**.

mayonesa [majo'nesa] *nf* mayonnaise *f*.

mayor [ma'jor] *adj* (*adulto*) adulte; (*de edad avanzada*) âgé(e); (*MÚS, fig*) majeur(e); (*compar: de tamaño*) plus grand(e); (: *de edad*) plus âgé(e); (*superl: ver compar*) très grand(e); très âgé(e); (*calle, plaza*) grand(e) ♦ *nm* (*AM: MIL*) major *m*; **~es** *nmpl* adultes *mpl*; **al por ~** en gros; **mayor de edad** majeur(e).

mayordomo [major'ðomo] *nm* majordome *m*.

mayoría [majo'ria] *nf* majorité *f*; **en la ~ de los casos** dans la majorité des cas; **en su ~** en majorité; **~ absoluta/relativa** majorité absolue/relative; **mayoría de edad** majorité.

mayorista [majo'rista] *nm/f* grossiste *m/f*.

mayoritario, -a [majori'tarjo, a] *adj* majoritaire.

mayúsculo, -a [ma'juskulo, a] *adj* (*susto*) terrible; (*error*) magistral(e) ♦ *nf* (*tb*: **letra mayúscula**) majuscule *f*.

mazapán [maθa'pan] *nm* pâte *f* d'amande.

mazmorra [maθ'morra] *nf* cachot *m*.

mazo ['maθo] *nm* maillet *m*; (*de mortero*) pilon *m*; (*naipes*) paquet *m*.

mazorca [ma'θorka] *nf* épi *m* de maïs.

me [me] *pron* me; (*en imperativo*) moi; **~ lo compró** il me l'a acheté; **¡dámelo!** donne-le-moi!

meandro [me'andro] *nm* méandre *m*.

mear [me'ar] (*fam*) *vt, vi* pisser; **mearse** *vpr* pisser; **~se de risa** pisser de rire.

Meca ['meka] *nf*: **La ~** La Mecque.

mecánico, -a [me'kaniko, a] *adj* mécanique ♦ *nm/f* mécanicien(ne) ♦ *nf* mécanique *f*.

mecanismo [meka'nismo] *nm* mécanisme *m*.

mecanizar [mekani'θar] *vt* mécaniser.

mecanografía [mekanoɣra'fia] *nf* dactylographie *f*.

mecanógrafo, -a [meka'noɣrafo, a] *nm/f* dactylo(graphe) *m/f*.

mecate [me'kate] (*AM*) *nm* corde *f*.

mecedor [meθe'ðor] (*AM*) *nm*, **mecedora** [meθe'ðora] *nf* fauteuil *m* à bascule.

mecenas [me'θenas] *nm inv* mécène *m*.

mecer [me'θer] *vt* balancer; **mecerse** *vpr* se balancer.

mecha ['metʃa] *nf* mèche *f*; **~s** *nfpl* (*en el pelo*) mèches *fpl*; **a toda ~** à toute allure.

mechero [me'tʃero] *nm* briquet *m*.

mechón [me'tʃon] *nm* (*de pelo*) mèche *f*; (*de lana*) brins *mpl*.

medalla [me'ðaʎa] *nf* médaille *f*.

media ['meðja] *nf* moyenne *f*; (*prenda de vestir*) bas *msg*; (*AM*) chaussette *f*.

mediación [meðja'θjon] *nf* médiation *f*.

mediado, -a [me'ðjaðo, a] *adj* (*botella*) à moitié plein(e); (*trabajo*) à moitié fait(e); **a ~s de** au milieu de.

mediano, -a [me'ðjano, a] *adj* moyen(ne) ♦ *nf* (*AUTO*) séparation *f*; **de tamaño ~** de taille moyenne; **el ~** celui du milieu.

medianoche [meðja'notʃe] *nf* minuit *m*.

mediante [me'ðjante] *adv* grâce à.

mediar [me'ðjar] *vi* servir d'intermédiaire; (*tiempo*) s'écouler; (*distancia*) séparer; (*problema: interponerse*) s'interposer; **media el hecho de que ...** il y a le fait que ...; **~ por algn** intercéder en faveur de qn; **entre ambos media un abismo** un abîme les sépare.

mediatizar [meðjati'θar] *vt* médiatiser.

medicación [meðika'θjon] *nf* (*acción*) prise *f* de médicaments; (*medicamentos*) médicaments *mpl*.
medicamento [meðika'mento] *nm* médicament *m*.
medicina [meði'θina] *nf* (*ciencia*) médecine *f*; (*medicamento*) médicament *m*; **estudiante de ~** étudiant(e) en médecine; **medicina general** médecine générale.
medicinal [meðiθi'nal] *adj* médicinal(e).
medición [meði'θjon] *nf* mesure *f*.
médico, -a ['meðiko, a] *adj* médical(e) ♦ *nm/f* médecin *m/f*; **médico de cabecera** médecin de famille; **médico forense** médecin légiste; **médico residente** interne *m/f*.
medida [me'ðiða] *nf* mesure *f*; (*de camisa etc*) taille *f*; **~s** *nfpl* (*de persona*) mesures *fpl*; **en cierta ~** dans une certaine mesure; **en gran ~** en grande partie; **un traje a la ~** un costume sur mesure; **~ de cuello** encolure *f*; **a ~ de mi** *etc* **capacidad/necesidad** dans la mesure de mes *etc* possibilités/besoins; **con ~** avec mesure; **sin ~** sans aucune mesure; **a ~ que ...** à mesure que ...; **en la ~ de lo posible** dans la mesure du possible; **tomar ~s** prendre des mesures.
medieval [meðje'βal] *adj* médiéval(e).
medio, -a ['meðjo, a] *adj* moyen(ne) ♦ *adv* à moitié ♦ *nm* milieu *m*; (*método*) moyen *m*; **~s** *nmpl* moyens *mpl*; **a medias** à moitié; **pagar a medias** partager les frais; **~ litro** un demi-litre; **media hora/docena/manzana** une demi-heure/douzaine/pomme; **las tres y media** trois heures et demie; **a ~ camino** à mi-chemin; **a media luz** dans la pénombre; **~ dormido/enojado** à moitié endormi/fâché; **a ~ terminar** à moitié fait; **en ~, entre medias** au milieu; **por ~ de** au moyen de; **(de) por ~** au milieu; **en los ~s financieros** dans les milieux financiers; **medio ambiente** environnement *m*; **medios de comunicación/transporte** moyens de communication/transport; **Medio Oriente** Moyen-Orient *m*.
medioambiental [meðjoambjen'tal] *adj* (*efectos*) sur l'environnement; (*pólitica*) écologique.
mediocre [me'ðjokre] (*pey*) *adj* médiocre.
mediodía [meðjo'ðia] *nm* midi *m*; **a ~** à midi.
mediopensionista [meðjopensjo'nista] *nm/f* demi-pensionnaire *m/f*.
medir [me'ðir] *vt* mesurer; **medirse** *vpr* se mesurer; **~ mal sus fuerzas** trop présumer de ses forces; **~ las palabras/acciones** (*fig*) mesurer ses paroles/actes; **¿cuánto mides? – mido 1.50 m** tu mesures combien? – je mesure 1 m 50; **~se con algn** se mesurer à qn.
meditabundo, -a [meðita'βundo, a] *adj* méditatif(-ive).
meditación [meðita'θjon] *nf* méditation *f*.
meditar [meði'tar] *vt* méditer ♦ *vi*: **~ (sobre)** méditer (sur).
mediterráneo, -a [meðite'rraneo, a] *adj* méditerranéen(ne) ♦ *nm*: **el (mar) M~** la (Mer) Méditerranée.
medrar [me'ðrar] *vi* réussir.
médula ['meðula] *nf* moelle *f*; **hasta la ~** (*fig*) jusqu'à la moelle; **médula espinal** moelle épinière.
medusa [me'ðusa] (*ESP*) *nf* méduse *f*.
megafonía [meɣafo'nia] *nf* sono *f*; (*técnica*) sonorisation *f*.
megáfono [me'ɣafono] *nm* porte-voix *m inv*.
mejicano, -a [mexi'kano, a] (*ESP*) *adj* mexicain(e) ♦ *nm/f* Mexicain(e).
Méjico ['mexiko] (*ESP*) *nm* Mexique *m*.
mejilla [me'xiʎa] *nf* joue *f*.
mejillón [mexi'ʎon] *nm* moule *f*.
mejor [me'xor] *adj* meilleur(e) ♦ *adv* mieux; **lo ~** le mieux; **en lo ~ de la vida** dans la fleur de l'âge; **será ~ que vayas** il vaut mieux que tu t'en ailles; **a lo ~** peut-être; **~ dicho** plutôt; **¡(tanto) ~!** tant mieux!; **es el ~ de todos** c'est le meilleur de tous; **~ vámonos** (*esp AM*: *fam*) allons-y; **tu, ~ te callas** (*esp AM*: *fam*) toi, tu ferais mieux de te taire.
mejora [me'xora] *nf* amélioration *f*.
mejorar [mexo'rar] *vt* améliorer ♦ *vi* s'améliorer; (*enfermo*) se rétablir; **mejorarse** *vpr* s'améliorer; (*paciente*) se rétablir; **mejorando lo presente** à l'exception des personnes ici-présentes; **¡que se mejore!** je vous souhaite un prompt rétablissement!
mejoría [mexo'ria] *nf* (*de enfermo*) rétablissement *m*; (*del tiempo*) amélioration *f*.
melancolía [melanko'lia] *nf* mélancolie *f*.
melancólico, -a [melan'koliko, a] *adj* mélancolique.
melena [me'lena] *nf* (*de persona*) chevelure *f*; (*de léon*) crinière *f*; **~s** *nfpl* (*pey*) tignasse *fsg*.
mella ['meʎa] *nf* ébréchure *f*; **hacer ~** (*fig*) ébranler.
mellizo, -a [me'ʎiθo, a] *adj, nm/f* jumeau(-elle); **~s** *nmpl* (*AM*) jumelles *fpl*; (*de ropa*) boutons *mpl* de manchette.
melocotón [meloko'ton] (*ESP*) *nm* pêche *f*.

melodía [melo'ðia] *nf* mélodie *f*.
melodrama [melo'ðrama] *nm* mélodrame *m*.
melón [me'lon] *nm* melon *m*.
meloso, -a [me'loso, a] (*pey*) *adj* mielleux(-euse).
membrana [mem'brana] *nf* membrane *f*.
membrete [mem'brete] *nm* en-tête *m*.
membrillo [mem'briʎo] *nm* (*fruto*) coing *m*; (*árbol*) cognassier *m*; (*tb*: **carne de ~**) confiture *f* de coings.
memo, -a ['memo, a] *adj* bête ♦ *nm/f* imbécile *m/f*.
memorable [memo'raβle] *adj* mémorable.
memorándum [memo'randum] *nm* (*libro*) mémo *m*; (*comunicación*) mémorandum *m*.
memoria [me'morja] *nf* mémoire *f*; (*informe*) rapport *m*; **~s** *nfpl* (*de autor*) mémoires *fpl*; **tener buena/mala ~** avoir une bonne/mauvaise mémoire; **~ anual** rapport annuel; **aprender/saber/recitar algo de ~** apprendre/savoir/réciter qch par cœur; **a la ~ de** à la mémoire de; **en ~ de** en mémoire de; **ahora que me viene a la ~** ça me revient; **memoria auxiliar/fija/fija programable** (*INFORM*) mémoire auxiliaire/morte/morte programmable; **memoria de acceso aleatorio** (*INFORM*) mémoire vive; **memoria del teclado** (*INFORM*) mémoire du clavier.
memorizar [memori'θar] *vt* mémoriser.
menaje [me'naxe] *nm* (*de cocina*) ustensiles *mpl* de cuisine; (*del hogar*) ustensiles de ménage.
mención [men'θjon] *nf* mention *f*; **digno de ~** digne de mention; **hacer ~ de** faire mention de; **mención especial del jurado** mention spéciale du jury.
mencionar [menθjo'nar] *vt* mentionner; **sin ~ ...** sans parler de ... .
mendigar [mendi'ɣar] *vt, vi* mendier.
mendigo, -a [men'diɣo, a] *nm/f* mendiant(e).
mendrugo [men'druɣo] *nm* quignon *m*.
menear [mene'ar] *vt* remuer; (*cadera*) balancer; **menearse** *vpr* remuer; (*al andar*) se déhancher; (*fam*) se manier.
menestra [me'nestra] *nf*: **~ de verduras** macédoine *f* de légumes (*parfois avec des morceaux de viande*).
mengano, -a [men'gano, a] *nm/f* un tel(une telle).
menguante [men'gwante] *adj* décroissant(e).
menguar [men'gwar] *vt* diminuer ♦ *vi* décroître; (*número*) réduire; (*días*) diminuer; (*marea*) descendre.
menopausia [meno'pausja] *nf* ménopause *f*.
menor [me'nor] *adj* (*más pequeño*: *compar*) plus petit(e); (*número*: *superl*) moindre; (*más joven*) plus jeune; (*MÚS*) mineur(e) ♦ *nm/f* (*tb*: **~ de edad**) mineur(e); **Juanito es ~ que Pepe** Juanito est plus jeune que Pepe; **ella es la ~ de todas** c'est la plus jeune de toutes; **no tengo la ~ idea** je n'en ai pas la moindre idée; **al por ~** au détail.
Menorca [me'norka] *nf* Minorque *f*.

PALABRA CLAVE

menos ['menos] *adv* **1** (*compar*) moins; **me gusta menos (que el otro)** je l'aime moins (que l'autre); **menos de 50** moins de 50; **menos de lo que esperaba** moins que je n'en attendais; **hay 7 de menos** il y en a 7 de moins

2 (*+ sustantivo*) moins de; **menos gente** moins de gens; **menos coches** moins de voitures

3 (*tras sustantivo*) de moins; **3 libros menos (que ayer)** 3 livres de moins (qu'hier)

4 (*superl*): **es la menos lista (de su clase)** c'est la moins intelligente (de sa classe); **el libro menos vendido** le livre le moins vendu; **de todas ellas es la que menos me agrada** c'est celle qui me plaît le moins parmi elles; **es el que menos culpa tiene** c'est celui qui est le moins coupable; **lo menos que ...** le moins que ...

5 (*locuciones*): **no quiero verle y menos visitarle** je ne veux pas le voir, encore moins lui rendre visite; **menos aun cuando ...** d'autant moins que ...; **¡menos mal (que ...)!** heureusement (que ...)!; **al** *o* **por lo menos** (tout) au moins; **si al menos ...** si seulement ...; **qué menos que entres y tomes un café** tu peux bien entrer prendre un café; **¡eso es lo de menos!** ça, c'est le moins important!

6 (*MAT*): **5 menos 2** 5 moins 2

♦ *prep* (*excepto*) sauf; **todos menos él** tous sauf lui

♦ *conj*: **a menos que**: **a menos que venga mañana** à moins qu'il ne vienne demain

♦ *nm* (*MAT*: *signo*) signe *m* moins.

menoscabo [menos'kaβo] *nm*: **ir en ~ de** porter atteinte à; **sin ~ de** sans porter atteinte à.
menospreciar [menospre'θjar] *vt* sous-estimer; (*despreciar*) mépriser.
mensaje [men'saxe] *nm* message *m*; **~ de error** (*INFORM*) message *m* d'erreur.
mensajero, -a [mensa'xero, a] *nm/f*

messager(-ère).
menstruación [menstrwa'θjon] *nf* menstruation *f*.
mensual [men'swal] *adj* mensuel(elle); **100 ptas ~es** 100 pesetas par mois.
menta ['menta] *nf* menthe *f*.
mental [men'tal] *adj* mental(e).
mentalidad [mentali'ðað] *nf* mentalité *f*.
mentalizar [mentali'θar] *vt* faire prendre conscience à; **mentalizarse** *vpr*: **~se (de/de que)** se faire à l'idée (de/que).
mentar [men'tar] *vt* mentionner; **~le la madre a algn** (*fam*) mettre qn plus bas que terre.
mente ['mente] *nf* esprit *m*; **tener en ~ (hacer)** avoir dans l'idée (de faire); **tener la ~ en blanco** avoir la tête vide.
mentecato, -a [mente'kato, a] *adj*, *nm/f* idiot(e).
mentir [men'tir] *vi* mentir; **¡miento!** que dis-je!
mentira [men'tira] *nf* mensonge *m*; **eso es ~** ce n'est pas vrai; **una ~ como una casa** (*fam*) un mensonge gros comme une maison; **parece ~ que ...** on ne dirait vraiment pas que ...; (*como reproche*) cela paraît incroyable que ...; **de ~** (*pistola*) pour rire; (*historia*) pour blaguer; **mentira piadosa** pieux mensonge.
mentiroso, -a [menti'roso, a] *adj*, *nm/f* menteur(-euse).
mentón [men'ton] *nm* menton *m*.
menú [me'nu] *nm* menu *m*; **guiado por ~** (*INFORM*) contrôlé par menu.
menudencia [menu'ðenθja] *nf* bricole *f*.
menudo, -a [me'nuðo, a] *adj* (*muy pequeño*) menu(e); (*sin importancia*) insignifiant(e); **¡~ negocio!** drôle d'affaire!; **¡~ chaparrón/lío!** quelle engueulade/histoire!; **¡~ sitio/actor!** (*pey*) drôle d'endroit/d'acteur!; **a ~** souvent.
meñique [me'ɲike] *nm* (*tb*: **dedo ~**) auriculaire *m*.
meollo [me'oʎo] *nm*: **el ~ del asunto** le fond du problème.
mercado [mer'kaðo] *nm* marché *m*; **Mercado Común** marché commun; **mercado de valores** marché des valeurs; **mercado exterior/interior** marché extérieur/intérieur; **mercado laboral** marché du travail; **mercado negro** marché noir.
mercancía [merkan'θia] *nf* marchandise *f*; **~s en depósito** marchandises en stock.
mercantil [merkan'til] *adj* commercial(e).
merced [mer'θeð] *nf*: **(estar) a ~ de** (être) à la merci de.
mercenario, -a [merθe'narjo, a] *adj*, *nm* mercenaire *m*.
mercería [merθe'ria] *nf* mercerie *f*; **artículos/sección de ~** mercerie.
mercurio [mer'kurjo] *nm* mercure *m*.
merecer [mere'θer] *vt* mériter; **merece la pena** ça vaut la peine.
merecido, -a [mere'θiðo, a] *adj* mérité(e); **recibir su ~** en prendre pour son grade.
merendar [meren'dar] *vt* prendre pour son goûter ♦ *vi* prendre son goûter; (*en el campo*) pique-niquer.
merendero [meren'dero] *nm* aire *f* de pique-nique.
merengue [me'renge] *nm* meringue *f*.
merezca *etc* [me'reθka] *vb V* **merecer**.
meridiano, -a [meri'ðjano] *adj*: **la explicación es de una claridad meridiana** l'explication est on ne peut plus claire ♦ *nm* méridien *m*.
meridional [meriðjo'nal] *adj* méridional(e).
merienda [me'rjenda] *vb V* **merendar** ♦ *nf* goûter *m*; (*en el campo*) pique-nique *m*; **~ de negros** foire *f* d'empoigne.
mérito ['merito] *nm* mérite *m*; **hacer ~s** se faire remarquer par son zèle; **restar ~ a** ôter tout mérite à.
merluza [mer'luθa] *nf* colin *m*; **coger una ~** (*fam*) prendre une cuite.
mermar [mer'mar] *vt* diminuer ♦ *vi* (*comida*) réduire; (*fortuna*) diminuer.
mermelada [merme'laða] *nf* confiture *f*.
mero, -a ['mero, a] *adj* simple; (*CAM, MÉX*: *fam*: *verdadero*) vrai(e); (: *principal*) principal(e); (: *exacto*) précis(e) ♦ *nm* (*ZOOL*) mérou *m* ♦ *adv* (*CAM, MÉX*: *fam*) précisément; **allí ~** là-bas précisément; **el ~ mero** (*MÉX*: *fam*) le grand manitou.
merodear [meroðe'ar] *vi*: **~ por (un lugar)** rôder dans (un endroit).
mes [mes] *nm* mois *msg*; **el ~ corriente** ce mois-ci; **llegar a fin de ~** joindre les deux bouts.
mesa ['mesa] *nf* table *f*; **poner/quitar la ~** mettre/débarrasser la table; **mesa de billar** table de billard; **mesa electoral** bureau *m* de vote; **mesa redonda** table ronde.
meseta [me'seta] *nf* plateau *m*.
mesilla [me'siʎa] *nf* (*tb*: **~ de noche**) table *f* de nuit.
mesón [me'son] *nm* restaurant *m*.
mestizo, -a [mes'tiθo, a] *adj*, *nm/f* métis(-isse).
mesura [me'sura] *nf* (*moderación*) mesure *f*; (*en trato con gente*) réserve *f*.
meta ['meta] *nf* but *m*.
metabolismo [metaβo'lismo] *nm* métabolisme *m*.

metafísico, -a [meta'fisiko, a] *adj* métaphysicien(ne).
metáfora [me'tafora] *nf* métaphore *f*.
metal [me'tal] *nm* métal *m*; (*MÚS*) cuivres *mpl*.
metálico, -a [me'taliko, a] *adj* métallique ♦ *nm*: **en ~** en espèces.
metalurgia [meta'lurxja] *nf* métallurgie *f*.
metalúrgico, -a [meta'lurxiko, a] *adj* métallurgique.
metamorfosis [metamor'fosis] *nf inv* métamorphose *f*.
metedura [mete'ðura] *nf*: **~ de pata** (*fam*) gaffe *f*.
meteórico, -a [mete'oriko, a] *adj* météorique.
meteorito [meteo'rito] *nm* météorite *m ou f*.
meteoro [mete'oro] *nm* météore *m*; **como un ~** comme un éclair.
meteorología [meteorolo'xia] *nf* météorologie *f*.
meteorológico, -a [meteoro'loxiko, a] *adj* météorologique.
meter [me'ter] *vt* mettre; (*involucrar*) mêler; (*COSTURA*) raccourcir; (*miedo*) faire; (*paliza*) flanquer; (*marchas*: *AUTO*) mettre, passer; **meterse** *vpr*: **~se en** (*un lugar*) entrer dans; (*negocios, política*) se lancer dans; (*entrometerse*) se mêler de; **~ algo en** *o* (*esp AM*) **a** mettre qch dans; **~ ruido** faire du bruit; **~ una mentira** glisser un mensonge; **~ prisa a algn** bousculer qn; **~se a hacer algo** se mettre à faire qch; **~se a escritor** se lancer dans la littérature; **~se con algn** s'en prendre à qn; (*en broma*) taquiner qn; **~se en todo/donde no le llaman** se mêler de tout/de ce qui ne le regarde pas.
meticuloso, -a [metiku'loso, a] *adj* méticuleux(-euse).
metódico, -a [me'toðiko, a] *adj* méthodique.
metodista [meto'ðista] *adj* méthodiste.
método ['metoðo] *nm* méthode *f*; **con ~** avec méthode.
metodología [metoðolo'xia] *nf* méthodologie *f*.
metralla [me'traʎa] *nf* mitraille *f*.
metralleta [metra'ʎeta] *nf* mitraillette *f*.
métrico, -a ['metriko, a] *adj* métrique ♦ *nf* (*LIT*) métrique *f*; **cinta métrica** mètre-ruban *m*.
metro ['metro] *nm* mètre *m*; (*tren*: *tb*: **~politano**) métro *m*; **~ cuadrado/cúbico** mètre carré/cube.
metrópoli [me'tropoli] *nf* métropole *f*.
mexicano, -a [mexi'kano, a] (*AM*) *adj* mexicain(e) ♦ *nm/f* Mexicain(e).
México ['mexiko] (*AM*) *nm* Mexique *m*; **Ciudad de ~** Mexico.
mezcal [meθ'kal] (*MÉX*) *nm* mescal *m*.
mezcla ['meθkla] *nf* mélange *m*.
mezclar [meθ'klar] *vt* mélanger; (*cosas, ideas dispares*) mêler; **mezclarse** *vpr* se mélanger; **~ a algn en** (*pey*) mêler qn à; **~se en algo** (*pey*) se mêler de qch; **~se con algn** (*pey*) fréquenter qn.
mezquino, -a [meθ'kino, a] *adj* mesquin(e).
mezquita [meθ'kita] *nf* mosquée *f*.
mi [mi] *adj* mon(ma) ♦ *nm* (*MÚS*) mi *m*; **~ hijo** mon fils; **mis hijos** mes enfants.
mí [mi] *pron* moi; **¿y a ~ qué?** qu'est-ce que ça peut bien me faire à moi?; **para ~ que ...** à mon avis ...; **por ~ no hay problema** pour ma part il n'y a pas de problème; **por ~ mismo** de moi-même.
miaja ['mjaxa] *nf* miette *f*; **ni una ~** que dalle.
miau [mjau] *nm* miaou *m*.
michelín [mitʃe'lin] *nm* bourrelet *m*.
micro ['mikro] *nm* micro *m*; (*AM*: *microordenador*) micro-ordinateur *m*; (: *microbús*) minibus *msg*; (*ARG*) autocar *m* ♦ *nf* (*a veces nm*: *CHI*) minibus.
microbio [mi'kroβjo] *nm* microbe *m*.
microclima [mikro'klima] *nm* microclimat *m*.
microfilm [mikro'film] *nm* microfilm *m*.
micrófono [mi'krofono] *nm* microphone *m*.
microondas [mikro'ondas] *nm inv* (*tb*: **horno ~**) four *m* à micro-ondes.
microscopio [mikros'kopjo] *nm* microscope *m*.
midiendo *etc* [mi'ðjendo] *vb V* **medir**.
miedo ['mjeðo] *nm* peur *f*; **meter ~ a** faire peur à; **tener ~** avoir peur; **tener ~ de que** avoir peur que; **de ~** (*fam*) terrible; **esa chica está de ~** cette fille est sublime; **pasarlo de ~** s'en donner à cœur joie; **me da ~** cela me fait peur; **me da ~ pensarlo/perderlo** je tremble à cette idée/à l'idée de le perdre.
miedoso, -a [mje'ðoso, a] *adj* peureux(-euse).
miel [mjel] *nf* miel *m*.
miembro ['mjembro] *nm* membre *m*; **miembro viril** membre viril.
mientes ['mjentes] *vb V* **mentar; mentir** ♦ *nfpl*: **no parar ~ en** ne pas s'arrêter sur.
mientras ['mjentras] *conj* pendant que ♦ *adv* en attendant; **~ viva/pueda** tant que je vivrai/pourrai; **~ que** tandis que; **~ tanto** entre-temps; **~ más tiene, más**

quiere (*esp AM*) plus on en a, plus on en veut.

miércoles ['mjerkoles] *nm inv* mercredi *m*; ~ **de ceniza** mercredi des Cendres; *V tb* **sábado**.

mierda ['mjerða] (*fam!*) *nf* merde *f* (*fam!*); **ser una** ~ (*pey*) être de la merde; **¡vete a la ~!** va te faire voir!; **¡~!** merde!; **de** ~ de merde, merdique.

mies [mjes] *nf* moisson *f*; **~es** *nfpl* (*campos*) moissons *fpl*.

miga ['miɣa] *nf* mie *f*; (*una miga*) miette *f*; **hacer buenas ~s** (*fam*) faire bon ménage; **estar hecho ~s** (*fam*) être lessivé; **esto tiene** ~ ce n'est pas rien.

migaja [mi'ɣaxa] *nf* miette *f*; **~s** *nfpl* (*pey: sobras*) restes *mpl*.

migratorio, -a [miɣra'torjo, a] *adj* (*ave*) migrateur(-trice); (*movimientos*) migratoire.

mil [mil] *adj, nm* mille *m*; **dos ~ libras** deux milles livres; **~es de veces** des milliers de fois.

milagro [mi'laɣro] *nm* miracle *m*; **de** ~ par miracle; **hacer ~s** faire des miracles.

milagroso, -a [mila'ɣroso, a] *adj* miraculeux(-euse).

milano [mi'lano] *nm* milan *m*.

milenario, -a [mile'narjo, a] *adj, nm* millénaire *m*.

milenio [mi'lenjo] *nm* millénaire *m*.

milésimo, -a [mi'lesimo, a] *adj, nm/f* millième *m*.

mili ['mili] *nf*: **la** ~ (*fam*) le service (militaire); **hacer la** ~ faire son service.

milico [mi'liko] (*AND, CSUR: pey*) *nm* (*policía*) flic *m*; (*soldado*) troufion *m*.

milímetro [mi'limetro] *nm* millimètre *m*.

militante [mili'tante] *adj, nm/f* militant(e).

militar [mili'tar] *adj, nm/f* militaire *m* ♦ *vi*: ~ **en** (*POL*) militer dans; **los ~es** les militaires *mpl*, l'armée *f*.

milla ['miʎa] *nf* mille *m*; ~ **marina** mille *m* marin.

millar [mi'ʎar] *nm* millier *m*; **a ~es** par milliers.

millón [mi'ʎon] *nm* million *m*.

millonario, -a [miʎo'narjo, a] *adj, nm/f* millionnaire *m/f*.

mimar [mi'mar] *vt* gâter.

mimbre ['mimbre] *nm o f* osier *m*; **de** ~ en osier.

mímica ['mimika] *nf* mimique *f*.

mimo ['mimo] *nm* (*gesto cariñoso*) mamours *mpl*; (*en trato con niños: pey*) indulgence *f*; (*TEATRO*) mime *m*; **un trabajo hecho con** ~ un travail fait avec amour.

mina ['mina] *nf* mine *f*; **ese negocio es una** ~ c'est une affaire en or; **ese actor es una** ~ cet acteur vaut de l'or.

minar [mi'nar] *vt* miner.

mineral [mine'ral] *adj* minéral(e) ♦ *nm* minéral *m*.

minero, -a [mi'nero, a] *adj* minier(-ière) ♦ *nm/f* mineur *m*.

miniatura [minja'tura] *nf* miniature *f*; **en** ~ en miniature.

minifalda [mini'falda] *nf* mini-jupe *f*.

minifundio [mini'fundjo] *nm* petite propriété *f*.

mínimo, -a ['minimo, a] *adj* (*temperatura, salario*) minimal(e); (*detalle, esfuerzo*) minime ♦ *nm* minimum *m* ♦ *nf* (*tb*: **temperatura mínima**); température *f* minimale; **lo ~ que puede hacer** le moins qu'il puisse faire; **como** ~ au minimum; **en lo más** ~ le moins du monde.

ministerio [minis'terjo] *nm* ministère *m*; **M~ de Asuntos Exteriores/de Comercio e Industria** ministère des Affaires étrangères/du Commerce et de l'Industrie; **M~ del Interior/de Hacienda** ministère de l'Intérieur/des Finances.

ministro, -a [mi'nistro, a] *nm/f* ministre *m*.

minoría [mino'ria] *nf* minorité *f*.

minorista [mino'rista] *nm* détaillant *m*.

minucioso, -a [minu'θjoso, a] *adj* minutieux(-euse).

minúsculo, -a [mi'nuskulo, a] *adj* minuscule.

minusválido, -a [minus'βaliðo, a] *adj, nm/f* handicapé(e).

minutero [minu'tero] *nm* aiguille *f* des minutes.

minuto [mi'nuto] *nm* minute *f*.

Miño ['miɲo] *nm*: **el (río)** ~ le Minho.

mío, -a ['mio, a] *adj* mien(-enne) ♦ *pron* le mien(la mienne); **un amigo** ~ un de mes amis; **lo** ~ ce qui m'appartient; **los ~s** les miens.

miope ['mjope] *adj* myope.

miopía [mjo'pia] *nf* myopie *f*.

mira ['mira] *nf* (*de arma*) viseur *m*; **con la ~ de (hacer)** dans le but de (faire); **con ~s a (hacer)** en vue de (faire); **de amplias/estrechas ~s** large/étroit(e) d'esprit.

mirada [mi'raða] *nf* regard *m*; (*momentánea*) coup *m* d'œil; **echar una ~ a** jeter un coup d'œil à; **levantar/bajar la** ~ lever/baisser les yeux; **resistir la ~ de algn** soutenir le regard de qn; **mirada de soslayo** regard de travers; **mirada fija** regard fixe; **mirada perdida** regard dans le vague.

mirador [mira'ðor] *nm* mirador *m*.

miramiento [mira'mjento] *nm* égards

mpl; **tratar sin ~(s) a algn** traiter qn sans égards.
mirar [mi'rar] *vt* regarder; (*considerar*) penser à ♦ *vi* regarder; (*suj*: *ventana etc*) donner sur; **mirarse** *vpr* se regarder; ~ **algo/a algn de reojo** regarder qch/qn du coin de l'œil; ~ **algo por encima** survoler qch; ~ **algo/a algn por encima del hombro** regarder qch/qn par dessus son épaule; ~ **(hacia/por)** regarder (vers/par); ~ **(en/por)** veiller (à); ~ **fijamente** regarder fixement; ~ **por la ventana** regarder par la fenêtre; **mira a ver si está ahí** regarde s'il y est; ~ **bien/mal a algn** apprécier/ne pas apprécier qn; **mirándolo bien, ...** réflexion faite, ...; ~ **por algn/algo** veiller sur qn/qch; **~se al espejo** se regarder dans le miroir; **~se a los ojos** se regarder dans les yeux.
mirilla [mi'riʎa] *nf* judas *msg*.
mirlo ['mirlo] *nm* merle *m*.
misa ['misa] *nf* messe *f*; **lo que él dice va a** ~ ce qu'il dit est parole d'évangile; **misa de difuntos/del gallo** messe des morts/de minuit.
miserable [mise'raβle] *adj, nm/f* misérable *m/f*.
miseria [mi'serja] *nf* misère *f*; (*tacañería*) mesquinerie *f*; **una** ~ (*muy poco*) une misère; **hundir(se) en la** ~ être au trente-sixième dessous.
misericordia [miseri'korðja] *nf* miséricorde *f*.
misil [mi'sil] *nm* missile *m*.
misión [mi'sjon] *nf* mission *f*; **misiones** *nfpl* (REL) missions *fpl*.
misionero, -a [misjo'nero, a] *nm/f* missionnaire *m/f*.
mismísimo, -a [mis'misimo, a] *adj superl* en personne.
mismo, -a ['mismo, a] *adj*: **el ~ libro/apellido** le même livre/nom de famille; (*con pron personal*): **mi** *etc* ~ moi *etc* même ♦ *adv*: **aquí/hoy** ~ (*dando énfasis*) ici/aujourd'hui même; (*por ejemplo*) par exemple ici/aujourd'hui; **ayer** ~ pas plus tard qu'hier; *conj*: **lo ~ que** de même que; **el ~ color** la même couleur; **ahora** ~ à l'instant; **por lo** ~ du coup; **lo hizo por sí** ~ il l'a fait de lui-même; **en ese ~ momento** à ce moment-là; **vino el ~ Ministro** le ministre en personne est venu; **yo ~ lo vi** je l'ai vu de mes propres yeux; **quiero lo** ~ je veux la même chose; **es** *o* **da lo** ~ peu importe; **lo ~ viene** rien ne dit qu'il ne viendra pas, il peut très bien venir; **quedamos en las mismas** nous en sommes au même point; **volver a las mismas** en revenir où on en était; ~ **que** (MÉX: *esp en prensa*) qui; **detuvieron al ladrón, ~ que fue trasladado a la cárcel** ils ont arrêté le voleur qui a été conduit en prison.
misógino [mi'soxino] *nm* misogyne *m*.
miss [mis] *nf* miss *f*.
misterio [mis'terjo] *nm* mystère *m*; **hacer algo con (mucho)** ~ faire qch en (grand) secret.
misterioso, -a [miste'rjoso, a] *adj* mystérieux(-euse).
místico, -a ['mistiko, a] *adj, nm* mystique *m* ♦ *nf* (REL) mystique *f*; (LIT) littérature *f* mystique.
mitad [mi'tað] *nf* moitié *f*; (*centro*) milieu *m*; ~ **y** ~ moitié moitié; **a ~ de precio** à moitié prix; **en** *o* **a ~ del camino** à mi-chemin; **cortar por la** ~ partager en deux.
mítico, -a ['mitiko, a] *adj* mythique.
mitigar [miti'ɣar] *vt* atténuer.
mitin ['mitin] *nm* (*esp* POL) meeting *m*.
mito ['mito] *nm* mythe *m*.
mitología [mitolo'xia] *nf* mythologie *f*.
mixto, -a ['miksto, a] *adj* mixte; (*ensalada*) composé(e).
M.° *abr* = *Ministerio*.
mobiliario [moβi'ljarjo] *nm* mobilier *m*.
mocasín [moka'sin] *nm* mocassin *m*.
mochila [mo'tʃila] *nf* sac *m* à dos.
moción [mo'θjon] *nf* motion *f*; ~ **de censura** motion de censure.
moco ['moko] *nm* morve *f*; **limpiarse los ~s** se moucher; **no es ~ de pavo** ce n'est pas rien.
mocoso, -a [mo'koso, a] (*fam*: *pey*) *nm/f* morveux(-euse).
moda ['moða] *nf* mode *f*; **estar de** ~ être à la mode; **pasado de** ~ démodé(e); **ir a la** ~ suivre la mode.
modales [mo'ðales] *nmpl* manières *fpl*; **buenos** ~ bonnes manières.
modalidad [moðali'ðað] *nf* modalité *f*.
modelar [moðe'lar] *vt* modeler.
modelo [mo'ðelo] *adj inv* modèle ♦ *nm/f* modèle *m*; (*en moda, publicitario*) mannequin *m* ♦ *nm* (*a imitar*) modèle.
módem ['moðem] *nm* modem *m*.
moderación [moðera'θjon] *nf* modération *f*.
moderar [moðe'rar] *vt* modérer; **moderarse** *vpr*: **~se (en)** se modérer (dans).
modernizar [moðerni'θar] *vt* moderniser; **modernizarse** *vpr* se moderniser.
moderno, -a [mo'ðerno, a] *adj* moderne.
modestia [mo'ðestja] *nf* modestie *f*.
modesto, -a [mo'ðesto, a] *adj* modeste.
módico, -a ['moðiko, a] *adj* modique.
modificar [moðifi'kar] *vt* modifier.

modismo [mo'ðismo] *nm* (*LING*) idiotisme *m*.
modisto, -a [mo'ðisto, a] *nm/f* couturier(-ère).
modo ['moðo] *nm* (*manera*) manière *f*; (*INFORM, MÚS, LING*) mode *f*; **~s** *nmpl* (*modales*): **buenos/malos ~s** bonnes/mauvaises manières; **"~ de empleo"** "mode d'emploi"; **a ~ de** en guise de; **de cualquier ~** de n'importe quelle manière; **de este ~** de cette façon; **de ningún ~** en aucune façon; **de todos ~s** de toute manière; **de un ~ u otro** d'une façon ou de l'autre; **en cierto ~** d'une certaine manière; **de ~ que** de sorte que.
modorra [mo'ðorra] *nf* léthargie *f*.
modoso, -a [mo'ðoso, a] *adj* sage.
modular [moðu'lar] *vt* moduler.
módulo ['moðulo] *nm* module *m*.
mofarse [mo'farse] *vpr*: **~ de** se moquer de.
moflete [mo'flete] *nm* bajoue *f*.
mogollón [moɣo'ʎon] (*fam*) *nm*: **(un) ~ de cosas/gente** (une) flopée de choses/gens ♦ *adv* vachement.
mohín [mo'in] *nm* grimace *f*.
mohíno, -a [mo'ino, a] *adj* fâché(e).
moho ['moo] *nm* (*en pan etc*) moisi *m*; (*en metal*) rouille *f*.
mohoso, -a [mo'oso, a] *adj* (*pan*) moisi(e); (*metal*) rouillé(e).
mojar [mo'xar] *vt* mouiller; **mojarse** *vpr* se mouiller; **~ el pan en el café/en salsa** tremper son pain dans le café/dans la sauce.
mojón [mo'xon] *nm* borne *f*; **mojón kilométrico** borne kilométrique.
molar [mo'lar] *nm* molaire *f* ♦ *vt* (*fam*): **lo que más me mola es ...** ce qui me botte le plus, c'est ... ♦ *vi* (*fam*): **esa cazadora/ir en moto mola (mucho)** ce blouson/me balader à moto me botte (beaucoup).
molde ['molde] *nm* moule *m*; (*TIP*) forme *f*; **romper ~s** rompre les schémas traditionnels.
moldeado [molde'aðo] *nm* mise *f* en plis.
moldear [molde'ar] *vt* mouler; (*carácter*) modeler.
mole ['mole] *nf* masse *f* ♦ *nm* (*MÉX*) (sorte *f* de viande en) daube *f*.
molécula [mo'lekula] *nf* molécule *f*.
moler [mo'ler] *vt* moudre; (*cansar*) crever; **~ a algn a palos** rouer qn de coups.
molestar [moles'tar] *vt* (*suj*: *olor, ruido*) gêner; (: *visitas, niño*) déranger; (: *zapato, herida*) faire mal à; (: *comentario, actitud*) vexer ♦ *vi* (*visitas, niño*) déranger; **molestarse** *vpr* se déranger; (*ofenderse*) se vexer; **¿le molesta el humo?** la fumée vous dérange?; **me molesta tener que hacerlo** cela m'ennuie de devoir faire cela; **siento ~le** je regrette de vous déranger; **~se (en)** prendre la peine (de).
molestia [mo'lestja] *nf* gêne *f*; (*MED*) douleur *f*; **tomarse la ~ de** prendre la peine de; **no es ninguna ~** cela ne me dérange pas du tout, je vous en prie; **"perdonen las ~s"** "veuillez nous excuser pour le désagrément".
molesto, -a [mo'lesto, a] *adj* gênant(e), désagréable; **estar ~** (*MED*) se sentir mal; (*enfadado*) être fâché(e); **estar ~ con algn** ne pas être à l'aise avec qn.
molido, -a [mo'liðo, a] *adj*: **estar ~** être crevé(e).
molinillo [moli'niʎo] *nm*: **~ de café** moulin *m* à café.
molino [mo'lino] *nm* moulin *m*.
molusco [mo'lusko] *nm* mollusque *m*.
momentáneo, -a [momen'taneo, a] *adj* momentané(e).
momento [mo'mento] *nm* moment *m*; **es el/no es el ~ de (hacer)** c'est/ce n'est pas le moment de (faire); **en estos ~s** en ce moment; **un buen/mal ~** un bon/mauvais moment; **al ~** sur le champ; **a cada ~** à tout moment; **en un ~** en un instant; **de ~** pour le moment; **del ~ (actual)** du moment; **por el ~** pour le moment; **de un ~ a otro** d'un moment à l'autre; **por ~s** par moments.
momia ['momja] *nf* momie *f*.
mona ['mona] *nf* (*fam*) cuite *f*; (*VEN*) mijaurée *f*; **dormir la ~** cuver (son vin); *V tb* **mono**.
Mónaco ['monako] *nm* Monaco *m*.
monada [mo'naða] *nf* bijou *m*; **¡qué ~!** quel bijou!
monaguillo [mona'ɣiʎo] *nm* enfant *m* de chœur.
monarca [mo'narka] *nm* monarque *m*; **los ~s** le roi et la reine.
monarquía [monar'kia] *nf* monarchie *f*.
monárquico, -a [mo'narkiko, a] *adj* monarchique ♦ *nm/f* monarchiste *m/f*.
monasterio [monas'terjo] *nm* monastère *m*.
mondar [mon'dar] *vt* éplucher; **mondarse** *vpr*: **~se de risa** (*fam*) se tordre de rire.
moneda [mo'neða] *nf* (*unidad monetaria*) monnaie *f*; (*pieza*) pièce *f* de monnaie; **una ~ de 5 pesetas** une pièce de 5 pesetas; **es ~ corriente** c'est monnaie courante; **moneda de curso legal** monnaie au cours légal; **moneda extranjera** monnaie

étrangère.

monedero [mone'ðero] *nm* porte-monnaie *m inv*.

monetario, -a [mone'tarjo, a] *adj* monétaire.

mongólico, -a [mon'goliko, a] *nm/f* mongolien(ne).

monigote [moni'ɣote] *nm* (*dibujo*) dessin *m*; (*de papel*) bonhomme *m*; (*persona: pey*) pantin *m*.

monitor, a [moni'tor, a] *nm/f* moniteur(-trice) ♦ *nm* (*TV, INFORM*) moniteur *m*; ~ **en color** écran *m* couleur.

monja ['monxa] *nf* religieuse *f*.

monje ['monxe] *nm* moine *m*.

mono, -a ['mono, a] *adj* beau(belle); (*COL*) blond(e) ♦ *nm/f* singe(guenon) ♦ *nm* (*prenda: entera*) bleu *m* de travail; (*: con peto*) salopette *f*.

monografía [monoɣra'fia] *nf* monographie *f*.

monólogo [mo'noloɣo] *nm* monologue *m*.

monopatín [monopa'tin] *nm* planche *f* à roulettes.

monopolio [mono'poljo] *nm* monopole *m*; ~ **estatal** monopole d'État.

monopolizar [monopoli'θar] *vt* monopoliser.

monotonía [monoto'nia] *nf* monotonie *f*.

monótono, -a [mo'notono, a] *adj* monotone.

monseñor [monse'ɲor] *nm* monseigneur *m*.

monstruo ['monstrwo] *nm* monstre *m*; ~ **de la música** monstre sacré de la musique.

monstruoso, -a [mons'trwoso, a] *adj* monstrueux(-euse).

monta ['monta] *nf*: **de poca** ~ sans importance.

montacargas [monta'karɣas] *nm inv* monte-charge *m inv*.

montaje [mon'taxe] *nm* montage *m*; (*pey: historia falsa*) mise *f* en scène.

montaña [mon'taɲa] *nf* montagne *f*; (*AM*) forêt *f*; (*de ropa, problemas*) tas *msg*; **montaña rusa** montagne russe.

montañero, -a [monta'ɲero, a] *nm/f* alpiniste *m/f*.

montañismo [monta'ɲismo] *nm* alpinisme *m*.

montañoso, -a [monta'ɲoso, a] *adj* montagneux(-euse).

montar [mon'tar] *vt, vi* monter; **montarse** *vpr* (*en vehículo*) monter; ~ **un número** *o* **numerito** faire son numéro; ~ **a caballo** monter à cheval; **botas de** ~ bottes *fpl* d'équitation; ~ **en cólera** se mettre en colère; **ir montado en autobús/bicicleta** être en autobus/bicyclette.

monte ['monte] *nm* mont *m*; (*área sin cultivar*) bois *msg*; **monte alto** futaie *m*; **monte bajo** maquis *msg*; **monte de piedad** mont de piété.

montón [mon'ton] *nm* tas *msg*; (*de gente, dinero*) flopée *f*; **a montones** en masse; **del** ~ de la masse.

montura [mon'tura] *nf* monture *f*; (*silla de montar*) selle *f*; (*arreos*) harnais *msg*.

monumento [monu'mento] *nm* monument *m*.

monzón [mon'θon] *nm* mousson *f*.

moña ['moɲa] (*fam*) *nf* cuite *f*.

moño ['moɲo] *nm* chignon *m*; **estar hasta el** ~ (*fam*) en avoir plein le dos.

moqueta [mo'keta] *nf* moquette *f*.

mora ['mora] *nf* (*BOT*) mûre *f*; **en** ~ (*COM*) en retard.

morada [mo'raða] *nf* demeure *f*.

morado, -a [mo'raðo, a] *adj* violet(-ette) ♦ *nm* violet *m*; **pasar las moradas** en voir de toutes les couleurs; **ponerse** ~ **(a algo)** se gaver (de qch).

moral [mo'ral] *adj* moral(e) ♦ *nf* morale *f*; (*ánimo*) moral *m* ♦ *nm* (*BOT*) mûrier *m*; **tener baja la** ~ ne pas avoir le moral.

moraleja [mora'lexa] *nf* morale *f*.

moralidad [morali'ðað] *nf* moralité *f*.

morar [mo'rar] *vi* demeurer.

moratón [mora'ton] (*fam*) *nm* bleu *m*.

moratoria [mora'torja] *nf* moratoire *m*; **moratoria nuclear** moratoire nucléaire.

morbo ['morβo] (*fam*) *nm*, **morbosidad** [morβosi'ðað] *nf* curiosité *f* morbide.

morboso, -a [mor'βoso, a] *adj* morbide.

morcilla [mor'θiʎa] *nf* (*CULIN*) ≈ boudin *m* noir; **¡que le den ~!** qu'il aille se faire voir!

mordaz [mor'ðaθ] *adj* (*crítica*) sévère.

mordaza [mor'ðaθa] *nf* bâillon *m*.

morder [mor'ðer] *vt, vi* mordre; **morderse** *vpr* se mordre; **está que muerde** il n'est pas à prendre avec des pincettes; **~se las uñas** se ronger les ongles; **~se la lengua** se mordre la langue.

mordida [mor'ðiða] (*AM: fam*) *nf* dessous *msg* de table.

mordisco [mor'ðisko] *nm* petite morsure *f*.

mordisquear [morðiske'ar] *vt* mordiller.

moreno, -a [mo'reno, a] *adj* brun(e); (*de pelo*) mat(e); (*negro*) noir(e) ♦ *nm/f* brun(e); (*negro*) noir(e); **estar** ~ être bronzé(e); **ponerse** ~ se bronzer.

morfina [mor'fina] *nf* morphine *f*.

morgue ['morɣe] (*AM*) *nf* morgue *f*.

moribundo, -a [mori'βundo, a] *adj, nm/f*

moribond(e).

morir [mo'rir] *vi* mourir; (*olas, día*) se mourir; (*camino, río*) finir; **morirse** *vpr* mourir; **fue muerto a tiros/en un accidente** il a été tué par balles/dans un accident; ~ **de frío/hambre** mourir de froid/faim; **¡me muero de hambre!** je meurs de faim!; **~se de envidia/de ganas/de vergüenza** mourir de jalousie/ d'envie/de honte; **se muere por ella** il est fou d'elle; **se muere por comprar una moto** il meurt d'envie d'acheter une moto.

mormón, -ona [mor'mon, ona] *nm/f* mormon(e).

moro, -a ['moro, a] *adj* maure(mauresque) ♦ *nm/f* Maure(Mauresque); **¡hay ~s en la costa!** faites gaffe!, vingt-deux!

morocho, -a [mo'rotʃo, a] *adj* (*AND, CSUR*) brun(e); ~s *nmpl* (*VEN*) jumeaux *mpl*.

moroso, -a [mo'roso, a] *adj* retardataire ♦ *nm* (*COM*) mauvais payeur *m*.

morriña [mo'rriɲa] *nf* mal *m* du pays, nostalgie *f*.

morro ['morro] *nm* museau *m*; (*AUTO, AVIAT*) devant *m*; **beber a ~** boire au goulot; **estar de ~s (con algn)** faire la gueule (à qn); **tener mucho ~** (*fam*) avoir du toupet.

morrocotudo, -a [morroko'tuðo, a] *adj* carabiné(e).

morsa ['morsa] *nf* (*ZOOL*) morse *m*.

morse ['morse] *nm* morse *m*.

mortadela [morta'ðela] *nf* mortadelle *f*.

mortal [mor'tal] *adj, nm/f* mortel(-elle).

mortalidad [mortali'ðað] *nf* mortalité *f*.

mortero [mor'tero] *nm* mortier *m*.

mortífero, -a [mor'tifero, a] *adj* meurtrier(-ère).

mortificar [mortifi'kar] *vt* mortifier; **mortificarse** *vpr* se mortifier.

mortuorio, -a [mor'tworjo, a] *adj* mortuaire.

mosaico [mo'saiko] *nm* mosaïque *f*.

mosca ['moska] *nf* mouche *f*; **por si las ~s** au cas où; **estar ~** être sur le qui-vive; **tener la ~ en** *o* **detrás de la oreja** avoir la puce à l'oreille.

moscardón [moskar'ðon], **moscón** [mos'kon] *nm* (*ZOOL*) frelon *m*; (*pey*) crampon *m*.

Moscú [mos'ku] *n* Moscou.

mosquear [moske'ar] (*fam*) *vt* (*hacer sospechar*) faire soupçonner; (*fastidiar*) agacer; **mosquearse** (*fam*) *vpr* se vexer.

mosquita [mos'kita] *nf*: ~ **muerta** sainte nitouche *f*.

mosquito [mos'kito] *nm* moustique *m*.

mostaza [mos'taθa] *nf* moutarde *f*.

mosto ['mosto] *nm* moût *m*.

mostrador [mostra'ðor] *nm* comptoir *m*.

mostrar [mos'trar] *vt* montrer; (*el camino*) montrer, indiquer; (*explicar*) expliquer; **mostrarse** *vpr*: **~se amable** se montrer aimable; ~ **en pantalla** (*INFORM*) visualiser.

mota ['mota] *nf* poussière *f*; (*en tela: dibujo*) nœud *m*.

mote ['mote] *nm* surnom *m*; (*AND, CHI*) maïs *msg* cuit.

motín [mo'tin] *nm* mutinerie *f*; (*del pueblo*) émeute *f*.

motivar [moti'βar] *vt* motiver, encourager, stimuler; **(no) estar/sentirse motivado (para hacer)** (ne pas) avoir le cœur (de faire).

motivo [mo'tiβo] *nm* motif *m*; **con ~ de** en raison de; **sin ~** sans raison; **no tener ~s para (hacer/estar)** ne pas avoir de raison de (faire/être).

moto ['moto], **motocicleta** [motoθi'kleta] *nf* moto *f*.

motocrós [moto'kros] *nm* motocross *m*.

motor, a [mo'tor, a] *adj* moteur(-trice) ♦ *nm* moteur *m*; ~ **a** *o* **de reacción/de explosión** moteur à réaction/à explosion ♦ *nf* canot *m*.

motorista [moto'rista] *nm/f* motard *m*; (*esp AM*) chauffeur *m*.

motriz [mo'triz, a] *adj* motrice.

movedizo, -a [moβe'ðiθo, a] *adj*: **arenas movedizas** sables *mpl* mouvants.

mover [mo'βer] *vt* bouger; (*máquina*) mettre en marche; (*asunto*) activer; **moverse** *vpr* se déplacer; (*tierra*) glisser; (*con impaciencia*) gigoter; (*para conseguir algo*) se remuer; ~ **a algn a hacer** (*inducir*) pousser qn à faire; ~ **a compasión/risa** faire pitié/rire; **¡muévete!** magne-toi!, grouille-toi!; ~ **la cabeza** (*para negar*) hocher la tête de droite à gauche; (*para asentir*) hocher la tête de haut en bas.

movida [mo'βiða] *nf* (*fam: acontecimiento*) ramdam *m*, bamboula *f*; (*: asunto*) affaire *f*; **¡qué ~!** (*fam*) quel tapage!; **la ~ madrileña** la "movida" *o* "nuit" madrilène.

movido, -a [mo'βiðo, a] *adj* (*FOTO*) flou(e); (*persona*) actif(-ive); (*día*) agité(e).

móvil ['moβil] *adj* mobile; (*pieza de máquina*) roulant(e) ♦ *nm* (*de crimen*) mobile *m*.

movilidad [moβili'ðað] *nf* mobilité *f*.

movilizar [moβili'θar] *vt* mobiliser.

movimiento [moβi'mjento] *nm* mouvement *m*; **el M~** (*POL*) le Mouvement, *soulèvement du Général Franco en 1936 en Espagne*; **poner/estar en ~** mettre/être en mouvement; **movimiento de bloques**

(*INFORM*) transfert *m* de blocs; **movimiento de capital** mouvement de capitaux; **movimiento de divisas** mouvement de devises; **movimiento de mercancías** (*COM*) mouvement des marchandises; **movimiento obrero/político/sindical** mouvement ouvrier/politique/syndical; **movimiento sísmico** mouvement sismique.

moza ['moθa] *nf* jeune fille *f*; **una buena ~** une belle femme, un beau brin de fille.

mozo ['moθo] *nm* jeune homme *m*; (*en hotel*) groom *m*; (*camarero*) garçon *m*; (*MIL*) conscrit *m*; **un buen ~** un beau garçon; **mozo de estación** porteur *m*.

muchacha [mu'tʃatʃa] *nf* fille *f*; (*criada*) domestique *f*.

muchacho [mu'tʃatʃo] *nm* garçon *m*.

muchedumbre [mutʃe'ðumbre] *nf* foule *f*.

muchísimo, -a [mu'tʃisimo, a] *adj* (*superl de mucho*) énormément de ♦ *adv* énormément.

PALABRA CLAVE

mucho, -a ['mutʃo, a] *adj* **1** (*cantidad, número*) beaucoup de; **mucha gente** beaucoup de monde; **mucho dinero** beaucoup d'argent; **hace mucho calor** il fait très chaud; **muchas amigas** beaucoup d'amies

2 (*sg*: *fam*: *grande*): **ésta es mucha casa para él** cette maison est bien trop grande pour lui

3 (*sg*: *demasiados*): **hay mucho gamberro aquí** il y a beaucoup de voyous par ici

♦ *pron*: **tengo mucho que hacer** j'ai beaucoup (de choses) à faire; **muchos dicen que ...** beaucoup de gens disent que ...; *V tb* **tener**

♦ *adv* **1**: **te quiero mucho** je t'aime beaucoup; **lo siento mucho** je regrette beaucoup, je suis vraiment désolé; **mucho más/menos** beaucoup plus/moins; **mucho antes/mejor** bien avant/meilleur; **come mucho** il mange beaucoup; **viene mucho** il vient souvent; **¿te vas a quedar mucho?** tu vas rester longtemps?

2 (*respuesta*) très; **¿estás cansado? – ¡mucho!** tu es fatigué? – très!

3 (*locuciones*): **leo como mucho un libro al mes** je lis au maximum un livre par mois; **el mejor con mucho** de loin le meilleur; **ese ni con mucho llega a sargento** il ne réussira même pas à être sergent; **¡ni mucho menos!** loin de là!; **él no es ni mucho menos trabajador** il est loin d'être travailleur; **¡mucho la quieres tú!** (*irón*) tu parles que tu l'aimes bien!

4: **por mucho que**: **por mucho que le quieras** tu as beau l'aimer.

muda ['muða] *nf* (*de ropa*) linge *m* de rechange; (*ZOOL, de voz*) mue *f*.

mudanza [mu'ðanθa] *nf* déménagement *m*; **estar de ~** déménager; **camión/casa de ~s** camion *m*/entreprise *f* de déménagement.

mudar [mu'ðar] *vt* changer; (*ZOOL*) muer; **mudarse** *vpr*: **~se (de ropa)** se changer; **~ de** (*opinión, color*) changer de; **~se (de casa)** déménager; **la voz le está mudando** il est en train de muer.

mudo, -a ['muðo, a] *adj* muet(te); (*callado*) silencieux(-euse); **quedarse ~ de asombro** rester bouche bée.

mueble ['mweβle] *nm* meuble *m*.

mueble-bar [mweβle'βar] *nm* bar *m*.

mueca ['mweka] *nf* grimace *f*.

muela ['mwela] *vb V* **moler** ♦ *nf* (*diente de atrás*) molaire *f*; (*de molino*) meule *f*; (*de afilar*) meule, affiloir *m*; **muela del juicio** dent *f* de sagesse.

muelle ['mweʎe] *adj* (*vida*) doux(douce) ♦ *nm* ressort *m*; (*NÁUT*) quai *m*.

muera *etc* ['mwera] *vb V* **morir**.

muerda *etc* ['mwerða] *vb V* **morder**.

muérdago ['mwerðaɣo] *nm* gui *m*.

muermo ['mwermo] (*fam*) *nm* (*aburrimiento*) poisse *f*; (*desgana*) mélancolie *f*; **¡qué ~!** quelle poisse!

muerte ['mwerte] *nf* mort *f*; **dar ~ a** donner la mort à; **de mala ~** (*fam*) minable; **es la ~** (*fam*) c'est la galère!

muerto, -a ['mwerto, a] *pp de* **morir** ♦ *adj* mort(e); (*color*) terne; (*manos*) ballant(e) ♦ *nm/f* mort(e); **cargar con el ~** (*fam*) payer les pots cassés; **echar el ~ a algn** mettre tout sur le dos de qn; **hacer el ~** (*nadando*) faire la planche; **estar ~ de cansancio/frío/hambre/sed** être mort(e) de fatigue/froid/faim/soif.

muesca ['mweska] *nf* encoche *f*.

muestra ['mwestra] *vb V* **mostrar** ♦ *nf* (*COM, COSTURA*) échantillon *m*; (*de sangre*) prélèvement *m*; (*en estadística*) échantillonnage *m*; (*señal*) preuve *f*; (*exposición*) foire *f*; (*demostración explicativa*) démonstration *f*; **dar ~s de** donner signe de; **muestra al azar** (*COM*) échantillon *m* prélevé au hasard.

muestrario [mwes'trarjo] *nm* (*COM*) échantillonnage *m*.

muestreo [mwes'treo] *nm* (*estadístico*) échantillonnage *m*.

mueva *etc* ['mweβa] *vb V* **mover**.

mugir [mu'xir] *vi* mugir.

mugriento, -a [mu'ɣrjento, a] *adj* cras-

seux(-euse).
mujer [mu'xer] *nf* femme *f*.
mujeriego [muxe'rjeɣo] *adj, nm* coureur *m*.
mula ['mula] *nf* mule *f*.
mulato, -a [mu'lato, a] *adj, nm/f* mulâtre(sse).
muleta [mu'leta] *nf* (*para andar*) béquille *f*; (*TAUR*) muleta *f*.
muletilla [mule'tiʎa] *nf* tic *m*.
mullido, -a [mu'ʎiðo, a] *adj* moelleux(-euse).
multa ['multa] *nf* amende *f*; (*AUT*) amende, contravention *f*; **me han puesto una ~** ils m'ont mis une amende.
multar [mul'tar] *vt* condamner à une amende.
multicopista [multiko'pista] *nm* duplicateur *m*.
multimillonario, -a [multimiʎo'narjo, a] *adj, nm/f* multimillionnaire *m/f*.
multinacional [multinaθjo'nal] *adj* multinational(e) ♦ *nf* multinationale *f*.
múltiple ['multiple] *adj* multiple; **de tarea ~** (*INFORM*) multitâche; **de usuario ~** (*INFORM*) à utilisateurs multiples.
multiplicar [multipli'kar] *vt* multiplier; **multiplicarse** *vpr* se multiplier; (*para hacer algo*) se démener, se mettre en quatre.
múltiplo ['multiplo] *adj, nm* multiple *m*.
multitud [multi'tuð] *nf* foule *f*; **~ de** multitude de.
mundano, -a [mun'dano, a] *adj* mondain(e).
mundial [mun'djal] *adj* mondial(e) ♦ *nm* (*FÚTBOL*) coupe *f* du monde.
mundillo [mun'diʎo] *nm* monde *m*.
mundo ['mundo] *nm* monde *m*; **el otro ~** l'autre monde; **el ~ del espectáculo** le monde du spectacle; **todo el ~** tout le monde; **tiene mundo** il sait comment se comporter en société; **un hombre de ~** un homme du monde; **hacer de algo un ~** faire tout un monde de qch; **el ~ es un pañuelo** le monde est petit; **por nada del ~** pour rien au monde; **no es nada del otro ~** ce n'est pas la mer à boire; **se le cayó el ~ (encima)** il est accablé par ce coup du sort; **el Tercer M~** le Tiers-Monde.
munición [muni'θjon] *nf* munition *f*.
municipal [muniθi'pal] *adj* municipal(e) ♦ *nm/f* (*tb:* **policía ~**) agent *m* de police.
municipio [muni'θipjo] *nm* municipalité *f*.
muñeca [mu'ɲeka] *nf* (*ANAT*) poignet *m*; (*juguete, mujer*) poupée *f*; (*AND, CSUR: fam*) prise *f* de courant.
muñeco [mu'ɲeko] *nm* (*juguete*) baigneur *m*; (*dibujo*) dessin *m*; (*marioneta, fig*) pantin *m*; **muñeco de nieve** bonhomme *m* de neige.
muñequera [muɲe'kera] *nf* poignet *m* de force.
muñón [mu'ɲon] *nm* moignon *m*.
mural [mu'ral] *adj* mural(e) ♦ *nm* peinture *f* murale.
muralla [mu'raʎa] *nf* muraille *f*.
murciélago [mur'θjelaɣo] *nm* chauve-souris *fsg*.
murmullo [mur'muʎo] *nm* murmure *m*.
murmurar [murmu'rar] *vt, vi* murmurer; **~ (de)** (*criticar*) dire du mal (de).
muro ['muro] *nm* mur *m*; **muro de contención** mur de soutènement.
mus [mus] *nm jeu de cartes*.
musaraña [musa'raɲa] *nf*: **pensar en** *o* **mirar las ~s** bayer aux corneilles.
muscular [musku'lar] *adj* musculaire.
músculo ['muskulo] *nm* muscle *m*.
musculoso, -a [musku'loso, a] *adj* musclé(e).
museo [mu'seo] *nm* musée *m*; **museo de arte** *o* **de pintura** musée d'art; **museo de cera** musée de cire.
musgo ['musɣo] *nm* mousse *f*.
musical [musi'kal] *adj* musical(e) ♦ *nm* comédie *f* musicale.
músico, -a ['musiko, a] *nm/f* musicien(ne) ♦ *nf* musique *f*.
musitar [musi'tar] *vt, vi* marmotter.
muslo ['muslo] *nm* cuisse *f*.
mustio, -a ['mustjo, a] *adj* (*planta*) flétri(e); (*persona*) triste.
musulmán, -ana [musul'man, ana] *adj, nm/f* musulman(e).
mutación [muta'θjon] *nf* mutation *f*.
mutilar [muti'lar] *vt* mutiler.
mutismo [mu'tismo] *nm* mutisme *m*.
mutuo, -a ['mutwo, a] *adj* mutuel(-elle).
muy [mwi] *adv* très; (*demasiado*) trop; **M~ Señor mío/Señora mía** cher Monsieur/chère Madame; **~ bien** très bien; **~ de noche** tard dans la nuit; **eso es ~ de él** c'est bien de lui; **eso es ~ español** c'est très espagnol; **por ~ tarde que sea** si tard soit-il.

N, n

nabo ['naβo] *nm* navet *m*.
nácar ['nakar] *nm* nacre *f*.
nacer [na'θer] *vi* naître; (*vegetal, barba, vello*) pousser; (*río*) prendre sa source; (*columna, calle*) commencer; **~ de** naître

de; **ha nacido para poeta** c'est un poète né; **no ha nacido para trabajar** le travail et lui, ça fait deux.
nacimiento [naθi'mjento] *nm* naissance *f*; (*de Navidad*) crèche *f*; (*de río*) source *f*; **ciego de ~** aveugle de naissance.
nación [na'θjon] *nf* nation *f*; **Naciones Unidas** Nations unies.
nacional [naθjo'nal] *adj* national(e).
nacionalidad [naθjonali'ðað] *nf* nationalité *f*; (*ESP*: *POL*: *nación*) communauté *f* autonome.
nacionalismo [naθjona'lismo] *nm* nationalisme *m*.
nacionalista [naθjona'lista] *adj, nm/f* nationaliste *m/f*.
nacionalizar [naθjonali'θar] *vt* nationaliser; **nacionalizarse** *vpr* se faire naturaliser.
nada ['naða] *pron, adv* rien ♦ *nf*: **la ~** le néant; **no decir ~** ne rien dire; **de ~** de rien; **¡~ de eso!** pas question!; **antes de ~** avant tout; **como si ~** comme si de rien n'était; **no ha sido ~** ce n'est pas bien grave; **~ menos que** ni plus ni moins que; **~ de ~** rien de rien; **para ~** (*inútilmente*) pour rien; (*claro que no*) pas du tout; **por ~** pour rien; **por ~ del mundo** pour rien au monde.
nadador, a [naða'ðor, a] *nm/f* nageur(-euse).
nadar [na'ðar] *vi* nager; **~ en la abundancia** nager dans l'opulence; **~ contra corriente** nager à contre-courant.
nadie ['naðje] *pron* personne; **~ habló** personne n'a parlé; **no había ~** il n'y avait personne; **no soy ~ para ...** ce n'est pas moi qui peut ...; **es un don ~** c'est un rien-du-tout.
nado ['naðo] *adv*: **a ~** à la nage.
nafta ['nafta] (*CSUR*) *nf* (*gasolina*) essence *f*.
naipe ['naipe] *nm* carte *f*.
nalgas ['nalɣas] *nfpl* fesses *fpl*.
nana ['nana] *nf* berceuse *f*; (*CAM, MÉX*: *fam*) nourrice *f*.
napias ['napjas] (*fam*) *nfpl* pif *msg*.
naranja [na'ranxa] *adj inv* orange ♦ *nm* (*color*) orange *m* ♦ *nf* (*fruta*) orange *f*; **media ~** (*fam*) moitié *f*.
naranjo [na'ranxo] *nm* oranger *m*.
narcisista [narθi'sista] *adj* narcissique.
narciso [nar'θiso] *nm* narcisse *m*.
narcótico, -a [nar'kotiko, a] *adj, nm* narcotique *m*.
narcotizar [narkoti'θar] *vt* administrer des narcotiques à.
narcotraficante [narkotrafi'kante] *nm/f* narcotrafiquant(e).
narcotráfico [narko'trafiko] *nm* trafic *m* de stupéfiants.
nardo ['narðo] *nm* nard *m*.
nariz [na'riθ] *nf* nez *m*; **narices** *nfpl* narines *fpl*; **¡narices!** (*fam*) flûte alors!; **me dio con la puerta en las narices** il m'a fermé la porte au nez; **darse de narices contra algo/con algn** se trouver nez à nez avec qch/qn; **¡se me están hinchando las narices!** la moutarde me monte au nez!; **delante de las narices de algn** au nez de qn; **estar hasta las narices (de algo/algn)** (*fam*) en avoir ras le bol (de qch/qn); **meter las narices en algo** (*fam*) mettre son nez dans qch; **hacer algo por narices** (*fam*) faire qch coûte que coûte; **nariz chata/respingona** nez épaté/en trompette.
narración [narra'θjon] *nf* narration *f*.
narrar [na'rrar] *vt* raconter.
narrativo, -a [narra'tiβo, a] *adj* narratif(-ive) ♦ *nf* genre *m* narratif.
nasal [na'sal] *adj* nasal(e).
nata ['nata] *nf* crème *f*; (*en leche cocida*) peau *f*; **~ montada** crème fouettée.
natación [nata'θjon] *nf* natation *f*.
natal [na'tal] *adj* natal(e).
natalidad [natali'ðað] *nf* natalité *f*; **control de ~** contrôle *m* des naissances; **índice** *o* **tasa de ~** taux *msg* de natalité.
natillas [na'tiʎas] *nfpl* crème *f* renversée.
natividad [natiβi'ðað] *nf* nativité *f*.
nativo, -a [na'tiβo, a] *adj* (*costumbres*) local(e), du pays; (*lengua*) maternel(le); (*país*) natal(e) ♦ *nm/f* natif(-ive).
nato, -a ['nato, a] *adj*: **un actor/pintor/músico ~** un acteur/peintre/musicien né.
natural [natu'ral] *adj* naturel(le); (*luz*) du jour; (*flor, fruta*) vrai(e); (*café*) non traité(e) ♦ *nm* naturel *m*; **~ de** natif(-ive) de; **ser ~ en algn** être naturel chez qn; **es ~ que** il est naturel que; **al ~** au naturel.
naturaleza [natura'leθa] *nf* nature *f*; **por ~** par nature; **naturaleza humana** nature humaine; **naturaleza muerta** nature morte.
naturalidad [naturali'ðað] *nf* naturel *m*; **con ~** avec naturel.
naturalizarse [naturali'θarse] *vpr* se faire naturaliser.
naturista [natu'rista] *adj, nm/f* naturiste *m/f*.
naufragar [naufra'ɣar] *vi* faire naufrage; (*negocio*) faire faillite; (*proyecto*) tomber à l'eau.
naufragio [nau'fraxjo] *nm* naufrage *m*.
náuseas ['nauseas] *nfpl* nausées *fpl*; **sentir ~** avoir des nausées; **me da ~** ça me

donne la nausée.

náutico, -a ['nautiko, a] *adj* nautique ♦ *nf* navigation *f*.

navaja [na'βaxa] *nf* couteau *m* (de poche); ~ **(de afeitar)** rasoir *m* à main.

naval [na'βal] *adj* naval(e).

Navarra [na'βarra] *nf* Navarre *f*.

nave ['naβe] *nf* (*barco*) navire *m*; (ARQ) nef *f*; (*almacén*) entrepôt *m*; **quemar las ~s** couper les ponts; **nave espacial** vaisseau *m* spatial; **nave industrial** atelier *m*.

navegación [naβeɣa'θjon] *nf* navigation *f*; (*viaje*) voyage *m* en mer; **navegación aérea/costera/fluvial** navigation aérienne/côtière/fluviale.

navegante [naβe'ɣante] *nm/f* navigateur(-trice).

navegar [naβe'ɣar] *vi* naviguer.

navidad [naβi'ðað] *nf* (*tb*: **~es**) fêtes *fpl* de Noël; (*tb*: **día de ~**) la Noël; (REL) Noël *m*; **por ~es** à Noël; **¡felices ~es!** joyeux Noël!

navideño, -a [naβi'ðeɲo, a] *adj* de Noël.

navío [na'βio] *nm* navire *m*.

nazi ['naθi] *adj* nazi(e) ♦ *nm/f* Nazi(e).

neblina [ne'βlina] *nf* brume *f*.

necesario, -a [neθe'sarjo, a] *adj* nécessaire; **es ~ que** il est nécessaire que; **si es ~ ...** si nécessaire ... .

neceser [neθe'ser] *nm* nécessaire *m*.

necesidad [neθesi'ðað] *nf* besoin *m*; (*cosa necesaria*) nécessité *f*; (*miseria*) pauvreté *f*; **~es** *nfpl* (*penurias*) privations *fpl*; **en caso de ~** en cas de besoin; **de primera ~** de première nécessité; **no hay ~ de/de que** il n'est pas nécessaire de/que; **hacer sus ~es** faire ses besoins.

necesitado, -a [neθesi'taðo, a] *adj* nécessiteux(-euse); **estar ~ de** avoir grand besoin de.

necesitar [neθesi'tar] *vt*: **~ (hacer)** avoir besoin de (faire) ♦ *vi*: **~ de** avoir besoin de; **¿qué se necesita?** que faut-il?; **"se necesita camarero"** "on demande un garçon de café".

necio, -a ['neθjo, a] *adj, nm/f* idiot(e).

necrológico, -a [nekro'loxiko, a] *adj*: **nota necrológica** avis *msg* de décès.

néctar ['nektar] *nm* nectar *m*.

nectarina [nekta'rina] *nf* nectarine *f*.

nefasto, -a [ne'fasto, a] *adj* néfaste.

negación [neɣa'θjon] *nf* négation *f*.

negar [ne'ɣar] *vt* (*hechos*) nier; (*permiso, acceso*) refuser; **negarse** *vpr*: **~se a hacer algo** se refuser à faire qch; **~ que** nier que; **~ con la cabeza** faire non de la tête; **~ el saludo a algn** ignorer qn.

negativo, -a [neɣa'tiβo, a] *adj* négatif(-ive) ♦ *nm* (FOTO) négatif *m* ♦ *nf* négative *f*; (*rechazo*) refus *msg*.

negligencia [neɣli'xenθja] *nf* négligence *f*.

negligente [neɣli'xente] *adj* négligent(e).

negociación [neɣoθja'θjon] *nf* négociation *f*.

negociado [neɣo'θjaðo] *nm* bureau *m*.

negociar [neɣo'θjar] *vt* négocier ♦ *vi*: **~ en** *o* **con** (COM) faire le commerce de *o* du commerce avec.

negocio [ne'ɣoθjo] *nm* affaire *f*; (*tienda*) commerce *m*; **los ~s** les affaires *fpl*; **hacer ~** faire des affaires; **hacer (un) buen/mal ~** faire une bonne/mauvaise affaire; **¡eso es un ~!** ça rapporte!; **~ sucio** affaire *f* louche; **¡mal ~!** (*fam*) ça va mal!

negro, -a ['neɣro, a] *adj* noir(e); (*futuro*) sombre; (*tabaco*) brun(e) ♦ *nm* (*color*) noir *m* ♦ *nf*: **la negra** la poisse ♦ *nm/f* (*persona*) noir(e); (AM: *fam*) chéri(e); **¡estoy ~!** je suis furax!; **¡me pone ~!** ça *o* il me porte sur les nerfs!; **verse ~ para hacer algo** avoir beaucoup de mal à faire qch; **trabajar como un ~** travailler comme un forçat.

nene, -a ['nene, a] *nm/f* petit(e).

neologismo [neolo'xismo] *nm* néologisme *m*.

neón [ne'on] *nm*: **luz** *o* **lámpara de ~** néon *m*.

nervio ['nerβjo] *nm* nerf *m*; (BOT, ARQ) nervure *f*; **ser puro ~** être un paquet de nerfs; **alterarle** *o* **crisparle los ~s a algn** taper sur les nerfs de qn; **estar de los ~s** (*fam*) avoir les nerfs; (: MED) être malade des nerfs; **tener los ~s destrozados** avoir les nerfs en pelote; **me pone los ~s de punta** ça *o* il me tape sur le système.

nerviosismo [nerβjo'sismo] *nm* état *m* d'agitation, nervosité *f*.

nervioso, -a [ner'βjoso, a] *adj* nerveux(-euse); **¡me pone ~!** ça m'énerve!

neto, -a ['neto, a] *adj* net(nette).

neumático, -a [neu'matiko, a] *adj* (*cámara*) à air; (*martillo*) pneumatique ♦ *nm* pneu *m*; **neumático de recambio** roue *f* de secours.

neura ['neura] (*fam*) *nm/f* névrosé(e) ♦ *nf* obsession *f*.

neurálgico, -a [neu'ralxiko, a] *adj* névralgique.

neurótico, -a [neu'rotiko, a] *adj* névrotique ♦ *nm/f* névrosé(e).

neutral [neu'tral] *adj* neutre.

neutralizar [neutrali'θar] *vt* neutraliser.

neutro, -a ['neutro, a] *adj* neutre.

neutrón [neu'tron] *nm* neutron *m*.

nevado, -a [ne'βaðo, a] *adj* enneigé(e) ♦ *nf* chute *f* de neige.

nevar [ne'βar] *vi* neiger.

nevera [ne'βera] (*ESP*) *nf* réfrigérateur *m*.
nexo ['nekso] *nm* lien *m*.
ni [ni] *conj* ni; (*tb:* ~ **siquiera**) même pas; ~ **aunque** même si; ~ **blanco** ~ **negro** ni blanc ni noir; ~ **(el) uno** ~ **(el) otro** ni l'un ni l'autre; **¡~ que fuese un dios!** comme si c'était un dieu!; **¡~ hablar!** pas question!
Nicaragua [nika'raɣwa] *nf* Nicaragua *m*.
nicaragüense [nikara'ɣwense] *adj* nicaraguayen(ne) ♦ *nm/f* Nicaraguayen(ne).
nicho ['nitʃo] *nm* niche *f*.
nicotina [niko'tina] *nf* nicotine *f*.
nido ['niðo] *nm* nid *m*; ~ **de amor** nid d'amour; ~ **de ladrones** repaire *m* de voleurs; ~ **de víboras** nid de vipères.
niebla ['njeβla] *nf* brouillard *m*; **hay** ~ il y a du brouillard.
niego *etc* ['njeɣo], **niegue** *etc* ['njeɣe] *vb V* **negar**.
nieto, -a ['njeto, a] *nm/f* petit-fils(petite-fille); **los ~s** *nmpl* les petits-enfants.
nieve ['njeβe] *vb V* **nevar** ♦ *nf* neige *f*; (*AM: helado*) glace *f*; **copo de** ~ flocon *m* de neige.
N.I.F. [nif] *sigla m* (= *Número de Identificación Fiscal*) *numéro d'identification personnel nécessaire pour effectuer des opérations bancaires et commerciales.*
Nilo ['nilo] *nm*: **el (Río)** ~ le Nil.
nimiedad [nimje'ðað] *nf* bagatelle *f*; (*de problema, detalle*) petitesse *f*.
nimio, -a ['nimjo, a] *adj* insignifiant(e), sans importance.
ninfa ['ninfa] *nf* nymphe *f*.
ninfómana [nin'fomana] *nf* nymphomane *f*.
ninguno, -a [nin'guno, a] *adj* aucun(e) ♦ *pron* personne; **no es ninguna belleza** c'est loin d'être une beauté; **de ninguna manera** en aucune manière; **en ningún sitio** nulle part; **no voy a ninguna parte** je ne vais nulle part; ~ **de ellos** aucun d'entre eux.
niña ['niɲa] *nf* (petite) fille *f*; (*del ojo*) pupille *f*; **ser la** ~ **de los ojos de algn** (*fig*) tenir à qn comme à la prunelle de ses yeux; *V tb* **niño**.
niñera [ni'ɲera] *nf* nourrice *f*.
niñez [ni'ɲeθ] *nf* enfance *f*.
niño, -a ['niɲo, a] *adj* jeune; (*pey*) puéril(e) ♦ *nm* enfant *m*; (*chico*) (petit) garçon *m*; (*bebé*) petit enfant *m*; **los ~s** *nmpl* les enfants; **de** ~ quand j'étais *etc* petit; **ser el** ~ **mimado de algn** être le chouchou de qn; **niño bien** *o* **de papá** (*pey*) fils *msg* à papa; **niño de pecho** nourrisson *m*; **niño prodigio** enfant prodige.
níquel ['nikel] *nm* nickel *m*.
niquelar [nike'lar] *vt* nickeler.
níscalo ['niskalo] *nm* lactaire *m* délicieux.
níspero ['nispero] *nm* néflier *m*.
nitidez [niti'ðeθ] *nf* (*de imagen*) netteté *f*; (*de atmósfera*) pureté *f*; **ver algo con** ~ voir qch très nettement.
nítido, -a ['nitiðo, a] *adj* (*imagen*) net(te); (*cielo*) dégagé(e); (*atmósfera*) pur(e); (*gestión, conducta*) clair(e).
nitrato [ni'trato] *nm* nitrate *m*; **nitrato de Chile** salpêtre *m* du Chili.
nítrico, -a ['nitriko, a] *adj* nitrique.
nitrógeno [ni'troxeno] *nm* azote *m*.
nivel [ni'βel] *nm* niveau *m*; **al mismo** ~ au même niveau; **de alto** ~ de haut niveau; **a 900m sobre el** ~ **del mar** à 900 m au-dessus du niveau de la mer; **nivel de aire** (*TEC*) niveau à bulle (d'air); **nivel del aceite** niveau d'huile; **nivel de vida** niveau de vie.
nivelar [niβe'lar] *vt* niveler; (*ingresos, categorías*) égaliser; (*balanza de pagos*) équilibrer.

PALABRA CLAVE

no [no] *adv* **1**: **¡no!** (*en respuesta*) non!; **ahora no** pas maintenant; **no mucho** pas tellement, pas beaucoup; **¡cómo no!** bien sûr!; **¡que no!** non!
2 (*con verbo*) ne ... pas; **no viene** il ne vient pas; **no es el mío** ce n'est pas le mien; **creo que no** je crois que non; **decir que no** dire non; **no quiero nada** je ne veux rien; **no es que no quiera** ce n'est pas que je ne veuille pas; **no dormir** ne pas dormir; **"No Fumara"** "Défense de fumer"
3 (*no + sustantivo*): **pacto de no agresión** pacte *m* de non-agression; **los paises no alineados** les pays non-alignés; **la no intervención** la non-intervention; **el no va más** le nec plus ultra
4 (*en comparación*): **mejor ir ahora que no luego** mieux vaut partir maintenant.
5: **no sea que haga frío** au cas où il ferait froid
6: **no bien hubo terminado se marchó** à peine eut-il terminé qu'il s'en alla
7: **¡a que no lo sabes!** je parie que tu ne le sais pas!
♦ *nm*: **un no rotundo** un non catégorique.

noble ['noβle] *adj, nm/f* noble *m/f*.
nobleza [no'βleθa] *nf* noblesse *f*; **la** ~ la noblesse.
noche ['notʃe] *nf* nuit *f*; (*la tarde*) soir *m*; **de ~, por la** ~ le soir; **se hace/es de** ~ la

nuit tombe; **ayer por la ~** hier soir; **esta ~** (*hoy*) ce soir; (*ayer*) la nuit dernière; **de la ~ a la mañana** du jour au lendemain; **hacer ~ en un sitio** passer la nuit quelque part; **¡buenas ~s!** (*saludo*) bonsoir!; (*despedida*) bonsoir!, bonne nuit!; **noche cerrada** nuit noire; **noche de bodas** nuit de noces.

Nochebuena [notʃe'βwena] *nf* nuit *f* de Noël.

Nochevieja [notʃe'βjexa] *nf* nuit *f* de la Saint Sylvestre.

noción [no'θjon] *nf* notion *f*; **nociones** *nfpl* (*rudimentos*) notions *fpl*.

nocivo, -a [no'θiβo, a] *adj* nocif(-ive).

noctámbulo, -a [nok'tambulo, a] *adj, nm/f* noctambule *m/f*.

nocturno, -a [nok'turno, a] *adj* nocturne; (*club*) de nuit; (*clases*) du soir ♦ *nm* (*MÚS*) nocturne *m*.

nodriza [no'ðriθa] *nf* nourrice *f*; **buque/nave ~** bateau *m*/navire *m* de ravitaillement.

nogal [no'ɣal] *nm* noyer *m*.

nómada ['nomaða] *adj, nm/f* nomade *m/f*.

nombramiento [nombra'mjento] *nm* nomination *f*.

nombrar [nom'brar] *vt* nommer; **~ a algn gobernador** nommer qn gouverneur; **~ a algn heredero** faire de qn son héritier.

nombre ['nombre] *nm* nom *m*; (*tb:* **~ completo**) nom (et prénoms); **abogado de ~** avocat *m* de renom; **~ y apellidos** nom et prénoms; **(estar/poner algo) a ~ de** (être/mettre qch) au nom de; **en ~ de** au nom de; **sin ~** sans nom; **su conducta no tiene ~** sa conduite dépasse les bornes; **nombre común** nom commun; **nombre de fichero** (*INFORM*) nom de fichier; **nombre de pila** prénom *m*; **nombre de soltera** nom de jeune fille; **nombre propio** nom propre.

nómina ['nomina] *nf* (*de personal*) liste *f*; (*hoja de sueldo*) feuille *f* de paie; **estar en ~** faire partie du personnel.

nominar [nomi'nar] *vt* nommer.

non [non] *adj* impair(e) ♦ *nm* nombre *m* impair; **¿pares o ~es?** (*juego*) pair ou impair?; **de ~** (*sin pareja*) dépareillé(e); (*persona*) tout(e) seul(e).

nordeste [nor'ðeste] *adj* nord-est ♦ *nm* nord-est *m*; (*viento*) nordet *m*.

nórdico, -a ['norðiko, a] *adj* (*zona*) nord; (*escandinavo*) nordique ♦ *nm/f* Nordique *m/f*.

noreste [no'reste] *adj, nm* = **nordeste**.

noria ['norja] *nf* (*AGR*) noria *f*; (*de feria*) grande roue *f*.

norma ['norma] *nf* norme *f*; **por ~ general** en règle générale; **las ~s establecidas** les normes établies.

normal [nor'mal] *adj* normal(e); **¡es ~ que ...!** c'est normal que ...!; **Escuela N~** ≈ École *f* normale; **gasolina ~** essence *f* ordinaire.

normalidad [normali'ðað] *nf* normalité *f*; **restablecer la ~** rétablir l'ordre.

normalizar [normali'θar] *vt* normaliser; (*gastos*) régulariser; **normalizarse** *vpr* se normaliser.

normando, -a [nor'mando, a] *adj* normand(e) ♦ *nm/f* Normand(e).

normativa [norma'tiβa] *nf* réglementation *f*.

noroeste [noro'este] *adj* nord-ouest ♦ *nm* nord-ouest *m*; (*viento*) noroît *m*.

norte ['norte] *adj* nord ♦ *nm* nord *m*; (*tb:* **viento (del) ~**) vent *m* du nord; (*fig*) objectif *m*; **país/gentes del ~** pays *msg*/peuples *mpl* du Nord; **al ~ de** au nord de.

norteamericano, -a [norteameri'kano, a] *adj* américain(e) ♦ *nm/f* Américain(e).

Noruega [no'rweɣa] *nf* Norvège *f*.

noruego, -a [no'rweɣo, a] *adj* norvégien(ne) ♦ *nm/f* Norvégien(ne) ♦ *nm* (*LING*) norvégien *m*.

nos [nos] *pron* nous; **~ levantamos a las 7** nous nous levons à 7 heures.

nosotros, -as [no'sotros, as] *pron* nous; **~ (mismos)** nous(-mêmes).

nostalgia [nos'talxja] *nf* nostalgie *f*.

nostálgico, -a [nos'talxiko, a] *adj* nostalgique.

nota ['nota] *nf* note *f*; **~s** *nfpl* (*apuntes*) notes *fpl*; (*ESCOL*) résultats *mpl*; **tomar (buena) ~ de algo** prendre (bonne) note de qch; **de mala ~** mal famé(e); **dar la ~** (*fam*) se faire remarquer; **la ~ dominante** la note dominante; **tomar ~s** prendre des notes; **nota a pie de página** note de bas de page; **notas de sociedad** chronique *fsg* mondaine.

notable [no'taβle] *adj* notable; (*persona*) remarquable ♦ *nm* (*ESCOL*) *mention située entre bien et très bien*; **~s** *nmpl* notables *mpl*.

notar [no'tar] *vt* (*darse cuenta de*) remarquer; (*percibir*) noter; (*frío, calor*) sentir; **notarse** *vpr* (*efectos, cambio*) se faire sentir; (*mancha*) se voir; **se nota que ...** on voit que ...; **te noto cambiado** je te trouve changé; **me noto cansado** je me sens fatigué; **hacerse ~** se faire remarquer.

notario [no'tarjo] *nm* notaire *m*.

noticia [no'tiθja] *nf* nouvelle *f*; (*TV, RADIO*) information *f*; **las ~s** (*TV*) les informations; **según nuestras ~s** d'après nos informations; **tener ~s de algn** avoir des nouvelles de qn; **noticia(s) de última hora** nouvelle(s) de dernière minute.

noticiero [noti'θjero] *nm* journal *m*; (*AM*) point *m* sur l'actualité.

notificar [notifi'kar] *vt* notifier.

notoriedad [notorje'ðað] *nf* notoriété *f*.

notorio, -a [no'torjo, a] *adj* notoire.

novatada [noβa'taða] *nf* bizutage *m*, brimade *f*; **pagar la ~** faire les frais de son inexpérience.

novato, -a [no'βato, a] *adj, nm/f* nouveau(-velle).

novecientos, -as [noβe'θjentos, as] *adj* neuf cents; *V tb* **seiscientos**.

novedad [noβe'ðað] *nf* nouveauté *f*; (*noticia*) nouvelle *f*; **~es** *nfpl* (*noticia*) nouvelles *fpl*; (*COM*) nouveautés *fpl*; **sin ~** rien de neuf.

novel [no'βel] *adj* débutant(e).

novela [no'βela] *nf* roman *m*; **novela policíaca** roman policier.

novelista [noβe'lista] *nm/f* romancier(-ière).

noveno, -a [no'βeno, a] *adj, nm/f* neuvième *m/f*; *V tb* **sexto**.

noventa [no'βenta] *adj inv, nm inv* quatre-vingt-dix *m inv*; *V tb* **sesenta**.

novia ['noβja] *nf V* **novio**.

noviazgo [no'βjaθɣo] *nm* fiançailles *fpl*.

novicio, -a [no'βiθjo, a] *adj* (*REL*) novice; (*novato*) nouveau(-velle) ♦ *nm/f* (*REL*) novice *m/f*.

noviembre [no'βjembre] *nm* novembre *m*; *V tb* **julio**.

novillada [noβi'ʎaða] *nf course de jeunes taureaux*.

novillo [no'βiʎo] *nm* jeune taureau *m*; **hacer ~s** (*fam*) faire l'école buissonnière.

novio, -a ['noβjo, a] *nm/f* (*amigo íntimo*) petit(e) ami(e); (*prometido*) fiancé(e); (*en boda*) marié(e); **los ~s** les fiancés *mpl*; (*en boda*) les mariés *mpl*.

nubarrón [nuβa'rron] *nm* gros nuage *m*.

nube ['nuβe] *nf* nuage *m*; (*de mouches*) nuée *f*; (*MED: ocular*) taie *f*; **una ~ de polvo** un nuage de poussière; **los precios están por las ~s** les prix sont astronomiques; **estar en las ~s** être dans les nuages; **vivir en las ~s** ne pas avoir les pieds sur terre; **poner algo/a algn por las ~s** porter qch/qn aux nues.

nublado, -a [nu'βlaðo, a] *adj* nuageux(-euse); (*día*) gris(e) ♦ *nm* nuages *mpl* lourds.

nublar [nu'βlar] *vt* (*cielo*) assombrir; (*vista*) voiler; (*alegría*) gâcher; (*entendimiento*) obscurcir; **nublarse** *vpr* se couvrir; (*vista*) se voiler.

nuca ['nuka] *nf* nuque *f*.

nuclear [nukle'ar] *adj* nucléaire.

núcleo ['nukleo] *nm* noyau *m*; **núcleo de población** agglomération *f*; **núcleos de resistencia** noyaux *mpl* de résistance; **núcleo urbano** centre *m* urbain.

nudillo [nu'ðiʎo] *nm* jointure *f*.

nudista [nu'ðista] *adj, nm/f* nudiste *m/f*.

nudo ['nuðo] *nm* nœud *m*; **se le hizo un ~ en la garganta** il avait la gorge nouée; **nudo corredizo** nœud coulant; **nudo de carreteras** nœud routier; **nudo de comunicaciones** nœud de communications.

nueces ['nweθes] *nfpl de* **nuez**.

nuera ['nwera] *nf* belle-fille *f*.

nuestro, -a ['nwestro, a] *adj* à nous ♦ *pron* notre; **~ padre** notre père; **un amigo ~** un de nos amis; **es el ~** c'est le nôtre; **los ~s** les nôtres; (*DEPORTE*) notre équipe.

nueva ['nweβa] *nf* nouvelle *f*; **hacerse de ~s** feindre l'étonnement; *V tb* **nuevo**.

nuevamente ['nweβamente] *adv* à nouveau.

Nueva York [-'jork] *n* New York.

Nueva Zelanda [-θe'landa] *nf* Nouvelle-Zélande *f*.

nueve ['nweβe] *adj inv, nm inv* neuf *m inv*; *V tb* **seis**.

nuevo, -a ['nweβo, a] *adj* nouveau(-velle); (*no usado*) neuf(neuve) ♦ *nm/f* nouveau(-velle); **ese abrigo está ~** ce manteau est neuf; **¿qué hay de ~?** (*fam*) quoi de neuf?; **soy ~ aquí** je suis nouveau ici; **de ~** de nouveau.

Nuevo Méjico *nm* Nouveau-Mexique *m*.

nuez [nweθ] (*pl* **nueces**) *nf* noix *fsg*; **nuez (de Adán)** pomme *f* d'Adam; **nuez moscada** noix muscade.

nulidad [nuli'ðað] *nf* nullité *f*; **es una ~** (*pey*) il est nul.

nulo, -a ['nulo, a] *adj* nul(le); **soy ~ para la música** je suis nul(le) en musique.

numeración [numera'θjon] *nf* (*de calle, páginas*) numérotation *f*; (*sistema*) chiffres *mpl*; **numeración arábiga/romana** chiffres arabes/romains; **numeración de línea** (*INFORM*) numérotation des lignes.

numerar [nume'rar] *vt* numéroter; **numerarse** *vpr* se numéroter.

numerario, -a [nume'rarjo, a] *adj* titulaire; **profesor no ~** professeur *m* non titulaire.

numérico, -a [nu'meriko, a] *adj* numérique.

número ['numero] *nm* nombre *m*; (*de zapato*) pointure *f*; (*TEATRO, de publicación, de lotería*) numéro *m*; **sin ~** sans nombre; **en**

~s redondos en chiffres ronds; **hacer** *o* **montar un ~** (*fam*) faire un numéro; **hacer ~s** faire les comptes; **ser el ~ uno** être le numéro un; **estar en ~s rojos** être à découvert; **número atrasado** vieux numéro; **número binario** (*INFORM*) nombre *m* binaire; **número de matrícula/de teléfono** numéro d'immatriculation/de téléphone; **número de serie** numéro de série; **número decimal/impar/par** nombre décimal/impair/pair; **número personal de identificación** (*INFORM etc*) numéro personnel d'identification; **número romano** chiffre romain.

numeroso, -a [nume'roso, a] *adj* nombreux(-euse); *V tb* **familia**.

nunca ['nunka] *adv* jamais; **~ me escribes** tu ne m'écris jamais; **no estudia ~** il n'étudie jamais; **¿~ lo has pensado?** tu n'y as jamais pensé?; **~ más** jamais plus.

nuncio ['nunθjo] *nm* nonce *m*; **nuncio apostólico** nonce apostolique.

nupcias ['nupθjas] *nfpl*: **en segundas ~** en secondes noces.

nutria ['nutrja] *nf* loutre *f*.

nutrición [nutri'θjon] *nf* nutrition *f*.

nutrido, -a [nu'triðo, a] *adj* nourri(e); (*grupo, representación*) dense; **bien/mal ~** bien/mal nourri(e); **~ de** truffé(e) de.

nutrir [nu'trir] *vt* nourrir; **nutrirse** *vpr*: **~se de** se nourrir de.

nutritivo, -a [nutri'tiβo, a] *adj* nutritif(-ive).

nylon [ni'lon] *nm* nylon *m*.

Ñ, ñ

ñandú [ɲan'du] (*pl* **~es**) *nm* (*ZOOL*) nandou *m*.

ñato, -a ['ɲato, a] (*CSUR*) *adj* (*de nariz chato*) camus(e).

ñoñería [ɲoɲe'ria] *nf* (*de persona sosa*) fadeur *f*; (*de persona melindrosa*) pudibonderie *f*; (*una ñoñería*) niaiserie *f*.

ñoñez [ɲo'ɲeθ] *nf* = **ñoñería**.

ñoño, -a ['ɲoɲo, a] *adj* (*soso*) fadasse (*fam*); (*melindroso*) pudibond(e).

O, o

o [o] *conj* ou; **~ ... ~ ...** soit ... soit ...; **~ sea** c'est-à-dire.

oasis [o'asis] *nm inv* oasis *msg o fsg*.

obcecarse [oβθe'karse] *vpr* être aveuglé(e); **~ en hacer** s'obstiner à faire.

obedecer [oβeðe'θer] *vt* obéir à ♦ *vi* obéir; **~ a** (*MED, fig*) succomber à; **~ al hecho de** provenir du fait que.

obediencia [oβe'ðjenθja] *nf* obéissance *f*.

obediente [oβe'ðjente] *adj* obéissant(e).

obertura [oβer'tura] *nf* (*MÚS*) ouverture *f*.

obesidad [oβesi'ðað] *nf* obésité *f*.

obeso, -a [o'βeso, a] *adj* obèse.

obispo [o'βispo] *nm* évêque *m*.

objeción [oβxe'θjon] *nf* objection *f*; **hacer una ~, poner objeciones** faire une objection, soulever des objections; **objeción de conciencia** objection de conscience.

objetar [oβxe'tar] *vt*: **~ que** objecter que ♦ *vi* être objecteur de conscience; **¿algo que ~?** des objections?

objetivo, -a [oβxe'tiβo, a] *adj* objectif(-ive) ♦ *nm* objectif *m*.

objeto [oβ'xeto] *nm* objet *m*; (*finalidad*) objet, but *m*; **ser ~ de algo** être l'objet de qch; **con ~ de** dans le but de.

objetor [oβxe'tor] *nm* (*tb:* **~ de conciencia**) objecteur *m* de conscience.

oblea [o'βlea] *nf* (*de harina*) pain *m* azyme; (*INFORM*) tranche *f* (de silicium).

oblicuo, -a [o'βlikwo, a] *adj* oblique.

obligación [oβliɣa'θjon] *nf* (*tb COM*) obligation *f*; **obligaciones** *nfpl* obligations *fpl*; **cumplir con mi** *etc* **~** remplir mon *etc* devoir.

obligar [oβli'ɣar] *vt* obliger; **obligarse** *vpr*: **~se a hacer** s'obliger à faire.

obligatorio, -a [oβliɣa'torjo, a] *adj* obligatoire.

oboe [o'βoe] *nm* hautbois *msg*; (*músico*) hautboïste *m/f*.

obra ['oβra] *nf* œuvre *f*; (*libro*) œuvre, ouvrage *m*; (*tb:* **~ dramática** *o* **de teatro**) pièce *f*; **~s** *nfpl* travaux *mpl*; **ser ~ de algn** être l'œuvre de qn; **por ~ de** à cause de; **estar de** *o* **en ~s** être en travaux; **obras benéficas/de caridad** œuvres *fpl* de bienfaisance/de charité; **obras completas** œuvres complètes; **obra de arte** œuvre d'art; **obra de consulta** ouvrage de référence; **obra maestra** chef-d'œuvre *m*; **obras públicas** travaux publics.

obrar [o'βrar] *vt*: **~ milagros** (*fig*) faire des miracles ♦ *vi* agir; **la carta obra en su poder** la lettre est en votre possession.

obrero, -a [o'βrero, a] *adj* ouvrier(-ère) ♦ *nm/f* ouvrier(-ère); (*del campo*) ouvrier(-ère) (agricole); **clase obrera** classe *f* ouvrière.

obsceno, -a [oβs'θeno, a] *adj* obscène.

obscu... [oβsku] = **oscu...** .

obsequio [oβ'sekjo] *nm* (*regalo*) présent *m*; (*cortesía*) attention *f*.

observación [oβserβa'θjon] *nf* observation *f*; **capacidad de ~** esprit *m* d'observation.
observar [oβser'βar] *vt* observer.
observatorio [oβserβa'torjo] *nm* observatoire *m*; **observatorio meteorológico** observatoire.
obsesión [oβse'sjon] *nf* obsession *f*.
obsesionar [oβsesjo'nar] *vt* obséder; **obsesionarse** *vpr* être obsédé(e).
obsesivo, -a [oβse'siβo, a] *adj* obsessionnel(le).
obsoleto, -a [oβso'leto, a] *adj* (*máquina*) obsolète; (*ideas*) désuet(te).
obstaculizar [oβstakuli'θar] *vt* (*entrada*) barrer; (*obra*) entraver; (*convenio, relaciones*) faire obstacle à.
obstáculo [oβs'takulo] *nm* obstacle *m*.
obstante [oβs'tante] *adv*: **no ~** cependant.
obstinado, -a [oβsti'naðo, a] *adj* obstiné(e).
obstinarse [oβsti'narse] *vpr* s'obstiner; **~ en** s'obstiner à.
obstruir [oβstru'ir] *vt* obstruer; (*plan, labor, proceso*) faire obstacle à.
obtener [oβte'ner] *vt* obtenir.
obturación [oβtura'θjon] *nf* obturation *f*; (*FOTO*): **velocidad de ~** vitesse *f* d'obturation.
obtuso, -a [oβ'tuso, a] *adj* obtus(e).
obtuve *etc* [oβ'tuβe] *vb V* **obtener**.
obús [o'βus] *nm* obus *msg*.
obvio, -a ['oββjo, a] *adj* évident(e).
oca ['oka] *nf* oie *f*; (*tb:* **juego de la ~**) jeu *m* de l'oie.
ocasión [oka'sjon] *nf* occasion *f*; **¡~!** (*COM*) offre spéciale; **de ~** (*libro*) d'occasion; **con ~ de** à l'occasion de; **dar ~ de** donner l'occasion de; **en (algunas) ocasiones** parfois; **aprovechar la ~** profiter de l'occasion.
ocasionar [okasjo'nar] *vt* occasionner.
ocaso [o'kaso] *nm* (*puesta de sol*) coucher *m* du soleil; (*decadencia*) déclin *m*.
occidental [okθiðen'tal] *adj* occidental(e) ♦ *nm/f* Occidental(e).
occidente [okθi'ðente] *nm* occident *m*; **el O~** l'Occident *m*.
océano [o'θeano] *nm* océan *m*; **el ~ Atlántico** l'océan *m* Atlantique.
ochenta [o'tʃenta] *adj inv, nm inv* quatre-vingts *m inv*; *V tb* **sesenta**.
ocho ['otʃo] *adj inv, nm inv* huit *m inv*; **~ días** huit jours *mpl*; *V tb* **seis**.
ochocientos, -as [otʃo'θjentos, as] *adj* huit cents; *V tb* **seiscientos**.
ocio ['oθjo] *nm* (*tiempo*) loisir *m*; (*pey*) oisiveté *f*; **"guía del ~"** "guide *m* art et spectacles".
ocioso, -a [o'θjoso, a] *adj*: **estar ~** être oisif(-ive); **ser ~** être oiseux(-euse).
octano [ok'tano] *nm* octane *m*.
octava [ok'taβa] *nf* (*MÚS*) octave *m*.
octavilla [okta'βiʎa] *nm* (*esp POL*) tract *m*.
octavo, -a [ok'taβo, a] *adj, nm/f* huitième *m/f*; *V tb* **sexto**.
octeto [ok'teto] *nm* (*INFORM*) octet *m*.
octubre [ok'tuβre] *nm* octobre *m*; *V tb* **julio**.
ocular [oku'lar] *adj* (*inspección*) des yeux; **testigo ~** témoin *m* oculaire.
oculista [oku'lista] *nm/f* oculiste *m/f*.
ocultar [okul'tar] *vt* cacher; **ocultarse** *vpr*: **~se (tras/de)** se cacher (derrière/de).
oculto, -a [o'kulto, a] *adj* (*puerta, persona*) dissimulé(e); (*razón*) caché(e).
ocupación [okupa'θjon] *nf* occupation *f*.
ocupado, -a [oku'paðo, a] *adj* occupé(e); **¿está ocupada la silla?** la place est prise?
ocupar [oku'par] *vt* occuper; **ocuparse** *vpr*: **~se de** s'occuper de; **~se de lo suyo** s'occuper de ses affaires.
ocurrencia [oku'rrenθja] *nf* (*idea*) idée *f*; (: *graciosa*) trait *m* d'esprit; **¡qué ~!** (*pey*) quelle drôle d'idée!
ocurrir [oku'rrir] *vi* (*suceso*) se produire, se passer; **ocurrirse** *vpr*: **se me ha ocurrido que ...** il m'est venu à l'esprit que ...; **¿qué te ocurre?** qu'est-ce que tu as?; **¿qué ocurre?** qu'est-ce qui se passe?; **lo que ocurre es que ...** ce qui se passe, c'est que ...; **¡ni se te ocurra!** pas question!; **¡qué cosas se te ocurren!** tu as de ces idées!; **¿se te ocurre algo?** tu as une idée?
oda ['oða] *nf* ode *f*.
odiar [o'ðjar] *vt* (*a algn*) haïr; (*comida, trabajo*) détester.
odio ['oðjo] *nm* haine *f*; **tener ~ a algn** détester qn, haïr qn.
odioso, -a [o'ðjoso, a] *adj* (*persona*) odieux(-euse); (*tiempo*) exécrable; (*trabajo, tema*) insupportable.
odisea [oði'sea] *nf* (*fig*) épopée *f*.
O.E.A. *sigla f* (= *Organización de Estados Americanos*) OEA *f* (= *Organisation des États américains*).
oeste [o'este] *nm* ouest *m*; **película del ~** western *m*; *V tb* **norte**.
ofender [ofen'der] *vt* offenser; **ofenderse** *vpr* s'offenser; **~ a la vista** blesser la vue; **~ a los oídos** écorcher les oreilles; **sentirse ofendido** se froisser.
ofensa [o'fensa] *nf* offense *f*; (*JUR*) délit *m*.
ofensivo, -a [ofen'siβo, a] *adj* (*palabra etc*) offensant(e); (*MIL*) offensif(-ive) ♦ *nf* offensive *f*.

oferta [o'ferta] *nf* offre *f*; (*COM: de bajo precio*) promotion *f*; **la ~ y la demanda** l'offre et la demande; **artículos de** *o* **en ~** articles *mpl* en promotion; **ofertas de trabajo** offres *fpl* d'emploi; **oferta monetaria** offre monétaire; **oferta pública de compra** (*COM*) offre publique d'achat.

oficial [ofi'θjal] *adj* officiel(le) ♦ *nm/f* (*MIL*) officier *m*; (*en un trabajo*) ouvrier(-ère) qualifié(e).

oficina [ofi'θina] *nf* bureau *m*; **oficina de empleo** agence *f* pour l'emploi; **oficina de información** bureau d'information; **oficina de objetos perdidos** bureau des objets trouvés; **oficina de turismo** office *m* du tourisme.

oficinista [ofiθi'nista] *nm/f* employé(e) de bureau.

oficio [o'fiθjo] *nm* travail *m*; (*REL*) office *m*; (*función*) fonction *f*; (*comunicado*) communiqué *m*; **ser del ~** être du métier; **sin ~ ni beneficio** sans profession; **buenos ~s (de algn)** bons offices (de qn); **oficio de difuntos** office des morts.

oficioso, -a [ofi'θjoso, a] *adj* officieux(-euse).

ofimática [ofi'matika] *nf* bureautique *f*.

ofrecer [ofre'θer] *vt* offrir; (*fiesta*) donner; **ofrecerse** *vpr*: **~se a** *o* **para hacer algo** s'offrir pour faire qch; **~ la posibilidad de** donner la possibilité de; **¿qué se le ofrece?, ¿se le ofrece algo?** puis-je vous aider?; **~se de** s'offrir comme.

ofrecimiento [ofreθi'mjento] *nm* offre *f*.

ofrenda [o'frenda] *nf* offrande *f*.

ofrezca *etc* [o'freθka] *vb V* **ofrecer**.

ofuscación [ofuska'θjon] *nf* aveuglement *m*.

ofuscar [ofus'kar] *vt* aveugler; **ofuscarse** *vpr* se troubler; **estar ofuscado por** *o* **con algo** être aveuglé par qch.

ogro ['oɣro] *nm* ogre *m*; (*pey*) monstre *m*.

oída [o'iða] *nf*: **de ~s** par ouï-dire.

oído [o'iðo] *nm* (*ANAT*) oreille *f*; (*sentido*) ouïe *f*; **al ~** à l'oreille; **de ~** d'oreille; **tener ~** avoir de l'oreille; **tener buen ~** avoir une bonne oreille; **ser todo ~s** être tout ouïe; **ser duro de ~** être dur d'oreille; **no doy crédito a mis ~s** je n'en crois pas mes oreilles; **hacer ~s sordos a** faire la sourde oreille à; **oído interno** oreille interne.

oiga *etc* ['oiɣa] *vb V* **oír**.

oír [o'ir] *vt* entendre; (*atender a, esp AM*) écouter ♦ *vi* entendre; **¡oye!, ¡oiga!** écoute!, écoutez!; **¿oiga?** (*TELEC*) allo?; **~ misa** entendre la messe; **¡lo que hay que ~!** ce qu'il ne faut pas entendre!; **como quien oye llover** autant parler à un mur; **~ hablar de algn/algo** entendre parler de qn/qch.

ojal [o'xal] *nm* boutonnière *f*.

ojalá [oxa'la] *excl* si seulement!, espérons! ♦ *conj* (*tb:* **~ que**) si seulement, espérons que; **~ (que) venga hoy** espérons qu'il viendra aujourd'hui; **¡~ pudiera!** si seulement il pouvait!

ojeada [oxe'aða] *nf* coup *m* d'œil; **echar una ~ a** jeter un coup d'œil à.

ojera [o'xera] *nf* cerne *m*; **tener ~s** avoir les yeux cernés.

ojeriza [oxe'riθa] *nf*: **tener ~ a** prendre en grippe.

ojete [o'xete] *nm* œillet *m*.

ojo ['oxo] *nm* œil *m*; (*de puente*) arche *f*; (*de cerradura*) trou *m*; (*de aguja*) chas *msg* ♦ *excl* attention!; **tener ~ para** avoir l'œil pour; **~s saltones** yeux *mpl* globuleux; **ir** *o* **andar con ~** faire attention; **no pegar ~** ne pas fermer l'œil; **~ por ~** œil pour œil; **tener ~ clínico** avoir l'œil infaillible; **tener echado el ~ a algo/algn** avoir l'œil sur qch/qn; **en un abrir y cerrar de ~s** en un clin d'œil; **mirar** *o* **ver con buenos/malos ~s** voir d'un bon/mauvais œil; **a ~s vistas** à vue d'œil; **¡dichosos los ~s (que te ven)!** quelle bonne surprise!; **a ~ (de buen cubero)** à vue de nez; **ten mucho ~ con ése** fais bien attention avec ce type-là; **ser el ~ derecho de algn** (*fig*) être le chouchou de qn; **ojo de buey** œil-de-bœuf *m*.

ola ['ola] *nf* vague *f*; **~ de calor/frío** vague *f* de chaleur/froid; **la nueva ~** la nouvelle vague.

olé [o'le] *excl* olé!

oleada [ole'aða] *nf* vague *f*.

oleaje [ole'axe] *nm* vagues *fpl*.

óleo ['oleo] *nm*: **un ~** une peinture à l'huile; **al ~** à l'huile.

oleoducto [oleo'ðukto] *nm* oléoduc *m*.

oler [o'ler] *vt* sentir; (*curiosear*) mettre le nez (dans) ♦ *vi* (*despedir olor*) sentir; **huele a tabaco** ça sent le tabac; **huele a corrupción** ça sent la corruption; **huele mal** ça sent mauvais; (*fig*) ça sent le brûlé; **huele que apesta** ça pue.

olfatear [olfate'ar] *vt* renifler; (*con el hocico*) flairer; (*sospechar*) flairer; (*curiosear*) mettre le nez (dans).

olfato [ol'fato] *nm* odorat *m*; **tener (buen) ~ para algo** avoir du flair pour qch.

oligarquía [oliɣar'kia] *nf* oligarchie *f*.

olimpiada [olim'pjaða] *nf* olympiade *f*; **~s** *nfpl* jeux *mpl* olympiques.

olímpico, -a [o'limpiko, a] *adj* (*deporte*) olympique; (*gesto*) magnifique.

olisquear [oliske'ar] *vt* (*suj*: *perro*) renifler; (*curiosear*) farfouiller.
oliva [o'liβa] *nf* olive *f*; **aceite de ~** huile *f* d'olive.
olivo [o'liβo] *nm* olivier *m*.
olla ['oʎa] *nf* marmite *f*; (*comida*) ragoût *m*; **~ a presión** cocotte-minute *f*.
olmo ['olmo] *nm* orme *m*.
olor [o'lor] *nm* odeur *f*; **mal ~** mauvaise odeur; **~ a** odeur de.
oloroso, -a [olo'roso, a] *adj* odorant(e).
olvidadizo, -a [olβiða'ðiθo, a] *adj* tête-en-l'air *inv*.
olvidar [olβi'ðar] *vt* oublier; **olvidarse** *vpr*: **~se (de)** oublier (de); **~ hacer algo** oublier de faire qch; **se me olvidó (hacerlo)** j'ai oublié (de le faire); **¡se me olvidaba!** j'allais l'oublier!
olvido [ol'βiðo] *nm* oubli *m*; **por ~** par inadvertance; **echar algo en el ~** tirer un trait sur qch; **caer en el ~** tomber dans l'oubli.
ombligo [om'bliɣo] *nm* nombril *m*.
omisión [omi'sjon] *nf* omission *f*.
omiso, -a [o'miso, a] *adj*: **hacer caso ~ de** passer outre à.
omitir [omi'tir] *vt* omettre.
omnipotente [omnipo'tente] *adj* omnipotent(e).
omnívoro, -a [om'niβoro, a] *adj* omnivore.
omoplato [omo'plato] *nm* omoplate *f*.
OMS [oms] *sigla f* (= *Organización Mundial de la Salud*) OMS *f* (= *Organisation mondiale de la santé*).
ONCE ['onθe] *sigla f* (= *Organización Nacional de Ciegos Españoles*) *entreprise et organisme d'aide aux aveugles*.
once ['onθe] *adj inv, nm inv* onze *m inv* ♦ *nf* (*AM*: *refrigerio, merienda*): **la ~, las ~s** le goûter, le thé; *V tb* **seis**.
onceavo, -a [onθe'aβo, a] *adj, nm* onzième *m*.
onda ['onda] *nf* (*FÍS*) onde *f*; (*del pelo*) ondulation *f*; **ondas acústicas/hertzianas** ondes acoustiques/hertziennes; **onda corta/larga/media** onde courte/grande/moyenne; **la onda expansiva** l'onde de choc porteuse; **onda sonora** onde sonore.
ondear [onde'ar] *vi* onduler.
ondulación [ondula'θjon] *nf* ondulation *f*.
ondulado, -a [ondu'laðo, a] *adj* ondulé(e).
ondular [ondu'lar] *vt, vi* onduler; **ondularse** *vpr* onduler.
ONG [ong] *sigla f* (= *Organización no gubernamental*) ONG *f* (= *organisation non-gouvernementale*).
ONU ['onu] *sigla f* (= *Organización de las Naciones Unidas*) ONU *f* (= *Organisation des Nations unies*).
onza ['onθa] *nf* once *f*.
OPA ['opa] *sigla f* (= *Oferta Pública de Adquisición*) OPA *f* (= *offre publique d'achat*).
opaco, -a [o'pako, a] *adj* opaque.
opción [op'θjon] *nf* (*elección*) choix *m*; (*una opción*) option *f*; (*derecho*): **~ a** choix entre; **no hay otra ~** il n'y a pas d'autre solution.
opcional [opθjo'nal] *adj* facultatif(-ive).
ópera ['opera] *nf* opéra *m*; **ópera bufa/cómica** opéra bouffe/comique.
operación [opera'θjon] *nf* opération *f*; **~ a plazo** (*COM*) transaction *f* à terme; **operaciones accesorias** (*INFORM*) gestion *f* des disques; **operaciones a término** (*COM*) marché *m* à terme.
operador, a [opera'ðor, a] *nm/f* (*MED*) chirurgien(ne); (*TELEC*) opérateur(-trice); (*CINE*: *en proyección*) projectionniste *m/f*; (: *en rodaje*) opérateur(-trice) de prise de vues ♦ *nm*: **~es** *pl* (*INFORM*) opérateurs *mpl*.
operar [ope'rar] *vt* opérer ♦ *vi* opérer; (*COM*) faire des transactions; (*MAT*) faire une opération; **operarse** *vpr* (*cambio*) s'opérer; **~ a algn de algo** opérer qn de qch; **se han operado grandes cambios** il s'est opéré de grands changements; **~se (de)** être opéré(e) (de).
opereta [ope'reta] *nf* opérette *f*.
opinar [opi'nar] *vt* penser ♦ *vi*: **~ (de** *o* **sobre)** donner son avis (sur); **~ bien/mal de** penser du bien/mal de.
opinión [opi'njon] *nf* opinion *f*, avis *msg*; **cambiar de ~** changer d'avis; **tener mala/buena ~ de algo/algn** avoir mauvaise/bonne opinion de qch/qn; **la opinión pública** l'opinion publique.
opio ['opjo] *nm* opium *m*.
opíparo, -a [o'piparo, a] *adj* copieux(-euse).
oponente [opo'nente] *nm/f* adversaire *m/f*.
oponer [opo'ner] *vt* opposer; **oponerse** *vpr*: **~se (a)** s'opposer (à); **~ A a B** opposer A à B; **¡me opongo!** je m'y oppose!
oponga *etc* [o'ponga] *vb V* **oponer**.
oporto [o'porto] *nm* (*vino*) porto *m*.
oportunidad [oportuni'ðað] *nf* (*ocasión*) occasion *f*; (*posibilidad*) opportunité *f*; **~es** *nfpl* (*COM*) promotions *fpl*; (*en trabajo, educación*) possibilités *fpl*; **dar a algn otra ~** redonner une chance à qn.
oportuno, -a [opor'tuno, a] *adj* opportun(e); (*persona*) judicieux(-euse); **en el**

momento ~ au moment opportun; **¡qué ~!** (*irónico*) c'est bien le moment!
oposición [oposi'θjon] *nf* opposition *f*; **oposiciones** *nfpl* (*ESP*) concours *msg*; **la ~** (*POL*) l'opposition; **hacer oposiciones (a), presentarse a unas oposiciones (a)** se présenter au concours (de).
opositar [oposi'tar] *vi*: ~ **(a)** se présenter au concours (de).
opositor, a [oposi'tor, a] *nm/f* candidat(e).
opresión [opre'sjon] *nf* oppression *f*.
opresivo, -a [opre'siβo, a] *adj* (*régimen*) oppressif(-ive); (*medidas*) de répression.
opresor, a [opre'sor, a] *nm/f* oppresseur *m*.
oprimir [opri'mir] *vt* (*botón*) presser; (*suj: cinturón, ropa*) serrer; (*fig: corazón*) oppresser; (*obrero, campesino*) opprimer.
optar [op'tar] *vi*: ~ **por** opter pour; ~ **a** aspirer à.
optativo, -a [opta'tiβo, a] *adj* (*asignatura*) facultatif(-ive).
óptico, -a ['optiko, a] *adj* optique ♦ *nm/f* opticien(ne) ♦ *nf* (*tienda*) opticien *m*; (*FÍS, TEC*) optique *f*.
optimista [opti'mista] *adj, nm/f* optimiste *m/f*.
óptimo, -a ['optimo, a] *adj* optimal(e).
opuesto, -a [o'pwesto, a] *pp de* **oponer** ♦ *adj* opposé(e).
opulencia [opu'lenθja] *nf* opulence *f*.
opulento, -a [opu'lento, a] *adj* opulent(e).
opuse *etc* [o'puse] *vb V* **oponer**.
oquedad [oke'ðað] *nf* cavité *f*.
ORA ['ora] *sigla f* (= *Operación de Regulación de Aparcamientos*) *programme de réglementation du stationnement à Madrid*.
ora ['ora] *conj*: ~ **aquí,** ~ **allá** de-ci, de-là.
oración [ora'θjon] *nf* (*REL*) prière *f*; (*LING*) énoncé *m*.
orador, a [ora'ðor, a] *nm/f* orateur(-trice).
oral [o'ral] *adj* oral(e); **por vía** ~ par voie orale.
orangután [orangu'tan] *nm* orang-outang *m*.
orar [o'rar] *vi* prier.
órbita ['orβita] *nf* orbite *f*; (*ámbito*) champ *m*.
orden ['orðen] *nm* ordre *m* ♦ *nf* (*mandato, REL*) ordre *m*; **por** ~ par ordre; **por ~ alfabético/de aparición** par ordre alphabétique/d'apparition; **estar/poner en** ~ être/mettre en ordre; **del ~ de** de l'ordre de; **de primer** ~ de premier ordre; **estar a la ~ del día** être à l'ordre du jour; **¡a sus órdenes!** à vos ordres!; **dar la ~ de hacer algo** donner l'ordre de faire qch; **orden bancaria** virement *m* bancaire; **orden de comparencia** assignation *f* à comparaître; **orden de compra** (*COM*) ordre d'achat; **orden del día** ordre du jour; **orden público** ordre public.
ordenado, -a [orðe'naðo, a] *adj* ordonné(e).
ordenador [orðena'ðor] *nm* (*INFORM*) ordinateur *m*; ~ **central/de gestión/personal/de sobremesa** ordinateur central/de gestion/personnel/de bureau.
ordenanza [orðe'nanθa] *nf* (*militar, municipal*) ordonnance *f* ♦ *nm* (*en oficinas*) employé *m* de bureau; (*MIL*) ordonnance *f*.
ordenar [orðe'nar] *vt* (*mandar*) ordonner; (*papeles, juguetes*) ranger; (*habitación, ideas*) mettre de l'ordre (dans); (*REL*) ordonner; **ordenarse** *vpr* (*REL*) être ordonné(e).
ordeñar [orðe'ɲar] *vt* traire.
ordinariez [orðina'rjeθ] *nf* grossièreté *f*.
ordinario, -a [orði'narjo, a] *adj* ordinaire; (*pey*) grossier(-ère); **de** ~ d'ordinaire.
orear [ore'ar] *vt* aérer; **orearse** *vpr* s'aérer.
orégano [o'reɣano] *nm* origan *m*.
oreja [o'rexa] *nf* oreille *f*; **sonrisa de ~ a ~** sourire *m* jusqu'aux oreilles; **ver las ~s al lobo** sentir le vent tourner.
orejera [ore'xera] *nf* oreillette *f*.
orfebrería [orfeβre'ria] *nf* orfèvrerie *f*.
orgánico, -a [or'ɣaniko, a] *adj* organique; (*todo*) organisé(e).
organigrama [orɣani'ɣrama] *nm* organigramme *m*.
organillo [orɣa'niʎo] *nm* orgue *m* de Barbarie.
organismo [orɣa'nismo] *nm* organisme *m*; ~ **internacional** organisation *f* internationale.
organización [orɣaniθa'θjon] *nf* organisation *f*; **buena/mala** ~ bonne/mauvaise organisation; **O~ de las Naciones Unidas** Organisation des Nations unies; **O~ del Tratado del Atlantico Norte** Organisation du traité de l'Atlantique Nord.
organizar [orɣani'θar] *vt* organiser; (*crear*) fonder; **organizarse** *vpr* s'organiser; (*escándalo*) se produire.
órgano ['orɣano] *nm* organe *m*; (*MÚS*) orgue *m*.
orgasmo [or'ɣasmo] *nm* orgasme *m*.
orgía [or'xia] *nf* orgie *f*.
orgullo [or'ɣuʎo] *nm* orgueil *m*.
orgulloso, -a [orɣu'ʎoso, a] *adj* orgueilleux(-euse).
orientación [orjenta'θjon] *nf* orientation *f*; ~ **profesional/universitaria** orientation professionnelle/des études; **tener**

sentido de la ~ avoir le sens de l'orientation.
oriental [orjen'tal] *adj* oriental(e) ♦ *nm/f* Oriental(e).
orientar [orjen'tar] *vt* orienter; (*esfuerzos*) diriger; **~se** *vpr* s'orienter; **~se (en, sobre)** s'orienter (vers, d'après).
oriente [o'rjente] *nm* orient *m*; **el O~** l'Orient *m*; **O~ Medio/Próximo** Moyen-/Proche-Orient; **Lejano O~** Extrême-Orient.
orificio [ori'fiθjo] *nm* orifice *m*.
origen [o'rixen] *nm* origine *f*; **de ~ español** d'origine espagnole; **de ~ humilde** d'origine modeste; **dar ~ a** donner lieu à; **país/lugar de ~** pays *msg*/lieu *m* d'origine; **idioma de ~** langue *f* maternelle.
original [orixi'nal] *adj* original(e); (*relativo al origen*) originel(le) ♦ *nm* original *m*; **el pecado ~** le péché originel.
originar [orixi'nar] *vt* causer, provoquer; **originarse** *vpr*: **~se (en)** trouver son origine (dans).
originario, -a [orixi'narjo, a] *adj* originaire; (*motivo, razón*) premier(-ère); **~ de** originaire de; **país ~** pays *msg* d'origine.
orilla [o'riʎa] *nf* bord *m*; **a ~s del mar/río** au bord de la mer/rivière.
orín [o'rin] *nm* rouille *f*.
orina [o'rina] *nf* urine *f*.
orinal [ori'nal] *nm* pot *m* de chambre.
orinar [ori'nar] *vi* uriner; **orinarse** *vpr* faire pipi.
orines [o'rines] *nmpl* urines *fpl*.
oriundo, -a [o'rjundo, a] *adj*: **~ de** originaire de.
orla ['orla] *nf* (*adorno*) bord *m*; (ESCOL) photo *f* de classe.
ornamental [ornamen'tal] *adj* ornemental(e).
oro ['oro] *nm* or *m*; **~ de ley** or au titre; **de ~** en or; **ofrecer/prometer el ~ y el moro** promettre monts et merveilles; **no es ~ todo lo que reluce** tout ce qui brille n'est pas or; **hacerse de ~** rouler sur l'or; *V tb* **oros**.
orondo, -a [o'rondo, a] *adj* (*satisfecho*) fat(e); (*gordo*) rond(e).
oropel [oro'pel] *nm* oripeau *m*.
oros ['oros] *nmpl* (NAIPES) ≈ *l'une des quatre couleurs d'un jeu de cartes espagnol*.
orquesta [or'kesta] *nf* orchestre *m*; **~ de cámara/de jazz** orchestre de chambre/de jazz.
orquestar [orkes'tar] *vt* orchestrer.
orquídea [or'kiðea] *nf* orchidée *f*.
ortiga [or'tiɣa] *nf* ortie *f*.
ortodoncia [orto'ðonθja] *nf* orthodontie *f*.
ortodoxo, -a [orto'ðokso, a] *adj* orthodoxe.
ortografía [ortoɣra'fia] *nf* orthographe *f*.
ortopédico, -a [orto'peðiko, a] *adj* orthopédique.
oruga [o'ruɣa] *nf* chenille *f*.
orujo [o'ruxo] *nm* marc *m* de raisin.
orzuelo [or'θwelo] *nm* orgelet *m*.
os [os] *pron* vous; **vosotros ~ laváis** vous vous lavez; **¡callaros!** (*fam*) taisez-vous!
osa ['osa] *nf* ourse *f*; **O~ Mayor/Menor** Grande/Petite Ourse.
osadía [osa'ðia] *nf* audace *f*.
osar [o'sar] *vi* oser.
oscilación [osθila'θjon] *nf* oscillation *f*; (*de precios, temperaturas*) fluctuation *f*.
oscilar [osθi'lar] *vi* osciller; (*precio, temperatura*) fluctuer; (*titubear*) vaciller.
oscurecer [oskure'θer] *vt* obscurcir ♦ *vi* commencer à faire nuit; **oscurecerse** *vpr* s'obscurcir.
oscuridad [oskuri'ðað] *nf* obscurité *f*; (*cualidad: de color*) foncé *m*.
oscuro, -a [os'kuro, a] *adj* obscur(e); (*color etc*) foncé(e); (*día, cielo*) sombre; (*futuro*) sombre; **a oscuras** dans l'obscurité.
óseo, -a ['oseo, a] *adj* osseux(-euse).
oso ['oso] *nm* ours *msg*; **~ blanco/pardo** ours blanc/brun; **hacer el ~** faire le clown; **oso de peluche** ours en peluche; **oso hormiguero** tamanoir *m*.
ostensible [osten'siβle] *adj* ostensible; **hacer algo ~** manifester qch ostensiblement.
ostentación [ostenta'θjon] *nf* ostentation *f*; **hacer ~ de algo** (*pey*) faire étalage de qch.
ostentar [osten'tar] *vt* arborer; (*cargo, título, récord*) posséder.
ostra ['ostra] *nf* huître *f* ♦ *excl*: **¡~s!** (*fam*) mince!
ostracismo [ostra'θismo] *nm* ostracisme *m*.
OTAN ['otan] *sigla f* (= *Organización del Tratado del Atlántico Norte*) OTAN *f* (= *Organisation du traité de l'Atlantique Nord*).
otear [ote'ar] *vt* scruter.
otoño [o'toɲo] *nm* automne *m*.
otorgar [otor'ɣar] *vt* octroyer, concéder; (*perdón*) accorder; (*poderes*) attribuer; (*premio*) décerner.

PALABRA CLAVE

otro, -a ['otro, a] *adj* **1** (*distinto: sg*) un(e) autre; (*: pl*) d'autres; **otra persona** une autre personne; **con otros amigos** avec d'autres amis

2 (*adicional*): **tráigame otro café (más), por favor** apportez-moi un autre café, s'il vous plaît; **otros 10 días más** encore 10 jours; **otros 3** 3 autres; **otra vez** encore une fois
3 (*un nuevo*): **es otro Mozart** c'est un nouveau Mozart; **¡otra!** (*en concierto*) encore!; **¡a otra cosa!** passons à autre chose!
♦ *pron* **1**: **el otro/la otra** l'autre; **otros/otras** d'autres; **los otros/las otras** les autres; **no cojas esa gabardina, que es de otro** ne prends pas cet imperméable, il est à quelqu'un d'autre; **que lo haga otro** que quelqu'un d'autre le fasse
2 (*recíproco*): **se odian (la) una a (la) otra** elles se détestent l'une l'autre; **unos y otros** les uns et les autres
3: **otro tanto**: **comer otro tanto** manger autant; **recibió una decena de telegramas y otras tantas llamadas** il a reçu une dizaine de télégrammes et autant de coups de téléphone.

ovación [oβa'θjon] *nf* ovation *f*.
ovacionar [oβaθjo'nar] *vt* ovationner, faire une ovation à.
oval [o'βal] *adj* oval(e).
ovalado, -a [oβa'laðo, a] *adj* oval(e).
óvalo ['oβalo] *nm* ovale *m*.
ovario [o'βarjo] *nm* ovaire *m*.
oveja [o'βexa] *nf* brebis *fsg*; ~ **negra** (*de familia*) brebis galeuse.
overol [oβe'rol] (*AM*) *nm* salopette *f*.
ovillo [o'βiʎo] *nm* pelote *f*; **hacerse un ~** se pelotonner.
OVNI ['oβni] *sigla m* (= *objeto volante (o volador) no identificado*) OVNI *m* (= *objet volant non identifié*).
ovulación [oβula'θjon] *nf* ovulation *f*.
óvulo ['oβulo] *nm* ovule *m*.
oxidar [oksi'ðar] *vt* oxyder, rouiller; **oxidarse** *vpr* s'oxyder, se rouiller; (*TEC*) s'oxyder.
óxido ['oksiðo] *nm* oxyde *m*; (*sobre metal*) rouille *f*.
oxigenar [oksixe'nar] *vt* oxygéner; **oxigenarse** *vpr* s'oxygéner.
oxígeno [ok'sixeno] *nm* oxygène *m*.
oyendo *etc* [o'jendo] *vb V* **oír**.
oyente [o'jente] *nm/f* auditeur(-trice).
ozono [o'θono] *nm* ozone *m*; **agujero/capa de** ~ trou *m*/couche *f* d'ozone.

P, p

pabellón [paβe'ʎon] *nm* pavillon *m*; **pabellón de conveniencia** (*COM*) pavillon de complaisance; **pabellón de la oreja** pavillon de l'oreille.
PAC *sigla f* (= *Política Agraria Común*) PAC *f* (= *Politique agricole commune*).
pacer [pa'θer] *vi* paître.
pachanguero, -a [patʃan'gero, a] (*pey*) *adj* tapageur(-euse).
pacharán [patʃa'ran] *nm* liqueur *f* de prunelle.
pachucho, -a [pa'tʃutʃo, a] *adj* (*fruta*) trop mûr(e); (*fam: persona*) patraque.
paciencia [pa'θjenθja] *nf* patience *f*; **¡~!** patience!; **armarse de ~** s'armer de patience; **perder la ~** perdre patience.
paciente [pa'θjente] *adj*, *nm/f* patient(e).
pacificar [paθifi'kar] *vt* pacifier.
pacífico, -a [pa'θifiko, a] *adj* pacifique; **el (Océano) P~** le (*o* l'océan) Pacifique.
pacifismo [paθi'fismo] *nm* pacifisme *m*.
pacifista [paθi'fista] *nm/f* pacifiste *m/f*.
pacotilla [pako'tiʎa] *nf*: **de ~** de pacotille.
pactar [pak'tar] *vt*, *vi* pactiser.
pacto ['pakto] *nm* pacte *m*.
padecer [paðe'θer] *vt* (*dolor, enfermedad*) souffrir de; (*injusticia*) pâtir de; (*consecuencias, sequía*) subir ♦ *vi*: ~ **de** souffrir de.
padecimiento [paðeθi'mjento] *nm* souffrance *f*.
padezca *etc* [pa'ðeθka] *vb V* **padecer**.
padrastro [pa'ðrastro] *nm* beau-père *m*; (*en las uñas*) envie *f*.
padrazo [pa'ðraθo] *nm* papa *m* gâteau.
padre ['paðre] *nm* père *m*; ♦ *adj* (*fam*): **una juerga ~** une bringue à tout casser; **~s** *nmpl* (*padre y madre*) parents *mpl*; **García ~** Garcia père; **¡tu ~!** (*fam!*) mon œil!; **un susto ~** une peur bleue; **padre adoptivo** père adoptif; **padre de familia** père de famille; **padre espiritual** père spirituel; **Padre Nuestro** Notre Père; **padre político** beau-père *m*.
padrino [pa'ðrino] *nm* parrain *m*; **~s** *nmpl* le parrain et la marraine; ~ **de boda** témoin *m* de mariage.
padrón [pa'ðron] *nm* recensement *m*.
paella [pa'eʎa] *nf* paella *f*.
paga ['paɣa] *nf* paie *f*, paye *f*; **paga extra** treizième mois *m*.
pagano, -a [pa'ɣano, a] *adj*, *nm/f* païen(ne).
pagar [pa'ɣar] *vt*, *vi* payer; **¡me las ~ás!** tu me le payeras!; ~ **al contado** payer au comptant; ~ **algo caro** (*fig*) payer cher qch.
pagaré [paɣa're] *nm* billet *m* à ordre.
página ['paxina] *nf* page *f*.
paginar [paxi'nar] *vt* paginer.
pago ['paɣo] *nm* paiement *m*; **~(s)** (*esp AND, CSUR*) région *fsg*; **en ~ de** en paie-

ment de; **pago a cuenta** acompte *m*; **pago a la entrega/anticipado/en especie** paiement à la livraison/anticipé/en espèces; **pago inicial** versement *m* initial.

pague *etc* ['paɣe] *vb V* **pagar**.

paila ['paila] (*AM*) *nf* poêle *f*.

país [pa'is] *nm* pays *msg*; **los P~es Bajos** les Pays Bas; **el P~ Vasco** le Pays Basque.

paisaje [pai'saxe] *nm* paysage *m*.

paisano, -a [pai'sano, a] *nm/f* compatriote *m/f*; (*esp CSUR*) paysan(ne) ♦ *adj* (*esp CSUR*) paysan(ne); **vestir de ~** être en civil.

paja ['paxa] *nf* paille *f*; (*fig*) remplissage *m*.

pajar [pa'xar] *nm* grenier *m* à foin.

pajarita [paxa'rita] *nf* nœud *m* papillon.

pájaro ['paxaro] *nm* oiseau *m*; (*fam*) oiseau, loustic *m*; **tener la cabeza llena de ~s** avoir la tête ailleurs *o* en l'air; **pájaro carpintero** pic *m*.

pajita [pa'xita] *nf* paille *f*.

pala ['pala] *nf* pelle *f*; (*de pingpong, frontón*) raquette *f*; (*de hélice, remo*) pale *f*; **pala mecánica** pelle mécanique.

palabra [pa'laβra] *nf* mot *m*; (*promesa, facultad, en asamblea*) parole *f*; **faltar a su ~** manquer à sa parole; **dejar a algn con la ~ en la boca** ne pas laisser qn terminer sa phrase; **pedir/tener/tomar la ~** demander/avoir/prendre la parole; **no encuentro ~s para expresar ...** je ne trouve pas les mots pour exprimer ...; **palabra de honor** parole d'honneur.

palabrota [pala'βrota] *nf* gros mot *m*.

palacio [pa'laθjo] *nm* palais *msg*; **palacio de justicia** palais de justice.

paladar [pala'ðar] *nm* (*tb fig*) palais *msg*.

paladear [palaðe'ar] *vt* savourer.

palanca [pa'lanka] *nf* levier *m*; (*fig*) piston *m*; **palanca de cambio/mando** levier de changement de vitesse/de commande.

palangana [palan'gana] *nf* cuvette *f*.

palco ['palko] *nm* (*TEATRO*) loge *f*; **palco de autoridades/de honor** tribune *f* officielle/d'honneur.

paleolítico, -a [paleo'litiko, a] *adj* paléolithique.

palestino, -a [pales'tino, a] *adj* palestinien(ne) ♦ *nm/f* Palestinien(ne).

palestra [pa'lestra] *nf*: **salir** *o* **saltar a la ~** descendre dans l'arène.

paleta [pa'leta] *nf* (*de albañil*) truelle *f*; (*ARTE*) palette *f*; (*de hélice*) pale *f*; (*AM*) esquimau *m*; *V tb* **paleto**.

paletilla [pale'tiʎa] *nf* omoplate *f*; (*CULIN*) épaule *f*.

paleto, -a [pa'leto, a] *adj, nm/f* péquenaud(e).

paliar [pa'ljar] *vt* pallier.

paliativo [palja'tiβo] *nm* palliatif *m*.

palidecer [paliðe'θer] *vi* pâlir.

palidez [pali'ðeθ] *nf* pâleur *f*.

pálido, -a ['paliðo, a] *adj* pâle.

palillo [pa'liʎo] *nm* cure-dents *msg*; (*MÚS*) baguette *f*; **~s** *nmpl* (*para comer. tb:* **~s chinos**) baguettes *fpl*; **estar hecho un ~** être maigre comme un clou.

palio ['paljo] *nm* dais *msg*.

palique [pa'like] *nm*: **estar de ~** (*fam*) papoter.

paliza [pa'liθa] *nf* raclée *f*; **dar la ~ a algn** assommer qn; **dar una ~ a algn** flanquer une raclée à qn; **darse una ~ haciendo algo** s'esquinter à faire qch.

palma ['palma] *nf* (*de mano*) paume *f*; (*árbol*) palmier *m*; **batir** *o* **dar ~s** battre des mains; **llevarse la ~** remporter la palme, l'emporter.

palmada [pal'maða] *nf* tape *f*; **~s** *nfpl* (*aplauso*) applaudissements *mpl*; (*en música*) battements *mpl* de mains.

palmar [pal'mar] (*fam*) *vi* (*tb:* **~la**) clamser.

palmarés [palma'res] *nm* palmarès *msg*.

palmera [pal'mera] *nf* palmier *m*; *V tb* **palmero**.

palmo ['palmo] *nm* empan *m*; (*fig*) pied *m*; **~ a ~** (*recorrer*) d'un bout à l'autre; (*registrar*) de fond en comble; **dejar a algn con un ~ de narices** couper le souffle à qn.

palmotear [palmote'ar] *vi* battre des mains.

palo ['palo] *nm* (*de madera*) bâton *m*; (*poste*) piquet *m*; (*mango*) manche *m*; (*golpe*) coup *m*; (*de golf*) club *m*; (*NÁUT*) mât *m*; (*NAIPES*) couleur *f*; **vermut a ~ seco** vermouth *m* sec; **dar (de) ~s a algn** rouer qn de coups; **¡qué ~!** (*fam*) quelle tuile!

paloma [pa'loma] *nf* pigeon *m*; **la ~ de la paz** la colombe de la paix; **paloma mensajera** pigeon voyageur.

palomitas [palo'mitas] *nfpl* (*tb:* **~ de maíz**) pop-corn *msg*.

palpable [pal'paβle] *adj* palpable.

palpar [pal'par] *vt* palper; (*al andar a ciegas*) tâter; **se palpaba la tensión** la tension était palpable.

palpitación [palpita'θjon] *nf* palpitation *f*.

palpitante [palpi'tante] *adj* palpitant(e); (*fig*) brûlant(e).

palpitar [palpi'tar] *vi* palpiter.

palta ['palta] (*AND, CSUR*) *nf* avocat *m*.

paludismo [palu'ðismo] *nm* paludisme *m*.

palurdo, -a [pa'lurðo, a] (*pey*) *adj, nm/f* péquenaud(e).
pamela [pa'mela] *nf* capeline *f*.
pampa ['pampa] (*AM*) *nf* pampa *f*.
pamplinas [pam'plinas] *nfpl* bêtises *fpl*; **déjate de ~** trêve de plaisanteries.
pan [pan] *nm* pain *m*; **un ~** un pain; **barra de ~** baguette *f*, flûte *f*; **eso es ~ comido** c'est du gâteau, c'est du tout cuit; **llamar al ~ pan y al vino vino** appeler un chat un chat; **ganarse el ~** gagner son pain; **pan de molde** pain de mie; **pan integral** pain complet; **pan rallado** chapelure *f*.
pana ['pana] *nf* velours *msg* côtelé; (*CHI*: *avería*) panne *f*.
panacea [pana'θea] *nf* panacée *f*.
panadería [panaðe'ria] *nf* boulangerie *f*.
panadero, -a [pana'ðero, a] *nm/f* boulanger(-ère).
panal [pa'nal] *nm* rayon *m*.
Panamá [pana'ma] *nm* Panama *m*.
panameño, -a [pana'meɲo, a] *adj* panaméen(ne) ♦ *nm/f* Panaméen(ne).
pancarta [pan'karta] *nf* pancarte *f*.
páncreas ['pankreas] *nm* pancréas *msg*.
panda ['panda] *nm* panda *m* ♦ *nf* (*fam*) bande *f*.
pandereta [pande'reta] *nf* tambourin *m*.
pandilla [pan'diʎa] *nf* bande *f*.
panel [pa'nel] *nm* panneau *m*; **panel acústico** isolant *m* acoustique; **panel de control/de mandos** tableau *m* de contrôle/de commandes; **panel de invitados** (*RADIO, TV*) plateau *m* d'invités; **panel solar** panneau solaire.
panera [pa'nera] *nf* corbeille *f* à pain.
panfleto [pan'fleto] *nm* pamphlet *m*.
pánico ['paniko] *nm* panique *f*.
panificadora [panifika'ðora] *nf* boulangerie *f*.
panorama [pano'rama] *nm* panorama *m*.
panqué [pan'ke] (*AM*) *nm* crêpe *f*.
pantalla [pan'taʎa] *nf* écran *m*; (*de lámpara*) abat-jour *m*; **servir de ~ a** servir de couverture à; **pantalla de ayuda** aide *f* (en ligne); **pantalla de cristal líquido** écran à cristaux liquides; **pantalla plana** écran plat; **pantalla táctil** écran tactile.
pantalón [panta'lon] *nm*, **pantalones** [panta'lones] *nmpl* pantalon *msg*; **pantalones vaqueros** blue-jean *msg*.
pantano [pan'tano] *nm* (*ciénaga*) marécage *m*; (*embalse*) barrage *m*; (*fig*: *atolladero*) bourbier *m*.
pantera [pan'tera] *nf* panthère *f*.
pantis ['pantis] *nmpl* collant *msg*.
pantorrilla [panto'rriʎa] *nf* mollet *m*.
pantufla [pan'tufla] *nf* pantoufle *f*.
panza ['panθa] *nf* panse *f*.
panzada [pan'θaða] *nf* (*atracón*) ventrée *f*; (*golpe*: *en agua*) plat *m*.
pañal [pa'ɲal] *nm* lange *m*; **estar todavía en ~es** (*proyecto*) en être à ses débuts; (*persona*) être novice.
paño ['paɲo] *nm* (*tela*) étoffe *f*; (*trapo*) torchon *m*; **en ~s menores** en petite tenue; **paños calientes** (*fig*) palliatifs *mpl*, baume *msg*; **paño de cocina** torchon; **paño de lágrimas** (*fig*) réconfort *m*.
pañoleta [paɲo'leta] *nf* mantille *f*.
pañuelo [pa'ɲwelo] *nm* (*para la nariz*) mouchoir *m*; (*para la cabeza*) foulard *m*; **pañuelo de papel** mouchoir en papier.
Papa ['papa] *nm* Pape *m*.
papa ['papa] (*AM*) *nf* pomme de terre *f*.
papá [pa'pa] (*fam*) *nm* papa *m*; **~s** *nmpl* (*padre y madre*) parents *mpl*; **hijo de ~** fils *msg* à papa; **Papá Noel** père Noël *m*.
papachar [papa'tʃar] (*MÉX*: *fam*) *vt* gâter.
papada [pa'paða] *nf* double menton *m*.
papagayo [papa'ɣajo] *nm* perroquet *m*.
papal [pa'pal] *adj* papal(e).
papalote [papa'lote] (*CAM, MÉX*) *nm* cerf-volant *m*.
papaya [pa'paja] *nf* papaye *f*.
papel [pa'pel] *nm* papier *m*; (*TEATRO, fig*) rôle *m*; **~es** *nmpl* (*documentos*) papiers *mpl*; **papel carbón** papier carbone; **papel contínuo** papier en continu; **papel de aluminio** papier aluminium; **papel de calco/de lija** papier calque/de verre; **papel de carta(s)/de fumar** papier à lettres/à cigarettes; **papel de envolver** papier d'emballage; **papel timbrado** *o* **del Estado** papier timbré; **papel de estaño** *o* **plata** papier aluminium; **papel higiénico** *o* (*MÉX*) **sanitario/secante** papier hygiénique/buvard; **papel madera** (*CSUR*) carton *m*; **papel moneda** papier-monnaie *m*; **papel térmico** papier thermique.
papeleo [pape'leo] *nm* paperasserie *f*.
papelera [pape'lera] *nf* corbeille *f* à papiers; (*en la calle*) poubelle *f*; (*industria*) papeterie *f*.
papelería [papele'ria] *nf* papeterie *f*.
papeleta [pape'leta] *nf* (*de rifa*) billet *m*; (*POL*) bulletin *m*; (*ESCOL*: *calificación*) relevé *m* de notes; **¡vaya ~!** quelle histoire!, quelle affaire!
paperas [pa'peras] *nfpl* oreillons *mpl*.
papilla [pa'piʎa] *nf* bouillie *f*; **dejar hecho** *o* **hacer ~** réduire *o* mettre en bouillie.
paquete [pa'kete] *nm* paquet *m*; (*esp AM*: *fam*) ennui *m*; (*INFORM*) progiciel *m*; **paquete de aplicaciones** lot *m* de logiciels; **paquete de gestión integrado** progiciel de gestion; **paquete integrado** progiciel;

paquetes postales colis *mpl* postaux.

paquete-bomba [pakete'bomba] (*pl* **~s-~**) *nm* colis *msg* piégé.

par [par] *adj* pair(e) ♦ *nm* (*de guantes, calcetines*) paire *f*; (*de veces, días*) deux; (*pocos*) deux ou trois; (*título*) pair *m*; (*GOLF*) par *m* ♦ *nf* (*COM*) pair; **a ~es** par paires; **abrir de ~ en ~** ouvrir tout grand; **a la ~** à la fois; **sobre/bajo la ~** (*ECON*) au dessus/au dessous du pair; **sin ~** unique.

para ['para] *prep* pour; **decir ~ sí** se dire; **~ tí** pour toi; **¿~ qué?** pourquoi faire?; **¿~ qué lo quieres?** que veux-tu en faire?; **~ que te sientes** pour que tu t'assoies; **~ entonces** à ce moment-là; **estará listo ~ mañana** ça sera prêt demain; **ir ~ casa** aller chez soi; **~ ser tan mayor, está ágil** il est agile pour son âge; **¿quién es usted ~ gritar así?** vous vous prenez pour qui pour crier comme ça?; **tengo bastante ~ vivir** j'ai de quoi vivre; **~ el caso que me haces** vu l'intérêt que tu me portes; **~ eso no vengas** si c'est pour ça, ne viens pas; **~ colmo** pour comble.

parábola [pa'raβola] *nf* parabole *f*.

parabólica [para'βolika] *nf* (*tb:* **antena ~**) antenne *f* parabolique.

parabrisas [para'βrisas] *nm inv* pare-brise *m inv*.

paracaídas [paraka'iðas] *nm inv* parachute *m*.

paracaidista [parakai'ðista] *nm/f* parachutiste *m/f*; (*MÉX: fam*) squatter *m*.

parachoques [para'tʃokes] *nm inv* pare-chocs *m inv*.

parada [pa'raða] *nf* arrêt *m*; **parada de autobús/de taxis** arrêt d'autobus/station *f* de taxis; **parada discrecional** arrêt facultatif; **parada en seco** arrêt net; **parada militar** parade *f*; *V tb* **parado**.

paradero [para'ðero] *nm* endroit *m*; (*AND, CSUR*) halte *f*; **en ~ desconocido** parti sans laisser d'adresse.

parado, -a [pa'raðo, a] *adj* arrêté(e); (*tímido*) timide; (*sin empleo*) au chômage; (*confuso*) confondu(e); (*AM*) debout ♦ *nm/f* chômeur(-euse); **salir bien ~** bien s'en tirer.

paradoja [para'ðoxa] *nf* paradoxe *m*.

paradójico, -a [para'ðoxiko, a] *adj* paradoxal(e).

parador [para'ðor] *nm* (*tb:* **~ de turismo**) parador *m* (*hôtel de première catégorie géré par l'état*).

parafrasear [parafrase'ar] *vt* paraphraser.

paraguas [pa'raɣwas] *nm inv* parapluie *m*.

Paraguay [para'ɣwai] *nm* Paraguay *m*.

paraguayo, -a [para'ɣwajo, a] *adj* paraguayen(ne) ♦ *nm/f* Paraguayen(ne).

paraíso [para'iso] *nm* paradis *msg*; **paraíso fiscal** paradis fiscal.

paraje [pa'raxe] *nm* parage *m*.

paralelo, -a [para'lelo, a] *adj, nm* parallèle *m*; **en ~** en parallèle.

parálisis [pa'ralisis] *nf inv* paralysie *f*; **parálisis cerebral/infantil/progresiva** paralysie cérébrale/infantile/progressive.

paralítico, -a [para'litiko, a] *adj, nm/f* paralytique *m/f*.

paralizar [parali'θar] *vt* paralyser; **paralizarse** *vpr* être paralysé(e); **estar/quedarse paralizado de miedo** être paralysé par la peur.

parámetro [pa'rametro] *nm* paramètre *m*; **~s** *nmpl* (*INFORM*) paramètres *mpl*.

paramilitar [paramili'tar] *adj* paramilitaire.

páramo ['paramo] *nm* plateau *m* nu.

parangón [paran'gon] *nm*: **sin ~** sans égal(e).

paraninfo [para'ninfo] *nm* grand amphithéâtre *m*.

paranoia [para'noia] *nf* paranoïa *f*; (*fig*) obsession *f*.

paranoico, -a [para'noiko, a] *adj* paranoïaque ♦ *nm/f* paranoïaque *m/f*; (*fig*) maniaque, obsédé(e).

paranormal [paranor'mal] *adj* paranormal(e).

parapetarse [parape'tarse] *vpr*: **~ tras** se retrancher derrière.

parapléjico, -a [para'plexiko, a] *adj, nm/f* paraplégique *m/f*.

parar [pa'rar] *vt* arrêter ♦ *vi* s'arrêter; **pararse** *vpr* s'arrêter; (*AM*) se lever; **sin ~** sans arrêt; **no ~** ne pas arrêter; **no ~ de hacer algo** ne pas arrêter de faire qch; **ha parado de llover** il ne pleut plus; **fue a ~ a la comisaría** il a atterri au commissariat; **no sé en qué va a ~ todo esto** je ne sais pas comment tout cela va finir; **¡dónde va a ~!** ce n'est pas comparable!; **~se a hacer algo** s'arrêter pour faire qch.

pararrayos [para'rrajos] *nm inv* paratonnerre *m*.

parasicología [parasikolo'xia] *nf* parapsychologie *f*.

parásito, -a [pa'rasito, a] *adj, nm* parasite *m*; **un ~ de la sociedad** un parasite de la société.

parcela [par'θela] *nf* parcelle *f*.

parche ['partʃe] *nm* (*de rueda*) rustine *f*; (*de ropa*) pièce *f*; (*fig: de problema*) pis-aller *m inv*; **sólo estamos poniendo ~s** (*fig*) nous ne faisons que du rafistolage.

parchís [par'tʃis] *nm sorte de jeu de puce.*

parcial [par'θjal] *adj* (*pago, eclipse*) partiel(le); (*juicio*) partial(e).
parcialidad [parθjali'ðað] *nf* partialité *f*.
parco, -a ['parko, a] *adj* sobre; ~ **en palabras** modéré(e) dans ses propos.
pardillo, -a [par'ðiʎo, a] *adj, nm/f* péquenaud(e) (*fam*); (*inocente*) naïf(naïve) ♦ *nm* (*ZOOL*) bouvreuil *m*.
pardo, -a ['parðo, a] *adj* brun grisâtre *inv*.
pareado [pare'aðo] *nm* vers *msg* à rime plate.
parecer [pare'θer] *nm* opinion *f*; (*aspecto*) allure *f* ♦ *vi* sembler; (*asemejarse a*) ressembler à; **parecerse** *vpr* se ressembler; **~se a** ressembler à; **parece mentira** cela semble incroyable; **al** ~ à ce qu'il paraît; **parece que va a llover** on dirait qu'il va pleuvoir; **me parece bien/importante que ...** je trouve que c'est bien/qu'il est important que ...; **¿que te pareció la película?** comment as-tu trouvé le film?; **me parece bien** ça me va; **me parece que** il me semble que.
parecido, -a [pare'θiðo, a] *adj* semblable ♦ *nm* ressemblance *f*; ~ **a algo** semblable à qch; **un hombre bien** ~ un bel homme.
pared [pa'reð] *nf* mur *m*; (*de montaña*) paroi *f*; **subirse por las ~es** (*fam*) monter sur ses grands chevaux; **pared medianera/divisoria** mur mitoyen/de refend.
paredón [pare'ðon] *nm*: **llevar a algn al** ~ conduire qn au poteau (d'exécution).
pareja [pa'rexa] *nf* paire *f*; (*hombre y mujer*) couple *m*; (*persona*) partenaire *m/f*; **una ~ de guardias** deux gendarmes; **la** ~ (*de un par*) l'autre.
parentesco [paren'tesko] *nm* parenté *f*.
paréntesis [pa'rentesis] *nm inv* parenthèse *f*; **entre** ~ entre parenthèses.
parezca *etc* [pa'reθka] *vb V* **parecer**.
parida [pa'riða] (*fam*) *nf* connerie *f*.
paridad [pari'ðað] *nf* parité *f*.
pariente, -a [pa'rjente, a] *nm/f* parent(e).
parir [pa'rir] *vt* (*hijo*) accoucher de; (*animal*) mettre bas ♦ *vi* (*mujer*) accoucher; (*animal*) mettre bas; (*yegua*) mettre bas, pouliner; (*vaca*) mettre bas, vêler.
París [pa'ris] *n* Paris.
parisiense [pari'sjense], **parisino, -a** [pari'sino] *adj* parisien(ne) ♦ *nm/f* Parisien(ne).
paritario, -a [pari'tarjo, a] *adj* paritaire.
parking ['parkin] *nm* parking *m*.
parlamentario, -a [parlamen'tarjo, a] *adj, nm/f* parlementaire *m/f*.
parlamento [parla'mento] *nm* parlement *m*; (*discurso*) discours *msg*; **Parlamento Europeo** Parlement européen.
parlanchín, -ina [parlan'tʃin, ina] *adj, nm/f* bavard(e).
parlante [par'lante] (*AM*) *nm* haut-parleur *m*.
parlar [par'lar] *vi* bavarder.
parloteo [parlo'teo] *nm* papotage *m*.
paro ['paro] *nm* (*huelga*) arrêt *m*; (*desempleo, subsidio*) chômage *m*; **estar en** ~ être au chômage; ~ **del sistema** (*INFORM*) arrêt du système; **paro cardíaco** arrêt cardiaque.
parodia [pa'roðja] *nf* parodie *f*.
parodiar [paro'ðjar] *vt* parodier.
parpadear [parpaðe'ar] *vi* clignoter.
parpadeo [parpa'ðeo] *nm* clignotement *m*.
párpado ['parpaðo] *nm* paupière *f*.
parque ['parke] *nm* parc *m*; **parque de atracciones** parc d'attractions; **parque de bomberos** caserne *f* de pompiers; **parque móvil** parc automobile; **parque nacional/zoológico** parc national/zoologique.
parqué [par'ke], **parquet** [par'ke] *nm* parquet *m*.
parquímetro [par'kimetro] *nm* parcmètre *m*, parcomètre *m*.
parra ['parra] *nf* treille *f*.
párrafo ['parrafo] *nm* paragraphe *m*.
parranda [pa'rranda] (*fam*) *nf*: **ir(se) de** ~ aller faire la bringue.
parrilla [pa'rriʎa] *nf* grill *m*; (*AM*) porte-bagages *m inv*; **carne a la** ~ viande *f* grillée.
parrillada [parri'ʎaða] *nf* grillade *f*.
párroco ['parroko] *nm* curé *m*.
parroquia [pa'rrokja] *nf* paroisse *f*; (*COM*) clientèle *f*.
parroquiano, -a [parro'kjano, a] *nm/f* paroissien(ne); (*COM*) client(e).
parsimonia [parsi'monja] *nf* parcimonie *f*; **con** ~ avec parcimonie.
parte ['parte] *nm* rapport *m* ♦ *nf* partie *f*; (*lado*) côté *m*; (*lugar, de reparto*) part *f*; **en alguna ~ de Europa** quelque part en Europe; **por todas ~s** partout; **en cualquier** ~ partout, n'importe où; **en (gran)** ~ en (grande) partie; **la mayor ~ de los españoles** la plupart des Espagnols; **de algún tiempo a esta** ~ depuis quelque temps; **de ~ de algn** de la part de qn; **¿de ~ de quién?** (*TELEC*) de la part de qui?; **por ~ de** de la part de; **yo por mi** ~ en ce qui me concerne, quant à moi; **por una ~ ... por otra** ~ d'une part ... d'autre part; **dar ~ a algn** communiquer à qn; **formar ~ de** faire partie de; **ponerse de ~ de algn** prendre fait et cause pour qn; **tomar ~ (en)**

prendre part (à); **parte de guerra** communiqué *m* de guerre; **parte meteorológico** bulletin *m* météorologique.

partición [parti'θjon] *nf* partage *m*.

participación [partiθipa'θjon] *nf* participation *f*; (*de lotería*) tranche *f*; ~ **en los beneficios** participation aux bénéfices; ~ **minoritaria** participation minoritaire.

participante [partiθi'pante] *nm/f* participant(e).

participar [partiθ'par] *vt* communiquer ♦ *vi*: ~ **(en)** participer (à); ~ **de algo** partager qch; ~ **en una empresa** (*COM*) investir dans une entreprise; **le participo que** ... je vous informe que ... .

partícipe [par'tiθipe] *nm/f*: **hacer** ~ **a algn de algo** faire part à qn de qch.

participio [parti'θipjo] *nm* participe *m*; **participio de pasado/presente** participe passé/présent.

partícula [par'tikula] *nf* particule *f*.

particular [partiku'lar] *adj* particulier (-ière) ♦ *nm* (*punto, asunto*) sujet *m*, chapitre *m*; (*individuo*) particulier *m*; **clases ~es** cours *mpl* particuliers; **en** ~ en particulier; **no dijo mucho sobre el** ~ il n'en a pas dit long sur ce sujet.

particularidad [partikulari'ðað] *nf* particularité *f*.

partida [par'tiða] *nf* départ *m*; (*COM: de mercancía*) lot *m*; (*: de cuenta, factura*) entrée *f*; (*: de presupuesto*) chapitre *m*; (*juego*) partie *f*; (*grupo, bando*) bande *f*; **mala** ~ mauvais tour *m*; **echar una** ~ faire une partie; **partida de caza** partie de chasse; **partida de defunción/de matrimonio** extrait *m* d'acte de décès/de mariage; **partida de nacimiento** extrait de naissance.

partidario, -a [parti'ðarjo, a] *adj*: **ser** ~ **de** être partisan(e) de ♦ *nm/f* (*seguidor*) partisan(e).

partido [par'tiðo] *nm* parti *m*; (*DEPORTE*) match *m*; **sacar** ~ **de** tirer parti de; **tomar** ~ prendre parti; **partido amistoso** match amical; **partido de baloncesto** match de basket; **partido de fútbol** match de football; **partido de tenis** match de tennis; **partido judicial** arrondissement *m*.

partir [par'tir] *vt* (*dividir*) partager; (*romper*) casser; (*rebanada, trozo*) couper ♦ *vi* partir; **partirse** *vpr* se casser; **a** ~ **de** à partir de, à compter de; ~ **de** partir de; **~se de risa** se tordre de rire.

partitura [parti'tura] *nf* partition *f*.

parto ['parto] *nm* (*de una mujer*) accouchement *m*; (*de un animal*) mise bas *f*; (*fig*) enfantement *m*; **estar de** ~ être en couches.

párvulo, -a ['parβulo, a] *nm/f* petit enfant *m*.

pasa ['pasa] *nf* raisin *m* sec; **pasa de corinto** raisin de Corinthe.

pasable [pa'saβle] *adj* passable.

pasada [pa'saða] *nf* passage *m*; (*con trapo, escoba*) coup *m*; **de** ~ (*leer, decir*) au passage; **mala** ~ mauvais tour *m*.

pasadizo [pasa'ðiθo] *nm* passage *m*.

pasado, -a [pa'saðo, a] *adj* passé(e); (*muy hecho*) trop cuit(e); (*anticuado*) dépassé(e), démodé(e) ♦ *nm* passé *m*; ~ **mañana** après-demain; **el mes** ~ le mois dernier; **~s dos días** deux jours plus tard; **lo ~, pasado** tout ça, c'est du passé; ~ **de moda** démodé(e); ~ **por agua** (*huevo*) à la coque.

pasador [pasa'ðor] *nm* verrou *m*; (*de pelo*) barrette *f*; (*de corbata*) épingle *f*; (*AM*) lacet *m*.

pasaje [pa'saxe] *nm* passage *m*; (*de barco, avión*) billet *m*; (*los pasajeros*) passagers *mpl*.

pasajero, -a [pasa'xero, a] *adj, nm/f* passager(-ère).

pasamontañas [pasamon'taɲas] *nm inv* passe-montagne *m*.

pasaporte [pasa'porte] *nm* passeport *m*.

pasar [pa'sar] *vt* passer; (*barrera, meta*) franchir; (*frío, calor, hambre*) avoir; (*: con énfasis*) souffrir de; (*rebasar*) dépasser ♦ *vi* passer; (*ocurrir*) se passer; (*entrar*) entrer; **pasarse** *vpr* se passer; (*flores*) se faner; (*comida*) se gâter; (*excederse*) exagérer; **hacer** ~ **a algn** faire entrer qn; ~ **a (hacer)** en venir à (faire); ~ **de** dépasser de; ~ **de largo** ne pas s'en faire; ~ **de (hacer) algo** (*fam*) se ficher de (faire) qch; ~ **de todo** (*fam*) se ficher de tout; **¡pase!** entrez!; ~ **por un sitio/una calle** passer par un endroit/une rue; ~ **por alto** faire fi de, passer sous silence; ~ **por una crisis** traverser une crise; ~ **sin algo** se passer de qch; **~lo bien** s'amuser; **¿qué pasa?** que se passe-t-il?; **¿qué te pasa?** que t'arrive-t-il?; **¡cómo pasa el tiempo!** comme le temps passe vite!; **pase lo que pase** quoi qu'il en soit, advienne que pourra; **se hace** ~ **por médico** il se fait passer pour médecin; **pásate por casa/la oficina** passe chez moi/par mon bureau; **~se al enemigo** passer à l'ennemi; **~se de moda** passer de mode; **~se de la raya** dépasser les bornes; **¡no te pases!** n'exagère pas!; **me lo pasé bien/mal** cela s'est bien/mal passé; **se me pasó** j'ai complètement oublié; **se me pasó el turno** j'ai laissé passer mon tour; **no se le pasa nada** rien ne lui échappe; **ya se te ~á** ça te passera.

pasarela [pasa'rela] *nf* passerelle *f*; (*de modas*) podium *m*.

pasatiempo [pasa'tjempo] *nm* passe-temps *msg*; **~s** *nmpl* (*en revista*) jeux *mpl*.

Pascua ['paskwa], **pascua** ['paskwa] *nf* (*tb:* **~ de Resurrección**) Pâques *fpl*; **~s** *nfpl* Noël *msg*; **¡felices ~s!** joyeux Noël!; **de ~s a Ramos** tous les trente-six du mois; **hacer la ~ a algn** (*fam*) mettre qn dans le pétrin.

pase ['pase] *nm* passe *m*; (*COM*) passavant *m*; (*CINE*) projection *f*; **pase de modelos** défilé *m* de mannequins.

pasear [pase'ar] *vt, vi* promener; **pasearse** *vpr* se promener.

paseo [pa'seo] *nm* promenade *f*; (*distancia corta*) pas *msg*; **dar un ~** faire une promenade; **mandar a algn a ~** envoyer qn promener; **¡vete a ~!** va te faire voir!; **paseo marítimo** front *m* de mer.

pasillo [pa'siʎo] *nm* couloir *m*; **pasillo aéreo** couloir aérien.

pasión [pa'sjon] *nf* passion *f*.

pasional [pasjo'nal] *adj*: **crimen ~** crime *m* passionnel.

pasivo, -a [pa'siβo, a] *adj* passif(-ive) ♦ *nm* (*COM*) passif *m*; **pasivo circulante** passif exigible.

pasma ['pasma] (*fam*) *nm* flic *m* ♦ *nf*: **la ~** les flics.

pasmar [pas'mar] *vt* ébahir; **pasmarse** *vpr* être ébahi(e), ne pas en revenir.

pasmoso, -a [pas'moso, a] *adj* stupéfiant(e).

paso, -a ['paso, a] *adj* (*ciruela*) sec(sèche) ♦ *nm* passage *m*; (*pisada, de baile*) pas *msg*; (*modo de andar*) pas, allure *f*; (*de montaña*) col *m*; (*TELEC*) unité *f*; **~s** *nmpl* (*gestiones*) démarches *fpl*; (*huellas*) pas *mpl*; **~ a ~** pas à pas; **a cada ~** à tout bout de champ; **a un ~ o dos ~s** à deux pas; **a ese ~** à cette allure; **a ~ lento** à pas comptés; **a ~ ligero** d'un pas léger; **abrirse ~** se frayer un chemin; **salir al ~ de** répliquer à; **salir al ~** passer à la contre-offensive; **salir del ~** se tirer d'affaire; **dar un ~ en falso** faire un faux pas, trébucher; (*fig*) faire un faux pas, commettre une faute; **de ~, ...** au passage, ...; **estar de ~** être de passage; **un ~ atrás** un pas en arrière; **un mal ~** (*fig*) une mauvaise passe; **prohibido el ~** passage interdit; **ceda el ~** céder le passage, priorité; **paso a nivel** passage à niveau; **paso de peatones/de cebra** passage pour piétons/clouté; **paso elevado** saut-de-mouton *m*; **paso subterráneo** passage souterrain.

pasota [pa'sota] (*fam*) *adj, nm/f* je-m'en-foutiste *m/f*.

pasta ['pasta] *nf* pâte *f*; (*tb:* **~ de té**) petit four *m*; (*fam: dinero*) fric *m*; (*encuadernación*) reliure *f*; **pasta dentífrica** *o* **de dientes** dentifrice *m*; **pasta de papel** pâte à papier.

pastar [pas'tar] *vi* paître.

pastel [pas'tel] *nm* gâteau *m*; (*de carne*) friand *m*; (*ARTE*) pastel *m*; **se descubrió el ~** on a découvert le pot aux roses.

pastelería [pastele'ria] *nf* pâtisserie *f*.

pastilla [pas'tiʎa] *nf* (*de jabón*) savonnette *f*; (*de chocolate*) tablette *f*; (*MED*) comprimé *m*, cachet *m*.

pasto ['pasto] *nm* pâture *f*; (*lugar*) pâturage *m*; **fue ~ de las llamas** il a été la proie des flammes.

pastor, a [pas'tor, a] *nm/f* berger(-ère) ♦ *nm* (*REL*) pasteur *m*; **perro ~** chien *m* (de) berger; **pastor alemán** berger allemand.

pastoso, -a [pas'toso, a] *adj* pâteux (-euse).

pata ['pata] *nf* patte *f*; (*pie*) pied *m*; **~s arriba** (*caer*) les quatre fers en l'air; (*revuelto*) sens dessus dessous; **a cuatro ~s** à quatre pattes; **a la ~ coja** à cloche-pied; **meter la ~** mettre les pieds dans le plat; **tener mala ~** ne pas avoir de chance; **pata de cabra** (*TEC*) pince *f* à levier; **pata de gallo** pied-de-poule.

patada [pa'taða] *nf* coup *m* de pied; **dar una ~ a algn/a algo** donner un coup de pied à qn/à qch; **a ~s** (*fam: en abundancia*) à foison; **echar a algn a ~s** éjecter qn à coup de pieds; **tratar a algn a ~s** recevoir qn comme un chien dans un jeu de quilles.

patalear [patale'ar] *vi* trépigner.

patán [pa'tan] (*pey*) *nm* plouc *m*.

patata [pa'tata] *nf* pomme *f* de terre; **~s fritas** frites *fpl*; (*en rebanadas*) chips *fpl*; **no entender/no saber ni ~** (*fam*) ne comprendre/ne savoir que dalle.

paté [pa'te] *nm* pâté *m*.

patear [pate'ar] *vt* piétiner; (*fig: humillar*) houspiller; (*fam: ciudad, museo*) parcourir de long en large *o* en tous sens ♦ *vi* trépigner.

patentar [paten'tar] *vt* breveter.

patente [pa'tente] *adj* manifeste ♦ *nf* patente *f*, brevet *m*; (*CSUR*) immatriculation *f*; **hacer ~** manifester.

paternal [pater'nal] *adj* paternel(le).

paternalista [paterna'lista] *adj* paternaliste.

paternidad [paterni'ðað] *nf* paternité *f*.

paterno, -a [pa'terno, a] *adj* paternel(le).

patético, -a [pa'tetiko, a] *adj* pathétique.

patíbulo [pa'tiβulo] *nm* échafaud *m*.

patilla [pa'tiʎa] *nf* (*de gafas*) branche *f*; ~s *nfpl* (*de la barba*) favoris *mpl*.

patín [pa'tin] *nm* patin *m*; (*de mar*) pédalo *m*; **patín de hielo/de ruedas** patin à glace/à roulettes.

patinaje [pati'naxe] *nm* patinage *m*; **patinaje artístico** patinage artistique; **patinaje sobre hielo/sobre ruedas** patinage (sur glace)/à roulettes.

patinar [pati'nar] *vi* patiner; (*fam: equivocarse*) se gourer.

patinete [pati'nete] *nm* patinette *f*, trottinette *f*.

patio ['patjo] *nm* cour *f*; **patio de butacas** (*CINE, TEATRO*) orchestre *m*; **patio de recreo** cour de récréation.

pato ['pato] *nm* canard *m*; **pagar el** ~ (*fam*) payer les pots cassés.

patológico, -a [pato'loxiko, a] *adj* pathologique.

patoso, -a [pa'toso, a] *adj* lourdaud(e).

patraña [pa'traɲa] *nf* mensonge *m*.

patria ['patrja] *nf* patrie *f*; **patria chica** terroir *m*.

patrimonio [patri'monjo] *nm* patrimoine *m*.

patriota [pa'trjota] *nm/f* patriote *m/f*.

patriótico, -a [pa'trjotiko, a] *adj* patriotique.

patriotismo [patrjo'tismo] *nm* patriotisme *m*.

patrocinador, -a [patroθina'ðor, a] *nm/f* sponsor *m*.

patrocinar [patroθi'nar] *vt* (*sufragar*) sponsoriser, parrainer; (*apoyar*) appuyer, parrainer.

patrón, -ona [pa'tron, ona] *nm/f* patron(ne); (*de pensión*) hôte(hôtesse); (*de barco*) patron *m* ♦ *nm* patron *m*; **patrón oro** étalon-or *m*.

patronal [patro'nal] *adj*: **la clase** ~ la classe patronale ♦ *nf* patronat *m*; **cierre** ~ lock-out *m*.

patronato [patro'nato] *nm* patronage *m*.

patrulla [pa'truʎa] *nf* patrouille *f*.

patrullar [patru'ʎar] *vi* patrouiller.

paulatino, -a [paula'tino, a] *adj* lent(e).

pausa ['pausa] *nf* pause *f*; **con** ~ posément, tranquillement.

pausado, -a [pau'saðo, a] *adj* posé(e).

pauta ['pauta] *nf* modèle *m*.

pavimento [paβi'mento] *nm* pavement *m*.

pavo ['paβo] *nm* dindon *m*; **¡no seas ~!** ne fais pas le mariolle!; **estar en la edad del** ~ être en plein âge bête; **pavo real** paon *m*.

pavonearse [paβone'arse] *vpr* se pavaner.

pavor [pa'βor] *nm* frayeur *f*.

payasada [paja'saða] (*pey*) *nf* pitrerie *f*; **hacer ~s** faire des pitreries.

payaso, -a [pa'jaso, a] *nm/f* clown *m*.

payo, -a ['pajo, a] *nm/f* gadjo *m/f*.

paz [paθ] (*pl* **paces**) *nf* paix *f*; (*tranquilidad*) calme *m*; **dejar algo/a algn en** ~ laisser qch/qn en paix; **hacer las paces** faire la paix.

peaje [pe'axe] *nm* péage *m*; **autopista de** ~ autoroute *f* à péage.

peatón [pea'ton] *nm* piéton *m*.

peca ['peka] *nf* tache *f* de rousseur.

pecado [pe'kaðo] *nm* péché *m*; **pecado mortal/venial** péché mortel/véniel.

pecador, a [peka'ðor, a] *adj, nm/f* pécheur(-eresse).

pecaminoso, -a [pekami'noso, a] *adj* coupable, inavouable.

pecar [pe'kar] *vi* pécher; ~ **de generoso** pécher par excès de générosité.

pecera [pe'θera] *nf* aquarium *m*.

pecho ['petʃo] *nm* poitrine *f*; (*fig*) cœur *m*; **dar el** ~ **a** donner le sein à; **tomar algo a** ~ prendre qch à cœur; **la alegría no le cabía en el** ~ il ne se sentait plus de joie.

pechuga [pe'tʃuɣa] *nf* (*de ave*) blanc *m*.

pecoso, -a [pe'koso, a] *adj* criblé(e) de taches de rousseur.

peculiar [peku'ljar] *adj* caractéristique; (*particular*) particulier(-ère).

peculiaridad [pekuljari'ðað] *nf* particularité *f*.

pedagogía [peðaɣo'xia] *nf* pédagogie *f*.

pedal [pe'ðal] *nm* pédale *f*; **pedal de embrague/de freno** pédale d'embrayage/de frein.

pedalear [peðale'ar] *vi* pédaler.

pedante [pe'ðante] *adj, nm/f* pédant(e).

pedantería [peðante'ria] *nf* pédanterie *f*.

pedazo [pe'ðaθo] *nm* morceau *m*; **hacer algo ~s** réduire qch en mille morceaux; **hacer ~s a algn** mettre qn en bouillie; **caerse algo a ~s** tomber en ruine; **ser un ~ de pan** (*fig*) avoir un cœur d'or.

pedernal [peðer'nal] *nm* silex *m*.

pedestal [peðes'tal] *nm* piédestal *m*; **tener/poner a algn en un** ~ mettre qn sur un piédestal.

pedestre [pe'ðestre] *adj*: **carrera** ~ course *f* à pied.

pediatra [pe'ðjatra] *nm/f* pédiatre *m/f*.

pedido [pe'ðiðo] *nm* commande *f*; **~s en cartera** commandes *fpl* en souffrance.

pedigrí [peði'ɣri] *nm* pedigree *m*.

pedir [pe'ðir] *vt* demander; (*COM*) commander ♦ *vi* mendier; ~ **limosna** demander l'aumône; ~ **la mano de** demander la main de; ~ **disculpas** demander des excuses; ~ **prestado** emprunter; **me pidió que cerrara la puerta** il me demanda de fermer la porte; **¿cuánto piden por el coche?** combien demande-t-on pour cette voiture?

pedo ['peðo] (*fam!*) *adj inv*: **estar** ~ être rond(e) ♦ *nm* (*ventosidad*) pet *m*; (*borrachera*) cuite *f*.

pedrea [pe'ðrea] *nf* grêle *f*; **la** ~ (*de lotería*) *le plus petit lot*.

pedregoso, -a [peðre'ɣoso, a] *adj* rocailleux(-euse).

pedrisco [pe'ðrisko] *nm* grêle *f*.

pega ['peɣa] *nf* (*obstáculo*) problème *m*; (*fam: pregunta*) colle *f*; **de** ~ à la gomme, de pacotille; **nadie me** *etc* **puso ~s** personne n'a trouvé à redire.

pegadizo, -a [peɣa'ðiθo, a] *adj* (*canción*) entraînant(e).

pegajoso, -a [peɣa'xoso, a] *adj* collant(e).

pegamento [peɣa'mento] *nm* colle *f*.

pegar [pe'ɣar] *vt* coller; (*enfermedad, costumbre*) passer; (*golpear*) frapper; (*COSTURA*) coudre ♦ *vi* (*adherirse*) se coller; (*armonizar*) aller bien; (*el sol*) taper; **pegarse** *vpr* se coller; (*costumbre, enfermedad*) s'attraper; (*dos personas*) se frapper; ~ **un grito** pousser un cri; ~ **un salto** faire un saut; ~ **un susto a algn** faire peur à qn; ~ **fuego** mettre le feu; ~ **la mesa a la pared** mettre la table contre le mur; ~ **en** toucher; **ese sombrero no pega con el abrigo** ce chapeau ne va pas avec ce manteau; **~se un tiro** se tirer une balle dans la tête; **~se un golpe** se donner un coup; **me pega que ...** j'ai comme l'impression que ...; **~se a algn** se coller à qn; **pegársela a algn** (*fam*) tromper qn; **se me ha pegado la costumbre/el acento** j'ai pris l'habitude/l'accent.

pegatina [peɣa'tina] *nf* adhésif *m*.

pego ['peɣo] *nm*: **dar el** ~ en imposer.

pegote [pe'ɣote] (*fam*) *nm* emplâtre *m*; **tirarse un** ~ (*fam*) s'envoyer des fleurs.

pegue *etc* ['peɣe] *vb V* **pegar**.

peinado [pei'naðo] *nm* coupe *f*.

peinar [pei'nar] *vt* peigner; (*rastrear*) passer au peigne fin; **peinarse** *vpr* se peigner.

peine ['peine] *nm* peigne *m*.

peineta [pei'neta] *nf* grand peigne *m*.

p.ej. *abr* (= *por ejemplo*) p. ex. (= *par exemple*).

pelar [pe'lar] *vt* (*fruta, animal*) peler; (*patatas, marisco*) éplucher; (*habas*) écosser; (*nueces*) écaler; (*cortar el pelo*) couper; (*ave*) plumer; **pelarse** *vpr* (*la piel*) peler; (*cortarse el pelo*) se faire couper les cheveux; **hace un frío que pela** il fait un froid de canard; **corre que se las pela** (*fam*) il court à toutes jambes.

pelas ['pelas] (*ESP: fam*) *nfpl* fric *m*.

peldaño [pel'daɲo] *nm* marche *f*; (*de escalera de mano*) échelon *m*.

pelea [pe'lea] *nf* (*lucha*) lutte *f*; (*discusión*) discussion *f*.

pelear [pele'ar] *vi* se battre; (*discutir*) se disputer; **pelearse** *vpr* se battre; se disputer; (*enemistarse*) se brouiller.

pelele [pe'lele] *nm* (*pey*) pantin *m*; (*insulto*) guignol *m*; (*prenda de niño*) barboteuse *f*.

peletería [pelete'ria] *nf* pelleterie *f*.

peliagudo, -a [pelja'ɣuðo, a] *adj* épineux(-euse).

pelícano [pe'likano] *nm* pélican *m*.

película [pe'likula] *nf* film *m*; (*capa fina, FOTO*) pellicule *f*; **de** ~ (*fam*) sensass; **película de dibujos (animados)** dessin *m* animé; **película del oeste** western *m*; **película muda** film muet.

peligrar [peli'ɣrar] *vi* être en danger; (*trabajo, acuerdo*) être menacé(e).

peligro [pe'liɣro] *nm* danger *m*; **"~ de muerte"** "danger de mort"; **correr ~ de** courir le risque de; **fuera de** ~ hors de danger; **poner algo/a algn en** ~ exposer qch/qn à un danger.

peligroso, -a [peli'ɣroso, a] *adj* dangereux(-euse).

pelirrojo, -a [peli'rroxo, a] *adj* roux (rousse), rouquin(e) ♦ *nm/f* rouquin(e).

pellejo [pe'ʎexo] *nm* peau *f*; **salvar el** ~ sauver sa peau.

pellizcar [peʎiθ'kar] *vt* pincer; (*comida*) grignoter; **pellizcarse** *vpr* se pincer.

pellizco [pe'ʎiθko] *nm* pincement *m*; (*pizca*) pincée *f*.

pelma ['pelma], **pelmazo, -a** [pel'maθo, a] (*fam*) *nm/f* casse-pieds *m/fsg*.

pelo ['pelo] *nm* cheveux *mpl*; (*un pelo*) cheveu *m*; (*: en el cuerpo*) poil *m*; (*de sierra*) lame *f*; **a** ~ (*sin abrigo*) peu couvert(e); (*sin ayuda*) tout(e) seul(e); **venir al** ~ tomber à pic; **por los ~s** de justesse; **faltó un ~ para que ...** il s'en est fallu d'un poil que ...; **se me pusieron los ~s de punta** mes cheveux se sont dressés sur ma tête; **con ~s y señales** en long et en large; **no tener ~s en la lengua** ne pas mâcher ses mots; **tomar el ~ a algn** se payer la tête de qn; **¡y yo con estos ~s!** (*fam*) et moi qui ne suis même pas prêt(e)!

pelota [pe'lota] *nf* pelote *f*; (*tb:* ~ **vasca**) pelote; (*fam: cabeza*) bouille *f* ♦ *nm/f* (*fam*) lèche-bottes *m inv* (*fam*); **en ~(s)** (*fam*) à poil; **devolver la ~ a algn** (*fig*) renvoyer la balle à qn; **hacer la ~ (a algn)** lécher les bottes (à qn).

pelotera [pelo'tera] (*fam*) *nf* prise *f* de bec.

pelotón [pelo'ton] *nm* peloton *m*; **pelotón de ejecución** peloton d'exécution.

peluca [pe'luka] *nf* perruque *f*.

peluche [pe'lutʃe] *nm*: **muñeco de ~** peluche *f*.

peludo, -a [pe'luðo, a] *adj* (*cabeza*) chevelu(e); (*persona, perro*) poilu(e).

peluquería [peluke'ria] *nf* salon *m* de coiffure.

peluquero, -a [pelu'kero, a] *nm/f* coiffeur(-euse).

peluquín [pelu'kin] *nm* postiche *m*.

pelusa [pe'lusa] *nf* (*BOT*) duvet *m*; (*de tela*) peluche *f*; (*de polvo*) mouton *m*; (*celos*) jalousie *f*.

pelvis ['pelβis] *nf* bassin *m*.

pena ['pena] *nf* peine *f*; (*AM*) honte *f*; **~s** *nfpl* pénalités *fpl*; **merecer/valer la ~** valoir la peine; **a duras ~s** à grand-peine; **sin ~ ni gloria** sans se faire remarquer, en passant inaperçu; **bajo** *o* **so ~ de** sous peine de; **me da ~** cela me fait de la peine; **es una ~** c'est vraiment dommage; **¡qué ~!** quel dommage!; **pena capital** peine capitale; **pena de muerte** peine de mort.

penal [pe'nal] *adj* pénal; **antecedentes ~es** casier *msg* judiciaire.

penalidades [penali'ðaðes] *nfpl* souffrances *fpl*.

penalizar [penali'θar] *vt* pénaliser.

penalti [pe'nalti], **penalty** [pe'nalti] *nm* penalty *m*.

pender [pen'der] *vi* pendre; (*JUR*) être en suspens; **~ de** pendre à.

pendiente [pen'djente] *adj* (*asunto*) en suspens; (*asignatura*) à repasser; (*terreno*) en pente ♦ *nm* boucle *f* d'oreille ♦ *nf* pente *f*; **~ de confirmación** en instance de confirmation; **estar ~ de algo/algn** (*vigilar*) garder un œil sur qch/qn; **estar ~ de los labios/de las palabras de algn** être pendu(e) aux lèvres de qn/boire les paroles de qn.

pendón [pen'don] *nm* bannière *f*.

péndulo ['pendulo] *nm* pendule *m*.

pene ['pene] *nm* pénis *msg*.

penetrar [pene'trar] *vt, vi* pénétrer.

penicilina [peniθi'lina] *nf* pénicilline *f*.

península [pe'ninsula] *nf* péninsule *f*; **Península Ibérica** péninsule ibérique.

peninsular [peninsu'lar] *adj* péninsulaire.

penique [pe'nike] *nm* penny *m*.

penitencia [peni'tenθja] *nf* pénitence *f*; **en ~** en pénitence.

penitenciario, -a [peniten'θjarjo, a] *adj* pénitentiaire.

penoso, -a [pe'noso, a] *adj* pénible.

pensamiento [pensa'mjento] *nm* pensée *f*; **no le pasó por el ~** cela ne lui a pas traversé l'esprit.

pensar [pen'sar] *vt, vi* penser; **~ (hacer)** penser (faire); **~ en** penser à; **he pensado que** j'ai pensé que; **¡ni ~lo!** (il n'en est) pas question!; **pensándolo bien** tout bien réfléchi; **~ mal de algn** avoir une mauvaise opinion de qn; **tras pensárselo mucho** après y avoir bien réfléchi.

pensativo, -a [pensa'tiβo, a] *adj* pensif(-ive).

pensión [pen'sjon] *nf* pension *f*; **media ~** (*en hotel*) demi-pension *f*; **~ completa** pension complète; **pensión de jubilación** pension de retraite.

pensionista [pensjo'nista] *nm/f* (*jubilado*) pensionné(e); (*ESCOL*) pensionnaire *m/f*.

pentágono [pen'taɣono] *nm* pentagone *m*; **el P~** le Pentagone.

pentagrama [penta'ɣrama] *nm* portée *f*.

penúltimo, -a [pe'nultimo, a] *adj, nm/f* avant-dernier(-ière).

penumbra [pe'numbra] *nf* pénombre *f*.

penuria [pe'nurja] *nf* pénurie *f*.

peña ['peɲa] *nf* rocher *m*; (*grupo*) amicale *f*; (*DEPORTE*) club *m*.

peñasco [pe'ɲasko] *nm* rocher *m*.

peón [pe'on] *nm* manœuvre *m*, ouvrier *m*; (*esp AM*) ouvrier agricole; (*AJEDREZ*) pion *m*; **peón de albañil** aide-maçon *m*.

peonza [pe'onθa] *nf* toupie *f*.

peor [pe'or] *adj* (*compar*) moins bon, pire; (*superl*) pire ♦ *adv* (*compar*) moins bien, pire; (*superl*) moins bien; **de mal en ~** de mal en pis; **A es ~ que B** A est pire que B, A est moins bien que B; **Z es el ~ de todos** Z est le pire de tous; **y lo que es ~** et le pire c'est que; **¡~ para ti!** tant pis pour toi!

pepinillo [pepi'niʎo] *nm* cornichon *m*.

pepino [pe'pino] *nm* concombre *m*; **(no) me importa un ~** je m'en fiche complètement.

pepita [pe'pita] *nf* pépin *m*; (*de mineral*) pépite *f*.

peque *etc* ['peke] *vb V* **pecar**.

pequeñez [peke'ɲeθ] *nf* petitesse *f*.

pequeño, -a [pe'keɲo, a] *adj, nm/f* petit(e); **pequeño burgués** petit bourgeois.

pera ['pera] *adj inv* ≈ BCBG *inv* ♦ *nf* poire *f*; **niño** ~ petit snob; **eso es pedir ~s al olmo** c'est demander l'impossible.
percance [per'kanθe] *nm* contretemps *msg*.
percatarse [perka'tarse] *vpr*: ~ **de** se rendre compte de.
percebe [per'θeβe] *nm* anatife *m*; (*fam*: *persona*) gourde *f*.
percepción [perθep'θjon] *nf* perception *f*.
percha ['pertʃa] *nf* cintre *m*; (*en la pared*) portemanteau *m*; (*de ave*) perchoir *m*.
perchero [per'tʃero] *nm* portemanteau *m*.
percibir [perθi'βir] *vt* percevoir.
percusión [perku'sjon] *nf* percussion *f*.
perdedor, a [perðe'ðor, a] *adj*, *nm/f* perdant(e).
perder [per'ðer] *vt* perdre; (*tren*) rater ♦ *vi* perdre; **perderse** *vpr* se perdre; **echar a** ~ (*comida*) gâcher, gâter; (*oportunidad*) laisser passer; ~ **el conocimiento** perdre connaissance; ~ **el juicio/la calma** perdre la tête/son calme; **tener algo/no tener nada que** ~ avoir qch/ne rien avoir à perdre; **he perdido la costumbre** j'ai perdu l'habitude; **~se en detalles** se perdre dans des détails; **¡no te lo pierdas!** ne rate pas ça!
perdición [perði'θjon] *nf* perdition *f*.
pérdida ['perðiða] *nf* perte *f*; (*COM*) perte, manque *m* à gagner; **~s** *nfpl* (*COM*) pertes *fpl*; **una ~ de tiempo** une perte de temps; **¡no tiene ~!** vous ne pouvez pas vous tromper!; **pérdida contable** (*COM*) perte comptable.
perdido, -a [per'ðiðo, a] *adj* perdu(e); **estar ~ por** être épris(e) de; **es un caso** ~ c'est un cas désespéré; **tonto** ~ (*fam*) bête à manger du foin, bête comme ses pieds.
perdigón [perði'ɣon] *nm* chevrotine *f*.
perdiz [per'ðiθ] *nf* perdrix *f*.
perdón [per'ðon] *nm* pardon *m*; **¡~!** pardon!; **con** ~ avec votre permission.
perdonar [perðo'nar] *vt* pardonner; (*la vida*) gracier; (*eximir*) dispenser, exempter ♦ *vi* pardonner; **¡perdone (usted)!** pardon!; **perdone, pero me parece que ...** excusez-moi, mais il me semble que ... .
perdurar [perðu'rar] *vi* perdurer; (*continuar*) durer.
perecedero, -a [pereθe'ðero, a] *adj* périssable.
perecer [pere'θer] *vi* périr.
peregrinación [pereɣrina'θjon] *nf* pèlerinage *m*.
peregrino, -a [pere'ɣrino, a] *adj* (*idea*) curieux(-euse), bizarre ♦ *nm/f* pèlerin(e).
perejil [pere'xil] *nm* persil *m*.
perenne [pe'renne] *adj* permanent(e); **hoja** ~ feuille persistante.
pereza [pe'reθa] *nf* paresse *f*; **me da ~ hacerlo** cela ne me dit rien de le faire.
perezoso, -a [pere'θoso, a] *adj* paresseux(-euse).
perfección [perfek'θjon] *nf* perfection *f*; **a la** ~ à la perfection.
perfeccionar [perfekθjo'nar] *vt* perfectionner.
perfeccionista [perfekθjo'nista] *nm/f* perfectionniste *m/f*.
perfecto, -a [per'fekto, a] *adj* parfait(e).
pérfido, -a ['perfiðo, a] *adj* perfide.
perfil [per'fil] *nm* profil *m*; **~es** *nmpl* (*de figura*) contours *mpl*; **de** ~ de profil; **perfil del cliente** profil du client.
perfilar [perfi'lar] *vt* profiler; **perfilarse** *vpr* se profiler; **el proyecto se va perfilando** peu à peu ce projet prend corps.
perforación [perfora'θjon] *nf* perforation *f*.
perforar [perfo'rar] *vt* perforer.
perfumar [perfu'mar] *vt* parfumer; **perfumarse** *vpr* se parfumer.
perfume [per'fume] *nm* parfum *m*.
pergamino [perɣa'mino] *nm* parchemin *m*.
pericia [pe'riθja] *nf* adresse *f*.
periferia [peri'ferja] *nf* périphérie *f*.
periférico, a [peri'feriko, a] *adj* périphérique ♦ *nm* (*INFORM*) périphérique *m*; (*AM*: *AUTO*) (boulevard *m*) périphérique *m*.
perífrasis [pe'rifrasis] *nf* périphrase *f*.
perilla [pe'riʎa] *nf* bouc *m*; **de** ~ à point nommé.
perímetro [pe'rimetro] *nm* périmètre *m*.
periódico, -a [pe'rjoðiko, a] *adj* périodique ♦ *nm* journal *m*; **periódico dominical** journal du dimanche.
periodismo [perjo'ðismo] *nm* journalisme *m*.
periodista [perjo'ðista] *nm/f* journaliste *m/f*.
periodístico, -a [perjo'ðistiko, a] *adj* journalistique; **artículos periodísticos** articles *mpl* de journaux.
periodo [pe'rjoðo], **período** [pe'rioðo] *nm* période *f*; (*menstruación*) règles *fpl*; **periodo contable** (*COM*) période comptable.
peripecia [peri'peθja] *nf* péripétie *f*.
perito, -a [pe'rito, a] *nm/f* expert(e); (*técnico*) technicien(ne); **perito agrónomo** agronome *m/f*; **perito industrial** technicien.
perjudicar [perxuði'kar] *vt* nuire à, porter préjudice à.
perjudicial [perxuði'θjal] *adj* néfaste, préjudiciable.
perjuicio [per'xwiθjo] *nm* préjudice *m*;

en/sin ~ de au/sans préjudice de.

perjurio [perxu'rjo] *nm* parjure *m*.

perla ['perla] *nf* perle *f*; **me viene de ~s** ça tombe à pic.

permanecer [permane'θer] *vi* séjourner, rester; (*seguir*) rester.

permanencia [perma'nenθja] *nf* durée *f*; (*estancia*) séjour *m*.

permanente [perma'nente] *adj* permanent(e) ♦ *nf* permanente *f*; **hacerse una ~** se faire faire une permanente.

permisivo, -a [permi'siβo, a] *adj* permissif(-ive).

permiso [per'miso] *nm* permission *f*; (*licencia*) licence *f*, permis *msg*; **con ~** avec votre permission; **estar de ~** être en permission; **permiso de conducir** permis de conduire; **permiso de exportación/de importación** licence d'exportation/d'importation; **permiso de residencia** permis de séjour.

permitir [permi'tir] *vt* permettre; **permitirse** *vpr*: **~se algo** se permettre qch; **no me puedo ~ ese lujo** je ne puis m'offrir ce luxe; **¿me permite?** vous permettez?

permutar [permu'tar] *vt* permuter; **~ destinos con algn** échanger sa destinée avec celle de qn.

pernicioso, -a [perni'θjoso, a] *adj* pernicieux(-euse).

perno ['perno] *nm* boulon *m*.

pernoctar [pernok'tar] *vi* passer la nuit.

pero ['pero] *conj* mais ♦ *nm* objection *f*; **~ ¿qué haces?** mais qu'est-ce que tu fais?; **¡~ si yo no he sido!** mais ce n'est pas moi!; **¡~ bueno!** mais (enfin) bon!

perogrullada [peroɣru'ʎaða] *nf* lapalissade *f*.

perol [pe'rol] *nm*, **perola** [pe'rola] *nf* marmite *f*.

peronismo [pero'nismo] *nm* péronisme *m*.

perorata [pero'rata] *nf* laïus *msg*.

perpendicular [perpendiku'lar] *adj* perpendiculaire.

perpetrar [perpe'trar] *vt* perpétrer.

perpetuar [perpe'twar] *vt* perpétuer.

perpetuo, -a [per'petwo, a] *adj* perpétuel(le); **cadena perpetua** réclusion *f* à perpétuité; **nieves perpetuas** neiges *fpl* éternelles.

perplejo, -a [per'plexo, a] *adj* perplexe.

perra ['perra] *nf* chienne *f*; (*fam: dinero*) tune *f*; (*: manía*) manie *f*; (*: rabieta*) colère *f*; **estoy sin una ~** je n'ai plus un rond.

perrera [pe'rrera] *nf* chenil *m*.

perrito [pe'rrito] *nm*: **~ caliente** hot-dog *m*.

perro, -a ['perro] *adj*: **qué vida más perra** chienne de vie! ♦ *nm* chien *m*; **ser ~ viejo** être un vieux renard; **de ~s** (*tiempo*) de chien; (*noche*) épouvantable; **perro callejero/guardián/guía** chien errant/de garde/d'aveugle.

persa ['persa] *adj* persan(e) ♦ *nm/f* Persan(e) ♦ *nm* (*LING*) persan *m*.

persecución [perseku'θjon] *nf* poursuite *f*; (*REL, POL*) persécution *f*.

perseguir [perse'ɣir] *vt* poursuivre; (*atosigar, REL, POL*) persécuter.

perseverar [perseve'rar] *vi* persévérer; **~ en** persévérer dans.

persiana [per'sjana] *nf* persienne *f*.

pérsico, -a ['persiko, a] *adj*: **el Golfo P~** le Golfe Persique.

persiga *etc* [per'siɣa] *vb V* **perseguir**.

persignarse [persiɣ'narse] *vpr* se signer.

persistente [persis'tente] *adj* persistant(e).

persistir [persis'tir] *vi*: **~ (en)** persister (dans).

persona [per'sona] *nf* personne *f*; **por ~** par personne; **es buena ~** c'est quelqu'un de bien; **persona jurídica** personne morale; **persona mayor** adulte *m/f*.

personaje [perso'naxe] *nm* personnage *m*.

personal [perso'nal] *adj* personnel(le); (*aseo*) intime ♦ *nm* personnel *m*; (*fam*) gens *mpl*.

personalidad [personali'ðað] *nf* personnalité *f*.

personalizar [personali'θar] *vt* personnaliser ♦ *vi* donner des noms.

personarse [perso'narse] *vpr*: **~ (en)** se présenter (à).

personificar [personifi'kar] *vt* personnifier.

perspectiva [perspek'tiβa] *nf* perspective *f*; **~s** *nfpl* (*de futuro*) perspectives *fpl*; **tener algo en ~** avoir qch en perspective.

perspicacia [perspi'kaθja] *nf* perspicacité *f*.

perspicaz [perspi'kaθ] *adj* perspicace.

persuadir [perswa'ðir] *vt* persuader; **persuadirse** *vpr* se persuader.

persuasión [perswa'sjon] *nf* persuasion *f*.

persuasivo, -a [perwa'siβo, a] *adj* persuasif(-ive).

pertenecer [pertene'θer] *vi*: **~ a** appartenir à.

pertenencia [perte'nenθja] *nf* possession *f*; (*a organización, club*) affiliation *f*; **~s** *nfpl* (*posesiones*) biens *mpl*.

pértiga ['pertiɣa] *nf* perche *f*; **salto de ~** saut *m* à la perche.

pertinaz [perti'naθ] *adj* tenace.

pertinente [perti'nente] *adj* pertinent(e); (*momento etc*) approprié(e); ~ **a** relatif(-ive) à.
perturbación [perturβa'θjon] *nf* perturbation *f*; ~ **del orden público** trouble *m* de l'ordre public.
perturbado, -a [pertur'βaðo, a] *adj* troublé(e) ♦ *nm/f* (*tb:* ~ **mental**) malade *m/f* mental(e).
perturbar [pertur'βar] *vt* perturber, troubler; (*MED*) troubler.
Perú [pe'ru] *nm* Pérou *m*.
peruano, -a [pe'rwano, a] *adj* péruvien(ne) ♦ *nm/f* Péruvien(ne).
perverso, -a [per'βerso, a] *adj* pervers(e).
pervertido, -a [perβer'tiðo, a] *adj, nm/f* pervers(e).
pervertir [perβer'tir] *vt* pervertir; **pervertirse** *vpr* se pervertir.
pervierta *etc* [per'βjerta], **pervirtiendo** *etc* [perβir'tjendo] *vb V* **pervertir**.
pesa ['pesa] *nf* poids *msg*; (*DEPORTE*) haltère *m*; **hacer ~s** faire des haltères.
pesadez [pesa'ðeθ] *nf* lourdeur *f*; (*lentitud*) lenteur *f*; (*fastidio*) ennui *m*; **es una ~ tener que ...** quel ennui que d'avoir à ...; ~ **de estómago** lourdeurs *fpl* d'estomac; **tener ~ en los párpados** avoir les paupières lourdes.
pesadilla [pesa'ðiʎa] *nf* cauchemar *m*.
pesado, -a [pe'saðo, a] *adj* lourd(e); (*lento*) lent(e); (*difícil, duro*) pénible; (*aburrido*) ennuyeux(-euse) ♦ *nm/f* enquiquineur (-euse); **tener el estómago ~** avoir l'estomac lourd; **¡no seas ~!** ne commence pas!
pésame ['pesame] *nm* condoléances *fpl*; **dar el ~** présenter ses condoléances.
pesar [pe'sar] *vt* peser ♦ *vi* peser; (*fig: opinión*) compter; (*arrepentirse de*) regretter ♦ *nm* (*remordimiento*) remords *msg*; (*pena*) chagrin *m*; **peso 50 kg** je pèse 50 kg; **a ~ de** en dépit de; **a ~ de que** bien que; **pese a que** en dépit du fait que; **(no) me pesa haberlo hecho** je (ne) regrette (pas) de l'avoir fait; **lo haré mal que me pese** je le ferai coûte que coûte.
pesca ['peska] *nf* pêche *f*; **ir de ~** aller à la pêche; **pesca de altura/de bajura** pêche hauturière/côtière.
pescadería [peskaðe'ria] *nf* poissonnerie *f*.
pescadilla [peska'ðiʎa] *nf* merlan *m*.
pescado [pes'kaðo] *nm* poisson *m*.
pescador, a [peska'ðor, a] *nm/f* pêcheur(-euse).
pescar [pes'kar] *vt* pêcher; (*fam*) choper; (*novio*) se dénicher; (*delincuente*) cueillir ♦ *vi* pêcher; **¡te pesqué!** (*fam*) je t'ai vu!
pescuezo [pes'kweθo] *nm* cou *m*.
pesebre [pe'seβre] *nm* mangeoire *f*.
pesero [pe'sero] (*MÉX*) *nm* taxi *m* collectif.
peseta [pe'seta] *nf* peseta *f*.
pesetero, -a [pese'tero, a] *adj* grippesou.
pesimismo [pesi'mismo] *nm* pessimisme *m*.
pesimista [pesi'mista] *adj, nm/f* pessimiste *m/f*.
pésimo, -a ['pesimo, a] *adj* lamentable.
peso ['peso] *nm* poids *msg*; (*balanza*) balance *f*; (*AM: moneda*) peso *m*; **de poco ~** léger(-ère); **levantamiento de ~s** haltérophilie *f*; **vender a ~** vendre au poids; **argumento de ~** argument *m* de poids; **eso cae por su propio ~** cela tombe sous le sens; **peso bruto** poids brut; **peso específico** masse *f* spécifique; **peso neto** poids net; **peso pesado/pluma** (*BOXEO*) poids lourd/plume.
pespunte [pes'punte] *nm* point *m* arrière.
pesque *etc* ['peske] *vb V* **pescar**.
pesquero, -a [pes'kero, a] *adj* (*industria*) de la pêche; (*barco*) de pêche.
pesquisa [pes'kisa] *nf* recherche *f*.
pestaña [pes'taɲa] *nf* cil *m*; (*borde*) bord *m*.
pestañear [pestaɲe'ar] *vi* cligner des yeux; **sin ~** sans sourciller.
peste ['peste] *nf* peste *f*; (*fig*) plaie *f*; (*mal olor*) puanteur *f*; **echar ~s** pester; **peste negra** peste noire.
pesticida [pesti'θiða] *nm* pesticide *m*.
pestillo [pes'tiʎo] *nm* verrou *m*; (*picaporte*) poignée *f*.
petaca [pe'taka] *nf* (*para cigarros*) porte-cigarettes *m inv*; (*para tabaco*) tabatière *f*; (*para beber*) flasque *f*; (*AM*) valise *f*.
pétalo ['petalo] *nm* pétale *m*.
petanca [pe'tanka] *nf* pétanque *f*.
petardo [pe'tarðo] *nm* pétard *m*; **¡que ~ de película!** (*fam*) quelle barbe ce film!
petate [pe'tate] *nm* (*MIL*) sac *m*.
petición [peti'θjon] *nf* demande *f*; (*JUR*) requête *f*; **a ~ de** à la demande de; **firmar una ~** signer une pétition.
petirrojo [peti'rroxo] *nm* rouge-gorge *m*.
petiso, -a [pe'tiso, a], **petizo, -a** [pe'tiθo, a] (*AM*) *adj* (*bajito*) petit(e) ♦ *nm/f* petit cheval *m*.
peto ['peto] *nm* plastron *m*; (*tb:* **pantalones de ~**) salopette *f*; (*TAUR*) caparaçon *m*.
petrificar [petrifi'kar] *vt* pétrifier.
petrodólar [petro'ðolar] *nm* pétrodollar *m*.
petróleo [pe'troleo] *nm* pétrole *m*.

petrolero, -a [petro'lero, a] *adj* pétrolier(-ère) ♦ *nm* pétrolier *m*.
petroquímico, -a [petro'kimiko, a] *adj* pétrochimique.
peyorativo, -a [pejora'tiβo, a] *adj* péjoratif(-ive).
pez [peθ] *nm* poisson *m* ♦ *nf* poix *fsg*; **estar como el ~ en el agua** être comme un poisson dans l'eau; **estar ~ en algo** être nul(le) en qch; **pez de colores** poisson rouge; **pez espada** poisson-épée *m*; **pez gordo** (*fig*) grosse légume *f*.
pezón [pe'θon] *nm* mamelon *m*.
pezuña [pe'θuɲa] *nf* (*de animal*) sabot *m*.
piadoso, -a [pja'ðoso, a] *adj* pieux (-euse).
pianista [pja'nista] *nm/f* pianiste *m/f*.
piano ['pjano] *nm* piano *m*; **piano de cola** piano à queue.
piar [pjar] *vi* piailler.
piara ['pjara] *nf* troupeau *m* de cochons.
PIB *sigla m* (= *Producto Interior Bruto*) PIB *m* (= *produit intérieur brut*).
pibe, -a ['piβe, a] (*AM*) *nm/f* gosse *m/f*.
pica ['pika] *nf* pique *f*; **poner una ~ en Flandes** faire un exploit.
picada [pi'kaða] (*CSUR*) *nf* amuse-gueule *m inv*.
picadillo [pika'ðiʎo] *nm* hachis *msg*.
picado, -a [pi'kaðo, a] *adj* haché(e); (*hielo*) pilé(e); (*vino*) piqué(e); (*tela, ropa*) mangé(e); (*mar*) agité(e); (*diente*) gâté(e); (*tabaco*) découpé(e); (*enfadado*) piqué(e) ♦ *nm*: **en ~** en piqué; **~ de viruelas** ravagé(e) par la petite vérole.
picador [pika'ðor] *nm* (*TAUR*) picador *m*; (*minero*) piqueur *m*.
picadora [pika'ðora] *nf* hachoir *m* électrique.
picadura [pika'ðura] *nf* piqûre *f*; (*tabaco picado*) tabac *m* gris.
picana [pi'kana] (*AM*) *nf* (*AGR*) aiguillon *m* (électrique); (*para tortura*) aiguillon électrique.
picante [pi'kante] *adj* épicé(e); (*comentario, chiste*) piquant(e).
picaporte [pika'porte] *nm* poignée *f*.
picar [pi'kar] *vt* piquer; (*ave*) picoter; (*anzuelo*) mordre à; (*CULIN*) hacher; (*billete, papel*) poinçonner; (*comer*) grignoter ♦ *vi* piquer; (*el sol*) brûler; (*pez*) mordre; **picarse** *vpr* (*vino*) se piquer; (*mar*) s'agiter; (*muela*) se gâter; (*ofenderse*) prendre la mouche; (*fam*: *con droga*) se shooter; **me pica el brazo** mon bras me démange; **me pica la curiosidad** ça pique ma curiosité; **¡picaste!** je t'ai eu!; **~se con algn** se fâcher avec qn.
picardía [pikar'ðia] *nf* sournoiserie *f*; (*astucia*) astuce *f*; (*travesura*) espièglerie *f*.
picaresco, -a [pika'resko, a] *adj* espiègle; (*LIT*) picaresque.
pícaro, -a ['pikaro, a] *adj* astucieux(-euse); (*travieso*) espiègle ♦ *nm* canaille *f*; (*LIT*) picaro *m*.
pichón, -ona [pi'tʃon, ona] *nm/f* pigeon *m*; (*apelativo*) mon(ma) chéri(e).
pico ['piko] *nm* bec *m*; (*de mesa, ventana*) coin *m*; (*GEO, herramienta*) pic *m*; (*fam*: *labia*) tchatche *f*; (: *de drogas*) shoot *m*; **no abrir el ~** ne pas ouvrir le bec; **son las 3 y ~** il est 3 heures et quelque; **peso 50 kilos y ~** je pèse 50 kg et quelque; **me costó un ~** ça m'a coûté une jolie somme.
picor [pi'kor] *nm* (*comezón*) picotement *m*; (*ardor*) piqûre *f*.
picotada [piko'taða] *nf*, **picotazo** [piko'taθo] *nm* (*de pájaro*) coup *m* de bec; (*de insecto*) piqûre *f*.
picotear [pikote'ar] *vt, vi* (*fam*) grignoter ♦ *vi* (*ave*) picorer.
pictórico, -a [pik'toriko, a] *adj* pictural(e); (*paisaje, motivo*) pittoresque; **tiene dotes pictóricas** il a des dons pour la peinture.
picudo, -a [pi'kuðo, a] *adj* au bec pointu; (*zapato, tejado*) pointu(e).
pidiendo *etc* [pi'ðjendo] *vb V* **pedir**.
pie [pje] *nm* pied *m*; (*de página*) bas *msg*; **ir a ~** aller à pied; **a ~s juntillas** sur parole; **al ~ de** au pied de; **estar de ~** être debout; **de a ~** moyen(ne); **ponerse de ~** se mettre debout; **al ~ de la letra** au pied de la lettre; **con ~s de plomo** avec précaution; **con buen/mal ~** avec/sans succès; **de ~s a cabeza** des pieds à la tête; **en ~ de guerra** sur le pied de guerre; **en ~ de igualdad** sur un pied d'égalité; **sin ~s ni cabeza** sans queue ni tête; **dar ~ a** donner prise à; **no dar ~ con bola** ne pas savoir où on en est; **hacer ~** (*en el agua*) avoir pied; **saber de qué ~ cojea algn** connaître les faiblesses de qn; **seguir en ~** (*propuesta, pregunta*) demeurer ouvert(e).
piedad [pje'ðað] *nf* pitié *f*; **tener ~ de algn** avoir pitié de qn.
piedra ['pjeðra] *nf* pierre *f*; (*MED*) calcul *m*; (*METEOROLOGÍA*) grêlon *m*; **quedarse/dejar de ~** rester/laisser de glace; **piedra angular** pierre angulaire; **piedra de afilar** pierre à aiguiser; **piedra preciosa** pierre précieuse.
piel [pjel] *nf* peau *f*; (*de animal, abrigo*) fourrure *f* ♦ *nm/f*: **~ roja** Peau-Rouge *m/f*; **abrigo de ~** manteau *m* de fourrure.
pienso ['pjenso] *vb V* **pensar** ♦ *nm* (*AGR*) tourteau *m*.

pierda *etc* ['pjerða] *vb V* **perder**.
pierna ['pjerna] *nf* jambe *f*; (*de cordero*) gigot *m*.
pieza ['pjeθa] *nf* pièce *f*; **quedarse de una ~** rester sans voix; **un dos/tres ~s** (*traje*) un costume deux-/trois-pièces; **pieza de recambio** *o* **de repuesto** pièce de rechange.
pigmento [piɣ'mento] *nm* pigment *m*.
pigmeo, -a [piɣ'meo, a] *adj* pygmée ♦ *nm/f* Pygmée *m/f*.
pijama [pi'xama] *nm* pyjama *m*.
pijo, -a ['pixo, a] (*fam*) *adj* huppé(e).
pila ['pila] *nf* pile *f*; (*fregadero*) évier *m*; (*lavabo*) lavabo *m*; (*fuente*) fontaine *f*; **nombre de ~** nom *m* de baptême; **tengo una ~ de cosas que hacer** (*fam*) j'ai une montagne de choses à faire; **pila bautismal** fonts *mpl* baptismaux.
pilar [pi'lar] *nm* pilier *m*.
píldora ['pildora] *nf* pilule *f*; **la ~ (anticonceptiva)** la pilule (contraceptive); **tragarse la ~** (*creerse*) avaler la pilule.
pileta [pi'leta] (*esp CSUR*) *nf* évier *m*; (*piscina*) piscine *f*.
pillaje [pi'ʎaxe] *nm* pillage *m*.
pillar [pi'ʎar] *vt* coincer; (*fam*: *coger, sorprender*) pincer; (: *conseguir*) se dégotter; (: *atropellar*) faucher; (: *alcanzar*) attraper; (: *entender indirecta*) piger; **le pillé en casa/comiendo** je l'ai trouvé chez lui/en train de manger; **me pilla cerca/lejos** c'est près/loin de chez moi; **~ una borrachera** (*fam*) prendre une cuite; **~ un resfriado** (*fam*) choper un rhume.
pillo, -a ['piʎo, a] *adj* malin(-igne), coquin(e) ♦ *nm/f* fripouille *f*.
pilón [pi'lon] *nm* pilier *m*; (*abrevadero*) abreuvoir *m*; (*de fuente*) bassin *m*.
pilotar [pilo'tar] *vt* piloter.
piloto [pi'loto] *nm/f* pilote *m* ♦ *nm* (*ARG*) imperméable *m* ♦ *adj inv*: **programa/piso ~** programme *m*/appartement *m* pilote; **piloto automático** pilote automatique.
pimentón [pimen'ton] *nm* piment *m* doux.
pimienta [pi'mjenta] *nf* poivre *m*.
pimiento [pi'mjento] *nm* poivron *m*.
pin [pin] *nm* pin's *m inv*.
pinacoteca [pinako'teka] *nf* galerie *f* de peintures.
pinar [pi'nar] *nm* pinède *f*.
pincel [pin'θel] *nm* pinceau *m*.
pincelada [pinθe'laða] *nf* coup *m* de pinceau; **última ~** touche *f* finale.
pinchadiscos [pintʃa'ðiskos] *nm/f inv* disc-jockey *m*.
pinchar [pin'tʃar] *vt* piquer; (*neumático*) crever; (*teléfono*) mettre sur (table d')écoute ♦ *vi* (*AUTO*) crever; **pincharse** *vpr* se piquer; (*neumático*) crever; **ni pincha ni corta en esto** (*fam*) il n'a rien à voir là-dedans; (*no tiene influencia*) il compte pour du beurre là-dedans; **tener un neumático pinchado** avoir un pneu crevé.
pinchazo [pin'tʃaθo] *nm* piqûre *f*; (*de dolor*) élancement *m*; (*de llanta*) crevaison *f*; **pinchazo telefónico** écoute *f* téléphonique.
pinche ['pintʃe] *nm* aide-cuisinier *m*; (*MÉX*: *fam*) bandit *m*.
pincho ['pintʃo] *nm* pointe *f*; (*de planta*) épine *f*; (*CULIN*) amuse-gueule *m inv*; **pincho de tortilla** fine tranche *f* d'omelette; **pincho moruno** (chiche-)kebab *m*.
ping-pong ['pimpon] *nm* ping-pong *m*.
pingüe ['pingwe] *adj* (*beneficios*) rondelet(te).
pingüino [pin'gwino] *nm* pingouin *m*.
pinitos [pi'nitos] *nmpl*: **hacer mis** *etc* **primeros ~** faire mes *etc* premiers pas.
pino ['pino] *nm* pin *m*; **en el quinto ~** dans un coin perdu.
pinta ['pinta] *nf* (*mota*) tache *f*; (*aspecto*) mine *f*; **tener buena ~** avoir bonne mine; **por la ~** d'aspect.
pintada [pin'taða] *nf* graffiti *m*.
pintar [pin'tar] *vt* peindre; (*con lápices de colores*) colorier; (*fig*) dépeindre ♦ *vi* peindre; (*fam*) compter; **pintarse** *vpr* se maquiller; (*uñas*) se faire; **pintárselas solo para hacer algo** être passé maître dans l'art de faire qch; **no pinta nada** (*fam*) il compte pour du beurre; **¿qué pinta aquí esto?** qu'est-ce que ça vient faire ici?
pintor, a [pin'tor, a] *nm/f* peintre *m/f*; **pintor de brocha gorda** peintre en bâtiment.
pintoresco, -a [pinto'resko, a] *adj* pittoresque.
pintura [pin'tura] *nf* peinture *f*; (*lápiz de color*) crayon *m* de couleur; **pintura a la acuarela** aquarelle *f*; **pintura al óleo** peinture à l'huile; **pintura rupestre** peinture rupestre.
pinza ['pinθa] *nf* pince *f*; (*para colgar ropa*) pince à linge; **~s** *nfpl* (*para depilar*) pince à épiler.
piña ['piɲa] *nf* (*fruto del pino*) pomme *f* de pin; (*fruta*) ananas *msg*; (*fig*: *conjunto*) bande *f*.
piñón [pi'ɲon] *nm* pignon *m*.
pío, -a ['pio, a] *adj* pieux(-euse) ♦ *nm*: **no decir ni ~** ne pas piper mot.
piojo ['pjoxo] *nm* pou *m*.
piojoso, -a [pjo'xoso, a] *adj* pouil-

leux(-euse).

pionero, -a [pjo'nero, a] *adj, nm/f* pionnier(-ère).

pipa ['pipa] *nf* pipe *f*; (*BOT*) pépin *m*; ~s *nfpl* (*de girasol*) graines *fpl* (de tournesol); **pasarlo ~** (*fam*) bien s'amuser.

pipí [pi'pi] (*fam*) *nm*: **hacer ~** faire pipi.

pique ['pike] *vb V* **picar** ♦ *nm* brouille *f*; (*rivalidad*) compétition *f*; **irse a ~** couler à pic; (*familia, negocio*) aller à la dérive; **tener un ~ con algn** avoir une dent contre qn.

piqueta [pi'keta] *nf* (*CONSTR*) pic *m*; (*de tienda de campaña*) piquet *m*.

piquete [pi'kete] *nm* piquet *m*.

pirado, -a [pi'raðo, a] (*fam*) *adj* givré(e).

piragua [pi'raɣwa] *nf* pirogue *f*; (*DEPORTE*) canoë *m*.

piragüismo [pira'ɣwismo] *nm* canoë-kayak *m*.

pirámide [pi'ramiðe] *nf* pyramide *f*.

piraña [pi'raɲa] *nf* piranha *m*.

pirarse [pi'rarse] *vpr* (*tb:* **pirárselas**) se tirer; **~ las clases** faire l'école buissonnière.

pirata [pi'rata] *adj*: **edición/disco ~** édition *f*/disque *m* pirate ♦ *nm* pirate *m*; **pirata informático** pirate informatique.

Pirineo(s) [piri'neo(s)] *nm(pl)* Pyrénées *fpl*.

pirómano, -a [pi'romano, a] *nm/f* pyromane *m/f*.

piropo [pi'ropo] *nm* flatterie *f*; **echar ~s a algn** faire des compliments à qn.

pirrarse [pi'rrarse] *vpr*: **~ (por)** raffoler (de).

pirueta [pi'rweta] *nf* pirouette *f*.

pirulí [piru'li] *nm* sucette *f*.

pis [pis] (*fam*) *nm* pipi *m*, pisse *f*; **hacer ~** pisser.

pisada [pi'saða] *nf* pas *msg*.

pisar [pi'sar] *vt* fouler, marcher sur; (*apretar con el pie, fig*) écraser; (*idea, puesto*) piquer ♦ *vi* marcher; **me has pisado** tu m'as marché dessus; **no ~ (por) un sitio** (*fig*) ne pas mettre les pieds quelque part; **~ fuerte** (*fig*) ne pas y aller par quatre chemins.

piscifactoría [pisθifakto'ria] *nf* établissement *m* piscicole.

piscina [pis'θina] *nf* piscine *f*.

Piscis ['pisθis] *nm* (*ASTROL*) Poissons *mpl*; **ser ~** être Poissons.

piso ['piso] *nm* (*planta*) étage *m*; (*apartamento*) appartement *m*; (*suelo*) sol *m*; **primer ~** premier étage; (*AM: de edificio*) rez-de-chaussée *m inv*.

pisotear [pisote'ar] *vt* piétiner; (*fig*) humilier.

pisotón [piso'ton] *nm* piétinement *m*.

pista ['pista] *nf* piste *f*; **estar sobre la ~ de algn** être sur la piste de qn; **pista de aterrizaje** piste d'atterrissage; **pista de auditoría** (*COM*) piste de vérification; **pista de baile** piste de danse; **pista de carreras** champ *m* de courses; **pista de hielo** patinoire *f*; **pista de tenis** court *m* de tennis.

pisto ['pisto] *nm* ≈ ratatouille *f*; **darse ~** (*fam*) se faire mousser.

pistola [pis'tola] *nf* pistolet *m*.

pistolera [pisto'lera] *nf* gaine *f*; *V tb* **pistolero**.

pistolero [pisto'lero] *nm* gangster *m*.

pitar [pi'tar] *vt* siffler; (*AUTO*) klaxonner ♦ *vi* siffler; (*AUTO*) klaxonner; (*fam*) gazer; (*AM*) fumer; **salir pitando** se tirer.

pitido [pi'tiðo] *nm* coup *m* de sifflet; (*sonido fino*) sifflement *m*.

pitillera [piti'ʎera] *nf* tabatière *f*.

pitillo [pi'tiʎo] *nm* (*fam*) sèche *f*; (*COL: pajita*) paille *f*.

pito ['pito] *nm* sifflement *m*; (*silbato*) sifflet *m*; (*de coche*) klaxon *m*; (*fam: cigarillo*) clope *f*; (*fam!: pene*) bite *f* (*fam!*); **me importa un ~** je m'en fous.

pitón [pi'ton] *nm* python *m*.

pitonisa [pito'nisa] *nf* pythonisse *f*.

pitorrearse [pitorre'arse] *vpr*: **~ de** se moquer de.

pitorreo [pito'rreo] *nm* moquerie *f*; **estar de ~** se payer la tête des gens.

píxel ['piksel] *nm* (*INFORM*) pixel *m*.

piyama [pi'jama] (*AM*) *nm o f* pyjama *m*.

pizarra [pi'θarra] *nf* ardoise *f*; (*encerado*) tableau *m* (noir).

pizca ['piθka] *nf* pincée *f*; (*de pan*) miette *f*; (*fig*) petit morceau *m*; **ni ~** pas une miette.

pizza ['pitsa] *nf* pizza *f*.

placa ['plaka] *nf* plaque *f*; (*INFORM*) panneau *m*; **placa conmemorativa** plaque commémorative; **placa de matrícula** plaque d'immatriculation; **placa dental** plaque dentaire; **placa madre** (*INFORM*) carte-mère *f*.

placaje [pla'kaxe] *nm* (*DEPORTE*) plaquage *m*.

placard [pla'kar] (*CSUR*) *nm* placard *m*.

placenta [pla'θenta] *nf* placenta *m*.

placentero, -a [plaθen'tero, a] *adj* agréable.

placer [pla'θer] *nm* plaisir *m*; **a ~** à loisir.

plácido, -a ['plaθiðo, a] *adj* placide; (*día, mar*) calme.

plafón [pla'fon] *nm* (*lámpara*) plafonnier *m*; (*AM*) ciel *m* dégagé.

plaga ['plaɣa] *nf* fléau *m*; (*fig*) horde *f*.
plagar [pla'ɣar] *vt* infester; **plagado de moscas/turistas** infesté de mouches/touristes.
plagiar [pla'xjar] *vt* plagier; (*AM*) kidnapper.
plagio ['plaxjo] *nm* plagiat *m*; (*AM*) kidnapping *m*.
plan [plan] *nm* plan *m*, projet *m*; (*idea*) idée *f*; **¡menudo ~!** quelle idée géniale!; **tener ~** (*fam*) voir qn; **en ~ de cachondeo** pour rigoler; **en ~ económico** (*fam*) pour pas cher; **vamos en ~ de turismo** on y va en touristes; **si te pones en ese ~ ...** si tu le vois comme ça ...; **plan cotizable de jubilación** ≈ plan d'épargne-retraite; **plan de estudios** programme *m*; **plan de incentivos** (*COM*) système *m* de primes.
plana ['plana] *nf* page *f*; **a toda ~** sur toute une page; **la primera ~** la une; **plana mayor** (*MIL*) état-major *m*.
plancha ['plantʃa] *nf* (*para planchar*) fer *m* (à repasser); (*ropa*) repassage *m*; (*de metal, madera, TIP*) planche *f*; (*CULIN*) grill *m*; **pescado a la ~** poisson *m* grillé.
planchar [plan'tʃar] *vt, vi* repasser.
planeador [planea'ðor] *nm* planeur *m*.
planear [plane'ar] *vt* planifier ♦ *vi* planer.
planeta [pla'neta] *nm* planète *f*.
planicie [pla'niθje] *nf* plaine *f*.
planificación [planifika'θjon] *nf* planification *f*; **diagrama de ~** (*COM*) planning *m*; **planificación corporativa** (*COM*) planning de l'entreprise; **planificación familiar** planning familial.
plano, -a ['plano, a] *adj* plat(e) ♦ *nm* plan *m*; **primer ~** (*CINE*) premier plan; **en primer/segundo ~** au premier/second plan; **caer de ~** tomber de tout son long; **rechazar algo de ~** rejeter entièrement qch; **me da el sol de ~** le soleil m'arrive en plein dessus (*fam*).
planta ['planta] *nf* plante *f*; (*TEC*) usine *f*; (*piso*) étage *m*; **tener buena ~** avoir de l'allure; **planta baja** rez-de-chaussée *m inv*.
plantación [planta'θjon] *nf* plantation *f*.
plantado, -a [plan'taðo, a] *adj*: **dejar ~ a algn** (*no aparecer*) poser un lapin à qn; (*marcharse*) planter là qn; (*abandonar a*) laisser tomber qn; **quedarse ~** rester planté(e) là.
plantar [plan'tar] *vt* planter; (*novio, trabajo*) laisser tomber; **plantarse** *vpr* se planter; **~ a algn en la calle** mettre qn à la rue; **~se (en)** arriver (à).
plantear [plante'ar] *vt* exposer; (*problema*) poser; (*proponer*) proposer; **plantearse** *vpr* envisager; **se lo ~é** je le lui expliquerai.
plantilla [plan'tiʎa] *nf* (*de zapato*) semelle *f*; (*personal*) personnel *m*; **estar en ~** faire partie du personnel.
plantón [plan'ton] *nm*: **dar (un) ~ a algn** poser un lapin à qn; **estar de ~** poireauter.
plasma ['plasma] *nm* plasma *m*.
plasmar [plas'mar] *vt* (*dar forma*) modeler; (*representar*) reproduire; **plasmarse** *vpr*: **~se en** se concrétiser.
plasta ['plasta] *adj inv* (*fam*) enquiquinant(e) ♦ *nm/f* (*fam*) enquiquineur(-euse) ♦ *nf* (*pasta*) purée *f*.
plástico, -a ['plastiko, a] *adj* plastique ♦ *nm* plastique *m* ♦ *nf* plastique *f*; **artes plásticas** arts *mpl* plastiques.
plastificar [plastifi'kar] *vt* plastifier.
plastilina ® [plasti'lina] *nf* pâte *f* à modeler.
plata ['plata] *nf* (*metal, dinero*) argent *m*; (*cosas de plata*) argenterie *f*; **hablar en ~** aller droit au but.
plataforma [plata'forma] *nf* plate-forme *f*; (*tribuna*) estrade *f*; (*de zapatos*) semelle *f* (compensée); **plataforma de lanzamiento** rampe *f* de lancement; **plataforma petrolera/de perforación** plate-forme pétrolière/de forage; **plataforma reivindicativa** plate-forme de revendications.
plátano ['platano] *nm* banane *f*; (*árbol*) bananier *m*.
platea [pla'tea] *nf* orchestre *m*.
plateado, -a [plate'aðo, a] *adj* argenté(e); (*TEC*) plaqué(e) argent.
platicar [plati'kar] (*CAM, MÉX*) *vi* discuter; (*de manera informal*) bavarder.
platillo [pla'tiʎo] *nm* soucoupe *f*; (*de balanza*) plateau *m*; (*de limosnas*) timbale *f*; **~s** *nmpl* (*MÚS*) cymbales *fpl*; **platillo volante** soucoupe volante.
platino [pla'tino] *nm* platine *m*; **~s** *nmpl* (*AUTO*) vis *fpl* platinées.
plato ['plato] *nm* assiette *f*; (*guiso*) plat *m*; (*de tocadiscos*) platine *f*; **pagar los ~s rotos** (*fam*) payer les pots cassés; **primer/segundo ~** entrée *f*/plat principal; **plato combinado** menu *m* express; **plato hondo/llano** *o* **pando** assiette creuse/plate.
plató [pla'to] *nm* plateau *m*.
platónico, -a [pla'toniko, a] *adj*: **amor ~** amour *m* platonique.
playa ['plaja] *nf* plage *f*; **~ de estacionamiento** (*AM*) place *f* de stationnement.
playera [pla'jera] *nf* (*AM*) T-shirt *m*; **~s** *nfpl* chaussures *fpl* en toile.
playo, -a ['plajo, a] (*AM*) *adj* plat(e).

plaza ['plaθa] *nf* place *f*; (*mercado*) place du marché; **plaza de abastos** marché *m*; **plaza de toros** arène *f*; **plaza mayor** grand'place *f*.
plazca *etc* ['plaθka] *vb V* **placer**.
plazo ['plaθo] *nm* délai *m*; (*pago parcial*) terme *m*; **a corto/largo** ~ à court/long terme; **comprar a ~s** acheter à tempérament; **nos dan un ~ de 8 días** ils nous donnent un délai de 8 jours.
plebeyo, -a [ple'βejo, a] *adj* plébéien(ne).
plegable [ple'ɣaβle] *adj* pliable.
plegar [ple'ɣar] *vt* plier; **plegarse** *vpr* se plier.
plegaria [ple'ɣarja] *nf* prière *f*.
pleito ['pleito] *nm* procès *msg*; (*fig*) conflit *m*; **entablar** ~ entamer un procès; **poner (un)** ~ a poursuivre.
plenitud [pleni'tuð] *nf* plénitude *f*; **en la ~ de la vida** dans la fleur de l'âge.
pleno, -a ['pleno, a] *adj* plein(e) ♦ *nm* plenum *m*; **en** ~ (*reunirse*) au complet; (*elegir*) à l'unanimité; **en ~ día/verano** en plein jour/été; **en plena cara** en plein visage.
pletina [ple'tina] *nf* (MÚS) platine *f*.
pliego ['pljeɣo] *vb V* **plegar** ♦ *nm* (*hoja*) feuille *f* (de papier); (*carta*) pli *m*; **pliego de cargos** charges *fpl* produites contre l'accusé; **pliego de condiciones** cahier *m* des charges; **pliego de descargo** témoignages *mpl* à la décharge de l'accusé.
pliegue ['pljeɣe] *vb V* **plegar** ♦ *nm* pli *m*.
plisado, -a [pli'saðo] *adj* plissé(e).
plomero [plo'mero] (AM) *nm* plombier *m*.
plomo ['plomo] *nm* plomb *m*; **~s** *nmpl* (ELEC) plombs *mpl*; **caer a** ~ tomber de tout son long; **ser un** ~ (*fam*) être une peste; (*libro*) être un torchon; **(gasolina) sin** ~ (essence) sans plomb.
pluma ['pluma] *nf* plume *f*; **de ~s** en plumes; **pluma (estilográfica), ~ fuente** (AM) stylo-plume *m*.
plumero [plu'mero] *nm* plumeau *m*; **se te ve el** ~ je te vois venir avec tes gros sabots.
plumón [plu'mon] *nm* (AM) stylo-feutre *m*; (*para saco de dormir*) duvet *m*; (*anorak*) doudoune *f*.
plural [plu'ral] *adj* pluriel(le) ♦ *nm* pluriel *m*.
pluralidad [plurali'ðað] *nf* pluralité *f*.
pluralismo [plura'lismo] *nm* pluralisme *m*.
pluriempleo [pluriem'pleo] *nm* cumul *m* d'emplois.
plus [plus] *nm* prime *f*.
plusvalía [plusβa'lia] *nf* (COM) plus-value *f*.
Plutón [plu'ton] *nm* Pluton *m*.
PMA *sigla m* (= *Programa Mundial de Alimentos*) WFP *m* (= *World Food Program*).
P.M.A. *sigla m* (= *peso máximo autorizado*) PTMA *m* (= *poids total maximum autorisé*).
PNN [pe'nene] *sigla m/f* (= *profesor(a) no numerario(-a)*) professeur *m* non titulaire ♦ *sigla m* (COM = *Producto Nacional Neto*) PNN *m* (= *produit national net*).
población [poβla'θjon] *nf* population *f*; (*pueblo, ciudad*) peuplement *m*; (CHI) bidonville *m*; **población activa/pasiva** population active/non active; **población callampa** (CSUR) bidonville.
poblado, -a [po'βlaðo, a] *adj* peuplé(e); (*barba, cejas*) fourni(e) ♦ *nm* hameau *m*; ~ **de** peuplé(e) de; **densamente** ~ densément peuplé(e).
poblar [po'βlar] *vt* peupler; **poblarse** *vpr* (*árbol*) reverdir; **~se de** se peupler de.
pobre ['poβre] *adj, nm/f* pauvre *m/f*; ~ **en recursos/proteínas** pauvre en ressources/protéines; **los ~s** les pauvres *mpl*; **¡~ hombre!** pauvre homme!; **¡el ~!** le pauvre!; ~ **diablo** (*fig*) pauvre diable *m*.
pobreza [po'βreθa] *nf* pauvreté *f*.
pochismo [po'tʃismo] (MÉX: *fam*) *nm* anglicisme *m*.
pocilga [po'θilɣa] *nf* porcherie *f*.
pocillo [po'θiʎo] (AM) *nm* tasse *f*.
pócima ['poθima], **poción** [po'θjon] *nf* potion *f*.

PALABRA CLAVE

poco, -a ['poko, a] *adj* **1** (*sg*) peu de; **poco tiempo** peu de temps; **de poco interés** peu intéressant; **poca cosa** peu de chose

2 (*pl*) peu de; **pocas personas lo saben** peu de gens le savent; **unos pocos libros** quelques livres

♦ *adv* (*comer, trabajar*) peu; **poco amable/inteligente** peu aimable/intelligent; **es poco** c'est peu; **cuesta poco** cela ne coûte pas cher; **poco más o menos** à peu près; **a poco que se interese** ... pour peu qu'il montre de l'intérêt ...

♦ *pron* **1**: **unos/as pocos/as** quelques-uns/unes

2 (*casi*): **por poco me caigo** j'ai failli tomber

3 (*locuciones de tiempo*): **a poco de haberse casado** peu après s'être marié; **poco después** peu après; **dentro de poco** sous peu, bientôt; **hace poco** il n'y a pas longtemps

4: **poco a poco** peu à peu

♦ *nm*: **un poco** un peu; **un poco triste** un peu triste; **un poco de dinero** un peu d'argent.

podar [po'ðar] *vt* élaguer.

PALABRA CLAVE

poder [po'ðer] *vb aux* (*capacidad, posibilidad, permiso*) pouvoir; **no puedo hacerlo** je ne peux pas le faire; **puede llegar mañana** il peut arriver demain; **pudiste haberte hecho daño** tu aurais pu te faire mal; **no se puede fumar en este hospital** on n'a pas le droit de fumer dans cet hôpital; **podías habérmelo dicho** tu aurais pu me le dire

♦ *vi* **1** pouvoir; **tanto como puedas** autant que tu peux; **¿se puede?** on peut entrer?; **¡no puedo más!** je n'en peux plus!; **¡quién pudiera!** si seulement!; **no pude menos que dejarlo** je n'ai pas pu m'empêcher de le laisser; **a** *o* **hasta más no poder** jusqu'à n'en plus pouvoir; **¡es tonto a más no poder!** il est on ne peut plus idiot!

2: **¿puedes con eso?** tu peux y arriver?; **no puedo con este crío** je n'arrive pas à venir à bout de cet enfant

3: **A le puede a B** (*fam*) A est plus fort que B

♦ *vb impers*: **¡puede (ser)!** cela se peut!; **¡no puede ser!** ce n'est pas possible!; **puede que llueva** il pourrait pleuvoir

♦ *nm* pouvoir *m*; **ocupar el poder** détenir le pouvoir; **detentar el poder** s'emparer du pouvoir; **estar en el poder** être au pouvoir; **en mi/tu** *etc* **poder** (*posesión*) en ma/ta *etc* possession; **en poder de** entre les mains de; **por poderes** (*JUR*) par procuration; **poder adquisitivo** pouvoir d'achat; **poder ejecutivo/legislativo/judicial** (*POL*) pouvoir exécutif/législatif/judiciaire.

poderío [poðe'rio] *nm* pouvoir *m*.

poderoso, -a [poðe'roso, a] *adj* puissant(e).

podio ['poðjo], **podium** ['poðjum] *nm* podium *m*.

podré *etc* [po'ðre] *vb V* **poder**.

podrido, -a [po'ðriðo, a] *adj* pourri(e); (*fig*) corrompu(e).

poema [po'ema] *nm* poème *m*.

poesía [poe'sia] *nf* poésie *f*.

poeta [po'eta] *nm/f* poète *m*.

poético, -a [po'etiko, a] *adj* poétique.

polaco, -a [po'lako, a] *adj* polonais(e) ♦ *nm/f* Polonais(e) ♦ *nm* (*LING*) polonais *msg*.

polar [po'lar] *adj* polaire.

polaridad [polari'ðað] *nf* polarité *f*.

polea [po'lea] *nf* poulie *f*.

polémico, -a [po'lemiko, a] *adj* controversé(e) ♦ *nf* polémique *f*.

polen ['polen] *nm* pollen *m*.

poleo [po'leo] *nm* pouliot *m*.

poli ['poli] (*fam*) *nm* flic *m* ♦ *nf*: **la ~** les flics *mpl*.

policía [poli'θia] *nm/f* policier, femme-policier, agent(e) (de police) ♦ *nf* police *f*; **policía secreta** services *mpl* secrets.

policíaco, -a [poli'θiako, a], **policial** [poli'θjal] *adj* policier(-ière).

polideportivo [poliðepor'tiβo] *nm* complexe *m* omnisports.

polifacético, -a [polifa'θetiko, a] *adj* aux multiples facettes.

poligamia [poli'ɣamja] *nf* polygamie *f*.

polígono [po'liɣono] *nm* polygone *m*; **polígono industrial** zone *f* industrielle; **polígono residencial** quartier *m* résidentiel.

polilla [po'liʎa] *nf* mite *f*.

político, -a [po'litiko, a] *adj* politique ♦ *nm/f* homme/femme politique ♦ *nf* politique *f*; **padre/hermano ~** beau-père/-frère *m*; **madre política** belle-mère *f*.

póliza ['poliθa] *nf* police *f*; (*sello*) timbre *m* fiscal; **póliza de seguro(s)** police d'assurance.

polizón [poli'θon] *nm* passager(-ère) clandestin(e).

pollera [po'ʎera] (*AM*) *nf* jupe *f*.

pollo ['poʎo] *nm* poulet *m*; (*joven*) jeune homme *m*; (*MÉX*: *fam*) immigré *m* clandestin; **pollo asado** poulet rôti.

polo ['polo] *nm* pôle *m*; (*helado*) glace *f*; (*DEPORTE, suéter*) polo *m*; **es el ~ opuesto de su hermano** c'est tout le contraire de son frère; **Polo Norte/Sur** Pôle Nord/Sud.

pololo, -a [po'lolo, a] (*AND, CSUR*) *nm/f* copain(copine).

Polonia [po'lonja] *nf* Pologne *f*.

polvareda [polβa'reða] *nf* nuage *m* de poussière.

polvo ['polβo] *nm* poussière *f*; (*fam!*) baise *f* (*fam!*); **~s** *nmpl* (*en cosmética etc*) poudre *fsg*; **en ~** en poudre; **estar hecho ~** (*fam*) être fichu; (: *persona*) être crevé; (: *deprimido*) ne pas aller fort; **dejar hecho ~ a algn** (*fam*) épuiser qn; (*suj*: *noticia*) abattre qn; **polvos de talco** talc *m*.

pólvora ['polβora] *nf* poudre *f*; (*fuegos artificiales*) feux *mpl* d'artifice; **propagarse como la ~** se répandre comme une traînée de poudre.

polvoriento, -a [polβo'rjento, a] *adj* poussiéreux(-euse).

polvoso, -a [pol'βoso, a] (*AM*) *adj* pous-

siéreux(-euse).
pomada [po'maða] *nf* pommade *f*.
pomelo [po'melo] *nm* pomélo *m*.
pómez ['pomeθ] *nf*: **piedra ~** pierre *f* ponce.
pomo ['pomo] *nm* poignée *f*.
pompa ['pompa] *nf* bulle *f*; (*ostentación*) pompe *f*; **pompas fúnebres** pompes *fpl* funèbres.
pomposo, -a [pom'poso, a] (*pey*) *adj* prétentieux(-euse); (*lenguaje, estilo*) pompeux(-euse).
pómulo ['pomulo] *nm* pommette *f*.
ponche ['pontʃe] *nm* punch *m*.
poncho ['pontʃo] (*AM*) *nm* poncho *m*.
ponderar [ponde'rar] *vt* soupeser; (*elogiar*) porter aux nues.
pondré *etc* [pon'dre] *vb V* **poner**.
ponencia [po'nenθja] *nf* exposé *m*.

PALABRA CLAVE

poner [po'ner] *vt* **1** (*colocar*) mettre, poser; (*ropa, mesa*) mettre; **poner algo a hervir/a secar** mettre qch à bouillir/à sécher; (*TELEC*): **póngame con el Sr. López** passez-moi M. López; **poner a algn a la cabeza de una empresa** placer qn à la tête d'une entreprise
2 (*fig*: *emoción, énfasis*) mettre; (*condiciones*) poser; **poner interés** porter de l'intérêt; **poner en claro/duda** mettre au clair/en doute; **poner al corriente** mettre au courant
3 (*imponer*: *tarea*) donner; (*multa*) condamner à.
4 (*obra de teatro, película*) passer; **¿qué ponen en el Excelsior?** qu'est-ce qui passe à l'Excelsior?
5 (*tienda*) monter; (*casa*) arranger; (*instalar*: *gas etc*) (faire) mettre
6 (*radio, TV*) mettre; **ponlo más alto** mets-le plus fort.
7 (*mandar*: *telegrama*) envoyer
8 (*suponer*): **pongamos que ...** mettons que ...
9 (*contribuir*): **el gobierno ha puesto un millón** le gouvernement a mis un million
10 (+ *adj*) rendre; **me estás poniendo nerviosa** tu commences à m'énerver
11 (*dar nombre*): **al hijo le pusieron Diego** ils ont appelé leur fils Diego
12 (*decir por escrito*) dire; **¿qué pone el periódico?** que dit le journal?
13 (*huevos*) pondre
♦ *vi* (*gallina*) pondre
ponerse *vpr* **1** (*colocarse*): **se puso a mi lado** il s'est mis à côté de moi; **ponte en esa silla** mets-toi sur cette chaise
2 (*vestido, cosméticos*) mettre; **¿por qué no te pones el vestido nuevo?** pourquoi ne mets-tu pas ta nouvelle robe?
3 (*sol*) se coucher
4 (+ *adj*) devenir; **ponerse bueno** aller mieux; **ponerse malo** tomber malade; **ponerse rojo** devenir tout rouge; **se puso muy serio** il a pris un air très sérieux; **¡no te pongas así!** ne te mets pas dans cet état!
5: **ponerse a**: **se puso a llorar** il s'est mis à pleurer; **tienes que ponerte a estudiar** il faut que tu te mettes à étudier
6: **ponerse a bien con algn** se réconcilier avec qn; **ponerse a mal con algn** se mettre mal avec qn
7 (*AM*: *parecer*): **se me pone que ...** j'ai l'impression que ... .

ponga *etc* ['ponga] *vb V* **poner**.
poniente [po'njente] *nm* couchant *m*.
pontífice [pon'tifiθe] *nm* pontife *m*; **el Sumo P~** le souverain pontife.
pop [pop] *adj inv*: **música ~** musique *f* pop ♦ *nm* pop *f*.
popa ['popa] *nf* poupe *f*; **a ~** en poupe; **de ~ a proa** d'un bout à l'autre.
popular [popu'lar] *adj* populaire.
popularidad [populari'ðað] *nf* popularité *f*.
poquísimo, -a [po'kisimo, a] *adj* (*superl de poco*) très peu (de).
poquito [po'kito] *nm*: **un ~ (de)** un petit peu (de) ♦ *adv* peu; **a ~s** petit à petit.

PALABRA CLAVE

por [por] *prep* **1** (*objetivo, en favor de*) pour; **luchar por la patria** combattre pour la patrie; **hazlo por mí** fais-le pour moi
2 (+ *infin*) pour; **por no llegar tarde** pour ne pas arriver tard; **por citar unos ejemplos** pour citer quelques exemples
3 (*causa, agente*) par; **por escasez de fondos** par manque de fonds; **le castigaron por desobedecer** il a été puni pour avoir désobéi; **por eso** c'est pourquoi; **escrito por él** écrit par lui
4 (*tiempo*): **por la mañana/Navidad** le matin/vers Noël
5 (*duración*): **se queda por una semana** il reste une semaine; **se fue por 3 días** il est parti pour 3 jours
6 (*lugar*): **pasar por Madrid** passer par Madrid; **ir a Guayaquil por Quito** aller à Guayaquil via Quito; **caminar por la calle/por las Ramblas** déambuler dans la rue/sur les Rambles; **por fuera/dentro** par dehors/dedans; **anda por la izquier-**

da marche à gauche; **vive por aquí** il habite par ici; **pasear por el jardín** se promener dans le jardin; *V tb* **todo**

7 (*cambio, precio*): **te doy uno nuevo por el que tienes** je t'en donne un neuf contre le tien; **lo vendo por 1.000 pesetas** je le vends pour 1 000 pesetas

8 (*valor distributivo*): **550 pesetas por hora/cabeza** 550 pesetas de l'heure/par tête; **100km por hora** 100 km à l'heure; **veinte por ciento** vingt pour cent; **tres horas por semana** trois heures par semaine; **por centenares** par centaines

9 (*modo, medio*) par; **por avión/correo** par avion/la poste; **por orden** par ordre; **caso por caso** cas par cas; **por tamaños** par ordre de taille

10: **25 por 4 son 100** 4 fois 25 font 100

11: **ir/venir por algo/algn** aller/venir chercher qch/qn; **estar/quedar por hacer** être/rester à faire

12 (*evidencia*): **por lo que dicen** d'après ce qu'ils disent

13: **por bonito que sea** cela a beau être très joli; **por más que lo intento** j'ai beau essayer

14: **por si (acaso)** au cas où; **lo hice por si acaso** je l'ai fait au cas où; **por si acaso venía/viniera** au cas où il serait venu/viendrait; **por si fuera poco** si ça n'était pas assez

15: **¿por qué?** pourquoi?; **¿por qué no?** pourquoi pas?

porcelana [porθe'lana] *nf* porcelaine *f*.

porcentaje [porθen'taxe] *nm* pourcentage *m*; **~ de actividad** (*INFORM*) taux *msg* d'activité.

porche ['portʃe] *nm* arcade *f*; (*de casa*) porche *m*.

porción [por'θjon] *nf* portion *f*.

pormenor [porme'nor] *nm* détail *m*.

pormenorizar [pormenori'θar] *vi* détailler.

porno ['porno] *adj inv* porno *inv*.

pornografía [pornoɣra'fia] *nf* pornographie *f*.

poro ['poro] *nm* pore *m*.

poroso, -a [po'roso, a] *adj* poreux(-euse).

porque ['porke] *conj* parce que; **~ sí** parce que.

porqué [por'ke] *nm* pourquoi *m*.

porquería [porke'ria] *nf* cochonnerie *f*, saleté *f*; (*algo sin valor*) cochonnerie; (*jugarreta*) tour *m* de cochon; **~s** *nfpl* (*comida*) cochonneries *fpl*; **hacer ~s** faire des cochonneries; **de ~** (*AM: fam*) à la noix.

porra ['porra] *nf* matraque *f*; **¡~s!** flûte!; **¡vete a la ~!** va te faire voir!

porrazo [po'rraθo] *nm* coup *m*; **darse un ~ con** *o* **contra algo** se cogner contre qch.

porro ['porro] *nm* joint *m*.

porrón [po'rron] *nm* gourde *f*.

portaaviones [portaa'βjones] *nm inv* porte-avions *m inv*.

portada [por'taða] *nf* couverture *f*.

portador, -a [porta'ðor, a] *nm/f* porteur(-euse); (*COM*) porteur *m*; **cheque al ~** chèque *m* au porteur.

portafolio(s) [porta'foljo(s)] *nm* (*AM*) attaché-case *m*; **portafolio de inversiones** portefeuille *m* d'investissements.

portal [por'tal] *nm* (*entrada*) vestibule *m*; (*puerta*) porte *f*; **portal de Belén** crèche *f*.

portarse [por'tarse] *vpr* se comporter; **~ bien/mal** bien/mal se comporter; **se portó muy bien conmigo** il s'est très bien comporté avec moi.

portátil [por'tatil] *adj* portatif(-ive); (*ordenador*) portable.

portavoz [porta'βoθ] *nm/f* porte-parole *m inv*.

portazo [por'taθo] *nm*: **dar un ~** claquer la porte.

porte ['porte] *nm* (*COM*) port *m*; (*aspecto*) allure *f*; **porte debido/pagado** (*COM*) port dû/payé.

portento [por'tento] *nm* prodige *m*.

porteño, -a [por'teɲo, a] *adj* de Buenos Aires ♦ *nm/f* natif(-ive) *o* habitant(e) de Buenos Aires.

portería [porte'ria] *nf* loge *f* (de concierge); (*DEPORTE*) but *m*.

portero, -a [por'tero, a] *nm/f* concierge *m/f*; (*de club*) portier *m*; (*DEPORTE*) gardien(ne) de but; **portero automático** interphone *m*.

pórtico ['portiko] *nm* portique *m*.

portorriqueño, -a [portorri'keɲo, a] *adj* portoricain(e) ♦ *nm/f* Portoricain(e).

Portugal [portu'ɣal] *nm* Portugal *m*.

portugués, -esa [portu'ɣes, esa] *adj* portugais(e) ♦ *nm/f* Portugais(e) ♦ *nm* (*LING*) portugais *msg*.

porvenir [porβe'nir] *nm* avenir *m*.

pos [pos]: **en ~ de** *prep* après, en quête de.

posada [po'saða] *nf* auberge *f*; **dar ~ a** héberger.

posar [po'sar] *vt, vi* poser; **posarse** *vpr* se poser; (*polvo*) se déposer.

posdata [pos'ðata] *nf* post-scriptum *m inv*.

pose ['pose] *nf* pose *f*.

poseer [pose'er] *vt* posséder; (*conocimientos, belleza*) avoir; (*récord, título*) détenir.

posesión [pose'sjon] *nf* possession *f*, es-

tar en ~ de être en possession de, détenir; **tomar ~ (de)** prendre possession (de).

posesivo, -a [pose'siβo, a] *adj* possessif(-ive).

poseyendo *etc* [pose'jendo] *vb V* **poseer**.

posgrado [pos'ɣraðo] *nm* = **postgrado**.

posgraduado [posɣra'ðwaðo] *nm* = **postgraduado**.

posguerra [pos'ɣerra] *nf* = **postguerra**.

posibilidad [posiβili'ðað] *nf* possibilité *f*.

posibilitar [posiβili'tar] *vt* permettre.

posible [po'siβle] *adj* possible; **de ser ~** si possible; **en** *o* **dentro de lo ~** dans la mesure du possible; **es ~ que** il est possible que; **hacer todo lo ~** faire tout son *etc* possible; **lo antes ~** le plus tôt possible; **lo menos/más ~** le moins/plus possible; **estudiar lo más ~** étudier le plus possible; **lo más pronto ~** le plus vite possible.

posición [posi'θjon] *nf* position *f*.

positivo, -a [posi'tiβo, a] *adj* positif(-ive) ♦ *nf* (*FOTO*) cliché *m*; **el test dio ~** les résultats du test sont positifs.

poso ['poso] *nm* (*de café*) marc *m*; (*de vino*) lie *f*.

posoperatorio, -a [posopera'torjo, a] *adj* post-opératoire ♦ *nm* période *f* post-opératoire.

posponer [pospo'ner] *vt* subordonner; (*aplazar*) ajourner.

posponga *etc* [pos'ponga], **pospuesto** [pos'pwesto], **pospuse** *etc* [pos'puse] *vb V* **posponer**.

posta ['posta] *nf*: **a ~** exprès.

postal [pos'tal] *adj* postal(e) ♦ *nf* carte *f* postale.

poste ['poste] *nm* poteau *m*; (*DEPORTE*) pilier *m*.

póster ['poster] *nm* poster *m*.

postergar [poster'ɣar] *vt* reléguer; (*esp AM*: *aplazar*) retarder.

posteridad [posteri'ðað] *nf* postérité *f*.

posterior [poste'rjor] *adj* de derrière; (*parte*) postérieur(e); (*en el tiempo*) ultérieur(e); **ser ~ a** être ultérieur(e) à.

posteriori [poste'rjori]: **a ~** *adv* a posteriori.

posterioridad [posterjori'ðað] *nf*: **con ~** par la suite.

postgrado [post'ɣraðo] *nm*, **postgraduado** [postɣra'ðwaðo] *nm* troisième cycle *m*.

postigo [pos'tiɣo] *nm* volet *m*; (*de puerta*) battant *m*.

postizo, -a [pos'tiθo, a] *adj* faux(fausse), postiche ♦ *nm* postiche *m*.

postoperatorio, -a [postopera'torjo, a] *adj, nm* = **posoperatorio**.

postor, a [pos'tor, a] *nm/f* offrant *m*; **al mejor ~** au plus offrant.

postrarse [pos'trarse] *vpr* se prosterner.

postre ['postre] *nm* dessert *m* ♦ *nf*: **a la ~** finalement; **para ~** (*fig*) pour finir.

póstumo, -a ['postumo, a] *adj* posthume.

postura [pos'tura] *nf* position *f*, posture *f*; (*ante hecho, idea*) position.

post-venta [pos'βenta] *adj inv* après-vente *inv*.

potable [po'taβle] *adj* potable.

potaje [po'taxe] *nm* potage *m*.

pote ['pote] *nm* pot *m*.

potencia [po'tenθja] *nf* puissance *f*; **en ~** en puissance.

potencial [poten'θjal] *adj* potentiel(le) ♦ *nm* potentiel *m*; **potencial eléctrico** potentiel électrique.

potenciar [poten'θjar] *vt* promouvoir.

potente [po'tente] *adj* puissant(e).

potestad [potes'tað] *nf* autorité *f*; **patria ~** autorité parentale.

potrero [po'trero] (*AM*) *nm* herbage *m*.

potro ['potro] *nm* poulain *m*; (*DEPORTE*) cheval *m* d'arçon.

pozo ['poθo] *nm* puits *msg*; (*de río*) *endroit le plus profond*; **ser un ~ de sabiduría** être un puits de science.

PP *sigla m* (= *Partido Popular*) *parti de droite*.

práctica ['praktika] *nf* pratique *f*; **~s** *nfpl* (*ESCOL*) travaux *mpl* pratiques; (*MIL*) entraînement *m*; **en la ~** dans la pratique; **llevar a la** *o* **poner en ~** mettre en pratique.

practicante [prakti'kante] *adj* (*REL*) pratiquant(e) ♦ *nm/f* (*MED*) aide-soignant(e).

practicar [prakti'kar] *vt, vi* pratiquer.

práctico, -a ['praktiko, a] *adj* pratique.

pradera [pra'ðera] *nf* prairie *f*.

prado ['praðo] *nm* pré *m*; (*AM*) gazon *m*.

Praga ['praɣa] *n* Prague.

pragmático, -a [praɣ'matiko, a] *adj* pragmatique.

preámbulo [pre'ambulo] *nm* préambule *m*; **sin ~s** sans préambule.

precalentamiento [prekalenta'mjento] *nm* (*DEPORTE*) échauffement *m*.

precario, -a [pre'karjo, a] *adj* précaire.

precaución [prekau'θjon] *nf* précaution *f*.

precavido, -a [preka'βiðo, a] *adj* prévoyant(e).

precedente [preθe'ðente] *adj* précédent(e) ♦ *nm* précédent *m*; **sin ~(s)** sans précédent; **establecer** *o* **sentar un ~** créer un précédent.

preceder [preθe'ðer] *vt* précéder.

precepto [pre'θepto] *nm* précepte *m*.

preciado, -a [pre'θjaðo, a] *adj* précieux(-euse).
preciarse [pre'θjarse] *vpr* se vanter; ~ **de** se vanter de.
precintar [preθin'tar] *vt* sceller.
precinto [pre'θinto] *nm* (*COM: tb:* ~ **de garantía**) cachet *m.*
precio ['preθjo] *nm* prix *msg*; **a cualquier** ~ (*fig*) à tout prix; **no tener** ~ (*fig*) ne pas avoir de prix; **"no importa ~"** "prix indifférent"; **a ~ de saldo** en réclame; **precio al contado** prix au comptant; **precio al detalle** prix de détail; **precio al detallista** prix de gros; **precio al por menor** prix de détail; **precio de compra/de coste/de entrega inmediata** prix d'achat/de revient/de livraison immédiate; **precio de ocasión** prix avantageux; **precio de oferta** prix promotionnel; **precio de salida** prix initial, mise *f* à prix; **precio de venta al público** prix de vente conseillé; **precio por unidad** prix à l'unité, prix unitaire; **precio tope** prix plafond; **precio unitario** prix à l'unité.
precioso, -a [pre'θjoso, a] *adj* (*hermoso*) beau(belle); (*de mucho valor*) précieux(-euse).
precipicio [preθi'piθjo] *nm* précipice *m.*
precipitar [preθipi'tar] *vt* précipiter; **precipitarse** *vpr* se précipiter.
precisamente [pre'θisamente] *adv* précisément; ~ **por eso** pour cette raison précisément; ~ **fue él quien lo dijo** c'est précisément lui qui l'a dit; **no es ~ bueno** il n'est pas vraiment bon.
precisar [preθi'sar] *vt* (*necesitar*) avoir besoin de; (*determinar, especificar*) préciser.
precisión [preθi'sjon] *nf* précision *f*; **de** ~ de précision.
preciso, -a [pre'θiso, a] *adj* précis(e); (*necesario*) nécessaire; **en ese ~ momento** à ce moment précis; **es ~ que lo hagas** il faut que tu le fasses.
precolombino, -a [prekolom'bino, a] *adj* précolombien(ne).
preconcebido, -a [prekonθe'βiðo, a] *adj* préconçu(e).
preconizar [prekoni'θar] *vt* préconiser.
precoz [pre'koθ] *adj* précoce.
precursor, a [prekur'sor, a] *nm/f* précurseur *m.*
predecesor, a [preðeθe'sor, a] *nm/f* prédécesseur *m.*
predecir [preðe'θir] *vt* prédire.
predestinado, -a [preðesti'naðo, a] *adj* prédestiné(e).
predicado [preði'kaðo] *nm* (*LING*) prédicat *m.*
predicar [preði'kar] *vt, vi* prêcher.
predicción [preðik'θjon] *nf* prédiction *f*; ~ **del tiempo** prévisions *fpl* météorologiques.
predilecto, -a [preði'lekto, a] *adj* préféré(e).
predisposición [preðisposi'θjon] *nf* prédisposition *f.*
predominar [preðomi'nar] *vi* prédominer.
predominio [preðo'minjo] *nm* prédominance *f.*
preescolar [preesko'lar] *adj* préscolaire.
preestablecido, -a [preestaβle'θiðo, a] *adj* préétabli(e).
preestreno [prees'treno] *nm* avant-première *f.*
prefabricado, -a [prefaβri'kaðo, a] *adj* préfabriqué(e).
prefacio [pre'faθjo] *nm* préface *f.*
preferencia [prefe'renθja] *nf* (*predilección*) préférence *f*; (*AUTO, ventaja*) priorité *f*; **de** ~ de préférence; **localidad de** ~ place *f* de choix.
preferir [prefe'rir] *vt* préférer; ~ **hacer/que** préférer faire/que.
prefiera *etc* [pre'fjera] *vb V* **preferir**.
prefijo [pre'fixo] *nm* (*TELEC*) indicatif *m*; (*LING*) préfixe *m.*
pregón [pre'ɣon] *nm* (*en fiestas*) discours *msg* inaugural; (*de mercancías*) cri *m*; (*aviso público*) annonce *f.*
pregonar [preɣo'nar] *vt* crier; (*edicto*) annoncer.
pregunta [pre'ɣunta] *nf* question *f*; **hacer una** ~ poser une question; **pregunta capciosa** question piège.
preguntar [preɣun'tar] *vt, vi* demander; **preguntarse** *vpr* se demander; ~ **por algn** demander qn; ~ **por la salud de algn** s'enquérir de la santé de qn.
prehistórico, -a [preis'toriko, a] *adj* préhistorique.
prejuicio [pre'xwiθjo] *nm* préjugé *m*; **tener ~s** avoir des préjugés.
preliminar [prelimi'nar] *adj, nm* préliminaire *m.*
preludio [pre'luðjo] *nm* prélude *m.*
premamá [prema'ma] *adj*: **vestido** ~ robe *f* de grossesse.
prematrimonial [prematrimo'njal] *adj*: **relaciones ~es** relations *fpl* avant le mariage.
prematuro, -a [prema'turo, a] *adj* prématuré(e).
premeditación [premeðita'θjon] *nf* préméditation *f.*
premeditar [premeði'tar] *vt* préméditer.
premiar [pre'mjar] *vt* récompenser; (*en

un concurso) décerner un prix à.
premio ['premjo] *nm* récompense *f*; (*de concurso etc*) prix *msg*; **premio gordo** gros lot *m*.
premisa [pre'misa] *nf* prémisse *f*.
prenatal [prena'tal] *adj* prénatal(e).
prenda ['prenda] *nf* (*ropa*) vêtement *m*; (*garantía*) gage *m*; (*fam*: *apelativo*) mon chou; **~s** *nfpl* (*juego*) gages *mpl*; **dejar algo en ~** laisser qch en gage; **no soltar ~** (*fig*) ne pas dire un mot.
prendado, -a [pren'daðo, a] *adj*: **~ de algo/algn** épris(e) de qch/qn.
prendedor [prende'ðor] *nm* broche *f*.
prender [pren'der] *vt* (*sujetar*) attacher; (*delincuente*) arrêter; (*esp AM*: *encender*) allumer ♦ *vi* (*idea, miedo*) s'enraciner; (*planta, fuego*) prendre; **prenderse** *vpr* prendre feu; (*esp AM*: *encenderse*) s'allumer; **~ fuego a algo** mettre le feu à qch.
prendido, -a [pren'diðo, a] (*AM*) *adj* (*luz etc*) allumé(e).
prensa ['prensa] *nf* presse *f*; **tener mala ~** avoir mauvaise presse; **agencia/conferencia de ~** agence *f*/conférence *f* de presse.
prensar [pren'sar] *vt* (*papel, uva*) presser.
preñado, -a [pre'ɲaðo, a] *adj* (*mujer*) enceinte; **~ de** chargé(e) de.
preocupación [preokupa'θjon] *nf* souci *m*.
preocupado, -a [preoku'paðo, a] *adj* soucieux(-euse).
preocupar [preoku'par] *vt* préoccuper; **preocuparse** *vpr* (*inquietarse*) se soucier; **~se de algo** (*hacerse cargo*) s'occuper de qch; **~se por algo** se soucier de qch; **¡no te preocupes!** ne t'en fais pas!
preparación [prepara'θjon] *nf* préparation *f*.
preparado, -a [prepa'raðo, a] *adj* (*dispuesto*) prêt(e); (*platos, estudiante etc*) préparé(e) ♦ *nm* (*MED*) préparation *f*; **¡~s, listos, ya!** à vos marques ... prêts? ... partez!
preparar [prepa'rar] *vt* préparer; **prepararse** *vpr* se préparer; **~se para hacer algo** se préparer à faire qch.
preparativos [prepara'tiβos] *nmpl* préparatifs *mpl*.
preparatoria [prepara'torja] (*AM*) *nf* terminale *f*.
preposición [preposi'θjon] *nf* (*LING*) préposition *f*.
prepotencia [prepo'tenθja] *nf* domination *f*; (*arrogancia*) arrogance *f*.
prepotente [prepo'tente] *adj* dominateur(-trice); (*arrogante*) arrogant(e).
prerrogativa [prerroɣa'tiβa] *nf* prérogative *f*.
presa ['presa] *nf* (*de animal*) proie *f*; (*de agua*) barrage *m*; **hacer ~ en** avoir prise sur; **ser ~ de** (*fig*: *remordimientos*) être en proie à; (*llamas*) être la proie de.
presagiar [presa'xjar] *vt* présager.
presagio [pre'saxjo] *nm* présage *m*.
prescindir [presθin'dir] *vi*: **~ de** (*privarse de*) se passer de; (*descartar*) faire abstraction de; **no podemos ~ de él** nous ne pouvons nous passer de lui.
prescribir [preskri'βir] *vt* prescrire.
prescripción [preskrip'θjon] *nf* prescription *f*; **prescripción facultativa** prescription médicale.
presencia [pre'senθja] *nf* présence *f*; **en ~ de** en présence de; **tener buena ~** avoir une bonne présentation; **presencia de ánimo** présence d'esprit.
presenciar [presen'θjar] *vt* (*accidente, discusión*) être témoin de; (*ceremonia etc*) assister à.
presentación [presenta'θjon] *nf* présentation *f*; (*JUR*: *de pruebas, documentos*) production *f*.
presentador, a [presenta'ðor, a] *nm/f* présentateur(-trice).
presentar [presen'tar] *vt* présenter; (*JUR*: *pruebas, documentos*) produire; **presentarse** *vpr* se présenter; **~ al cobro** (*COM*) présenter au recouvrement; **~se a la policía** se présenter à la police.
presente [pre'sente] *adj* présent(e) ♦ *nm* présent *m*; **los ~s** les personnes *fpl* présentes; **¡~!** présent!; **hacer ~** faire savoir; **tener ~** se souvenir de; **la ~ (carta)** la présente.
presentimiento [presenti'mjento] *nm* pressentiment *m*.
presentir [presen'tir] *vt* pressentir; **~ que** pressentir que.
preservar [preser'βar] *vt* préserver.
preservativo [preserβa'tiβo] *nm* préservatif *m*.
presidencia [presi'ðenθja] *nf* présidence *f*; **ocupar la ~** occuper la présidence.
presidente [presi'ðente] *nm/f* président(e).
presidiario [presi'ðjarjo] *nm* forçat *m*.
presidio [pre'siðjo] *nm* prison *f*.
presidir [presi'ðir] *vt* (*reunión*) présider; (*suj*: *sentimiento*) présider à.
presienta *etc* [pre'sjenta], **presintiendo** *etc* [presin'tjendo] *vb V* **presentir**.
presión [pre'sjon] *nf* (*tb fig*) pression *f*; **a ~** à pression; **cerrar a ~** fermer avec des pressions; **grupo de ~** (*POL*) groupe *m* de pression; **presión arterial** tension *f* artérielle; **presión atmosférica** pression at-

mosphérique; **presión sanguínea** tension veineuse.

presionar [presjo'nar] *vt* (*coaccionar*) faire pression sur; (*botón*) presser ♦ *vi*: ~ **para** *o* **por** faire pression pour.

preso, -a ['preso, a] *adj*: ~ **de terror/pánico** pris(e) de terreur/panique ♦ *nm/f* (*en la cárcel*) prisonnier(-ière); **tomar** *o* **llevar ~ a algn** faire prisonnier qn.

prestación [presta'θjon] *nf* (*ADMIN*) prestation *f*; **prestaciones** *nfpl* (*TEC, AUTO*) performances *fpl*; **prestación social sustitutoria** service *m* des objecteurs de conscience.

prestado, -a [pres'taðo, a] *adj* emprunté(e); **dar algo ~** prêter qch; **pedir ~** emprunter.

prestamista [presta'mista] *nm/f* prêteur(-euse).

préstamo ['prestamo] *nm* prêt *m*; **préstamo con garantía** prêt sur gages; **préstamo hipotecario** prêt hypothécaire.

prestar [pres'tar] *vt* prêter; (*servicio*) rendre; **prestarse** *vpr*: **~se a hacer** s'offrir à faire; **~se a malentendidos** prêter à confusion.

prestidigitador, a [prestiðixita'ðor, a] *nm/f* prestidigitateur(-trice).

prestigio [pres'tixjo] *nm* prestige *m*.

prestigioso, -a [presti'xjoso, a] *adj* prestigieux(-euse).

presumido, -a [presu'miðo, a] *adj, nm/f* prétentieux(-euse); (*preocupado de su aspecto*) coquet(te).

presumir [presu'mir] *vt* présumer ♦ *vi* (*tener aires*) s'afficher; **según cabe ~** selon toute vraisemblance, à ce que l'on suppose; **~ de listo** se croire fin.

presunto, -a [pre'sunto, a] *adj* présumé(e); (*heredero*) présomptif(-ive).

presuntuoso, -a [presun'twoso, a] *adj* présomptueux(-euse).

presuponer [presupo'ner] *vt* présupposer.

presupuestar [presupwes'tar] *vt* (*coste, obra*) établir un devis de.

presupuesto [presu'pwesto] *pp de* **presuponer** ♦ *nm* (*FIN*) budget *m*; (*de costo, obra*) devis *msg*; **asignación de ~** (*COM*) dotation *f* budgétaire.

pretencioso, -a [preten'θjoso, a] *adj* prétentieux(-euse).

pretender [preten'der] *vt* prétendre; **~ que** prétendre que; **¿qué pretende usted?** que prétendez-vous?

pretendiente, -a [preten'djente] *nm/f* prétendant(e).

pretensión [preten'sjon] *nf* prétention *f*; **pretensiones** *nfpl* (*pey*) prétentions *fpl*; **tener muchas/pocas pretensiones** avoir des prétentions élevées/de faibles prétentions.

pretérito, -a [pre'terito, a] *adj* (*LING, fig*) passé(e).

pretexto [pre'teksto] *nm* (*excusa*) prétexte *m*; **so** *o* **con el ~ de** sous prétexte de.

prevalecer [preβale'θer] *vi* prévaloir.

prevención [preβen'θjon] *nf* prévention *f*.

prevendré *etc* [preβen'dre], **prevenga** *etc* [pre'βenga] *vb V* **prevenir**.

prevenir [preβe'nir] *vt* prévenir; (*preparar*) préparer; **prevenirse** *vpr* se préparer; **~ (en) contra (de)/a favor de** prévenir contre/en faveur de; **~se contra** se prémunir contre.

preventivo, -a [preβen'tiβo, a] *adj* préventif(-ive).

prever [pre'βer] *vt* prévoir.

previo, -a ['preβjo, a] *adj* (*anterior*) préalable; **~ pago de los derechos** moyennant l'acquittement préalable des droits.

previsión [preβi'sjon] *nf* prévision *f*; **en ~ de** en prévision de; **previsión del tiempo** prévision météorologique; **previsión de ventas** prévision des ventes.

previsor, a [preβi'sor, a] *adj* prévoyant(e).

previsto, -a [pre'βisto, a] *pp de* **prever**; **según lo ~** comme prévu.

P.R.I. [pri] (*MÉX*) *sigla m* (= *Partido Revolucionario Institucional*) *parti politique*.

prieto, -a ['prjeto, a] *adj* (*apretado*) serré(e); (*esp MÉX: moreno*) basané(e).

prima ['prima] *nf* prime *f*; *V tb* **primo**; **prima única** prime unique.

primacía [prima'θia] *nf* primauté *f*.

primar [pri'mar] *vi* primer; **~ sobre** primer sur.

primario, -a [pri'marjo, a] *adj* primaire.

primavera [prima'βera] *nf* printemps *m*.

primaveral [primaβe'ral] *adj* printanier(-ière).

primero, -a [pri'mero, a] *adj* (*delante de nmsg:* **primer**) premier(-ière) ♦ *adv* (*en primer lugar*) d'abord; (*más bien*) plutôt ♦ *nm/f* premier(-ière); **ser/llegar el ~** être/arriver le premier; **a ~s (de mes)** en début de mois; **a la primera** du premier coup; **primer ministro** Premier ministre *m*.

primicia [pri'miθja] *nf* primeur *f*.

primitiva [primi'tiβa] *nf* (*tb:* **lotería ~**) loto *m*.

primitivo, -a [primi'tiβo, a] *adj* primitif(-ive).

primo, -a ['primo, a] *adj* (*MAT*) premier(-ière) ♦ *nm/f* cousin(e); (*fam*)

idiot(e); **materias primas** matières *fpl* premières; **hacer el ~** faire l'idiot; **primo hermano** cousin *m* germain.
primogénito, -a [primo'xenito, a] *adj* aîné(e).
primor [pri'mor] *nm* (*cuidado*) délicatesse *f*; (*cosa*) merveille *f*.
primordial [primor'ðjal] *adj* primordial(e).
princesa [prin'θesa] *nf* princesse *f*.
principado [prinθi'paðo] *nm* principauté *f*.
principal [prinθi'pal] *adj* principal(e); (*piso*) premier(-ière) ♦ *nm* principal *m*.
príncipe ['prinθipe] *nm* prince *m*; **príncipe de gales** (*tela*) prince de Galles; **príncipe heredero** prince héritier.
principiante [prinθi'pjante] *nm/f* débutant(e).
principio [prin'θipjo] *nm* (*comienzo*) début *m*; (*origen*) commencement *m*; (*fundamento, moral, tb QUÍM*) principe *m*; **a ~s de** au début de; **en ~** en principe.
pringar [prin'gar] *vt* (*CULIN: pan*) tremper; (*ensuciar*) salir; **pringarse** *vpr* se salir; **~ a algn en un asunto** (*fam*) mêler qn à une affaire.
pringoso, -a [prin'goso, a] *adj* gras(se).
prioridad [priori'ðað] *nf* priorité *f*.
prisa ['prisa] *nf* hâte *f*; (*rapidez*) rapidité *f*; **correr ~** être urgent(e); **darse ~** se presser; **tener ~** être pressé(e).
prisión [pri'sjon] *nf* prison *f*.
prisionero, -a [prisjo'nero, a] *nm/f* prisonnier(-ière).
prismáticos [pris'matikos] *nmpl* jumelles *fpl*.
privación [priβa'θjon] *nf* privation *f*; **privaciones** *nfpl* (*necesidades*) privations *fpl*.
privado, -a [pri'βaðo, a] *adj* privé(e); **en ~** en privé.
privar [pri'βar] *vt* (*despojar*) priver; (*fam: gustar*) raffoler de; **privarse** *vpr*: **~se de** (*abstenerse*) se priver de; **~ a algn de hacer** empêcher qn de faire; **me privan la moto** la moto c'est mon dada.
privatizar [priβati'θar] *vt* privatiser.
privilegiado, -a [priβile'xjaðo, a] *adj, nm/f* privilégié(e).
privilegio [priβi'lexjo] *nm* privilège *m*.
pro [pro] *nm* profit *m* ♦ *prep*: **asociación ~ ciegos** association *f* au profit des aveugles ♦ *pref*: **~ soviético/americano** prosoviétique/américain; **en ~ de** en faveur de; **los ~s y los contras** le pour et le contre; **ciudadano de ~** honorable citoyen *m*; **hombre de ~** homme *m* de bien.
proa ['proa] *nf* (*NÁUT*) proue *f*.
probabilidad [proβaβili'ðað] *nf* probabilité *f*; **~es** *nfpl* (*perspectivas*) chances *fpl*.
probable [pro'βaβle] *adj* probable; **es ~ que** + *subjun* il est probable que + *subjonctif*; **es ~ que no venga** il est probable qu'il ne viendra pas.
probador [proβa'ðor] *nm* cabine *f* d'essayage.
probar [pro'βar] *vt* essayer; (*demostrar*) prouver; (*comida*) goûter ♦ *vi* essayer; **probarse** *vpr*: **~se un traje** essayer un costume.
probeta [pro'βeta] *nf* éprouvette *f*; **bebé- ~** bébé *m* éprouvette.
problema [pro'βlema] *nm* problème *m*; **el ~ del paro** le problème du chômage.
procaz [pro'kaθ] *adj* insolent(e).
procedencia [proθe'ðenθja] *nf* provenance *f*.
procedente [proθe'ðente] *adj*: **~ de** en provenance de; (*JUR*) recevable.
proceder [proθe'ðer] *vi* (*actuar*) procéder; (*ser correcto*) convenir ♦ *nm* (*comportamiento*) procédé *m*; **~ a** procéder à; **~ de** provenir de; **no procede obrar así** il n'y a pas lieu d'agir ainsi.
procedimiento [proθeði'mjento] *nm* (*JUR, ADMIN*) procédure *f*; (*proceso*) processus *msg*; (*método*) procédé *m*.
procesador [proθesa'ðor] *nm*: **~ de textos** (*INFORM*) machine *f* de traitement de texte.
procesamiento [proθesa'mjento] *nm* (*INFORM*) traitement *m*; **procesamiento de datos/textos** traitement de données/texte; **procesamiento por lotes** traitement par lots.
procesar [proθe'sar] *vt* (*JUR*) accuser; (*INFORM*) traiter.
procesión [proθe'sjon] *nf* procession *f*; **la ~ va por dentro** il *etc* souffre en silence.
proceso [pro'θeso] *nm* (*desarrollo, procedimiento*) processus *msg*; (*JUR*) procès *msg*; (*lapso*) cours *msg*; (*INFORM*): **~ (automático) de datos** traitement *m* (automatique) de données; **~ de textos** traitement de textes; **~ no prioritario** traitement non prioritaire; **~ por pasadas** traitement séquentiel; **~ en tiempo real** traitement en temps réel.
proclamar [prokla'mar] *vt* proclamer.
proclive [pro'kliβe] *adj*: **~ (a)** enclin(e) (à).
procrear [prokre'ar] *vt, vi* procréer.
procurador, a [prokura'ðor, a] *nm/f* (*JUR*) avoué *m*; (*POL*) député *m*.
procurar [proku'rar] *vt* (*intentar*) essayer de; (*proporcionar*) procurer; **procurarse** *vpr* se procurer.

prodigar [proði'ɣar] *vt* prodiguer; **prodigarse** *vpr*: **~se en** être prodigue de.
prodigio [pro'ðixjo] *nm* prodige *m*; **niño ~** enfant *m* prodige.
prodigioso, -a [proði'xjoso, a] *adj* prodigieux(-euse).
pródigo, -a ['proðiɣo, a] *adj* prodigue; **hijo ~** fils *m* prodigue.
producción [proðuk'θjon] *nf* production *f*; **~ en serie** production en série.
producir [proðu'θir] *vt* produire; (*impresión, heridas, tristeza*) causer; **producirse** *vpr* se produire.
productivo, -a [proðuk'tiβo, a] *adj* productif(-ive).
producto [pro'ðukto] *nm* produit *m*; **producto alimenticio** produit alimentaire; **producto interior bruto** produit intérieur brut; **productos lácteos** produits laitiers; **producto nacional bruto** produit national brut.
productor, a [proðuk'tor, a] *adj, nm/f* producteur(-trice).
produje *etc* [pro'ðuxe], **produzca** *etc* [pro'ðuθka] *vb V* **producir**.
proeza [pro'eθa] *nf* prouesse *f*.
profanar [profa'nar] *vt* profaner.
profano, -a [pro'fano, a] *adj, nm/f* profane *m/f*; **soy ~ en la materia** je suis profane en la matière.
profecía [profe'θia] *nf* prophétie *f*.
proferir [profe'rir] *vt* proférer.
profesar [profe'sar] *vt* professer.
profesión [profe'sjon] *nf* profession *f*; **abogado de ~, de ~ abogado** avocat *m* de profession.
profesional [profesjo'nal] *adj, nm/f* professionnel(le).
profesionista [profesjo'nista] (*MÉX*) *nm/f* professionnel(le).
profesor, a [profe'sor, a] *nm/f* professeur *m*; **profesor adjunto** professeur assistant.
profeta [pro'feta] *nm* prophète *m*.
profetizar [profeti'θar] *vt, vi* prophétiser.
profiera *etc* [pro'fjera] *vb V* **proferir**.
prófugo, -a ['profuɣo, a] *nm/f* fugitif(-ive) ♦ *nm* (*MIL*) insoumis *msg*.
profundidad [profundi'ðað] *nf* profondeur *f*; **~es** *nfpl* (*de océano etc*) profondeurs *fpl*; **tener una ~ de 30 cm** avoir une profondeur de 30 cm.
profundizar [profundi'θar] *vi*: **~ en** (*fig*) approfondir.
profundo, -a [pro'fundo, a] *adj* profond(e); **poco ~** peu profond.
programa [pro'ɣrama] *nm* programme *m*; **programa de estudios** programme; **programa verificador de ortografía** (*INFORM*) vérificateur *m* d'orthographe.
programación [proɣrama'θjon] *nf* programmation *f*; **programación estructurada** programmation structurée.
programar [proɣra'mar] *vt* programmer.
progre ['proɣre] (*fam*) *adj* progressiste.
progresar [proɣre'sar] *vi* progresser.
progresión [proɣre'sjon] *nf*: **~ geométrica/aritmética** progression *f* géométrique/arithmétique.
progresista [proɣre'sista] *adj, nm/f* progressiste *m/f*.
progresivo, -a [proɣre'siβo, a] *adj* progressif(-ive).
progreso [pro'ɣreso] *nm* (*avance*) progrès *msg*; **el ~** le progrès; **hacer ~s** faire des progrès.
prohibición [proiβi'θjon] *nf* interdiction *f*; (*ADMIN, JUR*) prohibition *f*; **levantar la ~ de** lever l'interdiction de.
prohibir [proi'βir] *vt* interdire; (*ADMIN, JUR*) prohiber; **"prohibido fumar"** "défense de fumer"; **"prohibida la entrada"** "entrée interdite"; **dirección prohibida** (*AUTO*) sens *m* interdit.
prójimo ['proximo] *nm* prochain *m*.
proletario, -a [prole'tarjo, a] *adj, nm/f* prolétaire *m/f*.
proliferar [prolife'rar] *vi* proliférer.
prolífico, -a [pro'lifiko, a] *adj* prolifique.
prólogo ['proloɣo] *nm* prologue *m*.
prolongar [prolon'gar] *vt* prolonger; **prolongarse** *vpr* se prolonger.
promedio [pro'meðjo] *nm* moyenne *f*.
promesa [pro'mesa] *nf* promesse *f* ♦ *adj*: **jóvenes ~s** jeunes espoirs *mpl*; **faltar a una ~** ne pas tenir une promesse.
prometer [prome'ter] *vt*: **~ hacer algo** promettre de faire qch ♦ *vi* promettre; **prometerse** *vpr* (*dos personas*) se fiancer.
prometido, -a [prome'tiðo, a] *adj* promis(e) ♦ *nm/f* promis(e), fiancé(e).
promiscuidad [promiskwi'ðað] *nf* promiscuité *f*.
promoción [promo'θjon] *nf* promotion *f*; **~ por correspondencia directa** (*COM*) publipostage *m*; **promoción de ventas** promotion des ventes.
promocionar [promoθjo'nar] *vt* promouvoir; **promocionarse** *vpr* se promouvoir; (*profesionalmente*) monter en grade.
promontorio [promon'torjo] *nm* promontoire *m*.
promotor, a [promo'tor, a] *nm/f* promoteur(-trice).
promover [promo'βer] *vt* promouvoir; (*escándalo, juicio*) provoquer.
promulgar [promul'ɣar] *vt* promulguer.
pronombre [pro'nombre] *nm* pronom *m*.

pronosticar [pronosti'kar] *vt* pronostiquer.

pronóstico [pro'nostiko] *nm* pronostic *m*; **de ~ leve** au pronostic dénué de toute gravité; **de ~ reservado** au pronostic réservé; **pronóstico del tiempo** prévisions *fpl* météorologiques.

pronto, -a ['pronto, a] *adj* (*rápido*) rapide; (*preparado*) prêt(e) ♦ *adv* rapidement; (*dentro de poco*) bientôt; (*temprano*) tôt ♦ *nm* (*impulso*) élan *m*; (: *de ira*) accès *msg*; **al ~** au début; **de ~** tout à coup; **¡hasta ~!** à bientôt; **lo más ~ posible** le plus tôt possible; **por lo ~** pour l'instant; **tan ~ como** dès que.

pronunciación [pronunθja'θjon] *nf* (LING) prononciation *f*; (JUR) prononcé *m*.

pronunciar [pronun'θjar] *vt* prononcer; **pronunciarse** *vpr* (MIL) se soulever; (*declararse*) se prononcer; **~se sobre** se prononcer sur.

propagación [propaɣa'θjon] *nf* propagation *f*.

propaganda [propa'ɣanda] *nf* propagande *f*; **hacer ~ de** (COM) faire de la propagande pour.

propagar [propa'ɣar] *vt* propager; **propagarse** *vpr* se propager.

propano [pro'pano] *nm* propane *m*.

propasarse [propa'sarse] *vpr* (*excederse*) dépasser les limites; (*sexualmente*) prendre des libertés.

propensión [propen'sjon] *nf* propension *f*.

propenso, -a [pro'penso, a] *adj*: **~ a** enclin(e) à; **ser ~ a hacer algo** être enclin(e) à faire qch.

propiciar [propi'θjar] *vt* favoriser.

propicio, -a [pro'piθjo, a] *adj* propice.

propiedad [propje'ðað] *nf* propriété *f*; **ceder algo a algn en ~** céder la propriété de qch à qn; **ser ~ de** être propriété de; **con ~** (*hablar*) correctement; **propiedad intelectual** propriété intellectuelle; **propiedad particular** propriété privée; **propiedad pública** (COM) propriété publique.

propietario, -a [propje'tarjo, a] *nm/f* propriétaire *m*.

propina [pro'pina] *nf* pourboire *m*; **dar algo de ~** donner qch en pourboire.

propinar [propi'nar] *vt* administrer.

propio, -a ['propjo, a] *adj* propre; (*mismo*) en personne; **el ~ ministro** le ministre en personne; **¿tienes casa propia?** as-tu une maison à toi?; **eso es muy ~ de él** c'est bien de lui; **nombre ~** nom *m* propre.

proponer [propo'ner] *vt* proposer; **proponerse** *vpr*: **~se hacer** se proposer de faire.

proponga *etc* [pro'ponga] *vb V* **proponer**.

proporción [propor'θjon] *nf* proportion *f*; **proporciones** *nfpl* (*dimensiones, tb fig*) proportions *fpl*; **en ~ con** en proportion de.

proporcionado, -a [proporθjo'naðo, a] *adj* proportionné(e); **bien ~** bien proportionné(e).

proporcional [proporθjo'nal] *adj* proportionnel(le); **~ a** proportionnel à.

proporcionar [proporθjo'nar] *vt* offrir; (COM) fournir; **esto le proporciona una renta anual de ...** cela lui rapporte un revenu annuel de ... .

proposición [proposi'θjon] *nf* proposition *f*; **proposiciones deshonestas** propositions malhonnêtes.

propósito [pro'posito] *nm* intention *f* ♦ *adv*: **a ~** à propos; **a ~ de** à propos de; **hacer algo a ~** faire qch exprès.

propuesta [pro'pwesta] *nf* proposition *f*.

propugnar [propuɣ'nar] *vt* défendre.

propulsar [propul'sar] *vt* (*impulsar*) propulser; (*fig*) développer.

propuse *etc* [pro'puse] *vb V* **proponer**.

prórroga ['prorroɣa] *nf* (*de plazo*) prorogation *f*; (DEPORTE) prolongations *fpl*; (MIL) sursis *msg*.

prorrogar [prorro'ɣar] *vt* (*plazo*) proroger; (*decisión*) différer.

prorrumpir [prorrum'pir] *vi*: **~ en lágrimas/carcajadas** éclater en sanglots/de rire; **el público prorrumpió en aplausos** les applaudissements ont fusé dans le public.

prosa ['prosa] *nf* (LIT) prose *f*.

prosaico [pro'saiko, a] *adj* prosaïque.

proscribir [proskri'βir] *vt* proscrire.

proscrito, -a [pros'krito, a] *pp de* **proscribir** ♦ *adj, nm/f* proscrit(e).

proseguir [prose'ɣir] *vt* poursuivre ♦ *vi* poursuivre; (*discusiones etc*) se poursuivre; **~ con algo** poursuivre qch.

prosiga *etc* [pro'siɣa], **prosiguiendo** *etc* [prosi'ɣjenðo] *vb V* **proseguir**.

prospecto [pros'pekto] *nm* (MED) notice *f*; (*publicidad*) prospectus *msg*.

prosperar [prospe'rar] *vi* prospérer.

prosperidad [prosperi'ðað] *nf* prospérité *f*.

próspero, -a ['prospero, a] *adj* prospère; **~ año nuevo** bonne année!

prostíbulo [pros'tiβulo] *nm* bordel *m*.

prostitución [prostitu'θjon] *nf* prostitution *f*.

prostituir [prosti'twir] *vt* prostituer; **prostituirse** *vpr* se prostituer.

prostituta [prosti'tuta] *nf* prostituée *f*.

protagonista [protaɣo'nista] *nm/f* prota-

goniste *m/f*.
protagonizar [protaɣoni'θar] *vt* (*película, suceso*) être le/la protagoniste de.
protección [protek'θjon] *nf* protection *f*.
protector, a [protek'tor, a] *adj* (*barrera, gafas, crema*) de protection; (*tono*) protecteur(-trice) ♦ *nm/f* protecteur(-trice).
proteger [prote'xer] *vt* protéger; **protegerse** *vpr*: **~se (de)** se protéger (de); **~ contra grabación** *o* **contra escritura** (*INFORM*) protéger contre l'écriture.
proteína [prote'ina] *nf* protéine *f*.
prótesis ['protesis] *nf* (*MED*) prothèse *f*.
protesta [pro'testa] *nf* protestation *f*.
protestante [protes'tante] *adj* protestant(e).
protestar [protes'tar] *vt* (*cheque*) protester ♦ *vi* protester; **¡protesto!** je proteste!
protocolo [proto'kolo] *nm* protocole *m*; **sin ~s** sans protocole.
protón [pro'ton] *nm* proton *m*.
prototipo [proto'tipo] *nm* prototype *m*.
protuberancia [protuβe'ranθja] *nf* protubérance *f*.
provecho [pro'βetʃo] *nm* profit *m*; **¡buen ~!** bon appétit!; **en ~ de** au profit de; **sacar ~ de** tirer profit de.
provechoso, -a [proβe'tʃoso, a] *adj* profitable.
proveedor, a [proβee'ðor, a] *nm/f* fournisseur(-euse).
proveer [proβe'er] *vt* (*suministrar*) fournir; (*preparar*) préparer ♦ *vi*: **~ a** pourvoir à; **proveerse** *vpr*: **~se de** se pourvoir de.
provenir [proβe'nir] *vi* provenir.
proverbio [pro'βerβjo] *nm* proverbe *m*.
providencia [proβi'ðenθja] *nf* providence *f*; **~s** *nfpl* (*disposiciones*) mesures *fpl*.
providencial [proβiðen'θjal] *adj* providentiel(le).
provincia [pro'βinθja] *nf* province *f*; (*ADMIN*) ≈ département *m*; **un pueblo de ~s** un village de province.
provinciano, -a [proβin'θjano, a] (*pey*) *adj* provincial(e).
provisión [proβi'sjon] *nf* (*abastecimiento*) provision *f*; (*precaución*) mesure *f*; **provisiones** *nfpl* (*víveres*) provisions *fpl*.
provisional [proβisjo'nal] *adj* provisoire.
provisorio, -a [proβi'sorjo, a] (*AM*) *adj* provisoire.
provisto, -a [pro'βisto, a] *adj* pourvu(e).
provocación [proβoka'θjon] *nf* provocation *f*.
provocar [proβo'kar] *vt* provoquer; (*AM*): **¿te provoca un café?** ça te dit, un café?
provocativo, -a [proβoka'tiβo, a] *adj* provocant(e).
proximidad [proksimi'ðað] *nf* proximité *f*; **~es** *nfpl* (*cercanías*) proximité *fsg*.
próximo, -a ['proksimo, a] *adj* (*cercano*) proche; (*parada, año*) prochain(e); **en fecha próxima** sous peu.
proyección [projek'θjon] *nf* projection *f*.
proyectar [projek'tar] *vt* projeter; **proyectarse** *vpr* se projeter.
proyectil [projek'til] *nm* projectile *m*; **proyectil teledirigido** projectile télécommandé.
proyecto [pro'jekto] *nm* projet *m*; **tener algo en ~** avoir qch en projet; **proyecto de ley** projet de loi.
proyector [projek'tor] *nm* projecteur *m*.
prudencia [pru'ðenθja] *nf* prudence *f*.
prudente [pru'ðente] *adj* prudent(e).
prueba ['prweβa] *vb V* **probar** ♦ *nf* (*gen*) épreuve *f*; (*testimonio*) témoignage *m*; (*JUR*) preuve *f*; (*de ropa*) essayage *m*; **a ~** à l'épreuve; (*COM*) à l'essai; **a ~ de** à l'épreuve de; **a ~ de agua/fuego** étanche/à l'épreuve du feu; **en ~ de** en témoignage de; **período/fase de ~** période *f*/phase *f* d'essai; **poner/someter a ~** mettre/soumettre à l'épreuve; **¿tiene usted ~ de ello?** en avez-vous la preuve?; **prueba de capacitación** (*COM*) preuve d'aptitudes; **prueba de fuego** (*fig*) épreuve du feu.
prurito [pru'rito] *nm* (*tb fig*) démangeaison *f*.
psico... [siko] *pref* psycho... .
psicoanálisis [sikoa'nalisis] *nm* psychanalyse *f*.
psicoanalista [sikoana'lista] *nm/f* psychanalyste *m/f*.
psicología [sikolo'xia] *nf* psychologie *f*.
psicológico, -a [siko'loxiko, a] *adj* psychologique.
psicólogo, -a [si'koloɣo, a] *nm/f* psychologue *m/f*.
psicomotricidad [sikomotriθi'ðað] *nf* psychomotricité *f*.
psicópata [si'kopata] *nm/f* psychopathe *m/f*.
psicosis [si'kosis] *nf inv* psychose *f*.
psiquiatra [si'kjatra] *nm/f* psychiatre *m/f*.
psiquiátrico, -a [si'kjatriko, a] *adj* psychiatrique.
psíquico, -a ['sikiko, a] *adj* psychique.
PSOE [pe'soe] *sigla m* = *Partido Socialista Obrero Español*.
pta(s). *abr* = **peseta(s)**.
púa ['pua] *nf* (*de planta*) piquant *m*; (*de peine*) dent *f*; (*para guitarra*) médiator *m*; **alambre de ~s** fil *m* de fer barbelé.
pub [puβ, paβ, paf] *nm* pub *m*.

pubertad [puβer'tað] *nf* puberté *f*.
publicación [puβlika'θjon] *nf* publication *f*.
publicar [puβli'kar] *vt* publier.
publicidad [puβliθi'ðað] *nf* publicité *f*; **dar ~ a** rendre public(-ique); **publicidad en el punto de venta** publicité sur le point de vente.
publicitario, -a [puβliθi'tarjo, a] *adj* publicitaire.
público, -a ['puβliko, a] *adj* public(-ique) ♦ *nm* public *m*; **el gran ~** le grand public; **en ~** en public; **hacer ~** (*difundir*) rendre public; **~ objetivo** (COM) public ciblé.
puchero [pu'tʃero] *nm* (CULIN: *olla*) marmite *f*; (: *guiso*) pot-au-feu *m*; **hacer ~s** bouder.
púdico, -a ['puðiko, a] *adj* pudique.
pudiendo *etc* [pu'ðjendo] *vb V* **poder**.
pudín [pu'ðin] *nm* pudding *m*.
pudor [pu'ðor] *nm* pudeur *f*.
pudoroso, -a [puðo'roso, a] *adj* pudique.
pudrir [pu'ðrir] *vt* pourrir; **pudrirse** *vpr* pourrir.
pueblerino, -a [pweβle'rino, a] *adj* villageois(e); (*pey*) de clocher ♦ *nm/f* villageois(e); (*pey*) péquenaud(e).
pueblo ['pweβlo] *vb V* **poblar** ♦ *nm* peuple *m*; (*población pequeña*) village *m*; **pueblo joven** (PE) quartier *m* de bidonvilles.
pueda *etc* ['pweða] *vb V* **poder**.
puente ['pwente] *nm* (*gen*) pont *m*; (*de gafas*) arcade *f*; (*de dientes*) bridge *m*; (NÁUT: *tb*: **~ de mando**) passerelle *f*; **curso ~** (ESCOL) cours *msg* d'adaptation; **hacer ~** (*fam*) faire le pont; **puente aéreo/colgante** pont aérien/suspendu; **puente levadizo** pont-levis *m*.
puerco, -a ['pwerko, a] *adj* cochon(ne) ♦ *nm/f* (ZOOL) porc(truie); (*fam*) porc (cochonne); **puerco espín** porc-épic *m*.
pueril [pwe'ril] *adj* puéril.
puerro ['pwerro] *nm* poireau *m*.
puerta ['pwerta] *nf* porte *f*; (*de coche*) portière *f*; (*de jardín*) portail *m*, porte *f*; (*portería*: DEPORTE) but *m*; (INFORM) port *m*; **a ~ cerrada** à huis clos; **puerta batiente/blindada/corredera** porte battante/blindée/coulissante; **puerta de servicio** porte de service; **puerta (de transmisión) en paralelo/en serie** (INFORM) port parallèle/série; **puerta giratoria** tourniquet *m*, porte à tambour; **puerta principal/trasera** porte d'entrée/de derrière.
puerto ['pwerto] *nm* port *m*; (*de montaña*) col *m*; **llegar a ~** (*fig*) arriver à bon port; **puerto franco** port franc.
Puerto Rico [pwerto'riko] *nm* Porto Rico *m*.
puertorriqueño, -a [pwertorri'keɲo, a] *adj* portoricain(e) ♦ *nm/f* Portoricain(e).
pues [pwes] *conj* (*en tal caso*) donc; (*puesto que*) car ♦ *adv* (*así que*) donc; **¡~ claro!** bien sûr!; **~ ... no sé** eh bien ... je ne sais pas; **~ sí** eh bien, oui!
puesta ['pwesta] *nf*: **puesta a cero** (INFORM) réinitialisation *f*; **puesta al día/a punto** mise *f* à jour/au point; **puesta del sol** coucher *m* du soleil; **puesta en escena** mise en scène; **puesta en marcha** mise en marche.
puesto, -a ['pwesto, a] *pp de* **poner** ♦ *adj*: **ir bien/muy ~** être bien habillé/tiré à quatre épingles ♦ *nm* poste *m*; (MIL: *en clasificación*) rang *m*; (*tb*: **~ de trabajo**) poste; (COM: *en mercado*) étal *m*, éventaire *m*; (: *de flores, periódicos*) kiosque *m* ♦ *conj*: **~ que** puisque; **puesto de mando/policía/socorro** poste de commandement/police/secours.
pugnar [puɣ'nar] *vi*: **~ por** lutter pour.
puja ['puxa] *nf* (*esfuerzo*) effort *m*; (*en una subasta*) enchère *f*.
pujante [pu'xante] *adj* vigoureux(-euse).
pujar [pu'xar] *vi* (*en subasta*) surenchérir; (*fig*) faire un effort.
pulcro, -a ['pulkro, a] *adj* propre.
pulga ['pulɣa] *nf* puce *f*; **tener malas ~s** avoir mauvais caractère.
pulgada [pul'ɣaða] *nf* (*medida*) pouce *m*.
pulgar [pul'ɣar] *nm* pouce *m*.
pulir [pu'lir] *vt* polir.
pulmón [pul'mon] *nm* poumon *m*; **a pleno ~** à pleins poumons; **pulmón artificial/de acero** poumon artificiel/d'acier.
pulmonía [pulmo'nia] *nf* pneumonie *f*.
pulpa ['pulpa] *nf* pulpe *f*.
pulpería [pulpe'ria] (AM) *nf* épicerie *f*.
púlpito ['pulpito] *nm* (REL) chaire *f*.
pulpo ['pulpo] *nm* poulpe *m*.
pulquería [pulke'ria] (CAM, MÉX) *nf* débit *m* de pulque.
pulsación [pulsa'θjon] *nf* pulsation *f*; **pulsaciones por minuto** (*del teclado*) caractères *mpl* par minute.
pulsar [pul'sar] *vt* (*tecla*) frapper; (*botón*) appuyer sur ♦ *vi* (*latir*) battre.
pulsera [pul'sera] *nf* bracelet *m*; **reloj de ~** montre-bracelet *f*.
pulso ['pulso] *nm* (MED) pouls *msg*; (COL: *pulsera*) bracelet *m*; (: *reloj de pulsera*) montre-bracelet *f*, **a ~** (*tb fig*) à la force du poignet; **con ~ firme** de propos délibéré; **echar un ~** faire un bras de fer.

pulular [pulu'lar] *vi* pulluler.
pulverizar [pulβeri'θar] *vt* pulvériser.
puna ['puna] (*AND, CSUR*) *nf* (*MED*) puna *f*.
punki ['punki] *adj, nm/f* punk *m/f*.
punta ['punta] *nf* pointe *f*; (*de lengua, dedo*) bout *m*; (*fig: toque*) brin *m*; **horas ~s** heures *fpl* de pointe; **tecnología ~** technologie *f* de pointe; **de ~** debout; **de ~ a ~** d'un bout à l'autre; **estar de ~** être à bout; **ir de ~ en blanco** être tiré à quatre épingles; **sacar ~ a** (*lápiz*) tailler; **sacarle ~ a todo** chercher la petite bête; **tener algo en la ~ de la lengua** avoir qch sur le bout de la langue; **se me pusieron los pelos de ~** j'en ai eu les cheveux qui se sont dressés sur la tête; **punta del iceberg** (*fig*) pointe de l'iceberg.
puntada [pun'taða] *nf* (*COSTURA*) point *m*.
puntal [pun'tal] *nm* étai *m*.
puntapié [punta'pje] (*pl* **~s**) *nm* coup *m* de pied; **echar a algn a ~s** éjecter qn à coups de pied aux fesses.
puntear [punte'ar] *vt* (*dibujar*) pointiller; (*MÚS*) pincer.
puntera [pun'tera] *nf* (*de zapato*) bout *m*.
puntería [punte'ria] *nf* (*de arma*) visée *f*; (*destreza*) précision *f*.
puntero, -a [pun'tero, a] *adj* (*industria, país*) de pointe ♦ *nm* (*vara*) baguette *f*.
puntiagudo, -a [puntja'ɣuðo, a] *adj* pointu(e).
puntilla [pun'tiʎa] *nf* (*COSTURA*) dentelle *f* fine; **(andar) de ~s** (marcher) sur la pointe des pieds.
puntilloso, -a [punti'ʎoso, a] *adj* (*en trabajo*) pointilleux(-euse); (*susceptible*) tatillon(ne).
punto ['punto] *nm* point *m*; **a ~** (*listo*) au point; **estar a ~ de** être sur le point de; **llegar a ~** arriver à point; **al ~** immédiatement; **dos ~s** (*TIP*) deux points; **de ~** tricoté(e); **en ~** (*horas*) pile; **estar en su ~** (*CULIN*) être à point; **hasta cierto ~** jusqu'à un certain point; **hasta tal ~ que** à tel point que; **hacer ~** tricoter; **poner un motor a ~** mettre un moteur au point; **~s a tratar** points à traiter; **punto acápite** (*AM*) point, à la ligne; **punto culminante** point culminant; **punto de apoyo** point d'appui; **punto débil** point faible; **punto de congelación** point de congélation; **punto de equilibrio** (*COM*) seuil *m* de rentabilité; **punto de fusión** point de fusion; **punto de partida** point de départ; **punto de pedido** (*COM*) seuil de réapprovisionnement; **punto de referencia** (*COM*) point de référence; **punto de salida** (*INFORM*) point de départ; **punto de venta** (*COM*) point de vente; **punto de vista** point de vue; **punto final** point final; **punto muerto** point mort; **punto negro** (*AUTO*) point noir; **puntos suspensivos** points de suspension; **punto y coma** point-virgule *m*.
puntuación [puntwa'θjon] *nf* (*signos*) ponctuation *f*; (*puntos*) points *mpl*.
puntual [pun'twal] *adj* ponctuel(le).
puntualidad [puntwali'ðað] *nf* ponctualité *f*.
puntualizar [puntwali'θar] *vt* préciser.
puntuar [pun'twar] *vt* (*LING, TIP*) ponctuer; (*examen*) noter ♦ *vi* (*DEPORTE*) compter.
punzante [pun'θante] *adj* (*dolor*) aigu(ë), lancinant(e); (*herramienta*) pointu(e); (*comentario*) piquant(e).
punzar [pun'θar] *vt* (*pinchar*) piquer ♦ *vi* (*doler*) élancer.
punzón [pun'θon] *nm* pointeau *m*.
puñado [pu'ɲaðo] *nm* poignée *f*; **a ~s** à foison.
puñal [pu'ɲal] *nm* poignard *m*.
puñalada [puɲa'laða] *nf* coup *m* de poignard; **una ~ trapera** (*fig*) un coup de Jarnac.
puñeta [pu'ɲeta] (*fam!*) *nf*: **¡~!, ¡qué ~(s)!** merde! (*fam!*); **mandar a algn a hacer ~s** envoyer paître qn.
puñetazo [puɲe'taθo] *nm* coup *m* de poing.
puño ['puɲo] *nm* (*ANAT*) poing *m*; (*de ropa*) poignet *m*; (*de herramienta*) manche *m*; **como un ~** (*verdad*) flagrant(e); **de su ~ y letra** de sa main; **tener el corazón en un ~** avoir le cœur gros.
pupila [pu'pila] *nf* (*ANAT*) pupille *f*.
pupitre [pu'pitre] *nm* pupitre *m*.
puré [pu're] *nm* (*CULIN*) purée *f*; **estar hecho ~** (*fig*) être à bout de forces; **puré de patatas/de verduras** purée de pommes de terre/de légumes.
pureza [pu'reθa] *nf* pureté *f*.
purgante [pur'ɣante] *adj* purgatif(-ive) ♦ *nm* purgatif *m*.
purgar [pur'ɣar] *vt* purger; **purgarse** *vpr* se purger.
purgatorio [purɣa'torjo] *nm* purgatoire *m*.
purificar [purifi'kar] *vt* purifier.
puritano, -a [puri'tano, a] *adj, nm/f* puritain(e).
puro, -a ['puro, a] *adj* pur(e); (*esp MÉX*) même ♦ *nm* (*tabaco*) cigare *m* ♦ *adv* (*esp MÉX*) uniquement; **de ~ cansado** à force de fatigue; **por pura casualidad/curiosidad** par pur hasard/pure curiosité.
púrpura ['purpura] *nf* pourpre *f*.
pus [pus] *nm* pus *msg*.
puse *etc* ['puse] *vb V* **poner**.
pústula ['pustula] *nf* pustule *f*.

puta ['puta] (*fam!*) *nf* putain *f*, pute *f* (*fam!*); **de ~ madre** du tonnerre.
putada [pu'taða] (*fam!*) *nf* vacherie *f*; **¡qué ~!** quelle vacherie!
putear [pute'ar] (*fam!*) *vt* emmerder (*fam!*).
putrefacción [putrefak'θjon] *nf* putréfaction *f*.
puzzle ['puθle] *nm* puzzle *m*.
PVP (*ESP*) *sigla m* = *Precio de Venta al Público*.
PYME ['pime] *sigla f* (= *Pequeña y Mediana Empresa*) PME *f* (= *petite et moyenne entreprise*).

Q, q

PALABRA CLAVE

que [ke] *pron rel* **1** (*sujeto*) qui; **el hombre que vino ayer** l'homme qui est venu hier
2 (*objeto*) que; **el sombrero que te compraste** le chapeau que tu t'es acheté; **la chica que invité** la fille que j'ai invitée
3 (*circunstancial, con prep*): **el día que yo llegué** le jour où je suis arrivé; **el piano con que toca** le piano sur lequel il joue; **el libro del que te hablé** le livre dont je t'ai parlé; **la cama en que dormí** le lit dans lequel j'ai dormi; *V tb* **el**
♦ *conj* **1** (*con oración subordinada*) que; **dijo que vendría** il a dit qu'il viendrait; **espero que lo encuentres** j'espère que tu le retrouveras; *V tb* **el**
2 (*con verbo de mandato*): **dile que me llame** dis-lui de m'appeler
3 (*en oración independiente*): **¡que entre!** qu'il(elle) entre!; **¡que se mejore tu padre!** j'espère que ton père ira mieux!; **que lo haga él** qu'il le fasse, lui; **que yo sepa** que je sache
4 (*enfático*): **¿me quieres? – ¡que sí!** tu m'aimes? – oh oui!
5 (*repetición*): **¿cómo has dicho? – ¿que si ...?** qu'est-ce que tu disais? – que si ...?
6 (*consecutivo*) que; **es tan grande que no lo puedo levantar** c'est si gros que je ne peux pas le soulever
7 (*en comparaciones*) que; **es más alto que tú** il est plus grand que toi; **ese libro es igual que el otro** ce livre est pareil que l'autre; *V tb* **más**; **menos**; **mismo**
8 (*valor disyuntivo*): **que venga o que no venga** qu'il vienne ou qu'il ne vienne pas
9 (*porque*): **no puedo, que tengo que quedarme en casa** je ne peux pas, je dois rester à la maison
10 (*valor condicional*): **que no puedes, no lo haces** si tu ne peux pas, ne le fais pas
11 (*valor final*): **sal a que te vea** sors pour que je te voie
12: **todo el día toca que toca** il joue toute la sainte journée; **y él dale que dale** (*hablando*) et lui qui n'arrêtait pas
13: **yo que tú ...** si j'étais toi ... .

qué [ke] *adj* quel(le) ♦ *pron* que, quoi; **¿qué edad tienes?** quel âge as-tu?; **¿a qué velocidad?** à quelle vitesse?; **¡qué divertido/asco!** comme c'est drôle/dégoûtant!; **¡qué día más espléndido!** quelle journée splendide!; **¿qué?** quoi?; **¿qué quieres?** qu'est-ce que tu veux?; **¿de qué me hablas?** de quoi me parles-tu?; **¿qué tal?** (comment) ça va?; **¿qué hay de nuevo?** quoi de neuf?; **¿qué más?** autre chose?; **no sé qué quiere hacer** je ne sais pas ce qu'il veut faire; **¡y qué!** et alors!
quebradero [keβra'ðero] *nm*: **~ de cabeza** casse-tête *m inv*.
quebradizo, -a [keβra'ðiθo, a] *adj* cassant(e); (*persona, salud*) fragile.
quebrado, -a [ke'βraðo, a] *adj* (*roto*) cassé(e); (*línea*) brisé(e); (*terreno*) accidenté(e) ♦ *nm/f* (*COM*) failli(e) ♦ *nm* (*MAT*) fraction *f*; **~ rehabilitado** failli réhabilité.
quebrantar [keβran'tar] *vt* (*moral*) casser; (*ley, secreto, promesa*) violer; (*salud*) affaiblir; **quebrantarse** *vpr* (*persona, fuerzas*) s'affaiblir.
quebrar [ke'βrar] *vt* casser ♦ *vi* faire faillite; **quebrarse** *vpr* se casser; (*línea, cordillera*) se briser; (*MED: herniarse*) se faire une hernie; **se le quebró la voz** sa voix s'est brisée.
quechua ['ketʃwa] *adj* quechua ♦ *nm/f* membre *m* d'une tribu quechua.
queda ['keða] *nf*: **toque de ~** couvre-feu *m*.
quedar [ke'ðar] *vi* rester; (*encontrarse*) se donner rendez-vous; **quedarse** *vpr* rester; **~ en** convenir de; **~ en nada** ne pas aboutir; **~ por hacer** rester à faire; **no te queda bien ese vestido** cette robe ne te va pas bien; **quedamos aquí** on reste là; **quedamos a las seis** (*en pasado*) on a dit 6 heures; (*en presente*) on se voit à 6 heures; **eso queda muy lejos** c'est très loin; **nos quedan 12 kms para llegar al pueblo** il nous reste encore 12 km avant d'arriver au village; **quedan dos horas** il reste deux heures; **eso queda por/hacia allí** c'est par là; **ahí quedó la cosa** la chose en est restée là; **no queda otra** il n'y en a plus; **~se ciego/mudo** devenir aveugle/muet; **~se (con) algo** garder qch; **~se con**

algn (*fam*) taquiner qn; **~se sin** ne plus avoir de.

quehacer [kea'θer] *nm* tâche *f*; **~es (domésticos)** tâches *fpl* (domestiques).

queja ['kexa] *nf* plainte *f*.

quejarse [ke'xarse] *vpr* se plaindre; **~ de que ...** se plaindre que ... .

quejido [ke'xiðo] *nm* gémissement *m*, plainte *f*.

quema ['kema] *nf* incendie *m*.

quemado, -a [ke'maðo, a] *adj* brûlé(e) ♦ *nm*: **oler a ~** sentir le brûlé; **estar ~** (*fam*: *irritado*) être en pétard; (: *político, actor*) être fini.

quemadura [kema'ðura] *nf* brûlure *f*; (*de sol*) coup *m* de soleil.

quemar [ke'mar] *vt* brûler; (*fig*: *malgastar*) gâcher; (: *deteriorar*: *imagen, persona*) détruire; (*fastidiar*) agacer ♦ *vi* brûler; **quemarse** *vpr* (*consumirse*) brûler; (*del sol*) attraper un (des) coup(s) de soleil.

quemarropa [kema'rropa]: **a ~** *adv* (*disparar*) à bout portant; (*preguntar*) à brûle-pourpoint.

quena ['kena] (*AM*) *nf* flûte *f* indienne.

quepo *etc* ['kepo] *vb V* **caber**.

queque ['keke] (*AND, CSUR*) *nm* gâteau *m*.

querella [ke'reʎa] *nf* (*JUR*) plainte *f*; (*disputa*) querelle *f*.

querellarse [kere'ʎarse] *vpr* porter plainte.

PALABRA CLAVE

querer [ke'rer] *vt* **1** (*desear*) vouloir; **quiero más dinero** je veux plus d'argent; **quisiera** *o* **querría un té** je voudrais un thé; **sin querer** sans le vouloir; **quiera o no quiera** qu'il le veuille ou non; **¡no quiero!** je ne veux pas!; **como Vd quiera** comme vous voudrez; **como quien no quiere la cosa** mine de rien; **¡qué más quisiera yo!** si seulement je pouvais!

2 (*+ vb dependiente*): **quiero ayudar/que vayas** je veux aider/que tu t'en ailles; **¿qué quieres decir?** que veux-tu dire?

3 (*para pedir algo*): **¿quiere abrir la ventana?** vous voulez bien ouvrir la fenêtre?

4 (*amar*) aimer; (*amigo, perro*) aimer bien; **quiere mucho a sus hijos** elle aime beaucoup ses enfants; **te quiero bien** je ne veux que ton bien; **¡por lo que más quieras!** je t'en prie!

5 (*requerir*): **esta planta quiere más luz** cette plante a besoin de plus de lumière

6 (*impersonal*): **quiere llover** il va pleuvoir

7: **como quiera que ...** (*dado que*) puisque ..., comme ... .

querido, -a [ke'riðo, a] *adj* (*mujer, hijo*) chéri(e); (*tierra, amigo, en carta*) cher(chère) ♦ *nm/f* amant(e); **nuestra querida patria** notre chère patrie; **¡sí, ~!** oui, chéri!

querosén [kero'sen] (*AM*), **querosene** [kero'sene] (*AM*), **queroseno** [kero'seno] *nm* kérosène *m*.

querré *etc* [ke'rre] *vb V* **querer**.

quesadilla [kesa'ðiʎa] (*CAM, MÉX*) *nf* *crêpe de maïs fourrée*.

quesera [ke'sera] *nf* ≈ plateau *m* à fromage.

queso ['keso] *nm* fromage *m*; **dárselas con ~ a algn** (*fam*) mener qn en bateau; **queso cremoso** fromage crémeux; **queso rallado** fromage râpé.

quicio ['kiθjo] *nm* gond *m*; **estar fuera de ~** aller de travers; **sacar a algn de ~** mettre qn hors de soi.

quiebra ['kjeβra] *nf* effondrement *m*; (*COM*) faillite *f*.

quiebro ['kjeβro] *vb V* **quebrar** ♦ *nm* (*del cuerpo*) déhanchement *m*; (*del torero*) écart *m*.

quien [kjen] *pron* (*relativo*: *sujeto*) qui; (: *complemento*) qui, que; **la persona a ~ quiero** la personne que j'aime; **~ dice eso es tonto** (*indefinido*) celui qui dit cela est un idiot; **hay ~ piensa que** il y a des gens qui pensent que; **no hay ~ lo haga** il n'y a personne qui le fasse; **~ más, ~ menos tiene sus problemas** tout le monde a des problèmes.

quién [kjen] *pron* (*interrogativo*) qui; **¿~ es?** qui est-ce?; (*TELEC*) qui est à l'appareil?; **¡~ pudiera!** si seulement je pouvais!

quienquiera [kjen'kjera] (*pl* **quienesquiera**) *pron* quiconque.

quiera *etc* ['kjera] *vb V* **querer**.

quieto, -a ['kjeto, a] *adj* (*manos, cuerpo*) immobile; (*carácter*) tranquille; **¡estate ~!** reste tranquille!

quijada [ki'xaða] *nf* mâchoire *f*.

quilate [ki'late] *nm* carat *m*.

quimera [ki'mera] *nf* chimère *f*.

químico, -a ['kimiko, a] *adj* chimique ♦ *nm/f* chimiste *m/f* ♦ *nf* chimie *f*.

quince ['kinθe] *adj inv, nm inv* quinze *m inv*; **~ días** quinze jours; *V tb* **seis**.

quinceañero, -a [kinθea'ɲero, a] *adj* adolescent(e) ♦ *nm/f* garçon(fille) de quinze ans, adolescent(e).

quincena [kin'θena] *nf* quinzaine *f*.

quincenal [kinθe'nal] *adj* (*pago, reunión*) bimensuel(le).

quiniela [ki'njela] *nf* (*impreso*) grille *f o* feuille *f* de paris; **~(s)** ≈ Loto *msg* sportif;

quiniela hípica ≈ tiercé *m*.
quinientos, -as [ki'njentos, as] *adj* cinq cents.
quinqué [kin'ke] *nm* lampe *f* à huile *o* à pétrole.
quinquenal [kinke'nal] *adj* quinquennal(e).
quinta ['kinta] *nf* maison *f* de campagne; (*MIL*) classe *f*; **la ~ del 56** la classe de 1956.
quintaesencia [kintae'senθja] *nf* quintessence *f*.
quinteto [kin'teto] *nm* quintette *m*.
quinto, -a ['kinto, a] *adj* cinquième ♦ *nm* (*MIL*) recrue *f*; (*ordinal*) cinquième *m*; *V tb* **sexto**.
quintuplo, -a [kin'tuplo, a] *adj* quintuple.
quiosco ['kjosko] *nm* kiosque *m*.
quirófano [ki'rofano] *nm* salle *f* d'opération.
quirúrgico, -a [ki'rurxiko, a] *adj* chirurgical.
quise *etc* ['kise] *vb V* **querer**.
quisquilloso, -a [kiski'ʎoso, a] *adj* (*susceptible*) chatouilleux(-euse); (*meticuloso*) pointilleux(-euse).
quiste ['kiste] *nm* kyste *m*.
quitamanchas [kita'mantʃas] *nm inv* détachant *m*.
quitar [ki'tar] *vt* enlever; (*ropa*) enlever, ôter; (*dolor*) éliminer; (*vida*) donner la mort à ♦ *vi*: **¡quita de ahí!** hors d'ici!; **quitarse** *vpr* (*mancha*) partir; (*ropa*) ôter; (*vida*) se donner la mort; **de quita y pon** amovible; **quítalo de ahí** enlève ça de là; **me quita mucho tiempo** cela me prend beaucoup de temps; **~ la televisión/radio** éteindre la télévision/radio; **~ la mesa** débarrasser la table; **el café me quita el sueño** le café m'empêche de dormir; **~ de en medio a algn** se débarrasser de qn; **eso no quita para que venga** cela ne l'empêche pas de venir; **~se algo de encima** se débarrasser de qch; **~se del tabaco/de fumar** arrêter de fumer; **se quitó el sombrero** il ôta son chapeau; **~se de** renoncer à.
Quito ['kito] *n* Quito.
quizá(s) [ki'θa(s)] *adv* peut-être.

R, r

rabadilla [raβa'ðiʎa] *nf* (*de ave*) croupion *m*; (*de conejo*) râble *m*; (*del hombre*) coccyx *msg*.
rábano ['raβano] *nm* radis *msg*; **me importa un ~** je m'en moque comme de l'an quarante.
rabia ['raβja] *nf* rage *f*; **¡qué ~!** c'est trop bête!; **me da ~** cela me fait rager; **tener ~ a algn** avoir une dent contre qn; **me da ~ marcharme** je dois partir, c'est trop bête!
rabieta [ra'βjeta] *nf* crise *f* de colère.
rabino [ra'βino] *nm* rabbin *m*.
rabioso, a [ra'βjoso, a] *adj* (*perro*) enragé(e); (*dolor, ganas*) fou(folle); **estar ~** (*fig*) être enragé(e).
rabo ['raβo] *nm* queue *f*.
rácano ['rakano] (*fam*) *adj, nm/f* radin(e).
RACE ['raθe] *sigla m* (= *Real Automóvil Club de España*) ≈ ACF *m* (= *Automobile Club de France*).
racha ['ratʃa] *nf* (*de viento*) rafale *f*; (*serie*) suite *f*; **buena/mala ~** bonne/mauvaise passe *f*; **~ de mala suerte** série *f* de malchances.
racial [ra'θjal] *adj* racial(e).
racimo [ra'θimo] *nm* grappe *f*.
ración [ra'θjon] *nf* ration *f*; (*en bar*) portion *f*.
racional [raθjo'nal] *adj* rationnel(le); **animal ~** être *m* doué de raison.
racionalizar [raθjonali'θar] *vt* rationaliser.
racionamiento [raθjona'mjento] *nm* rationnement *m*.
racionar [raθjo'nar] *vt* rationner.
racismo [ra'θismo] *nm* racisme *m*.
racista [ra'θista] *adj, nm/f* raciste *m/f*.
radar [ra'ðar], **rádar** ['raðar] *nm* radar *m*.
radiación [raðja'θjon] *nf* (*solar, atómica*) rayonnement *m*; (*TELEC*) radiation *f*.
radiactividad [raðjaktiβi'ðað] *nf* = **radioactividad**.
radiador [raðja'ðor] *nm* radiateur *m*.
radiante [ra'ðjante] *adj* radieux(-euse).
radiar [ra'ðjar] *vt* (*programa*) radiodiffuser; (*ondas, luz*) irradier; (*MED*) traiter par radiothérapie.
radical [raði'kal] *adj* radical(e) ♦ *nm* (*LING, MAT*) radical *m*.
radicar [raði'kar] *vi*: **~ en** (*consistir*) résider en; (*estar situado*) être basé à; **radicarse** *vpr* s'établir.
radio ['raðjo] *nf* (*AM*: *a veces nm*) radio *f* ♦ *nm* rayon *m*; **por ~** à la radio; **radio de acción** rayon d'action.
radioactividad [raðjoaktiβi'ðað] *nf* radioactivité *f*.
radioactivo, -a [raðjoak'tiβo, a] *adj* radioactif(-ive).
radioaficionado, -a [raðjoafiθjo'naðo, a] *nm/f* radioamateur *m*.
radiocasete [raðjoca'sete] *nm* radiocassette *m*.

radiodespertador [raðjoðesperta'ðor] *nm* radio-réveil *m*.
radiodifusión [raðjodifu'sjon] *nf* radiodiffusion *f*.
radioemisora [raðjoemi'sora] *nf* station *f* (de radio).
radiofónico, -a [raðjo'foniko, a] *adj* radiophonique.
radiografía [raðjoɣra'fia] *nf* radiographie *f*.
radionovela [raðjono'βela] *nf* feuilleton *m* (radiodiffusé).
radioterapia [raðjote'rapja] *nf* radiothérapie *f*.
radique *etc* [ra'ðike] *vb V* **radicar**.
ráfaga ['rafaɣa] *nf* rafale *f*; (*de luz*) jet *m*.
raíces [ra'iθes] *nfpl de* **raíz**.
raído, -a [ra'iðo, a] *adj* (*ropa*) râpé(e).
raíz [ra'iθ] (*pl* **raíces**) *nf* racine *f*; ~ **cuadrada** racine carrée; **a ~ de** (*como consecuencia de*) à la suite de; (*después de*) après; **echar raíces** (*fig*) prendre racine.
raja ['raxa] *nf* (*de melón, limón*) tranche *f*; (*en tela, plástico*) coupure *f*; (*en muro, madera*) fissure *f*.
rajar [ra'xar] *vt* (*tela*) couper; (*madera*) fendre; (*fam: herir*) entailler ♦ *vi* (*fam*) jacasser; **rajarse** *vpr* se fendre; (*fam*) se dégonfler.
rajatabla [raxa'taβla]: **a ~** *adv* à la lettre.
ralea [ra'lea] (*pey*) *nf*: **de baja ~** de bas étage; **tener mala ~** être mauvais coucheur.
ralenti [ra'lenti] *nm* (*AUTO*) ralenti *m*; **al ~** au ralenti.
rallador [raʎa'ðor] *nm* râpe *f*.
rallar [ra'ʎar] *vt* râper.
rama ['rama] *nf* branche *f*; **andarse** *o* **irse por las ~s** (*fig, fam*) tourner autour du pot.
ramadán [rama'ðan] *nm* ramadan *m*.
ramera [ra'mera] (*fam!*) *nf* catin *f* (*fam!*).
ramificación [ramifika'θjon] *nf* ramification *f*.
ramificarse [ramifi'karse] *vpr* se ramifier.
ramillete [rami'ʎete] *nm* bouquet *m*.
ramo ['ramo] *nm* bouquet *m*; (*de industria*) branche *f*.
rampa ['rampa] *nf* rampe *f*; **rampa de acceso** rampe d'accès; **rampa de lanzamiento** rampe de lancement.
ramplón, -ona [ram'plon, ona] *adj* vulgaire.
rana ['rana] *nf* grenouille *f*; **salir ~** (*fam*) échouer; **cuando las ~s críen pelo** quand les poules auront des dents.
ranchera [ran'tʃera] *nf* (*MÉX*) *chanson populaire du Mexique*; (*AUTO*) break *m*.
ranchero [ran'tʃero] *nm* (*AM*) fermier *m*; (*MÉX*) paysan *m*.
rancho ['rantʃo] *nm* (*comida*) popote *f*; (*AM*) ranch *m*; (*: pequeño*) petite ferme *f*; (*choza*) cabane *f*; **~s** *nmpl* (*VEN: barrio de chabolas*) bidonvilles *mpl*.
rancio, -a ['ranθjo, a] *adj* rance; (*vino, fig*) vieux(vieille).
rango ['rango] *nm* rang *m*.
ranura [ra'nura] *nf* rainure *f*; (*de teléfono*) fente *f*; **ranura de expansión** (*INFORM*) emplacement *m*.
rapacidad [rapaθi'ðað] *nf* rapacité *f*.
rapapolvo [rapa'polβo] *nm*: **echar un ~ a algn** sonner les cloches à qn.
rapar [ra'par] *vt* raser.
rapaz [ra'paθ] *adj* (*ave*) de proie ♦ *nf* (*tb fig*) rapace *m* ♦ *nm* gamin *m*.
rape ['rape] *nm* (*pez*) baudroie *f*; **al ~** ras *inv*.
rapé [ra'pe] *nm* chique *f*.
rapel [ra'pel] *nm* (*DEPORTE*) rappel *m*.
rapidez [rapi'ðeθ] *nf* rapidité *f*.
rápido, -a ['rapiðo, a] *adj* rapide ♦ *adv* rapidement ♦ *nm* (*FERRO*) rapide *m*; **~s** *nmpl* (*de río*) rapides *mpl*.
rapiña [ra'piɲa] *nm* rapine *f*; **ave de ~** oiseau *m* de proie.
raptar [rap'tar] *vt* enlever.
rapto ['rapto] *nm* rapt *m*, enlèvement *m*; (*impulso*) accès *msg*; (*éxtasis*) transport *m*, ravissement *m*.
raqueta [ra'keta] *nf* raquette *f*.
raquítico, -a [ra'kitiko, a] *adj* rachitique.
rareza [ra'reθa] *nf* rareté *f*; (*fig*) manie *f*.
raro, -a ['raro, a] *adj* rare; (*extraño*) curieux(-euse); **¡qué ~!** que c'est curieux!; **¡qué cosa más rara!** comme c'est bizarre!
ras [ras] *nm*: **a ~ de tierra/del suelo** à ras de terre/au ras du sol.
rasar [ra'sar] *vt* raser.
rascacielos [raska'θjelos] *nm inv* gratte-ciel *m inv*.
rascar [ras'kar] *vt* gratter; (*raspar*) racler; **rascarse** *vpr* se gratter.
rasgado, -a [ras'ɣaðo, a] *adj*: **ojos ~s** yeux *mpl* bridés.
rasgar [ras'ɣar] *vt* déchirer.
rasgo ['rasɣo] *nm* trait *m*; **~s** *nmpl* (*de rostro*) traits *mpl*; **a grandes ~s** à grands traits.
rasguñar [rasɣu'ɲar] *vt* égratigner; **rasguñarse** *vpr* s'égratigner.
rasguño [ras'ɣuɲo] *nm* égratignure *f*.
raso, -a ['raso, a] *adj* ras(e) ♦ *nm* satin *m*; **cielo ~** ciel *m* dégagé; **al ~** à la belle étoile.
raspado [ras'paðo] *nm* (*MED*) curetage *m*.

raspador [raspa'ðor] *nm* grattoir *m*.
raspar [ras'par] *vt* gratter; (*arañar*) rayer; (*limar*) râper ♦ *vi* être rugueux(-euse); (*vino*) être râpeux(-euse).
rastacuero, -a [rasta'kwero, a] (*AM: fam*) *adj, nm/f* rastaquouère *m*.
rastra ['rastra] *nf*: **a ~s** en traînant; (*fig*) à contrecœur.
rastrear [rastre'ar] *vt* (*pista*) suivre; (*minas*) draguer.
rastreo [ras'treo] *nm* ratissage *m*.
rastrillo [ras'triʎo] *nm* râteau *m*; (*MÉX*) rasoir *m*.
rastro ['rastro] *nm* trace *f*; (*AGR*) râteau *m*; (*mercado*) marché *m* aux puces; **el R~** *le marché aux puces de Madrid*; **perder el ~** perdre la trace; **desaparecer sin dejar ~** disparaître sans laisser de traces; **¡ni ~!** pas la moindre trace!
rastrojo [ras'troxo] *nm* chaume *m*.
rasurarse [rasu'rarse] (*AM*) *vpr* se raser.
rata ['rata] *nf* rat *m*.
ratear [rate'ar] *vt* voler.
ratero, -a [ra'tero, a] *nm/f* voleur(-euse); (*AM: de casas*) cambrioleur(-euse).
ratificar [ratifi'kar] *vt* ratifier; **ratificarse** *vpr*: **~se en algo** réaffirmer qch.
rato ['rato] *nm* moment *m*; **a ~s** par moments; **de a ~s** (*ARG*) de temps en temps; **al poco ~** peu après; **~s libres** *o* **de ocio** moments de loisir; **¡hasto otro ~!** à la prochaine!; **hay para ~** il y en a pour un bon bout de temps; **pasar el ~** passer le temps; **pasar un buen/mal ~** passer un bon/mauvais moment.
ratón [ra'ton] *nm* souris *fsg*.
ratonera [rato'nera] *nf* souricière *f*.
raudal [rau'ðal] *nm* torrent *m*; **a ~es** à flots; **entrar a ~es** entrer à flots.
raudo, -a ['rauðo, a] *adj* rapide.
raya ['raja] *nf* raie *f*; (*en tela*) rayure *f*; (*TIP*) tiret *m*; (*de droga*) ligne *f*; **a ~s** à rayures; **pasarse de la ~** dépasser les bornes; **tener a ~** tenir en respect.
rayar [ra'jar] *vt* rayer ♦ *vi*: **~ en** *o* **con** confiner à *o* avec; (*parecerse a*) friser; **raya en la cincuentena** il frise la cinquantaine; **al ~ el alba** au point du jour.
rayo ['rajo] *nm* rayon *m*; (*en una tormenta*) foudre *f*; **ser un ~** (*fig*) être très vif(vive); **como un ~** comme un éclair; **la noticia cayó como un ~** la nouvelle a fait l'effet d'une bombe; **pasar como un ~** passer comme un éclair; **rayo de luna** rayon de lune; **rayo solar** *o* **de sol** rayon de soleil; **rayos infrarrojos** rayons *mpl* infrarouges; **rayos X** rayons X.
rayuela [ra'jwela] (*ARG*) *nf* marelle *f*.
raza ['raθa] *nf* race *f*; **de pura ~** (*animal*) de race; **raza humana** race humaine.
razón [ra'θon] *nf* raison *f*; (*MAT*) relation *f*; **a ~ de 10 cada día** à raison de 10 par jour; **"~: aquí"** "s'adresser ici"; **en ~ de** en raison de; **en ~ directa con** en relation directe avec; **perder la ~** perdre la raison; **entrar en ~** entendre raison; **dar la ~ a algn** donner raison à qn; **dar ~ de** renseigner sur; **¡y con ~!** et pour cause!; **tener/no tener ~** avoir/ne pas avoir raison; **~ directa/inversa** relation directe/indirecte; **~ de ser** raison d'être.
razonable [raθo'naβle] *adj* raisonnable.
razonamiento [raθona'mjento] *nm* raisonnement *m*.
razonar [raθo'nar] *vt* raisonner; (*COM: cuenta*) détailler ♦ *vi* raisonner.
re [re] *nm* (*MÚS*) ré *m inv*.
reabrir [rea'βrir] *vt* rouvrir; **reabrirse** *vpr* se rouvrir.
reacción [reak'θjon] *nf* réaction *f*; **avión a ~** avion *m* à réaction; **reacción en cadena** réaction en chaîne.
reaccionar [reakθjo'nar] *vi* réagir.
reaccionario, -a [reakθjo'narjo, a] *adj, nm/f* réactionnaire *m/f*.
reacio, -a [re'aθjo, a] *adj* réticent(e); **ser/estar ~ a hacer algo** être/se montrer réticent(e) à faire qch.
reactivar [reakti'βar] *vt* (*economía, negociaciones*) relancer; **reactivarse** *vpr* reprendre.
reactor [reak'tor] *nm* réacteur *m*; (*avión*) avion *m* à réaction; **reactor nuclear** réacteur nucléaire.
readmitir [reaðmi'tir] *vt* réadmettre.
reafirmar [reafir'mar] *vt* réaffirmer; **reafirmarse** *vpr*: **~se en** (*posición*) rester sur.
reagrupar [reaɣru'par] *vt* regrouper.
reajuste [rea'xuste] *nm* réajustement *m*; **reajuste de plantilla** compression *f* de personnel; **reajuste ministerial** remaniement *m* ministériel; **reajuste salarial** réajustement des salaires.
real [re'al] *adj* (*verdadero*) réel(le); (*del rey, fig*) royal(e).
realce [re'alθe] *vb V* **realzar** ♦ *nm* relief *m*; **poner de ~** mettre en relief; **dar ~ a algo** (*fig*) mettre qch en relief.
real-decreto [re'al-de'kreto] (*pl* **~es-~s**) *nm* arrêté *m* royal.
realeza [rea'leθa] *nf* royauté *f*.
realidad [reali'ðað] *nf* réalité *f*; **en ~** en réalité.
realismo [rea'lismo] *nm* réalisme *m*.
realista [rea'lista] *adj* réaliste; (*POL*) royaliste ♦ *nm/f* réaliste *m/f*; (*POL*) royaliste *m/f*.

realización [realiθa'θjon] *nf* réalisation *f*; ~ **de plusvalías** réalisation de plus-values.
realizador, -a [realiθa'ðor, a] *nm/f* (*TV, CINE*) réalisateur(-trice).
realizar [reali'θar] *vt* réaliser; **realizarse** *vpr* se réaliser; ~**se** (*como persona*) se réaliser.
realmente [re'almente] *adv* réellement; (*con adjetivo*) vraiment; **es ~ apasionante** c'est vraiment passion.
realquilar [realki'lar] *vt* (*subarrendar*) sous-louer; (*alquilar de nuevo*) relouer.
realzar [real'θar] *vt* (*TEC*) surélever; (*belleza*) rehausser, mettre en valeur; (*importancia*) augmenter.
reanimar [reani'mar] *vt* ranimer; **reanimarse** *vpr* se ranimer.
reanudar [reanu'ðar] *vt* renouer; (*historia, viaje*) reprendre.
reaparición [reapari'θjon] *nf* réapparition *f*.
reapertura [reaper'tura] *nf* réouverture *f*.
rearme [re'arme] *nm* réarmement *m*.
reavivar [reaβi'βar] *vt* ranimer.
rebaja [re'βaxa] *nf* solde *m*; **"grandes ~s"** "soldes".
rebajar [reβa'xar] *vt* rabaisser; (*reducir: artículo*) solder; **rebajarse** *vpr*: **~se a hacer algo** s'abaisser à faire qch.
rebanada [reβa'naða] *nf* tranche *f*.
rebañar [reβa'ɲar] *vt* racler.
rebaño [re'βaɲo] *nm* troupeau *m*.
rebasar [reβa'sar] *vt* dépasser; (*AUTO*) doubler.
rebatir [reβa'tir] *vt* réfuter.
rebeca [re'βeka] *nf* cardigan *m*.
rebelarse [reβe'larse] *vpr* se rebeller.
rebelde [re'βelde] *adj* rebelle ♦ *nm/f* (*POL*) rebelle *m/f*; (*JUR*) accusé(e) défaillant(e).
rebeldía [reβel'dia] *nf* rébellion *f*; (*JUR*) contumace *f*; **en ~** par contumace.
rebelión [reβe'ljon] *nf* rébellion *f*.
rebenque [re'βenke] (*AM*) *nm* fouet *m*.
reblandecer [reβlande'θer] *vt* ramollir.
rebobinar [reβoβi'nar] *vt* rembobiner.
rebosante [reβo'sante] *adj*: ~ **de** (*fig*) débordant(e) de.
rebosar [reβo'sar] *vt, vi* déborder; ~ **de salud** respirer la santé.
rebotar [reβo'tar] *vi* rebondir.
rebote [re'βote] *nm* rebondissement *m*; **de ~** (*fig*) par ricochet.
rebozar [reβo'θar] *vt* enrober de pâte à frire.
rebuscado, -a [reβus'kaðo, a] *adj* recherché(e).
rebuscar [reβus'kar] *vt* rechercher ♦ *vi*: ~ **(en** *o* **por)** chercher (dans).
rebuznar [reβuθ'nar] *vi* braire.
recabar [reka'βar] *vt* obtenir; ~ **fondos** obtenir des fonds.
recadero [reka'ðero] *nm* garçon *m* de courses.
recado [re'kaðo] *nm* course *f*; (*mensaje*) message *m*; (*AM: montura*) selle *f*; ~**s** *nmpl* (*compras*) courses *fpl*, commissions *fpl*; **dejar/tomar un ~** (*TELEC*) laisser/prendre un message; **fuí a hacer unos ~s** je suis allé faire des courses.
recaer [reka'er] *vi* rechuter; ~ **en** (*responsabilidad*) retomber sur; (*premio*) échoir à; (*criminal*) retomber dans.
recaída [reka'iða] *nf* (*MED*) rechute *f*.
recaiga *etc* [re'kaiɣa] *vb V* **recaer**.
recalcar [rekal'kar] *vt* (*fig*) souligner.
recalentar [rekalen'tar] *vt* réchauffer; (*demasiado*) surchauffer; **recalentarse** *vpr* se réchauffer.
recámara [re'kamara] *nf* (*habitación*) dressing-room *m*; (*de arma*) magasin *m*; (*AM*) chambre *f*.
recambio [re'kambjo] *nm* (*de pieza*) pièce *f* détachée; (*de pluma*) recharge *f*; **piezas de ~** pièces *fpl* détachées.
recapacitar [rekapaθi'tar] *vi* réfléchir.
recapitular [rekapitu'lar] *vt* récapituler.
recargar [rekar'ɣar] *vt* recharger; (*pago*) alourdir.
recargo [re'karɣo] *nm* majoration *f* de prix; (*aumento*) augmentation *f*.
recato [re'kato] *nm* réserve *f*.
recauchutado, -a [rekautʃu'taðo, a] *adj* rechapé(e).
recaudación [rekauða'θjon] *nf* recette *f*; (*acción*) perception *f*.
recaudar [rekau'ðar] *vt* percevoir.
recaudo [re'kauðo] *nm*: **estar a buen ~** être en lieu sûr; **poner algo a buen ~** mettre qch en lieu sûr.
recayendo *etc* [reka'jendo] *vb V* **recaer**.
rece *etc* ['reθe] *vb V* **rezar**.
recelar [reθe'lar] *vt*: ~ **que** (*sospechar*) soupçonner que; (*temer*) craindre que ♦ *vi* se méfier; **recelarse** *vpr* se méfier.
recelo [re'θelo] *nm* (*desconfianza*) méfiance *f*; (*temor*) crainte *f*.
recepción [reθep'θjon] *nf* réception *f*.
recepcionista [reθepθjo'nista] *nm/f* réceptionniste *m/f*.
receptáculo [reθep'takulo] *nm* réceptacle *m*.
receptor, a [reθep'tor, a] *nm/f* réceptionnaire *m/f* ♦ *nm* (*TELEC, radio*) récepteur *m*; **descolgar el ~** décrocher le récepteur.
recesión [reθe'sjon] *nf* récession *f*.

receta [re'θeta] *nf* (*CULIN*) recette *f*; (*MED*) ordonnance *f*.
recetar [reθe'tar] *vt* prescrire.
rechazar [retʃa'θar] *vt* (*ataque, oferta*) repousser; (*idea, acusación*) rejeter.
rechazo [re'tʃaθo] *nm* rejet *m*; (*sentimiento*) refoulement *m*; **de ~** par ricochet.
rechinar [retʃi'nar] *vi* grincer.
rechistar [retʃis'tar] *vi*: **sin ~** sans rechigner.
rechoncho, -a [re'tʃontʃo, a] (*fam*) *adj* trapu(e).
rechupete [retʃu'pete]: **de ~** *adj* à s'en lécher les babines *o* doigts.
recibidor [reθiβi'ðor] *nm* vestibule *m*.
recibimiento [reθiβi'mjento] *nm* accueil *m*.
recibir [reθi'βir] *vt, vi* recevoir; **recibirse** *vpr* (*AM*: *ESCOL*): **~se de** obtenir le diplôme de.
recibo [re'θiβo] *nm* reçu *m*; **acusar ~ de** accuser réception de.
reciclaje [reθi'klaxe] *nm* recyclage *m*; **curso de ~** stage *m* de recyclage.
reciclar [reθi'klar] *vt* recycler.
recién [re'θjen] *adv* récemment; (*AM*: *sólo*) seulement; **~ casado** jeune marié; **el ~ llegado/nacido** le nouveau venu/-né; **~ a las seis me enteré** (*AM*) je ne l'ai appris qu'à six heures.
reciente [re'θjente] *adj* récent(e); (*pan, herida*) frais(fraîche).
recinto [re'θinto] *nm* enceinte *f*; **recinto ferial** parc *m* des expositions.
recipiente [reθi'pjente] *nm* (*objeto*) récipient *m*; (*persona*) récipiendaire *m/f*.
recíproco, -a [re'θiproko, a] *adj* réciproque.
recital [reθi'tal] *nm* récital *m*.
recitar [reθi'tar] *vt* réciter.
reclamación [reklama'θjon] *nf* réclamation *f*; **reclamación salarial** revendication *f* salariale.
reclamar [rekla'mar] *vt, vi* réclamer; **~ a algn en justicia** assigner qn en justice.
reclamo [re'klamo] *nm* (*en caza*) appeau *m*; (*incentivo*) appât *m*; (*AND, CSUR*: *queja*) plainte *f*; **reclamo publicitario** réclame *f*.
reclinar [rekli'nar] *vt* incliner; **reclinarse** *vpr* s'incliner.
recluir [reklu'ir] *vt* enfermer; **recluirse** *vpr* vivre en reclus; **~ en su casa** s'enfermer chez soi.
reclusión [reklu'sjon] *nf* réclusion *f*; (*voluntario*) retraite *f*; **reclusión perpetua** réclusion à perpétuité.
recluso, -a [re'kluso, a] *adj* reclus(e) ♦ *nm/f* reclus(e); **población reclusa** population *f* pénitentiaire.
recluta [re'kluta] *nm/f* recrue *f* ♦ *nf* recrutement *m*.
reclutar [reklu'tar] *vt* recruter.
recobrar [reko'βrar] *vt* récupérer; (*ciudad*) reprendre; **recobrarse** *vpr*: **~se (de)** se remettre (de); **~ el sentido** reprendre connaissance.
recochineo [rekotʃi'neo] *nm* mise *f* en boîte.
recodo [re'koðo] *nm* coude *m*.
recogedor [rekoxe'ðor] *nm* pelle *f*.
recoger [reko'xer] *vt* (*firmas, dinero*) recueillir; (*fruta*) cueillir; (*del suelo*) ramasser; (*ordenar*) ranger; (*juntar*) rassembler; (*pasar a buscar*) prendre; (*dar asilo*) recueillir; (*plegar*) plier; (*faldas, mangas*) retrousser; (*polvo*) prendre; **recogerse** *vpr* se retirer; (*pelo*) se ramasser; **me recogieron en la estación** ils sont venus me chercher à la gare.
recogida [reko'xiða] *nf* (*AGR*) cueillette *f*; (*de basura*) ramassage *m*; (*de cartas*) levée *f*; **horas de ~** heures *fpl* de levée; **recogida de datos** (*INFORM*) saisie *f* de données; **recogida de equipajes** livraison *f* des bagages.
recogimiento [rekoxi'mjento] *nm* recueillement *m*.
recoja *etc* [re'koxa] *vb V* **recoger**.
recolectar [rekolek'tar] *vt* (*AGR*) récolter; (*datos, dinero*) collecter.
recomendación [rekomenda'θjon] *nf* recommandation *f*; **carta de ~** lettre *f* de recommandation.
recomendar [rekomen'dar] *vt* recommander.
recompensa [rekom'pensa] *nf* récompense *f*; **como** *o* **en ~ por** en récompense de.
recompensar [rekompen'sar] *vt* récompenser.
reconciliación [rekonθilja'θjon] *nf* réconciliation *f*.
reconciliar [rekonθi'ljar] *vt* réconcilier; **reconciliarse** *vpr* se réconcilier.
recóndito, -a [re'kondito, a] *adj* (*lugar*) retiré(e); **en lo más ~ de ...** au plus profond de ... .
reconfortar [rekonfor'tar] *vt* réconforter.
reconocer [rekono'θer] *vt* reconnaître; **reconocerse** *vpr*: **se le reconoce por el habla** on le reconnaît à sa voix; **~ los hechos** reconnaître les faits.
reconocimiento [rekonoθi'mjento] *nm* reconnaissance *f*; **reconocimiento de la voz** (*INFORM*) reconnaissance de la parole; **reconocimiento óptico de caracteres** (*INFORM*) reconnaissance optique de caractères.

reconquista [rekon'kista] *nf* reconquête *f.*

reconsiderar [rekonsiðe'rar] *vt* reconsidérer.

reconstituyente [rekonstitu'jente] *nm* reconstituant *m.*

reconstruir [rekonstru'ir] *vt* reconstruire; (*suceso*) reconstituer.

reconversión [recomber'sjon] *nf* reconversion *f.*

reconvertir [rekomber'tir] *vt* reconvertir.

recopilación [rekopila'θjon] *nf* (*resumen*) résumé *m*; (*colección*) recueil *m*, compilation *f.*

recopilar [rekopi'lar] *vt* compiler.

récord ['rekorð] (*pl* **records** *o* **~s**) *adj inv* record ♦ *nm* record *m*; **cifras ~** chiffres *mpl* records; **batir el ~** battre le record.

recordar [rekor'ðar] *vt* se rappeler; (*traer a la memoria*) rappeler ♦ *vi* (*acordarse de*) se rappeler; **~ algo a algn** rappeler qch à qn; **recuérdale que me debe 5 dólares** rappelle-lui qu'il me doit 5 dollars; **que yo recuerde** pour autant que je me souvienne; **creo ~** je crois me rappeler; **si mal no recuerdo** si je me souviens bien; **me recuerda a su madre** elle me rappelle sa mère.

recordatorio [rekorða'torjo] *nm carte souvenir distribuée à l'occasion des premières communions, des enterrements etc.*

recorrer [reko'rrer] *vt* parcourir; (*registrar*) fouiller.

recorrido [reko'rriðo] *nm* parcours *msg*; **tren de largo ~** train *m* de grandes lignes.

recortar [rekor'tar] *vt* découper; (*pelo*) rafraîchir; (*presupuesto, gasto*) réduire; **recortarse** *vpr* (*marcarse*) se détacher.

recorte [re'korte] *nm* (*de telas, chapas: acto*) coupe *f*, (*: fragmento*) découpure *f*; (*de prensa*) coupure *f*; (*de presupuestas, gastos*) compression *f*; **recorte salarial** réduction *f* de salaire.

recostar [rekos'tar] *vt* appuyer; **recostarse** *vpr* s'appuyer.

recoveco [reko'βeko] *nm* (*de camino, río*) coude *m*; (*en casa*) coin *m.*

recrear [rekre'ar] *vt* recréer; **recrearse** *vpr*: **~se con/en** prendre plaisir à.

recreativo, -a [rekrea'tiβo, a] *adj* récréatif(-ive); **sala ~a** salle *f* de jeux.

recreo [re'kreo] *nm* récréation *f.*

recriminar [rekrimi'nar] *vt* reprocher ♦ *vi* récriminer.

recrudecer [rekruðe'θer] *vi* redoubler d'intensité; **recrudecerse** *vpr* redoubler d'intensité.

recta ['rekta] *nf* ligne *f* droite; **recta final** dernière ligne droite.

rectángulo, -a [rek'tangulo, a] *adj, nm* rectangle *m.*

rectificar [rektifi'kar] *vt* rectifier ♦ *vi* se corriger.

rectitud [rekti'tuð] *nf* rectitude *f.*

recto, -a ['rekto, a] *adj* droit(e); (*juicio*) sain(e) ♦ *nm* (*ANAT*) rectum *m*; **en el sentido ~ de la palabra** au sens strict du terme.

rector, a [rek'tor, a] *adj, nm/f* recteur(-trice).

recuadro [re'kwaðro] *nm* case *f*, (*TIP*) entrefilet *m.*

recubrir [reku'βrir] *vt*: **~ (con)** recouvrir (de).

recuento [re'kwento] *nm* décompte *m*; **hacer el ~ de** faire le décompte de.

recuerdo [re'kwerðo] *vb V* **recordar** ♦ *nm* souvenir *m*; **~s** *nmpl* (*saludos*) amitiés *fpl*; **¡~s a tu madre!** amitiés à ta mère!; **"R~ de Mallorca"** "Souvenir de Majorque".

recular [reku'lar] *vi* reculer.

recuperación [rekupera'θjon] *nf* récupération *f*, (*de enfermo*) rétablissement *m*; (*ESCOL*) rattrapage *m*; **recuperación de datos** (*INFORM*) extraction *f* de données.

recuperar [rekupe'rar] *vt* récupérer; (*INFORM: archivo*) extraire, aller chercher; **recuperarse** *vpr* se récupérer; **~ fuerzas** reprendre ses forces.

recurrir [reku'rrir] *vi* (*JUR*) faire appel; **~ a algo/a algn** recourir à qch/à qn.

recurso [re'kurso] *nm* recours *msg*; **como último ~** en dernier recours; **recursos económicos/naturales** ressources *fpl* économiques/naturelles.

red [reð] *nf* (*tejido, trampa*) filet *m*; (*organización*) réseau *m*; **estar conectado con la ~** être connecté au réseau; **red local** (*INFORM*) réseau local.

redacción [reðak'θjon] *nf* rédaction *f.*

redactar [reðak'tar] *vt* rédiger.

redactor, a [reðak'tor, a] *nm/f* rédacteur(-trice); **redactor jefe** rédacteur en chef.

redada [re'ðaða] *nf* (*tb:* **~ policial**) descente *f.*

redecilla [reðe'θiʎa] *nf* filet *m.*

redención [reðen'θjon] *nf* rédemption *f.*

redentor, a [reðen'tor, a] *adj* rédempteur(-trice).

redil [re'ðil] *nm* bercail *m.*

redimir [reði'mir] *vt* racheter.

rédito ['reðito] *nm* (*ECON*) intérêt *m.*

redoblar [reðo'βlar] *vt* redoubler ♦ *vi* battre le tambour.

redoble [re'ðoβle] *nm* (*MÚS*) roulement

m.

redonda [re'ðonda] *nf* (*MÚS*) ronde *f*; **a la ~** à la ronde; **en varios kilómetros a la ~** à plusieurs kilomètres à la ronde.

redondear [reðonde'ar] *vt* (*negocio, velada*) conclure; (*cifra, objeto*) arrondir.

redondel [reðon'del] *nm* cercle *m*; (*TAUR*) arène *f*.

redondo, -a [re'ðondo, a] *adj* rond(e); (*completo*) bon(ne) ♦ *nm*: **~ de carne** (*CULIN*) romsteck *m*; **rehusar en ~** refuser en bloc; **en números ~s** en chiffres ronds.

reducción [reðuk'θjon] *nf* réduction *f*.

reducir [reðu'θir] *vt* réduire; **reducirse** *vpr* se réduire; **el terremoto redujo la ciudad a escombros** le tremblement de terre a réduit la ville à l'état de ruines; **~ las millas a kilómetros** convertir les milles en kilomètres; **~se a** (*fig*) se réduire à.

reducto [re'ðukto] *nm* réduit *m*.

reduje *etc* [re'ðuxe] *vb V* **reducir**.

redundante [reðun'dante] *adj* redondant(e).

redundar [reðun'dar] *vi*: **~ en beneficio de algn** tourner à l'avantage de qn.

reduzca *etc* [re'ðuθka] *vb V* **reducir**.

reedición [re(e)ði'θjon] *nf* réédition *f*.

reelección [re(e)lek'θjon] *nf* réélection *f*.

reembolsar [re(e)mbol'sar] *vt* rembourser.

reembolso [re(e)m'bolso] *nm* remboursement *m*; **enviar algo contra ~** envoyer qch contre remboursement; **contra ~ del flete** port dû.

reemplazo [re(e)m'plaθo] *nm* remplacement *m*; **de ~** (*MIL*) du contingent.

reencarnación [re(e)nkarna'θjon] *nf* réincarnation *f*.

reengancharse [re(e)ngan'tʃarse] *vpr* (*MIL*) rempiler.

reestreno [re(e)s'treno] *nm*: **película de ~** reprise *f*.

reestructurar [re(e)struktu'rar] *vt* restructurer.

refacción [refak'θjon] *nf* (*AM*: *TEC*) réfection *f*; **refacciones** *nfpl* (: *reparaciones*) travaux *mpl* de réfection; (*MÉX*: *piezas de repuesto*) pièces *fpl* détachées.

referencia [refe'renθja] *nf* référence *f*; **~s** *nfpl* (*de trabajo*) références *fpl*; **con ~ a** en ce qui concerne; **hacer ~ a** faire référence à; **referencia comercial** (*COM*) référence commerciale.

referéndum [refe'rendum] (*pl* **~s**) *nm* référendum *m*.

referente [refe'rente] *adj*: **~ a** relatif(-ive) à.

referir [refe'rir] *vt* rapporter; **referirse** *vpr*: **~se a** se référer à; **~ al lector a un apéndice** renvoyer le lecteur à un appendice; **~ a** (*COM*) convertir en; **por lo que se refiere a eso** en ce qui concerne cela.

refiera *etc* [re'fjera] *vb V* **referir**.

refinar [refi'nar] *vt* (*petróleo, azúcar*) raffiner; (*modales*) affiner.

refinería [refine'ria] *nf* raffinerie *f*.

refiriendo *etc* [refi'rjendo] *vb V* **referir**.

reflector [reflek'tor] *nm* réflecteur *m*; (*AVIAT, MIL*) projecteur *m*.

reflejar [refle'xar] *vt* refléter; **reflejarse** *vpr* se refléter.

reflejo, -a [re'flexo, a] *adj* réflexe ♦ *nm* reflet *m*; (*ANAT*) réflexe *m*; **~s** *nmpl* (*en el pelo*) reflets *mpl*; **pelo castaño con ~s rubios** cheveux châtains à reflets blonds.

reflexión [reflek'sjon] *nf* réflexion *f*.

reflexionar [refleksjo'nar] *vi* réfléchir; **~ sobre** réfléchir sur; **¡reflexione!** réfléchissez!

reflexivo, -a [reflek'siβo, a] *adj* (*carácter*) réflexif(-ive); (*LING*) réfléchi(e).

reflujo [re'fluxo] *nm* reflux *m*.

reforma [re'forma] *nf* réforme *f*; **~s** *nfpl* (*obras*) transformations *fpl*; **reforma agraria/económica/educativa** réforme agraire/économique/éducative.

reformar [refor'mar] *vt* réformer; (*texto*) refondre; (*ARQ*) transformer; **reformarse** *vpr* se réformer.

reformatorio [reforma'torjo] *nm* (*tb*: **~ de menores**) maison *f* de redressement *o* correction.

reforzar [refor'θar] *vt* renforcer.

refrán [re'fran] *nm* proverbe *m*.

refregar [refre'ɣar] *vt* frotter.

refrenar [refre'nar] *vt* (*deseos*) refréner; (*marcha*) freiner; (*caballo*) brider.

refrendar [refren'dar] *vt* ratifier.

refrescar [refres'kar] *vt* rafraîchir ♦ *vi* se rafraîchir; **refrescarse** *vpr* se rafraîchir.

refresco [re'fresko] *nm* rafraîchissement *m*; **de ~** (*jugador, tropas*) de renfort.

refriega [re'frjeɣa] *vb V* **refregar** ♦ *nf* bagarre *f*.

refrigeración [refrixera'θjon] *nf* réfrigération *f*; **sistema de ~** système *m* de réfrigération.

refrigerador [refrixera'ðor] (*esp AM*) *nm*, **refrigeradora** [refrixera'ðora] (*AM*) *nf* réfrigérateur *m*.

refrigerar [refrixe'rar] *vt* réfrigérer.

refrito [re'frito] *nm* (*CULIN*): **preparar un ~ de cebolla** faire revenir des oignons.

refuerce [re'fwerθe], **refuerzo** [re'fwerθo] *vb V* **reforzar** ♦ *nm* renfort *m*; **~s** *nmpl* (*MIL*) renforts *mpl*.

refugiado, -a [refu'xjaðo, a] *nm/f* réfu-

gié(e).
refugiarse [refu'xjarse] *vpr* se réfugier.
refugio [re'fuxjo] *nm* refuge *m*; **refugio de montaña** refuge; **refugio atómico/subterráneo** abri *m* antiatomique/souterrain.
refulgir [reful'xir] *vi* resplendir.
refunfuñar [refunfu'ɲar] *vi* ronchonner.
refutar [refu'tar] *vt* réfuter.
regadera [reɣa'ðera] *nf* arrosoir *m*; (*MÉX: ducha*) douche *f*; **estar como una ~** (*fam*) travailler du chapeau.
regadío [rega'ðio] *nm* irrigation *f*; **tierras de ~** terres irriguées.
regalar [reɣa'lar] *vt* offrir; (*mimar*) cajoler; **regalarse** *vpr*: **~se (con)** se régaler (de).
regaliz [reɣa'liθ] *nm* réglisse *m o f*.
regalo [re'ɣalo] *nm* cadeau *m*; (*gusto*) régal *m*; (*comodidad*) aisance *f*.
regañadientes [reɣaɲa'ðjentes]: **a ~** *adv* en rechignant.
regañar [reɣa'ɲar] *vt* gronder ♦ *vi* se fâcher; (*dos personas*) se disputer.
regar [re'ɣar] *vt* arroser; (*fig*) semer.
regata [re'ɣata] *nf* régate *f*.
regate [re'ɣate] *nm* feinte *f*.
regatear [reɣate'ar] *vt* marchander ♦ *vi* (*COM*) marchander; (*DEPORTE*) feinter; **no ~ esfuerzo** ne pas ménager ses efforts.
regazo [re'ɣaθo] *nm* giron *m*.
regencia [re'xenθja] *nf* régence *f*.
regenerar [rexene'rar] *vt* régénérer.
regentar [rexen'tar] *vt* (*empresa, negocio*) régenter; (*local, bar*) tenir; (*puesto*) être à la tête de.
regente, -a [re'xente, a] *adj* (*príncipe*) régent(e) ♦ *nm/f* (*COM*) gérant(e); (*POL*) régent(e); (*MÉX: alcalde*) maire *m*.
régimen ['reximen] (*pl* **regímenes**) *nm* régime *m*; **estar/ponerse a ~** être/se mettre au régime.
regimiento [rexi'mjento] *nm* régiment *m*.
regio, -a ['rexjo, a] *adj* royal(e); (*AM: fam*) formidable.
región [re'xjon] *nf* région *f*.
regional [rexjo'nal] *adj* régional(e).
regir [re'xir] *vt* (*ECON, JUR, LING*) régir ♦ *vi* (*ley*) être en vigueur; **mi abuela ya no rige** ma grand-mère perd la tête.
registrar [rexis'trar] *vt* fouiller; (*anotar*) enregistrer; **registrarse** *vpr* (*inscribirse*) s'inscrire; (*ocurrir*) avoir lieu.
registro [re'xistro] *nm* registre *m*; (*inspección*) fouille *f*; (*de datos*) enregistrement *m*; (*oficina*) bureau *m* d'enregistrement; **registro civil** état *m* civil; **registro de la propiedad** bureau des hypothèques; **registro electoral** registre électoral.
regla ['reɣla] *nf* règle *f*; **en ~** en règle; **por ~ general** en règle générale; **las ~s del juego** les règles du jeu.
reglamentario, -a [reɣlamen'tarjo, a] *adj* réglementaire; **en la forma reglamentaria** en bonne et due forme.
reglamento [reɣla'mento] *nm* règlement *m*; **reglamento del tráfico** code *m* de la route.
reglar [re'ɣlar] *vt* régler.
regocijarse [reɣoθi'xarse] *vpr*: **~ de** *o* **por** se réjouir de.
regocijo [reɣo'θixo] *nm* réjouissance *f*.
regodearse [reɣoðe'arse] *vpr*: **~ con** *o* **en algo** se délecter de qch; (*pey*) se réjouir de qch.
regordete [reɣor'ðete] (*fam*) *adj* rondelet(te).
regresar [reɣre'sar] *vi* retourner ♦ *vt* (*MÉX: devolver*) rendre; **regresarse** *vpr* (*AM*) retourner.
regreso [re'ɣreso] *nm* retour *m*; **estar de ~** être de retour.
regulación [reɣula'θjon] *nf* (*control*) régulation *f*; (*TEC*) réglage *m*; **regulación de empleo** régulation de l'emploi; **regulación del tráfico** régulation du trafic.
regular [reɣu'lar] *adj* régulier(-ière); (*mediano*) moyen; (*fam: no bueno*) médiocre ♦ *adv* comme ci, comme ça ♦ *vt* régler; (*normas, salarios*) contrôler; **por lo ~** en général; **línea ~** (*AVIAT*) ligne *f* régulière.
regularidad [reɣulari'ðað] *nf* régularité *f*; **con ~** régulièrement.
regularizar [reɣulari'θar] *vt* régulariser.
regusto [re'ɣusto] *nm* arrière-goût *m*.
rehabilitar [reaβili'tar] *vt* (*drogadicto*) rééduquer; (*ARQ, memoria*) réhabiliter.
rehacer [rea'θer] *vt* refaire; **rehacerse** *vpr* se rétablir; **va a ~ su vida** il va refaire sa vie.
rehén [re'en] *nm* otage *m*.
rehogar [reo'ɣar] *vt* (*CULIN*) faire revenir.
rehuir [reu'ir] *vt* fuir.
rehusar [reu'sar] *vt, vi* refuser.
reina ['reina] *nf* reine *f*; **~ de (la) belleza/de las fiestas** reine de beauté/de la fête; **prueba ~** épreuve *f* phare.
reinado [rei'naðo] *nm* règne *m*.
reinar [rei'nar] *vi* régner.
reincidir [reinθi'ðir] *vi* (*JUR*) récidiver; **~ (en)** (*recaer*) retomber (dans).
reincorporarse [reinkorpo'rarse] *vpr*: **~ a** réintégrer; (*MIL*) être réincorporé dans.
reingresar [reingre'sar] *vi*: **~ en** retourner à.
reiniciar [reini'θjar] *vt* reprendre.

reino ['reino] *nm* royaume *m*; **reino animal/vegetal** règne *m* animal/végétal; **el Reino Unido** le Royaume-Uni.
reinserción [reinser'θjon] *nf*: ~ **social** réinsertion *f* sociale.
reintegrar [reinte'ɣrar] *vt* réintégrer; **reintegrarse** *vpr*: ~**se a** réintégrer.
reintegro [rein'teɣro] *nm* remboursement *m*; (*en banco*) retrait *m*.
reír [re'ir] *vi* rire; **reírse** *vpr* rire; ~ **entre dientes** rire sous cape; ~**se de** rire de.
reiterar [reite'rar] *vt* réitérer; **reiterarse** *vpr*: ~**se en algo** réaffirmer qch.
reivindicar [reiβindi'kar] *vt* revendiquer.
reja ['rexa] *nf* grille *f*.
rejilla [re'xiʎa] *nf* grillage *m*; (*en muebles*) cannage *m*; (*en hornillo, de ventilación*) grille *f*; (*para equipaje*) filet *m*.
rejoneador [rexonea'ðor] *nm* (TAUR) *sorte de picador*.
rejuvenecer [rexuβene'θer] *vt, vi* rajeunir.
relación [rela'θjon] *nf* relation *f*; (*lista*) liste *f*; (*narración*) récit *m*; **relaciones** *nfpl* (*enchufes*) relations *fpl*; **con ~ a, en ~ con** par rapport à; **estar en** *o* **tener buenas relaciones con** être en bons termes avec; **relación calidad-precio** rapport *m* qualité-prix; **relación costo-efectivo** *o* **costo rendimiento** (COM) rapport coût-efficacité; **relaciones carnales/sexuales** relations charnelles/sexuelles; **relaciones comerciales** relations commerciales; **relaciones humanas/laborales** relations humaines/industrielles; **relaciones públicas** relations publiques.
relacionar [relaθjo'nar] *vt* mettre en rapport; **relacionarse** *vpr* fréquenter.
relajación [relaxa'θjon] *nf* relaxation *f*.
relajado, -a [rela'xaðo, a] *adj* (*costumbres, moral*) relâché(e); (*persona*) détendu(e).
relajante [rela'xante] *adj* reposant(e); (MED) laxatif(-ive).
relajar [rela'xar] *vt* (*mente, cuerpo*) décontracter; (*disciplina, moral*) relâcher; **relajarse** *vpr* (*distraerse*) se détendre; (*corromperse*) se relâcher.
relajo [re'laxo] *nm* (*esp* CAM, MÉX: *alboroto*) tumulte *m*; (ANT, CAM, MÉX: *libertinaje*) débauche *f*.
relamerse [rela'merse] *vpr* se pourlécher.
relámpago [re'lampaɣo] *adj inv*: **visita/huelga** ~ visite *f*/grève *f* éclair ♦ *nm* éclair *m*; **como un** ~ comme un éclair.
relampaguear [relampaɣe'ar] *vi* étinceler.
relanzar [relan'θar] *vt* relancer.
relatar [rela'tar] *vt* relater.
relatividad [relatiβi'ðað] *nf* relativité *f*.
relativo, -a [rela'tiβo, a] *adj* relatif(-ive); **en lo ~ a** en ce qui concerne.
relato [re'lato] *nm* récit *m*.
relegar [rele'ɣar] *vt* reléguer; ~ **algo al olvido** jeter qch aux oubliettes.
relevar [rele'βar] *vt* relever; **relevarse** *vpr* se relayer; ~ **a algn de su cargo** relever qn de ses fonctions.
relevo [re'leβo] *nm* relève *f*; **carrera de ~s** course *f* de relais; **coger** *o* **tomar el** ~ prendre le relais.
relieve [re'ljeβe] *nm* relief *m*; **bajo** ~ bas-relief *m*; **un personaje de** ~ un haut personnage; **dar ~ a** mettre en valeur; **poner de** ~ mettre en relief.
religión [reli'xjon] *nf* religion *f*.
religioso, -a [reli'xjoso, a] *adj, nm/f* religieux(-euse).
relinchar [relin'tʃar] *vi* hennir.
relincho [re'lintʃo] *nm* hennissement *m*.
reliquia [re'likja] *nf* relique *f*; ~**s del pasado** vestiges *mpl* du passé.
rellano [re'ʎano] *nm* (ARQ) palier *m*.
rellenar [reʎe'nar] *vt* remplir; (CULIN) farcir; (COSTURA) rembourrer.
relleno, -a [re'ʎeno, a] *adj* plein(e); (CULIN) farci(e) ♦ *nm* (CULIN) farce *f*; (*de cojín*) rembourrage *m*; (*fig*) remplissage *m*.
reloj [re'lo(x)] *nm* montre *f*; **como un** ~ comme du papier à musique; **contra (el)** ~ contre la montre; **reloj de pie** horloge *f* de parquet; **reloj (de pulsera)** montre; **reloj de sol** cadran *m* solaire; **reloj despertador** réveille-matin *m inv*; **reloj digital** montre à affichage numérique.
relojería [reloxe'ria] *nf* horlogerie *f*; **aparato de** ~ mécanisme *m* d'horlogerie; **bomba de** ~ bombe *f* à retardement.
relucir [relu'θir] *vi* reluire; (*fig*) briller; **sacar algo a** ~ remettre qch sur le tapis.
relumbrar [relum'brar] *vi* reluire.
remachar [rema'tʃar] *vt* river; (*fig*) insister sur.
remache [re'matʃe] *nm* rivet *m*.
remangarse [reman'garse] *vpr* retrousser ses manches.
remanso [re'manso] *nm* (*de río*) bras *msg* mort.
remar [re'mar] *vi* ramer.
rematar [rema'tar] *vt* achever; (*trabajo*) parfaire; (COM) liquider; (COSTURA) arrêter ♦ *vi* (*en fútbol*) tirer; ~ **de cabeza** faire une tête.
remate [re'mate] *nm* fin *f*; (*extremo*) couronnement *m*; (DEPORTE) tir *m*; (ARQ) sommet *m*; (COM) liquidation *f*; **de** ~ (*tonto*) complètement; **para** ~ pour couronner le

tout.

remediar [reme'ðjar] *vt* remédier à; (*evitar*) éviter; **sin poder ~lo** sans pouvoir y remédier.

remedio [re'meðjo] *nm* remède *m*; (*JUR*) secours *msg*; **poner ~ a** remédier à; **no tener más ~** ne pas avoir le choix; **¡qué ~!** c'est comme ça!, qu'y faire!; **como último ~** en dernier ressort; **sin ~** sans rémission.

remendar [remen'dar] *vt* raccommoder; (*con parche*) rapiécer.

remera [re'mera] (*ARG*) *nf* tee-shirt *m*.

remesa [re'mesa] *nf* envoi *m*.

remiendo [re'mjendo] *vb V* **remendar** ♦ *nm* raccommodage *m*; (*con parche*) rapiéçage *m*; (*fig*) arrangement *m*.

remilgo [re'milɣo] *nm* (*melindre*) minauderie *f*; (*afectación*) manière *f*.

remisión [remi'sjon] *nf* (*envío*) remise *f*; (*MÉX: COM*) envoi *m*; (*REL*) rémission *f*; **sin ~** sans rémission.

remite [re'mite] *nm* expéditeur *m*.

remitente [remi'tente] *nm/f* expéditeur(-trice).

remitir [remi'tir] *vt* envoyer ♦ *vi* (*tempestad*) se calmer; (*fiebre*) baisser; **remitirse** *vpr*: **~se a** s'en remettre à.

remo ['remo] *nm* rame *f*; **cruzar un río a ~** traverser un fleuve à la rame.

remodelación [remodela'θjon] *nf* (*POL*) remaniement *m*.

remojar [remo'xar] *vt* laisser tremper; (*fam: celebrar*) arroser.

remojo [re'moxo] *nm*: **dejar la ropa en ~** laisser tremper le linge.

remolacha [remo'latʃa] *nf* betterave *f*.

remolcar [remol'kar] *vt* remorquer.

remolino [remo'lino] *nm* remous *msg*; (*de pelo*) épi *m*.

remolque [re'molke] *vb V* **remolcar** ♦ *nm* remorque *f*; (*cuerda*) câble *m* de remorquage; **llevar a ~** prendre en remorque.

remontar [remon'tar] *vt* remonter; (*obstáculo*) surmonter; **remontarse** *vpr* s'élever; **~se a** (*COM*) s'élever à; (*en tiempo*) remonter à; **~ el vuelo** monter en flèche.

remorder [remor'ðer] *vt* causer du remords à; **me remuerde la conciencia** j'ai des remords.

remordimiento [remorði'mjento] *nm* remords *msg*.

remoto, -a [re'moto, a] *adj* éloigné(e).

remover [remo'βer] *vt* remuer.

remozar [remo'θar] *vt* (*ARQ*) rafraîchir.

remueva *etc* [re'mweβa] *vb V* **remover**.

remuneración [remunera'θjon] *nf* rémunération *f*.

remunerar [remune'rar] *vt* rémunérer.

renacimiento [renaθi'mjento] *nm* renaissance *f*; **el R~** la Renaissance.

renacuajo [rena'kwaxo] *nm* têtard *m*.

renal [re'nal] *adj* rénal(e).

rencilla [ren'θiʎa] *nf* querelle *f*.

rencor [ren'kor] *nm* (*resentimiento*) rancœur *f*; **guardar ~ a** garder rancune à.

rencoroso, -a [renko'roso, a] *adj* rancunier(-ière).

rendición [rendi'θjon] *nf* reddition *f*.

rendido, -a [ren'diðo, a] *adj* épuisé(e); **~ a sus encantos/a su belleza** fasciné(e) par son charme/sa beauté; **su ~ admirador** votre admirateur passionné.

rendija [ren'dixa] *nf* fente *f*.

rendimiento [rendi'mjento] *nm* rendement *m*; **sacar ~ a algo** tirer parti de qch; **alto/bajo ~** haut/bas rendement; **rendimiento de capital** (*COM*) rémunération *f* du capital; **rendimiento de trabajo** revenu *m* du travail.

rendir [ren'dir] *vt* rapporter; (*agotar*) épuiser; (*entregar*) livrer ♦ *vi* (*COM*) rapporter; **rendirse** *vpr* (*tb: cansarse*) se rendre; **~ homenaje/culto a** rendre hommage/un culte à; **~ cuentas a algn** rendre des comptes à qn; **el negocio no rinde** les affaires ne rapportent rien.

renegar [rene'ɣar] *vi* renier; (*quejarse*) grommeler; (*con imprecaciones*) blasphémer.

RENFE, Renfe ['renfe] *sigla f* (*FERRO = Red Nacional de los Ferrocarriles Españoles*) *société nationale des chemins de fer espagnols*.

renglón [ren'glon] *nm* ligne *f*; (*COM*) chapitre *m*; **a ~ seguido** à la ligne.

rengo, -a ['rengo, a] (*esp AM*) *adj* boiteux(-euse).

reniego *etc* [re'njeɣo], **reniegue** *etc* [re'njeɣe] *vb V* **renegar**.

reno ['reno] *nm* renne *m*.

renombrado, -a [renom'braðo, a] *adj* renommé(e).

renombre [re'nombre] *nm* renom *m*; **de ~** de renom.

renovación [renoβa'θjon] *nf* (*de contrato, sistema*) renouvellement *m*; (*ARQ*) rénovation *f*.

renovar [reno'βar] *vt* renouveler; (*ARQ*) rénover.

renta ['renta] *nf* revenu *m*; (*esp AM: alquiler*) loyer *m*; **política de ~s** politique *f* salariale; **vivir de las ~s** vivre de ses rentes; **renta disponible** revenu (individuel) disponible; **renta gravable** *o* **imponible** revenu imposable; **renta nacional (bruta)** revenu national (brut); **renta no salarial** rente *f*; **renta sobre el terreno** (*COM*) reve-

nu foncier; **renta vitalicia** rente viagère.
rentabilizar [rentaβili'θar] *vt* rentabiliser.
rentable [ren'taβle] *adj* rentable; **no ~** non rentable.
rentar [ren'tar] *vt* rapporter; (*AM: alquilar*) louer.
renueve *etc* [re'nweβe] *vb V* **renovar**.
renuncia [re'nunθja] *nf* renonciation *f*.
renunciar [renun'θjar] *vi* renoncer; **~ a hacer algo** renoncer à faire qch.
reñido, -a [re'ɲiðo, a] *adj* (*batalla, debate, votación*) serré(e); **estar ~ con algn** être brouillé(e) avec qn; **estar ~ con algo** (*conceptos etc*) être incompatible avec qch; **está ~ con su familia** il est brouillé avec sa famille.
reñir [re'ɲir] *vt* gronder ♦ *vi* (*pareja, amigos*) se disputer; (*físicamente*) se battre.
reo ['reo] *nm/f* (*JUR*) accusé(e); **~ de muerto** condamné à mort.
reojo [re'oxo]: **de ~** *adv* (*mirar*) à la dérobée.
reorganizar [reorɣani'θar] *vt* réorganiser.
reparación [repara'θjon] *nf* réparation *f*; **"reparaciones en el acto"** (*calzado*) "talon minute".
reparar [repa'rar] *vt* réparer ♦ *vi*: **~ en** (*darse cuenta de*) s'apercevoir de; (*poner atención en*) remarquer; **sin ~ en los gastos** sans lésiner.
reparo [re'paro] *nm* (*duda*) doute *m*; (*inconveniente*) obstacle *m*; (*escrúpulo*) scrupule *m*; **poner ~s** formuler des objections; **poner ~s a algo** contester qch; **no tuvo ~ en hacerlo** il n'a eu aucun scrupule à le faire.
repartidor, a [reparti'ðor, a] *nm/f* livreur(-euse).
repartir [repar'tir] *vt* distribuer; (*COM*) livrer; (*riquezas*) répartir.
reparto [re'parto] *nm* (*de dinero, poder*) répartition *f*; (*COM*) livraison *f*; (*CINE, CORREOS*) distribution *f*; (*AM: urbanización*) lotissement *m*; **"~ a domicilio"** "livraison à domicile".
repasar [repa'sar] *vt* réviser.
repaso [re'paso] *nm* révision *f*; **curso de ~** cours *m* de rattrapage; **repaso general** révision générale.
repatriar [repa'trjar] *vt* rapatrier; **repatriarse** *vpr* être rapatrié(e).
repelente [repe'lente] *adj* repoussant(e); (*resabido*) écœurant(e).
repeler [repe'ler] *vt* (*ELEC, enemigo*) repousser; (*insecto*) éloigner; (*suj: idea, contacto*) répugner.
repente [re'pente] *nm* accès *msg*; **de ~** soudain; **repente de ira** accès de colère.
repentino, -a [repen'tino, a] *adj* (*súbito*) subit(e); (*inesperado*) inopiné(e).
repercusión [reperku'sjon] *nf* répercussion *f*; **de amplia ~** d'une grande portée.
repercutir [reperku'tir] *vi* répercuter; **~ en** (*fig*) répercuter sur.
repertorio [reper'torjo] *nm* répertoire *m*.
repesca [re'peska] (*fam*) *nf* (*ESCOL*) repêchage *m*.
repetición [repeti'θjon] *nf* répétition *f*; **escopeta/fusil de ~** fusil *m* de chasse/fusil à répétition.
repetido, -a [repe'tiðo, a] *adj* (*frase*) répandu(e); **repetidas veces** à plusieurs reprises; **lo tengo ~** je l'ai en double.
repetidor, a [repeti'ðor, a] *nm/f* (*ESCOL*) répétiteur(-trice) ♦ *nm* (*de radio, TV*) relais *msg*.
repetir [repe'tir] *vt* répéter; (*ESCOL*) redoubler; (*plato, TEATRO*) reprendre ♦ *vi* (*ESCOL*) redoubler; (*sabor*) revenir; (*en comida*) en reprendre; **repetirse** *vpr* se répéter.
repetitivo, -a [repeti'tiβo, a] *adj* répétitif(-ive).
repicar [repi'kar] *vi* (*campanas*) sonner, carillonner.
repipi [re'pipi] *nm/f* bêcheur(-euse).
repique [re'pike] *vb V* **repicar** ♦ *nm* (*de campanas*) volée *f*.
repisa [re'pisa] *nf* étagère *f*; (*ARQ*) console *f*; (*de chimenea*) dessus *msg*; (*de ventana*) rebord *m*.
replantear [replante'ar] *vt* reconsidérer.
replegarse [reple'ɣarse] *vpr* se replier.
repleto, -a [re'pleto, a] *adj* plein(e); **~ de** plein(e) de; **estoy ~** je suis repu(e).
réplica ['replika] *nf* réplique *f*; **derecho de ~** droit *m* de réponse.
replicar [repli'kar] *vt, vi* répliquer; **¡no repliques!** et pas de discussion!
repoblación [repoβla'θjon] *nf* repeuplement *m*; **repoblación forestal** reboisement *m*.
repoblar [repo'βlar] *vt* repeupler; (*bosque*) reboiser.
repollo [re'poʎo] *nm* chou *m*.
reponer [repo'ner] *vt* (*volver a poner*) réinstaller; (*reemplazar*) remplacer; (*TEATRO*) reprendre; **reponerse** *vpr* se remettre; **~ que** répondre que.
reportaje [repor'taxe] *nm* reportage *m*; **reportaje gráfico** reportage photographique.
reporte [re'porte] (*MÉX*) *nm* reportage *m*.
reportero, -a [repor'tero, a] *nm/f* reporter *m*; **reportero gráfico** reporter photographe.

reposacabezas [reposaka'βeθas] *nm inv* appui-tête *m*.
reposado, -a [repo'saðo, a] *adj* reposé(e); (*tranquilo*) calme.
reposar [repo'sar] *vi* reposer.
reposo [re'poso] *nm* repos *msg*; **en ~** en repos.
repostar [repos'tar] *vt* se ravitailler en ♦ *vi* se ravitailler; (*AUTO*) se ravitailler en carburant.
repostería [reposte'ria] *nf* pâtisserie *f*.
reprender [repren'der] *vt* (*persona*) réprimander; (*comportamiento*) blâmer.
represalia [repre'salja] *nf* représailles *fpl*; **tomar ~s** exercer des représailles.
representación [representa'θjon] *nf* représentation *f*; **en ~ de** en représentation de; **por ~** par représentation; **representación visual** (*INFORM*) représentation visuelle.
representante [represen'tante] *nm/f* (*POL, COM*) représentant(e); (*de artista*) agent *m*; **representante diplomático** (*POL*) représentant diplomatique.
representar [represen'tar] *vt* représenter; (*significar*) signifier; **representarse** *vpr* se représenter; **tal acto ~ía la guerra** une telle action entraînerait la guerre.
representativo, -a [representa'tiβo, a] *adj* représentatif(-ive); **cargo ~** fonction *f* représentative.
represión [repre'sjon] *nf* répression *f*.
represivo, -a [repre'siβo, a] *adj* répressif(-ive); **fuerzas represivas** forces *fpl* de répression.
reprimenda [repri'menda] *nf* réprimande *f*.
reprimir [repri'mir] *vt* réprimer; **reprimirse** *vpr*: **~se de hacer algo** se retenir de faire qch.
reprochar [repro'tʃar] *vt* reprocher.
reproche [re'protʃe] *nm* reproche *m*.
reproducción [reproðuk'θjon] *nf* reproduction *f*.
reproducir [reproðu'θir] *vt* reproduire; **reproducirse** *vpr* se reproduire.
reproductor, a [reproðuk'tor, a] *adj* reproducteur(-trice).
reptar [rep'tar] *vi* ramper.
reptil [rep'til] *nm* reptile *m*.
república [re'puβlika] *nf* république *f*; **República Árabe Unida** République arabe unie; **República Democrática/Federal Alemana** République démocratique/fédérale d'Allemagne; **República Dominicana** République dominicaine.
republicano, -a [repuβli'kano, a] *adj, nm/f* républicain(e).
repudiar [repu'ðjar] *vt* répudier.
repuesto [re'pwesto] *pp de* **reponer** ♦ *nm* (*pieza de recambio*) pièce *f* de rechange; (*abastecimiento*) ravitaillement *m*; **rueda de ~** roue *f* de secours; **llevamos otro de ~** nous en avons un de rechange.
repugnante [repuɣ'nante] *adj* répugnant(e).
repugnar [repuɣ'nar] *vt, vi* répugner; **repugnarse** *vpr* s'opposer.
repujado, -a [repu'xaðo, a] *adj* gaufré(e).
repulsa [re'pulsa] *nf* condamnation *f*.
repulsivo, -a [repul'siβo, a] *adj* répulsif(-ive).
reputación [reputa'θjon] *nf* réputation *f*.
requerir [reke'rir] *vt* requérir; **~ a algn para que haga algo** (*ordenar*) requérir qn de faire qch.
requesón [reke'son] *nm* fromage *m* blanc.
requete... [rekete] *pref* très.
réquiem ['rekjem] *nm* requiem *m*.
requiera *etc* [re'kjera], **requiriendo** *etc* [reki'rjendo] *vb V* **requerir**.
requisa [re'kisa] *nf* (*MIL, confiscación*) réquisition *f*; (*inspección*) inspection *f*.
requisar [reki'sar] *vt* réquisitionner.
requisito [reki'sito] *nm* condition *f* requise; **~ previo** condition préalable; **tener los ~s para un cargo** remplir les conditions requises pour un poste.
res [res] *nf* bête *f*.
resaca [re'saka] *nf* (*en el mar*) ressac *m*; (*de alcohol*) gueule *f* de bois.
resaltar [resal'tar] *vt* détacher ♦ *vi* se détacher.
resarcir [resar'θir] *vt* (*reparar*) dédommager; (*pagar*) indemniser; **resarcirse** *vpr* se rattraper; **~ a algn de algo** dédommager qn de qch.
resbaladizo, -a [resβala'ðiθo, a] *adj* glissant(e).
resbalar [resβa'lar] *vi* glisser; (*gotas*) couler; **resbalarse** *vpr* glisser; **le resbalaban las lágrimas por las mejillas** les larmes coulaient sur ses joues; **me resbala lo que piense de mí** je me moque de ce qu'il peut bien penser de moi.
resbalón [resβa'lon] *nm* glissade *f*; (*fig*) faux-pas *msg*.
rescatar [reska'tar] *vt* sauver; (*pagando rescate*) payer la rançon de; (*objeto*) récupérer.
rescate [res'kate] *nm* sauvetage *m*; (*dinero*) rançon *f*; (*de objeto*) récupération *f*; **pagar un ~** payer une rançon.
rescindir [resθin'dir] *vt* résilier.
rescoldo [res'koldo] *nm* braises *fpl*.
resecar [rese'kar] *vt* dessécher; (*MED*) dis-

séquer; **resecarse** *vpr* se dessécher.

resentido, -a [resen'tiðo, a] *adj* (*envidioso*) jaloux(-ouse); (*dolido*) aigri(e) ♦ *nm/f* mauvais(e) coucheur(-euse).

resentimiento [resenti'mjento] *nm* ressentiment *m*.

resentirse [resen'tirse] *vpr*: ~ **de** *o* **con** se ressentir de; **su salud se resiente** sa santé s'en ressent.

reseña [re'seɲa] *nf* (*descripción*) description *f*; (*informe*, *LIT*) compte *m* rendu.

reseñar [rese'ɲar] *vt* décrire; (*LIT*) faire le compte rendu de.

reserva [re'serβa] *nf* réserve *f*; (*de entradas*) réservation *f*, location *f*; **a ~ de que ...** (*AM*) sous réserve que ...; **con ~** (*con cautela*) sous toutes réserves; (*con condiciones*) sous réserve; **de ~** en réserve; **tener algo de ~** avoir qch en réserve; **gran ~** (*vino*) grand cru *m*; **reserva de caja** fond *m* de caisse; **reserva de indios** réserve indienne; **reservas del Estado** réserves de l'État; **reserva en efectivo** réserve en argent liquide; **reservas en oro** réserves d'or.

reservar [reser'βar] *vt* réserver; (*TEATRO*) réserver, louer; **reservarse** *vpr* se réserver.

resfriado [res'friaðo] *nm* rhume *m*.

resfriarse [res'friarse] *vpr* s'enrhumer.

resfrío [res'frio] (*esp AM*) *nm* rhume *m*.

resguardar [resɣwar'ðar] *vt* protéger; **resguardarse** *vpr*: **~se de** se protéger de.

resguardo [res'ɣwarðo] *nm* abri *m*; (*justificante, recibo*) reçu *m*.

residencia [resi'ðenθja] *nf* résidence *f*; **residencia de ancianos** maison *f* de retraite.

residencial [resiðen'θjal] *adj* résidentiel(le) ♦ *nf* (*esp AM*: *urbanización*) lotissement *m*; (*AND, CHI*) hôtel *m* modeste.

residente [resi'ðente] *adj, nm/f* résident(e).

residir [resi'ðir] *vi* résider; ~ **en** (*habitar en*: *ciudad*) résider à; (: *país*) résider en *o* à; (*consistir en*) résider dans.

residual [resi'ðwal] *adj* résiduel(le); **aguas ~es** eaux *fpl* usées.

residuo [re'siðwo] *nm* (*sobrante*) résidu *m*; (*desperdicios*) résidus *mpl*; **residuos radiactivos** déchets *mpl* radioactifs.

resienta *etc* [re'sjenta] *vb V* **resentirse**.

resignación [resiɣna'θjon] *nf* résignation *f*.

resignarse [resiɣ'narse] *vpr*: ~ **a** se résigner à.

resina [re'sina] *nf* résine *f*.

resintiendo *etc* [resin'tjendo] *vb V* **resentirse**.

resistencia [resis'tenθja] *nf* résistance *f*; **no ofrece ~** il n'offre pas de résistance; **la R~** (*MIL*) la Résistance; **resistencia pasiva** résistance passive.

resistente [resis'tente] *adj* résistant(e); **~ al calor** résistant à la chaleur.

resistir [resis'tir] *vt* résister à; (*peso, calor, persona*) supporter ♦ *vi* résister; **resistirse** *vpr* résister; **~se a** (*decir, salir*) refuser de; (*cambio, ataque*) résister à; **no puedo ~ este frío** je ne peux pas supporter ce froid; **me resisto a creerlo** je me refuse à le croire; **se le resiste la química** la chimie lui donne du mal; **el detenido se resistió** le détenu a refusé d'obtempérer.

resollar [reso'ʎar] *vi* souffler.

resolución [resolu'θjon] *nf* résolution *f*; (*arrojo*) détermination *f*; **con ~** avec vigueur, avec fermeté; **tomar una ~** prendre une résolution; **resolución judicial** décision *f* de justice.

resolver [resol'βer] *vt* résoudre; **resolverse** *vpr* se résoudre.

resonancia [reso'nanθja] *nf* résonance *f*; (*fig*) retentissement *m*.

resonar [reso'nar] *vi* résonner.

resoplar [reso'plar] *vi* haleter.

resoplido [reso'pliðo] *nm* halètement *m*.

resorte [re'sorte] *nm* (*TEC, fig*) ressort *m*.

respaldar [respal'dar] *vt* appuyer; (*INFORM*) sauvegarder; **respaldarse** *vpr* (*en asiento*) s'adosser; **~se en** (*fig*) s'appuyer sur.

respaldo [res'paldo] *nm* (*de sillón*) dossier *m*; (*fig*) appui *m*.

respectivo, -a [respek'tiβo, a] *adj* respectif(-ive); **en lo ~ a** en ce qui concerne.

respecto [res'pekto] *nm*: **al ~** à ce sujet; **con ~ a** en ce qui concerne; **~ de** par rapport à.

respetable [respe'taβle] *adj* respectable ♦ *nm* public *m*.

respetar [respe'tar] *vt* respecter.

respeto [res'peto] *nm* respect *m*; **~s** *nmpl* respects *mpl*; **por ~ a** par respect pour *o* envers; **presentar sus ~s a** présenter ses respects à; **faltar al ~ a algn** manquer de respect à qn.

respetuoso, -a [respe'twoso, a] *adj* respectueux(-euse).

respingo [res'pingo] *nm*: **dar** *o* **pegar un ~** sursauter.

respiración [respira'θjon] *nf* respiration *f*; **respiración artificial** respiration artificielle; **respiración asistida** respiration assistée; **respiración boca a boca** bouche à bouche *m*.

respirar [respi'rar] *vt, vi* respirer; **no de-**

jar ~ a algn ne pas laisser respirer qn; estuvo escuchándole sin ~ il l'a écouté sans broncher *o* dire un mot; por fin pude ~ (*de alivio*) j'ai enfin pu respirer.

respiratorio, -a [respira'torjo, a] *adj* respiratoire.

respiro [res'piro] *nm* répit *m*; (*COM*) délai *m*.

resplandecer [resplande'θer] *vi* resplendir; (*belleza*) resplendir, rayonner.

resplandeciente [resplande'θjente] *adj* resplendissant(e).

resplandor [resplan'dor] *nm* éclat *m*.

responder [respon'der] *vt* répondre ♦ *vi* répondre; (*corresponder*) payer de retour; ~ a (*situación*) répondre à; (*guardar relación*) avoir trait à; ~ a una pregunta répondre à une question; ~ a una descripción répondre à un signalement; ~ de *o* por répondre de *o* pour.

respondón, -ona [respon'don, ona] *adj* effronté(e); ¡no seas ~! ne réponds pas!

responsabilidad [responsaβili'ðað] *nf* responsabilité *f*; bajo mi ~ sous ma responsabilité; **responsabilidad ilimitada** (*COM*) responsabilité illimitée.

responsabilizar [responsaβili'θar] *vt* responsabiliser, rendre responsable; **responsabilizarse** *vpr*: ~se de (*atentado*) revendiquer; (*crisis, accidente*) assumer la responsabilité de.

responsable [respon'sable] *adj, nm/f* responsable *m/f*; la persona ~ la personne responsable; hacerse ~ de algo assumer la responsabilité de qch.

respuesta [res'pwesta] *nf* réponse *f*.

resquebrajar [reskeβra'xar] *vt* fendiller, fissurer; **resquebrajarse** *vpr* s'écailler.

resquicio [res'kiθjo] *nm* fente *f*; (*fig*) possibilité *f*, rayon *m*.

resta ['resta] *nf* soustraction *f*.

restablecer [restaβle'θer] *vt* rétablir; **restablecerse** *vpr* se rétablir.

restablecimiento [restaβleθi'mjento] *nm* rétablissement *m*.

restante [res'tante] *adj* restant(e); lo ~ le reste, ce qui reste; los ~s les autres; (*cosas*) le reste.

restar [res'tar] *vt* (*MAT*) soustraire; (*fig*) ôter ♦ *vi* rester.

restauración [restaura'θjon] *nf* restauration *f*.

restaurante [restau'rante] *nm* restaurant *m*.

restaurar [restau'rar] *vt* restaurer.

restituir [restitu'ir] *vt* restituer.

resto ['resto] *nm* reste *m*; ~s *nmpl* (*CULIN, de civilización etc*) restes *mpl*; echar el ~ jouer le tout pour le tout; **restos mortales** dépouille *fsg* (mortelle).

restregar [restre'ɣar] *vt* frotter.

restricción [restrik'θjon] *nf* restriction *f*; sin ~ de sans restriction de.

restrictivo, -a [restrik'tiβo, a] *adj* restrictif(-ive).

restriego *etc* [res'trjeɣo], **restriegue** *etc* [res'trjeɣe] *vb V* **restregar**.

restringir [restrin'xir] *vt* restreindre.

restructurar [restruktu'rar] *vt* restructurer.

resucitar [resuθi'tar] *vt, vi* ressusciter.

resuello [re'sweʎo] *vb V* **resollar** ♦ *nm* (*aliento*) souffle *m*.

resuelto, -a [re'swelto, a] *pp de* **resolver** ♦ *adj* résolu(e); estar ~ a hacer algo être résolu(e) à faire qch.

resuelva *etc* [re'swelβa] *vb V* **resolver**.

resuene *etc* [re'swene] *vb V* **resonar**.

resultado [resul'taðo] *nm* résultat *m*; ~s *nmpl* (*INFORM*) résultats *mpl*; dar ~ réussir.

resultante [resul'tante] *adj* résultant(e).

resultar [resul'tar] *vi* (*ser*) être; (*llegar a ser*) finir par être; (*salir bien*) réussir; (*ser consecuencia*) résulter; ~ a (*COM*) revenir à; ~ de résulter de; resulta que ... il se trouve que ...; el conductor resultó muerto le chauffeur est mort; no resultó cela n'a pas réussi; me resulta difícil hacerlo il m'est difficile de le faire.

resumen [re'sumen] *nm* résumé *m*; en ~ en résumé; hacer un ~ faire un résumé.

resumir [resu'mir] *vt* résumer; **resumirse** *vpr* se résumer; en resumidas cuentas en résumé *o* en bref.

resurgir [resur'xir] *vi* ressurgir.

resurrección [resurrek'θjon] *nf* résurrection *f*.

retablo [re'taβlo] *nm* retable *m*.

retaguardia [reta'ɣwarðja] *nf* arrière-garde *f*.

retahíla [reta'ila] *nf* chapelet *m*.

retal [re'tal] *nm* coupon *m*.

retama [re'tama] *nf* genêt *m*.

retar [re'tar] *vt* défier.

retardar [retar'ðar] *vt* (*demorar*) retarder; (*hacer más lento*) ralentir.

retazo [re'taθo] *nm* coupon *m*; a ~s (*contar*) par fragments.

rete... ['rete] (*esp AM*) *pref* très.

retén [re'ten] *nm* renfort *m*, réserve *f*; (*esp AM: control*) contrôle *m* de police, barrage *m* de police.

retención [reten'θjon] *nf* retenue *f*; (*MED*) rétention *f*; (*de prisionero*) détention *f*, garde *f* à vue; **retención de llamadas** (*TELEC*) mémoire *f*; **retención de tráfico** embouteillage *m*, bouchon *m*; **retención**

fiscal prélèvement *m* fiscal.
retener [rete'ner] *vt* retenir; (*suj: policía*) garder à vue; (*impuestos, sueldo*) prélever.
retenga *etc* [re'tenga] *vb V* **retener**.
reticencia [reti'θenθja] *nf* réticence *f*.
reticente [reti'θente] *adj* réticent(e).
retiene *etc* [re'tjene] *vb V* **retener**.
retina [re'tina] *nf* rétine *f*.
retirado, -a [reti'raðo, a] *adj* (*lugar*) retiré(e); (*vida*) calme; (*jubilado*) retraité(e) ♦ *nm/f* retraité(e) ♦ *nf* (*MIL*) retraite *f*.
retirar [reti'rar] *vt* retirer; (*jubilar*) mettre à la retraite; **retirarse** *vpr* se retirer; (*jubilarse*) prendre sa retraite; ~ **la acusación** retirer la plainte.
retiro [re'tiro] *nm* retraite *f*; (*DEPORTE*) abandon *m*.
reto ['reto] *nm* défi *m*.
retocar [reto'kar] *vt* retoucher.
retoño [re'toɲo] *nm* rejeton *m*.
retoque [re'toke] *vb V* **retocar** ♦ *nm* retouche *f*.
retorcer [retor'θer] *vt* (*tela*) essorer; (*brazo*) tordre; (*argumento*) déformer; **retorcerse** *vpr* se tortiller; (*persona*) se contorsionner; **~se de dolor** se tordre de douleur.
retorcido, -a [retor'θiðo, a] *adj* (*tronco*) tordu(e); (*columna*) tors(e); (*personalidad*) retors(e); (*mente*) mal tourné(e).
retórico, -a [re'toriko, a] *adj* rhétorique.
retornable [retor'naβle] *adj* consigné(e).
retornar [retor'nar] *vt* (*cartas*) renvoyer; (*dinero*) rendre ♦ *vi*: ~ **(a)** retourner (à).
retorno [re'torno] *nm* retour *m*; **retorno del carro** (*TIP*) retour du chariot; **retorno del carro automático** (*TIP*) retour automatique du chariot.
retortijón [retorti'xon] *nm* (*tb:* ~ **de tripas**) crampe *f* (d'estomac).
retozar [reto'θar] *vi* folâtrer.
retozón, -ona [reto'θon, ona] *adj* folâtre.
retractarse [retrak'tarse] *vpr* se rétracter; **me retracto** je me rétracte.
retraer [retra'er] *vt* (*antena*) rentrer; (*órgano*) rétracter; **retraerse** *vpr*: **~se (de)** se retirer (de).
retraído, -a [retra'iðo, a] *adj* renfermé(e).
retransmitir [retransmi'tir] *vt* retransmettre.
retrasado, -a [retra'saðo, a] *adj* en retard; (*MED: tb:* ~ **mental**) attardé(e); **estar** ~ (*reloj*) être en retard, retarder; (*persona, país*) être en retard.
retrasar [retra'sar] *vt, vi* retarder; **retrasarse** *vpr* (*persona, tren*) être en retard; (*reloj*) retarder; (*quedarse atrás*) s'attarder; (*production*) prendre du retard.
retraso [re'traso] *nm* retard *m*; **~s** *nmpl* (*COM*) arriérés *mpl*; **llegar con ~** arriver en retard; **llegar con 25 minutos de ~** arriver avec 25 minutes de retard; **llevamos un ~ de 6 semanas** nous sommes en retard de 6 semaines; **retraso mental** déficience *f* mentale.
retratar [retra'tar] *vt* (*ARTE*) faire le portrait de; (*FOTO*) photographier; (*fig*) décrire; **retratarse** *vpr* se faire faire son portrait; (*fig*) se révéler.
retrato [re'trato] *nm* portrait *m*; **ser el vivo ~ de** être tout le portrait de.
retrato-robot [re'tratoro'βo(t)] (*pl* **~s-~**) *nm* portrait-robot *m*.
retreta [re'treta] *nf* (*MIL*) retraite *f*.
retrete [re'trete] *nm* toilettes *fpl*.
retribución [retriβu'θjon] *nf* rétribution *f*.
retribuir [retriβu'ir] *vt* rétribuer.
retro... [retro] *pref* rétro... .
retroactivo, -a [retroak'tiβo, a] *adj* rétroactif(-ive); **con efecto ~** avec effet rétroactif.
retroceder [retroθe'ðer] *vi* reculer; **la policía hizo ~ a la multitud** la police a fait reculer la foule.
retroceso [retro'θeso] *nm* recul *m*.
retrógrado, -a [re'troɣraðo, a] *adj* rétrograde.
retrospectivo, -a [retrospek'tiβo, a] *adj* rétrospectif(-ive); **mirada retrospectiva** regard *m* rétrospectif.
retrovisor [retroβi'sor] *nm* rétroviseur *m*.
retuerce *etc* [re'twerθe], **retuerza** *etc* [re'twerθa] *vb V* **retorcer**.
retumbar [retum'bar] *vi* retentir.
reuma [re'uma] *nm* rhumatisme *m*.
reumático, -a [reu'matiko, a] *adj* (*enfermo*) rhumatisant(e); (*enfermedad*) rhumatismal(e).
reumatismo [reuma'tismo] *nm* rhumatisme *m*.
reunificar [reunifi'kar] *vt* réunifier.
reunión [reu'njon] *nf* réunion *f*; **reunión de ventas** (*COM*) meeting *m* commercial; **reunión en la cumbre** réunion au sommet; **reunión extraordinaria** réunion extraordinaire.
reunir [reu'nir] *vt* réunir; (*recoger*) rassembler, réunir; (*personas*) rassembler; **reunirse** *vpr* se réunir; **reunió a sus amigos para discutirlo** il a réuni ses amis pour en débattre.
revalor(iz)ación [reβalor(iθ)a'θjon] *nf* révalorisation *f*.

revancha [re'βantʃa] *nf* revanche *f*.
revelación [reβela'θjon] *nf* révélation *f*.
revelado [reβe'laðo] *nm* développement *m*.
revelar [reβe'lar] *vt* révéler; (*FOTO*) développer.
revenirse [reβe'nirse] *vpr* s'abîmer.
reventa [re'βenta] *nf* revente *f*.
reventar [reβen'tar] *vt* (*globo*) faire éclater; (*presa*) céder; (*molestar*) agacer ♦ *vi* éclater; **reventarse** *vpr* éclater; **me revienta tener que ponérmelo** ça m'agace de devoir le mettre; ~ **de** (*alegría*) sauter de; (*ganas*) mourir de; ~ **por** brûler de; **estar a** ~ (*lleno*) être plein à craquer; **~se trabajando** se ruiner la santé au travail.
reventón [reβen'ton] *nm* crevaison *f*.
reverberación [reβerβera'θjon] *nf* réverbération *f*.
reverdecer [reβerðe'θer] *vt, vi* reverdir.
reverencia [reβe'renθja] *nf* révérence *f*.
reverenciar [reβeren'θjar] *vt* révérer.
reverendo, -a [reβe'rendo, a] *adj* révérend(e).
reversible [reβer'siβle] *adj* réversible.
reverso [re'βerso] *nm* revers *msg*.
revertido, -a [reβer'tiðo, a] *adj*: **llamar a cobro** ~ téléphoner en PCV.
revertir [reβer'tir] *vi* revenir; ~ **en beneficio/en perjuicio de** tourner à l'avantage/au désavantage de.
revés [re'βes] *nm* envers *msg*; (*fig, TENIS*) revers *msg*; **al** ~ à l'envers; **y al** ~ et inversement; **volver algo al** *o* **del** ~ retourner qch; **los reveses de la fortuna** les revers de fortune.
revestir [reβes'tir] *vt* revêtir; **revestirse** *vpr* (*REL*) se revêtir; **el acto revestía gran solemnidad** la cérémonie revêtait une grande solennité; **~se con** *o* **de** s'armer de.
reviente *etc* [re'βjente] *vb V* **reventar**.
revierta *etc* [re'βjerta] *vb V* **revertir**.
revirtiendo *etc* [reβir'tjendo] *vb V* **revertir**.
revisar [reβi'sar] *vt* réviser.
revisión [reβi'sjon] *nf* révision *f*; **revisión de cuentas** contrôle des comptes; **revisión salarial** révision des salaires.
revisor, a [reβi'sor, a] *nm/f* contrôleur(-euse); **revisor de cuentas** contrôleur(-euse) des comptes.
revista [re'βista] *vb V* **revestir** ♦ *nf* revue *f*, magazine *m*; **pasar** ~ **a** passer en revue; **revista de libros** chronique *f* littéraire; **revista literaria** revue littéraire; **revistas del corazón** presse *f* du cœur.
revistero [reβis'tero] *nm* porte-revues *m inv*.
revivir [reβi'βir] *vt, vi* revivre.
revocar [reβo'kar] *vt* révoquer.
revolcar [reβol'kar] *vt* terrasser; **revolcarse** *vpr* se vautrer.
revolcón [reβol'kon] *nm* culbute *f*.
revolotear [reβolote'ar] *vi* voltiger.
revoltijo [reβol'tixo] *nm* embrouillamini *m*.
revoltoso, -a [reβol'toso, a] *adj* turbulent(e).
revolución [reβolu'θjon] *nf* révolution *f*; (*TEC*) tour *m*.
revolucionar [reβoluθjo'nar] *vt* révolutionner.
revolucionario, -a [reβoluθjo'narjo, a] *adj, nm/f* révolutionnaire *m/f*.
revolver [reβol'βer] *vt* remuer; (*casa*) mettre sens dessus dessous; (*mezclar*) remuer, agiter; (*POL*) soulever ♦ *vi*: ~ **en** fouiller dans; **revolverse** *vpr* (*en cama*) s'agiter; (*de dolor*) s'agiter, se tordre; (*METEOROLOGÍA*) se gâter; **~se contra** se retourner contre; **han revuelto toda la casa** ils ont mis la maison sens dessus dessous; **la injusticia me revuelve las tripas** l'injustice me révolte.
revólver [re'βolβer] *nm* révolver *m*.
revuelco *etc* [re'βwelko] *vb V* **revolcar**.
revuelo [re'βwelo] *nm* vol *m*; (*fig*) trouble *m*; **armar** *o* **levantar un gran** ~ jeter le trouble.
revuelta [re'βwelta] *nf* révolte *f*; (*pelea*) bagarre *f*.
revuelto, -a [re'βwelto, a] *pp de* **revolver** ♦ *adj* (*desordenado*) sens dessus dessous; (*mar*) agité(e), houleux(-euse); (*pueblo*) agité(e); (*tiempo*) orageux(-euse); (*estómago*) barbouillé(e); **todo estaba** ~ tout était sens dessus dessous.
revuelva *etc* [re'βwelβa] *vb V* **revolver**.
revulsivo [reβul'siβo] *nm*: **servir de** ~ faire réagir.
rey [rei] *nm* roi *m*; **los R~es** le Roi et la Reine, les Souverains; **el deporte** ~ le sport roi.
reyerta [re'jerta] *nf* rixe *f*.
rezagado, -a [reθa'ɣaðo, a] *adj*: **quedar** ~ être en retard; (*fig*) être à la traîne.
rezar [re'θar] *vi* prier; ~ **con** (*fam*) aller avec.
rezo ['reθo] *nm* prière *f*.
rezumar [reθu'mar] *vt* laisser couler ♦ *vi* suinter; **rezumarse** *vpr* transpirer.
ría ['ria] *nf* ria *f*.
riachuelo [rja'tʃwelo] *nm* ruisseau *m*.
riada [ri'aða] *nf* crue *f*, inondation *f*.
ribera [ri'βera] *nf* rive *f*, berge *f*; (*área*) rivage *m*, littoral *m*.
ribete [ri'βete] *nm* (*de vestido*) liseré *m*;

~s *nmpl* (*atisbos*) côtés *mpl*; **muestra ~s de filósofo** il a un côté philosophe.
rice *etc* ['riθe] *vb V* **rizar**.
rico, -a ['riko, a] *adj* riche; (*comida*) délicieux(-euse); (*niño*) gentil(le) ♦ *nm/f* riche *m/f*; **nuevo ~** nouveau riche; **~ en** riche en.
rictus ['riktus] *nm* rictus *msg*; **rictus de amargura** grimace *f* d'amertume.
ricura [ri'kura] *nf* amour *m*; **¡qué ~ de vestido/de niño!** quel amour de robe/d'enfant!
ridiculez [riðiku'leθ] *nf* ridicule *m*; (*nimiedad*) insignifiance *f*.
ridiculizar [riðikuli'θar] *vt* ridiculiser.
ridículo, -a [ri'ðikulo, a] *adj* ridicule; **hacer el ~** se couvrir de ridicule; **poner a algn en ~** tourner qn en ridicule; **ponerse en ~** s'exposer au ridicule.
riego ['rjeɣo] *vb V* **regar** ♦ *nm* arrosage *m*; **riego sanguíneo** irrigation *f*.
riegue *etc* ['rjeɣe] *vb V* **regar**.
riel [rjel] *nm* (FERRO) rail *m*; (*de cortina*) tringle *f*.
rienda ['rjenda] *nf* rêne *f*; **dar ~ suelta a** donner libre cours à; **llevar las ~s** (*fig*) tenir les rênes.
riendo ['rjendo] *vb V* **reír**.
riesgo ['rjesɣo] *nm* risque *m*; **seguro a** *o* **contra todo ~** assurance *f* tous risques; **~ para la salud** risque pour la santé; **correr el ~ de** courir le risque de.
rifa ['rifa] *nf* tombola *f*.
rifar [ri'far] *vt* tirer au sort; **rifarse** *vpr* se disputer.
rifle ['rifle] *nm* rifle *m*.
rigidez [rixi'ðeθ] *nf* rigidité *f*.
rígido, -a ['rixiðo, a] *adj* rigide; (*cara*) sévère.
rigor [ri'ɣor] *nm* rigueur *f*; **el ~ del invierno** la rigueur de l'hiver; **con todo el ~ científico** avec la plus grande rigueur scientifique; **de ~** de rigueur; **después de los saludos de ~** après les salutations de rigueur.
riguroso, -a [riɣu'roso, a] *adj* rigoureux (-euse); **de rigurosa actualidad** d'une actualité brûlante.
rija *etc* ['rixa] *vb V* **regir**.
rima ['rima] *nf* rime *f*; **~s** *nfpl* (*composición*) rimes *fpl*; **rima asonante/consonante** rime pauvre/riche.
rimar [ri'mar] *vi*: **~ (con)** rimer (avec).
rimbombante [rimbom'bante] *adj* (*fig*) ronflant(e).
rím(m)el ['rimel] *nm* rimmel *m*.
rincón [rin'kon] *nm* coin *m*; **buscar por los rincones** chercher dans tous les coins.
rindiendo *etc* [rin'djendo] *vb V* **rendir**.
ring [riŋ] *nm* (BOXEO) ring *m*.
rinoceronte [rinoθe'ronte] *nm* rhinocéros *msg*.
riña ['riɲa] *nf* (*disputa*) dispute *f*; (*pelea*) bagarre *f*.
riñendo *etc* [ri'ɲendo] *vb V* **reñir**.
riñón [ri'ɲon] *nm* (ANAT) rein *m*; (CULIN) rognon *m*; **me costó un ~** (*fam*) cela m'a coûté les yeux de la tête; **tener dolor de riñones** avoir mal aux reins; **tener riñones** (*fig*) avoir du cran.
rió [ri'o] *vb V* **reír**.
río ['rio] *vb V* **reír** ♦ *nm* (*que desemboca en otro río*) rivière *f*; (*que desemboca en el mar*) fleuve *m*; (*fig*) flot *m*; **~ abajo/arriba** en aval/amont; **cuando el ~ suena, agua lleva** il n'y a pas de fumée sans feu; **a ~ revuelto, ganancia de pescadores** à quelque chose malheur est bon.
Río de la Plata ['rioðela'plata] *n* Rio de la Plata.
rioja [ri'oxa] *nf* rioja *m*.
rioplatense [riopla'tense] *adj* de Rio de la Plata ♦ *nm/f* natif(-ive) *o* habitant(e) de Rio de la Plata.
ripio ['ripjo] *nm* (LIT) cheville *f*.
riqueza [ri'keθa] *nf* richesse *f*.
risa ['risa] *nf* rire *m*; **¡qué ~!** que c'est drôle!; **caerse/morirse de ~** se tordre/mourir de rire; **tomar algo a ~** (*a la ligera*) prendre qch à la rigolade; (*con buen humor*) prendre qch avec bonne humeur; **el libro es una ~** (*es divertido*) ce livre est à se tordre de rire; (*no vale nada*) ce livre ne vaut rien; **risa de conejo** rire jaune.
risco ['risko] *nm* rocher *m* escarpé.
risotada [riso'taða] *nf* éclat *m* de rire.
ristra ['ristra] *nf* chapelet *m*; **ristra de ajos** chapelet d'ails.
ristre ['ristre] *nm*: **en ~** bien en main.
risueño, -a [ri'sweɲo, a] *adj* souriant(e).
ritmo ['ritmo] *nm* rythme *m*; **a ~ lento** au ralenti; **trabajar a ~ lento** travailler au ralenti; **ritmo de vida** rythme de vie.
rito ['rito] *nm* rite *m*.
ritual [ri'twal] *adj* rituel(le) ♦ *nm* rituel *m*.
rival [ri'βal] *adj, nm/f* rival(e).
rivalidad [riβali'ðað] *nf* rivalité *f*.
rivalizar [riβali'θar] *vi* rivaliser.
rizado, -a [ri'θaðo, a] *adj* (*pelo*) frisé(e); (*mar*) moutonneux(-euse) ♦ *nm* frisure *f*.
rizar [ri'θar] *vt* friser; **rizarse** *vpr* (*el pelo*) se friser; (*agua, mar*) moutonner.
rizo ['riθo] *nm* boucle *f*.
robar [ro'βar] *vt* voler; (NAIPES) piocher; (*atención*) dérober.
roble ['roβle] *nm* chêne *m*.

robo ['roβo] *nm* vol *m*; **¡esto es un ~!** c'est du vol!; **robo a mano armada** vol à main armée.
robot [ro'βo(t)] (*pl* **~s**) *adj*, *nm* robot *m*; **robot de cocina** robot.
robustecer [roβuste'θer] *vt* fortifier.
robusto, -a [ro'βusto, a] *adj* robuste.
roca ['roka] *nf* roche *f*; **la R~** Gibraltar.
roce ['roθe] *vb V* **rozar** ♦ *nm* frottement *m*; (*caricia*) frôlement *m*; (*TEC*) friction *f*; (*señal*) éraflure *f*; (: *en la piel*) égratignure *f*; (*trato*) fréquentation *f*; **tener un ~ con** s'accrocher avec, avoir une prise de bec avec.
rociar [ro'θjar] *vt* arroser.
rocín [ro'θin] *nm* rosse *f*.
rocío [ro'θio] *nm* rosée *f*.
rock [rok] *adj*, *nm* (*MÚS*) rock *m*.
rockero, -a [ro'kero, a] *adj* rock ♦ *nm/f* rocker *m/f*.
rocoso, -a [ro'koso, a] *adj* rocailleux (-euse).
rodado, -a [ro'ðaðo, a] *adj*: **tráfico ~** circulation *f* routière; **canto ~** galet *m*; **venir ~** se présenter on ne peut mieux.
rodaja [ro'ðaxa] *nf* tranche *f*.
rodaje [ro'ðaxe] *nm* (*CINE*) tournage *m*; **en ~** (*AUTO*) en rodage.
rodamiento [roða'mjento] *nm* chape *f*.
rodapié [roða'pje] *nm* plinthe *f*.
rodar [ro'ðar] *vt* (*vehículo*) roder; (*bola*) faire rouler; (*película*) tourner ♦ *vi* rouler; (*CINE*) tourner; (*persona*) circuler.
rodear [roðe'ar] *vt* entourer; (*dar un rodeo*) contourner; **rodearse** *vpr*: **~se de amigos** s'entourer d'amis; **rodeado de misterio** entouré de mystère.
rodeo [ro'ðeo] *nm* détour *m*; (*AM*: *DEPORTE*) rodéo *m*; **dar un ~** faire un détour; **dejarse de ~s** ne pas tergiverser; **hablar sin ~s** parler sans détours.
rodilla [ro'ðiʎa] *nf* genou *m*; **de ~s** à genoux.
rodillazo [roði'ʎaθo] *nm* coup *m* de genou; (*recibido*) coup au genou.
rodillo [ro'ðiʎo] *nm* rouleau *m*; (*en máquina de escribir, impresora*) chariot *m*.
roedor, a [roe'ðor, a] *adj* rongeur(-euse) ♦ *nm* rongeur *m*.
roer [ro'er] *vt* ronger.
rogar [ro'ɣar] *vt*, *vi* prier; **se ruega no fumar** prière de ne pas fumer; **me rogó que me quedara** il m'a prié de rester; **no se hace de ~** il ne se fait pas prier.
rogué *etc* [ro'ɣe], **roguemos** *etc* [ro'ɣemos] *vb V* **rogar**.
roído, -a [ro'iðo, a] *adj* rongé(e).
rojizo, -a [ro'xiθo, a] *adj* rougeâtre.
rojo, -a ['roxo, a] *adj* rouge ♦ *nm* rouge *m* ♦ *nm/f* (*POL*) rouge *m/f*; **ponerse ~** rougir; **al ~ (vivo)** (*metal*) rouge; (*fig*) chauffé(e) à blanc.
rol [rol] *nm* rôle *m*.
rollizo, -a [ro'ʎiθo, a] *adj* rondelet(te).
rollo, -a ['roʎo, a] *adj* (*fam*) barbant(e) ♦ *nm* rouleau *m*; (*fam*: *película*) navet *m*; (*libro*) ouvrage *m* de bas étage; (: *discurso*) laïus *msg*; **¡qué ~!** quelle barbe!, quelle scie!; **la conferencia fue un ~** cette conférence a été soporifique.
Roma ['roma] *n* Rome.
romance [ro'manθe] *nm* (*LING*) roman *m*; (*LIT*) romance *f*; (*relación*) idylle *f*.
románico [ro'maniko] *adj* roman(e) ♦ *nm* roman *m*.
romano, -a [ro'mano, a] *adj* romain(e) ♦ *nm/f* Romain(e).
romántico, -a [ro'mantiko, a] *adj* romantique.
rombo ['rombo] *nm* losange *m*.
romería [rome'ria] *nf* (*REL*) fête *f* patronale, ≈ pardon *m*; (*excursión*) pèlerinage *m*.
romero, -a [ro'mero, a] *nm/f* pèlerin *m* ♦ *nm* (*BOT*) romarin *m*.
rompecabezas [rompeka'βeθas] *nm inv* casse-tête *m inv*.
rompeolas [rompe'olas] *nm inv* brise-lames *m inv*.
romper [rom'per] *vt* casser; (*papel, tela*) déchirer; (*contrato*) rompre ♦ *vi* (*olas*) briser; (*diente*) casser; **romperse** *vpr* se casser; **~ filas** (*MIL*) rompre les rangs; **~ el día** commencer à faire jour; **~ a** se mettre à; **~ a llorar** éclater en sanglots; **~ con algn** rompre avec qn.
ron [ron] *nm* rhum *m*.
roncar [ron'kar] *vi* ronfler.
ronco, -a ['ronko, a] *adj* rauque.
ronda ['ronda] *nf* (*de bebidas, negociaciones*) tournée *f*; (*patrulla*) ronde *f*; (*de naipes*) main *f*, partie *f*; (*DEPORTE*) manche *f*; **ir de ~** faire sa tournée; **hacer la ~** (*MIL*) faire sa ronde; **ronda electoral** tournée électorale.
rondar [ron'dar] *vt* (*vigilar*) surveiller; (*cortejar*) faire du plat à; (*importunar*) tourner autour de ♦ *vi* faire une ronde; (*fig*) rôder; **la cifra ronda el millón** le chiffre frise le million.
ronquera [ron'kera] *nf* enrouement *m*.
ronquido [ron'kiðo] *nm* ronflement *m*.
ronronear [ronrone'ar] *vi* ronronner.
roñica [ro'ɲika] *nm/f* radin(e).
roñoso, -a [ro'ɲoso, a] *adj* (*mugriento*) crasseux(-euse); (*tacaño*) radin(e).
ropa ['ropa] *nf* vêtements *mpl*; **ropa blanca/de casa** linge *m* blanc/de maison; **ropa de cama** literie *f*; **ropa interior** *o* **ín-**

tima linge de corps; **ropa sucia** linge sale; **ropa usada** vêtements usagés.
ropaje [ro'paxe] *nm* vêtements *mpl.*
ropero [ro'pero] *nm* (*de ropa de cama*) armoire *f* (à linge); (*guardarropa*) garde-robe *f.*
roque ['roke] *nm* (*AJEDREZ*) tour *f*; **estar ~** (*fam*) écraser.
rosa ['rosa] *adj inv* rose ♦ *nf* (*BOT*) rose *f* ♦ *nm* (*color*) rose *m*; **estar como una ~** être frais(fraîche) comme une rose; **verlo todo color de ~** voir la vie en rose; **rosa de los vientos** rose *f* des vents.
rosado, -a [ro'saðo, a] *adj* rose ♦ *nm* rosé *m.*
rosal [ro'sal] *nm* rosier *m.*
rosaleda [rosa'leða] *nf* roseraie *f.*
rosario [ro'sarjo] *nm* chapelet *m*; (*oraciones*) rosaire *m*; **rezar el ~** dire son chapelet.
rosca ['roska] *nf* pas *msg*; (*pan*) couronne *f*; **hacer la ~ a algn** (*fam*) faire du plat à qn; **pasarse de ~** (*fig*) dépasser les bornes.
rosetón [rose'ton] *nm* (*ARQ*) rosace *f.*
rosquilla [ros'kiʎa] *nf beignet à pâte dure en forme d'anneau;* **venderse como ~s** se vendre comme des petits pains.
rostro ['rostro] *nm* visage *m*; **tener mucho ~** (*fam*) avoir un sacré culot *o* toupet.
rotación [rota'θjon] *nf* rotation *f*; **rotación de cultivos** rotation des cultures.
rotativo [rota'tiβo] *nm* journal *m.*
roto, -a ['roto, a] *pp de* **romper** ♦ *adj* cassé(e); (*tela, papel*) déchiré(e); (*vida*) brisé(e); (*CHI: de clase obrera*) ouvrier(-ière) ♦ *nm/f* (*CHI*) ouvrier(-ière) ♦ *nm* (*en vestido*) accroc *m.*
rótula ['rotula] *nf* rotule *f.*
rotulador [rotula'ðor] *nm* crayon *m* feutre.
rótulo ['rotulo] *nm* (*título*) enseigne *f*; (*letrero*) écriteau *m.*
rotundo, -a [ro'tundo, a] *adj* catégorique.
roturar [rotu'rar] *vt* défricher.
roulote [ru'lote] *nf* roulotte *f*, caravane *f.*
rozadura [roθa'ðura] *nf* (*huella*) éraflure *f*; (*herida*) écorchure *f.*
rozar [ro'θar] *vt* frôler; (*raspar, ensuciar*) érafler; (*MED*) écorcher; (*tocar ligeramente, fig*) effleurer; **rozarse** *vpr* se frôler; **~se (con)** (*tratar*) se frotter (à); **su actitud roza el fanatismo** son attitude frise le fanatisme.
Rte. *abr* (= *remite, remitente*) exp. (= *expéditeur*).
RTVE *sigla f* = *Radiotelevisión Española.*
rubí [ru'βi] *nm* rubis *msg.*
rubio, -a ['ruβjo, a] *adj, nm/f* blond(e); **tabaco ~** tabac *m* blond.
rubor [ru'βor] *nm* (*sonrojo*) rougeur *f*; (*vergüenza*) honte *f.*
ruborizarse [ruβori'θarse] *vpr* rougir.
rúbrica ['ruβrika] *nf* (*de firma*) paraphe *m*, parafe *m*; (*final*) couronnement *m*; (*título*) rubrique *f*; **bajo la ~ de** dans la rubrique de.
rudimentario, -a [ruðimen'tarjo, a] *adj* rudimentaire.
rudo, -a ['ruðo, a] *adj* (*material*) rude; (*modales, persona*) grossier(-ière).
rueda ['rweða] *nf* roue *f*; (*corro*) ronde *f*; **ir sobre ~s** aller comme sur des roulettes; **rueda de prensa** conférence *f* de presse; **rueda de recambio** *o* **de repuesto** roue de secours; **rueda delantera/trasera** roue avant/arrière; **rueda dentada** roue dentée; **rueda impresora** (*INFORM*) marguerite *f.*
ruedo ['rweðo] *vb V* **rodar** ♦ *nm* (*contorno*) bord *m*; (*de vestido*) ourlet *m*; (*TAUR*) arène *f*; (*corro*) ronde *f.*
ruego ['rweɣo] *vb V* **rogar** ♦ *nm* prière *f*; **a ~s de** à la demande de; **"~s y preguntas"** "questions et réponses".
ruegue *etc* ['rweɣe] *vb V* **rogar**.
rufián [ru'fjan] *nm* ruffian *m.*
rugby ['ruɣβi] *nm* rugby *m.*
rugido [ru'xiðo] *nm* rugissement *m.*
rugir [ru'xir] *vi* rugir; (*estómago*) gargouiller.
rugoso, -a [ru'ɣoso, a] *adj* rugueux(-euse).
ruido ['rwiðo] *nm* bruit *m*; (*alboroto*) bruit, grabuge *m*; **~ de fondo** bruit de fond; **hacer** *o* **meter ~** faire du bruit.
ruidoso, -a [rwi'ðoso, a] *adj* bruyant(e); (*fig*) tapageur(-euse).
ruin [rwin] *adj* (*vil*) vil(e); (*tacaño*) pingre.
ruina ['rwina] *nf* ruine *f*; **~s** *nfpl* ruines *fpl*; **estar hecho una ~** être en piteux état; **aquello le llevó a la ~** cela a entraîné sa ruine.
ruindad [rwin'dað] *nf* mesquinerie *f*; (*acto*) bassesse *f.*
ruinoso, -a [rwi'noso, a] *adj* ruineux (-euse).
ruiseñor [rwise'ɲor] *nm* rossignol *m.*
ruja *etc* ['ruxa] *vb V* **rugir**.
ruleta [ru'leta] *nf* roulette *f.*
ruletero [rule'tero] (*CAM, MÉX*) *nm* chauffeur *m* de taxi.
rulo ['rulo] *nm* rouleau *m.*
rulot(e) [ru'lot(e)] *nf* roulotte *f*, caravane *f.*
Rumania [ru'manja] *nf* Roumanie *f.*

rumano, -a [ru'mano, a] *adj* roumain(e) ♦ *nm/f* Roumain(e) ♦ *nm* (LING) roumain *m*.
rumba ['rumba] *nf* rumba *f*.
rumbo ['rumbo] *nm* (*ruta*) cap *m*; (*ángulo de dirección*) rumb *m*, rhumb *m*; (*fig*) direction *f*; **con ~ a** en direction de; **poner ~ a** mettre le cap sur; **sin ~ fijo** au hasard.
rumiante [ru'mjante] *nm* ruminant *m*.
rumiar [ru'mjar] *vt, vi* ruminer.
rumor [ru'mor] *nm* (*ruido sordo*) rumeur *f*; (*chisme*) bruit *m*.
rumorearse [rumore'arse] *vpr*: **se rumorea que** le bruit court que.
runrún [run'run] *nm* rumeur *f*; (*de una máquina*) ronronnement *m*; (*fig*) rengaine *f*.
rupestre [ru'pestre] *adj*: **pintura ~** peinture *f* rupestre.
ruptura [rup'tura] *nf* rupture *f*; **~ con** rupture avec.
rural [ru'ral] *adj* rural(e).
Rusia ['rusja] *nf* Russie *f*.
ruso, -a ['ruso, a] *adj* russe ♦ *nm/f* Russe *m/f* ♦ *nm* (LING) russe *m*.
rústico, -a ['rustiko, a] *adj* (*del campo*) rustique; (*ordinario*) rustre ♦ *nf*: **libro en rústica** livre *m* broché.
ruta ['ruta] *nf* route *f*.
rutina [ru'tina] *nf* routine *f*.
rutinario, -a [ruti'narjo, a] *adj* routinier(-ière).

S, s

S.A. *abr* (COM = *Sociedad Anónima*) SA *f* (= *société anonyme*); (= *Su Alteza*) SA (= *Son Altesse*).
sábado ['saβaðo] *nm* samedi *m*; **del ~ en ocho días** samedi en huit; **un ~ sí y otro no, cada dos ~s** un samedi sur deux.
sabana [sa'βana] *nf* savane *f*.
sábana ['saβana] *nf* drap *m*; **se le pegan las ~s** (*fig*) il fait la grasse matinée.
sabandija [saβan'dixa] *nf* (ZOOL) bestiole *f*; (*fig*) fripouille *f*.
sabañón [saβa'ɲon] *nm* engelure *f*.
sabático, -a [sa'βatiko, a] *adj* sabbatique.
sabelotodo [saβelo'toðo] *nm/f inv* monsieur(mademoiselle) je-sais-tout.

PALABRA CLAVE

saber [sa'βer] *vt* savoir; **a saber** à savoir; **no lo supe hasta ayer** je ne l'ai appris qu'hier; **¿sabes conducir/nadar?** sais-tu conduire/nager?; **¿sabes francés?** sais-tu parler français?; **no sé nada de coches** je n'y connais rien en voitures; **no sé nada de él** je ne sais rien de lui; **un no sé que** un je ne sais quoi; **saber de memoria** savoir *o* connaître par cœur; **lo sé** je (le) sais; **hacer saber** faire savoir; **¡cualquiera sabe!** allez savoir!; **que yo sepa** que je sache; **¡si lo sabré yo!** je le sais mieux que personne!; **¡vete a saber!** va savoir!; **¡yo que sé!** je n'en sais rien, moi!; **¿sabes?** tu vois?
♦ *vi*: **saber a** avoir le goût de; **sabe a fresa** ça a un goût de fraise; **saber mal/bien** (*comida, bebida*) avoir bon/mauvais goût; **le sabe mal que otro saque a bailar a su mujer** ça ne lui plaît pas que d'autres gens invitent sa femme à danser; **saberse** *vpr*: **se sabe que ...** on sait que ...; **no se sabe todavía** on ne sait toujours pas.

sabiduría [saβiðu'ria] *nf* savoir *m*; (*buen juicio*) sagesse *f*; **sabiduría popular** sagesse populaire.
sabiendas [sa'βjendas]: **a ~** *adv* en connaissance de cause; **a ~ de que ...** en sachant que ... .
sabihondo, -a [sa'βjondo, a] *adj, nm/f* pédant(e).
sabio, -a ['saβjo, a] *adj* savant(e); (*prudente*) sage ♦ *nm/f* savant(e).
sablazo [sa'βlaθo] *nm*: **dar un ~ a algn** (*fam*) plumer qn comme un pigeon.
sable [sa'βle] *nm* sabre *m*.
sabor [sa'βor] *nm* goût *m*, saveur *f*; (*fig*) saveur; **con ~ a** au goût de; **sin ~** sans aucun goût.
saborear [saβore'ar] *vt* savourer.
sabotaje [saβo'taxe] *nm* sabotage *m*.
sabotear [saβote'ar] *vt* saboter.
sabré *etc* [sa'βre] *vb V* **saber**.
sabroso, -a [sa'βroso, a] *adj* savoureux(-euse); (*salado*) salé(e).
saca ['saka] *nf* grand sac *m*; **saca de correo(s)** sac postal.
sacacorchos [saka'kortʃos] *nm inv* tire-bouchon *m*.
sacapuntas [saka'puntas] *nm inv* taille-crayon *m*.
sacar [sa'kar] *vt* sortir; (*muela*) arracher; (*dinero, entradas*) retirer; (*beneficios*) tirer; (*premio*) remporter; (*datos*) extraire; (*conclusión*) arriver à; (*esp AM*: *ropa*) enlever; (TENIS) servir; (FÚTBOL) remettre en jeu; (COSTURA) rallonger; **~ adelante** (*hijos*) élever; (*negocio*) faire démarrer; **~ a algn a bailar** inviter qn à danser; **~ algo a relucir** placer qch (dans une conversation); **~ a algn de sí** mettre qn hors de lui; **~ algo en limpio** *o* **en claro** mettre

qch au propre *o* au clair; ~ **algo/a algn en TV/en el periódico** parler de qch/ faire passer qn à la TV/ dans le journal; ~ **brillo a algo** faire briller qch; ~ **una foto** faire une photo; ~ **la lengua** tirer la langue; ~ **buenas/malas notas** avoir de bonnes/mauvaises notes.

sacarina [saka'rina] *nf* saccharine *f*.

sacerdote [saθer'ðote] *nm* prêtre *m*.

saciar [sa'θjar] *vt* assouvir; **saciarse** *vpr* se rassasier.

saciedad [saθje'ðað] *nf*: **hasta la** ~ (*comer*) à satiété; (*repetir*) 36 fois la même chose.

saco ['sako] *nm* sac *m*; (*AM*: *chaqueta*) veste *f*; **saco de dormir** sac de couchage.

sacramento [sakra'mento] *nm* sacrement *m*.

sacrificar [sakrifi'kar] *vt* sacrifier; (*reses*) abattre; (*animal doméstico*) endormir; **sacrificarse** *vpr*: ~**se por** se sacrifier pour.

sacrificio [sakri'fiθjo] *nm* sacrifice *m*.

sacrilegio [sakri'lexjo] *nm* sacrilège *m*.

sacrílego, -a [sa'krileɣo, a] *adj* sacrilège.

sacristán [sakris'tan] *nm* sacristain *m*.

sacristía [sakris'tia] *nf* sacristie *f*.

sacro, -a ['sakro, a] *adj* sacré(e).

sacudida [saku'ðiða] *nf* secousse *f*; **sacudida eléctrica** décharge *f* électrique.

sacudir [saku'ðir] *vt* secouer; (*ala*) battre de; (*fam*: *persona*) tabasser; **sacudirse** *vpr*: ~**se el polvo** s'épousseter; ~**se los mosquitos** chasser les moustiques.

sádico, -a ['saðiko, a] *adj, nm/f* sadique *m/f*.

sadomasoquista [saðomaso'kista] *adj, nm/f* sadomasochiste *m/f*.

saeta [sa'eta] *nf* flèche *f*; (*MÚS*) *chant religieux de la semaine sainte.*

safari [sa'fari] *nm* safari *m*.

sagacidad [saɣaθi'ðað] *nf* sagacité *f*.

sagaz [sa'ɣaθ] *adj* sagace.

Sagitario [saxi'tarjo] *nm* (*ASTROL*) Sagittaire *m*; **ser** ~ être (du) Sagittaire.

sagrado, -a [sa'ɣraðo, a] *adj* sacré(e).

saharaui [saxa'rawi] *adj* saharien(ne) ♦ *nm/f* Saharien(ne).

sajón, -ona [sa'xon, 'xona] *adj* saxon(e) ♦ *nm/f* Saxon(e).

sal [sal] *vb V* **salir** ♦ *nf* sel *m*; (*encanto*) grâce *f*; **sales de baño** sels de bain; **sal de cocina** sel de cuisine; **sal gorda** gros sel.

sala ['sala] *nf* salle *f*; (*sala de estar*) salle de séjour; (*JUR*) tribunal *m*; **sala de conciertos** salle de concerts; **sala de conferencias** salle de conférences; **sala de embarque** salle d'embarquement; **sala de espera** salle d'attente; **sala de fiestas** salle des fêtes; **sala de juntas** (*COM*) salle de réunion; **sala de operaciones** (*MED*) salle d'opération.

salado, -a [sa'laðo, a] *adj* salé(e); (*fig*) piquant(e); (*AND*: *desgraciado*) malheureux(-euse); **agua salada** eau *f* salée.

salame [sa'lame] (*CSUR*) *nm* salami *m*.

salar [sa'lar] *vt* saler.

salarial [sala'rjal] *adj* (*aumento*) de salaire; (*revisión*) salarial(e).

salario [sa'larjo] *nm* salaire *m*; **salario mínimo interprofesional** ≈ salaire *m* minimum interprofessionnel de croissance.

salchicha [sal'tʃitʃa] *nf* saucisse *f*.

salchichón [saltʃi'tʃon] *nm* saucisson *m*.

saldar [sal'dar] *vt* solder; (*deuda, diferencias*) régler.

saldo ['saldo] *nm* solde *m*; (*de deuda*) règlement *m*; **a precio de** ~ en solde; **saldo acreedor/deudor** *o* **pasivo** solde créditeur/débiteur; **saldo anterior** solde reporté; **saldo final** balance *f* après clôture.

saldré *etc* [sal'dre] *vb V* **salir**.

salero [sa'lero] *nm* (*CULIN*) salière *f*; (*ingenio*) esprit *m*; (*encanto*) charme *m*.

salga *etc* ['salɣa] *vb V* **salir**.

salida [sa'liða] *nf* sortie *f*; (*de tren, AVIAT, DEPORTE*) départ *m*; (*del sol*) lever *m*; (*puerta*) sortie, issue *f*; (*fig*) issue; (: *de estudios*) débouché *m*; (*fam*: *ocurrencia*) mot *m* d'esprit; **calle sin** ~ voie *f* sans issue; **a la** ~ **del teatro** à la sortie du théâtre; **dar la** ~ (*DEPORTE*) donner le départ; **línea de** ~ (*DEPORTE*) ligne *f* de touche; **no hay** ~ il n'y a pas d'issue; **no tenemos otra** ~ nous n'avons pas d'autre issue; **salida de emergencia/de incendios** sortie de secours; **salida de tono** propos *msg* déplacé; **salida impresa** (*INFORM*) tirage *m* papier.

salido, -a [sa'liðo, a] (*fam*) *adj* chaud(e).

saliente [sa'ljente] *adj* saillant(e); (*cesante*) sortant(e) ♦ *nm* saillie *f*.

salina [sa'lina] *nf* marais *msg* salant; ~**s** *nfpl* (*fábrica*) salines *fpl*.

PALABRA CLAVE

salir [sa'lir] *vi* **1** (*ir afuera*) sortir; (*tren, avión*) partir; **salir de** sortir de; **Juan ha salido** Juan est sorti; **salió de la cocina** il est sorti de la cuisine; **salir de viaje** partir en voyage; **salir corriendo** partir en courant; **salir bien de algo** (*fig*) bien se sortir de qch

2 (*aparecer*: *sol*) se lever; (*flor, pelo, dientes*) pousser; (*disco, libro*) sortir; **anoche salió el reportaje en la tele** le reportage est passé hier soir à la télé; **su foto salió**

en todos los periódicos sa photo est parue dans tous les journaux
3 (*resultar*): **salir bien/mal** réussir/rater; **el niño nos ha salido muy estudioso** notre fils se révèle très studieux; **la comida te ha salido exquisita** ton repas est très réussi; **salir elegido/premiado** être choisi/récompensé; **ha salido a su madre** il tient de sa mère; **¡no me sale!** je n'y arrive pas!; **sale muy caro** c'est très cher; **salís a 2.000 ptas cada uno** vous en avez pour 2 000 pesetas chacun; **la cena nos salió por 5.000 ptas** le dîner nous a coûté 5 000 pesetas; **no salen las cuentas** ça ne tombe pas juste
4 (*mancha*) partir; (*tapón*) s'enlever
5 (*en el juego*) avoir la main; (*DEPORTE*) commencer; (*TEATRO*) entrer en scène
6: **salir a** (*desembocar*) déboucher sur; **salir de** (*proceder*) venir de
7: **salir con algn** (*amigos, novios*) sortir avec qn
8: **le salió un trabajo** il a trouvé du travail
9: **salir adelante** s'en sortir; **no sé como haré para salir adelante** je ne sais pas comment faire pour m'en sortir
salirse *vpr* (*líquido*) se renverser; (*animal*) sortir; (*de la carretera*) quitter; (*persona: de asociación*) quitter; **salirse del tema** s'écarter du sujet; **salirse con la suya** n'en faire qu'à sa tête.

salitre [sa'litre] *nm* salpêtre *m*.
saliva [sa'liβa] *nf* salive *f*.
salmo ['salmo] *nm* psaume *m*.
salmón [sal'mon] *nm* saumon *m*.
salmonete [salmo'nete] *nm* rouget *m*.
salmuera [sal'mwera] *nf* saumure *f*.
salón [sa'lon] *nm* salon *m*; (*CHI*: *FERRO*) salle *f* d'attente; **salón de actos** *o* **de sesiones** salle de réunion; **salón de baile** salle de danse; **salón de belleza** institut *m* de beauté; **salón de té** salon de thé.
salpicadero [salpika'ðero] *nm* (*AUTO*) tableau *m* de bord.
salpicadura [salpika'ðura] *nf* éclaboussure *f*.
salpicar [salpi'kar] *vt* éclabousser; (*esparcir*) parsemer.
salpicón [salpi'kon] *nm* (*CULIN*) *viande ou poisson en vinaigrette*.
salpique *etc* [sal'pike] *vb V* **salpicar**.
salsa ['salsa] *nf* (*CULIN, MÚS*) sauce *f*; (*fig*) piquant *m*; **está en su ~** (*fam*) c'est son domaine.
saltamontes [salta'montes] *nm inv* sauterelle *f*.
saltar [sal'tar] *vt* sauter ♦ *vi* sauter; (*al agua*) plonger; (*cristal*) se briser; (*explotar: persona*) exploser; **saltarse** *vpr* sauter; (*lágrimas*) jaillir; **~ a la comba** sauter à la corde; **saltar a la vista** sauter aux yeux; **~ con** (*fam: decir*) sortir; **~ de una cosa a otra** sauter du coq à l'âne; **~se un semáforo** brûler un feu; **~se todas las reglas** enfreindre toutes les règles.
salteado, -a [salte'aðo, a] *adj* (*CULIN*) sauté(e); (*sin orden*) dans le désordre.
saltimbanqui [saltim'banki] *nm/f* saltimbanque *m/f*.
salto ['salto] *nm* saut *m*; (*al agua*) plongeon *m*; **a ~s** en sautant; **vivir a ~ de mata** vivre au jour le jour; **salto de agua** chute *f* d'eau; **salto de altura/de longitud** saut en hauteur/en longueur; **salto de cama** peignoir *m*; **salto de línea (automático)** (*INFORM*) retour *m* à la ligne (automatique); **salto de página** alimentation *f* en feuilles; **salto mortal** saut périlleux.
saltón, -ona [sal'ton, ona] *adj* (*ojos*) globuleux(-euse); (*dientes*) en avant.
salubre [sa'luβre] *adj* salubre.
salud [sa'luð] *nf* santé *f*; **estar bien/mal de ~** être en bonne/mauvaise santé; **¡(a su) ~!** (à votre) santé!; **beber a la ~ de** boire à la santé de.
saludable [salu'ðaβle] *adj* sain(e).
saludar [salu'ðar] *vt* saluer; **ir a ~ a algn** aller dire bonjour à qn; **salude de mi parte a X** saluez X de ma part; **le saluda atentamente** (*en carta*) salutations distinguées.
saludo [sa'luðo] *nm* salut *m*; **~s** *nmpl* (*en carta*) salutations *fpl*; **un ~ afectuoso** *o* **cordial** (*en carta*) affectueusement *o* cordialement *o* bien à vous.
salva ['salβa] *nf* (*MIL*) salve *f*; **una ~ de aplausos** une salve d'applaudissements.
salvación [salβa'θjon] *nf* sauvetage *m*; (*REL*) salut *m*; **¡fue mi ~!** c'est ce qui m'a sauvé!
salvado [sal'βaðo] *nm* (*AGR*) son *m*.
salvador [salβa'ðor] *nm* sauveur *m*; **el S~** (*REL*) le Sauveur; **El S~** (*GEO*) El Salvador; **San S~** San Salvador.
salvadoreño, -a [salβaðo'reɲo, a] *adj* salvadorien(ne) ♦ *nm/f* Salvadorien(ne).
salvaguardar [salβaɣwar'ðar] *vt* sauvegarder.
salvajada [salβa'xaða] *nf* sauvagerie *f*.
salvaje [sal'βaxe] *adj, nm/f* sauvage *m/f*.
salvajismo [salβa'xismo] *nm* sauvagerie *f*.
salvamento [salβa'mento] *nm* sauvetage *m*.
salvar [sal'βar] *vt* sauver; (*un barco*) procéder au sauvetage de; (*obstáculo, distan-*

cias) franchir; *(exceptuar)* excepter; *(INFORM: archivo)* sauvegarder; **salvarse** *vpr*: **~se (de)** se sauver (de); **~ algo/a algn de** sauver qch/qn de; **¡sálvese quien pueda!** sauve qui peut!

salvavidas [salβa'βiðas] *adj inv*: **bote/chaleco/cinturón ~** canot *m*/gilet *m*/bouée *f* de sauvetage.

salvia ['salβja] *nf* sauge *f*.

salvo, -a ['salβo, a] *adj*: **a ~** en lieu sûr ♦ *adv* sauf; **~ error u omisión** *(COM)* sauf erreur ou omission; **~ que** sauf que.

salvoconducto [salβokon'dukto] *nm* sauf-conduit *m*.

samba ['samba] *nf* samba *f*.

san [san] *nm* saint *m*; **~ Juan** Saint Jean.

sanar [sa'nar] *vt, vi* guérir.

sanatorio [sana'torjo] *nm* sanatorium *m*.

sanción [san'θjon] *nf* sanction *f*; *(aprobación)* approbation *f*.

sancionar [sanθjo'nar] *vt* sanctionner; *(aprobar)* approuver.

sandalia [san'dalja] *nf* sandale *f*.

sándalo ['sandalo] *nm* santal *m*, bois *msg* de santal.

sandez [san'deθ] *nf* bêtise *f*; **decir sandeces** dire des bêtises.

sandía [san'dia] *nf* pastèque *f*.

sandinista [sandi'nista] *(NIC) adj, nm/f* *(POL)* sandiniste *m/f*.

sandwich ['sandwitʃ] *(pl* **~s** *o* **~es**) *nm* sandwich *m*.

saneamiento [sanea'mjento] *nm* assainissement *m*.

sanear [sane'ar] *vt* assainir.

sangrante [san'grante] *adj* sanglant(e); *(fig)* terrible.

sangrar [san'grar] *vt* saigner; *(INFORM, TIP)* commencer en retrait ♦ *vi* saigner.

sangre ['sangre] *nf* sang *m*; **a ~ fría** de sang-froid; **de ~ fría** *(ZOOL)* à sang-froid; **pura ~** pur sang; **sangre azul** sang bleu; **sangre fría** sang-froid *m*.

sangría [san'gria] *nf* *(MED)* saignée *f*; *(CULIN)* sangria *f*; *(INFORM, TIP)* retrait *m*; *(fig: gasto)* frais *msg*.

sangriento, -a [san'grjento, a] *adj* sanglant(e).

sanguijuela [sangi'xwela] *nf* sangsue *f*.

sanguinario, -a [sangi'narjo, a] *adj* sanguinaire.

sanguíneo, -a [san'gineo, a] *adj* sanguin(e).

sanidad [sani'ðað] *nf* *(ADMIN)* santé *f*; *(de ciudad, clima)* salubrité *f*; **sanidad pública** santé publique.

sanitario, -a [sani'tarjo, a] *adj* sanitaire ♦ *nm*: **~s** sanitaires *mpl* ♦ *nm/f* agent *m* de service de santé.

sano, -a ['sano, a] *adj* sain(e); *(sin daños)* intact(e); **~ y salvo** sain et sauf.

Santiago [san'tjaɣo] *n*: **~ (de Chile)** Santiago (du Chili); **~ (de Compostela)** Saint Jacques de Compostelle.

santiamén [santja'men] *nm*: **en un ~** en un clin d'œil.

santidad [santi'ðað] *nf* sainteté *f*.

santificar [santifi'kar] *vt* sanctifier.

santiguarse [santi'ɣwarse] *vpr* se signer.

santo, -a ['santo, a] *adj* saint(e) ♦ *nm/f* *(REL)* Saint(e); *(fig)* saint(e) ♦ *nm* fête *f*; **hacer su santa voluntad** faire ses 4 volontés; **todo el ~ día** toute la journée; **¿a ~ de qué ...?** en quel honneur ...?; **se le fue el ~ al cielo** il a oublié ce qu'il allait dire; **~ y seña** mot *m* de passe.

santuario [san'twarjo] *nm* sanctuaire *m*.

saña ['saɲa] *nf* *(crueldad)* sauvagerie *f*; *(furor)* fureur *f*.

sapo ['sapo] *nm* crapaud *m*.

saque ['sake] *vb V* **sacar** ♦ *nm* *(TENIS)* service *m*; *(FÚTBOL)* remise *f* en jeu; **saque de esquina** corner *m*; **saque inicial** coup *m* d'envoi.

saquear [sake'ar] *vt* piller.

saqueo [sa'keo] *nm* pillage *m*.

S.A.R. *abr (= Su Alteza Real)* SAR (= *Son Altesse Royale*).

sarampión [saram'pjon] *nm* rougeole *f*.

sarcasmo [sar'kasmo] *nm* sarcasme *m*.

sarcástico, -a [sar'kastiko, a] *adj* sarcastique.

sarcófago [sar'kofaɣo] *nm* sarcophage *m*.

sardina [sar'ðina] *nf* sardine *f*.

sargento [sar'xento] *nm* *(MIL)* sergent *m*; *(fig)* personne *f* autoritaire.

sarmiento [sar'mjento] *nm* sarment *m*.

sarna ['sarna] *nf* *(MED, ZOOL)* gale *f*.

sarpullido [sarpu'ʎiðo] *nm* *(MED)* éruption *f* (prurigineuse).

sarro ['sarro] *nm* tartre *m*.

sarta ['sarta] *nf*: **una ~ de mentiras** un chapelet de mensonges.

sartén [sar'ten] *nf o (AM) m* *(CULIN)* poêle *f* (à frire); **tener la ~ por el mango** tenir les rênes.

sastre ['sastre] *nm* tailleur *m*.

sastrería [sastre'ria] *nf* *(arte)* fabrication *f* de tailleurs; *(tienda)* tailleur *m*.

Satanás [sata'nas] *nm* Satan *m*.

satélite [sa'telite] *nm* satellite *m*; **vía ~** *(TELEC)* par satellite.

satinado, -a [sati'naðo, a] *adj* *(papel)* satiné(e) ♦ *nm* satiné *m*.

sátira ['satira] *nf* satire *f*.

satírico, -a [sa'tiriko, a] *adj* satirique.

satisfacción [satisfak'θjon] *nf* satisfac-

tion *f*; (*para desagravio*) satisfaction, réparation *f*.
satisfacer [satisfa'θer] *vt* satisfaire; (*deuda*) acquitter; **satisfacerse** *vpr* se satisfaire; (*vengarse*) se venger.
satisfaga *etc* [satis'faɣa], **satisfaré** *etc* [satisfa're] *vb V* **satisfacer**.
satisfecho, -a [satis'fetʃo, a] *pp de* **satisfacer** ♦ *adj* satisfait(e).
saturación [satura'θjon] *nf* saturation *f*.
saturar [satu'rar] *vt* saturer; **saturarse** *vpr* être saturé(e).
Saturno [sa'turno] *nm* Saturne *m*.
sauce ['sauθe] *nm* saule *m*; **sauce llorón** saule pleureur.
saúco [sa'uko] *nm* sureau *m*.
saudí [sau'ði], **saudita** [sau'ðita] *adj* saoudien(ne) ♦ *nm/f* Saoudien(ne).
sauna ['sauna] *nf* (*nm en CSUR*) sauna *m*.
savia ['saβja] *nf* sève *f*.
saxo ['sakso] (*fam*) *nm* saxo *m*; (*persona*) saxophoniste *m/f*.
saxofón [sakso'fon] *nm* saxophone *m*.
sazón [sa'θon] *nf* (*de fruta*) maturité *f*; (*CULIN*) goût *m*; **a la ~** alors, à cette époque; **en ~** (*fruta*) mûr(e).
sazonar [saθo'nar] *vt* mûrir; (*CULIN*) relever ♦ *vi* être mûr(e).

PALABRA CLAVE

se [se] *pron* **1** (*reflexivo*) se, s'; (: *de Vd, Vds*) vous; **se divierte** il s'amuse; **lavarse** se laver; **¡siéntese!** asseyez-vous!
2 (*con complemento directo*: *sg*) lui; (*pl*) leur; (*Vd, Vds*) vous; **se lo dije** (*a él*) je le lui ai dit; (*a ellos*) je le leur ai dit; (*a usted(es)*) je vous l'ai dit; **se compró un sombrero** il s'est acheté un chapeau; **se rompió la pierna** il s'est cassé la jambe; **cortarse el pelo** se faire couper les cheveux
3 (*uso recíproco*) se; (: *Vds*) vous; **se miraron (el uno al otro)** ils se sont regardés (l'un l'autre); **cuando (ustedes) se conocieron** quand vous vous êtes connus
4 (*en oraciones pasivas*): **se han vendido muchos libros** beaucoup de livres ont été vendus; **se compró hace 3 años** ça a été acheté il y a 3 ans
5 (*impersonal*): **se dice que ...** on dit que ...; **allí se come muy bien** on y mange très bien; **se habla inglés** on parle anglais; **se ruega no fumar** prière de ne pas fumer.

sé [se] *vb V* **saber; ser**.
sea *etc* ['sea] *vb V* **ser**.
sebo ['seβo] *nm* sébum *m*.
secado [se'kaðo] *nm* séchage *m*; **~ a mano** brushing *m*.
secador [seka'ðor] *nm* (*tb*: **~ de pelo**) sèche-cheveux *m inv*.
secadora [seka'ðora] *nf* sèche-linge *m inv*; **secadora centrífuga** essoreuse *f*.
secano [se'kano] *nm* (*AGR*: *tb*: **tierra de ~**) terrain *m* non irrigué; **cultivo de ~** dry farming *m*.
secante [se'kante] *nm* (*tb*: **papel ~**) buvard *m*.
secar [se'kar] *vt* sécher; (*río, tierra, plantas*) assécher; **secarse** *vpr* sécher; (*persona*) se sécher; **~se las manos** se sécher les mains.
sección [sek'θjon] *nf* section *f*; **sección deportiva** (*en periódico*) pages *fpl* sportives.
seco, -a ['seko, a] *adj* sec(sèche); **habrá pan a secas** il n'y aura que du pain; **Juan, a secas** Juan tout court; **parar/frenar en ~** s'arrêter/freiner brusquement.
secreción [sekre'θjon] *nf* sécrétion *f*.
secretaría [sekreta'ria] *nf* secrétariat *m*.
secretariado [sekreta'rjaðo] *nm* secrétariat *m*.
secretario, -a [sekre'tarjo, a] *nm/f* secrétaire *m/f*; **secretario adjunto** (*COM*) secrétaire adjoint.
secreto, -a [se'kreto, a] *adj* secret(-ète) ♦ *nm* secret *m*; **en ~** en secret; **secreto profesional** secret professionnel.
secta ['sekta] *nf* secte *f*.
sectario, -a [sek'tarjo, a] *adj* sectaire.
sector [sek'tor] *nm* secteur *m*; **sector privado/público** secteur privé/public; **sector terciario** secteur tertiaire.
secuela [se'kwela] *nf* séquelle *f*.
secuencia [se'kwenθja] *nf* séquence *f*.
secuestrar [sekwes'trar] *vt* séquestrer; (*avión*) détourner; (*publicación*) retirer de la circulation; (*bienes*: *JUR*) séquestrer, mettre sous séquestre.
secuestro [se'kwestro] *nm* (*de persona*) sécuestration *f*; (*de avión*) détournement *m*.
secular [seku'lar] *adj* séculaire.
secundar [sekun'dar] *vt* seconder.
secundario, -a [sekun'darjo, a] *adj* secondaire; (*INFORM*) d'arrière-plan.
sed [seð] *nf* soif *f*; **tener ~** avoir soif.
seda ['seða] *nf* soie *f*; **como una ~** (*sin problema*) comme sur des roulettes; (*dócil*) doux(douce) comme un agneau.
sedal [se'ðal] *nm* ligne *f*.
sedante [se'ðante] *nm* sédatif *m*.
sede ['seðe] *nf* siège *m*; **Santa S~** Saint Siège.
sedentario, -a [seðen'tarjo, a] *adj* sé-

dentaire.

sedición [seði'θjon] *nf* sédition *f.*

sediento, -a [se'ðjento, a] *adj* assoiffé(e); ~ **de gloria/poder** assoiffé(e) de gloire/pouvoir.

sedimento [seði'mento] *nm* sédiment *m.*

sedoso, -a [se'ðoso, a] *adj* soyeux (-euse).

seducción [seðuk'θjon] *nf* séduction *f.*

seducir [seðu'θir] *vt* séduire.

seductor, a [seðuk'tor, a] *adj* séducteur(-trice); (*personalidad, idea*) séduisant(e) ♦ *nm/f* séducteur(-trice).

seduje *etc* [se'ðuxe], **seduzca** *etc* [se'ðuθka] *vb V* **seducir**.

sefardí [sefar'ði], **sefardita** [sefar'ðita] *adj, nm/f* séfarade *m/f.*

segador, a [seɣa'ðor, a] *nm/f* faucheur(-euse) ♦ *nf* (*TEC*) moissonneuse *f.*

segar [se'ɣar] *vt* (*mies*) moissonner; (*hierba*) faucher; (*vidas*) briser; (*esperanzas*) réduire à néant.

seglar [se'ɣlar] *adj* séculier(-ière).

segregación [seɣreɣa'θjon] *nf* ségrégation *f*; **segregación racial** ségrégation raciale.

segregar [seɣre'ɣar] *vt* ségréguer; (*líquido*) sécréter.

segué *etc* [se'ɣe], **seguemos** *etc* [se'ɣemos] *vb V* **segar**.

seguida [se'ɣiða] *nf*: **en ~** tout de suite; **en ~ termino** j'ai presque fini.

seguidamente [se'ɣiðamente] *adv* (*sin parar*) à la suite; (*a continuación*) ensuite.

seguido, -a [se'ɣiðo, a] *adj* (*semana*) continu(e); (*línea*) droit(e) ♦ *adv* (*derecho*) tout droit; (*después*) à la suite; (*AM: a menudo*) souvent; **5 días ~s** 5 jours de suite.

seguimiento [seɣi'mjento] *nm* suivi *m.*

seguir [se'ɣir] *vt* suivre ♦ *vi* (*venir después*) suivre; (*continuar*) poursuivre; **seguirse** *vpr*: **~se (de)** résulter (de); **sigo sin comprender** je ne comprends toujours pas; **sigue lloviendo** il continue de pleuvoir; **sigue** (*en carta*) T.S.V.P.; (*en libro, TV*) suite; **¡siga!** (*AM*) allez-y!

según [se'ɣun] *prep* d'après ♦ *adv* (*tal como*) tel(le) que; (*depende (de)*) selon; (*a medida que*) à mesure que; **~ parece ...** il semblerait que ...; **~ esté el tiempo** selon le temps qu'il fera; **~ me consta** autant que je sache; **está ~ lo dejaste** c'est resté tel que tu l'avais laissé.

segundo, -a [se'ɣundo, a] *adj* deuxième, second(e); (*en discurso*) deuxièmement ♦ *nm* seconde *f*; (*piso*) deuxième *m*, second *m* ♦ *nm/f* deuxième *m/f*, second(e); **~ (de a bordo)** (*NÁUT*) second (à bord); **segunda (clase)** (*FERRO*) seconde (classe) *f*; **segunda (marcha)** (*AUTO*) seconde; **con segundas (intenciones)** avec une arrière-pensée; **de segunda mano** d'occasion.

seguramente [se'ɣuramente] *adv* sûrement; **¿lo va a comprar? – ~** va-t-il l'acheter? – sûrement.

seguridad [seɣuri'ðað] *nf* sécurité *f*; (*certeza*) certitude *f*; (*confianza*) confiance *f*; **cerradura/cinturón de ~** serrure *f*/ ceinture *f* de sécurité; **seguridad ciudadana** sécurité en ville; **seguridad en sí mismo** confiance en soi; **seguridad social** sécurité sociale.

seguro, -a [se'ɣuro, a] *adj* sûr(e) ♦ *adv* sûr ♦ *nm* sécurité *f*; (*de cerradura*) gorge *f*; (*de arma*) cran *m* de sûreté; (*COM*) assurance *f*; (*CAM, MÉX*) épingle *f* à nourrice; **~ de sí mismo** sûr(e) de soi; **lo más ~ es que ...** sans doute que ...; **seguro a todo riesgo/contra terceros** assurance tous risques/au tiers; **seguro contra accidentes/contra incendios** assurance contre les accidents/contre l'incendie; **Seguro de Enfermedad** assurance maladie; **seguro de vida** assurance-vie *f*; **seguro dotal con beneficios** assurance à capital différé avec bénéfice; **seguro marítimo** assurance maritime; **seguro mixto** assurance à capital différé; **seguro temporal** assurance à terme.

seis [seis] *adj inv, nm inv* six *m inv*; **~ mil** six mille; **el ~ de abril** le six avril; **hoy es ~** nous sommes le six aujourd'hui; **son las ~** il est six heures; **tiene ~ años** il a six ans; **unos ~** environ six.

seiscientos, -as [seis'θjentos, as] *adj* six cents; **~ veinticinco** six cent vingt-cinq.

seísmo [se'ismo] *nm* séisme *m.*

selección [selek'θjon] *nf* sélection *f*; **selección nacional** (*DEPORTE*) équipe *f* nationale; **selección natural** sélection naturelle.

seleccionador, a [selekθjona'ðor, a] *nm/f* (*DEPORTE*) sélectionneur(-euse).

seleccionar [selekθjo'nar] *vt* sélectionner.

selectividad [selektiβi'ðað] *nf* (*UNIV*) sélection *f.*

selecto, -a [se'lekto, a] *adj* sélect(e).

sellar [se'ʎar] *vt* sceller; (*pasaporte*) tamponner.

sello ['seʎo] *nm* (*de correos*) timbre *m*; (*para estampar*) tampon *m*; (*precinto*) sceau *m*; (*tb*: **~ distintivo**) cachet *m*; **sello de prima** (*COM*) timbre-prime *m*; **sello discográfico** maison *f* de disques; **sello fiscal** timbre fiscal.

selva ['selβa] *nf* (*bosque*) forêt *f*; (*jungla*)

jungle *f*; **la S~ Negra** la Forêt Noire.
semáforo [se'maforo] *nm* (AUTO) feu *m* rouge *o* de circulation; (FERRO) sémaphore *m*.
semana [se'mana] *nf* semaine *f*; **entre ~** dans la semaine; **semana inglesa** semaine de 35 heures; **semana laboral** semaine de travail; **Semana Santa** semaine sainte.
semanal [sema'nal] *adj* hebdomadaire ♦ *nm* (PRENSA) hebdomadaire *m*.
semántica [se'mantika] *nf* sémantique *f*.
semblante [sem'blante] *nm* (traits *mpl* du) visage *m*; (*fig*) allure *f*.
sembrar [sem'brar] *vt* semer.
semejante [seme'xante] *adj, nm* semblable *m*; **son muy ~s** ils se ressemblent beaucoup; **nunca hizo cosa ~** il n'a jamais fait semblable chose.
semejanza [seme'xanθa] *nf* ressemblance *f*; **a ~ de** pareil(le) à.
semejar [seme'xar] *vi* ressembler à; **semejarse** *vpr* se ressembler.
semen ['semen] *nm* sperme *m*, semence *f*.
semental [semen'tal] *nm* (ZOOL) géniteur *m*.
semestral [semes'tral] *adj* semestriel(le).
semestre [se'mestre] *nm* semestre *m*.
semi... [semi] *pref* semi... .
semicírculo [semi'θirkulo] *nm* demi-cercle *m*.
semiconductor [semikonduk'tor] *nm* semi-conducteur *m*.
semidesnatado, -a [semiðesna'taðo, a] *adj* demi-écrémé(e).
semifinal [semifi'nal] *nf* demi-finale *f*.
semiinconsciente [semiinkons'θjente] *adj* à demi inconscient(e).
semilla [se'miʎa] *nf* graine *f*, semence *f*.
seminario [semi'narjo] *nm* (REL) séminaire *m*; (ESCOL) séance *f* de T.P.
semiseco, -a [semi'seko, a] *adj* demi-sec(sèche).
sémola ['semola] *nf* semoule *f*.
senado [se'naðo] *nm* sénat *m*.
senador, a [sena'ðor, a] *nm/f* sénateur(-trice).
sencillez [senθi'ʎeθ] *nf* simplicité *f*.
sencillo, -a [sen'θiʎo, a] *adj* simple ♦ *nm* (AM) chaudière *f*.
senda ['senda] *nf* sentier *m*.
senderismo [sende'rismo] *nm* randonnée *f*.
sendero [sen'dero] *nm* sentier *m*; **Sendero Luminoso** (PE: POL) Sentier lumineux.
sendos, -as ['sendos, as] *adj pl*: **recibieron ~ golpes** ils ont tous deux reçu des coups.
senil [se'nil] *adj* sénile.
seno ['seno] *nm* sein *m*; (MAT) sinus *m*; **~ materno** sein maternel.
sensación [sensa'θjon] *nf* sensation *f*; **causar *o* hacer ~** faire sensation.
sensacional [sensaθjo'nal] *adj* sensationnel(le).
sensatez [sensa'teθ] *nf* bon sens *msg*.
sensato, -a [sen'sato, a] *adj* sensé(e).
sensibilidad [sensiβili'ðað] *nf* sensibilité *f*.
sensibilizar [sensiβili'θar] *vt* sensibiliser.
sensible [sen'siβle] *adj* sensible.
sensitivo, -a [sensi'tiβo, a] *adj* sensible.
sensorial [senso'rjal] *adj* sensoriel(le).
sensual [sen'swal] *adj* sensuel(le).
sentada [sen'taða] *nf* (*protesta*) sit-in *m*; **de una ~** d'une traite.
sentado, -a [sen'taðo, a] *adj*: **estar ~** être assis(e); **dar por ~** considérer comme réglé(e); **dejar ~ que ...** établir que ... .
sentar [sen'tar] *vt* asseoir; (*noticia, hecho, palabras*) établir ♦ *vi* (*vestido, color*) aller; **sentarse** *vpr* s'asseoir; (*el tiempo*) se stabiliser; (*sedimentos*) se déposer; **~ bien** (*ropa*) aller bien; (*comida*) faire du bien; (*vacaciones*) réussir; **me ha sentado mal** (*comida*) je ne l'ai pas digéré; (*comentario*) cela m'a blessé; **¡siéntese!** asseyez-vous!
sentencia [sen'tenθja] *nf* sentence *f*; (INFORM) instruction *f*; **sentencia de muerte** sentence de mort.
sentenciar [senten'θjar] *vt* (JUR) condamner.
sentido, -a [sen'tiðo, a] *adj* (*pérdida*) regretté(e); (*carácter*) sensible ♦ *nm* sens *msg*; **mi más ~ pésame** mes plus sincères condoléances; **en el buen ~ de la palabra** au sens propre du terme; **con ~ doble** à double sens; **sin ~** qui ne veut rien dire; **tener ~** avoir du sens; **¿qué ~ tiene que ...?** à quoi cela sert-il de ...?; **sentido común** bon sens; **sentido del humor** sens de l'humour; **sentido único** (AUTO) sens unique.
sentimental [sentimen'tal] *adj* sentimental(e); **vida ~** vie *f* sentimentale.
sentimiento [senti'mjento] *nm* sentiment *m*.
sentir [sen'tir] *nm* opinion *f* ♦ *vt* sentir; (*lamentar*) regretter; (*esp* AM) entendre; (*música, arte*) avoir un don pour ♦ *vi* sentir; **sentirse** *vpr* se sentir; **lo siento (mucho)** je suis désolé(e); **siento molestarle** je suis désolé(e) de vous déranger; **~se bien/mal** se sentir bien/mal; **~se como en su casa** se sentir chez soi.

seña ['seɲa] *nf* signe *m*; (*MIL*) mot *m* de passe; ~s *nfpl* (*dirección*) adresse *f*; **(y) por más ~s** (et) en plus de cela; **dar ~s de** donner des signes de; **señas personales** (*descripción*) caractéristiques *fpl* physiques.

señal [se'ɲal] *nf* signal *m*; (*síntoma*) signe *m*; (*marca, INFORM*) marque *f*; (*COM*) arrhes *fpl*; **en ~ de** en signe de; **dar ~es de** donner des signes de; **señal de auxilio/de peligro** signal de détresse/d'alarme; **señal de llamada** sonnerie *f*; **señales de tráfico** panneaux *mpl* de signalisation; **señal para marcar** tonalité *f*.

señalado, -a [seɲa'laðo, a] *adj* (*persona*) distingué(e); (*fecha*) important(e).

señalar [seɲa'lar] *vt* signaler; (*poner marcas*) marquer; (*con el dedo*) montrer du doigt; (*hora*) donner; (*fijar*) déterminer.

señalización [seɲaliθa'θjon] *nf* signalisation *f*.

señalizar [seɲali'θar] *vt* (*AUTO*) indiquer; (*FERRO*) signaliser.

señor, a [se'ɲor, a] *adj* (*fam*) classe ♦ *nm* monsieur *m*; (*hombre*) homme *m*; (*trato*) monsieur; **los ~es González** M. et Mme González; **S~ Don Jacinto Benavente** (*en sobre*) Monsieur Jacinto Benavente; **S~ Director ...** (*de periódico*) Monsieur le directeur ...; **~ juez/Presidente** Monsieur le juge/le président; **Muy ~ mío** cher Monsieur; **Muy ~es nuestros** Messieurs; **Nuestro S~** (*REL*) Notre Seigneur.

señora [se'ɲora] *nf* madame *f*; (*dama*) dame *f*; (*mujer*) femme *f*; **¿está la ~?** madame est-elle chez elle?; **la ~ de Pérez** Madame Pérez; **Nuestra S~** (*REL*) Notre-Dame.

señoría [seɲo'ria] *nf*: **su S~** Votre Seigneurie *f*; (*para un juez*) Votre Honneur *m*; **sus S ~s** (*POL*) (mes) chers collègues.

señorita [seɲo'rita] *nf* (*tratamiento*) mademoiselle *f*; (*mujer joven*) demoiselle *f*, jeune fille *f*; (*maestra*) maîtresse *f*.

señorito [seɲo'rito] *nm* (*tratamiento*) jeune monsieur *m*; (*pey*) fils *msg* à papa.

señuelo [se'ɲwelo] *nm* leurre *m*.

sepa *etc* ['sepa] *vb V* **saber**.

separación [separa'θjon] *nf* séparation *f*; (*división*) partage *m*; (*distancia*) distance *f*; **separación de bienes** séparation des biens.

separado, -a [sepa'raðo, a] *adj* séparé(e); (*TEC*) détaché(e); **por ~** séparément.

separar [sepa'rar] *vt* séparer; (*TEC: pieza*) détacher; (*persona: de un cargo*) relever; (*dividir*) diviser; **separarse** *vpr* se séparer; (*partes*) se détacher; **~se de** (*persona: de un lugar*) s'éloigner de; (*: de asociación*) quitter.

separata [sepa'rata] *nf* (*PRENSA*) tiré *m* à part.

separatismo [separa'tismo] *nm* séparatisme *m*.

separo [se'paro] (*MÉX*) *nm* cellule *f*.

sepelio [se'peljo] *nm* enterrement *m*.

sepia ['sepja] *nf* (*CULIN*) seiche *f*; (*tb:* **color ~**) sépia *f*.

septentrional [septentrjo'nal] *adj* septentrionnal(e).

septiembre [sep'tjembre] *nm* septembre *m*; *V tb* **julio**.

séptimo, -a ['septimo, a] *adj, nm/f* septième *m/f*; *V tb* **sexto**.

sepulcral [sepul'kral] *adj* funéraire; (*fig*) sépulcral(e).

sepulcro [se'pulkro] *nm* sépulcre *m*.

sepultar [sepul'tar] *vt* inhumer; (*suj: aguas, escombros*) ensevelir.

sepultura [sepul'tura] *nf* (*entierro*) inhumation *f*; (*tumba*) sépulture *f*; **dar ~ a** donner une sépulture à; **recibir ~** recevoir une sépulture.

sepulturero, -a [sepultu'rero, a] *nm/f* fossoyeur *m*.

seque *etc* ['seke] *vb V* **secar**.

sequedad [seke'ðað] *nf* sécheresse *f*.

sequía [se'kia] *nf* sécheresse *f*.

séquito ['sekito] *nm* (*de rey*) cour *f*; (*POL*) partisans *mpl*.

PALABRA CLAVE

ser [ser] *vi* **1** (*descripción, identidad*) être; **es médico/muy alto** il est docteur/très grand; **soy Pepe** (*TELEC*) c'est Pepe (à l'appareil)

2 (*suceder*): **¿qué ha sido eso?** qu'est-ce que c'était?; **la fiesta es en casa** la fête a lieu chez nous

3 (*ser + de: posesión*): **es de Joaquín** c'est à Joaquín; (*origen*): **ella es de Cuzco** elle est de Cuzco; (*sustancia*): **es de piedra** c'est en pierre; **¿qué va a ser de nosotros?** qu'allons nous devenir?; **es de risa/pena** c'est ridicule/lamentable

4 (*horas, fechas, números*): **es la una** il est une heure; **son las seis y media** il est six heures et demi; **es el 1 de junio** c'est le 1er juin; **somos/son seis** nous sommes/ils sont six; **2 y 2 son 4** 2 et 2 font 4

5 (*valer*): **¿cuánto es?** c'est combien?

6 (*+ para*): **es para pintar** c'est pour peindre; **no es para tanto** ce n'est pas si grave

7 (*en oraciones pasivas*): **ya ha sido descubierto** ça a déjà été découvert; **fue construido** ça a été construit

8 (*ser + de + vb*): **es de esperar que ...** il

faut s'attendre à ce que ...
9 (*+ que*): **es que no puedo** c'est que je ne peux pas; **¿cómo es que no lo sabes?** comment se fait-il que tu ne le saches pas?
10 (*locuciones: con subjun*): **o sea** c'est-à-dire; **sea él, sea su hermana** soit lui, soit sa sœur; **tengo que irme, no sea que mis hijos estén esperándome** il faut que j'y aille, au cas où mes enfants m'attendraient
11 (*con infinitivo*): **a no ser ...** si ce n'est ...; **a no ser que salga mañana** à moins qu'il ne sorte demain; **de no ser así** si ce n'était pas le cas
12: **érase una vez ...** il était une fois ...
♦ *nm* (*ente*) être *m*; **ser humano/vivo** être humain/vivant; **en lo más íntimo de su ser** au plus profond de son être.

Serbia ['serβja] *nf* Serbie *f*.
serbio, -a ['serβjo, a] *adj* serbe ♦ *nm/f* Serbe *m/f*.
serenarse [sere'narse] *vpr* s'apaiser; (*tiempo*) se calmer.
serenidad [sereni'ðað] *nf* sérénité *f*.
sereno, -a [se'reno, a] *adj* serein(e); (*tiempo*) calme ♦ *nm* veilleur *m* de nuit.
serial [se'rjal] *nm* feuilleton *m*.
serie ['serje] *nf* série *f*; (*TV: por capítulos*) feuilleton *m*; **fuera de ~** (*COM*) hors série; (*fig*) hors norme; **fabricación en ~** fabrication *f* en série; **interface/impresora en ~** (*INFORM*) interface *f*/imprimante *f* série.
seriedad [serje'ðað] *nf* sérieux *msg*; (*de crisis*) gravité *f*.
serigrafía [seriɤra'fia] *nf* sérigraphie *f*.
serio, -a ['serjo, a] *adj* sérieux(-ieuse); **en ~** sérieusement.
sermón [ser'mon] *nm* sermon *m*.
sermonear [sermone'ar] (*pey*) *vt* faire un sermon à ♦ *vi* prêcher.
serpentear [serpente'ar] *vi* serpenter.
serpentina [serpen'tina] *nf* serpentin *m*.
serpiente [ser'pjente] *nf* serpent *m*; **serpiente de cascabel** serpent à sonnettes; **serpiente pitón** python *m*.
serranía [serra'nia] *nf* zone *f* montagneuse.
serrano, -a [se'rrano, a] *adj* montagnard(e); (*jamón*) ≈ de Bayonne ♦ *nm/f* montagnard(e).
serrar [se'rrar] *vt* scier.
serrín [se'rrin] *nm* sciure *f* (de bois).
serrucho [se'rrutʃo] *nm* scie *f* égoïne.
servicial [serβi'θjal] *adj* serviable.
servicio [ser'βiθjo] *nm* service *m*; **~s** *nmpl* (*wáter*) toilettes *fpl*; (*ECON: sector*) services *mpl*; **estar de ~** être de service; **servicio a domicilio** service de livraison à domicile; **servicio aduanero** *o* **aduana** services de douane; **servicio incluido** service compris; **servicio militar** service militaire; **servicio público** (*COM*) service public; **servicio secreto** service secret.
servidor, a [serβi'ðor, a] *nm/f* serviteur (servante); **su seguro ~** votre très humble serviteur; **un ~** à votre service.
servidumbre [serβi'ðumbre] *nf* servitude *f*; (*criados*) domestiques *mpl*.
servil [ser'βil] (*pey*) *adj* servile.
servilleta [serβi'ʎeta] *nf* serviette *f*.
servilletero [serβiʎe'tero] *nm* rond *m* de serviette.
servir [ser'βir] *vt, vi* servir; **servirse** *vpr* se servir; **~ (para)** servir (à); **¿en qué puedo ~le?** en quoi puis-je vous être utile?; **~ vino a algn** servir du vin à qn; **~ de guía** servir de guide; **no sirve para nada** ça ne sert à rien; **~se de algo** se servir de qch; **sírvase pasar** veuillez entrer.
sesenta [se'senta] *adj inv, nm inv* soixante *m inv*; **~ mil** soixante mille; **tiene ~ años** il a soixante ans; **unos ~** environ soixante.
sesgo ['sesɤo] *nm* tournure *f*; **al ~** (*COSTURA*) en biais.
sesión [se'sjon] *nf* séance *f*; (*TEATRO*) représentation *f*; **abrir/levantar la ~** ouvrir/lever la séance; **sesión de tarde/de noche** (*CINE*) ≈ séance de 14h/de 20h.
seso ['seso] *nm* cerveau *m*; (*fig*) jugeote *f*; **~s** *nmpl* (*CULIN*) cervelle *f*; **devanarse los ~s** se creuser la cervelle.
sesudo, -a [se'suðo, a] *adj* intelligent(e).
set [set] *nm* (*TENIS*) set *m*.
seta ['seta] *nf* champignon *m*; **seta venenosa** champignon vénéneux.
setecientos, -as [sete'θjentos, as] *adj* sept cents; *V tb* **seiscientos**.
setenta [se'tenta] *adj inv, nm inv* soixante-dix *m inv*; *V tb* **sesenta**.
setiembre [se'tjembre] *nm* = **septiembre**.
seto ['seto] *nm* haie *f*.
seudo... [seuðo] *pref* pseudo... .
seudónimo [seu'ðonimo] *nm* pseudonyme *m*.
severidad [seβeri'ðað] *nf* sévérité *f*.
severo, -a [se'βero, a] *adj* sévère.
Sevilla [se'βiʎa] *n* Séville.
sevillano, -a [seβi'ʎano, a] *adj* sévillan(e) ♦ *nm/f* Sévillan(e).
sexo ['sekso] *nm* sexe *m*; **el ~ femenino/masculino** le sexe féminin/masculin.
sexto, -a ['seksto, a] *adj, nm/f* sixième *m/f*; **Juan S~** Jean Six; **un ~ de la pobla-**

ción un sixième de la population.
sexual [sek'swal] *adj* sexuel(le); **vida ~** vie *f* sexuelle.
sexualidad [sekswali'ðað] *nf* sexualité *f*.
si [si] *conj* si ♦ *nm* (*MÚS*) si *m inv*; **~ ... o ~ ...** si ... ou si ...; **me pregunto ~ ...** je me demande si ...; **~ no** sinon; **¡~ fuera verdad!** si seulement ça pouvait être vrai!; **¡(pero) ~ no lo sabía!** (mais) je ne le savais même pas!; **por ~ (acaso)** au cas où; **¿y ~ llueve?** et s'il pleut?
sí [si] *adv* oui; (*tras frase negativa*) si; **¡¿~?!** (*asombro*) ah bon?; **"nos vas a llevar al cine, ¿a que ~?"** "tu nous emmènes bien au ciné, hein?"; **él no quiere pero yo ~** il ne veut pas mais moi oui; **ella ~ vendrá** elle, elle viendra; **claro que ~** bien sûr que oui/si; **creo que ~** je crois que oui/si; **porque ~** (*porque lo digo yo*) parce que; **¡~ que lo es!** bien sûr que si!; **¡eso ~ que no!** alors là, non!; *nm* (*consentimiento*) oui *m* ♦ *pron* (*uso impersonal*) soi; (*sg*: *m*) lui; (: *f*) elle; (: *de cosa*) lui(elle); (: *de usted, ustedes*) vous; (*pl*) eux; **por ~ solo/solos** à lui seul/eux seuls; **volver en ~** revenir à soi; **~ mismo/misma** lui-/elle-même; **se ríe de ~ misma** elle rit d'elle-même; **hablaban entre ~** ils parlaient entre eux; **de por ~** en soi-même *etc*.
siamés, -esa [sja'mes, esa] *adj, nm/f* siamois(e).
sibarita [siβa'rita] *adj* raffiné(e) ♦ *nm/f* épicurien(ne).
sicario [si'karjo] *nm* tueur *m* à gages.
sico... ['siko] *pref* = **psico...** .
SIDA, sida ['siða] *sigla m* (= *síndrome de inmuno-deficiencia adquirida*) SIDA *m*, sida *m* (= *syndrome immunodéficitaire acquis*).
siderurgia [siðe'rurxja] *nf* sidérurgie *f*.
siderúrgico, -a [siðe'rurxico, a] *adj* sidérurgique.
sidra ['siðra] *nf* cidre *m*.
siega ['sjeɣa] *vb V* **segar** ♦ *nf* (*AGR*) moisson *f*.
siegue *etc* ['sjeɣe] *vb V* **segar**.
siembra ['sjembra] *vb V* **sembrar** ♦ *nf* (*AGR*) semence *f*.
siempre ['sjempre] *adv* toujours ♦ *conj*: **~ que ...** (*cada vez que*) chaque fois que ...; (*a condición de que*) seulement si; **es lo de ~** c'est tout le temps la même chose; **como ~** comme toujours; **para ~** pour toujours; **~ me voy mañana** (*AM*) de toute façon, je pars demain.
sien [sjen] *nf* tempe *f*.
siento ['sjento] *vb V* **sentar; sentir**.
sierra ['sjerra] *vb V* **serrar** ♦ *nf* (*TEC*) scie *f*; (*GEO*) chaîne *f* de montagnes; **la ~** (*zona*) la montagne; **Sierra Leona** Sierra *f* Leone.
siervo, -a ['sjerβo, a] *nm/f* serf(serve).
siesta ['sjesta] *nf* sieste *f*; **dormir la** *o* **echarse una ~** faire une (petite) sieste.
siete ['sjete] *adj inv, nm inv* sept *m inv* ♦ *nm* (*en tela*) accroc *m* ♦ *excl* (*AM*: *fam*): **¡la gran ~!** punaise!; **se armó un follón de la gran ~** ça a fait un raffut de tous les diables; **hijo de la gran ~** (*fam!*) fils *msg* de pute; *V tb* **seis**.
sífilis ['sifilis] *nf* syphilis *fsg*.
sifón [si'fon] *nm* siphon *m*; **whisky con ~** whisky *m* soda.
siga *etc* ['siɣa] *vb V* **seguir**.
sigilo [si'xilo] *nm* silence *m*; (*secreto*) secret *m*.
sigla ['siɣla] *nf* sigle *m*.
siglo ['siɣlo] *nm* siècle *m*; **hace ~s que no la veo** ça fait un bail que je ne l'ai pas vue; **Siglo de las Luces** Siècle des lumières; **Siglo de Oro** Siècle d'or.
significado [siɣnifi'kaðo] *nm* signification *f*.
significar [siɣnifi'kar] *vt* signifier.
significativo, -a [siɣnifika'tiβo, a] *adj* significatif(-ive).
signo ['siɣno] *nm* signe *m*; **signo de admiración** point *m* d'exclamation; **signo de interrogación** point d'interrogation; **signo de más/de menos** signe plus/moins; **signos de puntuación** signes de ponctuation; **signo igual** signe égal.
siguiendo *etc* [si'ɣjendo] *vb V* **seguir**.
siguiente [si'ɣjente] *adj* suivant(e); **¡el ~!** au suivant!
sílaba ['silaβa] *nf* syllabe *f*.
silbar [sil'βar] *vt, vi* siffler.
silbato [sil'βato] *nm* sifflet *m*.
silbido [sil'βiðo], **silbo** ['silβo] *nm* sifflement *m*; (*abucheo*) sifflet *m*.
silenciador [silenθja'ðor] *nm* silencieux *msg*.
silenciar [silen'θjar] *vt* (*AM*: *persona*) faire taire; (*ruidos, escándalo*) étouffer.
silencio [si'lenθjo] *nm* silence *m*; **en el más absoluto ~** dans un silence absolu; **guardar ~** garder le silence.
silencioso, -a [silen'θjoso, a] *adj* silencieux(-ieuse).
silicio [si'liθjo] *nm* silicium *m*.
silla ['siʎa] *nf* chaise *f*; (*tb*: **~ de montar**) selle *f*; **silla de ruedas** chaise roulante; **silla eléctrica** chaise électrique.
sillín [si'ʎin] *nm* selle *f*.
sillón [si'ʎon] *nm* fauteuil *m*.
silueta [si'lweta] *nf* silhouette *f*.
silvestre [sil'βestre] *adj* (*BOT*) sauvage; (*fig*) rustique.
sima ['sima] *nf* abîme *m*.

simbólico, -a [sim'boliko, a] *adj* symbolique.
simbolizar [simboli'θar] *vt* symboliser.
símbolo ['simbolo] *nm* symbole *m*; ~ **gráfico** (*INFORM*) symbole graphique.
simetría [sime'tria] *nf* symétrie *f*.
simétrico, -a [si'metriko, a] *adj* symétrique.
simiente [si'mjente] *nf* graine *f*.
similar [simi'lar] *adj* similaire.
similitud [simili'tuð] *nf* similitude *f*.
simio ['simjo] *nm* singe *m*.
simpatía [simpa'tia] *nf* sympathie *f*; **tener** ~ **a** avoir de la sympathie pour.
simpático, -a [sim'patiko, a] *adj* (*persona*) sympathique; (*animal*) gentil(le); **caer** ~ **a algn** être sympathique à qn.
simpatizar [simpati'θar] *vi*: ~ **con** sympathiser avec.
simple ['simple] *adj* simple ♦ *nm/f* (*pey*) simplet(te).
simpleza [sim'pleθa] *nf* simplicité *f* d'esprit; (*tontería*) bêtise *f*.
simplicidad [simpliθi'ðað] *nf* simplicité *f*.
simplificar [simplifi'kar] *vt* simplifier.
simplista [sim'plista] *adj* simpliste.
simplón, -ona [sim'plon, ona] *adj* simplet(te) ♦ *nm/f* nigaud(e).
simposio [sim'posjo] *nm* symposium *m*.
simulacro [simu'lakro] *nm* simulacre *m*.
simular [simu'lar] *vt* simuler.
simultanear [simultane'ar] *vt*: ~ **dos cosas** faire deux choses en même temps.
simultáneo, -a [simul'taneo, a] *adj* simultané(e).
sin [sin] *prep* sans ♦ *conj*: ~ **que** *+subjun* sans que *+subjun*; ~ **hogar** sans domicile; ~ **decir nada** sans rien dire; ~ **verlo yo** sans que je le voie; **platos** ~ **lavar** assiettes *fpl* pas lavées; **la ropa está** ~ **lavar** le linge n'est pas lavé; **quedarse** ~ **algo** ne plus avoir de qch; ~ **que lo sepa él** sans qu'il le sache; ~ **embargo** cependant; **no** ~ **antes** non sans.
sinagoga [sina'ɣoɣa] *nf* synagogue *f*.
sinceridad [sinθeri'ðað] *nf* sincérité *f*.
sincero, -a [sin'θero, a] *adj* sincère.
síncope ['sinkope] *nm* syncope *f*.
sincronizar [sinkroni'θar] *vt* synchroniser.
sindical [sindi'kal] *adj* syndical(e); **central** ~ centrale *f* syndicale.
sindicalista [sindika'lista] *adj, nm/f* syndicaliste *m/f*.
sindicato [sindi'kato] *nm* syndicat *m*.
síndrome ['sindrome] *nm* syndrome *m*; **síndrome de abstinencia** symptômes *mpl* de la privation.
sinfín [sin'fin] *nm*: **un** ~ **de** une infinité de.
sinfonía [sinfo'nia] *nf* symphonie *f*.
sinfónico, -a [sim'foniko] *adj* symphonique.
Singapur [singa'pur] *nm* Singapour *f*.
singular [singu'lar] *adj* singulier(-ière) ♦ *nm* (*LING*) singulier *m*; **en** ~ au singulier.
singularidad [singulari'ðað] *nf* singularité *f*.
singularizar [singulari'θar] *vt* singulariser; **singularizarse** *vpr* se singulariser.
siniestro, -a [si'njestro, a] *adj* sinistre; (*izquierdo*) gauche ♦ *nm* sinistre *m*; (*en carretera*) accident *m*.
sinnúmero [sin'numero] *nm* = **sinfín**.
sino ['sino] *nm* destin *m* ♦ *conj* sinon; **no son 8** ~ **9** il n'y en a pas 8 mais 9; **no sólo es lista** ~ **guapa** non seulement elle est intelligente mais en plus elle est belle.
sinónimo, -a [si'nonimo, a] *adj, nm* synonyme *m*.
sinopsis [si'nopsis] *nf* synopsis *m o f*.
sinsabor [sinsa'βor] *nm* désagrément *m*.
sintaxis [sin'taksis] *nf* syntaxe *f*.
síntesis ['sintesis] *nf inv* synthèse *f*.
sintético, -a [sin'tetiko, a] *adj* (*material*) synthétique; (*producto*) de synthèse.
sintetizador [sintetiθa'ðor] *nm* synthétiseur *m*.
sintetizar [sinteti'θar] *vt* synthétiser.
sintiendo *etc* [sin'tjendo] *vb V* **sentir**.
síntoma ['sintoma] *nm* symptôme *m*.
sintomático, -a [sinto'matiko, a] *adj* symptomatique.
sintonía [sinto'nia] *nf* (*RADIO*) réglage *m*; (*melodía*) indicatif *m* (musical); **estar en** ~ **con algn/algo** être sur la même longueur d'onde que qn/être au fait de qch.
sintonizador [sintoniθa'ðor] *nm* (*RADIO*) tuner *m*, syntoniseur *m*.
sintonizar [sintoni'θar] *vt* (*RADIO*) régler ♦ *vi*: ~ **con** régler sur; (*fig*) coïncider avec.
sinuoso, -a [si'nwoso, a] *adj* sinueux(-euse).
sinvergüenza [simber'ɣwenθa] *adj, nm/f* canaille *f*; (*descarado*) effronté(e).
siqui... [siki] *pref* = **psiqui...** .
siquiera [si'kjera] *conj* même si ♦ *adv* au moins; **ni** ~ pas même; ~ **bebe algo** bois au moins qch.
sirena [si'rena] *nf* sirène *f*.
Siria ['sirja] *nf* Syrie *f*.
sirio, -a ['sirjo, a] *adj* syrien(ne) ♦ *nm/f* Syrien(ne).
sirviendo *etc* [sir'βjendo] *vb V* **servir**.
sirviente, -a [sir'βjente, a] *nm/f* domes-

tique *m/f*.
sisa ['sisa] *nf* (*COSTURA*) emmanchure *f*; (*robo*) vol *m* à l'étalage.
sisar [si'sar] *vt* voler.
sisear [sise'ar] *vi* dire "chut".
sísmico, -a ['sismiko, a] *adj* sismique.
sistema [sis'tema] *nm* système *m*; **el ~** (*POL*) le système; **por ~** systématiquement; **sistema binario** (*INFORM*) système binaire; **sistema de alerta inmediata** système d'alarme; **sistema de facturación** (*COM*) système de facturation; **sistema de fondo fijo** (*COM*) *système de gestion de la petite caisse par avance de fonds*; **sistema de lógica compartida** (*INFORM*) système de logique commune; **sistema educativo** système éducatif; **sistema experto** (*INFORM*) système expert; **sistema impositivo** *o* **tributario** système d'imposition; **sistema métrico** système métrique; **sistema nervioso** système nerveux; **sistema operativo** (*INFORM*) système d'exploitation; **sistema solar** système solaire.
sistemático, -a [siste'matiko, a] *adj* systématique.
sitiar [si'tjar] *vt* assiéger.
sitio ['sitjo] *nm* endroit *m*, site *m*; (*espacio*) place *f*; (*MIL*) siège *m*; **en cualquier ~** n'importe où; **¿hay ~?** il y a de la place?; **hay ~ de sobra** il y a de la place en trop; **guardar el ~ a algn** garder la place à qn.
situación [sitwa'θjon] *nf* situation *f*.
situar [si'twar] *vt* situer; (*socioeconómicamente*) placer; **situarse** *vpr* se situer; (*socioeconómicamente*) réussir (dans la vie).
slip [es'lip] (*pl* **~s**) *nm* slip *m*.
slogan [es'loɣan] *nm* = **eslogan**.
SME *sigla m* (= *Sistema Monetario Europeo*) SME *m* (= *Système monétaire européen*).
smoking [(e)'smokin] (*pl* **~s**) *nm* smoking *m*.
s/n *abr* = *sin número*.
snob [es'nob] *nm* = **esnob**.
so [so] *excl* (*a animal*) ho! ♦ *prep* sous; **¡~ burro!** espèce d'idiot!
sobaco [so'βako] *nm* aisselle *f*.
sobado, -a [so'βaðo, a] *adj* (*ropa*) élimé(e); (*libro*) vieux(vieille).
sobar [so'βar] *vt* tripoter.
soberanía [soβera'nia] *nf* souveraineté *f*.
soberano, -a [soβe'rano, a] *adj* souverain(e); (*paliza*) magistral(e) ♦ *nm/f* souverain(e); **los ~s** *nmpl* (*rey y reina*) le couple royal.
soberbia [so'βerβja] *nf* superbe *f*, orgueil *m*.
soberbio, -a [so'βerβjo, a] *adj* (*persona*) orgueilleux(-euse); (*palacio, ejemplar*) superbe.
sobornar [soβor'nar] *vt* acheter, soudoyer.
soborno [so'βorno] *nm* (*un soborno*) pot-de-vin *m*; (*el soborno*) corruption *f*.
sobra ['soβra] *nf* excès *msg*; **~s** *nfpl* (*restos*) restes *mpl*; **de ~** en trop; **lo sé de ~** je ne le sais que trop bien; **tengo de ~** j'en ai plus qu'assez.
sobrado, -a [so'βraðo, a] *adj* largement suffisant(e); **sobradas veces** à plusieurs reprises; **estar ~ de dinero/tiempo** disposer de beaucoup d'argent/de temps.
sobrante [so'βrante] *adj* restant(e) ♦ *nm* restant *m*.
sobrar [so'βrar] *vi* (*quedar*) rester; (*estar de más: persona*) être de trop; **sobra una silla** il y a une chaise en trop; **me sobran tres entradas** j'ai trois entrées en trop.
sobrasada [soβra'saða] *nf sorte de chorizo*.
sobre ['soβre] *prep* sur; (*por encima de*) au-dessus de; (*aproximadamente*) environ ♦ *nm* enveloppe *f*; **~ todo** surtout; **3 ~ 100** 3 sur cent; **se lanzó ~ él** il s'est jeté sur lui.
sobrecarga [soβre'karɣa] *nf* surcharge *f*; (*ELEC*) surtension *f*.
sobrecoger [soβreko'xer] *vt* (*sobresaltar*) faire sursauter; (*asustar*) faire peur (à); **sobrecogerse** *vpr* sursauter; (*quedar impresionado*): **~se (de)** être saisi(e) (par).
sobredosis [soβre'ðosis] *nf inv* overdose *f*.
sobreentender [soβreenten'der] *vt* sous-entendre; **sobreentenderse** *vpr*: **se sobreentiende (que)** il est sous-entendu (que).
sobrehumano, -a [soβreu'mano, a] *adj* surhumain(e).
sobrellevar [soβreʎe'βar] *vt* supporter.
sobremanera [soβrema'nera] *adv* tout spécialement.
sobremesa [soβre'mesa] *nf*: **de ~** (*ordenador*) de bureau; (*programación*) de l'après-midi; **en la ~** après manger.
sobrenatural [soβrenatu'ral] *adj* surnaturel(le).
sobrepasar [soβrepa'sar] *vt* dépasser.
sobreponer [soβrepo'ner] *vt* superposer; (*anteponer*) faire passer avant; **sobreponerse** *vpr*: **~se a algo** surmonter qch.
sobresaldré *etc* [soβresal'dre], **sobresalga** *etc* [soβre'salɣa] *vb V* **sobresalir**.
sobresaliente [soβresa'ljente] *adj* extraordinaire ♦ *nm* (*ESCOL*) ≈ mention *f* "très bien".
sobresalir [soβresa'lir] *vi* (*punta*) saillir; (*cabeza*) dépasser; (*fig*) se distinguer.

sobresaltar [soβresal'tar] *vt* faire sursauter; **sobresaltarse** *vpr* sursauter.
sobresalto [soβre'salto] *nm* sursaut *m*.
sobrevenir [soβreβe'nir] *vi* survenir.
sobreviene *etc* [soβre'βjene], **sobrevine** *etc* [soβre'βine] *vb V* **sobrevenir**.
sobrevivir [soβreβi'βir] *vi* survivre; ~ **a algn** survivre à qn.
sobrevolar [soβreβo'lar] *vt* survoler.
sobriedad [soβrje'ðað] *nf* sobriété *f*.
sobrino, -a [so'βrino, a] *nm/f* neveu(nièce).
sobrio, -a ['soβrjo, a] *adj* sobre.
socarrón, -ona [soka'rron, ona] *adj* narquois(e).
socavar [soka'βar] *vt* saper.
socavón [soka'βon] *nm* (*en calle*) trou *m*; (*excavado: en monte*) galerie *f*.
sociable [so'θjaβle] *adj* sociable.
social [so'θjal] *adj* social(e).
socialdemócrata [soθjalde'mokrata] *adj, nm/f* social-démocrate *m/f*.
socialista [soθja'lista] *adj, nm/f* socialiste *m/f*.
sociedad [soθje'ðað] *nf* société *f*; **en ~** en société; **sociedad anónima** société anonyme; **sociedad comanditaria** (*COM*) société en commandite; **sociedad conjunta** (*COM*) société en participation; **sociedad de cartera** société d'investissements; **sociedad de consumo** société de consommation; **sociedad inmobiliaria** société immobilière; **sociedad (de responsabilidad) limitada** (*COM*) société à responsabilité limitée.
socio, -a ['soθjo, a] *nm/f* membre *m*; (*COM*) associé(e); **socio activo** membre actif; **socio capitalista** *o* **comanditario** commanditaire *m*.
socioeconómico, -a [soθjoeko'nomiko, a] *adj* socioéconomique.
sociología [soθjolo'xia] *nf* sociologie *f*.
socorrer [soko'rrer] *vt* secourir.
socorrido, -a [soko'rriðo, a] *adj* pratique.
socorrismo [soko'rrismo] *nf* secourisme *m*.
socorrista [soko'rrista] *nm/f* secouriste *m/f*.
socorro [so'korro] *nm* secours *msg*; (*MIL*) secours *mpl*; **¡~!** au secours!; **puesto de ~** poste *m* de secours.
soda ['soða] *nf* soda *m*.
sódico, -a ['soðiko, a] *adj* de soude.
soez [so'eθ] *adj* grossier(-ière).
sofá [so'fa] *nm* canapé *m*.
sofá-cama [so'fakama] *nm* canapé-lit *m*.
sofisticación [sofistika'θjon] *nf* sophistication *f*.
sofisticado, -a [sofisti'kaðo, a] *adj* sophistiqué(e).
sofocante [sofo'kante] *adj* (*calor*) suffocant(e).
sofocar [sofo'kar] *vt* suffoquer, étouffer; (*incendio, rebelión*) étouffer; **sofocarse** *vpr* étouffer; (*fig*) suffoquer.
sofoco [so'foko] *nm* suffocation *f*; (*vergüenza*) embarras *msg*; **~s** (*MED*) bouffées *fpl* de chaleur.
sofreír [sofre'ir] *vt* faire rissoler.
sofría *etc* [so'fria], **sofriendo** *etc* [so'frjendo] *vb V* **sofreír**.
sofrito [so'frito] *vb V* **sofreír** ♦ *nm sorte de sauce tomate aux oignons*.
soga ['soɣa] *nf* cordage *m*.
sois [sois] *vb V* **ser**.
soja ['soxa] *nf* soja *m*.
sojuzgar [soxuθ'ɣar] *vt* soumettre, faire ployer.
sol [sol] *nm* soleil *m*; (*moneda, MÚS*) sol *m inv*; **hace ~** il fait soleil; **tomar el ~** prendre le soleil; **sol naciente/poniente** soleil levant/couchant.
solapa [so'lapa] *nf* (*de chaqueta*) revers *msg*; (*de libro*) rabat *m*.
solapado, -a [sola'paðo, a] *adj* dissimulé(e).
solar [so'lar] *adj* solaire ♦ *nm* terrain *m* vague.
solaz [so'laθ] *nm* distraction *f*.
solazarse [sola'θarse] *vpr* se distraire.
soldado [sol'daðo] *nm* soldat *m*; **soldado raso** simple soldat.
soldador, a [solda'ðor, a] *nm/f* soudeur(-euse) ♦ *nm* machine *f* à souder.
soldar [sol'dar] *vt* souder; **soldarse** *vt* (*huesos*) se souder.
soleado, -a [sole'aðo, a] *adj* ensoleillé(e).
soledad [sole'ðað] *nf* solitude *f*.
solemne [so'lemne] *adj* solennel(le); (*tontería*) magistral(e).
solemnidad [solemni'ðað] *nf* solennité *f*.
soler [so'ler] *vi*: **~ hacer algo** avoir l'habitude de faire qch; **suele salir a las ocho** d'ordinaire, il sort à 8 heures; **solíamos ir todos los años** nous y allions tous les ans.
solera [so'lera] *nf* tradition *f*; **vino de ~** grand cru *m*.
solfeo [sol'feo] *nm* (*MÚS*) solfège *m*.
solicitar [soliθi'tar] *vt* solliciter.
solícito, -a [so'liθito, a] *adj* plein(e) d'attentions.
solicitud [soliθi'tuð] *nf* sollicitation *f*.
solidaridad [soliðari'ðað] *nf* solidarité *f*; **por ~ con** par solidarité avec.
solidario, -a [soli'ðarjo, a] *adj* solidaire;

hacerse ~ de être solidaire de.

solidarizarse [soliðari'θarse] *vpr*: **~ con algn** se solidariser avec qn.

sólido, -a ['soliðo, a] *adj* solide; (*color*) grand teint *inv* ♦ *nm* solide *m*.

solista [so'lista] *nm/f* soliste *m/f*.

solitaria [soli'tarja] *nf* ver *m* solitaire; *V tb* **solitario.**

solitario, -a [soli'tarjo, a] *adj, nm/f* solitaire *m/f* ♦ *nm* (*NAIPES*) réussite *f*; **hacer algo en ~** faire qch en solitaire.

soliviantar [soliβjan'tar] *vt* soulever; (*exasperar*) exaspérer.

sollozar [soʎo'θar] *vi* sangloter.

sollozo [so'ʎoθo] *nm* sanglot *m*.

solo, -a ['solo, a] *adj* (*único*) seul(e) (et unique); (*sin compañía*) seul(e); (*café*) noir(e); (*whisky etc*) sec(sèche) ♦ *nm* (*MÚS*) solo *m*; **hay una sola dificultad** il y a une seule difficulté; **a solas** tout(e) seul(e); (*dos personas*) seul à seul.

sólo ['solo] *adv* seulement; **no ~ ... sino** non seulement ... mais encore; **tan ~** simplement; **~ que ...** seulement, ...; **~ lo sabe él** il n'y a que lui qui le sache.

solomillo [solo'miʎo] *nm* aloyau *m*.

solsticio [sols'tiθjo] *nm* solstice *m*.

soltar [sol'tar] *vt* lâcher; (*preso*) relâcher; (*pelo*) détacher; (*nudo*) défaire; (*amarras*) larguer; (*estornudo, carcajada*) laisser échapper; (*taco*) lancer; (*bofetada*) donner; **soltarse** *vpr* se détacher; (*desprenderse*) se distinguer; (*adquirir destreza*) se débrouiller; (*relajarse*) se relâcher; **¡suéltame!** lâche-moi!

soltero, -a [sol'tero, a] *adj, nm/f* célibataire *m/f*.

solterón, -ona [solte'ron, ona] *nm/f* vieux garçon(vieille fille).

soltura [sol'tura] *nf* (*al hablar, escribir*) facilité *f*; (*agilidad*) adresse *f*.

soluble [so'luβle] *adj* soluble; **~ en agua** soluble dans l'eau.

solución [solu'θjon] *nf* solution *f*; **sin ~ de continuidad** sans solution de continuité.

solucionar [soluθjo'nar] *vt* résoudre.

solvencia [sol'βenθja] *nf* (*COM*) solvabilité *f*; (*profesional*) responsabilité *f*.

solventar [solβen'tar] *vt* (*deudas*) régler; (*conflicto*) résoudre.

solvente [sol'βente] *adj* (*COM*) solvable; (*fuentes*) sûr(e); (*profesional*) responsable.

sombra ['sombra] *nf* ombre *f*; **~s** *nfpl* (*oscuridad*) ombre; **sin ~ de duda** sans l'ombre d'un doute; **tener buena/mala ~** (*suerte*) avoir de la/pas de chance; (*carácter*) être agréable/désagréable; **sombras chinescas** ombres chinoises; **sombra de ojos** ombre à paupières.

sombrero [som'brero] *nm* chapeau *m*; **sombrero de copa** *o* **de pelo** (*AM*) haut-de-forme *m*; **sombrero hongo** chapeau melon.

sombrilla [som'briʎa] *nf* ombrelle *f*.

sombrío, -a [som'brio, a] *adj* sombre.

somero, -a [so'mero, a] *adj* sommaire.

someter [some'ter] *vt* soumettre; (*alumnos, familia*) faire obéir; **someterse** *vpr* se soumettre; **~ algo/a algn a** soumettre qch/qn à; **~se a** (*mayoría, opinión*) se soumettre à; (*tratamiento*) subir.

sometimiento [someti'mjento] *nm* soumission *f*.

somier [so'mjer] (*pl* **~s**) *nm* sommier *m*.

somnífero [som'nifero] *nm* somnifère *m*.

somnolencia [somno'lenθja] *nf* somnolence *f*.

somos ['somos] *vb V* **ser**.

son [son] *vb V* **ser** ♦ *nm* son *m*; **al ~ de** au son de; **en ~ de paz** en signe de paix.

sonado, -a [so'naðo, a] *adj* (*comentado*) rebattu(e).

sonajero [sona'xero] *nm* hochet *m*.

sonámbulo, -a [so'nambulo, a] *nm/f* somnambule *m/f*.

sonar [so'nar] *vt* sonner ♦ *vi* sonner; (*música, voz*) retentir; (*LING*) être prononcé(e); (*resultar conocido*) dire qch; (*máquina*) faire du bruit; **sonarse** *vpr*: **~se (la nariz)** renifler; **suena a hueco/falso** sonner creux/faux; **es un nombre que suena** c'est un nom qui sonne bien; **me suena ese nombre/esa cara** ce nom/ce visage me dit quelque chose.

sonda ['sonda] *nf* sonde *f*.

sondear [sonde'ar] *vt* sonder; (*MED*) examiner à la sonde.

sondeo [son'deo] *nm* sondage *m*; (*MED*) examen *m* à la sonde; **~ de la opinión pública** sondage de l'opinion publique.

sonido [so'niðo] *nm* son *m*.

sonorizar [sonori'θar] *vt* sonoriser.

sonoro, -a [so'noro, a] *adj* sonore; **banda sonora** bande *f* son.

sonreír [sonre'ir] *vi* sourire; **sonreírse** *vpr* sourire; **~ a algn** sourire à qn.

sonría *etc* [son'ria], **sonriendo** *etc* [son'rjendo] *vb V* **sonreír**.

sonriente [son'rjente] *adj* souriant(e).

sonrisa [son'risa] *nf* sourire *m*.

sonrojar [sonro'xar] *vt*: **~ a algn** faire rougir qn; **sonrojarse** *vpr* rougir.

sonrojo [son'roxo] *nm* honte *f*.

sonsacar [sonsa'kar] *vt* soutirer.

soñar [so'ɲar] *vt, vi* rêver; **~ con algn/algo** rêver de qn/qch; **~ despierto** rêver tout éveillé.

soñoliento, -a [soɲo'ljento, a] *adj* somnolent(e).
sopa ['sopa] *nf* soupe *f*; **hasta en la ~** (*fam*) partout.
sopero, -a [so'pero, a] *adj* (*plato, cuchara*) à soupe ♦ *nm* assiette *f* à soupe ♦ *nf* soupière *f*.
sopesar [sope'sar] *vt* peser.
sopetón [sope'ton] *nm*: **de ~** tout à coup; (*decir*) de but en blanc.
soplar [so'plar] *vt* souffler; (*fam: delatar*) vendre ♦ *vi* souffler; (*fam: delatar*) moucharder; (: *beber*) descendre.
soplo ['soplo] *nm* souffle *m*; (*fam*) mouchardage *m*.
soplón, -ona [so'plon, ona] (*fam*) *nm/f* (*chismoso*) rapporteur(-euse); (*de policía*) mouchard(e).
soponcio [so'ponθjo] (*fam*) *nm* évanouissement *m*.
sopor [so'por] *nm* somnolence *f*.
soporífero, -a [sopo'rifero, a] *adj* soporifique.
soportal [sopor'tal] *nm* porche *m*; **~es** *nmpl* (*alrededor de plaza*) arcades *fpl*.
soportar [sopor'tar] *vt* supporter.
soporte [so'porte] *nm* support *m*; (*fig*) soutien *m*; **soporte de entrada/de salida** support d'entrée/de sortie.
soprano [so'prano] *nm/f* soprano *m/f*.
sor [sor] *nf*: **S~ María** Sœur *f* Marie.
sorber [sor'βer] *vt* (*sopa*) avaler; (*refresco*) siroter; (*absorber*) absorber.
sorbete [sor'βete] *nm* sorbet *m*.
sorbo ['sorβo] *nm* gorgée *f*; **beber a ~s** boire à petites gorgées.
sordera [sor'ðera] *nf* surdité *f*.
sórdido, -a ['sorðiðo, a] *adj* sordide.
sordo, -a ['sorðo, a] *adj, nm/f* sourd(e); **quedarse ~** devenir sourd(e).
sordomudo, -a [sorðo'muðo, a] *adj, nm/f* sourd-muet(sourde-muette).
sorna ['sorna] *nf* ton *m* sarcastique.
soroche [so'rotʃe] (*AM*) *nm* mal *m* des montagnes.
sorprendente [sorpren'dente] *adj* surprenant(e).
sorprender [sorpren'der] *vt* surprendre; **sorprenderse** *vpr*: **~se (de)** être surpris(e) (de); **le sorprendieron robando** ils l'ont surpris en train de voler.
sorpresa [sor'presa] *nf* surprise *f*; **por ~** par surprise.
sortear [sorte'ar] *vt* tirer (au sort); (*MIL*) affecter; (*dificultad*) déjouer.
sorteo [sor'teo] *nm* tirage *m* (au sort).
sortija [sor'tixa] *nf* bague *f*; (*rizo*) boucle *f*.
sortilegio [sorti'lexjo] *nm* (*hechicería*) sorcellerie *f*; (*hechizo*) sortilège *m*.
sosa ['sosa] *nf* soude *f*.
sosegado, -a [sose'ɣaðo, a] *adj* paisible.
sosegar [sose'ɣar] *vt* apaiser; **sosegarse** *vpr* s'apaiser.
sosiego [so'sjeɣo] *vb V* **sosegar** ♦ *nm* calme *m*.
soslayar [sosla'jar] *vt* contourner.
soslayo [sos'lajo]: **de ~** *adv* (*mirar*) de côté; (*pasar*) sans s'arrêter.
soso, -a ['soso, a] *adj* insipide.
sospecha [sos'petʃa] *nf* soupçon *m*.
sospechar [sospe'tʃar] *vt*: **~ (que)** soupçonner (que) ♦ *vi*: **~ de algn** soupçonner qn.
sospechoso, -a [sospe'tʃoso, a] *adj, nm/f* suspect(e).
sostén [sos'ten] *nm* soutien *m*; (*sujetador*) soutien-gorge *m*.
sostener [soste'ner] *vt* soutenir; (*alimentar*) faire vivre; **sostenerse** *vpr* (*en pie*) rester; (*económicamente*) survivre; (*seguir*) se maintenir.
sostenido, -a [soste'niðo, a] *adj* soutenu(e); (*MÚS*) dièse ♦ *nm* (*MÚS*) dièse *m*.
sostuve *etc* [sos'tuβe] *vb V* **sostener**.
sota ['sota] *nf* (*NAIPES*) ≈ valet *m*.
sotana [so'tana] *nf* soutane *f*.
sótano ['sotano] *nm* sous-sol *m*.
soterrado, -a [sote'rraðo, a] *adj* (*miedo, rencor*) sourd(e); (*influencia*) caché(e).
soviético, -a [so'βjetiko, a] *adj* soviétique ♦ *nm/f* Soviétique *m/f*.
soy [soi] *vb V* **ser**.
soya ['soja] (*AM*) *nf* soja *m*.
sport [es'por(t)]: **de ~** *adj* de sport.
spot [es'pot] (*pl* **~s**) *nm* spot *m*.
squash [es'kwas] *nm* squash *m*.
Sr. *abr* (= *Señor*) M. (= *Monsieur*).
Sra. *abr* (= *Señora*) Mme (= *Madame*).
S.R.C. *abr* (= *se ruega contestación*) RSVP (= *répondez s'il vous plaît*).
Sres. *abr* (= *Señores*) MM (= *Messieurs*).
Srta. *abr* (= *Señorita*) Mlle (= *Mademoiselle*).
Sta. *abr* (= *Santa*) Ste (= *Sainte*).
stand [es'tan] *nm* (*COM*) stand *m*.
stárter [es'tarter] *nm* (*AUTO*) starter *m*.
status ['status, es'tatus] *nm inv* statut *m*.
Sto. *abr* (= *Santo*) St (= *Saint*).
stop [es'top] *nm* (*AUTO*) stop *m*.
su [su] *adj* (*de él, ella, una cosa*) son(sa); (*de ellos, ellas*) leur; (*de usted, ustedes*) votre; **sus** (*de él, ella, una cosa*) ses; (*de ellos, ellas*) leurs; (*de usted, ustedes*) vos.
suave ['swaβe] *adj* doux(douce).
suavidad [swaβi'ðað] *nf* douceur *f*.
suavizante [swaβi'θante] *nm* (*de ropa*) adoucissant *m*; (*de pelo*) baume *m*.

suavizar [swaβi'θar] *vt* adoucir; (*pendiente*) rendre plus doux(douce); **suavizarse** *vpr* s'adoucir.
subalterno, -a [suβal'terno, a] *adj, nm/f* subalterne *m/f*.
subarrendar [suβarren'dar] *vt* sous-louer.
subasta [su'βasta] *nf* vente *f* aux enchères; (*de obras, servicios*) appel *m* d'offre; **poner en** *o* **sacar a pública ~** mettre aux enchères; **subasta a la baja** enchères *fpl* au rabais.
subastar [suβas'tar] *vt* vendre aux enchères.
subcampeón, -ona [suβkampe'on, ona] *nm/f* second(e).
subconsciente [suβkons'θjente] *adj* subconscient(e) ♦ *nm* subconscient *m*.
subcontratar [suβkontra'tar] *vt* sous-traiter.
subdesarrollado, -a [suβðesarro'ʎaðo, a] *adj* sous-développé(e).
subdirector, a [suβðirek'tor, a] *nm/f* sous-directeur(-trice).
súbdito, -a ['suβðito, a] *nm/f* sujet *m*.
subdividir [suβðiβi'ðir] *vt* subdiviser.
subestimar [suβesti'mar] *vt* sous-estimer.
subida [su'βiða] *nf* montée *f*.
subir [su'βir] *vt* (*mueble, niño*) soulever; (*cabeza*) lever; (*volumen*) augmenter; (*calle*) remonter; (*montaña, escalera*) monter, gravir; (*precio*) augmenter; (*producto*) augmenter le prix de; (*empleado*) faire monter en grade ♦ *vi* monter; (*precio, temperatura, calidad*) augmenter; (*en el empleo*) monter en grade; **subirse** *vpr*: **~se a** monter dans; **~se los pantalones/la falda** remonter son pantalon/sa jupe.
súbito, -a ['suβito, a] *adj* subit(e), soudain(e).
subjetivo, -a [suβxe'tiβo, a] *adj* subjectif(-ive).
subjuntivo [suβxun'tiβo] *nm* subjonctif *m*.
sublevación [suβleβa'θjon] *nf* soulèvement *m*.
sublevar [suβle'βar] *vt* soulever; (*indignar*) répugner à; **sublevarse** *vpr* se soulever.
sublimar [suβli'mar] *vt* encenser; (*deseos*) sublimer.
sublime [su'βlime] *adj* sublime.
subliminal [suβlimi'nal] *adj* subliminal(e).
submarinista [suβmari'nista] *nm/f* plongeur(-euse) sous-marin(e).
submarino, -a [suβma'rino, a] *adj* sous-marin(e) ♦ *nm* sous-marin *m*.
subnormal [suβnor'mal] *adj* anormal(e) ♦ *nm/f* handicapé(e) mental(e); (*fam: insulto*) débile *m/f* mental(e).
suboficial [suβofi'θjal] *nm* sous-officier *m*.
subordinado, -a [suβorði'naðo, a] *adj, nm/f* subordonné(e).
subordinar [suβorði'nar] *vt*: **~ algo a algo** subordonner qch à qch; **subordinarse** *vpr*: **~se a** être subordonné(e) à.
subrayar [suβra'jar] *vt* souligner.
subsanar [suβsa'nar] *vt* pallier.
subsecretario, -a [suβsekre'tarjo, a] *nm/f* sous-secrétaire *m/f*.
subsidiario, -a [suβsi'ðjarjo, a] *adj* subsidiaire.
subsidio [suβ'siðjo] *nm* (*de enfermedad, paro, etc*) allocation *f*.
subsistencia [suβsis'tenθja] *nf* subsistance *f*.
subsistir [suβsis'tir] *vi* subsister.
subst... [suβst] *pref* = **sust...** .
subsuelo [suβ'swelo] *nm* sous-sol *m*.
subte (*CSUR*) *nm abr* = **subterráneo**.
subterfugio [suβter'fuxjo] *nm* subterfuge *m*.
subterráneo, -a [suβte'rraneo, a] *adj* souterrain(e) ♦ *nm* souterrain *m*; (*CSUR: metro*) métro *m*.
subtítulo [suβ'titulo] *nm* sous-titre *m*.
suburbano, -a [suβur'βano, a] *adj* de banlieue ♦ *nm* train *m* de banlieue.
suburbio [su'βurβjo] *nm* banlieue *f*.
subvención [suββen'θjon] *nf* subvention *f*; **subvención estatal** subvention de l'Etat; **subvención para la inversión** prime *f* à l'investissement.
subvencionar [suββenθjo'nar] *vt* subventionner.
subversivo, -a [suββer'siβo, a] *adj* subversif(-ive).
subyugar [suβju'ɣar] *vt* opprimer; (*fig*) subjuguer.
succión [suk'θjon] *nf* succion *f*.
succionar [sukθjo'nar] *vt* (*sorber*) sucer; (*TEC*) absorber.
sucedáneo [suθe'ðaneo] *nm* ersatz *m*.
suceder [suθe'ðer] *vi* se passer; **~ a** succéder à; **lo que sucede es que ...** ce qui se passe, c'est que ...; **~ al rey** succéder au roi.
sucesión [suθe'sjon] *nf* succession *f*.
sucesivamente [suθe'siβamente] *adv*: **y así ~** et ainsi de suite.
sucesivo, -a [suθe'siβo, a] *adj* successif(-ive); **en lo ~** à l'avenir.
suceso [su'θeso] *nm* événement *m*; **sección de ~s** (*PRENSA*) faits *mpl* divers.
sucesor, a [suθe'sor, a] *nm/f* successeur *m*.

suciedad [suθje'ðað] *nf* saleté *f*.
sucio, -a ['suθjo, a] *adj* sale; (*estómago*) barbouillé(e); (*lengua*) blanc(blanche); (*negocio*) malhonnête; (*guerra*) déshonorant(e); **juego ~** tricherie *f*; **en ~** au brouillon.
suculento, -a [suku'lento, a] *adj* succulent(e).
sucumbir [sukum'bir] *vi* succomber; **~ a la tentación** succomber à la tentation.
sucursal [sukur'sal] *nf* succursale *f*.
Sudáfrica [su'ðafrika] *nf* Afrique *f* du Sud.
sudafricano, -a [suðafri'kano, a] *adj* sud-africain(e) ♦ *nm/f* Sud-Africain(e).
Sudamérica [suða'merika] *nf* Amérique *f* du Sud.
sudamericano, -a [suðameri'kano, a] *adj* sud-américain(e) ♦ *nm/f* Sud-Américain(e).
sudar [su'ðar] *vt* (*ropa*) tremper (de sueur); (*BOT*) exsuder ♦ *vi* suer.
sudeste [su'ðeste] *adj* sud-est *inv* ♦ *nm* sud-est *m*; (*viento*) vent *m* de sud-est.
sudoeste [suðo'este] *adj* sud-ouest *inv* ♦ *nm* sud-ouest *m*; (*viento*) vent *m* de sud-ouest.
sudor [su'ðor] *nm* sueur *f*.
sudoroso, -a [suðo'roso, a] *adj* en sueur.
Suecia ['sweθja] *nf* Suède *f*.
sueco, -a ['sweko, a] *adj* suédois(e) ♦ *nm/f* Suédois(e) ♦ *nm* (*LING*) suédois *msg*; **hacerse el ~** faire la sourde oreille.
suegro, -a ['sweɣro, a] *nm/f* beau-père(belle-mère); **los ~s** les beaux-parents *mpl*.
suela ['swela] *nf* semelle *f*.
sueldo ['sweldo] *vb V* **soldar** ♦ *nm* salaire *m*.
suelo ['swelo] *vb V* **soler** ♦ *nm* sol *m*; **caerse al ~** tomber par terre; **estar por los ~s** (*precios*) s'être effondré(e).
suelto, -a ['swelto, a] *vb V* **soltar** ♦ *adj* (*hojas*) volant(e); (*pelo, pieza*) détaché(e); (*preso*) libéré(e); (*por separado: ejemplar*) séparé(e); (*arroz*) qui ne colle pas; (*ropa*) ample; (*con diarrea*) qui a la colique ♦ *nm* monnaie *f*; **dinero ~** (petite) monnaie; **está muy ~ en inglés** il parle anglais couramment.
suene *etc* ['swene] *vb V* **sonar**.
sueño ['sweɲo] *vb V* **soñar** ♦ *nm* sommeil *m*; (*lo soñado, fig*) rêve *m*; **descabezar** *o* **echarse un ~** faire un somme; **tener ~** avoir sommeil; **sueño pesado** sommeil lourd; **sueño profundo** profond sommeil.
suero ['swero] *nm* (*MED*) sérum *m*; (*de leche*) petit-lait *m*.
suerte ['swerte] *nf* (*fortuna*) chance *f*; (*azar*) hasard *m*; (*destino*) destin *m*; (*condición*) condition *f*; (*género*) sorte *f*; **lo echaron a ~s** ils ont tiré au sort; **tener ~** avoir de la chance; **tener mala ~** ne pas avoir de chance; **de ~ que** de sorte que; **por ~** par chance.
suéter ['sweter] (*pl* **~s**) *nm* pull *m*.
suficiencia [sufi'θjenθja] *nf* aptitude *f*; (*pey*) suffisance *f*.
suficiente [sufi'θjente] *adj* suffisant(e) ♦ *nm* (*ESCOL*) moyenne *f*.
sufijo [su'fixo] *nm* suffixe *m*.
sufragar [sufra'ɣar] *vt* (*gastos*) supporter; (*proyecto*) financer.
sufragio [su'fraxjo] *nm* suffrage *m*.
sufrido, -a [su'friðo, a] *adj* (*persona*) résigné(e); (*tela, color*) peu salissant(e).
sufrimiento [sufri'mjento] *nm* souffrance *f*.
sufrir [su'frir] *vt* souffrir de; (*malos tratos, cambios*) subir; (*fam: soportar*) sentir ♦ *vi* souffrir; **~ de corazón/estómago** souffrir du cœur/de l'estomac; **hacer ~ a algn** faire souffrir qn.
sugerencia [suxe'renθja] *nf* suggestion *f*.
sugerir [suxe'rir] *vt* suggérer.
sugestión [suxes'tjon] *nf* suggestion *f*.
sugestionar [suxestjo'nar] *vt* influencer; **sugestionarse** *vpr* se faire des idées.
sugestivo, -a [suxes'tiβo, a] *adj* suggestif(-ive); (*idea*) séduisant(e).
sugiera *etc* [su'xjera], **sugiriendo** *etc* [suxi'rjendo] *vb V* **sugerir**.
suicida [sui'θiða] *adj* suicidaire ♦ *nm/f* (*que se mata*) suicidé(e); (*que arriesga su vida*) suicidaire *m/f*.
suicidarse [suiθi'ðarse] *vpr* se suicider.
suicidio [sui'θiðjo] *nm* suicide *m*.
Suiza ['swiθa] *nf* Suisse *f*.
suizo, -a ['swiθo, a] *adj* suisse ♦ *nm/f* Suisse *m/f* ♦ *nm* (*CULIN*) pain *m* au lait.
sujeción [suxe'θjon] *nf* assujettissement *m*.
sujetador [suxeta'ðor] *nm* soutien-gorge *m*.
sujetar [suxe'tar] *vt* attacher; (*someter*) avoir de l'autorité sur; **sujetarse** *vpr* s'attacher; (*someterse*) se soumettre.
sujeto, -a [su'xeto, a] *adj* attaché(e) ♦ *nm* sujet *m*; **~ a cambios** susceptible d'être modifié.
sulfato [sul'fato] *nm* sulfate *m*.
sulfurar [sulfu'rar] *vt* énerver; **sulfurarse** *vpr* s'énerver.
sulfuro [sul'furo] *nm* sulfure *m*.
suma ['suma] *nf* somme *f*; (*operación*) addition *f*; **en ~** en somme.
sumar [su'mar] *vt* additionner ♦ *vi* faire

une addition; **sumarse** *vpr*: **~se (a)** s'additionner (à); **suma y sigue** (*COM*) reporter.
sumario, -a [su'marjo, a] *adj* sommaire ♦ *nm* (*JUR*) mise *f* en accusation.
sumarísimo, -a [suma'risimo, a] *adj* (*juicio*) abrégé(e).
sumergible [sumer'xiβle] *adj* (*reloj*) étanche ♦ *nm* submersible *m*.
sumergido, -a [sumer'xiðo, a] *adj* (*economía*) souterrain(e).
sumergir [sumer'xir] *vt* submerger; **sumergirse** *vpr* plonger.
suministrar [suminis'trar] *vt* fournir.
suministro [sumi'nistro] *nm* approvisionnement *m*; **~s** *nmpl* (*provisiones*) provisions *fpl*.
sumir [su'mir] *vt* submerger; (*fig*) plonger; **sumirse** *vpr*: **~se en** se plonger dans.
sumisión [sumi'sjon] *nf* soumission *f*.
sumiso, -a [su'miso, a] *adj* soumis(e).
súmmum ['sumum] *nm inv* summum *m*.
sumo, -a ['sumo, a] *adj* (*cuidado*) extrême; (*grado*) supérieur(e); **a lo ~** au maximum.
suntuoso, -a [sun'twoso, a] *adj* somptueux(-euse).
supe *etc* ['supe] *vb V* **saber**.
supeditar [supeði'tar] *vt*: **~ algo a algo** faire passer qch avant qch; **supeditarse** *vpr*: **~se a** se plier à.
super ['super] (*fam*) *adv* hyper ♦ *adj inv* super-; **~ caro** hyper cher; **~ oferta** offre *f* exceptionnelle.
super... [super] *pref* super...; (*fam*: *+adjetivo*) hyper; (: *+adverbio*) super-.
súper ['super] *nf* (*tb*: **gasolina ~**) super *m* ♦ *nm* (*fam*) supermarché *m*.
superación [supera'θjon] *nf* surpassement *m*.
superar [supe'rar] *vt* surpasser; (*crisis, prueba*) surmonter; (*récord*) battre; **superarse** *vpr* se surpasser.
superávit [supe'raβit] (*pl* **~s**) *nm* (*ECON*) excédent *m*.
superchería [supertʃe'ria] *nf* (*falsa creencia*) mensonge *m*; (*engaño*) supercherie *f*.
superdotado, -a [superðo'taðo, a] *adj* surdoué(e).
superficial [superfi'θjal] *adj* superficiel(le).
superficie [super'fiθje] *nf* surface *f*; (*área*) superficie *f*.
superfluo, -a [su'perflwo, a] *adj* superflu(e).
superior [supe'rjor] *adj, nm/f* supérieur(e).
superioridad [superjori'ðað] *nf* supériorité *f*.
superlativo, -a [superla'tiβo, a] *adj* (*LING*) superlatif(-ive) ♦ *nm* superlatif *m*.
supermercado [supermer'kaðo] *nm* supermarché *m*.
superponer [superpo'ner] *vt* superposer; (*anteponer*) faire passer avant.
superpotencia [superpo'tenθja] *nf* superpuissance *f*.
supersónico, -a [super'soniko, a] *adj* supersonique.
superstición [supersti'θjon] *nf* superstition *f*.
supersticioso, -a [supersti'θjoso, a] *adj* superstitieux(-ieuse).
supervisar [superβi'sar] *vt* superviser.
supervisor, a [superβi'sor, a] *nm/f* surveillant(e).
supervivencia [superβi'βenθja] *nf* survie *f*.
superviviente [superβi'βjente] *adj, nm/f* survivant(e).
suplantar [suplan'tar] *vt* supplanter.
suplementario, -a [suplemen'tarjo, a] *adj* supplémentaire.
suplemento [suple'mento] *nm* supplément *m*.
suplente [su'plente] *adj* remplaçant(e) ♦ *nm/f* remplaçant(e); (*actor*) doublure *f*.
supletorio, -a [suple'torjo, a] *adj* supplémentaire ♦ *nm* (*tb*: **teléfono ~**) second poste *m*.
súplica ['suplika] *nf* supplication *f*; (*REL*) supplique *f*; (*JUR*) placet *m*.
suplicar [supli'kar] *vt* supplier; (*JUR*) faire appel (à).
suplicio [su'pliθjo] *nm* supplice *m*.
suplir [su'plir] *vt* suppléer; (*objeto*) remplacer.
supo *etc* ['supo] *vb V* **saber**.
supondré *etc* [supon'dre] *vb V* **suponer**.
suponer [supo'ner] *vt* supposer; **era de ~ que ...** il fallait s'attendre à ce que ...; **supone mucho para mí** cela représente beaucoup pour moi.
suponga *etc* [su'ponga] *vb V* **suponer**.
suposición [suposi'θjon] *nf* supposition *f*.
supositorio [suposi'torjo] *nm* suppositoire *m*.
supremacía [suprema'θia] *nf* suprématie *f*.
supremo, -a [su'premo, a] *adj* suprême.
supresión [supre'sjon] *nf* suppression *f*.
suprimir [supri'mir] *vt* supprimer.
supuesto, -a [su'pwesto, a] *pp de* **suponer** ♦ *adj* supposé(e) ♦ *nm* supposition *f*; **dar por ~ algo** penser que qch est évident; **¡por ~!** évidemment!
supurar [supu'rar] *vi* suppurer.
supuse *etc* [su'puse] *vb V* **suponer**.

sur [sur] *adj* sud ♦ *nm* Sud *m*; (*viento*) vent *m* du Sud.
Suráfrica *etc* [su'rafrika] *nf* = **Sudáfrica** *etc.*
surcar [sur'kar] *vt* sillonner.
surco ['surko] *nm* sillon *m*; (*en agua, piel*) ride *f*.
sureño, -a [su'reɲo, a] *adj* du Sud ♦ *nm/f* natif(-ive) *o* habitant(e) du Sud.
sureste [su'reste] = **sudeste**.
surf [surf] *nm* surf *m*.
surgir [sur'xir] *vi* surgir.
suroeste [suro'este] = **sudoeste**.
surque *etc* ['surke] *vb V* **surcar**.
surrealista [surrea'lista] *adj, nm/f* surréaliste *m/f*.
surtido, -a [sur'tiðo, a] *adj* (*galletas*) assorti(e); (*persona, tienda*) fourni(e) ♦ *nm* assortiment *m*.
surtidor [surti'ðor] *nm* jet *m* d'eau; **surtidor de gasolina** pompe *f* à essence.
surtir [sur'tir] *vt* fournir; (*efecto*) produire; **surtirse** *vpr*: **~se de** se fournir en.
susceptible [susθep'tiβle] *adj* susceptible; **~ a** sujet(te) à; **~ de** susceptible de.
suscitar [susθi'tar] *vt* susciter.
suscribir [suskri'βir] *vt* (*firmar*) souscrire; (*respaldar*) approuver; (*COM*: *acciones*) souscrire (à); **suscribirse** *vpr*: **~se (a)** souscrire (à); (*a periódico etc*) s'abonner (à); **~ a algn a una revista** abonner qn à une revue.
suscripción [suskrip'θjon] *nf* souscription *f*; (*a periódico etc*) abonnement *m*.
suscrito, -a [sus'krito, a] *pp de* **suscribir** ♦ *adj*: **estar ~ a** être abonné(e) à.
susodicho, -a [suso'ditʃo, a] *adj* susdit(e), susmentionné(e).
suspender [suspen'der] *vt* suspendre; (*ESCOL*) recaler ♦ *vi* (*ESCOL*) échouer, être recalé(e); **~ a algn de empleo y sueldo** relever qn de ses fonctions.
suspense [sus'pense] *nm* suspense *m*; **novela/película de ~** thriller *m*.
suspensión [suspen'sjon] *nf* suspension *f*; (*de empleo, garantías*) suppression *f*; **suspensión de pagos** suspension de paiements.
suspensivo, -a [suspen'siβo, a] *adj*: **puntos ~s** points *mpl* de suspension.
suspenso, -a [sus'penso, a] *adj* (*en el aire*) suspendu(e); (*desconcertado*) interloqué(e); (*ESCOL*: *asignatura*) pas passé(e); (: *alumno*) recalé(e) ♦ *nm* (*ESCOL*) échec *m*; **quedar** *o* **estar en ~** rester en suspens.
suspicacia [suspi'kaθja] *nf* suspicion *f*.
suspicaz [suspi'kaθ] *adj* suspicieux(-ieuse).
suspirar [suspi'rar] *vi* soupirer; **~ por algo/algn** avoir très envie de qch/se languir de qn.
suspiro [sus'piro] *nm* soupir *m*.
sustancia [sus'tanθja] *nf* substance *f*; **sin ~** sans substance; **sustancia gris** matière *f* grise.
sustancial [sustan'θjal] *adj* important(e).
sustancioso, -a [sustan'θjoso, a] *adj* substantiel(le).
sustantivo, -a [sustan'tiβo, a] *adj* (*LING*) substantif(-ive) ♦ *nm* substantif *m*.
sustentar [susten'tar] *vt* (*familia*) faire vivre; (*bóveda*) soutenir; (*idea, moral*) soutenir; (*esperanzas*) nourrir; **sustentarse** *vpr* vivre.
sustento [sus'tento] *nm* (*alimento*) aliment *m*; (*apoya moral*) soutien *m*.
sustitución [sustitu'θjon] *nf* substitution *f*; (*ESCOL*) remplacement *m*.
sustituir [sustitu'ir] *vt* substituer; (*temporalmente*) remplacer; **~ A por B** substituer B à A, remplacer A par B.
sustituto, -a [susti'tuto, a] *nm/f* remplaçant(e).
susto ['susto] *nm* peur *f*; **dar un ~ a algn** faire peur à qn; **darse** *o* **pegarse un ~** avoir peur.
sustraer [sustra'er] *vt* subtiliser; (*MAT*) soustraire; **sustraerse** *vpr*: **~se a** se soustraire à.
sustraiga *etc* [sus'traiɣa], **sustraje** *etc* [sus'traxe], **sustrajera** *etc* [sustra'xera] *vb V* **sustraer**.
sustrato [sus'trato] *nm* substrat *m*.
susurrar [susu'rrar] *vi* susurrer.
susurro [su'surro] *nm* susurrement *m*.
sutil [su'til] *adj* subtil(e); (*gasa, hilo*) fin(e); (*brisa*) léger(-ère).
sutileza [suti'leθa] *nf* subtilité *f*; **~s** *nfpl* (*pey*) manigances *fpl*.
sutura [su'tura] *nf* suture *f*.
suturar [sutu'rar] *vt* suturer.
suyo, -a ['sujo, a] *adj* (*después del verbo ser*: *de él, ella*) le sien(la sienne), à lui(à elle); (: *de ellos, ellas*) le(la) leur, à eux(à elles); (: *de usted, ustedes*) le(-la) vôtre, à vous; (*después de un nombre*: *de él, ella*) à lui(à elle); (: *de ellos, ellas*) à eux(à elles); (: *de usted, ustedes*) à vous ♦ *pron*: **el ~/la suya** (*de él, ella*) le sien(la sienne); (*de ellos, ellas*) le(la) leur; (*de usted, ustedes*) le(la) vôtre; **los ~s** les siens; **~ afectísimo** (*en carta*) bien affectueusement; **de ~** en soi; **eso es muy ~** c'est bien de lui; **hacer de las suyas** faire des siennes; **lo ~ sería de ...** le mieux serait de ...; **cada uno va a lo ~** chacun s'occupe de ses affaires; **salirse con la suya** avoir ce qu'on veut.

T, t

tabaco [ta'βako] *nm* tabac *m*; **tabaco de pipa** tabac pour la pipe; **tabaco negro/rubio** tabac brun/blond.
tabarra [ta'βarra] (*fam*) *nf* casse-pieds *m inv*; (*trabajo*) plaie *f*; **dar la ~** enquiquiner.
taberna [ta'βerna] *nf* taverne *f*.
tabique [ta'βike] *nm* cloison *f*; **tabique nasal** (*MED*) cloison nasale.
tabla ['taβla] *nf* (*de madera*) planche *f*; (*lista, catálogo*) table *f*, tableau *m*; (*MAT*) table; (*de falda*) pli *m*; (*ARTE*) panneau *m*; **~s** *nfpl* (*TEATRO*) planches *fpl*; **tener ~s** (*actor*) être un(une) comédien(ne) accompli(e); **quedar en/hacer ~s** faire match nul; **tabla de planchar** planche à repasser.
tablao [ta'βlao] *nm* (*tb:* **~ flamenco**) *bar où l'on donne des représentations de flamenco.*
tablero [ta'βlero] *nm* planche *f*; (*pizarra*) tableau *m*; (*de ajedrez, damas*) damier *m*; **tablero de anuncios** panneau *m* d'affichage; **tablero de mandos** (*AUTO, AVIAT*) tableau de bord.
tableta [ta'βleta] *nf* (*MED*) comprimé *m*; (*de chocolate*) tablette *f*.
tablón [ta'βlon] *nm* (*de suelo*) planche *f*; (*de techo*) poutre *f*; **tablón de anuncios** panneau *m* d'affichage.
tabú [ta'βu] *nm* tabou *m*.
taburete [taβu'rete] *nm* tabouret *m*.
tacaño, -a [ta'kaɲo, a] *adj* radin(e).
tacataca [taka'taka] *nm* trotteur *m*.
tacha ['tatʃa] *nf* défaut *m*; (*TEC*) clou *m* (à grosse tête), broquette *f*; **poner ~ a** trouver à redire à; **sin ~** sans défaut.
tachar [ta'tʃar] *vt* rayer; (*corregir*) raturer; **le tachan de irresponsable** ils l'accusent d'être irresponsable.
tachón [ta'tʃon] *nm* rature *f*; (*TEC*) clou *m* de tapissier.
tachuela [ta'tʃwela] *nf* punaise *f*.
tácito, -a ['taθito, a] *adj* tacite; (*LING*) implicite.
taciturno, -a [taθi'turno, a] *adj* taciturne, morose.
taco ['tako] *nm* (*tarugo*) cheville *f*, taquet *m*; (*libro de entradas*) carnet *m*; (*manojo de billetes*) liasse *f*; (*de bota de fútbol*) crampon *m*; (*AM: tacón*) talon *m*; (*tb:* **~ de billar**) queue *f*; (*de jamón, queso*) cube *m*; (*fam: lío*) pagaille *f*; (*: palabrota*) grossièreté *f*, gros mot *m*; (*CAM, MÉX*) *crêpe de maïs fourrée*; (*CHI: fam*) bouchon *m*; **armarse** *o* **hacerse un ~** s'embrouiller.
tacón [ta'kon] *nm* talon *m*; **de ~ alto** à talons hauts.
taconear [takone'ar] *vi*: **se la oía ~** on entendait le martellement de ses talons.
táctico, -a ['taktiko, a] *adj* tactique.
tacto ['takto] *nm* toucher *m*; (*fig*) tact *m*.
Tailandia [tai'landja] *nf* Thaïlande *f*.
taimado, -a [tai'maðo, a] *adj* rusé(e), sournois(e).
tajada [ta'xaða] *nf* tranche *f*; (*fam: borrachera*) cuite *f*; **sacar ~** tirer profit.
tajante [ta'xante] *adj* catégorique; (*persona*) abrupt(e).
Tajo ['taxo] *nm* Tage *m*.
tajo ['taxo] *nm* (*corte*) coupure *f*; (*filo*) tranchant *m*; (*GEO*) gorge *f*; (*fam: trabajo*) boulot *m*; (*bloque de madera*) billot *m*.
tal [tal] *adj* tel(telle); (*semejante*) un(e) tel(telle), pareil(le) ♦ *pron* (*persona*) un(e) tel(telle); (*cosa*) une telle chose ♦ *adv*: **~ como** (*igual*) tel(telle) que ♦ *conj*: **con ~ (de) que** pourvu que, du moment que; **~ día a ~ hora** tel jour à telle heure; **jamás vi ~ desvergüenza** je n'ai jamais vu une telle effronterie *o* une effronterie pareille; **~es cosas** de telles choses; **el ~ cura** le curé en question; **un ~ García** un certain García; **~es como** tels(telles) que; **son ~ para cual** les deux font la paire; **hablábamos de que si ~ que si cual** nous parlions de choses et d'autres; **fuimos al cine y ~** nous avons été au ciné et tout ça; **~ cual** (*como es*) tel(telle) quel (quelle); **~ como lo dejé** tel que je l'ai laissé; **~ el padre, cual el hijo** tel père, tel fils; **~ vez** peut-être; **¿qué ~?** ça va?; **¿qué ~ has comido?** tu as bien mangé?; **con ~ de llamar la atención** du moment qu'il *etc* attire l'attention.
taladradora [talaðra'ðora] *nf* perceuse *f*; (*de papel*) perforeuse *f*; **taladradora neumática** marteau-piqueur *m*.
taladrar [tala'ðrar] *vt* percer.
taladro [ta'laðro] *nm* perceuse *f*; (*hoyo*) trou *m* (fait à la perceuse); **taladro neumático** marteau-piqueur *m*.
talante [ta'lante] *nm* humeur *f*; (*voluntad*) gré *m*.
talar [ta'lar] *vt* abattre.
talco ['talko] *nm* (*tb:* **polvos de ~**) talc *m*.
talego [ta'leɣo] *nm* sac *m*; (*fam*) mille pesetas; **medio ~** (*fam*) cinq cents pesetas.
talento [ta'lento] *nm* talent *m*; (*capacidad, don*) don *m*.
Talgo *sigla m* (*FERRO = tren articulado ligero Goicoechea-Oriol*) *train rapide.*
talismán [talis'man] *nm* talisman *m*.
talla ['taʎa] *nf* taille *f*; (*fig*) envergure *f*;

(*figura*) sculpture *f*; **dar la ~** (*MIL*) avoir la taille requise; (*fig*) être de taille.
tallar [ta'ʎar] *vt* tailler, sculpter; (*grabar*) graver; (*medir*) toiser.
tallarines [taʎa'rines] *nmpl* nouilles *fpl*.
talle ['taʎe] *nm* taille *f*; (*figura*) silhouette *f*; **de ~ esbelto** svelte.
taller [ta'ʎer] *nm* atelier *m*.
tallo ['taʎo] *nm* (*de planta*) tige *f*; (*de hierba*) brin *m*; (*brote*) pousse *f*.
talón [ta'lon] *nm* talon *m*; (*COM*) chèque *m*; (*TEC*) bord *m*; **pisar a algn los talones** être sur les talons de qn; **talón de Aquiles** talon d'Achille.
talonario [talo'narjo] *nm* carnet *m*; (*de cheques*) carnet de chèques.
tamaño, -a [ta'maɲo, a] *adj* tel(telle) ♦ *nm* taille *f*; **de ~ natural** grandeur *f* nature; **de ~ grande/pequeño** de grande/petite taille.
tambalearse [tambale'arse] *vpr* chanceler; (*mueble*) branler; (*vehículo*) bringuebaler.
también [tam'bjen] *adv* aussi; (*además*) de plus; **estoy cansado – yo ~** je suis fatigué – moi aussi.
tambor [tam'bor] *nm* tambour *m*; (*ANAT*) tympan *m*; **tambor del freno/de lavadora** tambour de frein/de machine à laver.
tamboril [tambo'ril] *nm* tambourin *m*.
tamborilear [tamborile'ar] *vi* tambouriner.
tamiz [ta'miθ] *nm* tamis *msg*.
tamizar [tami'θar] *vt* tamiser.
tampoco [tam'poko] *adv* non plus; **yo ~ lo compré** je ne l'ai pas acheté non plus.
tampón [tam'pon] *nm* tampon *m*.
tan [tan] *adv* si; **~ ... como** aussi ... que; **~ siquiera** au moins; **es pesada, de ~ amable que es** elle est si aimable qu'elle finit par être ennuyeuse; **¡qué cosa ~ rara!** comme c'est bizarre!; **no es una idea ~ buena** ce n'est pas une si bonne idée.
tanda ['tanda] *nf* série *f*; (*de personas*) équipe *f*; (*turno*) tour *m*; **~ de penaltis/de inyecciones** série de penalties/de piqûres; **~ de golpes** volée *f* de coups.
tándem ['tandem] *nm* tandem *m*.
tanga ['tanga] *nm* string *m*.
tangente [tan'xente] *nf* tangente *f*; **salirse por la ~** prendre la tangente.
tangible [tan'xiβle] *adj* tangible.
tango ['tango] *nm* tango *m*.
tanque ['tanke] *nm* (*MIL*) char *m* d'assaut; (*depósito: AUTO*) citerne *f*; (*: NÁUT*) tanker *m*; (*: de agua*) réservoir *m*.
tanqueta [tan'keta] *nf* blindé *m* léger.
tantear [tante'ar] *vt* jauger; (*probar*) essayer ♦ *vi* (*DEPORTE*) compter les points.
tanteo [tan'teo] *nm* (*cálculo*) calcul *m* approximatif; (*prueba*) essai *m*; (*DEPORTE*) score *m*; (*sondeo*) sondage *m*; **al ~** par tâtonnements.
tanto, -a ['tanto, a] *adj* (*cantidad*) tant de, tellement de; (*en comparaciones*) autant de ♦ *adv* tant, autant; (*tiempo*) si longtemps ♦ *nm* (*suma*) quantité *f*; (*proporción*) tant *m*; (*punto*) point *m*; (*gol*) but *m* ♦ *pron*: **cada uno paga ~** chacun paie tant ♦ *suf*: **veintitantos** vingt et quelques; **tiene ~s amigos** il a tellement *o* tant d'amis; **~ dinero como tú** autant d'argent que toi; **~ gusto** (*al ser presentado*) enchanté(e); **~ que** tellement que; **~ como él** autant que lui; **~ como eso** pas tant que ça; **~ es así que ...** c'est si vrai que ...; **~ más cuanto que ...** d'autant plus que ...; **~ mejor/peor** tant mieux/pis; **~ quejarse para nada** tant de plaintes pour rien; **~ tú como yo** toi autant que moi; **me he vuelto ronco de** *o* **con ~ hablar** je me suis enroué à force de parler; **no quiero ~** je n'en veux pas autant; **gasta ~ que ...** il dépense tellement que ...; **viene ~** il vient si souvent; **ni ~ así** (*fam*) pas une miette; **ni ~ ni tan clavo** n'exagérons rien; **¡no es para ~!** ce n'est pas si grave!; **¡y ~!** je ne vous *o* te le fais pas dire!; **en ~ que** pendant que; **entre ~** entre-temps; **por ~, por lo ~** donc, par conséquent; **~ alzado** forfait *m*; **~ por ciento** tant pour cent; **estar al ~** être au courant; **estar al ~ de los acontecimientos** être au courant des événements; **un ~ perezoso** un rien paresseux; **uno de ~s** un parmi d'autres; **he visto ~** j'en ai tellement vu; **a ~s de agosto** tel jour *o* telle date en août; **cuarenta y ~s** quarante et quelques; **se quedó en el bar hasta las tantas** il est resté au café jusqu'à une heure impossible.
tapa ['tapa] *nf* couvercle *m*; (*de libro*) couverture *f*; (*comida*) amuse-gueule *m inv*, tapa *f*; (*de zapato*) semelle *f*; **tapa de los sesos** boîte *f* crânienne.
tapabarro [tapa'βarro] (*AND, CSUR*) *nm* garde-boue *m inv*.
tapadera [tapa'ðera] *nf* couvercle *m*; (*fig*) couverture *f*.
tapar [ta'par] *vt* couvrir; (*hueco, ventana*) fermer, boucher; (*ocultar*) dissimuler; (*vista*) boucher; (*AM: dientes*) plomber; **taparse** *vpr* se couvrir.
tapete [ta'pete] *nm* tapis *msg*; **poner sobre el ~** mettre sur le tapis.
tapia ['tapja] *nf* mur *m* de pisé; **estar (sordo) como una ~** être sourd comme un pot.
tapiar [ta'pjar] *vt* murer.

tapicería [tapiθe'ria] *nf* tapisserie *f*; (*para muebles*) tissu *m* d'ameublement; (*para coches*) garniture *f*.
tapiz [ta'piθ] *nm* tapisserie *f*.
tapizar [tapi'θar] *vt* (*pared*) tapisser; (*suelo*) recouvrir; (*muebles*) recouvrir.
tapón [ta'pon] *nm* bouchon *m*; (TEC) bonde *f*; (MED: *de cera*) bouchon de cire; ~ **de rosca** *o* **de tuerca** bouchon à vis.
taponar [tapo'nar] *vt* boucher.
taquigrafía [takiɣra'fia] *nf* sténographie *f*.
taquígrafo, -a [ta'kiɣrafo, a] *nm/f* sténo *m/f*.
taquilla [ta'kiʎa] *nf* guichet *m*; (*suma recogida*) recette *f*; (*armario*) classeur *m*.
taquillero, -a [taki'ʎero, a] *adj*: **función taquillera** spectacle *m* qui fait recette ♦ *nm/f* guichetier(-ère).
taquimecanografía [takimekanoɣra'fia] *nf* sténodactylo(graphie) *f*.
tara ['tara] *nf* tare *f*.
tarado, -a [ta'raðo, a] *adj* (*producto*) défectueux(-euse); (*idiota*) retardé(e); (*loco*) taré(e) ♦ *nm/f* taré(e).
tarántula [ta'rantula] *nf* tarentule *f*.
tararear [tarare'ar] *vt* fredonner.
tardanza [tar'ðanθa] *nf* (*demora*) retard *m*; (*lentitud*) lenteur *f*.
tardar [tar'ðar] *vi* (*tomar tiempo*) mettre longtemps, tarder; (*llegar tarde*) être en retard; **¿tarda mucho el tren?** le train arrive bientôt?; **a más ~** au plus tard; **~ en hacer algo** mettre longtemps *o* tarder à faire qch; **no tardes en venir** ne tarde pas en chemin.
tarde ['tarðe] *adv* tard ♦ *nf* (*de día*) après-midi *m o f inv*; (*de noche*) soir *m*; **~ o temprano** tôt ou tard; **de ~ en ~** de temps en temps; **¡buenas ~s!** (*de día*) bonjour!; (*de noche*) bonsoir!; **a** *o* **por la ~** l'après-midi *o* le soir; **más ~** plus tard.
tardío, -a [tar'ðio, a] *adj* tardif(-ive).
tardón, -ona [tar'ðon, ona] (*fam*) *adj* lambin(e) ♦ *nm/f* traînard(e).
tarea [ta'rea] *nf* travail *m*, tâche *f*; **~s** *nfpl* (ESCOL) devoirs *mpl*; **tareas domésticas** travaux *mpl* domestiques.
tarifa [ta'rifa] *nf* tarif *m*; **tarifa básica** tarif de base; **tarifa completa** plein tarif; **tarifa doble** tarif double.
tarima [ta'rima] *nf* plate-forme *f*; (*movible*) estrade *f*.
tarjeta [tar'xeta] *nf* carte *f*; (DEPORTE) carton *m*; **tarjeta bancaria** carte bancaire; **tarjeta comercial/de visita** carte de visite; **tarjeta de circuitos** circuit *m* imprimé; **tarjeta gráfica/de multifunción** (INFORM) carte graphique/multifonction; **tarjeta de crédito/de embarque/de transporte** carte de crédit/d'embarquement/de transport; **tarjeta de identificación fiscal** *carte d'immatriculation fiscale*; **tarjeta postal/de Navidad** carte postale/de Noël; **tarjeta sanitaria** carte d'assuré social; **tarjeta verde** (MÉX) permis *m* de travail.
tarro ['tarro] *nm* pot *m*.
tarta ['tarta] *nf* tarte *f*.
tartamudear [tartamuðe'ar] *vi* bégayer.
tartamudo, -a [tarta'muðo, a] *adj, nm/f* bègue.
tartera [tar'tera] *nf* gamelle *f*.
tarugo [ta'ruɣo] *nm* morceau *m* (de bois); (*fam*) balourd *m*.
tarumba [ta'rumba] *adj*: **volver a algn ~** rendre qn dingue.
tasa ['tasa] *nf* (*valoración*) évaluation *f*; (*precio*) taxe *f*; (*índice*) taux *msg*; (*medida*) mesure *f*, règle *f*; **sin ~** sans mesure; **tasa básica** (COM) taux de base; **tasa de cambio/de interés** taux de change/d'intérêt; **tasa de crecimiento/de natalidad/de rendimiento** taux de croissance/de natalité/de rendement; **tasas académicas** droits *mpl* d'inscription.
tasar [ta'sar] *vt* (*fijar el precio*) taxer; (*valorar*) évaluer; (*limitar*) limiter, rationner; **~ en** évaluer à.
tasca ['taska] (*fam*) *nf* bistro(t) *m*.
tatarabuelo, -a [tatara'βwelo, a] *nm/f* trisaïeul(e); **~s** *nmpl* trisaïeuls *mpl*.
tatuaje [ta'twaxe] *nm* tatouage *m*.
tatuar [ta'twar] *vt* tatouer.
taurino, -a [tau'rino, a] *adj* taurin(e).
Tauro ['tauro] *nm* (ASTROL) Taureau *m*; **ser ~** être (du) Taureau.
tauromaquia [tauro'makja] *nf* tauromachie *f*.
taxativo, -a [taksa'tiβo, a] *adj* strict(e).
taxi ['taksi] *nm* taxi *m*.
taxímetro [tak'simetro] *nm* taximètre *m*.
taxista [tak'sista] *nm/f* chauffeur *m* de taxi.
taza ['taθa] *nf* tasse *f*; (*fam*: *de retrete*) cuvette *f*; **~ de/para café** tasse de/à café.
tazón [ta'θon] *nm* bol *m*.
te [te] *pron* te; (*delante de vocal*) t'; (*con imperativo*) toi; **¿~ duele mucho el brazo?** ton bras te fait très mal?, tu as très mal au bras?; **~ equivocas** tu te trompes; **¡cálmate!** calme-toi!
té [te] *nm* thé *m*.
tea ['tea] *nf* torche *f*.
teatral [tea'tral] *adj* théâtral(e).
teatro [te'atro] *nm* théâtre *m*; **hacer ~** (*fig*) faire du cinéma; **teatro de aficionados/variedades** théâtre d'amateurs/de

variétés; **teatro de la ópera** opéra *m*.
tebeo [te'βeo] *nm* bande *f* dessinée, BD *f*.
techo ['tetʃo] *nm* plafond *m*; (*tejado*) toit *m*; **bajo** ~ à l'abri; **tocar** ~ plafonner.
tecla ['tekla] *nf* (*INFORM, MÚS, TIP*) touche *f*; **tocar muchas ~s** exercer toute son influence; **tecla de anulación/de borrar** touche d'annulation/d'effacement; **tecla de control/de edición** touche de contrôle/de correction; **tecla de control direccional del cursor** touche de déplacement du curseur; **tecla de retorno/de tabulación** touche de retour chariot/de tabulation; **tecla programable** touche programmable.
teclado [te'klaðo] *nm* clavier *m*; **teclado numérico** (*INFORM*) clavier numérique.
teclear [tekle'ar] *vt* (*piano*) tapoter ♦ *vi* (*MÚS, fam*) pianoter; (*INFORM, TIP*) taper.
técnico, -a ['tekniko, a] *adj* technique ♦ *nm/f* technicien(ne) ♦ *nf* technique *f*.
tecnócrata [tek'nokrata] *nm/f* technocrate *m/f*.
tecnología [teknolo'xia] *nf* technologie *f*; **tecnología de la información/punta** technologie de l'information/de pointe.
tecnológico, -a [tekno'loxiko, a] *adj* technologique.
tedio ['teðjo] *nm* ennui *m*.
tedioso, -a [te'ðjoso, a] *adj* ennuyeux(-euse).
teja ['texa] *nf* tuile *f*.
tejado [te'xaðo] *nm* toit *m*.
tejemaneje [texema'nexe] *nm* (*actividad*) agitation *f*; (*intriga*) manigances *fpl*.
tejer [te'xer] *vt* tisser; (*AM*) tricoter; (*fig*) ourdir ♦ *vi*: ~ **y destejer** faire et défaire.
tejido [te'xiðo] *nm* tissu *m*.
tejo ['texo] *nm* if *m*; **tirar los ~s a algn** faire des avances à qn.
tejón [te'xon] *nm* blaireau *m*.
tela ['tela] *nf* toile *f*; (*en líquido*) peau *f*; **¡hay ~ para rato!** (*fam*) on en a pour un moment!; **poner en ~ de juicio** mettre en doute; **tela de araña** toile d'araignée; **tela metálica** grillage *m*.
telar [te'lar] *nm* (*máquina*) métier *m* à tisser; (*de teatro*) cintre *m*; **~es** *nmpl* (*fábrica*) usine *f* textile.
telaraña [tela'raɲa] *nf* toile *f* d'araignée.
tele ['tele] (*fam*) *nf* télé *f*.
tele... ['tele] *pref* télé... .
teleadicto, -a [telea'ðikto, a] (*fam*) *nm/f* accro *m/f* de la télé.
telecomunicación [telekomunika'θjon] *nf* télécommunication *f*.
telediario [tele'ðjarjo] *nm* journal *m* télévisé.
teledirigido, -a [teleðiri'xiðo, a] *adj* téléguidé(e).
telefax [tele'faks] *nm* télécopie *f*.
teleférico [tele'feriko] *nm* téléphérique *m*.
telefilm(e) [tele'film(e)] *nm* téléfilm *m*.
telefonazo [telefo'naθo] (*fam*) *nm* coup *m* de fil; **te daré un** ~ je te passerai un coup de fil.
telefonear [telefone'ar] *vt, vi* téléphoner.
telefónico, -a [tele'foniko, a] *adj* téléphonique.
telefonillo [telefo'niʎo] *nm* interphone *m*.
telefonista [telefo'nista] *nm/f* standardiste *m/f*.
teléfono [te'lefono] *nm* téléphone *m*; **está hablando por** ~ il est au téléphone; **teléfono inalámbrico/móvil/rojo** téléphone sans fil/portable/rouge.
telégrafo [te'leɣrafo] *nm* télégraphe *m*.
telegrama [tele'ɣrama] *nm* télégramme *m*.
telenovela [teleno'βela] *nf* feuilleton *m* télévisé.
teleobjetivo [teleobxe'tiβo] *nm* téléobjectif *m*.
telepatía [telepa'tia] *nf* télépathie *f*.
telepático, -a [tele'patiko, a] *adj* télépathique.
telescópico, -a [tele'skopiko, a] *adj* télescopique.
telescopio [tele'skopjo] *nm* télescope *m*.
telesilla [tele'siʎa] *nm* télésiège *m*.
telespectador, a [telespekta'ðor, a] *nm/f* téléspectateur(-trice).
telesquí [teles'ki] *nm* téléski *m*.
teletex(to) [tele'teks(to)] *nm* télétexte *m*.
teletipo [tele'tipo] *nm* téléimprimeur *m*.
televisar [teleβi'sar] *vt* téléviser.
televisión [teleβi'sjon] *nf* télévision *f*; **televisión en blanco y negro/en color** télévision en noir et blanc/en couleurs; **televisión por cable/por** *o* **vía satélite** télévision par câble/par satellite; **televisión privada/pública** télévision privée/publique.
televisivo, -a [teleβi'siβo, a] *adj* télévisuel(le).
televisor [teleβi'sor] *nm* téléviseur *m*; **televisor portátil** téléviseur portable.
télex ['teleks] *nm* télex *m*; **máquina** ~ télex; **enviar por** ~ télexer.
telón [te'lon] *nm* rideau *m*; **telón de acero** rideau de fer; **telón de boca/de seguridad** rideau de scène/de fer; **telón de fondo** toile *f* de fond.
telonero, -a [telo'nero, a] *nm/f* (*MÚS, TEA-*

TRO) artiste qui passe en première partie.

tema ['tema] *nm* thème *m*, sujet *m*; (*MÚS*) thème; (*obsesión*) marotte *f*; **~s de actualidad** sujets *mpl o* thèmes d'actualité.

temario [te'marjo] *nm* programme *m*.

temático, -a [te'matiko, a] *adj* thématique ♦ *nf* thématique *f*.

temblar [tem'blar] *vi* trembler.

tembleque [tem'bleke] *nm* (*hum*) tremblement *m*.

temblor [tem'blor] *nm* tremblement *m*; **temblor de tierra** tremblement de terre.

tembloroso, -a [temblo'roso, a] *adj* tremblant(e).

temer [te'mer] *vt* craindre, avoir peur de ♦ *vi* avoir peur; **temo que Juan llegue tarde** je crains que Juan n'arrive tard; **~ por** avoir peur pour.

temerario, -a [teme'rarjo, a] *adj* téméraire.

temeridad [temeri'ðað] *nf* témérité *f*; (*una temeridad*) acte *m* irréfléchi.

temeroso, -a [teme'roso, a] *adj* craintif(-ive), peureux(-euse); (*que inspira temor*) redoutable.

temible [te'miβle] *adj* redoutable.

temor [te'mor] *nm* crainte *f*, peur *f*.

témpano ['tempano] *nm* (*tb*: **~ de hielo**) banquise *f*.

temperamental [temperamen'tal] *adj* d'humeur changeante.

temperamento [tempera'mento] *nm* tempérament *m*; **tener ~** avoir du tempérament.

temperatura [tempera'tura] *nf* température *f*.

tempestad [tempes'tað] *nf* tempête *f*.

tempestuoso, -a [tempes'twoso, a] *adj* orageux(-euse).

templado, -a [tem'plaðo, a] *adj* tempéré(e); (*en el comer, beber*) modéré(e); (*agua*) tiède; (*nervios*) solide, bien trempé(e).

templar [tem'plar] *vt* tempérer, modérer; (*agua, brisa*) tiédir; (*solución*) diluer; (*MÚS*) accorder; (*acero*) tremper; **templarse** *vpr* se modérer; (*agua, aire*) se réchauffer.

temple ['temple] *nm* (*humor*) humeur *f*; (*serenidad, TEC*) trempe *f*; (*MÚS*) accord *m*; (*pintura*) détrempe *f*.

templo ['templo] *nm* temple *m*; (*iglesia*) église *f*; **templo metodista** église méthodiste.

temporada [tempo'raða] *nf* période *f*; (*estación, social, DEPORTE*) saison *f*; **en plena ~** en pleine saison; **de ~** saisonnier(-ière).

temporal [tempo'ral] *adj* temporaire; (*REL*) temporel(le) ♦ *nm* tempête *f*.

temprano, -a [tem'prano, a] *adj* précoce ♦ *adv* tôt; (*demasiado pronto*) trop tôt; **levantarse ~** se lever de bonne heure; **lo más ~ posible** le plus tôt possible.

ten [ten] *vb V* **tener**.

tenacidad [tenaθi'ðað] *nf* ténacité *f*.

tenacillas [tena'θiʎas] *nfpl* pincettes *fpl*; (*para rizar*) fer *m* à friser.

tenaz [te'naθ] *adj* résistant(e).

tenaza(s) [te'naθa(s)] *nf(pl)* pince(s) *f(pl)*.

tendedero [tende'ðero] *nm* séchoir *m* à linge; (*cuerda*) corde *f* à linge.

tendencia [ten'denθja] *nf* tendance *f*; **~ imperante** tendance dominante; **tener ~ a** avoir tendance à; **tendencia del mercado** tendance du marché.

tendencioso, -a [tenden'θjoso, a] *adj* tendancieux(-euse).

tender [ten'der] *vt* étendre; (*vía férrea, cable*) poser; (*cuerda, trampa*) tendre ♦ *vi*: **~ a** tendre à; **tenderse** *vpr* s'étendre, s'allonger; **~ la cama** (*AM*) faire le lit; **~ la mesa** (*AM*) mettre la table; **~ la mano** tendre la main.

tenderete [tende'rete] *nm* (*puesto*) étalage *m*.

tendero, -a [ten'dero, a] *nm/f* commerçant(e).

tendido, -a [ten'diðo, a] *adj* étendu(e), allongé(e); (*colgado*) accroché(e), pendu(e) ♦ *nm* (*TAUR*) gradins *mpl*; **a galope ~** au triple galop; **tendido eléctrico** ligne *f* électrique.

tendón [ten'don] *nm* tendon *m*.

tendré *etc* [ten'dre] *vb V* **tener**.

tenebroso, -a [tene'βroso, a] *adj* sombre.

tenedor, a [tene'ðor, a] *nm/f* détenteur(-trice) ♦ *nm* fourchette *f*; **restaurante de 5 ~es** restaurant *m* cinq étoiles; **tenedor de acciones** actionnaire *m/f*; **tenedor de libros** comptable *m/f*; **tenedor de póliza** assuré(e), détenteur(-trice) d'une police d'assurance.

tenencia [te'nenθja] *nf* (*de propiedad*) possession *f*; **~ ilícita de armas/drogas** détention *f* illégale d'armes/de drogue.

PALABRA CLAVE

tener [te'ner] *vt* **1** avoir; (*sostener*) tenir; **¿tienes un boli?** tu as un stylo?; **¿dónde tienes el libro?** où as-tu mis le livre?; **va a tener un niño** elle va avoir un enfant; **tiene los ojos azules** il a les yeux bleus; **¡ten!, ¡aquí tienes!** tiens!, voilà!; **¡tenga!, ¡aquí tiene!** tenez!, voilà!

2 (*edad*) avoir; (*medidas*) faire; **tiene 7 años** il a 7 ans; **tiene 15 cm de largo** cela fait 15 cm de long; *V tb* **calor**; **hambre** *etc*

3 (*sentimiento, dolor*) avoir; **tener admiración/cariño** avoir de l'admiration/l'affection; **tener miedo** avoir peur; **¿qué tienes, estás enfermo?** qu'est-ce que tu as, tu es malade?
4 (*considerar*): **lo tengo por brillante** je le considère comme quelqu'un de brillant; **tener en mucho/poco a algn** avoir beaucoup/peu d'estime pour qn; **ten por seguro** sois-en sûr
5: **tengo/tenemos que acabar este trabajo hoy** il faut que je finisse/nous finissions ce travail aujourd'hui
6 (+ *pp* = *pretérito*): **tengo terminada ya la mitad del trabajo** j'ai déjà fait la moitié du travail
7 (+ *adj*, + *gerundio*): **nos tiene muy contentos/hartos** nous sommes très satisfaits de lui/en avons assez de lui; **me ha tenido tres horas esperando** il m'a fait attendre pendant trois heures
8: **las tiene todas consigo** il a tout pour lui
tenerse *vpr* 1: **tenerse en pie** se tenir debout
2: **tenerse por** se croire; **se tiene por muy listo** il se croit très intelligent.

tenga *etc* ['tenga] *vb V* **tener**.
tenida [te'niðа] (*CSUR*) *nf* tenue *f*.
teniente [te'njente] *nm* lieutenant *m*; **teniente alcalde** adjoint *m* au maire; **teniente coronel** lieutenant colonel.
tenis ['tenis] *nm* tennis *msg*; **tenis de mesa** tennis de table, ping-pong *m*.
tenista [te'nista] *nm/f* joueur(-euse) de tennis.
tenor [te'nor] *nm* (*sentido*) teneur *f*; (*MÚS*) ténor *m*; **a ~ de** d'après.
tensar [ten'sar] *vt* tendre; (*arco*) bander.
tensión [ten'sjon] *nf* tension *f*; **de alta ~** (*ELEC*) haute tension; **en ~** tendu(e); **tener la ~ alta** avoir de la tension; **tensión arterial** tension artérielle; **tensión nerviosa** tension nerveuse.
tenso, -a ['tenso, a] *adj* tendu(e).
tentación [tenta'θjon] *nf* tentation *f*.
tentáculo [ten'takulo] *nm* tentacule *m*.
tentador, a [tenta'ðor, a] *adj* tentant(e); (*gesto*) tentateur(-trice) ♦ *nm/f* tentateur(-trice).
tentar [ten'tar] *vt* tenter; (*palpar, MED*) tâter; (*incitar*) inciter.
tentativa [tenta'tiβa] *nf* tentative *f*; **tentativa de asesinato** tentative d'assassinat.
tentempié [tentem'pje] (*fam*) *nm* casse-croûte *m inv*.
tenue ['tenwe] *adj* (*hilo*) mince; (*luz*) faible; (*sonido, vínculo*) ténu(e); (*neblina*) léger(-ère).
teñir [te'ɲir] *vt* teindre; (*fig*) teinter; **~se el pelo** se (faire) teindre les cheveux.
teología [teolo'xia] *nf* théologie *f*.
teorema [teo'rema] *nm* théorème *m*.
teoría [teo'ria] *nf* théorie *f*; **en ~** en principe.
teórico, -a [te'oriko, a] *adj* théorique ♦ *nm/f* théoricien(ne).
tequila [te'kila] *nf* tequila *f*.
terapéutico, -a [tera'peutiko, a] *adj* thérapeutique.
terapia [te'rapja] *nf* thérapie *f*; **terapia laboral** ergothérapie *f*.
tercer [ter'θer] *adj V* **tercero**.
tercermundista [terθermun'dista] *adj* tiers-mondiste.
tercero, -a [ter'θero, a] *adj* (*delante de nmsg*: **tercer**) troisième ♦ *nm* (*mediador*) tiers *msg*, tierce personne *f*; (*JUR*) tiers.
terceto [ter'θeto] *nm* (*MÚS*) trio *m*.
terciado, -a [ter'θjaðo, a] *adj* (*botella*) entamé(e); (*toro*) de taille moyenne; (*arma*) en bandoulière.
terciar [ter'θjar] *vt* (*bolsa etc*) mettre en bandoulière ♦ *vi* intervenir; **terciarse** *vpr* se présenter; **si se tercia** à l'occasion.
terciario, -a [ter'θjarjo, a] *adj* tertiaire.
tercio ['terθjo] *nm* tiers *msg*.
terciopelo [terθjo'pelo] *nm* velours *msg*.
terco, -a ['terko, a] *adj* têtu(e).
tergiversar [terxiβer'sar] *vt* déformer.
termal [ter'mal] *adj* thermal(e).
térmico, -a ['termiko, a] *adj* thermique.
terminación [termina'θjon] *nf* extrémité *f*; (*finalización*) achèvement *m*.
terminal [termi'nal] *adj* terminal(e); (*enfermo*) en phase terminale ♦ *nm* (*ELEC*) borne *f*; (*INFORM*) terminal *m* ♦ *nf* (*AVIAT*) aérogare *f*; (*FERRO*) terminus *msg*; **terminal de pantalla** écran *m* de visualisation.
terminante [termi'nante] *adj* catégorique; (*decisión*) final(e).
terminar [termi'nar] *vt* finir, terminer ♦ *vi* finir; **terminarse** *vpr* finir; **~ por hacer algo** finir par faire qch; **~ en** finir en; **se ha terminado la leche** il n'y a plus de lait.
término ['termino] *nm* terme *m*, fin *f*; (*parada*) terminus *msg*; (*límite: de espacio*) bout *m*; **~s** *nmpl* (*COM*) termes *mpl*; **~ medio** moyenne *f*; **en otros ~s** en d'autres termes; **en último ~** en dernier recours; **estar en buenos/malos ~s (con algn)** être en bons/mauvais termes (avec qn); **en ~s de** en termes de; **en ~s claros** en clair; **según los ~s del contrato** selon les termes du contrat.

terminología [terminolo'xia] *nf* terminologie *f*.
termita [ter'mita] *nf* termite *m*.
termo ® ['termo] *nm* thermos *m o f* ®.
termómetro [ter'mometro] *nm* thermomètre *m*.
termostato [termos'tato] *nm* thermostat *m*.
ternero, -a [ter'nero, a] *nm/f* veau (génisse).
terno ['terno] *nm* (*esp AM*) costume *m* trois-pièces *inv*; (*conjunto*) trio *m*.
ternura [ter'nura] *nf* tendresse *f*.
terraplén [terra'plen] *nm* terre-plein *m*; (*cuesta*) renflement *m*.
terráqueo, -a [te'rrakeo, a] *adj*: **globo ~** globe *m* terrestre.
terrateniente [terrate'njente] *nm* propriétaire *m* terrien.
terraza [te'rraθa] *nf* terrasse *f*.
terremoto [terre'moto] *nm* tremblement *m* de terre.
terrenal [terre'nal] *adj* terrestre.
terreno, -a [te'rreno, a] *adj* terrien(ne) ♦ *nm* terrain *m*; **sobre el ~** sur le terrain; **ceder/perder ~** céder du/perdre du terrain; **preparar el ~ (a)** préparer le terrain (pour); **terreno de juego** terrain de jeu.
terrestre [te'rrestre] *adj* terrestre; (*ruta*) intérieur(e).
terrible [te'rriβle] *adj* terrible.
territorial [territo'rjal] *adj* territorial(e).
territorio [terri'torjo] *nm* territoire *m*; **~ bajo mandato** territoire sous mandat.
terrón [te'rron] *nm* (*de azúcar*) morceau *m*; (*de tierra*) motte *f*; **terrones** *nmpl* (*AGR*) terres *fpl*.
terror [te'rror] *nm* terreur *f*.
terrorífico, -a [terro'rifiko, a] *adj* terrifiant(e).
terrorismo [terro'rismo] *nm* terrorisme *m*.
terrorista [terro'rista] *adj, nm/f* terroriste *m/f*.
terso, -a ['terso, a] *adj* lisse.
tertulia [ter'tulja] *nf* cercle *m*; (*sala*) arrière-salle *f*; **tertulia literaria** cercle littéraire.
tesina [te'sina] *nf* mémoire *m*.
tesis ['tesis] *nf inv* thèse *f*.
tesón [te'son] *nm* (*firmeza*) acharnement *m*; (*tenacidad*) persévérance *f*.
tesorero, -a [teso'rero, a] *nm/f* trésorier(-ière).
tesoro [te'soro] *nm* trésor *m*; **¡mi ~!** (*fam*) mon trésor!; **Tesoro público** Trésor public.
test ['tes(t)] *nm* test *m*.
testamento [testa'mento] *nm* testament *m*; **Nuevo/Antiguo T~** Nouveau/Ancien Testament.
testarudo, -a [testa'ruðo, a] *adj* entêté(e).
testículo [tes'tikulo] *nm* testicule *m*.
testificar [testifi'kar] *vt, vi* témoigner.
testigo [tes'tiɣo] *nm/f* témoin *m*; **poner a algn por ~** citer qn comme témoin; **testigo de cargo/de descargo** témoin à charge/à décharge; **testigo ocular** témoin oculaire.
testimonial [testimo'njal] *adj* symbolique; (*JUR*) testimonial(e).
testimonio [testi'monjo] *nm* témoignage *m*; **en ~ de** en témoignage de; **falso ~** faux témoignage.
teta ['teta] *nf* (*fam*) téton *m*, nichon *m*; **niño de ~** nourrisson *m*.
tetera [te'tera] *nf* théière *f*.
tetilla [te'tiʎa] *nf* tétine *f*.
tetina [te'tina] *nf* tétine *f*.
tétrico, -a ['tetriko, a] *adj* sombre.
textil [teks'til] *adj* textile; **~es** *nmpl* textiles *mpl*.
texto ['teksto] *nm* texte *m*.
textual [teks'twal] *adj* textuel(le); **son sus palabras ~es** c'est ce qu'il a dit textuellement.
textura [teks'tura] *nf* (*de tejido*) tissage *m*; (*estructura*) texture *f*.
tez [teθ] *nf* (*cutis*) peau *f*; (*color*) teint *m*.
ti [ti] *pron* toi.
tía ['tia] *nf* tante *f*; (*fam*) bonne femme *f*, nana *f*; (: *vieja*) mère *f*.
tibio, -a ['tiβjo, a] *adj* tiède.
tiburón [tiβu'ron] *nm* requin *m*.
tic [tik] *nm* tic *m*.
tictac [tik'tak] *nm* tic-tac *m inv*.
tiemble *etc* ['tjemble] *vb V* **temblar**.
tiempo ['tjempo] *nm* temps *msg*; **a ~** à temps; **a un *o* al mismo ~** en même temps; **a su ~** en temps utile; **al poco ~** peu après; **andando el ~** avec le temps; **cada cierto ~** de temps à autre; **con ~** à temps; **con el ~** à la longue; **de ~ en ~** de temps en temps; **de todos los ~s** de tous les temps; **de un ~ a esta parte** depuis quelque temps; **en mis ~s** de mon temps; **en los buenos ~s** au bon vieux temps; **ganar ~** gagner du temps; **hace buen/mal ~** il fait beau/mauvais temps; **matar el ~** tuer le temps; **hace ~** il y a quelque temps; **hacer ~** passer le temps; **perder el ~** perdre du temps; **tener ~** avoir le temps; **¿qué ~ tiene?** quel âge a-t-il?; **motor de 2 ~s** moteur *m* deux temps; **a ~ parcial** à temps partiel; **en ~ real** (*INFORM*) en temps réel; **tiempo comparti-**

do/de ejecución/máquina (*INFORM*) temps partagé/d'exécution/machine; **tiempo de paro** (*COM*) temps mort; **tiempo inactivo** (*COM*) durée *f* d'immobilisation; **tiempo libre** temps libre; **tiempo muerto** (*DEPORTE, fig*) temps mort; **tiempo preferencial** (*COM*) heures *fpl* de grande écoute.

tienda ['tjenda] *vb V* **tender** ♦ *nf* magasin *m*; (*NÁUT*) taud *m*; **tienda de campaña** tente *f*.

tiene *etc* ['tjene] *vb V* **tener**.

tienta ['tjenta] *nf* (*MED*) sonde *f*; **andar a ~s** avancer à tâtons.

tiento ['tjento] *vb V* **tentar** ♦ *nm* tact *m*; (*precaución*) prudence *f*; **con ~** avec prudence.

tierno, -a ['tjerno, a] *adj* tendre; (*reciente*) jeune.

tierra ['tjerra] *nf* terre *f*; (*país*) pays *msg*; **~ adentro** à l'intérieur des terres; **echar/tirar por ~** réduire à néant; **echar ~ a un asunto** tirer le rideau sur un sujet; **no es de estas ~s** il n'est pas d'ici; **tierra ferme** terre ferme; **tierra natal** pays natal; **la Tierra Santa** la Terre sainte.

tieso, -a ['tjeso, a] *adj* (*rígido*) raide; (*erguido*) droit(e); (*serio*) froid(e); (*fam: orgulloso*) fier(-ère); **dejar ~ a algn** (*fam: matar*) refroidir qn; (*: sorprender*) laisser qn pantois(e).

tiesto ['tjesto] *nm* pot *m* de fleurs.

tifón [ti'fon] *nm* typhon *m*.

tigre ['tiɣre] *nm* tigre *m*; (*AM*) jaguar *m*.

tijera [ti'xera] *nf* (*tb: ~s*) ciseaux *mpl*; (*: para plantas*) sécateur *m*; **de ~** pliant(e); **unas ~s** une paire de ciseaux.

tila ['tila] *nf* tilleul *m*.

tildar [til'dar] *vt*: **~ de** traiter de.

tilde ['tilde] *nf* (*defecto*) défaut *m*; (*TIP*) tilde *m*.

timador, a [tima'ðor, a] *nm/f* escroc *m*.

timar [ti'mar] *vt* (*dinero*) escroquer; (*persona, fig*) rouler, escroquer.

timbrazo [tim'braθo] *nm* coup *m* de sonnette; **dar un ~** donner un coup de sonnette.

timbre ['timbre] *nm* (*MÚS, sello*) timbre *m*; (*de estampar*) cachet *m*; (*de puerta*) sonnette *f*; (*tono*) sonnerie *f*.

timidez [timi'ðeθ] *nf* timidité *f*.

tímido, -a ['timiðo, a] *adj* timide.

timo ['timo] *nm* escroquerie *f*; **dar un ~ a algn** escroquer qn.

timón [ti'mon] *nm* (*NÁUT*) gouvernail *m*; (*AM: AUTO*) volant *m*; **coger el ~** prendre les rênes.

timonel [timo'nel] *nm* (*NÁUT*) timonier *m*.

timorato, -a [timo'rato, a] *adj* timoré(e); (*mojigato*) pudibond(e).

tímpano ['timpano] *nm* (*ANAT*) tympan *m*; (*MÚS*) tympanon *m*.

tina ['tina] *nf* cuve *f*; (*AM*) baignoire *f*.

tinaja [ti'naxa] *nf* jarre *f*.

tinieblas [ti'njeβlas] *nfpl* ténèbres *fpl*; **estar en ~** (*fig*) être dans le brouillard.

tino ['tino] *nm* adresse *f*; (*juicio*) doigté *m*; (*moderación*) retenue *f*; **sin ~** maladroitement; (*sin moderación*) sans retenue.

tinta ['tinta] *nf* encre *f*; (*TEC*) teinture *f*; (*ARTE*) couleur *f*; **~s** *nfpl* (*matices*) tons *mpl*; **sudar ~** trimer, suer sang et eau; **medias ~s** demi-mesures *fpl*; **(re)cargar las ~s** en rajouter; **saber algo de buena ~** savoir qch de source sûre; **tinta china** encre de chine.

tinte ['tinte] *nm* teinture *f*; (*tintorería*) teinturerie *f*; (*matiz*) teinte *f*; (*apariencia*) allure *f*.

tintero [tin'tero] *nm* encrier *m*; **se le quedó en el ~** il a complètement oublié.

tintinear [tintine'ar] *vi* (*cascabel*) tintinnabuler; (*campana*) tinter.

tinto, -a ['tinto, a] *adj* (*teñido*) teint(e); (*manchado*) taché(e); (*vino*) rouge ♦ *nm* rouge *m*; (*COL*) café *m* noir.

tintorería [tintore'ria] *nf* teinturerie *f*.

tintura [tin'tura] *nf* teinture *f*; **tintura de iodo** teinture d'iode.

tiña ['tiɲa] *vb V* **teñir** ♦ *nf* teigne *f*.

tío ['tio] *nm* oncle *m*; (*fam: viejo*) père *m*; (*: individuo*) type *m*, mec *m*.

tiovivo [tio'βiβo] *nm* manège *m*, chevaux *mpl* de bois.

típico, -a ['tipiko, a] *adj* typique; (*traje*) régional.

tipo ['tipo] *nm* type *m*; (*ANAT*) physique *m*; (*: de mujer*) silhouette *f*; (*TIP*) caractère *m*; **jugarse el ~** risquer sa peau; **tipo a término** (*COM*) cotation *f* à terme; **tipo bancario/de cambio/de descuento/de interés** taux *msg* bancaire/de change/d'escompte/d'intérêt; **tipo base** (*COM*) taux de base; **tipo de interés vigente** (*COM*) taux d'intérêt en vigueur; **tipo de letra** police *f* de caractères.

tipografía [tipoɣra'fia] *nf* typographie *f*; (*lugar*) imprimerie *f*.

tipográfico, -a [tipo'ɣrafiko, a] *adj* typographique.

tique ['tike] *nm*, **tíquet** ['tike(t)] (*pl* **~s**) *nm* ticket *m*; (*en tienda*) ticket *m* de caisse.

tira ['tira] *nf* (*cinta*) bande *f* ♦ *nm*: **~ y afloja** tiraillements *mpl*; **tiene la ~ de cosas** (*fam*) il a vachement de trucs; **hace la ~ de tiempo** il y a vachement longtemps; **tira cómica** bande dessinée; **tira de cuero**

lanière *f*.

tirabuzón [tiraβu'θon] *nm* tire-bouchon *m*; (*rizo*) boucle *f*.

tirada [ti'raða] *nf* lancer *m*, jet *m*; (*distancia*) trotte *f*; (*serie*) tirade *f*; (*TIP*) tirage *m*; **de una** ~ d'une traite.

tiradero(s) [tira'ðero(s)] (*AM*) *nm(pl)* décharge *fsg*.

tirado, -a [ti'raðo, a] *adj* (*fam*: *barato*) bon marché; (: *fácil*) facile; **está** ~ c'est fastoche.

tirador, a [tira'ðor, a] *nm/f* tireur(-euse) ♦ *nm* (*mango*) poignée *f*; (*ELEC*) cordon *m*; ~es *nmpl* (*CSUR*) bretelles *fpl*; ~ **certero** tireur d'élite.

tiranía [tira'nia] *nf* tyrannie *f*.

tirano, -a [ti'rano, a] *nm/f* tyran *m*.

tirante [ti'rante] *adj* tendu(e) ♦ *nm* (*de vestido*) bretelle *f*, (*ARQ*) traverse *f*; (*TEC*) étai *m*; ~s *nmpl* bretelles *fpl*.

tirar [ti'rar] *vt* jeter, lancer; (*volcar*) renverser; (*derribar*) abattre, démolir; (*cohete, bomba*) lancer; (*desechar*) jeter; (*dinero*) dilapider; (*imprimir, tirador*) tirer; (*golpe*) décocher ♦ *vi* tirer; (*fig*) attirer; (*interesar*) plaire; (*fam*: *andar*) aller; (*tender*) tendre; **tirarse** *vpr* (*abalanzarse*) se lancer; (*tumbarse*) se jeter; (*fam!*) tirer, sauter; ~ **abajo** descendre; **tira a su padre** il tient de son père; ~ **a algn de la lengua** tirer la langue à qn; ~ **de algo** tirer qch; **ir tirando** aller comme ci comme ça; ~ **a la derecha** tourner à droite; **a todo** ~ tout au plus; **se tiró toda la mañana hablando** il a passé toute la matinée à parler.

tirita [ti'rita] *nf* pansement *m* (adhésif).

tiritar [tiri'tar] *vi* grelotter.

tiro ['tiro] *nm* tir *m*; (*herida*) balle *f*; (*TENIS, GOLF*) drive *m*; (*alcance*) portée *f*; (*de escalera*) marche *f*; (*de chimenea*) tirage *m*; (*de pantalón*) entrejambes *msg*; **caballo de** ~ cheval *m* de trait; **andar de** ~**s largos** être tiré(e) à quatre épingles; **al** ~ (*CHI*) tout de suite; **me sentó como un** ~ (*fam*) ça m'a fait un choc; **a** ~ **de piedra** à un jet de pierre; **se pegó un** ~ il s'est tiré une balle dans la tête; **le salió el** ~ **por la culata** ça s'est retourné contre lui; **de a** ~ (*AM*: *fam*) complètement; **tiro al arco/al blanco** tir à l'arc/à blanc; **tiro de gracia** coup *m* de grâce; **tiro libre** coup franc.

tiroides [ti'roiðes] *nm inv* glande *f* thyroïde.

tirón [ti'ron] *nm* coup *m*; (*muscular*) crampe *f*; (*fam*: *de bolso*) vol *m* à la tire; **de un** ~ d'un trait; **dar un** ~ **a** arracher.

tiroteo [tiro'teo] *nm* (*disparos*) fusillade *f*; (*escaramuza*) échange *m* de coups de feu.

tirria ['tirrja] (*fam*) *nf*: **tener** ~ **a algn** ne pas pourvoir sentir qn.

titánico, -a [ti'taniko, a] *adj* titanesque.

títere ['titere] *nm* marionnette *f*; **no dejar** ~ **con cabeza** tout mettre sens dessus-dessous; **gobierno** ~ gouvernement *m* fantoche.

titilar [titi'lar] *vi* (*luz, estrella*) scintiller; (*párpado*) clignoter.

titubear [tituβe'ar] *vi* (*dudar*) hésiter; (*moverse*) vaciller.

titubeo [titu'βeo] *nm* hésitation *f*.

titulado, -a [titu'laðo, a] *pp de* **titular** ♦ *nm/f* diplômé(e).

titular [titu'lar] *adj* titulaire ♦ *nm/f* (*de cargo*) titulaire *m/f* ♦ *nm* titre *m* ♦ *vt* intituler; **titularse** *vpr* s'intituler; (*UNIV*) obtenir son diplôme.

título ['titulo] *nm* titre *m*; (*COM*) valeur *f*; (*ESCOL*) diplôme *m*; **a** ~ **de** à titre de; (*en calidad de*) en qualité de; **a** ~ **de curiosidad** par curiosité; **títulos convertibles de interés fijo** titres *mpl* de créances convertibles; **título de propiedad** titre de propriété.

tiza ['tiθa] *nf* craie *f*; **una** ~ une craie.

tiznar [tiθ'nar] *vt* souiller.

toalla [to'aʎa] *nf* serviette *f*; **arrojar la** ~ baisser les bras.

toallero [toa'ʎero] *nm* porte-serviettes *m inv*.

tobillera [toβi'ʎera] *nf* chevillière *f*.

tobillo [to'βiʎo] *nm* cheville *f*.

tobogán [toβo'ɣan] *nm* (*rampa*) toboggan *m*; (*trineo*) luge *f*.

toca ['toka] *nf* coiffure *f*; (*de monja*) coiffe *f*.

tocadiscos [toka'ðiskos] *nm inv* tourne-disques *m inv*.

tocador [toka'ðor] *nm* (*mueble*) coiffeuse *f*, (*cuarto*) cabinet *m* de toilette; (: *público*) toilettes *fpl* pour dames.

tocar [to'kar] *vt* toucher; (*timbre*) tirer; (*MÚS*) jouer de; (*campana, trompeta*) (faire) sonner; (*tambor*) battre; (*topar con*) heurter; (*referirse a*) aborder; (*fam*: *modificar*) toucher à; ♦ *vi* (*a la puerta*) frapper; (*ser de turno*) être le tour de; (*atañer*) concerner; **tocarse** *vpr* se toucher; (*cubrirse la cabeza*) se coiffer; **le toca a él hacerlo** c'est à lui de le faire; ~ **de cerca** toucher de près; ~ **en** (*NÁUT*) faire escale à; **le ha tocado la lotería** il a décroché le gros lot; **ahora nos toca postre** c'est le moment de manger le dessert; **por lo que a mí me toca** en ce qui me concerne; **esto toca en la locura** cela frise la folie.

tocateja [toka'texa] (*fam*): **a** ~ *adv* rubis sur l'ongle.

tocayo, -a [to'kajo, a] *nm/f* homonyme

m/f.

tocino [to'θino] *nm* lard *m*; **tocino de cielo** *pâtisserie à base de jaune d'œuf et de sirop.*

tocólogo, -a [to'koloɣo, a] *nm/f* obstétricien(ne).

todavía [toða'βia] *adv* encore; (*en frases afirmativas o con énfasis*) toujours; ~ **más** encore plus; ~ **no** pas encore; ~ **en 1970** encore en 1970; **no ha llegado** ~ il n'est pas encore arrivé; **está lloviendo** ~ il pleut toujours.

todítito, -a [toði'tito, a], **todito, -a** [to'ðito, a] (*esp AM: fam*) *adj* tout(e).

PALABRA CLAVE

todo, -a ['toðo, a] *adj* **1** (*sg*) tout(e); **toda la noche** toute la nuit; **todo el libro** tout le livre; **toda una botella** toute une bouteille; **todo lo contrario** tout le contraire; **está toda sucia** elle est toute sale; **a toda prisa** à toute vitesse; **a todo esto** (*mientras tanto*) pendant ce temps-là; (*a propósito*) à propos; **soy todo oídos** je suis tout ouïe; **es todo un hombre** c'est un vrai homme

2 (*pl*) tous(toutes); **todos vosotros** vous tous; **todos los libros** tous les livres; **todas las noches** toutes les nuits; **todos los que quieran salir** tous ceux qui veulent sortir

3 (*negativo*): **en todo el día** de (toute) la journée; **no he dormido en toda la noche** je n'ai pas dormi de la nuit

♦ *pron* **1** tout; **todos, -as** tous(toutes); **lo sabemos todo** nous savons tout; **todo o nada** tout ou rien; **vino a buscarme con coche y todo** il est venu me chercher, et en voiture avec ça; **todos querían ir** ils voulaient tous s'en aller; **nos marchamos todos** nous partons tous; **arriba del todo** tout en haut; **no me agrada del todo** ça ne me satisfait pas entièrement.

2: **con todo: con todo, él me sigue gustando** malgré tout, il me plaît toujours

♦ *adv* tout; **vaya todo seguido** allez tout droit

♦ *nm*: **como un todo** comme un tout.

todopoderoso, -a [toðopoðe'roso, a] *adj* tout(e)-puissant(e).

todoterreno [toðote'rreno] *nm* véhicule *m* tout-terrain.

toga ['toɣa] *nf* robe *f*.

toldo ['toldo] *nm* (*para el sol*) parasol *m*; (*tienda*) marquise *f*.

tolerancia [tole'ranθja] *nf* tolérance *f*.

tolerar [tole'rar] *vt* tolérer.

toma ['toma] *nf* prise *f*; **toma de conciencia** prise de conscience; **toma de posesión** prise de possession; **toma de tierra** (*AVIAT*) atterrissage *m*; (*ELEC*) prise de terre.

tomadura [toma'ðura] *nf*: ~ **de pelo** prise *f* de bec.

tomar [to'mar] *vt* prendre ♦ *vi* prendre; (*AM*) boire; **tomarse** *vpr* prendre; **¡toma!** tiens!; ~ **la temperatura** prendre la température; ~ **cariño a algn** se prendre d'affection pour qn; ~ **el sol** prendre le soleil; ~ **(buena) nota de algo** prendre (bonne) note de qch; **tome la calle de la derecha** prenez la rue de droite; **¿qué tomas?** qu'est-ce que tu prends?; **no tomó bien la broma** il a mal pris la plaisanterie; ~ **asiento** prendre place; ~ **a bien/a mal** prendre bien/mal; ~ **en serio** prendre au sérieux; ~ **el pelo a algn** taquiner qn; ~**la con algn** s'en prendre à qn; ~ **por escrito** prendre par écrit; **¿por quién me tomas?** pour qui tu me prends?; **toma y daca** un prêté pour un rendu; **¡vete a ~ por culo!** (*fam!*) va te faire enculer! (*fam!*); ~**se por** se prendre pour.

tomate [to'mate] *nm* tomate *f*.

tomillo [to'miʎo] *nm* thym *m*.

tomo ['tomo] *nm* tome *m*; **de ~ y lomo** de taille.

tonalidad [tonali'ðað] *nf* tonalité *f*.

tonel [to'nel] *nm* tonneau *m*.

tonelada [tone'laða] *f* tonne *f*; **tonelada métrica** tonne.

tonelaje [tone'laxe] *nm* tonnage *m*.

tongo ['tongo] *nm* (*DEPORTE*): **hubo** ~ c'était truqué.

tónica ['tonika] *nf* (*bebida*) tonic *m*; (*tendencia*) tendance *f*.

tónico, -a ['toniko, a] *adj* tonique ♦ *nm* (*MED*) remontant *m*.

tonificar [tonifi'kar] *vt* tonifier.

tono ['tono] *nm* ton *m*; **fuera de** ~ hors de propos; **darse** ~ se donner de grands airs; **estar a** ~ être en harmonie; **tono de marcar** (*TELEC*) tonalité *f*.

tontería [tonte'ria] *nf* sottise *f*, bêtise *f*.

tonto, -a ['tonto, a] *adj* bête, idiot(e) ♦ *nm/f* idiot(e), sot(sotte); (*payaso*) idiot(e); **a tontas y a locas** à tort et à travers; **hacer el** ~ faire l'idiot; **hacerse el** ~ faire l'ignorant; **estar ~ con algo** être entiché(e) de qch.

topacio [to'paθjo] *nm* topaze *f*.

topadora [topa'ðora] (*CSUR, MÉX*) *nf* bulldozer *m*.

topar [to'par] *vi*: ~ **con** tomber sur; **toparse** *vpr*: ~**se con** tomber sur; ~ **contra** *o* **en** buter contre.

tope ['tope] *adj* limite ♦ *nm* limite *f*;

(*obstáculo*) difficulté *f*; (*de puerta*) butoir *m*; (*FERRO*) tampon *m*; (*de mecanismo*) butée *f*; (*MÉX: AUTO*) ralentisseur *m*; **a ~** (*fam: aprovechar, acelerar*) à fond; (*: música*) à plein volume; **a** *o* **hasta los ~s** plein(e) à ras bord; **fecha ~** date *f* limite; **precio/sueldo ~** prix *m*/salaire *m* maximum; **tope de tabulación** tabulateur *m*.

tópico, -a ['topiko, a] *adj* d'actualité; (*MED*) externe ♦ *nm* (*pey*) cliché *m*; **de uso ~** à usage externe.

topo ['topo] *nm* taupe *f*.

topografía [topoɣra'fia] *nf* topographie *f*.

toque ['toke] *vb V* **tocar** ♦ *nm* (*de mano, pincel*) coup *m*; (*MÚS*) sonnerie *f*; (*matiz*) touche *f*; (*retoque*) retouche *f*; **dar un ~ a** passer un coup de fil à; (*advertir*) donner un avertissement à; **dar el último ~ a** mettre la dernière touche à; **toque de diana** sonnerie de clairon; **toque de queda** couvre-feu *m*.

toquetear [tokete'ar] *vt* tripoter; (*fam!*) peloter.

toquilla [to'kiʎa] *nf* châle *m*.

tórax ['toraks] *nm* thorax *msg*.

torbellino [torbe'ʎino] *nm* tourbillon *m*; (*fig*) tornade *f*.

torcedura [torθe'ðura] *nf* torsion *f*.

torcer [tor'θer] *vt* tordre; (*inclinar*) pencher; (*persona*) corrompre; (*sentido*) déformer ♦ *vi* (*cambiar de dirección*) tourner; **torcerse** *vpr* se tordre; (*inclinarse*) pencher; (*desviarse*) dévier; (*fracasar*) se gâter; **~ la esquina** tourner au coin de la rue; **~ el gesto** se renfrogner; **el coche torció a la derecha** l'auto a viré à droite; **~se un pie** se tordre le pied; **se han torcido las cosas** les choses se sont gâtées.

torcido, -a [tor'θiðo, a] *adj* tordu(e); (*cuadro*) penché(e); (*intención, persona*) louche.

tordo, -a ['torðo, a] *adj* (*caballo*) pommelé(e) ♦ *nm* étourneau *m*.

torear [tore'ar] *vt* (*toro*) combattre; (*evitar*) esquiver ♦ *vi* toréer.

toreo [to'reo] *nm* tauromachie *f*.

torero, -a [to'rero, a] *nm/f* torero *m*.

tormenta [tor'menta] *nf* tempête *f*, orage *m*; (*fig*) orage; **una ~ en un vaso de agua** une tempête dans un verre d'eau.

tormento [tor'mento] *nm* torture *f*; (*fig*) tourment *m*.

tormentoso, -a [tormen'toso, a] *adj* orageux(-euse).

torna ['torna] *nf*: **se han vuelto las ~s** le vent a tourné.

tornado [tor'naðo] *nm* tornade *f*.

tornar [tor'nar] *vt* (*devolver*) rendre; (*transformar*) transformer ♦ *vi* revenir; **tornarse** *vpr* (*ponerse*) devenir; (*volver*) revenir; **~ a hacer** recommencer à faire.

tornasol [torna'sol] *nm* tournesol *m*; **papel de ~** papier *m* de tournesol.

tornear [torne'ar] *vt* tourner.

torneo [tor'neo] *nm* tournoi *m*.

tornillo [tor'niʎo] *nm* vis *fsg*; **apretar los ~s a algn** serrer la vis à qn; **le falta un ~** (*fam*) il lui manque une case.

torniquete [torni'kete] *nm* tourniquet *m*.

torno ['torno] *nm* (*TEC: grúa*) treuil *m*; (*: de carpintero, alfarero*) tour *m*; **en ~ a** autour de; **torno de banco** étau *m*.

toro ['toro] *nm* taureau *m*; (*fam*) malabar *m*; **los ~s** *nmpl* (*fiesta*) la corrida.

torpe ['torpe] *adj* maladroit(e); (*necio*) abruti(e); (*lento*) lent(e).

torpedo [tor'peðo] *nm* torpille *f*.

torpeza [tor'peθa] *nf* maladresse *f*; (*lentitud*) lenteur *f*.

torre ['torre] *nf* tour *f*; (*MIL, NÁUT*) tourelle *f*; **torre de conducción eléctrica** pylône *m* électrique; **torre de control** tour de contrôle; **torre de marfil** tour d'ivoire; **torre de perforación** foreuse *f*.

torrefacto, -a [torre'fakto, a] *adj*: **café ~** café *m* torréfié.

torrencial [torren'θjal] *adj* torrentiel(le).

torrente [to'rrente] *nm* torrent *m*.

tórrido, -a ['torriðo, a] *adj* torride.

torrija [to'rrixa] *nf* pain *m* perdu.

torsión [tor'sjon] *nf* torsion *f*.

torso ['torso] *nm* torse *m*.

torta ['torta] *nf* tarte *f*; (*MÉX*) omelette *f*; (*fam*) baffe *f*; **ni ~** rien du tout, goutte.

tortazo [tor'taθo] *nm* (*bofetada*) baffe *f*; (*de coche*) choc *m*.

tortícolis [tor'tikolis] *nf o nm inv* torticolis *msg*.

tortilla [tor'tiʎa] *nf* omelette *f*; (*AM*) crêpe *f* de maïs; **ha cambiado** *o* **vuelto la ~** le vent a tourné; **tortilla española/francesa** tortilla *f*/omelette.

tórtola ['tortola] *nf* tourterelle *f*.

tortuga [tor'tuɣa] *nf* tortue *f*; **tortuga marina** tortue de mer.

tortuoso, -a [tor'twoso, a] *adj* tortueux(-ueuse).

tortura [tor'tura] *nf* torture *f*.

torturar [tortu'rar] *vt* torturer; **torturarse** *vpr* se torturer.

torvo, -a ['torβo, a] *adj* (*mirada*) torve; (*gesto*) menaçant(e).

tos [tos] *nf* toux *fsg*; **tos ferina** coqueluche *f*.

tosco, -a ['tosko, a] *adj* (*material*) brut(e); (*artesanía*) grossier(-ière); (*sin refinar*) rustre, grossier(-ière).

toser [to'ser] *vi* tousser; **no hay quien le tosa** il ne se prend pas pour n'importe qui.
tostada [tos'taða] *nf* pain *m* grillé, toast *m*.
tostado, -a [tos'taðo, a] *adj* grillé(e); (*por el sol*) bronzé(e).
tostador [tosta'ðor] *nm* grille-pain *m inv*.
tostar [tos'tar] *vt* (*pan*) faire griller; (*café*) torréfier; (*al sol*) dorer; **tostarse** *vpr* (*al sol*) se dorer.
tostón [tos'ton] *nm*: **ser un ~** (*algn*) être un(e) enquiquineur(-euse); (*algo*) être rasoir.
total [to'tal] *adj* total(e) ♦ *adv* au total ♦ *nm* total *m*; **en ~** au total; **~ que** bref, somme toute; **total debe/haber** (*COM*) débit *m*/actif *m* total.
totalidad [totali'ðað] *nf* totalité *f*.
totalitario, -a [totali'tarjo, a] *adj* totalitaire.
totalmente [to'talmente] *adv* entièrement; (*antes de adjetivo*) complètement.
tótem ['totem] *nm* totem *m*.
tóxico, -a ['toksiko, a] *adj* toxique ♦ *nm* produit *m* toxique.
toxicómano, -a [toksi'komano, a] *nm/f* toxicomane *m/f*.
toxina [to'ksina] *nf* toxine *f*.
tozudo, -a [to'θuðo, a] *adj* têtu(e).
traba ['traβa] *nf* entrave *f*; (*de rueda*) rayon *m*; **poner ~s a** mettre des bâtons dans les roues à.
trabajador, a [traβaxa'ðor, a] *adj, nm/f* travailleur(-euse); **trabajador autónomo** *o* **por cuenta propia** travailleur indépendant, free-lance *m/f*.
trabajar [traβa'xar] *vt* travailler; (*mercancía*) faire; (*intentar conseguir*) s'occuper de ♦ *vi* travailler; **¡a ~!** au travail!; **~ de** travailler comme.
trabajo [tra'βaxo] *nm* travail *m*; (*fig*) difficultés *fpl*; **tomarse el ~ de** se donner la peine de; **~ por turnos/a destajo** travail par roulement/à la pièce; **costar ~** demander du travail; **trabajo a tiempo parcial** travail à temps partiel; **trabajo de campo** travaux *mpl* des champs; **trabajo en proceso** (*COM*) travaux en cours; **trabajos forzados** travaux forcés.
trabajoso, -a [traβa'xoso, a] *adj* laborieux(-ieuse).
trabalenguas [traβa'lengwas] *nm inv* phrase *f* difficile à prononcer.
trabar [tra'βar] *vt* joindre; (*puerta*) coincer; (*animal, proceso*) entraver; (*agarrar*) saisir; (*salsa*) lier; (*amistad, conversación*) nouer; **trabarse** *vpr* bafouiller; **se le traba la lengua** il bafouille.
tracción [trak'θjon] *nf* traction *f*; **~ delantera/trasera** traction avant/arrière.
tractor [trak'tor] *nm* tracteur *m*.
tradición [traði'θjon] *nf* tradition *f*.
tradicional [traðiθjo'nal] *adj* traditionnel(le).
traducción [traðuk'θjon] *nf* traduction *f*; **traducción asistida por ordenador** traduction assistée par ordinateur, TAO *f*; **traducción directa** traduction directe; (*ESCOL*) version *f*.
traducir [traðu'θir] *vt* traduire; (*interpretar*) interpréter; **traducirse** *vpr*: **~se en** (*fig*) se traduire par.
traductor, a [traðuk'tor, a] *nm/f* traducteur(-trice).
traer [tra'er] *vt* apporter; (*llevar: ropa*) porter; (*incluir*) impliquer; (*ocasionar*) apporter, causer; **traerse** *vpr*: **~se algo** tramer qch; **~ a algn frito** *o* **de cabeza** (*fam*) raser qn; **~ consigo** impliquer; **es un problema que se las trae** c'est un problème épineux; **~se algo entre manos** manigancer *o* fabriquer qch.
traficante [trafi'kante] *nm/f* trafiquant(e).
traficar [trafi'kar] *vi*: **~ con** faire du trafic de.
tráfico ['trafiko] *nm* (*AUTO*) trafic *m*, circulation *f*; (*COM*) commerce *m*; (*: pey*) trafic; **tráfico de drogas** trafic de drogue; **tráfico de influencias** trafic d'influence.
tragaluz [traɣa'luθ] *nm* vasistas *msg*.
tragamonedas [traɣamo'neðas], **tragaperras** [traɣa'perras] *nm inv* machine *f* à sous.
tragar [tra'ɣar] *vt* avaler; (*devorar*) dévorer; (*suj: mar, tierra*) engloutir; **tragarse** *vpr* avaler; (*devorar*) dévorer; (*desprecio, insulto*) ravaler; (*discurso, rollo*) se farcir; **no le puedo ~** je ne peux pas le sentir.
tragedia [tra'xeðja] *nf* tragédie *f*.
trágico, -a ['traxiko, a] *adj* tragique.
trago ['traɣo] *nm* gorgée *f*; (*fam: bebida*) verre *m*; (*desgracia*) moment *m* difficile; **de un ~** d'un trait; **~ amargo** coup *m* dur.
traición [trai'θjon] *nf* trahison *f*; **alta ~** haute trahison; **a ~** en traître.
traicionar [traiθjo'nar] *vt* trahir.
traidor, a [trai'ðor, a] *adj, nm/f* traître(traîtresse).
traiga *etc* ['traiɣa] *vb V* **traer**.
trailer ['trailer] (*pl* **~s**) *nm* (*CINE*) bande-annonce *f*; (*camión*) semi-remorque *m*.
traje ['traxe] *vb V* **traer** ♦ *nm* (*de hombre, de época*) costume *m*; **~ hecho a la medida** costume sur mesure; **traje de baño**

maillot *m* de bain; **traje de buzo** combinaison *f* de plongée; **traje de calle** tenue *f* de ville; **traje de chaqueta** tailleur *m*; **traje de etiqueta** tenue *f* de soirée; **traje de luces** habit *m* de lumière; **traje de noche** robe *f* du soir; **traje de novia** robe de mariée; **traje típico** costume.

trajeado, -a [traxe'aðo, a] (*fam*) *adj* fringué(e).

traje-pantalón [traxe-panta'lon] *nm* tailleur *m* pantalon.

trajera *etc* [tra'xera] *vb V* **traer**.

trajín [tra'xin] *nm* agitation *f*; (*fam*) va-et-vient *m inv*.

trajinar [traxi'nar] *vt* transporter ♦ *vi* s'affairer.

trama ['trama] *nf* (*de tejido*) trame *f*; (*de obra*) intrigue *f*; (*intriga*) machination *f*.

tramar [tra'mar] *vt* tramer, ourdir; **tramarse** *vpr*: **algo se está tramando** il se trame qch.

tramitar [trami'tar] *vt* (*suj: departamento, comisaría*) s'occuper de; (*: individuo*) faire des démarches pour obtenir.

trámite ['tramite] *nm* démarche *f*; **~s** *nmpl* (*burocracia*) formalités *fpl*; (*JUR*) mesures *fpl*.

tramo ['tramo] *nm* (*de tierra*) bande *f*; (*de escalera*) volée *f*; (*de vía*) tronçon *m*.

tramoya [tra'moja] *nf* (*TEATRO*) machinerie *f*; (*fig*) machination *f*.

tramoyista [tramo'jista] *nm/f* machiniste *m*; (*fig*) conspirateur(-trice).

trampa ['trampa] *nf* piège *m*; (*en el suelo*) trappe *f*; (*en juego*) tricherie *f*; (*fam: deuda*) dette *f*; **caer en la ~** tomber dans le piège; **hacer ~s** tricher.

trampilla [tram'piʎa] *nf* trappe *f*.

trampolín [trampo'lin] *nm* tremplin *m*.

tramposo, -a [tram'poso, a] *adj, nm/f* tricheur(-euse).

tranca ['tranka] *nf* (*palo*) trique *f*; (*de puerta, ventana*) barre *f*; (*fam: borrachera*) cuite *f*; **a ~s y barrancas** avec maintes difficultés.

trancar [tran'kar] *vt* barrer.

trancazo [tran'kaθo] *nm* coup *m* de trique; (*fam*) crève *f*.

trance ['tranθe] *nm* (*crítico*) moment *m* critique; (*difícil*) moment difficile; (*estado hipnótico*) transe *f*; **estar en ~ de muerte** être à l'article de la mort.

tranquilidad [trankili'ðað] *nf* tranquillité *f*.

tranquilizante [trankili'θante] *nm* tranquillisant *m*.

tranquilizar [trankili'θar] *vt* tranquilliser.

tranquilo, -a [tran'kilo, a] *adj* calme; (*apacible*) tranquille.

trans... [trans] *pref* trans...; *V tb* **tras...** .

transacción [transak'θjon] *nf* transaction *f*.

transbordador [transβorða'ðor] *nm* transbordeur *m*, bac *m*.

transbordo [trans'βorðo] *nm* transbordement *m*; **hacer ~** changer.

transcribir [transkri'βir] *vt* transcrire.

transcurrir [transku'rrir] *vi* (*tiempo*) passer; (*hecho, reunión*) se dérouler.

transcurso [trans'kurso] *nm* (*de tiempo*) cours *msg*; (*de hecho*) déroulement *m*; **en el ~ de 8 días** en l'espace de 8 jours.

transeúnte [transe'unte] *adj* de passage ♦ *nm/f* passant(e), clochard(e).

transexual [transe'kswal] *nm/f* transsexuel(le).

transferencia [transfe'renθja] *nf* transfert *m*; (*COM*) virement *m*; **transferencia bancaria** virement bancaire; **transferencia de crédito** virement; **transferencia electrónica de fondos** système *m* de virements informatisé.

transferir [transfe'rir] *vt* transférer; (*dinero*) virer.

transformación [transforma'θjon] *nf* transformation *f*.

transformador [transforma'ðor] *nm* transformateur *m*.

transformar [transfor'mar] *vt* transformer; **~ en** transformer en.

tránsfuga ['transfuɣa] *nm/f* transfuge *m*.

transfusión [transfu'sjon] *nf* (*tb:* **~ de sangre**) transfusion *f* (sanguine).

transgredir [transɣre'dir] *vt* transgresser.

transición [transi'θjon] *nf* transition *f*; **gobierno de ~** gouvernement *m* de transition; **período de ~** période *f* de transition; **transición democrática** transition démocratique.

transigir [transi'xir] *vi* transiger.

transistor [transis'tor] *nm* transistor *m*.

transitable [transi'taβle] *adj* praticable.

transitar [transi'tar] *vi*: **~ (por)** circuler (sur).

transitivo, -a [transi'tiβo, a] *adj* transitif(-ive).

tránsito ['transito] *nm* passage *m*; (*AUTO*) transit *m*; **horas de máximo ~** heures *fpl* de pointe; **"se prohíbe el ~"** "circulation interdite".

transitorio, -a [transi'torjo, a] *adj* transitoire.

transmisión [transmi'sjon] *nf* transmission *f*; (*RADIO, TV*) diffusion *f*; **correa/eje de ~** courroie *f*/axe *m* de transmission; **transmisión de datos (en paralelo/en se-**

rie) (*INFORM*) transmission de données (en parallèle/en série); **transmisión en circuito** duplex *m*; **transmisión en directo** diffusion en direct; **transmisión exterior** émission tournée en extérieur.

transmitir [transmi'tir] *vt* transmettre; (*aburrimiento, esperanza*) communiquer; (*RADIO, TV*) diffuser.

transparencia [transpa'renθja] *nf* transparence *f*; (*foto*) transparent *m*.

transparentar [transparen'tar] *vt* (*figura*) révéler; (*alegría, tristeza*) transparaître ♦ *vi* être transparent(e); **transparentarse** *vpr* être transparent(e).

transparente [transpa'rente] *adj* transparent(e).

transpirar [transpi'rar] *vi* (*sudar*) transpirer; (*exudar*) exsuder.

transportar [transpor'tar] *vt* transporter.

transporte [trans'porte] *nm* transport *m*; **transporte en contenedores** transport par conteneurs; **transporte público** transport public.

transportista [transpor'tista] *nm/f* (*COM*) transporteur *m*.

transversal [transβer'sal] *adj* transversal(e) ♦ *nf* (*tb*: **calle** ~) rue *f* transversale.

tranvía [tram'bia] *nm* tramway *m*.

trapecio [tra'peθjo] *nm* trapèze *m*.

trapecista [trape'θista] *nm/f* trapéziste *m/f*.

trapero, -a [tra'pero, a] *nm/f* chiffonnier(-ière).

trapicheos [trapi'tʃeos] (*fam*) *nmpl* stratagèmes *mpl*, machinations *fpl*.

trapo ['trapo] *nm* chiffon *m*; (*de cocina*) torchon *m*; **~s** *nmpl* (*fam*: *de mujer*) chiffons *mpl*; **a todo ~** à toute vitesse; **poner a algn como un ~** (*fam*) descendre qn en flammes; **sacar los ~s sucios a relucir** se dire ses quatre vérités.

tráquea ['trakea] *nf* trachée *f*.

traqueteo [trake'teo] *nm* cahot *m*.

tras [tras] *prep* (*detrás*) derrière; (*después*) après; **~ de** en plus de; **día ~ día** jour *m* après jour; **uno ~ otro** l'un après l'autre.

tras... [tras] *pref* trans...; *V tb* **trans...** .

trasatlántico, -a [trasat'lantiko, a] *adj, nm* transatlantique *m*.

trascendencia [trasθen'denθja] *nf* importance *f*; (*FILOS*) transcendance *f*.

trascendental [trasθenden'tal] *adj* capital(e).

trascender [trasθen'der] *vi* (*noticias*) filtrer, transpirer; (*olor*) embaumer; (*acontecimientos*) avoir des répercussions; **~ de** dépasser; **~ a** (*sugerir*) évoquer; (*oler a*) sentir; **en su novela todo trasciende a romanticismo** dans son roman tout évoque le romantisme.

trasero, -a [tra'sero, a] *adj* arrière ♦ *nm* (*ANAT*) postérieur *m*.

trasfondo [tras'fondo] *nm* fond *m*.

trasiego [tra'sjeɣo] *vb V* **trasegar** ♦ *nm* (*cambio de sitio*) changement *m*; (*jaleo*) chambardement *m*.

trasladar [trasla'ðar] *vt* déplacer; (*empleado, prisionero*) transférer; (*fecha*) reporter; **trasladarse** *vpr* (*mudarse*) déménager; (*desplazarse*) se déplacer; **~se a otro puesto** changer d'emploi.

traslado [tras'laðo] *nm* déplacement *m*; (*mudanza*) déménagement *m*; (*de empleado, prisionero*) transfert *m*; (*copia, JUR*) notification *f*; **traslado de bloque** (*INFORM*) déplacement de bloc.

traslucir [traslu'θir] *vt* laisser entrevoir; **traslucirse** *vpr* (*cristal*) être translucide; (*figura, color*) se voir au travers; (*fig*) apparaître, se révéler.

trasluz [tras'luθ] *nm* lumière *f* tamisée; **al ~** à la lumière.

trasnochado, -a [trasno'tʃaðo, a] *adj* dépassé(e).

trasnochador, a [trasnotʃa'ðor, a] *adj, nm/f* noctambule *m/f*, couche-tard *m/f*.

trasnochar [trasno'tʃar] *vi* se coucher tard; (*no dormir*) passer une nuit blanche.

traspapelar [traspape'lar] *vt* égarer.

traspasar [traspa'sar] *vt* transpercer; (*propiedad, derechos*) céder; (*empleado, jugador*) transférer; (*límites*) dépasser; (*ley*) transgresser; **"traspaso negocio"** "bail à céder".

traspaso [tras'paso] *nm* (*de negocio, jugador*) cession *f*, vente *f*; (*precio*) montant *m*.

traspié [tras'pje] *nm* faux pas *msg*; (*fig*) faux pas, gaffe *f*.

trasplantar [trasplan'tar] *vt* transplanter.

trasplante [tras'plante] *nm* transplant *m*.

trasquilar [traski'lar] *vt* (*oveja*) tondre; (*fam*: *pelo*) mal couper.

trastada [tras'taða] (*fam*) *nf* mauvais tour *m*.

trastazo [tras'taθo] (*fam*) *nm* coup *m*.

traste ['traste] *nm* (*MÚS*) touche *f*; **dar al ~ con algo** en finir avec qch; **irse al ~** tourner court.

trastero [tras'tero] *nm* débarras *msg*.

trastienda [tras'tjenda] *nf* arrière-boutique *f*; **obtener algo por la ~** obtenir qch en sous-main.

trasto ['trasto] *nm* vieillerie *f*; (*pey*: *cosa*) saleté *f*; (: *persona*) propre *m* à rien; **~s** *nmpl* (*fam*) attirail *msg*; **tirarse los ~s a la**

cabeza se battre comme des chiffonniers.

trastocar [trasto'kar] *vt* déranger.

trastornado, -a [trastor'naðo, a] *adj* (*loco*) détraqué(e); (*agitado*) turbulent(e).

trastornar [trastor'nar] *vt* déranger; (*persona*) troubler; (: *enamorar*) envoûter; (: *enloquecer*) rendre fou(folle); **trastornarse** *vpr* (*plan*) échouer; (*persona*) devenir fou(folle).

trastorno [tras'torno] *nm* dérangement *m*; (*confusión*) désordre *m*; (*MED*) trouble *m*; **trastorno estomacal** trouble gastrique; **trastorno mental** trouble mental.

trastrocar [trastro'kar] *vt* inverser, intervertir.

trasvase [tras'βase] *nm* détournement *m*.

tratado [tra'taðo] *nm* traité *m*.

tratamiento [trata'mjento] *nm* traitement *m*; (*título*) titre *m*; (*de problema*) manière *f* de traiter; **tratamiento de datos/de gráficos/de textos** (*INFORM*) traitement des données/des graphiques/de texte; **tratamiento de márgenes** positionnement *m* des marges; **tratamiento por lotes** (*INFORM*) traitement par lots.

tratante [tra'tante] *nm/f* négociant(e).

tratar [tra'tar] *vt* traiter; (*dirigirse a*) adresser; (*tener contacto*) fréquenter ♦ *vi*: ~ **de** (*hablar sobre*) traiter de; (*intentar*) essayer de; **tratarse** *vpr*: ~**se de** s'agir de; ~ **con** traiter avec; ~ **en** (*COM*) être négociant en; **se trata de la nueva piscina** c'est à propos de la nouvelle piscine; **¿de qué se trata?** de quoi s'agit-il?; ~ **a algn de tú** tutoyer qn; ~ **a algn de tonto** traiter qn d'idiot.

tratativas [trata'tiβas] (*CSUR*) *nfpl* formalités *fpl*.

trato ['trato] *nm* traitement *m*; (*relaciones*) rapport *m*; (*manera de ser*) manières *fpl*; (*COM, JUR*) marché *m*; (*pacto*) traité *m*; (*título*) titre *m*; **de ~ agradable** agréable, charmant(e); **de fácil ~** d'abord facile; ~ **equitativo** traitement égal; **¡~ hecho!** marché conclu!; **hacer un ~** faire un marché; **malos ~s** mauvais traitements.

trauma ['trauma] *nm* trauma *m*.

traumático, -a [trau'matiko, a] *adj* traumatique.

través [tra'βes] *nm*: **al ~** en travers; **a ~ de** à travers, en travers de; (*radio, teléfono, organismo*) par, par l'intermédiaire de; **de ~** (*transversalmente*) de travers; (*de lado*) en *o* de biais.

travesaño [traβe'saɲo] *nm* (*ARQ*) traverse *f*; (*DEPORTE*) barre *f* transversale.

travesero, -a [traβe'sero, a] *adj* (*madero, viga*) en travers; (*flauta*) traversière ♦ *nm* traverse *f*, entretoise *f*.

travesía [traβe'sia] *nf* (*calle*) passage *m*; (*NÁUT*) traversée *f*.

travesti [tra'βesti] *nm/f* travesti(e).

travesura [traβe'sura] *nf* diablerie *f*.

travieso, -a [tra'βjeso, a] *adj* (*niño*) espiègle, polisson(ne); (*adulto*) espiègle; (*pícaro*) malin(-igne); (*ingenioso*) astucieux(-euse); **a campo traviesa** à travers champs.

trayecto [tra'jekto] *nm* trajet *m*, chemin *m*; (*tramo*) section *f*; **final del ~** terminus *msg*.

trayectoria [trajek'torja] *nf* trajectoire *f*; **la ~ actual del partido** la ligne actuelle du parti.

trayendo *etc* [tra'jendo] *vb V* **traer**.

traza ['traθa] *nf* (*ARQ*) tracé *m*, plan *m*; (*aspecto*) allure *f*; (*habilidad*) facilité *f*; (*INFORM*) trace *f*; **llevar ~s de algo** avoir l'air de qch; **por las ~s** apparemment.

trazado [tra'θaðo] *nm* (*ARQ*) plan *m*; (*fig*) grandes lignes *fpl*; (*de carretera*) tracé *m*.

trazar [tra'θar] *vt* tracer; (*plan*) tirer.

trazo ['traθo] *nm* (*línea*) trait *m*; (*bosquejo*) ébauche *f*; ~**s** *nmpl* (*de cara*) traits *mpl*.

trébol ['treβol] *nm* trèfle *m*; ~**es** *nmpl* (*NAIPES*) trèfles *mpl*.

trece ['treθe] *adj inv, nm inv* treize *m inv*; **seguir en sus ~** s'obstiner; *V tb* **seis**.

trecho ['tretʃo] *nm* (*distancia*) distance *f*; (*de tiempo*) moment *m*; **de ~ en ~** de temps en temps; **a ~s** çà et là.

tregua ['treɣwa] *nf* trêve *f*; **sin ~** sans répit.

treinta ['treinta] *adj inv, nm inv* trente *m inv*; *V tb* **sesenta**.

treintena [trein'tena] *nf* trentaine *f*.

tremendo, -a [tre'mendo, a] *adj* (*terrible*) impressionnant(e); (*imponente*) terrible, impressionnant(e); (*fam*) terrible; **tomarse las cosas a la tremenda** prendre les choses au tragique.

tren [tren] *nm* train *m*; **a todo ~** à grands frais; **estar como un ~** (*fam*) être canon; **tren de aterrizaje** train d'atterrissage; **tren directo/expreso/suplementario** train direct/(train) express *m*/train à supplément; **tren (de) mercancías/de pasajeros** train de marchandises/de voyageurs; **tren de vida** train de vie.

trenca ['trenka] *nf* duffle-coat *m*.

trenza ['trenθa] *nf* tresse *f*.

trenzar [tren'θar] *vt* tresser ♦ *vi* (*en baile*) faire des entrechats; **trenzarse** (*AM*: *fam*) *vpr* se mêler à une querelle.

trepa ['trepa] (*fam*) *nm/f* arriviste *m/f*.

trepar [tre'par] *vi* grimper.

trepidante [trepi'ðante] *adj* trépidant(e); (*ruido*) accablant(e).
tres [tres] *adj inv, nm inv* trois *m inv*; *V tb* **seis.**
trescientos, -as [tres'θjentos, as] *adj* trois cents.
tresillo [tre'siʎo] *nm* salon *m* (*comprenant un canapé et deux fauteuils*); (*MÚS*) triolet *m.*
treta ['treta] *nf* machination *f.*
trial [trjal] *nm* trial *m.*
triangular [trjangu'lar] *adj* triangulaire.
triángulo [tri'angulo] *nm* triangle *m.*
tribal [tri'βal] *adj* tribal(e).
tribu ['triβu] *nf* tribu *f.*
tribuna [tri'βuna] *nf* tribune *f*; **tribuna de prensa** tribune de la presse.
tribunal [triβu'nal] *nm* (*JUR*) tribunal *m*; (*ESCOL, fig*) jury *m*; **Tribunal Constitucional** *Cour constitutionnelle*; **Tribunal de Cuentas** ≈ Cour *f* des comptes; **Tribunal de Justicia de las Comunidades Europeas** Cour de justice européenne; **Tribunal Supremo** Cour suprême; **Tribunal Tutelar de Menores** Tribunal pour enfants.
tributar [triβu'tar] *vt* payer; (*cariño, admiración*) témoigner.
tributo [tri'βuto] *nm* tribut *m,* impôt *m.*
triciclo [tri'θiklo] *nm* tricycle *m.*
tricornio [tri'kornjo] *nm* tricorne *m.*
tricotar [triko'tar] *vt, vi* tricoter.
trienio ['trienjo] *nm* triennat *m.*
trifulca [tri'fulka] (*fam*) *nf* bagarre *f.*
trigal [tri'ɣal] *nm* champ *m* de blé.
trigésimo, -a [tri'xesimo, a] *adj, nm/f* trentième *m/f.*
trigo ['triɣo] *nm* blé *m*; **no es ~ limpio** il est louche.
trillado, -a [tri'ʎaðo, a] *adj* (*AGR*) battu(e); (*fig*) rebattu(e).
trillar [tri'ʎar] *vt* battre.
trillizos, -as [tri'ʎiθos, as] *nm/fpl* triplés(-ées).
trilogía [trilo'xia] *nf* trilogie *f.*
trimestral [trimes'tral] *adj* trimestriel(le).
trimestre [tri'mestre] *nm* trimestre *m.*
trinar [tri'nar] *vi* (*ave*) gazouiller; **está que trina** (*fam*) il est furieux.
trincar [trin'kar] *vt* arrimer; (*NÁUT*) amarrer; (*fam*: *detener*) ramasser; (: *beber*) écluser.
trinchar [trin'tʃar] *vt* découper.
trinchera [trin'tʃera] *nf* (*MIL*) tranchée *f*; (*para vía*) percée *f*; (*impermeable*) trench-coat *m.*
trineo [tri'neo] *nm* traîneau *m.*
trinidad [trini'ðað] *nf*: **la T~** la Trinité.
trino ['trino] *nm* gazouillement *m.*
trinquete [trin'kete] *nm* (*TEC*) cliquet *m*; (*NÁUT*) trinquette *f.*
trío ['trio] *nm* trio *m.*
tripa ['tripa] *nf* (*ANAT*) intestin *m*; (*fam*) tripe *f*; (: *embarazo*) ventre *m*; **~s** *nfpl* (*ANAT*) intestins *mpl*; (*CULIN, fig*) tripes *fpl*; **echar/tener ~** prendre/avoir du ventre; **me duele la ~** j'ai mal au ventre; **hacer de ~s corazón** prendre son courage à deux mains.
triple ['triple] *adj* triple.
triplicado, -a [tripli'kaðo, a] *adj*: **por ~** en trois exemplaires.
triplicar [tripli'kar] *vt* tripler.
trípode ['tripoðe] *nm* trépied *m.*
tripulación [tripula'θjon] *nf* équipage *m.*
tripulante [tripu'lante] *nm/f* membre *m* de l'équipage.
tripular [tripu'lar] *vt* former l'équipage de; **nave espacial tripulada** vaisseau *m* spatial habité.
triquiñuela [triki'ɲwela] *nf* subterfuge *m.*
tris [tris] *nm*: **estar en un ~ de hacer algo** être sur le point de faire qch.
triste ['triste] *adj* triste; (*paisaje*) morne; (*color, flores*) flétri(e); **no queda ni un ~ pañuelo** il ne reste même pas un mouchoir.
tristeza [tris'teθa] *nf* tristesse *f.*
tristón, -ona [tris'ton, ona] *adj* triste, tristounet(te).
triturar [tritu'rar] *vt* triturer, broyer; (*mascar*) mâcher; (*documentos*) déchiqueter; (*persona*: *golpear*) pulvériser; (: *humillar*) anéantir.
triunfador, a [triunfa'ðor, a] *adj* victorieux(-euse) ♦ *nm/f* vainqueur *m.*
triunfal [trium'fal] *adj* triomphal(e).
triunfar [triun'far] *vi* triompher, gagner; **~ en la vida** réussir dans la vie.
triunfo [tri'unfo] *nm* triomphe *m*; (*NAIPES*) atout *m.*
trivial [tri'βjal] *adj* banal(e), sans importance.
trivializar [triβjali'θar] *vt* minimiser, banaliser.
triza ['triθa] *nf* morceau *m,* lambeau *m*; **hacer algo ~s** réduire qch en miettes; **hacer ~s a algn** (*golpear*) démolir qn; (*humillar*) écraser qn.
trocar [tro'kar] *vt* (*COM*) troquer; (*papel, posición*) changer; (*palabras*) échanger; **trocarse** *vpr* se changer; **~ (en)** changer (en); **~se (en)** se changer (en).
trocear [troθe'ar] *vt* couper en morceaux.
troche ['trotʃe]: **a ~ y moche** *adv* à tort et à travers.

trofeo [tro'feo] *nm* trophée *m*; (*botín*) butin *m*; **trofeo de caza** trophée de chasse.
trola ['trola] (*fam*) *nf* mensonge *m*.
tromba ['tromba] *nf* trombe *f*; **tromba de agua** trombe d'eau.
trombón [trom'bon] *nm* trombone *m*.
trombosis [trom'bosis] *nf inv* thrombose *f*; **trombosis cerebral** thrombose cérébrale.
trompa ['trompa] *nf* (*MÚS*) cor *m*; (*de elefante, insecto, fam*) trompe *f* ♦ *nm* (*MÚS*) joueur *m* de cor; **estar ~** (*fam*) être pompette; **cogerse una ~** (*fam*) prendre une cuite; **trompa de Falopio** trompe de Fallope.
trompada [trom'paða] *nf*, **trompazo** [trom'paθo] *nm* coup *m*; (*puñetazo*) coup de poing; **darse un ~** se donner un coup.
trompeta [trom'peta] *nf* trompette *f*; (*clarín*) clairon *m* ♦ *nm/f* trompettiste *m/f*.
trompetilla [trompe'tiʎa] *nf* cornet *m* acoustique.
trompetista [trompe'tista] *nm/f* trompettiste *m/f*.
trompicón [trompi'kon]: **a trompicones** *adv* par à-coups.
tronar [tro'nar] *vt* (*CAM, MÉX: fam*) tuer ♦ *vi* (*METEOROLOGÍA*) tonner.
tronchar [tron'tʃar] *vt* (*árbol*) abattre; (*vida, esperanza*) briser, détruire; **troncharse** *vpr* se fendre, tomber; **~se de risa** se tordre de rire.
tronco ['tronko] *nm* tronc *m*; (*de familia*) lignée *f*; **dormir como un ~** dormir comme une souche.
trono ['trono] *nm* trône *m*.
tropa ['tropa] *nf* troupe *f*; (*gentío*) foule *f*.
tropel [tro'pel] *nm* (*desorden*) cohue *f*; (*montón*) amoncellement *m*; **en ~** en se bousculant.
tropezar [trope'θar] *vi* trébucher; **tropezarse** *vpr* se rencontrer; **~ con** (*fig*) tomber sur.
tropezón [trope'θon] *nm* faux pas *msg*; **tropezones** *nmpl* (*CULIN*) morceaux *mpl* de viande; **darse un ~** trébucher.
tropical [tropi'kal] *adj* tropical(e).
trópico ['tropiko] *nm* tropique *m*.
tropiezo [tro'pjeθo] *vb V* **tropezar** ♦ *nm* (*error*) erreur *f*, bévue *f*; (*revés*) revers *msg*; (*obstáculo*) difficulté *f*; (*desliz*) erreur.
trotamundos [trota'mundos] (*fam*) *nm/f inv* globe-trotter *m/f*.
trotar [tro'tar] *vi* trotter; (*fam: viajar*) voyager.
trote ['trote] *nm* trot *m*; (*fam*) activité *f*; **hacer algo al ~** faire qch à toute vitesse; **de mucho ~** solide, résistant(e); **ya no está para esos ~s** ce n'est plus pour lui.
trozo ['troθo] *nm* morceau *m*; **a ~s** par endroits.
trucha ['trutʃa] *nf* truite *f*.
truco ['truko] *nm* truc *m*; (*CINE*) trucage *m*; **ya le he cogido el ~** j'ai trouvé le truc; **truco publicitario** astuce *f* promotionnelle.
trueno ['trweno] *vb V* **tronar** ♦ *nm* tonnerre *m*; (*estampido*) détonation *f*.
trueque ['trweke] *vb V* **trocar** ♦ *nm* échange *m*; (*COM*) troc *m*.
trufa ['trufa] *nf* truffe *f*.
truhán, -ana [tru'an, ana] *nm/f* truand(e).
truncar [trun'kar] *vt* tronquer; (*vida*) abréger; (*desarrollo*) retarder; (*esperanzas*) briser.
tu [tu] *adj* ton(ta); **tus hijos** tes enfants.
tú [tu] *pron* tu.
tubérculo [tu'βerkulo] *nm* tubercule *m*.
tuberculosis [tuβerku'losis] *nf* tuberculose *f*.
tubería [tuβe'ria] *nf* tuyau *m*; (*sistema*) tuyauterie *f*; (*oleoducto etc*) conduite *f*.
tubo ['tuβo] *nm* tube *m*; (*de desagüe*) tuyau *m*; **tubo de ensayo** éprouvette *f*, tube à essai; **tubo de escape** pot *m* d'échappement; **tubo digestivo** tube digestif.
tuerca ['twerka] *nf* écrou *m*.
tuerce *etc* ['twerθe] *vb V* **torcer**.
tuerto, -a ['twerto, a] *adj, nm/f* borgne *m/f*.
tuerza *etc* ['twerθa] *vb V* **torcer**.
tueste *etc* ['tweste] *vb V* **tostar**.
tuétano ['twetano] *nm* moelle *f*; **hasta los ~s** jusqu'à la moelle.
tufo ['tufo] (*pey*) *nm* relent *m*.
tugurio [tu'ɣurjo] *nm* taudis *msg*.
tul [tul] *nm* tulle *m*.
tulipán [tuli'pan] *nm* tulipe *f*.
tullido, -a [tu'ʎiðo, a] *adj* estropié(e).
tumba ['tumba] *nf* tombe *f*; **ser (como) una ~** être muet(te) comme une tombe.
tumbar [tum'bar] *vt* (*extender en el suelo*) allonger; (*derribar*) renverser; (*fam: suj: olor*) empester; (*: en examen*) recaler, coller; (*: en competición*) battre ♦ *vi* tomber par terre; **tumbarse** *vpr* s'allonger; (*extenderse*) s'étendre.
tumbo ['tumbo] *nm* chute *f*; (*de vehículo*) cahot *m*; **ir dando ~s** avancer par à-coups.
tumbona [tum'bona] *nf* chaise *f* longue.
tumefacto, -a [tume'fakto, a] *adj* (*MED*) tuméfié(e).
tumor [tu'mor] *nm* tumeur *f*.
tumulto [tu'multo] *nm* tumulte *m*; (*POL*)

émeute *f*, troubles *mpl*.

tuna ['tuna] *nf* petit orchestre *m* d'étudiants; *V tb* **tuno**.

tunante [tu'nante] *adj* coquin(e) ♦ *nm/f* coquin(e), garnement *m*; ¡~! garnement!, vilain(e)!

tunda ['tunda] *nf* raclée *f*.

túnel ['tunel] *nm* tunnel *m*.

Túnez ['tuneθ] *n* Tunis.

túnica ['tunika] *nf* tunique *f*.

tuno ['tuno] *nm* membre *m* d'un orchestre d'étudiants.

tuntún [tun'tun]: **al (buen) ~** *adv* au petit bonheur, au hasard.

tupé [tu'pe] *nm* toupet *m*.

tupí [tu'pi] *adj* tupi *inv* ♦ *nm/f* Tupi *m/f inv*.

tupido, -a [tu'piðo, a] *adj* (*niebla, bosque*) épais(se); (*tela*) serré(e).

turba ['turβa] *nf* (*muchedumbre*) foule *f*; (*combustible*) tourbe *f*.

turbación [turβa'θjon] *nf* (*preocupación*) inquiétude *f*; (*sonrojo*) gêne *f*.

turbante [tur'βante] *nm* turban *m*.

turbar [tur'βar] *vt* (*paz, sueño*) troubler; (*preocupar*) inquiéter, troubler; (: *azorar*) gêner; **turbarse** *vpr* être gêné(e).

turbina [tur'βina] *nf* turbine *f*.

turbio, -a ['turβjo, a] *adj, adv* trouble.

turbo ['turβo] *adj, nm* turbo *m*.

turbulento, -a [turβu'lento, a] *adj* agité(e); (*fig*) agité(e), turbulent(e).

turco, -a ['turko, a] *adj* turc(turque) ♦ *nm/f* Turc(Turque); (*AND, CSUR: pey*) *terme péjoratif qui désigne tout immigré du Moyen-Orient* ♦ *nm* (*LING*) turc *m*.

turgente [tur'xente] *adj* arrondi(e), galbé(e).

turismo [tu'rismo] *nm* tourisme *m*; (*coche*) voiture *f* (particulière); **hacer ~** faire du tourisme.

turista [tu'rista] *nm/f* touriste *m/f*.

turístico, -a [tu'ristiko, a] *adj* touristique.

turnar [tur'nar] *vi* alterner; **turnarse** *vpr* se relever.

turné [tur'ne] *nf* tournée *f*.

turno ['turno] *nm* tour *m*; **es su ~** c'est à son tour; **por ~s** par équipes; **turno de día/de noche** équipe *f* de jour/de nuit.

turquesa [tur'kesa] *adj, nf* turquoise *f*.

Turquía [tur'kia] *nf* Turquie *f*.

turrón [tu'rron] *nm* touron *m* (*sorte de nougat*).

tutear [tute'ar] *vt* tutoyer; **tutearse** *vpr* se tutoyer.

tutela [tu'tela] *nf* tutelle *f*; **estar bajo la ~ de** (*fig*) être sous la tutelle de.

tutelar [tute'lar] *adj* tutélaire ♦ *vt* avoir la tutelle de.

tutor, a [tu'tor, a] *nm/f* tuteur(-trice); (*ESCOL*) professeur *m* particulier; **tutor de curso** directeur(-trice) d'études.

tuve *etc* ['tuβe] *vb V* **tener**.

tuyo, -a ['tujo, a] *adj* ton(ta) ♦ *pron*: **el ~/la tuya** le tien/la tienne; **es ~** c'est à toi; **los ~s** (*fam*) les tiens.

TVE *sigla f* = *Televisión Española*.

U, u

u [u] *conj* ou.

ubicación [uβika'θjon] *nf* situation *f*.

ubicado, -a [uβi'kaðo, a] (*esp AM*) *adj* situé(e).

ubicar [uβi'kar] (*esp AM*) *vt* situer; (*encontrar*) trouver; **ubicarse** *vpr* se trouver.

ubre ['uβre] *nf* mamelle *f*.

UCI ['uθi] *sigla f* (= *Unidad de Cuidados Intensivos*) unité *f* de soins intensifs.

Ucrania [u'kranja] *nf* Ukraine *f*.

Ud(s) *abr* (= *usted(es)*) *V* **usted**.

uf [uf] *excl* (*cansancio*) pfouh!; (*repugnancia*) berk!

ufano, -a [u'fano, a] *adj* (*arrogante*) suffisant(e); (*satisfecho*) satisfait(e).

UGT *sigla f* (= *Unión General de Trabajadores*) *syndicat*.

ujier [u'xjer] *nm* (*JUR*) huissier *m*; (*portero*) portier *m*.

úlcera ['ulθera] *nf* ulcère *m*.

ulcerar [ulθe'rar] *vt* ulcérer; **ulcerarse** *vpr* s'irriter.

ulterior [ulte'rjor] *adj* ultérieur(e).

últimamente ['ultimamente] *adv* dernièrement.

ultimar [ulti'mar] *vt* finaliser; (*preparativos*) mettre la dernière main à; (*AM: asesinar*) abattre.

ultimátum [ulti'matum] (*pl* **~s**) *nm* ultimatum *m*.

último, -a ['ultimo, a] *adj* dernier(-ière) ♦ *adv*: **ahora ~** (*CHI*) récemment; **a la última** (*en moda*) à la dernière mode; (*en conocimientos*) au goût du jour; **a ~s de mes** en fin de mois; **el ~** le dernier; **en las últimas** (*enfermo*) à l'article de la mort; (*sin dinero, provisiones*) démuni(e); **este ~** ce dernier; **por ~** enfin, en dernier lieu.

ultra ['ultra] *adj, nm/f* (*POL*) ultra *m/f*.

ultracongelar [ultrakonxe'lar] *vt* surgeler.

ultraderecha [ultraðe'retʃa] *nf* extrême-droite *f*.

ultrajar [ultra'xar] *vt* outrager.

ultraje [ul'traxe] *nm* outrage *m*.

ultraligero [ultrali'xero] *nm* ULM *m*

(*ultra-léger motorisé*).

ultramar [ultra'mar] *nm*: **de ~** d'outre-mer; **los países de ~** les pays d'outre-mer.

ultramarinos [ultrama'rinos] *nmpl* (*tb*: **tienda de ~**) épicerie *f*.

ultranza [ul'tranθa]: **a ~** *adv* à outrance.

ultravioleta [ultraβjo'leta] *adj inv* ultra-violet(te), ultra-violet(te).

umbilical [umbili'kal] *adj*: **cordón ~** cordon *m* ombilical.

umbral [um'bral] *nm* seuil *m*; **umbral de rentabilidad** seuil de rentabilité.

PALABRA CLAVE

un, una [un, 'una] *art indef* **1** (*sg*) un(e); **una naranja** une orange; **un arma blanca** une arme blanche

2 (*pl*) des; **hay unos regalos para ti** il y a des cadeaux pour toi; **hay unas cervezas en la nevera** il y a des bières dans le frigo

3 (*enfático*): **¡hace un frío!** il fait un de ces froids!; **¡tiene una casa!** il a une de ces maisons!; *V tb* **uno**.

unánime [u'nanime] *adj* unanime.

unanimidad [unanimi'ðað] *nf* unanimité *f*; **por ~** à l'unanimité.

undécimo, -a [un'deθimo, a] *adj, nm/f* onzième *m/f*.

UNED [u'ned] (*ESP*) *sigla f* (= *Universidad Nacional de Educación a Distancia*) ≈ CNED *m* (= *Centre national d'enseignement à distance*).

ungüento [un'gwento] *nm* onguent *m*.

único, -a ['uniko, a] *adj* unique.

unidad [uni'ðað] *nf* unité *f*; **unidad central (de proceso)/de control** unité centrale (de traitement)/de commande; **unidad de cuidados intensivos** unité *f* de soins intensifs; **unidad de disco** lecteur *m* de disque; **unidad de entrada/de salida** unité périphérique d'entrée/de sortie; **unidad de información** donnée *f*; **unidad de presentación visual** *o* **de visualización** écran *m* de visualisation; **unidad monetaria** unité monétaire; **unidad móvil** (*TV*) unité mobile; **unidad periférica** unité périphérique.

unido, -a [u'niðo, a] *adj* uni(e).

unifamiliar [unifami'ljar] *adj*: **vivienda ~** *logement où vit une seule famille*.

unificar [unifi'kar] *vt* unifier.

uniformado, -a [unifor'maðo, a] *adj* en uniforme.

uniforme [uni'forme] *adj* uniforme; (*color*) uni(e) ♦ *nm* uniforme *m*.

unilateral [unilate'ral] *adj* unilatéral(e).

unión [u'njon] *nf* union *f*; (*TEC*) jointure *f*; **en ~ de** ainsi que; **la U~ Soviética** l'Union Soviétique; **punto de ~** (*TEC*) jointure; **unión aduanera** union douanière; **Unión General de Trabajadores** (*ESP*) *syndicat*; **unión monetaria** union monétaire.

unir [u'nir] *vt* (*piezas*) assembler; (*cuerdas*) nouer; (*tierras, habitaciones*) relier; (*esfuerzos, familia*) unir; (*empresas*) fusionner; **unirse** *vpr* (*personas*) s'unir; (*empresas*) fusionner; **les une una fuerte amistad** ils éprouvent beaucoup d'amitié l'un pour l'autre; **~se a** se joindre à; **~se en matrimonio** s'unir par les liens du mariage.

unisex [uni'seks] *adj inv* unisexe *inv*.

unísono [u'nisono] *nm*: **al ~** à l'unisson.

unitario, -a [uni'tarjo, a] *adj* unitaire.

universal [uniβer'sal] *adj* universel(le).

universidad [uniβersi'ðað] *nf* université *f*; **universidad a distancia** enseignement *m* à distance; **universidad laboral** ≈ Institut *m* universitaire de technologie.

universitario, -a [uniβersi'tarjo, a] *adj* universitaire ♦ *nm/f* étudiant(e).

universo [uni'βerso] *nm* univers *msg*.

PALABRA CLAVE

uno, -a ['uno, a] *adj* un(e); **es todo uno** ça ne fait qu'un; **unos pocos** quelques uns; **unos cien** une centaine; **el día uno** le premier

♦ *pron* **1** un(e); **quiero uno solo** je n'en veux qu'un; **uno de ellos** l'un d'eux; **uno mismo** soi-même; **de uno en uno** un à un

2 (*alguien*) quelqu'un; **conozco a uno que se te parece** je connais quelqu'un qui te ressemble; **unos querían quedarse** quelques-uns voulaient rester

3: **(los) unos ... (los) otros ...** certains *o* les uns ... les autres *o* d'autres; **se miraron el uno al otro** il se sont regardés l'un l'autre; **se pegan unos a otros** ils se battent entre eux

4 (*impersonal*): **uno se lo imagina** on se l'imagine

5 (*enfático*): **¡se montó una ...!** il y a eu une de ces pagailles!

♦ *nf* (*hora*): **es la una** il est une heure

♦ *nm* (*número*) un *m*; **el uno de abril** le premier avril.

untar [un'tar] *vt* (*con aceite, pomada*) enduire; (*en salsa, café*) tremper; (*manchar*) tacher; (*fig, fam*) graisser la patte à; **untarse** *vpr* (*mancharse*) se tacher; (*fig, fam: forrarse*) s'en mettre plein les poches; **~ el pan con mantequilla** étaler du beurre sur son pain.

uña ['uɲa] *nf* (*ANAT*) ongle *m*; (*de felino*) griffe *f*; (*de caballo*) sabot *m*; (*arrancaclavos*) arrache-clou *m*; **ser ~ y carne** s'entendre comme larrons en foire; **enseñar** *o* **mostrar** *o* **sacar las ~s** montrer *o* sortir ses griffes.

uperizado, -a [uperi'θaðo, a] *adj* U.H.T.

uralita ® [ura'lita] *nf* fibrociment ® *m*.

uranio [u'ranjo] *nm* uranium *m*.

Urano [u'rano] *nm* Uranus *f*.

urbanidad [urβani'ðað] *nf* courtoisie *f*.

urbanismo [urβa'nismo] *nm* urbanisme *m*.

urbanización [urβaniθa'θjon] *nf* lotissement *m*.

urbanizar [urβani'θar] *vt* urbaniser.

urbano, -a [ur'βano, a] *adj* urbain(e).

urbe ['urβe] *nf* grande ville *f*.

urdimbre [ur'ðimbre] *nf* (*de tejido*) chaîne *f*.

urdir [ur'ðir] *vt* ourdir.

urgencia [ur'xenθja] *nf* urgence *f*; **~s** *nfpl* (*MED*) urgences *fpl*; **con ~** d'urgence; **en caso de ~** en cas d'urgence; **servicios de ~** services *mpl* d'urgence.

urgente [ur'xente] *adj* urgent(e).

urgir [ur'xir] *vi* être urgent(e); **me urge** j'en ai besoin rapidement; **me urge terminarlo** il faut que je termine le plus vite possible.

urinario, -a [uri'narjo, a] *adj* urinaire ♦ *nm* urinoir *m*.

urna ['urna] *nf* urne *f*; (*de cristal*) vitrine *f*; **acudir a las ~s** (*votantes*) aller aux urnes.

urraca [u'rraka] *nf* pie *f*.

URSS [urs] *sigla f* (*HIST*: = *Unión de Repúblicas Socialistas Soviéticas*) URSS *f* (= *Union des Républiques Socialistes Soviétiques*).

Uruguay [uru'ɣwai] *nm* Uruguay *m*.

uruguayo, -a [uru'ɣwajo, a] *adj* uruguayen(ne) ♦ *nm/f* Uruguayen(ne).

usado, -a [u'saðo, a] *adj* usagé(e); (*ropa etc*) usé(e), usagé(e); **muy ~** usé(e) jusqu'à la trame.

usanza [u'sanθa] *nf*: **a ~ (de)** à la manière (de).

usar [u'sar] *vt* utiliser; (*ropa*) porter; (*derecho etc*) user de ♦ *vi*: **~ de** user de; **usarse** *vpr* s'utiliser.

uso ['uso] *nm* usage *m*; (*aplicación*: *de objeto, herramienta*) utilisation *f*; **al ~ de la época** dans le style de l'époque; **de ~ externo** (*MED*) à usage externe; **(estar) en ~** (être) en usage; **hacer ~ de la palabra** faire usage de la parole; **~ y desgaste** usure *f*.

usted [us'teð] *pron* (*sg*: *abr Ud (esp AM) o Vd*: *formal*) vous; **~es** (*pl*: *abr Uds (esp AM) o Vds*: *formal*) vous; (*AM*: *formal y fam*) vous; **tratar** *o* **llamar de ~ a algn** vouvoyer qn.

usual [u'swal] *adj* habituel(-le).

usuario, -a [us'warjo, a] *nm/f* usager *m*; (*INFORM*) utilisateur(-trice); **~ final** (*COM*) utilisateur(-trice) final(e).

usufructo [usu'frukto] *nm* usufruit *m*.

usura [u'sura] (*pey*) *nf* usure *f*.

usurero, -a [usu'rero, a] *nm/f* usurier (-ère).

usurpar [usur'par] *vt* usurper.

utensilio [uten'siljo] *nm* instrument *m*; (*de cocina*) ustensile *m*.

útero ['utero] *nm* utérus *msg*.

útil ['util] *adj* utile; **~es** *nmpl* outils *mpl*; **día ~** jour *m* ouvrable.

utilidad [utili'ðað] *nf* utilité *f*; (*provecho*) avantage *m*; (*COM*) bénéfice *m*; **utilidades líquidas** bénéfice *msg* net.

utilitario [utili'tarjo] *nm* (*INFORM*) utilitaire *m*; (*AUTO*) voiture *f* de tourisme.

utilizar [utili'θar] *vt* utiliser.

utopía [uto'pia] *nf* utopie *f*.

utópico, -a [u'topiko, a] *adj* utopique.

uva ['uβa] *nf* raisin *m*; **estar de mala ~** être de mauvais poil; **tener mala ~** avoir un sale caractère; **uva pasa** raisin sec.

UVI ['uβi] *sigla f* (= *Unidad de Vigilancia Intensiva*) unité *f* de soins intensifs.

V, v

va [ba] *vb V* **ir**.

vaca ['baka] *nf* vache *f*; (*carne*) bœuf *m*; **~s flacas/gordas** (*fig*) vaches *fpl* maigres/grasses.

vacaciones [baka'θjones] *nfpl* vacances *fpl*; **estar/irse** *o* **marcharse de ~** être/partir en vacances.

vacante [ba'kante] *adj* vacant(e) ♦ *nf* poste *m* vacant.

vaciado [ba'θjaðo] *nm* (*ARTE*) moulage *m*.

vaciar [ba'θjar] *vt* vider; (*dejar hueco*) évider; (*ARTE*) mouler; **vaciarse** *vpr* se vider; (*fig, fam*) se défouler.

vacilación [baθila'θjon] *nf* hésitation *f*.

vacilar [baθi'lar] *vt* (*fam*) faire marcher ♦ *vi* hésiter; (*mueble, lámpara*) chanceler; (*luz, persona*) vaciller; (*fam*: *bromear*) plaisanter.

vacilón [baθi'lon] (*CAM, MÉX*: *fam*) *nm* noce *f*.

vacío, -a [ba'θio, a] *adj* vide; (*puesto*) libre ♦ *nm* vide *m*; **envasado al ~** emballé sous vide; **hacer el ~ a algn** mettre qn en quarantaine; **(volver) de ~** (*sin carga*) (revenir) à vide; (*sin resultados*) (revenir) les mains vides.

vacuna [ba'kuna] *nf* vaccin *m*.

vacunar [baku'nar] *vt* vacciner; **vacunarse** *vpr* se faire vacciner.

vacuno, -a [ba'kuno, a] *adj* bovin(e).

vadear [baðe'ar] *vt* passer à gué; (*problema*) surmonter.

vado ['baðo] *nm* gué *m*; **"~ permanente"** (*AUTO*) ≈ "sortie *f* de véhicules".

vagabundear [baɣabunde'ar] *vi* vagabonder.

vagabundo, -a [baɣa'βundo, a] *adj* vagabond(e); (*perro*) errant(e) ♦ *nm/f* vagabond(e).

vagar [ba'ɣar] *vi* errer, vagabonder.

vagina [ba'xina] *nf* vagin *m*.

vago, -a ['baɣo, a] *adj* vague; (*perezoso*) fainéant(e) ♦ *nm/f* fainéant(e).

vagón [ba'ɣon] *nm* wagon *m*; **vagón cama/restaurante** wagon-lit *m*/wagon-restaurant *m*.

vaguear [baɣe'ar] *vi* fainéanter.

vaguedad [baɣe'ðað] *nf* vague *m*, manque *m* de précision; **~es** *nfpl*: **decir ~es** rester dans le vague.

vahído [ba'iðo] *nm* vertige *m*.

vaho ['bao] *nm* vapeur *f*; (*aliento*) buée *f*; **~s** *nmpl* (*MED*) inhalations *fpl*.

vaina ['baina] *nf* (*de espada*) fourreau *m*; (*de guisantes, judías*) cosse *f*; (*AM*: *fam*) embêtement *m*.

vainilla [bai'niʎa] *nf* vanille *f*.

vainita [bai'nita] (*AM*) *nf* haricot *m* vert.

vais [bais] *vb V* **ir**.

vaivén [bai'βen] *nm* va-et-vient *m inv*; **vaivenes** *nmpl* (*fig*: *de la vida*) vicissitudes *fpl*.

vajilla [ba'xiʎa] *nf* vaisselle *f*; **una ~** un service; **vajilla de porcelana** service *m* en porcelaine.

val *etc* [bal], **valdré** *etc* [bal'dre] *vb V* **valer**.

vale ['bale] *nm* bon *m*; (*recibo*) reçu *m*; (*pagaré*) billet *m* à ordre; (*VEN*: *fam*) copain(copine); **vale de regalo** chèque-cadeau *m*.

valedero, -a [bale'ðero, a] *adj* valable.

valenciano, -a [balen'θjano, a] *adj* valencien(ne) ♦ *nm/f* Valencien(ne) ♦ *nm* (*LING*) valencien *m*.

valentía [balen'tia] *nf* bravoure *f*; (*proeza*) acte *m* de bravoure.

valentón, -ona [balen'ton, ona] (*pey*) *adj* fanfaron(ne).

valer [ba'ler] *vt* valoir ♦ *vi* servir; (*ser válido*) être valable; (*estar permitido*) être permis(e); (*tener mérito*) avoir du mérite ♦ *nm* valeur *f*; **valerse** *vpr*: **~se de** (*hacer valer*) faire valoir; (*servirse de*) se servir de; **~ la pena** valoir la peine; **~ (para)** servir (à); **¿vale?** d'accord?, ça va?; **¡vale!** d'accord!; (*¡basta!*) ça suffit!; **más vale (hacer/que)** mieux vaut (faire/que); **¡eso no vale!** ce n'est pas permis!; **no vale nada** ça ne vaut rien; **no vale para nada** ça ne sert à rien; (*persona*) il(elle) n'est bon(ne) à rien; **me vale madre** *o* **sombrilla** (*MÉX*: *fam*) je m'en fous pas mal; **(poder) ~se por sí mismo** (pouvoir) se débrouiller tout seul.

valeroso, -a [bale'roso, a] *adj* valeureux(-euse).

valga *etc* ['balɣa] *vb V* **valer**.

valía [ba'lia] *nf* valeur *f*; **de gran ~** de grande valeur.

validez [bali'ðeθ] *nf* validité *f*; **dar ~ a algo** prouver la justesse de qch.

válido, -a ['baliðo, a] *adj* valable; (*DEPORTE*) valide.

valiente [ba'ljente] *adj* (*soldado*) brave, courageux(-euse); (*niño, decisión*) courageux(-euse); (*pey*) fanfaron(ne); (*con ironía*) vaillant(e) ♦ *nm/f* brave *m/f*.

valija [ba'lixa] *nf* valise *f*; (*CORREOS*) sacoche *f*; **valija diplomática** valise diplomatique.

valioso, -a [ba'ljoso, a] *adj* de valeur.

valla ['baʎa] *nf* clôture *f*; (*DEPORTE*) haie *f*; **valla publicitaria** panneau *m* publicitaire.

vallar [ba'ʎar] *vt* clôturer.

valle ['baʎe] *nm* vallée *f*; **valle de lágrimas** vallée de larmes.

valor [ba'lor] *nm* valeur *f*; (*valentía*) courage *m*; (*descaro*) aplomb *m*; **~es** *nmpl* (*ECON, COM*) valeurs *fpl*, titres *mpl*; (*morales*) valeurs; **objetos de ~** objets *mpl* de valeur; **sin ~** sans valeur; **dar/quitar ~ a** donner/ôter de la valeur à; **escala de ~es** échelle *f* de valeurs; **valor a la par** valeur au pair; **valor adquisitivo** pouvoir *m* d'achat; **valor añadido** valeur ajoutée; **valor comercial** valeur marchande; **valor contable** valeur comptable; **valor de compra** pouvoir *m* d'achat; **valor de escasez** valeur attachée à la rareté; **valor de mercado** valeur marchande; **valor de rescate** valeur de rachat; **valor desglosado** valeur de liquidation; **valor de sustitución** valeur de remplacement; **valores habidos** *o* **en cartera** valeurs détenues en portefeuille; **valor intrínseco/neto/nominal** valeur intrinsèque/nette/nominale; **valor según balance** valeur comptable.

valoración [balora'θjon] *nf* évaluation *f*.

valorar [balo'rar] *vt* évaluer, estimer.
vals [bals] *nm* valse *f*.
válvula ['balβula] *nf* valve *f*.
vamos ['bamos] *vb* *V* **ir**.
vampiresa [bampi'resa] *nf* vamp *f*.
vampiro [bam'piro] *nm* vampire *m*.
van [ban] *vb* *V* **ir**.
vanagloriarse [banaɣlo'rjarse] *vpr*: ~ **(de)** se glorifier (de).
vándalo, -a ['bandalo, a] *nm/f* (*pey*) vandale *m/f*; (*HIST*) Vandale *m/f*.
vanguardia [ban'gwardja] *nf* avant-garde *f*; **de** ~ (*ARTE*) d'avant-garde; **estar en** *o* **ir a la** ~ **de** être à l'avant-garde de.
vanguardista [bangwar'ðista] *adj* avant-gardiste.
vanidad [bani'ðað] *nf* vanité *f*.
vanidoso, -a [bani'ðoso, a] *adj* vaniteux(-euse).
vano, -a ['bano, a] *adj* vain(e); (*frívolo*) futile ♦ *nm* (*ARQ*) embrasure *f*; **en** ~ en vain.
vapor [ba'por] *nm* vapeur *f*; (*tb:* **barco de** ~) (bateau *m* à) vapeur *m*; **al** ~ (*CULIN*) à la vapeur; **máquina de** ~ machine *f* à vapeur; **vapor de agua** vapeur d'eau.
vaporizador [baporiθa'ðor] *nm* vaporisateur *m*.
vaporizar [bapori'θar] *vt* vaporiser.
vaporoso, -a [bapo'roso, a] *adj* vaporeux(-euse).
vapulear [bapule'ar] *vt* fustiger; (*reprender*) houspiller.
vaquero [ba'kero] *nm* (*CINE*) cow-boy *m*; (*AGR*) vacher *m*; **~s** *nmpl* (*pantalones*) jeans *mpl*.
vaquilla [ba'kiʎa] *nf* (*AM*) génisse *f*; **~s** *nfpl* (*TAUR*) corrida *f* de jeunes taureaux.
vara ['bara] *nf* perche *f*; (*de mando*) bâton *m*.
varar [ba'rar] *vt, vi* échouer.
variable [ba'rjaβle] *adj, nf* variable *f*.
variación [barja'θjon] *nf* changement *m*; (*MÚS*) variation *f*; **sin** ~ inchangé(e).
variado, -a [ba'rjaðo, a] *adj* varié(e).
variante [ba'rjante] *nf* variante *f*; (*AUTO*) déviation *f*.
variar [ba'rjar] *vt* (*cambiar*) changer; (*poner variedad*) varier ♦ *vi* varier; ~ **de** changer de; ~ **de opinión** changer d'avis; **para** ~ pour changer.
varicela [bari'θela] *nf* varicelle *f*.
varices [ba'riθes] *nfpl* varices *fpl*.
variedad [barje'ðað] *nf* variété *f*; **~es** *nfpl* (*espectáculo*) variétés *fpl*.
varilla [ba'riʎa] *nf* baguette *f*; (*de paraguas, abanico*) baleine *f*.
vario, -a ['barjo, a] *adj* divers(e); **~s** plusieurs; **"~s"** (*en partida, presupuesto*) "divers".
variopinto, -a [barjo'pinto, a] *adj* bigarré(e).
varita [ba'rita] *nf*: ~ **mágica** baguette *f* magique.
varón [ba'ron] *nm* homme *m*; **hijo** ~ enfant *m* mâle.
varonil [baro'nil] *adj* viril(e).
vas [bas] *vb* *V* **ir**.
vasco, -a ['basko, a] *adj* basque ♦ *nm/f* Basque *m/f* ♦ *nm* (*LING*) basque *m*; **País V~** pays *msg* basque.
vascongadas [baskon'gaðas] *nfpl*: **las V~** les provinces *fpl* basques.
vasectomía [basekto'mia] *nf* vasectomie *f*.
vaselina [base'lina] *nf* vaseline *f*.
vasija [ba'sixa] *nf* pot *m*, récipient *m*.
vaso ['baso] *nm* verre *m*; (*jarrón*) vase *m*; (*ANAT*) vaisseau *m*; **vasos comunicantes** vases *mpl* communicants; **vaso de vino** verre de vin; (*para vino*) verre à vin.
vástago ['bastaɣo] *nm* (*BOT*) rejeton *m*; (*TEC*) tige *f*; (*de familia*) descendant *m*.
vasto, -a ['basto, a] *adj* vaste.
Vaticano [bati'kano] *nm* Vatican *m*; **la Ciudad del** ~ la Cité du Vatican.
vaticinar [batiθi'nar] *vt* prédire.
vaticinio [bati'θinjo] *nm* prédiction *f*.
vatio ['batjo] *nm* watt *m*.
vaya ['baja] *vb* *V* **ir** ♦ *excl* (*fastidio*) mince!, zut!; (*sorpresa*) eh bien!, tiens!; **¿qué tal? – ¡~!** ça va? – on fait aller!; **¡~ tontería!** quelle idiotie!; **¡~ mansión!** quelle maison!
Vd(s) *abr* (= *usted(es)*) *V* **usted**.
ve [be] *vb* *V* **ir; ver**.
vea *etc* ['bea] *vb* *V* **ver**.
vecinal [beθi'nal] *adj* vicinal(e); (*problemas*) de voisinage.
vecindad [beθin'dað] *nf* voisinage *m*.
vecindario [beθin'darjo] *nm* voisinage *m*, quartier *m*.
vecino, -a [be'θino, a] *adj* voisin(e) ♦ *nm/f* voisin(e); (*residente: de pueblo*) habitant(e); **asociación de ~s** association *f* de quartier; **somos ~s** nous sommes voisins.
vector [bek'tor] *nm* vecteur *m*.
veda ['beða] *nf* (*de pesca, caza*) défense *f*, interdiction *f*; (*temporada*) fermeture *f*.
vedado [be'ðaðo] *nm* réserve *f*.
vedar [be'ðar] *vt* interdire, défendre; (*caza, pesca*) interdire.
vedette [be'ðet] *nf* vedette *f*.
vega ['beɣa] *nf* plaine *f* fertile.
vegetación [bexeta'θjon] *nf* végétation *f*; **vegetaciones** *nfpl* (*MED*) végétations *fpl*.

vegetal [bexe'tal] *adj* végétal(e) ♦ *nm* végétal *m*.
vegetar [bexe'tar] (*pey*) *vi* végéter.
vegetariano, -a [bexeta'rjano, a] *adj* végétarien(ne).
vehemencia [bee'menθja] *nf* impétuosité *f*; (*apasionamiento*) véhémence *f*.
vehemente [bee'mente] *adj* impétueux(-euse); (*apasionado*) véhément(e).
vehículo [be'ikulo] *nm* véhicule *m*; **vehículo espacial** vaisseau *m* spatial.
veinte ['beinte] *adj inv, nm inv* vingt *m inv*; **el siglo ~** le vingtième siècle; *V tb* **seis**.
veintena [bein'tena] *nf* vingtaine *f*.
vejación [bexa'θjon] *nf* brimade *f*.
vejar [be'xar] *vt* brimer.
vejatorio, -a [bexa'torjo, a] *adj* humiliant(e).
vejestorio [bexes'torjo] (*pey*) *nm* croulant *m*.
vejez [be'xeθ] *nf* vieillesse *f*.
vejiga [be'xiɣa] *nf* vessie *f*.
vela ['bela] *nf* bougie *f*; (*NÁUT*) voile *f*; **a toda ~** (*NÁUT*) toutes voiles dehors; **barco de ~** bateau *m* à voile; **estar a dos ~s** (*fam*) être fauché(e); **en ~** éveillé(e); (*velando*) à veiller; **pasar la noche en ~** passer une nuit blanche.
velada [be'laða] *nf* veillée *f*; (*encuentro social*) soirée *f*.
velador [bela'ðor] *nm* (*mesa*) guéridon *m*; (*vigilante*) veilleur *m*; (*candela*) chandelle *f*; (*AM*) table *f* de nuit; (*CSUR*) lampe *f* de chevet.
velar [be'lar] *vt* veiller; (*FOTO, cubrir*) voiler ♦ *vi* veiller; **velarse** *vpr* (*FOTO*) se voiler; **~ por** veiller à.
velatorio [bela'torjo] *nm* veillée *f*.
veleidad [belei'ðað] *nf* inconstance *f*; (*capricho*) velléité *f*.
velero [be'lero] *nm* (*NÁUT*) voilier *m*; (*AVIAT*) planeur *m*.
veleta [be'leta] *nm/f* (*pey*) girouette *f* ♦ *nf* (*para el viento*) girouette.
veliz [be'liθ] (*MÉX*) *nm* valise *f*.
vello ['beʎo] *nm* duvet *m*.
velo ['belo] *nm* voile *m*; **velo del paladar** (*ANAT*) voile du palais.
velocidad [beloθi'ðað] *nf* vitesse *f*; (*rapidez*) rapidité *f*; **de alta ~** à grande vitesse; **cobrar ~** prendre de la vitesse; **meter la segunda ~** passer en seconde; **velocidad de obturación** (*FOTO*) vitesse d'obturation; **velocidad máxima de impresión** (*INFORM*) vitesse maximum d'impression.
velocímetro [belo'θimetro] *nm* compteur *m* de vitesse.
velódromo [be'loðromo] *nm* vélodrome *m*.
veloz [be'loθ] *adj* rapide.
ven [ben] *vb V* **venir**.
vena ['bena] *nf* veine *f*; **la ~ poética** la fibre poétique; **le ha dado la ~ por (hacer)** l'envie lui a pris de (faire); **tener ~ de actor/torero** être un acteur/torero né.
venado [be'naðo] *nm* grand gibier *m*; (*CULIN*) venaison *f*.
vencedor, a [benθe'ðor, a] *adj* victorieux(-euse) ♦ *nm/f* vainqueur *m*.
vencer [ben'θer] *vt* vaincre; (*obstáculos*) surmonter; (*por mucho peso*) briser ♦ *vi* vaincre; (*pago*) arriver à échéance; (*plazo*) expirer; **le venció el sueño/el cansancio** il a succombé au sommeil/à la fatigue.
vencido, -a [ben'θiðo, a] *adj* vaincu(e); (*COM*: *letra*) arrivé(e) à échéance ♦ *adv*: **pagar ~** payer après échéance; **pagar por** *o* **al mes ~** payer à la fin du mois; **darse por ~** s'avouer vaincu(e).
vencimiento [benθi'mjento] *nm* échéance *f*; **a su ~** à l'échéance.
venda ['benda] *nf* pansement *m*.
vendaje [ben'daxe] *nm* bandage *m*.
vendar [ben'dar] *vt* bander.
vendaval [benda'βal] *nm* vent *m* violent.
vendedor, a [bende'ðor, a] *nm/f* vendeur(-euse); **vendedor ambulante** marchand *m* ambulant.
vender [ben'der] *vt* vendre; **venderse** *vpr* se vendre; **~ al contado/al por mayor/al por menor/a plazos** vendre au comptant/en gros/au détail/à crédit; **~ al descubierto** vendre à découvert; **"se vende"** "à vendre"; **"se vende coche"** "voiture à vendre".
vendimia [ben'dimja] *nf* vendange *f*.
vendimiar [bendi'mjar] *vi* faire la vendange.
vendré *etc* [ben'dre] *vb V* **venir**.
veneno [be'neno] *nm* poison *m*.
venenoso, -a [bene'noso, a] *adj* (*seta*) vénéneux(-euse); (*producto*) toxique.
veneración [benera'θjon] *nf* vénération *f*.
venerar [bene'rar] *vt* vénérer.
venéreo, -a [be'nereo, a] *adj* vénérien(ne).
venezolano, -a [beneθo'lano, a] *adj* vénézuélien(ne) ♦ *nm/f* Vénézuélien(ne).
Venezuela [bene'θwela] *nf* Venezuela *m*.
venga *etc* ['benga] *vb V* **venir**.
venganza [ben'ganθa] *nf* vengeance *f*.
vengar [ben'gar] *vt* venger; **vengarse** *vpr* se venger.
vengativo, -a [benga'tiβo, a] *adj* vindi-

catif(-ive).

venia ['benja] *nf* permission *f*; **con su ~** avec votre permission.

venial [be'njal] *adj* véniel(le).

venida [be'niða] *nf* venue *f*.

venidero, -a [beni'ðero, a] *adj* futur(e), à venir; **en lo ~** à l'avenir.

venir [be'nir] *vi* venir; (*en periódico, texto*) être; (*llegar, ocurrir*) arriver; **venirse** *vpr*: **~se abajo** s'écrouler; (*persona*) s'effondrer; **~ a menos** (*persona*) déchoir; (*empresa*) être en perte de vitesse; **~ de** venir de; **~ bien/mal** convenir/ne pas convenir; **el año que viene** l'année prochaine; **y él venga a beber** et lui, vas-y que je te bois; **¡ven acá!** viens ici!; **¡venga!** (*fam*) allez!; **¿a qué viene eso?** (*fam*) qu'est-ce que ça veut dire?; **¡venga ya!** (*fam*) à d'autres!; **¡no me vengas con historias!** (*fam*) ne me raconte pas d'histoires!

venta ['benta] *nf* vente *f*; (*posada*) auberge *f*; **estar a la/en ~** être à la/en vente; **venta a domicilio** vente à domicile; **venta al contado** vente au comptant; **venta al detalle** vente au détail; **venta a plazos** vente à crédit; **venta al por mayor** vente en gros; **venta al por menor** vente au détail; **ventas a término** ventes *fpl* à terme; **ventas brutas** ventes brutes; **venta de liquidación** vente de liquidation; **venta por correo** vente par correspondance; **venta y arrendamiento al vendedor** cession-bail *f*.

ventaja [ben'taxa] *nf* avantage *m*; **llevar ~ a** (*en carrera*) mener devant.

ventajoso, -a [benta'xoso, a] *adj* avantageux(-euse).

ventana [ben'tana] *nf* fenêtre *f*; **ventana de guillotina** fenêtre à guillotine; **ventana de la nariz** narine *f*.

ventanilla [venta'niʎa] *nf* guichet *m*; (*de coche*) vitre *f*.

ventilación [bentila'θjon] *nf* ventilation *f*, aération *f*; **sin ~** sans aération.

ventilador [bentila'ðor] *nm* ventilateur *m*.

ventilar [benti'lar] *vt* ventiler, aérer; (*ropa*) aérer; (*fig*) divulguer; (: *resolver*) éclaircir; **ventilarse** *vpr* s'aérer.

ventisca [ben'tiska] *nf*, **ventisquero** [bentis'kero] *nm* bourrasque *f* de neige.

ventosa [ben'tosa] *nf* ventouse *f*.

ventosidad [bentosi'ðað] *nf* (*ANAT*) gaz *m inv*.

ventrículo [ben'trikulo] *nm* ventricule *m*.

ventrílocuo, -a [ben'trilokwo, a] *adj, nm/f* ventriloque *m/f*.

ventura [ben'tura] *nf* félicité *f*; (*suerte, destino*) fortune *f*; **a la (buena) ~** à l'aventure.

Venus ['benus] *nm* Vénus *f*.

venza *etc* ['benθa] *vb V* **vencer**.

ver [ber] *vt* voir; (*televisión, partido*) regarder; (*JUR*) entendre; (*esp AM: mirar*) regarder ♦ *vi* voir ♦ *nm* allure *f*; **verse** *vpr* se voir; (*hallarse*) se trouver; (*AM: fam*) avoir l'air; **(que) no veas** tu ne peux pas t'imaginer; **dejarse ~** se montrer; **no poder ~ a algn** (*odiar*) ne pas pouvoir voir qn; **(voy) a ~ que hay** je vais voir ce qu'il y a; **por lo que veo** à ce que je vois; **te veo muy contento** tu as l'air très content; **a ~** voyons voir; **¿a ~?** fais voir?; **a ~ si ...** je me demande si ...; **a ~, dime** allez, dis-moi; **¡hay que ~!** il faut voir!; **tiene que ~ con** ça a à voir avec, c'est en rapport avec; **no tener que ~ con** n'avoir rien à voir avec; **a mi modo de ~** à mon avis; **ya ~ás (cómo)** tu verras (que); **¡nos vemos!** à tout à l'heure!; **¡habráse visto!** tu te rends compte!; **¡viera(n) qué casa!** (*MÉX: fam*) tu verrais la maison!; **¡hubiera(n) visto qué casa!** (*MÉX: fam*) si tu avais vu la maison!; **(ya) se ve que ...** on voit bien que ...; **te ves divina** (*AM*) tu es divine.

vera ['bera] *nf*: **a la ~ de** (*del camino*) au bord de; (*de algn*) auprès de.

veracidad [beraθi'ðað] *nf* véracité *f*.

veraneante [berane'ante] *nm/f* estivant(e).

veranear [berane'ar] *vi* passer ses vacances d'été.

veraneo [bera'neo] *nm*: **ir de ~** partir en vacances d'été; **lugar de ~** lieu *m* de vacances.

veraniego, -a [bera'njeɣo, a] *adj* estival(e).

verano [be'rano] *nm* été *m*.

veras ['beras] *nfpl*: **de ~** vraiment; **esto va de ~** c'est sérieux.

veraz [be'raθ] *adj* véridique.

verbal [ber'βal] *adj* verbal(e).

verbena [ber'βena] *nf* kermesse *f*; (*BOT*) verveine *f*.

verbo ['berβo] *nm* verbe *m*.

verborrea [berβo'rrea] (*pey*) *nf* verbiage *m*.

verdad [ber'ðað] *nf* vérité *f*; **¿~?** n'est-ce pas?; **de ~** vraiment; **de ~ que no fui yo** je jure que ce n'est pas moi; **a decir ~, no quiero** à vrai dire, je ne veux pas; **¡es ~!** c'est vrai!; **la pura ~** la pure vérité; **la ~ es que ...** en fait ... .

verdadero, -a [berða'ðero, a] *adj* véridique; (*antes del nombre*) vrai(e), véritable; **¿~ o falso?** vrai ou faux?

verde ['berðe] *adj* (*tb POL*) vert(e); (*plan*) prématuré(e); (*chiste*) cochon(ne) ♦ *nm*

vert *m*; (*hierba*) verdure *f*; **viejo ~** vieux cochon *m*; **poner ~ a algn** (*fam*) descendre qn en flammes.
verdear [berðe'ar], **verdecer** [berðe'θer] *vi* verdir.
verdor [ber'ðor] *nm* (*color*) couleur *f* verte, vert *m*; (*lozanía*) luxuriance *f*.
verdoso, -a [ber'ðoso, a] *adj* verdâtre.
verdugo [ber'ðuɣo] *nm* bourreau *m*; (*gorro*) cagoule *f*.
verdulero, -a [berðu'lero, a] *nm/f* marchand(e) de légumes ♦ *nf* (*pey*) marchande *f* de poisson.
verdura(s) [ber'ðura(s)] *nf(pl)* légumes *mpl*.
vereda [be'reða] *nf* sentier *m*; (*AM*) trottoir *m*; **meter a algn en ~** remettre qn dans le droit chemin.
veredicto [bere'ðikto] *nm* verdict *m*.
vergel [ber'xel] *nm* verger *m*.
vergonzoso, -a [berɣon'θoso, a] *adj* (*persona*) timide; (*acto, comportamiento*) honteux(-euse).
vergüenza [ber'ɣwenθa] *nf* honte *f*; **no tener ~** ne pas avoir honte; **me da ~ decírselo** j'ai honte de le lui dire.
vericueto [beri'kweto] *nm* sentier *m* escarpé; (*de ley, burocracia*) méandre *m*.
verídico, -a [be'riðiko, a] *adj* véridique.
verificar [berifi'kar] *vt* vérifier; (*testamento*) homologuer; (*llevar a cabo*) effectuer; **verificarse** *vpr* avoir lieu; (*profecía*) se vérifier.
verja ['berxa] *nf* grille *f*.
vermut [ber'mu] (*pl* **~s**) *nm* vermouth *m*; (*esp AND, CSUR*: *CINE*) matinée *f*.
vernáculo, -a [ber'nakulo, a] *adj* vernaculaire.
verosímil [bero'simil] *adj* vraisemblable.
verruga [be'rruɣa] *nf* (*MED*) verrue *f*; (*BOT*) excroissance *f*.
versado, -a [ber'saðo, a] *adj*: **~ en** versé(e) en.
versar [ber'sar] *vi*: **~ sobre** traiter de.
versátil [ber'satil] *adj* (*material*) polyvalent(e); (*persona*) versatile.
versículo [ber'sikulo] *nm* (*REL*) verset *m*.
versión [ber'sjon] *nf* version *f*; **nueva ~** nouvelle version; **en ~ original** en version originale.
verso ['berso] *nm* vers *msg*; **~ blanco/libre** vers blanc/libre.
vértebra ['berteβra] *nf* vertèbre *f*.
vertebrado, -a [berte'βraðo, a] *adj* vertébré(e) ♦ *nm* vertébré *m*.
vertebral [berte'βral] *adj* vertébral(e); **columna ~** colonne *f* vertébrale.
verter [ber'ter] *vt* verser; (*derramar*) répandre ♦ *vi*: **~ a** (*río*) se jeter dans; **verterse** *vpr* se répandre.
vertical [berti'kal] *adj* vertical(e); (*postura, piano*) droit(e) ♦ *nf* verticale *f*.
vértice ['bertiθe] *nm* sommet *m*.
vertiente [ber'tjente] *nf* versant *m*; (*aspecto*) aspect *m*.
vertiginoso, -a [bertixi'noso, a] *adj* vertigineux(-euse).
vértigo ['bertiɣo] *nm* vertige *m*; (*fig*) précipitation *f*; **me da ~** ça me donne le vertige; **de ~** (*fam*: *velocidad*) grand V *inv*; (: *suma*) fou(folle).
vesícula [be'sikula] *nf* vésicule *f*; **vesícula biliar** vésicule biliaire.
vespa ® ['bespa] *nf* Vespa *f* ®.
vespertino, -a [besper'tino, a] *adj* (*prensa, luz*) du soir.
vespino ® [bes'pino] *nm/f* mobylette *f*.
vestíbulo [bes'tiβulo] *nm* vestibule *m*; (*de teatro*) foyer *m*.
vestido, -a [bes'tiðo, a] *adj* habillé(e) ♦ *nm* habit *m*, vêtement *m*; (*de mujer*) robe *f*; **(ir/estar) ~ de** (être) habillé(e) en; (*disfrazado*) (être) déguisé(e) en.
vestigio [bes'tixjo] *nm* vestige *m*.
vestimenta [besti'menta] *nf* habillement *m*.
vestir [bes'tir] *vt* habiller; (*llevar puesto*) porter ♦ *vi* s'habiller; (*ser elegante*) habiller; **vestirse** *vpr* s'habiller; **ropa de ~** vêtements *mpl* habillés; **~se de** s'habiller en; **~se de princesa/marinero** se déguiser en princesse/marin.
vestuario [bes'twarjo] *nm* garde-robe *f*; (*TEATRO, CINE*) costumes *mpl*; (*local*: *TEATRO*) loge *f*; **~s** *nmpl* (*DEPORTES*) vestiaires *mpl*.
veta ['beta] *nf* (*de mineral*) veine *f*, filon *m*; (*en piedra, madera*) veine.
vetar [be'tar] *vt* mettre son veto à.
veterano, -a [bete'rano, a] *adj* ancien(ne) ♦ *nm/f* vétéran *m*.
veterinario, -a [beteri'narjo, a] *nm/f* vétérinaire *m/f* ♦ *nf* médicine *f* vétérinaire.
veto ['beto] *nm* veto *m*.
vetusto, -a [be'tusto, a] *adj* vétuste.
vez [beθ] *nf* fois *fsg*; (*turno*) tour *m*; **a la ~** en même temps; **a la ~ que** en même temps que; **a su ~** à son tour; **cada ~ más/menos** de plus en plus/de moins en moins; **hay cada ~ más/menos gente** il y a de plus en plus/de moins en moins de monde; **una ~** une fois; **de una ~** en une seule fois; **de una ~ para siempre** une bonne fois pour toutes; **en ~ de** au lieu de; **a veces/algunas veces** parfois; **otra ~** encore (une fois); **una y otra ~** à maintes reprises; **pocas veces** peu, pas souvent; **de ~ en cuando** de temps en temps; **7 ve-**

ces 9 7 fois 9; **hacer las veces de** tenir lieu de, faire office de; **tal ~** peut-être; **¿lo has visto alguna ~?** l'as-tu déjà vu?; **¿cuántas veces?** combien de fois?

vía ['bia] *nf* voie *f*; **dar ~ libre a** ouvrir la voie à; **por ~ aérea** par avion; **por ~ oral** (*MED*) par voie orale; **por ~ judicial** par voie de droit; **por ~ oficial** par la voie officielle; **por ~ de** par le canal de; **en ~s de** en voie de; **un país en ~s de desarrollo** un pays en voie de développement; **transmisión ~ satélite** transmission *f* par satellite; **Madrid-Berlin ~ París** Madrid-Berlin via Paris; **vías aéreas** voies *fpl* aériennes; **vía de comunicación** voie de communication; **Vía Láctea** Voie lactée; **vía pública** voie publique; **vía única** (*AUTO*) voie à sens unique.

viable ['bjaβle] *adj* viable.

viaducto [bja'ðukto] *nm* viaduc *m*.

viajar [bja'xar] *vi* voyager.

viaje ['bjaxe] *nm* voyage *m*; (*carga*) cargaison *f*; **agencia de ~s** agence *f* de voyage; **bolsa/manta de ~** sac *m*/couverture *f* de voyage; **¡buen ~!** bon voyage!; **estar de ~** être en voyage; **ir de ~** partir en voyage; **viaje de ida y vuelta** voyage aller-retour; **viaje de negocios** voyage d'affaires; **viaje de novios** voyage de noces.

viajero, -a [bja'xero, a] *adj, nm/f* voyageur(-euse).

vial [bjal] *adj* (*AUTO*: *seguridad*) routier(-ière); (*marca*) au sol.

víbora ['biβora] *nf* vipère *f*.

vibración [biβra'θjon] *nf* vibration *f*; **hay buenas vibraciones** (*fig*) le courant passe bien.

vibrar [bi'βrar] *vi* vibrer.

vicario [bi'karjo] *nm* vicaire *m*.

vicecónsul [biθe'konsul] *nm* vice-consul *m*.

vicepresidente [biθepresi'ðente] *nm/f* vice-président(e).

viceversa [biθe'βersa] *adv*: **y ~** et vice versa.

viciado, -a [bi'θjaðo, a] *adj* (*corrompido*) dépravé(e); (*postura*) gauchi(e); (*aire, atmósfera*) vicié(e).

viciar [bi'θjar] *vt* (*persona, costumbres*) pervertir; (*JUR, aire*) vicier; (*objeto, postura*) déformer; (*mecanismo, dicción*) fausser; **viciarse** *vpr* (*aire*) devenir vicié(e); (*deformarse*) se déformer; **~se con** (*persona*) devenir mordu(e) de.

vicio ['biθjo] *nm* vice *m*; (*mala costumbre*) mauvaise habitude *f*, défaut *m*; (*mimo*) faiblesse *f*; (*deformación*) déformation *f*; **de** *o* **por ~** par habitude; **vicio de dicción** défaut de prononciation.

vicioso, -a [bi'θjoso, a] *adj, nm/f* vicieux(-euse); **círculo ~** cercle *m* vicieux.

vicisitud [biθisi'tuð] *nf* vicissitude *f*.

víctima ['biktima] *nf* victime *f*; **ser ~ de** être victime de.

victoria [bik'torja] *nf* victoire *f*.

victorioso, -a [bikto'rjoso, a] *adj* victorieux(-ieuse); **salir ~ de** sortir victorieux(-ieuse) de.

vid [bið] *nf* vigne *f*.

vida ['biða] *nf* vie *f*; (*de aparato, edificio*) durée *f* de vie; **¡~!, ¡~ mía!** mon amour!; **calidad de ~** qualité *f* de la vie; **de por ~** de (toute) ma *etc* vie; **en la/mi** *etc* **~** (*nunca*) de la/ma *etc* vie; **estar con ~** être en vie; **hacer ~ social** sortir beaucoup; **ganarse la ~** gagner sa vie; **de ~ o muerte** de vie ou de mort; **¡esto es ~!** ça, c'est la belle vie!; **le va la ~ en esto** sa vie en dépend; **vida de perros** vie de chien; **vida eterna/privada** vie éternelle/privée.

vidente [bi'ðente] *nm/f* voyant(e).

vídeo ['biðeo] *nm* vidéo *f*; (*aparato*) magnétiscope *m*; **cinta de ~** cassette *f* vidéo, bande *f* vidéo; **grabar en ~** enregistrer en vidéo; **vídeo compuesto/inverso** (*INFORM*) vidéo composite/inverse; **vídeo musical** vidéo musicale.

videocámara [biðeo'kamara] *nf* caméra *f* vidéo.

videocas(s)et(t)e [biðeoka'set] *nm* vidéocassette *f*.

videoclip [biðeo'klip] *nm* vidéoclip *m*, clip *m* vidéo.

videoclub [biðeo'klub] *nm* club *m* vidéo.

videojuego [biðeo'xweɣo] *nm* jeu *m* vidéo.

vidriera [bi'ðrjera] *nf* baie *f* vitrée; (*AM*: *de tienda*) vitrine *f*; (*puerta*) porte *f* vitrée; *V tb* **vidriero**.

vidrio ['biðrjo] *nm* verre *m*; (*AM*) fenêtre *f*; **~s** *nmpl* (*objetos*) objets *mpl* en verre; **pagar los ~s rotos** payer les pots cassés; **~ inastillable/cilindrado** verre sécurit ®/très épais.

vidrioso, -a [bi'ðrjoso, a] *adj* vitreux(-euse).

viejito, -a [bje'xito, a] (*AM*) *nm/f* (*amigo*) (mon(ma)) vieux(vieille).

viejo, -a ['bjexo, a] *adj* vieux(vieille); (*tiempos*) ancien(ne) ♦ *nm/f* vieux(vieille); **hacerse** *o* **ponerse ~** se faire vieux(vieille); **mi ~/vieja** (*esp CSUR*: *fam*: *padre/madre*) mon vieux/ma vieille; (: *marido/mujer*) le vieux/la vieille; (: *mi vida*) mon amour; **mis ~s** (*esp CSUR*: *fam*: *padres*) mes vieux.

viene *etc* ['bjene] *vb V* **venir**.

viento ['bjento] *nm* vent *m*; (*cuerda*) corde *f* de tente; **contra ~ y marea** contre vents et marées; **ir ~ en popa** avoir le vent en poupe; **viento de cola/de costado** vent arrière/de travers.

vientre ['bjentre] *nm* ventre *m*; **hacer de ~** faire ses besoins.

viernes ['bjernes] *nm inv* vendredi *m*; **Viernes Santo** vendredi saint; *V tb* **sábado**.

vierta *etc* ['bjerta] *vb V* **verter**.

viga ['biɣa] *nf* poutre *f*.

vigencia [bi'xenθja] *nf* (*de ley, contrato*) validité *f*; (*de costumbres*) actualité *f*; **estar/entrar en ~** être/entrer en vigueur.

vigente [bi'xente] *adj* (*ley etc*) en vigueur; (*costumbre*) actuel(le).

vigésimo, -a [bi'xesimo, a] *adj, nm/f* vingtième *m/f*.

vigía [bi'xia] *nm/f* guetteur(-euse) ♦ *nf* mirador *m*.

vigilancia [bixi'lanθja] *nf* surveillance *f*.

vigilante [bixi'lante] *adj* vigilant(e) ♦ *nm* gardien *m*; **vigilante jurado** vigile *m*; **vigilante nocturno** veilleur *m* de nuit.

vigilar [bixi'lar] *vt* surveiller ♦ *vi* être de garde; **~ por** (*salud*) veiller à; (*algn*) veiller sur.

vigilia [vi'xilja] *nf* veille *f*; (*REL*) vigile *f*.

vigor [bi'ɣor] *nm* vigueur *f*; **en ~** en vigueur; **entrar en ~** entrer en vigueur.

vigoroso, -a [biɣo'roso, a] *adj* vigoureux(-euse).

vigueta [bi'ɣeta] *nf* poutrelle *f*.

V.I.H. *sigla m* (= *Virus de Inmunodeficiencia Humana*) VIH *m* (= *virus de l'immunodéficience humaine*).

vil [bil] *adj* vil(e).

vileza [bi'leθa] *nf* vilenie *f*.

vilipendiar [bilipen'djar] *vt* vilipender.

villa ['biʎa] *nf* villa *f*; (*población*) ville *f*; **la V~ (de Madrid)** la Ville (de Madrid); **villa miseria** (*CSUR*) bidonville *m*.

villancico [biʎan'θiko] *nm* chant *m* de Noël.

villano [bi'ʎano] *nm* malfrat *m*.

vilo ['bilo]: **en ~** *adv* (*sostener, levantar*) en l'air; **estar en ~** (*fig*) être sur des charbons ardents.

vinagre [bi'naɣre] *nm* vinaigre *m*.

vinagreta [bina'ɣreta] *nf* vinaigrette *f*.

vinculación [binkula'θjon] *nf* (*a partido, idea*) lien *m*; (*de grupos, hechos*) rapprochement *m*.

vincular [binku'lar] *vt* rapprocher; (*por contrato, obligación*) lier; **vincularse** *vpr*: **~se (a)** se rapprocher (de).

vínculo ['binkulo] *nm* lien *m*.

vinícola [bi'nikola] *adj* vinicole.

vino ['bino] *vb V* **venir** ♦ *nm* vin *m*; **vino añejo** vin vieux; **vino blanco** vin blanc; **vino de cosecha** vin d'appellation contrôlée; **vino de crianza** grand cru *m*; **vino de mesa** vin de table; **vino peleón** pinard *m*; **vino tinto** vin rouge.

viña ['biɲa] *nf* vigne *f*.

viñedo [bi'ɲeðo] *nm* vignoble *m*.

viñeta [bi'ɲeta] *nf* vignette *f*.

viola ['bjola] *nf* viole *f*.

violación [bjola'θjon] *nf* (*de una persona*) viol *m*; (*de derecho, ley*) violation *f*; **violación de contrato** (*COM*) rupture *f* de contrat.

violar [bjo'lar] *vt* violer.

violencia [bjo'lenθja] *nf* violence *f*.

violentar [bjolen'tar] *vt* forcer; (*persona*) violenter; **violentarse** *vpr* se faire violence.

violento, -a [bjo'lento, a] *adj* violent(e); (*embarazoso*) embarrassant(e); (*incómodo*) mal à l'aise *inv*; **me es muy ~** cela me gêne beaucoup.

violeta [bjo'leta] *adj* violet(te) ♦ *nf* (*BOT*) violette *f* ♦ *nm* (*color*) violet *m*.

violín [bjo'lin] *nm* violon *m*.

violón [bjo'lon] *nm* contrebasse *f*.

violoncelo [bjolon'θelo] *nm* violoncelle *m*.

viraje [bi'raxe] *nm* virage *m*; (*de ideas, procedimientos*) revirement *m*.

virar [bi'rar] *vt* (*FOTO*) faire virer ♦ *vi* virer.

virgen ['birxen] *adj* vierge ♦ *nm* garçon *m o* homme *m* vierge ♦ *nf* vierge *f*; **la (Santísima) V~** la (Sainte) Vierge.

virginidad [birxini'ðað] *nf* virginité *f*.

Virgo ['birɣo] *nm* (*ASTROL*) la Vierge; **ser ~** être (de la) Vierge.

viril [bi'ril] *adj* viril(e); **miembro ~** membre *m* viril.

virilidad [birili'ðað] *nf* virilité *f*.

virrey [bi'rrei] *nm* vice-roi *m*.

virtual [bir'twal] *adj* virtuel(le); (*candidato, presidente*) potentiel(le).

virtud [bir'tuð] *nf* vertu *f*; **en ~ de** en vertu de.

virtuoso, -a [bir'twoso, a] *adj* vertueux(-euse) ♦ *nm/f* (*MÚS*) virtuose *m/f*.

viruela [bi'rwela] *nf* variole *f*; **~s** *nfpl* (*pústulas*) boutons *mpl* de variole.

virulento, -a [biru'lento, a] *adj* virulent(e).

virus ['birus] *nm inv* virus *msg*.

viruta [bi'ruta] *nf* copeau *m*.

visa ['bisa] (*AM*) *nf*, **visado** [bi'saðo] *nm* visa *m*; **visa de permanencia** permis *m* de séjour.

visar [bi'sar] *vt* viser.

víscera ['bisθera] *nf* viscère *m*; **~s** *nfpl* viscères *mpl*.
visceral [bisθe'ral] *adj* viscéral(e).
viscoso, -a [bis'koso, a] *adj* visqueux(-euse).
visera [bi'sera] *nf* visière *f*; (*gorra*) casquette *f* à visière.
visibilidad [bisiβili'ðað] *nf* visibilité *f*.
visible [bi'siβle] *adj* visible; **estar ~** être visible; **exportaciones/importaciones ~s** (COM) exportations *fpl*/importations *fpl* visibles.
visillo [bi'siʎo] *nm* rideau *m*.
visión [bi'sjon] *nf* vision *f*; **ver visiones** avoir des visions; **visión de conjunto** vue *f* d'ensemble; **visión global** vue globale.
visita [bi'sita] *nf* visite *f*; **horas/tarjeta de ~** heures *fpl*/carte *f* de visite; **hacer una ~** rendre *o* faire une visite; **ir de ~** aller rendre visite; **visita de cortesía** visite de courtoisie; **visita de cumplido** visite de politesse.
visitar [bisi'tar] *vt* (*familia etc*) rendre visite à; (*ciudad, museo*) visiter; (*inspeccionar*) faire la visite de.
vislumbrar [bislum'brar] *vt* apercevoir, distinguer; (*solución*) entrevoir.
viso ['biso] *nm* (*de metal*) éclat *m*; (*de tela*) lustre *m*; (*aspecto*) luisant *m*; **tiene ~s de ser cierto** cela a l'air d'être vrai.
visón [bi'son] *nm* vison *m*; **abrigo de ~** manteau *m* de vison.
visor [bi'sor] *nm* (FOTO) viseur *m*; (*de arma*) viseur *m*.
víspera ['bispera] *nf* veille *f*; **la ~** *o* **en ~s de** (à) la veille de.
vista ['bista] *nf* vue *f*; (JUR) audience *f*; **a primera** *o* **simple ~** à première vue, au premier abord; **a ~ de pájaro** à vol d'oiseau; **fijar** *o* **clavar la ~ en algo** fixer qch; **hacer la ~ gorda** fermer les yeux; **tener ~ (para algo)** avoir du flair (pour qch); **volver la ~** détourner les yeux; **hacer algo a la ~ de todos** faire qch au vu et au su de tous; **está** *o* **salta a la ~ que** il saute aux yeux que; **a la ~** (COM) à vue; **conocer a algn de ~** connaître qn de vue; **perder algo/a algn de ~** perdre qch/qn de vue; **en ~ de ...** vu ...; **en ~ de que** vu que; **¡hasta la ~!** à bientôt!; **con ~s a** (*al mar*) avec vue sur; (*al futuro, a mejorar*) dans le but de; **vista cansada** vue qui baisse; **vista de lince** yeux *mpl* de lynx.
vistazo [bis'taθo] *nm* coup *m* d'œil; **dar** *o* **echar un ~ a** donner *o* jeter un coup d'œil à.
visto, a ['bisto, a] *vb V* **vestir** ♦ *pp de* **ver** ♦ *adj*: **estar muy ~** être très en vue ♦ *nm*: **~ bueno** autorisation *f*; **está ~ que** il est clair que; **está bien/mal ~** c'est bien/mal vu; **estaba ~** c'était à prévoir; **~ que** vu que; **por lo ~** apparemment; **dar el ~ bueno a** donner son autorisation pour.
vistoso, -a [bis'toso, a] *adj* voyant(e).
visual [bi'swal] *adj* visuel(le).
visualizar [biswali'θar] *vt* visualiser.
vital [bi'tal] *adj* vital(e); (*persona*) plein(e) de vitalité.
vitalicio, -a [bita'liθjo, a] *adj* viager(-ère); (*cargo*) à vie.
vitalidad [bitali'ðað] *nf* vitalité *f*.
vitamina [bita'mina] *nf* vitamine *f*.
vitamínico, -a [bita'miniko, a] *adj*: **complejo ~** complexe *m* vitaminé.
viticultor, a [bitikul'tor, a] *nm/f* viticulteur(-trice).
vitorear [bitore'ar] *vt* acclamer.
vítores ['bitores] *nmpl* clameurs *fpl*.
vitrina [bi'trina] *nf* vitrine *f*.
vituperar [bitupe'rar] *vt* vitupérer.
viudez [bju'ðeθ] *nf* veuvage *m*.
viudo, -a ['bjuðo, a] *adj, nm/f* veuf(veuve).
viva ['biβa] *excl* vivat! ♦ *nm* vivat *m*; **¡~ el rey!** vive le roi!
vivacidad [biβaθi'ðað] *nf* vivacité *f*.
vivaracho, -a [biβa'ratʃo, a] *adj* vivant(e).
vivaz [bi'βaθ] *adj* vivace; (*ingenio*) vif(vive).
vivencia [bi'βenθja] *nf* vécu *m*.
víveres ['biβeres] *nmpl* vivres *mpl*.
vivero [bi'βero] *nm* (HORTICULTURA) pépinière *f*; (*criadero*) vivier *m*; (*fig: de delincuentes, discordia*) source *f*.
vivienda [bi'βjenda] *nf* logement *m*, habitation *f*; **vivienda de protección oficial** H.L.M. *m*; **viviendas sociales** logements sociaux.
viviente [bi'βjente] *adj* vivant(e).
vivir [bi'βir] *vt, vi* vivre; **~ de** vivre de; **~ bien/mal** vivre bien/mal; **saber ~** savoir vivre.
vivo, -a ['biβo, a] *adj* vif(vive); (*ser, recuerdo, planta*) vivant(e); **al rojo ~** à blanc; **en ~** (TV, MÚS) en direct.
Vizcaya [biθ'kaja] *nf* Gascogne *f*; **el Golfo de ~** le golfe de Gascogne.
vizconde [biθ'konde] *nm* vicomte *m*.
vocablo [bo'kaβlo] *nm* mot *m*.
vocabulario [bokaβu'larjo] *nm* vocabulaire *m*.
vocación [boka'θjon] *nf* vocation *f*.
vocal [bo'kal] *adj* vocal(e) ♦ *nm/f* membre *m* ♦ *nf* (LING) voyelle *f*.
vocalizar [bokali'θar] *vt* prononcer ♦ *vi* vocaliser.
voceador [boθea'ðor] (AM) *nm*: **~ de per-**

iódicos crieur *m* de journaux.

vocear [boθe'ar] *vt* (*mercancía*) vendre à la criée; (*escándalo, noticia*) crier sur les toits ♦ *vi* vociférer.

vocero, -a [bo'θero, a] (*AM*) *nm/f* porte-parole *m inv*.

vodka ['boðka] *nm* vodka *f*.

vodú [bo'ðu] (*AM*) *nm* vaudou *m*.

volador, a [bola'ðor, a] *adj* volant(e).

voladura [bola'ðura] *nf* explosion *f*; (*MINERÍA*) minage *m*.

volandas [bo'landas]: **en** ~ *adv* en volant; (*en un momento*) en un clin d'œil.

volante [bo'lante] *adj* volant(e) ♦ *nm* volant *m*; (*MED: de aviso*) convocation *f*; **ir al** ~ être au volant.

volar [bo'lar] *vt* faire exploser ♦ *vi* voler; (*tiempo*) passer; (*noticias*) aller bon train; (*fam: desaparecer*) filer; **volarse** *vpr* s'envoler; **voy volando** j'y cours.

volcán [bol'kan] *nm* volcan *m*; **el país/su pasión es un** ~ le pays est une poudrière/sa passion est comme un volcan.

volcánico, -a [bol'kaniko, a] *adj* volcanique.

volcar [bol'kar] *vt* (*recipiente*) vider; (*contenido*) verser; (*vehículo*) renverser; (*barco*) faire chavirer ♦ *vi* (*vehículo*) capoter; (*barco*) chavirer; **volcarse** *vpr* (*recipiente*) se renverser; (*vehículo*) capoter; (*barco*) chavirer; (*esforzarse*): **~se para hacer algo/con algn** se donner beaucoup de mal pour faire qch/avec qn.

volea [bo'lea] *nf* volée *f*.

voleibol [bolei'βol] *nm* volley-ball *m*.

voleo [bo'leo] *nm* volée *f*, **a(l)** ~ au petit bonheur, au hasard; **de un** ~ en un tourne-main.

voltaje [bol'taxe] *nm* voltage *m*.

voltear [bolte'ar] *vt* faire tourner; (*persona: en el aire*) faire sauter en l'air; (*AM*) tourner; (*: volcar*) verser; **voltearse** *vpr* (*AM*) se retourner; ~ **a hacer algo** (*AM*) recommencer (à faire) qch.

voltereta [bolte'reta] *nf* (*rodada*) culbute *f*; (*en el aire*) saut *m* périlleux; **voltereta lateral** roue *f*.

voltio ['boltjo] *nm* volt *m*.

voluble [bo'luβle] *adj* volubile.

volumen [bo'lumen] *nm* volume *m*; (*COM*) volume, chiffre *m*; **bajar el** ~ baisser le son; **poner la radio a todo** ~ mettre la radio à fond; **volumen de capital** capital *m*; **volumen de negocios/de ventas** chiffre d'affaire/des ventes.

voluminoso, -a [bolumi'noso, a] *adj* volumineux(-euse).

voluntad [bolun'tað] *nf* volonté *f*, **a** ~ à volonté; **buena** ~ bonne volonté; **dar la** ~ laisser un pourboire; **tener mucha/poca** ~ avoir beaucoup de/peu de volonté; **por causas ajenas a nuestra** ~ pour des raisons indépendantes de notre volonté.

voluntario, -a [bolun'tarjo, a] *adj, nm/f* volontaire *m/f*; **ofrecerse (como)** ~ se porter volontaire.

voluptuoso, -a [bolup'twoso, a] *adj* voluptueux(-euse).

volver [bol'βer] *vt* tourner; (*boca abajo, de dentro fuera*) retourner; (*de atrás adelante*) ramener; (*transformar en: persona*) rendre; (*manga*) retrousser ♦ *vi* (*regresar*) revenir; (*ir de nuevo*) retourner; **volverse** *vpr* (*girar*) se retourner; (*convertirse en*) devenir; ~ **la espalda** tourner le dos; ~ **a hacer algo** recommencer (à faire) qch; ~ **de** revenir de; ~ **en sí** revenir à soi; ~ **la vista atrás** regarder en arrière; ~ **loco a algn** rendre qn fou(folle); **~se loco/insociable** devenir fou/asocial; **~se atrás** revenir en arrière; **su mentira se volvió contra él** *o* **en contra de él** son mensonge s'est retourné contre lui.

vomitar [bomi'tar] *vt* vomir; (*sangre*) cracher ♦ *vi* vomir.

vómito ['bomito] *nm* vomissement *m*; (*lo vomitado*) vomi *m*.

vorágine [bo'raxine] *nf* tourbillon *m*.

voraz [bo'raθ] *adj* vorace; (*hambre*) dévorant(e).

vos [bos] (*AM*) *pron* vous; (*esp CSUR*) tu.

vosotros, -as [bo'sotros, as] *pron* vous; **entre** ~ parmi vous.

votación [bota'θjon] *nf* vote *m*; **por** ~ par vote; **someter algo a** ~ soumettre qch au vote; ~ **secreta/a mano alzada** vote à bulletin secret/à main levée.

votar [bo'tar] *vt, vi* voter.

voto ['boto] *nm* vote *m*; (*REL*) vœu *m*; **hacer ~s por** faire des vœux pour; **dar su** ~ voter; **voto a favor** vote pour; **voto de censura/de confianza** motion *f* de censure/vote de confiance; **voto en contra** vote contre.

voy [boi] *vb V* **ir**.

voz [boθ] *nf* voix *fsg*; (*grito*) cri *m*; (*rumor*) bruit *m*; (*LING: palabra*) mot *m*; **dar voces** pousser des cris; **llamar a algn/hablar a voces** appeler qn en criant/crier; **la ~ de la conciencia** la voix de la conscience; **a media** ~ à mi-voix; **a ~ en cuello** *o* **en grito** à grands cris; **de viva** ~ de vive voix; **en ~ alta/baja** à voix haute/basse; **llevar la ~ cantante** commander; **tener la ~ tomada** être enroué(e); **tener ~ y voto** avoir voix au chapitre; **voz de mando** ton *m* de commandement; **voz en off**

voix off.
vozarrón [boθa'rron] *nm* voix *fsg* de stentor.
vuelco ['bwelko] *vb V* **volcar** ♦ *nm* culbute *f*, chute *f*; (*de coche*) tonneau *m*, capotage *m*; **me dio un ~ el corazón** ça m'a fait un coup au cœur.
vuelo ['bwelo] *vb V* **volar** ♦ *nm* vol *m*; (*de falda, vestido*) ampleur *f*; **de altos ~s** de haut vol; **alzar el ~** prendre son vol; **cazar** *o* **coger al ~** attraper au vol; **cazarlas** *o* **cogerlas al ~** (*fig*) ne pas en laisser passer une, **falda de (mucho) ~** jupe *f* ample; **vuelo chárter** vol charter; **vuelo en picado** descente *f* en piqué; **vuelo espacial** vol spatial; **vuelo libre** vol libre; **vuelo regular** vol régulier; **vuelo sin motor** vol sans moteur.
vuelque *etc* ['bwelke] *vb V* **volcar**.
vuelta ['bwelta] *nf* tour *m*; (*regreso*) retour *m*; (*en carreras, circuito*) virage *m*; (*de camino, río*) méandre *m*; (*de papel*) verso *m*; (*de pantalón, tela, fig*) revers *msg*; (*en labor de punto*) rangée *f*; (*situación*) renversement *m*; (*dinero*) monnaie *f*; **~ a empezar** retour à la case départ; **a la ~** (*ESP*) au retour; **a la ~ (de la esquina)** au coin (de la rue); **a ~ de correo** par retour du courrier; **dar(se) la ~** (*coche*) faire demi-tour; (*persona*) se retourner; **dar la ~ a algo** retourner qch; (*de atrás adelante*) ramener qch; **dar la ~ al mundo** faire le tour du monde; **dar ~s** tourner; **dar ~s a algo** (*comida*) remuer qch; (*manivela*) tourner qch; **dar ~s a una idea** tourner et retourner une idée dans sa tête; **dar una ~** faire un tour; **dar una ~ a algo** (*llave, tuerca*) donner un tour de qch; **dar media ~** (*persona*) faire demi-tour; **estar de ~** être de retour; **poner a algn de ~ y media** (*fam*) traiter qn de tous les noms; **no tiene ~ de hoja** il n'y a pas d'autre solution; **vuelta ciclista** tour *m* (cycliste); **vuelta de campana** tonneau *m*.
vuelto ['bwelto] *pp de* **volver** ♦ *nm* (*AM*) monnaie *f*.
vuelva *etc* ['bwelβa] *vb V* **volver**.
vuestro, -a ['bwestro, a] *adj* votre ♦ *pron*: **el ~/la vuestra** le/la vôtre; **los ~s, las vuestras** les vôtres; **lo ~** ce qui est à vous; **un amigo ~** un de vos amis; **¿son ~s?** c'est à vous?; **una idea vuestra** une de vos idées.
vulgar [bul'ɣar] *adj* (*pey*) vulgaire; (*no refinado*) grossier(-ière); (*gustos, uso*) commun(e).
vulgarizar [bulɣari'θar] *vt* vulgariser.
vulgo ['bulɣo] *nm*: **el ~** (*pey*) le commun des mortels.
vulnerable [bulne'raβle] *adj* vulnérable; (*punto, zona*) sensible; **ser ~ a** être vulnérable à.
vulnerar [bulne'rar] *vt* (*ley, acuerdo*) transgresser; (*derechos, reputación*) bafouer; (*intimidad*) violer.
vulva ['bulβa] *nf* vulve *f*.

W, w

walkie-talkie [walki-'talki] *nm* talkie-walkie *m*.
walkman ® ['wal(k)man] *nm* walkman *m* ®, baladeur *m*.
wáter ['bater] *nm* waters *mpl*.
waterpolo [water'polo] *nm* water-polo *m*.
whisky ['wiski] *nm* whisky *m*.
windsurf ['winsurf] *nm* windsurf *m*, planche *f* à voile.

X, x

xenofobia [kseno'foβja] *nf* xénophobie *f*.
xerografía [seroɣra'fia] *nf* xérographie *f*.
xilófono [ksi'lofono] *nm* xylophone *m*.

Y, y

y [i] *conj* et; **~ bueno/claro** (*esp ARG*: *muletilla enfática*) bon/évidemment; **¿~ tu hermana?** et ta sœur?; **¡¿~ qué?!** et alors!; **¿~ si ...?** et si ...?; **¡~ yo!** moi aussi!; **estuvo llora ~ llora** (*AM*) il(elle) n'a pas arrêté de pleurer.
ya [ja] *adv* déjà; (*con presente*: *ahora*) maintenant; (: *en seguida*) tout de suite; (*con futuro*: *pronto*) bientôt ♦ *excl* OK!; (*entiendo*) oui!; (*por supuesto*) évidemment!; (*por fin*) enfin! ♦ *conj* déjà; **~ que** puisque; **~ no vamos** nous ne partons plus; **~ lo sé** je sais; **¡~ era hora!** il était temps!; **~ ves** tu vois bien; **~ veremos** on verra bien; **¡~ está!** ça y est!; **~, ya** (*irónico*) mais oui; **que ~, ya** mais oui, c'est ça; **¡~ voy!** j'arrive!, j'y vais!; **~ mismo** (*esp CSUR*) tout de suite; **desde ~** (*CSUR*) tout de suite; (: *claro*) évidemment; **~ que no está ...** puisqu'il n'est pas là ...; **~ vale (de hacer), ~ está bien** ça suffit.
yacer [ja'θer] *vi* gésir; **aquí yace** ci-gît.
yacimiento [jaθi'mjento] *nm* gisement *m*; **yacimiento petrolífero** gisement de pétrole.
yanqui ['janki] *adj* yankee ♦ *nm/f* Yankee *m/f*.

yate ['jate] *nm* yacht *m*.
yazca *etc* ['jaθka] *vb V* **yacer**.
yedra ['jeðra] *nf* lierre *m*.
yegua ['jeɣwa] *nf* jument *f*.
yema ['jema] *nf* (*del huevo*) jaune *m*; (*BOT*) bourgeon *m*; (*CULIN*) *jaune d'œuf mélangé avec du sucre*; **yema del dedo** bout *m* du doigt.
yen [jen] *nm* yen *m*.
yendo ['jendo] *vb V* **ir**.
yerba ['jerβa] *nf* = **hierba**.
yerga *etc* ['jerɣa], **yergue** *etc* ['jerɣe] *vb V* **erguir**.
yerno ['jerno] *nm* gendre *m*.
yerre *etc* ['jerre] *vb V* **errar**.
yeso ['jeso] *nm* (*GEO*) gypse *m*; (*ARQ*) plâtre *m*.
yo [jo] *pron (personal)* je; **soy ~** c'est moi; **~ que tú/usted** moi, à ta/votre place.
yodo ['joðo] *nm* iode *m*.
yoga ['joɣa] *nm* yoga *m*.
yogur(t) [jo'ɣur(t)] *nm* yaourt *m*, yogourt *m*; **yogur(t) descremado** *o* **desnatado** yaourt écrémé.
yogurtera [joɣur'tera] *nf* yaourtière *f*.
yudo ['juðo] *nm* judo *m*.
yugo ['juɣo] *nm* joug *m*.
Yugoslavia [juɣos'laβja] *nf* Yougoslavie *f*.
yugular [juɣu'lar] *adj*, *nf* jugulaire *f*.
yunque ['junke] *nm* enclume *f*.
yunta ['junta] *nf* attelage *m*; **~s** *nfpl* (*VEN*: *de camisa*) boutons *mpl* de manchette.
yuxtaponer [jukstapo'ner] *vt* juxtaposer.

Z, z

zafarse [θa'farse] *vpr*: **~ de** se libérer de.
zafio, -a ['θafjo, a] *adj* rustre.
zafiro [θa'firo] *nm* saphir *m*.
zaga ['θaɣa] *nf*: **a la ~** à la traîne; **ella no le va a la ~** (*fig*) elle n'a rien à lui envier.
zagal, a [θa'ɣal, a] *nm/f* (*muchacho*) garçon (fille); (*pastor*) pâtre(bergère).
zaguán [θa'ɣwan] *nm* vestibule *m*.
zaherir [θae'rir] *vt* mortifier.
zalamero, -a [θala'mero, a] *adj* cajoleur(-euse).
zamarra [θa'marra] *nf* veste *f* en cuir.
zambullida [θambu'ʎiða] *nf* plongeon *m*.
zambullirse [θambu'ʎirse] *vpr* plonger; (*fig*: *en trabajo*) se plonger.
zampar [θam'par] (*fam*) *vt* engouffrer; **zamparse** *vpr*: **~se algo** engouffrer qch.
zanahoria [θana'orja] *nf* carotte *f*.
zancada [θan'kaða] *nf* enjambée *f*; **dar ~s** faire de grandes enjambées.
zancadilla [θanka'ðiʎa] *nf* croc-en-jambe *m*; **echar** *o* **poner la ~ a algn** barrer la route à qn; (*fig*) mettre des bâtons dans les roues à qn.
zanco ['θanko] *nm* échasse *f*.
zancudo, -a [θan'kuðo, a] *adj*: **ave ~** oiseau *m* aux longues pattes ♦ *nm* (*AM*) moustique *m*.
zángano, -a ['θangano, a] *nm/f* feignant(e) ♦ *nm* (*ZOOL*) faux bourdon *m*.
zanja ['θanxa] *nf* fossé *m*.
zanjar [θan'xar] *vt* trancher.
zapata [θa'pata] *nf* patin *m*.
zapateado [θapate'aðo] *nm* zapatéado *m*.
zapatería [θapate'ria] *nf* (*tienda*) magasin *m* de chaussures; (*oficio*) cordonnerie *f*.
zapatero, -a [θapa'tero, a] *nm/f* cordonnier(-ière); (*vendedor*) marchand(e) de chaussures.
zapatilla [θapa'tiʎa] *nf* (*para casa*) chausson *m*; (*para la calle*) sandale *f*; (*de ballet*) pointe *f*; (*TEC*) joint *m*; **zapatilla de deporte** chaussure *f* de sport.
zapato [θa'pato] *nm* chaussure *f*; **zapato de tacón** chaussure à talon.
zar [θar] *nm* tsar *m*.
zarandear [θarande'ar] *vt* secouer.
zarpa ['θarpa] *nf* griffe *f*; **echar la ~ a** (*fam*) se jeter sur.
zarpar [θar'par] *vi* lever l'ancre.
zarpazo [θar'paθo] *nm* coup *m* de griffe.
zarza ['θarθa] *nf* ronce *f*.
zarzal [θar'θal] *nm* fourré *m*.
zarzamora [θarθa'mora] *nf* (*fruto*) mûre *f*; (*planta*) mûrier *m*.
zarzuela [θar'θwela] *nf* zarzuela *f*.
zas [θas] *excl* vlan!
zigzag [θiɣ'θaɣ] *nm* zigzag *m*; **en ~** en zigzag.
zigzaguear [θiɣθaɣe'ar] *vi* zigzaguer.
zinc [θink] *nm* zinc *m*.
zíper ['θiper] (*MÉX*) *nm* fermeture *f* éclair.
zócalo ['θokalo] *nm* soubassement *m*.
zoco ['θoko] *nm* souk *m*.
zodíaco [θo'ðiako] *nm* zodiaque *m*; **signo del ~** signe *m* du zodiaque.
zona ['θona] *nf* zone *f*; **zona de desarrollo** *o* **de fomento** zone de développement; **zona del dólar** (*COM*) zone dollar; **zona fronteriza/peatonal** zone frontalière/piétonne; **zona verde** espace *m* vert.
zonzo, -a ['θonθo, a] (*AM*: *fam*) *adj* bête, idiot(e) ♦ *nm/f* idiot(e).
zoo ['θoo] *nm* zoo *m*.
zoología [θoolo'xia] *nf* zoologie *f*.
zoológico, -a [θoo'loxiko, a] *adj* zoologique ♦ *nm* (*tb*: **parque ~**) zoo *m*.
zoom [θum] *nm* zoom *m*.

zopilote [θopi'lote] (*AM*) *nm* vautour *m*.
zoquete [θo'kete] (*fam*) *adj, nm/f* abruti(e).
zorro, -a ['θorro, a] *adj* rusé(e) ♦ *nm/f* renard(e) ♦ *nm* (*hombre astuto*) renard *m* ♦ *nf* (*fam!*) pute *f* (*fam!*).
zozobra [θo'θoβra] *nf* angoisse *f*.
zozobrar [θoθo'βrar] *vi* (*barco*) couler; (*fig: plan*) échouer.
zueco ['θweko] *nm* sabot *m*.
zulo ['θulo] *nm* (*de armas*) cache *f*.
zumbar [θum'bar] *vt* (*fam: pegar*) flanquer une gifle à ♦ *vi* (*abeja*) bourdonner; (*motor*) vrombir; **zumbarse** *vpr*: **~se de** se moquer de; **salir zumbando** (*fam*) sortir comme une flèche; **me zumban los oídos** j'ai les oreilles qui bourdonnent.
zumbido [θum'biðo] *nm* (*de abejas*) bourdonnement *m*; (*de motor*) vrombissement *m*; **zumbido de oídos** bourdonnement d'oreilles.
zumo ['θumo] *nm* jus *msg*; **zumo de naranja** jus d'orange.
zurcir [θur'θir] *vt* (*COSTURA*) raccommoder; **¡que les zurzan!** (*fam*) qu'ils aillent au diable!
zurdo, -a ['θurðo, a] *adj* (*persona*) gaucher(-ère); (*mano*) gauche.
zurra ['θurra] *nf* (*fam*) raclée *f*.
zurrar [θu'rrar] *vt* (*fam: pegar*) tabasser; (*piel*) tanner.
zurrón [θu'rron] *nm* gibecière *f*.
zurza *etc* ['θurθa] *vb V* **zurcir**.
zutano, -a [θu'tano, a] *nm/f* un(e) tel(le).